AN ENGLISH–TURKISH DICTIONARY

AN ENGLISH-TURKISH DICTIONARY

BY

FAHİR İZ

AND

H. C. HONY

OXFORD
AT THE CLARENDON PRESS
1952

Oxford University Press, Amen House, London E.C. 4
GLASGOW NEW YORK TORONTO MELBOURNE WELLINGTON
BOMBAY CALCUTTA MADRAS KARACHI CAPE TOWN IBADAN
Geoffrey Cumberlege, Publisher to the University

PRINTED IN GREAT BRITAIN

PREFACE

THIS dictionary is the companion volume to our Turkish–English dictionary.

For every English-speaking person wishing to learn Turkish there are probably 100 Turks wishing to learn English and, therefore, this dictionary has been compiled mainly with a view to the needs of Turkish students. It will, however, be of the greatest use to English-speaking students provided that it is used intelligently, that is to say in conjunction with the Turkish–English dictionary. For instance, the word 'start' has several different meanings in English, each of which requires a different word in Turkish. It would be possible, by the use of synonyms, to help the English-speaking student to choose the right Turkish equivalent, although, even then, he would be wise to consult the Turkish–English dictionary. But the addition of all the necessary synonyms would need a lot of space, and space is the lexicographer's most precious possession. The space saved by the omission of synonyms can be far more usefully employed by the insertion of a large number of rare words or, better still, of common idioms and phrases. It has been our policy in both dictionaries to prefer the inclusion of everyday idioms and phrases to the addition of uncommon words, some of which might never be met within a lifetime's reading of English.

The purpose of such a dictionary as this is to enable the Turkish student to acquire sufficient English to enable him to use one of the many excellent all-English dictionaries; indeed, this is the correct way for anyone wishing to get a really scholarly knowledge of a foreign language. Unfortunately the English speaker is at a disadvantage in this connexion, for there exists no good Turkish–Turkish dictionary.

We have not included technical words other than those which any educated man might be expected to know; in the first place, we consider that such words are beyond the scope of a medium-sized dictionary, and in the second place the whole question of technical terms in Turkish is in a chaotic state; Turks use English, French, or German words according to their outlook and education, or else some of the invented Turkish words, most of which are not understood even by technicians themselves.

We have done our best to find the correct Turkish names for plants, birds, fishes, and insects; where we are uncertain about the correctness of our translations we have added a (?). We are greatly indebted to Dr. Malcolm Burr for the help he has given us in this sphere.

We have to thank the British Council for financial help and the Clarendon Press for putting at our disposal its vast experience in lexicography.

H. C. H.

F. I.

Önsöz

OXFORD University Press tarafından 1947de neşredilen Türkçe–İngilizce Lûgate eş olarak hazırladığımız bu eserde takib ettiğimiz usûl ve esasları kısaca zikretmeği faydasız bulmuyoruz.

Her hangi bir lisanda bir sözlük hazırlıyan herkes gibi bizim de ilk hareket noktamız kitabın ölçüsünü ve gayesini tesbit etmek oldu. Bu, bilhassa İngilizce gibi, kelime sayısı yüz bini aşan çok zengin bir dil için zarurî idi. Daha ziyade İngilizceyi öğrenmekte olanlar için, orta hacimde ve bir cildlik olarak tesbit ettiğimiz bu lûgate lisandaki bütün kelimeleri almak elbette bahis mevzuu olamazdı. Şu halde mesele lûgate alınacak ve alınmıyacak kelimelerin tesbitinde bir esas kabûl etmekti.

İngilizcede ilerleyenler için, başta on iki cildlik *The Oxford English Dictionary* nin muhtelif hacimdeki tabıları olmak üzere, her müşkülü halledebilecek, mükemmel lûgat kitabları vardır. Fakat İngilizceden İngilizceye olan bu lûgatler, lisanı öğrenmekte olanların ihtiyaclarını karşılayamaz. Esasen ilk safhada rastlanan güçlükler kelimelerde değildir. Çünkü umumî kelimeler her hangi bir ceb lûgatinde bulunabilir, nadir ve güç kelimelere ise bu safhada pek rastlanmaz.

Asıl güçlük İngilizcede idiom adı verilen tabirlerdedir. Gerçekten, yabancı dil öğrenenlerin karşılaştıkları en büyük güçlük o lisana mahsus olan tabirlerdedir. Çünkü ne gramer kaidelerini öğrenmek, ne de nadir kelimelere varıncaya kadar bir sürü lûgat ezberlemekle bu tabirlerden mana çıkarmak mümkün değildir. Lisanların hususiyetlerini teşkil eden, onlara mahallî renklerini veren bu tabirlerdir ve bunlar layıkile kavranılmadıkça lisanın ruhuna ve mana inceliklerine nüfuz etmek imkânsızdır.

İşte bu mutalaalara dayanarak, bu kitabda, diger lûgatlerde bulunabilecek nadir, eski veya fazla teknik kelimeleri feda ederek, mümkün olduğu kadar bu tabirleri almak ve bunlar üzerinde durmak yolunu tuttuk. Lûgatimiz hakkında fikir yürüteceklerin eserin bu hususiyetini göz önünde tutmalarını insaflarından beklemek hakkımızdır, sanırız. İşte bu sebeble meselâ **appulsion, bechance, foison, apetalous, aptera, frisket, frit, glauconite,** v.s., v.s. gibi ya çok eski veya fazla teknik kelimeleri almadık. İngiliz edebiyatı tahsil eden, klasik metinler üzerinde çalışan veya ihtisas eserleri tercüme edenler esasen ya umumî veya meslekî bir İngilizce lûgat kullanmağa mecbur olacakları için, biz onları da göz önünde tutsaydık, asıl hedefimiz olan İngilizceyi öğrenen talebenin ihtiyacını yarım yamalak karşılamış olurduk. Maamafih teknik kelimelerden umumî lisanda kullanılanlar şübhesiz lûgate alınmıştır.

Bu eserin hususiyetini teşkil eden tabirler hakkında da bir kaç söz söylemek isteriz.

Bir çok lûgat kitablarında bu hususî tabirler—eğer alınmışsa—sadece izah edilmiştir. Biz İngilizce her tabir için Türkçede bir karşılık aradık ve ifadenin havasını muhafaza etmeğe çalıştık. Meselâ **they are both tarred with the**

same brush tabirini, muhtelif misaller vererek, anlatmağa çalışmak mümkündür. Fakat biz bu manada kullanılan Türkçe bir tabir aradık ve bunu 'al birini vur ötekine' ile tercüme ettik. Aynı şekilde **he has money to burn, if the cap fits wear it, I don't care two hoots, to be getting on for fifty, to give as good as one gets . . .** tabirlerini sırasile 'denizde kum onda para', 'yarası olan kocunsun', 'vız gelir tırıs gider', 'ellisine merdiven dayamak', 'taşı gedigine koymak' . . . tabirlerile karşıladık.

İnsan elile yapılan hiç bir eser tam ve kusursuz değildir. Bu, bilhassa bir lûgat kitabı için doğrudur. Unuttuğumuz ve yanıldığımız noktalarda bizi aydınlatacak ve lûgatin, ikinci basılışında, daha noksansız çıkmasına yardım edecek olan dikkatli okuyucularımıza şimdiden minnet ve teşekkürlerimizi sunarız.

FAHİR İZ ve H. C. HONY

Şubat 1952

Sözlüğün kullanılışı hakkında bazı açıklamalar

Müştaklar

Yerden tasarruf etmek için, müştak kelimeler umumiyetle alınmamıştır. Meselâ: **-logy** ile nihayetlenen kelimelerin **-logist** ve **-logical** ile biten müştakları vardır. Biz **philology**'den sonra ayrıca **philologist** ve **philological**'ı almağa lüzum görmedik, **-fy** ile sona eren bütün fiillerden **-fication** ile nihayetlenen isimler teşkil edilebilir, meselâ **intensify**'dan **intensification** yapılabilir ki böyle kelimeler de alınmamıştır; **-ize** ile nihayetlenen fiillerden sonu **-ization** olan isimler yapılabilir, meselâ: **nationalize, nationalization** gibi; bu gibi isimler de alınmamıştır.

Sıfat olarak kullanılan ismimefuller

İsmimefullerin çoğu, küçük bir mana farkı ile, sıfat olarak da kullanılır. Bu gibi hallerde yalnız sıfatın manası verilmiş, ismimefulün manası ise, fiilin delâleti ile anlaşılacağı için, ayrıca gösterilmemiştir. Meselâ: **devoted** *adj.* candan bağlı, mahvı mukadder, talihsiz; fakat ismimefulün manası: vakfedilmis, tahsis edilmiş v.s. alınmamıştır.

Gayrıkıyasî fiiller

Gayrıkıyasî fiillerin mazi sıygası ile ismimeful şekli parantez içinde gösterilmiştir. Meselâ: **take (took, taken)**. Parantez içinde yalnız bir kelime verilmişse bu, mazi ile ismimefulün aynı olduğunu gösterir: **strike (struck)** gibi.

İsimlerden yapılan fiiller

İngilizcedeki hemen bütün isimlerden (bilhassa konuşma dilinde) fiil teşkil etmek mümkündür. Meselâ: **mushroom** — mantar, **to mushroom** — mantar toplamak, hattâ, mantar gibi yetişmek. Bu gibi fiillerden ancak yazı dilinde kullanılanlar alınmıştır.

Edatlı fiiller

Bu gibi fiiller bazan mürekkeb fiillerdir ve manaları asıl fiilden tamamen ayrıdır. Bazan da edat sadece bir isme racidir. Meselâ: **to go under** — batmak, altta kalmak, fakat **to go under a bridge** — bir köprü altından geçmek. İngilizcede mühim bir yer tutan bu edatlı fiiller, lûgatte asıl fiilin sonunda gösterilmiştir.

Echoic. (*ech.*) Başka bir adı **'onomatopoeic'** olan bu kelime 'yankı gibi', 'ses taklidine dayanan' manalarına gelir. İngilizcedeki bir çok kelimeler böyle yankı esasından gelen bir söze dayanır. Lisanı öğrenirken bunu bilmek, kelimenin ruhuna nüfuz etmek için, faydalıdır. Bu sebeble bu gibi kelimelere (*ech.*) remzini ilâve ettik.

Türkçe kelimelerin imlâsı

Türkçede hece sonundaki b, c, d harflerinin imlâsı henüz kat'î olarak halledilmiş değildir ve sebeb, ihtiyac, mes'ud şekilleri ile beraber sebep, ihtiyaç, mes'ut imlâları da görülmektedir. Biz, bu eserde, daha uygun bulduğumuz birinci şekli kabûl ettik. Yalnız tek heceli kelimelerin sonundaki p, ç, sesleri tasrifte değişmiyorsa imlâda da muhafaza edilmiştir: sap, hap, koç, suç, v.s.

Parantezler

Bazan ayrıca izah edilen bir şey parantez içinde gösterilmiştir. Fakat meselâ: '**climb,** tırmanma(k), çıkma(k)', yahut '**clinch,** perçin(lemek) gibi yerlerde kullanılan parantez, İngilizce kelimenin hem isim hem de fiil olduğunu gösterir. Tabirlerin izahında parantez içine alınan kelimeler kullanılması ihtiyarî olanlardır. Köşeli parantez içindeki kelime ikinci bir şıkkı gösterir. Meselâ: **'The Cape (of Good Hope)'** tabirinde **'of Good Hope'** ibaresini kullanmak ihtiyaridir. Her iki halde de mana değişmez. Fakat **'in [under] the circumstances'** tabirinde **in** ve **under** kelimeleri iki şıktan birini gösterir, yani ya **in the circumstances** yahut **under the circumstances** denebilir, **in under the circumstances** denmez.

Telâffuz

İngilizce öğrenenlere mahsus olan böyle bir sözlükte seslerin fonetik bakımından tahliline girişmek yersiz olacağı için biz sadece kullandığımız işaretleri pratik ve takribî misallerle izah etmeğe çalıştık. Buradaki işaretler P. A. D. MacCarthy'nin **'An English Pronouncing Vocabulary'**de kullandığı fonetik alfabenin aynıdır. Bu alfabe ise Profesör Daniel Jones'un **'An English Pronouncing Dictionary'** de kullandığı fonetik alfabenin, İngilizce öğrenen yabancılar için, sadeleştirilmiş şeklidir.

Sesliler

Fonetik harf	Örnek kelime	Açıklama
ii	bee (bii)	*biçare*'deki *i* gibi
i	hit (hit)	*git*'teki *i*'den daha kapalı bir *i*
e	set (set)	*ev*'deki *e*'den daha kapalı bir *e*
a	hat (hat)	çok açık, âdeta *a*'ya yakın yayık bir *e*
aa	car (kaa)	*mazi*'deki *a* gibi
o	pot (pot)	*ot*'taki *o*'dan çok daha açık, *a*'yı andıran bir *o*
oo	paw (poo)	*oo! gel bakalım!*'daki *oo*'ya yakın
u	book (buk)	*çabuk*'daki *u*'dan çok daha açık bir *u*
uu	too (tuu)	*tufan*'daki *u*'ya yakın
ʌ	hut (hʌt)	*kat*'taki *a*'ya yakın
əə	fur (fəə)	uzun bir *e* ile uzun *ö* arası bir ses
ə	another (ənʌðə)	yarım bir *e* sesi

Çiftsesliler

ei	pay (pei)
ou	tow (tou)
ai	buy (bai)
au	how (hau)
oi	toy (toi)
iə	near (niə)
eə	fair (feə)
oə	shore (ʃoə)
u	sure (ʃuə)

Sessizler

ŋ	sing (siŋ)	genizden *n*
θ	thin (θin)	peltek *s*
ð	them (ðem)	peltek *z*
ʃ	shy (ʃai)	*ş*
ʒ	measure (meʒə)	*j*
j	yard (jaad)	*y*
w	one (wʌn)	*duvar*'daki *uv*'a yakın bir ses

İngilizcede hece sonundaki r telaffuz edilmez. Bir sesli ile başlıyan kelimeden evvelki r okunur. Sözlükte bu bir yıldızla* gösterilmiştir.

Abbreviations—Kısaltmalar

a. **adjective.** sıfat.
adv. **adverb.** zarf.
anat. anatomi **anatomy.**
a.o. anyone
ar. argo. **slang.**
ask. askerî. **military.**
astron. **astronomy.** heyet ilmi.
b. bak. buna bak. **q.v.**
bilh. bilhassa. **especially.**
biol. biyoloji. **biology.**
bk. bak. **see.**
bot. botanik. **botany.**
den. denizciliğe aid. **nautical.**
ech. **echoic.** yankı gibi, ses taklidine dayanan.
elek. elektrikî. **electrical.**
esk. eski. **archaic.**
etc. **etcetera.** ve saire.
fot. fotografya. **photography.**
gram. gramer. **grammar.**
hlk. halk ağzında. **popular.**
huk. hukukî. **legal.**
hus. hususile. **in particular.**
ind. **indicative.** ihbar tasrifi.
İng. İngiltere. **England.**
istihf. istihfaf. **contemptuously.**
kıs. kısaltma. **abbreviation.**
kon. konuşurken. **colloquial.**
köt. kötüleyici. **pejorative.**
krş. karşılaştırınız. **cf., compare.**
küç. küçültme. **diminutive.**
Lât. Lâtince. **Latin.**
mat. **mathematical.** riyazî.
mec. mecaz olarak. **figuratively.**
mek. mekanik. **mechanical.**
mes. meselâ. **e.g., for example.**
mim. mimarî. **architecture.**
mit. mitoloji. **mythology.**
mus. musiki. **music.**
mür. mürekkeb kelimelerde. **in compounds.**
n. **noun.** isim.
otom. otomobil. **motoring.**
p.p. **past participle.** ismimeful.
pl. **plural.** cemi.
pref. **prefix.** ön ek.
prep. **preposition.** harficer.
pres. **present.** hal sıygası.
pron. **pronoun.** zamir.
rel. pron. **relative pronoun.** nisbet zamiri.
sev. sevki ifade eden tabir. **affectionately.**
sing. **singular.** müfred.
s.o. someone
stg. something
suff. **suffix.** son ek.
şair. şairane. **poetical.**
şak. şk. şaka yollu. **jokingly.**
şim. şimdi. **now.**
tic. ticarî. **commercial.**
tıb. tıbbî. **medical.**
um. umumiyetle. **generally.**
va. **verb active.** nesne alan fiil.
vb. **verb.** fiil.
vn. **verb neuter.** nesne almıyan fiil.
yal. yln. yalnız. **only (in).**
⌜ ⌝, **proverb or proverbial expression.** atalar sözü veya atalar sözü değerinde tabir.

A

a [ei]. A harfi. **not to know A from B,** kara cahil olmak.
a [ə ; ei]. *Sesli harfle başlıyan bir kelimeden evvel* **an** *olur. Gayrı muayyen harfi tarif.* Bir. ~ **man,** bir adam: ~ **man and** ~ **woman,** bir erkekle bir kadın. (*Umumileştirici mânada*): ~ **woman takes life too seriously,** kadınlar hayatı fazla ciddiye alırlar. (*Tevziî mânada*): **apples at fivepence a pound,** libresi beş peni'ye elma: **I said** *a* [ei] **potato,** bir tane patates dedim (yanı iki, üç değil).
A.A. (*kıs.*) **anti-aircraft,** Uçaksavar.
aback [əˈbak]. **to be taken** ~, şaşalamak, şaşırıp kalmak, bozulmak.
abacus *pl.* **–ci** [ˈabəkəs, –sai]. Hesab cedveli.
abaft [əˈbaaft]. (*den.*) Geminin kıç tarafında.
abandon [ˈəbandən] *n.* Serbestlik, kayıdsızlık, kendini bırakma. *vb.* Terketmek, bırakmak, vazgeçmek. **to** ~ **oneself to...,** ···e kapılmak. ~**ment,** Terk, bırak(ıl)ma.
abase [əˈbeis]. Alçaltmak, tezlil etm., küçük düşürmek. ~**ment,** alçaltma, tezlil, zillet.
abash [əˈbaʃ]. Bozmak, utandırmak.
abate [əˈbeit]. İn(dir)mek, azal(t)mak, hafifle(t)mek, kesmek. ~**ment,** azalma, hafifleme; tenzilât.
abbacy [ˈabasi]. Başkeşişlik.
abbess [ˈabes]. Baş rahibe.
abbey [ˈabi]. Manastır.
abbot [ˈabot]. Başkeşiş.
abbreviat·e [əˈbriivieit]. İhtisar etm.; kısaltmak. ~**ion,** [–ˈeiʃn], ihtisar; kısaltma.
abc [ˌeiˌbiˈsii] Alfabe; harf sırasile tertib edilmiş rehber vs.; evveliyat.
abdicat·e [ˈabdikeit]. Saltanatı, tahtı terketmek; (hakkından) vazgeçmek; istifa etm.; çekilmek. ~**ion,** [–ˈkeiʃn], tahttan çekilme; hakkından vazgeçme.
abdom·en [abˈdoumen]. Karın, batın. ~**inal** [abˈdominl], batnî, karna aid.
abduct [abˈdʌkt]. (Birisini) kaçırmak. ~**ion,** kaçırma; dağa kaldırma. ~**or,** adalei müb'ide; kaçıran; dağa kaldıran.
abeam [əˈbiim]. Bordada.
abed [əˈbed]. Yatakta.
aberration [abəˈreiʃn]. İnhiraf; dalâlet; yoldan çıkma, sapıtma; anormallik. **in a fit of** ~, dalgınlıkla: **mental** ~, delilik.
abet [əˈbet]. Bir suça karşı müsamaha göstermek veya müzaheret etmek. **to aid and** ~, suç ortağı olmak. ~**tor,** suç ortağı.
abeyance [eˈbeiəns]. Ademi meriyet. **in** ~, mer'i değil, cari değil, muteber olmıyan.
abhor [əbˈhoo*]. Nefret etmek. ~**rence** [–ˈhorəns], nefret, tiksinme. ~**rent,** nefret verici, tiksindirici.
abide [əˈbaid] (**abode** [əˈboud]). Kalmak, devam etm.; neticesini beklemek. **to** ~ **by one's word,** sözünde durmak: **I can't** ~ **him,** ona tahammül edemem.
abili·ty [əˈbiləti]. İktidar, ehliyet, meharet; kanunî salâhiyet: *pl.* ~**ties,** meziyetler. **to do stg. to the best of one's** ~**ty,** elinden geldiği kadar, yapabildiği kadar, yapmak.
abject [ˈabdʒekt]. Zelil, sefil, düşkün; aşağılık.
abjure [abˈdʒuə*]. Bir kanaat, taleb veya iddiadan yemin ederek vazgeçmek; bir yere bir daha dönmiyeceğine yemin etmek.
ablative [ˈablətiv]. Mefulünanh.
ablaze [əˈbleiz]. Tutuşmuş, yanmakta, alev almış; parıl parıl.
able [ˈeibl]. Muktedir, yapabilen, iktidarlı, meharetli, liyakatli, elverişli. **to be** ~ **to,** *fiillerde iktidarî mâna ifade eder, mes*: **to be** ~ **to do,** yapabilmek: **an** ~ **piece of work,** usta işi, mükemmel eser. **able-bodied,** sağlam, dinç; elverişli: ~ **seaman,** bahriye onbaşışı.
abloom [əˈblum]. Çiçekte, çiçek açmış.
ablution [əˈbluʃn]. Dinî bir merasim için yıkanma; abdest. ~**s,** alelâde yıkanma.
abnegation [abniˈgeiʃn]. Feragat; vazgeçme.
abnormal [abˈnooml]. Anormal; istisnaî; tabiate aykırı, fevkelâde. ~**ity,** [–ˈmaləti], anormallik, tabiate aykırılık.
abnormity [abˈnoomiti]. Ûcube, tabiate aykırılık.
aboard (əˈbood]. Gemide; gemiye. **all** ~**!,** herkes (gemiye vs.) girsin!: **to lay** ~, (*den.*) borda bordaya getirmek.
abode[1] [əˈboud] *n.* Oturulan yer, ikametgâh. **to make one's** ~ **in a place,** bir yerde ikamet etmek.
abode[2] *p.p. bk.* **abide.**
abolish [əˈboliʃ]. İlga etm.; lâğvetmek; kaldırmak.
abolition [abəˈliʃn]. İlga, lâğv; kaldırılma. ~**ist,** zenci esaretinin ilgası tarafdarı.
abominable [əˈbominəbl]. İğrenç, nefret verici; berbad.
abominat·e [əˈbomineit]. Nefret etm., iğrenmek. ~**ion** [–ˈneiʃn], nefret, iğrenme; mel'un şey: **that** ~ **of a ...,** o mel'un ..., o Allahın belâsı.
aborigin·al [ˌabəˈridʒinl]. Tarihin bildiği en eski devirlerde veya müstemlekecilerin

vusulünde mevcud olan; yerli, aslî. **~es** [-iiz], asıl yerliler.

abort [əˈboot]. Çocuk düşürmek; dumura uğramak; gelişememek. **~ion** [əˈbooʃn], çocuk düşürme, dumura uğrama; (bir tasavvur, plân vs.) muvaffakiyetsizlik, iflâs; pek çirkin veya biçimsiz şey. **~ive,** vakitsiz ve ölü doğmuş; akım kalmış.

abound [əˈbaund]. Bol olm.; mebzulen bulunmak. **tigers ~ in the forest** veya **the forest ~s in tigers,** ormanda kaplan boldur.

about [əˈbaut]. Etrafında, civarda, yakında; aşağı yukarı, hemen hemen; hakkında, dair; üzere. *Bir fiille kullanıldığı zaman* sağa sola *ve* etrafa *mânalarını ifade eder.* **he is ~ again,** kalktı, iyileşti: **there is a lot of influenza ~,** ortada pek çok grip var: **there were very few people ~,** ortalıkta pek az kimse vardı: **to be ~ to do stg.,** bir şeyi yapmak üzere olm.: **to go ~,** dolaşmak; (*den.*) tiramola etm., geriye dönmek: **he doesn't go ~ much,** pek ortaya çıkmıyor: **~ here,** bu taraflarda, bu civarda: **how [what] ~ going to the cinema?,** sinemaya gidelim mi? (ne derseniz?): **to know what one is ~,** işini bilmek; ne yaptığını bilmek: **I haven't a penny ~ me,** üstümde on para yok: **to move ~,** dolaşıp durmak: **to order s.o. ~,** birisine emir vermek, kumanda etm.: **ready ~!,** (*den.*) alesta tiramola!: **you must do something ~ it!,** bunun bir çaresini bulmalısınız!: **there is something ~ him I don't like,** her nedense bu adamdan hoşlanamıyorum: **there's something ~ a bird that ...,** kuşlarda öyle bir şey [hal] vardır ki ...: **there's something wrong ~ it,** bunun bozuk bir tarafı var: **it's ~ time to go,** artık gitmeliyiz: **it's ~ time the post came,** (i) posta neredeyse gelecek; (ii) posta nerede kaldı?: **~ turn!,** geriye dön!: **to walk ~ the streets,** sokaklarda gezmek [dolaşmak]: **he went a long way ~,** çok dolaştı (kestirmeden gelmedi): **what are you ~?,** neler yapıyorsunuz (bakalım)?

about *vb.* **to ~ ship,** tiramola etm., geriye dönmek.

above [əˈbʌv]. Yukarı, üst, üstün; fazla, fevkinde; yukarıda, üstünde; gökte, göklerde. **~ all,** her şeyden evvel, bilhassa: **to be ~ (all) suspicion,** (her türlü) şübheden azade olm.: **~ oneself,** haddini bilmez; coşkun: **I am ~ doing that,** bunu yapmağa tenezzül etmem: **over and ~ that,** fazla olarak. **above-board,** açıkça, dürüst. **above-mentioned,** yukarıda zikredilen, mumaileyh; ismi geçen.

abracadabra [ˈabrakəˈdabra]. Sihirli kelime, muska; mânasız söz.

abrade [əˈbreid]. Aşındırmak; (deri) sıyırmak.

abras·ion [əˈbreiʒn]. Aşındırma, sıyırma; sıyrık. **~ive,** [–siv] aşındırıcı; törpülüyeci; aşındırıcı madde.

abreast [əˈbrest]. Yanyana; bir hizada; geride kalmıyan. **to be ~ of the times,** devre, zamana, uygun olm.; zamanın adamı olm.: **to march two ~,** ikişer ikişer yürümek.

abridge [əˈbridʒ]. Telhis etm., icmal etm., kısaltmak; tahdid etm., kısmak. **~ment,** icmal, hülâsa, kısaltma.

abroad [əˈbrood]. Yabancı memlekette; haricde; her tarafa. **to be all ~,** ne yapacağını bilmemek, şaşırıp kalmak: **there is a rumour ~ that,** etrafta dolaşan şayialara nazaran.

abrogate [ˈabrogeit]. Feshetmek, ilga etm., kaldırmak.

abrupt [əˈbrʌpt]. Anî; birdenbire; sert ve kısa; kesik; dik.

abscess [ˈabses]. Apse, çıban.

abscond [əbˈskond]. Sıvışmak; kaçmak; yakayı kurtarmak.

absence [ˈabsəns]. Yokluk; bulunmayış; noksan. **~ of mind,** dalgınlık: **to be conspicuous by one's ~,** bulunmayışile göze çarpmak: **leave of ~,** izin: **sentenced in his ~,** gıyaben mahkûm.

absent[1] [ˈabsnt] *a.* Yok; hazır bulunmıyan, yerinde olmıyan, namevcud. **absent-minded,** dalgın.

absent[2] [əbˈsent] *vb.* **to ~ oneself,** gelmemek.

absentee [ˌabsnˈtii] (Yoklamada vs.) bulunmıyan kimse. **~ landlord,** malikânesinde yaşamıyan arazi sahibi. **~ism,** arazi sahibinin haricde yaşaması; devamsızlık.

absinth(e) [ˈabsinθ]. Pelinotu; apsent.

absolute [ˈabsəljuut]. Mutlak, kat'î; tam, mükemmel; otoriter. **~ly,** mutlaka, kat'î olarak, tamamen.

absolution [absoˈljuuʃn]. Günahların kilise tarafından affı.

absolve [əbˈsolv]. Günahlarını affetmek; beraet ettirmek; serbest bırakmak; taahhüd ve vazifesinden affetmek.

absorb [əbˈsoob]. Massetmek, emmek, içine çekmek, yutmak; hızını kesmek; tamamen meşgul etmek. **To become ~ed in stg.,** bir şeye dalmak. **~ent,** emici, massedici: **~ cotton-wool,** koton idrofil. **~ing,** kavrayıcı, meraklı.

absorption [əbˈsoopʃn]. Emilme, massedilme; yutma; zihnî meşguliyet, dalma.

abstain [əbˈstein]. Çekinmek, geri durmak, istinkâf etmek. **~er,** içki içmiyen; **total ~,** içkiye tövbeli.

abstemious [əbˈstiimjəs]. (Bilhassa yemek ve içmekte) azla kanaat eden; kanaatkâr; mütevazı (sofra).

abstention [əbˈstenʃn]. Çekinme, geri durma; istinkâf.
abstinen·ce [ˈabstinəns]. Zevkten geri durma; perhiz; imsâk, riyazet. **~t,** yemede içmede mümsik, perhizkâr.
abstract[1] [ˈabstrakt] *n.* Hülâsa; icmal.
abstract[2] *a.* Mücerred; nazarî; muğlak.
abstract[3] [əbˈstrakt] *vb.* Çıkarmak; ayırmak; tecrid etm.; hülâsa etm.; aşırmak.
abstracted [əbˈstraktid]. Dalgın.
abstraction [əbˈstrakʃn]. Mücerred fikir: hayâl; dalgınlık; ayırma, çıkarma; tecrid; aşırma.
abstruse [əbˈstruus]. Muğlak; derin.
absurd (əbˈsəəd] Gülünç; mânasız, saçma, abes. **~ity,** gülünçlük, mânasızlık; saçmalık.
abund·ance [əˈbʌndəns]. Bolluk, mebzuliyet, bereket, zenginlik; bir çokları. **to live in ~,** refah içinde yaşamak. **~ant,** bol, mebzul, bereketli; çok.
abuse [əˈbjuus] *n.* Suiistimal, kötüye kullanma; fena kullanma; küfür, sövüp sayma. *vb.* [əˈbjuuz]. Suiistimal etm., kötüye kullanmak; fena kullanmak, fena muamele etm.; küfretmek.
abusive [əbˈjuusiv]. Ağzı bozuk; tahkir edici; yolsuz.
abut [əˈbʌt]. **~ on [against],** ···e bitişik olm., sınırları bir olm., bitişmek; dayanmak, yaslanmak. **~ment,** mesned, dayanak; köprü ayağı.
abysmal [əˈbizməl]. Dipsiz; sonsuz; çok derin.
abyss [əˈbis]. Yerin dibi; uçurum; boşluk; gayya. **~al,** deniz seviyesinden 300 kulaçtan fazla derin.
acacia [aˈkeiʃə]. Akasya.
academic [akəˈdemik]. Eflâtun felsefesine mensub; üniversiteye aid; akademik; âlimane; nazarî. **~al,** bir üniversite veya koleje aid. **~als,** üniversite elbisesi.
academician [əˈkadeˈmiʃn]. Akademi âzası *bilh.* **Royal Academy** âzası.
academy [əˈkademi]. Muayyen bir fen veya sanatin tahsil edildiği yer, akademi; (İskoç) orta mekteb. **Royal Academy,** İngiliz güzel sanatler akademisi.
acanthus [aˈkanθʌs]. Ayı pençesi; eski Yunan mimarisinde ayı pençesi yaprağı tezyinatı.
accede [akˈsiid]. Razı olm., kabul etm.; tahta çıkmak.
accelerat·e [əkˈseləreit]. Hızlan(dır)mak, çabuklaş(tır)mak. **~or,** akseleratör; hızlandırıcı.
accent [ˈaksnt] *n.* Vurgu, aksan; şive, ağız. *vb.* [əkˈsent]. Vurgulamak, aksan koymak.
accentuate [əkˈsentjueit]. Vurgulamak, aksan koymak; belirtmek, tebarüz ettirmek.
accept [akˈsept]. Kabul etm., razı olmak. **~able,** kabul edilebilir; memnuniyeti mucib; münasib. **~ance,** kabul, razı olma; iyi karşılanma; (poliçe) bittavassut kabul. **~ation,** bir kelime veya tabirin umumiyetle kabul edilen mânası. **~or,** bir poliçeyi kabul eden kimse.
access [ˈakses]. Giriş, girme; geçid; nöbet. **To have ~ to,** bir yere [birisinin yanına] girebilmek: **within easy ~ of,** ···e kolayca gidilebilir. **~ibility,** yaklaşılabilme, girilebilme, erişilebilme. **~ible,** erişilebilir; elde edilebilir; tesir edilebilir.
accession [akˈseʃn]. Tahta çıkış; zam, ilâve; varış.
accessory [akˈsesəri]. Fer'î; ikinci derecede; teferrüat; yardımcı; (suçta) ortak.
accidence [ˈaksidəns]. Tasrifler bahsi, morfoloji.
accident [ˈaksidənt]. Kaza; tesadüf; ârıza, ârızî olan şey. **~s will happen,** kazanın önüne geçilmez. **~al** [ˈdentl], tesadüfî, ârızî; kazaen; tâli.
acclaim [əˈkleim]. Alkışlamak; çok beğenmek; (alkışlarla) ilân etmak.
acclamation [aklaˈmeiʃn]. Alkış; alkışlarla kabul etme.
acclimatize [əˈkleimətaiz]. Yabancı iklime veya muhite alıştırmak. **to get [become] ~d,** yeni iklime, muhite, alışmak.
acclivity [əˈkliviti]. Yokuş, bayır.
accolade [ˌakoˈleid]. (Şövalyelik ünvanı verirken) kucaklama, öpme; kılıcın yassı tarafile omuza vurma.
accommod·ate [əˈkomədeit]. Uydurmak, telif etm.; uzlaştırmak; yerleştirmek. **to ~ s.o. with ...,** birine ... vermek, tedarik etmek. **~ating,** uysal, müşkülât çıkarmıyan; uygun, elverişli; geniş mezhebli. **~ation,** yatacak veya kalacak yer; ödünç parası; uydurma; tatbik; uyma; uyuşma.
accompan·iment [əˈkʌmpənimnt]. Refakat; tetimmat, beraber bulunan şey; (*mus.*) sesle beraber çalınan parça. **~ist,** (*mus.*) refakat eden, beraber çalan kimse.
accompany [əˈkʌmpəni]. Arkadaşlık etm., refakat etm., beraber bulunmak.
accomplice [əˈkomplis]. Suç ortağı.
accomplish [əˈkompliʃ]. Yapmak, yapıp bitirmek; meydana getirmek; tahakkuk ettirmek; başarmak. **~ed,** başarılmış; hünerli, usta; incelmiş. **~ment,** yapıp bitirme, meydana getirme; başarılmış eser; başarı, muvaffakiyet; sathî malûmat, yaldız; marifet.
accord [əˈkood] *n.* Muvafakat, razı olma; anlaşma; uygunluk; akord. *vb.* Uymak; (lûtfen) vermek. **of one's own ~,** kendiliğinden. **~ance,** uygunluk: **in ~ with,** göre, uygun olarak, mucibince, gereğince.

according [əˈkoodiŋ]. ~ **to,** ···e göre, ... nazaran. ~**ly,** bundan dolayı, bu sebeble, gereğince.
accordion [əˈkoodiən]. Akordeon.
accost [əˈkost]. Yanaşmak; yaklaşıp söz açmak; sarkıntılık etmek.
account[1] [əˈkaunt] *n.* Hesab; ehemmiyet, itibar; rapor, hikâye, anlatış. **by all** ~**s,** herkesin söylediğine göre: **by his own** ~, söylediğine göre: **to call s.o. to** ~, birisinden hesab sormak: **to go to one's (last)** ~, ölmek: **to keep the** ~**s,** hesab tutmak, hesabını tutmak: **of no** ~, ehemmiyetsiz, sayılmaz: **on** ~ **of,** ···den dolayı, yüzünden, sebebile; adına, yerine: **on every** ~, her bakımdan: **on his own** ~, kendiliğinden, kendi başına: **on no** ~, **not on any** ~, hiç bir suretle, kat'iyen; sakın: **to pay on** ~, mahsuben ödemek: **to take into** ~, göz önünde tutmak, nazarı itibara almak: **to turn [put] to** ~, bir şeyden istifade temin etmek.
account[2] *vb.* Addetmek, tutmak. **to be** ~**ed of,** sayılmak, itibar edilmek: **to** ~ **for,** hesab vermek; mesul tutulmak; sebebi... olm.; izah etm.; işini bitirmek: **there is no** ~**ing for tastes,** herkesin zevkine karışılmaz; bu zevk meselesidir. ~**able,** mes'ul, || sorumlu; izah edilebilir.
account·ancy [əˈkauntənsi]. Defter tutma, muhasebecilik. ~**ant,** muhasib, muhasebeci.
accoutre [əˈkuutə*]. Donatmak, techiz etmek. ~**ment** [-rimnt], techizat; koşum; donatma; askerî eşya.
accredit [aˈkredit]. İtimadnameli elçi göndermek; atfetmek; itimad etmek. ~**ed,** resmen tanınmış (şahıs); herkesçe kabul edilmiş (fikir vs.).
accretion [aˈkriiʃn]. İlâve, gelişme; gelişerek birleşme; yapışma.
accrue [əˈkruu]. Hasıl olm., gelmek; eklenmek.
accumul·ate [əˈkjuumjuleit]. Birik(tir)mek, yığ(ıl)mak, topla(n)mak, art(tır)mak; teraküm etmek. ~**ation,** toplama, biriktirme; yığın, yığıntı. ~**ative,** biriktirici; artan, biriken.
accumulator [əˈkjuumjuleitə*]. Akümülatör.
accuracy [ˈakjurəsi]. Doğruluk, kat'ilik, sıhhat.
accurate [ˈakjurit]. Doğru, kat'î, sahih, sadık; dikkatli.
accursed [aˈkəəsid]. Mel'un; uğursuz; berbad.
accusation [akjuˈzeiʃn]. İttiham; suçlandırma.
accusative [əˈkjuuzətiv]. Mef'ülünbih.
accuse [əˈkjuuz]. Suçlandırmak, ittiham etmek.
accustom [əˈkʌstəm]. Alıştırmak. ~**ed,** *a.* alışık, alışkın; mutad; her zamanki.
ace [eis]. (İskambil) birli; (zar) yek; çok düşman uçağı düşüren havacı. **within an** ~ **of,** kıl kaldı.
acerbity [əˈsəəbiti]. Burukluk; (söz) acılık, zehirlilik, haşinlik.
acetic [aˈsiitik]. Asetik, sirkeye aid.
acetylene [əˈsetiliin]. Asetilen.
ache [eik] *n.* Ağrı, acı, sızı. *vb.* Ağrımak, sızlamak, acımak. **all** ~**s and pains,** inliye sıklıya: **it makes my heart** ~, içim parçalanıyor.
achieve [əˈtʃiiv]. Yapıp bitirmek, meydana çıkarmak; başarmak, erişmek, elde etm., nail olm., kazanmak. ~**ment,** meydana çıkarılan eser; muvaffakiyet, başarı.
Achilles [aˈkiliiz]. Aşil. **The heel of** ~, insanın en zayif noktası.
acid [ˈasid]. Ekşi; hamızî, asid. ~**ity** [əˈsiditi], ekşilik, asidlik.
acknowledge [akˈnolidʒ]. İtiraf etm., kabul etm.; tasdik etm.; tanımak; takdir etm.; mukabele etmek. **to** ~ **receipt of,** (bir mektubun vs.) alındığını bildirmek: **to** ~ **books consulted,** müracaat edilen kitabları zikretmek. ~**ment,** kabul, itiraf; tasdik; zikretme: **by way of** ~, karşılık olarak; teşekkür için.
acme [ˈakmi]. En yüksek yer, zirve, evc.
acne [ˈakni]. Ergenlik, yüz sivilcesi.
acolyte [ˈakolait]. Kilisede küçük memur; yardımcı, muavin, peyk.
aconite [ˈakonait]. (i) (*Aconitum napellus*) Kurtboğan; (ii) **Winter or yellow** ~ (*Eranthis hyemalis*), ?.
acorn [ˈeikoon]. Meşe palamudu.
acoustic [əˈkuustik]. Sese aid, akustiğe aid ~**s,** akustik; ses tertibatı.
acquaint [əˈkweint]. Tanıtmak, bildirmek, haber vermek, malûmat vermek. **to become, make oneself,** ~**ed with . . .,** ···le tanışmak, ahbab olm.; öğrenmek, alışmak, istinas peyda etmek. ~**ance,** tanıma, tanışma; malûmat; tanıdık, bildik: **to make** ~ **with . . .,** ···le tanışmak: **he improves upon** ~, tanıdıkça daha iyidir: **to have a wide** ~, eşi dostu çok olm.: **to have a wide** ~ **with French,** fransızcadaki bilgisi derin olmak. ~**ship,** tanışıklık; tanıdıklar, eş dost.
acquiesce [ˌakwiˈes]. Muvafakat etm.; kabul etm., razı olm.; ses çıkarmamak. ~**nce,** muvafakat, rıza, kabul; teslimiyet.
acquire [akˈwair]. Elde etm.; kazanmak, edinmek; sahib olmak. ~**ment,** edinme; elde edilmiş (malûmat vs.), bilgi, hüner; müktesebat.
acquisi·tion [ˌakwiˈziʃn]. Elde etme; iktisab; elde edilen şey; kazanç. ~**tive**

[əˈkwizitiv], haris, para canlı, dünya malına düşkün.
acquit [əˈkwit]. Beraet ettirmek; suçsuz çıkarmak; (borcunu) ödemek. **to ~ oneself,** davranmak, hareket etmek. **~tal,** beraet; yerine getirme, ifa; ödeme.
acre [ˈeikə*]. İngiliz dönümü (0·4 hektar). **God's ~,** mezarlık: **a man of broad ~s,** zengin arazı sahibi. **~age** [ˈeikridʒ], dönüm mikdarı; saha, mesaha.
acrid [ˈakrid]. Kekre, buruk; (uslûb) acı, zehirli.
acrimon·ious [akriˈmounjəs]. Haşin, hırçın, sert. **~y** [ˈakrimoni], hırçınlık, sertlik.
acrobat [ˈakrobat]. Cambaz, akrobat. **~ic** [–ˈbatik], cambaza aid, cambazca. **~ics,** cambazlık.
across [əˈkros]. Ortasından, bir yandan bir yana, karşıdan karşıya; çapraz, çaprazlamasına; genişliğine; öbür tarafa. **We shall soon be ~,** bir az sonra karşıda olacağız: **to come ~ s.o.,** birisile karşılaşmak, rastlamak: **to go ~ a bridge,** bir köprüden geçmek: **the river is a mile ~,** nehrin genişliği bir mildir: **to walk ~ the street,** sokakta karşıya geçmek.
acrostic [əˈkrostik]. Akrostiş.
act[1] [akt] *n.* Yapılan şey, iş, fiil; hareket; kanun; vesika; (piyes) perde. **~ of God,** tabiî sebeb, mücbir sebeb: **to catch s.o. in the (very) ~,** birisini suçüstü yakalamak.
act[2] *vb.* Hareket etm., harekete geçmek, davranmak; vazife görmek; işlemek, tesir etm.; rol oynamak, temsil etmek. **to ~ for s.o.,** birinin adına hareket etm., vekili olm.: **he is only ~ing,** (i) numara yapıyor; (ii) sade vekillik yapıyor: **to ~ up to one's principles,** prensiplerine uygun olarak yaşamak [hareket etm.]: **to ~ upon instructions,** talimata göre hareket etmek.
acting [ˈaktiŋ] *a.* Vekil. **~ for . . .,** ···in vazifesini gören. *n.* (Tiyatro) temsil, oyun, oynama: **it's mere ~,** komediden ibaret.
actinic [akˈtinik]. Şuaların kimyevi tesirine aid.
action [ˈakʃn]. Fiil, hareket, iş; işleyiş, tesir; tavır; cihaz; dava; muharebe. **~ at law,** dava: **to bring an ~ against s.o.,** birisi aleyhine dava açmak: **to go into ~,** muharebeye girişmek: **to be killed in ~,** muharebede ölmek: **a man of ~,** faal adam: **out of ~,** saf harici; (makine) işlemiyen: **to put out of ~,** durdurmak, kesmek; harb edemiyecek hale koymak: **to take ~,** harekete geçmek.
actionable [ˈakʃnəbl]. Davaya sebeb olabilir.
activate [ˈaktiveit]. Faal bir hale getirmek; canlandırmak.
activ·e [ˈaktiv]. Faal, enerjik, hamarat, hareketli, canlı; çevik; faaliyette, iş başında, vazifede; tesirli. **Verb ~,** müteaddi fiil: **~ service,** cebhe hizmeti. **~ity** [–ˈtiviti], faaliyet, hareketlilik, hamaratlık, canlılık, çeviklik.
actor [ˈaktə*]. Aktör; rol oynayan.
actress [ˈaktris]. Aktris.
actual [ˈaktʃuəl]. Gerçek, hakikî, fiilî; elle tutulabilir; asıl. **~ly,** gerçek, hakikaten; hattâ (çok garib, ama). **~ity** [–ˈaliti], gerçek, hakikat, hakikî vaziyet.
actuary [ˈaktʃuəri]. İstatistikçi.
actuate [ˈaktʃueit]. İşletmek, tahrik etmek.
acuity [əˈkjuuiti]. Sivrilik; keskinlik.
acumen [əˈkjuumən]. Zekâ keskinliği, zekâ, feraset.
acute [əˈkjuut]. Keskin, sivri; keskin zekâlı, çabuk anlayışlı; şiddetli, hâd; dar (zaviye).
A.D. [ˈeiˈdii]. **Anno Domini,** milâddan sonra.
ad [ad]. (*Lât.*) *bk.* **ad hoc, ad hominem** vs.
adage [ˈadadʒ]. Mesel, atasözü.
adamant [ˈadəmənt] *n.* Son derece sert bir şey. *a.* Eğilmez, müsamahasız, sulha sübhana yatmaz. **~ine** [–ˈmantain], pulad ve elmas gibi çok sert; çok inadcı ve azimli, yaman.
adapt [əˈdapt]. İntibak ettirmek, uydurmak, uygun bir hale getirmek, tatbik etm.; tadil etm.; iktibas etmek. **~ability,** intibak kabiliyeti, uyma. **~able,** uyabilir, intibak edilebilir, uydurabilir, kullanılabilir. **~ation,** uyma, intibak; iktibas; adaptasyon.
A.D.C. [eiˈdiiˈsii]. **Aide-de-camp,** yaver.
add [ad]. Katmak, eklemek, ilâve etm., zammetmek, üstüne koymak; toplamak, cemetmek. **to ~ to my work,** işim kâfi değilmiş gibi, üstelik bir de . . .: **to ~ up,** toplamak; baliğ olm., yekûn tutmak: **it all ~s up to this,** bunun neticesi . . . dir; hulâsa.
addendum, *pl.* **-a** [əˈdendəm, –a]. Ek, ilâve, zeyl.
addict[1] [ˈadikt] *n.* (Afyon, morfin vs.ye) düşkün, tiryaki, mübtelâ.
addict[2] [əˈdikt] *vb.* **to ~ oneself to, to be ~ed to,** ···e kendini vermek, düşkün olm., mübtelâ olm., ···in tiryakisi olmak. **~ion,** düşkünlük, tiryakilik, ibtilâ.
addition [əˈdiʃn]. İlâve, zam; toplama; üstüne koyma, cem. **in ~,** bundan başka, ilâve olarak. **~al,** eklenen, üstüne konan, ilâve, fazla.
addle [ˈadl]. (Kuluçka tavuğun altındaki yumurta) çürü(t)mek. **it's enough to ~ one's brain,** insanın başını sersem eder. **~d,** kokmuş (yumurta); sersem olmuş

(baş). **~-headed, ~-brain, ~-pate,** beyinsiz, kuş beyinli.
address [əˈdres] *n.* Adres; hitabe, nutuk; hal ve tavır; meharet. *vb.* Hitab etm.; adres yazmak; hitabede bulunmak, nutuk söylemek. **form of ~,** hitab şekli, ünvan: **to pay one's ~es to,** ···e kur yapmak: **to ~ oneself to s.o.,** birisine hitab etm.: **to ~ oneself to a task,** bir işe girişmek, koyulmak. **~ee** [–ˈsii], kendisine mektub yazılan.
adduce [əˈdjuus]. Delil olarak ileri sürmek; misal olarak göstermek.
adenoids [ˈadənoidz]. Adenoid.
adept [ˈadept]. Üstad; usta, mahir.
adequa·cy [ˈadikwisi]. Yeterlik, kifayet; münasib olma. **~te,** kâfî, elverişli, kifayetli; uygun.
adhere [ədˈhiə*]. Yapışmak, yapışık kalmak; iltihak etm., bağlı kalmak; israr etmek. **~nce,** yapışma, iltihak. **~nt,** *a.* yapışık; *n.* tarafdar.
adhes·ion [ədˈhiiʒn]. Yapışma, iltihak etme; iltihab neticesi yapışma. **~ive** [–siv], yapışkan, yapışıcı.
ad hoc [ˈadˈhok]. (*Lât.*) Bilhassa bunun için.
ad hominem [ˈadˈhominəm]. (*Lât.*) **argument ~,** mantığa değil şahsî hislere hitab eden delil.
adieu [əˈdju]. Allaha ısmarladık!; elveda! **to bid ~,** vedalaşmak.
ad infinitum [ˈad infiˈnaitum]. (*Lât.*) Ebediyen, sonsuz olarak.
ad interim [ˈad ˈintərim]. Muvakkaten.
adipose [ˈadipouz]. Yağlı, şahmî. Yağ.
adit [ˈadit]. Medhal; lâğım.
adjacent [əˈdʒeisnt]. Bitişik, komşu, yakın.
adjectiv·e [ˈadʒiktiv]. Sıfat. **~al** [–ˈtaivl], sıfata aid.
adjoin [əˈdʒoin]. Bitişik olmak.
adjourn [əˈdʒəən]. Geri bırakmak, tehir etm., tâlik etm.; başka yere gitmek. **~ment,** tehir, tâlik.
adjudge [əˈdʒʌdʒ]. Hüküm vermek, karar vermek, hükmetmek; (mükâfat vs.) vermek.
adjudicate [əˈdʒuudikeit]. Karar vermek, hüküm vermek; ihale etmek.
adjunct [ˈadʒʌŋkt]. Talî şey; ilâve; muavin.
adjure [aˈdʒuə*]. And vererek istemek; inkisarla tehdid ederek veya israrla taleb etmek.
adjust [əˈdʒʌst]. Doğrultmak, düzeltmek, tertibe koymak, tadil etm., intibak ettirmek; halletmek; ayar etm.; tanzim etmek. **to ~ oneself to,** ···e intibak etmek. **~able,** tanzim edilebilir; ayarlanabilir. **~ment,** uydurma, tatbik etme; tanzim etme; düzeltme; ayarlama; (bir ihtilâfı) bertaraf etme.
adjutan·t [ˈadʒutənt]. Emir subayı. **~cy,** emir subaylığı. **Adjutant-general (A.D.G.),** ordunun bütün zat işlerine bakan büyük rütbede subayı.
ad libitum, ad lib. [adˈlibitəm, adˈlib]. (*Lât.*) İstenildiği gibi, arzu olunduğu kadar.
administer [ədˈministə*]. İdare etm.; tatbik etm.; yerine getirmek; (ilac vs.) vermek; (yemin) verdirmek, ettirmek.
administra·tion [ədˌminisˈtreiʃn]. İdare; hükûmet; tatbik; (ilac) verme; (yemin) verdirme; vasilik. **~tive** [ədˈministrətiv], idareye aid, idarî. **~tor** [ədˈministreitə*], müdür, idareci; tatbik eden; veren; vasi.
admirable [ˈadmrəbl]. Takdire lâyık; beğenilmeğe değer; hayran olmağa değer.
admiral [ˈadmərəl]. Amiral. **~ty,** Amirallik Dairesi (İngiliz Bahriye Nezareti): **First Lord of the ~,** Bahriye Nazırı: **Court of ~,** deniz mahkemesi: **the price of ~,** deniz hakimiyetinin bedeli.
admiration [ˌadməˈreiʃn]. Hayranlık, takdir. **to be the ~ of everyone,** herkesin takdirini, hayranlığını, çekmek: **to be struck with ~,** hayran kalmak.
admire [ədˈmaiə*]. Hayran olm., takdir etm.; çok beğenmek; hayranlığını ifade etmek. **~r,** hayran olan kimse, meraklı; âşık.
admissible [ədˈmisəbl]. Kabul olunabilir; müsaade olunabilir.
admission [ədˈmiʃn]. İtiraf; ikrar; kabul; girme, giriş, dühûl; duhuliye.
admit [ədˈmit]. İtiraf etm., ikrar etm.; kabul etm.; içeri almak; imkân vermek. **let it be ~ted that,** itiraf edelim ki. **~tedly,** herkesin itiraf edeceği gibi, muhakkak, vakıa. **~tance,** (bir yere) kabul; giriş; duhuliye: **no ~,** girilmez.
admixture [ədˈmikstʃə*]. Katma, ilâve; katıp karıştırılmış şey.
admonish [ədˈmoniʃ]. İhtar etm., tenbih etm., azarlamak.
ad nauseam [ˈad ˈnoosiəm]. (*Lât.*) Bıktırıncaya kadar.
ado [əˈduu]. Telâş, gürültü, patırtı. **to make an ~ about stg.,** mesele yapmak: **much ~ about nothing,** küçük bir şeyi mesele yapmak.
adobe [ˈadoub]. Güneşte kurutulmuş tuğla; bu tuğlalardan yapılmış.
adolescen·t [adoˈlesənt]. 15 ile 20 yaş arasında olan; çocukça. **~ce,** genclik.
adopt [əˈdopt]. Benimsemek; kabul etm.; evlâd edinmek; seçmek. **~ed, ~ive child,** manevî evlâd, evlâdlık. **~ion,** evlâd edinme; benimseme, kabul etem; seçme.
ador·e [əˈdooə*] Tapmak; taparcasına sevgi ve şefkat göstermek. **~able,** tapılacak kadar güzel veya iyi. **~ation** [adəˈreiʃn], tapma.

adorn [ə'doon]. Süslemek, tezyin etmek. **~ment,** süs, ziynet.
Adrianople [ˌeidrjə'noupl]. Edirne.
adrift [ə'drift]. Sularla sürüklenen, rüzgâra ve akıntıya tâbi. **to cut (a boat) ~,** palamarı çözmek: **to cut oneself ~ from,** ···le münasebeti kesmek: **to turn s.o. ~,** birisini ortada bırakmak, kendi haline terketmek.
adroit [ə'droit]. Meharetli, usta, becerikli.
adula·tion [ˌadju'leiʃn]. Fazla medhetme; yaltaklanma, müdahene. **~tory,** fazla medheden, mütebasbıs.
adult ['adʌlt]. Büyük (çocuğun aksi olarak) büluğa varmış, kâhil.
adulter·ate [ə'dʌltəreit]. İçine fena şeyler karıştırmak, tağşiş etm.; kalitesini düşürmek, bozmak. **~ation,** tağşiş. **~ant,** karıştırılmış madde.
adulter·er [ə'dʌltərə*]. Zina işleyen, zani. **~ess,** zaniye. **~ous,** zina yapan. **~y,** zina.
adumbrate ['adʌmbreit]. Taslağını çizmek; mübhem bir şekilde sezdirmek.
ad valorem ['ad va'loorem]. (*Lât.*) Değere göre. **~ duty,** kıymet üzerinden resim.
advance[1] [əd'vaans] *n.* İlerleme; gelişme; terakki; avans. **~ guard,** öncü, pişdar: **in ~,** önce, önceden; peşin: **to book in ~,** önceden yer tutmak, peylemek: **to make an ~,** (i) avans vermek; (ii) ileri doğru bir adım atmak: **to make ~s,** ilk adımı atmak; işvebazlıkla cezbetmek: **to respond to s.o.'s ~s,** yapılan avansa mukabele etmek.
advance[2] *vb.* İlerle(t)mek, ileri götürmek; terakki etm.; yürütmek; ileri sürmek; art(ır)mak; avans vermek. **~d,** ileri, ilerlemiş, yüksek, yükselen. **~ment,** ilerleme, terakki; ilerletme; terfi.
advantage [əd'vaantidʒ] *n.* Menfaat, fayda, kâr, kazanç; üstünlük, daha iyi veya müsaid durum. *vb.* Faydalı olm., bir fayda, üstünlük, kazanç temin etmek. **to show to ~,** en müsaid, en iyi, şekilde göstermek veya görünmek: **to turn out to s.o.'s ~,** birisinin işine yaramak, istifadesine sebeb olmak. **~ous** [ˌadvən'teidʒes], faydalı, kârlı; üstünlük temin eden.
advent ['advənt]. Gelme, baş gösterme; İsa'nın zuhuru; Noel yortusundan evvelki dört hafta. **the second ~,** hıristiyan inanışına göre İsa'nın dünyaya ikinci defa gelişi.
adventitious [advən'tiʃəs]. Arızî, tesadüfî.
adventur·e [əd'ventʃə*] *n.* Başa gelen şey macera, sergüzest; tehlikeli iş. *vb.* Tehlikeye koymak, riske etmek. **~er,** sergüzestçi, macera meraklısı; dolandırıcı. **~ous,** macera arıyan; atılgan, gözü pek; tehlikeli.
adverb ['advəəb]. (*gram.*) Zarf. **~ial** [ad'vəəbjəl], zarfa mensub, zarf yerine geçen: **~ phrase,** zarf gibi kullanılan tabir.
adversary ['advəəsəri]. Muhalif, düşman.
adverse ['advəəs]. Zıd, ters, aksi; karşı; müsaid olmıyan.
adversity [əd'vəəsiti]. Felâket, talihin ters gitmesi; düşkünlük; sıkıntı.
advertise ['advətaiz]. İlân etm., reklâmını yapmak, âleme yaymak. **~ment** [əd'veetizmənt], ilân, reklâm.
advice [əd'vais]. Öğüt, nasihat, fikir, tavsiye. **~s,** haber, malûmat. **to take s.o.'s ~,** birisinin tavsiyesine göre hareket etm., birisinin sözünü dinlemek: **to take medical ~,** doktora sormak: **~ note, letter of ~,** ihbarname.
advisable [əd'vaizəbl]. Tavsiye edilir; uygun, makul, münasib.
advis·e [əd'vaiz]. Tavsiye etm.; fikir vermek. **to ~ s.o. of stg.,** birisini bir şey hakkında ikaz etm., haber vermek: **you would be well ~d to obey him,** ona itaat etseniz daha iyi olur. **~edly,** mahsus, bile bile; düşünüp taşındıktan sonra. **~er,** öğüt ve fikir veren, tavsiye eden; müşavir: **legal ~,** hukuk müşaviri, şahsî avukat. **~ory,** istişari.
advocacy ['advəkasi]. Avukatlık; tarafını tutma, müdafaa.
advocate ['advokət] *n.* Bir şeye taraflı, bir şeyi tutan, müdafaasını yapan; avukat. **Lord ~,** (İskoçya'da) baş savcı. *vb.* ['advokeit] Tarafını tutmak, müdafaa etm., tavsiye etmek.
advt. (*kıs.*) **advertisement.**
adze [adz]. Keser.
Aegean [ii'dʒiiən]. Eğe (denizi), Adalar Denizi.
aegis ['iidʒis]. Zeus'in kalkanı; siper, koruma, himaye.
aeon ['iiən]. Kâinatın yaşı; sonsuzluk, ebediyet.
aerate ['eəreit]. Havalandırmak, hava vermek; karbon asidi ile doldurmak.
aerial ['eəriəl] *a.* Havaî, havaya aid. *n.* Telsiz anteni.
aero- ['eəro-]. Hava-. **~batics** [–'batiks], (uçakla) havada cambazlık, akrobatlık. **~drome** [–'droum], hava meydanı. **~foil,** (uçak kanadı vs.nin) şekli. **~nautic(al),** uçuculuğa aid. **~nautics,** uçuculuk, havacılık.
aeroplane ['eəroplein]. Uçak, tayyare.
aesthet·e ['iisθiit]. Estetikçi, güzelden anlıyan. **~ic** [iis'θetik], estetiğe aid; iyi zevke uygun. **~ics,** estetik, bediiyat, güzellik ilmi.
afar [ə'faa*]. Uzak. **~ off,** uzakta.
affab·le ['afəbl]. Nazik, hoş, çelebi, lûtufkâr. **~ility,** lûtufkarlık, nezaket.

affair [əˈfeə*]. İş, mesele. **~s,** iş. **~ of honour,** şeref meselesi, düello: **love ~,** aşk macerası: **that is my ~,** bu benim bileceğim şey; bu mesele bana aid.
affect[1] [aˈfekt] *vb.* Tesir etm.; işlemek; dokunmak, müteessir etmek. **~ed with a disease,** bir hastalığa mübtelâ: **well (ill) ~ed towards,** ···in lehine [aleyhine] mütemayil. **~ing,** dokunaklı, tesirli, içli.
affect[2]**.** Yalancıktan yapmak; gibi görünmek; taslamak; hoşlanmak, dadanmak. **to ~ ignorance,** bilmemezlikten gelmek: **elephants ~ forests,** filler ormanlardan hoşlanırlar. **~ation** [–ˈteiʃn], yapmacık; gösteriş; sun'ilik; naz. **~ed,** yapmacıklı, yalancıktan, sun'i, yapma.
affection [əˈfekʃn]. Şefkat, muhabbet, sevgı; ârıza, hastalık. **~ate,** şefkatli, kalbden bağlı; muhabbetli: **yours ~ly,** (mektub sonunda) sevgilerle.
affianced [əˈfaiənst]. Nişanlı, nişanlanmış.
affidavit [ˈafiˈdeivit]. Yeminli ve yazılı ifade.
affiliat·e [əˈfiljeit]. **~ oneself, be ~ed to,** (bir cemiyet hakkında) başka bir cemiyete bağlanmak: **~ed firms,** birbirine bağlı firmalar. **~ion,** (i) bir cemiyetin başka bir cemiyete bağlanması; (ii) bir çocuğun nesebini isbat: **~ order,** bir çocuğun nesebini isbat eden mahkeme kararı.
affinity [aˈfiniti]. Yakınlık; benzeşme, birbirini çekme; cisimlerin birleşme temayülü; sıhriyet.
affirm [aˈfəəm]. İddia etm., tasdik etm., teyid etmek. **~ation,** iddia, tasdik, teyid. **~ative,** müsbet; tasdik eden, teyid eden.
affix [aˈfiks]. Bağlamak, rabtetmek; takmak, iliştirmek; (mühür) basmak; (pul) yapıştırmak.
afflict [aˈflikt]. Istırab vermek; acı vermek. **to be ~ed by,** ···e duçar olm., mübtelâ olmak. **~ion,** ıstırab, derd, keder.
affluen·t[1] [ˈafluənt] *n.* Zengin; refah içinde; bol. **~ce,** zenginlik, bolluk.
affluent[2] *a.* Bir nehrin tâbii, ayağı.
afford [aˈfood]. Vermek, vesile olm.; (paraca vs.) gücü yetmek, muktedir olm., hali ve vaziyeti müsaid olmak. **to be unable to ~,** harcı olmamak: **can you ~ the time?,** vaktiniz var mı, müsaid mi?
afforest [aˈforest]. Ağaclandırmak, ormanlaştırmak.
affray [əˈfrei]. Arbede, kavga.
affront [əˈfrʌnt] *n.* (Alenî) hakaret, tahkir. *vb.* **~ [to put an ~ upon, to offer an ~ to],** hakaret etm.: **to suffer an ~,** hakarete uğramak.
afield [əˈfiild]. **to be ~,** iş başında olm.: **to go far [farther] ~,** çok (daha) uzağa gitmek.
afire (əˈfaiə*(. Yanan, tutuşmuş.
aflame [əˈfleim]. Alev içinde, tutuşmuş.
afloat [əˈflout]. Su üzerinde; denizde. **to be ~,** (*mec.*) (rivayet) dolaşmak: **to keep ~,** su üzerinde durmak: **to set a ship ~,** bir gemiyi yüzdürmek: **service ~,** gemi hizmeti.
afoot [əˈfut]. Yaya; ayakta; kalkmış; hazırlanmakta, kurulmakta. **there is something ~,** bir şeyler dönüyor.
afore- [əˈfoo*]. Önceden; yukarıda.
aforethought [əˈfooˌθoot]. **with (of) malice ~,** teammüden.
afraid [əˈfreid]. Korkmuş. **to be ~ of,** ···den korkmak: **I am ~,** korkarım, korkuyorum; maalesef, yazık ki.
afresh [əˈfreʃ]. Yeniden, yeni baştan, tekrar.
African [ˈafrikən]. Afrika'ya aid; Afrikalı.
aft [aaft]. Geminin kıç tarafında.
after [ˈaaftə*]. Sonra, bundan sonra; bunun üzerine; sonradan; ertesi; arkasından, peşi sıra, peşinde; dununda; göre, nazaran; tarzında, üslûbunda. **~ all (is said and done),** sonunda, netice itibarile; ne de olsa. **~ you, sir,** (önce) siz buyurunuz, efendim: **in ~ days,** ileride, gelecekte: **in ~ life,** yaşlandıkça; sonradan: **the day ~ tomorrow,** öbürgün: **it is ~ one o'clock,** saat biri geçiyor: **on and ~,** ···den itibaren: **time ~ time,** kırk defa: **for years ~,** bundan sonra senelerce: **what are you ~ ?,** ne arıyorsunuz?; maksadınız nedir? **aftercare,** (hastalık vs.den) sonraki bakım. **after-deck,** arka güverte. **after-effects,** neticeleri, tesirleri; serpintileri. **afterlife,** (i) **the ~,** ahret; (ii) ömrün sonraki vakitleri. **after-taste,** ağızda bir şeyin asıl tadı gittikten sonra hissedilen tad.
aftercrop [ˈaaftəˈkrop]. İkinci mahsûl.
afterglow [ˈaaftəglou]. Son parıltı; batan güneşin son ışıkları.
aftermath [ˈaaftəˌmaaθ]. İlk mahsûl biçildikten sonra biçilen ot; netice, âkıbet.
afternoon [ˌaaftəˈnuun]. Öğleden sonra, ikindi üstü. **this ~,** bugün öğleden sonra.
afterthought [ˈaaftəθoot]. Sonradan gelen fikir [düşünce].
afterwards [ˈaaftəwədz]. Sonra, sonradan.
again [əˈgen, əˈgein]. Yine, tekrar, yeniden, daha; bundan başka, diğer taraftan. **as much ~,** iki misli: **half as much ~,** bir buçuk misli: **(every) now and ~,** ara sıra: **time and ~,** tekrar tekrar, kaç defa: **what's his name ~?,** ismi ne idi bakayım?
against [əˈgenst, əˈgeinst]. Karşı, mukabil; aleyhte, muhalif; karşısında; rağmen. **be ready ~ his coming,** geldiği zaman hazır ol: **to buy provisions ~ the winter,** kış için (kışlık) erzak almak: **to run up ~ s.o.,** birisile tesadüfen karşılaşmak.
agate [ˈagət]. Akik

age [eidʒ] *n.* Yaş; çağ; devir; uzun zaman. *vb.* Yaşlanmak, ihtiyarlamak. **at his ~,** o yaşta, onun yaşında: **to come of ~, to be of ~,** reşid olm.: **it will last for ~s,** çok zaman sürer; çok zaman dayanır: **I haven't seen him for ~s,** onu hanidir görmedim: **the Middle Ages,** ortaçağ: **they are of an ~,** aynı yaştadırlar: **to be of an ~ to marry,** evlenecek yaşta olm.: **to be over ~,** yaşını geçirmiş olm.: **under ~,** sagır, küçük. **age-long,** asırlık.
age·d (i) [ˈeidʒid]. Yaşlı, yaşlanmış; **the ~,** yaşlılar, ihtiyarlar; (ii) [eidʒd]. Yaşında; (at) yaşı altıdan fazla. **~ing,** ihtiyarlıyan. **~less,** ihtiyarlamaz; herdemtaze.
agency [ˈeidʒənsi]. Vasıta, delâlet; vekillik, acentelik; daire. **news ~,** ajans.
agenda [aˈdʒendə]. Ruzname, || gündem.
agent [ˈeidʒənt]. Vasıta, âmil; vekil; acente, ajan. **to be a free ~,** hareket serbestisine malik olmak.
agglomeration [aˌglomaˈreiʃn]. Yığılma, toplanma; küme, yığın.
agglutinate [aˈglutineit]. Yapıştırmak, birleştirmek.
aggrandize [aˈgrandaiz]. Büyütmek, yükseltmek. **~ment,** [aˈgrandizmnt], büyütme, yükselme.
aggravat·e [ˈagrəveit]. Daha fenalaştırmak; vahim bir hale getirmek; sarpa sardırmak; sabrını tüketmek, kızdırmak. **~ing circumstance,** şiddetlendirici sebeb [hal]. **~ion,** şiddetlendirme, fenalaştırma; kızdırma; hiddet; şiddetlendirici sebeb.
aggregate [ˈagrigit] *n.* Toplu, bütün; küme; toplanmış, bir araya getirilmiş şey; kütle; (betonda) çakıllı kum, taşkırığı vs. **in the ~,** bir bütün olarak. *vb.* Birleştirmek, toplamak; yekûn tutmak.
aggress-ion [əˈgreʃn]. Saldırma, tecavüz. **~ive,** tecavüzkâr, kavgacı. **~or,** saldıran, mütecaviz.
aggrieve [əˈgriiv]. Keder vermek, mağdur etmek. **~d,** mağdur, mazlum.
aghast [əˈgaast]. Dehşet içinde. **to stand ~,** donup kalmak.
agil·e [ˈadʒail]. Çevik, atik, tetik, faal. **~ity** [əˈdʒiliti], çeviklik, atiklik, faaliyet.
agitat·e [ˈadʒəteit]. Oynatmak, kımıldatmak, sallamak; rahatsız etm., heyecan vermek; tahrik etm; karıştırmak. **to ~ for stg.,** bir şeyi elde etmek için israrla uğraşmak. **~ion,** sallama; heyecana getirme; heyecan; tahrik; kaynaşma; israrla taleb etme. **~or,** [ˈadʒiteitə*], heyecana getiren; tahrikçi, körükçü.
aglow [əˈglou]. Parlıyan, yanan; ateş içinde; kıpkırmızı.
agnostic [agˈnostik]. Allahın ve hakikatın bilinemiyeceğine inanan; agnostik.
ago [əˈgou]. Önce, evvel. **a little while ~,** bir az evvel: **long ~,** çok eskiden, çok evvel: **so (as) long ~ as 1880,** daha 1880 de: **no longer ~ than last week,** daha geçen hafta.
agog [əˈgog]. **to be ~ for,** şiddetle ummak, can atmak: **to be (all) ~,** heyecanlanmak; telaş içinde olmak.
agoing [əˈgoiŋ]. **to set ~,** işletmek, yürütmek: **just ~ to begin,** eli kulağında.
agonize [ˈagonaiz]. İşkence etm.; ıstırabdan kıvrandırmak; işkence görmek [çekmek]; ıstırab çekmek.
agony [ˈagəni]. Istırabdan kıvranma; şiddetli acı veya ağrı. **~ column,** şahsî ilânlar sütunu: **to be in the death ~,** can çekişmek.
agrarian [əˈgreəriən]. Ziraate, çiftçiye dair; toprağa aid; toprağın çiftçiye dağıtılması tarafdarı.
agree [əˈgrii]. Uyuşmak; hak vermek; razı olm.; **~ to,** kabul etm.; ···e razı olm., tasdik etm.; **~ with,** ···e uygun olm., ···le bir fikirde olm., ···e mutabakat etm.: **alcohol does not ~ with him,** alkol ona dokunuyor: **this climate does not ~ with me,** bu iklim bana iyi gelmiyor. **~able** [aˈgriəbl]. Hoş, nazik; uygun, münasib; razı. **~ment** [əˈgriimnt]. Uyuşma, anlaşma; mukavele; mutabakat. **to be in ~,** ayni fikirde olm.; mutabık olm.; razı olm.: **to enter into an ~ with s.o.,** birisile bir mukavele yapmak.
agricultur·e [ˈagrikʌltʃə*]. Ziraat. **~al** [ˌagriˈkʌltʃərəl].. ziraate aid, ziraî, ziraatçi (millet). **~ist,** ziraatçi.
aground [əˈgraund]. Karaya oturmuş. **to run ~,** karaya oturmak: **to run a ship ~,** bir gemiyi oturtmak.
ague [ˈeigju]. Sıtma; bataklık humması.
aha [aˈha, aˈhaa]. Ha!; tamam!
ahead [əˈhed]. İleride, ilerisinde; önde. **to draw ~,** daha öne gitmek: **to go ~,** önden gitmek; ileremek; yol almak: **go ~!,** yürüyünüz, devam ediniz; siz buyurunuz!: **~ of one's time,** zamanına göre ileri.
ahoy [əˈhoi]. (*den.*) Hey!, ey!. **boat ~!,** hey gemidekiler!
aid [eid] *n.* Yardım, muavenet; imdad; yardımcı. *vb.* Yardım etm., imdad etm., muzaheret etmek. **in ~ of,** menfaatine.
aide-de-camp, *pl.* **aides-de-camp** [ˈeidəkõ]. Yaver.
aigrette [eiˈgret]. Sorguç, tuğ.
ail [eil]. Rahatsız etm.; keyifsiz olmak. **what ~s you?,** neniz var?
aileron [ˈeilərõ]. Uçak kanadının hareket eden kısmı.
ailment [ˈeilmnt]. Hastalık, illet.
aim [eim] *n.* Nişan alma; hedef; maksad, gaye. *vb.* (Bir silahı) nişan vaziyetine

getirmek; çevirmek; nişan almak. **~ at,** kasdetmek; çalışmak; gayret etm.; arzu etm.; istihdaf etmek. **~less,** maksadsız, gayesiz; neticesiz.

ain't [eint]. **am not! is not! are not** (*eski tabir, bugün argoda kullanılır*).

air[1] [eə*] *vb.* Havalandırmak; (çamaşır vs.) ısıtmak. **to ~ one's grievances,** derdini ortaya dökmek: **to ~ one's knowledge,** malûmatını satmak: **the question needs to be ~ed,** bu mesele ortada münakaşa edilmelidir.

air[2] *n.* Hava; tavır, hal, eda. **to beat the ~,** akıntıya kürek çekmek: **there is an ~ of comfort in this house,** insan bu evde kendini rahat hissediyor: **to give oneself ~s, to put on ~s,** bir takım haller, tavırlar takınmak, numara yapmak: **to have an (the) ~ of,** gibi görünmek: **he has an ~ about him,** şahsiyet sahibidir; onun tesirli bir hali var: **it is all in the ~ as yet,** daha ortada bir şey yok (fol yok yumurta yok): **there are lots of rumours in the ~,** etrafta bir çok rivayetler dolaşıyor: **our left flank was in the ~,** (*ask.*) sol kanadımız açıkta kaldı: **there's something in the ~,** ortada bir şeyler oluyor [dönüyor]: **to be on the ~,** radyoda konuşmak: **to put on the ~,** radyo ile neşretmek: **to melt (vanish) into thin ~,** yok olmak; kayıblara karışmak: **to tread (walk) on ~,** etekleri zil çalmak. **air-base,** hava üssü. **air-cooled,** hava ile soğutulan. **air-line,** hava hattı [yolu]. **air-liner,** muayyen bir hatta tahsis edilmiş yolcu uçağı. **air-lock,** bir su borusunda vs. hava boşluğu. **air-mail,** hava postası. **air-minded,** havacılığın ehemmiyetine inanan; havacılığın terakkisini veya faydalarını bilen. **air-pocket,** hava boşluğu. **air-port,** hava limanı. **air-tight,** hava geçmiyen.

aircraft [ˈeəkraaft]. Uçaklar, tayyareler.

airiness, airily [ˈeirinis, ˈeirili] *bk.* **airy.**

airman [ˈeəmən]. Uçakçı, tayyareci.

airplane [ˈeəplein]. Uçak.

airship [ˈeəʃip]. Sevki kabil balon, zeplin.

airworthy [ˈeəwəəði]. (Uçak hakkında) havada durabilen, uçmıya müsaid.

air·y [ˈeəri]. Havalı, havadar; hafif; havaî, sudan (vaid). **~ily, to talk ~,** dem vurmak.

aisle [ail]. Bir kilisede sütunlarla ayrılmış yan koridor.

aitch [eitʃ]. H harfinin ingilizce adı. **to drop one's ~es,** h harfini telaffuz etmemek (ki İngiltere'de iyi tahsil ve terbiye görmemiş tabakadan mânasına gelir).

ajar [əˈdʒaa*]. Yarı açık, aralık (kapı).

akimbo [əˈkimbou]. **with arms ~,** elleri kalçasına dayalı.

akin [əˈkin]. **~ to,** akraba; yakın, benzeyen; yakın münasebeti olan.

alabaster [ˈaləbaastə*]. Ak mermer, su mermeri.

alack [əˈlak]. Yazık, eyvah, heyhat.

alacrity [əˈlakriti]. Çeviklik, canlılık; isteklilik, can atma.

alarm [əˈlaam] *n.* Silah başı işareti; tehlike işareti; endişe, telaş. *vb.* Tehlikeyi haber vermek; telaşa düşürmek, korkutmak. **to be ~ed at stg.,** ···den telaşa düşmek, korkmak: **to raise [give] the ~,** tehlikeyi haber vermek: **to take ~,** telaşlanmak, telaşa düşmek. **~ing,** ortalığı telaşa düşüren; endişe veren. **~ist,** ortalığı her zaman telaşa düşüren; çabuk telaşlanan. **alarm-clock,** münebbihli saat; uyandıran saat.

alas [aˈlaas]. Vay!, yazık!; maalesef.

Albania [alˈbeinjə]. Arnavutluk. **~n,** arnavut.

albatros [ˈalbatros]. Cenub Okyanusuna mahsus bir deniz kuşu.

albeit [oolˈbiiət]. Her ne kadar, vakıa.

albino [alˈbiinou]. Derisi, saçları ve kaşları beyaz insan veya hayvan.

albumen [ˈalbjumən]. Albümin; yumurta akı.

alchem·ist [ˈalkəmist]. Simyager. **~y,** eski kimya, simya.

alcohol [ˈalkəhol]. Alkol; alkollu içki. **~ic,** [alkəˈholik] *a.* alkollu; *n.* ayyaş. **~ism** [ˈalkəholizm], alkolik olma; ayyaşlık.

alcove [ˈalkov]. Bir odanın içerlek kısmı; cumba; bir odada duvar içindeki yuva gibi girinti.

alder [ˈooldə*]. (*Alnus*) Kızılağaç.

alderman, *pl.* **–men** [ˈooldəmən, –men]. Belediye meclisinin kıdemli âzası.

ale [eil]. Bira. **ale-house,** birahane.

Aleck [ˈalek]. **Alexander**'in kısaltılmış şekli: **smart ~,** kurnaz, tilki; bilmediği yok.

alembic [əˈlembik]. İmbik.

alert [əˈləət]. Uyanik, dikkatli: **to be on the ~,** tetikte olmak.

alfalfa [alˈfalfa]. (*Medicago sativa*) Kabayonca.

alfresco [alˈfresko]. Açık havada.

algae [ˈalgi]. Su yosunları.

algebra [ˈaldʒebra]. Cebir. **~ic(al)** [aldʒəbreiəkl], cebre aid.

Algeria [alˈdʒiirjə]. Cezayir. **~n,** Cezayire aid; Cezayirli.

Algiers [alˈdʒiiəz]. Cezayir şehri.

alias [ˈeiljas]. Takma ad; başka ad; namı diğer; öteki adı, yahud.

alibi [ˈaləbai]. Suç işlendiği zaman başka yerde bulunulduğu iddiası.

alien [ˈeiliən]. Ecnebi, yabancı; uymıyan.

alienat·e [ˈeiliəneit]. Uzaklaştırmak, soğutmak; (bir malı) ferağ ve temlik etm., devretmek. **~ion,** uzaklaşma, soğuma; ferağ ve temlik; **mental ~,** cinnet.

alienist [ˈeiliənist]. Akliyeci.

alight[1] [əˈlait] *vb.* İnmek; konmak.

alight[2] *a.* Yanmakta, tutuşmuş, ateş içinde. **to catch ~,** tutuşmak: **to set ~,** tutuşturmak.

align [əˈlain]. Sıraya koymak, dizmek, hizaya sokmak; sıralamak; hizaya gelmek. **~ment,** dizilme, sıraya girme, hiza.

alike [əˈlaik]. Benzer; aynı, müsavi. **summer and winter ~,** hem yaz hem kış.

aliment [ˈalimənt]. Yiyecek, gıda. **~ary,** yiyeceğe, gıdaya dair; besleyici. **~ation,** gıda verme, besleme.

alimony [ˈaliməni]. Nafaka.

alive [əˈlaiv]. Canlı, diri, hayatta; kaynaşan. **to be ~ to,** hissetmek, farkında olm.: **to keep stg. ~,** yaşatmak, muhafaza etm.: **look ~!,** çabuk ol, sallanma!: **man ~!,** nasıl olur!, yok canım!: **the kindest man ~,** dünyada en iyi insan.

alkal·i [ˈalkəlai]. Kalevi, kali. **~ine,** alkalinli. **~oid,** şibih kalevi.

all [ool]. Bütün, hep, hepsi, her. *Sıfatların başında gelirse tekid ifade eder, mes.* **all-powerful,** tam kuvvetli. **~ of us,** hepimiz: **~ of you,** hepiniz: **~ of them,** hepsi; **~ alone,** yapyalnız: **~ at once,** birdenbire: **clever and ~ as he is,** bu kadar zeki filân olduğu halde: **do you see him at ~?,** onu hiç görüyor musunuz?: **if you go there at ~,** eğer oraya gidecek olursanız: **he will come tomorrow if at ~,** şayed gelirse yarın gelecek: **if it is at ~ cold,** bir parça soğuk olsa: **~ the better,** çok daha iyi; iyi ya!, isabet!: **he ~ but died,** az kaldı [hemen hemen] ölüyordu: **it's ~ but done,** yapıldı [bitti] sayılır: **~ by oneself [myself, himself, etc.],** kendi başına [başıma vs.]; yapyalnız: **to be ~ for ...,** ···in tarafdarı olm.: **for ~ he may say,** ne söylerse söylesin; söylediklerine rağmen: **for ~ his talent,** (bütün) kabiliyetine rağmen: **his son was ~ in ~ to him,** oğlu onun için hayatta her şey idi: **taking it ~ in ~,** heyeti umumiye itibarile: **he lost his ~,** varını yoğunu kaybetti: **my ~,** varım yoğum: **not at ~,** hiç; hiç değil: bir şey değil: **it cost him ~ of a thousand pounds,** bu ona en aşağı bin liraya malodu: **~ over,** her tarafta; bitmiş; **~ right,** pek iyi; hay hay: **he's not as stupid as ~ that,** artık bu kadar da aptal değildir: **he's ~ there,** sen onu hiç merak etme, o açıkgözdür: **he's not ~ there,** pek aklı başında değil, terelelli: **~ the way,** yol boyunca, yolun sonuna kadar. **All Fools' Day,** bir nisan. **all-in,** yüzde yüz her şey dahil: **~ wrestling,** serbest güreş. **all-purpose,** her şeye yarıyan. **all-round,** (atlet vs.) her sahada mükemmel; her bakımdan. **All Saints' Day,** azizler günü (1 kasım). **all-weather,** her havaya elverişli.

allay [əˈlei]. Azaltmak, hafifletmek, yatıştırmak, teskin etmek.

allegation [aliˈgeiʃn]. İleri sürme, iddia.

allege [əˈledʒ]. İleri sürmek, iddia etm., bahane etmek.

allegiance [əˈliidʒəns]. Biat, sadakat; tabiiyet.

allegor·y [ˈaligəri]. Remzî hikâye, alegori. **~ical** [–ˈgorikl], remzî, kinaye yolile, alegorik.

alleluia [ˌaliˈluujə] *bk.* **hallelujah.**

alleviate [əˈliivieit]. Azaltmak, hafifletmek, yatıştırmak.

alley [ˈali]. (Bir şehirde) dar yol, aralık; (bir parkta) ağaclıklı yol. **blind ~,** çıkmaz sokak.

alliance [əˈlaiəns]. İttifak, birlik.

allied [aˈleid] *a.* Müttefik; yakın; münasebeti olan.

alligator [ˈaligeitə*]. Amerika timsahı.

alliteration [əˌlitəˈreiʃn]. Bir kelime grupunda baş harflerin kafiyeli olması.

allocat·e [ˈaləkeit]. Tahsis etm.; pay etm.; dağıtmak. **~ion,** tahsis etme; tahsis edilen mikdar; hisse.

allocution [aloˈkjuuʃn]. Hitabe, nutuk.

allot [əˈlot]. Tahsis etm.; hisselere ayırmak, taksim etm.; vermek; ayırmak; ifraz etmek. **~ment,** hisselere ayırma; taksim etme; hisse, pay; ekilmek üzere mahallî idarelerce kiraya verilen küçük bahçe.

allow [əˈlau]. Müsaade etm., izin vermek; bırakmak, razı olm.; kabul etm.; hoş görmek; vermek; tahsis etmek. **to ~ for,** hesabetmek: **~ing for the circumstances,** vaziyeti göz önünde tutarak, şartları hesaba katarak: **the matter ~s of no delay,** işin beklemeğe tahammülü yok. **~able,** kabul edilebilir, hoş görülebilir; caiz, meşru, mubah. **~ance,** tahsisat; istihkak; tenzilât; ihtiyat payı: **to make ~(s) for,** hesaba katmak, göz önünde tutmak; ···e bağışlamak: **to put s.o. on short ~,** istihkakını kısmak: **travelling ~,** harcırah. **~edly,** herkesin kabul [itiraf] ettiği üzere.

alloy [ˈaloi] *n.* Halita. [əˈloi] *vb.* Halita yapmak; değersiz bir madenle değerli bir madeni karıştırmak; değerini bozmak.

allude [əˈluud]. **~ to,** İma etm.; taş atmak; kısaca zikretmek.

allur·e [əˈljuuə*]. Çekmek, cezbetmek; kandırmak. **~ing,** çekici, cazib.

allusion [əˈluuʒn]. İma; tas; zikretme.

alluv·ial [əˈlluuviəl]. Taşan suların bıraktığı toprağa aid. **~ium,** taşan suların bıraktığı toprak.

ally [ˈalai] *a.* Müttefik; dost; arkadaş. [əˈlai] *vb.* Birleştirmek, ittifak et(tir)mek.

alma mater [ˈalma ˈmaatə*]. Bir kimsenin tahsilini görüp yetiştiği mekteb veya üniversite.

almanac [ˈollmənak]. Takvim; almanak.

almighty [oolˈmaiti]. Her şeye kaadir; her şeye kaadir olan Allah, Kaadiri Mutlak; (*kon.*) tam; büyük.

almond [ˈaamənd]. Badem. **sugar ~,** badem şekeri.

almost [ˈoolmoust]. Hemen hemen, aşağı yukarı; az kaldı.

alms [aamz] *n. pl.* Sadaka. **~house,** fakirlere mahsus imaret.

aloe [ˈalou]. Sarısabır (nebat). **~s,** sarısabır (ilac).

aloft [əˈloft]. Yukarıda, yükseklerde; gemi direğinde.

alone [əˈloun]. Yalnız; tek başına; yalnız olarak; sade. **let ~,** şöyle dursun; **he can't talk his own language, let ~ English,** İngilizçe söyle dursun kendi lisanını bile konuşamaz: **to let ~,** kendi haline bırakmak; rahat bırakmak; ilişmemek: **let well ~,** iyidir, fazla kurcalama: **with that courtesy which is his ~,** kendine mahsus nezaketile.

along [əˈloŋ]. Boyunca; uzunluğuna; ileriye. **all ~,** başından itibaren, ta başından: **come ~!,** haydi bakalım, haydi gel!: **~with,** beraber: **to get ~ with,** ···le geçinmek, uyuşmak: **get ~ with you!,** (*kon.*) haydi git!; haydi canım!; amma yaptın ha! **~shore,** sahil boyunca, kıyı sıra. **~side,** yanyana; borda bordaya; bordada; **~ the quay,** rıhtım yanında.

aloof [əˈluuf]. Uzakta, alargada; sokulmaz. **to hold [keep, stand] ~,** çekinmek, uzak durmak, sokulmamak. **~ness,** çekingenlik, sokulmayış.

aloud [əˈlaud]. Yüksek sesle.

alpaca [alˈpaka]. Cenubî Amerika'ya mahsus koyuna benzer bir hayvan, alpaka; alpaka yünü; bu yünden yapılan kumaş.

alpenstock [ˈalpənˈstok]. Dağcılara mahsus ucu demirli değnek.

alpha [ˈalfa]. Yunan alfabesinin birinci harfi. **~ and Omega,** ilk ve son; başı ve sonu.

alphabet [ˈalfəbet]. Alfabe. **~ical** [–ˈbetikl], alfabe sırasile.

alpin·e [ˈalpain]. Alp dağlarına aid ve dair. **~ist** [ˈalpinist], dağcı, alpinist.

already [oolˈredi]. Daha; daha şimdiden; şimdiye kadar; kadar; zaten. **I've been here an hour ~,** buraya geleli tam bir saat oldu; tam bir saattir seni bekliyorum: **two o'clock ~!,** saat ne çabuk iki olmuş!; saat iki olmuş bile!

also [ˈoolsou]. De; dahi; aynı zamanda; bir de.

altar [ˈoltə*]. Mabedin en mukaddes yeri; mihrab; mabedde kurban kesilen yer, mezbah. **to lead s.o. to the ~,** birile evlenmek.

alter [ˈoltə*]. Değiş(tir)mek, tadil etm., başka şekle sokmak [girmek]. **that ~s matters (the case),** o başka, o zaman iş değişir: **to ~ for the better [worse],** daha iyi [fena] olmak. **~ation** [–ˈreiʃn], değiştirme, değişiklik; tadilât.

altercation [ˈoltəˈkeiʃn]. Atışma, münakaşa.

alternat·e [ˈoltəneit] *vb.* Nöbetleşe değiş(tir)mek, nöbetle yap(tır)mak; birbirini takib etmek. **~ing,** mütenavib.

alternate [oolˈtəənit] *a.* Nöbetleşe değişen, mutenavib. **on ~ days,** gün aşırı.

alternative [olˈtəənetiv]. İkisinden birini verme veya seçme; iki hal veya şıktan birisi (olan). **there is no ~,** ikinci [başka] bir şık yoktur, tek çare [şekil] budur: **the ~ plan would be,** yegâne mümkün olan diğer [ikinci] şekil budur.

although [oolˈðou] *bk.* **though.**

altimeter [ˈaltimiitə*]. İrtifa ölçen alet.

altitude [ˈaltitjuud]. Yükseklik, irtifa; deniz sathından irtifa, râkım.

alto [ˈaltou]. Kadın veya çocuk seslerinin en pesi; alto.

altogether [oolteˈgeðə*]. Hep beraber; tamamen, büsbütün; hepsi; umumiyetle.

altru·ism [ˈaltruizm]. Başkalarını düşünme, diğergâmlık. **~ist,** diğergâm. **~istic** [–ˈistik], başkalarıni düşünen, diğergâm.

alum [ˈaləm]. Şap.

aluminium [aljuˈminiəm]. Alüminyom.

alumnus [əˈlʌmnʌs]. Bir mekteb veya kolej mezunu.

always [ˈoolweiz, –wiz]. Her zaman, daima. **there is ~ your car,** olmazsa [sıkışınca] otomobiliniz var.

am [am]. *1st p. sing. pres. of* **be. I am here,** buradayım.

a.m. [ˈei ˈem]. Öğleden evvel.

amain [əˈmein]. Şiddetle; var kuvvetle.

amalgam [əˈmalgəm]. Cıva ile bir madenin halitası; terkib. **~ate,** [əˈmalgəmeit], mezcetmek, terkib etm., karıştırıp birleştirmek; birleşmek, mezcedilmek.

amanuensis [əˈmanjuˈensis]. Kâtib.

amass [əˈmas]. Yığmak, toplamak.

amateur [ˈamətəə* (–tjue*)]. Meraklı; amatör, heveskâr. **~ish** [–tjueriʃ], (fena mânada) amatör işi, amatörce.

amatory [ˈamatori]. Aşıkane.

amaze [əˈmeiz]. Hayrette bırakmak, şaşırtmak. **I was ~d,** ağzım açık kaldı. **~ment,** şaşkınlık, hayret, ağzı açık kalma.

Amazon [ˈamazən]. Amazon nehri; eski Yunan mitolojisinde muharib kadın; erkek yapılı veya erkek halli kadın.
ambassad·or [amˈbasədə*]. Büyük elçi, sefir. **~ress,** büyük elçinin eşi; sefire.
amber [ambə*]. Kehriba; kehriba rengi. **~gris** [–ˈgriis], amber.
ambidextrous [ˈambiˈdekstrəs]. İki elini de kullanabilen.
ambigu·ity [ambiˈgjuiti]. Başka mânaya da gelebilme; iltibas, mübhemlik. **~ous** [amˈbigjuəs], başka mânaya da gelebilen; iltibaslı, mübhem; şübheli.
ambiti·on [amˈbiʃn]. İhtiras, yükselme ihtirası; şiddetle arzu edilen şey. **~ous,** gözü ileride, büyük emeller peşinde; ihtiras sahibi; ikbale tapan şiddetle arzu eden; fazla iddialı.
amble [ˈambl] *n.* Rahvan; rahat yürüyüş. *vb.* Rahvan gitmek; rahat ve sakin yürümek; sallana sallana yürümek.
ambrosia [amˈbrouzia]. Tanrılara mahsus gıda; çok nefis veya güzel kokulu yiyecek. **~l,** nefis veya güzel kokulu.
ambulance [ˈambjuləns]. Seyyar hastahane; hasta arabası.
ambulatory [ˈambjulətəri] *a.* Seyyar, gezici. *n.* Gezinti yeri, kemerli yol.
ambuscade [ambʌsˈkeid] *bk.* **ambush.**
ambush [ˈambuʃ]. Pusu. Pusuya düsürmek [yatırmak]. **to lay an ~,** pusu kurmak: **to be in ~,** pusuya yatmak.
ameliorate [əˈmiiliəreit]. İyileş(tir)mek, düzel(t)mek.
amen [ˈaaˈmen, ˈeiˈmen]. Amin.
amenable [əˈmiinibl]. Tabi; makul, uysal. **~ to reason,** sulha subhana yatar.
amend [əˈmend]. Düzeltmek; tadil etm., islah etmek. **to ~ one's ways,** gidişini, hal ve hareketini düzeltmek. **~s,** tazminat; **to make ~s,** tazmin etm., telâfi etmek. **~ment,** düzeltme; tadil, muaddel şekil.
amenity [əˈmiiniti, –ˈmen–]. Hoşluk, lâtiflik, güzellik. **the amenities of life,** hayatın zevki, güzel tarafı.
amethyst [ˈameθist]. Mor yakut.
amiable [ˈeimiəbl]. Kendini sevdirir, cana yakın, hoş, sokulgan.
amicable [ˈamikəbl]. Dostça, ahbabca.
amid(st) [əˈmid(st)]. Ortasında.
amidships [əˈmidʃips]. Geminin ortasında [belinde].
amiss [əˈmis]. Eksik, yanlış; ters; bozuk. **to take stg. ~,** bir şeyi fenaya almak: **don't take it ~!,** hatırınız kalmasın!: **a glass of beer wouldn't be [come] ~,** şimdi bir bardak bira olsa fena olmaz.
amity [ˈeimiti]. Dostluk; iyi münasebet.
ammeter [ˈamətə*]. Ampermetre.
ammonia [əˈmounjə]. Nişadır, amonyak. **~c,** amonyaka aid. **~ted** [–ˈjeitəd], amonyaklı.
ammunition [ˌamjuˈniʃn]. Cebhane; mühimmat.
amnesia [amˈniiziə]. Hafızayı kaybetme hastalığı.
amnesty [ˈamnesti]. Umumî af (ilân etm.); af(fetmek).
amok *bk.* **amuck.**
among(st) [əˈmʌŋ(st)]. Arasında; içinde. **~ you,** aranızda.
amoral [aˈmorəl]. Ahlakla ilişiği olmıyan, lâahlakî.
amorous [ˈamərəs]. Âşık, âşıkane; aşka aid.
amorphous [aˈmoofʌs]. Şekilsiz; hiç bir hususiyeti olmıyan.
amortization [əˈmootaizeiʃn]. İtfa, amortisman.
amount [əˈmaunt] *n.* Mikdar; meblağ; yekûn. *vb.* (para vs.) baliğ olm., varmak, tutmak. **it ~s to the same thing,** aynı hesaba gelir, aynı şeydir: **he will never ~ to much,** onun adam olacağı yok; ondan mühim bir şey beklenmez.
amour [ˈamuə*]. Aşk macerası.
amp, amper·e [amp, ˈampeir]. Amper. **~age** [ˈamperidʒ], amperaj.
amphib·ian [amˈfibjən]. Hem karada hem suda yaşıyan (hayvan) veya giden (uçak vs.). **~ious,** hem karada hem de suda yaşıyabilen.
amphitheatre [ˈamfiˈθiitə*]. Ortası açık ve etrafı gittikçe yükselen sıralarla çevrili oyun vs. yeri, amfiteatr.
ample [ˈampl]. Geniş, bol; kâfi.
amplif·y [ˈamplifai]. Büyütmek, genişletmek; kuvvetini artırmak; tafsil veya ilâve etmek. **~ier,** amplifikatör.
amplitude [ˈamplitjuud]. Genişlik; bolluk; (üslûb) zenginlik.
amputat·e [ˈampjuteit]. (Bir uzvu) kesmek. **~ion,** ampütasyon.
amuck [əˈmʌk]. **to run ~,** Malezya'ya mahsus bir delilik nöbetine uğramak; kudurmuş gibi etrafa saldırmak; tepesi atmak.
amulet [ˈamjulet]. Muska, tılısım.
amus·e [əˈmjuuz]. Eğlendirmek; oyalamak; güldürmek. **to ~ oneself (by, with),** eğlenmek, eğlence bulmak. **~ment,** eğlence. **~ing,** eğlenceli, güldürücü; tuhaf: **the ~ing thing about it,** işin tuhafı.
an [an] *bk.* **a**[2].
anachronism [aˈnakronizm]. Bir şahıs, hadise veya şeyi aid olmadığı zamana koyma.
anaconda [anaˈkonda]. Bir nevi boa yılanı.

anaem·ia [aˈniimjə]. Kansızlık, anemi, fakrüddem. **~ic,** kansız, anemik; zayıf.
anaesth·esia [aniisˈθiiziə]. Hissi uyuşturma (ibtal), anestezi. **~etic** [–ˈθetik], hissi uyuşturan (ibtal eden) madde. **~etist** [aˈniisθətist], hissi ibtal eden, anastezi veren kimse. **~etize** [aˈniisθətaiz], hissi uyuşturmak; uyutmak.
anagram [ˈanagram]. Başka bir kelime veya cümlenin harflerile meydana getirilen kelime veya cümle.
anal [ˈeinəl]. Dübürî; şercî.
analog·ical [anaˈlodʒikl]. Kıyas yolile (olan), benzeterek (yapılan). **~ous** [aˈnaləgəs], benzer, müşabih, kıyas edilebilir. **~y** [aˈnalədʒi], kıyas; münasebet, müşahebet.
analy·se [ˈanəlaiz]. Tahlil etmek. **~sis** [əˈnaləsis], tahlil, analiz. **~st**[–list], tahlilci. **~tic**(**al**) [–ˈlitikl], tahlilî.
anarch·ic(**al**) [aˈnaakikl]. (Vaziyet vs.) karmakarışık, anarşik. **~ist** [ˈanakist], anarşist. **~y** [ˈanəki], anarşi, karmakarışık vaziyet.
anathema [əˈnaθəma]. Lânet, lanetleme (şahıs). **to be an ~ to s.o.,** nefretini mucib olmak. **~tize,** lânetlemek.
anatom·ical [anaˈtoməkl]. Anatomiye aid, teşrihî. **~ist** [aˈnatəmist], teşrihci. **~y,** teşrih, anatomi.
ancest·or [ˈansestə*]. Ata, ced. **~ral** [anˈsestrəl], atadan kalma, atalara aid, irsî. **~ress,** nine, kadın ced. **~ry,** soy, dedeler, atalar.
anchor [ˈaŋkə*] *n.* Gemi demiri, çapa; emniyet veren şey. *vb.* Demirlemek, demir atmak; iyice tesbit etmek. **to cat the ~,** demiri grivaya vurmak: **to come to ~,** demirlemek: **to drag ~,** demiri sürüklemek: **to let go the ~,** demiri funda etm.: **to lie (ride) at ~,** demirli olm.: **to weigh ~,** demiri vira etmek. **~age,** demirleme yeri; dermirleme ücreti.
anchorite [ˈaŋkərait]. Münzevi, tariki dünya.
anchovy [anˈʃouvi]. (**fresh**) hamsi; (**preserved**) ançüviz. **~ paste,** ançüviz ezmesi.
ancient [ˈeinʃənt]. Eski, kadim; ihtiyar. **the ~s,** eski Yunan ve Roma gibi kadim milletler.
ancillary [anˈsiləri]. Tabi; fer'î; bağlı.
and [and]. Ve, ile, bir de, de, daha. **better ~ better,** gittikçe daha iyi: **to walk two ~ two,** ikişer ikişer yürümek.
anecdot·e [ˈanikdout]. Fıkra, lâtife, hikâye. **~age,** fıkra veya letaif kitabı: **he is in his ~** (**dotage** = *bunama kelimesile cinas yapılarak*), bunamağa başlamış (*çok söyliyen ihtiyar hakkında kullanılır*).
anemometer [ˌanəˈmomətə*]. Rüzgâr ölçen alet.
anemone [əˈnemoni]. Mânise lâlesi. **sea ~,** deniz inciri.
anent [əˈnent]. Hakkında.
aneroid [ˈanəroid]. **~ (barometer),** mayisiz işleyen barometre.
aneurism [ˈanjurizm]. Damar genişlemesi, anevrizm.
anew [əˈnjuu]. Yeniden, tekrar.
angel [ˈeindʒəl]. Melek. **be an ~ and . . .,** ne olursun . . .: ⌜**fools rush in where ~s fear to tread**⌝, akıllının ayağını atmıyacağı yere deliler koşar. **~ic** [anˈdʒelik], melek gibi; meleklere mahsus.
angelica [anˈdʒelika]. Melekotu.
angelus [ˈandʒəlʌs]. (Katoliklerce) sabah, öğle ve akşam okunan bir dua.
anger [ˈaŋgə*]. Hiddet, öfke. Kızdırmak, öfkelendirmek. **he is easily ~ed,** pek çabuk kızar.
angina [anˈdʒaina]. Anjin; hunnak. **~ pectoris,** göğüs anjini, hunnakı sadır.
angle[1] [ˈaŋgl]. Zaviye, köşe: || açı. **~ iron,** demir köşebent.
angle[2]. Olta. Olta ile balık tutmak, avlamak. **to ~ for,** tutmağa çalışmak. **~r,** balık avcısı.
anglican [ˈaŋgləkəŋ]. Anglikan.
anglic·e [ˈaŋglisii]. İngilizce. **~ism,** İngilizceye has tabirler kullanma.
anglo- [ˈaŋglou]. **~-Indian,** İngilizle Hindli melezi; Hindistanda doğmuş İngiliz; Hindistanda vazife gören veya görmüş. **~maniac,** müfrit İngiliz hayranı. **~phil,** İngiliz muhibbi.
angry [ˈaŋgri]. Hiddetli, öfkeli, dargın; iltihablı. **to be ~,** darılmak, gücenmek: **to be ~ about stg.,** bir şeye kızmak: **to be ~ with s.o.,** birisine kızmak: **to get ~,** kızmak: **to make ~,** kızdırmak.
anguish [ˈaŋgwiʃ]. Müdhiş acı veya keder.
angular [ˈaŋgjulə*]. Köşeli, zaviyeli.
aniline [ˈanilain]. Anilin.
animadver·sion [ˌanimadˈvəəʃn]. Tenkid; çekiştirme. **~t (on),** tenkid etm.; çekiştirmek.
animal [ˈaniml]. Hayvan. Hayvana aid.
animat·e [ˈanimit] *a.* Canlı. [ˈanimeit] *vb.* Canlandırmak; harekete getirmek. **~ion** [–ˈmeiʃn], canlılık, hareket, heyecan.
animosity [ˌaniˈmositi]. Düşmanlık, nefret.
aniseed [ˈanisiid]. Anason.
ankle [ˈaŋkl]. Topuğun yan kemiği, kâab.
anklet [ˈaŋklət]. Ayak bileziği; halhal; bukağı; tozluk.
anna [ˈana]. Bir rupyenin on altıda biri (Hind parası).
annal·ist [ˈanalist]. Vak'anüvis, tarihçi. **~s,** vakayiname, tarih.
Anne [ˈan]. **Queen ~'s dead!,** bu (ta) ne zamanın hikâyesi; bu artık bayatladı:

Queen ~'s Bounty, fakir rahiblerin gelirlerini artırmak için kurulmuş vakf: Queen ~ house, kraliçe Anne zamanında inşa edilmiş ev.

anneal [ə'niil]. Sıcağı yavaş yavaş azaltarak (bir madeni) yumuşatmak.

annex [ə'neks] *vb.* İlhak etm., eklemek, katmak. **~e** ['aneks] *n.* İlâve kısım: **~es,** müştemilât.

annihilat·e [ə'naihileit]. Yok etm., imha etmek. **~ion** [–'leiʃn], mahvetme.

anniversary [ˌani'vəəsəri]. Yıldönümü.

annotate ['anoteit]. (Bir kitabın kenarına) haşiye yazmak; (bir metni) şerh ve izah etmek.

announce [ə'nauns]. Haber vermek, bildirmek. **~ment,** haber verme; ilân. **~r,** haber veren; radyoda haberleri okuyan kimse.

annoy [ə'noi]. Taciz etm., rahatsız etm., kızdırmak, canını sıkmak. **~ance,** kızıp canı sıkılma, iğbirar, üzülme; taciz eden kimse veya şey.

annu·al ['anjuəl]. Yıllık, senelik; bir sene veya bir mevsim süren (nebat). **~ity** [ə'njuiti], senelik tahsisat veya ücret.

annul [ə'nʌl]. Feshetmek, bozmak, ibtal etmek.

annunciation [ə'nʌnsi'eiʃn]. Haber. **The ~,** İsa'ya hamile olduğunun Meryem'e haber verilmesi.

anode ['anoud]. (*elek.*) Müsbet kutub, anod.

anodyne ['anoudain]. Teskin edici, ağrıyı kesici (ilâc, şey).

anoint [ə'noint]. Yağlamak; (bir kralı vs. merasim icabi) yağlıyarak takdis etmek.

anomal·ous [ə'noməlǝs]. Kaideye uymıyan; müstesna. **~y,** usulsüzlük; istisna.

anon[1] [ə'non]. Hemen, bir az sonra. **ever and ~,** ikide birde.

anon[2]. **anonymous.**

anonym·ity [ənoˈnimiti]. Anonimlik. **~ous** [ə'nonimǝs], isimsiz, imzasız, anonim.

anopheles [a'nofəliiz]. **~ mosquito,** sıtma sivrisineği.

another [ə'nʌðə*]. Başka; bir başka; (bir) daha. **one ~,** birbirini: **in ~ ten years,** bundan on sene sonra: **that's (quite) ~ matter,** o zaman iş değişir; o başka bir bahis: **science is one thing, art is ~,** ilim başka, san'at başka: **taking one year with ~,** orta hesabla senede: **taking one thing with ~,** sonunda; vasatî olarak, umumiyetle.

answer ['aansə*] *n.* Cevab; karşılık. *vb.* Cevab vermek; karşılamak. **in ~,** cevab olarak, cevaben: **to ~ to a description,** bir tasvir veya tarife uymak: **to ~ the door,** gelip kapıyı açmak: **to ~ for s.o. (stg.),** birinin namına söz söylemek; tekeffül etm.; mesul olm.: **to ~ the helm** (gemi) dümeni dinlemek: **he has a lot to ~ for,** yaptığı bir çok şeylerden mesul tutulacak: **to ~ the purpose,** maksada kâfi gelmek: **that will ~ my purpose,** bu işimi görür: **his scheme didn't ~,** projesi muvaffak olmadı, netice vermedi.

answerable ['aansərəbl]. Mesul, || sorumlu; cevab verilebilir.

ant [ant]. Karınca.

antagon·ism [an'tagənizm]. Düşmanlık; zıddiyet; rekabet. **~ist,** muhalif, düşman; rakib. **~istic** [–'istik], zıd, muhalif, düşman. **~ize** [an'tagənaiz], düşman etmek.

antarctic [an'taaktik]. Cenub kutbuna aid; cenub kutbu bölgesi.

ante- ['anti] *pref.* ···den evvel.

antecedent [ˌanti'siidnt]. Önceki, önce olan (şey); mukaddem. **the ~s of s.o.,** birisinin geçmişi, cemaziyelevveli.

antechamber [ˌanti'tʃeimbə*]. İçinden başka bir oda veya daireye geçilen oda.

antedate [ˌanti'deit]. Önceki tarihi koymak; daha evvel gelmek.

antediluvian [ˌantidə'luuviən]. Tufandan önceye aid; çok eski veya yaşlı; Nuhtan kalma.

antelope ['antiloup]. Ceylan.

ante meridiem ['anti me'ridjəm]. (*kis.* a.m.), Öğleden evvel.

ante-natal ['anti'neitl]. Doğumdan evvel.

antenna, *pl.* **-ae** [an'tena, -ii]. Böcek vs. boynuzu; anten.

antepenultimate ['antipe'nʌltəmeit]. Sondan üçüncü.

anterior [an'tiiriə*]. Ön, önceki.

ante-room ['antirrum]. İçinden başka odaya geçilen oda, bekleme odasi.

anthem ['anθəm]. İlâhi, dinî şarkı. **National ~,** millî marş.

anther ['anθə*]. (*bot.*) Başcık.

anthology [an'θolodʒi]. Seçme yazılar kitabı, antoloji.

anthracite ['anθrasait]. Antrasit.

anthrax ['anθraks]. (Hayvanlarda) şarbon hastalığı; şirpençe.

anthropoid ['anθropoid]. İnsana benzer.

anthropo·logy [anθro'polidʒi]. İnsanın menşei ve gelişmesi ile ırkları, örf ve âdetler ve itikadları tedkik eden ilim, antropoloji. **~metry** [–mətri], insan vücudünün ölçülmesi. **~morphism** [–'moofizm], Tanrıyı insan şeklinde kabul eden itikad. **~phagy** [–'pofagi], yamyamlık.

anti- ['anti] *pref.* ···e karşı, muhalif.

anti-aircraft ['anti 'eiəkraaft]. **~ gun,** uçaksavar top, uçak defi topu.

antics ['antiks]. Maskaralık, tuhaflık, soytarılık.

antichrist [ˈantiˌkraist]. İsa'nın en büyük düşmanı, Teccal.

anticipat·e [ənˈtisipeit]. Ummak, merakla beklemek; başkalarından evvel davranmak; önceden yapmak; önceden görmek; önlemek. **~ion** [–ˈpeiʃn], umma, ümid besleme, merakla bekleme; tahmin: **in ~**, önceden, peşin olarak: **in ~ of stg.**, ilerdeki bir şeyi düşünerek veya göz önünde tutarak. **~ory** [–pətəri], ilerisini düsünerek.

anticlerical [ˌantiˈklərikl] Rahib sınıfı aleyhinde.

anticlimax [ˌantiˈklaimaks]. Yüksek veya güzel bir düşünce, söz vs.den, beklenmedik bir şekilde, birdenbire gülünç, değersiz, adi vs.ye düşme; fena tezad.

anticyclone [ˌantiˈsaikloun]. Antikiklon.

antidote [ˈantidout]. Panzehir, çare.

antimacassar [antimaˈkasə*]. Bir koltuk vs.nin arkalığını kirlenmekten koruyan örtü.

antimony [ˈantimoni]. Antimon madeni; sürme taşı.

Antioch [ˈantiok]. Antakya.

antipath·y [anˈtipəθi]. Hoşlanmama, antipati. **~etic(al)** [–ˈθetik], sevimsiz, antipatik.

antipodes [anˈtipədiiz]. Semtikadem; yer yüzünde her hangi bir noktanın mukabili olan nokta; bir şeyin taban tabana zıddı. **The ~**, Avusturalya ve Yeni Zelanda.

antiquar·ian [antiˈkweiriən]. Antikaya aid; antika meraklısı; antikacı. **~y** [ˈantikwəri] antika meraklısı, antikacı.

antiquated [ˈantikweitid], Eskimiş, modası geçmiş; külüstür.

antique [anˈtiik]. Çok eski; modası geçmiş; antika. **~ dealer,** antikacı.

antiquity [anˈtikwiti]. Eskilik; eski çağ; eski zamana aid şey; antika.

antirrhinum [antiˈrainəm]. Aslanağzı.

anti-semit·e [antiˈsiimait]. Yahudi düşmanı. **~ism** [–ˈsiimətizm], Yahudi düsmanlığı.

antiseptic [antiˈseptik]. Taafünü önliyen, antiseptik.

antisocial [antiˈsouʃəl]. Cemiyete karşı (hareket vs.).

antithesis, *pl.* **-es** [anˈtiθəsis, -siiz]. Tezad; zıd.

antitoxin [antiˈtoksin]. Antitoksin.

antler [ˈantlə*]. Geyik boynuzu.

antonym [ˈantonim]. Zıd.

anvil [ˈanvil]. Örs.

anxi·ety [aŋˈzaiəti]. Endişe, kaygı; şiddetli arzu. **~ous** [ˈaŋkʃəs], endişeli, düşünceli, merak içinde; üzüntülü; istekli, hevesli: **to be ~ about,** ···i merak etm., ···den endişe etm.: **to be ~ to,** arzu etm., ···e can atmak, ehemmiyet vermek: **I am not very ~ to go out today,** bugün sokağa çıkmağı pek canım istemiyor.

any [ˈeni]. Bir; her hangi; her hangi bir; rastgele; her; bir az, bir mikdar, bir dereceye kadar. **not ~**, hiç: [*Menfi ve sualli cümlelerde* **some (one)** *yerine kullanılır*] **~ but he,** ondan başka herkes: **~ longer, ~ further,** artık, daha fazla: **~ more,** daha fazla, başka: **have you ~?**, (ondan) sizde var mı?: **I haven't ~**, bende hiç yok: **I'm not having ~**, (*kon*) yağma yok, kandıramazsın: **there is little if ~**, olsa bile [varsa da] pek az: **he knows English if ~ man does,** İngilizceyi bilse bilse o bilir; İngilizceyi onun gibi bilen yoktur: **he may come ~ minute,** nerede ise gelir, her an gelebilir: **not ~ too well,** pek o kadar iyi değil: **is the patient ~ better?**, hasta bir az daha iyi mi?: **come ~ time,** ne zaman istersen gel: **would ~ forget such an adventure?**, böyle bir macerayı kim unutabilir? [*Bazı hallerde* **any**'*nin mânası cümle içinde vurgulu olup olmadığına göre değişir, mes.*: **a good dentist is to be found in any *town* of any *size*,** her hangi büyük bir şehirde iyi bir dişçi bulunabilir; *fakat*: **a dentist of some sort is to be found in *any* town of *any* size,** her hangi büyüklükte rastgele bir şehirde şöyle böyle bir dişçi bulunabilir.]

anybody, anyone [ˈenibodi, ˈeniwʌn]. Biri, bir kimse, kim; herkes; kim olsa; rastgele. (*Menfi ve sualli cümlelerde*) hiç kimse. **~ but he,** ondan başka kim olsa: **is he ~?**, hatırı sayılır [mühim bir adam] mi?: **he isn't just ~**, o rastgele bir adam değildir: **he will never be ~**, onun mühim bir adam olmasına imkân yok: **everybody who is ~ was there,** bellibaşlı [hatırı sayılır] herkes orada idi: **to look at him ~ would think that he was an old man,** onu gören ihtiyar zanneder: **he is a poet if ~ is,** şair diye ona denir.

anyhow [ˈenihau]. Nasıl olursa, nasıl olsa, nasılsa; hoş . . . ya!; olsun, her halde, ne ise, yine. **things are (going) all ~**, işler karmakarışık: **you can't do this ~**, (i) bu işi siz nasıl olsa yapamazsınız; (ii) bu işi rastgele [üstünkörü] yapamazsınız.

anyone *bk.* **anybody.**

anything [ˈaniθiŋ]. Bir şey, her hangi bir şey, her şey; ne olsa. (*Menfi ve sualli cümlelerde*) hiçbir şey. **~ but that,** (tek) bu olmasın de ne olursa olsun: **like ~**, siddetle, var kuvvetile: **do you ever see ~ of him?**, onu gördügünüz var mı?: **if he is ~ of a gentleman he will apologize,** efendi adamsa özür diler: **are you ~ of a musician?**, musikiden anlar mısınız.: **he's ~ but a fool,** hiç te abdal değildir: **it's as easy as ~**, bundan kolay bir şey yok.

anyway [ˈeniwei] *bk.* anyhow.
anywhere [ˈeniweə*]. Her yerde, nerede olursa olsun. (*Menfi ve sualli cümlelerde*) hiç bir yerde. ~ **but there,** oradan başka her yerde; orada olmasın da nerede olursa olsun: **this won't get you** ~, bu işin sonu yok (size bir faydası yok).
anywise [ˈeniwaiz]. *yahud* **in** ~, her hangi bir şekilde; (*menfi cümlelerde*) hiç bir suretle.
aorist [ˈeərist]. (*gram.*) Muzari.
apace [əˈpeis]. Sür'atle, çabucak.
apache [aˈpaʃ]. Külhanbeyi, apaş.
apart [əˈpaat]. Ayrı ayrı; ayrı, bir tarafta; ayrılmış. ~ **from,** ···den başka, ... bir tarafa: **joking** ~, şaka bertaraf: **it is difficult to tell them** ~, onları birbirinden ayırmak [ayırd etm.] güçtür: **to move** ~, ayrılmak: **to take a machine** ~, bir makineyi sökmek.
apartment [əˈpaatmnt]. Oda; salon. ~**s,** daire.
apath·etic [ˌapaˈθetik]. Hissiz; uyuşuk; miskin; alâkasız. ~**y** [ˈapəθi], hissizlik, uyuşukluk; alâkasızlık.
ape [eip] *n.* (Kuyruksuz iri) maymun. *vb.* Taklid etm., taklidini yapmak.
aperient [əˈpiəriənt]. Müshil.
aperitif [əˈperətif]. Aperitif.
aperture [ˈapətjuə*]. Aralık, delik, açık.
apex, *pl.* **-es, apices** [ˈeipiks, -iz, ˈeipisiiz]. Zirve, doruk, tepe.
aphis, *pl.* **-des** [ˈeifis, -fidiiz]. Yaprak biti.
aphorism [ˈafərizm]. Vecize; hikmet.
aphrodisiac [afroˈdiziak]. Cinsî iştahı, artıran, mukavvi.
apiar·ist [ˈeipiərist]. Arıcı. ~**y** [–əri], arıkovanlarının bulunduğu yer.
apices *bk.* **apex.**
apiculture [ˈeipikʌltʃə*]. Arıcılık.
apiece [əˈpiis]. Her biri; adam başına.
apish [ˈeipiʃ]. Maymun gibi, maymunca.
apocalypse [əˈpokalips]. İncilin sonuncu faslı.
apocryphal [əˈpokrifəl]. Hakikati şübheli; uydurma.
apolog·etic [əˌpoləˈdʒetik] *a.* Özür dileyen, itizarlı: müdafaa eden (söz veya yazı ile). ~**ist,** [əˈpolodʒist] *n.* bir fikir veya davayı müdafaa eden. ~**gize,** [–ˈdʒaiz] *vb.* özür dilemek, itizar etm., af dilemek. ~**y** [əˈpolodʒi] *n.* özür dileme, itizar, af dileme, tarziye; müdafaa: **to make an** ~, özür dilemek: **to demand an** ~, tarziye istemek: **this** ~ **for a letter,** bu mektub kusuru; bu mektub bozması.
apoplectic [ˌapoˈplektik]. İnmeli, mefluc; felce aid.
apoplexy [ˈapopleksi]. İnme, felc. **heat** ~, güneş çarpması.

apost·asy, -cy [aˈpostəsi] Dininden yahud akidesinden dönme, irtidad. ~**ate,** dininden yahud akidesinden dönmüş, mürted.
apost·le [əˈposl]. İsa'nın on iki şakirdinden biri, havari; din lideri veya misyoner; bir hareketin lideri. ~**olate,** ~**leship,** havarilik. ~**olic** [–..ˈ..tolik], havarilere aid; papaya aid.
apostrophe [əˈpostrəfi]. Virgül, apostrof.
apostrophize [əˈpostrofaiz]. Nutuk esnasında birdenbire bir şahsa veya bir şeye hitabetmek.
apothecary [əˈpoθikəri]. Eczacı.
apotheosis [əˈpoθiˈousis]. Tanrılaştırma; yüce ve mukaddes sayma.
appal [əˈpool]. Dehşet içinde bırakmak. ~**ling,** müdhiş.
apparatus, *pl.* **-us, -uses** [apəˈreitəs, -əsiz]. Alet, cihaz, vasıta.
apparel [əˈparəl]. Elbise, üst baş. Giydirip kuşatmak; süslemek.
apparent [əˈparənt, əˈpeərənt]. Besbelli; ortada; aşikâr; zahirî; görünüşteki. **heir** ~, veliahd. ~**ly,** görünüşe göre; meğer; her halde (olmalı).
apparition [apəˈriʃn]. Hayalet; görünme, çıkıverme.
appeal [əˈpiil]. Başvurma; ısrarla isteme, yalvarma; daha yüksek mahkeme veya makama müracaat, istinaf; çağırma; cazibe. Başvurmak, ısrarla istemek, yalvarmak; daha yüksek makhemeye müracaat etm., istinaf etm.; çekmek, cezbetmek, hoşa gitmek, mülâyim gelmek. **this song does not** ~ **to me,** but şarkı beni sarmıyor: **Court of** ~, istinaf mahkemesi. ~**ing,** (bakış vs.) yalvaran; dokunaklı; sevimli, cazib.
appear [əˈpiə*]. Görünmek, çıkmak, meydana çıkmak; gibi görünmek, benzemek; isbatı vücud etmek. **it** ~**s,** öyle görünüyor, anlaşıldığına göre; (*bazen Türkçedeki naklî mazi, -miş, yerine kullanılır*).
appearance [əˈpiərens]. Görünme, zuhur; (sahneye vs.) çıkma; isbatı vücud etme; görünüş, zevahir; manzara; (kitab vs.) intişar. **to** [**by**] **all** ~**s,** görünüşe nazaran: **for the sake of** ~**s, to save** ~**s,** zevahiri kurtarmak için: **his** ~ **is against him,** zevahir [görünüş] onun lehine değil: **to put in an** ~, isbatı vücud etm., şöyle bir görünmek.
appease [əˈpiiz]. Yatıştırmak, teskin etm.; bastırmak; gönlünü almak.
appellant [aˈpelənt]. Başvuran; istinaf eden.
appellation [ˌapəˈleiʃn]. İsim; ünvan; isim verme.
append [əˈpend]. Eklemek, ilâve etm.; (imza) basmak. ~**age,** bir şeyin tali kısmı (parçası, tetimmatı, teferrüatı).

appendicitis [əˌpendiˈsaitis]. Apandisit.
appendix [əˈpendiks]. İlâve, zeyl; körbağırsak.
appertain [ˌapəəˈtein]. Aid olmak.
appetite [ˈapitait]. İştah; istek.
appetiz·er [ˌapitaizə*]. İştah açan şey; meze; aperitif. **~ing,** iştah açan; nefis; iştah uyandıran.
applau·d [əˈplood]. Alkışlamak. **~se,** alkış.
apple [ˈapl]. Elma. **~ of the eye,** gözbebeği: **~ of discord,** hakkında münazaa edilen şey. **apple-cart,** (sokak satıcılarının kullandığı) el arabası: **to upset the ~,** bir çuval inciri berbad etmek. **apple-pie,** üstü hamurlu elma tortası: **~ bed,** muziplik için karmakarışık edilen yatak: **in ~ order,** gayet muntazam.
appliance [əˈplaiəns]. Alet; vasıta; tertibat.
applic·able [ˈaplikəbl]. Tatbik edilebilir; uygun, uyar. **~ant** [ˈaplikənt], müracaat sahibi; namzed; istida veren. **~ation** [–ˈkeiʃn], tatbik etme; uydurma; başvurma; müracaat; istida, taleb; çok dikkat ve gayret; (ilac vs.) sürme, koyma: **on ~,** taleb vukuunda.
apply [əˈplai]. Üstüne koymak; tatbik etm., uydurmak, kullanmak; tahsis etm.; başvurmak, taleb etm.; uygun düşmek, varid olmak. **to ~ oneself to,** kendini bir işe vermek; çok dikkat ve gayret sarfetmek: **to ~ to s.o.,** ···e müracaat etm.: **to ~ for s.o.,** birisini taleb etm.: **to ~ for a post,** bir iş için müracaat etm., bir işe talib olmak.
appoint [əˈpoint]. Tayin etm.; kararlaştırmak. **~ed,** tayin edilen: **well ~,** iyi döşenmiş (ev vs.). **~ment,** tayin; memuriyet; randevu: **~s,** döşeme, techizat.
apportion [əˈpooʃn]. Hisseleri taksim etm.; (masrafı) paylaşmak.
apposite [ˈapozit]. Uygun, münasib.
apprais·e [əˈpreiz]. Kıymet takdir etmek. **~al, ~ement,** kıymet takdiri.
appreci·able [əˈpriiʃəbl]. Takdir ve tahmin edilebilir; farkedilir (derecede). **~ate** [–ieit], kıymet biçmek; takdir etm.; takdir ve teşekkür etm.; beğenmek; değerini anlamak; farketmek; kıymetini arttırmak; kıymeti artmak. **~ation** [–iˈeiʃn], kıymet biçme; takdir; değerini anlama ve beğenme; kıymetin yükselmesi: **to write an ~ of a book,** bir kitab hakkında bir tenkid yazmak. **~ative, ~atory,** takdir eden, kadirşinas; anlıyarak beğenen; **to be ~ative of poetry,** şiirden anlamak (zevk duymak).
apprehend [ˌapriˈhend]. Yakalamak, tevkif etm.; anlamak, kavramak; korkmak.
apprehen·sion [ˌapriˈhenʃn]. Yakalama, tevkif; anlama, kavrama; korku, vehim. **~sive,** korkan, endişe eden, vehimli, vesveseli; çabuk kavrayan.
apprentice [əˈprentis]. Çırak; acemi talebe; mübtedi.
apprise [əˈpraiz]. Haber vermek, malûmat vermek.
approach [əˈproutʃ]. Yaklaşma, yanaşma; bir yere getiren yol. Yaklaşmak, yanaşmak; müracaat etmek. **to make ~es to s.o.,** birine avans yapmak: **I'll ~ him on the matter,** bu meseleyi kendisine açacağım: **to ~ a question,** bir meseleyi ele almak, bir bahse girişmek. **~able,** yaklaşılabilir, yanaşılabilir.
approbation [ˌaproˈbeiʃn]. Kabul, tasvib, beğenme. **on ~,** muhayyer (mal); tecrübe edilen (hizmetçi vs.).
appropriate[1] [əˈproupri·it] *a.* Uygun, münasib.
appropriat·e[2] [əˈprouprieit] *vb.* Kendine mal etm.; tasarruf etm.; tahsis etmek. **~ion** [–ˈeiʃn], kendine mal etme; tasarruf; tahsis; tahsisat.
approval [əˈpruuvl]. Muvafık bulma, tasvib; kabul, razı olma; tasdik. **goods on ~,** muhayyer mal.
approve [əˈpruuv]. Muvafık bulmak, tasvib etm.; tensib etm.; kabul etm., razı olm.; tasdik etmek.
approximate[1] [əˈproksimit] *a.* Takribî, yaklaşan; tahminî. **~ly,** takriben, tahminen.
approximat·e[2] [əˈproksimeit] *vb.* Çok yaklaşmak; yaklaştırmak. **~ion,** yaklaşma; takrib; hakikate yakın tahmin.
appurtenance [əˈpəətənəns]. İlâve edilen tali şey. **~s,** teferrüat, tetimmat; müştemilât.
apricot [ˈeiprikot]. Kayısı.
April [ˈeipril]. Nisan. **April-fool's-day,** nisanın birinci günü: **to make an ~-fool of s.o.,** nisanın birinci günü birisine muziblik yapmak.
apron [ˈeiprən]. Önluk. **to be tied to one's mother's ~-strings,** ağzı süt kokmak; daha annesinin kucağından ayrılmamış olmak.
apt [apt]. Uygun, elverişli; yerinde; meyyal, mütemayil; zeki, istidadlı. **he is ~ to come back in the afternoon,** öğleden sonra gelmesi muhtemeldir: **glass is ~ to break,** cam kırılır: **this train is ~ to be late,** bu tren gecikirse şaşmam (geciktiğini çok gördüm). **~itude** [ˈaptitjuud], istidad, kabiliyet. **~ness,** uygunluk; istidad.
aquarium [əˈkweəriəm]. Suda yaşıyan hayvanlar müzesi yahud cam dolabı, akvaryom.
aquatic [əˈkwatik]. Suda yetişen veya yaşıyan; suda yapılan.

aqueduct [aˈkwidʌkt]. Su kemeri.
aqueous [ˈakwiəs]. Sulu; su gibi; su tesirile yapılmış.
aquiline [ˈakwilain]. Kartal gibi; kartal gagası gibi; kemerli (burun).
Arab [ˈarəb]. Arab. **~ia** [aˈreibia], Arabistan. **~ian,** Arablara, Arabistan'a aid: **~ nights,** bin bir gece masalları. **~ic,** Arablara, Arabistan'a aid; arabca.
arable [ˈarəbl]. Sürülebilir; ziraate elverişli; sürülmüş arazi.
arbit·er [ˈaabitə*]. Hakem. **~ral,** hakeme aid. **~rament** [aaˈbitrimnt], hakem kararı. **~rary,** keyfî, indî.
arbitrat·e [ˈaabitreit]. Hakemlik etm.; hakem olarak karar vermek; hakeme müracaat etmek. **~ion** [–ˈtreiʃn], hakem usulü; hakem kararı ile hal.
arbor [ˈaabor]. Malafa; mil.
arbor·eal [aaˈboriəl]. Ağaclara aid; ağaclarda yaşıyan. **~iculture** [ˈaaboriˌkʌltjuə*], ağaççılık.
arbour [ˈaabə*]. Ormanda gölgelik yer; kameriye; çardak.
arbutus [aaˈbjuutəs]. Kocayemiş.
arc [aak]. Kavis. **electric ~,** elektrik yayı. **arc-lamp,** elektrik yayı lâmbası.
arcade [aaˈkeid]. Bir sıra kemer; kemeraltı; pasaj.
arch¹ [aatʃ]. Kemer; tak. Kemer yapmak; kıvırmak; kemer şeklinde tavan yapmak. **to ~ the back,** (kedi) sırtını kamburlaştırmak: **railway ~,** (bir sokak üzerinde) demiryolu köprüsü: **triumphal ~,** takızafer.
arch² (*Yalnız kadınlar ve çocuklar hakkında kullanılır*) açıkgöz, şeytan.
arch³ *pref.* Baş, en baş; . . . şahı.
archaeology [ˌaakiˈolodʒi]. Arkeoloji.
archa·ic [aaˈkei·ik]. Çok eski, eskimiş; modası geçmiş; kullanılmaz olmuş. **~ism,** çok eskilik; çok eski ve unutulmuş tabir vs.
archangel [ˈaakˌeindʒəl]. En büyük melek.
archbishop [ˈaatʃˌbiʃop]. Baş piskopos. **~ric,** baş piskoposluk.
archdeacon [ˈaatʃˌdiikən]. Baş diyakos.
arch·duchess [ˈaatʃˌdʌtʃəs]. Arşidüşes. **~duke** [–ˈdjuuk]. Arşidük.
archer [ˈaatʃə*]. Okçu. **~y,** okçuluk.
archfiend [ˈaatʃˌfiind]. İblis, şeytan.
archipelago [aakiˈpelago]. Adalar denizi; takım adalar.
architect [ˈaakitekt]. Mimar. **Naval ~,** deniz inşaat mühendisi. **~ure** [ˈaakitektjuə*], mimarlık, mimarî.
archiv·es [ˈaakaivz]. Hazinei evrak, arşiv; vesikalar, siciller. **~ist** [ˈaakivist], evrak veya sicil memuru, arşivci.
archway [ˈaatʃwei]. Kemer; kemerli geçid.
arctic [ˈaaktik]. Şimal kutbuna aid; şimal kutbu; kutub gibi.
ardent [ˈaadənt]. Ateşli; heyecanlı, coşkun; çok gayretli. **to wish ~ly,** şiddetle arzu etmek.
ardour [ˈaadə*]. Ateşlilik, gayret; heyecan; şiddetli sıcak.
arduous [ˈaadjuəs]. Zahmetli, güç; sarp, dik (yol).
are [aa*] *bk.* **be. we ~ here,** biż buradayız: **they ~ here,** onlar buradadır.
area [ˈeəriə]. Mesaha; yüz ölçüsü; saha; bölge, mıntaka; avlu.
areca [əˈriika]. Felfelek (?).
arena [əˈriinə]. Oyun sahası, spor meydanı; faaliyet sahası.
Argentin·a [ˈaadʒəntiinə]. Arjantin. **~e** [ˈaadʒənˌtain], Arjantinli: **the ~ (Republic)** Arjantin (Cumhuriyeti).
argillaceous [ˌaadʒiˈleiʃəs]. Killi.
argosy [ˈaagosi]. (*Şair*) büyük tüccar gemisi.
argu·e [ˈaagjuu]. Münakaşa etm.; delil veya sebeb göstermek, bir fikir ileri sürmek; itiraz etmek. **to ~ down,** ilzam etm., (delil üstünlüğü ile) susturmak: **to ~ s.o. into doing stg.,** birisini bir şeyi yapmağa ikna etmek. **~fy** [–fai], lüzumsuz yere münakaşa etm., ukalâlık etmek. **~ment** [–mnt], münakaşa; muhakeme; delil, fikir, tez; hülâsa. **~mentative** [–ˈmentətiv], münakaşa meraklısı, münakaşacı; (eser) tenkid ve muhakemeli.
aria [ˈaaria]. (*mus.*) hava, arya.
arid [ˈarid]. Kurak, çorak; kavruk; kuru.
arise [əˈraiz]. Kalkmak; çıkmak; zuhur etm., hasıl olm., doğmak. **to ~ from the dead,** (ölüler) dirilmek: **should the occasion ~,** fırsat zuhurunda; icab ederse.
aristocra·cy [arisˈtokrəsi]. Aristokrasi, asiller sınıfı. **~t** [ˈaristokrat], aristokrat, asilzade. **~tic** [–ˈkratik], aristokratik.
arithmetic [əˈriθmətik]. Hesab, aritmetik. **~al** [–ˈmetikl], hesaba aid.
ark [aak]. Tahta sandık. **the ~ of the Covenant,** İbranilerin On Emir'in yazılı bulunduğu iki taş levhayı muhafaza ettikleri tahta sandık: **Noah's ~,** Nuh'un gemisi.
arm¹ [aam] *n.* Kol. **to carry a child in one's ~s,** bir çocuğu kucakta taşımak: **to carry stg. at ~'s length,** bir şeyi kolunu uzatarak taşımak: **to give one's ~ to s.o.** [**to take s.o.'s ~**], birinin koluna girmek: **to have s.o. on one's arm,** kolunda birisi olm.: **to keep s.o. at ~'s length,** birini yanına yaklaştırmamak. **arm-badge,** pazubend. **arm-chair,** koltuk. **arm-in-arm,** kolkola. **arm-rest,** kol dayanacak yer. **-armed,** kollu, *mes*: **one-armed,** tek kollu.
arm². Silâh. Silâhlandırmak. **to ~s!,**

silâh başı!: **the fourth ~**, hava kuvvetleri: **to lay down one's ~s**, teslim olm.: **a nation in [under] ~s**, silâhlanmış millet: **to take up [to rise up in] ~s**, silâha sarılmak: **to be up in ~s**, ayaklanmak. **~ed**, silâhlı.

armada [aa'maadə]. Büyük donanma. **the Invincible ~**, İspanya tarafından 1588 de İngiltere'ye gönderilen ve İngilizlerin mağlub ettiği donanma; Yenilmez Armada.

armadillo [ˌaama'dilo]. Cenubî Amerika'ya mahsus kabuklu domuz, tatu.

Armageddon [ˌaama'gedon]. Milletler arasında büyük mücadele.

armament ['aaməmənt]. Silâhlar; techizat; teslihât.

armature ['aamətjuə*]. Zırh; bir hayvan veya nebatı koruyan kabuk; armatür.

Armenia [aa'miinia]. Ermenistan. **~n**, ermeni, ermenice.

armful ['aamful]. Kucak (dolusu). **in ~s, by the ~**, kucak kucak.

armistice ['aamistis]. Mütareke. **~ day**, 1918 mütarekesinin yıldönümü (11 kasım).

armlet ['aamlit]. Kol halkası; pazubend; denizin karaya doğru giren küçük kolu.

armorial [aa'moriəl]. Armaya aid. **~ bearings**, arma.

armour ['aamə*] Zırh. Zırhla kaplamak. **in full ~**, tepeden tırnağa zırhlı (silâhlı). **~er**, zırhcı; silâhcı; tüfekçi. **~y**, silâhhane, silâh deposu.

armpit ['aampit]. Koltuk altı.

army ['aami]. Ordu; kalabalık. **to be in the ~**, askerde olm.; (meslekçe) asker olm.: **to join the ~**, askere gitmek, asker olmak. **army-corps**, kolordu. **army-list**, ordu subay listesi.

arnica ['aanika]. Öküzgözü.

aroma [ə'roumə]. Güzel koku; baharlı koku. **~tic** [–'matik], güzel kokulu; baharlı koku saçan.

around [ə'raund]. Çevresinde, etrafında; civarında; sularında. **all ~**, çepeçevre, dört taraftan.

arouse [ə'rauz]. Uyandırmak; canlandırmak, teşvik etm.; sebeb olm., mucib olmak.

arraign [ə'rein]. İttiham etm., mahkemeye vermek; kabahat bulmak; (bir fikre vs.) hücum etmek.

arrange [ə'reindʒ]. Sıraya koymak; düzeltmek; tertib etm., tertibat almak, hazırlık yapmak; tanzim etm.; yoluna koymak; kararlaştırmak; anlaşarak halletmek; (*mus.*) tatbik etm., uydurmak. **one cannot ~ for everything**, insan her şeyi (önceden) tertib edemez. **~ment**, sıraya koyma, tanzim; düzeltme; hal; tertib; sıra; hazırlık; anlaşma: **~s**, tertibat.

arrant ['arənt]. Tamamen, son derece, katıksız. **~ nonsense**, deli saçması.

array [ə'rei]. Sıra, saf; teşhir; gösterişli manzara; süslü elbise. Sıraya koymak, tanzim etm.; giydirmek, süslemek. **in battle ~**, muharebe nizamında.

arrear(s) [ə'riə(z)]. Geri kalan (iş vs.); ödenmemiş (borc vs.); bekaya. **to get [fall] into ~**, (tediye vs.) gecikmek, geri kalmak.

arrest [ə'rest]. Yakalama, tevkif; durdurma. Yakalamak, tevkif etm.; tutmak, alıkomak; durdurmak.

arrival [ə'raivl]. Varış, gelme, vasıl olma. **a new ~**, yeni gelen şahis.

arrive [ə'raiv]. Vasıl olm., varmak, gelmek; muvaffak olmak. **to ~ upon the scene**, çıkagelmek.

arrogan·ce ['arəgəns]. Küstahca gurur; nahvet. **~t**, Küstahca mağrur; mağrurane.

arrogate ['arogeit]. **to ~ to oneself**, (haksız yere) benimsemek, kendine maletmek: **to ~ stg. to s.o.**, bir şeyi birine maletmek.

arrow ['arou]. Ok. **arrow-head**, ok başı, temren.

arrowroot ['aroˌrut]. Ararot.

arsenal ['aasənəl]. Tersane; silâhhane; cebhanelik; silâh fabrikası.

arsenic ['aasənik]. Arsenik; sıçanotu; zırnık. **~al** [aa'senikl], arsenikli.

arson ['aasən]. Kundakçılık.

art[1] [aat] *bk.* **be.**

art[2]. San'at; hüner, maharet; zanaat; ictimaî ilimler; resim ve heykeltraşlık. **~school**, ressamlık ve heykeltraşlık mektebi [san'at mektebi = **school for trades and handicrafts**]: **the black ~**, büyü: **the fine ~s**, güzel san'atler: **the noble ~ (of self-defence)**, boks: **I had no ~ or part in it**, ben işin içinde değildim: **he is studying ~**, resim tahsil ediyor.

arterial [aa'tiəriəl]. Kan damarına [şiryana] aid; damara benziyen. **~ road**, ana yol.

artery ['aatəri]. Kırmızı kan damarı; ana cadde, mühim yol.

artesian [aa'tiiziən]. **~ well**, arteziyen kuyusu.

artful ['aatfəl]. Kurnaz; hilekâr; usta. **~ness**, kurnazlık.

arthritis [aa'θraitis]. Mafsal iltihabı. **rheumatoid ~**, mafsal romatizması.

artichoke ['aatitʃouk]. Enginar. **(Jerusalem) ~**, yer elması.

article ['aatikl] *n.* Makale; madde; eşya, parça, nesne; harfitarif. *vb.* Birisini (talebe olarak) bir mimar vs.nin yanına vermek. **~d clerk**, staj gören kâtib: **~s of apprenticeship**, usta ile çırak arasında mukavele: **~ of faith**, akide, iman edilen şey: **~s of war**, askerî ceza kanunu ve nizamnamesi.

articulate [aa'tikjulit] *a.* Mafsallı; seçkin, tane tane söylenen; lâkırdısı anlaşılır. *vb.*

[–leit] Mafsal ile birleştirmek; mafsal teşkil etm.; tane tane telâffuz etm., seçkin konuşmak.

artifice [ˈaatifis]. Hile, oyun, kurnazlık, desise; ustalık, marifet.

artificer [aaˈtifisə*]. Usta işçi; büyük bir teşebbüs veya hareketin yaratıcısı; ordu veya bahriyede bazı zanaatlerde mütehassıs olan er.

artificial [aatiˈfiʃəl]. Yapma, sun'î. **~ity** [–ˈaliti], sun'ilik.

artillery [aaˈtileri]. Toplar; topçuluk; topçu (sınıfı). **~man,** topçu eri.

artisan [aatiˈzan]. Zanaatkâr, el işçisi.

artist [ˈaatist]. San'atkâr; ressam; artist. **~ic** [–ˈtistik], san'ate aid, san'atkârca, san'atkâr ruhlu.

artless [ˈaatlis]. Sade, tabiî, saf; oyunsuz; işlenmemiş.

arum [ˈeirəm]. (*Arum maculatum*) yılan yastığı. **arum-lily** (*Richardia africana*). ?

Aryan [ˈeiriən]. Hind-Avrupa grupuna mensub, Arî.

as [az]. Gibi; kadar; olarak; sıfatla, sıfatile; için; ···diği için; ~dikçe; ···ince; ···diğinden: **~ if, ~ though,** sanki. [*Sözü tekid için bazı cümlelerde yemin yerine kullanılir, mes*: **~ I live; ~ I am an honest man; ~ sure ~** my name is ...]. **~ I do not know I cannot tell,** bilmediğim için söyliyemem: **~ a nation the English are nature-lovers,** İngiliz milleti umumiyetle tabiate düşkündür: **A is to B ~ C is to D,** A'nın B'ye nisbeti ne ise C'nin D'ye nisbeti de odur: **~ big ~** ..., ... kadar büyük; **twice ~ big ~ this,** bunun iki misli büyüklükte: **is it ~ difficult ~ that?,** bu kadar güç mü?: **~ far ~ I can,** elimden geldiği kadar: **he is ~ industrious ~ he is intelligent,** zeki olduğu kadar çalışkandır: **by day ~ well ~ by night,** hem gece hem gündüz: **~ you like,** nasıl isterseniz: **~ for that** [**~ regards that, ~ to that**], buna gelince: **~ to** [**for**] **you,** size gelince: **~ a child I used to think so,** çocukken böyle düşünürdüm: **~ often happens,** ekseriya olduğu gibi: **he came ~ I left,** ben giderken o geldi: **~ he spoke a bomb fell,** bunu söyler söylemez [söylediği anda] bir bomba düştü: **~ the season advances so the days get longer,** mevsim ilerledikçe günler uzuyor: **~ you treat others so will they treat you,** başkalarına nasıl muamele edersen onlar da sana öyle muamele ederler: **leave it ~ it is!,** olduğu gibi bırakınız!: **I should like to come but ~ it is I cannot,** gelmek isterdim fakat bu vaziyette mümkün değil: **we should like more pupils but, ~ it is, the school is full up,** daha fazla talebe isterdik fakat mekteb daha şimdiden doldu: **cold ~ it is I'll have a swim,** soğuğa rağmen yüzmeğe gideceğim: **strive ~ they would they could not move the stone,** ne kadar çabaladılarsa da taşı kımıldatamadılar: **if I had seen it, ~ I did not, I would have told the police,** eğer ben görseydim—ki görmedim—polise haber verirdim: **I had him ~ a partner,** o benim ortağımdı: **I remember him ~ having been a good tennis player,** ben onun iyi bir tenisçi olduğunu hatırlıyorum: **will you be so kind ~ to tell me?,** lûtfen bana söyler misiniz?: **this child is lazy ~ lazy,** bu çocuk tembel mi tembel: **~ you were!,** *evvelce verilen bir emri hükümsüz bırakamak için verilen emir*: **the train is at 6.30; ~ you were! 7.30,** tren altı buçukta, pardon!, yedi buçukta.

asbestos [asˈbestos]. Yanmaz kâğıd, asbest.

ascend [əˈsend]. Çıkmak, yükselmek; tırmanmak.

ascendan·cy [əˈsendənsi]. Üstünlük; hakimiyet; nüfuz. **~t,** yükselen, hakim olan, nüfuz kazanan; ced, ata: **to be in the ~,** yıldızı parlamak (yükselmek); talih ve itibarı artmak.

ascen·sion [əˈsenʃən]. Yükselme; İsa'nın göge çıkışı, uruc. **right ~,** metalii müstakime. **~t** [əˈsent], (dağa vs.) çıkış, tırmanma; yokuş; yükselme.

ascertain [ˌasəəˈtein]. Doğrusunu öğrenmek; anlamak; tahkik ve tayin etmek.

ascetic [əˈsetik]. Zevklerden el çekmiş, zahid. **~ism** [–sizm], zahidlik, riyazet.

ascribe [asˈkraib]. Atfetmek; irca etm., isnad etm., üstüne atmak.

asep·sis [aˈsepsis]. Mikrobsuzluk, asepsi. **~tic,** ilac kullanmadan mikrobların önüne geçen, aseptik.

ash[1] [aʃ]. Dişbudak ağacı. **mountain ~,** üvez ağacı.

ash[2]. Kül. **a person's ~es,** yakılan cesedin külleri: **⌜~es to ~es, dust to dust⌝**, *cenaze merasiminde ölünün üzerine toprak atarken söylenir.* **ash-bin,** kül tenekesi, çöp tenekesi. **ash-tray,** sigara tablası.

ashamed [əˈʃeimd]. Utanmış, mahcub. **to be ~,** utanmak.

ashen[1] [ˈaʃən]. Dişbudaktan yapılmış.

ashen[2]. Kül gibi, kül renginde olan.

ashore [əˈʃooə*]. Sahilde, karada. **to get** [**put**] **~,** karaya çıkarmak: **to go ~,** karaya çıkmak: **to run ~,** karaya otur(t)mak.

Asia [ˈeiʃə]. Asya. **~tic** [ˌeiʃiˈatik], Asya'ya aid, Asyalı.

aside [əˈsaid]. Bir tarafa, bir kenara; köşeye, yana; kendi kendine; alçak sesle söylenen söz.

asinine [ˈasənain]. Eşek cinsi; eşekçe, ahmakça.

ask [aask]. Sormak; davet etmek. ~ **for,** istemek; taleb etm., dilemek: **I ~ed the director,** müdüre sordum: **I ~ed for the director,** müdürü görmek istedim: **I ~ed about the director,** müdürü sordum: **to ~ after s.o. [s.o.'s health],** hatırını sormak: **to ~ s.o. in,** birini eve [içeriye] davet etm.: **to ~ s.o. out,** birini bir lokanta vs. gibi dışarıda bir yere davet etm.: **to ~ s.o. up,** birini apartıman vs. gibi yukarıda bir yere davet etm.: **to ~ back,** geri istemek: **to ~ s.o. back,** (i) mukabele olarak davet etm.; (ii) tekrar davet etm.: **he ~ed for it (he brought it on himself),** çanak tuttu: **he's ~ing for a beating,** (dayak yemek için) kaşınıyor.

askance [əˈskans, –skaans]. Yan; yan gözle, göz ucu ile. **to look ~ on,** …e şübhe ve itimadsızlıkla bakmak.

askew [əˈskjuu]. Yana doğru; çarpık, iğri.

asking [ˈaaskiŋ] *n.* **you may have it [it's yours] for the ~,** dilediğin zaman senindir.

aslant [əˈslaant]. Bir yana doğru, iğri.

asleep [əˈsliip]. Uykuda, uyumuş. **to be ~,** uyumak, uyukuda olm.: **my foot is ~,** ayağım uyuşmuş.

asp [asp]. Küçük ve zehirli bir cins yılan; Mısır yılanı.

asparagus [əsˈparəgʌs]. Kuşkonmaz.

aspect [ˈaspekt]. Görünüş; manzara; yüz; cebhe, taraf. **the house has a south ~,** ev cenuba bakıyor.

aspen [ˈaspən]. (*Populus tremulus*) Titrek kavak. **to tremble like an ~ leaf,** tir tir titremek.

asperity [əsˈperiti]. Sertlik, haşinlik.

aspers·e [əsˈpəəs]. İftira etm., çamura bulamak. **~ion,** iftira: **to cast ~s upon s.o.,** birisinin üzerine iftira atmak.

asphalt [ˈasfalt]. Asfalt.

asphodel [ˈasfodel]. Zambakgillerin bir kaç nevine verilen isim; çirişotu; (*mit. ve şair.*) cennette yetişen ölmez bir çiçek.

asphyxiat·e [asˈfiksieit]. (Havagazi vs.) boğmak. **~ion** [–ˈeiʃn], havagazi vs. ile boğulma.

aspirant [ˈaspərant]. Tâlib; şiddetle heves ve arzu eden.

aspirat·e [ˈaspəreit] *vb.* (Bir harfi) solukla telâffuz etm.; (havayı veya suyu) içine çekmek, emmek. *a. & n.* [–rit], solukla telâffuz edilen (harf); h harfi. **to drop his ~s,** h harfini telâffuz etmemek (ki halk tabakasına mensubiyeti gösterir). **~ion,** emel, iştiyak; (hava vs.yi) içine çekme, emme; (bir harfi) solukla telâffuz etme.

aspire [əsˈpaiə*]. **~ to,** emel beslemek; şiddetle arzu etm., talib olm., peşinde olmak.

ass [as]. Eşek; abdal, enayi. **to make an ~ of oneself,** abdallık etm., enayilik etm., gülünç olmak. [*İngilizcede bu kelimenin mecazî mânası türkçedeki kadar ağır değildir ve şaka olarak kullanılır.*]

assail [əˈseil]. Saldırmak, hücum etmek. **~ ant,** saldıran kimse.

assassin [əˈsasin]. Kaatil. **~ate,** katletmek, öldürmek. **~ation,** taammüden katil.

assault [əˈsoolt]. Hücum; (birdenbire) taarruz; tecavüz. Hücum etm., birdenbire taarruz etm., tecavüz etmek.

assay [aˈsei]. Bir maden halitasını veya bir külçe ayarını tayin etme(k); deneme(k), tecrübe etme(k).

assegai [ˈasəgai]. Zulu mızrağı.

assemblage [əˈsemblidʒ]. Toplantı; toplama; birleştirme.

assembl·e [əˈsembl]. Topla(n)mak, birleş(tir)mek; (makine vs.) kurmak, takmak. **~y,** Meclis; ictima, toplantı; (makine) kur(ul)ma, tak(ıl)ma.

assent [əˈsent]. Rıza, muvafakat, tasvib. **to ~ (to),** Razı olm., tasvib etm.; muvafakat, kabul etm.: **to receive the Royal Assent,** (kanun hakkında) kıral tarafından tasdik edilmek.

assert [əˈsəət]. İleri sürmek, iddia etm.; ısrar etmek. **to ~ oneself,** kendini göstermek; otoritesini göstermek. **~ion,** [əˈsəəʃn] ileri sürme, iddia; ısrar; hakkını kullanma. **~ive,** fazla iddialı, fazla kat'î; kendine fazla güvenir.

assess [əˈses]. (Vergi vs. hakkında) mikdarını tayin etm.; kıymet biçmek; keşif ve takdir etm.; takdir ve tahmin etmek. **~able,** zarar ve ziyan keşif ve takdir olunabilir; vergi tarh olunabilir; kıymeti takdir olunabilir. **~ment,** keşif ve takdir etme; takdir edilen mikdar (meblağ). **~or,** muhammin; tahakkuk memuru.

asset [ˈaset]. Fayda temin eden şey; kâr; matlub, aktif. **~s,** bir şirketin veya bir ölünün malları; borcları ödeyecek karşılık.

asseverate [əˈsevəreit]. Resmen beyan etm.; kat'iyetle bildirmek.

assidu·ity [asiˈdjuuiti]. Dikkat ve devamla çalışma. **~ous** [əˈsidjuəs], dikkatli ve devamlı (çalışan, çalışma).

assign [əˈsain]. Ayırmak, tahsis etm.; (bir malı) başkasının üstüne çevirmek, ferağ etm.; atfetmek. **~ment,** tayin, tahsis; taksim; ferağ.

assignation [ˌasigˈneiʃn]. Buluşma için zaman ve yer tayini; (*huk.*) nakil ve ferağ.

assimilate [əˈsimileit]. Hazmetmek; massetmek; benzetmek.

assist [əˈsist]. Yardım etm., yardımda bulunmak; iştirak etmek. **to ~ at,** …de hazır bulunmak. **~ance,** yardım, muavenet. **~ant,** yardımcı, muavin, asistan;

(bir mağaza vs.de) satıcı, tezgâhdar, memur.

assizes [əˈsaizəs]. İngiltere'deki kontluklarda zaman zaman kurulan ve seyyar hâkimler tarafından teşkil edilen muvakkat mahkemeler.

associat·e [əˈsouʃieit] *vb.* Birleştirmek; ortak olm.; düşüp kalkmak; iştirak etm.; akla getirmek, tedai etmek. *n.* [–ʃi·it], Ortak, şerik; yarı âza, muhabir âza; arkadaş. **~ion** [–ˈeiʃn], birleşme, ortaklık, iştirak, münasebet; hatıra, tedai; birlik, cemiyet: **~ football,** yalnız ayakla oynanan futbol.

assonance [ˈasonəns]. Ses benzeyişi; yarım kafiye.

assort [əˈsoot]. Cinslere veya çeşitlere ayırmak, tasnif etm.; uymak, tutmak. **~ed,** çeşitli. **~ment,** cinslere veya çeşitlere ayırma, tasnif; muhtelif çeşitlerden mürekkeb takım.

assuage [əˈsweidʒ]. Yumuşatmak, yatıştırmak; gidermek.

assume [əˈsjuum]. Üstüne almak; giymek, takınmak, almak; halini almak; (iktidarı vs.) eline almak; sahib olm.; farzetmek, sanmak, saymak, addetmek; (şübhe götürmez şekilde) telakki etm.; istintac etmek, hükmetmek.

assumption [əˈsʌmʃn]. Üstüne alma; takınma; farzetme, sanma; kendini satma; Meryem'in göğe kabulü yortusu.

assurance [əˈʃuərəns]. Temin; emniyet; itimad; kendine güvenme; teminat, vaid; pişkinlik; kendini beğenmişlik; sigorta.

assure [əˈʃuə*]. Temin etm.; teminatta bulunmak; sigorta etmek. **~d,** müemmen. **~dly,** muhakkak, şübhesiz.

Assyrian [əˈsiriən]. Asurî.

aster [ˈastə*]. (Çiçek) yıldız (?). **China ~,** saraypatı.

asterisk [ˈastərisk]. Yıldız işareti (*).

astern [əˈstəən]. Geminin kıç tarafında; arkada. **to go ~,** geri gitmek.

asteroid [ˈastəroid]. Yıldız şeklinde; küçük seyyare.

asthma [ˈasθmə]. Nefes darlığı. **~tic** [ˌasθˈmatik], nefes darlığına aid; nefes darlığı çeken.

astigmatism [əˈstigməˈtizm]. Astigmatizm.

astir [əˈstəə]. Harekette, faaliyette; heyecanlı. **to set ~,** harekete getirmek, kımıldatmak.

astonish [əˈstoniʃ]. Hayrette bırakmak, şaşırtmak. **~ed,** şaşkın, şaşmış, hayran. **~ment,** hayret, şaşkınlık, şaşırma.

astound [əˈstaund]. Hayretten dondurmak, şaşkınlıktan serseme çevirmek. **~ing,** sersemletici; müdhiş.

astraddle [əˈstradl]. Apışmış olarak; (bir şeyın üzerinde) ata biner gibi.

Astrak(h)an [ˌastrəˈkan]. Astragan (kuzu derisi).

astray [əˈstrei]. Yolunu şaşırmış, doğru yoldan çıkmış. **to go ~,** yolunu şaşırmak; baştan çıkmak: **to lead ~,** baştan çıkarmak.

astride [əˈstraid]. Bacakları ayrılmış, ata biner gibi.

astringent [əˈstrindʒənt]. (Kan damarlarını büzerek) kanı durduran (ilac); kaabız; ağız buruşturucu.

astrolo·ger [ˌasˈtrolədʒə*]. Müneccim. **~gy,** yıldızlardan talihi okuma, ilmi nücum, müneccimlik.

astrono·mer [əˈstronəmə*]. Hey'et âlimi, felekiyatçı. **~mic(al)** [–ˈnomikl], hey'et ilmine aid; **prices are ~,** fiatler akla durgunluk verir. **~my,** hey'et ilmi, felekiyat.

astute [əˈstjuut]. Keskin zekâli, ferasetli; cin fikirli, kurnaz.

asunder [əˈsʌndə*]. (Birbirinden) ayrı, ayrılmış; parçalara ayrılmış. **to come ~,** ayrılmak, kopmak: **to tear ~,** ikiye ayırmak, iki parça etm.: **to put ~,** ayırmak.

asylum [əˈsailəm]. Sığınak, melce. **(lunatic) ~,** tımarhane.

asymmetr·ic [ˌasiˈmetrik]. Tenazursuz, nisbetsiz. **~y** [əˈsimətri], tenazursuzluk, nisbetsizlik.

at [at]. ···de, ···ye. **to be ~ s.o.,** başının etini yemek: **to be (always) ~ stg.,** bir şey ile (daima) meşgul olm.: **he is ~ it again,** (işte) yeni başladı: **while we are ~ it,** hazır bu iş üzerinde iken: **~ night,** geceleyin, gece: **~ your request,** talebiniz üzerine: **~ them!,** ileri!, hücum!

atavis·m [ˈatavizm]. Atalara çekiş, atavizm. **~tic** [–ˈvistik], atalara çeken; atavizme aid.

ate [et, eit] *bk.* **eat.**

atheis·m [ˈeiθi·izm]. Allahı inkâr etme, dinsizlik. **~t,** Allahı inkâr eden; dinsiz.

Athen·ian [əˈθiiniən]. Atina'ya aid, Atinalı. **~s** [ˈaθənz], Atina.

athirst [əˈθəəst]. **~ for,** ···e susamış, teşne.

athlet·e [ˈaθliit]. Atlet, sporcu. **~ic** [əˈθletik], gürbüz ve çevik; spora aid. **~ics,** atletik sporlar.

at-home [ətˈhoum]. Misafir kabulü. **~ day,** kabul günü.

athwart [əˈθwoot]. Bir yandan bir yana; enine; karşıdan geçerek; çaprazlama.

a-tilt [əˈtilt]. Eğilmiş, çarpık, yana yatmış.

Atlantic [atˈlantik]. **the ~ (Ocean),** Atlas okyanusu, Atlantik.

atlas [ˈatlas]. Atlas; harita.

atmospher·e [ˈatməsfiə*]. Atmosfer; muhit, hava. **~ic(al)** [–ˈferik(l)], atmosfere aid, havaya aid.

atoll [ˈatol]. Ortasında bir göl teşkil eden halka biçiminde mercan adası.
atom [ˈatəm]. Atom; zerre. **~ic(al)** [əˈtomik(l)], atoma aid. **~ize** [ˈatəmaiz], mayii toz haline getirmek, püskürmek.
atone [əˈtoun]. **~ for,** kefaret vermek, (yapılan bir kötülüğü) telâfi etm.; ödemek; tarziye vermek. **~ment,** kefaret, telâfi; tarziye.
atrabilious [ˌatrəˈbiljəs]. Karasevdaya mübtelâ; safravî.
atroci·ous [əˈtrouʃəs]. Vahşice; tüyler ürpertici (cinayet); şeni, gaddar; çok çirkin veya fena; berbad. **~ty** [əˈtrositi], vahşet, tüyler ürpertici hareket; zulüm, gaddarlık.
atrophy [ˈatrəfi]. Dumur; (gıdasızlıktan) zafiyet. Dumura uğratmak; (gıdasızlıktan) zayıf düş(ür)mek.
attach [əˈtatʃ]. Bağlamak, birleştirmek; (imza) basmak; (*huk.*) haczetmek; tevkif etm.; bağlı olm., merbut olmak. **to ~ oneself to,** ···e iltihak etm., takılmak: **to be ~ed to,** ···e bağlı olm., merbut olm.; sevmek. **~ed,** bağlı, merbut, mensub, meraklı. **~ment,** bağlılık; dostluk; rabıta; bir şeyin takılabilir parçası; (*huk.*) tevkif, haciz.
attaché [əˈtaʃei]. Ataşe. **attaché-case,** evrak çantası.
attack [əˈtak] *n.* Saldırış, hücum, taarruz; nöbet. *vb.* Saldırmak, hücum etm., birile uğraşmak; (bir işe) girişmek. **to make an ~ (up)on,** ···e hücum etm.: **to return to the ~,** (yarıda bırakılan bir münakaşa veya iş hakkında) tekrar hücuma geçmek.
attain [əˈtein]. Varmak, vasıl olm., ermek, erişmek, elde etm., kazanmak. **~ment,** varma, erişme, elde etme; hüner, malûmat; **~s,** müktesebat; elde edilen hüner ve marifetler.
attainder [əˈteində*]. **~ Act, Bill of ~,** birini medeni haklardan mahrum ve mallarını musadere eden karar.
attar [ˈatə*]. **~ of roses,** Gülyağı.
attempt [əˈtempt]. Teşebbüs; çalışma; gayret; tecrübe. Teşebbüs etm., çalışmak; davranmak; gayret etm.; tecrübe etmek. **to ~ [make an ~ on] s.o.'s life,** birinin hayatına kasdetmek: **~ed murder,** cinayet teşebbüsü: **I'll do it or perish in the ~,** ne olursa olsun onu yapacağım.
attend [əˈtend]. Gidip hazır bulunmak; (bir ders vs.ye) gitmek; hizmet etm., refakatinde bulunmak; beraber olm.; tedavi etm.; dikkat etm., dinlemek. **to ~ to,** dinlemek; bakmak; ···e hizmet etm.; ···le meşgul olm.: **to ~ on s.o.,** refakatinde bulunmak.
attendan·ce [əˈtendəns]. Hazır bulunma; devam; dikkatle meşgul olma; hizmet; ziyaret, refaket; tedavi. **there was a small ~ at the meeting,** toplantıya gelenler azdı. **~t,** *a.* başkasının refaketinde ve hizmetinde bulunan; beraber olan, refaket eden; hazır ve mevcud olan; devam eden; *n.* Hizmetçi; (mağaza, müze, tiyatro vs. de) memur: **medical ~,** bir müessese, bir şahıs veya ailenin hususî doktoru.
attention [əˈtenʃn]. Dikkat; ihtimam; itina; meşgul olma; alâka gösterme; nezaket. **~!,** hazırol!: **to pay ~,** dikkat etm.: **to pay one's ~s to,** ···e kur yapmak: **to press one's ~s upon,** ···e hulûs göstermek: **to stand at ~,** hazırol vaziyetinde durmak.
attentive [əˈtentiv]. Dikkatli; itinalı; ihtimamlı; riayetkâr; nazik.
attenuate [əˈtenjueit]. İnceltmek; azaltmak; hafifleştirmek.
attest [əˈtest]. Şahid olm. göstermek, beyan etm.; tasdik etmek.
attic[1] [ˈatik]. Tavan arası, çatı odası.
Attic[2]. Atina'ya aid. **~ salt,** nüktecilik.
attire [əˈtaiə*]. Elbise. Giydirmek; süslemek.
attitud·e [ˈatitjuud]. Davranış, tavır, vaziyet, duruş. **to strike an ~,** poz almak. **inize~** [–ˈtjuudənaiz], tavır takınmak, poz yapmak.
attorney [əˈtəəni]. Vekil, mümessil; avukat. **power of ~,** vekâletname. **attorney-general,** baş müddeiumumî.
attract [əˈtrakt]. Çekmek, cezbetmek. **~ion,** çekme, cazibe; cezbeden şey; alım. **~ive,** çeken, cazib; alımlı, göz alıcı.
attribut·e [ˈatribjuut] *n.* Vasıf, sıfat, hassa; remiz. *vb.* [əˈtribjuut]. Atfetmek, hamletmek; yormak; maletmek. **~ion** [–ˈbjuuʃn], atfetme, hamletme; yorma; hassa. **~ive** [əˈtribjutiv], vasıflandıran; sıfat.
attrition [əˈtriʃn]. Aşınma; yenme. **war of ~,** aşındırma harbi.
attune [əˈtjuun]. Akord etmek; uydurmak.
auburn [ˈoobən]. Kestane rengi.
auction [ˈookʃn] *n.* Mezad, açık arttırma ile satış. *vb.* Mezada çıkarmak. **~eer** [–ˈniiə*], mezad tellalı.
audac·ious [ooˈdeiʃəs]. Cür'etli; atılgan. **~ity** [ooˈdasiti], cür'et, cesaret.
audible [ˈoodəbl]. İşitilebilir, işitilir.
audience [ˈoodjəns]. Dinleyiciler; seyirciler; dinleme; huzura kabul, mülâkat.
audit [ˈoodit]. Hesabları [muhasebeyi] teftiş etme; murakabe. Hesabları [muhasebeyi] teftiş etmek.
audit·ion [ooˈdiʃn]. Dinleme; bir şarkıcı vs.nin sesini tecrübe için dinleme. **~or,** dinleyici; murakib. **~orium** [–ˈtooriəm], bir kilise, mekteb vs. de dinleyicilere mahsus yer.

Augean [ooˈdʒiiən]. ~ **stables,** pislik içinde yüzen yer vs.
auger [ˈoogə*]. Burgu, makkab.
aught [oot]. Bir şey, her hangi bir şey.
augment [oogˈment]. Arttırmak, çoğaltmak.
augur [ˈoogə*]. Kâhin, falcı. (Fala bakarak vs.) haber vermek, önceden söylemek; (bir şeye) alâmet olmak. **it ~s no good,** hayra alâmet değil: **it ~s well,** hayra alâmettir. **~y** [ˈoogjuri], kehanet, fal; alâmet; falcılık: **to take the ~ies,** fala bakmak, tefeül etmek.
august [ooˈgʌst]. Mübeccel; muhteşem.
August [ˈoogəst]. Ağustos.
auk [ook]. Penguen cinsinden bir kuş.
aunt [aant]. Teyze; hala; yenge (dayı veya amca karısı). ~ **Sally,** oyuncuların tahtadan bir başa değnek atarak vurmağa çalıştıkları bir oyun; herkesin takıldığı kimse.
aural [ˈoorəl]. Kulağa aid.
aureola, aureole [ooriˈoula, ˈooriəl]. Hale; nur.
auricle [ˈoorikl]. Kulacık.
auriferous [ooˈrifərəs]. Altın ihtiva eden.
aurist [ˈoorist]. Kulak mütehassısı.
Aurora [ooˈroorə]. Şafak tanrısı; fecir. ~ **borealis,** şimal kutbu fecri.
auscultation [ˌoskulˈteiʃn]. (Kalbi) dinleme.
auspice [ˈoospis]. Fal. **~s,** himaye: **under the ~s of,** ···in himayesi altında; sayesinde.
auspicious [oosˈpiʃəs]. Müsaid, uygun; uğurlu: mes'ud.
auster·e [oosˈtiə*]. Sert; haşin; müsamahasız; sade, süssüz; mümsik. **~ity** [oosˈteriti], sadelik; süssüzlük; imsâk.
Australia [oosˈtreiljə]. Avustralya. **~n,** Avustralyalı.
Austria [ˈoostriə]. Avusturya. **~n,** Avusturyalı.
authentic [ooˈθentik]. Mevsuk; hakikî, doğru. **~ate** [–keit], tevsik etm.; hakikî olduğunu göstermek; müellifini tesbit etmek. **~ity** [–ˈtisiti], mevsukiyet; hakikî olma.
author [ˈooθə*]. Müellif; fail, amil, saik; sebeb olan.
author·itarian [ooˌθoriˈteiriən]. Otoriter; otorite tarafdarı. **~itative** [ooˈθoritətiv], otorite sahibi; resmî; âmirane; salâhiyet ve ihtisas sahibi; mevsuk.
authority [ooˈθoriti]. Salâhiyet; nüfuz; otorite; salâhiyet ve hüküm sahibi şahıs; müsaade. **the authorities,** makamlar, idare: **to have ~,** nüfuz sahibi olm., hükmü geçmek: **to act on s.o.'s ~,** birinin müsaadesile [verdiği salâhiyetle] hareket etm.: **to be an ~ on stg.,** bir meselede ihtisas sahibi olm.: **to have stg. on good ~,** bir şeyi mevsuk kaynaktan öğrenmek: **to be under s.o.'s ~,** birinin emrinde olmak.
authorize [ˈooθəraiz]. Salâhiyet vermek, mezuniyet vermek; müsaade etmek. **~d,** salâhiyetli, resmî: **the ~ Version (of the Bible),** İncilin 1611 de yapılan İngilizce resmî tercümesi.
autobiography [ˌootəbaiˈogrəfi]. Hatırat, müellif tarafından yazılan tercümeihal.
autocra·cy [ooˈtokrəsi]. İstibdad. **~t** [ˈootokrat], müstebid. **~tic** [ˌootəˈkratik], istibdada aid; müstebid; mütehakkim.
autograph [ˈootəgraaf]. Birinin kendi elyazısı yahud imzası; kendi eli ile yazılmış. Kendi eli ile yazmak; imzasını atmak; ithaf etmek.
automatic [ˌootəˈmatik]. Otomatik. ~ **machine,** para atınca bilet vs. veren makine.
automaton [ooˈtomətən]. Kendi kendine hareket eden makine vs., otomat.
automobil [ˌootəˈmoubiil]. Otomobil.
autono·mous [ooˈtonəməs]. Kendi kendini idare eden, muhtar. **~my,** kendi kendini idare salâhiyeti, muhtariyet.
autopsy [ooˈtopsi]. Fethimeyyit, otopsi.
autumn [ˈootəm]. Sonbahar. **~al** [–ˈʌmnəl], sonbahara aid.
auxiliary [oogˈziljəri]. Yardımcı: tâli.
avail [əˈveil] *n.* **of no ~** [**without ~**], beyhude. *vb.* Faydası olm., fayda etm., işine yaramak. **to ~ oneself of,** ···den istifade etm., kullanmak. **~able,** mevcud, elde edilebilir; (bilet vs.) muteber; mer'î.
avalanche [ˈavəlaantʃ]. Çığ.
avaric·e [ˈavəris]. Tamah; para hırsı. **~ious** [ˌavəˈriʃəs], tamahkâr, paraya haris.
avenge [əˈvendʒ]. Öc almak, intikam alma.
avenue [ˈavənju]. Ağaçlıklı cadde; geniş cadde; (*mec.*) bir yere eriştiren yol.
aver [əˈvə*]. Doğru olduğunu ileri sürmek; iddia etmek.
average [ˈavəridʒ]. Orta, vasat. Vasatî. Vasatîsini almak, vasatîsi ... tutmak, vasatî olarak . . . yapmak. **general ~,** avarya: **on an ~,** ortalama: **to strike an ~,** vasatîsini çıkarmak.
averse [əˈvəəs]. Muhalif, zıd; hazzetmez.
aversion [əˈvəəʃn]. Nefret; hoşlanmayış; zıddiyet; nefret edilen şey. **pet ~,** en çok nefret edilen kimse veya şey.
avert [əˈvəət]. Başka tarafa çevirmek; önüne geçmek; bertaraf etmek.
aviary [ˈeiviəri]. Kuşhane.
aviat·ion [ˌeiviˈeiʃn]. Uçakçılık, havacılık. **~or** [ˈeivieitə*], uçakçı, havacı.
avid [ˈavid]. Haris, açgözlü; doymaz.
avocation [ˌavoˈkeiʃn]. Meşgale; meslek.
avoid [əˈvoid]. İctinab etm.; ···den sakınmak; ···den geri durmak; kurtulmak, önlemek. **~able,** kaçınabilir, önlene-

bilir. ~**ance,** geri durma; kaçınma; önleme, kurtulma.

avoirdupois [ˌavədəˈpoiz, avwadjuˈpwa]. İngiliz ağırlık ölçüsü sistemi.

avow [əˈvau]. İtiraf etm., kabul etm., ikrar etmek. ~**al,** itiraf. ~**edly,** herkesin kabul ettiği gibi; açıkça.

await [əˈweit]. Beklemek.

awake (*p.* **awoke**) [əˈweik, əˈwouk]. Uyan-(dır)mak. Uyanmış; uyanık. **to be ~ to a danger,** bir tehlikenin farkında olm.: **wide ~,** tamamen uyanmış; gözü açık. ~**n,** Uyandırmak; birinin gözünü açmak. ~**ning,** uyanma; kendine gelme; gözü açılma: **a rude ~,** acı bir sukutu hayal.

award [əˈwood]. Hüküm; karar; tazminat veya mükâfat. (Mükâfat veya tazminat olarak) vermek; ihale etm.; karar vermek, hükmetmek.

aware [əˈweə*]. Haberdar, farkında, bilir, agâh. **to become ~ of,** öğrenmek, haberdar olm., farkına varmak: **not that I am ~ of,** benim bildiğime göre (böyle) değil; benim haberim yok.

awash [əˈwoʃ]. Su ile beraber, su seviyesinde; su üzerinde yüzen.

away [əˈwei]. Uzağa, uzakta; ötede, öteye; bir tarafa; bir düziye. [*Bir fiil sonuna gelince şu mânaları ifade eder*:—(i) uzaklaşma *veya* değiştirme, *mes.* **to walk ~,** yürüyüp uzaklaşmak; **to fly ~,** uçup gitmek: (ii) devam, *mes.* **to write ~,** yazmağa devam etm.; **'don't interrupt! I'm thinking.' 'Alright, think ~!',** 'Dur, düşünüyorum!'. 'Pek iyi, düşün bakalım (düşünmeğe devam et)!': (iii) tüketmek, *mes.* **the sea is eating ~ the rocks,** deniz kayaları aşındırıyor; **to waste ~,** eriyip bitmek.] **~ back in the past,** çok uzak bir mazide: **~ back in 1900,** daha [tâ] 1900 de: **~ with you!,** defol!: **~ with it!,** kaldır!, götür!: **he is ~,** seyahattedir: **far ~,** çok uzakta: **he is far and ~ [out and ~] the cleverest boy in the school,** o mektebdeki çocukların fersah fersah en zekisidir: **I must ~,** gitmeliyim: **one, two, three and ~!,** (bit yarışa başlarken) bir, iki, üç!: **right ~,** hemen: **to stay ~,** (i) orada bulunmamak; (ii) başka yerde kalmak.

awe [oo]. Hürmet veya hayranlıkla karışık korku, huşu; korku, dehşet. Huşu telkin etm., korku vermek. **to stand in ~ of,** huşula telâkki etm., ···den korkmak: **to strike with ~,** ···e huşu telkin etm., korku vermek. ~**some** [ˈoosəm], dehşet veren.

awe-inspiring, huşu telkin eden; korku veren.

awful [ˈoofl]. Korkunc, müdhiş; heybetli; (*kon.*) berbad; son derece. **thanks ~ly,** sonsuz teşekkürler: **he's ~ly kind,** son derece mültefittir.

awhile [əˈwail]. Bir müddet, bir az.

awkward [ˈookwəd]. Beceriksiz; çolpa; hantal; garib; aksi; sıkıntılı; müşkül vaziyette bırakan (şey, hadise vs.). **the ~ age,** çocukluktan çıkma çağı: **an ~ customer,** tehlikeli adam; Allahın belâsı adam; tekin değil.

awl [ool]. Biz.

awn [oon]. Başak bıyığı; kılçık.

awning [ˈooniŋ]. Tente.

awoke [əˈwouk) *bk.* **awake.**

awry [aˈrai]. Çarpık, iğri; yanlış. **to go ~,** ters gitmek, bozulmak.

axe [aks]. Balta. **to have an ~ to grind,** bir işte çıkarı olmak.

axial [ˈaksiəl]. Mihvere aid.

axiom [ˈaksiəm]. Mütearife. ~**atic,** mütearife gibi, bedihi, besbelli.

axis [ˈaksis]. Mihver.

axle [ˈaksəl]. Dingil; mil.

ay(e)[1] [ai]. Evet; hayhay; kabul reyi. **the ~s have it,** kabul edilmiştir.

aye[2]. Daima, her zaman. **for (ever and) ~,** bütün bütün; ebediyen.

ayah [ˈaija]. Hindli dadı.

azalea [əˈzeiljə]. Açalya.

azimuth [ˈaziməθ]. Semt; kerte.

azure [ˈaʒuə*]. Havaî mavi; mavi gök.

B

B [bii]. B harfi; (*mus.*) si.

B.A. [ˈbiiˈei]. (*kis.*) **Bachelor of Arts.**

baa [baa]. Melemek. **baa-lamb,** küçük kuzu.

babble [ˈbabl] (Çocuk gibi) manasız sesler çıkarma(k); saçma sapan konuşma(k); şırıldamak; şırıltı. **to ~ out stg.,** boşboğazlık etmek. ~**er,** boşboğaz, geveze.

babe [beib]. Küçük çocuk, bebek.

Babel [ˈbeibl]. Babil. **a ~ of talk,** gürültülü konuşma.

baboon [baˈbuun]. Kısa kuyruklu iri bir cins maymun.

babu [baaˈbuu]. (Hindistanda) bey, efendi; İngilizce bilen Hindli kâtib; yarı ingilizleşmiş Hindli.

baby [ˈbeibi]. Bebek, küçük çocuk; küçük. **~ grand,** kısa kuyruklu piyano: **he left me to carry the ~,** her şeyi benim üstüme bıraktı (o işin içinden sıyrıldı): **to have a ~,** doğurmak: **she is going to have a ~,** hamiledir. ~**hood,** çocukluk, bebeklik.

~ish, çocukça, bebekçe. **baby-farm,** çocuk bakımevi (ücretli). **baby-linen,** çocuk takımı.
Babylon [ˈbabilon]. Babil.
bacchan·al [ˈbakənəl]. Şarab tanrısı Bakü's'e aid; içki âlemi, cümbüş; ayyaş. **~alia** [–ˈneiliə], Baküs festivali; içki âlemi. **~alian,** Baküs festivaline aid; işrete aid. **~te,** Baküs rahibesi; sarhoş kadın.
baccy [ˈbaki]. (*kıs.*) **tobacco,** tütün.
bachelor [ˈbatʃələ*]. Bekâr. **~ of Arts,** Edebiyat Fakültesi mezunu: **~ of Science,** Fen Fakültesi mezunu. **~hood,** bekârlık.
bacill·us [baˈsiləs]. Basil. **~ary,** basilli.
back[1] [bak]. Arka; sırt; ters; (futbol) bek, müdafi. Arkada bulunan; karşı. Geri, geride, geriye; mukabeleten; evvel. **~current,** ters akıntı, anafor; **~ to front,** ters: **to answer ~,** karşılık vermek: **when will he be ~?,** ne zaman dönecek?: **to be on one's ~,** (i) arka üstü yatmak; (ii) hasta yatmak: **to break one's ~,** belini kırmak: **to break the ~ of the work,** bir işin çoğunu bitirmek (çogu gitti azı kaldı): **(ship) to break her ~,** (gemi) omurgasını kırmak: **it all comes ~ to me now,** şimdi her şeyi tekrar hatırlıyorum: **to get at the ~ of stg.,** işin içyüzünü anlamak: **the idea at the ~ of one's mind,** asıl maksad: **to get (a bit of) one's own ~,** acısını çıkarmak: **to put one's ~ into stg.,** bir işe kendini tamamen vermek, var kuvvetile çalışmak: **to put [get] s.o.'s ~ up,** birini kızdırmak: **to sit with one's ~ to,** arkası …e dönük oturmak: **a house standing ~ from the road,** içerlek ev: **there 's something at the ~ of it,** bunun içinde bir iş var: **to turn one's ~ on s.o.,** birine arkasını çevirmek; birinden yüz çevirmek: **with one's ~ to the wall,** (çarpışma vs.) ricat hattı kesilmiş olarak; mezbuhane. **back-breaking,** insanın belini kıran, çok yorucu. **back-chat,** karşılık verme. **back-fire,** (*otom.*) geç ateşlemeden dolayı alevin geri tepmesi. **back-hand,** (tenisde) soldan vurma. **back-handed,** elinin tersiyle; **a ~-handed compliment,** hoşa gitmiyen kompliman. **back-number,** günü geçmiş; eski; modası geçmiş. **back-pay,** tediyesi gecikmiş maaş; bekaya; tedahülat. **back-scratching,** piyaz, karşılıklı pohpoh. **back-sight,** gez. **back-tooth,** azı dişi. **back-yard,** bir evin arka avlusu.
back[2] *vb.* Arka olm.; muzaheret etm., lehinde söylemek; himaye etm.; geri yürütmek; geri geri gitmek; arkadan desteklemek. **(wind) to ~,** (rüzgâr) sağdan sola değişmek: **to ~ a bill,** aval vermek: **to ~ a horse,** (yarışta) bir ata para yatırmak. **back down,** yelkenleri indirmek; iddiasından vazgeçmek. **back out,** geri geri gitmek; **to ~ out of a promise,** vadinden dönmek. **back up,** lehinde söylemek; arka olm.; tekid etmek.
backbencher [ˌbakˈbentʃə*]. Parlamentonun kabinede yahud ön safta bulunmıyan âzası.
backbite [ˈbakbait]. Birini giyabında zemmetmek; arkasından çekiştirmek.
backbone [ˈbakboun]. Belkemiği; (*mec.*) karakter, metanet. **English to the ~,** sapına kadar İngiliz.
backer [ˈbakə*]. Bir yarışta bir ata para koyan; arka, tarafdar.
background [ˈbakgraund]. Arka plân; geri; fon.
backgammon [bakˈgamən]. Tavla.
backside [bakˈsaid]. Kıç.
backslid·e [bakˈslaid]. Fena yola sapmak. **~ing,** fena yola sapma; tekrar hataya düşme.
backstair(s) [bakˈsteir(s)]. Arka merdiven. **~ gossip,** hizmetçi dedikodusu.
backward [ˈbakwəd]. Geri; gecikmiş; gelişmemiş; isteksiz. **~s,** geriye doğru; geri; tersine. **~ness,** gerilik.
backwash [ˈbakwoʃ]. Geriye gelen dalga; geminin akıntısı.
backwater [bakwootə*]. Bir nehrin akıntı dışındaki yeri. [–ˈwootə*], tersine kürek çemek.
backwoodsman, *pl.* **-men** [bakˈwudzmən]. Amerikada balta görmemiş ormanda yerleşmiş kimse.
bacon [ˈbeikən]. Tuzlanmış ve tütsülenmiş domuz eti. **to save one's ~,** yakayı kurtarmak; savuşturmak: **side of ~,** tuzlanmış yarım domuz.
bacteri·a [bakˈtiəriə]. Bakteri. **~al,** bakteriye mensub. **~ology,** bakteriyoloji.
bad [bad]. *a.* Kötü, fena; münasebetsiz, uygunsuz; bozuk, kokmuş; kusurlu; kalp; değersiz; berbad; (delil vs.) kifayetsiz. *n.* Fenalık; kötülük. **to be ~ at stg.,** bir şeyde iyi olmamak, becerememek: **~ debt,** tahsili kabil olmıyan alacak: **to go ~,** bozulmak, kokmak, çürümek: **to go to the ~,** baştan çıkmak; fena yola sapmak: **to go from ~ to worse,** gittikçe fenalaşmak: **to call s.o. ~ names,** birine karşı fena sözler sarfetmek: **my ~ leg,** ağrıyan [sakat vs.] bacağım: **it is ~ly needed,** buna çok büyük ihtiyac var: **it is very ~ of you to . . .,** …diğiniz için çok kabahatlisiniz: **to be taken ~,** üzerine fenalık gelmek: **I am £100 to the ~,** yüz lira kaybım var: **to want stg. ~ly,** bir şeyi şiddetle arzu etmek. **bad-looking, he is not ~,** çirkin denemez. **bad-tempered,** huysuz, aksi.

bade [bad, beid]. *bk.* **bid.**
badge [badʒ]. Alâmet, işaret; plâka; rozet.
badger[1] [ˈbadʒə*] *n.* Porsuk.
badger[2] *vb.* Başının etini yemek.
badminton [ˈbadmintən]. Bir nevi oyun, *bk.* **shuttlecock.**
badness [ˈbadnis]. Fenalık, kötülük.
baffle [ˈbafl]. Su, hava, ses vs.nin hareketini kontrol eden bir levha; hoparlör ekranı. Şaşırtmak, bozmak; âciz bırakmak; atlatmak. **to be ~d,** apışıp kalmak: **to ~ definition,** tarifi imkânsız olmak.
bag [bag] *n.* Torba; çuval; kese kâğıdı; çanta; kese. *vb.* Torbaya koymak, çantaya koymak; (elbise) şişmek, sarkmak; (*kon.*) aşırmak. **~ and baggage,** tası tarağı toplıyarak, her şeyi ile.
bagatelle [ˌbagəˈtel]. Ehemmiyetsiz şey; bir nevi bilârdo oyunu.
baggage [ˈbagidʒ]. Bagaj; yolcu eşyası; ordu ağırlığı; yüzsüz, şımarık kadın.
baggy [ˈbagi]. Çok bol, üstten sarkan (elbise); sarkık (yanak).
bagpipe [ˈbagpaip]. Gayda. **~s,** İskoçların tulum çalgısı.
bail[1] [ˈbeil]. Kefalet, kefalet senedi, teminat; kefil. **to ~ out,** kefalet vererek tahliye ettirmek. **to go ~ for s.o.,** birine kefil olm., birisi için kefalet vermek.
bail[2] *vb.* Sandalın suyunu boşaltmak. **to ~ out,** paraşütle atlamak. **~er,** sandalın suyunu boşaltacak kab.
Bailey [ˈbeili]. **The Old ~,** Londra cinayet mahkemesi.
bailiff [ˈbeilif]. Çiftlik kâhyası; icra memuru.
bairn [beərn]. (İskoç lehçesinde) çocuk.
bait [beit]. (Olta, kapan vs. için) yem; çekici ve aldatıcı şey. Oltaya veya kapana yem koymak; eziyet etm.; musallat olm.; yem vermek.
baize [beiz]. Kabaca dokunmuş yün kumaş (bilârdo ve oyun masaları için kullanılır).
bake [beik]. (Fırında) pişirmek. **~r,** ekmekçi; **~'s dozen,** on üç. **~house,** fırın, ekmekçi dükkânı. **~ry,** ekmekçilik; ekmekçi dükkanı.
baking-powder, Sun'î maya.
baksheesh [bakˈʃiiʃ]. Bahşiş.
balance [ˈbaləns]. Terazi; rakkas; muvazene; bakiye; hesab farkı. Denketmek; muvazene kurmak; karşılaştırmak; denk gelmek; muvazene bulmak. **to hang in the ~,** muallakta, nazik bir vaziyette bulunmak: **to strike a ~,** bilanço çıkarmak: **to throw s.o. off his ~,** birinin muvazenesini kaybettirmek, bozmak, şaşırmak: **to turn the ~,** terazinin bir kolunu eğdirmek; vaziyeti değiştirmek. **~d,** muvazeneli. **balance-sheet,** bilanço: **to get out a ~,** bir bilanço tanzim etmek.
balcony [ˈbalkəni]. Balkon.
bald [boold]. Saçları dökülmüş, dızlak, kel; çıplak, çorak. **~ness,** saçsızlık; çıplaklık. **bald-headed,** kel: **to go at it ~,** düşüncesizce atılmak.
balderdash [ˈbooldədaʃ]. Saçma sapan söz.
bale[1] [beil]. Balya; denk. Balya yapmak, denk bağlamak.
bale[2] *bk.* **bail.**
baleful [ˈbeilfl]. Zararlı; uğursuz, netameli.
balk [boolk]. Kiriş, hatıl; engel; (iki tarla arasında) sürülmemiş kısım. Mani olm.; bozmak; önüne geçmek; kaçınmak; kaçırmak; durup ileri gitmemek. **to ~ at stg.,** bir şey karşısında durmak; duralamak, tereddüd etmek.
ball[1] [bool]. Top; yuvarlak; küre; yumak; mermi. **to ~ up,** top haline gelmek: **to have the ~ at one's feet,** eline fırsat geçmek, muvaffakiyet yolu açılmak: **to keep the ~ rolling,** sohbeti veya oyunu veya işi devam ettirmek: **to start the ~ rolling,** sohbeti veya oyunu veya işi açmak. **ball-bearing,** bilye; bilyeli. **ball-cartridge,** dolu (kurşunlu) fişek. **ball-cock,** yüzen top ile işliyen kapama valfı.
ball[2]**.** Balo.
ballad [ˈbaləd]. Basit şarkı; tahkiyevî şiir, balad.
ballast [ˈbaləst]. Safra; demiryolu inşasında kullanılan çakıl. Safra koymak; çakıl döşemek; muvazenesini temin etmek. **to have ~,** temkinli olmak.
ballerina [ˌbaləˈriinə]. Bale dansözü.
ballet [ˈbalei]. Bale.
ballistics [bəˈlistiks]. Atış ilmi, balistik.
balloon [bəˈluun]. Balon. Balon gibi şişmek; balonla çıkmak. **~ist,** baloncu.
ballot [ˈbalət] *n.* Kur'a; rey atma; reylerin yekûnu. *vb.* Kur'a çekmek. **to ~ for,** için kur'a çekmek; rey ile seçmek: **to take a ~,** kur'a çekmek, rey atmak. **ballot-box,** rey kutusu. **ballot-paper,** rey kâğıdı.
ballroom [ˌboolrum]. Dans salonu.
balm [baam]. Oğul otu; teskin eden [huzur veren] şey; merhem. **~y,** güzel ve ağır kokulu; sıcak ve lâtif (rüzgâr, gün vs.); (*kon.*) kaçık.
balsam [ˈboolsəm]. Pelesenk ağacı.
balustrade [ˌbaləˈstreid]. Trabzan parmaklığı.
bamboo [bamˈbuu]. Bambu ağacı; bambudan yapılmış.
bamboozle [bamˈbuuzl]. Aldatmak; kafese koymak.
ban [ban]. Aforoz; umumî efkâr tarafından mahkûmiyet; yasak. Yasak etm.; aforoz etmek. **to put a ~ on,** yasak etm.; hoş görmemek.
banal [bəˈnaal]. Adî, mübtezel; bas-

makalıb; yavan. **~ity** [ˈnaliti] basmakalıb söz vs.
banana [bəˈnaanə]. Muz.
band[1] [band]. Bağ; şerid; kuşak, kayış. Bağlamak.
band[2]. Takım; güruh. **to ~ together,** birleşmek; bir araya gelmek.
band[3]. Bando; çalgıcılar heyeti.
bandage [ˈbandədʒ]. Sargı, bağ. Sarmak, sargıya koymak.
bandbox [ˈbandboks]. Mukavva şapka kutusu. **to look as if one had just stepped out of a ~,** iki dirhem bir çekirdek olmak.
bandit [ˈbandit]. Haydud, şaki.
bandmaster [ˈbandˌmaastə*]. Bando şefi.
bandolier [bandoˈliə*]. Omuz kayışı; fişeklik.
bandsman, *pl.* **-men** [ˈbansmən]. Mızıkacı, bando çalgıcısı.
bandy[1] [ˈbandi]. Öteye beriye atmak; alıp vermek, teati etmek. **to ~ words,** ağız kavgası etmek.
bandy[2]. **~(-legged),** İğri bacaklı.
bane [bein]. Afet, felâket; zehir. **~ful,** mahvedici, öldürücü; zehirli.
bang[1] [baŋ] *n.* (*ech.*). Bum, çat; vuruş; gürültü; patlama. *vb.* Gürültü ile vur(ul)mak veya kapa(n)mak; çarpmak, patlamak. **~ in the face,** tam yüzüne: **~ on time,** dakikası dakikasına: **to go ~,** patlamak.
bang[2]. Düz kâkül kesmek.
bangle [ˈbaŋl]. Bilezik; halka.
banish [ˈbaniʃ]. Sürmek, koğmak. **~ment,** sürgün.
banister [ˈbanistə*]. Trabzan.
banjo [banˈdʒou]. Kitaraya benzer bir çalgı.
bank[1] [baŋk] *n.* Sed; kıyı, kenar; sığlık; *vb.* Sed çekmek; (uçak) bir tarafa yatmak. **to ~ up,** yığ(ıl)mak: **to ~ up a fire,** soba vs. de ateşi üzerine kömür yığarak örtmek.
bank[2]. Bir kadırgada kürekçi yeri veya kürek sırası; org klâvyesi.
bank[3]. Banka; (oyunda) banko. Bankaya koymak. **to ~ on stg.,** bir şeye ümid bağlamak. **~ holiday,** resmî tatil günü. **~er,** bankacı. **bank-note,** kâğıd para.
bankrupt [ˈbaŋkrʌpt]. Müflis; meteliksiz. İflâs ettirmek: **to go ~,** iflâs etmek. **~cy,** iflâs; mahvolma.
banner [ˈbanə*]. Bayrak, sancak.
bannock [ˈbanək]. (İskoçya'da) bir nevi pide.
banns [bans]. Evlenme ilânı. **to forbid the ~,** evlenmelerine itiraz etm.: **to put up the ~,** evlenme ilânını kilisede veya resmî bir yerde teşhir etmek.
banquet [ˈbaŋkwit]. Ziyafet. ···e ziyafet vermek.
banshee [ˈbanʃii]. (İrlanda ve İskoçya'da) ağlaması, o evden bir ölü çıkacağına işaret sayılan bir peri.
bantam [ˈbantəm]. Küçük cins tavuk, ispenç. **~ weight,** horoz sıklet.
banter [ˈbantə*]. Şaka, lâtife, alay. Alay etm., şaka etm., lâtife etm.; istihza etmek.
bapti·sm [ˈbaptizm]. Vaftiz. **to receive ~,** vaftiz edilmek. **~smal** [–ˈtizməl], vaftize aid. **~st,** bir Hıristiyan tarikatinin adı. **~ze,** [–ˈtaiz], vaftiz etm., isim vermek.
bar[1] [baa*] *n.* Çizgi; çubuk; (tahta veya madenden) kol; engel; çıta; kalıb (sabun); (mahkemede) suçlu yeri; baro; mahkeme; içki dağıtılan veya satılan tezgâh veya oda; nehir ağzında kum seddi. *vb.* Kapamak; demirlemek; engel olm.; yasak etmek. **to be called to the ~,** baroya yazılmak: **colour ~,** beyaz ırkla renkli irklar arasında fark gözetme: **horizontal ~,** barfiks.
bar[2], **barring** [baa*, ˈbaariŋ]. Maada, müstesna. **~ none,** istisnasız.
bar[3]. Bir nevi balık, (?) sarı ağız.
barb [baab]. Ok ucu; olta kancası; diken. Oka uc takmak; kanca getirmek.
barbar·ian [baaˈbeiriən]. Barbar, vahşi; yabancı. **~ic** [–ˈbarik], barbarca, vahşice. **~ism** [ˈbaabərizm], barbarlık; alışılmamış kelime veya tabir. **~ity** [–ˈbariti], barbarlık, vahşet. **~ous,** barbarca, vahşice; gaddar, zalim.
barbecue [ˈbaabəkju]. Bütün olarak kızartılmış hayvan çevirmesi; bunun yendiği toplantı; baharlı salçalı bir nevi et yemeği.
barbed [baabd]. Dikenli, kancalı. **~ wire,** dikenli tel: **~-wire entanglement,** tel örgü.
barbel [ˈbaabl]. (*Barbus*) Bıyıklı balık.
barber [ˈbaabə*]. Berber.
bard [baad]. Saz şairi; şair.
bare [beə*]. Çıplak; açık; çorak; boş; sade; süssüz; ancak kâfi. Soymak; açmak. **~ly,** hemen hemen, ancak: **a ~ majority,** zayıf bir ekseriyet: **to earn a ~ living,** ancak hayatını kazanabilmek: **to lay ~,** açmak, açığa vurmak; yakıp yıkmak: **to run under ~ poles,** (gemi) bütün yelkenler inik olarak ilerlemek.
bare *bk.* **bear.**
bareback [ˈbeəbak]. **to ride ~,** ata eğersiz binmek.
barefaced [ˈbeəfeisd]. Yüzsüz, hayasız.
barefoot(ed) [ˈbeəfut, –ˈfutid]. Yalınayak.
bargain [ˈbaagin]. Ticarî anlaşma, iş; pazarlık; kelepir, elden düşme. Ticarî bir işe girişmek; pazarlık etm., pazarlığa girişmek. **It's a ~,** (i) uyuştuk!; (ii) kelepirdir: **into the ~,** üstelik, caba: **I didn't ~ for that,** bu hesabda yoktu; bunu hiç beklemedim: **he got more than he ~ed for,** başına belâyı satın aldı: **to make a good**

~, kârli bir iş yapmak: **to strike [drive] a ~,** birile pazarlığı uydurmak, anlaşmak.
barge[1] [baadʒ] *n.* Mavna, salapurya; yük dubası; ev gibi kullanılan duba; düz tekneli büyük yelkenli. **admiral's ~,** amirale mahsus sandal veya motör: **state ~,** saltanat kayığı. **barge-pole,** uzun avara gönderi: **I wouldn't touch it with a ~** (aman istemem, lüzumu yok), kırk yıl görmesem aramam.
barge[2] *vb.* **~ into [against],** ···e çarpmak; şiddetle tos vurmak; **to ~ in,** yersiz medahale etmek.
bargee [baaˈdʒii]. Mavnacı, dubacı.
bargemaster [ˈbaadʒˈmaastə*]. Mavna reisi.
barium [ˈbeiriəm]. Baryum.
bark[1] [baak]. Ağac kabuğu; Agacın kabuğunu soymak. **to ~ one's shins,** incik kemiği sıyrılmak: **Peruvian ~,** kınakına.
bark[2]. Havlama(k); haşin bir sesle söylemek. ⌜**his ~ is worse than his bite**⌝, sen onun bağırıp çağırmasına bakma; tehdidleri hep kurusıkıdır: **to ~ up the wrong tree,** birinin günahına girmek; suçu yanlış yerde aramak.
bark[3]. (*Şair.*) Sandal, gemi.
barley [ˈbaali]. Arpa. **~corn,** arpa tanesi; **John ~,** (*şaka*) bira.
barm [baam]. Bira mayası. **~y,** (*arg.*) zıpır, kaçık.
bar·maid [ˈbaaˌmeid]. İçki tezgâhında çalışan kız. **~man** [ˈbaamən], içki tezgâhında garson.
barn [baan]. Zahire ambarı; ahır. **~yard,** çiftlik avlusu; kümes.
barnacle [ˈbaanikl]. Kayalara, gemi diplerine yapışan bir nevi midye.
barograph [ˈbarograaf]. Kaydeden barometre.
baromet·er [baˈromətə*]. Barometre. **~ric(al)** [–ˈmetrik(l)], barometreye aid.
baron [ˈbaron]. Baron. **~ of beef,** çift sığır filetosu. **~et,** baronet, barondan dir derece aşağı olan rütbe. **~etcy** [ˈbarənetsi], baronetlik. **~ial** [baˈrouniəl], barona aid; debdebeli (ev).
barque [baak]. Üç direkli yelken gemisi.
barrack(s)[1] [ˈbarək(s)] *n.* Kışla; kışla gibi bina.
barrack[2] *vb.* Sarakaya almak; yuhaya tutmak.
barrage [ˈbaraaʒ]. Nehir barajı; bend; baraj atışı.
barratry [ˈbaratri]. Baratarya, kaptanın kasd ve hile ile yaptığı zarar.
barrel [ˈbarəl]. Fıçı, varil; namlu. Fıçıya koymak. **barrel-organ,** laterna.
barren [ˈbarən]. Kısır; çorak.
barricade [ˌbarəˌkeid]. Mania; siper; barikad. Sokak siperleri, barikadlar kurmak.
barrier [ˈbariə*]. Mania; engel; çit.
barrister [ˈbaristə*]. (Yüksek mahkemelere çıkabilen) avukat.
barrow[1] [ˈbarou]. Elarabası.
barrow[2]. Höyük; mezar tümseği.
bart. (*kıs.*) **baronet.**
barter [ˈbaatə*]. Mübadele, trampa. Trampa etmek. **to ~ away,** şerefini vs. satmak.
barytone [ˈbaritoun]. Baso ile tenor arası ses, bariton.
basal [ˈbeisl]. Kaideye veya esasa aid.
basalt [ˈbeisoolt]. Bazalt, siyah mermer.
base[1] [beis] *n.* Esas; temel, kaide; dip; üs; kök. *vb.* Kurmak; esasını koymak; temelini atmak; istinad etmek. **base-ball,** Amerikalıların oynadığı bir nevi top oyunu, beyzbol.
base[2] *a.* Aşağılık, alçak, adî; mağşuş, hileli. **~less,** esassız, asılsız; temelsiz: **~ness,** aşağılık, adilik, alçaklık: **~ of birth,** soysuzluk; gayrımeşruluk. **base-born,** soysuz; gayrımeşru.
basement [ˈbeismnt]. Bodrum katı.
bash [baʃ] *n. and vb.* Yumruk (vurmak); çökertme(k).
bashful [ˈbaʃfl]. Utangaç, mahcub; kızarip bozaran.
basic [ˈbeisik] *a.* Esas, temel, en esaslı, esas teşkil eden.
basil [ˈbazəl]. **Sweet ~,** fesleğen.
basilica [baˈzilikə]. İki tarafı sıra sıra sütunlu ve nihayeti yarım daire şeklinde kilise vs.
basilisk [ˈbazilisk]. Mitolojide bir yılan; cenubî Amerika kertenkelesi.
basin [ˈbeisn]. Çanak, tas, leğen; aptesane çukuru; havuz; havza.
basis, *pl.* **-es** [ˈbeisis, -iiz]. Esas, temel; prensip; menşe.
bask [baask]. Güneşlenmek; ısınmak için ateşe veya güneşe karşı oturmak veya yatmak. **~ing shark,** (*Selache maxima*) pek iri fakat zararsız bir nevi köpekbalığı.
basket [ˈbaaskit]. Sepet, küfe; sepet gibi örülü şey.
bas-relief [ˈbasrəliif]. Kabartma.
bass[1] [bas]. (*Morone labrax*) Levrek.
bass[2] *bk.* **bast.**
bass [beis]. Baso.
bassinet [ˌbasiˈnet]. Sepet beşik; sepet işi çocuk arabası.
bassoon [baˈsuun]. Çifte kamışlı bir çalgı, bason.
bast [bast]. Hasır işi için kullanılan ıhlamur kabuğunun lifi.
bastard [ˈbastəd]. Piç; sahte. **~ size,** müstesna şekil veya büyüklükte. **~y,** piçlik.
baste[1] [beist]. Teyellemek, iliştirmek.

baste². Et kızartırken üzerine erimiş yağ dökmek; (*kon.*) ıslatmak, dayak atmak.
bastinado [ˌbastəˈnaadou]. Falaka (çekmek).
bastion [ˈbastiən]. Kale burcu, tabya; müdafaa.
bat¹ [bat]. Yarasa.
bat². Kriket vs. sopası; çomak; raket; tokaç. Kriket oyununda sopa kullanma sırası kendisinde olm.; vurmak. **to carry one's ~**, krikette (*ve mec.*) yenilmemek; **to do stg. off one's own ~**, bir işi kendiliğinden veya yalnız başına yapmak: **without ~ting an eyelid**, göz kırpmadan.
bat³. (*kon.*) Sür'at. **he went off at a rare ~**, rüzgâr gibi gitti.
batch [batʃ]. Bir ağız (fırın) ekmek; takım alay, yığın.
bate [beit] = **abate**. **With ~d breath**, nefesi kesilerek.
bath [baaθ, *pl.* baaðz]. Banyo, hamam. Banyo yapmak.
Bath bun. Üzeri şekerli çörek.
bath·e [beið]. (Nehir veya denizde) banyo; yüzme. Banyo etm. (yapmak); yüzmek; ıslatmak, sulamak. **~ing**, deniz banyosu: **~ costume**, mayo.
bathos [ˈbeiθos]. Üslûbda yüksekten gülünce düşme.
batman [ˈbatmən]. Emir eri.
baton [ˈbatən]. Asâ; değnek.
batrachian [baˈtrakiən]. Kurbağa cinsine mensub hayvan.
batsman, *pl.* **-men** [ˈbatsmən]. Kriket oyununda sopa ile topa vurma sırası kendisinde olan oyuncu.
battalion [bəˈtaljən]. Tabur.
batten¹ [ˈbatən]. Tiriz; takoz. Tiriz çekmek. **to ~ down**, (*den.*) lombar kapaklarını sımsıkı kapatmak.
batten². Semirmek, tüylenmek, gelişmek.
batter¹ [batə*] *n.* Sulu hamur.
batter² *vb.* Durmadan vurmak, dövmek; hırpalamak.
battery [ˈbatəri]. Batarya; pil, akümülatör. (*huk.*) Dögme, darb.
battle [ˈbatl]. Muharebe; mücadele. Döğüşmek, mücadele etm., çarpışmak. **to fight s.o.'s ~**, birinin tarafını tutmak: **that 's half the ~**, mücadele yarı kazanıldı sayılır.
battledore [ˈbatlˌdoo*]. **~ and shuttlecock**, ucuna tüy takılmış mantarla ve deri gerilmiş raketle oynanan bir oyun; bu oyunda kullanılan raket.
battlements [ˈbatəlmnts]. Kale burcunda mazgallı siperler; (*şair.*) kale.
battleship [ˈbatlˌʃip]. Zırhlı; muharebe gemisi.
bauble [ˈboobl]. Gösterişli fakat değersiz şey.
baulk *bk.* balk.
bauxite [ˈbooksait]. Boksit.
bawdy [ˈboodi]. Açıksaçık, müstehcen. **bawdy-house**, umumhane.
bawl [bool]. (*ech.*) Haykırma(k), barbar bağırma(k); feryad (etm.).
bay¹ [bei]. Defne. **bay-rum**, bir nevi güzel kokulu saç suyu.
bay². Koy, körfez. **bay-salt**, kaba tuz.
bay³. Cumba; duvar bölmesi. **bay-window**, cumba (penceresi).
bay⁴. (Köpek) havlama(k). **to be [stand] at ~**, mezbuhane mücadeleye girişmek; (zulüm gören kimse) düşmanına merdce saldırmak.
bay⁵. Doru (at).
bayonet [ˈbeənit]. Süngü. Süngülemek.
bazaar [bəˈzaa*]. (Şark memleketlerinde) çarşı; iane toplamak için muhtelif eşya satılan yer.
B.C. [ˈbiiˈsii] = **before Christ**, Milâddan evvel.
be [bii] (*pres. ind.* **am, art, is,** *pl.* **are**; *past ind.* **was, wast, was,** *pl.* **were**; *pres. sub.* **be**; *past sub.* **were, wert, were**; *pres. part.* **being,** *p.p.* **been**; *imp.* **be.** *Bu kelimelere bakınız*). Olmak; imek; var olmak, mevcud olmak; bulunmak; hazır olmak; kâin olmak. *Mechul fiil teşkiline yarıyan yardımcı fiil, mes.*: **to love**, sevmek; **to be loved**, sevilmek. **so ~ it**, pek iyi; öyle olsun.
beach [biitʃ]. Kumsal, sahil; plaj. Karaya oturtmak; karaya çekmek.
beacon [ˈbiikən]. Yüksek bir yerde yakılan işaret ateşi; işaret kulesi; (*den.*) işaret kazığı; baliz.
bead [biid]. Tesbih veya gerdanlık tanesi; boncuk; tane; arpacık. İnci vs. ile süslemek; dizmek; (ter vs.) tane tane toplanmak. **to draw a ~ on**, ···e nişan almak.
beadle [ˈbiidl]. Bir kilise memuru; mübaşir.
beagle [ˈbiigl]. Tavşan avında kullanılan küçük av köpeği.
beak (biik). Gaga; gagaya benziyen şey; (*arg.*) sulh hâkimi; (*mekteb argosu*) muallim. **~ed, ~y**, gagalı (hayvan); kartal, kemerli (burun).
beaker [ˈbiikə*]. Büyük bardak; ağzı yayvan bardak.
beam¹ [biim]. Şua, ışık. Işık saçmak; (neşeden vs.) gözleri parlamak. **a ~ of delight**, geniş tebessüm.
beam². Kiriş, hatıl, putrel, kemere; terazi kolu; geminin eni. **a ~ wind**, yandan gelen rüzgâr: **on the starboard [port] ~**, sancak [iskele] tarafında: **broad in the ~**, geniş kalçalı (kimse): **to be on her ~ ends**, (gemi) küpeştesine kadar yana yatmak: **to be on one's ~ ends**, (kimse) sıfırı tüketmek. **beam-compasses**, sürgülü pergel.

bean [biin]. Bakla ve fasulya gibi nebatların umumî adı. **broad ~**, bakla: **French ~s**, taze fasulya: **haricot ~s**, taze fasulya; kuru fasulya: **runner ~s**, çalı fasulyası: **he hasn't a ~**, meteliği yok: **to be full of ~s**, kanlı canlı olm., pürneşe olm.: **to give s.o. ~s**, (*kon.*) dünyanın kaç bucak olduğunu göstermek: **to spill the ~s**, baklayı ağzından çıkarmak.

bear[1] [beə*] *n.* Ayı; borsada fiatları düşürerek hava oyunu oynayan kimse (aksi = **bull**). **polar ~**, beyaz ayı. **bear-fight**, itişip kakışma, kargaşalık. **bear-garden**, büyük kargaşalık. **bear-leader**, ayı oynatıcı; çocuk mürebbisi hakkında şaka olarak kullanılan tabir.

bear[2] **(bore (bare), borne)** [boo* (beə*), boon] *vb.* Taşımak; kaldırmak; tahammül etm.; dayanmak; doğurmak; (meyva) vermek; malik olm.; teveccüh etm., cihetine dönmek: **to ~ oneself well**, (i) vücudunu dik tutmak; (ii) hal ve hareketi iyi olm.: **she has borne him many children**, ondan bir çok çocuğu oldu: **it was gradually borne in upon him that . . .**, yavaş yavaş şuna kani oldu ki . . .: **to ~ with**, tahammül etm., karşı sabırlı olm.: **to bring to ~**, kullanmak: **to bring all one's guns to ~ on . . .**, bütün toplarını ···in üzerine çevirmek: **at this point the road ~s north**, bu noktada yol şimale teveccüh eder: **the lighthouse ~s due west**, fenerin kerterizi tam garbdedir: **how does the land ~?**, kara hangi cihette?: **here we ~ to the right**, burada bir az sağa meyledeceğiz. **bear away**, götürmek; meyletmek: **to ~ away the prize**, mükâfatı kazanmak. **bear down**, bastırmak, ezmek: **to ~ down upon s.o.**, (gemi vs.) hücum etm. için yaklaşmak; heybetle üzerine gelmek. **bear off**, alıp götürmek, kazanmak: **to ~ off from the land**, (*den.*) karadan uzaklaşmak için rotayı çevirmek. **bear on**, üstüne basmak; üstüne çökmek; münasebeti olm.: **to bring a gun, telescope, etc., to ~ on stg.**, top, dürbün vs.yi bir şeyin üzerine meylettirmek: **to bring all one's strength to ~ on stg.**, bir şeyin üzerine bütün kuvvetiyle basmak. **bear out**, dışarıya götürmek: **to ~ s.o. out**, birinin sözünü tasdik etm.: **this ~s out what I said**, bu benim söylediğimi teyid ediyor. **bear up**, yukarıya taşımak; desteklemek; sabır ve tahammül etm.: **~ up!**, cesaret!

bearable [ˈbeərəbl]. Taşınabilir; dayanılabilir, tahammül edilebilir.

beard [biəd]. Sakal; başak dikeni. Sakalından yakalamak; meydan okumak, karşı gelmek. **to ~ the lion in his den**, bir şey taleb etm. veya meydan okumak için korkulan birinin yanına gitmek.

bearer [ˈbeərə*]. Taşıyan; hâmil; getiren; meyvası bol (ağac); tabut taşıyan (adam); ağır bir makinenin kaidesi; (Hindistanda) şahsî hizmetçi.

bearing [ˈbeəriŋ] *n.* Kerteriz; münasebet; mâna; şümul; doğurma; tavır; (*mek.*) yatak. **the ~ of a child**, (i) bir çocuk dünyaya getirme; (ii) bir çocuğun tavrı: **beyond all ~**, dayanılmaz: **to be in full ~**, (meyva ağacı) tam kıvamında olm.: **to lose one's ~s**, nerede bulunduğunu bilmemek; yolunu yordamını şaşırmak: **to take one's ~s**, cihet tayin etmek.

bearish [ˈbeəriʃ]. Hamhalat; kaba: huysuz; yontulmamış.

bearskin [ˈbeəskin]. Ayı postu; İngiliz hassa alayı mensublarının giydiği çok uzun bir nevi kalpak.

beast [biist]. (Dört ayaklı) hayvan; canavar; sığır; kaba ve iğrenç adam; hınzır. **~ly**, hayvanca; igrenç; berbad; hınzırca (hareket vs.).

beat[1] [biit] *n.* Vurma, çarpma; (davul vs.) çalma; tempo; (polis vs.) devir.

beat[2] *vb.* Döğmek; vurmak; (kalb) atmak, çarpmak; (kanad) çırpmak; (davul vs.) çalmak; yenmek, mağlub etm.; (yumurta vs.) çalkamak; hayrette bırakmak, pes dedirmek. **that ~s me!**, aklım ermez!: **that ~s everything!**, bu tüy dikti!, bu hepsinden beter!, bir bu eksikti; (*bazan*) atma Receb!: **now then, ~ it!**, haydı bakalım çek arabanı!: **strawberries ~ cherries (any day)**, çilek kirazdan kat kat üstündür: **to ~ to arms**, silâh başı çalmak: **to ~ the record**, rekor kırmak: **to ~ a retreat**, ric'at etm., geri çekilmek: **to ~ the retreat**, (trampetle) ric'at emri vermek: **to ~ time**, tempo tutmak: **to ~ a wood**, (av için) ormanı taramak: **to ~ to windward**, (*den.*) rüzgâr karşı yol almak. **beat back**, püskürtmek, geri çevirmek; durdurmak. **beat down**, indirmek, pazarlıkla indirmek; ezmek, çiğnemek: **the sun ~ down upon our heads**, güneş başımızda kaynıyordu. **beat in**, **to ~ in a door**, kapıyı kırıp girmek. **beat off**, püskürtmek; silkmek. **beat out**, vurup çıkarmak; bir şeyı dövüp yassıltmak: **to ~ out s.o.'s brains**, birinin beynini patlatmak: **to ~ out a path**, bir fundalıkta vs. yol açmak. **beat up**, **~ up eggs**, *etc.*, yumurta vs. çalkamak: **to ~ up game**, ormanda avlanırken kuşları havalandırmak: [**beat up** *fiili* 'dövmek' *mânasına* **beat** *yerine kullanılan lüzumsuz yeni tabirdir.*]

beaten [ˈbiitn] *p.p. bk.* **beat.** *a.* **the ~ track**, çiğnenmiş yol; (*mec.*) herkesin gittiği yol.

beater [ˈbiitə*]. Döğen (kimse); sürek avında kuşları vs. yerinden çıkaran adam; tokmak.

beatif·ic [ˌbiəˈtifik]. Pürneşe; büyük saadet ifade eden; mes'ud eden. **~ication** [–ˈkeiʃn], takdis etme; azizliğe çıkarma. **~y,** (papa) birini azizler sırasına idhal etmek.
beating [ˈbiitiŋ]. Dövme, dayak. **to give a ~ to,** ···e dayak atmak.
beatitude [biˈatitjuud]. Ahiret saadeti; tam ve mutlak saadet.
beau, *pl.* **-s, -x** [bou]. Şık, züppe; âşık.
beauteous [ˈbjuutjəs]. Çok güzel.
beautif·ul [ˈbjuutəfl]. Çok güzel; lâtif. **~y** [-ˈfai], güzelleştirmek.
beauty [ˈbjuuti]. Güzellik; güzel kimse; (*kon.*) mükemmel, nefis şey. **the ~ of it is . . .,** işin en güzel tarafı . . .; üstelik. . . . **beauty-sleep,** gece yarısından evvelki (tatlı) uyku. **beauty-spot,** (yüzdeki) ben; güzel manzaralı yer.
beaver [ˈbiivə*]. Kunduz, kastor.
becalm [biˈkaam]. Rüzgârsızlıktan kımıldatmamak; yatıştırmak. **to be ~ed,** (yelkenli) rüzgârsızlıktan kımıldanamamak.
became [biˈkeim] *bk.* **become.**
because [biˈkoz]. Çünkü, zira; ···den dolayı; için, sebebile.
beck[1] [bek]. Dere, çay.
beck[2]. **to be at s.o.'s ~ and call,** birinin eli altında (emrine hazır) bulunmak.
beckon [ˈbekən]. (Birine) işaret etmek. **to ~ s.o. in,** birine içeri girmesi için işaret etmek.
become (**became**) [biˈkʌm, biˈkeim]. Olmak; gittikçe . . . olmak; yakışmak; *sıfatlardan fiil teşkil etmeğe yarar, mes.*: **to ~ old,** ihtiyarlamak; **to ~ ill,** hastalanmak. **what has ~ of him?,** o ne oldu?: **that hat does not ~ you,** o şapka size yakışmaz.
becoming [biˈkʌmiŋ] *a.* Uygun, yakışık alır; yakışan.
bed[1] [bed] *n.* Yatak, yatacak yer; bahçe tarhı; nehir yatağı; tabaka, kat; temel. **~ and board,** yatmak ve yiyip içmek: **~ of roses,** rahat bir yer, rahat vaziyet: **to be brought to ~ of a child,** bir çocuk dünyaya getirmek: **to die in one's ~,** eceliyle ölmek: **to get out of ~ on the wrong side,** (o gün) huysuz olm.: **to go to ~,** (uyumak üzere) yatmak: **to keep to one's ~,** yatakta hasta olm.: **to make a ~,** yatağı düzeltmek: ⌜**as you make your ~ so you must lie on it**⌝, kendi yaptığını çekmeli: **spare ~,** misafir yatağı: **spring ~,** somye: **to take to one's ~,** yatağa düşmek. **bed-bug,** tahtakurusu. **bed-linen,** yatak çarşafı ve yastık kılıfı. **bed-rock,** dip kaya; **~ price,** (fiat) olacağı: **to get down to ~,** bir işin esasına gitmek.
bed[2] *vb.* Bir tarh içine dikmek. **to ~ down a horse,** at için ahıra samandan yatak yapmak: **to ~ down a machine,** makineyi sağlam bir kaide üzerine yerleştirmek.
bedabble [biˈdabl]. Bulaştırmak.
bedaub [biˈdoob]. Boya ile bulaştırmak.
bedchamber [ˈbedˌtʃeimbə*]. Yatak odası. **Gentleman of the ~,** kıralın şahsî hizmetinde bulunan asilzade.
bedclothes [ˈbedˌklouðz]. Yatak takımı.
bedding [ˈbediŋ]. Yatak takımı; hayvan yatağı. **bedding-out,** fidanlari tarha koyma.
bedeck [biˈdek]. Süslemek.
bedew [biˈdjuu]. Çiy tanelerile ıslatmak.
bedfellow [ˈbedfelou]. Yatak arkadaşı.
bedim [biˈdim]. Karartmak, bulutlandırmak.
bedizen [biˈdaizn]. Süsleyip püslemek; gösterişli bir şekilde giydirip kuşatmak.
Bedlam [ˈbedləm]. Tımarhane; gürültü, çıfıt çarşısı; 'Toptaşı'. **~ite,** kaçık.
Bedouin [ˈbeduin]. Bedevî.
bedpost [ˈbedˌpoust]. Karyola direği. **between you and me and the ~,** söz aramızda.
bedrabble [biˈdrabl]. (Etekleri vs.) sürüyerek ıslatmak veya çamura bulaştırmak.
bedridden [ˈbedridn]. Yatalak.
bedroom [ˈbedrum]. Yatak odası. **spare ~,** misafir yatak odası.
bedside [ˈbedsaid]. Yatak yanı, başucu. **~ manner,** (doktorlar hakkında) hastalara muamele şekli.
bedsore [ˈbedsoo*]. Çok yatmaktan vücudun soyulması.
bedspread [ˈbedspred]. Yatak örtüsü.
bedstead [ˈbedsted]. Karyola kereveti, karyola.
bee [bii]. Arı; (birlikte çalışmak için) toplantı. **to have a ~ in one's bonnet,** bir şeyle bozmak. **bee-keeper,** arıcı. **bee-line,** en kısa yol.
beech [biitʃ]. (*Fagus*) Kayın ağacı. **beech-mast, beech-nut,** kayın palamudu.
beef [biif]. Sığır eti; (*kon.*) kuvvet, iri yarılık. **corned ~,** konserve sığır eti. **beef-tea,** sığır eti suyu.
beefeater [ˈbiifˌiite*]. Londra kalesi bekçisi.
beefsteak [ˌbiifˈsteik]. Biftek.
beefy [ˈbiifi]. (*kon.*) Etli butlu, iri yarı.
beehive [ˈbiiˌhaiv]. Arıkovanı.
Beelzebub [biˈelzəbʌb]. Şeytan, iblis.
been [biin] *p.p. of* **be.** Olmuş, imiş; gitmiş. **where have you ~?,** nerede idiniz?, nereye gittiniz?: **I have ~ ill,** (şimdiye kadar) hasta idim: **he has ~ punished,** cezalandırıldı: **I have ~ to London,** Londraya gittim; Londrada bulundum.
beer [ˈbiə*]. Bira. **small ~,** hafif bira; ehemmiyetsiz şeyler. **to think no small ~**

of oneself, küçük dağları ben yarattım demek. ~y, bira kokan; çakırkeyf.
beeswax [ˈbiizwaks]. Balmumu.
beet [biit]. Pancar.
beetle[1] [ˈbiitl]. Bokböceği; böcek.
beetle[2]. Tokmak, şahmerdan.
beetle[3] *vb.* Asılmak, sarkmak; çıkıntı teşkil etmek.
beetroot [ˈbiitrut]. (Yenilen) pancar.
befall [biˈfool]. Zuhur etm., vuku bulmak; başa gelmek.
befit [biˈfit]. Uyumak, münasib olm., yakışmak.
befog [biˈfog]. Sis kaplamak; bulandırmak; karartmak.
before [biˈfoo*]. Önce, evvel; önde, önünde; bir önceki. **the day ~,** bir gün evvel: **~ Christ,** Milâddan evvel: **it ought to have been done ~ now,** şimdiye kadar yapılmış olmalıydı: **it was long ~ he came,** (i) gelmesi uzun sürdü, uzadı; (ii) o buraya gelmeden çok evveldi: **I will die ~ I give in,** teslim olmaktansa ölürüm (ölmeyi tercih ederim).
beforehand [biˈfoo·hand]. Önceden, daha evvel.
befriend [biˈfrend]. ···e dostça hareket etm.; yardım etmek.
beg [beg]. Dilenmek; istemek; dilemek; yalvarmak; (köpek) salta durmak. **I ~ to . . .,** hürmetle . . .: **I ~ of you, do not be angry,** rica ederim, kızmayınız: **I ~ to differ,** müsaadenizle ben bu fikirde değilim: **to ~ the question,** dava ve yahud iddiayı delil almak: **to ~ s.o. off,** birini affettirmek: **these jobs go (a-) ~ging,** bu işlere pek talib yok.
began *bk.* **begin.**
beget (**begot, begotten**) [biˈget, -got, -gottn]. ···e baba olm.; vücude getirmek; (*mec.*) doğurmak.
beggar [ˈbegə*]. Dilenci; çok fakir kimse. Dilenciye çevirmek; iflâs ettirmek. **lucky ~!,** köftehor!: **poor ~!,** zavallı adamcağız!: **⌜~s cannot be choosers⌝,** (i) 'dilenciye hıyar vermişler, eğridir diye beğenmemiş'; (ii) oluru ile iktifa etmeli *kabilinden*: **the beauty of the scene ~s description,** manzaranın güzelliği tarife sığmaz. **~ly,** dilenciye verir gibi; gülünç (mikdarda az). **~y,** dilencilik.
begin (**began, begun**) [biˈgin, -gan, -ʌn]. Başlamak. **to ~ with,** evvelâ, ilk önce. **~ning,** başlangıç; baş; esas. **~ner,** başlayıcı, mübtedi; acemi.
begone [biˈgon]. Defol!, yıkıl!, çekil!
begot, begotten *bk.* **beget.**
begrime [biˈgraim]. İsletmek, kirletmek.
begrudge [biˈgrʌdʒ]. Vermek istememek; çok görmek; ···den (bir şeyi) esirgemek.
beguile [biˈgail]. Aldatmak; baştan çıkarmak; oyalamak; eğlendirmek. **to ~ s.o. out of stg.,** birini kandırarak elinden bir şeyi almak: **to ~ the time,** vakit geçirmek, can sıkıntısını geçirmek.
begun *bk.* **begin.**
behalf [biˈhaaf]. **on ~ of s.o., on s.o.'s ~,** biri adına, namına; tarafından; biri yerine; biri lehinde.
behave [biˈheiv]. Davranmak; hareket etmek. **~ yourself!,** uslu otur!; terbiyeni takın!: **to know how to ~,** nasıl hareket edileceğini bilmek; muaşeret usullerini bilmek; **well ~d,** uslu, terbiyeli.
behaviour [biˈheivjə*]. Tavır, hareket; muaşeret; işleyiş.
behead [biˈhed]. Başını kesmek.
beheld *bk.* **behold.**
behest [biˈhest]. Emir, irade.
behind [biˈhaind]. Arkada, arkasında; arkadan, geride. Kıç; arka. **to be ~ the times,** eski kafalı olm.; yeni vaziyetten vs. haberi olmamak. **~hand,** gecikmiş; geride.
behold (**beheld**) [biˈhould, -held]. Bakmak, görmek.
beholden [biˈhouldən]. Borclu, medyun.
beholder [biˈhouldə*]. Seyirci; şahid.
behoof [biˈhuuf]. **to [for, on] s.o.'s ~,** birinin menfaatine.
behove [biˈhouv]. Yakışık almak; lâzım gelmek.
being [ˈbii·iŋ] *pres. part. of* **be.** *n.* Mevcudiyet; varlık; mahluk. **human ~,** insan: **to come into ~,** meydana çıkmak, vücud bulmak; tahakkuk etm.: **in ~,** bilfiil mevcud: **for the time ~,** şimdilik; **you are ~ obstinate,** (şu anda) inad ediyorsunuz.
belated [biˈleitəd]. Gecikmiş, geç kalmış.
belay [biˈlei]. (*den.*) Sarıp bağlamak; **~!,** stop!
belch [beltʃ]. Geğirme(k); püskürtme(k).
beldam [ˈbeldam]. Kocakarı, acuze.
beleaguer [biˈliigə*]. Kuşatmak, muhasara etmek.
belfry [ˈbelfri]. Çan kulesi; çan kulesi sahanlığı. **to have bats in the ~,** bir tahtası eksik olmak.
Belgi·um [ˈbeldʒəm]. Belçika. **~an** [–dʒən], Belçika'ya aid; Belçikalı.
belie [biˈlai]. Yalancı çıkarmak.
belief [biˈliif]. İnanma; iman; kanaat; akide. **to the best of my ~,** benim bildiğime göre.
believe [biˈliiv]. İnanmak; iman etm., zannetmek. **to ~ in . . .,** ···e iman etm., ···e itimad etm.: **to make ~ to do stg.,** bir şeyi yapıyor gibi görünmek. **~r,** inanan; mümin, mutekid.
belittle [biˈlitl]. Küçültmek, alçaltmak.
bell[1] [bel]. Çan; kampana; çıngırak; zil.

Zil [çıngırak] takmak; (etek vs.) şişmek, havalanmak. **to ~ the cat,** kimsenin yanaşamadığı tehlikeli bir işi üzerine almak: **⌜~, book, and candle⌝**, resmî lânetleme: **there 's a ring at the ~, there 's the ~,** zil çalıyor. **bell-pull,** çekerek çalınan zil kordunu. **bell-push,** elektrikli zil düğmesi. **bell-wether,** kösemen.
bell². (Geyik) bağırma(k).
belladonna [ˌbelaˈdonə]. Güzelavrat otu.
belle [bel]. Güzel kadın, dilber.
bellicos·e [ˈbelikouz]. Harbci, harbi seven. **~ity** [–ˈkositi], harbcilik; kavgacılık.
belligeren·t [biˈlidʒərənt]. Muharib; muhasım. **~cy,** muharib hali.
bellow [ˈbelou]. Böğürme(k); kükreme(k).
bellows [ˈbelouz]. Körük.
belly [ˈbeli]. Karın. Şiş(ir)mek. **~ful,** karın dolusu: **to have a ~,** tıkabasa, doyuncaya kadar yemek.
belong [biˈloŋ]. Aid olm., ···nin olm., mensub olm.; sakinlerinden olmak. **I ~ here,** buralıyım. **~ings,** aid olan şeyler, eşya; pılıpırtı.
beloved [bıˈlʌvd] *p.p.* Sevilen. *a and n.* [biˈlʌvid], sevgili, aziz; canım.
below [biˈlou]. Aşağı; aşağıda; aşağısında; altında.
belt [belt]. Kemer; kuşak; bel kayışı; bölge. Kayışla döğmek. **to hit below the ~,** (boksta) kemerden aşağı (usulsüz) vurmak; (*mec.*) alçakça [kahbece] hareket etmek. **~ed,** kemerli.
bemoan [biˈmoun]. (Bir şeyden) inliyerek şikâyet etm.; ah ve figan etmek.
bemuse [biˈmjuuz]. Sersemletmek.
Ben¹ [ben]. İskoçya'da dağ tepesi.
Ben². **Benjamin** adının *kıs.* **Big ~,** Londra'da Parlamento Sarayının saat kulesi çanı.
bench [bentʃ]. Sıra, peyke; tezgâh; hâkim kürsüsü; mahkeme. **Front ~,** Avam Kamarasında nazırlara ve eski nazırlara tahsis edilen ön sıra; **back ~es,** diğer mebusların oturduğu sıralar: **King's [Queen's] ~,** en yüksek İngiliz mahkemesi. **~er,** kıdemli avukat.
bend¹ [bend] *n.* İğilme, inhina; dirsek; köşe; dönemeç; düğüm; (arma üzerindeki) şerid, çizgi. **~ sinister,** (armada) gayrımeşruluk alâmeti olan muvazi çizgiler: **to take a ~,** virajdan dönmek.
bend² **(bent)** *vb.* İğ(il)mek; bük(ül)mek; kavislen(dir)mek; kıvırmak; kıvrılmak; germek; bir tarafa çevirmek [çevrilmek]; tevcih etm.; (*den.*) bağlamak.
beneath [biˈniiθ]. Altında, altta; dununda. **it is ~ him to . . .,** ···e tenezzül etmez.
benedictine [beniˈdiktiin]. Benediktin rahibi; bir likör adı.
benediction [beniˈdikʃn]. Hayır dua; takdis.
benefact·ion [beniˈfakʃn]. İyilik, ihsan, hayır. **~or** [ˈbeniˌfaktə*], iyilik eden; velinimet; hayır sahibi.
benefice [ˈbenifis]. Aidatlı papazlık mesnedi.
beneficen·ce [biˈnefisins]. İyilik, lûtuf, hayır. **~t,** iyi, hayır sahibi, lûtufkâr; mubarek.
benefici·al [beniˈfiʃl]. Faydalı; yarar. **~ary,** aidat alan; faydalanan.
benefit [ˈbenifit]. Fayda; istifade, kâr, menfaat; tazminat. Yaramak, faydalı olm., fayda etmek. **the ~ of the doubt,** (*huk.*) şübhe halinde maznun lehine karar: **~ society,** karşılıklı yardım cemiyeti.
benighted [biˈnaitəd]. (Mecburen) geceye kalmış; karanlıkta kalmış; cahil.
benign [biˈnain]. Yumuşak huylu; iyi kalbli, halim; mülâyim; müsaid; (*tıb*) tehlikesiz; selim. **~ant** [biˈnignənt], iyi kalbli; yumuşak huylu; müsaid. **~ity** (bıˈnigniti], yumuşaklık, iyi kalblilik; (*tıb*) zararsızlık.
Benjamin [ˈbendʒəmin]. Bünyamin. **the ~,** ailenin en küçüğü; en sevilen, şımartılan.
bent¹ [bent] *p.p.* **bend.** *a.* İğilmiş, bükülmüş aklına koymuş. *n.* Meyil; temayül. **to be ~ on doing stg.,** bir seyi yapmağa azmetmek: **to have a ~ for,** ···e istidadı olm.: **to the top of one's ~,** doya doya: **to be homeward ~,** eve doğru yolunda olmak.
bent² *n.* Bir çok nevi sert çimen.
benumb [biˈnʌm]. Uyuşturmak, hissini ibtal etmek.
benzine [benˈziin]. Yağ lekesini çıkarmak kullanılan bir nevi benzin.
bequeath [biˈkwiið, –iiθ]. Vasiyetle bırakmak; vasiyet etmek.
bequest [biˈkwest]. Vasiyetle bırakılan şey.
berate [biˈreit]. Azarlamak, haşlamak.
bereave **(bereaved** *veya* **bereft)** [biˈriiv, –riivd, –reft]. (Ölüm hakkında) birisini bir sevdiğinden mahrum etm., elinden almak. **~ment,** büyük kayıb (ölüm), matem.
bereft *bk.* **bereave.**
beret [ˈberei]. Bere.
bergamot [ˈbəəgəmot]. (i) Beyarmudu; (ii) bergamot; (iii) güzel kokulu bir cins çiçek (*Monarda didyma*).
berry [ˈberi]. Çekirdeksiz sulu küçük meyva (çilek, frenküzümü, böğürtlen vs. gibi); tane. (Böğürtlen vs. gibi) meyva vermek.
berth [bəəθ]. (Vapur, tren veya uçakta) yatak, ranza; (geminin) demir yeri, rıhtımdaki yeri; yer, memuriyet. Demir yeri vermek; yanaştırmak; rıhtıma yanaşmak; yatak temin etm.; yatmak. **to give a wide ~ to,** ···den uzak durmak, çekinmek; alarga durmak.

beryl [ˈberil]. Bir nevi zümrüd.
beseech (-ed, besought) [biˈsiitʃ, –soot]. Yalvarmak, istirham etmek.
beseem [biˈsiim]. Münasib olm., yakışık almak.
beset (*past.* beset) [biˈset]. Kuşatmak, sarmak; hücum etmek. **~ting sin,** insanın daima düştüğü hata veya işlediği günah.
beside [biˈsaid]. Yanında, yanına; dışında, haricinde. **to be ~ oneself,** (hiddetten vs.) kendini kaybetmek.
besides [biˈsaidz]. Bundan başka; bundan maada; zaten; bir de.
besiege [biˈsiidʒ]. Kuşatmak, muhasara etmek.
besmear [biˈsmiə*]. Kirletmek, bulaştırmak.
besmirch [biˈsməətʃ]. Kirletmek, pisletmek.
besom [ˈbiizm]. Çalı süpürgesi.
besotted [biˈsotid]. (İçki vs.den) çürümüş.
besought *bk.* **beseech.**
bespangle [biˈspaŋl]. Pullarla süslemek.
bespatter [biˈspatə*]. Zifoslatmak, çamurlatmak.
bespeak (-spoke, -spoken) [biˈspiik,–spouk, –spoukən]. Ismarlamak; önceden almak, tutmak.
bespoke [biˈspouk] *bk.* **bespeak.** *a.* Ismarlama.
besprinkle [biˈspriŋkl]. Serpmek; ıslatmak.
best [best]. En iyi. **~ man,** sağdıç: **at (the) ~ he is not generous,** en hafif tabirle cömert değildir: **he is a good player, indeed at his ~ he is unsurpassed,** iyi bir oyuncudur, öyle ki iyi oynadığı zaman onu kimse geçemez: **to get [have] the ~ of it; to come off ~,** üstün olm., galib gelmek: **to do one's ~,** elinden gelen her şeyi yapmak: **in one's ~,** en iyi elbisesile: **she is not looking her ~ today,** bugün her zamanki gibi güzel değil: **he looks his ~ in uniform,** ona en çok yakışan üniformadır: **to make the ~ of it,** oluru ile iktifa etm.; aza çoğa bakmamak: **to the ~ of my knowledge,** benim bildiğime göre: **he spends the ~ part of the year in the country,** (i) senenin mühim bir kısmını [(ii) en güzel mevsimi] sayfiyede geçirir: **he can lie with the ~,** yalancılıkta eşsizdir.
bestial [ˈbestjəl]. Hayvanî, hayvanca. **~ity** [ˌbestiˈaliti], hayvanlık.
bestir [biˈstəə*]. **~ oneself,** harekete gelmek, kımıldamak.
bestow [biˈstou]. Vermek, bağışlamak, ihsan etmek. **~al,** verme, ihsan.
bestride [biˈstraid]. Ata biner gibi binmek; apışarak ···de oturmak.
bet [bet]. Bahis, iddia. Bahse girmek, bahis tutuşmak. **to make [lay] a ~,** bahse girmek: **to take (up) a ~,** bahsi kabul etm.: **you ~ your life!,** elbette, ne zannettiniz! **~ting,** bahis, bahse girme.
betake (betook, betaken) [biˈteik, –tuk, –teikn]. **to ~ oneself,** gitmek.
betel [ˈbiitl]. Tembul. **betel-nut,** fufel.
bête-noire [ˈbeitˈnwaa*]. Nefret edilen adam veya şey.
bethink (bethought) [biˈθiŋk, –θoot]. **to ~ oneself,** düşünmek, hatırlamak.
bethought *bk.* **bethink.**
betimes [biˈtaimz]. Erken, erkenden.
betook *bk.* **betake.**
betray [biˈtrei]. Hiyanet etm., aldatmak, ihanet etm.; yanlış yola sevketmek; göstermek, ifşa etmek. **~al,** ihanet, düşmana teslim; ifşa; açığa vurma.
betroth [biˈtrouð]. Nişanlamak. **~al,** nişanlama, nişan. **~ed,** nişanlı.
better[1] [ˈbetə*] *a. adv. & n.* Daha iyi; üstün; üst; mafevk. **~ and ~,** gittikçe daha iyi: **~ still...,** daha iyisi...: **that's ~!,** hah şöyle; işte şimdi oldu; bu çok daha iyi: **a change for the ~,** iyileşme, düzelme: **he has seen ~ days,** şimdiki hali fena fakat ne günler görmüştür: önceden hali vakti yerinde idi: **to do stg. for ~ or worse,** bir şeyi (neticesi) ne olursa olsun yapmak: **to take s.o. for ~ or worse,** birini olduğu gibi (iyi ve fena taraflarile) kabûl etm.: **to get the ~ of s.o.,** birini mağlub etm., hakkından gelmek: **to go one ~,** pey sürmek, arttırmak; (birini bir şeyde) bastırmak: **you had ~ tell him,** ona söyleseniz daha iyi olur: **so much the ~!,** daha iyi ya!; olsun!: **for the ~ part of the year,** senenin yarısından fazlası, mühim bir kısmında: **you are ~ off than I am,** sizin vaziyetiniz benimkinden daha müsaiddir: **to think ~ of it,** fikrini değiştirmek, vazgeçmek.
better[2] *vb.* Daha iyi yapmak (olmak), düzeltmek; iyileş(tir)mek.
better[3], **bettor** *n.* Bahse giren; bahis tutan.
between [biˈtwiin]. Ara, arasında, arada. **you must choose ~ them,** ikisinden birini seçmeniz lâzım.
betwixt [biˈtwikst] = **between. ~ and between,** ikisinin ortası.
bevel [ˈbevl]. Pah, şev. Pahlamak, şev vermek.
beverage [ˈbevəridʒ]. İçilen şey; meşrubat.
bevy [ˈbevi]. Küme, grup, takım, sürü.
bewail [biˈweil]. (Bir şeye) ağlamak; hayıflanmak.
beware [biˈweə*]. **~** veya **~ of,** (···den) sakınmak, korunmak.
bewilder [biˈwildə*]. Şaşırtmak, sersemletmek; hayrette bırakmak.
bewitch [biˈwitʃ]. Büyülemek, teshir etmek.

beyond [bi'yond]. İleri; daha uzak; öte, öteye, ötede, ötesinde; sonra; dışında; üstünde; aşarak. **the ~,** öte, mavera: **~ belief,** inanılmıyacak: **~ doubt,** şübhe götürmez, su götürmez: **~ words,** tarif edilmez: **at the back of ~,** dünyanın öteki ucunda: **it's ~ me,** buna aklım ermez; buna pes derim: **that's (going) ~ a joke,** iş şaka olmaktan çıkıyor.
bezel ['bezl]. Şev; (mühür vs.) kaş; faseta.
bias ['baiəs]. Meyil, temayül; peşin hüküm; bir tarafı tercih; çapraz, çapraz kesme. Bir tarafa tesir etm., tarafsızlığını bozmak. **to be ~ed against s.o.,** birine karşı tarafsız olmamak; birinin aleyhinde olmağa meyletmek.
bib [bib]. Çocuk göğüslüğü; önlüğün göğse gelen kısmı. **to put on one's best ~ and tucker,** takıp takıştırmak; iki dirhem bir çekirdek olmak.
bibber ['bibə*]. Ayyaş.
Bible ['baibl]. İncil. **~ class,** din dersi.
biblical ['biblikl]. İncile aid.
biblio·graphy [ˌbibli'ogrəfi]. Bibliyografya. **~maniac** [-'meiniak], kitab meraklısı; kitab delisi. **~phile** ['bibliofil], kitab seven.
bibulous ['bibjuləs]. Ayyaş.
bicentenary [ˌbaisen'tiinəri]. İki yüzüncü yıldönümü.
biceps ['baiseps]. Pazı.
bicker ['bikə*]. Atışmak, çekişmek; (dere) şırıldamak; (ışık) pırıldamak. **~ing,** ağız dalaşı.
bicycl·e ['baisikl]. Bisiklet. Bisikletle gitmek. **~ist,** bisiklete binen.
bid[1] [bid]. Fiat teklifi, pey sürme; teklif. Fiat teklif etm., pey sürmek; vermek. **to make a ~ for power,** iktidarı eıe geçirmeğe teşebbüs etmek. **~ding,** mezatta artırma. **~der,** pey süren, arttıran.
bid[2] *vb.* Emretmek, kumanda etm.; davet etm.; temenni etm. **he ~s fair to be a great doctor,** büyük bir doktor olacağa benziyor. **~ding,** emir; davet: **to be at s.o.'s ~ding,** birinin emrinde olmak.
bide [baid] = **abide. To ~ one's time,** zamanını [fırsatını] beklemek.
biennial [bai'enjəl]. İki senelik; iki senede bir olan.
bier ['biə*]. Cenaze teskeresi (*bazan* tekerlekli).
biff [bif]. (*arg.*) Yumruk (vurmak).
bifurcate ['baifəəkeit]. İki kola ayırmak (ayrılmak); çatal yapmak (olmak).
big [big]. İri, büyük, büyümüş; mühim. **~ with child,** hamile: **~ with consequences,** ağır neticeler doğurabilir: **~ end,** biyel başı: **to talk ~,** yüksekten atmak, atıp tutmak.
bigam·ist ['bigəmist]. Evli iken üstüne evlenen kimse. **~ous,** iki karılılığa veya iki kocalılığa aid. **~y,** evli iken üstüne evlenme.
bigger ['bigə*]. Daha büyük.
bight [bait]. Küçük körfez; (*den.*) halat bedeni.
bigot ['bigət] *n.* **~ed** *a.* Müteassıb, darkafalı (kimse); softa. **~ry,** taasub, darkafalılık.
bigwig ['bigwig]. Kodaman.
bike [baik]. (*kon.*) **bicycle.**
bilateral ['bai'latərəl]. İki taraflı, iki yüzlü.
bilberry ['bilbəri] *bk.* **whortleberry.**
bile [bail]. Safra; huysuzluk, öfke. **to stir s.o.'s ~,** birinin damarına basmak. **bilestone,** safra kesesinde bulunan taş.
bilge [bildʒ]. (*den.*) Sintine; fıçı karnı; (*kon.*) herze. **bilge-keel,** yalpalık omurga.
bilingual ['bai'liŋgwəl]. İki dilli; iki lisan konuşan.
bilious ['biljəs]. Safralı, safravî; huysuz, titiz.
bilk [bilk]. Para vermeden sıyrılmak; dolandırmak.
bill[1] [bil]. Gaga; ağız; (*esk.*) teber. Gaga gagaya sürüşmek. **to ~ and coo,** sevişip koklaşmak.
bill[2]. Hesab, fatura; sened; poliçe; afiş, ilân; kanun lâyihası; kâğıd para. Faturasını yapmak; ilân yapıştırmak. **~ of exchange,** poliçe: **~ of fare,** yemek listesi: **~ of lading,** konişmento, yük senedi. **bill-poster,** ilân yapıştırıcı.
billet[1] ['bilit]. (Seferber askerin) konak tezkeresi; konak yeri; iş, vazife. Konak etm.; yerleştirmek, yerleşmek. ⌜**every bullet has its ~**⌝, kaderin önüne geçilmez.
billet[2]. Kütük; demir veya çelik çubuk.
billhook ['bilhuk]. Bağcı bıçağı.
billiards ['biljədz]. Bilârdo.
Billingsgate ['biliŋgsgeit]. Londra balık pazarı; ağızbozukluğu (Kasımpaşa ağzı).
billion ['biljən]. Trilyon; (*Amer.*) milyar.
billow ['bilou]. Büyük dalga. Dalgalanmak.
billycock ['bilikok]. (*kon.*) Melon şapka.
billygoat ['biligout]. Teke.
bimetalism ['bai'metəlizm]. Birbirine olan nisbetlerini tesbit ederek hem altın hem de gümüş sikke kullanma.
bi-monthly ['bai'mʌnθli]. İki ayda bir.
bin [bin]. Kab; kutu; sandık; ambar.
bind (**bound**) [baind, baund]. Bağlamak, rabtetmek; sarmak; mukayyed etm.; mecbur etm.; kabız vermek; cildlemek; (çimento vs.) tutmak, donmak; (makine vs.) sıkışmak. **to ~ a bargain,** bir muameleyi tasdik etm.: **to be bound to do stg.,** bir şeyi yapmağa mecbur olmak. **bind down,** mecbur etm., mukayyed etmek. **bind over,** (*huk.*) birinin cezasını tecil etmek.

binder [ˈbaində*]. Bağlayıcı; mücellid; (defter vs.) kab; biçer bağlar makine.
binding [ˈbaindiŋ] *a.* Bağlayıcı; yapıştırıcı; tutucu: muteber, cari; vâcib; kabız verici. *n.* Cildleme; cild.
bindweed [ˈbaindwiid]. (*Convolvulus*) Kahkaha çiçeği, uleyk, çitsarmaşığı.
binge [bindʒ]. (*arg.*) Âlem, cümbüş.
binnacle [ˈbinəkl]. Pusula dolabı.
binocular [baiˈnokjulə*, bi-]. İki gözle kullanılan. **~s,** dürbün.
biochemistry [ˈbaioˈkemistri]. Biyoşimi.
biograph·er [baiˈogrəfə*]. Birinin tercümeihalini yazan. **~ical** [–ˈgrafikl], tercümeihale aid. **~y** [–ˈogrəfi], tercümeihal; hayat.
biolog·y [baiˈolodʒi]. Biyoloji. **~ical** [–ˈlodʒikl], biyolojiye aid.
biped [ˈbaiped]. İki ayaklı hayvan.
biplane [ˈbaiplein]. Çift satıhlı uçak.
birch [beetʃ]. (*Betula*) huş ağacı; huş dallarından kamçı. Huş dalı ile döğmek.
bird [beed]. Kuş; (*arg.*) herif. **hen ~,** dişi kuş: **song ~,** ötücü kuş: **~ of passage,** muhacir kuş; bir yerde muvakkaten kalan kimse. **bird-call,** kuş gibi öten düdük. **bird-fancier,** kuşçu. **bird-lime,** ökse. **bird's-eye,** kuş bakışı; umumî. **bird's-nest,** kuş yuvası; kuş yuvalarını aramak.
biretta [biˈretə]. Dört köşeli papaz şapkası.
birth [bəəθ]. Doğum, doğma. **to give ~ to,** doğurmak; meydana çıkarmak. **birth-control,** doğumun tahdidi. **birth-mark,** doğuşta mevcud yüz lekesi. **birth-rate,** doğum nisbeti.
birthday [bəəθdei]. Doğum günü; doğum yıldönümü. **in one's ~ suit,** çırçıplak.
birthright [ˈbəəθrait]. Kıdem hakkı; doğum dolayısile hak; doğuşta kazanılan hak.
Biscay [ˈbiskei]. **the Bay of ~,** Gaskonya körfezi.
biscuit [ˈbiskit]. Bisküi. **that takes the ~,** (*arg.*) artık bu kadarı da fazla; bir bu eksikti.
bisect [baiˈsekt]. İkiye biçmek; iki müsavi kısma bölmek.
bishop [ˈbiʃəp]. Piskopos; satranc oyununda fil. **~ric,** piskoposluk.
bismuth [ˈbizməθ]. Bizmut.
bison [ˈbaisən]. Amerika'ya mahsus bir nevi manda, bizon.
bisque [bisk]. Sırsız beyaz porselen.
bistouri [ˈbisturi]. Neşter.
bistre [ˈbistə*]. Kurum boyası; sarımsı kahve rengi.
bit[1] [bit]. Gem. **to champ the ~,** gemini ısırmak; öfkeden veya sabırsızlıktan kudurmak: **to take the ~ between its [one's] teeth,** gemi azıya almak.
bit[2]. Parça; lokma, kırıntı; matkab. **a ~,** bir parça, bir az: **a good ~,** oldukça: **not a ~,** hiç değil; estağfurullah!: **not a ~ of it!** ne gezer: **a ~ of luck,** talih; devlet kuşu: **he 's a ~ of a liar,** o bir az yalancıdır.
bit[3] *bk.* **bite.**
bitch [bitʃ]. Dişi köpek; kahpe.
bite (bit, bitten) [bait, bit, bitən]. Isırmak, dişlemek; (balık) oltaya vurmak; (biber, soğuk) yakmak; (rüzgâr) kesmek. Isırış; ısırma; dişleme; (balık) oltaya vurma; lokma. **to ~ the dust,** harbde veya bir mücadelede ölmek: **⌜once bitten twice shy⌝,** ⌜çorbadan ağzı yanan ayranı üfler de içer⌝: **to be bitten with a desire to do stg.,** bir şey yapmak arzusile yanmak [kıvranmak]: **to ~ off,** ısırıp koparmak: **to ~ s.o.'s head off,** birine ters ve şiddetle cevab vermek.
biter [ˈbaitə*]. Isırıcı. **the ~ bit,** men dakka dukka.
biting [ˈbaitiŋ] *a.* Acı, keskin, zehirli.
bitter [ˈbitə*]. Acı, keskin, sert, şiddetli, meraretli, amansız. **~ enemies,** can düşmanları: **to be ~ [to feel ~ly] about stg.,** bir şey için kin beslemek; kendini mağdur hissetmek; bir şey içine ukde olm.: **to the ~ end,** en sonuna kadar.
bittern [ˈbitəən]. (*Botaurus stellaris*) Balaban kuşu.
bitterness [ˈbitənis]. Acılık, sertlik; kin.
bitts [bits]. (*den.*) Bite; baba.
bitum·en [ˈbitjumən]. Zift. **~inous,** ziftli.
bivalve [ˈbaiˈvalv]. Yumşakçalardan çift kabuklu bir hayvan cinsi.
bivouac [ˈbivuak] *n. & vb.* Açıkta (çadırsız) ordugâh (kurmak); açıkta yatmak.
bizarre [biˈzaa*]. Garib, acayib; biçimsiz.
blab, blabber [blab, blabə*]. Geveze(lik etm.); boşboğaz(lık etm.). **to ~ out,** ağzından kaçırmak.
black [blak]. Kara; siyah; zenci. Karartmak; karalamak; (ayakkabı) boyamak. **to be ~ and blue (all over),** vücudu mosmor olm.: **to beat s.o. ~ and blue,** birinin pestilini çıkarmak: **the Black Country,** İngiltere'nin Staffordshire ve Warwickshire kontluklarının sanayî bölgesi: **the Black Death,** büyük veba: **to have a ~ eye,** gözü şişmek, morarmak: **to be ~ in the face,** (hiddet vs. den) morarmak: **~ ingratitude,** tuz ekmek hainliği, nankörlük: **to look ~,** surat asmak: **to look as ~ as thunder,** yüzü karmakarışık (tehdidkâr) olm.; **~ market,** karaborsa: **to set stg. down in ~ and white,** yazıya geçirmek: **to work in ~ and white,** çini mürekkebi yahud karakalemle resim yapmak. **black-coated,** siyah elbiseli: **~ workers,** kâtib vs. gibi elişi yapmıyan memur sınıfı. **black-letter,**

gotik harf. **black-out,** karartma. **black-pudding,** kan, yulaf unu ve kıyma ile yapılan bir İskoç yemeği.
blackamoor [ˈblakəmoo*]. Zenci.
blackball [ˈblakbool]. (Bir klübde âza seçilirken) aleyhte rey vermek.
blackbeetle [blakˈbiitl]. Karafatma; hamam böceği.
blackbird [ˈblakbəəd]. (*Turdus merula*) Karatavuk.
blackboard [ˈblakbood]. Yazı tahtası; kara tahta.
blackcap. [ˈblakkap]. (*Sylvia atricapilla*) Karabaşlı ötleğen.
blacken [ˈblakən]. Karartmak, karalamak; lekelemek, iftira etmek.
blackguard [ˈblagaad]. Edebsiz, rezil. (Birine) söğüp saymak.
blackhead [ˈblakhed]. Yüzde siyah benek; küçük şiş.
blacking [ˈblakiŋ]. Ayakkabı boyası; kurşun tozu. **blacking-brush,** ayakkabı fırçası.
blackish [ˈblakiʃ]. Siyahımsı.
blacklead [blakˈled]. Grafit; kurşun tozu. Kurşun tozu ile boyamak.
blackleg [ˈblakleg]. Amele grev halinde iken çalışan isçi.
blacklist [ˈblaklist] *vb.* Kara listeye koymak.
blackmail [blakˈmeil]. Şantaj; para koparmak için ıskandalla tehdid etme. Şantaj yapmak.
blackshirt [ˈblakʃəət]. Karagömlekli; Faşist.
blacksmith [ˈblaksmiθ]. Demirci; nalbant.
blackthorn [ˈblakθoon]. (*Prunus spinosa*) Yaban eriği; (?) alıç.
bladder [ˈbladə*]. Mesane; kabarcık; futbol topunun lâstik kısmı.
blade [bleid]. Bıçak vs. ağzı; kılıç; kürek palası; pervane kanadı; arpa vs. nin ince yaprağı; bir şeyin yassı ve geniş tarafı. **razor ~,** jilet bıçağı. **blade-bone,** kürek kemiği. **~d,** ağızlı, kanadlı.
blame [bleim]. Ayıblama, kabahat bulma; kabahat; mesuliyet. ···e kabahat bulmak, ayıblamak; mesul tutmak. **to bear the ~,** kabahati üzerine almak: **to lay [put] the ~ on s.o.,** birine kabahat bulmak; kabahati birinin üzerine atmak: **they ~ each other,** kabahati birbirinin üzerine atıyorlar: **to ~ stg. for an accident,** kazayı bir şeye atfetmek: **you have only yourself to ~,** kabahati başkasında arama. **~less,** lekesiz; tertemiz; kusursuz, masum. **~worthy,** tekdire lâyik, ayıblanmağa müstahak.
blanch [blaantʃ]. Agar(t)mak; beyazlatmak, beyazlanmak; saramak; bazı sebzelerin toprakta üstünü örterek beyaz kalmalarını temin etmek.
blancmange [bləˈmoonʒ]. Sütlü pelte.
bland [bland]. Yumuşak, tatlı; mülâyim, nazik; (*ekseriya bir az sun'î ve müstehzi mânasına gelir*).
blandish [ˈblandiʃ]. Dil dökmek; tatlı dil kullanmak.
blank [blank]. Boş; yazısız; manasız; şaşkın. Boşluk. **~ cartridge [shot],** kuru sıkı. **~ cheque,** açık bono: **~ verse,** kafiyesiz şiir, serbest nazım: **to draw a ~,** (piyangoda) boş çekmek: **to look ~,** şaşkın şaşkın bakmak. **~ly,** şaşkın bir vaziyette; kat'iyetle, olduğu gibi: **he ~ denied it,** tamamen ve katiyetle inkâr etti.
blanket [ˈblankit]. Yün yorgan, battaniye. (*Amer.*) umumî. Yorgan gibi örtmek. **to toss s.o. in a ~,** birini bir battaniyeye koyarak altı okka etmek.
blare [bleir]. Boru sesi; şiddetli ve sert ses. (Boru) ötmek; şiddetli ve sert ses çıkarmak.
blarney [ˈblaani]. Dil dökme(k); piyazlama(k).
blasphem·e [blasˈfiim]. (Mukaddes şeylere) hürmetsizlikte bulunmak; küfretmek. **~ous** [ˈblasfəməs], mukaddes şeylere hürmetsiz; dinsiz, imansız. **~y,** [ˈblasfəmi], makaddes şeylere hürmetsizlik; küfür.
blast [blaast]. Rüzgârın anî ve şiddetli esmesi; şiddetli ve anî hava cereyanı; boru veya düdük sesi; patlama, infilak. (Dinamitle) atmak; patlatmak; kavurmak; kırıp geçirmek; mahvetmek; (*kon.*) ···e lânet etmek. **~ you!,** Allah belânı versin!: **~ it!,** lânet olsun!: **to be in ~,** (yüksek fırın) yanmak, faaliyette olmak. **~ing,** *n.* patlama; berhava etme. **blasting-powder,** lağım barutu. **blast-furnace,** izabe ocağı, yüksek fırın. **blast-pipe,** lokomotif bacasına istim götüren boru.
blatan·cy [ˈbleitənsi]. Göze çarpma, pervasızlık. **~t,** göze çarpan, pervasızca; şamatalı: **~ injustice,** göz göre göre büyük haksızlık.
blather [ˈblaðə*] *bk.* **blether.**
blaze¹ [bleiz]. Alev; alev parıltısı; ateş; parlama; ışık bolluğu; alevlenme. Alevlenmek, tutuşmak; parlamak, parıldamak. **in a ~,** alevler içinde; tutuşmuş: **go to ~s!,** cehennem ol!, defol!: **what the ~s!,** ne haltetmeğe . . .: **like ~s,** çılgınca, son derecede, alabildiğine. **blaze away,** tutuşup gitmek; sürekli bir ateş atmak. **blaze down,** (güneş) ışıklarını vurmak. **blaze out,** (ateş) parlamak; (güneş) buluttan çıkmak. **blaze up,** birdenbire parlamak; hiddetten parlamak.
blaze². (At, öküz vs.nin alınlarındaki) akıtma.

blaze[3]. Bir ağacı kabuğunu keserek işaretlemek. **to ~ a trail,** yol çizmek, yol açmak; çığır açmak.
blaze[4]. İlân etm., yaymak.
blazer [ˈbleizə*]. Spor caketi.
blazon [ˈbleizən]. Arma; armalı kalkan veya sancak. Arma çizmek; işaret koymak; ilân etmek. **to ~ forth [out],** davul zurna ile ilân etmek.
bleach [bliitʃ]. Ağartan, beyazlatan şey. Ağartmak, beyazlatmak. **bleaching-powder,** kumaşı ağartmak için kullanılan klorlu toz.
bleak[1] [bliik] *n.* (*Alburus lucidus*) Çok küçük bir cins tatlısu balığı.
bleak[2] *a.* Çıplak, rüzgâra maruz; soğuk; (*mec.*) ümidsiz.
blear [bliə*]. ~ veya **~y,** sulanmış ve kızarmış (göz). (Gözleri) sulandırmak ve kızartmak.
bleat [bliit]. Meleme(k).
bleb [bleb]. Uçuk; cam içindeki kabarcık.
bled *bk.* **bleed.**
bleed (**bled**) [bliid, bled]. Kan almak; kanamak; kanını dökmek; (ağacdan) su akmak. **to ~ s.o.,** (kon.) birinin parasını sızdırmak: **to ~ s.o. white,** birinin varını yoğunu elinden almak: **my heart ~s,** içim paralanıyor.
blemish [ˈblemiʃ]. Kusur; leke. Hafifçe bozmak; dokunmak.
blench [blentʃ]. Ürkmek, çekinmek; sararmak, benzi atmak.
blend [blend]. (Çay vs.) harman; halita. Karış(tır)mak; harman etm. (olm.); (renkler) uy(dur)mak.
bless (**blessed, blest**) [bles, blest]. Takdis etm., hayır dua etm.; (Allaha) hamdetmek. **God ~ you!,** (veda ederken) Allaha emanet ol!: **(God) ~ me [you]!, I'm blest, ~ my soul; ~ the boy!,** *hayret veya hiddet ifade eden tabirler*: **to be ~ed with stg.,** nasib olm.: **I ~ my stars that . . .,** çok şükür olsun ki . . .: **I'm blest if I know!,** hiç bilmiyorum; nereden bileyim.
blessed [blesid] *a.* Mubarek; mes'ud; Allahlık. **the Blessed Virgin,** Meryem ana: **every ~ day,** Allahın günü.
blessing [blesiŋ] *n.* Hayır dua. **the ~s of civilization,** medeniyetin nimetleri: **to give [announce] the ~,** ayinin sonunda Allahtan takdis istiyen dua okumak: **that's a ~!,** çok şükür; hamdolsun!, isabet!
blest *bk.* **bless.**
blether [bleðə*]. Manasız, boş sözler (söylemek).
blew *bk.* **blow.**
blight [blait]. Nebatlara ârız olan hastalık; samyeli, kavrulma, yanma, külleme vs. gibi her hangi bir kötü tesir. (Güneş, rüzgâr vs.) yakmak, kavurmak; bozmak, mahvetmek. **to ~ s.o.'s hopes,** birinin ümidlerini boşa çıkarmak.
blighter [blaitə*]. (*arg.*) Herif; Allahın belâsı. **poor ~!,** zavallı; **you lucky ~!,** seni köftehor!
blighty [blaiti]. (*Asker argosu; aslı* 'bilâdi') İngiltere; yurd.
blimp [blimp]. Keşif balonu.
blind[1] (blaind) *a.* Kör; iyi görünmez; deliksiz (duvar); çıkmaz (yol). *vb.* Kör etm., körleştirmek; gözünü kamaştırmak. **the ~,** körler: ⌜**can the ~ lead the ~ (shall they not both fall into the ditch)?**⌝ ⌜kelden köseye yardım olur mu?⌝: **to go at a thing ~(ly),** bir işe körükörüne girişmek: **to turn a ~ eye to stg.,** görmemezlikten gelmek, göz yummak. **~fold,** gözleri bağlı; körükörüne; gözlerini bağlamak. **blind-man's-buff,** körebe.
blind[2] *n.* Abajur; stor. **roller ~,** yaylı perde.
blink [bliŋk]. Gözlerini kırpıştırma(k); kesik kesik parıldamak. **to ~ the facts,** hakikate gözlerini yummak: **to ~ the question,** meseleye yanaşmamak.
blinkers [ˈbliŋkees]. Atın göz siperi.
bliss [blis]. Saadet, bahtiyarlık. **~ful,** mes'ud, bahtiyar.
blister [blistə*]. Kabarcık; su kapma; yakı. Kabartmak, su kapmasına sebeb olm.; yakı koymak. **~ing (language,** *etc.***),** zehirli.
blithe(some) [blaið(–səm)]. Şen, neş'eli; delişmen.
blithering [ˈbliðəriŋ]. **~ idiot,** hebenneka.
blizzard [blizəd]. Tipi.
bloat [blout]. Şişirmek, kabartmak, tuzlamak ve tütsülemek. **~ed** *a.* göbeği yağ bağlamış: **~ armaments,** kabarık teslihat. **~er,** tuzlanmış ve tütsülenmiş ringa balığı.
blob [blob]. Benek, leke, su damlası.
block [blok] *n.* Kütük; kaya vs. parçası; sokak ortasında kalan ada; (*Amer.*) sokak; dairelerden mürekkeb bina; arsa parçası; bir bütün teşkil eden şeyler; klişe, kalıb; makara; tıkanma. *vb.* Tıkamak; kapamak; mani olm.; kalıblamak. **~ capitals,** matbaa harflerine benzer şekilde büyük harfler: **to go to [perish on] the ~,** (*tarih*) başı kesilerek idam edilmek: **traffic ~,** yolun tıkanması.
block out, kaba taslak çizmek; (sansör vs.) karalamak, çıkarmak. **block up,** bir kapı veya pencereyi örmek; (delik vs.) tıkamak.
blockade [bloˈkeid]. Abluka (etm.); kuşatma(k). **to run the ~,** ablukayı yarmak. **blockade-runner,** ablukayı yaran gemi.
blockhead [ˈblokhed]. Mankafa, ahmak.
blockhouse [ˈblokhaus]. Gözetleme kulesi, blokhavz.

bloke [blouk]. (*kon.*) Herif, adam.
blond [blond]. Sarışın.
blood [blʌd]. Kan; soy, asalet. Av köpeğini kana alıştırmak. **there is bad ~ between them,** aralarında husumet var: **to cause bad ~,** aralarını bozmak: **blue ~,** hanedandan, aristokrat: **it made my ~ boil,** tepem attı; kan başıma çıktı: **in cold ~,** teammüden; önceden hesablı: **his ~ ran cold,** tüyleri diken diken oldu: **to draw ~,** kanatmak: **fresh [new] ~,** (bir cemiyet veya işe alınan) yeni unsurlar: **his ~ is on his own head,** vebali kendi boynuna: **~ horse,** cins at: **they are near in ~,** yakın akrabadırlar: **he is out for ~,** kana susamış; (*mec.*) yanına yanaşılmaz: **it runs in the ~,** soyunda vardır: ⌜**to get ~ out of a stone**⌝, merhametsizden merhamet beklemek: **~ will tell,** asalet bellidir: ⌜**~ is thicker than water**⌝, kan rabıtası her şeyden kuvvetlidir: **his ~ is up,** kızıştı: **young ~,** (i) genc unsur; (ii) genc ve kibar delikanlı; köyün kabadayısı. **blood-curdling,** tüyler ürpertici. **blood-pressure,** tansiyon. **blood-vessel,** ev'iye; kan damarı.
bloodhound [ˈblʌdhaund]. Kaçan bir kaatıl vs.yi yakalamakta kullanılan bir cins zağar; (*mec.*) detektif.
bloodshed [ˈblʌdʃed]. Kan dökme.
bloodshot [ˈblʌdʃot]. **~ eye,** kanlanmış göz.
bloodstone [ˈblʌdstoun]. Kantaşı.
bloodsucker [ˈblʌdsʌkə*]. Sülük; (*mec.*) insanın kanını emen tefeci vs.
bloody [ˈblʌdi]. Kanlı, kanlanmış; (*arg.*) mel'un, Allahın belâsı.
bloom [bluum]. Çiçek; tazelik, genclik; meyva dumanı. Çiçek açmak, çiçekte olm.; gelişmek. **to burst into ~,** çiçek açmak: **in full ~,** tamamen çiçek açmış; çiçekli; (*mec.*) tam gelişme halinde. **~ing,** çiçek açmış; bereketli, mamur; taze; (*arg.*) (*şk.*) Allahın belâsı.
bloomer [ˈbluumə*]. (*kon.*) Gaf.
blossom [ˈblosəm]. Ağac çiçeği. (Ağac) çiçek açmak. **to ~ out,** açılmak, gelişip güzelleşmek.
blot [blot]. Mürekkeb lekesi; leke. Lekelemek; kirletmek; mürekkebini kurutmak. **to ~ one's copybook,** küçük bir hata ile şöhretine halel getirmek. **blot out,** silmek; örtmek.
blotch [blotʃ]. Mürekkeb, boya vs. lekesi; deri üzerinde kırmızı leke. Büyük lekelerle kaplamak. **~y,** lekeli.
blott·er [ˈblotə*]. Kurutma kâğıdı defteri veya tamponu. **~ing paper,** kurutma kâğıdı.
blouse [blauz]. Bluz; işçi gömleği.
blow[1] [blou] *n.* Darbe; vuruş. **to come to ~s,** yumruk yumruğa (kavgaya) tutuşmak: **to strike a ~ for liberty,** hürriyet için bir hamle yapmak.
blow[2] (**blew, blown**) [blou, bluu, bloun] *vb.* Esmek; solumak; üflemek; hohlamak; (ampul, sigorta) yanmak; (rüzgâr) esmek, uçmak; uçurmak, atmak, fırlatmak; (boru vs.) çalmak; çalınmak; körüklemek; (sinek) yumurtlamak; (balina) su fışkırtmak; (sır vs.yi) ifşa etm.; (çiçek) açmak. **to be ~n,** soluğu kesilmek: **you be ~ed!,** (*arg.*) sen vız gelirsin!; artık senden bıktım!: **I'll be ~ed if I will [do]!,** ···sam bana da adam demesinler!: **well I'm ~ed!,** deme, Allah aşkına!: **to ~ a boiler,** bir kazandan istim boşaltmak: **to ~ the tanks of a submarine,** bir denizaltının su haznelerini boşaltmak (çıkış yapmak): **~ the expense [the expense be ~ed!],** (*kon.*) masrafa aldırma!: **it is ~ing a gale,** fırtına var: **to let the horses ~** atlara soluk aldırmak: **to ~ hot and cold,** (bir şey hakkında) bir dediği bir dediğine uymamak: **to ~ a kiss,** işaretle buse göndermek: **to ~ one's nose,** sümkürmek, burnunu silmek: **the door blew open,** kapı rüzgârla açıldı. **blow about,** oraya buraya uç(ur)mak. **blow down,** devirmek, yere yatırmak. **blow in,** (rüzgâr) kırmak, sökmek; içeri girmek; (*kon.*) çıkagelmek; uğramak. **blow off,** rüzgârdan uçmak; (rüzgar) uçurmak; (tozu vs.yi) üflemek; **to ~ off steam,** istim salıvermek. **blow out,** üfleyip söndürmek; üfleyip çıkarmak; (rüzgâr) dışarı uçurmak; (rüzgârdan) sönmek; **to ~ out one's cheeks,** avurtlarını şişirmek. **blow over,** (rüzgâr) devirmek; **the storm has ~n over,** fırtına geçti; **the scandal soon blew over,** rezalet çabucak unutuldu. **blow up,** berhava etm.; atmak; şişirmek; berhava olm., patlamak; (*kon.*) haşlamak; **it's ~ing up for rain,** rüzgâr yağmur getirecek; **to be ~n up with conceit,** kibirden kabarmak. **blow-fly,** et sineği. **blow-lamp,** kaynaklama lâmbası, prümüs lâmbası. **blow-pipe,** kuyumcu lâmbası; üfliyerek zehirli ok atmak için boru.
blow[3] *n.* (Rüzgâr) üfleme; sümkürme; (boru vs.) çalma. **to go for a ~,** hava almak için bir gezinti yapmak.
blower [ˈbloua*]. Üfleyici; esici; hava üfleyen makine.
blowy [ˈbloui]. Rüzgârlı, fırtınalı.
blowzy [ˈblauzi]. Kırmızı yüzlü; saçları karışık (kadın).
blubber[1] [ˈblʌbə*] *n.* Balina yağı.
blubber[2] *vb.* Gürültü ile ağlamak, zırlamak.
bludgeon [ˈblʌdʒən]. Kalın ve kısa sopa, matrak. Matrak ile vurmak.
blue [bluu]. Mavi; mavi renk; çivit; Oxford veya Cambridge üniversitesini

sporda temsil eden takımdan. Mavileştirmek; çivitlemek. ~ **water,** deniz: **the** ~**s,** cansıkıntısı, neş'esizlik: **Cambridge** ~, açık mavi: **to get one's** ~, Oxford veya Cambridge üniversitesini sporda temsil etm.: **to go** ~, morarmak: **to look** ~, neş'esiz görünmek; bozulmak: **things are looking** ~, vaziyet fena görünüyor: **to** ~ **one's money,** parasını çarçur etm., har vurup harman savurmak: **out of the** ~, damdan düşer gibi; beklenmedik bir şekilde: **Oxford** ~, koyu mavi: **true** ~, sadık: **you may talk till you are** ~ **in the face,** konuşabildiğin kadar konuş! (faydası yok). **blue-black,** siyaha çalan mavi; mavi yazıp kuruyunca siyah olan (mürekkeb). **blue-pencil,** mavi kalemle işaret etm. veya karalamak. **blue-print,** mavi zemin üzerine beyazla çizilmiş makine vs. projesi, mavi kopya. **blue-water,** denize aid; **the** ~ **school,** İngiltere'de bahriyenin her şeyden mühim olduğuna kani olanlar.

bluebeard [ˌbluˈbiəd]. Karılarını öldüren adam; mavi sakal.

bluebell [ˈblubel]. (*Scilla nutans*) Yabani sümbül.

bluebottle [ˈblubotl]. Büyük mavi sinek; peygamber çiçeği.

bluejacket [ˈbludʒakit]. Bahriye neferi.

bluestocking [ˈblustokiŋ]. Okumuş kadın.

bluff¹ [blʌf]. Dik, sarp; toksözlü, açık. Sarp kayalık.

bluff². Blöf, kuru sıkı tehdid. Blöf yapmak. **to call s.o.'s** ~, blöfe aldırmamak.

bluish [ˈbluiʃ]. Mavimsi.

blunder [ˈblʌndə*]. Büyük hata, ahmakça bir hata; gaf. Büyük (ahmakça) bir hata yapmak. **to** ~ **against** [**into**] **s.o.,** birine çarpmak: **to** ~ **through,** iyi kötü işi başarmak: **to** ~ **upon the truth,** hakikati tesadüfen keşfetmek: **to** ~ **one's way along,** çarpa çarpa ilerlemek.

blunderbuss [ˈblʌndəbʌs]. Ağzı yayvan eski zaman karabinası.

blunt [blʌnt]. Kör (bıçak vs.), körleşmiş, kesmez; lâfını sakınmaz (kimse); açık, pervasız (söz). Körleştirmek; hassasiyetini gidermek.

blur [bləə*]. Hayal meyal görülen şey, bulaşık şey; leke, bulaşık. (Yazı vs.) bulaştırmak, yaymak; bulandırmak. **blur out,** bulandırıp gizlemek.

blurt ([bləət]. ~ **out,** Birdenbire söylemek, ağzından kaçırmak; düşünmeden söylemek, yumurtlamak.

blush [blʌʃ]. Kızarma; utanma. Kızarmak; utanmak. **at the first** ~, ilk bakışta: **in the first** ~ **of youth,** gencliğin ilk çağlarında: **to put s.o. to the** ~, birinin yüzünü kızartmak, utandırmak: **to** ~ **to the roots of one's hair,** kulaklarına kadar kızarmak: **to** ~ **for s.o.,** biri namına utanmak.

bluster [ˈblʌstə*]. Yüksekten atma; kabadayılık. Sert esmek; bağırıp çağırmak; yüksekten atmak. **to** ~ **out threats,** tehdid savurmak. ~**er,** yüksekten atan kabadayı; avurt zavurtçu.

boa [ˈboua]. Boa yılanı. **feather** ~, boa kürk.

boar [boo*]. Erkek domuz. **wild** ~, yaban domuzu.

board [bood]. Tahta; levha; karton; masa, sofra, yemek; pansiyon; idare meclisi; daire. Tahta ile kaplamak; döşemek; (kitaba) mukavva kaplamak; birine yemeğini vermek; (gemiye vs.) binmek; (gemiye) hücüm edip girmek, borda etm.; pansiyon olmak. **the** ~**s,** tiyatro sahnesi, meslegi: **on** ~, gemide, trende vs.de: ~ **of directors,** idare meclisi: **bed and** ~ [~ **and lodging**], tam pansiyon: **Board of Trade,** Ticaret Nezareti: ~ **wages,** yemek parası da dahil olarak verilen ücret: **above** ~, açıkça, dürüst: **to go by the** ~, (*den.*) direk vs. güverteden denize düşmek; (*mec.*) büsbütün elden çıkmak; **to let go by the** ~, elden çıkarmak, göz önünde tutmamak: **to sweep the** ~, kumarda masadaki bütün parayı kazanmak; bir müsabaka vs.de bütün mükâfatları kazanmak: **to work for one's** ~, boğaz tokluğuna çalışmak. **board out,** pansiyona yerleştirmek. **board up,** tahta ile kapatmak.

boarder [ˈboodə*]. Pansiyon kiracısı; yatılı (talebe).

boarding [ˈboodiŋ]. Tahta perde; tahta kaplama. **boarding-house,** pansiyon. **boarding-school,** yatılı mekteb.

boast [boust]. Öğünme(k), iftihar (etm.). **to** ~ **of** [**about**], ···le böbürlenmek: **without wishing to** ~, öğünmek gibi olmasın ama. . . . ~**ful,** öğüngen, palavracı.

boat [bout]. Sandal, kayık, gemi. Sandalla gezmek. **to be all in the same** ~, aynı halde, aynı vaziyette olm.: **to burn one's** ~**s,** gemilerini yakmak; ⌜ölmek var dönmek yok⌝ *kabilinden.* **boat-deck,** filikaların bulunduğu güverte. **boat-hook,** kayık kancası. **boat-house,** ~**shed,** kayıkhane. ~**er,** (sert) hasır şapka, kanotye. ~**man,** kayıkçı.

boatswain [ˈbousən]. Porsun, lostromo. ~**'s mate,** lostromo muavini: **bosun's chair** [**cradle**], gemiyi boyayan işçinin oturduğu asılı iskemle.

bob¹ [bob]. Şakul; saç lülesi; kesik kuyruk. **to** ~ **one's hair, to have a** ~, (kadın) saçlarını kısa kestirmek: **to** ~ **a horse's tail,** atın kuyruğunu kesmek.

bob². Hafif hareket, kımıldama; hafifçe

iğilme, baş hareketi. Oynamak, kımıldamak; hafifçe iğilmek. **bob down,** sakınmak için birdenbire iğilmek. **bob under,** (olta mantarı) suya batmak. **bob up,** birdenbire meydana çıkmak.
bob³. (*arg.*) Şilin.
bobbin [ˈbobin]. Makara, bobin; pamuk iği.
bobby [ˈbobi] **Robert'in** kısaltmış şekli; polis.
bob-sled, bob-sleigh [ˈbobsled, -slei]. Bir nevi uzun kızak.
bobstay [ˈbobstei]. Civadra ıstralyası.
bode [boud]. İşaret olm., delâlet etmek. **it ~s no good,** hayra alâmet değil.
bodice [ˈbodis]. Korsaj. **under ~,** kaşkorse.
bodied [ˈbodid]. Vücudlü. **able ~,** sağlam.
bodily [ˈbodili]. Vücude aid; cismanî; tamamile, kâmilen.
bodkin [ˈbodkin]. Şerid geçirmek için şiş; biz; büyük firkete.
body [ˈbodi]. Vücud; gövde; beden; cesed; cisim; şahıs; grup, heyet, kütle, cemiyet, cemaat, encümen; takım, mecmu; esas. (otomobil vs.) karoseri. **~ linen,** iç çamaşırı: **~ and soul,** bütün mevcudiyetile: **to keep ~ and soul together,** kıtakıt yaşamak, kutulâyemut geçinmek. **heavenly ~,** semavî cisim. **~-colour,** kesif sulu boya. **~guard,** hassa askeri. **~-snatcher,** cesed hırsızı. **~work,** karoseri.
bog [bog]. Batak, bataklık. Batağa saplamak (batırmak).
bogey [ˈbougi]. Umacı.
boggle [ˈbogl]. Ürkmek, duraklamak; becerememek. **to ~ at doing stg.,** bir işe yanaşmamak.
bogie [ˈbougi]. Vagon veya lokomotifin ön kısmının dayandığı çifte dingilli kademe, boji.
bogus [ˈbougəs]. Sahte, taklid.
Bohemian [boˈhiimiən]. Bohemyalı; derbeder, kalender; çingene.
boil¹ [boil] *n.* Çıban.
boil² *n.* Kaynama. *vb.* Kayna(t)mak; haşlamak. **~ed egg,** rafada yumurta: **hard-~ed egg,** hazırlop yumurta: **to be on the ~,** kaynamak: **to come to the ~,** kaynamağa başlamak: **to go off the ~,** kaynaması durmak: **to keep the pot ~ing,** aileyi geçindirmek. **boil away,** kaynayıp buhar olmak. **boil down,** kaynaya kaynaya azaltmak; suyunu çekmek; hülâsa etm.: **it all ~s down to this,** hülâsası budur, bu demeğe gelir. **boil over,** kaynayıp taşmak: **to ~ over with rage,** hiddetten köpürmek [kudurmak]. **boil up,** (süt vs.) kaynayıp kabarmak.
boiler [ˈboilə*]. Kazan; sıcak su deposu.
boiling [ˈboiliŋ]. Kaynar. **the whole ~,** takım taklavat. **boiling-point,** kaynama derecesi.
boisterous [ˈboistərəs]. Şiddetli; gürültülü; taşkın.
bold [bould]. Cesur, atılgan; kendinden emin: haddini bilmez, küstah; kalın (harf). **as ~ as brass,** çok yüzsüz: **to make ~,** cüret etm.: **to put a ~ face on the matter,** haklı imiş gibi cesaret takınmak. **bold-faced,** yüzsüz, küstah. **~ type,** kalın harf.
bole [boul]. Ağac gövdesi.
boll [bol]. Pamuk ve keten tohumlarını örten mahfaza. **boll-weevil,** pamuk kurdu.
bollard [ˈboləəd]. (*den.*) Baba; bite.
bolster [ˈboulstə*]. Uzun yastık, alt yastık. **~ up,** yastık koymak; desteklemek.
bolt¹ [boult]. Cıvata; sürme; tüfek mekanizması; kısa ok; yıldırım. Sürmelemek; cıvata ile bağlamak. **~ upright,** dimdik: **a ~ from the blue,** bulutsuz havada şimşek kadar umulmadık ve anî vak'a: **he has shot his last ~,** son kurşununu attı.
bolt². Kaçma, firar; atılma. Kaçmak; birdenbire fırlayıp gitmek; (at) gemi azıya alıp kaçmak; çiğnemeden yutmak, pek acele yemek. **to make a ~ for it,** tabanları kaldırmak: **to make a ~ for stg.,** bir şeye doğru atılmak (koşmak).
bolt³ *vb.* Elemek, kalburdan geçirmek.
bomb [bom]. Bomba. (Bilhassa uçaktan) bombalamak.
bombard [bomˈbaad]. Bombardıman etmek. **~ment,** bombardıman.
bombasine [ˌbombəˈziin]. İpekli yün veya pamukla yünden yapılan kumaş.
bombast [ˈbombəst]. Tumturaklı söz. **~ic** [-ˈbastik] tumturaklı.
bomber [ˈbomə*]. Bombacı; bomba uşağı.
bona fide [ˈbounəˈfaidi] Hakikî. **~s,** hüsnüniyet.
bonanza [bouˈnanzə]. Zengin bir maden damarı; büyük bir kazanc membaı.
bond [bond] *n.* Bağ, rabıta; kayıd; sened, mukavele; bono, tahvilat; kefalet; alâka, münasebet; tuğla veya taşla inşaat usulü. *vb.* Tuğlaları harçla birbirlerine bağlamak; eşyayı antrepoya koymak. **to be in ~,** (eşya) antrepoda olm.: **to take goods out of ~,** eşyayı gümrükten çıkarmak: **his word is as good as his ~,** sözünün eridir.
bondage [ˈbondədʒ]. Kölelik, esirlik, serflik.
bondholder [ˈbondhouldə*]. Tahvil hamili.
bondman [ˈbondmən]. Köle, serf.
bondsman [ˈbonsmən]. Serf, köle; kefil.
bone [boun]. Kemik; kılçık. Kemikten yapılmış. Kemiklerini ayırmak; kılçıklarını

ayıklamak; (*arg.*) aşırmak. **to the ~,** iliklerine kadar: **a bag of ~s** [**skin and ~**], bir deri bir kemik: **to feel stg. in one's ~s,** (niçin olduğunu bilmeden) emin olm.: ⌜**hard words break no ~s**⌝, sert sözler insanın bir yerini kırmaz: **I have a ~ to pick with you,** seninle paylaşılacak kozum var: **to make no ~s about . . .,** ···de hiç tereddüd etmemek, ···den çekinmemek, numara yapmamak. **~setter,** çıkıkçı. **bone-black,** kemik kömürü tozu. **bone-dry,** kupkuru. **bone-shaker,** eski usul dolma lâstikli bisiklet; köhne otomobil veya bisiklet. **bone-spavin,** atın ard diz kemiğinin şişmesi.

bonfire [ˈbonfaiə*]. Şenlik ateşi; bahçe süprüntüsünü ortadan kaldırmak için açıkta yakılan ateş.

bonnet [ˈbonit]. Çocuk ve kadınların giydiği başlık; iskoç beresi; motor kapağı; kaporta.

bonny [ˈboni]. (İskoç) güzel, hoş.

bonus [ˈbounəs]. İkramiye. **~share,** temettü hissesi: **cost-of-living ~,** hayat pahalılığı zammı.

bony [ˈbouni]. Kemikleri görünen; kılçıklı.

boo [buu]. Yuha. **~ (at),** ···e yuha diye bağırmak; ıslık çalmak. ⌜**he wouldn't say ~ to a goose**⌝, ⌜ağzına vur lokmasını al⌝ *kabilinden.*

booby [ˈbuubi]. Ahmak; şaşkın, mankafa; büyük bir cins deniz kuşu. **~ prize,** sonuncu gelene verilen mükâfat. **booby-trap,** kapıdan girenin başına düşecek şekilde (şaka için) asılan şey.

boohoo [buˈhu]. Ağlama sesi, uu!; yalancıktan veya şımarıkça ağlama. Yüksek sesle ağlamak; yalancıktan ağlamak.

book[1] [buk] *n.* Kitab; defter; bab, kısım. **the Book,** incil: **to be in s.o.'s good** [**bad**] **~s,** birinin gözünde olm. [olmamak]: **to bring s.o. to ~,** birini hesab vermeğe mecbur tutmak; birini mes'ul tutmak: **to keep the ~s of a firm,** bir firmanın defterini tutmak: **to make a ~,** at yarışında bahse girmek: **a ~ of needles,** defter şeklinde iğne mahfazası: **on the ~s,** bir klüb vs. âzası olarak ismi defterde yazılı olm.: **to speak like a ~,** kitabî konuşmak: **to speak by the ~,** kat'î olarak bilip söylemek: **it won't suit my ~,** bu işime gelmez. **book-end,** kitab dayayacağı. **book-keeper,** defter tutan, muhasib. **book-keeping,** defter tutma, muhasebe. **book-learning,** kitabî malûmat. **book-maker,** at yarışlarında bahis defteri tutan adam. **book-muslin,** bir nevi müslin, organdi. **book-rest,** okurken kullanılan kitab dayayacağı.

book[2] *vb.* Hesaba yazmak; peylemek, (yer vs.) tutmak; bilet almak. **to be ~ed up,** (doktor, iş adamı vs.) vakti dolu olm., ilerisi için meşgul olm.; (otel vs.) bütün yerler tutulmuş olmak.

bookbind·er [ˈbukbaində*]. Mücellid. **~ing,** mücellidlik.

bookcase [ˈbukkeis]. Kitab dolabı, kütübhane.

booking-clerk. Gişedeki biletçi. **booking-office,** gişe.

bookish [ˈbukiʃ]. Okumağa meraklı; kendini kitablara vermiş; kitabî.

booklet [ˈbuklit]. Küçük kitab; risale.

bookmark(er) [ˈbukmaakə*]. Okunan sahifeyi göstermek üzere konulan şey.

bookplate [ˈbukpleit]. Kitabın kime aid olduğunu gösteren ekseriya armalı yafta.

bookseller [ˈbukselə*]. Kitabçı.

bookshop [ˈbukʃop]. Kitabhane.

bookstall [ˈbukstool]. Kitab sergisi; istasyonda kitabcı dükkânı.

boom[1] [buum]. Bumba; seren; liman ağzındaki mania.

boom[2]. (*ech.*) (Top vs.) gürleme; (rüzgâr) uğultu. Gürlemek; uğuldamak.

boom[3]. Fiatlarda anî yükselme; büyük rağbet. Reklam yapmak; medhederek tanıtmak; yükselmek; gelişmek.

boomerang [ˈbuumərаŋ]. Avustralya yerlilerinin bükülmüş sert tahtadan bir silâhı ki fırlatıldığı yere avdet eder; yapanın üstüne dönen kötü hareket.

boon[1] [buun] *n.* Nimet; lûtuf, iyilik.

boon[2] *a.* (*şair*) Şen, neş'eli. **~ companion,** içki arkadaşı; eğlence arkadaşı; çok yakın arkadaş.

boor [ˈbuə*]. Kaba, yontulmamış adam. **~ish,** kaba, hoyrat.

boost [buust]. Yardım için itme(k); muzaheret (etm.); reklamını yapmak; (*elek.*) cereyan kuvvetini artırmak. **~er,** cereyan kuvvetini artıran cihaz.

boot[1] [buut]. Potin, ayakkabı; çizme (*um.* **jack-boot**); araba veya otomobil arkasındakı eşya yeri. Tepmek. **the ~ is on the other leg,** vaziyet tam aksi: **to die in one's ~s,** eceli kaza ile ölmek: **to get the ~,** pabucu eline verilmek, sepetlenmek: **to give s.o. the (order of the) ~,** birinin pabucunu eline vermek: **to have one's heart in one's ~s,** ödü kopmak. **boot-black,** ayakkabı boyacısı. **boot-jack,** çizme çekeceği (çıkartmak için). **boot-polish,** ayakkabı boyası. **boot-tree,** ayakkabı kalıbı.

boot[2]. **to ~,** üstelik, fazla olarak.

boot[3]. **what ~s it to ...?,** ... neye yarar?, ···nin ne faydası var?

booted [ˈbuutid]. Çizmeli. **~ and spurred,** harekete hazır.

booth [buuθ]. Baraka; külübe.

bootlace [ˈbuutleis]. Ayakkabı bağı.

bootleg [ˈbuutleg]. (*Amer.*) içki kaçakçılığı etmek. Kaçak (içki).
bootless [ˈbuutlis], Ayakkabısız; faydasız, lüzumsüz.
boots [buuts]. Otel hademesi; ayakkabı temizleyici.
booty [ˈbuuti]. Ganimet; çapul, yağma; kazanc.
booze [ˈbuuz]. İçki; çakıntı. Kafayı tütsülemek, çekmek. **to be on the ~,** kafayı çekmek.
bo-peep [bouˈpiip]. **to play at ~** (küçük çocuklar arasında) bir yere saklanıp birdenbire başını uzatmak.
bora·cic [boˈrasik]. Borakslı, borik. **~x,** boraks.
border [ˈboodə*]. Kenar; pervaz; tiriz; hudud, serhad. Etrafını çevirmek; kenar yapmak. **to ~ on,** ···e hudud teşkil etm.; bitişik olm.; (*mec.*) çok yaklaşmak: **the Border,** İskoçya hududu: **colour ~ing on red,** kırmızıya çalan renk. **~er,** hududda oturan; İskoç hududunda oturan. **~land,** sınırdaş memleket; iki şey arası.
bore[1] [boo*]. Çap; boru kutru; sondaj deliği. Delmek, delik açmak; sondaj yapmak.
bore[2]. Can sıkıcı kimse; usandırıcı şey. Can sıkmak, usandırmak, taciz etmek. **to be ~d stiff,** can sıkıntısından patlamak.
bore[3]. Bazı nehirlerin ağızlarının birdenbire daralmasından husule gelen med dalgası.
bore[4] *bk.* **bear**[2].
boreal [ˈboriəl]. Şimale aid.
boredom [ˈboodəm]. Can sıkıntısı.
borehole [ˈboohoul]. Sondaj deliği; kuyu.
borer [ˈboorə*]. Delici; burgu, matkab.
boring [ˈbooriŋ]. Can sıkıcı. Delici. Delik, sondaj.
born [boon]. Doğmus. **to be ~,** doğmak: **he is a ~ poet,** doğuşta şairdir: **in all my ~ ~ days,** bütün ömründe: **her latest ~,** son doğan çocuğu: **London ~,** Londra'da doğmuş: **a Londoner ~ and bred,** doğma büyüme Londralı: **~ tired,** daima yorgun; fitraten tembel ve uyuşuk.
borne *bk.* **bear**[2].
boron [ˈbooron]. Bor.
borough [ˈbʌrə]. Kasaba; belediyesi olan şehir; parlamentoya mebus gönderen şehir.
borrow [ˈboro]. Ödünc almak; borc almak; iğreti almak; almak.
Borstal [ˈboostəl]. İngiltere'de suçlu çocuklara mahsus islahhane.
borzoi [booˈzoi]. Rus kurt köpeği.
bosh [boʃ]. Boş şey, saçma.
bosom [ˈbuzəm]. Göğüs, koyun; kucak. **the child of his ~,** sevgili yavrusu: **~ friend,** candan dost.
Bosphorus [ˈbosforəs]. Boğaziçi.
boss[1] [bos]. Yumru; çıkıntı; meme.
boss[2] (*kon.*) Patron; sözü geçen. (Bir daireyi vs.) idare etm.; birisine hâkim olmak. **she 's the ~,** evde karısının sözü geçer.
boss[3]. (*kon.*) Iska. Vuramamak, ıska geçmek.
bossy [ˈbosi]. (*kon.*) Zorba; mütehakkim.
bosun *bk.* **boatswain.**
bot [bot]. Sineğin sürfesi. **bot-fly,** at sineği.
botan·ic(al) [boˈtanik(l)]. Nebatat ilmine aid. **~ist,** [ˈbotənist], nebatatçı. **~ize** [ˈbotənaiz], nebatat nümuneleri toplamak. **~y** ([ˈbotəni], nebatat ilmi.
botch [botʃ] Biçimsiz yama; kaba iş. Baştan savma yapmak; kabaca yamamak.
both [bouθ]. İkisi de; her ikisi de; iki, her iki. **~ ... and ...,** hem ... hem ...: **~ of you,** her ikiniz: **you can't have it ~ ways,** ikisinin ortası olmaz, ya öyle ya böyle.
bother [ˈboðə*]. Canını sıkma, taciz etme; üzüntülü iş. Canını sıkmak, taciz etm., üzmek; tasdi etmek. **~ it!,** Allah müstahakkını versin!: **I can't be ~ed!,** hiç işim yoktu ..., bana ne?: **he couldn't ~ [be ~ed] to do it,** yapmağa üşendi: **don't ~ me!,** beni rahat bırak! **don't ~ about me,** beni düşünme: **he doesn't ~ about anything,** hiç bir şeye aldırmıyor. **~ation, ~!,** Allah müstahakkını versin! **~some,** can sıkıcı, müz'ic, üzüntülü.
bottle [ˈbotl]. Şişe; sürahi; kuru ot demeti. Şişeye veya kavanoza koymak. **to ~ up one's feelings, one's anger,** *etc.*, hislerini, hiddetini vs. tutmak: **to ~ up a fleet,** filoyu çıkma yolunu tutarak sıkıştırmak. **bottle-green,** çok koyu yeşil. **bottle-neck,** şişe boğazı; nakil vasıtalarının izdihamdan saplanıp kalması; bir işi çıkmaza sokan [duraklatan] şey. **bottle-nosed,** patlıcan burunlu. **bottle-rack,** şişe askısı. **bottle-washer,** şişe yıkayıcı; her işe bakan adam.
bottom [ˈbotəm] *n.* Dip; aşağı taraf; alt; kıç; asıl esas; dere, vadi; kuvvet, can; (*esk.*) gemi. *a.* Alt; asgarî. *vb.* Dibe dokunmak: (iskemleye) dip, oturak geçirmek; istinad ettirmek. **at ~,** hakikatte, esas itibarile: **he is at the ~ of all this,** bütün bunların arkasında o var: **I bet my ~ dollar,** nesine istersen bahse girerim: **the ~ has fallen out of the market,** piyasa çöktü: **to get to the ~ of a matter,** bir meselenin içyüzünü öğrenmek: **from the ~ of one's heart,** en kalbden, çok samimî: **to knock the ~ out of an argument,** bir muhakemeyi cerhetmek, yıkmak: **to stand on one's own ~,** kendi yağile kavrulmak: **to touch ~,** (i) (gemi) dibi karaya dokunmak; (ii) en aşağı dereceye varmak.

bottomed [ˈbotomd]. ... dipli. **flat ~,** dibi düz.
bottomless [ˈbotəmlis]. Dipsiz; çok derin; sonsuz. **the ~ pit,** gayya.
bottommost [ˈbotəmmoust]. En aşağı.
bottomry [ˈbotəmri]. Deniz ödüncü.
boudoir [ˈbudwa]. Kadın odası, buduvar.
bough [bau]. Dal.
bought *bk.* **buy.**
bougie [ˈbuʒii]. Sonda.
boulder [ˈbouldə*]. Münferid kaya parçası.
boulevard [ˈbuulvaad]. Bulvar.
bounce [bauns]. Zıplama, sıçrama; (*kon.*) yüksekten atma, ögünme. Zıpla(t)mak, sıçra(t)mak; **~ in** [**out**], birdenbire girmek [çıkmak]: **to ~ s.o. into doing stg.,** birini sıkboğaz ederek bir şeyi yaptırmak.
bouncing [baunsiŋ] *a.* Gürbüz, canlı ve neş'eli (çocuk).
bound¹ [baund]. Had, hudud, sınır. Sınır teşkil etm., hudud çizmek. **to break ~s,** (bir asker veya talebe) yasak edilen yere girmek: **the town is out of ~s,** şehre gitmek yasaktır: **to keep within ~s,** hududu aşmamak; itidale riayet etm., haddini aşırmamak: **to set ~s,** bir had çizmek, tahdid etmek.
bound². Atlama(k), sıçrama(k), sekme(k). **to advance by leaps and ~s,** uçar gibi, büyük bir süratle, şaşırtıcı bir süratle ilerlemek: **to ~ away,** zıplayarak gitmek.
bound³. **ship ~ for ...,** ...e gitmek üzere olan gemi. **whither ~ ?,** nereye?
bound⁴ *bk.* **bind.** *a.* Mecbur; kayıdlı; cildli.
boundary [ˈbaundəri]. Hudud, sınır.
bounden [ˈbaundən]. **~ duty,** vecibe.
bounder [ˈbaundə*]. Âdî, pespaye adam; centilmenin aksi.
boundless [ˈbaundlis]. Hududsuz; sonsuz.
bountiful [ˈbauntəful]. Cömert, alicenab; bol.
bounty [ˈbaunti]. Cömertlik; ihsan; ikramiye, prim.
bouquet [ˈbuukei]. Çicek demeti; buket; (şarab) koku, rayıha.
bourn(e) [boon]. Gaye, maksad; hudud.
bourn. Dere, çay.
bout [baut]. Girişme; nöbet, sıra.
bovine [ˈbovain]. Öküze aid; ahmak; ağır, uyuşuk.
bow¹ [bou]. Yay; ilmek; fiyonga; kavis. **to have two strings to one's ~,** ikinci bir imkâna malik olm.
bow² [bau]. İğilme, başeğme. İğilmek, başını eğmek. . **to make one's ~ to the company,** arzı endam etm., görünmek: **to ~ and scrape to s.o.,** birine kandilli temenna etm.: **to ~ to the inevitable,** kaderi olduğu gibi kabul etm., ('kazaya rıza'): **to ~ s.o. in,** birini (selâm ve iltifatla) içeri almak.
bow³ [bau] *n.* Geminin başı, prova; bir sandalın provaya en yakın kürekçisi. **to cross the ~s of a ship,** bir geminin önüne geçmek, yolunu kesmek.
bowdlerize [ˈbaudləraiz]. Bir eserin müstehcen görülen yerlerini çıkarmak.
bowel [ˈbauəl]. Barsak. **~s,** barsaklar; iç. **to empty the ~s,** abdeste çıkmak: **the ~s of compassion,** (*şair.*) merhamet hissi.
bower¹ [ˈbauə*]. Çardak. **the lady's ~,** (*şair.*) bir kadının hususî dairesi.
bower². **~ (anchor),** gözdemiri.
bowie (-knife) [ˈboui (naif)]. Av bıçağı.
bowl¹ [boul] *n.* Kâse, tas, çanak; pipo ağzı.
bowl². Tahta top, yuvarlak. **~s,** tahta toplarla oynanan bir nevi oyun. Topu yerde yuvarlamak; (kriket oyununda) topu atmak; **bowls** oyununu oynamak; (çember) çevirmek. **bowl along,** (araba vs.) hızla gitmek. **bowl out,** (krikette) birini oyun harici yapmak; (*mec.*) temizlemek; işini bitirmek; birini bozmak. **bowl over,** devirmek, düşürmek; şaşırtmak. **~er,** krikette topu atan oyuncu; **bowls** oyununu oynayan.
bowler (hat) [ˈboulə* (hat)]. Melon şapka.
bow-legged [bouˈlegd]. İğrı bacaklı, paytak.
bowline [ˈboulin]. İzbarço bağı. **running ~,** müteharrik izbarço bağı; leş bağı.
bowman, *pl.* **-men** [ˈboumən, -men]. Okçu, tirendaz.
bowshot [ˈbouʃot]. Ok atımı.
bowsprit [ˈbousprit]. Civadra.
bowstring [ˈboustriŋ]. Ok kirişi; kemend. *vb.* (**bowstrung**), Kemend ile boğmak.
bow-window [ˈbouˈwindou]. Kavisli pencere; cumba.
bow-wow [ˈbauˈwau]. Havhav; kuçukuçu.
box¹ [boks] *n.* Şimşir ağacı. **box-wood,** şimşir tahtası.
box² *n.* Kutu, sandık; loca; ahırın bölmesi; arabacı yeri; mahkemede şahid veya maznun yeri. *vb.* Kutuya koymak. **to ~ the compass,** pusula kertelerini saymak: **to be in the same ~,** aynı vaziyette bulunmak: **to find oneself in the wrong ~,** müşkül bir vaziyette bulunmak. **box-attendant,** loca memuru. **box-office,** tiyatro vs. gişesi: **~ receipts,** tiyatro geliri.
box³. Boks yapmak. Boks yapma. **a ~ on the ear,** tokat: **to ~ s.o.'s ears,** birine tokat atmak. **~er,** boksör. **~ing,** boks. **~ing-day,** Noelin ertesi günü (26 aralık; İngiltere'de resmî tatil günü ki postacı, sütçü vs.nin **Christmas-box** denilen hediye veya bahşişleri o gün verilir).

boy [boi]. (On sekiz yaşına kadar erkek) çocuk; oğul; çocuk garson; talebe; şarkta yerli uşak. **~s will be ~s,** çocuktur yapacak; çocukluğunu yapacak: **old ~ !,** ahbab!: **an old ~,** bir mektebin eski mezunu; ihtiyarın biri: **one of the ~s,** eğlenceye düşkün, ehli keyiften: **I have known him from a ~,** ben onu çocukluğundan beri tanırım.
boycott [ˈboikot]. Boykot (yapmak).
boyhood [ˈboihud]. Çocukluk çağı.
boyish [ˈboi·iʃ]. Erkek çocuk gibi.
Bp. *kıs.* **bishop.**
brace [breis]. (Mimarî) bağ; kuşak; destek; köşebent; rabıt işareti ({); makkap sapı. Destek vurmak; kuvvet vermek, canlandırmak. **~s,** pantalon askısı. **~ and bit,** el makkabı: **a ~ of birds,** avda vurulan iki kuş.
bracelet [ˈbreislit]. Bilezik.
brachycephalic [ˌbrakisəˈfalik]. Kısa başlı, brakisefal.
bracing [ˈbreisiŋ]. Canlandırıcı.
bracken [ˈbrakn]. (*Pteris aquilina*) Büyük serhas.
bracket [ˈbraket]. Kol, destek; parantez. Parantez içine almak; bir rabıt işareti ile birleştirmek; bir tutmak, müsavi tutmak; (topçulukta) hedefi makas içine almak. **square ~s,** köşeli parantez.
brackish [ˈbrakiʃ]. Tuzlumsu, acı (su).
bract [brakt]. Konca yaprağı.
brad [brad]. Karfiçe çivisi.
bradawl [ˈbradool]. Biz.
Bradshaw [ˈbradʃoo]. (İngiltere'de) tren tarifesi.
brae [brei]. (İskoçça) bayır, tepe.
brag [brag]. Yüksekten atma(k); öğünme(k); palavra (savurmak). **~ of [about],** ···le böbürlenmek. **~gart,** kendini öven kimse.
braggadocio [bragaˈdotʃio]. Palavra.
brahmin, -man [ˈbraamən]. Brehmen, mecusi rahibi.
braid [breid]. Örgülü şerid, kurdele veya kordon. (Saç vs.yi) örmek, kurdele ile bağlamak; kordon takmak. **gold ~,** sırma kordon.
braille [breil]. Körlere mahsus kabartma yazı.
brain [brein]. Beyin, dimağ; kafa. Beynini patlatmak. **he has ~s,** çok kafalıdır: **a man of ~s,** kafalı adam: **to get [have] stg. on the ~,** bir şeyi aklından çıkaramamak: **to turn s.o.'s ~,** başını döndürmek (ne oldum delisi etm.). **~y,** (*kon.*) kafalı. **brain-fag,** beyin yorgunluğu. **brain-pan,** kafatası. **brain-storm, to have a ~,** bir şey beynine vurmak. **brain-wave,** birdenbire gelen parlak fikir; sünuhat.
braise [breiz]. Kapalı kapta ve ağır ateşte pişirmek.
brake[1] [breik]. Çalı, çalılık.
brake[2]. Fren; gezintiye mahsus büyük yolcu arabası. **~** veya **put on [apply] the ~,** fren yapmak. **~ van,** şefdötren furgonu: **150 ~ horsepower,** 150 bremze beygir kuvveti. **~sman,** frenci. **brake-drum,** fren makarası.
bramble [ˈbrambl]. Böğürtlen çalısı.
bran [bran]. Kepek. **bran-mash,** su ile karıştırılmış kepek. **bran-pie, bran-tub,** bir toplantı vs.de içinden piyango gibi eşya çekilen kepek dolu kova.
branch [braantʃ]. Dal; kol; şube. Dallanmak. **branch out,** dalbudak salmak; şubelere ayrılmak; kol teşkil etmek. **branch off,** çatallaşıp ayrılmak.
brand [brand] *n.* Ateşli odun, yanık odun parçası; meş'ale; kızgın demir, dağ; damga; ar, leke; marka, cins, çeşid; (*şair.*) kılıç. *vb.* Dağlamak; lekelemek, damgalamak; (hafızaya) nakşetmek, kazımak. **⌜a ~ from the burning⌝,** cehennemde yanmaktan kurtulmuş kimse. **brand-new,** yepyeni, gıcırgıcır.
brandish [ˈbrandiʃ]. Sallamak, savurmak.
brandy [ˈbrandi]. Konyak, brendi.
brash[1] [braʃ] *n.* Kırılmış taş veya buz; kırpıntı.
brash[2] *a.* Atılgan; düşüncesiz; yüzsüz.
brass [braas]. Pirinç; pirinçten yapılmış; (*arg.*) para, mangiz. **the ~,** pirinçten yapılmış musiki aletleri. **~y,** pirinçten, pirinç gibi.
brassière [brasiˈeiə*]. Sutiyen.
brat [brat]. Yumurcak, veled.
bravado [brəˈvaadou]. Kurusıkı kabadayılık; palavra.
brave [breiv]. Cesur, yiğit; yakışıklı, güzel. Muharib. Karşı gelmek; meydan okumak. **~ry,** Cesaret, kahramanlık; güzellik, gösterişlilik.
bravo [braaˈvou]. Aferin, bravo! Para ile tutulmuş kaatil vs.
brawl [brool]. Gürültülü kavga, dalaş. Gürültülü kavga etmek.
brawn [broon]. Kaba et; adale, kuvvet; paça gibi dondurulmuş domuz eti. **~y,** kuvvetli, adaleli.
bray [brei]. Anırma(k).
braze [breiz]. Pirinç ile lehimlemek.
brazen [ˈbreizən]. Pirinçten, tunçtan; yüzsüz, utanmaz. **to ~ it out,** yüzsüzlükle bastırmak, pişkinlik etmek.
brazier[1] [ˈbreiziə*]. Mangal.
brazier[2]. Pirinç işçisi.
Brazil [brəˈzil]. Brezilya. **~ian,** brezilyalı.
breach [briitʃ]. Yarık; kırık; aralık; kırma, bozma; riayetsizlik, ihmal. Kırmak,

yarmak, bozmak. ~ **of faith,** vadini tutmama: ~ **of promise,** evlenme vadini bozma: ~ **of the peace,** sukûnu ihlâl.

bread [bred]. Ekmek. ~ **and butter,** tereyağlı ekmek; rızık, geçim yolu: **to quarrel with one's** ~ **and butter,** ekmeğiyle oynamak: **to cast one's** ~ **upon the waters,** ⌜iyiliği yap, denize at, balık bilmezse hâlik bilir⌝ *kabilinden*: **he knows on which side his** ~ **is buttered,** menfaatinin hangi tarafta oldğunu biliyor. **bread-winner,** ekmeğini kazanan, aile geçindiren.

breadth [bredθ]. Genişlik, en, vüs'at.

break (**broke, broken**) [breik, brouk, broukən]. Kırık, kırıklık; kırılma; açıklık; ara, fasıla; teneffüs; sesi değişme. Kırmak; bozmak; tutmamak, hilâfına hareket etm.; kesmek; alıştırmak; mahvetmek, işini bitirmek; kırılmak; kriket vs.de (hususî bir hareketle) topun seyri değişmek. **the** ~ **of day,** şafak: **a** ~ **in the weather,** havanın değişmesi: **to** ~ **a blow, a fall,** *etc.*, bir darbe vs.nin şiddetini azaltmak: **to** ~ **ground,** toprak sürmek; ilk adımı atmak: **to** ~ **fresh ground,** çığır açmak: **to** ~ **s.o. of a habit;** birini bir âdetten vazgeçirmek: **to** ~ **s.o.'s heart,** birine keder ve ıstırab vermek; ümidini kırmak; **to** ~ **one's journey,** uzun bir seyahatte mola vermek yahud bir yerde kalmak: **a cry broke from his lips,** o bir çığlık kopardı: **to** ~ **the news,** haber vermek: **to** ~ **the news (gently),** münasib bir lisanla haber vermek; alıştıra alıştıra haber vermek: **to** ~ **an officer,** bir zabıtın rütbesini indirmek: **to** ~ **a set** (gümüş vs.) takımını bozmak. **break away,** koparmak; kaçıp kurtulmak; kırılıp kopmak; dağılmak; ayrılmak: **breakaway,** ayrılma. **break down,** yıkmak, kırmak; ayırmak; inhilal ettirmek; yıkılmak, sakatlanmak, bozulmak, sarsılmak; büyük bir teessürden dolayı ağlamak. **break forth,** fışkırmak; kopmak, patlamak. **break in,** kırıp girmek, kırmak, zorla girmek; alıştırmak; çökmek; söze karışmak: **to** ~ **in (up)on a company,** bir grupa birdenbire karışmak, çıkıvermek. **break into,** zorla girmek; birdenbire bir şeye başlamak: **to** ~ **into one's reserves,** ihtiyattan sarfetmek. **break off,** koparmak, kesmek; ayrılmak; kopmak: **to** ~ **off an engagement,** nişanı bozmak. **break out,** patlamak, patlak vermek; çıkmak, kaçmak; kendini kaptırmak: **(of the face) to** ~ **out into pimples,** yüzü sivilce ile kaplanmak: **to** ~ **out into a sweat,** ter basmak. **break through,** yarmak, çıkmak; zuhur etmek. **break up,** parçalamak; dağıtmak; sökmek, yıkmak; toprağı sürmek; parçalanmak; çökmek; dağılmak; (mekteb) devre sonunda tatil olm.; (hava) bozulmak. **break with, to** ~ **with s.o.,** birisile bozuşmak, alâkasını kesmek.

breakable [ˈbreikəbl]. Kırılacak (şey). **the** ~**s,** kırılacak eşya.

breakage [ˈbreikədʒ]. Kırılma, kırık; kırılip dökülme.

breakdown [ˈbreikdaun]. Bozulma; (sıhhat) çökme.

breaker [ˈbreikə*]. Sahile çarpan, kırılan dalga.

breakfast [ˈbrekfəst]. Sabah kahvaltısı. Kahvaltı etmek.

breakneck [ˈbreiknek]. Çok tehlikeli; kafa göz yaran.

breakwater [ˈbreikwootə*]. Dalga kıran, mendirek.

bream [briim]. (*Abramis brama*) çamak. **sea** ~, (*pagellus*) manda göz mercan; (*pagrus*) sinagrid.

breast [brest]. Göğüs; meme; (*mec.*) iç, kalb. Göğüslemek, göğüs germek; (tepeye) tırmanmak. **to make a clean** ~ **of it,** her şeyi itiraf etmek. ~**bone,** göğüs kemiği. ~**work,** düzlükte kurulan siper.

breath [breθ]. Soluk, nefes, nefes alma; hafifçe esme; buğu; püfürtü. **all in the same** ~, aynı zamanda: **to have a bad** ~, ağzı kokmak: **to draw** ~, nefes almak: **it is the very** ~ **of life to me,** bu benim için canım kadar azizdir: **to lose one's** ~, nefesi kesilmek, tıkanmak: **out of** ~, nefes nefese, nefesi kesilmiş bir halde: **to save one's** ~, nefes tüketmemek: **to speak below [under] one's** ~, alçak sesle konuşmak, fısıldamak.

breathe [briið]. Nefes almak; teneffüs etm.; hohlamak; nefhetmek; mırıldanmak; söylemek. **to** ~ **courage into s.o.,** birine cesaret vermek: **to** ~ **freely again,** rahat bir nefes almak; ferahlanmak: **to** ~ **heavily,** zahmetle nefes almak: **to** ~ **one's last,** son nefesini vermek: **to** ~ **forth [out] threats,** tehdid savurmak. **breathing-space,** nefes alacak zaman veya yer; istirahat fırsatı.

bred *bk.* **breed. well [ill]** ~, terbiyeli [terbiyesiz]: **well-** ~ **horse,** cins at.

breech [briitʃ]. Kıç; kaynak yeri; top kuyruğu. Erkek çocuğa pantalon giydirmek. **to slip a cartridge into the** ~, silâhına fişek sürmek. ~**es,** dizin altından bağlanan kısa pantalon; (*kon.*) pantalon: **to wear the** ~, kocasına hâkim olmak. **breech-block,** kama. **breech-loading,** kuyruktan dolma.

breed [briid]. Soy, cins. (**bred** [bred]). Doğurmak; yetiştirmek, beslemek; hasıl etm.; çoğalmak; yayılmak. **he was bred (up) to the law,** avukat olarak yetiştirildi. ~**ing,** soy; yetiştirme, besleme; terbiye; görgü; muaşeret.

breez·e [briiz]. Hafif rüzgâr, meltem; (*kon.*) atışma. **~y,** hafif rüzgârlı, havadar; neş'eli, canlı.
brevet [ˈbrevət]. Bir subayı maaşını artırmadan terfi ettiren vesika; fahrî terfi vesikası.
breviary [ˈbriiviəri]. Katolik dua kitabı.
brevity [ˈbreviti]. Kısalık.
brew [bruu]. Kaynatıp tahammur ettirerek bira vs. yapmak; (çay) demlemek; hazırlamak; kaynatmak. Hazırlanmış meşrub. **there is something ~ing,** bir şeyler dönüyor. **~ery,** bira fabrikası.
briar [ˈbraiə*]. Yabani gül; kökünden pipo yapılan bir nevi funda.
bribe [braib]. Rüşvet (vermek). **~ry,** rüşvet verme veya alma.
bric-a-brac [ˈbrikəbrak]. Zarif süs eşyası; biblolar.
brick [brik]. Tuğla; tuğladan yapılmış; kalıp. Tuğla döşemek. **to ~ up,** tuğla ile örmek: **to drop a ~,** (*kon.*) çam devirmek: **he 's a ~,** (*kon.*) dört yüz dirhem adamdır. **~bat,** tuğla parçası. **~layer,** duvarcı. **~work,** tuğla işi.
bridal [ˈbraidl]. Geline aid; evlenmeğe aid.
bride [braid]. Gelin. **~groom** [ˈbraidgruum], güvey. **~smaid,** düğünde gelinin yanında bulunan genc kız.
bridge [bridʒ]. Köprü. Üzerine köprü kurmak; briç (kâğıd oyunu). **bridgehead,** köprübaşı.
bridle[1] [ˈbraidl]. At başlığı, yular; (*den.*) iki gemi demirini birleştiren zincir veya halat. Gem vurmak, dizgin takmak. **bridle-path,** atlılara mahsus dar yol.
bridle[2]. Birdenbire aksilenmek, huylanmak.
brief[1] [briif] *a.* Kısa, mücmel. **in ~,** hülâsa olarak: **to be ~,** sözün kısası.
brief[2] *n.* Dava dosyası. *vb.* **to ~ a barrister,** bir davayı bir avukata vermek: **to ~ a case,** bir davanın dosyasını tanzim etm.: **to hold a ~ for s.o.,** birini mahkemede müdafaa etm.: **I don't hold any ~ for him, but ...,** onu müdafaa etmek benim vazifem değil, fakat ... **brief-bag, brief-case,** evrak çantası.
brier *bk.* **briar.**
brig [brig]. İki direkli yelkenli, brik.
brig. (*kıs.*) **brigadier.**
brigad·e [briˈgeid]. Liva; || tugay; yangın vs. için teşkil edilmiş işçi grupu; müfreze. **~ier** [brigəˈdiə*], mirliva; || tugbay, || tug-general.
brigand [ˈbrigənd]. Haydud, eşkıya. **~age,** haydudluk, eşkıyalık.
bright [brait]. Parlak; aydınlık; (hava) açık; uyanık, zeki; canlı, neş'eli.
brighten [ˈbraitən]. Parla(t)mak; canlan(dır)mak, neş'elen(dir)mek

brill [bril]. (*Rhombus laevis*) Çivisiz balığı.
brillian·ce [ˈbriljəns]. Fevkalâde parlaklık, şa'saa. **~t,** fevkalâde parlak; pırlanta.
brim [brim]. Bardak vs. ağzı, kenar. **to ~ over,** taşmak. **brim-full,** ağız ağza dolu.
brimstone [ˈbrimstoun]. Kükürt.
brindle(d) [ˈbrindl(d)]. Siyah veya koyu lekeli kahve renkli (inek vs.).
brine [brain]. Tuzlu su, salamura.
bring (**brought**) [briŋ, broot]. Getirmek; irca etm.; bir hale getirmek. **to ~ into action [play],** ortaya koymak, göstermek; harekete geçirmek: **to ~ guns to bear on stg.,** topları bir şey üzerine çevirmek: **he brought it on himself,** kendi sebeb oldu, bunu başına kendi getirdi: **I could not ~ myself to tell him,** ona söylemeğe dilim varmadı: **he couldn't ~ himself to leave home,** evden ayrılmağa gönlü razı olmadı: **to ~ to pass,** vukua getirmek; iras etmek. **bring about,** vukua getirmek, hasıl etm., sebeb olm.; (gemiyi) çevirmek. **bring along,** yanında getirmek. **bring down,** düşürmek, indirmek; yıkmak; al aşağı etm.: **to ~ down the house,** alkış tufanı koparmak. **bring forth,** doğurmak; meydana çıkarmak; mahsul vermek. **bring forward,** ileri getirmek; ileri sürmek; göstermek; hesab yekûnunu nakletmek. **bring in,** içeri getirmek, içeri almak; irad vermek, getirmek; idhal etmek. **bring off,** alıp götürmek; (gemiyi) yüzdürmek: **to ~ off a success,** başarmak; **to ~ it off,** (*kon.*) muvaffak olmak. **bring on,** sahneye koymak; sebeb olm., hasıl etm.: **this warm weather will ~ on the strawberries,** bu sıcak havada çilekler çabuk olacak. **bring out,** meydana koymak; belli etm.; göstermek; neşretmek: **to ~ a girl out,** bir genc kızı ilk defa sosyeteye çıkarmak. **bring over,** başka tarafa celbetmek. **bring round,** ayıltmak; iyileştirmek; kandırmak; yola getirmek; teskin etmek. **bring through, to ~ a patient through,** bir hastayı kurtarmak. **bring to,** ayıltmak; (*den.*) geminin başını rüzgâra çevirmek. **bring under,** rametmek; serfürü ettirmek. **bring up,** yaklaştırmak; büyütmek, terbiye etm.; mahkemeye celbetmek; ileri sürmek; birdenbire durdurmak; (*den.*) (gemi) durmak: **to ~ up one's food,** istifra etm.: **to ~ up alongside the quay,** rıhtıma yanaşmak: **to ~ stg. up against s.o.,** birinin aleyhine bir şeyi ileri sürmek: **to be brought up short by stg.,** bir şeye çarpıp birdenbire durmak.
brink [briŋk]. Kenar (nehir, uçurum). **on the ~ of,** hemen hemen, üzere, kıl kalmış.
briny [braini]. Tuzlu.
brisk [brisk]. Faal; canlı; uyanık; işlek; canlandırıcı; sert (rüzgâr).

brisket [ˈbriskit]. Hayvanın göğüs eti.
bristl·e [ˈbrisl]. Domuz kılı; sert kıl veya tüy. Tüylerini kabartmak; tüyleri diken diken (dimdik) olm.; (*mec.*) kabarıp kavgaya hazır olmak. **the whole question ~s with difficulties,** mesele baştan başa güçlüklerle kaplıdır. **~y,** kıllı, diken gibi.
Brit·ain [ˈbritən]. Britanya; **Great ~,** Büyük Britanya. **~annia,** Büyük Britanya ve İngiliz İmperatorluğunun sembolü olan kadın; İngiltere. **~annic,** Britanya'ya aid. **~ish,** Britanyalı, İngiliz: **the ~,** İngiliz, İskoç, Galyalı ve Şimalî İrlandalıların umumî adı. **~on,** Britanyalı; İngiliz.
Brittany [ˈbritəni]. Fransadaki Bretanya yarımadası.
brittle [ˈbritl]. Kolay kırılır; gevrek.
broach [broutʃ]. Boşaltma tığı; kebab şişi. Delik açmak, delmek; söze girişmek. **to ~ to,** (*den.*), kapanmak.
broad [brood]. Geniş; vüs'atli; müsamahalı; serbest, liberal. **~ accent,** kaba telâffuz: **to speak ~ Scotch,** koyu bir İskoç şivesile konuşmak: **a ~ story,** açık saçık hikâye: **~ly speaking,** umumiyetle: **the (Norfolk) ~s,** Norfolk kontluğunun göller ve bataklıklar bölgesi. **broad-minded,** geniş fikirli, müsamahalı.
broadcast [ˈbroodcaast]. Yayılmış, dağıtılmış. Radyo yayını. Etrafa serpmek, saçmak; telsiz veya radyo ile neşretmek. **to sow ~,** saçarak ekmek: **~ announcement,** radyo yayını.
broadcloth [ˈbroodkloθ]. Çok ince bir nevi yünlü kumaş.
broaden [ˈbrooden]. Genişletmek.
broadsheet [ˈbroodʃiit]. Yalnız bir tarafı basılmış büyük kâğıd.
broadside [ˈbroodsaid]. Borda; borda topları; borda ateşi; şiddetli hücum. **~ on,** yanlamasına.
brocade [broˈkeid]. İşlemeli kumaş; kılaptanlı çatma. Kılaptanla işlemek.
brochure [ˈbrouʃuə*]. Risale.
brogue[1] [broug]. Bir nevi kaba kundura.
brogue[2]. İrlandalı şivesi; her hangi bir lehçeye mahsus şive.
broil[1] [broil] *n.* Kavga; gürültü.
broil[2]. Iskara (et). Iskarada kızartmak. **~ing hot,** şiddetli sıcak.
broke [brouk] *bk.* **break**; (*kon.*) Cebi delik, meteliksiz.
broken [ˈbrouken] *bk.* **break**; kırılmış; kolu kanadı kırılmış. **~ down,** çökük; bozuk; bitkin; kurada.
broker [ˈbroukə*]. Komisyoncu, simsar; acenta. **~age,** komisyon parası.
bromide [ˈbromaid]. Bromür; (*kon.*) basmakalıb.
bronchia [ˈbronkiä]. Ciğer kasabaları. **~l,** ciğer kasabalarına aid.
bronchitis [bronˈkaitis]. Bronşit.
bronco [ˈbronko]. Yabani veya yarı ehlî at.
bronze [bronz]. Tunç; tunçtan eşya. Tunçlaş(tır)mak; (güneş vs.) deriyi yakmak.
brooch [broutʃ]. Ziynet iğnesi, broş.
brood [bruud]. Bir defada yumurtadan çıkan civcivler veya kuş yavruları; çocuklar, yumurcaklar; güruh. Kuluçkaya yatmak; üstünü kaplamak; kara kara düşünmek. **to ~ over** [**on**] **stg.,** bir şeyi kurmak: **~ mare,** damızlık kısrak. **~er,** civciv büyütme makinesi. **~y,** kuluçka tavuk; dalgın (kimse).
brook[1] [bruk] *n.* Dere, çay.
brook[2] *vb.* (*Menfi cümlelerde*) tahammül etm., dayanmak. **the matter ~s no delay,** meselenin beklemeğe tahammülü yoktur.
broom [bruum]. Süpürge; (*Cytisus scoparius*) katırtırnağı. ⌜**a new ~ sweeps clean**⌝, yeni memur vs. iyi iş görür. **~stick,** süpürge sapı.
broth [broθ]. Etsuyu.
brothel [ˈbroðəl]. Umumhane.
brother [ˈbrʌðə*]. Erkek kardeş, birader; bir cemiyet veya teşkilat azâsı (*bu mânada cem'i* **brethren** [ˈbreðren]). **Older ~,** ağabey: **Brother Jonathan,** Amerika Birleşik Devletleri. **~hood,** kardeşlik, uhuvvet; arkadaşlık; (ahilik gibi) cemiyet, teşkilat. **brother-in-arms,** silâh arkadaşı. **brother-in-law,** enişte, bacanak.
brougham [ˈbruəm]. Kapalı araba veya otomobil, kupa.
brought *bk.* **bring.**
brow [brau]. Alın; kaş; bayırın sırtı.
browbeat [ˈbraubiit]. Sert bakarak korkutmak; kuru sıkı tehdid etm., bastırmak.
brown [braun]. Esmer, kahve rengi, kestane rengi. Esmerletmek; (güneş) yakmak. **to be ~ed off,** (*arg.*) usanmak, bıkmak.
brownie [ˈbrauni]. Hizmet veya iyilik eden peri; (8–11 yaşlarında) küçük izci kız.
browse [brauz]. Otlamak. **~ on,** (yaprak vs.) yemek: **to ~ among books,** kitab karıştırmak.
bruin [bruin]. Ayı.
bruise [bruuz]. Bere, çürük. Berelemek, çürütmek; (*mec.*) yaralamak. **~r,** boksör; zorba.
bruit [ˈbruit]. Bir rivayet veya haber yaymak. Haber, rivayet.
Brummagem [ˈbrʌməgəm]. (**Birmingham.**) Yalancı ve ucuz ziynet eşyası.
brunette [bruˈnet]. Esmer, esmer kadın.
brunt [brʌnt]. En şiddetli darbe veya kısım. **to bear the ~ of,** sıkıntısını çekmek, acısına katlanmak.

brush [brʌʃ]. Fırça; süpürge; tüylü kuyruk; hafif çarpışma. Fırçalamak; süpürmek, silmek; sürtmek, hafifçe dokunup geçmek. **sweeping ~,** süpürge. **brush aside [away],** bertaraf etm., itibara almamak. **brush down,** üstünü fırçalamak, (atı) tımar etmek. **brush out,** fırça ile temizlemek, süpürmek. **brush over,** boya vs. sürmek. **brush up,** fırçalamak, süpürmek: **to ~ up one's French,** fransızcasını tazelemek.
brushwood [ˈbrʌʃwud]. Çalılık.
brusque [brʌsk, bruusk]. Haşin; sert; nezaketsiz.
brutal [ˈbruutl]. Hayvanca; zalim; canavarca. **~ity** [–ˈtaliti], vahşilik, canavarlık, gaddarlık, **~ize,** hayvanlaştırmak, kabalaştırmak.
brut·e [bruut]. Hayvan; canavar; zalim. **by ~ force,** sırf kuvvete dayanarak; zorbalıkla. **~ish,** hayvan gibi, hayvanlaşmış, pek kaba.
bryony [ˈbraiəni]. (*Bryonia*) (?) akasma; (*Tamus*)?
B.Sc. (*kis.*) **Bachelor of Science,** Fen fakültesi mezunu.
bubble [ˈbʌbl]. Hava kabarcığı; cam veya buz içindeki göz; hayal, olmıyacak şey. Hava kabarcıkları yapmak; köpürmek, kaynamak, fokurdamak; lıkırdamak. **to ~ over,** taşmak; coşmak: **to prick the ~,** birinin kurduğu hayali yıkmak.
bubo [ˈbjuubou]. Veba veya frengiden hasıl olan şiş; köpek memesi. **~nic, ~ plague,** veba.
buccaneer [bʌkəˈniə*]. Korsan, deniz hırsızı. Korsanlık etmek.
buck [bʌk]. Erkek karaca, geyik, keçi veya tavşan; şık adam, züppe; (*Amer. arg.*) dolar. (At) sıçrayıp kıç atmak. **to pass the ~,** (*Amer. arg.*) bir mesuliyeti vs. üzerinden atmak. **buck off,** (at) birini üstünden atmak. **buck up,** (*kon.*) birine kuvvet ve cesaret vermek; cesaret bulmak, canlan(dır)mak; harekete gelmek.
bucket [ˈbʌkit]. Kova; tulumba pistonu; su dolabı gözü. **bucket-shop,** hava oyuncusunun dairesi.
buckle [ˈbʌkl]. Toka; kopça. Tokalamak, kopçalamak, takamak. **buckle to,** (*kon.*) girişmek, çok çalışmak. **buckle up,** (maden) sıcak vs.den bükülmek.
buckler [ˈbʌklə*]. Küçük kalkan; siper, himaye.
buckram [ˈbʌkrəm]. Çirişli keten bezi.
buckskin [ˈbʌkskin]. Güderi.
buckthorn [ˈbukθoon]. (*Rhamnus*) Bir nevi dikenli küçük ağac.
buckwheat [ˈbʌkwiit]. Karabuğday.
bucolic [bjuˈkolik]. Kır hayatına dair; rustaî; köylü gibi; dağlı.
bud [bʌd]. Tomurcuk, konca. Tomurcuklanmak, konca vermek; (bir ağacı) aşılamak. **~ding,** yaprak aşısı; tomurcuklanan: **a ~ poet,** yetişmekte olan şair.
budge [bʌdʒ]. Kımılda(t)mak; fikrini değiştir(t)mek.
budget [bʌdʒit]. Bütçe; mecmua, paket, demet. **to ~ for,** bütçeye koymak. **~ary,** bütçeye aid.
buff (bʌf]. Meşin; deri asker caketi; maden parlatmağa mahsus bir yuvarlağa sarılı deri. Deve tüyü rengi. Deri ile parlatmak. **in the ~,** çırılçıplak: **the Buffs,** meşhur bir ingiliz alayı: **blindman's ~,** körebe oyunu.
buffalo [ˈbʌfəlou]. Manda.
buffer [ˈbʌfə*]. Müsademe yayı; tampon; eski kafalı adam; beceriksiz adam.
buffet[1] [bʌfit]. Yumruk. Yumrukla vurmak; vurmak, çarpmak.
buffet[2] [ˈbufei]. Tabak dolabı; büfe, yemek tezgâhı.
buffoon [bʌˈfuun]. Soytarı, palyaço, maskara. **~ery,** soytarılık, maskaralık.
bug [bʌg]. Tahtakurusu; böcek.
bugaboo [ˌbʌgəˈbuu]. Umacı; korkulan şey.
bugbear [ˈbʌgbeə*]. Korkulan şey; nefret edilen adam veya şey.
buggy [bʌgi]. Bir kişilik hafif araba.
bugle [ˈbjuugl]. Boru. Boru çalmak. **~r,** borazan.
bugloss [ˈbjuuglos]. (*Lycopsis*) Sığırdili (?).
build (built) [bild, bilt]. Yapı yapmak, inşa etm.; kurmak; yapmak. Yapı, biçim. **I am built that way,** ben böyleyim: **I am not built that way,** bu bana gelmez, bu benim gidişime uymaz. **~ing** *n.* yapı; bina, ev. **build in,** (bir pencereyi vs.) örmek; duvarın içinde inşa etmek. **build up,** takviye etm.; kurmak: **built-up area,** meskûn bölge: **well-built man,** biçimli adam.
built *bk.* **build.**
bulb [bʌlb]. (Lâle vs. hakkında) soğan; elektrik ampulu; termometre camının haznesi. **~ous,** soğanlı, soğan gibi, şiş.
bul·ge [bʌldʒ]. Bel verme, şiş. Bel vermek, dışarı fırlamak; şiş yapmak; pırtlamak. **~ing,** pırtlak; fırlayan.
bulk [bʌlk]. Hacim, cüsse; büyük kısım. **to ~ large,** çok yer tutmak. **in ~,** toptan; götürü. **~y,** hacimli, kocaman; havaleli.
bulkhead [ˈbʌlkhed]. Gemi bölmesi.
bull[1] [bul]. Boğa; balina, fil vs. gibi iri hayvanların erkeği; boğa gibi, çok kuvvetli. (İnek) kızgın olmak. **a ~ in a china shop,** sakar, orman kibarı; patavatsız adam: **to take the ~ by the horns,** bir tehlikeyi önlemek için birden ve cesaretle

atılmak: **John Bull,** İngiltere ve İngilizlere verilen isim. **~dog,** buldok köpeği; cesur ve inadcı adam. **bull-dozer** [-douzə*], engel, enkaz vs.yi temizlemek için kullanılan büyük makine.

bull[2]. Fiatların yükseleceğini hesab ederek tahvilat alan kimse, hosye. **to ~ the market,** borsada fiatları yükselterek hava oyunu yapmak.

bull[3]. Papanın emirnamesi veya piskopos tayin beratı.

bull[4]. **Irish ~,** mantıksız fakat tuhaf söz, *mes.* 'eğer bu mektubumu almazsanız lûtfen yazıp bildirniniz!'

bullet [ˈbulit]. Kurşun, mermi.

bulletin [ˈbulətin]. Kısa haber; tebliğ; ilân; bülten, mecmua.

bullfinch [ˈbulfintʃ]. (*Pyrrhula*) Şakrak kuşu.

bullion [ˈbʌljən]. Altın veya gümüş külçesi.

bull's-eye [ˈbulzai]. Hedefin ortası; tam vuruş; yarım küre şeklinde cam, fener adesesi; bir nevi nane şekeri.

bully[1] [ˈbuli]. Zorba, kabadayı. Korkutmak, tehdidle zorlamak; küçük veya zayıflara fena muamele etmek.

bully[2]. (*Amer.*) Mükemmel; nefis.

bully-beef [ˈbulibiif]. Konserve sığır eti.

bulrush [ˈbulrʌʃ]. Saz, hasır sazı.

bulwark [ˈbulwək]. Siper, istihkâm; mendirek; küpeşte.

bum [bʌm]. (*Kon.*) Kıç; (*Amer. kon.*) tembel, işe yaramaz, sarhoş.

bumble-bee [ˈbʌmblˈbii]. Hezen arısı, zina.

bum-boat [ˈbʌmbout]. Erzak sandalı.

bump [bʌmp]. Çarpma, sadme, vuruş, sarsıntı; yumru, çıkıntı. Çarpmak; vurmak, çarpışmak, sars(ıl)mak. **~ of invention,** *etc.*, icad vs. kabiliyeti. **~er,** otomobilin önündeki müsademe tamponu; ağız ağıza dolu bardak; çok büyük.

bumpkin [ˈbʌmkin]. Hödük.

bumptious [ˈbʌmʃəs]. Kendini beğenmiş; küstahça ukalâ.

bumpy [ˈbʌmpi]. Yamrı yumru; çıkıntılı; sallantılı.

bun [bʌn]. Çörek; saç topuzu. **that takes the ~!,** artık bu kadar olur!

bunch [bʌntʃ]. Salkım; deste; demet; sürü; takım. Bir araya gelmek, toplamak. **he's the best of the ~,** içlerinde en iyisi odur.

bundle [ˈbʌndl]. Bohça, çıkın; demet, deste. Demet vs. yapmak; çıkın yapmak. **to ~ s.o. off,** birini savmak: **to ~ s.o. out of the house,** birini kapı dışarı etmek.

bung [bʌŋ]. Fıçı tapası, tıkaç; (*arg.*) martaval. Tapasını kapamak, tıkamak. **to be ~ed up,** tıkanmak, kapanmak.

bungalow [ˈbʌngalou]. Tek katlı kır evi.

bungle [ˈbʌŋgl]. Bozma, berbad etme. Bozmak, berbad etm.; yüzüne gözüne bulaştırmak. **to make a ~ of stg.,** bir şeyi yüzüne gözüne bulaştırmak.

bunion [ˈbʌnjən]. Ayak parmağının üzerinde hasıl olan şiş.

bunk[1] [bʌŋk]. Duvar içinde dar yatak yeri; kabine yatağı; ranza.

bunk[2] (*arg.*) Saçma, palavra.

bunk[3] (*arg.*) **~ (off), to do a ~,** sıvışmak, tüymek.

bunker [ˈbʌŋkə*]. Vapur kömürlüğü; golf sahasında mania, set. **to be ~ed,** maniaya rastlamak, çıkmaza gelmek.

bunkum [ˈbʌŋkm]. Saçma, palavra.

bunny [ˈbʌni]. Tavşana çocukların verdiği isim.

bunt [bʌnt]. Sürme, yanık.

bunting[1] [ˈbʌntiŋ]. Serçe cinsinden bazı kuşlara verilen isim.

bunting[2]. Bayrak kumaşı, şali; bayraklar.

buoy [boi]. Şamandıra; cankurtaran. Şamandıra koymak. **to ~ up,** yüzdürmek, su üzerinde tutmak; (*mec.*) ümid veya cesaret vermek.

buoyan·cy [ˈboiənsi]. Yüzme habiliyeti; izafî ağırlık; (fiat vs.) yükselme kabiliyeti; heyecan, neş'e. **~t,** yüzebilir, hafif; neş'eli canlı.

bur [bəə*]. Yapışkan tohum veya çıçek.

burble [ˈbəəbl]. Şırıltı, mırıltı. Şırıldamak, mırıldamak.

burden [ˈbəədən]. Yük, ağırlık; elem; geminin yük kabiliyeti; nakarat, ana fikir. Yüklemek; ağırlaştırmak; sıkmak. **to ~ with,** yükletmek: **to be a ~ to s.o.,** geçimi birine aid olm.: birine eziyet vermek: **to make s.o.'s life a ~,** birini doğduğuna pişman ettirmek: **the ~ of proof,** beyyine külfeti.

burdock [ˈbəədok]. (*Arctium Lappa*) Dulavratotu.

bureau [bjurou]. Yazı masası; yazıhane, daire, büro.

bureaucra·cy [bjuəˈrokrəsi]. Hükûmet dairelerile idare; merkeziyetçilik; kırtasiyecilik. **~t,** [ˈbjuərokrat], merkeziyet tarafdarı; memur; kırtasiyeci.

burgee [bəəˈdʒii]. (*den.*) Hususî bayrak; gidon.

burgh [ˈbʌra]. Kasaba. **~er** [bəəgə*], kasabalı; şehirli.

burglar [ˈbəəglə*]. (Eve giren) hırsız. **~y,** eve girerek hırsızlık.

burgle [ˈbəəgl]. (Eve girerek) çalmak.

burgomaster [ˈbəəgoˌmaastə*]. Felemenk, Flanders ve Almanya'da belediye reisi.

burial [ˈberiəl]. Gömme, defnetme. **burial-ground,** mezarlık.

burke [bəək]. Örtbas etmek. **to ~ the question,** cevabdan kaçınmak, kaçamaklı cevab vermek.
burlesque [bəəˈlesk]. Komik şekilde taklid; tehzil. Komik, hezel nev'inden.
burly [ˈbəəli]. İri yarı, kuvvetli.
Burm·a [ˈbəəmə]. Birmanya. **~an, ~ese,** Birmanyalı.
burn[1] (burnt) [bəən, bəənt]. Yakmak, yanmak. Yanık. **to be ~t to death,** diri diri yanmak: **I hope his ears are ~ing,** (birinden bahsederken) kulakları çınlasın!: **to ~ one's fingers,** başını belâya sokmak: **money ~s a hole in his pocket,** cebinde para durmaz; para onu dürter: **this has ~t (itself) into my mind,** bu benim hafızama nakşedildi: **he has money to ~,** denizde kum onda para. **burn down,** (bir şehri vs.) yakmak. **burn in,** ateşle hakketmek. **burn out,** sonuna kadar yanıp bitmek; **to be ~t out,** evi tamamen yanmak. **burn up,** tamamen yakmak; (ateş) canlanmak.
burn[2]. (İskoçya'da) dere.
burning [ˈbəəniŋ] *a.* Yanan. **a ~ question,** hayatî mesele; pek mühim mesele. **burning-glass,** pertavsız.
burnish [ˈbəəniʃ]. Mıskal veya bıçırgan ile parlatmak. **~er,** mıskal, bıçırgan.
burr[1] [bəə*]. R harfinin boğazdan sert telâffuzu.
burr[2]. Kenar pürüzü, çapak. Bir vidanın dişini körleştirmek.
burr[3] *bk.* **bur.**
burrow [ˈbʌrou]. Tavşan, köstebek vs. yuvası. İn açmak, delik kazmak; saklanmak; kazmak.
bursar [ˈbəəsə*]. (İngiliz üniversite ve mekteblerinde) muhasebeci; (İskoçya'da) burslu talebe. **~y,** kolej muhasebesi; burs.
burst (burst) [bəəst]. Patla(t)mak; çatla(t)mak; yar(ıl)mak; fırla(t)mak; birdenbire çıkmak, açılmak. Patlama, fırlama; birdenbire çıkma. **to ~ asunder,** kırmak, koparmak; kırılmak: **to ~ forth,** birdenbire çıkmak; fışkırmak; birdenbire söylemek: **I was ~ing with impatience,** sabırsızlıktan içim içimi yiyordu: **to be ~ing with laughter,** gülmekten katılmak: **to ~ a door open,** bir kapıyı kırıp açmak: **to ~ out,** birdenbire bağırmak; çıkışmak; fışkırmak: **to ~ out laughing,** kahkaha koparmak: **to ~ upon s.o.'s sight,** birisine birdenbire görünmek: **to ~ into tears,** gözünden yaşlar boşanmak: **the truth ~ (in) upon me,** birdenbire hakikati anladım, kafama dank dedi.
bury [ˈberi]. Gömmek, defnetmek; saplamak, daldırmak; örtmek, saklamak; unutmak.
bus [bʌs]. Otobüs. Otobüsle gitmek. **to miss the ~,** (*mec.*) fırsatı kaçırmak.
bush[1] [buʃ]. Çalı, çalılık; fidan. **to beat about the ~,** sözü döndürüp dolaştırmak; bir türlü mevzua yanaşmamak: ⌜**good wine needs no ~**⌝, iyi mal için reklama hacet yok.
bush[2]. Madenî zıvana.
bushel [ˈbuʃəl]. İngiliz kilesi (takriben 36 litre).
Bushman[1] [ˈbuʃman]. Cenubî Afrika'nın bir yerli kabilesine mensub kimse.
bushranger [ˈbuʃreindʒə*], **bushman**[2]. Avustralya fundalıklarında yerleşmiş kimse ki vaktile ekseriya eşkiyalıkla geçindirdi.
bushy [ˈbuʃi]. Çalılık; sık, fırça gibi.
business [ˈbiznis]. İş, san'at, meşguliyet, vazife; ticaret; firma; husus, mesele. **~ is ~,** alışveriş miskalle; iş başkadır: **the ~ end (of a tool,** *etc.*), bir alet vs.nin sivri veya keskin tarafı: **he is in ~ for himself,** kendi hesabına çalışıyor: **he means ~,** ciddidir, şakası yok: **to have no ~ to ...,** hakkı olmamak: **it's none of your ~,** sizin ne vazifeniz?; size aid bir şey değil: **to be out of ~,** işten çekilmek: **good ~!,** hele şükür!: **to send s.o. about his ~,** birini defetmek. **~like,** işe elverişli; usulü dairesinde; pratik.
busman [ˈbʌsmən]. Otobüs şoförü veya biletçisi. **to take a ~'s holiday,** tatil veya istirahat zamanında da mesleğine aid iş yapmak.
bust[1] [bʌst]. Yarım heykel, büst; göğüs.
bust[2]. (*arg.*) **to go ~,** İflâs etmek.
bustle[1] [ˈbʌsl]. Telâş ve acele, telâşlı faaliyet. Telâş ve acele etm.; telâşa vermek, acele ettirmek.
bustle[2]. Kadın etekliğinin üst arka tarafını kabartmak için kullanılan yastık.
busy [ˈbizi]. Meşgul, işi olan; faal, işlek, hareketli; işgüzar. Meşgul etmek. **the ~ hours,** en çok faaliyet olan saatler: **to get ~,** işe girişmek. **~body,** işgüzar, her işe burnunu sokan.
but [bʌt]. Fakat, ama, lâkin, ancak; başka. **~ for,** olmasaydı, olmasa: **~ for that,** bu olmasa: **~ yet,** böyle olmakla beraber: **anyone ~ me,** benden başka herkes: **anything ~ that,** bu olmasın da ne olursa olsun: **he is anything ~ a hero,** o kahramandan başka her şeydir: **I cannot ~ believe,** inanmamak mümkün değildir ki: **had I ~ known,** eğer bilseydim: **he knows ~ little,** pek az bilir: **never a year passes ~ he comes to visit us,** bir sene yoktur ki o bizim ziyaretimize gelmesin: **it was ~ last year,** daha geçen sene: **not ~ that I pity you,** size acıdığımdan değil.
butcher [ˈbutʃə*]. Kasab; kaatil. (Kasaplık) hayvan kesmek; kesmek; doğramak. **~y,** kasablık; kesip doğrama; katliâm.

butler [ˈbʌtlə*]. Sofra ve kiler işlerine bakan erkek kâhya, sofracı.
butt[1] [bʌt]. Büyük fıçı, varil.
butt[2]. Dipçik; sap.
butt[3]. Hedef. **the ~s**, atış sahası.
butt[4]. Tos. Tos vur(dur)mak; sümmek. **to ~ in**, sellemehüsselâm girişmek, birdenbire müdahale etmek.
butter [ˈbʌtə*]. Tereyağı. Üzerine tereyağı sürmek. **to ~ up**, müdahene etm.; çok medhetmek: **he looks as though ~ wouldn't melt in his mouth**, *zahiren pek uslu ve masum görünen bir kimse hakkında kullanılır.* **~cup**, (*Ranunculus acris, R. repens*) Düğün çiçeği. **~fly**, kelebek: **to set a ~**, yakalanan bir kelebeği kuruyuncaya kadar doğru vaziyette tutmak: ⌜**to break a ~ on the wheel**⌝, lüzumsuz yere büyük cehid sarfetmek. **~milk**, yayık ayranı. **~y**, kiler. **butter-fingers**, daima elinden bir şey düşüren kimse (*bilh.* atılan topu tutamıyan).
buttock [ˈbʌtək]. But, kaba et. **~s**, kıç.
button [ˈbʌtən]. Düğme. Düğmele(n)-mek; ilikle(n)mek. **boy in ~s, ~s**, otel veya klüpte çocuk garson. **button-hole**, *n.* ilik; yakaya takılan çiçek; *vb.* yakalayıp zorla dinletmek, traşa tutmak. **button-hook**, düğme kancası.
buttress [ˈbʌtris]. Destek; payanda. Desteklemek, payanda vurmak.
buxom [ˈbʌksəm]. Toplu, sıhhatli ve neş'eli (kadın).
buy [bai]. Satın almak, almak. **a good [bad] ~**, kârlı [zararlı] alışveriş. **buy in**, (mezadda) satıcı namına satın almak; istok etmek. **buy off**, ···e para vererek kurtulmak; (birini) satın almak. **buy out**, hissesini vs. satın almak. **buy over**, rüşvetle birini satın almak. **buy up**, piyasa mevcudunun hepsini satın almak.
buyer [ˈbaiə*]. Satın alıcı; mubayaacı.
buzz [bʌz]. (*ech.*) Vızıltı; gürültü. Vızıldamak; (kulak) çınlamak. **to ~ about**, öteye beriye telâşla gidip gelmek: **~ off!**, (*arg.*) çek arabayı!
buzzard [ˈbʌzəəd]. (*Buteo*) Bir nevi şahin (doğancılıkta kullanılmaz).
buzzer [ˈbʌzə*]. Buhar düdüğü. Telgraf işareti.
by[1] [bai]. Vasıtasıle; ···ile; ···den, tarafından; ···de, yanında, yakınında, nezdinde; ···e kadar; önünden, yakınından; geçmiş; bir tarafa; göre, nazaran; suretile. **by and ~**, bir azdan; ileride: **~ day**, gündüz, gündüzün: **~ doing that**, bunu yapmak suretile: **~ error**, yanlışlıkla: **~ far**, çok daha fazla; büyük bir farkla; fersah fersah: **~ God**, Allah hakkı için: **~ now, ~ this time**, şimdiye kadar: **~ oneself**, kendi kendine; bir köşede: **~ rights**, usülen, usüle göre: **~ sea**, denizden, deniz yolile: **~ the sea**, deniz kenarında: ⌜**do as you would be done ~**⌝, sana nasıl muamele etmelerini istiyorsan başkalarına öyle muamele et!: **to do one's duty ~ s.o.**, birine karşı olan vazifesini yapmak: **one ~ one**, birer birer: **three feet ~ two**, boyu üç eni iki kadem: **~ 1500 printing was almost universal in Europe**, 1500 tarihlerinde matbaa bütün Avrupa'da hemen hemen tamamen yayılmıştı: **the meeting will be over ~ 5 o'clock**, toplantı her halde saat beşte biter.
by[2], **bye** *pref.* Talî; ikinci derecede: *mes.* **by-election**, ara seçimi; *n.* Spor musabakalarında oyuncuların tasnifinde tek kalan oyuncu; istitrad. **by the bye**, istitraden; hatırıma gelmişken. **by-election**, ara seçimi. **by-lane**, sapa yol. **by(e)-law**, mahalli idarelerce konan nizam. **by-name**, lâkab. **by-pass**, *n.* talî yol veya boru. *vb.* uğramamak, yanından geçmek; bir maksada varmak için (manilerden) ictinab etm.: **~ road**, bir ana yol üzerinde kalabalık bölgelerden kaçınmak için yapılan talî yol. **by-product**, talî mahsul. **by-word**, darbımesel olmuş; dillere destan: **to be the ~ of the village**, köyün ağzına düşmek.
bye-bye [baibai]. Allaha ısmarladık!, güle güle!
bygone [ˈbaigon]. Geçmiş, eski. **let ~s be ~s**, geçmişi unutalım.
byre [ˈbaiə*]. İnek ahırı.
bystander [ˈbaistandə*]. Yanında bulunan şahıs; seyrici.
Byzantium [baiˈzantjəm]. Bizans.

C

C [sii]. C harfı; (*mus.*) do; büyük C Roma rakamlarında 100 sayısını gösterir.
cab [kab]. Kira arabası; taksi; lokomotifin makinist ve ateşçi yeri; kamyonda şoför yeri.
cabal [kəbaal]. Gizli komite; entrika, kumpas; suikasd. Kumpas kurmak, suikasd tertib etmek.
cabaret [ˈkabərei]. Dansedilen çalğılı ve içkili lokanta, kabare.
cabbage [ˈkabidʒ]. Lahana.
cab(b)alistic [ˌkabəˈlistik]. Esrarlı, gizli.
cabby [ˈkabi]. (*kon.*) Arabacı.
cabin [ˈkabin]. Kamara; kulübe. **cabin-boy**, muço.
cabinet [ˈkabinət]. (Camlı veya çekmeceli)

dolab; kabine; küçük hususî oda. **cabinet-maker,** ince iş yapan marangoz. **cabinet-work,** ince marangozluk.
cable [ˈkeibl]. Kalın halat, palamar; kablo; telgraf. Kablo ile telgraf çekmek. **~'s length,** 185·2 metrelik mesafe ölçüsü.
cabman [ˈkabmən]. Kira arabacısı.
caboodle [kəˈbuudl]. (*kon.*) **the whole ~,** sürü sepet; cümbür cemaat.
caboose [kaˈbuus]. Gemi güvertesinde küçük mutfak; (*Amer.*) yük treninde bekçi vagonu.
ca' canny [ˈkaaˈkani]. Yavaş yavaş. **to ~ [to go ~],** kendini pek sıkmadan çalışmak.
cachalot [ˈkaʃəlot]. Amber balığı.
cache [kaʃ]. Erzak konan gizli yer. Gizli bir yere erzak koymak.
cachet [ˈkaʃei]. Mühür, damga; hap, kapsül; hususiyet, alâmet.
cackle [ˈkakl]. Gıdaklama(k); lâklâkiyat; gürültü ile gülme(k) veya konuşma(k).
cacophony [kaˈkofoni]. Tenafür, ahenksizlik.
cactus [ˈkaktʌs]. Frenk inciri.
cad [kad]. Aşağılık adam; adi mahluk; centilmenin aksi.
cadaverous [kaˈdavərəs]. Cesed gibi; ölü gibi; zayıf ve sapsarı.
caddie [ˈkadi]. Golf oyuncusunun takımlarını taşıyan çocuk.
caddish [ˈkadiʃ]. Aşağılık, adî; centilmene yakışmaz şekilde.
caddy [ˈkadi]. Çay kutusu.
cadence [ˈkeidəns]. Ahenk; ses perdesi.
cadet [kəˈdet]. Küçük kardeş veya oğul; askerî (*bilh.* deniz) mekteb talebesi. **~ Corps,** mekteb taburu.
cadge [kadʒ]. Seyyar satıcılık yapmak; dilenmek; dilencilikle veya madrabazlıkla elde etm.; otlamak. **~r,** dilenci; otlakçı.
café [ˈkafei]. Kahvehane; lokanta. **~teria** [–ˈtiəriə], müşterilerin kendi hizmetlerini kendileri gördükleri lokanta.
cage [keidʒ]. Kafes; asansör odası. Kafese koymak.
Cain [kein]. Kabil (Âdemin büyük oğlu); kardeş kaatili.
cairn [keiən]. Bir işaret veya abide olarak yığılan taş kümesi.
Cairo [ˈkairou]. Kahire.
caisson [ˈkeisən]. Cebhane sandığı veya vagonu; su altı temel işlerinde kullanılan sandık, batardo; batan gemileri yüzdürmek için kullanılan duba.
caitiff [ˈkeitif]. Korkak, alçak, aşağılık.
cajole [kəˈdʒoul]. Kandırmak; yatıştırmak; güzel sözlerle aldatmak. **to ~ s.o. out of stg.,** birini kandırıp bir şey koparmak. **~ry,** kandırma, güzel sözlerle aldatma.
cake [keik]. Pasta, kurabiye, kek, çörek; kızartma; kalıb, parça. Katılaşmak, kabuk bağlamak, kurumak. **~s and ale,** hayatın zevkleri: **ʳyou can't eat your ~ and have it tooˀ,** bir şeyi hem sarfedip hem de ona malik olmak imkânsızdır: **they are selling like hot ~s,** kapışılıyor, kapışan kapışana.
calabash [ˈkalabaʃ]. Balkabağından yapılan su kabı.
calamit·ous [kaˈlamitəs]. Felâketli; âfet gibi. **~y,** âfet, felâket, beliyye.
calcareous [kalˈkeiriəs]. Kireçli, kalkerli.
calc·ify [ˈkalsifai]. Kireçlendirmek. **~ine,** yakarak kireçlendirmek; yakıp kül haline getirmek. **~ium,** kils, kalsiyom.
calcula·te [ˈkalkjuleit]. Hesablamak; tahmin etm.; hesab etm., saymak. **to ~ on s.o.,** birine bel bağlamak. **~tion,** hesablama, hesab.
calculus[1] [ˈkalkjuləs]. Mesane taşı.
calculus[2]. Hesabı asgarı namütenahi.
Caledonia [ˌkaliˈdounjə]. Kaledonya; İskoçya.
calendar[1] [ˈkalendə*]. Takvim; liste; kayıd defteri.
calender[2]. Silindirli ütü makinesi. Ütüden geçirmek.
calends [ˈkalends]. Eski Roma takviminde ayın ilk günü. **on the Greek ~,** balık kavağa çıkınca.
calf[1] *pl.* **calves** [kaaf, kaavz]. Buzağı; dana; balina, fil vs. yavrusu; dana derisi; beceriksiz, acemi tavırlı çocuk. **to kill the fatted ~,** aile efradından birinin dönüşünü kutlamak. **calf-love,** ilk aşk.
calf[2], *pl.* **calves.** Bacağın dizden aşağı arka kısmı; baldır.
calib·rate [ˈkalibreit]. Çapını tayin etm.; derecesini ayarlamak. **~re** [ˈ–bə*], çap; ehemmiyet, değer; ehliyet.
calico [ˈkaləkou]. Pamuk bezi.
caliper *bk.* **calliper.**
caliph [ˈkeilif]. Halife.
call[1] [kool] *n.* Çağırma; bağırma; davet; boru sesi; uğrama, ziyaret; telefon etme; yoklama; sebeb, vesile, hacet. **to answer Nature's ~,** bir sevkitabiiye uymak (*eks.* abdest bozmak *manasına gelir*): **at ~,** emre muhavvel: **to have a close ~,** dar kurtulmak: **to come at ~,** çağırıldığı zaman gelmek: **to feel a ~ to ...,** içinde (vicdanında) duymak: **to give a ~,** seslenmek; telefon etm.: **there's no ~ to blush,** utanacak bir sebeb yok: **there's no ~ for rejoicing,** ortada sevinecek bir şey görmüyorum: **to pay a ~ on s.o.;** birini ziyaret etm.: **port of ~,** geminin uğradığı liman: **to put a ~ through,** uzak mesafeye telefon etm.: **within ~,** çağırılınca işidebilecek bir mesafede.

all² *vb.* Çağırmak; bağırmak; adlandırmak, isim vermek; davet etm.; uyandırmak; ziyaret etm.; uğramak; telefon etm.; saymak, addetmek; tediyesini istemek. **London ~ing!** (radyo) burası Londra: **he is ~ed Tom,** ismi Tom'dur: **he ~ed him a liar,** yalancı olduğunu (yüzüne karşı) söyledi: **to ~ s.o. or stg. after s.o.,** bir kimseye veya bir şeye birinin adını vermek: **to ~ back,** karşılık vermek; cevabını vermek; tekrar uğramak: **to ~ s.o. back,** birisini geri çağırmak: **to ~ back to s.o.,** dönüp birini çağırmak; bağırarak birine cevab vermek; **he ~s himself a colonel,** kendisinin albay olduğunu söylüyor. **call for,** birine seslenmek; birini çağırtmak; istemek; icabetmek; zarurî kılmak; taleb etm.; uğrayıp almak: **'to be (left till) ~ed for',** gelinip alınacak. **call forth,** sebeb olm., meydan vermek; yol açmak; ortaya çıkarmak. **call in,** çağırmak; içeri çağırmak; geri isteyip toplamak; (kâğıd para vs.) yeni para çıkarmak için geri çekmek. **call off, to ~ off a strike,** bir greve nihayet verilmesini emretmek: **to ~ off a deal,** bir anlaşmayı ibtal etm.: **to ~ off a dog,** köpeği hücumdan vazgeçirmek. **call on, to ~ on s.o.,** birini ziyaret etm.: **to ~ on s.o. to do stg.,** *bk.* call upon. **call out,** bağırmak; seslenmek; çağırmak; duelloya davet etmek. **call over,** yoklama yapmak; yanına çağırmak. **call together,** toplamak; ictimaa davet etmek. **call up,** yukarıya çağırmak; askere çağırmak, silâh altına almak; hatıra vs. uyandırmak. **call upon, to ~ upon God,** *etc.*, Allahtan veya azizlerden istemek; **to ~ upon s.o. to do stg.,** birinden bir şeyi yapmasını taleb etm., emretmek; **to ~ upon s.o. for help,** yardım için birine başvurmak: **'I now ~ upon Mr. B.',** şimdi sözü Mr. B.'ye veriyorum.

caller [ˈkooləʳ]. Ziyaretçi; telefon eden kimse.

calligraphy [kaˈligrəfi]. Hattatlık; güzel yazı.

calling [ˈkooliŋ] *n.* Meslek; iş.

callipers [ˈkalipəəz]. Çap pergeli; kumpas.

call·osity [kaˈlositi]. Nasır. **~ous,** nasırlı; sertleşmiş; katı; hissiz, nasırlaşmış. **~us,** nasır.

calm [kaam]. Sakinlik, huzur; soğukkanlılık. Sakin; durgun; heyecansız; soğukkanlı. Teskin etm., yatıştırmak. **to ~ down,** yatış(tır)mak.

calumn·iate [kəˈlʌmnieit]. İftira etmek. **~y** [ˈkaləmni], iftira.

Calvary [ˈkalvəri]. İsa'nın çarmıha gerildiği yer; çarmıha gerilmenin temsilî resmi; büyük ıstırab.

calve [kaav]. Buzağılamak.

calves calf'in cemi.

calyx [ˈkeiliks]. Çiçek ke'si.

cam [kam]. Kam.

camarilla [ˌkaməˈrilə]. Gizli komite; klik; grup.

camber [ˈkambəʳ]. Muhaddeb olma(k); hafif kavis (yapmak).

cambric [ˈkambrik]. Patiska.

came *bk.* **come.**

camel [ˈkaməl]. Deve.

cameo [ˈkamio]. İşlemeli akik.

camera [ˈkamərə]. Fotograf makinesi. **in ~,** hususî; gizli olarak. **~man,** fotografçı.

camisole [ˈkamisoul]. Kadın iç gömleği; kaşkorse.

camomile [ˈkamomail]. (*Anthemis*) Bir nevi papatya.

camouflage [ˈkamuflaaʒ]. Kamuflaj (yapmak); örtmek, gizlemek.

camp [kamp]. Karargâh; kamp. Kamp kurmak. **camp-chair,** katlanır iskemle.

campaign [kamˈpein]. (Askerî) sefer; seferberlik. Sefer açmak, mücadele etmek.

campanula [kamˈpanjulə]. Çançiçeği.

camphor [ˈkamfəʳ]. Kâfur. **~ated,** kafûrlu.

camshaft [kamʃaaft]. Kamlı mil.

can¹ [kan]. Madenî kab; güğüm, maşrapa; teneke kutu. Konserve yapmak; kutuya koymak.

can² *vb. Yardımcı fiil*; (*masdar halinde kullanılmaz*; *bunun yerine* **to be able** kullanılır). Muktedir olm., ···bilmek, bilmek; *fiilerin başına gelerek iktidarî sıygasını teşkil eder*: **I can do,** yapabilirim: **I could not do,** yapamazdım: **it cannot be done,** bu mümkün değildir, bu olamaz: **what ~ it be?,** ne olabilir?, nedir acaba?: **~ you swim?,** yüzmek bilir misiniz?: **I ~ see nothing,** hiç bir şey görmüyorum: **I will do what I ~,** elimden geleni yaparım.

canal [kəˈnal]. Kanal; geçid. **~ize** [ˈkanəlaiz], kanal açmak.

canary [kəˈneəri]. Kanarya.

cancel [ˈkansl]. Silmek, çizmek, feshetmek; kaldırmak; hükümsüz bırakmak; vazgeçmek; ibtal etmek. **~lation,** silme, çizme, kaldırma; feshetme.

cancer [ˈkansəʳ]. Kanser. **~ous,** kanserli.

candelabra [ˌkandəˈleibra]. Kollu şamdan.

candid [ˈkandid]. Samimî, açık, riyasız; tarafsız; dobra dobra.

candida·te [ˈkandidit]. Namzed. **~ture,** namzedlık.

candle [ˈkandl]. Mum. **to burn the ~ at both ends,** başka başka bir çok işler yaparak kuvvetini tüketmek: **the game is not worth the ~,** astarı yüzünden pahalı: **he cannot**

hold a ~ to you, o senin eline su dökemez; senin ayağının pabucu olamaz. **~stick,** şamdan.
candour [ˈkandə*]. Toksözlülük; açık kalblilik; tarafsızlık.
candy [ˈkandi]. Şekerleme; (*Amer.*) her nevi yenecek şeker, bonbon, çikolata vs. şekerleme yapmak; şeker gibi olmak.
cane [kein]. Baston, değnek, çubuk; kamış. Dayak atmak. **to get the ~,** dayak yemek.
canine [ˈkanain]. Köpeğe aid, köpek gibi. Köpek dişi.
canister [ˈkanistə*]. Teneke kutu; (*esk.*) şarapnel.
canker [ˈkankə*]. Ağız yarası, karha; ağaç kanseri; yenirce; at ayaklarına ârız olan bir hastalık; (*mec.*) çürütücü tesir. Kemirmek.
cannibal [ˈkanibl]. Yamyam. **~ism,** yamyamlık.
cannon [ˈkanən]. Top; (bilardoda) karambol. Karambol yapmak; çarpmak. **cannon-ball,** top güllesi. **cannon-fodder,** harbde malzeme gibi harcanan adam. **~ade,** top ateşi.
cannot = **can not.**
canny [ˈkani]. Açıkgöz ve cinfikirli ve hesabî.
canoe [kəˈnuu]. Hafif sandal, kano.
canon [ˈkanən]. Kilise kanunu, dinî nizam, dinî liste; esas; bir rahib rütbesi. **~ical** [kəˈnonikl], kilise kanununa göre; incile göre; meşru, kabul edilmiş; rahiblere mahsus (elbise vs.).
canonize [ˈkanənaiz]. (Bir kimseyi) azizler sırasına koymak, azizleştirmek.
canopy [ˈkanəpi]. Gölgelik; sayeban; kubbe; saçak. Gölgelik veya saçakla örtmek.
can't [kaant] = **cannot.**
cant[1] [kant]. Müraice söz; manasız nakarat (*mec.*). **a ~ phrase,** tekerleme.
cant[2]. Meyil. Meyil vermek, iğmek; meyil etm., iğilmek; yan yat(ır)mak.
cantaloupe [ˈkantəluup]. Ufak bir nevi kavun.
cantankerous [kənˈtankərəs]. Ters, aksi, dirliksiz, huysuz.
cantata [kanˈtaata]. Bir koro tarfından okunan bestelenmiş manzume.
canteen [kanˈtiin]. Kantin; portatif sofra takımı; askerin üzerinde taşıdığı tabak, aş kabı.
canter [ˈkantə*]. Eşkin (gitmek). **to win in a ~,** zahmetsiz kazanmak.
Canterbury [ˈkantəbəri]. **Archbishop of ~,** İngilitere'nin başpiskoposu. **~ bell,** bir nevi çançiçeği.
cantharides [kanˈθaridiiz]. Kurutulmuş kunduzböceği.
canticle [ˈkantikl]. Kısa ilâhi; dinî şarkı.
cantilever [ˈkantiˌliive*]. Dirsek, destek.
canton [ˈkanton]. İsviçre kantonu.
cantonment [kanˈtuunmənt]. Askerî konak yeri; (Hindistanda) daimî askerî merkez.
canvas [ˈkanvəs]. Yelken bezi, çadır bezi; kanaviçe; yelken; yağlı boya resim.
canvass [ˈkanvəs]. Köy köy vs. dolaşarak rey toplama(k) veya siparış kaydetme(k); ahalinin fikirlerini sorma(k).
canyon [ˈkanjən]. İki tarafı uçurum dere.
cap[1] [kap] *n.* Kasket; takke; kepi; başlık; tepe; kapak. **~ and bells,** çıngıraklı soytarı külâhı: **~ and gown,** üniversite hoca ve talebesine mahsus şapka ve cüppe: **~ in hand,** tazimkâr bir tavırla: **⌜if the ~ fits wear it!⌝,** yarası olan kocunsun!: **black ~,** İngiltere'de idam kararı verirken hâkimin giydiği şapka: **to get one's ~,** (sporda) biricini takım için seçilmek: **to set one's ~ at a man,** (kadın) bir erkeği avlamak.
cap[2] *vb.* Başlık vs. giydirmek veya geçirmek; (sporda) birinci takıma almak. **that ~s all!,** bu hepsine tüy dikti: **to ~ a story,** bir hikâye vs.yi bastırmak (daha iyisini söylemek).
capab·le [ˈkeipəbl]. Muktedir, kabiliyetli, ehliyetli. **~ility** [–ˈbiliti], kabiliyet, iktidar.
capaci·ous [kəˈpeiʃəs]. İstiablı; geniş, vasi, büyük. **~ty** [–ˈpasiti], istiab, alış kabiliyeti; verim; iktidar, kabiliyet; sıfat: **full to ~,** tamamen dolu, ağız ağıza dolu.
caparison [keˈparisən]. Haşe. Haşe örtmek.
cape[1] [keip]. Pelerin, harmaniye.
cape[2]. Burun. **the Cape (of Good Hope),** Ümid Burnu, Kap.
caper[1] [ˈkeipə*] *n.* Gebre.
caper[2]. Sıçrama(k), zıplama(k).
capercail·lie, -zie [kapəˈkeilli, -zi]. Şimalî ve Orta Avrupa çam ormanlarında bulunan bir nevi yabani tavuk.
capital [ˈkapitl]. Baş, büyük; son derece mühim. Büyük harf; devlet merkezi, paytaht; sermaye; sütun başlığı. **~!,** aferin!, fevkalâde! **~ punishment,** ölüm cezası: **to make ~ out of stg.,** bir şeyden istifade etm., bir şeyi istismar etmek.
capital·ism [ˈkapitəlizm, keˈpitəlizm]. Hususî mülkiyete dayanan iktisadî sistem, kapitalizm. **~ist,** sermayesini işleten kimse; zengin kimse; kapitalist. **~ize,** sermayeye çevirmek; sermaye olarak kullanmak; (bir şeyi) kendi istifadesi için kullanmak; bir gelirin sermayesini hesab etmek.
capitulate [keˈpitjuleit]. (Şartla) teslim olmak.
capon [ˈkeipən]. Kısırlaştırılmış horoz.

capric·e [kəˈpriis]. Anî heves; sebatsızlık; kapris. **~ious** [–ˈpriʃəs], kaprisli, maymun iştahlı; sebatsız.
capricorn [ˈkaprikoon]. Keçi burcu. **Tropic of ~,** medarı cedî.
capsicum [ˈkapsikəm]. Kırmızı biber nebatı.
capstan [ˈkapstən]. Bocurgat, ırgat.
capsule [ˈkapsjul]. Şişe kapağı; ilâc kapsülü; kuru tohum zarfı; (*anat.*) zarf, kese.
captain [ˈkaptin]. Yüzbaşı; baş; reis; kaptan; (deniz) albay; süvari. Bir seferi idare etm., kumanda etm.; kaptanlık etmek. **Group ~,** (hava) albay. **~cy,** yüzbaşılık; (deniz) albaylık; kaptanlık; reislik.
caption [ˈkapʃn]. (Makale vs.) başlık, serlevha; (resim, filim vs.) yazı, izahat.
captious [ˈkapʃəs]. Kusur bulan; tenkidci; titiz.
captivate [ˈkaptiveit]. Teshir etm., gönlünü kapmak; bendetmek.
captiv·e [ˈkaptiv]. Esir. **~ balloon,** karaya veya gemiye bağlı balon. **~ity** [–ˈtiviti], esirlik.
captor [ˈkaptor]. Esir eden.
capture [ˈkaptjuə*]. Esir alma(k); yakalama(k); zabtetme(k); zorla veya hile ile alma(k); esir; ganimet.
Capuchin [ˈkapjutʃin]. Kukuleteli bir cüppe giyen Fransisken rahibi; cenubî Amerika'ya mahsus sorguçlu maymun.
car [kaa*]. İki tekerlekli araba; otomobil; vagon; (balon vs.de) oda; (*şair.*) zafer arabası.
carabineer [karəbiˈniə*]. Karabinalı süvari.
caracole [ˈkarəkoul]. At ile yarım çark hareketi.
carafe [keˈraaf]. Sürahi.
caramel [ˈkarəmel]. Karamela.
carapace [ˈkarəpeis]. Kaplumbağa vs.nin kabuğu.
carat [ˈkarət]. Kırat.
caravan [karəˈvan]. Kervan; araba şeklinde küçük ev; çingene arabası. Böyle bir arabada seyahat etmek.
caraway [ˈkarəwei]. Keraviye.
carbide [ˈkaabaid]. Karbit.
carbine [ˈkaabain]. Karabina.
carbo-hydrate [ˈkaabouˈhaidreit]. Karbohidrat.
carbolic [kaaˈbolik]. **~(acid),** Fenol.
carbon [ˈkaabon]. Karbon; kopya kâğıdı. **~aceous,** karbonlu, karbon gibi. **~ic** [–ˈbonik], karbonlu. **~ize** [ˈkaabonaiz], karbonlaştırmak.
carbuncle [ˈkaabʌnkl]. Şeytanbaşı; çıban; şirpençe çıbanı.
carburettor [ˈkaabjuˈretə*]. Karbüratör.
carcass, -case [ˈkaakəs]. Leş; cesed; (istihfaf) vücud; enkaz. **to save one's ~,** postu kurtarmak.
card[1] [kaad] *n.* Kart; karton; kâğıd; iskambil; mukavva; bilet; fiş; kartvizit. **~ index,** fiş usulü dosya veya liste: **he's a knowing ~,** o ne tilkidir: **it is (quite) on the ~s that,** olabilir, memuldur; haritada var: **to play one's ~s well,** elindeki kozu iyi oynamak: **he's a queer ~,** antikanın biridir: **he has a ~ up his sleeve,** daha son kozunu oynamadı: **to lay one's ~s on the table,** gizlisi kapaklısı olmamak. **card-table,** oyun masası.
card[2] *vb.* Yün vs.yi tel tarakla taramak. **~er,** tarak makinesi.
cardboard [ˈkaadbood]. Mukavva, karton.
cardiac [ˈkaadiak]. Kalbe aid; kalbe kuvvet verici (ilâc), kordiyal.
cardigan [ˈkaadəgan]. Yün örgüsü ceket.
cardinal[1] [ˈkaadənal] *n.* Kardinal. **~ red,** al (renk).
cardinal[2] *a.* Baş, esaslı, en mühim. **~ numbers,** adî sayılar: **~ points,** dört ana cihet.
care[1] [keə*] *n.* Dikkat, ihtimam; endişe, keder; kaygı; himaye, muhafaza. **~ of (c/o),** vasıtasile, elile: **⌜~ killed the cat⌝,** kendini fazla üzme!: **~s of State,** devletin mesuliyetleri: **to take ~,** dikkat etm., ihtimam ve itina etm.: **that matter will take ~ of itself,** o iş kendi kendine düzelir; kendi haline bırak!: **want of ~,** ihmal, bakımsızlık. **~free,** kaygısız.
care[2] *vb.* Endişe etm., düşünmek; kurmak, keder etm.; umursamak, aldırmak, aldırış etmek. **~ for,** hoşlanmak, beğenmek; bakmak, ihtimam etm.: **I don't ~!,** (i) bence aynı şey, bana göre hava hoş; (ii) bana ne?, umurumda değil: **I don't ~ for him,** o hoşuma gitmiyor: **who is caring for him?,** ona kim bakıyor?: **I don't ~ to be seen in his company,** onun yanında görülmek istemem: **what do I ~?,** bana ne?: **I don't ~ what he says,** ne söylerse söylesin (aldırmam): **I didn't ~ for that novel,** o roman beni sarmadı: **I don't ~ two hoots [a red cent, a brass farthing],** bana vız gelir, tırıs gider: **to ~ for nothing,** hiç bir şeye aldırmamak [alâkadar olmamak]; pervasız olm.: **for all I ~,** bana sorarsan; bana kalırsa: **not that I ~,** bana vız gelir, bana göre hava hoş: **that's all he ~s about,** bütün düşündüğü [ehemmiyet verdiği] bu: **if you ~ to ..., ...** arzu ederseniz, içinizden geliyorsa: **would you ~ to read this paper?,** gazeteyi okumak ister misiniz?
careen [kəˈriin]. (Gemiyi) karina etm., tamir için yan yatırmak.
career[1] [kəˈriə*] *n.* Meslek; meslek hayatı; hayat. **to take up a ~,** bir mesleğe girmek.

career². Başıboş koşup dolaşma. **to ~ about,** delice ve başıboş koşmak: **in full ~,** tam hızla.
carefree [ˈkeəfrii]. Kaygısız; kayıdsız.
careful [ˈkeəful]. Dikkatli, ihtimamlı, itinalı, ihtiyatlı, ölçülü. **be ~!,** dikkat et!, sakın!
careless [ˈkeəlis]. Dikkatsiz, düşüncesiz; ihmalkâr; kayıdsız; mübalâtsız.
caress [kəˈres]. Okşayış, okşama, öpme. Okşamak, öpmek.
caret [ˈkarət]. Yazıda çıkıntı işareti (‸).
caretaker [ˈkeəteikə*]. Kapıcı, bekçi.
careworn [ˈkeəwoon]. Kaygı ve kederden bitkin; muztarib.
cargo [ˈkaagou]. Yük, hamule.
caribou [kariˈbuu]. Şimalî Amerika geyiği.
caricature [ˈkarikəˈtjuə*]. Karikatür. Karikatürünü yapmak, tehzil etmek.
cari·es [ˈkeəriiz]. Diş çürümesi. **~ous,** çürük (diş).
carillon [kaˈriljən]. Muayyen havalar çalmak üzere tertib edilmiş çanlar; bu çanlarla çalınan hava.
carman [ˈkaamən]. Kamyon şoförü; yük arabacısı.
Carmelite [ˈkaamilait]. Kermel tarikatine mensub rahib.
carminative [kaaˈminitiv]. Yel çıkarıcı ilâc.
carmine [ˈkaamain]. Lâl, lâlrengi, açık ve parlak kırmızı.
carnage [ˈkaanidʒ]. Kan dökme, kıtal.
carnal [ˈkaanəl]. Cinsî; şehvanî; dünyevî, cismanî.
carnation [kaaˈneiʃn]. Karanfil; açık pembe.
carnival [ˈkaanəval]. Karnaval; cümbüş; âlem.
carnivor·a [kaaˈnivəra]. Et yiyen hayvanlar. **~e,** [ˈkaanivor], et yiyen hayvan veya nebat. **~ous,** et yiyen.
carob [ˈkarob]. Harub, keçiboynuzu.
carol [ˈkarəl]. Neş'eli şarkı; dinî şarkı. Şarkı söylemek.
carotid [ˈkarotid]. Başa kan götüren iki büyük damarın her biri.
carous·al [kaˈrauzl]. İçki âlemi. **~e,** âlem yapmak, cümbüş yapmak, işret etmek.
carp¹ [kaap] *n.* (*Cyprinus carpio*) Sazan.
carp² *vb.* Kusur bulmak; şikâyet etmek. **to ~ at,** tutturmak, çekiştirmek.
carpent·er [ˈkaapəntə*]. Dülger; doğramacı. Doğramacılık yapmak. **~ry,** doğramacılık; dülgerlik.
carpet [ˈkaapit]. Halı; örtü. Halı döşemek; kaplamak. **to be on the ~,** azarlanmak. **carpet-bag,** halı torba. **carpet-bagger,** maceraperest ve prensipi olmıyan politikacı. **carpet-knight,** salon zabiti.
carriage [ˈkaridʒ]. Araba; vagon; top arabası; taşıma, nakil; taşıma ücreti; tavır, vaziyet.
carrier [ˈkariə*]. Taşıyan kimse yahud şey; nâkil; hastalık taşıyan; (torna tezgâhında) fırdöndü. **aircraft ~,** uçak gemisi: **~ pigeon,** posta güvercini.
carrion [ˈkariən]. Leş, laşe; pis, kokmuş.
carrot [ˈkarət]. Havuc. **carrot-headed,** kızıl saçlı.
carry¹ [ˈkari] *n.* Menzil, mesafe; taşıma; (sandal vs.yi) bir nehirden bir nehire taşımak. **sword at the ~,** kılıç elde.
carry² *vb.* Taşımak; götürmek; nakletmek; geçirmek, kaldırmak; tutmak; (kale vs.) zabtetmek; (faiz) getirmek; (top) menzili ... olmak; (ses) ···den işidilmek; ... kadar gitmek. **~ two** (cemederken) elde var iki: **to ~ all before one,** her mukavemeti kırmak; bütün rakibleri yenmek: **he carried his audience with him,** dinleyicilerini sürükledi: **to ~ the day,** muvaffak olm.: **to ~ one's liquor well,** içkiye dayanmak: **the motion was carried,** teklif kabul edildi: **to ~ oneself well,** vücudunu dik tutmak: **to ~ one's point,** kendi fikrini kabul ettirmek: **(shop) to ~ a certain article,** (dukkân) bir eşya üzerinden muamele yapmak: **his word carries no authority,** sözü geçmez; sözünün değeri yoktur. **carry away,** alıp götürmek; coşturmak. **carry forward,** bir yekûnu vs. nakletmek. **carry off,** alıp götürmek; kazanmak; (hastalık) öldürmek; **to ~ it off well,** becermek, içinden çıkmak. **carry on,** yapmak, devam ettirmek: devam etm., dayanmak; vazifesinden ayrılan birinin işine bakmak: **~ on!,** devam ediniz!; siz işinize bakınız!: **I don't like the way she carries on,** gidişini pek beğenmiyorum: **she carried on dreadfully,** (*arg.*) kıyamet kopardı: **to ~ on with s.o.,** (*arg.*) birisile mercimeği fırına vermek: **to ~ on a correspondence with s.o.,** birisile mektublaşmak, muhaberede bulunmak. **carry out,** yerine getirmek; icra etm., ifa etm., tatbik etmek. **carry through,** muvaffakiyetle yerine getirmek; başarmak.
carrying [ˈkari·iŋ] *n.* Taşıma; nakletme. **~ capacity,** istiab: **I don't like your ~s on,** (*arg.*) ben senin gidişatını beğenmiyorum.
cart [kaat]. İki tekerlekli araba; elle itilen araba. Araba ile taşımak. **to ~ about,** taşıyıp durmak: **to be in the ~,** hapı yutmak: **to put the ~ before the horse,** bir işi tersinden yapmak. **~age,** araba ile taşıma; nakliye parası. **cart-wheel,** araba tekerliği; **to turn ~s,** elleri üzerinde havada dönerek taklak atmak.
cartel [kaaˈtel]. Fabrikalar arasında anlaşma, kartel.

carter [ˈkaatə*]. Yük arabacısı.
cartilag·e [ˈkaatilidʒ]. Kıkırdak. **~inous** [–ˈleidʒinəs], kıkırdağa aid; kıkırdaklı.
cartograph·er [kaaˈtogrəfə*]. Haritacı. **~y,** haritacılık.
carton [ˈkaatən]. Mukavva kutu; mukavva, karton.
cartoon [kaaˈtuun]. Karikatür; karton üzerine çizilmiş resim. Karikatürünü yapmak. **~ist,** karikatürcü.
cartridge [ˈkaatridʒ]. Hartuç; fişek; (fotoğraf) filim.
carve [kaav]. (Sofrada) eti kesip dağıtmak; oymak. **~r,** eti kesen; büyük et bıçağı; oymacı.
carvel [ˈkaavil]. **carvel-built,** armozlu, birbirine bitişik tahta ile yapılmış (gemi).
caryatid [kariaˈtid]. Kadın heykeli şeklinde sütun.
cascade [kasˈkeid]. Çağlayan, şelâle. Çağlayan gibi düşmek.
case[1] [keis]. Hal, vaziyet, durum, keyfiyet; mesele, vak'a, hadise; dava; tasrif hali; hastalık vak'ası, hasta, yaralı. **in any ~,** her halde; nasıl olursa olsun; behemehal: **that alters the ~,** o zaman vaziyet değişir: **as in the ~ of ...,** ... için olduğu gibi: **I'll take my umbrella in ~ it rains,** şemsiyemi alacağım, belki yağmur yağar: **we must be prepared in ~ he does not come,** gelmemesi ihtimaline karşı hazırlıklı bulunmalıyız: **in ~ he comes give him this letter,** gelecek olursa bu mektubu ona ver: **in no ~,** hiç bir zaman, hiç bir suretle: **just in ~,** ne olur ne olmaz: **you have no ~,** davanız reddedilmiştir; davaya hakkınız yok: **there is no ~ against you,** bu meselede aleyhinize dava açılamaz: **to make out a ~,** davayı isbat etm.: **that is not the ~,** vaziyet böyle değildir: **should the ~ occur,** icab ettiği takdirde: **the ~ in point,** bahis mevzuu olan mesele.
case[2]. Kılıf; mahfaza, kutu, çanta; kasa. Kaplamak, örtmek; kutuya koymak. **display ~,** eşya teşhir edilen camekân. **case-harden,** demirin dışını çelikleştirmek: **~ed,** dışı sertleştirilmiş; (*mec.*) nasırlanmış; sıkıntıya alışmış.
casein [ˈkeisiin]. Kazein.
casemate [ˈkeismeit]. Kazmet; mazgallı siper.
casement [ˈkeismənt]. Menteşeli pencere; telüre, telâro.
cash [kaʃ]. Para; nakid; peşin para; bir Çin parası. Paraya çevirmek; (çeki) bozmak. **~ account,** kasa hesabı: **~ down,** peşin para; derhal ödenen para: **~ price,** peşin fiat: **to ~ in,** paraya çevirmek: **to ~ in on stg.,** ···den kâr temin etm., istifade etm.; **to be out of ~,** (yanında) parası olmamak: **terms ~,** peşin ödenir. **cash-book,** kasa defteri. **cash-box,** para kutusu. **cash-register,** dukkân vs.de alınan parayı kaydeden makine.
cashier[1] [kaˈʃiə*] *n.* Kasadar, veznedar.
cashier[2] *vb.* Hizmetten çıkarmak, tardetmek.
cashmere [ˈkaʃmiir]. Keşmir şalı; kazmir.
cask [kaask]. Fıçı, varil.
casket [ˈkaaskit]. Mücevher çekmecesi, değerli eşya kutusu.
Caspian [ˈkaspiən]. **the ~ (Sea),** Hazer denizi.
casserole [ˈkasəroul]. Güveç; saplı tencere.
cassock [ˈkasək]. Cüppe.
cassowary [ˈkasoweəri]. Bir nevi küçük deve kuşu.
cast[1] [kaast] *vb.* Atmak; saçmak; (demir) dökmek; salmak; rol tevzi etm.; (hayvan) doğurmak; (bir hayvanı) mahsus yere atmak. **to ~ (up) figures,** rakamları toplamak, cemetmek: **to ~ the lead,** iskandil etmek. **cast-net,** serpme ağ. **cast-off,** çıkarılıp atılmış; eski (elbise vs.). **cast about,** etrafa atmak: **to ~ about for stg.,** aramak, aranmak; çare aramak. **cast away,** atmak: **to be ~ away,** (gemi) karaya düşmek; kazaya uğramak. **cast down,** aşağı atmak; indirmek: **to be ~ down,** neş'esiz, keyifsiz, kederli olmak. **cast off,** çıkarıp atmak; kaldırıp atmak; reddetmek; (örme işinde) ilmek geçirmek: **~ off!,** (*den.*) alarga!
cast[2] *n.* Atma; atış; dökme; voli; oltanın kancalı ucu; solucanların yerden çıkardığı toprak; bir piyesin şahısları; rol tevzii; şehlâ; tip, kalite, kuruluş. **a man of his ~,** bu karakterde bir adam.
cast[3] *a.* Atılmış; dökme. **cast-iron,** dökme demirden yapılmış: **he has a ~ constitution,** bünyesi demir gibi sağlam.
castanets [kastəˈnets]. Çalpara, kastanyet.
castaway [ˈkaastəwei]. Deniz kazasına uğrayıp hücra bir ada vs.de kalmış; cemiyetten tardedilmiş.
caste [kaast]. Hind cemiyetinde sınıf, kast; yüksek sınıf; sınıf farkı. **to lose ~,** cemiyetteki yerini ve itibarını kaybetmek.
castellated [ˈkasteleitid]. Kale şeklinde; mazgallı ve kuleli.
castigate [ˈkastigeit]. Cezalandırmak; şiddetle tenkid ve tekdir etmek.
casting [ˈkaastiŋ] *n.* Dökme; döküm.
castle [ˈkaasl]. Kale, hisar; şato; (şatranç) ruh. (Şatranc) şah ile ruhu aşırmak. **to build ~s in the air,** hayal kurmak; olmıyacak şeyler düşünmek.
castor [ˈkaastə*]. Zeytin yağ, sirke, tuzluk vs. takımı; koltuk vs. tekerleği. **~oil,** hintyağı.

castrate [kas'treit]. Hadım etmek.
casual ['kaʒjuəl]. Tesadüfî, arizî, rastgele; plansız, dikkatsiz, kararsız; kayıdsız, lâübali; muvakkat. Muvakkat işçi; arasıra belediye teşkilâtından yardım gören kimse.
casualty ['kaʒjulti]. Kaza; (*ask.*) zayiat, kayıb; ölü, yaralı. **fatal ~,** ölüm.
casuist ['kasuist]. Ahlak meselelerinde doğru ile yanlışı inceden inceye araştıran adam; safsatacı. **~ ic(al),** safsatalı: **~ry,** safsata.
casus belli ['keisʌs'belai]. Harb sebebi.
cat¹ [kat] *n.* Kedi. **to let the ~ out of the bag,** bir sırrı ağzından kaçırmak: **ʳa ~ may look at a kingˀ,** kendini bu kadar büyük görme!, hepimiz insanız *kabilinden bir tabir*: **to be like a ~ on hot bricks,** diken üstünde oturmak: **to see which way the ~ jumps,** rüzgârın nereden eseceğini beklemek: **there is not room to swing a ~,** kımıldanacak yer yok: **enough to make a ~ laugh,** insan gülmekten bayılır. **cat-burglar,** kapı vs.yi kırmadan tırmanarak eve girip soyan hırsız. **cat-o'-nine-tails,** dokuz kamçılı kırbaç. **cat's-cradle,** çocukların iki el parmaklarına ip geçirerek oynadıkları bir oyun. **cat's-eye,** bir nevi değerli taş. **cat's-meat,** kediye verilen et. **cat's-paw,** başkası tarafından alet olarak kullanılan kimse; su yüzünün hafifçe kırışması, fırışka.
cat² *vb.* **to ~ the anchor,** demiri grivaya vurmak. **cat-davit,** griva metaforası.
catacomb ['katakuum]. Yer altında dehliz şeklinde mezarlık.
catafalque ['katafalk]. Cenaze merasiminde üzerinde tabutun teşhir ediliği kaide.
catalepsy ['katalepsi]. Nöbet sırasında vücudun kaskatı kesildiği bir hastalık; katalepsi.
catalogue ['katalog]. Katalog (yapmak).
catapult ['katapʌlt]. Mancınık (ile atmak); lâstikli sapan; (uçak gemisinde) katapult.
cataract ['katərakt]. Dik şelâle; sel; (gözde) perde, katarakt.
catarrh [kə'taa*]. Muhatî gışanın iltihabı; nezle, akıntı.
catastroph·e [kə'tastrəfi]. Felâket; musibet; feci netice. **~ic** [–'strofik], felâketli; müdhiş; facialı.
catcall ['katkool]. (Tiyatroda vs.) ıslık (çalmak); yuha(lamak).
catch [katʃ] *n.* Tutuş, kapış; sürgü, kol vs. gibi tutan şey; susta; tutulan şey; hile, oyun; birinin başlayıp diğerinin devam ettirdiği şarkı. **a good ~,** (*kon.*) (bir kız bakımından) kelepir koca: **a ~ of the breath,** birdenbire nefesi tutulma: **he [it] is no great ~,** bulunmaz hind kumaşı [matah] değil: **there 's a ~ in it,** 'bir püf noktası vardır' *veya* 'ucuzdur illeti var' *kabilinden*: **a ~ question,** imtihanda talebeye sorulan öyle bir sual ki hatıra gelebilecek ilk cevabı yanlıştır.
catch² **(caught)** [koot] *vb.* Yakalamak, tutmak, almak, ele geçirmek; kapmak; yetişmek; ilişmek; çarpmak; (kilid vs.) tutmak; (ateş) tutuşmak. **to ~ at,** tutmağa çalışmak: **~ me (doing such a thing)!,** bunu yapmak mı? ne münasebet!; bunu yaparsam arab olayım!: **you don't ~ me!,** ben faka basmam; yağma yok!: **to ~ s.o. a blow,** birine bir yumruk eklemek: **a sound caught my ear,** kulağıma bir ses çarptı: **a picture caught my eye,** bir resim gözüme ilişti: **you'll ~ it!,** paparayı yiyeceksin!: **I didn't quite ~ your name,** isminizi iyi işidemedim. **catch-as-catch-can,** serbest güreş. **catch-basin,** *bk.* **catchment. catch-points,** bir demiryol makasında rayların istikamet değiştirdiği nokta. **catch on,** alıp yürümek, rağbeti olmak. **catch out,** gafil avlamak; (yaparken) yakalamak; alt etm., bastırmak. **catch up,** yetişmek; birinin sözünü kesmek: **I'll ~ up with you,** size yetişirim.
catching ['katʃiŋ] *a.* Bulaşık, sari.
catchment ['katʃmənt]. **~ basin, ~ area,** bütün suları bir nehre akan bölge.
catchpenny ['katʃpeni]. Gösterişli fakat değersiz (mal).
catchword ['katʃwəəd]. Bir siyasî parti vs.nin daima tekrar edilen vecizesi; şiar; göze çarpacak yere konan kelime.
catchy ['katʃi]. Kolay hatırda kalan; cazib.
catechi·sm ['katəkizm]. Sual ve cevab ile öğretme; bu suretle yazılmış din kitabı. **~ze** [–kaiz], sual ve cevab usulü ile öğretmek; bir sürü sualler sormak.
categorical [ˌkatə'gorikl]. Kat'î; şartsız; kesenkes.
category ['katigəri]. Sınıf, sıra, tabak, kategori.
cater ['keitə*]. **to ~ for,** ... için yemek tedarik etm.; zevk, eğlence vs. temin etmek. **~er,** yiyecek tedarik eden, vekilharc, yiyecek müteahhidi. **~ing,** yemek tedariki.
caterpillar ['katəpilə*]. Tırtıl.
caterwaul ['katəwool]. Kedi gibi bağırma(k), miyavlama(k).
catgut ['katgʌt]. Kiriş.
cathedral [kə'θiidrəl]. İçinde piskopos kürsüsü bulunan büyük kilise.
Catherine ['kaθərin]. **~ wheel,** tekerlek şeklinde fişek, çarkıfelek.
catholic ['caθəlik]. Âlemşümul, her şeyi ihtiva eden, her kese yarayan veya herkesle

alâkadar olan; geniş fikirli; bütün Hıristiyanları içine alan; katolik. **~ism** [kaˈθolisizm], katoliklik. **~ity** (–ˈlisiti], âlemşümullük; geniş fikirlilik; liberallik.
catkin [ˈkatkin]. Söğüt ve fındık çiçeği gibi çiçek.
catmint [ˈkatmint]. (*Nepeta*) mavi güzel kokulu bir çiçek.
cattish [ˈkatiʃ] *bk.* **catty.**
cattle [ˈkatl]. *coll. n.* Sığır. **cattle-show,** ziraat sergisi. **cattle-truck,** öküz nakline mahsus vagon.
catty [ˈkati]. Sinsi ve müstehzi.
Caucas·ian [kooˈkeizjən]. Kafkasya'ya aid, Kafkasyalı. **~us** [ˈkookəsəs], Kafkaslar, Kafkas dağları.
caucus [ˈkookʌs]. Siyasî parti liderlerinin veya azasının toplantısı; klik.
caught *bk.* **catch.**
caul [kool]. Yeni doğan çocuğun başında bulunan zar.
cauldron [ˈkooldrən]. Kazan.
cauliflower [ˈkoliflauə*]. Karnabahar.
caulk [ˈkoolk]. Kalafat etmek.
caus·al [ˈkoozl]. Sebebe dair; sebeb ifade eden. **~ality** [–ˈzaliti], sebeb ve netice münasebeti. **~ative** [–ˈzeitiv], sebeb olucu, sebeb ifade eden; (*gram.*) müteaddi.
cause [kooz]. Sebeb, illet; münasebet, vesile; dava; büyük mesele; tarafdarlık. ···e sebeb olm., mucib olm.; doğurmak; *bu fiil müteaddi teşkiline de yarar*: **to ~ s.o. to do stg.,** birine bir şey yaptırtmak. **to make common ~ with s.o.,** bir gaye uğrunda birisile birleşmek.
causeway [ˈkoozwei]. Islak bir sahada yapılan yüksekçe yol; sel basan yollar boyunca yayalar için yapılan yüksek ve köprü gibi geçid.
caustic [ˈkoostik]. (Eti) yakıcı; acı ve dokunaklı, yaralayıcı (söz). Yakıcı ilâc.
cauter·ize [ˈkootəraiz]. Dağlamak, yakmak. **~y,** dağlama, yakma; dağlama aleti.
caut·ion [ˈkooʃn]. İhtiyat, tedbir, basiret; ikaz, ihtar. İhtar etm., ikaz etm.; tehdid etmek. **~!,** dikkat!: **a ~,** (*arg.*) antika, numara. **~ionary** [–əri], ihtar ve ikaza aid, ihtiyatî. **~ious,** ihtiyatlı; ölçülü; bir az korkak; çekingen.
cavalcade [kavlˈkeid]. Süvari alayı; atlılar ve arabaların geçişi.
cavalier [kavəˈliə*]. Atlı, süvari; kadınlara karşı çok nazik adam; bir hanıma refaket eden erkek. Serbest, lâübali; keyfî; kibirli.
cavalry [ˈkavlri]. Süvari sınıfı; süvari.
cave[1] [keiv]. Mağara, in. **to ~ in,** Çökmek, yıkılmak; (*arg.*) teslim olm., razı olmak.
cave[2] [ˈkeivi]. *int.* (*Lât.*) Dikkat!, sakın! **to keep ~,** gözetlemek: **~ canem!,** köpekten sakın!
caveat [ˈkaviat]. 'Sakınsın' *manasına lâtince bir kelime.* **to enter [put in] a ~,** (*huk.*) (taraflardan biri) kendini dinlemeden harekete geçilmemesi hakkında bir adlî makama müracaat etmek veya itirazda bulunmak: **~ emptor,** (hukukî kaide) 'mesuliyet alıcıya aiddir'.
caviar [ˈkaviaa*]. Havyar.
cavil [ˈkavil]. Daima kusur bulmak; manasız şekilde itiraz etmek.
cavity [ˈkaviti]. Çukur, oyuk, boşluk. **~ wall,** arayeri boş bırakılan duvar.
cavy [ˈkeivi]. Kobay.
caw [koo]. (Karga) bağırma(k).
cayenne [keiˈen]. Kırmızı biber.
C.B. (*kıs.*), **Companion of the Bath,** *bk.* **order.**[2]
C.B.E. (*kıs.*) **Commander of the British Empire,** *bk.* **order**[2].
cease [siis]. Durmak, bitmek, kesilmek, dinmek; vazgeçmek. **~ fire!** ateş kes!: **he has ~d to write,** artık yazmıyor: **without ~,** durmadan. **~less,** durmadan; sürekli.
cedar [ˈsiidə*]. Sedir, Lübnan servisi.
cede [siid]. Teslim etm., devretmek; feragat etmek.
cedilla [seˈdillə]. Sedil işareti (ç).
ceiling [ˈsiiliŋ]. Tavan; uçağın âzami irtifaı; fiatların âzamı haddi.
celandine [ˈselandain]. (*Ranunculus ficaria*) kırlangıçotu.
celebr·ate [ˈselibreit]. Kutlamak, tes'id etm.; ruhanî âyin icra etm.; bayram yapmak; şöhretini yaymak. **~ated,** meşhur. **~ation** [–ˈbrieʃn], kutlama; tes'id; ruhanî âyin icrası. **~ity** [si'lebriti], meşhur şahıs; şöhret.
celerity [siˈleriti]. Hız, sür'at, müsaraat.
celery [ˈseləri]. Kereviz.
celestial [siˈlestjəl]. Göğe aid, semavî; ilâhi. **the ~ Empire,** Çin.
celiba·cy [ˈselibəsi]. Bekârlık. **~te,** bekâr.
cell [sel]. Hücre; küçük oda; manastır veya zindan odası; petek gözü; elektrik pili; nüve.
cellar [ˈselə*]. Mahzen, yeraltı kiler; şarab mahzeni.
'cell·ist [ˈtʃelist]. Viyolonselci. **~o** [ˈtʃelou], viyolonsel.
cellophane [ˈselofein]. Selofan.
cellul·ar [ˈseljulə*]. Hücreye aid; hücrelerden mürekkeb; göz göz. **~e,** hüceyre.
celluloid [ˈseljuloid]. Selüloid.
cellulose [ˈseljulouz]. Hücreli. Selüloz.
Celtic [ˈkeltik, ˈseltik]. Keltlere aid; keltçe.
cement [siˈment]. Çimento. Tutkal, birleştiren şey. Çimentolamak; iyice birleştirmek, yapıştırmak.
cemetery [ˈsemetəri]. Mezarlık.

cenotaph [ˈsenotaaf]. Başka yerde gömülü biri için dikilen abide.
censer [ˈsensə*]. Buhurdan.
censor [ˈsensə*]. Sansör; kontrol memuru; tenkidci. Sansür etm.; yasak etmek. **~ial** [–ˈsooriəl], sansöre aid. **~ious** [–sooriəs], tenkidci; daima kusur bulan. **~ship,** sansür, sansür idaresi.
censure [ˈsenʃuə*]. Tenkid etme(k); kabahat bulma(k), tevbih etme(k).
census [ˈsensʌs]. Nüfus sayımı. **to take a ~,** nüfus sayımı yapmak.
cent [sent]. Doların yüzde biri, sent. (*kon.*) metelik, zerre. **per ~,** yüzde.
centaur [ˈsentoor]. Yarısı insan yarısı at olan mahluk; mükemmel binici.
centenarian [ˌsentəˈneiriən]. Yüz yaşında veya daha fazla olan.
centen·ary [senˈtiinəri]. Yüzüncü yıldönümü. **~nial,** yüz yıla veya yüzüncü yıldönümüne aid.
centimeter [ˈsentimiitə*]. Santimetre.
centipede [ˈsentipiid]. Kırkayak.
central [ˈsentrəl]. Orta; merkez, merkezî. Santral. **~ize** [–aiz], merkezileştirmek. **~ization** [–aiˈzeiʃn], merkezileşme.
centre [ˈsentə*]. Orta, merkez; (torna) punta. Ortaya koymak; bir noktaya toplamak; temerküz ettirmek. **live ~,** fener punta: **back ~,** gezer punta. **centre-board,** kontra omurga(lı tekne). **centre-punch,** merkez noktası.
centri·c [ˈsentrik]. Ortaya aid, merkezî. **~fugal** [–ˈtrifjugl], merkezden uzaklaşan. **~petal** [–ˈtripətl], merkeze yaklaşan.
centuple [ˈsentjupl]. Yüz misli.
century [ˈsentʃəri]. Asır, yüzyıl.
cephalic [siˈfalik]. Başa aid.
ceramics [siˈramiks]. Çinicilik; çini veya porselen eşya.
Cerberus [ˈsəəbərəs]. Cehennem kapısını bekliyen üç başlı köpek.
cereal [ˈsiəriəl]. Hububat nevinden; zahire, hububat.
cerebellum [ˌsereˈbelʌm]. Beyincik, dimağçe.
cerebr·al [ˈserebrəl]. Beyine aid. **~um** [ˈserebrəm]. Beyin.
ceremoni·al [seriˈmounjəl]. Resmî; merasimli; âyine aid; merasim, âyin. **~ous,** merasim ve teşrifatlı; tekellüflü.
ceremony [ˈserəməni]. Merasim, teşrifat. **to stand upon ~,** resmî olm., merasime riayet etm.: **no need to stand upon ~ here,** burada teklif tekellüfe lüzum yok.
cert. [səət]. (*kon.*) = **certainty.** **It 's a (dead) ~,** hiç şübhe yok, elde bir.
certain [ˈsəətn, –tin]. Kat'î, muhakkak; emin; bazı, bir, bir az. **a ~,** ismi zikredilmek istenmiyen bir (kimse vs.), adı lâzım değil: **a lady of a ~ age,** yaşlıça bir hanım: **a ~ Mr. Brown,** Mr. Brown isminde bir adam: **he will come for ~ [he is ~ to come],** muhakkak gelir: **to make ~ of stg.,** tahkik etm., temin etm., hakkında emin olmak. **~ly,** elbette, şübhesiz; hay hay. **~ty,** katiyet, kat'î şey; **for a [of a] ~,** muhakkak.
certifiable [ˈsəətifaiəbl]. Tasdik edilebilir; doktor raporile tımarhaneye gönderilecek kadar deli.
certificate [səəˈtifikit]. Tasdikname, vesika; şehadetname, ehliyetname. Bir vesika veya şehadetname vermek.
certify [ˈsəətifai]. Tasdik etm., tevsik etm., tekid etm.; resmiyet vermek; şehadetname veya vesika vermek.
certitude [ˈsəətitjuud]. Kat'iyet; şübhesiz olma.
cerulean [siˈruuliən]. Havaî mavi.
cessation [seˈseiʃn]. Durma, inkıta.
cession [ˈseʃn]. Terk, devir, ferağ.
cesspit, cesspool [ˈsespit, –puul]. Lağım çukuru.
cetacean [siiˈteiʃn]. Memeli deniz hayvanı.
ceteris paribus [ˈsiiteris ˈparibəs]. (*Lât.*) Diğer hususlarda müsavat halinde.
Ceylon [siˈlon]. Seylan, Serendib.
cf. [ˈsiiˈef] (*kıs. Lât.* confer) Karşılaştırınız.
chafe [tʃeif]. Sürtmek; sürterek berelemek, iltihablandırmak; ısıtmak için oğmak; sürtünmek; darılıp durmak; sinirlen(dir)mek.
chaff[1] [tʃaaf] *n.* Saman tozu; hububat kabuğu ve saman kırıntısı.
chaff[2]. Şaka (etm.), takılma(k).
chaffer [ˈtʃafə*]. Sıkı pazarlık etm., fiat üzerinde çekişmek.
chaffinch [ˈtʃafintʃ]. (*Fringilla coelebs*) İspinoz.
chafing-dish [ˈtʃeifiŋˈdiʃ]. Ocaklı sahan.
chagrin [ˈʃagrin, ʃaˈgriin]. Üzüntü, infial, iğbirar. Ümidini kırmak; canını sıkmak; muğber etmek.
chain [tʃein]. Zincir; silsile: 66 kademlik ölçü, ölçme aleti. Zincirlemek. **~ up,** zincire bağlamak: **to put in ~s,** zincire vurmak. **chain-armour, ~mail,** örme zırh elbise. **chain-gang,** zincire vurulmuş olarak çalışan mahkûmlar. **chain-shot,** makas gülle. **chain-store,** büyük bir magazanın şubesi.
chair [tʃeə*]. Sandalye, iskemle; kürsü; sedye; makam; reislik makamı. İskemlesile beraber kaldırıp taşımak; omuzda taşımak. **to take a ~,** oturmak: **to take the ~,** bir toplantıya başkanlık etm.: **folding ~,** açılır kapanır iskemle. **~man,** reis, başkan; sedyeci.
chaise [ʃeiz]. Hafif gezinti arabası.

chalcedony [kalˈsedoni]. Akik nevinden bir taş.
Chaldean [kalˈdiiən]. Kildanî.
chalet [ˈʃalei]. Dağ kulübesi; köşk.
chalice [ˈtʃalis]. Âyinde kullanılan kadeh.
chalk [tʃook]. Tebeşir. **to ~ (up),** tebeşirle yazmak: **to ~ out,** tebeşirle tasarlamak: **French ~,** talk: **as different as ~ from cheese,** arasında dağlar kadar fark var: **A. is better than B. by a long ~,** A. B.'den fersah fersah daha iyidir: **'will Ahmed win the race?' 'Not by a long ~,** 'Ahmed yarışı kazanacak mı?' 'Ne münasebet (tam aksi)'. **~y,** tebeşirli, tebeşir gibi.
challenge [ˈtʃalindʒ]. Meydan okuma(k); düelloya davet etme(k); 'alnını karışlamak'; şübhe etm., itiraz etm.; taleb etm.; (nöbetçi hakkında) 'kim o?' diye bağırmak, parola sormak.
chamber [tʃeimbə*]. Oda; yatak odası; toplantı vs. salonu; meclis; kısım, bölme; depo. **~(-pot),** oturak, lâzımlık: **~s,** avukat yazıhanesi: **~ of Deputies,** millet meclisi. **~lain** [–lin], mabeynci. **~maid** [–meid], oda hizmetçisi.
chameleon [kəˈmiiljən]. Bukalemun.
chamfer [ˈtʃamfə*]. Şiv (açmak).
chamois [ˈʃamwaa]. Şamua. **chamois-leather** [ˈʃamiˌleðə*], güderi.
champ [tʃamp]. Çıtırdatarak çiğnemek; (at gemini) ısırmak.
champagne [ʃamˈpein]. Şampanya.
champion [ˈtʃampjən]. Şampiyon; müdafaacı, kahraman; mübariz. Müdafaa etm., tarafını tutmak.
chance[1] [tʃaans] *n.* Kısmet, talih, şans, kader; fırsat; imkân; ihtimal. *a.* Tesadüfî. **by ~,** tesadüfen: **will you be there by any ~?,** orada olmak [oraya gitmek] ihtimaliniz var mı?: **the ~s are that,** çok muhtemeldir ki: **the ~s are against his coming,** gelmesi ihtimali zayıftır: **the ~s are against me,** vaziyet aleyhimedir: **to have an eye to the main ~,** daima kendi çıkarına bakmak: **to give s.o. a ~,** (i) birine kendini göstermek için imkân vermek; (ii) imkân vermek, müsaade etm.; insaflı olm.: **there is an off ~ that ...,** ... muhtemel değil fakat olabilir: **he stands a ~ of winning,** kazanmak ihtimali yok değildir: **to take a ~,** bir kere denemek; **to take one's ~,** tehlikeyi göze alıp girişmek; talihini denemek: **to take a long ~,** muvafakkiyet ihtimali pek zayıf olan bir işe girişmek.
chance[2] *vb.* Bir kere denemek; tesadüfe bırakmak. **to ~ to do stg.,** bir şeyi tesadüfen yapmak: **if you ~ to see him,** onu görecek olursanız: **to ~ upon s.o.,** birine rastlamak.
chancel [ˈtʃaansəl]. Kilisede mihrabın etrafında rahiblere ve koroya mahsus yer.
chancellery [ˈtʃaansələri]. **Chancellor** makamı; elçilik kançılaryası.
chancellor [ˈtʃaansələ*]. Büyük rütbeli devlet memuru; bir üniversitenin fahrî rektorü; (Almanya'da) başvekil. **Vice-~** üniversite rektorü: **~ of the Exchequer,** (İngiltere'de) Maliye Nazırı: **Lord ~,** Lordlar Kamarası reisi ve Adliye Nazırı.
chancery [ˈtʃaansəri]. **Court of ~,** Lordlar Kamarasından sonra İngiltere'de en yüksek mahkeme: **to put one's head in ~** kapana kısılmak.
chancy [ˈtʃaansi]. Talihe bağlı.
chandelier [ʃandeˈliə*]. Avize.
chandler [ˈtʃaandlə*]. (*esk*) Mumcu; *bk.* **corn-~, ship-~.**
change [tʃeindʒ]. Değişme, değişiklik; tahavvül; tebdil; bozukluk (para), paranın üstü; değişik elbise; aktarma. Degiş(tir)mek; tahvil etm., tahavvül etm.; başkalaşmak; boz(ul)mak; aktarma yapmak. **to ~ into,** ···e tahvil etm., tahavvül etm.; çevirmek: **for a ~,** değişiklik olsun diye: **to ~ from bad to worse,** gittikçe daha beter olm.: **to ~ for the better** [**worse**], iyiliğe [kötülüğe] yüz tutmak: **a ~ of front,** (*ask*) cebhe değiştirme; (*mec.*) yüzgeri etme; fikir veya vaziyet değiştirme: **the ~ of life,** (kadın) adetten kesilme: **you won't get much ~ out of me!,** (*kon.*) benden yana ümidini kes!: **'no ~ given',** para bozulmaz: **to ~ hands,** (bir şeyin) sahibi değişmek: **to ring the ~s,** mevcud imkânları denemek, mevcud çareye başvurmak: **I couldn't wish it ~d,** bu hale (vaziyete) razıyım. **change about,** değişip durmak. **change down,** vitesi küçültmek. **change over,** bir usulden bir usule geçmek; tarz değiştirmek. **change up,** vitesi büyültmek.
changeable [ˈtʃeindʒəbl]. Kararsız; ittiradsız; değişebilir.
changeling [ˈtʃeindʒliŋ]. Gizlice değiştirilen çocuk.
changing-room [ˈtʃeindʒiŋ ˈruum]. Soyunma odası.
channel [ˈtʃanl]. Nehir yatağı; boğaz, kanal; yol, geçid; mecra, mahrec. Kanal açmak; oymak. **the (English) ~,** Manş denizi: **the ~ Islands,** Jersey ve Guernsey adaları: **~ iron,** U şeklinde demir.
chant [tʃaant]. Şarkı, dinî şarkı; gülbank, nağme. Makam ile okumak; muttarid bir sesle şarkı söylemek; gülbank çekmek. **to ~ the praises of, ...** göklere çıkarmak.
chanticleer [tʃaantiˈkliə*]. (*şair.*) Horoz.
chantry [ˈtʃaantri]. Kilisenin küçük âyinlere mahsus kısmi; bir ölünün ruhu için dua etme vakfiyesi.

chanty [ˈʃanti]. Heyamola şarkısı, gemici şarkışı.
chao·s [ˈkeios]. Büyük karışıklık, karmakarışık hal; kaos. **~tic** [keˈotik], karmakarışık; intizamsız.
chap[1] [tʃap]. Deride çatlak, yarık. Deri çatlamak, yarılmak.
chap[2]. Hayvanın yanağı; *bk*. **chop. Bath ~,** terbiye edilmiş yarım domuz başı.
chap[3]. (*kon*.) Arkadaş, adam; çocuk. **old ~,** azizim; (bizim) ahbab.
chapel [ˈtʃapl]. Küçük kilise; mekteb vs.nin kilisesi. **Nonconformist** mezhebinin kilisesi.
chaperon [ˈʃaperoun]. Bir genc kıza refakat eden evli veya yaşlı kadın. Bir genc kıza hâmilik etmek.
chaplain [ˈtʃaplin]. Bir aile, müessese, alay, gemi vs.de dinî âyin icra etmekle vazifeli rahib.
chaplet [ˈtʃaplit]. Başa takılan çelenk; küçük tesbih.
chapter [ˈtʃaptə*]. Bab, fasıl; bahis; kısım; şube; bir katedrale bağlı rahibler. **to give ~ and verse,** kaynaklarını zikretmek, vesika göstermek: **~ house,** bir katedrale bağlı rahiblerin toplantılarını yaptığı bina.
char[1] [tʃaa*] *vb*. **to go out ~ring,** gündelikle veya saatine ev hizmeti yapmak. *n*. = **charwoman.**
char[2] *vb*. Yakarak kömür haline getirmek.
char-a-banc [ˈʃarəbaŋ]. Büyük gezinti veya seyahat araba veya otobüsü.
character [ˈkaraktə*]. Sıfat, alâmet, mahiyet, cins, vasıf; ahlakî vasıf, karakter, seciye; huy, ahlak; şöhret, hususiyet; harf; piyes ve romanda şahıs; aktörün oynadığı rol. **to be in ~ with,** ···e uymak, imtizac etm.: **to be out of ~,** uymamak: **to clear s.o.'s ~,** temize çıkarmak; tebriye etm.: **to give s.o. a good ~,** birine iyi numara vermek, lehinde bulunmak; bonservis vermek: **he's a ~,** o bir âlemdir, kimseye benzemez: **in his ~ of,** ... sıfatile: **a public ~,** tanınmış bir şahsiyet.
character·istic [ˌkariktəˈristik]. Hususiyet; başkalarından ayıran şey; karakteristik. Hususiyetine uygun; ayırd edici; kendisine mahsus. **~ize** [ˈ–raiz], tavsif etm.; temayüz etmek.
charade [ʃəˈraad]. Bir nevi bilmeceli oyun.
charcoal [ˈtʃaakoul]. Odun kömürü, mangal kömürü; karakalem. **charcoal-burner,** kömürcü.
charge[1] [tʃaadʒ] *n*. Süvari veya süngü hücumu; (futbol) şarj. *vb*. Şiddetli ve anî bir şekilde hücum etm.; şarj etmek. **to ~ down upon s.o.,** birinin üzerine doğru kat'î ve tehdidkâr bir şekilde ilerlemek: **to ~ into stg.,** ···e çarpmak: **to return to the ~,** tekrar hücuma geçmek; tekrar başlamak.
charge[2] *n*. Bir defada doldurulan mikdar; barut hakkı; dolu; hamule; (*elek*.) şarj; harc, masraf, ücret; vazife, memuriyet, hizmet; mesuliyet, bakma; emanet; nasihat, tavsiye, tenbih; ittiham. **at a ~ of ...,** ... ücretle, masrafla: **to be a ~ on s.o.,** birine yük olm.: **to bring [lay] a ~ against s.o.,** birini ittiham etm.: **free of ~,** parasız, bedava: **to give s.o. ~ of [over], to put s.o. in ~ of,** birine bir şeyi tevdi etm.: **to be in ~ of,** bakmak, vazifeli olm., mesul olm.: **to give s.o. in ~,** birini tevkif ettirmek; polise teslim etm.: **to take s.o. in ~,** tevkif etm.: **to take ~ of,** birini veya bir şeyi üstüne almak: **list of ~s,** tarife: **to make a ~ for stg.,** bir şey için para almak.
charge[3] *vb*. Yükletmek; doldurmak; para istemek; masraf yazmak; ittiham etm.; iş, vazife vermek; tenbih etm., tavsiye etm., emretmek.
chargeable [ˈtʃaadʒəbl]. İtham olunabilir; isnad edilebilir; hesabına yazılabilir; yükletilebilir.
charger [ˈtʃaadʒə*]. Muharebe atı.
chariness [ˈtʃeirinis]. İhtiyat; hesablılık.
chariot [ˈtʃariət]. Eski harb veya yarış arabası; saltanat arabası; dört tekerlekli bir nevi araba. **~eer** [–ˈtieə*], zafer veya yarış arabası sürücüsü.
charitable [ˈtʃaritəbl]. Hayırsever, merhametli, şefkatlı, cömert. **~ institution,** hayır müessesesi veya cemiyeti.
charity [ˈtʃariti]. Merhamet, şefkat; iyilik, sadaka, fukaraya yardım; muhabbet ve iyi niyet. **~ ball,** bir hayır cemiyeti menfaatine balo: ⌜**~ begins at home**⌝, insan herkesten evvel kendi ailesi halkına yardım etmelidir: **~ school,** yetimler yurdu. **charity-boy, -girl,** yetimler yurdunda yetiştirilen çocuk.
charlatan [ʃaalətən]. Şarlatan.
charlock [ˈtʃaalok]. (*Brassica sinapis*) Yabani hardal.
charlotte [ˈʃaalot]. Meyya ve ekmek kırıntısı ile yapılan puding.
charm [tʃaam]. Sihir, büyü; cazibe, alım; muska, tılısım. Teshir etm., büyülemek; cezbetmek; son derece hoşa gitmek, haz vermek. **~ing,** çok hoş, pek cazib, alımlı, sevimli.
chart [tʃaat]. Deniz haritası; istatistik vs. grafiği; şema. Haritaya almak; grafiğini çıkarmak; haritada göstermek.
charter [ˈtʃaatə*]. Berat, imtiyaz, patenta. Berat, imtiyaz veya patenta vermek; kiralamak. **~ed accountant,** mütehassıs muhasib. **charter-party,** navlun mukavelesi.
charwoman [ˈtʃaawumən], *pl*. **-women**

[–wimen], tahtaya çamaşıra gelen gündelikçi kadın.
chary [ˈtʃeəri]. İhtiyatlı; hesablı, esirgiyen. **to be ~ of doing stg.**, bir şeyi yapmağa çekinmek.
chase[1] [tʃeis]. Kovalama(k); takib etme(k); avlama(k); koşma(k). **the ~**, av: **to ~ away**, koğmak: **to ~ (off) after stg.**, bir şeyin peşinden gıtmek: **to give ~ to s.o.**, birini kovalamak: **wild goose ~**, olmıyacak bir şeyin peşinden gitme.
chase[2] *vb.* Hâkketmek; oymak.
chaser [ˈtʃeisə*]. Kovalıyan kimse, avcı; geminin baş veya kıç topu; vida tarağı.
chasm [ˈkazm]. Büyük yarık; uçurum; (*mec.*) rahne.
chassis [ʃasii]. Otomobil veya uçağın iskelet kısmı, şasi.
chaste [tʃeist]. İffetli.
chasten [ˈtʃeisn]. Islah için cezalandırmak; gururunu kırmak, uslandırmak.
chastise [tʃasˈtaiz]. Çeza vermek, dögmek.
chastity [ˈtʃastiti]. İffet.
chat [tʃat]. Sohbet, hoşbeş. Sohbet etm., konuşmak.
chatelaine [ˈʃatəlein]. Şato veya malikâne sahibi kadın; anahtar vs. taşımak için kadınların bellerine taktıkları zincir.
chattel [ˈtʃatl]. Menkul eşya. **goods and ~s**, her türlü menkul eşya; pılı pırtı.
chatt·er [ˈtʃatə*]. Gevezelik (etm.); çene çalma(k); çatırdama(k). **~box**, geveze, boşboğaz. **~y**, konuşkan, sohbet meraklısı.
chaw [tʃoo]. Ağızda çiğnemek.
cheap [tʃiip]. Ucuz, ehven; âdi, pespaye. **dirt ~**, sudan ucuz: **on the ~**, ucuza, ucuz olarak: **to feel ~**, keyifsiz olm.: (*bazan*) mahcub olm.: **to hold stg. ~**, bir şeye ehemmiyet vermemek: **to make oneself ~**, kendini küçük düşürmek. **cheap-jack**, seyyar satıcı. **~en**, ucuzla(t)mak; fiatını düşürmek, değerini düşürmek.
cheat [tʃiit]. Dolandırıcı; hilekâr; düzenbaz; mızıkçı. Dolandırmak; aldatmak; oyun oynamak; mızıkçılık etmek.
check[1] [tʃek] *n.* (Satranc) keş; durdurma; tutma; engel; muvaffakiyetsizlik; kontrol, murakebe; (vestiyer vs.de) fiş. *vb.* (Şatranc) keş etm.; durdurmak, tutmak; menetmek, önlemek; kontrol etm., murakebe etm.; bakmak, yoklamak; karşılaştırmak, mukabele etm.; duraklamak. **to hold [keep] in ~**, durdurmak, önüne geçmek: **to keep a ~ on stg.**, murakebe etm., kontrol etmek.
check[2] *a.* Satranclı (kumaş).
check[3]. (*Amer.*) = **cheque.**
checkers [ˈtʃekəəz]. (*Amer.*) Dama oyunu.
checkmate [tʃekˈmeit]. Satrancda mat etme(k); yenme(k); işini bozmak.
Cheddar [ˈtʃedə*]. Kaşara benzer bir nevi peynir.
cheek [tʃiik]. Yanak; (*kon.*) yüzsüzlük, arsızlık, küstahlık. ···e küstahlık etm., yüzsüz olmak. **~ by jowl**, haşır neşir: **to have the ~ to,...** küstahlığında bulunmak. **~y**, yüzsüz, arsız.
cheep [tʃiip]. Cıvıltı. Cıvıldamak.
cheer [tʃiə]. Neş'e; teşvik ve teselli; alkış; bravo; yaşa! sesi. Alkışlamak. **~ (up)**, neş'elen(dir)mek; içi(ni) açmak: **~ on**, teşvik etm.; **~ up!**, üzülme!: **what ~?**, ne var, ne yok? **~ful**, neş'eli, şen; güler yüzlü; ferah, hoş. **~io!**, (*kon.*) Allaha ısmarladık!, güle güle!; eyvallah!, sıhhatinize!. **~less**, kasvetli; hüzün verici. **~y**, şen, neş'eli.
cheese [ˈtʃiiz]. Peynir. **~monger**, peynirci. **cheese-paring**, hesabî; hesabilik; hasislik. **cheesy**, peynir gibi.
cheetah [ˈtʃiitə*]. Parsa benziyen bir hayvan ki geyik avlamak için kullanılır.
chef [ʃef]. Aşçı başı.
chemical [ˈkemikl]. Kimyevî, şimik. **~s**, ecza: kimyevî maddeler.
chemise [ʃəˈmiiz]. Kadının iç gömleği; kombinezon.
chemist [ˈkemist]. Eczacı; kimyager. **~ry**, kimya.
cheque [tʃek]. Çek. **crossed ~**, çizgili çek. **cheque-book**, çek defteri.
chequer [ˈtʃekə*]. Damalı yapmak; ittiradı bozmak; tenevvü ettirmek. **~s**, kumaşın kareleri. **a ~ed career**. dalgalı hayat.
cherish [ˈtʃeriʃ]. Aziz tutmak; kuşsütüyle beslemek; bağrına basmak; beslemek, gütmek.
cheroot [ʃəˈruut]. İki ucu kesilmiş püro.
cherry [ˈtʃeri]. Kiraz. ⌜**to make two bites at a ~**⌝, bir işi lüzumsuz yere ağır almak.
cherub [ˈtʃerʌb]. Melek; nur topu gibi çocuk; masum yüzlü kimse. **~ic** [–ˈruubik], melek gibi; masum yüzlü; sıhhatli ve neş'eli çocuk gibi. **~im**, melâike.
chervil [ˈtʃəəvil]. Frenk maydanozu (?).
chess [tʃes]. Satranc oyunu. **~men**, satranc taşları.
chest [tʃest]. Sandık, kutu; göğüs. **~ of drawers**, çekmeceli dolab: **to get it off one's ~**, (*kon.*) içini dökmek [boşaltmak], boşalmak.
chesterfield [ˈtʃestəfiild]. Büyük ve kabarık kanape.
chestnut [ˈtʃestnʌt]. Kestane; (*kon.*) bayat şaka veya hikâye.
chevron [ˈʃevron]. Arma üzerinde veya rütbeyi göstermek için üniformada kullanılan (ʌv) işaretleri.
chew [tʃuu]. Çiğnemek. **chewing-gum**, sakız.

chicanery [ʃiˈkeinəri]. Hile, âdi oyun; dalavere; safsata.
chick [tʃik]. Civciv, piliç. **chick-pea,** nohut.
chicken [ˈtʃikin]. Piliç, civciv; tavuk eti. ⌜**don't count your ~s before they are hatched**⌝, çayı görmeden paçaları sıvama: **she is no ~,** pek körpe denmez. **chicken-hearted,** korkak, tabansız. **chicken-pox,** su çiceği hastalığı.
chickweed [ˈtʃikwiid]. (*Cerastium*) Farekulağı.
chicory [ˈtʃikori]. (*Cichorium intybus*) Hindiba.
chide [tʃaid]. Azarlamak, tekdir etmek.
chief [tʃiif]. Baş; reis; âmir; büyük; bellibaşlı. **commander-in-~,** başkumandan.
chieftain [ˈtʃiiftən]. Kabile reisi.
chiffon [ˈʃifon]. İpek tül, şifon.
chilblain [ˈtʃilblein]. Mayasıl.
child [tʃaild]. Çocuk. **be a good ~!,** uslu dur!: **from a ~,** küçükten beri: **to be with ~,** hamile olmak. **~birth,** çocuk doğurma. **~hood,** çocukluk: **second ~,** bunaklık. **~ish,** çocukça, çocuk gibi, çocuksu: **to grow ~,** bunamak. **~like,** çocuk gibi. **child-bed,** löğusalık. **child's-play,** kolay iş: **it 's mere ~,** işten bile değil.
chill [tʃil]. Soğuk algınlığı; soğukluk. Soğutmak; üşütmek; (madeni) suya batırmak; şevkini [ümidini] kırmak. **~ed meat,** dondurulmuş et: **to cast a ~ over the company,** meclise soğukluk getirmek: **a cold ~ came over him,** tüyleri ürperdi: **to take the ~ off stg.,** soğukluğunu gidermek; hafifçe ısıtmak. **~y,** (nahoş şekilde) serin; soğuk; hep üşüyen.
chilli [ˈtʃili]. Kırmızı biber.
chime [tʃaim]. Muhtelif havalar çalabilir çanlar; ahenkli çan sesi. (Çanlar) çalınmak; çalmak. **to ~ the hour,** (saat) saati vurmak: **to ~ in,** söze karışmak: **to ~ in with ...,** ···e uymak.
chimer·a [kiˈmiərə]. Muhayyel bir canavar, ejderha; korkunç hayal; olmıyacak şey; saçma ve imkânsız fikir. **~ical,** [–merikl], hayalî; imkânsız, manasız.
chimney [ˈtʃimni]. Baca; lâmba şişesi. **chimney-corner,** ocak başı. **chimney-piece,** ocak rafı. **chimney-pot,** baca külâhı. **chimney-sweep,** baca temizleyici.
chimpanzee [ˌtʃimpanˈzii]. Şampanze.
chin [tʃin]. Çene. **to wag one's ~,** çene çalmak. **chin-strap,** çene kayışı.
China [ˈtʃainə]. Çin; **china,** çini, porselen. **~man** (*pl.* **-men**), Çinli.
chinchilla [tʃinˈtʃila]. Şinşile.
chine [tʃain]. Belkemiği; sırt (eti); dağ sırtı.
Chinese [tʃaiˈniiz]. Çinli, Çine aid; çince.
chink[1] [tʃink]. Yarık; çatlak.
chink[2]. Çınlama(k), şıkırtı, şıkırdamak; (*arg.*) mangiz.
chink[3]. (*arg.*) Çinli.
chintz [tʃints]. Çiçekli alacalı pamuklu; basma.
chip [tʃip]. Yonga; çentik; küçük parça; kırıntı; kızarmış patates; (kâğıd vs. oyunlarında saymak için) fiş. Yontmak; çentmek. **to ~ in,** söze karışmak: **a ~ of the old block,** babasına benziyen oğul.
chir [tʃəə*]. (*ech.*) (Bazı böcekler) cırcır ötmek.
chiromancy [ˈkairomansi]. El falı.
chiropody [kaiˈropodi]. Ayak nasırlarının vs. tedavisi, nasırcılık.
chirp [tʃəəp]. Cıvıltı. Cıvıldamak. **~y,** (*arg.*) neş'eli, şen.
chirrup [ˈtʃirəp] *bk.* **chirp.**
chisel [ˈtʃizl]. Çelik kalem; marangoz veya taşçı kalemi. Kalemle oymak, yontmak; (*arg.*) dolandırmak. **cold ~,** demirci kalemi.
chit[1] [tʃit]. Çocuk; pek genç ve tecrübesiz kız.
chit[2]. Tezkere; bonservis.
chit-chat [ˈtʃitˈtʃat]. Gevezelik, dedikodu.
chitterlings [ˈtʃitəliŋs]. Domuz barsağından yapılan yemek.
chival·rous [ˈʃivəlrəs]. Şövalye gibi; asil, alicenab. **~ry,** şövalyelik (ki kahramanlık, şeref, nezaket, kadına hürmet, zayıfı himaye, cömertlik ve düsmanlarına iyi muamele vasıflarını ihtiva eder).
chives [tʃaivz]. Bir nevi sarmısak.
chivy [ˈtʃivi]. Koğalamak. **to ~ s.o. about,** birine nefes aldırmamak.
chlorin·ate [ˈklorineit]. Klorla karıştırmak; klor katmak. **~e** [–riin], klor.
chlorophyll [ˈklorofil]. Nebatlara yeşillik veren madde, klorofil.
chlorosis [klooˈrousis]. Yaprakların sararması (hastalığı); bir nevi kansızlık.
chock [tʃok]. Takoz; felenk. Takoz koymak; takozlamak. **chock-a-block,** hıncahınç; tıkabasa.
chocolate [ˈtʃoklit]. Çikolata.
choice [tʃois] *n.* Seçme, intihab, tercih; tercih hakkı; çeşit; seçilen şey . *a.* Seçkin. **for ~,** tercihen.
choir [kwaiə*]. Koro; kilisede koro mahalli.
choke [tʃouk]. Tıkanma; nefes alamama; boğulma; (*otom.*) jikle; (av tüfeği) boğum. Tıka(n)mak; nefesini tıkamak; boğ(ul)mak; nefes alamamak. **choke-bore,** boğumlu (tüfek). **choke-damp,** maden ocaklarında vs. hasıl olan boğucu gaz. **choke back,** (gözyaşı vs.) tutmak. **choke off,** (*arg.*) vazgeçirmek.

cholera [ˈkolera]. Kolera.
choose (**chose, chosen**) [tʃuuz, tʃouz, tʃouzn]. Seçmek, intihab etm.; ihtiyar etm.; tercih etm.; karar vermek. **he cannot ~ but accept,** kabul etmekten başka bir şey yapamaz: **there is nothing to ~ between them,** aralarında hiç fark yoktur: **I do not ~ to do so,** bunu yapacak değilim: **when I ~,** istediğim zaman.
chop[1] [tʃop]. Balta veya satır darbesi; kotlet, pirzolalık; deniz şıpırtısı. (Balta veya satırla) kesmek; doğramak, yarmak, kıymak; (dalgalar) çırpınmak. **~ off,** kesip koparmak: **~ up,** doğramak, kıymak. **chopping-block,** et kütüğü, kütük. **chop-house,** kebabcı dükkânı. **chop-sticks,** Çinlilerin çatal gibi kullandıkları çöpler. **chop-suey,** et ve sebze ile yapılan bir Çin yemeği.
chop[2]. **to lick one's ~s,** yalanmak: **the ~s of the Channel,** Manş'in medhalı.
chop[3]. Anî değişiklik; rüzgârın değişmesi. **to ~ and change,** bir saati bir saatine uymamak: **to ~ round [about],** (rüzgâr) mütemadiyen değişmek: **~s and changes,** mütemadî değişmeler.
chopper [ˈtʃopə*]. Satır.
choppy [ˈtʃopi]. Hafifçe dalgalı; (rüzgâr) değişen, mütehavvil.
choral [ˈkoorəl]. Koroya aid.
chord [ˈkood]. Kiriş, tel; (*geom.*) veter; ahenk, akort. **to touch the right ~,** can alacak noktaya dokunmak.
chore [tʃoo*]. Ufak tefek ev işi; zor ve zevksiz iş.
choreography [ˌkooriˈogrəfi]. Bale danslarını tanzim etme.
chorister [ˈkoristə*]. Koro şarkıcısı.
chortle [ˈtʃootl]. Hafif sesle gülmek.
chorus [ˈkoorəs]. Koro; nakarat. **in ~,** hep beraber ve aynı zamanda. **chorus-girl,** müzikhol dansözü.
chose, chosen *bk.* **choose.**
chow [tʃau]. Çin köpeği.
chowder [ˈtʃaudə*]. Bir nevi Amerikan yahnisi.
chrestomathy [kresˈtomaθi]. Seçme metinler kitabı.
Christ [kraist]. İsa. **~en** [ˈkrisn], vaftiz etm., isim vermek. **~ening,** vaftiz. **~endom** [ˈkrisəndəm], Hıristiyanlık âlemi. **~ian** [ˈkristjən], Hıristiyan: **the ~ era,** Milâdî sene. **~ianity** [kristiˈaniti], Hıristiyanlık.
Christmas [ˈkrisməs]. Noel. **a merry ~!,** Noeliniz kutlu olsun!. **Christmas-box** *bk.* **boxing-day. Christmas-card,** Noel tebriki. **Christmas-day,** Noel günü (25 aralık). **Christmas-eve,** Noel arifesi. **Christmas-tide,** Noel zamanı.
chromatic [kroˈmatik]. Renklere aid, renkli; (*mus.*) yarım sesli.
chrom·e [kroum]. Krom boyası. **~ium,** krom.
chronic [ˈkronik]. Müzmin, devamlı, çok süren.
chronicle [ˈkronikl]. Vakayiname, tarih. Vakayii yazmak, tarihini yazmak. **~r,** vak'anüvis, tarihçi.
chronological [ˌkronoˈlodʒikl]. Tarih sırasına göre.
chronology [kroˈnolodʒi]. Zamanın devirlere ayrılması; hadiseleri tarih sırasına göre veren cedvel.
chrysalis [ˈkrisəlis]. Böceğin koza içindeki şekli; koza. **in the ~ stage,** gelişme veya değişme devresinde.
chrysanthemum [kriˈsanθiməm]. Kasımpatı, krizantem.
chubby [ˈtʃʌbi]. Tombul.
chuck[1] [tʃʌk]. Guluklama(k). **~! ~!,** bili! bili! (diye bağırmak).
chuck[2]. Atma(k), fırlatma(k); kaldırıp atmak. **to ~ about,** saçmak, savurmak; **to ~ one's weight about,** azamet satmak: **to ~ out,** kapı dışarı etm.: **to ~ s.o. under the chin,** çenesini okşamak: **to get the ~,** (*arg.*) işinden çıkarılmak: **to give s.o. the ~,** (*arg.*) birine yol vermek: **to ~ up,** (işini) bırakmak; vazgeçmek.
chuck[3] *n.* Torna aynası. **3-jaw ~,** üç ayaklı ayna: **drill ~,** matkab mandreni.
chuckle [ˈtʃʌkl]. Hafif sesle kendi kendine gülme(k).
chum [tʃʌm]. Arkadaş, ahbab. **to ~ up with s.o.,** birile ahbab olmak. **~my,** ahbabca, sarmaşdolaş.
chump [tʃʌmp]. Kütük; (*arg.*) baş, kafa; ahmak.
chunk [tʃʌnk]. İri parça (odun vs.).
church [tʃəətʃ]. Kilise. Bir kadına (çocuk doğurduktan sonra) kilisede Allaha şükrettirmek. **the ~ of England,** Anglikan kilisesi: **to go into the ~,** rahib olm.: **High ~,** protestan kilisenin âyinlere çok ehemmiyet veren bir kolu (*bunun aksine* **Low ~** *denir*). **~man,** *pl.* **-men,** Anglikan kilisesine mensub kimse; kiliseye devam eden kimse; rahib. **~warden,** kilise mütevellisi; uzun saplı toprak pipo. **~yard,** kilise avlusu, kilise mezarlığı. **church-worker,** kilisenin hayır işlerine yardım eden kimse.
churl [tʃəəl]. Kaba ve terbiyesiz adam. **~ish,** kaba, terbiyesiz; ters, aksi, nobran.
churn [tʃəən]. Yayık. Sütü yayıkta çalkamak; yağ çıkarmak; suyu vs. köpürtmek.
chute [ʃuut]. Oluk; kızak; çağlıyan.
chutney [ˈtʃʌtni]. Meyva biber vs.den yapılan baharlı bir nevi hind salçası.

chyle [kail]. Keylus, kilüs.
chyme [kaim]. Keymus, kimüs.
cicada [siˈkaada]. Ağustos böceği.
cicatri·ce [ˌsikətris]. Yara izi; yara kabuğu. **~ze** [-traiz], (yara) kabuk bağlamak.
cicerone [ˈsisəroun]. Seyyah rehberi.
C.I.D. *bk.* criminal.
cider [ˈsaidə*]. Elma şırası.
cigar [siˈgaa*]. Yaprak sigara, sigar, püro. **~ette** [ˈsigəˈret], sigara. **cigarette-holder,** ağızlık.
cinch [sintʃ]. (*Amer.*) Kolan; (*kon.*) elde bir.
cinchona [sinˈkouna]. Kınakına ağacı; kinin.
cincture [ˈsinktjuə*]. Kemer; kuşak.
cinder [ˈsində*]. Kor; yanması bitmiş ateş; köz, kül.
Cinderella [ˌsindəˈrela]. Bir peri masalı kahramanı; ihmal edilmiş veya takdir edilmiyen şey veya kimse.
cinema [ˈsinima]. Sinema. **~tograph** [–ˈmatəgraaf], sinema makinesi.
cinnabar [ˈsinəbaa*]. Zencifre.
cinnamon [ˈsinəmon]. Tarçın.
cipher [ˈsaifə*]. Sıfır; solda sıfır (kimse); şifre; gizli yazı; şifre anahtarı; marka. Şifre ile yazmak; hesab yapmak.
circle [ˈsəəkl]. Daire; halka; (tiyatroda) balkon; grup; meclis; mahfel, muhit. Etrafını dönmek, dolaşmak. **to square the ~,** imkânsız bir şeye girişmek.
circuit [ˈsəəkit]. Etrafını dönme, dolaşma; teftiş devri; deveran; dolaşılan saha; muhit, çevre, saha; (*elek.*) devre; İngiltere'de seyyar mahkeme. **to go on ~,** (hâkim veya avukat) seyyar mahkeme ile dolaşmak.
circulat·e [ˈsəəkjuleit]. Dolaş(tır)mak; tedavül et(tir)mek, yay(ıl)mak; neşretmek, neşredilmek. **~ion** [–ˈleiʃn], dolaşma; cereyan; deveran; tedavül; (gazete vs.) satış mikdarı.
circumcis·e [ˈsəəkəmsaiz]. Sünnet etmek. **~ion** [–ˈsiʒn], sünnet.
circumference [səəˈkʌmfərəns]. Muhit, çevre.
circumflex [ˈsəəkʌmfleks]. (ˆ)işaretli vurgu.
circumlocution [ˈsəəkəmloˈkjuuʃn]. Dolambaçlı söz veya tabir.
circumscribe [ˈsəəkəmskraib]. Etrafını çizmek; tahdid etm.; etrafına resmetmek.
circumspect [ˈsəəkəmspekt]. İhtiyatlı, basiretli; düşünceli; müteenni.
circumstance [ˈsəəkəmstans]. Hal; şart, vaziyet; hadise; keyfiyet; vak'a; tafsilat; merasim. **~s,** malî vaziyet. **in [under] the ~s,** bu vaziyette; bu ahvalde: **in no ~s,** hiç bir şekilde, hiç bir zaman: **my worldly ~s,** malî vaziyetim: **with pomp and ~,** büyük merasimle. **~d, well ~d,** hali vakti yerinde: **as I was ~d,** içinde bulunduğum vaziyette.
circumstantial [ˌsəəkəmˈstanʃəl]. mufassal; arizî, talî. **~ evidence,** emare.
circumvent [səəkəmˈvent]. Hilesini bozmak; menetmek; iğfal etmek.
circus [ˈsəəkəs]. Sirk, cambazhane; bir kaç caddenin birleştiği meydan.
cirrhosis [siˈrousis]. Bir karaciğer hastalığı; siroz.
cirrhus [ˈsirəs]. Didilmiş yün gibi bulut.
cisalpine [sisˈalpain]. Alp dağlarının cenubunda.
cistern [ˈsistəən]. Sarnıç.
citadel [ˈsitədel]. Kale; hisar.
citation [siˈteiʃn]. Celb, davet; zikir.
cite [sait]. Celbetmek, mahkemeye davet etm.; zikretmek; şahid göstermek.
citizen [ˈsitizn]. Hemşeri; vatandaş; sivil şahıs; şehirli. **~ship,** vatandaşlık, vatanperverlik.
citric [ˈsitrik]. Limon vs.ye aid; sitrik.
citron [ˈsitrən]. Ağackavunu.
citrus [ˈsitrəs]. Limon vs. cinsinden ağac.
city [ˈsiti]. Büyük şehir. **the City,** Londra'nın iş merkezi: **he is in the ~,** Londra'da iş adamıdır.
civet [sivet]. Mis kedisinden çıkarılan yağ.
civic [ˈsivik]. Şehre aid; medenî; vatandaşlığa aid. **the ~ authorities,** belediye makamları. **~s,** yurtbilgisi; vatandaşlık bilgisi.
civil [ˈsivil]. Vatandaşlara aid; devlete veya millete aid; medenî; sivil; nazik, terbiyeli. **~ engineering,** köprü, yol, liman vs. mühendisliği: **~ law,** medenî kanun: **~ servant,** mülkiye memuru: **~ service,** mülkiye hizmeti, devlet memurluğu: **~ list,** Kıralın ve sarayın tahsisatı: **~ war,** dahilî harb.
civili·an [siˈviljən]. Sivil; başıbozuk. **~ty** [siˈviliti], nezaket, terbiye. **~zation** [ˌsivilaiˈzeiʃn], medeniyet. **~ze** [ˈsivilaiz], medenileştirmek: **to become ~d,** medenileşmek.
clack [klak]. (*ech.*) Tıkırtı, çıtırtı. Tıkırdamak, çıtırdamak.
clad *bk.* **clothe.**
claim [kleim]. İddia etm.; istemek; taleb etmek. İddia; taleb; taleb edilen şey; (yeni keşfedilen bir memlekette) sonradan işletmek veya satmak üzere işaret konan arazi veya arsa. **to stake out a ~,** böyle bir arsanın hududunu çizmek: **to jump a ~,** sahibinin kullanmadığı böyle bir arsayı işgal etmek. **~ant,** davacı; taleb sahibi; hak iddia eden.

clairvoyan·ce [kleəˈvoiəns]. Falcılık; istikbali görmek kabiliyeti. **~t,** gaibi gören; gaibden haber veren; falcı.
clam [klam]. Bir nevi istridye.
clamant [ˈklamənt, ˈklei-]. Gürültülü; ısrarlı.
clamber [ˈklambə*]. Güçlükle tırmanma(k).
clammy [ˈklami]. Soğuk ve ıslak; yapışkan.
clamo·rous [ˈklamərəs]. Gürültülü, şamatalı. **~ur,** gürültü; patırdı; yaygara. **to ~ for,** yaygara ile istemek.
clamp [klamp]. Mengene; kenet; köşebent; küme, yığın. Mengeneye kıstırmak; kenetlemek: yığmak.
clan [klan]. Kabile, klan; birbirine çok bağlı aile.
clandestine [klanˈdestin]. Gizli, el altından.
clang [klaŋ]. (*ech.*) Tınlama(k), çınlama(k). **~our,** bir sürü madenî sesler.
clank [klank]. (*ech.*) Şıkırtı, şıkırdatmak.
clan·nish [ˈklaniʃ]. Kabileye aid; biribirine bağlı ve yabancıları sevmiyen. **~sman,** *pl.* **-men,** bir kabileye veya klana mensub adam.
clap [klap]. El çırpma, şaklama; (tek) gök gürleme. El çırpmak, alkışlamak; çarpmak, vurmak; (kanad) çırpmak; ansızın ve şiddetle koymak vs. **to ~ s.o. on the back,** tebrik için vs. birinin sırtına vurmak: **to ~ eyes on s.o.,** birini birdenbire görmek; **I've never ~ped eyes on him,** onu hayatımda hiç görmedim: **to ~ on one's hat,** şapkasını başına geçirmek: **to ~ a pistol to s.o.'s head,** birinin başına tabanca dayamak: **to ~ s.o. in prison,** birini hapse tıkmak.
clapper [ˈklapə*]. Çan tokmağı; kuşları kaçırmak için gürültü çıkaran fırıldak.
claptrap [ˈklaptrap]. Gösteriş için boş söz veya hareket; safsata, palavra.
claret [ˈklarət]. Bir nevi kırmızı Bordeaux şarabı.
clarify [ˈklarifai]. Tasfiye etm.; berrak bir hale getirmek; aydınlatmak, izah etmek.
clash [klaʃ]. (*ech.*) Çarpma veya çarpışma sesi; çarpışma(k), çatışma(k); şiddetli ihtilaf (halinde olm.); uyuşmamak.
clasp [klaasp]. Toka; bağlamağa veya tutturmağa yarıyan şey; el sıkma. Yakalamak, kavramak; sıkmak; kucaklamak; bağlamak. **to ~ one's hands,** el kavuşturmak. **clasp-knife,** sustalı çakı.
class [klaas]. Sınıf; tabaka; nevi, cins. Tasnif etmek. **no ~** (*kon.*) aşağı sınıf veya derecede.
classic [klasik]. Mükemmel, birinci derece; klâsik; klâsik muharrir; eski Yunan ve Romaya aid. **the ~ s,** eski Yunan ve Lâtin edebiyatı. **~al,** klâsik: **~ scholar,** Yunan ve lâtin edebiyatları âlimi.
classif·ication [ˈklasifiˈkeiʃn]. Sınıflara ayırma, tasnif. **~y,** sınıflara ayırmak, tasnif etmek.
classy [ˈklaasi]. (*arg.*) Mükemmel, ekâbir.
clatter [ˈklatə]. (*ech.*) Takırtı; takırdamak; patırdı (etm.). **to ~ downstairs,** merdivenden gürültü ile inmek: **to come ~ing down,** paldır küldür düşmek.
clause [klooz]. Madde; şart; hüküm; cümlenin bir kısmı.
claustral [ˈkloostrəl]. Manastıra aid; münzevi.
claustrophobia [ˌkloostroˈfoubjə]. Kapalı yerlerden korkma.
clavicle [ˈklavikl]. Köprücük kemiği.
claw [kloo]. Hayvan pençesindeki iğri tırnak; hayvan pençesi; istakoz kıskacı; çekicin çivi söken tarafı. Tırmalamak, pencelemek. **to ~ off,** (gemi) volta ederek karadan kurtulmak.
clay [klei]. Balçık, kil; insan vücudu. **~ey,** balçıklı, killi.
clean [kliin] *a.* Temiz, saf; biçimli. *adv.* Tamamen, iyice. *vb.* Temizlemek, yıkamak; süpürmek. **as ~ as a new pin,** tertemiz, pırıl pırıl: **to give stg. a ~,** bir şeyi temizlemek: **to have ~ hands,** namuslu olm., rüşvete el sürmemiş olmak. **clean out,** boşaltıp temizlemek; boşaltmak; **to be ~ed out,** meteliksiz kalmak. **clean up,** süprüntü vs.yi toplıyarak temizlemek; düzeltmek; (*kon.*) bitirmek.
cleanly *a.* [ˈklenli]. (Tabiat itibarile) temiz. *adv.* [ˈkliinli], temiz bir surette, temiz olarak.
cleanse [klenz]. Temizlemek.
clear[1] [ˈkliə*] *a.* Açık, aydınlık; duru, berrak, şeffaf, temiz; saf; net; tam; aşikâr, besbelli, vazıh; engelsiz, boş, serbest. **to be [get] ~ of . . .,** ···den kurtulmak, sıyrılmak: **a ~ majority,** tam ekseriyet: **a ~ profit,** safi kâr: **a ~ thinker,** vazıh fikirli: **'all ~!',** yol açık!: **to sound the 'all-~',** bir hava hücumunun sonunda 'tehlike geçti' işareti vermek: **the coast is ~,** 'ortalık sütliman': **to stand [keep] ~,** açık durmak, çekilmek, sokulmamak: **the moment the train was ~ of the station,** tren istasyondan ayrılır ayrılmaz: **my conscience is ~,** vicdanen müsterihim: **to make oneself ~,** maksadını açıkça izah etm.: **are you quite ~ about that?,** (i) bunu iyice anladınız mı?: (ii) bu hususta tamamen emin misiniz?: **to send a message in ~,** açık (şifresiz) bir haber göndermek. **clear-cut,** düzgün, biçimli, keskin hatlı; vazıh, kat'î. **clear-headed,** anlayışlı, açık kafalı.

clear[2] *vb.* Açmak, açık hale getirmek; duru ve berrak hale getirmek; temizlemek; ayıklamak; kurtarmak; engelleri kaldırmak; boşaltmak; temize çıkarmak, tebriye etm.; ···den ayrılmak, çıkmak; gümrükten çıkarmak; (hava) açılmak; berraklaşmak, durulmak: (gemi) hareket etmek. **to ~ the air,** (i) havayı temizlemek; (ii) vaziyeti tavzih etm.: **to ~ one's conscience,** vicdanını müsterih kılmak: **to ~ the decks for action,** (i) muharebe için güverteyi neta etm.; (ii) bir iş için hazırlık yapmak: **to ~ the ground (for),** (···e) yol açmak, zemin hazırlamak: **to ~ £100 [10 per cent.]**, yüz lira [yüzde on] safi kâr temin etm.: **(jumping) to ~ an obstacle,** atlarken dokunmadan bir maniadan aşmak: **to ~ a ship,** (i) gemiyi tahliye etm.; (ii) bir geminin bütün masraflarını vererek hareket müsaadesini almak: **to ~ the table,** sofrayı kaldırmak; masanın üstünü toplamak. **clear away,** kaldırmak; temizlemek, derleyip toplamak. **clear off,** (borc vs.) ödemek; temizlemek; kaçmak, sıvışmak. **clear out,** boşaltmak, temizlemek; çekilip gitmek: **~ out!**, çek arabanı! **clear up,** temizlemek; aydınlatmak; halletmek.

clearing [ˈkliəriŋ] *n.* Ormanda açık saha; bankalar arasında çek ve sened mübadelesi suretile hesablama; kliring. **clearing-house,** takas odası.

cleat [kliit]. Kastanyola; koçboynuzu; bir şeye takılan tahta parçası.

cleavage [ˈkliividʒ]. Yarılma; ayrılma, ayrılık.

cleave[1] **(-d, cleft)** [kliiv, -d, kleft]. Yarmak, yarılmak; çatlamak. **a cleft stick,** çatallı değnek: **to be in a cleft stick,** çıkmaza girmek.

cleave[2]. **to ~ to...,** ···e bağlı olm., yapışmak.

cleaver [ˈkliivə*]. Satır.

cleavers [ˈkliiveez]. (*Galium aparine*) Çobansüzgeçi.

clef [klef]. (*mus.*) Nota anahtarı.

cleft *bk.* **cleave.**

clematis [ˈklemətis]. Filbahar.

clemen·cy [ˈklemensi]. Merhamet, şefkat: mülayimlik. **~t,** mülayim.

clench [klentʃ]. (Dişlerini, yumruklarını) sıkmak; sımsıkı yakalamak.

clergy [ˈkləədʒi]. Rahibler, rahib sınıfı. **~man,** *pl.* **-men,** rahib, papaz.

cleric [ˈklerik]. Rahib. **~al** [ˈklerikl]. Kâtiblere aid; rahiblere aid; rahib; rahiblerin nüfuzu siyasetine tarafdar. **~ism,** siyasette rahiblerin nüfuzu veya buna tarafdarlık.

clerk [klaak]. Kâtib, yazıcı; evrak memuru; kilisede çalışan küçük memur; (*huk.*) rahib. **~ in Holy Orders,** rahib; **Town Clerk,** İngiliz belediyelerinde tahrirat kâtibi ile evrak müdürü vazifelerine yakın iş gören memur: **~ of the weather,** hava işlerini idare ettiği farzolunan şahıs: **~ of the works,** işbaşı. **~ly,** kâtibce; küçük memur gibi.

clever [klevə*]. Zeki; maharetli; becerikli, ustalıklı; istidadlı. **he was too ~ for us,** bizden daha kurnaz çıktı.

cliché [ˈkliiʃei]. Basmakalıb söz, klişe.

click [klik]. (*ech.*) Sert ve kesik ses; şıkırtı, çatırtı; (dil) şaklama. Şıkırdamak; şaklamak; (topuklarını) çarpmak; (*arg.*) uyuşmak, birbirinden hoşlanmak; uymak.

client [ˈklaiənt]. Müşteri; müekkil. **~ele** [kliionˈteil], müşteriler.

cliff [klif]. Yar, uçurum, kayalık.

climacteric [klaiˈmaktərik]. Dönüm noktası; insan vücudünde büyük değişme olan zaman.

climat·e [ˈklaimit]. İklim. **~ic** [–ˈatik], iklime aid.

climax [ˈklaimaks]. En buhranlı nokta; en yüksek derece.

climb [klaim]. Tırmanma(k), çıkma(k); yükselme(k); yokuş. **to ~ down,** tırmanarak inmek; yelkenleri suya indirmek. **~er,** tırmanan; dağcı; sarmaşık nebat; her ne pahasına olursa olsun sosyetede muvaffak olmak isteyen adam.

clime [klaim]. İklim, diyar.

clinch [klintʃ]. Perçin(lemek); (boks) girift olma(k). **to ~ an argument,** bir münakaşada karşısındakini (kuvvetli bir cevabla) susturmak: **to ~ a bargain,** pazarlığı uydurmak.

cling (clung) [kliŋ, klʌŋ]. Sımsıkı sarılmak, yapışmak, tutunmak; vazgeçmemek; bağlanmak. **to ~ together,** birleşik olm., birbirine bağlı olm.; 'anca beraber kanca beraber' olmak.

clinic [ˈklinik]. Klinik. **~al,** kliniğe aid: **~ thermometer,** doktor termometrosu, derece.

clink[1] [kliŋk]. (*ech.*) Şıkırtı. Şıkırda(t)mak. **to ~ glasses,** kadeh tokuşturmak.

clink[2]. (*arg.*) Kodes.

clinker [ˈkliŋkə*]. Çok sert bir cins tuğla; maden kömürü cürufu; erimiş tuğla yığını.

clinker-built [ˈkliŋkəˈbilt]. Birbirine bindirme tahta ile yapılmış (gemi).

clinking [ˈkliŋkiŋ]. (*arg.*) Mükemmel, birinci sınıf, en âlâ şey veya kimse.

clinometer [klaiˈnomətə*]. Meyil ölçme âleti.

clip[1] [klip]. Kırpma; koyunda kırpılan yün mikdarı; kırkım; zımbalama. Kırpmak; kırkmak; kesmek; kısaltmak; zımbalamak. **to ~ s.o.'s claws,** (*mec.*) birinin tırnaklarını sökmek: **to ~ s.o.'s wings,** birinin hareketini veya faaliyetini tahdid etm.: **to ~ one's words,** kelimelerin sonunu yutmak.

clip². Rabtiye. Rabtiye vs. ile tutturmak, iliştirmek. **to give s.o. a ~ on the ear,** birine tokat atmak.

clipper [ˈklipə*]. Çok yollu bir nevi yelkenli.

clippers [ˈklipəəz]. Kırpma aleti; saç traş makinesi.

clique [kliik]. Klik, hizib.

cloak [klouk]. Harmaniye, pelerin, manto; (*mec.*) bahane, perde. Örtmek, gizlemek. **cloak-room,** emanet, gardırob: **ladies' ~,** 'kadınlara'.

clock [klok]. Büyük saat (duvar saati vs.); çorabın yan tarafına süs için örülen veya dikilen işaret. **to ~ in** [**out**], (işe gelen [işini bitiren] amele vs.) saati çevirmek: **grandfather ~,** dolablı saat: **what o'~ is it?,** saat kaç?: **it is three o'~,** saat üç: **like one o'~,** (*arg.*) mükemmel: **twenty minutes by the ~,** tam yirmi dakika: **to sleep the ~ round,** on iki saat uyumak. **~wise,** saat akrebinin döndüğü istikamette. **~work,** saat makinesi, çark ve zemberekle işliyen makine: **like ~,** saat gibi, muntazam.

clod [klod]. Toprak parçası, kesek; topak; toprak; ahmak, sersem. **clod-hopper,** hödük.

clog [klog]. Tahta köstek; altı tahta kundura; takunya. Kösteklemek; engel olm.; tıka(n)mak. **clog-dance,** altı tahta ayakkabı ile tempo tutularak yapılan dans.

cloister [ˈkloistə*]. Manastır; bir manastır veya kolejin bir avlu etrafındaki kemerli yolu. Manastıra kapamak; tecrid etmek.

close¹ [klous] *n.* Bir katedralın etrafı çevrili arsası; (*huk.*) etrafı çit vs. ile çevrilmiş mülk.

close² [klous] *a.* Yakın, bitişik; dikkatli; sık, dar, sıkı; mahdud; kapalı, kasvetli, havasız, ağır, sıkıntılı; hasis; fazla ketum; samimî (dost). **~ by, ~ at hand,** yakında; civarda: **a ~ election,** seçimde pek küçük farkla kazanma: **a ~ finish,** bir yarışı pek az farkla bitirme: **to lie ~,** bir kenara büzülmek veya saklamak: **a ~ prisoner,** sıkı nezaret altında olan mahbus: **at ~ quarters,** çok yakından; (*den.*) borda bordaya: **to stand ~ in to the land,** (gemi) kıyıdan gitmek: **a ~ thing,** (*kon.*) uc uca, ucu ucuna, müşkülatla: **~ time** [**season**], muayyen hayvanların avlanmasının yasak olduğu müddet [mevsim]: **a ~ translation,** aslına çok yakın tercüme. **close-cropped, ~-cut,** kısa kesilmiş. **close-fisted,** cimri. **close-fitting,** iyi oturan (elbise), dar. **close-hauled,** orsa giden. **close-reefed,** camadana vurmuş. **close-set,** (eyes) birbirine yakın (gözler). **close-up,** çok yakından çekilen resim.

close³ [klouz] *n.* Son, nihayet; kapanma. *vb.* Kapatmak; kapanmak; bit(ir)mek; sona er(dir)mek; göğüs göğüse gelmek; (gemi) yaklaşmak. **to ~ the books,** sene sonunda vs. hesabı kapatmak: **to ~ the ranks,** safları şıkıştırmak; (*mec.*) tehlike karşısında birleşmek: **to ~ with s.o.,** birile göğüs göğüse gelmek; birile anlaşmaya varmak: **to ~ with a bargain,** pazarlığı uydurmak. **close about, ~ round,** kuşatmak, etrafını çevirmek. **close down,** büsbütün kapatmak veya kapanmak; (radyo) neşriyatını bitirmek. **close in, night is closing in,** karanlık basıyor: **the days are closing in,** günler kısalıyor: **to ~ in on s.o.,** etrafını çevirerek yaklaşmak. **close up,** kapatmak; tıkamak; kapanmak; örtülmek; yaklaşmak, sıkışmak.

closed [klouzd]. Kapanmış. **~ shop,** yalnız sendika azâsını kullanan fabrika vs.

closeness [ˈklousnis]. Yakınlık; sıkılık; havasizlık, ağırlık; hasislik; ketumiyet.

closet [ˈklozit]. Küçük yahud hususî oda; dolab; helâ. Birile bir yerde kapanmak; halvet olmak.

closing [ˈklouziŋ] *n.* Kapatma; kapanma; tatil. *a.* Son, sonuncu.

closure [ˈklouʃuə*]. Kapatma. **to ~** veya **to move the ~,** müzakerenin kifayetine karar vermek.

clot [klot]. Pıhtı. Pıhtılaşmak; top top olm.; (süt) kesilmek. **~ted cream,** kaynatılmış sütten alınan kaymak.

cloth [kloθ]. Kumaş. **the ~,** rahiblik, rahibler: **~ of gold,** kılaptanla dokunmuş kumaş: **American ~ (oil-~),** muşamba: **to lay the ~,** sofrayı kurmak: **'the respect due to his ~',** mensub olduğu mesleğe gereken hürmet (*um. rahibler hakkında*).

clothe (**-d** veya **clad**) [klouð, -d, klad]. Giydirmek; örtmek, kaplamak.

clothes [klouðz]. Elbise, esvab; çamaşır. **suit of ~,** kostüm, takım elbise. **clothes-line,** çamaşır ipi. **clothes-peg,** mandal.

clothier [klouðiə*]. Kumaşçı; elbiseci.

clothing [ˈklouðiŋ]. Giyim, giyecek.

cloud [klaud]. Bulut. Bulutla örtmek, bulutlamak; bulandırmak; buğulanmak; **(brow)** kaşı çatılmak. **in the ~s,** dalgın; hayalî, olmıyacak şey: **to be under a ~,** şübhe altında olm.; gözden düşmüş olm.: **under ~ of night,** karanlıktan istifade ederek: ⌜**every ~ has a silver lining**⌝, (ne kadar fena olursa olsun) her işte bir hayır vardır. **~ed,** bulutlu; buğulu; bulanık; damarlı (mermer vs.). **~y,** bulutlu; bulanık; (fikir) mübhem.

clout [klaut]. Bulaşık bezi; (*eski*) bez, kumaş parçası; ayakkabı demiri; (*arg.*) darbe. Vurmak.
clove[1] [klouv]. Karanfil (bahar). ~ **of garlic,** sarmısak dişi: ~ **pink,** bir nevi karanfil çiçeği.
clove[2] *bk.* **cleave.**
clove-hitch. Kazık bağı.
cloven [ˈklouvən] *bk.* **cleave. cloven-footed, cloven-hoofed,** çatal ayaklı, çatal tırnaklı (*Şeytan umumiyetle çatal ayaklı olarak gösterilir*): **to show [display] the ~ hoof,** hakikî mahiyetini (ne mal olduğunu) göstermek.
clover [ˈklouvə*]. Yonca, tırfıl. **to be, to live (like pigs) in ~,** keyif sürmek, zevk ve safa içinde yaşamak; çok talihli olmak.
clown [klaun]. Soytarı, palyaço; hödük. Soytarılık etmek.
cloy [kloi]. Kanıksatmak, gına getirtmek; içini bayıltmak.
club[1] [klʌb]. Bir ucu yumru sopa, çomak; ıspatı. Sopa ile vurmak. **club-foot,** yumru ayak. **club-law,** kuvvetin hak olduğu kanaati. **club-root,** Turpgillere mahsus bir hastalık.
club[2]. Klüb, cemiyet. **to ~ together,** muayyen bir maksadla bir araya gelmek veya paralarını birleştirmek. **club-house,** spor klübü binası.
cluck [klʌk]. (Tavuk) guluklama(k).
clue [kluu]. İpucu; miftah. ~ **of a cross-word puzzle,** bir bilmecenin tarifi.
clump[1] [klʌmp]. Ağac veya çiçek kümesi. **to ~ together,** yığmak.
clump[2]. (*ech.*) **to ~ about,** ağır basarak yürümek: **to ~ s.o. on the head, to give s.o. a ~,** yumrumkla veya ağır bir şeyle vurmak.
clumsy [ˈklʌmzi]. Beceriksiz; hantal; sakar; savruk; acemi, muamele bilmez; biçimsiz; havaleli.
clung *bk.* **cling.**
cluster [ˈklʌstə*]. Demet; salkım, hevenk; küme; takım. **to ~ together,** küme haline gelmek, toplanmak.
clutch[1] [klʌtʃ]. Kavrama; ambreyaj. **~es,** pençe. Kavramak, yakalamak, tutmak. **to fall into s.o.'s ~es,** birinin pençesine düşmek: **to make a ~ at stg.,** bir şeyi tutmak veya yakalamak için anî bir hareket yapmak: **to let in the ~,** ambreyaj yapmak: **to throw out the ~,** debreyaj yapmak.
clutch[2]. Bir yuvada bulunan kuluçkalık yumurtaların mecmuu veya bu yumartalardan çıkan yavrular.
clutter [ˈklʌtə*]. Darmadağınlık. **to ~ up,** darmadağın şeylerle doldurmak.
C.M.G. [ˈsiiˈemˈdʒii]. (*kıs.*) **Companion of St. Michael and St. George,** *bk.* **order**[2].
co- [kou] *pref. Bazı kelimelerin başına gelerek* iştirak *ifade eder.*
Co. (*kıs.*) **Company,** şirket.
C/O [ˈsiiˈou]. (*kıs.*) **Commanding Officer,** kumandan.
c/o. (*kıs.*) **Care of ..., ...** vasıtasi ile; ... eliyle.
coach[1] [koutʃ]. Büyük yolcu arabası; vagon; otobüs. Araba ile götürmek veya seyahat etmek. ~ **and six,** altı atlı araba: **to drive a ~ and four through an Act of Parliament,** bir hilei şeriye ile kanunu hükümsüz bırakmak. **~man,** *pl.* **-men,** arabacı.
coach[2]. İmtihana hazırlayan hoca; spor antrenörü. Hususî ders vererek imtihana hazırlamak; (sporcuya) antrenman yaptırmak.
coachwork [ˈkoutʃwəək]. Karoseri.
coagul·ant [kouˈagjulənt]. Pıhtılaştırıcı (madde). **~ate,** koyulaş(tır)mak; pıhtılaş(tır)mak.
coal [koul]. Maden kömürü. Kömür almak; kömür vermek. ⌜**to carry ~s to Newcastle**⌝, denize su taşımak: **to haul s.o. over the ~s,** birini haşlamak, azarlamak: **to heap ~s of fire on s.o.'s head,** kötülüğe iyilikle mukabele ederek mahcub etm.: **live ~s,** kor. **coal-bearing,** kömür ihtiva eden. **coal-black,** simsiyah, kapkara. **coal-cellar,** kömürlük. **coal-field,** maden kömürü havzası. **coal-gas,** hava gazı. **coal-heaver,** kömür taşıyan veya küreyen işçi. **coal-hole,** kömürlük. **coal-measures,** kömür yatağı, tabakası. **coal-owner,** kömür ocağı sahibi. **coal-pit,** kömür ocağı. **coal-scuttle,** kömür tenekesi. **coal-tar,** katran.
coalesce [kouəˈles]. Birleşmek, kaynaşmak. **~nce,** birleşme, kaynaşma.
coalition [kouəˈliʃn]. Birleşme; siyasî partilerin vs. muvakkat anlaşması.
coaming [ˈkoumiŋ]. Mezarna; ambarağzı mezarnası.
coarse [koos]. Kaba; âdî, aşağılık; sert. ~ **fish,** somon ve alabalıktan maada tatlısu balığı: ~ **sand,** iri kum. **~n,** kabalaş(tır)mak.
coast [koust]. Denizkenarı, sahil, kıyı. Sahil boyunca gitmek, sahili takib etmek. **to ~ down a hill,** bisikletle veya otomobil. vs.nin motörünü işletmeden yokuş aşağı inmek. **~er,** sahil gemisi; şarab sürahisini sofrada dolaştırmak için küçük tepsi. **~line,** sahil boyu. **~wise,** sahil boyunca.
coat[1] [kout] *n.* Ceket; manto; at vs. tüyü; cidar; yağlı boya tabakası. ~ **of arms,** arma: ~ **of mail,** zırh elbise: ~ **and skirt,** kostüm tayör: **dress-~,** frak: **morning-~,**

jaketatay: (over)~, (top)~, pardesü, palto: ⌜to cut one's ~ according to one's cloth⌝, ayağını yorganına göre uzatmak: to turn one's ~, gömlek değiştirir gibi parti vs. değiştirmek. **coat-hanger**, elbise askısı.
coat² *vb.* (Bir şeyin üstünü) boya vs. tabakasile kaplamak; üstüne bir şey geçirmek, kaplamak. ~ed tongue, paslı dil. **~ing**, boya vs. tabakası, kaplama; elbiselik kumaş.
coax [kouks]. Dil dökerek ikna etm.; gönlünü yapmak, damarına girmek; birinin yüzüne gülerek istediğini elde etmek.
cob [kob]. Küçük bir cins binek atı; erkek kuğu. corn ~, mısır koçanı. **cob-nut**, iri fındık.
cobalt [kouˈboolt]. Kobalt.
cobble¹ [ˈkobl]. ~(stone), arnavut kaldırım taşı. Bu taşlar ile döşemek.
cobble² *vb.* Yamamak. **~r**, ayakkabı tamircisi.
cobra [ˈkoubrə]. Çok zehirli bir yılan, kobra.
cobweb [ˈkobweb]. Örümcek ağı. to blow away the ~s, hava almak, başını dinlendirmek.
cocaine [koˈkein]. Kokain.
cochineal [kotʃiˈniil]. Kırmız.
cock¹ [kok] *n.* Horoz; musluk; ventil; tetik; (*arg.*) erkeğin tenasül aleti. **~bird**, erkek kuş: at full ~, tam kurulu (silâh): at half ~, yarı kurulu: old ~!, (*arg.*) azizim: ⌜that ~ won't fight⌝, bu sökmez; bunu kimse yutmaz: ~ of the walk, bir yerde borusu öten kimse. **cock-a-doodle-doo!**, kokoriko! **cock-a-hoop**, çok sevinen ve övünen. **cock-a-leekie**, tavuk ve pırasa ile yapılmış çorba. **cock-and-bull story**, inanılmaz hikâye, martaval. **cock-crow**, horozler öterken, sabah karanlığında. **cock-eyed**, şaşı; eğri. **cock-fight**, horoz dövüşü. **cock-sure**, (*istih.*) kendinden fazla emin, kendine fazla güvenen: to be ~ about stg., bir şey hakkında yüzde yüz emin olmak.
cock² *vb.* Dikmek; horozu tetiğe almak. to ~ the eye, göz ucu ile bakmak; göz kırpmak: to ~ the ears, kulaklarını dikmek: to ~ one's hat, şapkasını yan giymek.
cock³. Küçük saman veya kuru ot yığını.
cockade [koˈkeid]. Şapkaya takılan şerid veya rozet; kokard.
cockatoo [ˌkokəˈtuu]. Bir nevi papağan.
cockchafer [ˈkoktʃeife*]. Mayısböceği.
cocked [kokt]. ~ hat, amiral vs.nin giydiği kenarları kalkık resmî şapka. to knock s.o. into a ~ hat, birinin pastırmasını çıkarmak; birini mahvetmek.
cockerel [ˈkokərəl]. Yavru horoz.
cockle¹ [ˈkokl] *n.* Midye nevinden bir hayvan; (?) asivades; bir nevi kır çiçeği (*Lychnis githago.*)
cockle² *vb.* Buruşmak, kırışmak.
cockney [ˈkokni]. Londra'nın fakir halkından; bu halkın konuştuğu lehçe.
cockpit [ˈkokpit]. Horoz dövüşü meydanı; dövüş yeri; (*esk.*) gemide harb hastahanesi; uçakta pilot yeri; (küçük gemilerde) arkadaki oturulacak mahallin açık boşluğu, kokpit.
cockroach [ˈkokroutʃ]. Hamamböceği.
cockscomb [ˈkokskoum]. Horozibiği; bir nevi çiçek (*celosia*).
cocksfoot [ˈkoksfut]. (*Dactylis glomerata*) kıymetli bir cins çimen.
cockspur [ˈkokspəə*]. Horoz mahmuzu.
cocktail [ˈkokteil]. Kokteyl.
cocky [ˈkoki]. Kendini beğenmiş, kurumlu; ispenç horozu gibi.
coco·a [ˈkoukou]. Kakao. **~nut**, büyük Hindistan cevizi; (*arg.*) kafa: ~ palm, Hindistan cevizi ağacı.
cocoon [koˈkuun]. Koza.
cod¹ [kod]. Morina balığı. **cod-liver-oil**, balıkyağı.
cod². (*arg.*) Aldatmak, yutturmak.
coddle [ˈkodl]. Nazla büyütmek; üstüne düşmek. to ~ oneself, sıhhatine fazla itina etmek.
code [koud]. Kanun mecmuası; düstur; şifre. Şifre ile yazmak. morse ~, mors işareti.
codex, *pl.* **-ices** [ˈkoudeks, –isiiz]. (Eski) elyazısı, yazma.
codger [ˈkodʒə*]. Tuhaf ve garib adam; antika.
codices *bk.* **codex.**
codicil [ˈkoudəsil]. Vasiyetnameye ek; zeyl, ek.
codify [ˈkoudifai]. Bir sisteme göre tanzim etmek.
codling¹ [ˈkodliŋ]. Morina yavrusu.
codlin(g)². Bir nevi kompostoluk elma.
co-education [ˈkouedjuˈkeiʃn]. Muhtelit tedrisat.
coefficient [ˈkoueˈfiʃnt]. (*mat.*) Emsal rakamı.
coequal [kouˈiikwəl]. Eşit; müsavi.
coerc·e [kouˈəəs]. Zorlamak, icbar etm.; itaate mecbur etmek. **~ion**, zorlama, icbar, tazyik. **~ive**, zorlayan, mecburî.
coeval [kouˈiivl]. Yaşıt, muasır; aynı zamanda olmuş.
coexistent [ˌkouegˈzistənt]. Aynı zamanda mevcud olan.
coffee [ˈkofi]. Kahve. black ~, sütsüz kahve: white ~, sütlü kahve: ~ beans, çekirdek kahve: ~ coloured, sütlü kahve renginde: ~ grounds, kahve telvesi: ~ room, (otelde) salon. **coffee-stall**, köşebaşlarında seyyar kahveci dükkânı.

coffer [ˈkofə*]. Sandık, kasa. **~s,** hazine. **~dam,** köprü temelleri vs. gibi yapılarda içinde amelenin çalıştığı su geçmez sandık, batardo, koferdam.
coffin [ˈkofin]. Tabut. Tabuta koymak.
cog [kog]. Çark dişi. (Dişli çarklar) birbirine geçmek. **cog-wheel,** dişli (çark).
cogent [ˈkoudʒənt]. İkna ve ilzam edici.
cogitate [ˈkodʒiteit]. Düşünüp taşınmak, mülâhaza etmek.
cognate [ˈkogneit]. Aynı soydan, akraba; aynı cinsden, benzer.
cognizan·ce [ˈkognizəns]. Malûmat, haber, ıttıla; (*huk.*) salâhiyet. **to take ~ of stg.,** (*huk.*) göz önüne almak. **~t, to be ~ of a fact,** bir şey hakkında malûmat sahibi olmak.
cognomen [kogˈnoumen]. Soyadı; lâkab; isim.
cohabit [kouˈhabit]. Karı koca gibi yaşamak. **~ation** [–ˈteiʃn], karı koca gibi yaşama; cinsî münasebet.
cohere [kouˈhiə*]. Yapışmak, tutmak; (mana) birbirini tutmak; insicamlı olmak. **~nt,** yapışık, kaynaşmış; birbirini tutan, insicamlı.
cohes·ion [kouˈhiiʒn]. Yapışma, birleşme. **~ive** [–hiisiv], yapışıcı, yapışık.
cohort [ˈkouhoot]. Eski Romalılarda bir alayın onda biri; grup, takım.
coign [koin]. Köşe; *bk.* **vantage.**
coil[1] [koil]. Kangal; roda; saç buklesi; (*elek.*) bobin. Kangal etm., sarmak: **~ up,** çöreklenmek; kıvrılıp yatmak.
coil[2]. (*esk.*) Hayuhuy. **this mortal ~,** bu dünya.
coin [koin]. Maden para, sikke. Para basmak; (yeni bir kelime vs.) uydurmak. **to ~ money,** para kırmak: **to pay in ~ of the realm,** nakden ödemek: **to pay s.o. back in his own ~,** birine aynı şekilde mukabele etmek. **~age,** [ˈkoinədʒ], para basma; (yeni bir kelime vs.) uydurma; bir memleketin para sistemi. **~er,** para basan; kalpazan.
coincide [ˌkouinˈsaid]. Tesadüf etm., mutabık olm.; uymak. **~nce** [–ˈinsidəns], tesadüf; uygunluk. **~nt,** tesadüf; tesadüfî.
coir [koiə*]. Hindistan cevizi lifi. **coir-rope,** gomba.
coke [kok]. Kok (yapmak).
cokernut [ˈkoukənʌt]. Büyük Hindistan cevizi.
col. (*kıs.*) = **colonel,** albay.
colander [ˈkʌləndə*]. Kevgir.
colchicum [ˈkolkikəm]. İtboğan.
cold [kould] *n.* Soğuk; nezle. *a.* Soğuk; donuk (renk); mavi, yeşil vs. gibi serinlik veren (renk). **to be [feel] ~,** üşümek; (hava) soğuk olm.: **a ~ in the head,** nezle: **to catch ~,** soğuk almak: **to catch a ~,** nezle olmak, birinden nezle almak: **you will catch your death of ~,** fena halde soğuk alacaksın: **to get [grow] ~,** soğumak: **to leave s.o. out in the ~,** birini açıkta bırakmak (*mec.*): **that leaves me ~,** bu beni hiç alâkadar etmez; bana mülayim gelmiyor: **~ meat,** (soğuk) söğüş veya kızarmış et: **to give s.o. the ~ shoulder [to cold-shoulder s.o.],** birine omuz çevirmek, iltifat etmemek: **~ store [storage],** soğutma tertibatlı depo. **cold-blooded,** kanı soğuk olan (hayvan); soğuk, hissiz; merhametsiz (insan); taamüden yapılmış, merhametsizce (fiil, iş). **cold-hearted,** merhametsiz, duygusuz.
colic [ˈkolik]. Şiddetli mide sancısı, kolik.
collaborat·e [koˈlabəreit]. İş birliği yapmak. **~ion** [–ˈreiʃn], işbirliği.
collapse [kəˈlaps]. Çökme(k), göçme(k), yıkılma(k); (balon) sönmek; suya düşmek; yığılma(k), birdenbire düşme(k).
collapsible [kəˈlapsəbl]. Katlanır (iskemle vs.).
collar [ˈkolə*]. Yakalık, yaka; tasma; halka. Yakasından tutmak, yakalamak; yaka takmak. **collar-bone,** köprücük kemiği.
collate [kəˈleit]. (İki metin vs.yi) dikkatle mukayese etm.; sahifeleri sıraya koymak.
collateral [kəˈlatərəl]. Yanyana; muvazi; talî; civar hısımlığı. **~ security,** munzam teminat.
collation [kəˈleiʃn]. (Metinleri) karşılaştırma; hafif yemek, kahvaltı.
colleague [ˈkoliig]. İş arkadaşı; meslekdaş.
collect [ˈkolekt] *n.* Pazarlara ve bazı âyinlere mahsus kısa dua.
collect [kəˈlekt] *vb.* Toplamak, bir araya getirmek; biriktirmek; koleksiyon yapmak; (uğrayıp) almak. **~ion** [kəˈlekʃn], toplama, bir araya getirme; koleksiyon; para toplama; cibayet; yığın; mecmua; toplanan para; posta kutularından mektubların toplanması. **~ive,** müşterek, hep bir olarak, bir bütün olarak; çokluk ifade eden (kelime). **~or** [kəˈlektə*], toplayan, toplayıcı; koleksiyoncu. **tax-~,** tahsildar: **ticket ~,** biletçi.
colleg·e [ˈkolidʒ]. Bir üniversiteye bağlı yatılı yurd; yüksek mekteb, kolej. **~iate** [kəˈliidʒiet], koleje aid.
collet [ˈkolit]. (*mek.*) Bilezik.
collide [kəˈlaid]. Şiddetle çarpmak, çarpışmak.
collie [ˈkoli]. Bir nevi çoban köpeği.
collier [ˈkoliə*]. Kömür gemisi; maden kömürü işçisi. **~y,** maden kömürü ocağı.
collision [kəˈliʒn]. Çarpışma, çarpma. **to come into ~ with,** ···e çarpışmak.
collodion [kəˈloudiən]. Kolodiyum.

colloid [ˈkoloid]. Koloid.
colloqu·ial [kəˈloukwiəl]. Konuşma diline aid, teklifsiz (tabir vs.). **~ialism,** konuşma dilinde kullanılan teklifsiz kelime veya tabir. **~y** [ˈkolokwi], konuşma, sohbet.
collusi·on [kəˈluuʒn]. Muvazaa, hileli itilaf, gizli anlaşma. **~ve** [–luusiv], muvazaa nevinden; hileli itilaf ile yapılan.
colon[1] [ˈkoulən]. Göden barsağı.
colon[2]. İki nokta (:).
colonel [ˈkəənl]. ||Albay, miralay. **~cy,** ||albaylık.
colon·ial [kəˈlouniəl]. Müstemlekeye aid; müstemleke halkından. **~ist** [ˈkolonist], bir müstemlekede yerleşen; bir müstemlekeyi ilk kuranlardan. **~ize** [ˈkolonaiz], (bir yerde) müstemleke kurmak; bir yeri müstemleke haline getirmek.
colonnade [koloˈneid]. Sıra sütunlar.
colony [ˈkoləni]. Müstemleke.
coloration [ˌkoloˈreiʃn]. Renklerin vaziyeti, renk.
coloss·al [kəˈlosl]. Çok büyük, muazzam. **~us,** çok büyük heykel; dev gibi şahıs veya şey.
colour [ˈkʌlə]. Renk; boya; canlılık. Renk vermek, boyamak; başka bir şekil vermek; kızarmak; kızarıp bozulmak. **~s,** bayrak, bandıra; askerlik hizmeti; silâhaltı; yarış atı sahibinin işareti olan renkler. **~ bar [line],** beyazlarla diğer ırklara mensub insanlar arasındaki ictimaî, siyasî vs. fark: **to change ~,** rengi uçmak, sararmak; solmak: **to put a false ~ on things,** hadiseleri yanlış bir şekilde göstermek: **to sail under false ~s,** sahte bandıra ile çıkmak; (*mec.*) sahte hüviyet takınmak: **with ~s flying,** bayraklar dalgalanarak: **with flying ~s,** büyük muvaffakiyetle: **a gentleman [lady] of ~,** zenci: **to get one's ~s,** bir kolej vs.nin birinci takım oyuncusu olm.: **to give [lend] ~ to a rumour,** bir rivayeti takviye etm.: **high ~,** kanlı canlı ve sıhhatli ten: **to join the ~s,** askere gönüllü yazılmak: **local ~,** mahallî renk: **to lose ~,** rengi atmak: **to lower one's ~s,** teslim bayrağı çekmek: **I should like to see the ~ of his money before ...,** ···den evvel parasının yüzünü görmek isterim: **to nail one's ~s to the mast,** ölünceye kadar çarpışmak, teslim olmamak: **to be off ~,** keyifsiz olm.; her zamanki kadar iyi olmamak: **oil ~(s),** yağlı boya: **the ~ problem,** zenci (veya sarı ırka mensub milletler) meselesi: **to stick to one's ~s,** kanaatlerine bağlı kalmak: **to show oneself in one's true ~s,** yüzünden maskeyi indirmek: **under ~ of, ...** perdesi altında, bahanesile: **water ~,** sulu boya. **colour-bearer,** bayraktar. **colour-blind,** bazı renkleri ayıramıyan. **colour-sergeant,** İngiliz ordusunda bir çavuş rütbesi.
colourable [ˈkʌlərəbl]. Su götürür; kabul edilebilir; hakikî sanılabilir; aldatıcı.
coloured [ˈkʌləəd]. Renkli; zenci; tesir altında kalmış, değişmiş.
colour·ful [ˈkʌləful]. Renkli, canlı. **~less,** renksiz; soluk; silik.
colt [koult]. Tay; sıpa; acemi. **~ish,** tay gibi; şen ve oynak.
coltsfoot [ˈkoultsfut]. (*Tussilago*) öksürük otu (?).
columbine [ˈkoləmbain]. (*Aquilegia*) haseki küpesi; halk komedisinde kadın kahraman.
column [ˈkoləm]. Sütun, direk; kol. **spinal ~,** belkemiği.
colza [ˈkolza]. Kolza yağı.
coma [koumə]. (*tıb.*) Derin baygınlık, koma. **~tose** [ˈkoumətouz], koma halinde; pek uyuşuk.
comb [koum]. Tarak; tarama; horoz ibiği. Taramak; (dalga) köpürüp çarpmak. **~ out,** (karışık saçı) taramak; ayıklamak, temizlemek.
combat [ˈkombat, ˈkʌmbət]. Çarpışma; muharebe; mücadele. ···le çarpışmak, mücadele etm., muharebe etmek. **~ant,** muharib, savaşan mücadeleci. **~ive,** kavgacı.
comber [ˈkoumə*]. Köpürüp çarpan dalga.
combination [ˌkombiˈneiʃn]. Birleş(tir)me; mezcetme; birlik; tertib; terkib. **~ lock,** şifreli kilid. **~s,** don ve gömleği birleşik iç çamaşırı.
combine [ˈkombain] *n.* Ticaret ve sanayide birleşme, kartel; biçer döver makinesi.
combine [kəmˈbain] *vb.* Birleş(tir)mek; mezcetmek; birlik olm.; tertib etm.; terkib etmek.
combust·ible [kəmˈbʌstibl] *a.* Yanabilir, tutuşabilir; (*mec.*) tutuşup parlamağa hazır. *n.* Yakıt. **~ion** [kəmˈbʌstʃən], yanma, ihtirak, tutuşma.
come (came) [kʌm, keim]. Gelmek, varmak; olmak; ···e baliğ olmak; netice itibarile olmak. **let them all ~,** varsın hepsi gelsin: **let 'em all come!,** gelecekleri varsa görecekleri de var!: **~, ~!, ~ now!,** haydi canım!, amma yaptın ha!, haydi bakalım!: **~ what may,** ne olursa olsun: **a week ~ Sunday,** pazar günü haftası olacak: **he will be three ~ April,** nisanda üç yaşında olacak: **what will ~ of it?,** sonu [neticesi] ne olacak?: **don't try to ~ it over me!,** bana hükmetmeğe kalkma!: **in the time to ~,** istikbalde, gelecekte: **for six weeks to ~,** gelecek altı hafta içinde: **how did you ~ to do that?,** nasıl oldu da bunu yapdınız?: **now that I ~ to think of it,** şimdi (bu meseleyi) tekrar düşününce: **it (all) ~s to this**

that ..., neticesi [hülâsası] şudur ...: **'Tom is very lazy.' 'Well, if it ~s to that, so are you'**, 'Tom pek tembel!'. 'Ona bakarsan sen de tembelsin!': **I have ~ to believe that,** şu kanaate vardım ki: **I came to like [hate] him,** sonunda ondan hoşlandım [nefret ettim]: **what does the total ~ to?,** yekûn ne tutuyor?: **what are things [we] coming to?,** nereye gidiyoruz?; bunu sonu ne olacak?. **come about,** olmak, vukubulmak: (gemi) volta etmek. **come across,** geçmek; rast gelmek; tesadüfen bulmak. **come against,** karşı gelmek; çarpmak. **come along,** ilerlemek: **~ along!,** haydi bakalım!, cabuk ol!: **he's coming along nicely with his Turkish,** (*kon.*) türkçesi epeyce ilerliyor. **come away,** ayrılıp gelmek, bırakıp gelmek; (bir şey) yerinden çıkmak, sökülmek. **come between,** aralarına girmek. **come by,** önünden geçmek; elde etmek; eline geçirmek: **all his money was honestly ~ by,** bütün parasını namusile kazanmıştır. **come down,** inmek; düşmek; erişmek, zamanımıza gelmek; inhisar etm.: **to ~ down from the University,** (üniversite hakkında) (i) derslerin kesilmesi üzerine gelmek; (ii) üniversiteyi bitirmek: **to ~ down in the world,** (maddî vaziyet bakımından) düşmek: **to ~ down handsomely,** cömert davranmak: **to ~ down (up)on s.o.,** şiddetle azarlamak, çullanmak. **come in,** içeri gelmek, girmek; (moda, meyva vs.) çıkmak; geliri olmak: **the tide is coming in,** med yükseliyor: **and where do I ~ in?,** ya, ben ne olacağım? (*infial ifade eder*). **come into,** girmek; (bir şeye) varis olmak. **come off,** çıkmak, inmek, çekilmek; ayrılmak; düşmek; kopmak; sökülmek; vaki olm.; muvaffak olm.: **to ~ off badly,** altta kalmak. **come on,** ilerlemek; gelişmek; terakki etm.; baş göstermek; gelip çatmak: **~ on!,** haydi bakalım!, çabuk ol!: **night is coming on,** karanlık basıyor: **if it ~s on to rain we shall get wet,** yağmur yağacak olursa ıslanırız: **your case ~s on tomorrow,** yarın sizin davanızın sırası gelecek. **come out,** çıkmak; (çiçek) açılmak; belirmek: **to ~ out (on strike),** grev yapmak: **(of a girl) to ~ out,** (genc kız) ilk defa toplantılara gitmek: **to ~ out in a rash, spots,** *etc.*, kızıl lekeler vs. dökmek: **to ~ out with a remark,** birdenbire söze karışarak bir şey söylemek. **come round,** dolaşıp gelmek; (yakın bir yerden) gelmek; etrafına toplanmak; ayılmak, kendine gelmek; yola gelmek, kanmak: **the time has ~ round to get out winter clothes,** kışlık elbiseleri çıkartma zamanı yine geldi: **you will soon ~ round to my way of thinking,** yakında benim dediğime gelirsin. **come through,** geçmek; işlemek; geçirmek; kurtulmak. **come to,** ayılmak, kendine gelmek. **come up,** yukarı gelmek, çıkmak; yetişmek, erişmek: **to ~ up to the University,** (i) üniversiteye başlamak; (ii) üniversitenin yeni bir devresine başlamak: **to ~ up to s.o.,** birine yanaşmak: **to ~ up with s.o.,** birine yetişmek: **the play did not ~ up to my expectations,** piyes umduğum gibi çıkmadı: **to ~ up against,** çatmak, ···le karşılaşmak. **come upon,** rasgelmek; üzerine gelmek.

comedian [kəˈmiidiən]. Komedi aktörü; komedi muharriri; komik kimse.

comedy [ˈkomədi]. Komedi.

comely [ˈkʌmli]. Yakışıklı, güzel.

comer [ˈkʌmə*]. Gelen. **all ~s,** kim gelirse, her gelen.

comet [ˈkomit]. Kuyruklu yıldız.

comfort [ˈkʌmfət]. Teselli, teskin; ferahlık, rahat, konfor; refah. Teselli etm.; teskin etmek. **be of good ~!,** metin olunuz!: **cold ~,** züğürt tesellisi. **~able** [ˈkʌmfətəbl], rahat; sıkıntısız; sakin; hoş; keyifli; konforlu; kâfi; **to be ~ably off,** hali vakti yerinde olmak. **~er,** teselli eden kimse; (yünden) boyun atkısı; emzik.

comic [ˈkomik]. Tuhaf, komik. **~al,** tuhaf, güldürücü.

coming [ˈkʌmiŋ] *a.* Gelecek. *n.* Gelme; varış. **a ~ man,** istikbali açık adam.

comity [ˈkoumiti]. Nezaket, incelik. **the ~ of nations,** milletler arasında anlaşma.

comma [ˈkomə]. Virgül. **inverted ~s,** tırnak işareti.

command [kəˈmaand]. Emir, kumanda; idare; kumanda altında bulunan ordu vs.; hakimiyet, hakim olma. Emretmek; kumanda etm.; kumandanlık etm.; hâkim olmak. **to have ~ of several languages,** bir kaç lisana vakıf olm.: **to ~ respect,** hürmet telkin etm.: **second in ~,** kumandan muavini: **by royal ~,** Kıralın emrile (*baz.* davetile): **word of ~,** emir, kumanda.

commandant [ˌkomanˈdant]. Kumandan, âmir.

commandeer [ˌkomanˈdiə*]. El komak, zaptetmek; zorla almak.

commander [kəˈmaandə*]. Kumandan, âmir; (deniz) yarbay. **commander-in-chief,** başkumandan.

commandment [kəˈmaandmənt]. On emirden biri; Allahın emri.

commemorat·e [kəˈmeməreit]. Tes'id etm.; hatırasını kutlulamak. **~ion,** tes'id, hatırasını kutlulama.

commence [kəˈmens]. Başlamak. **~ment,** başlangıç.

commend [kəˈmend]. Medhetmek, öğmek; emanet etm., tevdi etmek. **this did not ~**

itself to me, ben bunu uygun bulmadım: **for an utter fool ~ me to Jones,** ahmağın âlâsını istersen Jones'e git: **highly ~ed,** bir müsabaka vs.de kazanandan sonra gelene verilen sıfat. **~ation** [–ˈdeiʃn], takdir etme; öğme.

commensur·able [kəˈmensjurəbl]. (Aynı ölçü ile) ölçülebilir; kıyas edilebilir; mütenasib. **~ate,** mütenasib; müsavi.

comment [ˈkomənt]. Mülahaza; mütalaa; izahat; tenkid. Mütalaa serdetmek. **~ on,** şerhetmek, izah etm., tenkid etmek. **~ary,** şerh, tefsir, izah, izahat: **running ~,** bir hadise devam ederken başka biri tarafından verilen izahat, *ve bundan,* bir maç vs. devam ederken radyo ile verilen izahat. **~ator** [–ˌteitə*], tefsirci, şerh ve izah eden; radyo muhabiri.

commerc·e [ˈkoməəs]. Ticaret, alış veriş; münasebet. **~ial** [–məəʃl], ticarî.

commingle [kəˈmingl]. Birbirine karış(tır)mak; katılmak.

commiserate [kəˈmizereit]. **~ with,** acımak, kederine iştirak etm., teselli etmek.

commissar [komiˈsaa*]. Sovyet Rusya'da nazır; komiser.

commissariat [komiˈseiriət]. Askerî levâzim dairesi; (Sovyet Rusya'da) komiserlik.

commissary [ˈkomisəri]. Vekil, temsilci; levâzım reisi.

commission [kəˈmiʃn] *n.* Vazife, memuriyet, hizmet; vazife verme; heyet, komisyon; sipariş; yüzdelik, komisyon; yapma, irtikab. *vb.* Vazife veya memuriyet vermek; salâhiyet vermek, tevkil etm.; hizmete koymak. **~ agent,** komisyoncu: **~ed officer,** subay, zabit: **to get one's ~,** subay tayin olunmak: **Royal Commission,** Parlamento kararile kurulan tahkikat vs. heyeti.

commissionaire [kəˌmiʃəˈneə*]. Otel, sinema vs. kapısında bekliyen uniformalı memur.

commissioner [kəˈmiʃənə*]. Komisyon âzası; murahhas; müdür; komiser.

commit [kəˈmit]. Teslim etm., tevdi etm.; işlemek; irtikab etmek. **to ~ to memory,** ezberlemek: **to ~ oneself,** kendini geri çekilemiyecek bir vaziyete sokmak; çok kat'î söylemek: **without ~ting myself,** ihtiyat kaydı ile: **to ~ to paper [writing],** yazmak: **to ~ to prison,** habse mahkûm etmek.

commitment [kəˈmitmənt]. Taahhüd; vaid; bağlantı.

committal [kəˈmitl]. Tevdi etme; habsetme; işleme, irtikab; taahhüd.

committee [kəˈmiti]. Heyet, meclis, komisyon, komita, encümen.

commode [kəˈmoud]. İskemleli oturak; komodin.

commodious [kəˈmoudjəs]. Ferah, geniş.

commodity [kəˈmoditi]. Mal; ticaret eşyası, alıp satılan şey; faydalı şey.

commodore [ˈkomodoo*]. Komodor; yat klübü fahrî reisi. **air ~,** Hava tuğgeneral.

common[1] [ˈkomən] *n.* Bir köy veya şehrin umumî arazisi; çayır.

common[2] *a.* Müşterek; umumî; hep bilinen; hergünkü; alelâde; adî, bayağı, kaba saba. **~ courtesy [honesty],** en ibtidaî nezaket [dürüstlük] kaidesi: **~ knowledge,** malûmu ilâm: **nothing out of the ~,** fevkelâde bir şey değil: **to be ~ talk,** herkesin ağzında olmak: **to have stg. in ~ with s.o.,** birile müşterek bir şeyi olmak; birile benzeyen bir tarafı olmak. **common-room,** muallimlere mahsus umumî oda: **junior ~,** üniversitede talebelere mahsus salon.

commonalty [ˈkomənəlti]. Halk, avam; orta ve aşağı tabaka.

commoner [ˈkomənə*]. Asalet unvanı taşımayan kimse; Avam kamarası âzası; burs almıyan üniversite talebesi.

commonplace [ˈkomənpleis] *a.* Umumî, alelâde; beylik (*mec.*); kaba saba. *n.* Basmakalıb şey; malûmu ilâm.

commons [ˈkoməns]. Halk, asîl olmıyanlar; üniversite tayını. **the (House of) Commons,** Avam Kamarası: **to be on short ~,** yiyeceği kıt olmak.

commonweal [ˈkomənwiəl]. **the ~,** umumî menfaat.

commonwealth [ˈkomənwelθ]. Devlet, cumhuriyet; birlik; umumî menfaat. **the Commonwealth,** İngiltere'de Cromwell zamanında (1649–60) cumhuriyet devri.

commotion [kəˈmouʃn]. Karışıklık, heyecan; hayuhuy.

communal [ˈkomjunəl]. Müşterek, bir cemaate aid.

commune[1] [ˈkomjuun] *vb.* Birile konuşmak, sohbet etmek. **to ~ with oneself,** istiğraka dalmak.

commune[2] *n.* (Fransa'da ve diğer bazı Avrupa memleketlerinde) nahiye.

communic·able [kəˈmjunikəbl]. Nakledilebilir, tebliğ edilbilir; bulaşık (hastalık). **~ ant,** komünyon âyinine iştirak eden.

communica·te [kəˈmjunikeit]. Nakletmek; tebliğ etm.; haber vermek; irtibatı olm.; komünyon âyinine dahil olmak. **~tion** [–ˈkeiʃn], nakil; tebliğ, haber; muvasala; temas: **~s,** münakalât. ⌜**evil ~s corrupt good manners**⌝, ⌜kışi refikinden azar⌝. **~tive** [–ˈmjunikətiv], havadis vermeğe hevesli; konuşkan.

communion [kəˈmjuunjən]. Münasebet; fikir ve his iştiraki; komünyon âyini.

communis·m [ˈkomjunizm]. Komünizm. **~t,** komünist.
community [kəˈmjuuniti]. Halk, cemiyet, cemaat; iştirak. **the ~,** devlet, halk: **~ singing,** müşterek şarkı söyleme.
commutator [ˈkomjuteitə*]. Cereyanı aksettiren âlet, komütatör.
commute [kəˈmjuut]. Hafifletmek; (cezayı) tahvil etm.; (*Amer.*) mevsim abonman karnesi ile gidip gelmek.
compact[1] [ˈkompakt] *n.* Anlaşma.
compact[2] [kəmˈpakt] *a.* Sık, sıkı, kesif; veciz.
compact[3] [ˈkompakt]. Pudralık.
companion [kəmˈpaniən]. Arkadaş, ahbab; eş; refik; refakat eden kimse; (*den.*) kaporta; **~ ladder,** kamara [kaporta] iskelesi. **~able,** arkadaşlığı hoş; hoşsohbet; munis.
company [ˈkʌmpəni]. Refakat; arkadaşlık; cemiyet, şirket, kumpanya; (*ask.*) bölük; trup; arkadaşlar; misafirler; tayfa; ortaklar. **to get one's ~,** yüzbaşı olm.: **he is good ~,** arkadaşlığı [sohbeti] iyidir: **if I err, I err in good ~,** düşündüğüm yanlış olabilir, fakat nice salâhiyet sahibleri benim gibi düşünüyor: **to keep s.o. ~,** birine arkadaşlık etm.: **to keep bad ~,** fena insanlarla düşüp kalkmak: **to part ~ (with s.o.),** (birinden) ayrılmak.
compara·ble [ˈkompərəbl]. Mukayese edilebilir, kıyas edilebilir. **~tive** [kəmˈparətiv], nisbî, kıyasî, mukayeseli.
compare [kəmˈpeə*]. Mukayese. Mukayese etm., kıyas etm.; karşılaştırmak. **beyond ~,** eşsiz, emsalsiz: **this ~s favourably with that,** onunla mukayesesi, bunun lehine netice verir: **John can't ~ with him,** John onunla mukayese edilemez: **nobody can ~ with him in French,** fransızcada hiç kimse ona çıkışamaz.
comparison [kəmˈparisn]. Mukayese, kıyas; karşılaştırma. **there is no ~ between them,** onlar birbirile mukayese edilemez.
compartment [kəmˈpaatmənt]. Bölme; daire; kompartiman; göz.
compass[1] [ˈkʌmpəs] *n.* Muhit, saha; vüs'at, hacim; ihata, genişlik; pusula; pergel. **that's beyond my ~,** bu benim iktidarımın haricindedir: **in small ~,** küçük hacimde. **compass-card,** pusula kartı; rüzgâr gülü.
compass[2] *vb.* Bir şeyin etrafını dolaşmak; ihata etm.; kavramak; meydana getirmek; kumpas kurmak.
compassion [kəmˈpaʃn]. Merhamet, acıma. **~ate,** merhametli, şefkatli.
compatible [kəmˈpatəbl]. Beraber olabilir; uygun; telifi kabil.
compatriot [kəmˈpatriət]. Vatandaş, hemşeri.
compeer [ˈkompiə*]. Müsavi, eş.
compel [kəmˈpel]. Zorlamak, icbar etm., mecbur etmek.
compend·ious [kəmˈpendjəs]. Mücmel fakat şümullü. **~ium,** hülâsa, icmal; mecmua.
compensat·e [ˈkompənseit]. Bedelini ödemek; tazmin etm.; telâfi etmek. **~ion** [ˈseiʃn], Taviz, tazmin, telâfi; karşılık; bedel.
compete [kəmˈpiit]. Rekabet etm., müsabakaya girmek, yarışmak; aşık atmak.
competen·ce [ˈkompitəns]. Salâhiyet; maharet; kifâyet; yeterlik. **~cy,** *bk.* **~ce;** geçinecek kadar gelir. **~t,** salâhiyetli; muktedir; kâfi.
competit·ion [ˌkompəˈtiʃn]. Rekabet; müsabaka. **~ive** [kəmˈpetitiv], rekabete veya müsabakaya aid: **~ examination,** müsabaka imtihanı: **~ price,** rekabet edebilecek fiat. **~or** [kəmˈpetitə*], Müsabakaya giren kimse; rakib.
compilation [ˌkompiˈleiʃn]. Seçip toplama; muhtelif eserlerden derleme.
compile [kəmˈpail]. Seçip toplamak; muhtelif eserlerden derlemek.
complacen·cy [kəmˈpleisənsi]. Kayıdsızlık; kendini beğenmişlik. **~t,** kayıdsız, aldırmaz. **(self-) ~,** ne olursa olsun halinden memnun, kendini beğenmiş.
complain [kəmˈplein]. Şikâyet etm.; ah ve vah etmek. **~ant,** (*huk.*) şikâyetçi; davacı. **~t,** şikâyet: **to lodge a ~ against s.o.,** biri hakkında şikâyette bulunmak.
complaisant [kəmˈpleizənt]. Hatırşinas, cemilekâr, lutufkâr.
complement [ˈkomplimənt] *n.* Tamamlayıcı şey; mütemmim; tam takım; mürettebat; bir gemi vs.nin azamî yolcu istiabı. *vb.* [–ˈment], Tamamlamak. **~ary** [–ˈmentəri], tamamlayıcı, mütemmim.
complet·e [kəmˈpliit] *a.* Tam, tamam; mükemmel. *vb.* Tamamlamak, bitirmek, doldurmak. **~ion** [–ˈpliiʃn], tamamlama, bitirme, yerine getirme.
complex [ˈkompleks] *a.* Mürekkeb; karışık; muğlak. *n.* Bir nevi ruhî anormallik, kompleks. **inferiority ~,** aşağılık hissi.
complexion [kəmˈplekʃn]. Ten, cild, yüzün rengi; mahiyet; görünüş. **that puts another ~ on the matter,** o zaman vaziyet değişir.
complexity [kəmˈpleksiti]. Karışıklık, muğlaklık.
complian·ce [kəmˈplaiəns]. Razı olma, rıza; uysallık. **in ~ with,** ···e uygun olarak, göre: **to refuse ~ with an order,** bir emre itaat etmemek: **base ~,** boyun eğme, yaltaklanma. **~t,** uysal; evetefendimci.
complicat·e [ˈkomplikeit]. Karıştırmak;

bir işi karmakarışık etm., muğlak bir hale getirmek. ~**ion** [–ˈkeiʃn], karışıklık; müşkülât; (*tıb.*) ihtilât.
complicity [kəmˈplisiti]. Suç ortaklığı.
compliment [ˈkomplimənt]. Öğme, kompliman, cemile. Tebrik etm.; medhetmek. ~**s**, selâm, hürmet; tebrik. ~**ary** [–ˈmentəri], cemilekâr, taltifkâr; komplimanlı; medihli.
comply [kəmˈplai]. (~ **with**, ···e) Razı olm., muvafakat etm.; imtisal etm., uymak.
component [kəmˈpounənt] *n.* Esaslı parça; terkib eden parça. *a.* Terkib eden.
comport [kəmˈpoot]. Uymak, muvafik olmak. **to ~ oneself**, hareket etm., davranmak. ~**ment**, davranış, hareket tarzı.
compose [kəmˈpouz]. Dizmek, tertib etm., terkib etm., tanzim etm.; düzeltmek; yazmak; bestelemek. **to ~ oneself**, sükûnet bulmak. ~**r**, bestekâr.
composite [ˈkompəzit,-zait]. Mürekkeb.
composition [ˈkompəˈziʃn]. Terkib (etme); tertib (etme); tahrir; beste; (ticarî) anlaşma.
compositor [kəmˈpositə*]. Mürettib.
compos mentis [ˈkomposˈmentis]. Aklı başında, şuuru tam olarak. **non ~**, deli.
compost [ˈkompost]. (Yaprak vs. ile karışık) gübre.
compound[1] [ˈkompaund] *n.* Mahlut. *a.* Mürekkeb; mahlut.
compound[2] (Hindistan ve Çin'de) içinde evleri ihtiva eden duvarla cevrili büyük avlu.
compound[3] [kəmˈpaund] *vb.* Terkib etm. taksitlerle veya yıllıkları toptan tediye etmek. **to ~ debts**, bir borc üzerinde alacaklı ile anlaşmak: **to ~ a difference**, ihtilâflı bir nokta üzerinde karşılıklı anlaşmaya varmak: **to ~ a felony**, menfaat mukabilinde bir suçluyu takibden vazgeçmek.
comprehend [ˌkompriˈhend]. Anlamak, kavramak; şamil olm., ihtiva etmek.
comprehens·ible [ˌkompriˈhensibl]. Anlaşılabilir. ~**ion** [–ˈhenʃn], anlama; kavrayış; şümul. ~**ive**, şümullü, şamil; geniş, etraflı; idrake aid.
compress[1] [ˈkompres] *n.* (*tıb.*) Islak bez, kompres.
compress[2] [kəmˈpres] *vb.* Sıkmak, tazyik etm.; sıkıştırıp daraltmak; teksif etm.; hülâsa etmek. ~**ion** [–ˈpreʃn], sıkıştırma, tazyik; teksif.
comprise [kəmˈpraiz]. İhtiva etm.; ibaret olm.; şamil olmak.
compromise [ˈkomprəmaiz]. Uzlaşma, anlaşma; ikisi ortası. (Şerefini vs.) tehlikeye koymak; bir uzlaşmaya varmak; uzlaşmak; taleblerinden fedakârlıkta bulunmak.
comptroller [konˈtroulə*]. (Bazı resmî unvanlarda) mürakıb.
compuls·ion [kəmˈpʌlʃn]. Cebir, zorlama, icbar, ıstırar. **under ~**, zorla, mecbur kalarak. ~**ory** [–ˈpʌlsəri], mecburî, cebrî.
compunction [kəmˈpʌnkʃn]. Vicdan azabı; tereddüd.
comput·e [kəmˈpjuut]. Hesab etm.; tahmin etmek. ~**ation** [–teiʃn], hesab; tahmin.
comrade [ˈkomrid, ˈkʌm-]. Arkadaş; yoldaş.
con[1] [kon]. Öğrenmeye çalışmak, bellemek.
con[2] (Gemiyi) idare etmek.
con[3]. (*yal.*) **the pros and ~s of a question**, bir meselenin lehinde ve aleyhinde olan noktalar.
concatenation [ˌkonkatəˈneiʃn]. (Fikirler vs.) zincirlenme, teselsül.
concav·e [ˈkonkeiv]. Mukaar, çukur. ~**ity** [–ˈkaviti], mukaarlık, çukur, çukurluk.
conceal [kənˈsiil]. Gizlemek, saklamak, örtmek. ~**ment**, gizle(n)me, sakla(n)ma.
concede [kənˈsiid]. Teslim etm.; itiraf etm.; vermek; terketmek.
conceit [kənˈsiit]. Kibir, gurur, kendini beğenme; tuhaf veya nükteli fikir. ~**ed**, kibirli, kendini beğenmiş.
conceivable [kənˈsiivəbl]. Düşünülebilir, akıl alabilir, makul; akla gelecek (her şey).
conceive [kənˈsiiv]. Düşünmek; akıl erdirmek, aklı almak; tasavvur etm.; gebe kalmak. **to ~ a dislike for s.o.**, birinden birdenbire nefret etm.: **his letter was ~d in the plainest language**, mektubu çok sade bir lisanla yazılmıştı.
concentrat·e [ˈkonsəntreit]. Bir yere topla(n)mak; temerküz et(tir)mek; bir hedefe çevirmek. ~**ion** [–ˈtreiʃn], bir yere toplama; temerküz; bir hedefe çevirme; bir şeye zihnini verme. ~**ed**, koyu kesif; kuvvetli; mütekâsif.
concentric [kənˈsentrik]. Müşterek merkezli.
concept [ˈkonsept]. Fikir, telâkki, mefhum. ~**ion** [–ˈsepʃn], idrak etme; fikir, düşünce, telâkki; gebe kalma.
concern [kənˈsəən] *n.* Alâka, münasebet; mesele; iş; endişe, merak; firma, şirket. *vb.* Aid olm., dair olm., münasebeti (alâkası) olm.; raci olm.; **to be ~ed** [~ **oneself**] **with**, ···e karışmak. **as ~s**, ···e gelince, . . . itibarile: **as far as I am ~ed**, bana gelince; bence; benim için: **of ~**, mühim, alâka çeken: **it's no ~ of mine**, bu beni alâkadar etmez: **to be ~ed about stg.**, bir şeyden endişe etm.: **his honour is ~ed**, şerefi mevzuubahistir: **I was very ~ed to hear**, ...duyunca çok müteessir oldum. ~**ing**, dair, hakkında.

concert[1] [ˈkonsəət] *n.* Ahenk; konser. **to act in ~ with s.o.**, birile elbirliğiyle hareket etm.: **to keep up to ~ pitch,** yüksek seviyede tutmak. **concert-grand,** büyük kuyruklu piyano.
concert[2] [kənˈsəət] *vb.* Müşavere ve müzakere edip tanzim etm.; danışıklı iş görmek.
concertina [ˌkonsəəˈtiinə]. Akordeona benzer bir nevi körüklü çalgı.
concession [kənˈseʃn]. Teslim; müsaade; imtiyaz.
conch [konk]. Büyük bir cins kabuklu deniz hayvanı ve kabuğu; (*mit.*) deniz perisi Triton'un bu hayvanın kabuğundan yapılan borusu. **~a,** kulağın dış çukuru. **~ology** [–ˈolodʒi], Böcek kabuklarını tedkik eden ilim bilgisi.
conciliat·e [kənˈsilieit]. Gönlünü almak; yatıştırmak; gönlünü yapmak; uzlaştırmak. **~ion** [–ˈeiʃn], uzlaş(tır)ma; barış(tır)ma. **~ory** [–ˈsiliətəri], gönül alıcı; yatıştırıcı; uzlaştırıcı.
concise [kənˈsais]. Muhtasar, mücmel; veciz.
conclave [ˈkonkleiv]. Papayı seçmek için kardinallerin ictimaı; hususî toplantı.
conclude [kənˈkluud]. Neticelendirmek, bitirmek; akdetmek; bir neticeye varmak. **to be ~d (in our next)**, sonu gelecek sayıda.
conclus·ion [kənˈkluuʒn]. Netice; neticelendirme; akdetme; nihayet verme; netice çıkarma. **to try ~s with s.o.,** birile boy ölçmek. **~ive** [–ˈkluusiv], ikna edici; kat'î.
concoct [kənˈkokt]. Birbirine karıştırıp tertib etm.; pişirmek; uydurmak; kurmak. **~ion,** [–ˈkokʃn], uydurma; tertib etme; müstahzar; acayib terkib.
concomitant [kənˈkomitənt] *a.* Beraber vuku bulan; mülhak, munzam. *n.* Tetimmat.
concord [ˈkonkood]. Uygunluk; barış; ahenk. **~ance** [–ˈkoodəns], uygunluk; indeks.
concourse [ˈkonkoos]. Toplantı; birleşme.
concrete[1] [ˈkonkriit] *a.* Hakikî; müspet; müşahhas; elle tutulur; muayyen.
concrete[2] *n.* Beton. *vb.* Beton kaplamak, betonlamak. *a.* Betondan yapılmış.
concret·e[3] [kənˈkriit] *vb.* Katılaşmak; şekil almak. **~ion** [–ˈkriiʃn], katılaşma; donma; dondurulmuş cisim; topak.
concubine [ˈkonkjubain]. Odalık, müstefreşe.
concupiscence [kənˈkjupisəns]. Cinsî arzu, şehvet.
concur [kənˈkəə*]. Uymak; razı olm.: uyuşmak; bir fikirde olm., kabul etmek. **I ~!**, kabul!. **~rence** [–ˈkʌrəns], muvafakat; tesadüf. **~rent** [–ˈkʌrənt], aynı zamanda vakı olan; müterafik; uygun.
concussion [kənˈkʌʃn]. Sadme; sarsıntı; çarpışma vs. sarsıntısı; beyin sarsılması.
condemn [kənˈdem]. Mahkûm etm.; ayıplamak; kullanmağa uygun bulmamak. **~ed cell,** idam mahkûmu hücresi: **his looks ~ him,** nasıl bir adam olduğu yüzünden belli. **~ation** [–ˈneiʃn], mahkûm etme; mahkûm olma; aleyhte hüküm verme.
condens·e [kənˈdens]. Teksif etm., koyulaştırmak; (yazıyı) sıkıştırmak, hülâsa etmek. **~ation** [–ˈseiʃn], teksif, takâsüf, kesif mayi, buğu. **~er,** mükessif; imbik; kondansatör.
condescen·d [ˌkondiˈsend]. Tenezzülde bulunmak; tevazu göstermek. **~ding,** himayekâr; yukarıdan alan. **~sion,** tenezzül; lûtufkârlık; yukarıdan alma.
condign [kənˈdain]. Lâyık, müstahak; yerinde.
condiment [ˈkondimənt]. Salça veya baharat vs. gibi yemeğe çeşni veren şey.
condition [kənˈdiʃn]. Hal, durum; şart; vaziyet; medenî hal. Şart koşmak, şarta bağlamak; iyi bir hale getirmek. **on ~ that ..., ...** şartı ile: **to keep (oneself) in ~,** idmanlı olm.: **to be out of ~,** hamlamak: **to be ~ed by stg.,** bir şeye bağlı olmak. **~al,** şarta bağlı, bağlı; (*gram.*) şart sıygası.
condol·e [kənˈdoul]. **~ with,** ···e taziyede bulunmak. **~atory,** [–ˈdoulətri], taziyeye aid. **~ence** [ˈdouləns], taziye.
condone [kənˈdoun]. Affetmek; göz yummak.
condor [ˈkondor]. Cenubî Amerika'ya mahsus bir nevi büyük akbaba.
conduc·e [kənˈdjuus]. Sebeb olm., mucib olm.; yardım etm.; vesile olmak. **~ive,** vesile olan; mucib olan; yardım eden.
conduct [ˈkondʌkt] *n.* Davranış; hareket; idare. *vb.* [–ˈdʌkt] Sevketmek; idare etm.; önüne katıp götürmek; rehberlik etm.; nakletmek; orkestrayı idare etmek. **certificate of good ~,** hüsnühal kâğıdı: **to ~ oneself,** (iyi, fena) hareket etm.: **~ed tours,** bir rehberin idaresinde gezinti. **~ing** *elek.*, nâkil. **~ivity** [–ˈtiviti], (sıcak, elektrik vs.yi) nakil kabiliyeti. **~or** [kənˈdʌktə*], sevk eden, idare eden; orkestra şefi; (otobüs vs.de) biletçi; nakleden, nâkil.
conduit [ˈkondwit]. Oluk, boru, mecra.
cone [koun]. Mahrut; kozalak; ||koni. **cone-pulley,** merdivenli kasnak.
coney [ˈkouni]. Ada tavşanı.
confabulat·e [kənˈfabjuleit]. Başbaşa verme. **~ion** [–ˈleiʃn], başbaşa verme.
confection [kənˈfekʃn]. Tertib etme; tertib edilmiş şey; şekerleme, tatlı, reçel; süslü kadın elbise veya şapkası. **~er,** Şekerci, şekerlemeci, pastacı. **~ery,** pasta, şekerleme vs. gibi şeyler.

confedera·cy [kənˈfedərəsi]. Devletler birliği; ittifak; fitne ve fesad birliği. **~te,** [–ˈfedərit] *a.* & *n.* birleşmiş, müttefik; arkadaş, suç ortağı. **~te** [–ˈfedəreit] *vb.* (devletler) birleş(tir)mek; birlik olmak. **~tion** [–ˈreiʃn], devletler birliği, birlik konfederasyon; ittifak.

confer [kənˈfəə*]. Müzakere etm., görüşmek, danışmak; (bir unvan vs.) tevcih etm., vermek. **~ence** [ˈkonfərəns], konferans, kongre; toplantı; müzakere, danışma. **~ment** [–fəəmənt], tevcih, verme.

confess [kənˈfes]. İtiraf etm., ikrar etm.; günah çıkar(t)mak. **~edly,** herkesin itiraf edeceği gibi. **~ion** [–ˈfeʃn], itiraf; ikrar; günah çıkarma: **~ of faith,** imanını ikrar. **~or,** günah çıkaran papaz; itiraf eden kimse.

confetti [kənˈfeti]. Konfeti.

confidant [ˈkonfidant]. Sırdaş; yakın dost.

confide [kənˈfaid]. (Sır vs.) tevdi etmek. **~ in,** ···e emniyet etm., itimad etmek.

confidence [ˈkonfidəns]. İtimad, inanc, emniyet; mahremlik. **to make a ~ to s.o.,** birine bir sır söylemek: **~ man,** dolandırıcı, tavcı. **confidence-trick,** kandırarak dolandırma, tavlama.

confident [ˈkonfidənt]. Emin; kendine pek güvenir. **~ial** [–denʃiəl], mahrem; gizli; itimad edilebilir.

configuration [ˌkonfigjuˈreiʃn]. Haricî şekil; umumî vaziyet; teşekkül.

confine [kənˈfain] *vb.* Tahdid etm.; kuşatmak, kapatmak, habsetmek. **to be ~d,** (i) tahdid edilmek; habsedilmek; (ii) çocuk doğurmak, loğusa olm.: **to ~ oneself to,** ···le iktifa etm., yetinmek. **~ment,** habsedilme, mahbusluk; loğusalık.

confines [ˈkonfains]. Hudud, sınır.

confirm [kənˈfəəm]. Teyid etm., tekid etm., tasdik etm.; takviye etm.; (piskopos) **~ation** âyinini icra etmek. **~ation,** teyid, tasdik; hıristiyan çocuğunun büluğ zamanı kilise camiasına kabulü âyini. **~ative,** tekidî, tasdikî. **~ed** *a.* kök salmış; ıslah olmaz; daimî.

confiscat·e [ˈkonfiskeit]. Musadere etmek. **~ion** [–ˈkeiʃn], musadere. **~ory** [–ˈkeitəri], musadere edici.

conflict [ˈkonflikt] *n.* İhtilâf, mücadele. *vb.* [kənˈflikt], Birbirini tutmamak. **~ with,** ···le telif edilememek; ···e zıd olm., muhalif olmak. **~ing,** zıd, muhalif; birbirini tutmaz.

confluen·ce [ˈkonfluəns]. Birleşme, beraber akma. **~t,** beraber akan, birleşen, karışan (nehir vs.); kol.

conform [kənˈfoom]. Tatbik etm.; uydurmak; intibak etm., uymak. **~able** [–ˈfoomәbl], uygun; benzer; mümasil; uysal. **~ation** [–ˈmeiʃn], şekil, bünye, yapı. **~ity,** uygunluk; tevafuk: **in ~ with,** uyarak, mucibince, tevfikan.

confound [kənˈfaund]. Bozmak; şaşırtmak; karıştırmak. **~ it!,** Allah müstehakkını versin!, lânet olsun!. **~ed,** lânetleme: **it was ~ly cold,** Allahın belâsı bir soğuk vardı, çivi kesiyordu.

confraternity [ˌkonfraˈtəəniti]. Kardeşlik; 'ahilik' gibi teşkilât.

confront [kənˈfrʌnt]. Karşısında durmak, karşı gelmek, karşılaşmak; karşılaştırmak, karşısına getirmek, yüzleştirmek. **~ation,** muvacehe, yüzleştirme.

confuse [kənˈfjuuz]. Karıştırmak, bozmak, şaşırtmak. **to get ~d,** şaşırmak, zihni karışmak. **~d,** *a.* Mahcub; şaşırmış; karışık, mübhem.

confusion [kənˈfjuuʒn]. Karışıklık, intizamsızlık; karıştırma; şaşkınlık, sersemlik, utanma. **in ~,** karmakarışık: **to be covered with ~,** fena halde mahcub olm., bozulmak: **to put s.o. to ~,** birini mahcub etm., bozmak: **to fall into ~,** karmakarışık olm.: **~ worse confounded,** karışıklığın danıskası.

confute [kənˈfjuut]. Red ve cerhetmek; yanlış veya haksız olduğunu isbat etmek.

congeal [kənˈdʒiil]. Don(dur)mak; katılaş(tır)mak; pıhtılaş(tır)mak.

congener [ˈkondʒenə*]. Aynı cins veya sınıftan.

congenial [kənˈdʒiiniəl]. Cana yakın, sempatik; uygun; hoş.

congenital [kənˈdʒenitl]. Doğuşta olan; fıtrî.

conger [ˈkoŋgə*]. Migra; büyük yılan balığı.

congeries [ˈkongəriz]. Yığın, küme.

congest [kəndʒest]. Topla(n)mak; yığ(ıl)mak, birik(tir)mek; kan toplamasına sebeb olmak. **~ed area,** fazla nüfuzlu [pek kalabalık] bölge. **~ion** [–ˈdʒestʃən], izdiham, kalabalık; kan birikmesi, ihtikan.

conglomerate [kənˈglomərit] *a.* Toplanmış, yığılmış, muhtelif parçalardan mürekkeb. *n.* Muhtelif parçalardan mürekkeb şey; çakıllı kaya; *vb.* [–reit], Toplanmak, bir araya gelmek.

congratulat·e [kənˈgratjuleit]. Tebrik etmek. **~ion** [–ˈleiʃn], tebrik.

congregat·e [ˈkongrigeit]. Toplanmak, birleşmek. **~ion** [–geiʃn], cemaat; toplanma. **~ional,** bir birliğe veya cemaate aid; her kilise cemaatinin müstakil olması usulüne aid.

congress [ˈkongres]. Birleşme; kongre; (Amerika Birleşik Devletlerinde) Senato ile Temsilciler meclisinden mürekkeb Milli Meclis. **~ional** [–ˈgreʃənəl], Kongre'ye

aid. **~man,** (Amerika'da) Millet Meclisi âzası.
congruen·ce [ˈkongruəns]. Uyma, uygunluk, tevafuk. **~t, congruous,** uygun; münasib; mutabık.
conic·(al) [ˈkonik(l)]. Mahrutî. **~s,** mahrut maktaları bahsi.
conifer [ˈkounifəə*]. Kozalaklı ağac. **~ous** [–ˈnifərəs], kozalaklı.
conjecture [kənˈdʒektjuə*]. Zan, tahmin, farz. (Bir şeyi) tahmin etmek.
conjoin [kənˈdʒoin]. Birleş(tir)mek; bitiş(tir)mek. **~t,** birleşik, bitişik, birlikte.
conjugal [ˈkondʒugl]. Evliliğe aid; karı kocaya aid.
conjugat·e [ˈkondʒugeit] *a.* Birleşik; aynı kökten gelen kelime. *vb.* (*gram.*) Tasrif etmek. **~ion,** tasrif.
conjunction [kənˈdʒʌŋkʃn]. Birleşme; karışma; atıf edatı; iktiran. **in ~ with,** ···le beraber, ···le müştereken.
conjunctiv·a [ˌkondʒʌŋkˈtaivə]. (*tıb.*) Munzam tabaka. **~itis** [–ˈvaitis], munzam tabaka iltihabı, trahom.
conjunctive [kənˈdʒʌŋktiv] *a.* Birleştiren. *n.* Atıf veya rabıt edatı; sıla sıygası.
conjuncture [kəndʒʌŋktʃə*]. Hal ve şartlar; durum. **at this ~,** ahval böyle iken; bu sırada.
conjure[1] [kənˈdʒuə*]. (Bir şey yapmak için birine) yalvarmak; and vermek.
conjur·e[2] [ˈkʌndʒə*]. Sihir yaparak cin vs.yi çağırmak; büyü yapmak; hokkabazlık yapmak. **~ up,** sihirbazlıkla davet etm.; hatıra getirmek: **a name to ~ with,** sihirli isim. **~er, ~or,** hokkabaz.
conk [konk]. **~ out,** (*arg.*) makine birdenbire durmak.
connect [kəˈnekt]. Bağlamak, rabtemek; birleştirmek; münasebet tesis etm.; (tren vs.) aktarması olmak. **to be ~ed with a family,** (i) bir aileye sıhriyeti olm.; (ii) bir aile ile rabıtası olm.: **to be well ~ed,** iyi aileye mensub olmak.
connecting, -tive [kəˈnektiŋ, -tiv]. Bağlıyan, rabtedici. **connecting-rod,** biyel kolu.
connection, -nexion [kəˈnekʃn]. Bağ; irtibat; münasebet; alâka; yakınlık; sıhriyet, sıhrî akraba; aktarma. **in ~ with,** münasebetile, dolayısile: **in this ~,** bu hususta.
conning-tower [ˈkoniŋˈtauə*]. Kumanda kulesi.
conniv·e [kəˈnaiv]. Göz yummak, müsamaha ile karşılamak. **~ance,** göz yumma, müsamaha.
connoisseur [ˌkoniˈsəə*]. Ehil, mütehassıs.
connote [kəˈnout]. Delâlet etm., ayrıca bir mana taşımak.
connubial [koˈnjubiəl]. Evliliğe aid.
conquer [ˈkoŋkə*]. Fethetmek, zabtetmek. **~or,** fetheden, fatih. **the Conqueror,** 1066 'da İngiltere'ye çıkan Norman kıralı William.
conquest [ˈkonkwest]. Fethetme, zabtetme.
consanguinity [ˌkonsaŋˈgwiniti]. Kan karabeti.
conscience [ˈkonʃəns]. Vicdan. **in all ~,** doğrusu: **with a clear conscience,** vicdanı müsterih olarak: **~ money,** vicdan azabı yüzünden yerine iade eden para: **~ stricken,** vicdan azabına kapılmış: **I would not have the ~ to do it,** bunu yapmağa vicdanım razı olmaz.
conscientious [ˌkonʃiˈenʃəs]. Vicdanlı, insaflı, dürüst. **~ objector,** vicdanına karşı olduğunu söyliyerek askerlik yapmak istemiyen: **~ scruple,** vicdan endişesi.
conscious [ˈkonʃəs]. Kendine malik; ayılmış; şuurlu, müdrik, vâkıf; kasdî. **to be ~ of stg.,** bir şeyin farkında olm., bir şeyi hissetmek: **to become ~ of stg.,** bir şeyin farkına varmak. **~ness,** kendine malik olma; şuur; his, idrak: **to lose ~,** kendini kaybetmek: **to regain ~,** kendine gelmek.
conscript [ˈkonskript] *n.* Askere alınmış adam, kur'a askeri. *vb.* [kənˈskript], Askere almak; el koymak. **~ion** [–ˈskripʃn], mecburî askerlik; askere alma, elkoyma.
consecrate [ˈkonsikreit]. Takdis etm., mukaddesleştirmek: tahsis etmek.
consecutive [kənˈsekjutiv]. Mütevali, müteakib; üstüste olan.
consensus [kənˈsensəs]. Umumî muvafakat; rey birliği.
consent [kənˈsent]. Razı olma(k); muvafakat etme(k); musaade. **by common ~,** herkesin muvafakatile; herkesin kabul ettiği üzere.
consequence [ˈkonsikwəns]. Netice; akibet; ehemmiyet. **it is of no ~,** ehemmiyeti yok: **in ~,** bu sebeble: **in ~ of,** ···in neticesinde: **do this or take the ~s!,** ya bu işi yap yahud akibetine [mesuliyetine] katlan; bunu yapmazsan vebali boynuna.
consequent [ˈkonsikwənt]. Tabi, bağlı; neticesi olan. **~ly,** neticesi olarak. **~ial** [–ˈkwenʃiəl], netice olarak husule gelen; azametli.
conservancy [kənˈsəəvənsi]. Muhafaza, koruma. **the Thames ~,** Taymis nehri bakım ve idare heyeti.
conservation [ˌkonsəəˈveiʃn]. Muhafaza, himaye.
conservative [kənˈsəəvətiv]. Muhafazakâr; mutedil. **on ~ lines,** eski usulde; itidal dairesinde.
conservatoire [kənˈsəəvətwaaə*]. Musiki mektebi.

conservator [kənˈsəəvətə*]. Muhafız.
conservatory [kənˈsəəvətri]. Limonluk.
conserve [kənˈsəəv] *vb.* Muhafaza etm., korumak, himaye etm.; (meyva vs.) konserve yapmak. *n.* Konserve; reçel.
consider [kənˈsidə*]. Düşünüp taşınmak; göz önünde tutmak, nazarı itibara almak; düşünmek; riayet etm.; telâkki etm., addetmek, saymak. **all things ~ed,** her şeyi göz önünde tutarak.
considerable [kənˈsidərəbl]. Mühim, hatırı sayılır, büyük.
considerate [kənˈsidərit]. Hatır bilir, başkalarına karşı saygılı.
consideration [kənˌsidəˈreiʃn]. Mütalaa, mülahaza; saygı; düşünce; itibar; dikkat; ehemmiyet; göz önünde tutulacak şey; bedel, karşılık. **for a ~,** ivaz mukabilinde: **in ~ of,** düşünerek, göz önünde tutarak; dolayısile; karşılık olarak: **money is no ~,** para mevzuu bahis değil; masrafa bakılmaz: **on no ~,** hiç bir sebeble; hiç bir suretle: **the question under ~,** tedkik edilmekte olan mesele: **to take into ~,** gözönünde tutmak, nazarı itibara almak.
considering [kənˈsidəriŋ]. Göre, dolayı, bakınca, düşünülürse; göz önünde tutulursa.
consign [kənˈsain]. Göndermek; sevketmek; teslim etm., tevdi etmek. **~ee,** [–ˈnii], (kendisine) gönderilen. **~ment** [–ˈsainmənt], gönderme, sevk, teslim; gönderilen bir mikdar eşya: **for ~ abroad,** harice sevkedilecek: **on ~,** satıldığı zaman tediye edilmek üzere teslim. **~or** [–ˈnoo*], gönderen; teslim eden.
consist [kənˈsist]. Mürekkeb olm., ibaret olmak.
consistence, -cy [kənˈsistəns, -si]. Koyuluk, kesafet; birbirini tutma, insicam; istikrar.
consistent [kənˈsistənt]. Aynı prensiplere, hareket tarzına vs. uyan (şey veya kimse), uygun; birbirini tutan, insicamlı; müstakır.
consistory [kənˈsistəri]. Kilise meclisi.
consol·e [kənˈsoul]. Teselli etmek. **~ation** [–ˈleiʃn], teselli. **~atory** [–ˈsoulətəri], teselli edici.
consolidate [kənˈsolideit]. Takviye etm., sağlamlaştırmak; pekiştirmek; birleştirmek. **~d annuities,** İngiliz düyunu umumiye eshamı.
consols [ˈkonsols] = **consolidated annuities.**
consonant [ˈkonsənənt]. *n.* Sessiz harf, konson. *a.* Uyar, uygun; ahenkli.
consort [ˈkonsoot]. Zevc veya zevce, eş. **to act in ~ with,** ···le birlik (olarak) hareket etm.: **Prince Consort,** bir kadın hükümdarın kocası.
consort [kəˈsoot] *vb.* **~ with,** ···le düşüp kalkmak.
conspicuous [kənˈspikjuəs]. Göze çarpan, bariz, aşikâr; seçkin.
conspira·cy [kənˈspirəsi]. Fena maksadla gizli ittifak, kumpas; suikasd. **~tor,** suikasdcı; gizli bir teşkilâta dahil kimse.
conspire [kənˈspaiə*]. (Biri aleyhine) fesad kurmak; suikasd hazırlamak; birlikte hareket etm.; kumpas kurmak; (hadiseler) yardım etmek.
constab·le [ˈkʌnstəbl]. Polis memuru; (eskiden) saray nazırı. **Chief ~,** polis komiseri: **special ~,** yardımcı polis. **~ulary** [kənˈstabjuləri], zabıta, polis.
constan·cy [ˈkonstənsi]. Sebat, devamlılık; sadakat. **~t,** değişmez, sabit, daimî; devamlı; sadık, vefalı.
constellation [ˌkonstəˈleiʃn]. Takımyıldız; burc.
consternation [ˌkonstəəˈneiʃn]. Donup kalma; derin hayret; haşyet.
constipat·e [ˌkonstipeit]. Kabız yapmak, peklik vermek. **~ion** [–ˈpeiʃn], kabız.
constituency [kənˈstitjuənsi]. İntihab dairesi; müntehibler.
constituent [kənˈstitjuənt] *a.* Teşkil eden, terkib eden. *n.* Bir intihab dairesindeki müntehiblerden biri. **~ assembly,** müessisler meclisi.
constitut·e [ˈkonstitjuut]. Teşkil etm., terkib etm., tesis etm.; tayin etmek. **~ion** [–ˈtjuuʃn], terkib, teşkil; tesis etme; bünye; teşekkül; meşrutiyet; kanunu esasî, ‖ana yasa: **he has an iron ~,** bünyesi demir gibidir. **~ional,** bünyevî; meşrutî; *n.* (*kon.*) sıhhat için yürüyüş.
constrain [kənˈstrein]. Zorlamak, icbar etm., tazyik etm.; zorla tutmak, alıkoymak. **~ed** *a.* zoraki, sıkıntılı. **~t,** zorlama, icbar, cebir, tazyik; sıkıntı; kendini tutma veya zorlama: **to put s.o. under ~,** birini nezaret altında bulundurmak, tazyik altında tutmak: **to speak without ~,** çekinmeden [serbestçe] konuşmak.
constrict [kənˈstrikt]. Sıkmak, sıkıştırmak; daraltmak, büzmek. **~ion,** sıkma, sıkıştırma, daraltma, büzme; tazyik; darlık. **~or,** sıkıştırıcı, büzücü; çekici: **boa ~,** şikârını vücudüne sarılıp sıkarak öldüren boa yılanı.
construct [kənˈstrʌkt]. İnşa etm., bina etm.; yapmak, kurmak. **~ion,** inşa etme; yapı, inşaat, bina; cümle yapısı; mana, mana verme: **to put a wrong ~ on stg.,** bir şeyi yanlış manaya almak, bir şeye yanlış mana vermek. **~ional,** inşaata aid. **~ive,** yapıcı; yaratıcı; faydalı; istidlal yolile. **~or,** inşaatçı.
construe [ˈkonstruu]. İzah etm., tefsir

etm.; mana vermek; (bir cümleyi) tahlil etm.; tercüme etmek.

consul [ˈkonsl]. Konsolos; (*tarih*) konsül. **~ar** [–sjulə*], konsolosluğa aid; konsüllüğe aid. **~ate** [–sjulit], konsoloshane; konsüllük.

consult [kənˈsʌlt]. Danışmak, istişare etm.: sormak; bakmak; konsolto etmek. **to ~ one's own interest,** kendi menfaatini düşünmek: **to ~ s.o.'s feelings,** birinin hislerine hürmet etm.: **to ~ together,** birbirine danışmak; (bir meseleyi) beraber konuşmak. **~ant,** müşavir doktor; mütehassıs. **~ation** [–ˈteiʃn], danışma, istişare; sorma; (lûgat vs.ye) bakma; konsültasyon; müzakere. **~ative** [–ˈsʌltətiv], istişarî. **~ing, ~ physician,** müşavir doktor: **~ hours,** muayene saatleri: **~ room,** muayenehane.

consume [kənˈsjuum]. Telef etm., yakıp kül etm.; yiyip bitirmek, sarfetmek, istihlâk etm., israf etmek. **to be ~d with boredom,** can sıkıntısından patlamak: **to be ~d with jealously,** kıskançlıktan içi içini yemek: **to be ~d with thirst,** susuzluktan yanmak. **~r,** müstehlik; sarfeden, israf eden; (havagazi vs.) kullanan: **~ goods,** istihlâk eşyası.

consummate[1] [kənˈsʌmit] *a.* Tam, mükemmel; usta.

consummate[2] [ˈkonsəmeit] *vb.* Tamamlamak; yerine getirme. **to ~ the marriage,** karı kocalık işini tamamlamak.

consumpt·ion [kənˈsʌmpʃn]. İstihlâk, sarfetme; israf; verem. **~ive,** veremli.

contact [ˈkontakt] *n.* Temas, dokunma; münasebet; (*elek.*) kontak. *vb.* [kənˈtakt] Temas etm., temasa geçmek. **contact-breaker,** otomatik şalter.

contagi·on [kənˈteidʒən]. Sirayet, bulaşma; bulaşık hastalık; ahlaksızlık sirayeti. **~ous** sarî, bulaşık, başkalarına geçer.

contain [kənˈtein]. İhtiva etm., şamil olm., ihata etm.; tutmak, zabtetmek. **to ~ oneself,** kendini tutmak: **to be unable to ~ oneself,** içi içine sığmamak. **~er,** (kutu, şişe vs. gibi) kab.

contaminat·e [kənˈtamineit]. (Temas ederek) bulaştırmak, kirletmek, telvis etm., ifsad etmek. **~ion** [–ˈneiʃn], bulaştırma, telvis, ifsad.

contemn [kənˈtem]. İstihfaf etm., tahkir etmek.

contemplat·e [ˈkontəmpleit]. Seyretmek, bakmak; uzun uzadıya düşünmek, mülahaza etm., teemmül etm.; ümid etm.; niyet etm., tasavvurunda olmak. **~ion** [–ˈpleiʃn], seyretme; uzun uzadıya düşünme; mülahaza, teemmül; istiğrak; niyet, tasavvur. **~ive** [ˈkontəmpleitiv], mülahaza ve teemmüle aid; tehayyülata mütemayil istiğraka düşkün.

contempora·neous [ˌkontempəˈreinjəs]. Muasır, çağdaş, aynı zamana aid. **~ry** [kənˈtempəri], muasır, cağdaş.

contempt [kənˈtempt]. İstihfaf; küçük görme, hakir görme; zillet. **~ of court,** hâkime itaatsizlik veya adliye nizamlarına riayetsizlik: **beneath ~,** son derece aşağılık, menfur; istihfafa değer: **to bring into ~,** küçük düşürmek: **to hold in ~,** hakir görmek. **~ible,** nefret edilecek, aşağılık, zelil, rezil. **~uous** [–tjuəs], istihfafkâr, küçük gören.

contend [kənˈtend]. Çarpışmak, mücadele etm.; müsabakaya girmek; yarışmak; çekişmek; iddia etm., ileri sürmek.

content[1] [ˈkontənt] *n.* Muhteva, içindeki. **~s,** muhteva, içindekiler; mündericat.

content[2] [kənˈtent] *n.* Hoşnudluk; tatmin edilme. *a.* Hoşnud; razı, memnun; halinden memnun. *vb.* Hoşnud etm., tatmin etm., memnun etmek. **to be ~ with,** ···le iktifa etm., ‖yetinmek: **to ~ oneself with,** ···le iktifa etm.: **to your heart's ~,** canınızın istediği kadar, doya doya.

contented [kənˈtentid]. Halinden memnun; şikâyeti yok; kanaatkâr.

content·ion [kənˈtenʃn]. Münazaa, münakaşa, ihtilaf; iddia; ileri sürülen fikir. **to be a bone of ~,** münazaa mevzuu olm., ihtilaf sebebi olmak. **~ious,** kavgacı, münazaacı, münakaşalı, kavgalı.

contentment [kənˈtentmənt]. Halinden memnun olma; hoşnudluk; razı olma.

contest [ˈkontest] *n.* Müsabaka; çarpışma; mücadele. *vb.* [kənˈtest] İtiraz ve muhalefet etm.; (bir şey için) mücadele etm.; müsabakaya girmek. **to ~ a seat,** bir intihab dairesi için namzedliğini koymak. **~ant** [–ˈtestənt], Çarpışan, mübariz; müsabakaya giren.

context [ˈkontekst]. Siyak; bir kelimenin başında ve sonundaki metin, siyaku sibak.

contigu·ity [ˌkontiˈgjuuiti]. Yakınlık; bitişiklik. **~ous** [–ˈtigjuəs], bitişik, yakın.

continen·ce [ˈkontinəns]. Nefsini tutma, imsâk. **~t**[1], nefsini tutan, imsâkli; perhizkâr.

continent[2] [ˈkontinənt]. *n.* Kıt'a. **the ~,** Avrupa kıt'ası (İngiltere haric). **~al,** [–ˈnentl], kıt'aya aid, karaya aid; (İngiltere haric) Avrupa kıt'asına aid veya mensub.

contingency [kənˈtindʒənsi]. İhtimal, tesadüf; ârıza; beklenmedik hal. **to provide for ~ies,** her ihtimali düşünmek.

contingent [kənˈtindʒənt]. *a.* Arizî, tesadüfî; şarta bağlı. *n.* Ayrılıp gönderilen muayyen bir mikdar asker, işçi vs.;

kontenjan. **to be ~ upon stg.**, (bir hadise) bir şeye bağlı [tâbi] olmak.
continu·al [kənˈtinjuəl]. Devamlı, mütemadi; sık sık olan. **~ance,** devam müddeti; devam. **~ation** [–ˈeiʃn], devam etme; devam; mabaad: **~ course,** mektebi bitirenler için kur.
continu·e [kənˈtinjuu]. Devam et(tir)mek; imtidad etm.; kalmak; uzamak. (gazete) '**to be ~d**', 'devamı var', 'bitmedi'. **~ity** [–ˈnjuuiti], devamlılık, süreklilik; teselsül. **~ous** [–ˈtinjuəs], devamlı, sürekli, fasılasız.
contort [kənˈtoot]. Burmak, bükmek, çarpıtmak, kıvırmak. **~ion** [–ˈtooʃn] burma, bükme; bükük, kıvrık. **~ionist** [–ˈtooʃənist], vücudünü türlü şekillere sokan cambaz.
contour [ˈkontuə*]. Dış hatları; şekil. **~** veya **contour-line,** (harita) tesviye hududu. **contour-map,** tesviye haritası.
contra [ˈkontra, –ə] *pref.* Karşı, aksi, zıd *manalarına gelen ön ek.*
contraband [ˈkontrəband]. Kaçak; kaçakçılık; kontraband.
contract[1] [ˈkontrakt] *n.* Mukavele; kontrat; taahhüd. **the ~ for the bridge was placed with Messrs. So-and-so,** köprünün inşası filan şirkete ihale edildi: **to put work out to ~,** bir işi müteahhide vermek: **to put work up to ~,** bir işi eksiltmeye koymak.
contract[2] [kənˈtrakt] *vb.* Büzmek; daraltmak, kısaltmak; (hastalık, itiyad vs.ye) tutulmak, kapılmak; taahhüde girmek, kontrat yapmak, akdetmek. **~ing parties,** âkid taraflar. **~ible,** büzülebilir, çekilebilir. **~ion** [–ˈtrakʃn], büzülme, çekilme; takallüs, kısalma. **~or,** müteahhid; çekici adale. **~ual** [–ˈtraktjuəl], mukaveleye müteallik.
contradict [ˌkontrəˈdikt]. Aksini söylemek; tekzib etm., yalanlamak; nakzetmek, tezad teşkil etmek. **~ion** [–ˈdikʃn], tekzib, yalanlama, inkâr; tezad, tenakuz, mübayenet: **~ in terms,** mütenakız tabir: **in ~ to,** zıddına veya aksine olarak. **~ory** [–ˈdiktəri], birbirini nakzeden, mütenakız, mütebayin.
contradistinction [ˌkontrədisˈtiŋkʃn]. **in ~ to,** aksine olarak.
contra-indicate [ˈkontra ˈindikeit]. (*tıb.*) Muayyen bir tedavi şeklinin uygun olmadığını göstermek.
contralto [kənˈtraltou]. Kadın sesinin en pes perdesi, kontralto.
contraption [kənˈtrapʃn]. (*kon.*) Garib bir alet veya makine; tertibat.
contrari·ness [kənˈtreərinis]. Aksilik, zıdgitme, terslik, inadcılık. **~wise** [ˈkontreriwaiz, kənˈtreiriwaiz], askine olarak; diğer taraftan; inad için.
contrary [ˈkontrəri]. Muhalif, karşı; aksi, zıd; mugayir, uygun olmıyan; [kənˈtreəri] aksi, ters. **on the ~,** bilâkis, tersine: **I have nothing to say to the ~,** buna karşı hiç bir diyeceğim yoktur.
contrast [ˈkontraast] *n.* Tezad, zıd. *vb.* [kənˈtraast], Tezad teşkil etm., tezad yapmak; karşılaştırmak.
contraven·e [ˌkontrəˈviin]. Karşı gelmek; muhalefet etm.; (kanun vs.ye) tecavuz etm., ihlâl etm., hilâfına hareket etmek. **~tion** [–venʃn], hilâfına hareket, ihlâl etme; muhalefet.
contribut·e [kənˈtribjuut]. Yardım etm., medar olm.; hissesine düşen yardımı yapmak; iane etm., vermek; (bir işe vs.) iştirak etm.; (bir gazete vs.ye) yazı vermek. **~ion** [–ˈbjuuʃn], yardım, iane, iştirak; (bir gazete vs.ye verilen) yazı; vergi. **~or,** yardım eden, iştirak eden, yazı veren. **~ory,** yardımcı, yardım edici: **~ negligence,** kazaya uğrıyanın kısmî mesuliyeti.
contrit·e [ˈkontrait]. Pişman, nadim, tövekâr. **~ion** [kənˈtriʃn], pişmanlık, nedamet, tövbe.
contrivance [kənˈtraivəns]. İcad, buluş; hüner, marifet; hususî tertibat, cihaz.
contrive [kənˈtraiv]. İcad etm., bulmak; bir usul düşünmek, kurmak; bir çaresini bulmak, becermek; (*müstehzi*) muvaffak olmak.
control [kənˈtroul]. Mürakebe; kontrol; iktidar, nüfuz, hakimiyet, idare. İdare etm., hükmetmek; tanzim etm.; hâkim olm; zabtetmek; bastırmak. **circumstances beyond our ~,** elimizde olmıyan sebebler: **~ yourself!,** kendini kaybetme!, aklını başına topla!: **to lose ~ of oneself,** kendini kaybetmek: **to lose ~ (of a business,** *etc.*), ipin ucunu kaçırmak: **to be out of ~,** idare edilmez bir hale gelmek; gemi azıya almak.
controll·able [kənˈtrouləbl]. İdare edilebilir; zaptedilebilir. **~er,** mürakib; idare eden, tanzim eden.
controver·sial [ˌkontroˈvəəʃiəl]. İhtilaflı; münakaşacı. **~sialist,** münakaşacı. **~sy** [ˈkontrəvəəsi], ihtilaf, münakaşa: **to hold [carry on] a ~ with, against s.o.,** birile münakaşaya girişmek [tutuşmak]: **beyond ~,** su götürmez.
controvert [ˈkontrovəət]. Tekzib etm., nakzetmek.
contumac·eous [ˌkontjuˈmeiʃəs]. Serkeş, isyankâr. **~y** [ˈkontjuməsi], serkeşlik, isyankârlık, inadcılık; (*huk.*) gıyab.
contumely [ˈkontjumli]. Hakaretle muamele; tahkir, tezlil.
contus·e [kənˈtjuuz]. Berelemek, çürütmek. **~ion** [–tjuʒn], bere, çürük.

conundrum [kəˈnʌndrəm]. Cevabı bir cinastan ibaret bilmece; muamma.
convalesce [ˌkonvəˈles]. Nekahatte olmak. **~nce,** nekahat. **~nt,** nekahatte olan.
convene [kənˈviin]. Toplamak; toplantıya davet etmek.
convenience [kənˈviinjəns]. Uygunluk, müsaidlik; rahatlık; kolaylık; faydalı ve elverişli şey. **at your ~**, müsaid zamanınızda: **at your earliest ~**, mümkünse bir an evvel: **public ~**, helâ: **all modern ~s**, bütün modern konfor.
convenient [kənˈviinjənt]. Elverişli, uygun rahat; münasib. **to make it ~ to do stg.**, bir şeyi yapmağı kolaylaştırmak; bir kolayını bulmak.
convent [ˈkonvənt]. (Rahibeler için) manastır.
convention [kənˈvenʃn]. Toplantı, meclis; mukavele, muahede, anlaşma; teamül, âdet, mevzua. **social ~s**, ictimaî mevzuat, cemiyet âdabı. **~al** [–ˈvenʃənl], âdete veya teamüle uygun; göreneğe göre; basmakalıb, beylik.
converge [kənˈvəədʒ]. Aynı noktaya yaklaşmak, aynı noktaya çevirmek. **~nce,** aynı noktaya yaklaşma. **~nt,** aynı noktaya yaklaşan, mütekarib.
conversation [ˈkonvəəˈseiʃn]. Konuşma, sohbet, muhavere, mükâleme. **to hold a ~ with s.o.**, birisile görüşmek, konuşmak. **~al,** konuşmaya aid, sohbeti andıran. **~alist** [–ˈseiʃnəlist], hoşsohbet kimse.
conversazione [ˌkonvəˈsatziouni]. (Edebî veya bediî) toplantı.
converse[1] [kənˈvəəs] *vb.* Konuşmek, görüşmek, sohbet etmek.
converse[2] [ˈkonvəəs] *n.* Zıd, aksi. **~ly,** diğer taraftan, buna karşılık olarak.
conversion [kənˈvəəʃn]. Tahvil etme, değiştirme; dinini vs. değiştirme, ihtida; değişme. **improper ~ of funds,** ihtilas.
convert[1] [ˈkonvəət] *n.* Dinini vs. değiştirmiş, dönme; mühtedi.
convert[2] [kənˈvəət]. *vb.* Tahvil etm., değiştirmek; dinini vs. değiştirmek. **to ~ funds to one's own use,** para ihtilas etmek. **~er,** muhavvile, transformatör. **~ible,** tahvil edilebilir.
convex [ˈkonveks]. Muhaddeb; kabarık, tümsek.
convey [kənˈvei]. Taşımak, nakletmek, sevketmek; ifade etm.; tebliğ etm.; ferağ etmek. **~ance** [–ˈveiəns], taşıma, nakil, sevk; taşıma vasıtası; ifade, tebliğ; ferağ, ferağ senedi. **~or,** taşıyan, taşıyıcı.
convict[1] [ˈkonvikt] *n.* Kürek mahkûmu.
convict[2] [kənˈvikt] *vb.* Suçunu isbat etm., suçlandırmak. **he was ~ed,** suçlu olduğu tahakkuk etti.
conviction [kənˈvikʃn]. Mahkûm etme [olma]; kanaat, inanma. **to carry ~**, ikna etmek.
convince [kənˈvins]. İkna etm., inandırmak.
convivial [kənˈviviəl]. Cümbüşlere, âlemlere düşkün; şen, şatır; âlem veya ziyafete aid.
convocation [ˌkonvəˈkeiʃn]. Toplantıya davet; ictima, meclis.
convoke [kənˈvouk]. Toplantıya davet etm., (bir meclisi) toplamak.
convolvulus [kənˈvolvjuləs]. Kahkaha çiçeği; uleyk; çadır çiçeği.
convoy [ˈkonvoy] *n.* Muhafaza için terfik edilen gemi vs.; muhafaza altında giden kafile. *vb.* [kənˈvoi], (Korumak için) refakat etmek.
convuls·e [kənˈvʌls]. Şiddetle sarsmak, ihtilaca sebeb olm.; allak bullak etm.; kıvrandırmak; katıltmak. **~ion** [–ˈvʌlʃn], ihtilac, ispazmos; katılma; ihtilâl, karışıklık. **~ive,** ihtilaclı.
cony [ˈkouni]. Ada tavşanı.
coo [kuu]. Güvercin ve kumru ötüşü. (Güvercin ve kumru) ötmek, cıvıldamak. **billing and ~ing,** öpüşüp koklaşma.
cook [kuk]. Asçı. Pişirmek; pişmek. **to ~ accounts,** hesabı tahrif etm.: **to ~ s.o.'s goose,** icabına bakmak, birinin yuvasını yapmak: **he is ~ed,** (koşucu) kesildi. **~er,** yemek pişirilen ocak veya kab. **~ery,** aşçılık; yemek pişirme: **~-book,** yemek kitabı.
cool [kuul]. Serin(lik), soğuk; soğukkanlı, temkinli. Soğu(t)mak, serinle(t)mek. **to ~ down,** serinlemek, dinlenmek; yatış(tır)mak: **to ~ off,** (heyecan vs.) sönmek, soğumak.
coolie [ˈkuuli]. (Hindistan veya Çinde) az ücretle çalışır işçi veya hamal.
coon [kuun] *bk.* **racoon**; (*kon.*) zenci.
coop [kuup]. Tavuk kafesi. **to ~ up,** dar bir yere kapamak.
cooper [ˈkuupə*]. Fıçıcı. **~age,** fıçıcılık; fıçılama ücreti.
co-operat·e [kouˈopəreit]. İşbirliği yapmak, elbirliği etm.; birlikte çalışmak. **~ion** [–ˈreiʃn], işbirliği. **~ive** [–ˈopərətiv], işbirliğine aid, kooperatif; yardım etmeğe razı.
co-opt [kouˈopt]. (Bir cemiyet vs.nin seçtiği bir komite hakkında) kendiliklerinden komiteye yeni bir âza seçmek; âzaların reyi ile bir cemiyet vs.ye âza olarak seçmek. **~ion,** böyle bir intihab.
co-ordinate [kouˈoodəneit] *vb.* Tanzim etm., tertib etmek. *n.* [–nit], (*gram.*) Aynı mertebede olan (cümle vs.); (*mat.*) vaz'î kemiyet. *a.* İnsicamlı, muntazam.

coot [kuut]. (*Fulica atra*) Su tavuğu.
cop [kop]. (*arg.*) Enselemek. Aynasız (polis). **if you are late you'll ~ it,** geç kalırsan görürsün.
copaiba [kouˈpaiba]. Bir nevi pelesenk.
copal [ˈkoupl]. Vernik için kullanılan bir nevi reçine.
copartner [kouˈpaatnə*]. Kâra ortak. **~ship,** patron ile amelenin kâr ortaklığı.
cope[1] [koup] *n.* Cüppe, örtü; kubbe, kemer. *vb.* Örtmek.
cope[2] *vb.* **~ with,** Başa çıkmak.
copier [ˈkopiə*]. Kopyacı; mukallid.
coping [ˈkoupiŋ]. Duvarın üstüne örtmek için konulan enli taş veya kiremitler.
copious [ˈkoupjəs]. Bol, mebzul.
copper [ˈkopə*]. Bakır; kazan; bakır para, peni; (*arg.*) polis. **~plate,** (üzeri hâkkedilen) bakır levha: **~ writing,** basma gibi muntazam el yazısı. **~smith,** bakırcı.
coppice [ˈkopis]. Küçük koru.
co-proprietor [kouproˈpraiətə*]. Müşterek sahib.
copse [kops]. Küçük koru.
copy [kopi]. Kopya, nüsha; taklid; suret; örnek. Kopya etm., istinsah etm., suretini çırkarmak; taklid etmek. **fair ~,** temiz(e çekilmiş): **rough ~,** müsvedde. **copy-book,** meşk defteri. **~ist,** müstensih, yazıcı.
copyright [ˈkopirait]. Telif hakkı(nı almak).
coquet [koˈket]. Naz etm., işve yapmak. **~ ry** [ˈkokətri], cilve, işve, koketlik. **~te,** nazlı, edalı kız, fıkırdak, oynak. **~tish,** nazlı işveli, çapkın edalı.
coral [ˈkoral]. Mercan.
corbel [ˈkoobl]. (Mimari) dirsek.
cord [kood]. İp, bağ, şerid, kaytan, tel; odun veya kereste ölçüsü (takriben 128 kadem mikâbı). **~age** [ˈkoodədʒ], halatlar, ipler.
cordate [ˈkoodeit]. Yürek şeklinde.
cordial [ˈkoodiəl]. Samimî, candan; kalbe kuvvet veren, kordiyal. **~ity** [–ˈaliti], samimiyet, dostluk.
cordite [ˈkoodait]. Dumansız barut, kordayt.
cordon [ˈkoodən]. Kordon.
corduroy [ˈkoodjuroi]. Kadife taklidi kalın pamuklu kumaş, pamuklu kadife. **~s,** pamuklu kadife pantalon. **~ road,** ıslak arazide kalaslarla yapılan yol.
core [koo*]. İç, göbek, esas; (dökme) maça. **to ~ an apple,** bir elmanın göbeğini çıkarmak.
co-respondent [kou·resˈpondənt]. (Bir boşanma davasında) zinada ortak olan kadın veya erkek.
cork [kook]. Mantar; mantar tıpa. Mantarla tıkamak; (yüzünü) yanmış mantarla boyamak. **~ed,** mantar kokan (şarab). **~screw,** mantar burgusu, tirbuşon. *vb.* kıvrıla kıvrıla gitmek: **~ curl,** lüle lüle saç, bukle.
cormorant [ˈkoomərənt]. (*Phalocrocorax carbo*) Karabatak.
corn[1] [koon]. Ekin, zahire; tane; (İngiltere'de) buğday; (Amerika'da) mısır. **~ crops,** hububat: **Indian ~,** mısır. **corn-chandler,** hububat taciri. **corn-cob,** mısır koçanı.
corn[2] *vb.* (Eti) tuzlayıp kurutmak. **~ed beef,** konserve sığır eti.
corn[3] *n.* Nasır. **to tread on s.o.'s ~s,** birinin bamteline basmak.
corncockle [ˈkoonkokl]. (*Lychnis githago*) Karamuk (?).
cornea [ˈkooniə]. Karniye; gözün dış tabakası.
cornel [ˈkoonl]. (*Cornus*) Kızılcık.
cornelian [kooˈniiliən]. Bir nevi akik.
corner[1] [ˈkoonə*] *n.* Köşe, köşe başı, zaviye; dönemec. **to drive s.o. into a ~,** birini sıkıştırmak: **to put a child in the ~,** bir çocuğu cezaya dikmek: **round the ~,** köşeyi dönünce, köşe başında: **to rub the ~s off s.o.,** birini bir az yontmak: **to turn the ~,** tehlike vs.yi geçiştirmek, bir müşkülü atlatmak: **to take a ~,** viraj yapmak: **to make a ~ in wheat,** buğday ihtikârı yapmak. **~wise,** köşeyi başa getirerek. **corner-stone,** köşetaşı, temel taşı.
corner[2] *vb.* Sıkıştırmak, kıştırmak; çevirmek; viraj yapmak; ... ihtikârı yapmak.
cornet [ˈkoonit]. Pistonlu boru; kâğıd külâh; rahibe başlığı; (*esk.*) bayrak taşıyan süvarı zabiti.
cornflour [ˈkoonflauə*]. Mısır unu.
cornflower [ˈkoonflauə*]. (*Centaurea cyanus*) Peygamber çiçeği.
cornice [ˈkoonis]. Pervaz; tavan pervazı.
cornucopia [ˌkoonjuˈkoupiə]. Boynuz şeklinde kab; bolluk remzi olan içi meyva ve çiçekle dolu boynuz.
corolla [kəˈrola]. Tüveyc.
corollary [kəˈroləri]. Bir kaziyenin neticesi; netice.
corona [kəˈrounə]. Hale, tac.
coronation [ˌkorəˈneiʃn]. Tac giyme.
coroner [ˈkorənə*]. (İngiliz hukuku) süpheli ölüm vak'alarını tahkik eden mahallî idare memuru.
coronet [ˈkorənit]. Küçük tac.
corporal[1] [ˈkoopərəl] *a.* Vücude aid, bedenî.
corporal[2] *n.* Onbaşı.
corporate [ˈkoopəreit]. Birleşmiş, müttehid. **body ~** [**~ body**], hükmî şahıs, manevî şahıs; cemiyet.

corporation [ˈkoopəˈreiʃn]. Teşekkül, cemiyet; lonca; belediye meclisi; (*arg.*) göbek. **to develop a ~**, göbek bağlamak.
corporeal [kooˈporiəl]. Bedenî; maddî.
corps [koo*]. Hey'et; bir ordunun ihtisas şubesi; kolordu. **the Diplomatic Corps**, kordiplomatik.
corpse [koops]. Cesed.
corpulen·ce [ˈkoopjuləns]. Şişmanlık. **~t**, şişman, mülahham.
corpus [ˈkoopʌs]. Mecmua. **~ Christi**, bir katolik yortusu: **~ vile** [vaili], tecrübe tahtası.
corpuscle [ˈkoopəsl]. Küreyve, ||yuvar.
corral [kəˈraal] *n.* At, sığır vs. yakalamak veya muhafaza etmek için etrafı çevrili saha; hücuma karşı etrafına arabalar dizilmiş kamp. *vb.* Çevirmek, kuşatmak.
correct [kəˈrekt] *vb.* Düzeltmek, tashih etm., ıslah etm., cezalandırmak. *a.* Doğru, dürüst, münasib. **to stand ~ed**, hatasını kabul etm.: **it 's the ~ thing**, usul budur. **~ion** [–ˈrekʃn], düzeltme, tashih, ıslah; tedib, cezalandırma: **I speak under [subject to] ~**, belki yanılıyorum: **house of ~**, ıslahhane.
correlat·e [ˈkorəleit]. İki şey arasında münasebet tesis etm.; birbirine taallûku olmak. **~ion** [–ˈleiʃn], karşılıklı münasebet.
correspond [ˌkorisˈpond]. Tekabül etm., uygun gelmek; muhabere etmek. **~ence**, muhabere, mektublaşma; tekabül, uygunluk: **~ school**, muhabere usulü ile tedrisat yapan mekteb. **~ent**, muhabere eden kimse, muhabir. **~ing**, uygun, tekabül eden; karşılık olan; muhabere eden.
corridor [ˈkoridoo*]. Koridor, dehliz; geçid.
corroborat·e [kəˈrobəreit]. Teyid etm., tasdik etmek. **~ion** [–ˈreiʃn], teyid, tekid, tasdik: **in ~ of**, teyid için.
corrode [kəˈroud]. Aşındırmak, çürütmek, kemirmek; (pas) yemek.
corros·ion [kəˈrouʒn]. Aşın(dır)ma, paslan(dır)ma, çürü(t)me. **~ive**, [–ˈrousif], aşındırıcı, paslandırıcı, çürütücü: **non- ~**, paslanmaz: **~ sublimate**, aksülümen.
corrugat·e [ˈkorugeit]. Dalgalı veya oluklu bir hale getirmek. **~ed iron**, oluklu sac. **~ion** [–ˈgeiʃn], yiv, oluk.
corrupt [kəˈrʌpt] *a.* Bozulmuş, cürümüş; mürtekib. *vb.* Bozmak, ifsad etm., çürütmek; ayartmak; (birini) rüşvetle elde etmek. **~ion** [–ˈrʌpʃn], bozulma; tefessüh; inhilâl; irtikab.
corsair [ˈkooseə*]. Korsan; korsan gemisi.
corset [ˈkoosit]. Korse.
cortex [ˈkooteks]. Kabuk, kışır.
corundum [kəˈrʌndʌm]. Korindon.
cos [kos]. **~ lettuce**, Marul.
cosine [ˈkousain]. Kosinüs.
cosiness [ˈkouzinis]. Sıcak, rahat ve keyifli olma hali.
cosmetic [ˈkozmetik]. (Pudra vs. gibi) makyaj levazımı.
cosmic(al) [ˈkozmik(l)]. Kâinata aid; fevkelâde geniş veya şümullü.
cosmogony [kozˈmogoni]. Kâinatın yaradılışı nazariyesi.
cosmopolitan [ˌkozmoˈpolitən]. Bütün dünyaya şamil, alemşümul; hiç bir yeri yadırgamıyan kimse; (*bazan*) kozmopolit.
cosmos [ˈkozmos]. Kâinat.
Cossack [ˈkosak]. Kazak.
cost [kost]. Fiat, bedel; ücret; masraf; harc; paha; zarar. Mal olm., fiatı ... olm.; mucib olm.; fiat biçmek, takdir etmek. **~ of living**, hayat pahalılığı: **at all ~s, at any ~**, her ne pahasına olursa olsun: **at little [great] ~**, az [çok] masrafla: **at the ~ of one's life**, hayatı pahasına: **at s.o.'s ~**, birinin hesabına, birinin zararına: **~ price**, maliyet fiatı: **with ~s**, mahkeme masrafları suçluya aid olarak.
coster(monger) [ˈkostəˌmʌŋgə*]. Seyyar balıkçı veya sebzevatçı.
costive [ˈkostiv]. İnkıbazlı.
costly [ˈkostli]. Çok değerli, mükellef; lüks; çok pahalı.
costum·e [ˌkostjuum]. Kılık, kıyafet; elbise; kostüm, tayör; tarihî elbise. **bathing ~**, mayo. **~ier**, elbiseci.
cosy [kouzi] *a.* Sıcak rahat ve kuytu; keyifli. *n.* **tea ~**, çay ibriğinin soğumaması için üzerine geçirilen kılıf: **egg ~**, rafada yumurtayı sıcak tutmak için kılıf.
cot[1] [kot]. (*şair*) Kulübe.
cot[2]. Çocuk yatağı; asma yatak.
cotangent [ˈkouˌtandʒənt]. Tamam mümas.
coterie [ˈkoutəri]. Dostlardan mürekkeb grup; mahfel.
cottage [ˈkotidʒ]. Küçük kır evi, kulübe. **~ hospital**, küçük şehir hastahanesi. **~r**, köylü.
cottar, -er [ˈkotə*]. Köylü.
cotter [ˈkotə*]. Kama çivi, yassı çivi. **cotter-pin**, gupilya.
cotton [ˈkotn]. Pamuk, pamuk bezi, pamuk ipliği. **absorbent ~**, eczalı pamuk: **printed ~**, pamuklu basma: **sewing ~**, tire. **to ~ on to s.o.**, (*arg.*) birinden hoşlanmak, (bir kimse) birini 'sarmak'. **cotton-cake**, çiğit küspesi. **cotton-mill**, pamuk fabrikası. **cotton-seed**, çiğit. **cotton-spinner**, pamuk fabrikatörü; pamuk fabrikası amelesi. **cotton-waste**, temizlemek için kullanılan pamuk döküntüsü. **cotton-wool**, kaba pamuk: **to bring up a child in ~**, bir çocuğu pek nazlı büyütmek.

cottonwood [ˈkotnwud]. Amerika'da yetişen bir nevi kavak ağacı.
cotyledon [ˌkotiˈliidən]. Filizlenen tohumun yaprağı, filka.
couch [kautʃ]. Yatak; kanape. Yat(ır)mak; ser(il)mek; ifade etmek. **to ~ down,** çömelmek.
couch (grass) [ˈkuutʃ, ˈkautʃ-graas]. (*Agropyrum repens*) Ayrıkotu.
cougar [ˈkuugə*]. Bir nevi Amerika kaplanı; puma.
cough [kof]. Öksürük. Öksürmek. **to give a ~,** manalı manalı öksürmek: **to ~ out stg.,** öksürerek ağzından çıkarmak.
could *bk.* **can.**
coulter [ˈkuultə*]. Saban kulağı.
council [ˈkaunsl]. Meclis, divan, şura. **County ~,** kontluk (vilâyet) meclisi. **council-schools,** mahallî idare mektebleri. **~lor,** meclis âzası.
counsel [ˈkaunsl] *n.* Danışma; istişare, müşavere; fikir; nasihat; dava vekili, avukat. *vb.* Tavsiye etm., öğüt vermek. **~ in chambers,** Müşavir avukat: **~ of perfection,** erişilmesi güç ideal: **to keep one's own ~,** kendi düşüncelerini kendine saklamak; yapacağı şeyden kimseye bahsetmemek: **King's Counsel,** İngiltere'de en yüksek avukat derecesi: **to take ~ with s.o.,** birine danışmak. **~lor,** müşavir; elçilik müsteşarı.
count[1] [kaunt] *n.* Kont.
count[2] *n.* Sayma, sayı; (boksta) ona kadar sayma; bir ithamnamedeki maddelerin beheri. *vb.* Saymak; sayılmak; (reyleri) tasnif etmek. **to keep ~ of,** sayışını hatırlamak: **to lose ~ of,** sayısını hatırlıyamamak: **to take the ~ (out),** nakavt olm.: **to ~ on doing stg.,** bir şey yapmağı düşünmek [hesablamak]: **to ~ (up)on s.o.,** birine güvenmek. **count in,** hesaba katmak. **count out,** birer birer saymak: **to be ~ed out,** nakavt olm; nisab olmadığı için celse tatil edilmek: **you can ~ me out of this,** bu işte beni saymayın, beni hesaba katmayın. **count up,** yekûnunu hesab etmek.
countenance [ˈkauntənəns]. Yüz, çehre; tasvib. Tasvib etmek. **to give [lend] ~ to,** teşvik etm., tasvib etm.; teyid etm.: **to keep one's ~,** temkinini bozmamak, gülmemek: **to stare s.o. out of ~,** dik dik bakarak birisini bozmak, şaşırtmak.
counter[1] [ˈkauntə*] *n.* Sayıcı âlet; (oyunda) sayı fişi, marka; gişe; tezgâh. **under the ~,** el altından.
counter[2]. (*den.*) Geminin kıç bodoslamasının gerisindeki kısım; kıç çıkıntısı.
counter[3]. *a.* Karşı, mukabil, aksi. *n.* Mukabil darbe. *vb.* Karşılamak, mukabele etm.; önlemek.
counter-[4] *pref. Mürekkeb kelimelerde hemen daima* karşı, mukabil *ile tercüme edilir.* **counter-clockwise,** saat akrebinin dönüş cihetine aykırı olarak.
counteract [ˈkauntəˈrakt]. Mukabele etm., karşılamak, önlemek. **~ion** [–ˈrakʃn], mukabil hareket.
counterbalance [ˈkauntəˈbaləns]. Muvazene karşılık. Tevzin etm., telâfi etmek.
counterbore [ˈkauntəˈboo*]. Havşa (açmak).
countercharge [ˈkauntəˈtʃaadʒ]. Mukabil itham.
counterfeit [ˈkauntəfiit] *a.* Sahte, taklid. *n.* Sahte şey. *vb.* Taklid etm., sahtesini yapmak, yalancıktan yapmak. **~er,** kalpazan; sahtekâr.
counterfoil [ˈkauntəfoil]. Defter koçanı.
countermand [ˈkauntəˈmaand]. Bir emri geri almak; mukabil emir vermek; durdurmak.
countermine [ˈkauntəˈmain]. Düşman mayınlarını tahrib için mayın koymak; mukabil bir plânla karşı tarafın plânlarını bozmak.
counterpane [ˈkauntəpein]. Yatak örtüsü.
counterpart [ˈkauntəpaat]. Suret; karşılık; (şahıs) 'nüshai saniye'.
counterplot [ˈkauntəplot]. Bir oyun ve entrikaya mukabil tedbir.
counterpoise [ˈkauntəpoiz]. Mukabil ağırlık, muvazene unsuru; mukabil tesir. Tevzin etm.; mukabil tesir yapmak.
countershaft [ˈkauntəʃaaft]. Transmisyon mili.
countersign [ˈkauntəsain]. Parola; gizli işaret. Birinin imzaladığı bir şeyi tasdik için imza etmek.
countersink [ˈkauntəsiŋk]. Vida başı yuvası; havşa matkabı. Havşa açmak. **~sunk,** havşalı.
counterweight [ˈkauntəweit]. Bir ağırlığa denk başka bir ağırlık.
countess [ˈkauntis]. Kontes.
counting-house [ˈkauntiŋˈhaus]. Hesab dairesi.
countrified [ˈkʌntrifaid]. Kır hayatına alışkın; kır halki gibi; kıra benziyen.
country [ˈkʌntri]. Memleket, yurd; kır; sayfiye; taşra; köy. **~ cousin,** dışarlıklı, görgüsüz akraba: **~ gentleman,** köyde arazisinde yaşıyan efendi: **to go up ~,** memleketin içerilerine doğru gitmek: **open ~,** kır, kırlar; dağsız veya ormansız ova: **to strike [go] across ~,** yolu bırakıp bir yere tarlalar arasından gitmek. **country-house,** sayfiye. **country-seat,** büyük sayfiye.
countryman [ˈkʌntrimən]. Memleketli, vatandaş; kırda yaşıyan adam.
countryside [ˌkʌntriˈsaid]. Kır.

countrywoman, *pl.* **-men** [ˈkʌntriwumən, -wimin]. Kadın vatandaş, memleketli; taşralı kadın; köylü kadın.
county [ˈkaunti]. İngiltere'de vilâyet, kontluk. ~ **family,** kontluğun kibar ailelerinden biri: ~ **town,** kontluk merkezi.
coupé [ˈkuupei]. Kupa arabası.
couple [ˈkʌpl]. Çift; iki eş. çifte tasma. Birleştirmek, eş yapmak, bağlamak, kavratmak. **to go** [**hunt, run**] **in** ~**s,** bir şeyi daima iki kişi beraber yapmak.
couplet [ˈkʌplit]. Beyit.
coupling [ˈkʌpliŋ]. Birleştirme cihazı; kavrama.
coupon [ˈkuupon]. Sened vs. koçanı; kupon.
courage [ˈkʌridʒ]. Cesaret. **to take** [**pluck up, muster up**] ~, cesaretini toplamak. ~**ous** [kʌˈreidʒəs], cesaretli.
courier [ˈkuriə*]. Haberci; kurye.
course¹ [koos] *n.* Akış, seyir, cereyan; istikamet; rota; yol; hareket, gidiş; devam müddeti; dersler, kurs; öğün; pist; rayic. **of** ~, elbette, şübhesiz: **in the** ~ **of,** esnasında, zarfında: **a** ~ **of bricks,** bir sıra tuğla: **in due** ~, sırası gelince: **evil** ~**s,** fena hareketler, ahlaksızlık: **to hold (on) one's** ~, tuttuğu rotadan [yoldan] ayrılmamak: **as a matter of** ~, tabiî olarak: **that is a matter of** ~, bu pek tabiîdir, bu mevzuu bahis değildir: **in the ordinary** ~ **of things,** normal olarak, usûlen: **there was no** ~ **open to me but to run away,** benim için kaçmaktan başka yapacak bir şey yoktu: **to set the** ~, rotayı tayin etm., istikamet vermek: **to take one's own** ~, kendi bildiği gibi hareket etm.: **in the** ~ **of time,** zamanla: ~ **of treatment,** (*tıb*) tedavi yolu, rejim.
course². Tazı ile tavşan avlama(k); akmak, cereyan etmek.
court¹ [koot] *n.* Avlu; oyun sahası, kort; mahkeme; mahkeme âzaları; saray, saray halkı; kıral tarafından kabul resmi; hulûs, kur. ~ **dress,** saray elbisesi (uniforması): ~ **room,** mahkeme salonu: **Ambassador to the** ~ **of St. James,** İngiliz kıralının nezdinde elçi: **the Law Courts,** Adliye sarayı: **to make** [**pay**] ~ **to s.o.,** birine kur yapmak: **in open** ~, alenî muhakemede: **to put oneself out of** ~, tavır ve hareketi yüzünden iddia hakkını kaybetmek: **to be ruled** [**put**] **out of** ~, davası reddedilemek. **courthouse,** mahkeme binası. **court martial,** harb divanı; harb divanına vermek.
court² *vb.* Hulûs göstermek; kur yapmak; aramak, istemek.
courteous [ˈkəətjəs]. Nazik; çelebi; cemilekâr.
courtesan [ˈkootəzan]. Fahişe.
courtesy [ˈkəətəsi]. Nezaket; düşünceli hareket; cemilekârlık. **by** ~, **as a matter of** ~, nezaketen: **the** ~ **of the road,** yol usûl ve adabı: ~ **title,** nezaketen verilen ünvan.
courtier [ˈkootiə*]. Saray mensubu; nedim.
courtl·y [ˈkootli]. Kibar, nazik. ~**iness,** kibarlık, nezaket.
courtship [ˈkootʃip]. Kur yapma, muaşaka.
courtyard [ˈkootˈjaad]. Avlu.
cousin [ˈkʌzn]. Amca (dayı, hala veya teyze) çocuğu; uzak akraba. **second** ~, amca vs. torunu.
cove¹ [kouv]. Küçük körfez, koy.
cove². (*arg.*) Herif.
covenant [ˈkʌvənənt]. Ahid, mukavele, ahidname; anlaşma. Şart koşmak; mukavele yapmak.
Coventry [ˈkʌvəntri]. **to send to** ~, ···le alâkayı kesmek; boykot etmek.
cover¹ [ˈkʌvə*] *n.* Örtü; kılıf, zarf; kab; kapak; melce, sığınak; himaye; bahane; maske; (*tic.*) karşılık; *bk.* **covert.** ~**s were laid for ten,** on kişilik sofra kurulmuştu: **to give s.o.** ~, birini barındırmak: **outer** ~, dış lastiği: **to read a book from** ~ **to** ~, bir kitabı baştan başa okumak: **to take** ~, sığınmak; siper almak: **under separate** ~, ayrıca, ayrı olarak: **to address s.o. under** ~ **of another,** biri namına yazılmış mektubu başkasının adresile ona göndermek.
cover² *vb.* Örtmek; kaplamak; sarmak; saklamak, gizlemek; setretmek; kılıf geçirmek; kapamak; ihtiva etm., şamil olm.; (aygır) çiftleşmak; (masraf vs.yi) karşılamak. **to** ~ **a deficit,** bir para açığını kapatmak: **to** ~ **a distance,** bir mesafe almak [kat'etmek]: **to** ~ **s.o. with ridicule,** birini gülünc bir hale düşürmek: **to** ~ **s.o. with a weapon,** silâhı birine dikmek: **to** ~ **up,** örtmek, kapatmak; örtbas etm.: **to stand** ~**ed,** başı örtülü (şapkalı) olmak.
covering [ˈkʌvəriŋ] *n.* Örtü. *a.* ~ **letter,** gönderilen bir şeyi izah eden mektub; teyid edici mektub.
coverlet [ˈkʌvəlit]. Yatak örtüsü.
covert¹ [ˈkʌvəət] *a.* Gizli, kapalı, örtülü.
covert² [ˈkʌvə*] *n.* Av kuşlarının saklandığı sık koru.
covet [ˈkʌvit]. Hased etm.; şiddetle arzu etm., gözü kalmak. ~**ous,** hased eden, haris, açgözlü.
covey [ˈkʌvi]. Keklik sürüsü.
cow¹ [kau] *n.* İnek. **buffalo, elephant,** *etc.*, ~, dişi manda, fil vs.: **wait till the** ~**s come home,** çıkmaz ayın son çarşambasına kadar bekle. **cow-catcher,** Amerika'da lokomotif vs'nin önüne takılan ve yol üzerinde engel olabilecek şeyleri tarıyan çerçeve. **cow-heel,** sığır paçası.
cow² *vb.* Korkutmak; sindirmek. ~**ed look,** dayak yemiş gibi bir hal.

coward [ˈkauəd]. Korkak, alçak. **~ice,** korkaklık. **~ly,** korkak, namerd, alçak.
cowboy [ˈkauboi]. Kavboy.
cower [ˈkauə*]. Korkudan sinmek veya titremek.
cowherd [ˈkauˈhəəd]. Sığır çobanı; sığırtmaç.
cowhide [ˈkauhaid]. Sığır derisi; meşin kırbaç.
cowl [kaul]. (Keşişlere mahsus) başlıklı cüppe; başlık; kukulete; baca başlığı. **the ~ does not make the monk,** dervişlik hırka ile olmaz: **to take the ~,** keşiş olmak.
cowling [ˈkauliŋ]. Uçağın makine kısmını örten kapak.
cowrie [ˈkauri]. Asya ve Afrika'nın bazı yerlerinde para olarak kullanılan deniz kabuğu.
cowslip [ˈkauslip]. (*Primula veris*) Bir nevi yabanı çuhaçiçeği.
cox [koks] *n. bk.* **coxswain.** *vb.* Dümen kullanmak.
coxcomb [ˈkokskoum]. Horoz ibiği; züppe, hoppa adam.
coxswain [ˈkoksn]. Dümenci.
coy [koi]. Nazlı; çekingen, mahcub; müctenib.
coyote [koˈyot]. Şimali garbî Amerika'ya mahsus bir nevi kurt.
cozen [ˈkʌzn]. Kandırmak, aldatmak.
crab[1] [krab] *n.* Yengeç; Seretan burcu; küçük vinç. *vb.* Yengeç tutmak; kusur bulmak, tenkid etmek. **to catch a ~,** (kürek çekerken) yanlış bir hareketle küreği kımıldamaz bir hale getirmek. **~wise,** yengeç gibi; yan yan yürüyen.
crab[2]. Yabani elma; küçük ve ekşi elma.
crabbed [krabd]. Huysuz, ters; karışık, anlaşılmaz.
crack[1] [krak] *n.* Çatırtı, çatırdama; (kamçı) şaklama; çatlak, yarık; aralık; şiddetle vurma; sohbet. *a.* (*kon.*) Yaman, mükemmel. **to have a ~ at,** bir kere denemek. **crack-brained,** çatlak kafalı.
crack[2] *vb.* Çatla(t)mak; çatırda(t)mak; şakla(t)mak; yar(ıl)mak; kır(ıl)mak; (ses) çatallaşmak. **to ~ a bottle,** bir şişe içmek; **to ~ a crib,** eve girip hırsızlık etmek; **to ~ a joke,** nükte yapmak: **to ~ on sail,** tam yelken açmak. **crack up,** parçalanmak; (*kon.*) öğmek, medhetmek. **~ed,** *a.* çatlak, yarık; (*arg.*) kaçık. **crack-jaw,** telâffuzu güç, dil dönmez.
cracker [ˈkrakə*]. Kıracak âlet; kestane fişeği; patlangaç; ince gevrek bisküvit, gevrek.
crackle [ˈkrakl]. Çıtırdı, çatırdı. Çıtırdamak, çatırdamak.
cracknel [ˈkraknəl]. Sert gevrek bisküvit.
cracksman [ˈkraksmən]. Ev soyan hırsız.
cradle [ˈkreidl]. Beşik; gemi kızağı. Beşiğe yatırmak. **~ song,** ninni.
craft[1] [kraaft]. Hüner, marifet; san'at; hile; kurnazlık. **~sman,** san'at erbabı, usta, san'atkâr. **~smanship,** hüner.
craft[2]. Gemi; uçak.
craft·y [ˈkraafti]. Kurnaz. **~iness,** kurnazlık, hile.
crag [krag]. Sarp kayalık. **~ged, gy,** yalçın.
cram [kram] *n.* Ziyade kalabalık, izdiham; (*arg.*) yalan, martaval. *vb.* Tıkmak, doldurmak, tıka basa doldurmak; tıkınmak; alelâcele bir imtihana hazırla(n)mak, şişirmek.
cramp[1] [kramp] *n.* Sinir büzülmesi, kramp.
cramp[2] *n.* Mengene; kened. *vb.* Mengene ile sıkıştırmak, kenedlemek; engel olmak. **to feel ~ed for room,** yeri dar olm., sıkışık olm.: **to ~ one's style,** birinin maharet vs. sini bozmak: **~ed handwriting,** sıkışık yazı: **~ed style,** sıkıntılı üslûb.
cranberry [ˈkranbri]. (*Vaccinium oxycoccos*) Şimal memleketlerinde bataklıkta yetişip lezzetli ve mayhoş bir meyva veren bir nevi funda.
crane [krein]. Turna kuşu; maçuna. **to ~ one's neck,** boynunu uzatmak: **to ~ forward,** başını ileri uzatmak. **crane-fly,** tipula sineği. **crane's-bill** (*Geranium, Erodium*) yabani sardunya.
crani·al [ˈkreiniəl]. Kafatasına aid. **~um,** kafatası.
crank[1] [kraŋk] *n.* Manivelâ, kol, krank. *vb.* Manivelâ kolu gibi bükmek; manivelâ ile işletmek. **~case,** karter. **~shaft,** krank mili.
crank[2] *n.* Garib söz veya fikir, mani; meraklı eksantrik kimse. *a.* (Makine) laçka, sarsılır; çarpık, bozuk; (gemi) kolayca devrilir.
cranky [kranki]. Huysuz, ters; garib; laçka, oynak; (gemi) kolayca devrilir.
cranny [ˈkrani]. Yarık, gedik, çatlak.
crape [kreip]. Siyah krep; matem alâmeti. (Matem alâmeti olarak) siyah kreple örtmek.
crash[1] [kraʃ]. (*ech.*) *n.* Tarraka; çatırtı, gürültü; şangır şungur; yıkılma, gürültü ile düşme veya çarpma; (otomobil, uçak vs.) kazası; iflas; çözülme. *vb.* Çatırdamak; gürültü ile çarp(tır)mak, düş(ür)mek veya kır(ıl)mak. **crash-dive,** (bir denizaltı) hızla dibe dalma.
crash[2]. Havlu, perde vs.lik kaba bez.
crass [kras]. Kaba, galiz, ahmakça. **~ ignorance,** kara cehalet.
crate [kreit]. Büyük ambalaj sandığı; kafesli sandık; büyük sepet. (Eşyayı) sandıklamak.

crater [ˈkreitə*]. Yanardağ ağzı, krater.
cravat [krəˈvat]. Boyunbağı, kravat; eşarp.
crave [kreiv]. Şiddetle arzu etm.; yalvararak istemek.
craven [ˈkreivn]. Korkak, alçak.
craving [ˈkreiviŋ]. Şiddetli arzu, doymak bilmez iştah.
craw [kroo]. Kursak.
crawfish [ˈkroofiʃ]. Kerevid, deniz böceği.
crawl [krool]. Yerde sürünme(k); ağır ağır yürüme(k); krol yüzme(k). **cab on the ~,** müşteri arayarak yavaş yavaş ilerliyen araba, taksi.
crayfish [ˈkreifiʃ]. Kerevid, su böceği.
crayon [ˈkreijon]. Resim kalemi, kara veya renkli kalem; kara kalem resim.
craze [kreiz]. Şiddetli merak ve ibtila; rağbet. Çıldırtmak.
craziness [ˈkreizənis]. Çılgınlık, delilik.
crazy [ˈkreizi] *n.* Deli, çılgın, kaçık. *a.* Harab; sakat. **to be ~ about** [**over**], ... için deli olm., çıldırmak: **to drive** [**send**] **s.o. ~,** birini çıldırtmak, delirtmek. **crazy-paving,** muhtelif şekilde kaldırımla döşeme.
creak [kriik]. (*ech.*) Gıcırtı. Gıcırdamak.
cream [kriim]. Kaymak, krem; bir şeyin en iyi kısmı; kalbur üstü. Kaymağını almak; kaymak bağlamak. **~ery,** tereyağı fabrikası, süthane. **~y,** kaymaklı.
crease [kriis]. Kırma; kat; pli. Buruşturmak. **well-~d trousers,** ütülü pantalon.
creat·e [kriiˈeit]. Yaratmak; ihdas etm.; bir memuriyete tayin etm.; vücude getirmek: icad etm.; sebeb olmak. **~ion** [–ˈeiʃn], yaradılış; hilkat; icad; ihdas; dünya, kâinat; san'at eseri. **~ive,** yaratıcı. **~or,** yaratıcı, hâlik.
creature [ˈkriitʃə*]. Mahluk; kul, köle; başkasının âleti, mahmi. **dumb ~s,** hayvanlar: **~ comforts,** maddî konfor.
crèche [kreiʃ]. Anneleri işe giden çocuklara mahsus bakımevi.
credence [ˈkriidens]. İnanma, itimad. **to give** [**attach**] **~ to,** inanmak.
credentials [kriˈdenʃlz]. İtimadname, vesika; hüviyet vesikası.
credible [ˈkredibl]. İnanılabilir.
credit [ˈkredit] *n.* İtibar; kredi; itimad; şeref; şöhret, nüfuz. *vb.* İnanmak; itibar etm.; itimad etm.; kredisine yazmak, bir krediyi hesabına geçirmek. **on ~,** veresiye: **I ~ed him with** [**I gave him ~ for**] **more intelligence,** ben onu daha zeki zannediyordum: **it does him ~,** bu ona şeref verir; bu onun lehine kaydedilecek bir şeydir: **to gain ~,** gittikçe inanılmak; şeref ve itibar kazanmak: **he gained ~s in French and Latin,** (imtihanda) fransızca ve lâtinceden iyi derece ile muvaffak oldu: **to give ~,** kredi açmak; inanmak; iyi numara vermek: **to lend ~ to,** takviye etm., teyid etmek.
creditable [ˈkreditəbl]. Şerefli; beğenilir; itibarlı.
creditor [ˈkreditə*]. Alacaklı. **~ side (of account),** muhasebe defterinin alacak kısmı.
credul·ity [kreˈdjuuliti]. Saflık, safdillik; çabucak inanma. **~ous** [ˈkredjuləs], saf, safdil, çabucak inanır.
creed [kriid]. Amentü; iman, inanma; itikad.
creek [kriik]. Koy; nehir ağzi; nehir kolu ; vadi.
creel [kriil]. Balık sepeti.
creep (crept) [kriip, krept]. Sürünmek, şürünerek yürümek; ağır ağır ilerlemek, sokulmak; (sarmaşık vs.) sarılarak büyümek; (lâstik, tekerlek üzerinde) kaymak. Sürünme; çıt vs.de geçecek delik. **to give s.o. the ~s,** birini ürpertmek: **to ~ along,** gizlice ilerlemek: **to ~ away,** sessizce sıvışmak: **old age is ~ing on,** ihtiyarlık çöküyor. **~er,** sarmaşık gibi sarılarak büyüyen veya yerde sürünerek yayılan nebat. **~y, to feel ~,** ürpermek: **~ story,** tüyler ürpertici bir hikâye: **~ crawly feeling,** tüyler ürperme.
cremat·e [kriˈmeit]. (Ölüyü) yakmak. **~ion** [–ˈmeiʃn], ölüyü yakma. **~orium** [–məˈtooriəm], ölülerin yakıldığı müessese.
crenellated [ˈkrenileitid]. Mazgallı.
Creole [ˈkriioul]. Garbî Hind adalarında veya Cenubî Amerika'da yerleşmiş beyazların neslinden kimse; kreol ve zenci melezi.
creosote [ˈkriiəsout]. Katran ruhu, kreozot. Kreozot zerk etmek.
crêpe [kreip]. Siyahdan maada renkte krep, (siyah krep = **crape**). **~ rubber,** krepli kauçuk, krepsuel: **~ de chine,** krepdöşin.
crepitate [ˈkrepiteit]. Çıtırdamak.
crept *bk.* **creep.**
crepuscular [krəˈpʌskjulə*]. Fecre, şafağa aid; loş.
crescendo [kreˈʃendou]. (*mus.*) Gittikçe artarak; hızlanarak; gittikçe yükselme.
crescent [ˈkresənt]. Hilâl, yeni ay; yarım daire şeklinde sokak veya yarı meydan. **the ~,** İslamın remzi; Türkiye; İslamiyet.
cress [kres]. Tere.
crest [krest]. Tepelik; ibik, sorguç; yele; dağ dalga vs. tepesi; arma başlığı. Tepesine varmak. **~ed,** tepeli, sorguçlu. **crestfallen,** süngüsü düşük, mahzun.
cretaceous [kriiˈteiʃəs]. Tebeşirli, kireçli.
Cret·an [ˈkriitən]. Giridli. **~e,** Girid.
cretin [ˈkretin]. Çok iri kafalı ve doğuştan

ebleh. **~ism,** bu hastalık. **~ous,** bu şekilde ebleh.
cretonne [kreˈton, ˈkretən]. Kalın pamuklu basma, kreton.
crevasse [kriˈvas]. Bir glasyenin üzerinde derin yarık; uçurum.
crevice [ˈkrevis]. Yarık, çatlak, gedik.
crew [kruu]. Tayfa; mürettebat; erler; ekip; grup; güruh.
crew *bk.* **crow**[2].
crewel [ˈkruuəl]. Bir nevi yün ipliği. **crewel-work,** kanaviçe işi.
crib[1] [krib] *n.* Yemlik; çocuk yatağı; kereste yapı iskeleti, maden tünelinde kereste örgü. *vb.* Küçük bir yere kapatmak.
crib[2] *n.* İntihal; mektebde okunan bir eserin kullanması yasak olan hazır tercümesi. *vb.* İntihal yapmak; mektebde başkasından kopya etmek.
crick [krik]. Hafif burkulma. **to ~ one's neck, back,** boynu, beli hafifçe tutulmak.
cricket[1] [ˈkriket]. Cırcır böceği; cırlak.
cricket[2]. Kriket oyunu. **that 's not ~,** bu doğru değil, bu haksızlık, bu yapılmaz. **~er,** kriketçi.
cried *bk.* **cry.**
crier [ˈkraiə*]. Tellâl, münadi, ilân eden. **court ~,** mübaşir.
crime [kraim]. Cinayet, cürüm, suç.
Crimea [kraiˈmiə]. Kırım. **~n,** Kırıma aid.
criminal [ˈkriminl]. Cürme aid; mücrim, cani. **the ~ Investigation Department (C.I.D.),** Emniyet Cinayet Dairesi: **habitual ~,** cürmü itiyad haline getiren kimse.
criminology [ˌkrimiˈnolədʒi]. Suç ve suçluyu tedkik eden ilim şubesi.
crimp[1] [krimp] *n.* Zorla veya kandırarak gemici veya asker toplıyan adam. *vb.* Zorla veya kandırarak gemici veya asker toplamak.
crimp[2]. Kıvırmak; katlamak; dalgalı yapmak.
crimson [ˈkrimzn]. Fesrengi.
cringe [krindʒ]. Köpekleşme(k), sakınma(k); tabasbus (etm.).
crinkl·e [ˈkriŋkl]. Kıvrım, kat. Kıvırmak, katlamak, buruşturmak. **~d paper,** krepe. **~y,** kıvrımlı, kırışık.
cripple [ˈkripl]. Sakat; malûl; topal; kötürüm. Sakat etm.; bozmak, ibtal etm.; zarar vermek, kazaya uğratmak.
crisis [ˈkraisis]. Buhran, kriz.
crisp [krisp]. Gevrek; serin ve canlı (hava); keskin, kat'i. Kıvrılmak; gevrek yapmak. **potato ~s,** çok ince kesilmiş kızarmış patates.
criss-cross [ˈkrisˈkros]. Çapraz çizgili; Çapraz çizgilerle işlemek; çaprazvarı hareket et(tir)mek.
criterion [kraiˈtiəriən]. Kıstas; mihek, ölçü, kriter.
critic [ˈkritik]. Münekkid, tenkidci. **arm-chair ~,** oturduğu yerden tenkid eden. **~al,** tenkide aid; tenkidci; ağır, ciddî, vahim, tehlikeli; can alıcı. **~ism** [ˈkritisizm], tenkid. **~ize** [–ˈsaiz], tenkid etm.; kusur bulmak.
croak [krouk]. (*ech.*) (Kurbağa) vakvak; (karga) gaklama. Vakvak etm., gaklamak; çirkin bir sesle bağırmak; homurdanmak; şom ağızlı olm.; (*arg.*) ölmek, gürlemek. **~er,** homurdanan, şikâyetçi; şom ağızlı şahıs.
crochet [ˈkrouʃi]. Kroşe örgüsü, tek tığ örgüsü. Tek tığ ile örmek. **crochet-hook,** tığ.
crock[1] [krok]. Testi; saksı.
crock[2]. Lâgar at; amelmanda adam; eski makine veya âlet. **to ~ up,** çökmek: **to be ~ed,** sakatlanmak.
crockery [ˈkrokəri]. Çanak çömlek; tabak takımı.
crocodile [ˈkrokədail]. Timsah; kız mektebinde ikişer kişilik yürüyüş sırası. **~ tears,** sahte gözyaşları, yalancıktan ağlama.
crocus [ˈkroukəs]. Çiğdem.
croft [kroft]. Küçük tarla, küçük çiftlik. **~er,** küçük arazi sahibi; İskoçya'da küçük araziyi kira ile işleten çiftçi.
cromlech [ˈkromlek]. Dolmen.
crony [ˈkrouni]. Ahbab, kafadar, hemdem.
crook [kruk] *n.* Kanca; çoban değneği; piskopos asâsı; dirsek; dolandırıcı, hilekâr. *vb.* Kıvırmak, bükmek. **by hook or by ~,** *bk.* **hook: to get stg. on the ~,** bir şeyi hile ile elde etmek. **~ed** [–id], iğri, çarpık; ivicacılı; dalavereci.
croon [kruun]. Mırıldıyarak şarkı söyleme(k); alçak sesle ve müfrit bir hassasiyetle şarkı söyleme(k).
crop[1] [krop] *n.* Mahsul; hasad; ekin; yığın; kısa kesilmiş saç. *vb.* Kırpmak; kısaltmak; (hayvan) yemek; ekmek; mahsul vermek. **to give s.o. a close ~,** birinin saçını dibinden kesmek: **Eton ~,** alâgarson kesilmiş. **crop-ear,** kesik kulaklı (köpek). **crop out,** meydana çıkmak. **crop up,** birdenbire zuhur etm., ara sıra meydana çıkmak.
crop[2]. Kursak.
crop[3]. Kamçı sapı; kısa kamçı.
cropper [ˈkropə*]. **good, heavy, light, ~,** iyi, çok, az mahsul veren nebat: **to come a ~,** (*arg.*) fena halde düşmek; muvaffak olmamak; fiyasko yapmak.
croquet [ˈkrouki]. Çomak ve tahta topla oynanan bir oyun, kroket. Bu oyunda: topla rakib oyuncunun topuna vurmak.
croquette [krouˈket]. Bir nevi köfte, mücver.

crosier [ˈkrousiə*]. Piskopos asâsı.

cross[1] [kros] *n.* Haç; ıstırab, keder; melez. *a.* Çapraz; ters; aksi; dargın. **to be ~,** darılmak, gücenmek, küsmek: **as ~ as two sticks** [**as a bear**], çok huysuz: **fiery ~,** halkı isyana teşvik eden işaret: **to be at ~ purposes,** birbirlerinin maksadını yanlış anlayıp (kasdi olmıyarak) muhalefet etmek veya zıd hareket etmek: **to make the sign of the ~,** haç çıkarmak: **to sign with a ~,** (ümmi) imza yerine haç çizmek.

cross[2]. *vb.* Karşıdan karşıya geçmek, asmak; (ırkları, hayvanları) karıştırmak, tesalub ettirmek; karşılaşmak, birbirini kesmek; çapraz koymak. **to ~ one's legs,** bacak bacak üstüne atmak: **to ~ oneself,** haç çıkarmak: **to ~ s.o., to ~ s.o.'s plans,** birinin işini bozmak. **cross out,** çizmek, silmek. **cross over,** karşıya geçmek, asmak.

cross-[3] *pref.* Bir yandan bir yana *veya* çaprazlama *manalarını ifade eder.* **~-bar,** kol demiri. **~-bench, to sit in the ~es, to be a ~ member,** Parlamentoda mustakil azâ olmak. **~-bones,** *bk.* **skull.** **~-bow,** Tatar oku, mancınık oku. **~-bred,** melez. **~-breed,** melez; tesalub ettirmek; melez yetiştirmek. **~-country, ~ race,** kırkoşusu. **~-cut,** çapraz yarma veya yol: **~saw,** kereste veya kütüğü kalınlığına biçen testere veya bıçkı. **~-examination,** istintak, sorgu. **~-examine,** istintak etm.; ahret sualı sormak. **~-eyed,** şaşı. **~-fire,** çatal ateşi. **~-grained,** damarı ters ve karışık (ağac); ters ve huysuz (kimse). **~-hatch,** resim vs. çapraz taramak. **~-legged,** bacak bacak üzerine; bağdaş kurarak. **~-patch,** huysuz densiz çocuk. **~-question,** istintak etmek. **~-roads,** dört yol ağzı: **we are at the ~,** kat'î karar zamanı geldi. **~-section,** makta; vasatî. **~-talk,** karşılıklı münakaşa. **~-wind,** yandan gelen rüzgâr; muhalif rüzgâr.

crossbill [ˈkrosbil]. (*Loxia curvirostra*) Çapraz gaga, yenidünya (?).

crossing [ˈkrosiŋ] *a.* Bir yandan bir yana geçen. *n.* Geçid; geçiş; tesalub.

crosswise [ˈkroswaiz]. Çapraz, çaprazlama; ters.

crossword [ˈkroswəəd]. **~ (puzzle),** (çapraz kelimelerle yapılan) bulmaca.

crotch [krotʃ]. Çatal, çatal dal.

crotchet [ˈkrotʃit]. Garib fikir, merak, vehim; (*mus.*) dörtlük. **~y,** meraklı, kaprisli; ters.

crouch [krautʃ]. Çömelme(k); iğilme(k).

croup[1] [kruup]. At sağrısı.

croup[2]. Küçük çocuklara mahsus bir nevi hunnak.

croupier [ˈkruupiə*]. Kumarda banko parasını toplıyan adam.

crow[1] [krou] *n.* Karga. **as the ~ flies,** dümdüz, dosdoğru: **to have a ~ to pluck with s.o.,** birisile paylaşacak kozu olmak. **crow's-feet,** göz kenarındaki kırışık. **crow's-nest,** (*den.*) çanaklık.

crow[2] (**crew,** veya **crowed**) [krou, kruu, kroud] *vb.* (Horoz) ötmek; sevincinden bağırmak, cıvıl cıvıl ötmek. *n.* Horoz ötüşü, ööröö. **to ~ over s.o.,** bir galibiyetten sonra(mağlub edilen birine karşı)-fazla sevinc göstermek.

crowbar [ˈkroubaa*]. Demir manivelâ kolu; külünk.

crowd [kraud]. Kalabalık; halk, kütle, yığın; güruh. Bir araya toplamak, tıka basa doldurmak; kalabalık etm.; itişip kakışmak, sıkışmak. **to ~ in,** kalabalık (kütle) halinde girmek: **to ~ out,** ···e yer bırakmamak: **to ~ on sail,** bütün yelkenlerini açmak: **it might pass in a ~,** iyi değil ama yasak savar (yoklukta olur). **~ed,** kalabalık; dolu.

crowfoot [ˈkroufut] (*Ranunculus acris*) Düğünçiçeği.

crown[1] [kraun] *n.* Tac; hükümdarlık, krallık; hükümdar, kıral vs.; çelenk; şeref; şapka tepesi; tepe, baş; kuron; beş şilinlik para. **crown lands,** kırala aid arazi (mirî): **~ lawyer,** hükümetin müdafaa vekili: **~ prince,** veliahd: **half a ~,** iki buçuk şilin.

crown[2] *vb.* Tac giydirmek, tetvic etm.; şereflendirmek; mükâfatlandırmak; dişe kuron takmak. **to ~ all,** üstelik en fenası [iyisi]. **~ing,** en son, en yüksek.

crucial [ˈkruuʃiəl]. Kat'î; çetin; çok mühim; ciddî; can alıcı.

crucible [ˈkruusəbl]. Pota.

crucifer [ˈkruusifə*]. Turpgillerden biri. **~ous** [–ˈsifərəs], turpgillere aid.

crucifix [ˈkruusifiks]. Çarmıh. **~ion** [–ˈfikʃn], çarmıha germe.

cruciform [ˈkruusifoom]. Haç şeklinde.

crucify [ˈkruusifai]. Haça [çarmıha] germek; işkence etmek.

crude [kruud]. Ham, çiğ, olmamış; kaba; kabataslak.

cruel [kruəl]. Zalim, gaddar, insafsız. **~ty,** zulüm, gaddarlık; işkence.

cruet [ˈkruit]. Sofra için zeytinyağı, sirke şişesi, yağdanlık.

cruise [kruuz]. Deniz gezintisi (yapmak). **~r** [ˈkruuzə*], kruvazör: **~ weight,** (boksta) yarı-ağır sıklet.

crumb [krʌm]. Ekmek kırıntısı; ekmek içi; küçük parça. (Kotlet vs.yi) ekmek kırıntısı ile örtmek, pane yapmak. **a ~ of comfort,** küçücük bir teselli.

crumbl·e [ˈkrʌmbl]. (Ekmek vs.) ufal(t)mak, ufala(n)mak; parçala(n)mak; yıkılmak, dökülmek. **~y,** kırıntılı, ufalanır.
crumpet [ˈkrʌmpit]. Sacda pişirilmiş yumuşak çörek.
crumple [ˈkrʌmpl]. Buruşturmak, kıvırmak, katlamak. **to ~ up,** çökmek.
crunch [krʌntʃ]. (*ech.*) Kıtır kıtır yemek; (kar vs.) gıcırdamak.
crupper [ˈkrʌpə*]. Sağrı; kuskun.
crusade [kruuˈseid]. Haçlı seferi; mukaddes saydığı şey için mücadele (etmek). **~r,** haçlı seferine iştirak eden, Haçlı.
cruse [kruuz]. Toprak testi, saksı vs. **the widow's ~,** bitmez tükenmez şey.
crush [krʌʃ] *vb.* Ezmek; buruşturmak; sıkmak; tazyik etm.; itişip kakışmak. *n.* Kalabalık. **please ~ up a little,** lûtfen bir az sıkışınız.
crust [krʌst]. Ekmek kabuğu; kuru ve sert ekmek; sert kabuk; kışır: kaymak. Kabuk bağlamak, kabukla kaplamak.
crustacea [krʌsˈteiʃiə]. Kabuklular. **~n,** istakos vs. gibi kabuklu hayvan.
crusty [ˈkrʌsti]. Kabuklu (ekmek); gevrek; haşin, titiz.
crutch [krʌtʃ]. Koltuk değneği; destek.
crux [krʌks]. Esas nokta, en mühim nokta.
cry (cried) [krai, –d] *vb.* Bağırmak; çığlık koparmak; ağlamak. *n.* Nara, feryad; bağırma, çığlık; ağlama. **to ~ one's eyes [heart] out,** hüngür hüngür ağlamak; **it 's a far ~ to,** çok uzaktır: **the pack is in full ~,** (bir avda) şikârın kokusunu alan köpekler bağrışıyorlar: **the crowd was in full ~ after the thief,** kalabalık hırsızın arkasından bağrışarak koşuyordu: **to have a good ~,** doya doya ağlamak: **within ~,** çağırınca duyulabillecek mesafede. **~ing,** bağrıyan; ağlıyan; pek göze çarpan; rezalet teşkil eden. **cry down,** kötülemek. **cry off,** sözünü geri almak, caymak. **cry out,** bağırarak söylemek, bağırmak; şikâyet etmek.
crypt [kript]. Kilise bodrumu.
cryptic(al) [ˈkriptik(l)]. Esrarlı; muammalı.
cryptogam [ˈkriptogam]. Üretme uzvu gizli olan nebat; çiçeksiz bitki.
cryptogram [ˈkriptogram]. Gizli yazı, şifreli yazı.
crystal [ˈkristəl]. Billur, kristal. **~ clear,** billur gibi duru; gün gibi meydanda: **~ gazing,** billûra bakarak falcılık. **~line** [–lain], billûr gibi, şeffaf, duru. **~lize** [–laiz], tebellûr etm., billûrlaştırmak: **~d fruit,** meyva şekerlemesi. **~lization** [–zeiʃn], tebellür.
cub [kʌb]. Hayvan yavrusu, enik. **(unlicked) ~,** yontulmamış delikanlı. **cub-hunting,** tilki yavrusunu avlama.
cubby-hole [ˈkʌbihoul]. Küçük göz veya raf; küçük oda veya hücre.
cub·e [kjuub]. Mikâb, küb. Mikâbını bulmak. **~ic(al),** mikâb şeklinde; kübik: **~ equation,** üçüncü dereceden muadele. **~ism,** kübizm.
cubicle [kjuubikl]. Küçük yatak odası; hücre.
cubit [ˈkjuubit]. Eski uzunluk ölçüsü, kol boyu, gez.
cuckoo [ˈkukuu]. Guguk kuşu. **cuckoo-clock,** guguklu saat. **cuckoo-pint,** yılan yastığı.
cucumber [ˈkjuukʌmbə*]. Hıyar, salatalık. **cool as a ~,** fevalâde soğukkanlı.
cud [kʌd]. Geviş. **to chew the ~,** geviş getirmek.
cuddle [kʌdl]. Kucaklama(k), okşama(k); kucaklaşmak.
cuddy [ˈkʌdi]. (Gemide) küçük kamara; dolab.
cudgel [ˈkʌdʒl]. Sopa, kalın değnek. Dayak atmak, döğmek. **to take up the ~s for s.o.,** birini şiddetle müdafaa etm.; birinden tarafa çıkmak: **to ~ one's brains,** zihnini yormak, kafa patlatmak.
cue[1] [kjuu]. Aktörün sözü arkadaşına bırakmadan evvel söylediği son söz; işaret; fikir. **to give s.o. the ~,** birine (bir şey hakkında) işaret vermek: **to take the ~ from ...,** birinden işaret almak.
cue[2]**.** Bilârdo istekası.
cuff [kʌf]. Kolluk, yen; manşet. Hafif tokat (atmak).
cuirass [kwiˈras]. Zırh ceket; göğüs zırhı. **~ier,** zırhlı süvari.
cul-de-sac [ˈkuldəˈsak]. Çıkmaz.
culinary [ˈkjuulinəri]. Yemek pişirmeğe aid; mutfak veya tabahata aid.
cull [kʌl]. Hayvan vs. hakkında: kötüsünü ayırmak. Böyle ayrılan hayvan veya kuş.
culm [kʌlm]. Nebat sapı. **malt ~s,** malt elenmeden kalan döküntü (*inek vs. için kıymetli bir yem*).
culminat·e [ˈkʌlmineit]. En son noktaya varmak; neticelenmek; zirvesine ermek. **~ion** [–ˈneiʃn], son nokta; en yüksek derece; son had.
culpab·ility [ˈkʌlpəˈbiliti]. Suçluluk. **~le** [ˈkʌlpəbl], suçlu.
culprit [ˈkʌlprit]. Suçlu.
cult [kʌlt]. Mezheb; ibadet, tapınma; büyük rağbet; merak.
cultivat·e [ˈkʌltiveit]. Çift sürmek; toprağı işlemek; yetiştirmek; geliştirmek, terbiye etmek. **~ed,** tahsil görmüş; işlenmiş. **~ion** [–ˈveiʃn], toprağı işleme; cift sürme; terbiye, yetişme, işletme. **~or,** ciftçi; kültivatör.

cultur·al [ˈkʌltjurəl]. Kültüre aid. **~e,** yetiştirme; kültür. **~ed,** kültürlü.
culvert [ˈkʌlvəət]. Yer altı su yolu.
cumber [ˈkʌmbə*]. Yük olm.; engel olm.; sıkıntı vermek. **~some,** havaleli; hantal; biçime girmez.
cummin [ˈkʌmin]. Kimyon; çemen.
cumulative [ˈkjuumjulətiv]. Müterakim.
cumulus [ˈkjuumjuləs]. Küme bulut; yığın.
cuneiform [ˈkjuuni·ifoom]. Kama şeklinde; çivi yazısı.
cunning [ˈkʌniŋ] *n.* Kurnazlık, hile: maharet, ustalık. *a.* Kurnaz, hinoğlu hin; meharetli, marifetli.
cup[1] [kʌp] *n.* Fincan, bardak, kadeh; kupa; keis; (makine) yağ çanağı. **in one's ~s,** sarhoş iken. **cup-and-ball,** birbirine bağlı bir topla kadeh şeklinde yuvalı bir çomaktan ibaret bir oyuncak: **~ joint,** diz kapağı şeklinde mafsal. **cup-bearer,** saki. **cup-final,** futbol şampiyonluğu finali. **cup-tie,** futbol şampiyonluk eleme maçı.
cup[2] *vb.* Hacamat yapmak. **~ping glass,** hacamat şişesi.
cupboard [ˈkʌbəd]. Dolab. **~ love,** (hayvan ve çocuk hakkında) yiyecek bir şey verileceği için gösterilen muhabbet.
cupful [ˈkʌpful]. Fincan dolusu.
Cupid [kjuupid]. Romalıların aşk ilâhı, Cupido.
cupidity [kjuuˈpiditi]. Hırs, açgözlülük.
cupola [ˈkjuupələ]. Kubbe.
cupr·eous [ˈkjuupriəs]. Bakırlı. **~ic, ~ous,** terkibinde bakır bulunan.
cur [kee*]. Âdi köpek; terbiyesiz, kaba veya korkak adam.
curable [ˈkjuurəbl]. Tedavi edilebilir.
cura·cy [ˈkjuurəsi]. Rahib muavinliği. **~te,** rahib muavini.
curative [ˈkjuurətiv]. İyileştirici, şifa verici.
curator [kjuuˈreitə*]. Müze, kütübhane vs. müdürü.
curb *bk.* **kerb.**
curb [keeb]. Gem zinciri. Ata gem vurmak; öfkesini yenmek; hiddetini tutmak. **to put a ~ on one's passions,** ihtiraslarına gem vurmak.
curd [kəəd]. Kesilmiş süt.
curdle [ˈkəədl]. (Süt) kesilmek; (kan) pıhtılaşmak; donmak. **enough to ~ one's blood,** tüylerini ürpertecek derecede.
cure [kjuə*]. Tedavi etmek; salamura yapmak, tütsülemek. Tedavi; şifa, çare, ilac. **the ~ of souls,** rahiblik vazifesi. **cure-all,** her derde deva.
curfew [ˈkəəfjuu]. Ortaçağda ateş söndürme zamanını bildiren çan: fevkalâde hallerde halkın evinden dışarı çıkması yasak olduğu zaman.
curio [ˈkjuuriou]. Nadir şey; biblo. **~sity** [ˈkjuəriˈosəti], tecessüs; merak; antika, biblo: **old ~ shop,** antikacı mağazası. **~us** [ˈkjuəriəs], meraklı, hevesli; mütecessis; nadir, garib: **~ly enough,** işin garibi; garibi şu ki.
curl [kəəl]. Kıvrım, büklüm, bukle. Kıvırmak, kıvrılmak; bük(ül)mek; büklüm yapmak (olm.); bukle yapmak. **to ~ oneself up,** dertop olm.: **~ing irons,** saç maşası.
curlew [ˈkəəljuu]. (*Numeniu sarquata*) Büyük kervan çulluğu.
curly [ˈkəəli]. Kıvırcık; dalgalı.
curmudgeon [kəəˈmʌdʒən]. Ters, abus; cimri.
currant [ˈkʌrənt]. Kuşüzümü; frenk üzümü.
currency [ˈkʌrənsi]. Revac; rayic.
current [ˈkʌrənt] *a.* Cari, tedavülde; hali hazıra aid, bugünkü. *n.* Cereyan, akıntı. **~ number,** bir mecmua vs.nin son çıkan nüshası: **it is ~ly reported that,** umumiyetle söylenildiğine göre: **in ~ use,** umumiyetle kullanılan.
curriculum [kʌˈrikjuləm]. Müfredat programı.
currier [ˈkʌriə*]. Sepici.
curry[1] [ˈkʌri] *n.* Biberli salça ile yapılan bir Hind yemeği.
curry[2] *vb.* Atı kaşağılamak; deriyi boyamak, sepilemek. **to ~ favour with s.o.,** müdahene ile birinin gözüne girmeğe çalışmak, yaranmak. **~comb,** kaşağı(lamak).
curse [kəərs]. Lânet; belâ; inkisar. Lânet etm., beddua etm.; inkisar etmek. **to ~ one's fate,** bahtına küsmek: **what ~d weather!,** hava da Allahın belâsı!
cursive [ˈkəəsiv]. El yazısı ile yazılmış; harfleri bitişik el yazısı.
cursor [ˈkəəsə*]. Müteharrik mastara.
cursory [ˈkəəsəri]. Acele; sathî.
curt [kəət]. Kısa, kuru; nezaketsizce kısa.
curtail [kəəˈteil]. Kısaltmak, kısmak. **~ment,** kısaltma, kısma.
curtain [ˈkəətən]. Perde. **~ lecture,** zevcenin kocasını yatakta azarlaması.
curts(e)y [ˈkəətsi]. Diz kırarak reverans (yapmak).
curvature [ˈkəəvətjuə*]. İnhina; kavislenme.
curve [kəəv]. Kavis, münhani. Kavis çizmek, inhina vermek.
curvet [kəəˈvet]. Şaha kalkma(k).
cushion [ˈkuʃən]. Yastık; koruyan şey. Yastık koymak; sademeyi hafifletmek.
cushy [ˈkuʃi]. (*arg.*) Kolay ve rahat (iş), otlak.
cuss [kʌs]. (*arg.*) Küfür; herif. **~edness,** inadcılık, aksilik, domuzluk; nisbet.
custard [ˈkʌstəd]. Yumurtalı ve sütlü krema.

custod·ian [kʌsˈtoudiən]. Muhafız; bekçi. **~y** [ˈkʌstədi], muhafaza, himaye; nezaret; tevkif: **to take into ~**, tevkif etmek.
custom [ˈkʌstəm]. İtiyad, âdet, örf; müşteriler. **~s**, gümrük. **~ary**, âdet olan, mutad. **~er**, müşteri: **a queer ~**, garib bir adam.
cut[1] [kʌt] *n.* Kesme; kesik, yara; darbe; yarma; kesip çıkarma; kesik parça; biçki, biçim; (fiat vs.) indirme; kader darbesi; tanımamazlıktan gelme; basma resim. **to be a ~ above ...**, ···e tenezzül etmemek; ···e bir gömlek üstün olm.: **to make a clean ~ with**, ···le alâkayı tamamen kesmek: **to give s.o. the ~ direct**, birini çiğneyip geçmek (selâm vermemek): **a prime ~**, kasablık etin en seçme parçası: **short ~**, kestirme yol: **an unkind ~**, dokunaklı ve kırıcı söz veya hareket: **the unkindest ~ of all**, en fecii, en dokunaklısı.
cut[2] *a.* Kesik, kesilmiş. **~ and dried**, hazır (fikir vs.); kat'î şekilde tesbit edilmiş (plân vs.): **~ glass**, billur, kristal: **low-~ dress**, dekolte elbise: **~ price**, tenzilatlı fiat: **~ and thrust**, göğüs göğüse kavga.
cut[3] (cut) *vb.* Kesmek, biçmek, yontmak, yarmak: (fiat) indirmek. **to ~ s.o. (dead)**, birini görmemezlikten gelmek: **that ~s both ways**, bu iki yüzlü bir kılıcdır: **to ~ and come again**, sofrada et yemeğinden ikinci defa almak (*bir şeyin bolluğunu ifade eder*): **to ~ a corner**, köşeyi dönmeyip kestirmeden gitmek; (*otom.*) köşeye sürünerek viraj yapmak: **to ~ across country**, kırdan kestirme gitmek: **to ~ a lecture, etc.**, (*kon.*) bir ders vs.yi asmak: **to ~ and run**, gemi palamarı kesip sür'atle uzaklaşmak; (*mec.*) sür'atle sıvışmak: **to ~ the whole concern**, bir işle alâkasını kesmek. **cut away**, kesip çıkarmak. **cut back**, yontmak; kısaltmak; (*kon.*) sür'atle dönüp geri gitmek. **cut down**, kesip devirmek; kısmak; biçmek. **cut in**, söze karışmak; (yarışta) rakibinin yolunu kesmek. **cut into**, yarmak; bir parça kesmek; söze karışmak. **cut off**, kesip koparmak, ayırmak: **to be ~ off**, ölmek. **cut out**, kesip çıkarmak; biçmek; oymak; (*den.*) bir limana girip bulduğu gemiyi zorla alıp götürmek: **to ~ s.o. out**, birinin bir işte yerini almak: **he is ~ out for this job**, bu iş onun için biçilmiş kaftandır. **cut up**, doğramak, parçalamak; bozmak: **to be ~ up**, kendini üzmek, çok müteessir olm.: **to ~ up nasty [ugly]**, (*arg.*) hiddete kapılmak; tehdidkâr olmak.
cutaneous [kjuˈteiniəs]. Deriye aid, cilde aid.
cutaway [ˈkʌtəwei]. **~ coat**, bonjur.
cute [kjuut]. (*kon.*) Açıkgöz; zeki; (*Amer.*) zarif, hoş.
cuticle [ˈkjuutikl]. Derinin dış tabakası, beşere; nebatın kabuk zarı.
cutlass [ˈkʌtləs]. Pala, kısa kılıc.
cutler [ˈkʌtlə*]. Bıçakçı. **~y**, bıçakçılık; çatal bıçak takımı.
cutlet [ˈkʌtlit]. Kotlet.
cutter [ˈkʌtə*]. Kesici, biçici, keski; kotra; büyük sandal.
cut-throat [ˈkʌtθrout]. Katil, cani; insafsız, merhametsiz.
cutting [ˈkʌtiŋ] *a.* Keskin, kesici; iğneli; tesirli. *n.* Yarma; gazete maktuası; çelik (dal).
cuttlefish [ˈkʌtlfiʃ]. Mürekkeb balığı.
cutwater [ˈkʌtwootə*]. Talimar.
C.V.O. (*kıs.*) **Companion of the Royal Victorian Order**, *bk.* **order.**
cyan·ide [ˈsaiənaid]. Kiyanid. **~ogen**, kiyanojen. **~osis** [–ˈousis], (*tıb.*) morarma.
cyclamen [ˈsikləmən]. Tavşankulağı; buhurumeryem.
cycl·e [ˈsaikl]. Devir, devre, daire; bisiklet. Bisikletle gitmek. **~ic(al)**, devrî; devreye mensub. **~ist**, bisikletçi. **~ometer** [ˈklomətə*], bisiklete mahsus mesafe ölçen âlet.
cyclone [ˈsaikloun]. Kasırga, siklon.
cyclopaedia [saikloˈpiidiə]. Ansiklopedi.
Cyclopean [saiˈkloupiən]. Dev gibi.
Cyclops [ˈsaiklops]. Esatirdeki tek gözlü dev, kiklop.
cygnet [ˈsignit]. Kuğu yavrusu.
cylind·er [ˈsilində*]. Üstüvane, silindir. **~rical** [–ˈlindrikl], üstüvanî, silindir gibi.
cymbal [ˈsimbl]. Zil.
cyme [saim]. Mucibei unkudiye.
Cymric [ˈkimrik]. Galyalı.
cynic [ˈsinik]. Her şeyi kötü gözle gören; her harekete fenalık isnad eden. **~al**, kelbî, müstehzi. **~ism** [ˈsinisizm], Kelbiyun felsefesi, **cynic** tabiatı.
cynosure [ˈsainoʃuə*]. **the ~ of every eye**, herkesin hayran olduğu şey vs.
cypher [ˈsaifə*]. Şifre.
cypress [ˈsaipris]. Selvi.
Cypr·ian [ˈsipriən]. Kıbrıslı. **~iot**, Kıbrıslı. **~us** [ˈsaiprəs], Kıbrıs.
cyst [sist]. (*tıb.*) Vücudde hasıl olan kese.
Cytisus [ˈsitisəs]. Katırtırnağı.
cwt. *kıs.* **hundredweight.**
Czar [zaa]. Çar. **~evitch** [ˈzaarəvitʃ], eski Rus veliahdının ünvanı. **~ina** [zaaˈriinə], Çariçe.
Czech [tʃek]. Çek. **~oslovakia**, Çekoslovakya.

D

d [dii]. D harfı; (*mus.*) re; peni'nin kısaltması; Roma sayılarında 500. **d-bit,** namlu matkabı.
dab[1] [dab]. Hafifçe vurma; yumuşak ve ıslak küçük parça. Hafifçe vurmak; yumuşak ve ıslak bir şeyle bastırmak.
dab[2]. (*Pleuronectes limanda*) Şimal denizlerinde bulunan bir nevi pisi balığı.
dab[3]. (*kon.*) **to be a ~ (hand) at stg.**, bir şeyi yaman bilmek.
dabble [ˈdabl]. (Ellerini vs.) suya sokup çıkarmak. **to ~ in stg.**, bir az meşgul olm., bir az bilmek.
dabchick [ˈdabtʃik]. (*Podiceps ruficollis*) Bir nevi küçük dalgıç kuşu.
dace. (*Leuciscus*) Bir nevi tatlısu balığı.
dacoit [daˈkoit]. (Hindistanda) haydud. **~y,** haydudluk.
dactyl [ˈdaktil]. Bir uzun iki kısa heceli mısra.
dad, daddy [dad, ˈdadi]. (*kon.*) Baba. **daddy-long-legs,** tipula sineği.
daffodil [ˈdafədil]. (*Narcissus*) Yabani nergis.
daft [daaft]. Kaçık, sapık.
dagger [ˈdagə*]. Kama, hançer. (†) işareti. **to be at ~s drawn,** birbirinin kanına susamak, bibirinin can düşmanı olm.: **to look ~s at s.o.,** bir kaşık suda boğacakmış gibi bakmak.
dago [ˈdeigou]. Cenubî Avrupalı veya cenubî Amerikalı.
dahlia [ˈdeiljə]. Yıldız çiçeği.
daily [ˈdeili]. Günlük, gündelik. Her gün; gün geçtikçe. Gündelik gazete.
dainty [ˈdeinti]. Zarif ince ve nazik; nazlı; (yemek) nefis; (çocuk yemek hakkında) nazlı ve titiz. Nefis yiyecek.
dairy [ˈdeiri]. Süthane; sütçü dükkânı. **~ farm,** süt istihsal edilen çiftlik. **~maid,** sütçü kadın. **~man,** sütçü.
dais [ˈdeiis]. Bir oda veya salonun baş tarafında yükseltilmiş zemin.
daisy [ˈdeizi]. (*Bellis perennis*) Papatya.
dale [deil]. Vadi, dere.
dalliance [ˈdaliəns]. Oynaşma; vakit geçirme.
dally [ˈdali]. Haylazlık etm., vakit geçirmek, eğlenmek. **to ~ with,** bir şeyle oynamak, bir şeyi ciddiye almamak: **to ~ with s.o.,** birini oyalamak, oynatmak.
daltonism [ˈdooltənizm]. Renkleri seçememek hastalığı, daltonizm.
dam[1] [dam]. Bend; bend suyu. Bendle kapamak, tutmak; zabtetmek.
dam[2]. Ana.
damage [ˈdamidʒ] *n.* Zarar, ziyan, hasar; (*arg.*) fiat, masraf. **~s,** tazminat, zarar ve ziyan. *vb.* Zarar vermek, ziyana sokmak, hasara uğratmak.
damascene [ˌdamaˈsiin]. Gömme ile süslemek; menevişlendirmek.
Damascus [dəˈmaaskəs]. Şam.
damask [ˈdamesk, dəˈmaask]. Şam kumaşı; Şam işi. **~ steel,** menevişli çelik.
dame [deim]. Hanım; yaşlı kadın; kadınlara verilen asalet ünvanı. **dame-school,** ana mektebi.
damn [dam] (*Bazan* **d—n** *yazılır*). Küfür; Allah belâsını versin! Lânetlemek; kötülemek; mahkûm etmek. **~ it!,** hay Allah müstehakkını versin! **well I'm ~ed!,** artık çok oluyor; çok şey!, Allah! Allah!: **I'll see him ~ed first,** dünyada olmaz; avucunu yalasın: **do your ~edest!,** elinden geleni arkana koyma: **it's not worth a (tuppenny) ~,** on para etmez. **~able,** lânet ve nefrete lâyık, menfur. **~ation** [–ˈneiʃn], lânet, tel'in; Allahın belâsı. **~ed,** lânetleme, mel'un, Allahın belâsı.
Damocles [ˈdamokliiz]. **the sword of ~,** İnsanın başında daimî tehlike, Damokles'in kılıcı.
damp [damp] *n.* Rutubet, nem; buğu. *a.* Nemli, rutubetli, ıslak. *vb.* **~** veya **~en,** hafifçe ıslatmak, nemlendirmek; (yangın, ses) bastırmak; (heyecan vs.) soğumak, sönmek. **to ~ s.o.'s ardour,** birinin hevesini kırmak: **it's just ~ing,** yağmur hafifçe çiseliyor. **~er,** (sobada vs.) ateş tanzim kapağı; rutubet verici şey; sesi kısma cihazı: **to put a ~ on the company,** toplantıya soğuk bir hava getirmek.
damsel [ˈdamzl]. Genc kız.
damson [ˈdamzn]. Mürdüm eriği.
dance [daans]. Dans, raks; balo. Dansetmek; oynamak. **to ~ attendance on s.o.,** birinin etrafında dört dönmek [çırpınmak]: **to ~ for joy,** sevincinden takla atmak: **to ~ with rage,** hiddetten tepinmek: **to lead s.o. a ~,** birinin başına iş açmak, birini eziyete sokmak: **I'll make him ~ to a different tune,** ben ona gösteririm, ben ona dünyanın kaç bucak olduğunu anlatırım. **~r,** danseden kimse; çengi, rakkase.
dandelion [ˈdandilaiən]. (*Taraxacum Densleonis*) Karahindiba.
dander [ˈdandə*]. **to get one's ~ up,** hiddeti beynine sıçramak.
dandified [ˈdandifaid]. Üstüne başına fazla düşkün.
dandle [ˈdandl]. (Çocuğu) hoplatmak; (*mec.*) okşamak, şımartmak.

dandruff [ˈdandrəf]. (Saçta) kepek.
dandy [ˈdandi]. Fazla şık; iki dirhem bir çekirdek; (*Amer.*) yaman, mükemmel.
Dane [dein]. Danimarkalı.
danger [ˈdeindʒə*]. Tehlike. **~ous** [ˈdeindʒərəs], tehlikeli.
dangle [ˈdaŋgl]. Asılıp sallan(dır)mak; sark(ıt)mak. **to ~ after [around] s.o.,** peşinden koşmak: **to ~ stg. before s.o.,** cezbetmek için bir şeyi göstermek [vadetmek].
Danish [ˈdeiniʃ]. Danimarkaya aid; danimarkaca.
dank [daŋk]. Islak ve soğuk.
dapper [ˈdapə*]. Ufak tefek, canlı ve üstü başı temiz ve muntazam.
dapple [ˈdapl] *vb* Beneklemek. **dapple-grey,** baklakırı.
Darby [ˈdaabi]. **~ and Joan,** Arzu ile Kanber.
dare [ˈdeə*]. Kalkışmak, cesaret etm., cür'et etmek. **how ~ you!,** bu ne cesaret, küstahlık!: **I ~ say,** olabilir; her halde; sanırım: **to ~ s.o. to do stg.,** birine bir şeyi 'yapamazsın' diye meydan okumak, alnını karışlamak: **don't you ~ touch him!,** ona dokunayım deme! **dare-devil,** gözünü çopten sakınmaz, serden geçti.
daring [ˈdeəriŋ] *n.* Cesaret, yiğitlik. *a.* Cesur, cür'etli, atılgan.
dark [daak]. Karanlık. Koyu; esmer: kasvetli; anlaşılmaz; gizli. **the Dark Ages,** Ortaçağın ilk yarısı: **to be in the ~,** haberi olmamak, malûmatı olmamak: **after ~,** ortalık karardıktan sonra: **it is getting ~,** ortalık kararıyor: **a ~ horse,** hakkında bir şey bilinmiyen yarış atı [rakib]: **to keep stg. ~,** bir şeyi gizli tutmak. **dark-eyed,** kara gözlü. **~en,** karar(t)mak, koyulaş(tır)mak. **~ness,** karanlık, (renk) koyuluk. **~y,** (*kon.*) zenci.
darling [ˈdaaliŋ]. Sevgili, maşuka. **a mother's ~,** nazlı, hanım evladı.
darn [daan]. Örerek tamir etme(k).
darnel [ˈdaanəl]. (*Lolium temulentum*) Delice ot.
dart [daat]. Ok, hafif mızrak, cirid: birdenbire atılma. Ok gibi fırla(t)mak, at(ıl)mak. **~s,** küçük okları içiçe daire şeklinde bir hedefe atmaktan ibaret bir oyun.
dash[1] [daʃ] *n.* Seğirtme; anî ve hızlı koşuş; atılma; hamle; atılganlık, ataklık, cüret, ateş; katılmış cuz'i bir mikdar, damla; çizgi (—). **to cut a ~,** gösteriş yapmak; çalım satmak, caka yapmak: **to make a ~ at,** ···e saldırmak: **to make a ~ for [to],** soluğu ···de almak; ···e doğru atılmak, seğirtmek.
dash[2] *vb.* Şiddetle atmak, fırlatmak, çarptırmak; seğirtmek, atılmak. **to ~ at s.o.,** birinin üzerine atılmak, saldırmak: **to ~ s.o.'s hopes [spirits],** ···in ümidlerini [cesaretini] kırmak: **all my hopes were ~ed to the ground,** bütün ümidlerim suya düştü: **to ~ to pieces,** fırlatarak parça parça etmek. **dash along,** hızla gitmek. **dash away,** hızla ayrılmak. **dash in,** paldır küldür girmek. **dash off,** (i) sür'atle uzaklaşmak; (ii) sür'atle karalamak, çiziktirmek. **dash out,** dışarı fırlamak: **to ~ out s.o.'s brains,** birinin beynini patlatmak.
dashboard [ˈdaʃbood]. Çamurluk; âlet tablosu.
dashing [ˈdaʃiŋ] *a.* Atılgan, cesur, parlak, yaman; göze çarpan, gösterişli.
dastard [ˈdastəəd] *n.* **~ly** *a.* Alçak, korkak, namerd.
data [ˈdeitə]. **datum'in cem'i,** mûtalar.
date[1] [deit]. Hurma. **date-palm,** hurma ağacı.
date[2]. Tarih. Tarihini atmak; tarihe aid olm.; tarihini [eskiliğini, yaşını] belli etmek. **~ of a bill,** bir senedin vadesi: **six months after ~, at six months' date,** altı ay sonunda: **interest to ~,** bugüne kadar olan faiz: **to have a ~ with s.o.,** birisile bir sözü (randevusu) olm.: **out of ~,** modası geçmiş, eski: **under the ~ of May 9th,** 9 mayıs tarihinde: **to be up to ~,** zamana uygun olm.; modern [yeni fikirli] olm.; işini günü gününe yetiştirmek.
dative [ˈdeitiv]. Mef'ulünbih.
datum [ˈdeitəm]. Mûta.
daub [doob]. Bulaşık leke; berbad resim. Bulaştırmak, sıvamak.
daughter [ˈdootə*]. Kız (evlâd). **~ly,** kız evlâd gibi, kıza aid. **daughter-in-law,** gelin.
daunt [doont]. Korkutmak, cesaretini kırmak, yıldırmak. **nothing ~ed,** her şeye rağmen yılmadan. **~less,** yılmaz, cesur.
Dauphin [ˈdoofin]. 1830 senesine kadar Fransız veliahdına verilen ünvan.
davit [ˈdavit]. Metafora.
dawdle [ˈdoodl]. Ağır davranmak, sallanmak.
dawn [doon]. Şafak, seher; başlangıç. Gün ağarmak, şafak sökmek. **at length it ~ed on me that ...,** nihayet anladım [kafama dank dedi] ki....
day [dei]. Gün, gündüz; zaman; günlük. **~ after ~,** arka arkaya her gün; Tanrının günü: **~ and ~ about,** birisile gün aşırı nöbetleşe: **~ by ~,** günden güne: **all ~ long,** bütün gün akşama kadar: **the ~ before yesterday,** evvelki gün: **before ~,** güneş doğmadan evvel: **break of ~,** şafak: **by ~,** gündüz: **it was broad ~,** güneş doğalı çok olmuştu: **to carry the ~;** kazanmak,

galebe çalmak: **the ~ is ours,** kazandık: **the ~ was going badly for the English,** muharebe İngilizlerin aleyhine gidiyordu: **from that ~ to this,** o gün bugündür: **the good old ~s,** hey gidi günler: **in the good old ~s, in the ~s of old,** eski zamanda: **he has had his ~, his ~ is done [over],** onun zamanı geçti: **in my [his] ~,** benim zamanımda [onun zamanında]: **it's many a long ~ since ...,** ne zamandan beri ... ··medim vs.: **to ask a girl to name the ~,** (*kon.*) bir kıza evlenme teklifi yapmak: **on one's ~,** bir işte en iyi olduğu zaman: **one of these (fine) ~s,** (ikaz veya tehdid makamında) günün birinde, bir gün: **the other ~,** geçen gün: **he has seen better ~s,** kibar düşkünüdür; o ne günler görmüştür: **some ~,** bir gün: **this ~ week [month],** gelecek hafta [ay] bu gün: **it is three years ago to a ~,** günü gününe üç sene evvel: **to this very ~,** bu gün bile, hâlâ: ⌜**it's all in the ~'s work**⌝, bu işe giren buna katlanır (beklenmedik bir şey değil). **day-boarder,** yarım leylî, yemekli. **day-boy,** yemeksiz talebe. **day-dream,** hülya. **day-labourer,** gündelikçi.

daylight [ˈdeilait]. Gündüz; aralık, açıklık. **in broad ~,** güpegündüz: **by ~,** gündüz(ün): **to begin to see ~,** bir işin içyüzünü (mahiyetini) anlamağa başlamak; üzüntülü bir iş veya fena bir vaziyetin sonuna yaklaştıgını sezmek.

daze [deiz]. Sersemlik, baygınlık, şaşkınlık. Sersemletmek; şaşkına çevirmek.

dazzle [ˈdazl]. Gözlerini kamaştırma(k).

D.B.E. (*kıs.*) **Dame of the British Empire,** kadınlara verilen bir ünvan.

D.C.L. (*kıs.*) **Doctor of Civil Law,** Hukuk Doktoru.

D.D. (*kıs.*) **Doctor of Divinity,** İlahiyat Doktoru.

de- [dii-]. *pref. Şu manaları taşır:*—(i) *Bir şeyin tam aksini yapmak, mes.* **mobilize,** seferber etm.; **demobilize,** terhis etm.: (ii) aşağıya, *mes.* **ascend,** çıkmak; **descend,** inmek: (iii) uzak, ayrı, *mes.* **rail,** ray; **derail,** raydan çıkarmak: (iv) tam, *mes.* **despoil,** tamamen soymak.

deacon [ˈdiikən]. Diyakon. **~ess,** kadın diyakon.

dead [ded]. Ölü, ölmüş; ölü gibi; tam, kat'î, tamamen. **I am ~ against it,** ben bunun tamamen aleyhindeyim: **~ beat,** ibresi sallanmıyan (âlet): **a ~ certainty,** elde bir: **~ and done for,** hapı yuttu, onun işi bitti: **in ~ earnest,** son derece ciddî, şakası yok: **to go ~,** (bir uzuv) uyuşmak: **~ heat,** yarışta başbaşa varış: **the ~ hours,** gece yarısı, el ayak çekildiği zaman: **~ letter,** (i) sahibine teslim edilmiyen mektub; (ii) mer'i olmıyan kanun: **a ~ loss,** tam kayb: **~ march,** cenaze marşı: ⌜**~ men tell no tales**⌝, ölüler konuşmaz (*bir sırrı ifşa etmemesi için öldürülen kimse hakkında kullanılır*): **at ~ of night,** gece yarısı: **~ on time,** tam vaktinde: **~ reckoning,** gemi mevkiinin parakete ve pusula vasıtasile, rasadsız tayini: **the Dead Sea,** Lut Denizi: **~ secret,** son derece gizli; büyük sır: **a ~ shot,** keskin nişancı; attığını vurur: **a ~ sound,** tok ses: **~ stock,** bir çiftliğin cansız eşyası; kullanılmıyan sermaye, satılmıyan mal: **to come to a ~ stop,** anî olarak ve tam durmak: **~ to ...,** ···e karşı hissiz: **~ white,** mat beyaz boya: **~ window,** taklid pencere: **in the ~ of winter,** karakışta: **~ wire,** elektrik cereyanı geçmiyen tel: **~ to the world,** son derece bitkin veya sarhoş. **dead-alive,** ölü gibi, şevksiz, cansız; sıkıntılı. **dead-beat,** bitkin bir halde. **dead-centre,** ölü nokta; (torna) gezer punta. **dead-end,** demiryolu vs.nin bittiği nokta; çıkmaz. **dead-light,** lomboz kör kapağı. **dead-weight,** (i) kesilmiş hayvanın ağırlığı; (ii) borc vs. hakkında:— ağır yük; (iii) dedveyt.

deaden [ˈdedn]. Hafifletmek; körletmek; tamamen azaltmak; ses geçmez hale getirmek.

deadly [ˈdedli]. Öldürücü; amansız, tehlikeli; ölü gibi; müdhiş. **in ~ earnest,** şakası yok: **~ sin,** kebair: **~ nightshade,** güzelavratotu.

deadness [ˈdednis]. Uyuşukluk; durgunluk.

deaf [def]. Sağır. **~ as a post,** duvar gibi sağır: **to turn a ~ ear to,** dinlemek istememek; reddetmek: ⌜**none so ~ as those who won't hear**⌝, işitmek istemiyen kadar sağır olmaz. **deaf-mute,** sağır ve dilsiz. **~en,** sağırlaştırmak. **~ness,** sağırlık.

deal[1] [diil] *n.* (Çok)mikdar; çok. **a good ~,** çok: **a great ~,** pek çok.

deal[2] *n.* Ticarî muamele; pazarlık; oyun kâğıdını dağıtma, el. *vb.* Muamele etm.; pazarlık etm.; iş yapmak; dağıtmak, tevzi etm., vermek; (darbe) indirmek; oyun kâğıdını dağıtmak. **well, that's a ~,** pek iyi uyuşyuk: **to ~ in ...,** ... ticareti yapmak: **to ~ out,** tevzi etm.: **to ~ with (a matter),** (bir mesele) ile meşgul olm.; ele almak: **to ~ with s.o.,** birisile pazarlık etm.; birisile ticaret yapmak; birisile meşgul olm.: **I'll ~ with him!,** onu bana bırak!

deal[3] *n.* Çam tahtası.

dealer [ˈdiilə*]. Satıcı, tüccar: (oyunda) kâğıd dağıtan. **double-dealer,** iki yüzlü.

dean [diin]. Dekan; İngiliz katedral (büyük kilise)sinin başrahibi. **rural ~,** İngiliz kilisesinde bir rütbe. **~ery,** başrahibin oturduğu ev.

dear [diə*] Aziz; sevgili; pahalı. **~ ~!**, **~ me!**, aman yarabbi!, ne söylüyorsun?, deme Allah aşkına!: **oh ~!**, vah vah, yazık!: **my ~ fellow**, azizim, aziz dostum: **to get ~ [~er]**, pahalılaşmak: **you shall pay ~(ly) for this!**, bu size pahalıya mal olacak: **to run for ~ life**, var kuvvetile koşmak.

dearth [dəəθ]. Kıtlık, yokluk.

death [deθ]. Ölüm, vefat. **you'll be the ~ of me!**, (i) benim ölümüme sebeb olacaksın; (ii) beni gülmekten öldüreceksin: **to be in at the ~**, *bk.* **kill**: **to be ~ on ...**, (i) ···in can düşmanı olm.; (ii) ···de pek usta olm.: **the Black Death**, ortaçağda vebaya verilen isim: **to do to ~**, zûlm ederek öldürmek: **meat done to ~**, fazla pişirmekten yanmış et: **(fashion, story) done to ~**, (moda, hikâye vs.) insanı bıktıracak derecede yayılmış veya tekrarlanmış: **to drink oneself to ~**, kendini işretle öldürmek: **to put to ~**, idam etm.: **sick to ~ of**, ···den son derece bıkmış, gına getirmiş, illallah demiş: **war to the ~**, ölesiye harb. **death-agony**, can çekişme. **death-blow**, öldürücü darbe, kat'î darbe. **death-duties**, veraset ve intikal vergisi. **death-mask**, bir ölünün yüzünün kalıbı. **death-rate**, ölüm nisbeti. **death-trap**, ölüm tehlikesi olan yer.

death·less [ˈdeθlis]. Ölmez. **~ly**, ölü gibi.

debar [diˈbaa*]. **~ s.o. from stg.**, birini bir şeyden mahrum etm.; **to ~ s.o. from doing stg.**, birini bir şey yapmaktan menetmek: **to ~ s.o. a right**, birine bir hakkı reddetmek.

debase [diˈbeis]. Alçaltmak, itibarını düşürmek; âdileştirmek; ayarını bozmak. **~ment**, alçalma, itibardan düşme.

debat·able [diˈbeitəbl]. Münakaşası kabil; kat'î olmıyan, su götürür. **~e**, (bir meseleyi) müzakere (etm.); münazara (etm.).

debauch [diˈbootʃ]. İşret ve sefahat. Ahlâkını bozmak, baştan çıkarmak, fena yola sevketmek. **~ee** [–ˈtʃii], sefih, ahlâksız. **~ery** [–ˈbootʃeri], sefahat, ahlâksızlık.

debenture [diˈbentʃuə*]. Bir anonim şirketin tahvili.

debilit·ate [diˈbiliteit]. Zayıflatmak, kuvvetten düşürmek. **~y**, zayıflık, kuvvetsizlik.

debit [ˈdebit]. Zimmet, borc, zimmet hanesi. Zimmet kaydetmek: **~ balance**, (bütçede) açık.

debonair [deboˈneə*]. Şen, hoş ve nazik.

debouch [diˈbautʃ]. Dar bir yerden açığa çıkmak. **~ment**, açığa çıkış, ağız, mahrec.

debris [ˈdeiˈbrii]. Enkaz, dağılmış parçalar; kaya parçaları; kırıntı, döküntü.

debt [det]. Borc. **I shall always be in your ~**, size karşı daima borclu olacağım: **to be head over ears [up to the eyes] in ~**, uçan kuşa borclu olmak. **~or**, borclu.

debunk [diiˈbʌnk]. (*kon.*) 'Putları kırmak'; Allahlaştırılmış büyük adamları vs. tabiî yerlerine indirmek.

debut [ˈdeibjuu]. (Aktör) sahneye ilk çıkış; (genc kız) sosyeteye ilk giriş. **~ante** [–ˈtaant], sosyeteye ilk defa giren genc kız.

decade [diˈkeid]. On yıl.

decaden·ce [ˈdekədens]. Tereddi, inhitat, gerileme. **~t**, mütereddi, inhitat eden.

decamp [diˈkamp]. Gizlice sıvışmak, savuşmak.

decant [diˈkant]. Şarab vs.yi şişeden sürahiye boşaltmak; bir mayii tortusundan ayırmak için dikkatle boşaltmak. **~er**, şarab sürahisi.

decapitat·e [diˈkapəteit]. Boynunu vurmak, başını kesmek. **~ion** [–ˈteiʃn], boynunu vurma.

decarbonize [diiˈkaabənaiz]. Karbonunu gidermek.

decasyllable [ˌdekəˈsiləbl]. On heceli.

decay [diˈkei]. Çürüme(k); bozulma(k); inhitat (etm.); zevale yüz tutma(k). **~ed gentlewoman**, düşkün kibar hanım.

decease [diˈsiis]. Ölüm, vefat. Vefat etm., ölmek. **~d**, müteveffa, merhum.

deceit [diˈsiit]. Aldatma, hile, yalan. **~ful**, aldatıcı, yalancı, hilekâr.

deceive [diˈsiiv]. Aldatmak, hile yapmak, yalan söylemek.

December [diˈsembə*]. Aralık ayı.

decency [ˈdiisnsi]. Edeb, terbiye; nezahet; temizlik. **the (common) decencies**, edeb, erkân, muaşeret.

decennial [deˈsenjəl]. On yılda bir olan; on yıl süren.

decent [ˈdiisnt]. Edebli, nezih; münasib, yakışık alır; elverişli, kâfi; (*kon.*) rabıtalı.

decentraliz·ation [diiˈsentrəlaiˈzeiʃn]. Ademi merkeziyet. **~e**, ademi merkezileştirmek.

decept·ion [diˈsepʃn]. Aldatma, aldanma, hile. **~ive** [–ˈtiv], aldatıcı.

decide [diˈsaid]. Karalaştırmak, karar vermek, kesip atmak; (hakkında) hüküm vermek; (birine bir şey hakkında) karar verdirmek. **~d**, kararlaştırılmış; kat'î, vazıh, su götürmez; kat'î fikirli, kanaat sahibi. **~dly**, kat'î olarak, muhakkak.

deciduous [diˈsidjuəs]. Dökülür; yaprağını her sene döken.

decimal [ˈdesiml]. Ondalı, âşarî.

decimate [ˈdesimeit]. Büyük bir kısmını öldürmek, doğramak; onda birini almak veya öldürmek.

decimetre [ˈdesimiiteə*]. Desimetre.

decipher [diiˈsaifə*]. Şifreyi okumak; çözmek; sökmek.

decis·ion [di'siʒn]. Karar; azim, sebat; kat'î fikirlilik. **~ive** [–'saisiv], kat'î, kesip atan, kesenkes.
deck[1] [dek] *n.* Güverte; üst kat; (*Amer.*) iskambil destesi. *vb.* **~ over,** güverte koymak, örtmek. **the lower ~,** alt güverte; tayfa, bahriye erleri. **~er, three-~er,** üç ambarlı; **double-~er bus,** iki katlı otobüs. **deck-chair,** açılıp kapanır sandalye. **deck-hand,** âdi gemici. **deck-house,** güverte kamarası.
deck[2] *vb.* Süslemek, donatmak. **to ~ oneself out,** iki dirhem bir çekirdek olm., giyinip kuşanmak.
declaim [di'kleim]. Yüksek sesle jestler yaparak söz söylemek; inşad etmek. **to ~ against,** ···den hiddetle şikâyet etmek.
declama·tion [ˌdekla'meiʃn]. İnşad (etme); hiddetli nutuk; yüksek sesle jestler yaparak söz söyleme. **~tory,** yüksek sesle ve jestler yaparak, tumturaklı.
declaration [ˌdeklə'reiʃn]. Beyan, ifade, ihbar, ilân.
declare [di'kleə*]. Açıkça söylemek; beyan etm., ifade etm., ihbar etm., ilân etm.; demek. **to ~ for [against] stg.,** bir şeyin lehinde [aleyhinde] olduğunu söylemek: **have you anything to ~?,** (gümrükte) gümrüğe tabi bir şeyiniz var mı? **~d,** alenî. **~dly,** kendi itirafı vechile.
declension [di'klenʃn]. Tasrif; zeval, sukut.
declinable [di'klainəbl]. Tasrif edilebilir.
declination [dekli'neiʃn]. (*astron.*) Meyil, inhiraf.
decline[1] [di'klain] *n.* İnme, batma, çökme; inhitat, zeval. **to be on the ~,** azalmağa yüz tutmak; rağbetten düşmek; zevale yüz tutmak: **to go into a ~,** vereme tutulmak.
decline[2] *vb.* Nazikâne reddetmek, istinkâf etm.; kabul etmemek; meyletmek; (güneş vs.) batmak; zayıflamak; azalmak; tavsamak; tasrif etmek. **in one's declining years,** hayatın sonuna doğru.
declivity [di'kliviti]. Dik iniş, meyil.
declutch [dii'klʌtʃ]. Debreyaj yapmak.
decode ['dii'koud]. Şifreyi çözmek.
decompos·e ['diikəm'pouz]. Tefessüh etm., çürü(t)mek; (unsurlara) ayr(ıl)mak, inhilâl etm.; tahlil etmek. **~ition** [–pe'ziʃn], (aslî unsurlara) ayrılma, inhilâl; çürüme.
deconsecrate ['dii'konsəkreit]. Dinî olmaktan çıkarmak.
decorat·e ['dekəreit]. Süslemek, donatmak; (oda) boyamak veya kâğıd kaplamak; nişan vermek. **~ion** [–'reiʃn], süsleme, donatma; nişan verme; nişan. **~ive,** süsleyici, süslemeğe yarıyan. **~or,** mefruşatçı; odaları kağıdlıyan veya boyayan.
decorous ['dekərəs]. Edeb ve terbiyeye uygun; münasib, yarışık alır.
decorticate ['dii'kootikeit]. Kabuğunu soymak.
decorum [di'koorəm]. Edeb ve terbiye; muaşeret adabı.
decoy [di'koi]. Tuzak; ördek tuzağı; yem; çağırtkan (kuş). Tuzağa düşürmek; hile ile cezbetmek.
decrease *n.* ['diikriis] azalma, küçülme. *vb.* [di'kriis] azal(t)mak, küçül(t)mek. **to be on the ~,** gittikçe azalmak.
decree [di'krii]. İrade, emir, hüküm, karar. İrade etm., emretmek, hükmetmek.
decrepit [di'krepit]. İhtiyar ve dermansız; zayıf ve bitkin; köhne, kurada; çökmeğe yüz tutan. **~ude** [–tjuud], ihtiyarlık ve dermansızlık; köhnelik.
decry [di'krai]. Kötülemek, yermek.
dedicat·e ['dedikeit]. Vakfetmek, tahsis etm.; takdis etm.; ithaf etmek. **~ion** [–'keiʃn], vakıf, tahsis, takdis; ithaf. **~ory,** vakıf veya ithafa aid.
deduce [di'djuus]. Netice çıkarmak, istidlâl etmek.
deduct [dı'dʌkt]. Hesabdan tenzil etm.; çıkarmak; indirmek; tarhetmek. **~ion,** tenzil edilen mikdar; istidlâl. **~ive,** istidlâlî.
deed [diid]. Fiil; iş; amel; hareket; sened, vesika, mukavelename, hüccet. **in ~,** hakikatte, bilfiil: ⌜**~s not words**⌝, ⌜ayinesi iştir kişinin lâfa bakılmaz⌝. **deed-box,** evrak kutusu. **deed-poll,** tek taraflı mukavelename.
deep [diip] *a.* Derin; kalın, gür (ses); koyu (renk). *n.* Derin yer. **the ~,** deniz: **the ~ end,** yüzme havuzunun derin tarafı: **to go off the ~ end,** (*kon.*) hiddetlenmek; fazla heyecanlanmak: **~ into the night,** gecenin ilerlemiş saatlerinde: **in the ~ of winter,** karakışta: **to commit a body to the ~,** bir ölüyü denize gömmek: **two [four] ~,** üç [dört] sıra: ⌜**still waters run ~**⌝, derin düşünen insanlar çok konuşmaz. **deep-chested,** geniş göğüslü. **deep-drawn, ~ sigh,** derin iç çekmesi. **deep-laid, ~ plan,** gizlice ve meharetle hazırlanmiş plân. **deep-seated,** köklü. **deep-set, ~ eyes,** çukur göz.
deepen ['diipn]. Derinleş(tir)mek; koyulaş(tır)mak; (ses) toklaş(tır)mak.
deer [diə*]. Geyik, karaca. **~skin,** ceylan derisi.
deface ['di'feis]. Görünüşünü bozmak; çirkinleştirmek.
defalcat·e ['diifalkeit]. İhtilas etm., emanet edilen parayı çalmak. **~ion** [–'keiʃn], ihtilas, zimmetine para geçirme.
defam·ation ['diifa'meiʃn]. İftira, bühtan. **~atory** [–'famətəri], iftiralı, iftira ve isnadı havi. **~e** [di'feim], iftira etm., bühtan etm., adını kötülemek.

default [di'foolt] *n.* (Bir şeyi yapmakta vs.) kusur, ihmal; gıyab; noksan; tediye etmeyiş. *vb.* (Bir şeyi yapmakta) kusur etm., ihmal göstermek; mahkemede hazır bulunmamak; borclarını ödeyememek. **judgement by ~,** gıyabî hüküm: **match won by ~,** rakib gelmediği için hükmen galib gelme: **in ~ of,** hazır bulunmadığı için; onun yerine. **~er,** borclarını ödemiyen veya taahhüdünü yerine getirmiyen kimse; zimmetine para geçiren kimse; (*huk.*) gaib; (*ask.*) suçlu.
defeat [di'fiit]. Mağlubiyet, bozgun. Mağlub etm., yenmek; bir işi bozmak. **~ism,** bozgunculuk. **~ist,** bozguncu.
defect [di'fekt]. Noksan, kusur, eksiklik; sakatlık.
defection [di'fekʃn]. İstinkâf; mensub olduğu parti veya zümre veya ordudan çekilme, terketme.
defective [di'fektiv]. Kusurlu, noksan, sakat; (*gram.*) eksik sıygalı.
defence [di'fens]. Müdafaa, himaye, koruma; müdafaaname. **~s,** müdafaa siperleri veya istihkâmlar. **counsel for the ~,** müdafaa vekili.
defend [di'fend]. Müdafaa etm., himaye etm., korumak; tarafını tutmak. **~ant,** dâva edilen. **~er,** müdafi, koruyucu; hâmi.
defens·ible [di'fensibl]. Müdafaa edilebilir. **~ive,** tedafüî: **to be [stand] on the ~,** müdafaada kalmak.
defer[1] [di'fəə*]. Tehir etm.; geciktirmek. **~red payment,** tehir edilen ödeme; taksitle tediye: **~red shares,** bir anonim şirkette kıdemli hissedarların hakkı ödendikten sonra kalan kârı paylaşan hisseler. **~ment,** tehir, geciktirme.
defer[2]. **to ~ to,** ···e hürmet ve riayet etmek. **~ence** ['defərəns], riayet, ihtiram; mümaşat: **in [out of] ~,** hürmeten, riayeten: **with all due ~ to you,** hatırınız kalmasın! **~ential** ['defə'renʃiəl], hürmetkâr; mümaşatkâr.
defian·ce [di'faiəns]. Meydan okuma. **to bid ~ to s.o., to set s.o. at ~,** birisine meydan okumak. **in ~ of the law,** kanunu hiçe sayarak; kanuna rağmen. **~t,** meydan okuyan; serkeş.
deficien·cy [di'fiʃnsi]. Noksan, eksiklik; açık. **~t,** kusurlu, noksan, eksik: **to be ~ in stg.,** bir şeye kâfi mikdarda malik olmamak.
deficit ['defisit]. (Bütçede vs.) Açık; noksan.
defile[1] ['diifail] *n.* Pek dar geçid; boğaz. *vb.* [di'fail], sıra ile kolda yürümek.
defile[2] [di'fail] *vb.* Pisletmek, kirletmek, lekelemek; iffetini bozmak. **~ment,** pisletme, kirletme; pislik.
definable [di'fainəble]. Tarif edilebilir.
define [di'fain]. Tarif etm., izah etm.; tavzih etm.; tesbit ve tayin etmek.
definit·e ['definit]. Kat'î, muayyen: **~ly,** kat'î olarak, muhakkak, şübhesiz. **~ion** [–'niʃn], tarif; izah, tayin, vuzuh. **~ive** [–'finitiv], nihaî, son; kat'î.
deflat·e [dii'fleit]. Havasını boşaltarak indirmek; söndürmek; azaltmak, küçültmek. **~ion** [–'fleiʃn], (lâstik vs.) havasını boşaltarak indirme, söndürme; fiatları indirmek için piyasadaki para mikdarını azaltma.
deflect [dii'flekt]. İnhiraf et(tir)mek, inhina et(tir)mek; başka tarafa döndürmek; caydırmak. **~ion,** inhiraf, sapma.
deflower [dii'flauə*]. Çiçeklerini koparmak; bekâretine dokunmak.
defoliate [dii'foulieit]. Yapraklarını koparmak.
deforest [dii'forest]. Bir bölgenin ağaclarını kesmek; ormanı ortadan kaldırmak. **~ation** [–teiʃn], ağacsızlandırma.
deform [di'foom]. Şeklini bozmak, çirkinleştirmek. **~ed,** biçimsiz, çirkin, çarpık çurpuk. **~ation,** şeklini bozma, çirkinleştirme. **~ity** [–'foomiti], biçimsizlik; sakatlık.
defraud [dı'frood]. Dolandırmak, aldatmak. **to ~ s.o. of stg.,** birini hile ile bir şeyden mahrum etm., hakkını yemek.
defray [di'frei]. (Masraf vs.yi) ödemek, kapatmak.
defrost [dii'frost]. Buzunu temizlemek.
deft [deft]. Mahir, usta, becerikli, eli çabuk.
defunct [di'fʌnkt]. Müteveffa, ölmüş.
defy [di'fai]. Meydan okumak; karşı koymak, mukavemet etm., dayanmak. **I ~ you to do so!,** yap da göreyim!, alnını karışlarım: **to ~ description,** tasviri imkânsız olmak.
degenera·cy [dii'dʒenərəsi]. Tereddi hali, soysuzlaşma. **~te** *a.* [–rit], mütereddi, soysuzlaşmış; *vb.* [–reit], tereddi etm., soysuzlaşmak. **~tion** [–'reiʃn], tereddi, soysuzlaşma.
degrad·ation [ˌdegrə'deiʃn]. Rütbe indirme; alçal(t)ma; tezlil, zillet, şerefsizlik. **~e** [dii'greid], rütbesini indirmek; alçaltmak; tezlil etm., şeref ve haysiyetini kırmak.
degree [di'grii]. Derece, mertebe, kademe; rütbe; ünvan; paye. **by ~s,** yavaş yavaş, tedricen: **to some ~,** bir dereceye kadar: **to take one's ~,** bir üniversiteden mezun olm., şahadetnamesini almak.
dehydrate [dii'haidreit]. Suyunu almak, kurutmak.
deif·ication ['dii·ifi'keiʃn]. Tanrılaştırma. **~y** ['dii·ifai], tanrılaştırmak.
deign [dein]. Tenezzül etmek.

deism [ˈdii·izm]. Hiç bir dine bağlı olmıyarak Allahın varlığına iman.
deity [ˈdii·iti]. Üluhiyet, tanrılık; ilâh, tanrı.
deject·ed [diˈdʒektid]. Meyus, kederli, keyfi kaçmış; süngüsü düşük. **~ion** [–ʃn], meyusluk, melâl, keyifsizlik.
delation [diˈleiʃn]. Gammazlık.
delay [diˈlei]. Gecik(tir)me, tehir, teehhür. Gecik(tir)mek, tehir etm., teehhür etm.; alıkoymak. **delayed-action,** tavikli.
delectable [diˈlektəbl]. Pek hoş, nefis, lâtif.
delegat·e [ˈdeligit] *n.* Mürahhas, delege. *vb.* [–geit], Mürahhas olarak göndermek. **~ion,** mürahhas heyeti; mürahhas olarak gönderme.
delet·e [diiˈliit]. Silip çıkarmak, kazımak, silmek. **~ion** [–ʃn], silip çıkarma, kazma.
deleterious [deliˈtiərjəs]. Zararlı; sıhhate dokunur.
Delft [delft]. Holandada yapılan bir nevi mavi porselen.
deliberat·e [diˈlibərit] *a.* Kasdî, önceden düşünülmüş; mahsus; düşünceli; temkinli; ağır. *vb.* [–reit] Uzun uzatıya düşünmek, teemmül etm., müzakere etmek. **~ion** [–reiʃn], uzun uzatıya düşünme, teemmül; müzakere; temkin; dikkat ve itina. **~ive** [–tiv], müzakereye aid.
delica·cy [ˈdelikəsi]. Zarafet, incelik, nezaket, naziklik; hassaslık; bünyesı nazik olma, nahiflik. **to feel a ~ about doing stg.,** bir meselenin nezaketini hissederek çekinmek: **table delicacies,** nefis yiyecek. **~te** [ˈdelikit], ince, zarif, nazik, hassas; nahif: **to tread on ~ ground,** nazik bir meseleye dokunmak.
delicious [diˈliʃəs]. Nefis, hoş, tatlı, leziz.
delight [diˈlait]. Haz, zevk, safa; neş'e. Çok zevk vermek; sevindirmek; çok haz duymak, zevk almak, sevinmek, bayılmak. **~ful,** pek hoş, lâtif, nefis.
delimit [diiˈlimit]. Hududunu çizmek, tahdid etmek.
delineate [diiˈlinieit]. Şeklini çizmek, tersim etm., tavsif etmek.
delinquen·cy [diˈlinkwənsi]. Suçluluk, suç. **~t,** suçlu, kabahatli.
deliri·ous [diˈliriəs]. Sayıklıyan; hezeyanlı; çılgın. **~um,** sayıklama; hezeyan; çılgınlık: **~ tremens,** hezeyanı mürteiş.
deliver [diˈlivə*]. Kurtarmak; teslim etm., tevdi etm., vermek; (mektub vs.) tevzi etmek. **to ~ a message,** başkasına aid bir haber vs.yi vermek: **to ~ oneself of an opinion,** bir fikri ileri sürmek: **to ~ s. o., stg. (up, over) to s.o.,** birine bir şeyi teslim etm.; devretmek: **to ~ a woman (of a child),** bir kadını doğurtmak.
deliver·ance [diˈlivrəns]. Kurtarış, kurtuluş; ifade etme; ileri sürme. **~y,** teslim; tevzi; verim; takrir; konuşma veya ders vs. verme tarzı; doğurma; kurtulma; haber vs. götürüp verme: **to accept ~ of,** teslim almak: **to take ~ of,** tesellüm etm.: **on ~,** tesliminde.
dell [del]. Kuytu ve ağaclıklı çukur yer.
Delphic [ˈdelfik]. **the ~ Oracle,** eski Yunanistanda Delfi şehrindeki Apollon hâtifi ki sorulan suallere ekseriya iki manaya gelen cevablar verirdi.
delphinium [delˈfiniəm]. Hezaren çiçeği.
delude [diˈljuud]. Aldatmak; kandırmak.
deluge [ˈdeljudʒ]. Tufan; şiddetli yağmur. Sel basmak, tufana boğmak; çok ıslatmak.
delus·ion [diˈluuʒn]. Aldatma; aldanma; gaflet, hayal, zehab. **Ali is under the ~ that he knows French,** Ali fransızca bildiği vehmindedir. **~ive** [–siv], aldatıcı.
delve [delv]. Kazmak; altını üstüne getirerek araştırmak.
demagnetize [diiˈmagnitaiz]. Miknatisliğini gidermek.
demagog·ue [ˈdemagog]. Avamfirib, demagog. **~y,** avamfiriblik.
demand [diˈmaand]. Taleb; isteme; ihtiyac. Taleb etm., istemek; icabetmek. **to be in great ~,** çok rağbette olm.: **I have many ~s upon my time,** vaktim doludur: **payable on ~,** ibrazında tediye olunacak.
demarcate [ˈdiimaakeit]. Hududunu çizmek; ayırmak; tefrik etmek.
demean [diˈmiin]. **~ oneself,** kendini alçaltmak; (*zarf ile*) hareket etm.: **to ~ oneself honourably,** şeref sahibi bir insan gibi hareket etmek. **~our,** hal, hareket, tavır, vaziyet.
dement·ed [diˈmentid]. Deli, çılgın. **~ia** [–menʃə], delilik, cinnet.
demesne [[dıˈmiin, –mein]. Mülk, malikâne.
demi- [ˈdemi]. *pref.* Yarı ....
demigod [ˈdemigod]. Yarı ilâh.
demijohn [ˈdemidʒon]. Damacana.
demilitarize [diiˈmilitəraiz]. Gayrıaskerî hale getirmek.
demise [diˈmaiz]. Ölüm; terk, ferağ. Terketmek, feragat etmek.
demobilize [diiˈmoubilaiz]. Terhis etmek.
democra·cy [diˈmokrəsi]. Halk hükûmeti, halkçılık. **~t** [ˈdeməkrat], halkçı. **~tic** [–ˈkratik], halk hükûmetine aid, halkçı.
demol·ish [diˈmoliʃ]. Yıkmak, tahrib etmek. **~ition** [deməˈliʃn], yıkma, tahrib.
demon [ˈdiimən]. Şeytan, iblis, ifrit, zebani. **~iac** [diiˈmoniak], şeytanî, cılgın. **~ism,** şeytanlara iman.
demonetize [diiˈmonitaiz]. (Para vs.) kıymetten düşürmek.

demonstrable [di'monstrəbl]. İsbat veya izah edilebilir.
demonstrat·e ['demənstreit]. Tecrübe veya tatbikat ile izah veya isbat etm.; izah etm., iyice göstermek; gösteriş yapmak; nümayişte bulunmak. **~ion** [–'streiʃn], tatbikat ile isbat, izah, gösterme; izhar; gösteriş; nümayiş. **to make a ~,** tezahuratta bulunmak, nümayiş yapmak. **~ive** [–'monstrətiv], coşkun; hislerini saklıyamayıp açıkça gösteren: **~ adjective,** işaret sıfatı. **~or** ['demənstreitə*], nümayişçi; bir fizik vs. profesörünün asistanı.
demoraliz·e [di'morəlaiz]. Ahlâkını bozmak; maneviyatını kırmak [bozmak]; yeis vermek. **~ation** [–'zeiʃn], ahlâkını bozma, cesaretini kırma, maneviyatı bozulma.
demote [dii'mout]. Rütbesini indirmek.
demur [dı'məə*]. Tereddüd etm., müşkülat çıkarmak.
demure [dı'mjuə*]. Uslu ve temkinli ve çekingen; ağır başlı, ciddî; (*bazan*) yalancıktan mahcub.
demurrage [dı'mʌridʒ]. İstalya; istalya ücreti.
den [den]. İn, mağara; sığınak; ufak oda.
denationalize [dii'naʃənəlaiz]. Millî haklardan mahrum etm.; gayrımillî bir şekle sokmak; devlet inhisarından çıkarmak.
denaturalize [dii'natʃərəlaiz]. Gayrı tabiî bir şekle sokmak.
denature [dii'neitʃuə*]. Tabiatini (vasfını veya mahiyetini) değiştirmek.
deniable [di'naiəbl]. İnkâr edilebilir.
denial [dı'naiəl]. İnkâr; yalanlama; red; feragat. **a ~ of justice,** ihkakı haktan imtina: **I will take no ~,** muhakkak ···melisiniz; lâmı cimi yok.
denigrate ['denigreit]. Kötülemek, zemmetmek.
denizen ['denizn]. Bir yerde sakin, oturan, yerleşmiş.
Denmark ['denmaak]. Danimarka.
denominat·e [di'nomineit]. **to ~ s.o. (stg.) as ...,** ... adını vermek, tavsif etmek. **~ion** [–'neiʃn], isim; ad verme; zümre, nevi, cins. **~ional,** bir dinî zümreye mensub. **~or** [–'nomineitə*] (*mat.*) mahrec.
denot·ation [diinou'teiʃn]. Mana, delâlet, işaret. **~e** [di'nout], göstermek, delâlet etm.; kasdetmek, demek; tazammun etmek.
dénouement [dei'nuumoŋ]. Bir piyes vs. netice.
denounce [dı'nauns]. Alenen itham etm.; şiddetle aleyhinde bulunmak; koğculuk etm., ihbar etm.; ele vermek; muahede vs.nin bittiğini haber vermek.
de novo ['dii'nouvou]. Yeniden, tekrar.
dens·e [dens]. Sık, kesif, koyu; abdal. **~ity,** sıklık, kesafet, koyuluk; abdallık.
dent [dent]. Çentik. Çentmek.
dent·al ['dentl]. Dişe aid. **~ surgeon,** diş doktoru. **~ifrice** [–ifris], diş macunu veya tozu. **~ist** [–ist], dişçi. **~istry,** dişçilik. **~ition** [–'tiʃn], diş çıkarma; dişlerin şekli ve sayısı, diş yapısı. **~ure** ['dentʃə*], takma diş; dişler.
denud·ation [diinju'deiʃn]. Çıplak bırakma. **~e** [dii'njuud], çıplak bırakmak; mahrum etmek.
denunciat·ion [di'nʌnsieiʃn]. Alenen itham etme; ihbar; şiddetle aleyhinde bulunma; (bir muahede vs.nin) yenilenmiyeceğini haber vermek. **~ive, ~ory,** itham edici; hücum edici; ihbar eden.
deny [di'nai]. İnkâr etm.; tanımamak; nasib etmemek. **to ~ stg. to s.o.,** birine bir şeyi vermemek, nasib etmemek: **to ~ oneself stg.,** kendini bir şeyden mahrum etm.: **to ~ the door to s.o.,** birini içeri almamak, birini kabul etmemek: **there 's no ~ing that,** ···dığı inkâr edilemez: **he is not to be denied,** ona red cevabı verilemez, o red kabul etmez.
deodar ['diiodaa*]. Hindistan sedresi.
deodor·ant [dii'oudərənt]. Kokusunu gideren ilâc. **~ize** [–'raiz], kokusunu gidermek.
deoxidize [dii'oksidaiz]. Oksijenini gidermek.
depart [di'paat]. Gitmek, ayrılmak. **~ from,** terketmek. **~ed,** gitmiş, ayrılmış; geçmiş, yok olmuş: **the ~,** müteveffa, merhum.
department [di'paatmnt]. Daire, şube, kalem; kısım. **~ store,** büyük mağaza. **~al** [–'mentl], bir şube veya daireye aid.
departure [di'paatʃə*]. Gitme, ayrılma, mufareket, azimet, kalkış. **a new ~,** yeni bir temayül, yeni bir cereyan; yeni bir âdet.
depauperize [dii'poopəraiz]. Fakirlikten kurtarmak.
depend [di'pend]. Asılı olm., asılmak. **~ on,** ···e bağlı olm., tâbi olm.; güvenmek: **that ~s, it all ~s,** belli olmaz: **that ~s on you,** bu size bağlıdır, sizin elinizdedir: **to ~ on s.o.,** geçimi birine bağlı olm., birinin eline bakmak: **to ~ (up)on s.o.,** birine bel bağlamak, birine güvenmek; birinden emin olmak. **~able,** güvenilir, emin. **~ant,** başkasının himaye veya yardımına muhtac olan kimse.
dependen·ce [di'pendens]. Bağlılık; bel bağlama; güvenme. **to place ~ on s.o.,** birine güvenmek. **~cy,** müstemleke, tâbi yer; bağlı olma, tabi olma: **~cies,** müştemilat. **~t,** birine bağlı, tâbi; asılı; *bk.* **dependant.**
depict [di'pikt]. Resmini yapmak, tasvir etm., göstermek.

depilatory [diˈpilətəri]. Kılları gideren ilac.
deplenish [diˈpleniʃ]. Eşyasını boşaltmak, azaltmak.
deplet·e [diˈpliit]. Tüketmek, azaltmak. **~ion** [–pliiʃn], tüketme.
deplor·e [diˈploo*]. Acımak, esef etm.; ···e müteessir olm.; ···den şikâyet etm., fena bulmak. **~able,** acınacak, merhamete değer; pek fena, berbad.
deploy [diˈploi]. (*ask.*) Açmak, yaymak, yayılmak.
deponent [diˈpounənt]. Yazı ile ifade veren şahid.
depopulat·e [diiˈpopjuleit]. Nüfusunu boşaltmak veya azaltmak. **~ion,** nüfusunu azaltma.
deport[1] [diˈpoot]. Memleketten dışarı tardetmek, sürmek, hudud haricine çıkarmak. **~ation** [diipooˈteiʃn], hudud haricine çıkarma, sürgün.
deport[2]. **to ~ oneself,** hareket etm., davranmak. **~ment,** tavır, hal ve hareket, muamele.
depose [diˈpouz]. Yerinden çıkarmak, azletmek, hal'etmek. **to ~ to a fact,** şehadet etmek.
deposit [diˈpozit] *n.* Tortu, rüsub; tabiî yığıntı; emanet, mevduat, depozito; pey. *vb.* Koymak, vaz'etmek; tevdi etm.; yatırmak; pey vermek. **on ~,** emanette; faize yatırılan para. **~ary,** emanetçi, muhafaza eden kimse. **~or,** emanet eden; para yatıran kimse. **~ory,** depo, ambar, arziye.
deposition [diipouˈziʃn]. Yerinden çıkarma; hal'etme; (*huk.*) şahidin yazılı ifadesi.
depot [ˈdepou]. Debboy; ambar; ardiye: bir alayın merkezi.
deprav·e [diˈpreiv]. İfsad etm., ahlâkını bozmak; bozmak. **~ed,** ahlâkı bozuk. **~ity** [–ˈpraviti], ahlâk bozukluğu, ahlâksızlık.
deprecat·e [ˈdeprəkeit]. İsrarla mani olmağa çalışmak, hiç tasvib etmemek. **~ory** [–prəkətəri], tasvib etmiyen, muhalif ve muteriz.
depreciat·e [diˈpriiʃieit]. Kıymetini düşürmek; değerini küçültmek; kıymetten düşmek. **~ion,** kıymetini düşürme; değerini inkâr; kıymetten düşme; (*tic.*) aşınma, aşınma payı. **~ory** [–təri], kıymetini düşürücü.
depredation [ˌdeprəˈdeiʃn]. Yağma; tahribat; zarar.
depress [diˈpres]. Bastırmak, indirmek; ···e basmak; alçaltmak; zayıflatmak; neş'esini kırmak; kasvet vermek. **~ed,** kederli, süngüsü düşük. **~ing,** kasvetli, iç karartıcı. **~ion** [–ˈpreʃn], kasvet; melâl; (*tic.*) durgunluk; çukur, münhat yer; basılma.
depriv·e [diˈpraiv]. Mahrum etm., zorla elinden almak. **~al,** mahrumiyet. **~ation** [ˈdepriˈveiʃn], mahrum etme (olma); kaybetme.
depth [depθ]. Derinlik; boy; derin yer; tam ortası. **to get out of one's ~,** (suda) ayağı yerden kesilmek; (*mec.*) salâhiyeti haricine çıkmak: **in the ~s of despair,** tam bir ümidsizlik içinde: **in the ~ of winter,** karakışta. **depth-charge,** su bombası.
deput·e [diˈpjuut]. Vekil tayin etm., tevkil etmek. **~ation** [ˌdepjuˈteiʃn], murahhas heyeti; vekil tayin etme. **~ize** [ˈdepjutaiz] birine vekâlet etmek.
deputy [ˈdepjuti]. Vekil; meb'us; murahhas. **deputy-chairman,** reis vekili. **deputy-governor,** vali muavini.
derail [ˈdiiˈreil]. (Treni) yoldan çıkarmak.
derange [diˈreindʒ]. (Sırasını vs.) bozmak, karıştırmak; aklına dokunmak.
Derby [ˈdaabi]. **the ~,** 1780'denberi her sene Londra civarında Epsom'da yapılan meşhur at yarışı.
derelict [ˈderəlikt]. Terkedilmiş; metrûk; ıssız; metrûk gemi. **~ion** [–ˈlikʃn], terketme: **~ of duty,** vazifenin ihmali.
derestrict [ˈdii·rəˈstrikt]. Tahdidatı kaldırmak.
deride [diˈraid]. Alay etm., istihza etmek.
deris·ion [diˈriʒn]. İstihza, alay; alay mevzuu. **to hold s.o. in ~,** birile alay etmek. **~ive** [–ˈraisiv], alaycı, istihzalı. **~ory** [–ˈraisəri], istihzalı; gülünç.
deriv·e [diˈraiv]. Çıkarmak; müştak olm.; çıkmak. **to ~ pleasure,** zevk bulmak. **~ation** [ˌderiˈveiʃn], iştikak; menşe; asıl. **~ative** [–ˈrivətiv], iştikak etmiş, müştak.
derma·titis [ˈdəəməˈtaitis]. (*tıb.*) Cild iltihabı. **~tology** [–ˈtolədʒi], cild hastalıkları ilmi.
derogat·e [ˈderogeit]. **~ from,** azaltmak, ihlâl etmek. **~ion** [–ˈgeiʃn], ihlâl, dokunma, fenalaşma. **~ory** [–ˈrogətəri], itibar kırıcı, ihlâl edici; küçültücü, kötüleyici.
descend [diˈsend]. İnmek; alçalmak; (bir aileden) çıkmak; (babadan oğula) geçmek. **to ~ on s.o.,** birinin üzerine çullanmak; üşüşmek: **well ~ed,** iyi aileye mensub. **~ant,** bir aile veya soydan gelen kimse, torun, hafid.
descent [diˈsent]. İnme, iniş; soy, nesil, şecere; alçalma.
describe [diˈskraib]. Tarif etm., tasvir etm.; çizmek; anlatmak.
descrip·tion [disˈkripʃn]. Tarif; anlatma; tasvir; çizme; cins, çeşid. **to answer to s.o.'s ~,** birinin eşkâline [tasvirine] uymak. **~tive,** tasvirî, tarifli; **~ of,** ···i tasvir eden.

descry [dis'krai]. Görmek, seçmek.
desecrat·e ['desikreit]. (Mukaddes bir şeye karşı) hürmetsizlik etm.; telvis etmek. **~ion** [–'kreiʃn], hürmetsizlik, telvis.
desensitize [ˌdii'sensitaiz]. (Işığa karşı) hassasiyetini gidermek.
desert[1] [di'zəət] *n.* Lâyik olan şey; hak edilen şey. **to get one's ~s,** lâyığını bulmak.
desert[2] ['dezət] *n.* Çöl; çorak, kurak, hali, ıssız.
desert[3] [di'zəət] *vb.* Bırakıp kaçmak; terketmek; askerden kaçmak. **~ed,** terk edilmiş; hali, ıssız, tenha. **~er,** asker kaçağı. **~ion** [–'zəəʃn], bırakıp kaçma, terketme; firar.
deserv·e [di'zəəv]. Hak etm., lâyik olmak. **~edly,** haklı olarak. **~ing,** lâyik, değerli: **~ of,** …e müstahak, …e lâyik: **this is a ~ case,** bu adam (aile vs.) yardıma lâyıktır.
desiccate ['desikeit]. Kurutmak.
desideratum, *pl.* **-a** [dezidə'reitəm]. Eksik olan şey; ihtiyac.
design [di'zain] *n.* Plan; taslak, desen, resim; model, tip; maksad, tasavvur, meram. *vb.* Çizmek, planını yapmak, tasarlamak; tertib etm., hazırlamak; niyet etmek. **by ~,** mahsus, kasden: **with this ~,** bu maksadla. **~ing,** entrikacı, kurnaz, madrabaz.
designat·e ['dezigneit] *vb.* Tayin etm., tahsis etm.; göstermek; tavsif etm.; ad veya ünvan vermek. *a.* Tayin edilmiş. **~ion,** tayin, tahsis; isim, ünvan, sıfat; göster(il)me.
designedly [di'zainidli]. Mahsus, kasden.
designer [di'zainə*]. (Kumaş desenleri veya elbise modelleri çizen) ressam.
desir·e [di'zaiə*]. Arzu, istek. Arzu etm., istemek. **it leaves much to be ~ed,** mükemmel [kusursuz, tam] olmaktan uzaktır. **~ability** [–ə'biliti], arzu edilir olma, hoşa gitme: **the ~ of stg.,** bir şeyin faydalı olup olmadığı. **~able** [–ebl], makbul, hoş, beğenilir. **~ous** [–rəs], arzu eden, talib.
desist [di'sist]. Vazgeçmek, bırakmak.
desk [desk]. Yazı masası; kürsü; vezne, kasa; mekteb sırası.
desolat·e ['desəlit] *a.* Kuş uçmaz kervan geçmez, ıssız, tenha; viran; meyus ve perişan, kimsesiz. *vb.* ['deso'leit], Harab etm., perişan etm., meyus etmek. **~ion,** [desə'leiʃn], harablık, perişanlık; ıssızlık; yeis.
despair [dis'peə*]. Yeis, ümidsizlik, çaresizlik. Ümidini kesmek, meyus olmak.
despatch *bk.* **dispatch.**
desperado [ˌdespə'raadou]. Her şeyi gözüne almış cani; tehlikeli mücrim.
desperat·e ['despərit]. Ümidsiz; çok tehlikeli, her şeyi göze alan, mezbuhane hareket eden; şiddetli, azgın, çılgın. **~ion** [–'reiʃn], ümidsizlik, çaresizlik; her şeyi göze alma.
despicable [dis'pikəbl]. Alçak, aşağılık, denî, habis.
despise [dis'paiz]. Hakir görmek, hor görmek; istihfaf etmek.
despite [dis'pait] *n.* Garez, nisbet. *prep.* **~** [**in ~ of**], …e rağmen.
despoil [dis'poil]. Soymak, yağma etm., mahrum etmek.
despond [dis'pond]. Yeis, ümidsizlik. Ümidsizliğe düşmek, meyus olmak. **~ency,** ümidsizlik; bedbinlik. **~ent,** ümidsiz, meyus, bedbin.
despot ['despot]. Müstebid. **~ic** [–'potik], müstebid, karakuşî, keyfî. **~ism** ['despətizm], istibdad.
dessert [di'zəət]. (Yemeğin sonunda yenen) meyva veya tatlı.
destination [ˌdesti'neiʃn]. Gönderilen veya gidilecek yer.
destine ['destin]. Tahsis etm., tayin etm.; nasib etmek. **to be ~d,** tahsis edilmek; mukadder olm., nasib olm.; gidecek olmak. **I was ~d to see all this,** kaderimde bütün bunları görmek de varmış.
destiny ['destini]. Kader; talih.
destitut·e ['destitjuut]. Yoksul, mahrum; parasız, aç bîilac. **~ion** [–'tjuuʃn], yoksulluk; mahrumiyet.
destroy [dis'troi]. Yıkmak, tahrib etm., harab etm., imha etmek. **~er,** muhrib; destroyer; tahrib eden.
destruct·ible [dis'trʌktəbl]. Tahribi mümkün. **~ion** [dis'trʌkʃn], tahrib yıkma, imha; mahvolma; harabe. **~ive,** tahrib edici, yıkıcı, zararlı. **~or,** tahrib edici, imha eden: **refuse ~,** süprüntülerin yakıldığı fırın.
desuetude ['diiswitjuud]. Kullanılmama, istimalden sakıt olma; mer'iyetten kalkma.
desultory ['desltəri]. Rabıtasız, tertibsiz, usulsuz ve maksadsız, rasgele.
detach [di'tatʃ]. Ayırmak, çözmek: (*ask.*) hususî bir vazife ile göndermek. **~ed,** ayrı, müstakil; tarafsız, objektif. **~ment,** ayırma, ayrı durma; müfreze; tarafsızlık.
detail ['diiteil]. Tafsilat; ayrı parça; hususî bir vazife için seçilen grup. Tafsil etm., tafsilatla anlatmak, sayıp dökmek; hususî bir vazife ile göndermek. **in ~,** mufassalan: **in every ~,** her noktada.
detain [di'tein]. Alıkoymak, tutmak; geciktirmek; izinsiz bırakmak; hapsetmek.
detect [di'tekt]. Bulmak, meydana çıkarmak, keşfetmek, farketmek. **~ion** [–tekʃn], meydana çıkarma, keşif: **to**

escape ~, gözden kaçmak; iz bırakmamak. **~ive,** polis hafiyesi, detektif; meydana çıkarıcı: ~ **story,** cinaî roman. **~or,** detektör, bulucu, meydana çıkaran.

detention [diˈtenʃn]. Alıkoyma, tutma; tevkif; izinsiz; geciktirilme. **house of ~,** tevkifhane.

deter [diˈtəə*]. Vazgeçirmek; caydırmak; gözdağı vermek. **nothing will ~ him,** hiç bir şey onu durduramaz, yıldırmaz.

detergent [diiˈtəədʒənt]. Temizleyici.

deteriorat·e [diˈtiəriəreit]. Fenalaş(tır)mak, boz(ul)mak; kıymetten düş(ür)mek, tereddiye uğra(t)mak. **~ion** [–ˈreiʃn], fenalaşma, bozulma, kıymetten düşme, tereddi.

determin·e [diˈtəəmin]. Kat'î karar vermek, azmetmek; tayin etm., tesbit etm.; neticelendirmek. **~able,** tayini mümkün; (*huk.*) feshi mümkün. **~ate,** muayyen, mahdud. **~ation** [–ˈneiʃn], azim, karar, sebat: tasmim; tesbit, tahdid: **to come to a ~,** bir karara varmak: **an air of ~,** kat'î ve azimli tavır.

deterrent [diˈterənt]. Vazgeçiren, caydırıcı; önleyici (şey).

detest [diˈtest]. Nefret etm., hiç hoşlanmamak. **~able,** nefret edilecek, iğrenc; berbad. **~ation** [diitesˈteiʃn], nefret, igrenme: **to hold stg. in ~,** bir şeyden nefret etmek.

dethrone [diˈθroun]. Tahttan indirmek, hal'etmek.

detonat·e [ˈdetəneit]. Patla(t)mak, infilak et(tir)mek. **~or,** patlatıcı âlet, funya.

detour [ˈdeituə*]. Sapa yol, dolaşan yol. **to make a ~,** başka yoldan dolaşmak.

detract [diˈtrakt]. ~ **from,** azaltmak, küçültmek. **~or,** başkalarını çekiştiren, zemmeden.

detrain [ˈdiiˈtrein]. Trenden in(dir)mek.

detriment [ˈdetriment]. Zarar, ziyan. **~mental** [–ˈmentl], zararlı.

detritus [diˈtraitəs]. Taş ve kaya döküntüsü.

deuce[1] (djuus]. (Oyun kâğıdı) ikili; (tenis) 40 sayı ile beraber vaziyet.

deuce[2]. (*kon.*) Şeytan. **go to the ~!,** cehennem ol!: **we are in the ~ of a mess,** ayıkla pirincin taşını!: **he is the ~ of a liar,** sunturlu yalancıdır: **to play the deuce with stg.,** bir şeyi berbad etmek. **~d** [–sid], Allahın belâsı, berbad; bir çok.

devaluat·e [diiˈvaljueit]. Kıymetini düşürmek. **~ion** [–ˈeiʃn], kıymetini düşürme.

devastat·e [ˈdevəsteit]. Tahrib etm., mahvetmek, yakıp yıkmak. **~ion** [–ˈsteiʃn], tahrib, hasar.

develop [diˈveləp]. İnkişaf et(tir)mek; geliş(tir)mek, genişle(t)mek, aç(ıl)mak, tedricen meydana çık(ar)mak; (itiyad) peyda etm.; (*fot.*) banyo ile izhar etmek. **let us see how things ~,** hadiselerin inkişafını bekliyelim. **~ment,** inkişaf, gelişme, açılma; ilerleme; netice; hadise; (*fot.*) banyo ile izhar etme.

deviat·e [ˈdiivieit]. Sapmak, inhiraf etmek. **~ion** [–ˈeiʃn], sapma, inhiraf; pusulanın sapması.

device [diˈvais]. Cihaz, makine, âlet; tedbir; hüner, marifet; hile, oyun; arma vs. üzerindeki şekil veya cümle. **to leave s.o. to his own ~s,** birini kendi haline bırakmak, işine karışmamak.

devil [ˈdevl] *n.* Şeytan, iblis, zebani; habis ruh; Allahın belâsı; (insan) habis, zalim; (hayvan) Allahın belâsı, hain; bir avukat vs.nın muavin veya yamağı. ~ **a one** [**bit**], hiç mi hiç: ⌜**between the ~ and the deep blue sea**⌝, ⌜aşağı tükürsem sakalım yukarı tükürsem bıyığım⌝: **the blue ~s,** iç sıkıntısı: **to give the ~ his due,** kötü adamın bile hakkını vermek: **go to the ~!,** cehennem ol!: **he has gone to the ~,** (sefahate vurup) mahvoldu: **to have ~,** (asker, sporcu vs.) atılgan ve cesur olm: **how the ~ do you know that?,** bunu da nereden biliyorsun?: **(to do stg.) like the ~,** alabildiğine, domuzuna: **there'll be the ~ to pay,** bunun acısı sonra çıkar: **to play the ~ with,** berbad etm.: **the poor ~,** zavallı, adamcağız: **to raise the ~,** kıyamet koparmak: ⌜**talk of the ~ (and he's sure to appear)**⌝, *kendisinden bahsedilirken çıkagelen biri hakkında kullanılır*: **what the ~ are you doing?,** ne halt ediyorsun?: **John is engaged.' The ~ he is!',** 'John nişanlanmış'. 'Yok canım! deme!' **devil-may-care,** gözünü çöpten sakınmaz; hiç kimseye aldırmaz.

devil *vb.* (Eti) bol hardalla kızartmak. **to ~ for s.o.,** birinin muavini olarak en sıkıntılı islerini yapmak.

devil·ish [ˈdeviliʃ]. Habis, mel'unca; şeytanî; berbad; son derece yaman. **~ment, ~ry,** habaset, gaddarlık; şeytanlık, muziblik; çılgınlık, cüretkârane hareket.

devious [ˈdiiviəs]. Sapa, dolaşık; iğri; dürüst olmıyan.

devise [diˈvaiz]. İcadetmek; düşünüp bulmak; tasarlamak, kurmak; (*huk*) vasiyetle bırakmak.

devoid [diˈvoid]. ~ **of,** ···den arî, mahrum; ···siz.

devolution [ˌdiivoˈljuuʃn]. Miras yolu ile geçme; vazife, mes'uliyet vs.nin başkasına devri; (*biol*) tereddi.

devolve [diˈvolv]. **to ~ on,** ···e devretmek; ···e intikal etm., geçmek, düşmek.

devot·e [diˈvout]. Vakfetmek; tahsis etm., hasretmek, vermek. **~ed,** candan bağlı; mahvı mukadder, talihsiz. **to be ~ed to**

sport, kendini spora vermek: **blows fell upon his ~ed head,** talihsiz başına darbeler indi. **~ee** [devou'tii], bir şeye çok bağlı kimse; düşkün; hayran; sofu, zahid. **~ion** [di'vouʃn], derin bağlılık, sadakat; kendini vakfetme; fedakârlık; dindarlık, zühd ve takva. **~ional,** dua ve ibadete aid. **~ions,** dua, ibadet.

devour [di'vauə*]. Hayvan gibi yemek; yalayıp yutmak; yiyip bitirmek; yutmak; içini kemirmek.

devout [di'vaut]. Dindar, zahid; çok bağlı, candan, samimî.

dew [djuu]. Çiğ. Çiğ ile veya çiğ gibi ıslatmak. **~y,** çiğ ile kaplı; çiğ gibi buğulu. **dew-claw,** köpeğin arka tırnağı. **dew-drop,** çiğ damlası. **dew-point,** çiğ hasıl eden sıcaklık derecesi.

dewlap ['djuulap]. (Öküz vs.) boyundan sarkan deri.

dexter·ity [deks'teriti]. Hüner, meharet, ustalık, beceriklilik. **~ous** ['dekstrəs], becerikli, usta, meharetli; eli çabuk.

D.F.C. ['dii'ef'sii]. **Distinguished Flying Cross.** *Havacılara verilen bir nişan.*

diabet·es [ˌdaiə'biitiiz]. Şeker hastalığı. **~ic,** şeker hastalığına aid veya mübtelâ.

diabolical [ˌdaie'bolikl]. Mel'unca, habis; şeytanî.

diacritical [ˌdaiə'kritikl]. **~ marks,** harfler üzerinde veya altında ¨ ^ gibi işaretler.

diadem ['daiədem]. Tac; tac şeklinde başlık.

diaeresis [dai'iərəsis]. İki nokta (¨).

diagnos·e ['daiəgnouz]. (Hastalığı) teşhis etmek. **~is** [–'nousis], teşhis. **~tic** [–'nostik], teşhise aid.

diagonal [dai'agənl]. Çapraz hat, diyagonal. Çapraz.

diagram ['daiəgram]. Şekil, şema, grafik, diyagram. **~matic** [–'matik], şema halinde.

dial ['daiəl] *n.* Saat minesi, kadran; taksimatlı daire; güneş saati, basita; otomatik telefonda rakamları ihtiva eden daire. *vb.* Otomatik telefonun numaralarını çevirmek.

dialect ['daiəlekt]. Lehçe, ağız. **~al** lehçeye aid.

dialectic(s) [daiə'lektik(s)]. Mantığın esasları, diyalektik; münazara ilmi. **~al,** münazaraya aid. **~ian** [–lek'tiʃn], mantıkçı.

dialogue ['daiəlog]. Muhavere; muhavere şeklinde edebî yazı.

diamet·er [dai'amətə*]. Kutur. **~rical** [–'metrikl], kutrî: **~ly opposed,** taban tabana zıd.

diamond ['daiəmənd]. Elmas; baklava şekli; (iskambil) karo; dört buçuk puntoluk harf. **cutting ~,** camcı elması: ⌜**~ cut ~**⌝, ⌜dinsizin hakkından imansız gelir⌝: **a rough ~,** kaba fakat iyi kalbli: **~ wedding,** bir düğünün altmışıncı yıldönümü.

diapason [daiə'peizən]. (*mus.*) Gittikçe yükselen ahenk; diyapazon; orgun en mühim boru takımları.

diaper ['daiəpə*]. Kundak bezi; kareli ipek veya keten kumaşı; kareli veya baklava şeklinde süs.

diaphonous [dai'afənəs]. Şeffaf.

diaphragm ['daiəfram]. Göğüs ile karın arasındaki zar, diyafram; zar; hicabi hâcız.

diarist ['daiərist]. Ruzname tutan, muhtıra yazan.

diarrhoea [ˌdaiə'riə]. İshal.

diary ['daiəri]. Ruzname; muhtıra defteri.

diathermy ['daiə'θəəmi]. Elektrikle sıcaklık vererek tedavi usulü.

diatom ['daiətom]. Tek hücreli, sert kabuklu pek küçük bir nevi deniz hayvanı.

diatribe ['daiətraib]. Şiddetli hiciv veya hücum.

dibber, dibble ['dibə*, 'dibl] *n.* Fide kazığı. *vb.* **dibble,** fide kazığile fidan yahud tohum dikmek.

dice [dais]. Oyun zarları. Zar oynamak; mikâb şeklinde küçük küçük doğramak.

dichotomy [di'kotəmi]. İkiye ayrılma, çatallaşma.

dickens ['dikənz] (*Nezaketen* **devil** *yerine kullanılır*) şeytan. **what the ~ are you doing here?,** burada ne halt ediyorsun?

dicky[1] ['diki] *n.* Plastron yaka; iki kişilik otomobilin arkasındaki eşya veya oturacak mahal; (çocuk dilinde) kuş.

dicky[2]. (*arg.*) Kırık, çürük; sarsak, dermansız.

dicotyledon [ˌdaikoti'liidən]. Tohumu çifte kabuklu nebat, ||ikiçenekli.

dictaphone ['diktəfoun]. Söylenen şeyleri kaydedip istenildiği zaman tekrar eden âlet.

dictat·e [dik'teit]. Söyleyip yazdırmak; imlâ yazdırmak; zorla kabul ettirmek. **I won't be ~ed to,** ben emre gelemem. **~ion,** imlâ yazdırma; emretme. **~or,** diktatör; emreden kimse. **~orship,** diktatörlük.

diction ['dikʃn]. Kelimeleri kullanma tarzı; konuşma şekli.

dictionary ['dikʃnri]. Lûgat kitabı; sözlük.

dictum ['diktəm]. Salâhiyetli fikir veya hüküm; meşhur söz, vecize.

did *bk.* **do.**

didactic [dai'daktik]. Öğretici, talimî; ükalâlığa kaçan. **~s,** öğretme san'ati.

diddle ['didl]. (*kon.*) Aldatmak; yutturmak.

die[1] [dai] *n.* Oyun zarı; kalıb; ıstampa; pafta lokması. **the ~ is cast,** ok yaydan

çıktı. **die-sinker,** baskı kalıbcısı. **die-stock,** pafta kolu.
die² (died, dying) [dai, daid, dai·iŋ] *vb.* Ölmek, vefat etmek. **to be dying to do stg.,** bir şeyi yapmağı şiddetle arzu etm.: **'never say ~!',** cesaretini kaybetme!, ümidini kesme!: **to ~ away [down],** gittikçe hafifleyip kaybolmak: **to ~ off,** birer birer ölmek; (ağac vs.) tedricen kurumak: **to die out,** yavaş yavaş ortadan kalkmak.
dielectric [ˌdaiəˈlektrik]. (*elek.*) Gayrı nakil madde.
dieresis *bk.* **diaeresis.**
dies non [ˈdaiizˈnon]. (*huk.*) Tatil günü, sayılmıyan gün.
diet¹ [ˈdaiət] *n.* Yiyecek, gıda; perhiz yemeği, rejim. *vb.* Perhize koymak; rejim yapmak. **~ary,** gıda rejimi. **~etic** [–ˈtetik], gıda rejimine aid.
diet². Bazı memleketlerde millî meclis.
differ [ˈdifə*]. Farketmek, benzememek, (bir hususta birinden) ayrılmak, farklı olm.; aynı fikirde olmamak. **I beg to ~,** müsaadenizle ben bu fikirde değilim.
differen·ce [ˈdifərəns]. Fark; ihtilaf, niza. **~s arose,** münakaşa çıktı: **that made all the ~,** bu her şeyi değiştirdi: **it makes no ~,** aynı şey, hepsi bir: **settle your ~s,** anlaşınız: **to split the ~,** farkı paylaşmak, farkın yarısını almak. **~t,** farklı; muhtelif, türlü; başka: **I feel a ~ man,** kendimi bambaşka hissediyorum: **that's a ~ matter,** o başka mesele, o mesele başka.
differentia·l [difəˈrenʃəl] *a.* Farka aid; (*mat.*) tefazulî. *n.* (*otom.*) Diferansiyel. **~te** [–ʃieit], ayırd etm., fark etm.; ayrı seçi yapmak.
difficult [ˈdifiklt]. Güç, zor, müşkül; müşkülpesend. **~ (to get on with),** titiz, huysuz. **~y,** zorluk, güçlük, müşkûlat; sıkıntı.
diffiden·ce [ˈdifidəns]. Çekingenlik, ihtiraz, kendine güvenmeyiş. **~t,** çekingen, ihtirazlı, kendine güvenmiyen.
diffract [diˈfrakt]. (Işığı) inkisar ettirmek. **~ion** [–ʃn], inkisar. **~ive,** inkisar ettirici.
diffuse¹ [diˈfjuus] *a.* Pek tafsilatlı, uzun uzadiya; yayılmış, dağılmış. **~ness,** fazla tafsilat verme, uzun uzadıya söz.
diffus·e² [diˈfjuuz] *vb.* Yaymak, dağıtmak. **~ion** [–fjuuʒn], yayılma, dağılma; yayma.
dig¹ [dig] *n.* Kazma; dürtme. **I have been having a ~ in [at] the garden,** bahçeye bir kaç kazma vurdum: **to give s.o. a ~ in the ribs,** birini dürtmek: **to have a ~ at s.o.,** birini dürtmek, birine taş atmak.
dig² (dug) [dig, dʌg] *vb.* Kazmak, bellemek; çukur açmak, kazıp çıkarmak; dürtmek, batırmak. **to ~ away at stg.,** (*kon.*) çok çalışmak, kafasını patlatmak: **to ~ in,** gömmek, siper kazmak: **to ~ into [through],** kazıp delmek, delmek: **to ~ one's toes in,** direnmek: **to ~ out,** kazıp çıkarmak, keşfetmek: **to ~ up,** sökmek, meydana çıkarmak. **~ging,** *n.* kazma, belleme. **~gings** (*kıs.* **digs**), mobilyalı oda, pansiyon.
digest¹ [ˈdaidʒest] *n.* İcmal, hulâsa; mecmua.
digest² [diˈdʒest, daiˈdʒest] *vb.* Hazmetmek; sindirmek. **~ible,** hazmı kolay. **~ion** [–ˈdʒestʃən], hazım, hazmetme, sindirme. **~ive,** hazmettiren, midevî.
digger [ˈdigə*]. Altın kazıcı; kazma âleti; (*kon.*) Avustralyalı asker.
digit [ˈdidʒit]. Parmak; rakam. **~al,** parmağa aid.
digitalis [didʒiˈteilis]. Yüksükotu; dijitalin.
dignified [ˈdignifaid]. Vakur, ağır başlı.
dignify [ˈdignifai]. Yükseltmek, şeref veya paye vermek, şatafatlı ünvan vermek. **you can hardly ~ it by the name of a country-house,** ona sayfiye ismini vermek fazla olur.
dignitary [ˈdignitəri]. Yüksek rütbeli kimse *bilh.* ruhanî.
dignity [ˈdigniti]. Vakar, haysiyet, itibar; yüksek makam veya rütbe. **to be [stand] on one's ~,** yukarıdan almak [muamele etm.], aşağıdan almamak, (*bazan*) sahte vakar olmak: **it is beneath your ~ to accept it,** bunu kabul etmeğe tenezzül edemezsiniz.
digress [daiˈgres]. Sadedden [mevzudan] ayrılmak. **~ion** [–ˈgreʃn], sadedden ayrılma: **this by way of ~,** istitraden söyliyeyim ki.
dike [ˈdaik]. Su seddi, bend; duvar; hendek, ark. Sed yapmak, hendek açmak.
dilapidat·e [diˈlapideit]. Harab etm., tahrib etm.; kırıp dökmek. **~ed,** harab, köhne, viran, yıkık. **~ion** [–ˈdeiʃn], harabolma, viran olma: **~s,** kiranın sonunda zarurî tamirat masraflarının mikdarı.
dilat·e [daiˈleit]. İnbisat ettirmek; yayılmak; (gözler) büyümek. **to ~ upon stg.,** bir mevzuu uzun uzadıya anlatmak. **~ion** [–ˈleiʃn], inbisat, genişleme.
dilatory [ˈdilətri]. Bati, ağır, ağır alan; sürüncemeli.
dilemma [daiˈlemə]. İki şıklı vaziyet, müşkül vaziyet; çıkmaz; 'aşağı tükürsem sakalım, yukarı tükürsem bıyığım' vaziyeti.
dilettante [ˌdiliˈtanti]. Sana'at meraklısı; amatör; bir işin sathî meraklısı.
diligence¹ [ˈdilidʒens]. Eskiden Avrupa'da posta arabası.
diligen·ce². Gayretli çalışma, itina ve ihtimam. **~t,** gayretli, çalışkan.
dill [dil]. (*Anethum graveolens*) Dereotu (?)

dilly-dally [ˈdiliˈdali]. Boş vakit geçirmek, oyalanmak; sallanmak.
dilut·e [daiˈljuut] *a.* Sulandırılmış, hafiflemiş. *vb.* Sulandırmak, hafifletmek. **~ion** [–ˈljuuʃn], mahlûl; sulandırma.
diluvi·al [diˈljuuviəl]. Tufana aid, diluviyoma aid. **~um** [daiˈljuuviəm], tufan rüsubu, diluviyom.
dim [dim] *a.* Donuk, bulanık, loş, belirsiz, hayal meyal, silik, hafif. *vb.* Karartmak, bulandırmak, donuklaştırmak; (*mec.*) gölgede bırakmak.
dimension [daiˈmenʃn]. Eb'ad, ölçü. **~al,** eb'ada aid, buudlu.
diminish [diˈminiʃ]. Azaltmak, indirmek. **to hide one's ~ed head,** kibri kırılarak ortalıktan savuşmak veya suspus olmak.
diminut·ion [ˌdimiˈnjuuʃn]. Azal(t)ma, in(dir)me, küçültme. **~ive** [diˈminjutiv], ufak, küçük, mini mini; tasgir, küçültme.
dimity [ˈdimiti]. Bir nevi pamuk bezi, (?) dimi.
dimmer [ˈdimə*] *a.* Daha donuk vs. *bk.* **dim.** *n.* Işığı azaltan tertibat.
dimple [ˈdimpl]. Yanak [çene] çukuru, gamze. Yanak çukuru gibi çukurlaştırmak.
din [din] *n.* Gürültü, patırdı, şamata. *vb.* **to ~ stg. into s.o. [s.o.'s ears],** mütemadiyen söyliyerek bir şeyi birinin kafasına sokmak veya hatırlatmak.
dine [dain]. Akşam yemeğini yemek; akşam yemeği vermek. **to ~ out,** akşam yemeğini (evden) dışarıda yemek. **dining-car,** yemek vagonu. **dining-room,** yemek odası.
ding-dong [ˈdiŋˈdoŋ]. Dan dan; çan sesleri. **a ~ struggle,** kâh bir tarafın, kâh öbür tarafın lehine inkişaf eden mücadele.
dinghy [ˈdiŋi]. Pek küçük sandal, bot.
dingy [ˈdindʒi]. Rengi solmuş, kirli, paslı olan.
dinner [ˈdinə*]. Akşam yemegi; ziyafet; (fakir tabaka arasında öğle yemeğine denir). **dinner-jacket,** smokin.
dint¹ [dint] *bk.* **dent.**
dint². **by ~ of, ...** kuvvetile, vasıtasile: **by ~ of working,** çalışa çalışa.
dioces·e [ˈdaiəsis]. Piskoposluk sahası. **~an** [daiˈosəsən], piskoposluk makamına aid; piskopos.
dioxide [daiˈoksaid]. Biyoksid.
dip [dip] *n.* Dal(dır)ma, dalıp çıkma; içine bir şey daldıran madde; anî iniş, çukur. *vb.* Dal(dır)mak, bat(ır)mak, batırıp çıkarmak; (yol vs.) iniş olm., dalmak. **to ~ a flag,** bayrağı arya etm.: **to ~ into a book,** bir kitabı karıştırmak, gözden geçirmek: **to ~ into one's purse,** çok masrafa girmek: **to ~ sheep,** parazitlerini öldürmek için koyunları ilâclı suya daldırmak: **to ~ stg. up,** bir şeyi avucla veya kepçe vs. ile almak.
diphtheria [difˈθiəriə]. Kuşpalazı, difteri.
diphthong [ˈdifθoŋ]. Bir hece teşkil eden iki sesli harf.
diploma [diˈploumə]. Şehadetname.
diploma·cy [diˈplouməsi]. Diplomatik; diplomasi; maharet, insanları idare yolu, usûl. **~t,** [ˈdipləmat], diplomat. **~tic,** [ˌdipləˈmatik], diplomasiye aid, maharetli, usûl bilen: **~ service,** hariciye hizmeti. **~tist** [–ˈplomətist], diplomat.
dipper [ˈdipə*]. Dalan kimse veya şey; su vs. boşaltmak için saplı tas; (*cinclus*) su karatavuğu (?).
dipsomania [ˌdipsouˈmeiniə]. İçki ibtilası. **~c,** hastalık derecesinde ayyaş.
diptera [ˈdiptərə]. Sinek ve sivrisinek gibi kanadlı böcekler.
dire [daiə*]. Dehşetli, korkunc, şiddetli.
direct¹ [daiˈrekt, di-] *vb.* Sağlık vermek; idare etm., çevirmek; tevcih etm.; hitab etm.; emir vermek; talimat vermek; adres(ini) yazmak.
direct² *a.* Doğrudan doğruya, vasıtasız; dosdoğru; tam, kat'î; tok sözlü. **~ object,** (*gram.*) sarih mef'ul. **~ly,** doğrudan doğruya, tam; hemen: **I will come ~ I've finished,** bitirir bitirmez gelirim.
direction [diˈrekʃn, dai-]. İdare; talimat; emir; tarif, izahat; adres; cihet, yön, istikamet. **to lose one's sense of ~,** nerede olduğunu bilememek, tersi dönmek. **~al,** cihet ve istikamete aid.
director [diˈrektə*, dai-]. Müdür; şirketin idare azâsı; cihet verici âlet. **~ate** [diˈrektərit], müdürlük, idare meclisi.
directory [diˈrektəri]. Adres kitabı, rehber.
direful [ˈdaiəful]. Dehşetli, korkunc.
dirge [dəədʒ]. Cenaze şarkısı veya havası.
dirigible [diˈridʒibl] *a.* Sevk ve idaresi kabil. *n.* Hava gemisi, zeplin.
dirk [dəək]. Kısa kılıc.
dirt [dəət]. Kir, pislik; çamur. **to eat ~,** (*kon.*) tarziye vermeğe mecbur olm.: **to throw ~ at s.o.,** birini çamura bulamak: **to treat s.o. like ~,** birine köpek muamelesi etmek. **dirt-cheap,** sudan ucuz. **dirt-track,** kül dökülmüş yarış yolu.
dirty [ˈdəəti] *a.* Pis, kirli; berbad; aşağılık, alçak. *vb.* Kirletmek, pisletmek; kirlenmek. **to have a ~ mind,** aklı daima müstehcen şeylerde olm.: **to play a ~ trick on s.o.,** birine âdi [alçakça] bir oyun oynamak: **do your own ~ work!,** beni bu şübheli işe sokma!
dis- [dis] *pref.* *Şu manalara gelir:*—(i) aksi; *mes.* **contented,** memnun; **discontented,** gayrimemnun; (ii) yapılan bir şeyi bozma;

hearten, cesaret vermek; **dishearten,** cesaretini kırmak; (iii) uzaklaştırma: *mes.* **to disperse,** dağıtmak.
disability [ˌdisəˈbiliti]. Sakatlık; kabiliyetsizlik, ehliyetsizlik.
disable [disˈeibl]. Sakat etm.; iktidarsız bir hale getirmek, saf harici yapmak; hasara uğratmak. **~d,** malûl, sakat; hasara uğramış. **~ment,** sakat bırakma, sakat olma; saf harici yapma.
disabuse [ˌdisəˈbjuuz]. Hatadan kurtarmak; gözünü açmak.
disaccustom [ˈdisəˈkʌstəm]. Alışkanlıktan vazgeçirmek.
disadvantage [ˌdisədˈvaantidʒ]. İnsanın aleyhine olan vaziyet vs.; mahzur; ziyan. **to be at a ~,** (başkalarına nisbetle) daha zayıf bir vaziyette olmak: **to take s.o. at a ~,** birini gafil avlamak: **to show oneself to ~,** kendini gösterememek. **~ous** [–ədvanˈteidʒəs], aleyhine olan, mahzurlu, gayri müsaid.
disaffect·ed [ˌdisəˈfektid]. Hükûmete karşı gayrimemnun; asi; isyana mütemayil. **~ion** [–ˈfekʃn], hükûmete muhalefet veya düşmanlık; asilik.
disagree [ˌdisəˈgrii]. Uyuşmamak; ihtilâf etm.; farklı olm.; bozuşmak; uygun gelmek: **~ with,** ... ile uyuşmamak, fikri başka olm.; (sıhhat vs.) dokunmak. **I ~** ben bu fikirde değilim. **~able** [–ˈgriəbl], hoş olmıyan, nahoş; huysuz, aksi. **~ment,** ihtilâf, uyuşmazlık, kavga.
disallow [ˌdisəˈlau]. Müsaade etmemek, kabul etmemek, reddetmek.
disappear [disəˈpiə*]. Gözden (ortalıktan) kaybolmak, zail olm.; sırra kadem basmak. **~ance** [–ˈpiərəns], gözden kaybolma.
disappoint [disəˈpoint]. Ümidini boşa çıkarmak, sukutu hayale uğratmak; vadini tutmamak. **I am ~ed in him,** o beklediğim gibi çıkmadı: **how ~ing!,** ne aksilik! **~ment,** ümidi boşa çıkma, sukutu hayal; hüsran.
disapprobation [ˈdisaprouˈbeiʃn]. Tasvib etmeyiş; takbih.
disapprov·e [ˌdisəˈpruuv]. Tasvib etmemek, takbih etm., beğenmemek, uygun bulmamak. **~al,** tasvib etmeyiş, takbih.
disarm [disˈaam]. Silâhını almak; silâhsız bırakmak; şübhe veya düşmanlık hislerini gidermek. **~ament** [–məmənt], silâhını alma, silâhsızlama.
disarrange [ˌdisəˈreindʒ]. Tertibini bozmak; dağıtmak; karıştırmak.
disarray [ˌdisəˈrei]. Karışıklık, intizamsızlık. Bozmak, dağıtmak.
disast·er [diˈzaastə*]. Felâket, belâ; talihsizlik. **~rous,** felâket getiren, feci.
disavow [ˌdisəˈvau]. Tanımamak; bir hareket veya sözün kendisine aidiyetini kabul etmemek. **~al,** tanınmama.
disband [disˈband]. Terhis etm., dağıtmak, dağılmak.
disbelie·f [ˈdisbəˈliif]. İnanmayış; imansızlık. **~ve,** inanmamak. **~ver,** iman etmiyen, inanmıyan.
disbud [disˈbʌd]. Meyva ağacının tomurcuklarını seyreltmek.
disburden [disˈbəədn]. Yükünü indirmek; boşaltmak. **to ~ oneself,** içini boşaltmak: **to ~ oneself of a secret,** bir sırrı söyleyip ferahlamak.
disburse [disˈbəəs]. Harcamak, sarfetmek. **~ments,** masraf.
disc [disk]. Disk; daire. **identity ~,** (*ask.*) künye. **disc-harrow,** diskaro.
discard [disˈkaad]. İskartaya çıkarmak; bertaraf etm.; vazgeçmek. *n.* iskarta.
discern [diˈsəən]. Farketmek, sezmek; ayırd etmek. **~ing,** anlayışlı; zeki, ferasetli. **~ible,** farkedilebilir, sezilebilir. **~ment,** anlayış, feraset.
discharge[1] [disˈtʃaadʒ] *n.* Boşaltma, salıverme, akma; boşalan veya akan şey; cerahat; (silâh) ateş etme, atış; işten çıkarılma; terhis; hastahaneden taburcu olma; tahliye; ödeme; makbuz; ibra; ifa. **~ in bankruptcy,** müflisin itibarının yerine gelmesi: **in the ~ of his duties,** vazifesinin ifası sırasında: **to take one's ~,** (*ask.*) terhis edilmek.
discharge[2] *vb.* Boşaltmak, salıvermek, serbest bırakmak; atmak; akmak; ateş etm.; ödemek; ifa etm.; terhis etm.; işten çıkarmak; taburcu etm.; tahliye etm.; cerahat akmak. **to ~ a bankrupt,** müflisin itibarını yerine getirmek.
disciple [diˈsaipl]. Şakird, tilmiz; havari.
disciplin·e [ˈdisiplin]. İnzibat, disiplin. İnzibat altına almak; terbiye etmek. **~arian** [–ˈneəriən], sert amir. **~ary** [–əri], disipline aid.
disclaim [disˈkleim]. Feragat etm., kabul etmemek, reddetmek; inkâr etm.; tanımamak. **~er,** feragat etme, reddetme.
disclos·e [disˈklouz]. İfşa etmek. **~ure** [–klouʒə*], ifşa.
discolour [disˈkʌlə*]. Rengini bozmak, soldurmak.
discomfit [disˈkʌmfit]. Bozmak, şaşırtmak; bozguna uğratmak. **~ure,** [–tʃə*], bozgun; bozulma.
discomfort [disˈkʌmfət] *n.* Rahatsızlık, konforsuzluk. Rahatsız etm., bozmak.
discommode [ˌdiskəˈmoud]. Rahatsız etm.; zahmet vermek.
discompos·e [ˌdiskəmˈpouz]. Bozmak, şaşırtmak; rahatını bozmak. **~ure** [–ˈpouʒə*], bozulma.

disconcert [ˌdiskənˈsəət]. Şaşırtmak, bozmak; karıştırmak. **~ing,** şaşırtıcı, bozucu; daima beklenmedik şekilde hareket eden.
disconnect [ˌdiskəˈnekt]. Birbirinden ayırmak; irtibatını kesmek. **~ed,** rabıtasız.
disconsolate [disˈkonsəlit]. Teselli kabul etmez; kederli.
discontent [ˌdiskənˈtent]. Hoşnudsuzluk; gayrimemnunluk. **~ed,** hoşnudsuz; tatmin edilmemiş.
discontinu·e [ˌdiskənˈtinjuu]. Devam etmemek, vazgeçmek, kesmek. **~ance,** kesilme, vazgeçme. **~ity** [–kontıˈnjuuiti], devamsızlık, fasılalılık.
discord [ˈdiskood]. Niza, ihtilaf; tefrika; ahenksizlik. **to sow ~,** tefrikaya düşürmek; aralarını bozmak. **~ant** [–ˈkoodənt], ahenksiz, birbirine uymıyan.
discount [ˈdiskaunt] *n.* İskonto. *vb.* [–ˈkaunt], İskonto etm.; (sened) kırdırmak, kırmak; ehemmiyet vermemek. **at a ~,** iskonto ile: **politeness is at a ~ nowadays,** bu zamanda nezakete itibar eden yok.
discountenance [disˈkauntənəns]. Bozmak; tasvib etmemek.
discourage [disˈkʌridʒ]. Cesaretini kırmak; ümidini kırmak; önüne geçmek; tasvib etmemek.
discourse [ˈdiskoos] *n.* Hitabe, nutuk, hutbe. *vb.* [–ˈkoos], Konuşmak. **to ~ on stg.,** bir mevzu üzerinde yarı resmî bir ağızla konuşmak.
discourt·eous [disˈkəətiəs]. Nezaketsiz. **~esy** [–ˈkəətəsi], nezaketsizlik.
discover [disˈkʌvə*]. Keşfetmek, bulmak; farkına varmak, anlamak; meydana çıkarmak. **~y,** keşif, bulma.
discredit [disˈkredit]. İtibardan düşürme, itibarsızlık; itimadsızlık, şübhe. *vb.* İtibardan düşürmek, kötülemek; itimad etmemek, inanmamak. **to throw ~ on a statement,** bir ifadeyi şübheye düşürmek: **it is to his ~ that, ...** onun aleyhine kaydedilecek bir şeydir. **~able,** ayıblanacak, haysiyet kırıcı.
discreet [disˈkriit]. Ketum; ihtiyatlı; müteenni.
discrepan·cy [disˈkrepənsi]. Uymama; fark, tenakuz. **~t,** uymıyan, farklı.
discretion [disˈkreʃn]. Ketumluk, ihtiyat, teenni; muhakeme; tensib; takdir. **to reach years of ~,** (*huk.*) mümeyyiz olm.: **to use ~,** teenni ile hareket etmek. **~ary,** ihtiyarî; **~ power,** takdir salâhiyeti.
discriminat·e [disˈkrimineit]. Ayırd etm.; tefrik etmek. **to ~ between people,** farklı muamele etm.; ayrı seçi yapmak. **~ing,** ehil; titiz; ayırd edici, farklı. **~ion** [–ˈneiʃn], ayırd etme; muhakeme, temyiz; **no ~!,** ayrı seçi yok!
discursive [disˈkəəsiv]. Bahisten bahse atlıyan; insicamsız; ipsiz sapsız.
discuss [disˈkʌs]. ···i görüşmek; müzakere etm.; mütalaa etmek. **~ion** [–ˈkʌʃn], müzakere; bahis; bir meseleyi görüşme: **the subject under ~,** bahis mevzuu olan mesele.
disdain [disˈdein]. İstihfaf; tenezzül; itibar etmeyiş; kibir; istiğna. İstihfaf etm.; tenezzül etmemek. **~ful,** müstağni; istihfafkâr.
disease [diˈziiz]. İllet, hastalık. **~d,** illetli; hastalıklı.
disembark [ˌdisəmˈbaak]. Karaya çık(ar)mak. **~ation** [–ˈkeiʃn], karaya çık(ar)ma.
disembarrass [ˌdisəmˈbarəs]. Sıkıntıdan kurtarmak.
disembody [ˌdisəmˈbodi]. Vücud veya cisimden çıkarmak; tecrid etm.; terhis etmek.
disembowel [ˌdisəmˈbauəl]. Barsaklarını çıkarmak.
disenchant [ˌdisənˈtʃaant]. Sihirini gidermek; hayal sukutuna uğratmak; gözünü açmak.
disencumber [ˌdisənˈkʌmbə*]. Yük veya sıkıntı veren şeyden kurtarmak; ipotekten çıkarmak.
disengage [ˌdisənˈgeidʒ]. Rabıta ve alâkasını kesmek; ayırmak; çözmek. **~d,** meşgul olmıyan; serbest; boş.
disentangle [ˌdisənˈtaŋgl]. Çözmek; karışmış bir şeyi açmak.
disestablish [ˌdisəsˈtabliʃ]. (Kiliseyi) devletten ayırmak.
disfavour [disˈfeivə*]. Tasvib etmeyiş; hoşlanmayış. **to fall into ~,** gözden düşmek; rağbetten düşmek.
disfigure [disˈfigə*]. Çirkinleştirmek; biçimini bozmak.
disfranchise [disˈfrantʃaiz]. Rey hakkından mahrum etmek.
disfrock [disˈfrok]. Papazlıktan çıkarmak.
disgorge [disˈgoodʒ]. Kusmak; boşaltmak; zorla geri vermek.
disgrace [disˈgreis]. Gözden düşme, menkûbiyet; rezalet, hacalet; ayıb, utanacak şey. Gözden düşürmek; rezil etmek. **to be a ~ to one's family,** ailesi için bir zül olm.: **to be in ~,** gözden düşmüş olm., menkûb olm.; (çocuk) cezalı kabahatli olmak. **~ful,** rezil, çok ayıb, yüz kızartıcı.
disgruntled [disˈgrʌntld]. Küskün; müşteki.
disguise [disˈgaiz]. Kıyafet tebdili. Kıyafetini ve şeklini değiştirmek; gizlemek.
disgust [disˈgʌst]. Tiksinme, iğrenme; nefret; memnuniyetsizlik; canı sıkılma.

İğrendirmek; çok canını sıkmak. **~ing,** iğrenc.
dish [diʃ]. Büyük yemek tabağı; küvet; yemek. Ortasını çukurlatmak; (*arg.*) haklamak, işini bozmak; **~ oneself,** kendi kendini mahvetmek. **to ~ up,** kotarmak: **to ~ up old facts in a new form,** herkesin bildiği eski şeyleri ısıtıp ısıtıp yeni imiş gibi sürmek: **a standing ~,** demirbaş yemek; (*mec.*) temcid pilavı. **dish-cloth,** bulaşık bezi. **dish-water,** bulaşık suyu; pek sulu ve tadsız çorba.
dishabille [disəˈbil]. **in ~,** ev kılığı ile; yarı giyinmiş.
dishearten [disˈhaatn]. Cesaretini kırmak; fütur vermek.
dishevelled [diˈʃevəld]. (Saç veya elbise) karmakarışık.
dishonest [disˈonist]. Dürüst olmıyan; mürtekib; iğri; namussuz. **~y,** namussuzluk, iğrilik; irtikâb.
dishonour [disˈonə*]. Şerefsizlik; leke. Şeref ve haysiyetini kırmak; namusuna dokunmak. **to ~ a bill,** bir poliçeyi kabul etmemek veya ödememek: **to ~ one's word,** sözünde durmamak. **~able** [–ˈonrəbl], namussuz; rezil; şerefe dokunur.
disillusion [ˌdisiˈluuʒn]. Hayaldan uyandırmak; gözünü açmak; hayal inkisarına uğratmak.
disinclin·e [ˌdisinˈklain]. Soğutmak; isteğini kaçırmak. **~ed,** isteksiz; meyilsiz. **~ation** [–kliˈneiʃn], isteksizlik.
disinfect [ˌdisinˈfekt]. Dezenfekte etmek. **~ant,** antiseptik (madde): **~ion** [–fekʃn], dezenfekte etme.
disingenuous [ˌdisinˈdʒenjuəs]. Samimî olmıyan; iki yüzlü.
disinherit [ˌdisinˈherit]. Mirastan mahrum etmek. **~ance,** mirastan mahrum etme (olma).
disintegrate [disˈintigreit]. Küçük parçalara ayır(ıl)mak; parçala(n)mak; dağılmak.
disinter [ˌdisinˈtəə*]. Mezardan çıkarmak; (*mec.*) eşeleyip meydana çıkarmak.
disinterested [disˈintərestid]. Hasbî; fisebilillah; menfaat düşünmiyen.
disjoint [disˈdʒoint]. Mafsallarını ayırmak. **~ed,** çıkık; rabıtasız.
disk *bk.* **disc.**
dislike [disˈlaik]. Beğenmeme(k); hoşlanmama(k). **to take a ~ to s.o.,** birinden hoşlanmamağa başlamak; birinden soğumak.
dislocate [ˈdisləkeit]. Yerinden çıkarmak; oynatmak; altüst etmek. **~d,** çıkık; altüst.
dislodge [ˈdislodʒ]. Yerinden oynatmak.
disloyal [disˈloiəl]. Sadakatsiz; hain; vefasız. **~ty,** vefasızlık, sadakatsizlik; hainlik.
dismal [ˈdizml]. Loş ve kasvetli; kederli; sönük.
dismantle [disˈmantl]. Sökmek; (gemi) techizatını sökmek; (fabrika) makinelerini söküp götürmek.
dismast [disˈmaast]. Direğini kırmak veya sökmek.
dismay [disˈmei]. Korku veya hayretten donup kalma. İçine korku düşürmek; cesaretini kırmak.
dismember [disˈmembə*]. Uzuvlarını ayırmak; parçalamak.
dismiss [disˈmis]. (Askeri, talebe vs.yi) dağıtmak; işinden çıkarmak; savmak; gitmeğe izin vermek; çıkarıp atmak; kovmak; (davayı) reddetmek. **~al,** işten çıkarma; azletme; tardetme; reddetme.
dismount [disˈmaunt]. (Attan vs.) in(dir)mek; (makine vs.yi) sökmek.
disobedien·t [disəˈbiidiənt]. İtaatsiz. **~ce,** itaatsizlik.
disobey [ˌdisəˈbei]. İtaat etmemek.
disoblig·e [ˌdisəˈblaidʒ]. Ricasını yapmamak. **~ing,** aksi, ters, hatır kıran, nezaketsiz.
disorder [disˈoodə*]. İntizamsızlık; kargaşalık; karışıklık; bozulma. Bozmak, karıştırmak. **~ed,** bozuk, intizamsız. **~ly,** intizamsız; karmakarışık; itaatsiz, isyankâr: **~ house,** umumhane.
disorganiz·e [disˈoogənaiz]. İntizamını bozmak, altüst etmek. **~ation** [–naiˈzeiʃn], nizamsızlık, karışıklık.
disown [disˈoun]. Aidiyetini inkâr etm.; tanımamak; reddetmek.
disparage [disˈparidʒ]. Küçültmek; kötülemek.
disparity [disˈpariti]. Müsavatsızlık; tefavüt; fark.
dispassionate [disˈpaʃənit]. Hisse kapılmıyan; tarafsız.
dispatch [disˈpatʃ]. Gönderme; rapor, tahrirat; acele; öldürme. Göndermek; yapmak, tamamlamak; öldürmek. **with all possible ~,** mümkün olan süratle: **mentioned in ~es,** *bk.* **mention. dispatch-boat,** avizo. **dispatch-box,** evrak çantası. **dispatch-rider,** (*ask.*) haberci.
dispel [disˈpel]. Dağıtmak, gidermek.
dispens·e [disˈpens]. Tevzi etm.; ilâc yapıp vermek; (papa) muaf tutmak. **to ~ with,** ···den müstağni olm., ···siz yapabilmek. **~ary,** dispanser. **~ation** [–ˈseiʃn], tevzi etme; kader, takdir; papadan alınan muafiyetname. **~er,** dispanser eczacısı.
dispers·e [disˈpəəs]. Dağıtmak; yaymak; dağılmak. **~al, ~ion** [–sl, –ʃn], dağıtma.

dispirit [diˈspirit]. Keyfini kaçırmak; cesaretini kırmak.
displace [disˈpleis]. Yerinden çıkarmak; yerini almak. ~**ment,** yerinden çıkarılma; mai mahrec.
display [disˈplei]. Gösteriş; nümayiş; şatafat; meşher. Teşhir etm., göstermek; sermek.
displeas·e [disˈpliiz]. Hoşuna gitmemek; gücendirmek. **to be ~ed with** [**at**], ···den memnun olmamak. ~**ing,** nahoş; can sıkıcı. ~**ure** [–ˈpleʒə*], gücenme; iğbirar.
disport [disˈpoot]. **to ~ oneself,** eğlenmek.
disposal [disˈpouzl]. Tertib, tanzim; kullanış; bertaraf etme; tasarruf. **at the ~ of,** ···in tasarrufunda: **I am at your ~,** emrinize hazırım: **for ~,** satılık.
dispose [disˈpouz]. Tanzim etm., tertib etm.; yerleştirmek; (Allah) takdir etm.; temayül ettirmek. **to ~ of,** bertaraf etm.; başından savmak; halletmek; tamamlamak; satmak; **to be ~d of,** bertaraf edilmek; satılmak: **to be ~d to,** mütemayil olm., içinden gelmek: '**give what you feel ~d to!**', gönlünden ne koparsa ver!: **to ~ oneself to sleep,** uykuya hazırlanmak: ⌜**man proposes, God ~s**⌝, ⌜takdir tedbiri bozar⌝. ~**d,** hazır, mütemayil: **well ~,** hayırhah: **ill ~,** bedhah.
disposition [ˌdispəˈziʃn]. Tertib, nizam; tasarruf; tabiat, mizac; meyil, istek, niyet; istidad.
dispossess [ˌdispouˈzes]. Mahrum etmek. **to ~ s.o. of,** ···i elinden almak.
disproof [disˈpruuf]. Cerh; aksini isbat.
disproportion [ˌdisprəˈpooʃn]. Nisbetsizlik. ~**ate,** nisbetsiz.
disprove [disˈpruuv]. Cerhetmek; aksini isbat etm.; yalanlamak.
disput·e [disˈpjuut]. Münakaşa, ihtilâf; niza. Münakaşa etm., itiraz etm.; kabul etmemek. ~**ation** [–pjuˈteiʃn], münazara.
disqualif·y [disˈkwolifai]. Mani olm.; ehliyet veya salâhiyetini selbetmek; (spor) diskalifiye etmek. ~**ication** [–fiˈkeiʃn], mani, engel; diskalifiye etme (edilme).
disquiet [disˈkwaiət] *n.* Rahatsızlık; huzursuzluk; endişe. *vb.* ~. ~**en,** huzurunu kaçırmak. ~**ing,** endişe verici. ~**ude** [–tjuud], endişe, huzursuzluk.
disquisition [ˌdiskwiˈziʃn]. Pek mufassal nutuk veya makale.
disregard [ˌdisriˈgaad]. Aldırmayış; ihmal; hürmetsizlik. Aldırmamak; ihmal etm.; itibar etmemek. ~**ful,** kayıdsız, ihmalkâr; aldırmaz.
disrepair [ˌdisriˈpeə*]. Tamirsizlik.
disreput·e [ˈdisriˈpjuut]. Fena şöhret. **to bring into ~,** itibardan düşürmek: **to fall into ~,** itibardan düşmek. ~**able** [–ˈrepjutəbl], sui şöhret sahibi; rezil; (*kon.*) kılıksız, külhanbey kılıklı.
disrespect [ˌdisriˈspekt]. Hürmetsizlik. ~**ful,** hürmetsiz.
disrobe [disˈroub]. Resmî elbisesini çıkarmak.
disrupt [disˈrʌpt]. Kesmek, çatlatmak, zorla ayırmak. ~**ive,** zorla ayırıcı.
dissatis·fy [ˈdisˈsatisfai]. Memnun edememek; hoşnudsuz bırakmak. ~**faction** [–ˈfakʃn], hoşnudsuzluk, memnuniyetsizlik. ~**fied,** hoşnudsuz, gayrı memnun.
dissect [diˈsekt]. Teşrih etm.; (*mec.*) inceden inceye tahlil etmek. ~**ion** [–ˈsekʃn], teşrih etme.
dissemble [diˈsembl]. Hakikî hislerini gizlemek; mürailik etmek.
disseminate [diˈsemineit]. Saçmak, yaymak, neşretmek.
dissension [diˈsenʃn]. Niza, ihtilâf; tefrika.
dissent [diˈsent]. Aynı fikirde olmama(k); (bir hususta) ayrılma(k); Anglikan kilisesinden ayrılma(k). ~**er,** muhalif; mutezil.
dissertation [ˌdisəəˈteiʃn]. Risale, deneme, tahrir.
disservice [ˈdisˈsəəvis]. Hatır kıracak, incitecek muamele.
dissident [ˈdisident]. Ekseriyetten ayrılan.
dissimilar [diˈsimilə*]. Benzemiyen, farklı. ~**ity** [–ˈlariti], benzemeyiş, fark.
dissimulate [diˈsimjuleit]. Hislerini gizlemek; riyakârlik etmek.
dissipat·e [ˈdisipeit]. Dağıtmak; israf etm.: sefahat etmek. ~**ed,** sefih. ~**ion** [–ˈpeiʃn], sefahat; dağıtma.
dissociat·e [diˈsouʃieit]. Ayırmak. **to ~ oneself from,** alâkasını kesmek; alâkasını inkâr etmek. ~**ion,** ayırma, ayrılma, alâkayı kesme; inhilâl.
dissolute [ˈdisəljuut]. Sefih, ahlaksız.
dissolution [ˌdisəˈljuuʃn]. İnhilâl, infisah, çözülme, erime; sona erme; ölüm.
dissolve [diˈzolv]. Eri(t)mek; inhilâl et(tir)mek; sona ermek; feshetmek; dağıtmak; gözden kaybolmak. **to ~ in tears,** gözünden yaşlar boşanmak.
dissonan·ce [ˈdisənens]. Ahenksizlik; tenafür. ~**t,** ahenksiz.
dissua·de [diˈsweid]. Vazgeçirmek, caydırmak. ~**sion** [–sweiʒn], vazgeçirme, caydırma. ~**sive** [–ˈsweisiv], vazgeçirici.
dissyllabic [ˌdisiˈlabik]. İki heceli.
distaff [ˈdistaaf]. Öreke. **the ~ side,** ana tarafı.
distance [ˈdistəns]. Mesafe; uzaklık; fasıla, aralık. **~ lends enchantment to the view,** uzaktan davulun sesi hoş gelir: **to keep s.o. at a ~,** birine soğuk davranmak, birile

samimî olmamak: **to keep one's ~,** fazla samimî olmamak; haddini bilmek.
distant [ˈdistənt]. Uzak mesafede; soğuk, samimî olmıyan. **to have a ~ view of,** …i uzaktan görmek.
distaste [disˈteist]. Hoşlanmayış, tiksinme. **~ful,** hoş olmıyan, nahoş, antipatik.
distemper[1] [disˈtempə*]. Bir köpek hastalığı.
distemper[2]. Tutkallı boya (ile boyamak).
disten·d [disˈtend]. Ger(il)mak; şiş(ir)mek. **~sion** [–tenʃn], gerilme, şişme.
distich [ˈdistik]. Beyit.
distil [disˈtil]. İmbikten çekmek, taktir etm.; damla damla ak(ıt)mak; ||damıtmak. **~lation** [–ˈleiʃn], taktir; taktir edilmiş. **~lery,** taktirhane, müskirat fabrikası.
distinct [disˈtiŋkt]. Ayrı, farklı; vazıh, aşikâr, kat'î. **~ly,** vazıh olarak, açıkca.
distincti·on [disˈtiŋkʃn]. Ayırd etme, ayırma, fark; temayüz; şöhret, şan, üstünlük; nişan; alâmet. **to gain ~,** temayüz etm.: **a man of ~,** seçkin [mümtaz] adam: **without ~,** fark gözetmeden, ayrı seçi yok. **~ve,** ayırd edici, hususî.
distinguish [disˈtiŋgwiʃ]. Ayırd etm., ayırmak; tefrik etm., seçmek; meşhur yapmak. **to ~ oneself by,** …le temayüz etmek. **~ed,** seçkin, mümtaz; meşhur; kibar. **~able,** ayırd edilebilir, tefriki kabil.
distort [disˈtoot]. Bükmek, çarpıtmak, bozmak; tahrif etmek. **~ion** [–ˈtooʃn], çarpılma, bükülme; tahrif.
distract [disˈtrakt]. (Dikkati veya zihni) başka tarafa çekmek; işgal etm.; çıldırtmak. **~ed,** çılgın, deli. **~ion** [–ʃn], dikkati veya zihni başka tarafa çekme, işgal etme, oyala(n)ma; eğlence; çılgınlık: **to drive s.o. to ~,** birini çıldırtmak: **to love s.o. to ~,** birini çıldırasıya sevmek.
distrain [diˈstrein]. Haczetmek; zabtetmek. **~t,** haciz.
distraught [disˈtroot]. Çılgın bir hale gelmiş; meftun.
distress [disˈtres]. Istırab, elem, sıkıntı; zaruret; haciz. Istırab vermek; sıkıntıya sokmak. **~ed,** mustarib; büyük keder içinde; sefalet içinde. **~ful,** elemli, acınacak.
distribut·e [disˈtribjuut]. Dağıtmak, tevzi etm.; taksim etmek. **~ion** [–ˈbjuuʃn], dağıtma, tevzi; taksim; hisse; dağılma, tevezzü. **~or,** distribütör.
district [ˈdistrikt]. Mıntaka, havali, ||bölge; kaza; mahalle.
distrust [disˈtrʌst] *n.* İtimadsızlık, şübhe. *vb.* …e itimad etmemek, inanmamak. **~ful,** itimadsız, şübhe eden; vesveseli.
disturb [disˈtəəb]. Rahatsız etm., taciz etm., tedirgin etm.; bozmak, ihlâl etm.; endişe vermek. **~ance** [–əns], rahatsız etme veya olma, taciz, sıkıntı; karışıklık, kargaşalık.
disunion [disˈjuuniən]. İhtilâf, ahenksizlik; ayrılma.
disunite [ˌdisjuˈnait]. Ayırmak; aralarını açmak (bozmak).
disuse [ˌdisˈjuus]. Kullanılmayış, kullanılmaz olma. **to fall into ~,** kullanılmaz olmak. **~d** [–ˈjuuzd], kullanılmıyan; metrûk.
disyllab·le [diˈsiləbl]. Çift hece. **~ic** [–ˈlabik], çift heceli.
ditch [ditʃ]. Hendek. Hendek açmak; (otomobili) hendeğe yuvarlamak. **to die in the last ~,** sonuna kadar dayanmak. **ditch-water,** durgun su: **as dull as ~,** son derece ruhsuz ve sıkıcı.
dither [ˈdiðə*]. Şaşırıp duralamak. **to be all in a ~,** sarsaklık etm.: **a ~ing idiot,** ebleh.
ditto [ˈditou]. Aynı şey, keza. **to say ~,** tasdik etm.; 'evet efendim' demek.
ditty [ˈditi]. Küçük şarkı veya manzume.
ditty-box, -bag [ˈditiˈboks, -bag]. Gemicilerin ufak tefek torbası veya kutusu.
diuretic [ˌdaijuˈretik]. Müdrir.
diurnal [daiˈəənl]. Gündüze aid.
divan [ˈdaivan, diˈvan]. Köşe minderi. minder; divan, meclis; sigara salonu.
div·e [daiv]. Dalma(k); suya atlama(k); pike uçusu (yapmak); (*Amer.*) meyhane. **gambling ~,** kumarhane. **~er,** dalgıç. **~ing-dress,** dalgıç elbisesi.
diverg·e [daiˈvəədʒ]. Birbirinden uzaklaşmak, ayrılmak; sapmak; tehalüf etmek. **~ence, ~ency,** ayrılma; tehalüf, fark. **~ent,** farklı, muhalif; ayrılan.
divers [ˈdaivəəz]. (*esk.*) Muhtelif, bir çok.
diverse [daiˈvəəs]. Muhtelif, farklı, değişik.
diversify [daiˈvəəsifai]. Tenevvü ettirmek, değişik yapmak.
diversion [daiˈvəəʃn, di-]. Başka tarafa çevir(il)me; imale; oyalama; eğlence.
diversity [daiˈvəəsiti]. Başkalık, fark, tenevvü.
divert [daiˈvəət]. Başka tarafa çevirmek, yolunu değiştirtmek; caydırmak; oyalamak; eğlendirmek. **~ing,** eğlendirici; oyalayıcı.
Dives [ˈdaiviiz]. Zengin adam timsalı.
divest [daiˈvest]. Çıkarmak, çıkarıp atmak, soymak; mahrum etmek.
divide [diˈvaid]. Bölmek, taksim etm., paylaşmak; ayırmak; ayrılmak, bölünmek. **~ up,** hisselere taksim etm., paylaştırmak; parçalamak. **to ~ the House,** (İngiliz Parlamentosunda) rey verdirmek.

dividend [ˈdividend]. Temettü hissesi.
dividers [diˈvaidəəz]. İğneli pergel.
divin·e[1] [diˈvain] *vb.* Keşfetmek; kehanette bulunmak. **~ation** [diviˈneiʃn], keşif, kehanet. **~er,** kâhin, sihirbaz; suyun nerede bulunduğunu keşfeden adam. **~ing-rod,** bu adamın kullandığı değnek.
divin·e[2] *a.* İlâhi; mükemmel. *n.* İlâhiyatçı, rahib. **~ity** [–ˈviniti], ülühiyet, Allahlık; ilâhiyat.
divis·ible [diˈvizibl]. Bölünebilir, taksimi kabil. **~ion** [–ˈviʒn], taksim, bölme; kısım; ||bölge; parça; fırka, ||tümen; tefrika, ihtilâf; (İngiliz Parlamentosunda) meb'usların rey vermek için ayrılmaları. **~or** [–ˈvaisoo*] kaasım; bölen.
divorce [diˈvoos]. Boşanma. (Hâkim) boşatmak; (karı veya koca) boşamak, boşanmak; ayırmak.
divulge [diˈvʌldʒ]. İfşa etmek.
dixie, dixy [ˈdiksi]. Karavana.
dizz·y [ˈdizi]. Başı dönen; baş döndürücü. **to feel ~,** başı dönmek, gözü kararmak. **~iness,** başdönmesi, göz kararması.
do[1] **(did, done)** [duu, did, dʌn]. (*Yardımcı fiil için bk.* **do**[2]). Yapmak, etmek, kılmak; bitirmek; başarmak; tanzim etm., düzeltmek; (mesafe) kat'etmek; bir rolü oynamak; (*arg.*) aldatmak, kafese koymak. Elverişli olm., uygun gelmek, yakışmak. **to be done,** yapılmak; tamamlanmak; (et) kâfi pişirilmek; bitkin bir hale gelmek; (*arg.*) aldanmak: **I am done,** bittim; mahvoldum: **I've been done,** aldatıldım: **be done!, have done!,** yetişir!, kâfi!, sus!: ⌜**~ as you would be done by**⌝, sana karşı nasıl hareket edilmesini istiyorsan sen de başkalarına karşı öyle hareket et: **I can't ~ on £500 a year,** senede beş yüz lira ile idare edemem [geçinemem]: **how ~ you ~?,** nasılsınız? *manasına gelen bir tabirdir ki yalnız birbirine takdim olunan kimseler tarafından kullanılır ve cevab olarak aynı tabir tekrar edilir*: **what can I ~ for you?,** ne emiriniz var?, arzunuz nedir?: **a book done into English,** İngilizceye tercüme edilen kitab: **he is ~ing law [medicine],** hukuk [tıb] tahsil ediyor: **this isn't very suitable but I will make it ~ [make ~ with it],** bu pek elverişli değil fakat idare edeceğim: **no you don't!,** öyle yağma yok!; kapan da kaçan mı?: **this sort of thing isn't done,** böyle şey yapılmaz [doğru değil]: **it doesn't ~ to work late at night,** gece geç vakit çalışmak zararlıdır: **this meat is not done,** bu et iyi pişmemiş: **what 's ~ing here?,** burada neler oluyor?: **there 's nothing ~ing here,** burada hiç bir şey olmuyor; işler kesad: **to ~ a town [museum,** *etc.*], (seyyah) bie şehri [müzeyi vs.] gezmek: **what are you ~ing?,** ne yapıyorsunuz?: **what ~ you ~?,** (i) ne yaparsınız?; (ii) işiniz [mesleğiniz] nedir?: **well done!,** aferin!, bravo!: **he did well [badly] in his examination,** imtihanda muvaffak oldu [olamadı]: **I am ~ing very well, thank you,** hiç bir sikâyetim yok, teşekkür ederim: **he does himself very well,** boğazına ve rahatına iyi bakar: **they ~ you very well at this restaurant,** bu lokantanın yemekleri çok iyidir: **potatoes ~ very well in this district,** bu mıntakada patates iyi yetişir: **the patient is ~ing well,** hasta iyileşiyor: **that will ~,** (i) bu olur, bu elverişlidir, bu kâfidir; (ii) artık yeter!, illallah!: **that won't ~,** bu olmaz; bu elverisli değil: **in these days laziness won't ~,** bu zamanda tembellik olmaz. **do away, to ~ away with s.o.,** birini öldürmek: **to ~ away with stg.,** bir şeyi lâğvetmek, kaldırmak, yoketmek. **do in, to ~ s.o. in,** birini öldürmek. **do out, to ~ a room out,** bir odayı temizlemek, düzeltmek. **do up,** tamir etm., süslemek, tanzim etmek. **do with, he had a lot to ~ with the success of the scheme,** plânın muvaffak olmasında onun büyük hissesi var: **I've had a lot to ~ with horses,** atla çok meşgul oldum: **I could ~ with a bit more help,** bana bir az daha yardım eden olsa fena olmaz: **I could ~ with another £100 a year,** senede yüz lira daha alsam fena olmaz: **what ~ you ~ with yourself all day long?,** bütün gün vaktinizi nasıl geçiriyorsunuz?: **let's have done with it!,** artık bu işe nihayet verelim!
do[2]. *aux. vb. Yardımcı fiil olarak* **do**: (1) *Sual teşkiline yarar.* **~ you know?,** biliyor musunuz?: **does he speak English?,** İngilizce bilir mi?: **did you see him?,** onu gördünüz mü? (2) *Menfi fiil teşkiline yarar.* **I ~ not [don't] know,** bilmiyorum: **he does not come,** gelmez: **we did not hear,** işitmedik. (3) *Tekid için kullanılır.* **I do know him,** onu vallahi tanıyorum; onu hem de nasıl tanırım: **he did say so,** o vallahi böyle dedi: **do come tomorrow,** ne olur yarın gel; yarın gelmemezlik etme. (4) *Bir fiili tekrar etmemek için onun yerine kullanılır.* **'Who knows this?' 'I ~',** bunu kim biliyor? —Ben (biliyorum): **'He went to Paris'. 'Did he?',** Parise gitti.—Ya, öyle mi? (5) *'Degil mi' yerine, tasrif edilerek kullanılır.* **You see him every day, don't you?,** siz onu her gün görürsünüz, değil mi?: **he speaks English, doesn't he?,** o İngilizce bilir, değil mi?: **they came last week, didn't they?,** geçen hafta geldiler, değil mi?
do[3]. (*kıs.*) = ditto, Aynı şey; keza.
do[4] [dou]. (*mus.*) Do.

docil·e [ˈdousail]. Uslu, uysal. **~ity** [–ˈsiliti], uysallık, usluluk; mülâyemet.

dock[1] [dok]. (*Rumex*) Labada.

dock[2] *vb.* Kuyruğunu kesmek; kısmak, eksiltmek. **~ed,** kesik kuyruklu.

dock[3] *n.* Havuz; rıhtım. *vb.* Bir gemiyi havuza sokmak. **dry ~, graving ~,** sabit havuz: **naval ~s,** tersane. **~age,** havuz ücreti. **~er,** liman amelesi.

dock[4]. (Mahkeme) maznun yeri.

docket [ˈdokit]. Yafta, etiket, fiş; hülâsa; liste. Listeye kaydetmek; hülâsasını çıkarmak; yaftalamak.

dockyard [ˈdokjaad]. Havuz fabrikaları, tersane.

doctor [ˈdoktə*]. Doktor; âlim. Tedavi etm.; tağşiş etm.; tahrif etmek. **~ate,** doktora.

doctrin·e [ˈdoktrin]. Meslek, mezheb, nazariye. **~arian** [–ˈneəriən], nazariyatçı, ukalâ.

document [ˈdokjumnt]. Vesika; evrak. Tevsik etmek. **~s pertaining to the case,** dava dosyası. **~ary** [–ˈmentəri], vesikaya dayanan, müsbet. **~evidence,** yazılı delil. **~ation** [–ˈteiʃn], tevsik.

dodder[1] [ˈdodə*]. (*Cuscuta*) Cinsaçı (?).

dodder[2] *vb.* (İhtiyarlıktan) titremek; sarsak sarsak yürümek, sendelemek. **~er,** sarsak ihtiyar.

dodeca·gon [douˈdekagon]. Oniki dılılı şekil. **~hedron** [–ˈhiidron], oniki satıhlı şekil.

Dodecanese [douˈdekəniis]. Oniki Ada.

dodge [dodʒ]. Oyun, kurnazlık; marifet. Birdenbire yana kaçınmak; kaçamak yapmak. **~r,** madrabaz, hilekâr.

dodo [ˈdoudou]. Nesli münkariz olmuş bir cins kuş. ⌜**as dead as the ~,**⌝ ortadan kalkmış, tarihe karışmış.

doe [dou]. Dişi geyik; dişi tavşan. **~skin,** geyik derisi.

doer [ˈduuə*]. Yapan, eden, fail.

does, doest *bk.* **do.**

doff [dof]. (Elbise vs.yi) çıkarmak.

dog[1] [dog]. Kastanyola, mandal; pabuç; fırdöndü; kanca, çengel. **dog-clutch,** tırnaklı kavrama.

dog[2] *n.* Köpek, it. *vb.* (Birinin) peşinden gitmek. **dirty ~,** alçak herif: ⌜**every ~ has his day**⌝, herkesin sırası (günü) gelir; **gay ~,** çapkın, köftehor: ⌜**give a ~ a bad name and hang him**⌝, bir adamın 'adı çıkacağına canı çıksın' *kabilinden*: **to go to the ~s,** sefalete düşmek, mahvolmak: **to take** ⌜**a hair of the dog that bit you**⌝, bir içki âleminin ertesi günü mahmurluğunu gidermek için bir bardak daha içmek: **to** ⌜**help a lame ~ over a stile**⌝, çaresiz kalmış birini müşkülattan kurtarmak: **to lead a ~'s life,** başı derdden kurtulmamak: **you lucky ~!,** seni gidi köftehor seni!: ⌜**you can't teach an old ~ tricks**⌝, bu yaştan sonra bu huyumdan geçemem; yeni bir şeyi oğrenemem: **to throw to the ~s,** israf etm., ziyan etm.: **to be top ~,** üstün gelmek. **dog-collar,** köpek tasması; rahiblere mahsus yuvarlak yakalık. **dog-days,** yazın en sıcak günleri. **dog-ear,** kitab sahifesinin kıvrılan kenarı; kitabın sahifesini kıvırmak. **dog-fox,** erkek tilki. **dog-star,** şüarayi yemanî. **dog-watch,** (*den.*) iki saatlik nöbet (4–6 yahud 6–8).

doge [doudʒ]. Eski Venedik dukası.

dogged [ˈdogid]. Muannid, azimli. ⌜**it's ~ as does it**⌝, sebat etmeli. **~ness,** sebat, azim.

doggerel [ˈdogərəl]. Değersiz manzume.

doggie [ˈdogi]. Kuçukuçu.

doggo [ˈdogou]. **to lie ~,** ölmüş gibi yapmak.

doggy [ˈdogi]. Köpek gibi, köpeğe aid; köpeğe fazla düşkün.

dogma [ˈdogmə]. Nas, akide, ahkâm. **~tic** [–ˈmatik], kat'î, dogmatik; kesip atan. **~tize** [–taiz], naslaştırmak, kat'î söylemek, ahkâm vazetmek.

dogwood [ˈdogwud]. Kızılcık.

doily [ˈdoili]. Sofra tabaklarının altına konan işlemeli altlık.

doings [ˈduuiŋgs]. Faaliyet, is; yapılan şeyler; gidişat.

doldrums [ˈdoldrəms]. **the ~,** Okyanusun Hattıistivaya yakın bazı yerleri ki rüzgârı azdır. **to be in the ~,** (gemi) bu mıntakalarda rüzgârsızlıktan pek yavaş ilerlemek; (*mec.*) içi sıkılmak, keyfi yerinde olmamak; (işler) durgun olmak.

dole [doul]. Sadaka; işsiz ve muhtaclara hükûmetçe verilen haftalık; teberrü, hisse, pay. **to ~ out,** (tamahkârca) azar azar tevzi etmek. **to go on the ~,** (işsiz) hükûmetten haftalık yardımını almak.

doleful [ˈdoulfəl]. Mahzun, kederli; kasvetli.

dolichocephalic [ˈdoliko'seˈfalik]. Uzun kafalı.

doll [dol]. Bebek (kukla). **to ~ up [out],** gösterişli veya cicili bicili şeyler giydirmek.

dollar [ˈdolar]. Dolar.

dollop [ˈdolop]. Topak; ufak parça.

dolly [ˈdoli]. (Çocuk lisanında) bebek (kukla), bebecik. Kazık balyozu ve sair aletlere verilen isim.

dolman [ˈdolmən]. Sarkık yenli kadın ceketi; (*esk.*) hafif süvari askerinin giydiği ceket.

dolmen [ˈdolmən]. Tarihten önceki çağlarda dikili taşlar üzerine yatırılmış düz bir taştan ibaret mezar; dolmen.

dolt [doult]. Alık, salak. **~ish,** alık, ahmak.
domain [dəˈmein]. Malikâne; memleket; mülk, arazi; saha. **it does not come within my ~,** bu benim saham haricindedir.
dome [doum]. Kubbe. **~d,** kubbeli, kubbe şeklinde.
domestic [dəˈmestik] *a.* Eve aid, ev hayatına aid, ev ve aile hayatını seven; ehlî; memlekete aid; yerli. *n.* Hizmetçi veya aşçı. **~ate,** ehlileştirmek; ev ve aile hayatına alıştırmak; bir yere ısındırmak. **~ation** [–ˈkeiʃn], ehlileş(tir)me. **~ity** [–mesˈtisiti], eve ve aile hayatına bağlılık; ev hayatı.
domicil·e [ˈdomisail]. Mesken, ikametgâh. İkamet etm., oturmak. **~iary** [–ˈsiljəri], ikametgâha aid: **~ visit,** ikametgâhı araştırma.
dominan·ce [ˈdominəns]. Hakimiyet, nüfuz. **~t,** hâkim, nüfuzlu; (*mus.*) bir sesin beşinci perdesi.
dominat·e [ˈdomineit]. Hâkim olm.; hükmetmek. **~ion** [–ˈneiʃn], hakimiyet, tahakküm.
domineer [ˌdomiˈniə*]. Tahakküm etmek. **~ing,** mütehakkim, otoriter.
Dominican [dəˈminikən]. Dominiken rahibi.
dominie [ˈdomini]. Muallim, hoca.
dominion [dəˈminjən]. Hakimiyet, hükûmet, idare; memleket; dominyon.
domin·o, *pl.* **-oes** [ˈdominou, –z]. Karnaval veya maskeli baloda giyilen bir nevi harmaniye; domino taşı. **~oes,** domino oyunu.
don[1] [don]. İspanya'da asâlet ünvanı; Oxford veya Cambridge üniversitelerinde hoca.
don[2] *vb.* Giydirmek.
donat·e [douˈneit]. Teberru etm., hibe etm.; vermek. **~ion** [–ˈneiʃn], teberru, hibe.
done *bk.* **do.**
donkey [ˈdonki]. Eşek. **she would talk the hind leg off a ~,** beş para ver söylet on para ver sustur. **donkey-boiler,** (*den.*) yardımcı kazan, küçük kazan. **donkey-engine,** palamar çekmek vs. için kullanılan küçük yardımcı makine.
donor [ˈdounoo*]. Hibe eden, veren.
don't = **do not.**
doodle [ˈduudl]. Gayda çalmak; dalgın iken kâğıd üzerine şekiller çizmek.
doom [duum]. Feci akıbet; kader; hüküm. Mahkûm etmek. **the day [crack] of ~,** kıyamet günü: **his ~ is sealed,** o mahvolmuş demektir.
doomsday [ˈduumsdei]. Kıyamet günü. **~ Book,** İngiltere'de Norman istilâsından sonra kıralın emrile tertib olunan emlâk defteri.
door [dooə*]. Kapı. **the fault lies at my ~,** kabahat benimdir: **to keep within ~s,** evde oturmak, sokağa çıkmamak: **to lay a charge at s.o.'s ~,** birini ittiham etm.: **out of ~s,** dışarıda, açık havada: **to show s.o. the ~,** birini kapı dışarı etm.; **to show s.o. to the ~,** birini kapıya kadar teşyi etm.: **to turn s.o. out of ~s,** birini dışarı çıkarmak: **next ~,** yandaki kapı, kapı komşusu. **~keeper,** kapıcı. **~mat,** paspas. **~way,** kapı yeri, menfez. **door-nail,** iri başlı çivi: **dead as a ~,** ölmüş gitmiş.
dope [doup] *n.* Çiriş; (*arg.*) afyon vs. gibi sersemletici ilâc; malûmat, haber. *vb.* İlâcla sersemletmek; sersemletici ilâc karıştırmak; bir uçağın bez kanadlarını çirişle sertleştirmek. **~ habit,** morfin vs. gibi ilâc ibtilâsı.
dorado [dooˈraadou]. (*Coryphaena hippuris*) Büyük ve parlak renkli bir balık.
Doric [ˈdorik]. En eski ve sade Yunan mimarî tarzına aid; Doris'de konuşulan Yunan lehçesi; taşralı şive..
dormant [ˈdoomənt]. Uyuyan, uykuda gibi sessiz, hareketsiz.
dormer [ˈdoomə*]. **~ window,** çatı arası penceresi.
dormitory [ˈdoomitəri]. Yatakhane.
dormouse [ˈdoomaus]. Kışı uykuda geçiren bir nevi fare.
dory [ˈdoori]. (*Zeus faber*) Dülger balığı; hafif bir nevi kayık.
dose [dous]. (Eczacılıkta) doz. Doz vermek, dozunu vermek, ilâc vermek.
doss [dos]. (*arg.*) (Misafirhane veya han odasında) yatak. **to ~ (down),** yatmak.
dost *bk.* **do.**
dot [dot]. Nokta; benek. Noktasını koymak, noktalamak; benek benek yapmak. **he arrived on the ~,** elifi elifine geldi.
dot·e [dout]. Bunamak. **to ~ upon,** çıldırasıya sevmek, ···e mübtelâ olmak. **~age** [ˈdoutidʒ], bunama, bunaklık. **~ard** [–əd], bunak. **~ing,** bunak; bir şeye gülünc bir ibtilâsı olan.
doth [dʌθ]. (*esk.*) = **does.** *bk.* **do.**
dotty [ˈdoti]. Noktalı, benekli; (*arg.*) sapık.
double[1] [ˈdʌbl] *n.* Çift; iki misli, iki kat; iki porsiyon; duble; eş, benzer. **at the ~,** koşar adım: **to lead a ~ life,** biri herkese malûm biri hiç kimsenin bilmediği iki türlü hayat sürmek: **to play a ~ game,** iki tarafı da idare etm., 'tavşana kaç, tazıya tut' demek. **double-barrelled,** çift namlulu. **double-bass,** kontrabaso. **double-breasted,** kruaze (ceket). **double-cross,** iki tarafla da anlaşmış görünüp her ikisini de aldatma(k). **double-dealing,** iki yüz-

lülük. **double-decker,** iki ambarlı gemi, çift satıhlı uçak; iki katlı otobüs. **double-dutch,** anlaşılmaz lâkırdı [lisan]. **double-dyed,** iki defa boyanmış; bir şeyin sunturlusu, daniskası. **double-quick,** çok çabuk, koşarak.

double² *vb.* İki misli yapmak, iki misli olm.; eşi veya aynı olm.; katlamak; ikiye bükmek; (gemi) dolaşarak geçmek; (yumruğunu) sıkmak; koşar adım yürümek. ~ **(back),** (avda takib edilen hayvan) sür'atle geri dönmek. **double back,** katlamak; sür'atle geri dönmek. **double down,** (sahifenin kenarını) kıvırmak. **double over,** kıvırmak; ikiye bükmek. **double up,** ikiye bük(ül)mek; koşar adım ilerlemek.

doublet [ˈdʌblit]. On yedinci asra kadar Avrupa'da giyilen dar erkek ceketi; çift adese.

doubt [daut]. Şübhe. ···den şübhe etm.; tereddüd etmek. **no ~,** şübhesiz, muhakkak: **~ing Thomas,** her şeyden şübhe eden: **I ~ whether he will come,** geleceğini pek zannetmem. **~ful,** şübheli, meşkûk. **~less,** şübhesiz, muhakkak.

douche [duuʃ]. Duş; bir uzva su serperek veya alarak tedavi. Duş yapmak; su ile tedavi etmek.

dough [dou]. Hamur; (*arg.*) para. **~nut,** bir nevi lokma. **~y,** hamur gibi; yumuşak; soluk ve pelte gibi (yüz).

doughty [ˈdauti]. Cesur, yiğit, kahraman.

dour [duə*]. Soğuk, asık suratlı, sert; inadcı.

douse, dowse [daus]. Üzerine su serpmek; (ışığı) söndürmek; birden bire mayna etm.

dove [dʌv]. Kumru; güvercin. **~cot,** güvercinlik. **dove-coloured,** pembemsi kurşuni.

dovetail [ˈdʌvteil]. Kırlangıc kuyruğu, kurtağzı. Kurtağzı ile eklemek; (*mec.*) iki şeyi telif etm., uydurmak.

dowager [ˈdauədʒə*]. Ünvan sahibi bir adamın dul kalan karısı. **Queen ~,** valide kraliçe.

dowdy [ˈdaudi]. Kılıksız, fena giyinmiş.

dowel [ˈdauəl]. Kavelâ (ile eklemek).

dower [ˈdauə*]. Bir dul kadının kocasının mülkünden aldığı hisse; drahoma, çeyiz; kabiliyet. (Bir dula) kocasının mülkünden hissesini vermek; drahoma veya çeyiz vermek.

down¹ [daun] *n.* Alçak tebeşirli tepe. **~s,** cenubî İngiltere'de ağacsız tebeşirli ve arızalı yüksek ovalar.

down² *n.* Kuşun ana tüyü; hav; meyva tüyü; yüz tüyü.

down³ *vb.* İndirmek, aşağıya almak, yenmek. **to ~ tools,** grev yapmak.

down⁴. *adv. prep.* Aşağı, aşağıya. **to be [feel] ~,** keyfi yerinde olmamak: **to be ~ with influenza,** gripten yatmak: **to be ~ for stg.,** bir listeye ismini yazdırmış olmak: **just let me get that ~,** dur, yazayım: **to have ~,** yıktırmak, kestirmek; **to have a ~ [be ~] on s.o.,** birine kancayı takmak: **~ by the head [stern],** (*den.*) başlı [kıçlı]: **to hit a man when he is ~,** zebunküşlük etm. (vur abalıya *kabilinden*): **~ on one's luck,** talihsiz: **I am ten pounds ~ on this,** bu işte on lira açığım var: **~ and out,** sefalet içinde: **I should like that ~ on paper,** bunu yazı ile tesbit edelim: **~ to the beginning of the 19th century,** bu günden 19uncu asrın başına kadar: **this tyre is ~,** bu lastik sönmüş: **~ under,** Avustralya ve Yeni Zelanda: **up and ~,** bir aşağı bir yukarı; bazan iyi bazan fena; arızalı: **~ with ...!,** ... kahrolsun! **down-at-heel,** topuğu çiğnemiş (ayakkabı); düşkün, sefalet içinde (adam). **down-stream,** bir nehirde akıntı istikametinde olan.

downcast [ˈdaunkaast]. Süngüsü düşük, keyifsiz, kederli; (gözler) inik.

downfall [ˈdaunfool]. Düşme; yağma; yıkılma, çökme; sukut.

downhearted [ˈdaunˈhaatid]. Meyus, cesareti kırılmış; süngüsü düşük.

downhill [ˈdaunˈhil]. İnişli; yokuş aşağı. **to go ~,** (*mec.*) gittikçe çökmek veya fenalaşmak.

downmost [ˈdaunmoust]. En aşağı.

downpour [ˈdaunpooə*]. Şiddetli yağmur, sağanak.

downright [ˈdaunrait]. Dobra dobra söyliyen; selamünaleyküm kör kadı; kat'î, tam; tamamen, katiyetle.

downstairs [ˈdaunˈsteəz]. Merdivenin alt başında; aşağı, aşağıda.

downtrodden [ˈdauntrodən]. Ayaklar altında çiğenen; zulüm gören.

downward [ˈdaunwəd]. Aşağı doğru olan; iyiden fenaya doğru giden. **~s** [–wədz], yukarıdan aşağı, aşağı doğru: **from ... ~,** ···den itibaren: **face ~,** yüzükoyun.

downy [ˈdauni]. Tüylü, havlı.

dowry [ˈdauri]. Drahoma.

dowser [ˈdausə*]. Bir değnekle su arayıcı.

doze [douz]. Uyuklama(k), kestirme(k).

dozen [ˈdʌzn]. Düzine. **baker's ~,** on üç: **to sell by the ~,** düzine ile satmak: **to talk nineteen to the ~,** çene çalmak, gır gır gır konuşmak.

dr. = **drachm.**

Dr. = **doktor.**

drab [drab] *n.* Pasaklı kadın; sürtük. *a.* Renksiz, kirli renkte; yeknesak; bayağı, zevksiz, kasvetli.

drachm [dram]. Dirhem; ağırlık ölçüsü = 3·5 gram *veya* 3·55 mililitre.

Draconian, Draconic [dra'kouniən]. Sert, merhametsiz.
draff [draf]. Tortu, posa.
draft [draaft]. Taslak, müsvedde; müfreze, kıt'a; poliçe; tediye emri. Taslağını yapmak, müsveddesini yazmak; bir müfreze veya kıt'ayı ayırmak veya göndermek. **to make a ~ on s.o.'s friendship,** birinin dostluğunu istismar etmek. **~sman,** *bk.* **draughtsman.**
drag[1] [drag] *n.* Çekmeğe veya sürüklemeğe yarıyan şey; tarama ağı; çengel; tekerlek çarığı; engel, mâni; ağır eşya taşımak için kızak; ağır tarla tırmığı [sürgüsü]; (*esk.*) dört atlı posta arabası.
drag[2] *vb.* Sürüklemek, sürümek; yere sürünmek, sürüp gitmek; pek uzamak; (gemi demiri) taramak. **drag about, along,** sürüklemek. **drag away,** zorla alıp götürmek, sürükliyerek götürmek. **drag on,** sürüklenmek, uzayıp gitmek. **drag out,** sürükleyip [çekip] çıkarmak; bir işi uzatmak: **to ~ out a wretched existence,** sürünerek yaşamak. **drag up,** sürükleyip veya çekip çıkarmak; (çocuğu) gelişi güzel terbiye etm.
draggle ['dragl]. Çamur vs.de sürüyerek kirletmek veya ıslatmak; halsizlikten arkada kalmak.
dragoman ['dragəman]. (Şark memleketlerinde) tercüman.
dragon ['dragən]. Ejderha; çok sert ve müsamahasız kimse; bir nevi iri kertenkele. **dragon-fly,** yusufcuk, tayyare böceği.
dragoon [drə'guun]. Ağır süvari. (Halka) zulmetmek; (bir şeyi birine) zorla yaptırmak.
drain [drein]. Lağım, su yolu; devamlı masraf, yük. Suyunu boşaltmak, akıtmak; süzmek; son damlasına kadar içmek; (arazi vs.) kurutmak; (para) tüketmek; suyunu çektirmek; (su) akmak, süzülmek. **to throw money down the ~,** parayı sokağa atmak: **to ~ s.o. dry,** birinin parasını son santimine kadar almak, kurutmak.
drainage ['dreinidʒ]. Suların akması veya akıtılması; bir bataklığın kurutulması; su boruları veya lağım tesisatı. **drainage-tube,** (cerrahlıkta) cerehat çekme tübü.
drainer ['dreinə*]. Süzgeç.
drake [dreik]. Erkek ördek.
dram [dram]. Bir ağırlık ölçüsü = 1·78 gram; az bir mikdar ispirtolu içki. **dram-drinker,** ispirtolu içkilere mübtelâ.
drama ['draamə]. Dram, piyes; tiyatro san'ati. **~tic** [drə'matik], dram gibi; tiyatroya aid; heyecanlı, meraklı. **~tist** ['dramətist], tiyatro müellifi. **~tize** ['dramətaiz], dram haline getirmek; meraklı ve heyecanlı bir hale sokmak; bir romanı vs. piyese çevirmek.
drank *bk.* **drink.**
drape [dreip]. Kumaş ile örtmek veya süslemek; kumaşı asmak.
draper ['dreipə*]. Manifaturacı, tuhafiyeci. **~y,** manifatura, tuhafiye.
drastic ['drastik]. Kat'î, şiddetli; esaslı; pek tesirli.
drat [drat]. (*kon.*) **~ the child!,** aman bu yumurcak!, bu yumurcağın Allah müstehakkını versin! **~ted,** hınzır (yumurcak vs.)
draught [draaft]. Çekme, çekilme; içme, yudum; geminin çektiği su; hava cereyanı; fıçıdan verilen (bira vs.); ilâc. **at a ~,** bir yudumda. **~s,** dama oyunu. **draught-board,** dama tahtası. **draught-horse,** yük arabasını çeken ağır at.
draughtsman ['draaftsmən]. Teknik ressam, desinatör. **~ship,** ressamlik, resim san'ati.
draughty ['draafti]. Cereyanlı. **it is ~,** cereyan yapıyor.
draw[1] [droo] *n.* Kur'a vs. çekme; birini söyletmek için sarfedilen bir söz; çok rağbet gören şey; berabere kalmış oyun.
draw[2] **(drew, drawn)** [droo, druu, droon] *vb.* Çekmek; keşide etm.; celbetmek; sevketmek; resim yapmak, resmini yapmak; çizmek; çekilmek. **the battle was ~n,** muharebe neticesiz kaldı: **to ~ a covert,** tilki avında bir koruyu taramak: **to ~ a fowl,** bir tavuğun içini temizlemek: **to ~ a fox [badger],** tilki [porsuk] ininden çıkarmak: **to ~ a game,** bir oyunda berabere kalmak: **to be hanged, ~, and quartered,** (eskiden) asılıp, barsakları çıkartılıp, parçalanmak: **to ~ near,** sokulmak, yaklaşmak: **the train drew into the station,** tren istasyona girdi: **to ~ round the table,** masanın etrafına toplanmak: **to ~ tea,** çayı demlemek: **to try to ~ s.o.,** ağzını aramak, söyletmek: **I won't be ~n,** ağzımdan lâf alamazsın: **I had to ~ upon my savings,** tasarruf ettiğim paradan alıp sarfetmeğe mecbur oldum: **to ~ upon one's memory,** hafızasını yoklamak: **to ~ wine,** fıçıdan şarab boşaltmak. **draw along,** sürüklemek. **draw apart,** ayırmak, ayrılmak. **draw aside,** bir tarafa çekmek, bir kenara çekilmek. **draw away,** çekip ayırmak; uzaklaşmak; başka tarafa sevketmek. **draw back,** geri çekmek; (perde) açmak; çekilmek; gerilemek. **draw down,** indirmek. **draw in,** içine çekmek: **the day is ~ing in,** akşam oluyor: **the days are ~ing in,** günler kısalıyor. **draw off,** çekip çıkarmak; başka tarafa çekmek; mayii bir az boşaltmak. **draw on,** giymek; geçir-

mek; sevketmek: **the evening was ~ing on,** akşam yaklaşıyordu. **draw out,** çekip çıkarmak; sökmek; taslağını çizmek; uzatmak: **the days are ~ing out,** günler uzuyor: **to ~ s.o. out,** birini konuşturmak. **draw to,** çekip kapatmak. **draw up,** çekip kaldırmak; (kollarını vs.) sıvamak; (plân vs.yi) tertib etm., tanzim etm.; (otom. vs.) durmak: **to ~ oneself up,** dik durmak: **to ~ up to the table,** masaya yaklaşmak: **to ~ up troops,** askeri dizmek: **to ~ up with s.o.,** birine yetişmek.
drawback [ˈdroobak]. Mahzur; ihracat primi.
drawbridge [ˈdroobridʒ]. İndirilip kaldırılabilen veya bir kenara çekilebilen köprü.
drawer [ˈdroo*]. Çekmece, göz; poliçe keşidecisi; çeken, çekici. **chest of ~s,** çekmeceli dolab.
drawers [ˈdrooz]. Don.
drawing [ˈdrooiŋ] *n.* Yağlı ve sulu boyadan gayrı resim san'atı. **drawing-mill,** telhane, haddehane. **drawing-room,** salon, misafir odası; (sarayda) kabûl resmi. **drawing-pen,** cedvel kalemi. **drawing-pin,** raptiye, resim çivisi.
drawl [drool]. Kelimeleri uzatarak konuşma(k); ince ezgi fıstıkı makam konuşma(k).
drawn [droon] *bk.* **draw.** *a.* (Çehre) süzük; (muharebe) neticesiz; (oyun) berabere; (kılıc) çekilmiş.
dray [drei]. (Bilhassa bira fıçıları için) ağır yük arabası. **~man,** yük arabacısı.
dread [dred] *n.* Korku, dehşet; haşyet. *a.* Korkunc. *vb.* ···den yılmak. **to stand in ~ of,** ···den yılmak. **~ful,** müdhiş, korkunc: **~fully,** müdhiş, korkunc bir şekilde, son decrece.
dreadnought [ˈdrednoot]. Zırhlı, drednot.
dream [driim]. Ruya, hûlya. Ruya görmek; hûlyaya dalmak; ruyada görmek. **day ~,** hûlya: **little did I ~,** hayalimde bile yoktu: **I should not ~ of doing that,** bunu kat'iyen yapmam. **~er,** ruya gören; hayalperest. **~y,** hulyalı; dalgın.
dreary [ˈdriəri]. Kasvetli, can sıkıcı, hüzün veren; ıssız.
dredge[1] [dredʒ] *n.* Tarak makinesi; ağlı kepçe. *vb.* Tarak makinesi ile taramak. **~r,** tarak dubası, tarayıcı.
dredge[2] *vb.* Un vs. serpmek. **~r**[2], un vs. serpmeğe mahsus kab.
dregs [dregs]. Tortu, posa, telve.
drench [drentʃ]. İyice ıslatmak, sırsıklam etm.; (at vs.ye) ilâc vermek. Hayvan ilâcı. **~ed to the skin,** iliklerine kadar ıslanmış.
Dresden [ˈdrezdən]. **~ china,** Saksonya porseleni
dress[1] [dres] *n.* Elbise; üstbaş; kıyafet; tuvalet; kostüm. **full ~,** merasim elbisesi. **dress-circle,** (tiyatro) balkon. **dress-coat,** frak: **dress-stand,** manken.
dress[2] *vb.* Giydirmek; giyinmek; süslemek; donatmak; tımar etm.; pansıman yapmak; sarmak; yontmak, kabasını almak; düzeltmek; askeri hizaya getirmek; (deri vs.yi) işlemek; (tavuk vs.yi) pişirmek için hazırlamak; salataya zeytinyağı ve sirke koymak; (tarlayı) gübrelemek. **to ~** veya **~ for dinner,** akşam tuvaleti veya frak veya smokin giymek: **do we ~?,** smokin vs. mecburî mi?: **to ~ ship,** gemiyi bayraklarla donatmak: **right ~!,** (*ask.*) sağdan hizaya gel! **dress down,** şiddetle azarlamak; dayak atmak. **dress up,** (çocuklar) büyük adam kıyafetine girmek; (büyükler) giyinip kuşanmak.
dresser[1] [ˈdresə*]. Giydirici; pansumancı.
dresser[2]. Tabak dolabı.
dressmak·er [ˈdresmeikə*]. Kadın terzisi. **~ing,** kadın terziliği.
dressy [ˈdresi]. Gösterişli giyinen, elbise düşkünü olan.
drew *bk.* **draw.**
dribble [ˈdribl]. Damlama; salya. Damlamak, damla damla akmak; salyası akmak; azar azar gelmek vs.; (futbol) topu sürmek.
drib(b)let [ˈdriblit]. Küçük mikdar.
dried [draid] *a.* Kuru; kurumuş. **dried-up,** kurumuş, kavrulmuş.
drier, driest *bk.* **dry**[1].
drift [drift]. Temayül, meyil; meal; kar vs. yığıntısı; su veya havada cereyanla sürüklenme(k); rastgele sürüklenme(k); (su veya rüzgâr) sürüklemek; (gemi) düşme(k). **to let oneself ~,** kapıp koyuvermek: **to let things ~,** işleri kendi haline bırakmak. **drift-ice, drift-wood,** suda yüzen buz veya tahta parçası.
drifter [ˈdriftə*]. Ağ çeken bir nevi balıkçı gemisi.
drill[1] [dril] *n.* Matkab; matkab tezgâhı. *vb.* Delmek, delik açmak; (kuyu) açmak.
drill[2] *n.* (*ask.*) Talim. *vb.* Talim et(tir)mek.
drill[3] *n.* Tohum yatağı, sıra; tohum ekme makinesi. *vb.* Sıra sıra ekmek, makine ile ekmek.
drill[4] *n.* Bir nevi kaba pamuklu kumaş.
drily [ˈdraili] = **dryly,** kuru olarak.
drink (drank, drunk) [driŋk, draŋk, drʌŋk]. İçmek. İçecek şey; içki. **to have a ~,** bir şeyi içmek: **give me a ~ of water,** bana bir az su ver: **to be in ~ [the worse for ~],** sarhoş olm.: **to ~ oneself to death,** işretten kendini öldürmek: **the ~ question,** alkolizm meselesi: **soft ~,** alkolsüz içki: **strong ~,** alkollü içki: **to take to ~,** kendini içkiye vermek: **to ~ the waters,** içmelere gitmek.

drink away, to ~ away one's fortune, varını yoğunu içkide bitirmek: to ~ away one's sorrows, kederini içki ile dağıtmak. **drink in,** emmek, içmek; **he drank it all in,** (bu yalanların vs.) hepsini yuttu. **drink off, ~ up,** içip bitirmek. **drinkable** [ˈdriŋkəbl]. İçilir: **~s,** içecekler, içkiler.

drip [drip]. Damlama(k), su sızma(k). **to be ~ping wet,** sırsıklam olmak. **~ping,** erimiş içyağı: **~s,** damlıyan şey.

drive[1] [draiv] *n.* (Araba vs. ile) gezinti; bir bahçede araba yolu; enerji ve sürükleme kabiliyeti, şevk, sevk, hız; muayyen bir maksad için büyük bir teşebbüs ve gayret; sürek avı; topa vuruş, topun fırlayışı; makineyi işleten vasıta. **to go for a ~,** araba vs. ile gezinti yapmak: **belt ~,** (makine) kayışla işleme: **direct ~,** direkt priz.

drive[2] (**drove, driven**) [draiv, drouv, drivn] *vb.* Önüne katıp sürmek, sürmek, yürütmek; sevketmek; sıkıştırmak, mecbur etm.; (araba vs.) kullanmak; çok çalışmak; sürülmek. **to ~ a ball,** hızla vurup topu atmak: **to ~ a nail,** bir çiviyi çakmak, kakmak: **the rain was driving in our faces,** yağmur yüzümüze çarpıyordu: **to ~ s.o. to the station,** birini (araba vs. ile) istasyona götürmek: **to ~ a tunnel,** tünel açmak: **what are you driving at?,** maksadınız nedir?, ne demek istiyorsunuz? **drive away,** koğmak; sürüp uzaklaştırmak; araba vs. ile uzaklaşmak. **drive down,** inmeğe mecbur etmek. **drive in,** içeri sürmek; sokmak; kakmak: **to ~ in [home] a nail,** bir çiviyi iyice çakmak: **to ~ in [home] a point,** bir noktayı hiç tereddüdde mahal kalmıyacak şekilde anlatmak. **drive off,** koğmak; (araba vs. ile) ayrılmak. **drive on,** ileri sürmek; (araba vs. ile) durmadan ilerlemek. **drive out,** dışarı sürmek; koğmak; sürüp çıkarmak.

drivel [ˈdrivl]. Salya; saçma lâkırdı. Salyası akmak; saçmalamak. **~ler,** salyalı, salyası akan; saçmalıyan.

driven [ˈdrivn] *a.* **~ snow,** yığılmış kar.

driver [ˈdraivə*]. Sürücü; arabacı, şoför.

driving [ˈdraiviŋ] *n.* (Araba vs.yi) kullanma. *a.* Yürütücü, sürücü; sevkedici. **~ licence,** şoförlük ruhsatiyesi: **~ rain,** rüzgârlı yağmur: **~ test,** şoförlük imtihanı. **driving-band,** sevk çemberi. **driving-belt,** çark kayışı. **driving-wheel,** ana çark.

drizzle [ˈdrizl]. Çiseleme(k).

droll [droul]. Tuhaf, komik; garib. **~ery,** tuhaflık; garib ve tuhaf şey.

dromedary [ˈdromədəri]. Hecin devesi.

drone [droun]. Erkek arı; tembel adam, tufeyli; vızıltı. Vızıldamak; yeknesak bir sesle mütemadiyen konuşmak. **to ~ away one's time,** vaktini haylazlıkla geçirmek.

droop [druup]. Sarkma(k); bükülme(k); (gözleri ve göz kapakları) inik olmak.

drop[1] [drop] *n.* Damla, katre; damla şeklinde bir şey; düşme, inme; yukarıdan aşağıya mesafe. **acid ~,** leblebi şeklinde mayhoş bir nevi şeker. **drop-curtain,** (tiyatro) inerek kapanan perde. **drop-forge,** kalıp ile dövmek. **drop-forging,** kalıplı dövme. **drop-hammer,** makineli şahmerdan.

drop[2] *vb.* [*Bu fiil umumiyetle tesadüfî ve gelisi güzel bir hareketi ifade eder.*] Düşürmek; atmak; damla(t)mak; bırakmak, terk etm.; indirmek, alçaltmak; (hayvan) doğurmak; inmek, alçalmak: yere düşmek. **to ~ behind,** tedricen geri(de) kalmak: **to ~ into the habit of,** ···i adet edinmek: **to ~ a habit,** bir adetten vazgeçmek: **I've ~ped £100 over this,** bu işte yüz lira kaybettim: **to ~ a letter [word],** (yazıda) bir harfi [kelimeyi] atlamak: **to ~ a letter,** (konuşurken) bir harfi telaffüz etmemek: **to ~ s.o. a line,** birine iki satır bir şey yazmak: **there the matter ~ped,** mesele öylece kaldı: **I am ready to ~,** (yorgunluktan) ayakta duramıyorum: **to ~ a remark,** bir şeyi söyleyivermek: **where shall I ~ you?,** sizi nerede indireyim, bırakayım? **drop away,** dağılmak; azalmak. **drop in,** rasgele uğramak; çökmek. **drop off,** ayrılıp düşmek: **to ~ off to sleep,** içi geçmek. **drop out,** saftan ayrılmak; çıkıp vazgeçmek; çıkarmak, hazfetmek.

dropper [ˈdropə*]. Damlalık.

drops·y [ˈdropsi]. (*tıb.*) İstiska, sıskalık. **~ical** [–kl], istiskalı, sıska.

dross [dros]. Cürüf; tortu; süprüntü.

drought [draut]. Kuraklık, yağmursuzluk, susuzluk.

drove [drouv]. (Yürüyüş halinde) sürü. **~r,** sürücü; celeb.

drove *bk.* **drive.**

drown [draun]. Suda boğ(ul)mak; su basmak. **to ~ oneself,** kendini suya atarak intihar etm.: **to be ~ed out,** su basması üzerine evinden çıkmağa mecbur olm.: **to ~ one's sorrows in drink,** kederini içki ile avutmak.

drows·e [drauz]. Uyuklamak. **~y,** uykusu basmış, yarı uykuda; uyutucu.

drub [drʌb]. Değnekle döğmek; adamakılı yenmek.

drudge [drʌdʒ]. Ağır veya zevksiz işlerde çalışan. Ağır ve zahmetli işler görmek. **~ry,** ağır ve zahmetli veya zevksiz iş.

drug [drʌg]. İlâc; uyuşturcu ilac. Uyuşturucu ilâc vermek; uyutmak. **drug-addict, drug-fiend,** kokain veya morfin gibi zehirli ilâclara mübtelâ. **drug-store** (Amer.), eczane.

drugget [ˈdrʌgit]. Halı veya masa örtüsü için kullanılan kaba bir kumaş.

druggist [ˈdrʌgist]. Eczacı.

Druid [ˈdruuid]. Eski Kelt rahibi.

drum [drʌm] *n.* Davul, trampet; kulak zarı; davul şeklinde kutu vs., demir fıçı; kayış çemberi. *vb.* Davul veya trampet çalmak; tekrar tekrar vurmak veya çarpmak. **to ~ stg. into s.o.,** bir şeyi birine tekrar ede ede öğretmek: **to bang the big ~,** davul çalmak; reklam yapmak: **~ major,** askerî bando şefi: **to ~ out,** (*ask.*) ordudan tardetmek. **drum-head,** davul derisi: **~ court martial,** harb zamanında vaka mahallinde fevkalâdeden olarak kurulan askerî mahkeme.

drumstick [ˈdrʌmstik]. Davul tokmağı; trampet sopası; pişmiş tavuk budunun alt tarafı.

drunk [drʌnk] *bk.* **drink**; *a.* Sarhoş. **~ard,** *n.* ayyaş, sarhoş. **~en,** *a.* sarhoş.

drupe [druup]. (Kiraz ve şeftalı gibi) çekirdeği sert kabuklu meyva.

Druse [druus]. Dürzü.

dry[1] [drai] *a.* Kuru; kurak; susuz; yağmursuz; suyu çekilmiş; sütü çekilmiş; (şarab) tatlı olmıyan; tatsız, yavan; içki satılmıyan veya yasak olan (yer). **to feel ~,** susamak: **to go ~,** kurumak; (bir memleket) içkiyi yasak etm.: **~ humour,** gülmeden ve tabiî olarak yapılan nüktecilik: **to pump a well ~,** bir kuyunun suyunu boşaltmak: **to run ~,** kurumak, suyu çekilmek: **a ~ smile,** zoraki veya istihzalı gülümseme: **~ work,** insanı susatan iş. **dry-as-dust,** kupkuru (muharrir vs.). **dry-clean,** yıkamadan temizlemek. **dry-dock,** havuz; havuzlamak. **dry-eyed,** ağlamadan, ağlamıyan. **dry-fly, to fish ~,** su üzerine yüzen ve oltaya bağlı yapma sinekle balık avlamak. **dry-nurse,** *n.* çocuğu emzirmiyen dadı; *vb.* emzikle büyütmek; (*mec.*) bir acemiye vazifesini öğretmek. **dry-rot,** 'ev süngeri' denilen ağac çürümesi. **dry-shod,** ayaklarını ıslatmadan.

dry[2] *vb.* Kurutmak; kurulamak; kurumak; yaşını silmek. **to ~ off a cow,** her gün daha az sağarak bir ineğin sütünü kesmek: **to ~ up,** suyu çekilmek; kurulamak; silmek; **oh, ~ up!,** aman, kes sesini! **drying-cupboard,** nemli çamaşırların kurutulduğu dolab. **drying-line,** çamaşır ipi.

dryad [ˈdraiad]. (Eski Yunan mitolojisinde) orman perisi.

dryer [ˈdraiə*]. Kurutucu şey.

D.S.O. [ˈdii ˈes ˈou] = **Distinguished Service Order,** bir askerî nişan.

D.T. [ˈdiiˈtii] = **delirium tremens.**

dual [ˈdjuəl] *a.* Çift, ikiz, ikili, iki taraflı. *n.* Tesniye.

dub[1] [dʌb]. Birine muayyen merasimle şövalyelik payesi vermek; birine bir isim veya ünvan vermek.

dub[2]. Köseleyi yağlayıp yumuşatmak. **~ bin(g),** köseleyi yumuşatmak için kullanılan yağ.

dubi·ous [ˈdjuubjəs]. Şübheli; kat'î olmıyan; meşkûk. **~ety** [–ˈbaiəti], şübhelilik, kat'î olmayış.

ducal [ˈdjuukl]. Dukaya aid.

duchess [ˈdʌtʃis]. Düşes.

duchy [ˈdʌtʃi]. Dukalık.

duck[1] [dʌk] *n.* Ördek; *muhabbet ifade eden tabir.* **~'s egg,** (kriket oyununda) sıfır: **a ~ of a hat,** çok şık, çok cici bir şapka: **a lame ~,** borclarını ödeyemiyen borsa simsarı; sakat ve geri kalan gemi: **like water off a ~'s back,** hiç tesirsiz, (bana mısın demiyen): **~s and drakes,** suda taş sektirme oyunu: **to play ~s and drakes with stg.,** bir şeyi keyif için israf ve ziyan etm.: **to take to French like a ~ to water,** fransızcadan hoşlanmak ve onu kolay bulmak.

duck[2] *vb.* Dal(dır)mak; birdenbire başını eğmek. **to get a ~ing,** suya düşüp ıslanmak.

duck[3]. Bir nevi tok bez. **~s,** bu bezden yapılan beyaz pantalon.

duckling [ˈdʌkliŋ]. Ördek yavrusu.

duckweed [ˈdʌkwiid]. (*Lemna*) Su mercimeği.

duct [dʌkt]. Boru; su yolu; kanal.

ductil·e [ˈdʌktail]. Tel haline konabilir; şekil verilebilir; uysal; hamur gibi yuğurulabilir. **~ity** [–ˈtiliti], tel haline konabilme; uysallık.

dud [dʌd]. İşe yaramaz (şey); patlamamış mermi. **~ cheque,** karşılıksız çek.

dudgeon [ˈdʌdʒən]. Dargınlık, küskünlük.

due [djuu] *a.* Uygun, münasib; icab eden; mukarrer; gelmesi vs. beklenen; borcu ödeme vakti gelmiş, vadesi tamam. *adv.* Tam. *n.* Hak, istihkak. **~s,** resim, vergi, borc. **~ to ...,** ···den dolayı, ···in sayesinde: **to be ~ to,** sebebi ... olmak; ···in hakkı olmak: **it is ~ to him,** onun sayesinde, onun yüzünden: **it is due to him,** onun hakkıdır: **after ~ consideration,** iyice düşünüp taşındıktan sonra: **to fall ~,** (bir borcun vs.) vadesi gelmek: **~ south,** tam cenuba doğru.

duenna [djuˈena]. Genc kızlara refaket eden yaşlı kadın.

duet [djuˈet]. Düetto, iki kişi tarafından söylenen şarkı. **~ist,** düettocu.

duffer [ˈdʌfə*]. Kalınkafalı kimse; beceriksiz adam.

dug[1] [dʌg]. Meme.
dug[2] *bk.* dig. **dug-out,** bir ağac kütüğü oyularak yapılmış kayık; bir tepe vs. içine oyularak yapılmış sığınak.
duke [djuuk]. Duka. **~dom,** dukalık.
dulcet [ˈdʌlsit]. Hoş ve tatlı (ses).
dulcimer [ˈdʌlsimə*]. Santur.
dull [dʌl] *a.* İç sıkıcı, sıkıntılı, kasvetli; ağır; gabi; donuk; kesad; ruhsuz; kör, kesmez. *vb.* Sersemletmek, ağırlaş(tir)mak, uyuş(tur)mak; (ağrı) hafifleş(tir)mek; körleş(tir)mek. **I feel ~,** içim sıkılıyor: **to be ~ of hearing,** ağır işitmek: **the ~ season,** ölü mevsim.
duly [ˈdjuli]. Hakkile; uygun bir şekilde; beklendiği gibi.
dumb [dʌm]. Dilsiz, sessiz. **~ show,** pandomima. **dumb-bell,** halter. **dumb-waiter,** sofra üzerine konulan döner tepsi; (Amer.) tabak koymağa mahsus masa.
dumbfound [dʌmˈfaund]. Apatallaştırmak, sersemletmek, şaşkına çevirmek.
dummy [ˈdʌmi]. Taklid şey; manken. **~ gun,** tahta top.
dump [dʌmp]. (*ech.*) *vb.* Ağır bir şeyi gürültü ile yere indirmek; atmak; (bir yükü) boşaltmak; rekabet için piyasaya çok ucuz fiatla mal çıkarmak, damping yapmak. *n.* Çöp boşaltılan yer; süprüntü yığını; cephane deposu.
dumpling [ˈdʌmpliŋ]. Etle beraber yenen suda pişmiş yağlı hamur parçası.
dumps [dʌmps]. Hüzün, keyifsizlik. **to be down in the ~,** kederli olm., keyfi yerinde olmamak.
dumpy [ˈdʌmpi]. Bodur, kısa ve şişman; tıknaz.
dun[1] [dʌn] *a.* Boz.
dun[2] *vb.* Israrla alacağını istemek. *n.* Belâlı alacaklı. **to be ~ned on all sides,** uçan kuşa borclu olmak.
dunce [dʌns]. Kalınkafalı, mankafa, gabi. **~'s cap,** tembel talebeye giydirilen külâh.
dunderhead [ˈdʌndəhed]. Aptal, kalın kafalı.
dune [djuun]. Kum tepeceği.
dung [dʌŋ]. Gübre. Gübrelemek. **~hill,** gübre yığını, mezbele.
dungaree [dʌŋgəˈrii]. Hindistanda yapılan kaba pamuklu kumaş. **~s,** bu kumaştan yapılan pantalon; mavi işçi pantalonu.
dungeon [ˈdʌndʒən]. Zindan.
dunnage [ˈdʌnidʒ]. Hamuleyi sudan korumak için kullanılan hasır vs.; (*kon.*) pılıpırtı, eşya.
duodecim·al [ˈdjuouˈdesiməl]. On ikiye aid, on ikişer; esası on iki olan. **~o,** on iki yapraklı forma.
duoden·um [djuouˈdiinəm]. Onikiparmak barsağı. **~al,** buna aid.
dupe [djuup]. Aldatılmış kimse. Aldatmak. **~ry,** hile, aldatma.
duplex [ˈdjuupleks]. Çift.
duplicat·e [ˈdjuuplikit] *n.* İki nüshadan biri, suret, bir şeyin aynı. *a.* Çift. *vb.* [–keit], Suretini çıkarmak, iki misli yapmak; kopya etmek. **in ~,** iki nüsha olarak: **~ing machine,** teksir makinesi. **~or,** teksir makinesi.
duplicity [djuˈplisiti]. İki yüzlülük, aldatma.
durab·le [ˈdjuurəbl]. Devamlı, sürekli, dayanıklı. **~ility** [–ˈbiliti], devamlılık, dayanıklılık.
durance [ˈdjuurəns]. (*şair.*) Mahbusluk.
duration [djuˈreiʃn]. Devam, müddet.
duress [djuˈres]. İcbar; sıkıştırma; (*huk.*) ikrah ve tehdid.
during [ˈdjuuriŋ]. Esnasında, zarfında.
durst = **dared.**
dusk [dʌsk]. Az karanlık, akşam karanlığı. **it is growing ~,** hava kararıyor: **at ~,** hava kararırken, akşam üstü. **~y,** loş, karanlık; esmer, zenci.
dust [dʌst]. Toz. Toz almak. **to bite the ~,** yaralanmak veya ölmek; bozguna uğramak: **to humble to the ~,** tezlil etm.: **to ~ s.o.'s jacket,** birine dayak atmak, 'tozunu almak'; **to raise [kick up] a ~,** toz etmek; mesele yapmak: **to shake the ~ of ... off one's feet,** lanet olsun diye alâkasını kesmek: **to throw ~ in s.o.'s eyes,** aldatmak, birinden hakikati gizlemek. **dust-cart,** çöp arabası. **dust-coat, dust-cover,** *etc.*, tozdan ve kirden korumak için iş gömleği vs. **dust-pan,** faraş. **dust-shot,** kum saçma.
dustbin [ˈdʌstbin]. Çöp tenekesi.
duster [ˈdʌstə*]. Toz bezi.
dustman [ˈdʌstmən]. Çöpçü.
dusty [ˈdʌsti]. Tozlu.
Dutch [dʌtʃ]. Felemenkli; felemenkçe; Holanda'ya aid. **~ auction,** müşteri zuhur edinceye kadar fiatın indirildiği mezad: **~ courage,** içkiden gelen cesaret: **double ~,** anlaşılmaz lisan. **~man,** Felemenkli; (*Amer.*) Alman.
dutiable [ˈdjuutiəbl]. Gümrük resmine tabi.
dutiful [ˈdjuutifl]. Ana babaya, âmir vs.ye karşı hürmetkâr ve itaatli.
duty [ˈdjuuti]. Vazife; hürmet, itaat; vergi, resim. **~ call,** nezaket ziyareti: **to be on ~,** vazifede (nöbette) olm., nöbetçi olm.: **to do ~ for,** ···in yerini tutmak: **to enter upon [take up] one's duties,** vazifeye başlamak: **liable to ~,** gümrük resmine tabi: **from a sense of ~,** (manevî) vazife icabı. **duty-free,** gümrük resminden muaf.

dwarf [dwoof] *n.* & *a.* Cüce, bodur. *vb.* Gelişmesine mani olm.; bodur bırakmak; cüce göstermek. **~ish,** cüce gibi.
dwell [dwel]. İkamet etm., oturmak; durmak, kalmak; ısrarla durmak. **to ~ on stg.**, bir şey üzerinde durmak. **~ing,** mesken, ikametgâh.
dwindle [ˈdwindl]. Tedricen azalmak, küçülmek.
dwt. = pennyweight.
dye [dai]. Boya. Boya(n)mak. **~d in the wool,** (kumaş) yün halinde iken boyanmış; boyası çıkmaz; esaslı; koyu: **a liar of the deepest ~,** sunturlu bir yalancı: **this material ~s well,** bu kumaş boyaya gelir (iyi boyanır). **~r,** boyacı. **dye-works,** boyahane.
dying *bk.* die.
dyke *bk.* dike.
dynamic [daiˈnamik]. Dinamik; son derece cevval ve enerjik. **~s,** dinamik bahsi.
dynamite [ˈdainəmait]. Dinamit. Dinamitle berhava etmek.
dynamo [ˈdainəmou]. Dinamo.
dynast·y [ˈdinəsti]. Hanedan, sülâle. **~ic,** [diˈnastik], bir hanedane aid.
dysenter·y [ˈdisəntri]. Dizanteri, kanlı basur. **~ic** [disenˈterik] dizanteriye aid.
dyspep·sia [disˈpepsiə]. Hazımsızlık. **~tic,** hazımsızlığa aid.

E

e [ii]. E harfi: (*mus.*) mi.
each [iitʃ]. Herbir; her; başına, beheri. **~ one of us,** herbirimiz; **~ one of you,** herbiriniz: **~ one of them,** herbiri: **~ other,** birbiri: **we see ~ other every day,** birbirimizi her gün görüyoruz: **we ~ have our own room,** herbirimizim bir odası var.
eager [ˈiigə*]. Hevesli; istekli; haris; gayretli. **to be ~ for,** çok istemek. **~ness,** şiddetli arzu, hırs; gayret, tehalük.
eagle [ˈiigl]. (*Aquila*) Kartal; karakuş. **eagle-eyed,** keskin gözlü. **~t,** kartal yavrusu.
ear [iə*]. Kulak; başak. **to be all ~s,** kulak kesilmek: **last night your ~s must have burnt [tingled],** dün gece her halde kulaklarınız çınlamıştır: **to have a good [no] ear,** musikide kulağı hassas olmak [olmamak]: **to have s.o.'s ~,** her şeyi kulağına fısıldayacak kadar birinin mahremi olm.: **to play by ~,** (musiki) ezberden çalmak: **to set people by the ~s,** aralarını açmak, aralarına kara kedi sokmak: **to bring a storm about one's ~s,** başına belâ açmak: **⌜walls have ~s⌝,** yerin kulağı var: **to be up to the ~s [over head and ~s] in work,** işi başından aşmak: **a word in your ~!,** kulağınıza bir şey söyliyeceğim. **ear-drop,** küpe. **ear-drum,** kulak zarı. **ear-flap,** kulaklık. **ear-mark,** inek, koyun vs.nin kulağına yapılan marka; böyle bir marka koymak; muayyen bir maksad için tahsis etmek. **earphone,** kulaklık. **ear-ring,** küpe. **ear-shot, within ~,** işitilecek mesafede. **ear-splitting,** kulakları patlatan. **ear-trumpet,** sağır borusu. **ear-wax,** kulak kiri.
-eared [iiəd] ... kulaklı.
earl [əəl]. (İngiltere'de) kont. **~dom,** earl 'in rütbe ve ünvanı.
earliness [ˈəəlinis]. Erken olma.
early [ˈəəli]. Erken; önce; eski; ilk; başlangıcında; turfanda. **as ~ as 1700,** daha 1700 senesinde: **~ closing day,** dükkânların öğleden sonra kapalı olduğu gün: **at an ~ date,** yakında: **in ~ days,** eskiden: **~ enough,** zamanında: **to keep ~ hours,** erken yatıp erken kalkmak: **~ in the list,** listenin baş tarafında.
earn [əən]. Kazanmak; kesbetmek.
earnest [ˈəənest] *a.* Ciddî; hakikî; mütehalik. *n.* Pey akçesi. **an ~ of one's good-will,** hüsnüniyetinin delili olarak; hüsnüniyetini isbat etmek için: **in (deadly) ~,** ciddî olarak; şakası yok: **he is very much in ~,** işi çok ciddiye alıyor: **I ~ly hope,** kuvvetle ümid ederim.
earnings [ˈəəniŋs]. Kazanc, kâr; gelir.
earth [əəθ] *n.* Toprak; arz, dünya; yeryüzü; (*elek.*) toprak; tilki ini. *vb.* (*elek.*) Toprağa bağlamak [|| iletmek]. **~ up,** etrafına toprak yığmak: **~ over,** toprak ile örtmek: **to come back to ~,** hülyayı bırakmak: **~ to frame,** (*otom.*) (*elek.*) şasiye bağlama: **to go to ~,** (tilki vs.) inine girmek; (*mec.*) kayıblara karışmak; saklanmak: **to go to the ends of the ~,** dünyanın öteki ucuna, cehennemin dibine, gitmek: **where on ~ have you been?,** neredeydin yahu?: **why on ~ ...?,** ne halt etmeğe ...?: **to run to ~,** (tilki vs.yi) inine kaçırmak; (hırsız vs.yi) takib ederek bulmak. **earth-closet,** kırda kullanılan ve büyük bir kovadan ibaret helâ. **earth-nut,** abdülleziz, yerfıstığı.
earthen [ˈəəθən]. Topraktan yapılmış. **~ware,** çanak çömlek; toprak işi: **glazed ~,** kaba çini.
earthly [ˈəəθli]. Dünyevi. **there is no ~ reason for ...,** ... için hiç sebeb yoktur.
earthquake [ˈəəθkweik]. Zelzele.

earthwork [ˈəəθwəək]. Toprak tabya; sed.
earthworm [ˈəəθwəəm]. Solucan.
earthy [ˈəəθi]. Topraklı; toprak gibi; maddî.
earwig [ˈiəwig]. Kulağakaçan.
ease[1] [iiz] *n.* Rahat; huzur; refah; kolaylık. **to be at one's ~,** rahat olm., huzur içinde olm.: **to be [feel] at ~,** içi rahat olm.: **ill at ~,** huzursuz, endışeli: **to live a life of ~,** işsiz ve rahat yaşamak: **to set s.o. [s.o.'s mind] at ~,** birinin içini rahat ettirmek: **stand at ~!,** (*ask.*) rahat!: **to take one's ~,** yangelmek.
ease[2] *vb.* Hafifletmek; yatıştırmak; gevşetmek; teskin etm.; yavaşlatmak; hafifleşmek: **~ up [off],** yavaşla(t)mak; gevşetmek; gevşemek, yangelmek.
easel [ˈiizl]. Ressam sehpası; karatahta sehpası.
easement [ˈiizmnt]. İrtifak hakkı.
easi·er [ˈiiziə*]. Daha kolay. **~ly** [ˈiizəli], kolayca, kolaylıkla; yavaş yavaş; zarafet ile: **he is ~ the best player,** o fersah fersah en iyi oyuncudur. **~ness** [ˈiizinis], kolaylık; kayıdsızlık; selaset; (hareketlerde) zarafet; (makine) kolayca, yağ gibi işleme.
east [iist]. Şark, doğu, gündoğusu. **east-end, the ~,** Londra'nın fakir ve kalabalık kısmı.
Easter [ˈiistə*]. Paskalya.
east·erly [ˈiistəli]. **~ wind,** doğudan esen rüzgâr: **~ course,** doğuya doğru rota. **~ern** [–tən], Şarka aid. **~ing,** (*den.*) doğuya doğru gidiş. **~ward** [–wəd], doğuya doğru giden: **~s,** doğuya doğru.
easy [ˈiizi]. Kolay; rahat; müreffeh; mülayim; selis. **~ (ahead)!,** yavaş ileri!: **~ all!,** kürekçilere verilen 'dur' kumandası: ⌜**~ come ~ go**⌝, ⌜haydan gelen huya gider⌝: **~ to get on with,** kolay geçinilir: ⌜**easier said than done**⌝, dile kolay: **cotton was easier,** pamuk piyasası düşüktü: **to go ~ with stg.,** bir şeyi idare ile kullanmak: **honours ~,** briç oyununda resimli kâğıdların müsavi olması; berabere kalma: **the market was ~,** piyasa durgundu: **by ~ payments,** küçük taksitlerle: **within ~ reach of, ...** kolaylıkla erişilebilir: **stand ~!,** (*ask.*) yerinde rahat!: **to take it ~,** yangelmek; mola vermek; kendini fazla yormamak; çubuğunu tellendirmek: **to take life ~,** hayatta bir şeye aldırmayıp keyfine bakarak yaşamak. **easy-chair,** koltuk. **easy-going,** babacan; kayıdsız; aldırış etmez.
eat (ate, eaten) [iit, et, ˈiitn]. Yemek. **he ~s out of my hand,** (i) (hayvan, kuş) elimden yem yiyiyor; (ii) (insan) bir dediğimi iki etmez: **to ~ its head off,** (at) iş görmiyerek semirmek: **to ~ one's heart out,** içi içini yemek: **he is ~ing me out of house and home,** onun boğazına para yetiştiremiyorum: **to ~ one's words,** tükürdüğünü yalamak. **eat away,** aşındırmak; kemirmek. **eat up,** yiyip bitirmek; silip süpürmek: **to ~ up the miles,** (otomobil vs.) çok hızlı gitmek.
eatable [ˈiitebl]. Yenir. **~s,** gıda, yiyecek.
eater [ˈiitə*]. **small [great] ~,** az [çok] yiyen kimse.
eating [ˈiitiŋ]. Yeme. **geese are good ~,** kaz çok lezzetlidir. **eating-house,** ahçı dükkânı.
eaves [iivz]. Dam saçağı.
eavesdrop [ˈiivzdrop]. Gizlice dinlemek; kulak kabartmak.
ebb [eb]. (Deniz) cezir. Cezir olm.; azalmak. **to ~ and flow,** (i) med ve cezir olm.; (ii) azalıp çoğalmak; (iii) (muharebe vs.) kâh bir tarafın kâh diğer tarafın lehine gelişmek: **to ~ away,** tedricen tükenmek: **the patient is at a low ~,** hastanın vaziyeti çok fenadır.
ebonite [ˈebounait]. Ebonit.
ebony [ˈebəni]. Abanoz.
ebulli·ent [eˈbʌliənt]. Taşkın; coşkun. **~ence,** taşkınlık, coşkunluk. **~tion** [–ˈliʃn], kaynama; tehevvür.
eccentric [ekˈsentrik]. Eksantrik; dışmerkezli; acayib. **~ity** [–ˈtrisiti], dışmerkezlilik; garabet.
ecclesiastic [iˈkliiziˈastik]. Rahib, papaz; ulema. **~al,** kilise veya papazlığa aid.
echelon [ˈeʃelon]. Kademe nizamı. Kademe nizamına göre tanzim etmek.
echo [ˈekou]. Aksisada, yankı. Ses aksettirmek; ses geri gelmek, yankılamak. **~ic** [eˈkouik], aksisada gibi; taklidî ahenkle yapılmış (kelime).
éclair [ˈeikleə*]. İçi kremalı dışı şekerli bir pasta.
eclampsia [eˈklamsiə]. Havale illeti.
éclat [eiˈklaa]. Parlak muvaffakiyet; şan, şaşaa.
eclectic [ekˈlektik]. İktitafçı; seçici.
eclipse [iˈklips]. Ay veya güneş tutulması, husuf, küsuf. Husuf veya küsufa uğratmak; gölgede bırakmak.
econom·ic [ˌiikəˈnomik]. İktisadî. **~al,** idareli, tutumlu; iktisadî. **~s,** iktisad ilmi. **~ist,** [–ˈkonəmist], iktisadcı. **~ize** [–ˈkonəmaiz], idareli kullanmak, tasarruf etmek. **~y,** [iiˈkonəmi], iktisad; tasarruf, tutum, idare: **political ~,** iktisad ilmi.
ecsta·sy [ˈekstəsi]. Vecd; coşkunluk. **~tic** [ekˈstatik], vecde dalmış; coşkun; delice memnun veya hayran.
eczema [ˈeksəmə]. Egzama. **~tous** [–ˈzemətəs], egzamalı.

eddy [ˈedi]. Anafor; küçük girdab; hafif kasırga. Anafor yapmak; dönüp durmak.
Eden [ˈiidn]. **the Garden of ~,** Aden, İrembağı.
edge[1] [edʒ] *n.* Bıçak vs. ağzı; kenar; sırt; palalık. **on ~,** (i) kenar üstünde, kirişleme; (ii) sinirli: **to put an ~ on to (knife,** *etc.*), kılağısını almak: **not to put too fine an ~ upon it,** kılı kırk yarmadan: **to set the teeth on ~,** diş kamaştırmak: **straight ~,** cedvel: **to take the ~ off,** körletmek.
edge[2] *vb.* Kenar çekmek; zırh çekmek; kenarında bulunmak; yan yan ve yavaş yavaş ilerle(t)mek. **~ away,** yavaş yavaş uzaklaşmak: **~ in [one's way in],** yavaş yavaş sokulmak.
edged [ˈedʒd]. Keskin; ağızlı. **~ tools,** keskin âletler: **to play with ~ tools,** ateşle oynamak.
edgeways, ~wise [ˈedʒweiz, -waiz]. Palalığına, kirişleme; yandan; yan yan. **I couldn't get a word in ~,** ağzımı açıp bir söz söyliyemedim.
edging [ˈedʒiŋ]. Kenarlık; kenar şeridi; zırh.
edible [ˈedibl]. Yenir.
edict [ˈiidikt]. İrade; ferman.
edification [ˈedifikeiʃn]. Dince veya ahlâkça ıslâh; talim; tenvir (*çok defa istihfafla*).
edifice [ˈedifis]. Bina.
edify [ˈedifai]. Mânen yükseltmek; öğretip tenvir etm.; halini islâh etm. (*çok vakit istih.*)
edit [ˈedit]. (Bir yazıyı) neşre hazırlamak; (bir gazeteyi) idare etmek. **~ion** [iˈdiʃn], tabı, basım. **~or** [ˈeditə*], gazete müdürü; (bir eseri hazırlayıp) neşreden kimse. **~orial** [–ˈtooriəl], başmakale; gazete müdürlüğüne aid. **~orship** [ˈeditəʃip], gazete müdürlüğü.
educat·e [ˈedjukeit]. Talim ve terbiye etm.; tahsil ettirmek; alıştırmak. **he was ~ed in England,** İngiltere'de tahsil etti. **~ed,** okumuş, münevver. **~ion** [–ˈkeiʃn], talim ve terbiye; tahsil; maarif. **Board of ~,** Maarif Nezareti. **~ional,** talim ve terbiye aid; maarife aid. **~ive** [ˈedjukeitiv], terbiye edici; tedrise elverişli.
eel [iil]. Yılan balığı. **eel-basket, eel-pot,** yılan balığını tutmağa mahsus sepet şeklinde bir tuzak.
e'er [eə*]. (*şair.*) = **ever.**
eerie [ˈiəri]. Tekin olmıyan; uğursuz; tüyler ürpetici.
efface [iˈfeis]. Silmek. **to ~ oneself,** bir tarafa [köşeye] çekilmek.
effect[1] [iˈfekt] *n.* Tesir; nüfuz; netice; meal. **~s,** mal, eşya, masa. **to carry into ~,** tatbik etm.: **for ~,** tesir yapmak için: **in ~,** filhakika; doğrusu: **to give ~ to,** yerine getirmek; infaz etm.: **'no ~s',** (bankacılıkta) karşılığı yok: **of no ~,** tesirsiz, neticesiz: **to no ~,** beyhude yere, boşuboşuna: **it had no ~,** tesir etmedi; **it had no ~ whatever,** bana mısın demedi: **personal ~s,** şahsî eşya (elbise vs.): **to take ~,** tesir yapmak; mer'î olm.; (aşı vs.) tutmak: **words to that ~,** o mealdaki sözler.
effect[2] *vb.* Tesir etmek; netice vermek; yerine getirmek; istihsal etmek. **to ~ one's purpose,** tesir veya netice elde etm.: **to ~ an entrance,** bir yere zorlıyarak girmek: **to ~ a policy of insurance,** sigorta mukavelesi akdetmek.
effect·ive [iˈfektiv]. Tesirli, işe yarar; hakikî; elverişli; mevcud; (*ask.*) harbe hazır. **~s,** (*ask.*) mevcud. **~iveness,** tesirlilik, fayda. **~ual** [iˈfektjuəl], tesirli; istenilen neticeyi hasıl eden.
effemina·te [iˈfeminit]. Kadın gibi; yumuşak, lâpacı. **~cy,** kadın tabiatlilik, yumuşaklık.
effervesce [ˌefəˈves]. Kaynayıp köpürmek. **~nt,** (gazoz gibi) köpüren. **~nce,** köpürme; coşkunluk; galeyan.
effete [iˈfiit]. Bitkin, takatsız; geçmiş, akim.
efficac·ious [ˌefiˈkeiʃəs]. Tesirli, faydalı. **~y** [ˈefikəsi], fayda, tesir.
efficien·cy [iˈfiʃnsi]. Ehliyet; iktidar; verim. **~t,** ehliyetli, ehil; muktedir; elverişli; verimli.
effigy [ˈefidʒi]. İnsan resmi veya modeli. **to burn, hang, in ~,** bir adamı tahkir için resmini yakmak veya asmak.
efflorescence [ˌeflooˈresens]. Çiçeklenme; emlâhın içlerindeki suyu kaybederek toz halinde bir maddeye tahavvül etmeleri.
effluent [ˈefluənt]. Bir göl veya diğer bir nehirden çıkan nehir veya dere; lağım vs.den akan mayi.
effluvium [iˈfluuviəm]. Bir cisimden yayılan zararlı veya nahoş koku veya buhar.
efflux [ˈeflʌks]. Dışarıya akma veya akan madde.
effort [ˈefət]. Çabalama, cehd, gayret; (*kon.*) eser. **to exert every ~,** her gayreti sarfetmek: **to make an ~,** bir cehd sarfetmek, çalışmak. **~less,** cehidsiz ve kolayca.
effrontery [iˈfrʌntəri]. Yüzsüzlük, küstahlık.
effulgen·ce [iˈfʌldʒəns]. Parlaklık, şaşaa. **~t,** parlak, şaşaalı.
effus·ion [iˈfjuuʒn]. Dökme, dökülme; akma; içini dökme; coşkunluk; (*istihf.*) değersiz eser. **~ive** [-siv], taşkın, coşkun; bol.
eft [eft]. Su kertenkelesi.
e.g. [ˈii ˈdʒii]. = **exempli gratia,** meselâ.
egg[1] [eg]. Yumurta; (balık) tohum. **boiled**

~, rafadan yumurta: **fried ~**, sahanda yumurta: **poached ~**, suda pişmiş kabuksuz yumurta: **hard-boiled ~**, hazırlop: **scrambled ~s**, tereyağile çalkalanıp pişirilen yumurta: **bad ~**, kokmuş yumurta; değersiz adam. **egg-cup,** rafadan yumurta kabı. **egg-flip,** yumurtalı içki. **egg-fruit,** patlıcan. **egg-shaped,** yumurta biçimde; beyzî. **egg-whisk,** yumurta teli.

egg² *vb.* **to ~ s.o. on,** (*arg.*) tahrik etm.; kışkırtmak.

eglantine [ˌeglanˈtiin]. Yabani gül.

egois·m [ˈegouizm]. Hodbinlik; kendini beğenme. **~t,** hodbin; kendini beğenen. **~tical** [–ˈistikl], benlik davasında bulunan.

egotis·m [ˈegətizm]. Hep kendini düşünme veya beğenme; benlik davası. **~t,** yalnız kendini düşünen kimse.

egregious [iˈgriidʒəs]. (*istihf.*) Mahud; yaman, şeddeli.

egress [ˈiigres]. Çıkış; mahrec.

egret [ˈiigrit]. (*Egretta garzeta*) Küçük beyaz balıkçıl.

Egypt [ˈiidʒipt]. Mısır. **~ian** [iˈdʒipʃn], mısırlı. **~ology** [–ˈtolədʒi], mısriyyat.

eider [ˈaidə*]. **~(-duck),** (*Somateria molissima*) Şimal denizlerinde yaşıyan bir nevi ördek. **~down,** bu ördeğin pufla gibi kabarık tüyleri; kuştüyü yorgan.

eight [eit]. Sekiz. **figure of ~ knot,** kropi bağı. **~h** [eitθ], sekizinci; sekizde bir. **~een** [eiˈtiin], on sekiz. **~y** [ˈeiti], seksen. **~ieth** [ˈeitiəθ], sekseninci.

either [ˈaiðə*]. İkisinden biri. **~ I or you,** ya ben ya sen: **~ this or that,** ya bu ya şu: **nor that ~,** ne de bu: **I won't go ~,** (sen gitmezsen) ben de gitmem.

ejaculat·e [iˈdʒakjuleit]. Birdenbire söylemek; nida etm.; fışkırtmak. **~ion** [–ˈleiʃn], nida, anî ses.

eject [iˈdʒekt]. Dışarı atmak; kapı dışarı etm., koğmak; ifraz etm.; fışkırtmak. **~ion** [–kʃn], fışkırtma, fırlatma. **~ment,** (*huk.*) evi tahliye ettirme. **~or,** tüfekten boş kovanları atan cihaz, tırnak.

eke [iik]. **~ out,** idare ile kullanarak yetiştirmek; katık etmek. **to ~ out a living,** kıt kanaat geçinmek.

elaborate [iˈlabərit] *a.* Dikkatle hazırlanmış; özenilmiş; mufassal; mükellef; inceden inceye. *vb.* [–reit], Özenerek tertib etm.; mufassalan hazırlamak. **to ~ upon,** mufassalan izah etmek.

elapse [iˈlaps]. (Vakit) geçmek.

elastic [iˈlastik] *a.* Elâstiki, esnek. *n.* Lâstikli şerid veya ip. **~ity** [–ˈtisiti], elâstikiyet, esneklik.

elat·e [iˈleit]. Sevindirmek; canlandırmak; gurur vermek. **to be ~d,** etekleri zil çalmak; haz ve gurur duymak. **~ion** [–ˈleiʃn], büyük sevinc; gurur; coşkunluk.

elbow [ˈelbou]. Dirsek. Dirsekle dürtmek. **at one's ~,** yanında; elinin altında: **to crook the ~ [lift the ~],** ayyaşlık etm.: **to be out at ~s,** (ceket) dirsekleri delinmek; (insan) düşkün ve çapaçul olm.: **to rub ~s with,** ···le haşır neşir olm.: **to ~ one's way through**; itip kakarak yol açmak. **elbow-grease,** el emeği. **elbow-rest,** dirsek dayanacak kol. **elbow-room,** kollarını kımıldatacak yer.

elder¹ [ˈeldə*]. İki kişinin en yaşlısı; yaşlı ve mühim adam; ced; bazı kiliselerde:— cemaatin bellibaşlı âzası. **~ brother,** ağabey: **obey your ~s,** büyüklerinize itaat ediniz. **~ly,** yaşlı.

elder². (*Sambucus nigra*) Mürver ağacı. **~berry,** mürver meyvası.

eldest [ˈeldist]. En yaşlı.

elect [iˈlekt] *vb.* Seçmek, intihab etm.; karar vermek. *a.* Seçkin. **the ~,** cennete gidecek olanlar: **the Lord Mayor ~,** tayin olunup henüz vazifeye başlamıyan Belediye Reisi. **~ion** [–kʃn], intihab, seçim. **~or,** müntehib, ‖ seçmen. **~oral** [–tərəl], seçime aid, intihabata aid. **~orate,** müntehibler.

electric [iˈlektrik]. Elektrikî. **~al,** elektrikî, elektriğe aid. **~ally,** elektrik vasıtasile. **~ian** [–ˈtriʃn], elektrikçi. **~ity** [ˈtrisiti], elektrik.

electri·fy [iˈlektrifai]. Elektriklendirmek; heyecanlandırmak. **~fication** [–fiˈkeiʃn], elektriklendirme. **~fying,** heyecandırıcı.

electro- [iˈlektrou]. Elektrikli veya elektrik vasıtasile yapılmış. **electro-magnet,** elektrik mıknatısı. **electro-plate,** elektrik vasıtasile kaplamak; kaplama eşya: **~ing,** galvanoteknik. **electro-motive,** elektrik kuvvetile işliyen. **electro-motor,** elektrik motörü.

electrocut·e [iˈlektrəkjuut]. Elektrikle öldürmek veya idam etmek. **~ion** [–ˈkjuuʃn], elektrikle ölüm.

electrode [iˈlektroud]. Elektrod.

electroly·sis [ilekˈtrolisis]. Elektroliz. **~te** [–ˈlait], elektrolit.

electron [iˈlektron]. Elektron.

electuary [iˈlektjuəri]. İlâclı şeker.

elegan·ce [ˈelegəns]. Zarafet, letafet. **~t,** zarif, nazik, nefis.

elegiac [ˌeləˈdʒaiak]. Mersiyeye aid. **~s,** muayyen bir vezinle yazılmış şiir.

elegy [ˈeledʒi]. Mersiye.

element [ˈelimənt]. Eleman; unsur, esas, cevher; âmil. **~s,** mebadi, başlangıç. **the ~s,** tabiatin kudretleri: **to brave the ~s,** tabiat kudretlerine meydan okumak: **to be in one's ~,** kendi muhitinde olm.: **to be**

out of one's ~, kendi muhitinde olmamak, muhitini yadırgamak. **~al** [–ˈmentl], unsura aid; esaslı; tabiate aid. **~ary** [–ˈmentəri], ibtidaî; basit; ilk: **~ school,** ilkmekteb.

elephant [ˈelifənt]. Fil. **a white ~,** lüzümsüz ve masraflı mülk; değerli fakat koyacak yer bumunmıyan ve işe yaramaz şey. **~ine** [–ˈfantain], fil gibi; dev gibi; ağır ve hantal. **~iasis** [–ˈtaiəsis], fil hastalığı.

elevat·e [ˈeliveit]. Yükseltmek. **~ed,** yüksek; (*kon.*) çakırkeyif: **~d railway,** bir şehir içinde sütunlar üzerinde yapılmış demiryolu. **~ing,** yükseltici. **~ion** [–ˈveiʃn], yükseltme; yükseklik, irtifa; yüksek yer; topun menzil zaviyesi; yapı maktaı. **~or** [–tə*], asansör.

eleven [iˈlevn]. Onbir. **~th,** onbirinci: **at the ~ hour,** son dakikada.

elf [elf]. Cüce ve muzib peri; cüce; piçkurusu. **~in, ~ish,** bu peri gibi; muzib, şeytan.

elicit [iˈlisit]. (Hakikat vs.yi) meydana çıkarmak; istintak yolile anlamak.

elide [iˈlaid]. Hazfetmek.

eligible [ˈelidʒibl]. İntihab edilebilir; elverişli, makbul, münasib.

Elijah [iˈlaidʒə]. İlyas.

eliminat·e [iˈlimineit]. Çıkarmak, kaldırmak, bertaraf etm., ifna etmek. **~ion** [–ˈneiʃn], bertaraf etme, ifna, defetme.

elision [iˈliʒn]. Hazif.

elixir [iˈliksə*]. İksir.

Elizabethan [iˌlizəˈbiiθən]. Kıraliçe Elizabeth devrine aid.

elk [elk]. Şimal memeleketlerine mahsus pek büyük bir geyik, sığın.

ell [el]. Eski İngiliz ölçüsü = 45 parmak. ⌜**if you give him an inch he will take an ~**⌝, ⌜yüz verirsen astarını da ister⌝.

ellip·se [iˈlips]. Kat'ı nakıs. **~sis,** bir cümlenin anlaşılması için zarurî olmıyan bir veya bir kaç kelimenin hazfi. **~tical** [–ˈliptikl], kat'ı nakısa aid.

elm [elm]. (*Ulmus*) Karaağac.

elocution [ˌeləˈkjuuʃn]. Konuşma sanati, diksiyon.

elongat·e [ˌiiloŋˈgeit]. Gerip uzatmak. **~ed,** ince ve uzun. **~ion** [–geiʃn], uzatma, uzanma; uzanmış kısım.

elope [iˈloup]. Aşıkı ile gizlice kaçmak; kaçıp gizlenmek.

eloquen·ce [ˈeləkwəns]. Belâğat. **~t,** beliğ, belâğatli, miri kelâm.

else [els]. Yoksa; başka. **anyone ~,** başkası, başka biri: **either this or ~ that,** ya bu ya şu: **come in or ~ go out,** ya içeri gir ya dışarı çık: **can I see somebody ~?,** başka birini görebilir miyim?: **he eats little ~ than bread,** ekmekten başka pek bir şey yemez: **he thinks of little ~ but money,** paradan başka pek bir şey düşünmez: **no one [nobody] ~,** başka hiç kimse: **nothing ~, thank you,** başka bir şey istemem.

elsewhere [ˈelsˈweə*]. Başka yerde; başka yerlerde.

elucidate [iˈljuusideit]. Aydınlatmak, tavzih etmek.

elude [iˈljuud]. Ustalıkla başından savmak; …den sıyrılmak; …den kaçamak yapmak; …den yakasını kurtarmak. **to ~ a blow,** bir darbeden kaçınmak.

elus·ive [iˈljuusiv]. Tutulmaz, bulunmaz. **he is a most ~ person,** bu adamı ele geçirmek çok güç: **an ~ reply,** kaçamaklı cevab. **~ory,** kaçamaklı.

elver [ˈelvə*]. Yılan balığı yavrusu.

elves [elvs]. elf'in cemi.

Elysi·an [iˈlisiən]. **the ~ fields,** cennet bahçeleri. **~um,** Cennet.

'em [əm] = **them.**

emaciate [iˈmeisieit]. Bir deri bir kemik yapmak. **~d,** bir deri bir kemik; kemikleri fırlamış.

emanat·e [ˈiiməneit]. Çıkmak; sadır olm., neşet etm.; nebean etmek. **~ion** [–ˈneiʃn], sudur; tebahhur; çıkan gaz vs.

emancipat·e [iˈmansipeit]. Azad etm., esaretten kurtarmak. **~ion** [–ˈpeiʃn], esaretten kurtulma, kurtarma; azadlık; hürriyet.

emasculate [iˈmaskjuleit]. İğdiş etmek.

embalm [emˈbaam]. Tahnit etmek.

embank [emˈbaŋk]. Yanına veya etrafına topraktan sed çekmek. **~ment,** toprak sed; bend; şev; rıhtım.

embargo [emˈbaagou]. Ambargo; menetme. **to lay an ~ upon,** …e ambargo koymak: **to put an ~ on public meetings,** umumî toplantıları yasak etmek.

embark [emˈbaak]. Gemiye bin(dir)mek; (parayı) bir işe yatırmak. **to ~ upon,** …e girişmek. **~ation** [–ˈkeiʃn], gemiye bin(dir)me.

embarrass [imˈbaras]. Sıkıntıya sokmak; bozmak; rahatsız etm.; hareketlerini müşkülleştirmek. **~ed,** sıkılgan; bozulmuş; paraca sıkıntıda. **~ment,** sıkıntı; bozuntu; engel.

embassy [ˈembasi]. Sefaret; sefarethane; fevkelâde vazife.

embed [emˈbed]. Oturtmak; gömmek; (bir şeyin içine) yerleştirmek.

embellish [emˈbeliʃ]. Süslemek, güzelleştirmek. **~ment,** süsleme, süs.

ember[1] [ˈembə*]. Kor.

Ember[2]. **~ days,** üçer günlük dört mevsim perhizi.

embezzle [emˈbezl]. İhtilâs etm.; zimmetine para geçirmek.

embitter [emˈbitə*]. Ekşitmek; dünyadan nefret ettirmek; ters ve huysuz yapmak. **to ~ a quarrel,** bir kavgayı körüklemek. **~ed,** dünyadan nefret etmiş.
emblazon [emˈbleizn]. Arma takımları ile süslemek; medhü sena ile tarif etmek.
emblem [ˈembləm]. Remiz; timsal; işaret; arma remzi. **~atic** [–ˈmatik], işaret ve rumuz tarzında, remzî.
embodiment [imˈbodimnt]. Tecessüm; teşahhus. **the ~ of virtue,** mücessem fazilet.
embody [imˈbodi]. Tecessüm ettirmek; teşahhus ettirmek; bir bütün halinde toplamak.
embolden [imˈbouldn]. Cesaret vermek; şımartmak.
embolism [ˈembolizm]. Bir damarın bir kan pıhtısı ile tıkanması; samame.
embonpoint [õˈbõpãw]. Göbek (şişmanlık).
emboss [imˈbos]. Kabartma işleri yapmak. **~ed,** kabartmalı: **~ stamp,** soğuk damga.
embouchure [omˈbuuʃuə*]. Nehir mansabı.
embrace [imˈbreis] *vb.* Kucaklamak, sarmaş dolaş olm.; benimsemek; kavramak; memnuniyetle kabul etm.; şamil olm.; kuşatmak. *n.* Kucaklaşma. **to ~ a career,** bir mesleğe intisab etmek.
embrasure [imˈbreiʃuə*]. Mazgal; mazgal şeklinde pencere boşluğu.
embroider [imˈbroidə*]. İğne ile nakış işlemek; telleyip pullamak, işkembeden atmak. **~y** [–dəri], gergef işi, nakış; mubalağa.
embroil [imˈbroil]. Ara bozmak; aralarını açmak; karıştırmak.
embryo [ˈembriou]. Rüşeym; cenin: ambriyon; tohum. **in ~,** rüşeym halinde; gelişmemiş: **a doctor in ~,** istikbalin doktoru. **~nic** [–ˈonik], rüşeymî; ibtidaî.
emend [iˈmend]. Tashih etm.; hatasını düzeltmek. **~ation** [–ˈdeiʃn], metin tashihi [tamiri].
emerald [emərəld]. Zümrüd; yemyeşil. **the Emerald Isle,** İrlanda.
emerge [iˈməədʒ]. Suyun yüzüne çıkmak; ortaya çıkmak; birdenbire zuhur etm.; netice olarak anlaşılmak. **~nce** [–əns], ortaya çıkma.
emergency [iˈməədʒənsi]. Derhal harekete geçme veya bir çare bulmayı icab ettiren hadise; fevkalâde hal, anî tehlike; anî ve müşkül hal; buhran. **in case of ~,** zaruret halinde: **to provide for emergencies,** beklenmedik vaziyete karşı hazırlıklı bulunmak: **a state of ~,** askerî kuvvetlere ve âmme hizmetlerine harb hali için icabeden hazırlıkları yapma emri: **~ repairs,** mübrem tamirat; iğreti tamirat. **emergency-brake, emergency-exit,** *etc.*, ihtiyac zamanında kullanılan fren, çıkış vs.
emeritus [iˈmeritəs]. Memuriyet ünvanını muhafaza eden emekli (profesör vs.).
emery [ˈeməri]. Zımpara. **~ paper,** zımpara kâğıdı.
emetic [iˈmetik]. Kusturucu (ilâc).
emigr·ant [ˈemigrənt]. (Kendi memleketinden) hicret eden. **~ate,** hicret etmek. **~ation** [–ˈgreiʃn], muhaceret; göçme.
eminen·ce [ˈeminəns]. Yükseklik; yüksek yer; tepe; paye. **His ~, Your ~,** kardinallara mahsus şeref ünvanı. **~t,** yüksek; mümtaz; meşhur. **~tly,** ziyadesile, fevkalâde.
emissary [ˈemisəri]. (*Um.* fena bir maksad veya nahoş bir vazife ile) gönderilen kimse; casus.
emission [iˈmiʃn]. Salıverme; intişar; neşredilen şey; banknot vs.nin tedavüle ihracı; ihrac edilen mikdar.
emit [iˈmit]. Dışarıya yaymak; salıvermek; neşretmek; atmak; vermek.
emollient [iˈmoliənt]. Yumuşatıcı; müleyyin.
emolument [iˈmoljumənt]. Maaş, ücret, kazanc.
emotion [iˈmouʃn]. Heyecan; his; teessür. **~al,** içli, kolayca hislerine kapılan; heyecanlı; müteessir edici; dokunaklı.
empanel [imˈpanl]. **to ~ a jury,** jüri heyetini teşkil etmek.
emperor [ˈempərə*]. İmparator.
emphas·is [ˈemfəsis]. Tekid; tebarüz ettirme; vurgu. **~ize** [–saiz], tebarüz ettirmek; ehemmiyetini göstermek; ···e ehemmiyet vermek; tekid etm.; vurgulamak.
emphatic [imˈfatik]. Kat'î; ehemmiyetle ve katiyetle söylenen. **~ally,** kat'î olarak.
empire [ˈempaiə*]. İmparatorluk; saltanat; hakimiyet. **~ day,** Britanya İmparatorluğun millî bayramı (24 mayıs).
empiric·(al) [imˈpirik(l)]. Tecrübî; ampirik. **~ism,** ampirizm, tecrübe usulü.
emplacement [imˈpleismənt]. Top mevzii; plâtform.
emplane [imˈplein]. Uçağa bin(dir)mek.
employ [imˈploi]. Kullanmak; istihdam etmek. Hizmet. **to ~ oneself with** [in], ···le meşgul olm.: **to keep ~ed,** meşgul etmek. **~ee** [–ii], müstahdem; memur; amele. **~er,** patron, iş sahibi, iş veren kimse. **~ment,** iş, vazife, hizmet; meşguliyet; kullanma; kullanış.
emporium [imˈpooriəm]. Ticaret merkezi; her türlü şey satan büyük mağaza.
empower [imˈpauə*]. Salâhiyet vermek; müsaade etmek.

empress [ˈempris]. İmparatoriçe.
emptiness [ˈemtinis]. Boşluk.
empty [ˈempti] *a.* Boş; aç; nafile; kuru (tehdid vs.). *n.* İçi boş şey. *vb.* Boşaltmak; tahliye etmek. **empties,** boş kutular, şişeler vs.: **'to be taken on an ~ stomach',** açkarnına alınacak: **to go away ~,** eli boş gitmek. **empty-handed,** eli boş: **empty-headed,** akılsız; boş kafalı.
empyrean [emˈpiriən]. Arşı âlâ; gökyüzü; göğe aid.
emu [ˈiimjuu]. Avustralya'da bulunan bir nevi devekuşu.
emulat·e [ˈemjuleit]. Rekabet etm.; gıbta etm.; taklid etmek. **~ion** [–ˈleiʃn], rekabet, gıpta. **~ive** [-iv], rekabet edici.
emulsi·fy [iˈmʌlsifai]. Sübyeleştirmek. **~on** [–ʃn], bir yağın münasib bir vasıta ile suya karıştırılmasından hasıl olan mahlul, sübye. Fotograf camlarının ışığa karşı hassas tabakası.
enable [iˈneibl]. İktidar vermek; muktedir kılmak; imkân vermek; bir şeyi yapmak için lazımgelen vasıtaları temin etmek. **this present ~d me to take a holiday in France,** bu hediye sayesinde seyahat için Fransa'ya gidebildim.
enact [iˈnakt]. (Kanun) vazetmek; irade etm., emretmek; icra etm.; (bir rolu) oynamak. **~ment,** kararname; irade; tesis etme; vaz'etme.
enamel [i'naml]. Mine, mineli iş. **~ paint,** vernikli boya. **enamel-ware,** emaye.
enamour [iˈnamə*]. Meftun etmek. **to be ~ed of,** ···e âşık olm., meftun olmak.
encamp [inˈkamp]. Ordugâh kurmak. **~ment,** ordugâh; kamp.
encase [inˈkeis]. Kılıflamak; kaplamak; örtmek.
encaustic [inˈkoostik]. Renkleri hararetle tesbit ederek resim yapma sanati. **~ tile,** fırında pişirilmiş renkli çini.
encephalitis [ˌensefəˈlaitis]. Beyin iltihabı, ansefalit.
enchain [inˈtʃein]. Zincirlemek.
enchant [inˈtʃaant]. Teshir etm., sihirlemek, büyülemek. **~ing,** sihirli, cazibeli, gözalıcı. **~ment,** sihir, büyü; cazibe. **~ress** [–tris], sihirli kadın, sihirbaz, dilber.
encircle [inˈsəəkl]. Kuşatmak; ihata etmek.
enclave [ˈeŋkleive]. Ecnebi memleketlerle kuşatılmış bir mıntaka.
enclitic [inˈklitik]. Bitişik edat.
enclose [inˈklouz]. Kuşatmak; ihata etm.; leffetmek; kapatmak. **~d,** kuşatılmış; kapanmış; leffen gönderilen.
enclosure [inˈklouʒuə*]. İhata; kapatma; leffen gönderilen şey; duvar veya parmaklıklarla çevrilmiş arsa; kuşatan duvar vs. **the Royal ~,** at yarışı vs.de kırala mahsus mahal.
encomium [inˈkoumiəm]. Sitayiş; medhiye.
encompass [inˈkʌmpəs]. Tamamen etrafını çevirmek. **to ~ s.o.'s death,** kumpas kurarak birinin ölümüne sebeb olmak.
encore [ˈoŋkoo*, oŋˈkoo*]. Konser vs.de 'tekrar!' diye bağırma(k).
encounter [inˈkauntə*]. ···le karşılaşmak; yüz yüze gelmek; ···e tesadüf etm.; çarpmak; uğramak. Çarpışma; karşılaşma; mücadele.
encourag·e [inˈkʌridʒ]. Cesaret vermek; teşvik etm.; yüz vermek. **~ement,** teşvik; yüz verme. **~ing,** cesaret verici; ümid verici.
encroach [inˈkroutʃ]. **to ~ upon,** ···e tecavüz etmek. **to ~ on s.o.'s time,** birinin vaktini almak.
encrust [inˈkrʌst]. Kabuk bağlamak. **to ~ with,** (kıymetli taş vs.) ile kaplamak.
encumb·er [inˈkʌmbə*]. ···e yük olm.; mani olm., engel olm.; (yol) tıkamak. **(property) to be ~ed,** (mülk) ipotekli olmak. **~rance** [–brəns], yük, engel: ipotek vs. gibi mükellefiyet: **without (family) ~s,** çoluk çocuk gailesi olmıyan.
encyclical [enˈsiklikl]. Papa tamimi.
encyclopaed·ia [inˌsaikləˈpiidjə]. Ansiklopedi. **~ic,** ansiklopedik.
end[1] [end] *n.* Son, nihayet; uc; akibet; bakiye; gaye, hedef. **at an ~,** bitmiş, tükenmiş: **to come to a bad ~,** sonu [akibeti] fena olm.: **big ~,** biyel başı: **to make both ~s meet,** iki ucunu bir araya getirmek: **to bring to an ~,** nihayet vermek: **by the ~ of the day,** uzun bir günün sonunda: **to change ~s,** (futbolda) haftaymda sahada yer değiştirmek: **the ~s of the earth,** dünyanın bir ucu: **from ~ to ~,** baştan başa; bir ucdan bir uca: **in the ~,** sonunda: **⌜the ~ justifies the means⌝,** gaye vasıtayı mubah kılar: **to keep one's ~s up,** dayanmak, mukavemet etm.: **to make an ~ of,** bitirmek; son vermek; mahvetmek: **to meet one's ~,** eceli gelmek: **no ~ of,** sonsuz, pek çok: **to no ~,** boşuna, nafile: **to think no ~ of,** çok sevmek; ···le çok iftihar etm., pek kıymetli tutmak: **to think no ~ of oneself,** kendini çok beğenmek: **he 's no ~ of a fellow,** yaman bir adamdır: **to put an ~ to,** ···e nihayet vermek: **~ on,** kirişleme: **to meet ~ on,** burun buruna çarpışmak: **to stand [set] on ~,** kirişlemesine koymak: **five hours on ~,** beş saat mütemadiyen: **three days straight [right] on ~,** üstüste üç gün: **the ~ of time,** kıyamet günü: **to the ~ that ...,** ... maksadıyle: **and that's an ~ of it!,** işte bu

kadar!; vesselâm!: **to begin at the wrong ~,** tersinden başlamak. **end-papers,** kitabların baş ve son kısımlarındaki boş yapraklar. **end-ways, end-wise,** uzunlamasına.
end[2] *vb.* Bitirmek, nihayet vermek; bitmek, sona ermek. **to ~ off** [**up**], bitirip tamamlamak: **to ~ in a point,** sivri bir ucla nihayet bulmak: **to ~ in smoke,** suya düşmek: **he ~ed by saying ...,** sonunda ... dedi.
-ended [ˈendid]. ... uclu.
ending [ˈendiŋ]. Son; son ek.
endanger [inˈdeindʒə*]. Tehlikeye koymak.
endear [inˈdiə*]. Sevdirmek; muhabbet telkin etmek. **~ments,** muhabbetli sözler; okşama.
endeavour [inˈdevə*]. Çalışmak, gayret etm., uğraşmak. Gayret, çalışma.
endemic [ˈendemik]. Mahallî ve daimî (hastalık).
endive [ˈendiv]. Frenk salatası; endivia, andilya.
endless [ˈendlis]. Sonsuz; bitmez tükenmez.
endo- [ˈendou] *pref.* İç···, ... içindeki.
endocrine [ˈendoukrain]. **~ gland,** ifrazatı dahilî olan gudde.
endogamy [enˈdogəmi]. İçerden evlenme.
endorse [inˈdoos]. Tasdik etm., teyid etm.; (çeki muhatab) imzalamak. **~ment,** ciro; tasdik etme.
endow [inˈdau]. Bir hayır müessesesi vs. için irad temin etmek. **~ed with,** malik, haiz. **~ment,** irad temin etme; temin edilen gelir; Allah vergisi.
endue [inˈdjuu]. Nasib etmek. **~d with,** haiz, malik.
endur·e [inˈdjuə*]. Çekmek, tahammül etm., katlanmak; dayanmak; daimî olmak. **~able,** çekilir, tahammül olunur. **~ance,** tahammül, dayanma; mukavemet, takat; dayanıklılık. **~ing,** dayanıklı; sürekli, devamlı.
enema [ˈenəmə]. Tenkiye; tenkiye şırıngası.
enemy [ˈenəmi]. Düşman. **how goes the ~?,** saat kaç?
energ·etic [ˌenəˈdʒetik]. Faal; enerjik; müteşebbis; kuvvetli, sert. **~ize** [ˈenədʒaiz], faaliyet vermek, enerji vermek. **~y** [ˈenədʒi], enerji, faaliyet; çalışkanlık; kuvvet.
enervat·e [ˈenəveit]. Takattan düşürmek; gevşeklik vermek. **~ing,** gevşetici.
enfeeble [inˈfiibl.]. Kuvvetten düşürmek.
enfilade [ˈenfileid]. Yan ateşi(ne almak).
enfold [inˈfould]. Sarmak. **to ~ in one's arms,** kucaklamak.
enforce [inˈfoos]. İnfaz etm.; teyid etm., tekid etmek. **to ~ obedience,** itaat ettirmek: **to ~ one's will upon s.o.,** arzusunu birine zorla kabul ettirmek. **~able,** infazı kabil, vacibülicra. **~d,** mecburî. **~ment,** infaz etme, icra.
enfranchise [inˈfrantʃaiz]. Seçim hakkı vermek; azad etmek.
engage [inˈgeidʒ]. Vaadetmek; taahhüd etm.; üzerine almak; hizmetine almak; peylemek; cezbetmek; (dikkatini) çekmek; oyalamak; hücum etm., ···le mucadeleye girişmek; (çarklar) birbirine geçirmek. **to be engaged,** meşgul olm.; nişanlı olm.; peylenmiş, tutulmuş olmak: **to ~ s.o. in conversation, to ~ in conversation with s.o.,** birisile mükâlemeye girişmek: **to ~ in battle,** muharebeye girmek: **to ~ in politics,** siyasete girişmek, siyasetle meşgul olmak.
engaged [inˈgeidʒd]. Nişanlı; meşgul; peylenmiş.
engagement [inˈgeidʒment]. Nişanlanma; taahhüd; vaid; angajman; muharebe, çarpışma; (*mek.*) çarkların vs. birbirine girmesi. **~ring,** nişan yüzüğü: **to meet one's ~s,** taahüddünü tutmak, borclarını ödemek: **owing to a previous ~ I cannot accept,** daha evvel başka yere söz vermiş olduğum için kabul edemem: **social ~s,** davet vs. gibi meşguliyetler.
engaging [inˈgeidʒiŋ]. Hoş, alımlı.
engender [inˈdʒendə*]. Tevlid etm.; vücude getirmek.
engine [ˈendʒin]. Makine; lokomotif. **engine-driver,** makinist. **engine-room,** makine dairesi. **engine-shed,** lokomotif garajı. **engine-turned,** çaprazlama çizgili.
-engined [ˈendʒind]. *suff.* (Üç, dört vs.) makineli.
engineer [ˌendʒiˈniə*]. Mühendis; istihkâm subayı. Mühendislik yapmak; kurnazca veya ustaca tertib etm., icra etmek. **the Engineers,** istihkâm sınıfı: **civil ~,** yol, su vs. mühendisi. **~ing,** mühendislik.
England [ˈiŋglənd]. İngiltere.
English [ˈiŋgliʃ]. İngiliz; ingilizce. **in plain ~,** açıkçası. **~man,** *pl.* **~men,** İngiliz. **~woman,** *pl.* **~women,** İngiliz kadını.
engraft [inˈgraaft]. Aşılamak.
engrav·e [inˈgreiv]. Hâkketmek. **~er,** hâkkâk. **~ing,** hakkâklık; mahkûk resim.
engross [inˈgrous]. Tamamen zabt ve işgal etm.; bazı hukukî vesikaları hususî bir elyazısı ile yazmak. **to be ~ed in,** ···e kapanmak.
engulf [inˈgʌlf]. Girdab gibi yutmak.
enhance [inˈhaans]. Artırmak, yükseltmek; kadrini artırmak.
enigma [inˈigmə]. Muamma. **~tic(al)** [–ˈmatik(l)], muammalı, esrarengiz.

enjoin [in'dʒoin]. Emretmek; ihtar etmek. **to ~ silence upon s.o.,** birine sükût tavsiye veya emretmek.

enjoy [in'dʒoi]. ···de zevk almak; ···den kâm almak, hazzetmek; ···in tadını almak; ···den nasib almak. **to ~ oneself,** eğlenmek; neşelenmek: **to ~ the confidence of s.o.,** birinin itimadını kazanmış olm.: **to ~ doing stg.,** bir şeyi yapmaktan zevk almak: **to ~ good health,** sıhhati iyi olmak. **~able,** hoş; zevk verici; eğlenceli. **~ment,** zevk; eğlence; tad.

enlarge [in'laadʒ]. Büyütmek; genişlemek; büyümek. **to ~ upon,** hakkında sözü uzatmak. **~r,** (*fot.*) agrandisman makinesi. **~ment,** büyütme; dahame; agrandisman.

enlighten [in'laitn]. Aydınlatmak, tenvir etm.; tavzih etmek. **~ed,** münevver. **~ment,** tavzih; tenevvür.

enlist [in'list]. (Gönüllü) asker olm.; asker kaydetmek. **to ~ the services of,** ···in yardımını temin etmek.

enliven [in'laivn]. Canlandırmak, neşelendirmek.

enmesh [in'meʃ]. Ağa düşürmek; belâlı bir işe sokmak.

enmity ['enmiti]. Husumet, adavet. **at ~ with,** ···le arası açık.

ennoble [i'noubl]. Asalet vermek; asilleştirmek.

ennui ['onwi]. Can sıkıntısı, usanc.

enormity [i'noomiti]. Alçaklık, habaset.

enormous [i'nooməs]. Muazzam, iri; pek büyük.

enough [i'nʌf]. Kâfi; yetişir, elverir; kâfi derecede; oldukça. **~ and more than ~,** kâfi ve vafi; yeter de artar: **to be ~,** kâfi gelmek, yetmek, elvermek: **~ said,** fazla söze ne hacet?: **curiously ~,** işin tuhafı: **I've had ~ of you,** senden illâllah!: **more than ~,** lüzumundan fazla: **he writes well ~, but ...,** yazısı fena değil, amma ....

enquire, -y *bk.* **inquire, -y.**

enrage [in'reidʒ]. Kudurtmak; tehevvür ettirmek.

enrapture [in'raptʃuə*]. Vecde getirmek; çok sevindirmek.

enrich [in'ritʃ]. Zenginleştirmek.

enrol [in'roul]. Askere yazmak; asker olmak; deftere kaydetmek; aza kaydetmek; aza olmak.

en route ['on'ruut]. Yolda.

ensconce [in'skons]. **~ oneself [be ~d] in,** rahat, kuytu veya emniyetli bir yere sığınmak.

enshrine [in'ʃrain]. Mukaddes bir şeyi sanduka, türbe vs. gibi bir yerde muhafaza etm.; (*mec.*) hatırasını kudsî bir şey gibi saklamak.

ensign ['ensain]. Sancak, bayrak; alâmet; (*Amer.*) bahriyede en aşağı zabit rütbesi; eskiden İngiliz ordusunda bayrakdar. **the White Ensign,** İngiliz bahriyesinin bayrağı: **the Red Ensign,** İngiliz ticaret filosunun bayrağı.

enslave [in'sleiv]. Köle yapmak; bendetmek.

ensnare [in'sneə*]. Tuzağa düşürmek.

ensu·e [in'sjuu]. Netice olarak husule gelmek; sonradan gelmek. **~ing,** sonradan gelen; gelecek.

ensure [in'ʃoo*, -ʃuə*]. Temin etmek.

entail[1] [in'teil]. Sebeb olm.; intac etm.; icabetmek.

entail[2]. (*huk.*) Bir mülkü başkasına ferağ edilmemek şartile muayyen bir kimseye veya miraşçılarına bağışlamak; bu şart ile tevarüs etme.

entangle [in'taŋgl]. Dolaştırmak; karmakarışık etm., karışıklığa sokmak. **~ment,** dolaşıklık, mânia: **barbed wire ~,** dikenli tel mânii.

entente [on'tont]. Anlaşma; itilâf. **~ cordiale,** İngiltere ile Fransa arasındaki dostluk: **the Triple ~,** İtilâfi müselles.

enter ['entə*]. Girmek; ···e dahil olm.; girişmek; binmek; içeriye girmek; kaydetmek. **~ that to me!,** bunu hesabıma yazınız: **to ~ an action against s.o.,** biri aleyhine dava açmak: **to ~ into an agreement,** bir mukavele akdetmek: **to ~ into s.o.'s feelings,** birinin hislerine iştirak etm.: **to ~ into the spirit of the game [thing],** bir oyunun [şeyin] ruhuna nüfuz etm.: **to ~ for a race,** bir yarışa yazılmak: **to ~ a horse for a race,** bir atı yarışa kaydettirmek. **enter on, upon,** girişmek, başlamak; hulûl etm.: **to ~ upon one's twentieth year,** yirmi yaşına basmak.

enteric [en'terik]. Tifo.

enteritis [ente'raitis]. Barsak iltihabı.

enterpris·e ['entəpraiz]. Teşebbüs; iş; şahsî teşebbüs, acarlık. **~ing,** müteşebbis, acar, atılgan.

entertain [ˌentə'tein]. Misafirliğe kabul etm.; ağırlamak; eğlendirmek; kabul etm.; is'af etm.; beslemek., gönlünde yaşatmak. **they ~ a lot,** misafirleri eksik olmaz (sık sık ziyafet vs. verirler). **~ ing,** eğlenceli; hoşsohbet. **~ment,** eğlenti; eğlence; ağırlama; **~ allowance,** ziyafet tahsisatı.

enthral [in'θrool]. Sihirlemek, meftun etm., hayran bırakmak; köle yapmak.

enthrone [in'θroun]. Tahta oturtmak.

enthuse [in'θuuz]. (*kon.*) Coşmak. **to ~ about,** bir şeyi göklere çıkarmak, ballandıra ballandıra anlatmak.

enthusias·m [in'θuuziazm]. Coşkunluk; büyük heyecan; hayranlık; şevk ve hayret.

~**t,** bir şeyin hayranı. ~**tic** [–ˈastik], coşkun; hayran.
entic·e [inˈtais]. Tatlılıkla veya güzel vaidlerle cezbetmek; ayartmak. ~**ing,** cazibeli; ayartıcı. ~**ement,** ayartma; kandırma; birini cezbetmek için kullanılan tatlı söz veya vaid.
entire [inˈtaiə*]. Tam, bütün; tamam; (at) iğdiş edilmemiş. ~**ly,** büsbütün tamamen. ~**ty,** bütünlük: **in its** ~, tamamı ile, bütünü ile.
entitle [inˈtaitl]. İsim vermek; ünvan vermek; hak ve salâhiyet vermek. **to be** ~**d to do stg.**, bir şeyi yapmağa salâhiyeti olm.: **you are not** ~**d to say such a thing,** böyle bir şeyi söylemeğe hakkınız yok.
entity [ˈentiti]. Varlık; mevcudiyet.
entomb [inˈtuum]. Mezara koymak; gömmek.
entomolog·y [entəˈmolodʒi]. Entomoloji ~**ical** [–lodʒikl], haşarata aid, entomolojik.
entrails [ˈentreilz]. Barsaklar.
entrain [inˈtrein]. Trene bin(dir)mek.
entran·ce[1] [ˈentrəns]. Giriş, girme, duhul; medhal; antre. **entrance-fee, -money,** duhuliye. ~**t,** imtihana, yarışa vs. giren adam.
entrance[2] [inˈtraans]. Vecde getirmek; hayran etmek.
entrap [inˈtrap]. Tuzağa düşürmek; aldatmak. **to** ~ **s.o. into doing stg.**, birine hile ile bir şeyi yaptırmak.
entreat [inˈtriit]. Yalvarmak; istirham etm., niyaz etmek. ~**y,** yalvarma; ısrarla rica etme; niyaz.
entree [ˈontrei]. Antre; girme hakki; sofrada balıktan sonra yenen yemek.
entrench [inˈtrentʃ]. Metris yapmak; siper kazmak; siper ile kuşatmak; yerleştirmek. **to** ~ **oneself,** siper arkasından kendini müdafaa etm.: **to** ~ **upon,** ···e tecavüz etmek. ~**ment,** metris, istihkâm, siper.
entre nous [ˈontr ˈnuu]. (*fr.*) Söz aramızda.
entrepôt [ˈontrəpou]. Depo; ardiye; ticaret merkezi.
entrust [inˈtrʌst]. Tevdi etmek. **to** ~ **s.o. with a duty** [~ **a duty to s.o.**], birine bir vazifeyi tevdi etmek.
entry [ˈentri]. Antre, medhal; girme, giriş; kayıd; kaydedilen şey veya kimse. **entry-form,** kayıd varakası.
entwine [inˈtwain]. Dolaştırmak; sarmak.
enumerate [iˈnjuuməreit]. Birer birer saymak; sayıp dökmek.
enunciat·e [iˈnʌnsieit]. Vuzuhla beyan etm., kat'î bir surette ifade etm.; ileri sürmek; telâffuz etmek. ~**ion** [–ˈeiʃn], konuşma (ifade) tarzı; ileri sürme.
envelop [inˈveləp]. Sarmak; kaplamak; kuşatmak.
envelope [ˈenvəloup, on-]. Zarf.
envenom [inˈvenəm]. Zehir katmak; (münakaşa vs.yi) kızıştırmak.
enviable [ˈenviəbl]. Gıbta edilecek.
envious [ˈenviəs]. Hasud, hasedci; kıskanc; gıbta eden. **to be** ~ **of,** imrenmek, gıbta etmek.
environ [inˈvairən]. Kuşatmak, etrafında bulunmak. ~**ment,** muhit; kuşatma; etraf, civar. ~**s** [ˈenvirenz, inˈvairənz], civar, etraf.
envisage [inˈvizidʒ]. Zihninde canlandırmak; tasavvur etm.; göze almak.
envoy [ˈenvoi]. Elçi, murahhas.
envy [ˈenvi]. Gıbta; hased, kıskanc. Gıbta etm., imrenmek, hased etm., kıskanmak. **to be the** ~ **of all,** herkesin gıbta ettiği bir şey olm., matma'i olm.: **to be green with** ~, çok kıskanmak.
enzyme [ˈenzaim]. Anzim.
eocene [ˈiiosiin]. Eosin.
eon *bk.* **aeon.**
epaulet(te) [ˈepoolet]. Apolet.
ephemer·al [eˈfiimərəl]. Bir günde yaşıyan; fanî; gelip geçici. ~**a,** ~**id,** su sinekleri gibi pek kısa zaman yaşıyan bir çok böceklere verilen isim.
epic [ˈepik]. Destan tarzında; dasitanî; kahramanca.
epicentre [ˈepisentə*], Zelzele merkezi.
epicure [ˈepikjuə*]. Yemek ve içki meraklısı, mütehassısı; şikemperver. ~**an** [–kjuuriən], zevkine ve keyfine düşkün.
epicyclic [epiˈsaiklik]. ~ **gears,** episikloid dişlileri.
epidemic [epiˈdemik]. Salgın; salgın halinde olan.
epidermis [epiˈdəəmis]. Derinin dış tabakası; dış zar.
epiglottis [epiˈglotis]. Küçük dil.
epigram [ˈepigram]; Hicivli şiir; iğneli söz; vecize. ~**matic** [–ˈmatik], vecize tarzında; kısa ve dokunaklı.
epilep·sy [ˈepilepsi]. Sar'a illeti. ~**tic** [–ˈleptik], sar'alı; sar'aya mübtelâ.
epilogue [ˈepilog]. Hatime.
Epiphany [eˈpifəni]. Üç şarklı âlimin İsa'yı ziyaretleri yıldönümü ki Hıristıyanlar tarafından 6 ocakta tes'id olunur (Ortodokslarca haçı suya atma).
episcopa·l [eˈpiskəpl]. Piskoposa aid. ~**te,** piskoposluk; piskoposun idaresi.
episode [ˈepisoud]. Vak'a, hadise; fıkra.
epist·le [iˈpisl]. Mektub; name. ~**olary** [–toləri], mektublara aid; mektub nevinden.
epistyle [ˈepistail]. Sütun başlığına dayanan kısım.
epitaph [ˈepitaaf]. Mezar kitabesi.
epithet [ˈepiθet]. Vasıf; sıfat; lâkab.

epitom·e [eˈpitoumi]. Hulâsa; zübde. **~ize** [iˈpitəmaiz], hulâsasını yapmak, icmal etmek.
epizootic [ˌepizouˈotik], Hayvanlar arasında muvakkaten zuhur eden salgın (hastalık).
epoch [ˈiipok]. Devir.
eponymous [iˈponiməs]. Adını veren. **Romulus is the ~ hero of Rome,** Romulus Roma'ya adını veren kahramandır.
Epsom [ˈepsəm]. **~ salts,** İngiliz tuzu.
e.p.t. [ˈiiˈpiiˈtii]. = **excess profits tax,** fazla kazanc vergisi.
equab·le [ˈekwəbəl]. Yeknesak, az değişen; mutedil (iklim); ölçülü, muvazeneli. **~ility** [–ˈbiliti], itidal, yeknesaklık, değişmezlik.
equal [ˈiikwəl] *a.* Müsavi; denk; aynı seviyede. *n.* Küfüv; eş. *vb.*Müsavi olm., eş olm.; yetişmek. **~s,** akran; emsal; aynı rütbede olanlar. **to be ~ to the occasion, to a task,** bir işin uhdesinden gelmek: **to get ~ with s.o.,** birisinden acısını çıkarmak: **I don't feel ~ to it,** (i) bu benim yapacağım iş değil; (ii) bunu yapacak halim yok: **the ~ sign,** müsavi işareti (=). **~ly,** aynı derecede [şekilde]; keza; müsavi olarak.
equalitarian [ˌiikwoliˈteəriən]. Umumî müsavat tarafdarı.
equality [iiˈkwoliti]. Müsavat. **on an ~ with,** ···le müsavi olarak.
equalize [ˈiikwəlaiz]. Müsavi etm.; (maçta) beraberlik temin etmek.
equanimity [ˌiikwəˈnimiti]. Temkin; müvazene. **to recover one's ~,** kendini toplamak.
equate [iˈkweit]. Müsavi yapmak; müsavi telakki etm.; tadil etmek.
equation [iˈkweiʃn]. Muadele; tadil etme. **~ of time,** zaman teadülü; vasatî ve hakikî vakitler arasındaki fark: **personal ~,** (astronomi) hadisleri tesbitte insan melekelerinin sür'atini hesaba katma: **simple ~,** basit muadele: **quadratic ~,** ikinci dereceden muadele.
equator [iˈkweitə*]. Hattıistiva. **~ial** [–tooriəl], hattıistivaya aid: **~ telescope,** istivaî teleskop.
equerry [iˈkweri]. Bir kıral veya prensin maiyetine mensub zabit.
equestrian [eˈkwestriən]. Biniciliğe aid; atlı (heykel).
equi- [iikwi] *pref.* Müsavi mânasını ifade eder.
equidistant [ˈiikwiˈdistənt]. Aynı uzaklıkta olan.
equilateral [ˈiikwiˈlatərəl]. Dılıları müsavi.
equilibrate [ˌiikwiˈlaibreit]. Tevazün ettirmek.
equilibrium [ˈiikwiˈlibriəm]. Muvazene, tevazün.
equine [ˈekwain]. Atlara aid.
equinoctial [ˈiikwiˈnokʃəl]. Gündönümüne aid. **~ gales,** gündönümü fırtınaları.
equinox [ˈiikwənoks]. Gündönümü.
equip [iˈkwip]. Donatmak; techiz etmek. **~age** [ˈekwipeidʒ], atları ve seyisi ile araba takımı. **~ment,** techiz etme; donatma; techizat: takım; edevat; levazım.
equipoise [ˈekwipoiz]. Muvazene, denk; mukabil sıklet.
equitable [ˈekwitəbl]. İnsaflı, âdil.
equitation [ˌekwiˈteiʃn]. Binicilik.
equity [ˈekwiti]. Adalet, insaf.
equivalen·ce [iˈkwivələns]. Teadül. **~t,** muadil; müsavi; bedel; karşılık.
equivocal [iˈkwivəkl]. İki mânalı; mübhem; iltibaslı; şübheli.
equivocate [iˈkwivəkeit]. Kandırmak için iki mânalı sözler kullanmak; kaçamaklı söz söylemek; hakikati gizlemek.
era [ˈiərə]. Çağ; tarihin devrelerinden biri; jeolojik devir; hicrî, milâdî vs. tarih başlangıcı.
eradicate [iˈradikeit]. Kökünden sökmek; söküp atmak.
eras·e [iˈreiz]. Silmek, çizmek. **~er,** yazı kazımağa mahsus çakı; lâstik (silgi). **~ure** [iˈreiʃuə*], silme, çizme; silinmiş yer, silinti.
ere [eə*]. Evvel, ···den önce. **~ now,** bundan evvel: **~ long,** neredeyse.
erect [iˈrekt] *vb.* Dikmek, kurmak, inşa etm., kaldırmak, rekzetmek. *a.* Dimdik; kaim. **~ion** [iˈrekʃn], bina; dikme, rekzetme; inşa etme; kurma.
erg [əəg]. İş vahidi; erg.
ergo [ˈəəgou]. Bu sebebden; binaenaleyh.
ergot [ˈəəgot]. Çavdar mahmuzu. **~ism,** çavdar mahmuzundan hasıl olan illet.
Erin [ˈerin]. İrlanda.
ermine [ˈəəmin]. Kakım; kakım kürkü; hâkim ve lordların resmî elbisesi. **to attain the ~,** hâkim olmak.
erode [iˈroud]. Kemirmek, aşındırmak.
Eros [ˈeros]. Aşk ilâhı.
eros·ion [iˈrouʒn]. Kemirme; aşın(dır)ma. **~ive** [–siv], kemirici, aşındırıcı.
erot·ic [eˈrotik]. Aşka aid; şehvanî. **~omania** [–ˈmeiniə], şehvanî fikirlerin musallat olmasından ibaret hastalık.
err [əə*]. Yanılmak; dalâlete düşmek. **the book does not ~ on the side of brevity,** bu kitaba fazla muhtasarlık kusuru isnad edilemez.
errand [ˈerənd]. Bir iş için gönderme; dolaşarak ufak tefek işler görme. **a fool's ~,** neticesiz olacağı önceden bilinen iş vs.
errand-boy, bakkal çırağı gibi küçük işlere gönderilen çocuk.
errant [ˈerent]. Doğru yoldan sapan; macera peşinde dolaşan.

erratic [iˈratik]. Ne yapacağı belli olmıyan; hareketi intizamsız; sebatsız; devamlı olmıyan.
erra·tum, *pl.* **-ta** [iˈreitəm, -ta]. Yanlışlık. **~ta,** düzeltme cedveli.
erroneous [iˈrounjəs]. Hatalı, yanlış.
error [ˈerə*]. Hata, yanlışlık; kabahat; dalâlet. **clerical ~,** istinsah hatası: **printer's ~,** tertib hatası: **to be in ~,** yanılmak: **goods sent in ~,** yanlışlıkla gönderilen eşya: **'~s and omissions excepted'** (**e. & o.e.**), (bir hesabda) 'muhtemel yanlış ve noksanlar müstesna'.
Erse [əəs]. İrlanda lisanı.
erstwhile [ˈəəstwail]. Vaktiyle; evvel zaman içinde. **the ~ governor of ...,** ... sabık valisi.
eructation [irʌkˈteiʃn]. Geğirme.
erudit·e [ˈerudait]. Âlim, mütebahhir. **~ion** [–ˈdiʃn], âlimlik; büyük vukuf.
erupt [iˈrʌpt]. Fışkırmak; indifa etm.; feveran etm.; çocuğun dişi çıkmak. **~ion** [–ˈrʌpʃn], indifa; fışkırma; feveran; (kızamık vs.) dökme.
erysipelas [eriˈsipələs]. Yılancık.
erythema [eriˈθiimə]. İltihabdan dolayı derinin kızarması, eritem.
escalade [ˌeskəleid]. Bir kaleye merdivenle çıkarak hücum etme(k).
escalator [ˈeskəleitə*]. Müteharrik merdiven.
escapade [ˌeskəˈpeid]. Genclik çılğınlığı, yaramazlık.
escape [isˈkeip]. Kaçmak, kurtulmak; (gaz) sızmak. Kaçış, firar; kurtulma; sızma. **he ~d with a fright,** korkmaktan başka bir zarar görmedi: **to ~ notice,** gözden kaçmak: **there is an ~ of gas somewhere,** bir yerden gaz sızıyor: **to have a narrow ~,** dar kurtulmak: **to make one's ~,** kaçıp kurtulmak: **not a word ~d him,** (i) kelime kaçırmadı; (ii) ağzından bir söz çıkmadı.
escapement [isˈkeipmnt]. Saat maşası.
escapism [isˈkeipizm]. Realiteden kaçarak kendini oyalamak için başka bir şeyle meşgul olma.
escarpment [isˈkaapmnt]. Bir bayırın tepesindeki dik kayalık; istihkâm seddinin önündeki şev.
eschew [isˈtʃuu]. ···den vazgeçmek, kaçınmak.
escort [ˈeskoot] *n.* Muhafız; maiyet alayı; kavaliye. *vb.* [isˈkoot], Maiyet veya muhafız sıfatile refaket etmek. **under ~,** muhafaza altında.
esculent [ˈeskjulənt]. Yenir.
escutcheon [isˈkʌtʃən]. Arma levhası; geminin aynalığı; anahtar deliğini örten maden levhası. **to sully one's ~,** namusunu lekelemek.
esoteric [esouˈterik]. Batınî (felsefe); gizli.
espalier [isˈpaliei]. Bir duvar veya kafes sathına bitişik olarak yetiştirilen meyva ağacı.
esparto [isˈpaatou]. Kâğıdcılık ve hasırcılıkta kullanılan sert lifli bir nevi çimen; halfa.
especial [isˈpeʃl]. Mahsus; hususî; *bk. keza* **special**: **~ly, in ~,** bilhassa: **my ~ friend,** en iyi arkadaşım.
espionage [ˈespiənaaʒ]. Casusluk.
esplanade [ˌespləˈneid]. Binalar önünde ve gezintiye mahsus düz yer, meydan; deniz kenarı piyasası.
espous·al [isˈpausl]. Nikâh; kabul. **~e,** ···le evlenmek; tarafdarı olm., (bir davaya) sarılmak.
espy [isˈpai]. Sezmek, görmek.
esquire [isˈkwaiə*]. (Eskiden) ortaçağda bir şövalyeye refaket eden genc asilzade; (şimdi) bir 'gentleman'in fahrî ünvanı ki isminden sonra yazılır, *mes.* **P. Jones, Esq.**
essay [ˈesei] *n.* Deneme; kalem tecrübesi. *vb.* [eˈsei], Tecrübe etm.; denemek; çabalamak. **~ist** [ˈeseijist], denemeler yazan muharrir.
essence [ˈesens]. Öz, cevher, asıl; künh; esans. **the ~ of the matter,** işin esası: **meat ~,** et hulâsası.
essential [iˈsenʃl] *a.* Aslî, esaslı; zarurî, elzem. *n.* Elzem şey; en mühim nokta. **~ oil,** esans, ruh.
establish [isˈtabliʃ]. Tesis etm., kurmak; ihdas etm.; yerleştirmek; tebeyyün ve tahakkuk ettirmek; tasdik etmek. **to ~ oneself in business,** ticaret hayatına girmek: **to ~ oneself in a place,** bir yerde yerleşmek. **~ed,** yerleşmiş; sabit; sağlam: **an ~ fact,** tesbit edilmiş bir vakıa. **~ment,** tesis etme, kurma; müessese; teşkilat; **to keep up [have] a big ~,** büyük bir evi ve bir çok hizmetçisi olmak.
estate [isˈteit]. Malikâne; emlâk; bir adamın menkul ve gayrimenkul emlâki; miras; hal, vaziyet. **bankrupt's ~,** iflâs masası: **~ duty,** intikal vergisi: **the ~s of the realm,** İngiltere'de üç siyasî sınıf (asilzadeler, ruhban sınıfı ve avam): **the fourth ~,** matbuat: **personal ~,** menkul mallar: **real ~,** gayrimenkul mallar: **of high [low] ~,** ictimaî mevkii yüksek [aşağı]. **estate-agency,** emlâk acentası (daire). **estate-agent,** (i) emlâk acentası (kimse); (ii) büyük emlâk idare eden memur.
esteem [isˈtiim]. İtibar, hürmet. İtibar etm., hürmet etm.; takdir etm.; saymak, addetmek. **self ~,** (i) izzetinefis; (ii) kendini beğenme.
estimable [ˈestiməbl]. Değerli.
estimate¹ [ˈestimit] *n.* Tahmin; kıymet

takdiri. **the ~s,** bütçe: **the Navy ~s,** bahriye bütçesi.
estimat·e² [ˈestiˌmeit] *vb.* Tahmin etm., kararlamak: **~ed value,** muhammen kıymet. **~ion** [–ˈmeiʃn], takdir, tahmin; rey; itibar: **in my ~,** bence, benim tahminime göre.
estrange [isˈtreindʒ]. Soğutmak. **to become ~d from s.o.,** birisinden soğumak.
estuary [ˈestjuəri]. Nehir mansabı; halic.
etch [etʃ]. Kezzab ile hâkketmek. **~ing,** kezzabla bakırı hâkkederek yapılan resim.
etern·al [iiˈtəənl]. Ezelî ve ebedî; sonsuz. **~ity** [–niti], ebediyet: **the eternities,** ebedî hakikatler.
ether [ˈiiθə*]. Eter. **the ~,** esîr; sema. **~eal** [iˈθeriəl], esirî; gayet hafif ve nazik; semavî; ruhanî.
ethic(al) [ˈeθik(l)]. Ahlâk ilmine aid; ahlâkî. **~s** [ˈeθiks], ahlâk ilmi.
Ethiopia [iiθiˈoupjə]. Habeşiştan. **~n,** habeş.
ethnic(al) [ˈeθnik(l)]. Irkî.
ethno·graphy [eθˈnogrəfi]. Etnografya. **~logy,** etnoloji. **~logist,** etnolog.
ethyl [ˈeθil]. Etil. **~ene,** etilen.
etiolate [ˈiitioleit]. Ziyasızlıktan sol(dur)mak.
etiquette [ˌetiˈket, ˌetiket]. Âdabı muaşeret; etiket. **not to stand upon ~,** teklifsiz olm.
Eton [ˈiitn]. **~ jacket,** erkek çocuklara mahsus kuyruksuz ceket.
etymo·logy [ˌetiˈmolədʒi]. İştikak ilmi. **~logical** [–ˈlodʒikl], iştikakî. **~logist** [–ˈmolədʒist], ıştikakçı.
eu- [juu] *pref.* İyi.
eucalyptus [ˌjukəˈliptəs]. Ökaliptüs ağacı.
eucharist [ˈjuukərist]. Hıristiyanlarca İsa'nın etini ve kanını temsil eden ekmekle şarabın yenmesi âyini; ökaristi.
eugenic [juuˈdʒenik]. İnsan ırkını ıslâh ilmine aid. **~s,** bu ilim.
eulog·ist [ˈjuulədʒist]. Medhiyeci, kasideci. **~istic** [–ˈdʒistik], medhedici, sitayişli. **~ize** [ˈjuulədʒaiz], medhüsena etmek. **~y** [ˈjuulədʒi], medih; medhiye; kaside.
eunuch [ˈjuunək]. Haremağası; hadım.
eupeptic [juuˈpeptik]. Hazmettirici; hazmi iyi.
euphemis·m [ˈjuufimizm]. Edebi kelâm. **~tic** [–mistik], edebi kelâm nevinden.
euphon·y [ˈjuufəni]. Ses ahengi. **~ic** [–ˈfonik], ahenkli.
euphuism [ˈjuufjuuizm]. Lisanda sun'ilik, yapmacık.
Eurasian [juəˈreiziən]. Avrupalı ile Asyalı melezi.
eurhythmic [juuˈriθmik]. Tenasüblü, ahenkli. **~s,** ritmik dans.
Europe [ˈjuərəp]. Avrupa. **~an** [–ˈpiiən], Avrupalı.
Eustachian [juuˈsteikiən]. **~ tube,** Östak borusu.
euthanasia [ˌjuuθəˈneiziə]. Acısız ölüm.
evacuat·e [iˈvakjueit]. Tahliye etm., boşaltmak; ifraz etmek. **~ion** [–ˈeiʃn], tahliye, boşaltma, ifraz; **~s,** mevaddı gaita.
evade [iˈveid]. İctinab etm., sakınmak, savmak; ···den kurtulmak, ···den sıvışmak.
evaluate [iˈvaljueit]. Takdir etmek.
evanescent [ˌiivaˈnesənt]. Çabuk kaybolur; süreksiz, fanî.
evangel·ic(al) [ˌiivanˈdʒelik(l)]. İncile aid; protestanlığa aid. **~ism** [–ˈvandʒəlizm], incili neşretme. **~ist,** incil muharriri; incili neşreden kimse. **~ize,** incili neşretmek; hıristiyan etmek.
evaporat·e [iˈvapəreit]. Buharlaş(tır)mak; tebhir etm.; buhar gibi uçmak, uçup gitmek. **~ion** [–ˈreiʃn], tebahhur; buhar olma; buğu.
evas·ion [iˈveiʃn]. Kaçınma; baştan savma; kaçamak. **~ive** [–siv], kaçamaklı; baştan savmaya yarıyan: **to take ~ action,** (uçak) zikzak yaparak ateşten kaçınmak.
Eve¹ [iiv]. Havva.
eve². Arife; bir gün önce. **on the ~ of,** arifesinde.
even¹ [ˈiivn]. (*şair.*) Akşam.
even² *a.* Düz, müstevi, ârızasız; bir hizada; muntazam, yeknesak; müsavi; çift (tek değil). **to be ~ (game),** (oyunda) berabere kalmak: **~ bet,** müşterek bahiste müsavi risk: **to get ~ with s.o.,** birisinden acısını çıkarmak: **to lay ~ odds,** bir at yarışında müsavi şartlarla bahse girmek: **an ~ sum,** yuvarlak hesab.
even³ adv. Bile; hattâ. **~ if, ~ though,** ···se bile: **~ now it is not too late,** hattâ şimdi bile geç sayılmaz: **~ so,** hattâ, böyle olsa bile: **~ then,** (i) o zaman bile; (ii) buna rağmen, böyle olsa bile: **if ~ I could see him,** bari onu görebilsem.
even⁴ *vb.* Tesviye etm., düz etmek. **to ~ out,** müsavileştirmek; müsavi şekilde yaymak.
evening [ˈiivniŋ]. Akşam, akşamlık. **in the ~,** akşamlayın: **~ party,** suare. **evening-dress, -wear,** tuvalet; smokin veya frak. **evening-primrose** (*Oenothera biennis*) (?).
evenly [ˈiivənli]. Muntazaman; müsavi olarak. **~ matched,** uygun ve müsavi.
evenness [ˈiivnis]. Düzlük; müsavilik; intizam; ittirad.
evensong [ˈiivnsoŋ]. Akşam ibadeti.
event [iˈvent]. Vak'a, hadise; hal; numara. **at all ~s,** her halde, behemehal: **in the ~ of,** ... takdirde: **in the course of ~s,** sonunda, neticede; zamanla: **in either ~,** her iki halde de: **to be wise after the ~,** iş işten geçtikten sonra akıl öğretmek. **~ful,** vak'alarla dolu; maceralı.
eventide [ˈiivntaid]. (*şair.*) Akşam.

eventual [iˈventjuəl]. Son olarak; netice olarak; nihaî. **~ly,** en sonunda, neticede; akibet. **~ity** [–ˈaliti], ihtimal; takdir.
eventuate [iˈventjueit]. Vukubulmak; çıkmak.
ever [ˈevə*]. Daima; bir vakitte; her hangi bir vakitte. **~ after,** ondan sonra hep: **~ and anon, ~ and again,** arasıra: **as cold a winter as ~ you saw,** hiç görülmemiş derecede soğuk bir kış: **as quick as ~ you can,** nekadar çabuk olmak mümkünse: **he is as idle as ~,** eskisi gibi hep tembeldir: **for ~,** ebediyen; daima, fasılasız: **for ~ and ~,** ebediyen: **he went for ~,** bütün bütün gitti: **England for ~!,** yaşasın İngiltere!; **not ~,** hiç bir zaman: **if ~ you see him,** onu görecek olursanız: **now, if ~, is the time,** bu işin bir zamanı varsa işte şimdidir: **I seldom, if ~, go there,** oraya gitsem bile pek seyrek giderim: **he is a poet if ~ there was one,** ben şair diye buna derim: **~ since,** işte o zamandan itibaren, o zamandan beri: **~ so easy,** o kadar kolay ki: **I waited ~ so long,** o kadar bekledim ki: **thank you ~ so much,** pek çok teşekkür ederim: **what ~ is the matter?,** Allah Allah ne oldu?: **who ~ heard of such a thing?,** bu hiç işidilmiş şey midir?: **we are the best friends ~,** biz fevkalâde iyi dostuz.
evergreen [ˈevəgriin]. Yaz kış yeşil olan; herdemtaze.
everlasting [ˈevəˈlaastiŋ]. Daimî; pek dayanıklı; bitmez, sonsuz; çiçeklerinin kurusu da rengini muhafaza eden nebat. **from ~,** ezelden beri.
evermore [ˈevəˈmoo*]. Ebediyen; daima.
every [ˈevri]. Her, herbir. **~ bit as good as,** tıpkı ... kadar iyi: **~ few minutes,** her bir kaç dakika: **I expect him ~ minute,** onu bekliyorum, neredeyse gelir: **⌜~ man for himself!⌝,** herkes başının çaresine baksın: **~ now and again,** arasıra: **~ one,** ···den her biri (**~one**=**herkes**): **~ other one,** iki kişide bir: **~ other day,** gün aşırı: **~ third man,** üç kişide bir. **~body** [–bədi, –bodi], herkes. **~day,** *a.* hergünkü; günlük; olağan. **~one** [ˈevriwʌn], herkes. **~thing,** herşey. **~where** [ˈevriweə*], her yerde: **~ you go,** her gittiğiniz yerde.
evict [iˈvikt]. Hükmen tahliye ettirmek; temlikten iskat etm.; bir yerden çıkarmak. **~ion,** çıkartma, çıkarılma; tahliye ettirme.
evidence [ˈevidens]. Şahadet; delil; delâlet; beyyine. ···e delil olmak. **to be in ~,** göze çarpmak: **to bear [give] ~ of,** göstermek, delâlet etm.: **to give ~,** şahadet etm.: **to turn King's ~,** suç ortakları aleyhine şahadet etm., suç ortaklarını ihbar etmek.
evident [ˈevident]. Aşikâr; besbelli; vazıh. **~ly,** aşikâr olarak, besbelli; her halde.
evil [ˈiivl] *a.* Fena, kötü. *n.* Kötülük, fenalık, şer; zarar; belâ; derd. **the ~ eye,** nazar: **the Evil One,** iblis, şeytan: **of ~ omen,** uğursuz: **~ spirit,** habis ruh: **to speak ~ of,** ···e iftira etmek. **evil-doer,** günahkâr, mücrim. **evil-minded,** kötü niyetli.
evince [iˈvins]. Göstermek.
eviscerate [iˈvisəreit]. Barsaklarını çıkarmak.
evoca·tion [ˌiivoˈkeiʃn]. Davet, çağırma; hatırlatma, anma. **~tive,** hatırlatan, andıran.
evoke [iˈvouk]. Davet etm., çağırmak; andırmak, hatırlatmak.
evolution [ˌiivəˈljuuʃn]. Tekâmül, gelişme; manevra, hareket; intişar. **~ary,** tekâmüle aid. **~ist,** tekâmülcü.
evolve [iˈvolv]. Tekâmül et(tir)mek; keşfetmek; neşretmek, saçmak.
ewe [juu]. Dişi koyun.
ewer [ˈjuuə*]. İbrik.
ex[1] [eks]. ···den. **~ ship,** gemiden teslim; **~ store,** magazada bulunan eşya. **~ dividend,** temettüü satıcıya kalan (hisse senedi).
ex-[2] *pref.* Sabık ...
exacerbate [eksˈasəəbeit]. Şiddetlendirmek, öfkelendirmek.
exact[1] [igˈzakt] *a.* Kat'i, tam; doğru; aynen. **or, to be more ~,** yahud, daha doğrusu. **~ly,** kat'i olarak, tam, aynen; tıpatıp; **~!,** çok doğru, hakkınız var.
exact[2] *vb.* Cebren para almak; (haraca) kesmek; icabettirmek. **~ing,** müşkülpesend; çok şey istiyen; zahmetli. **~ion** [igˈzakʃn], müfrit taleb; harac kesme; keyfî ve ölçüsüz vergi.
exactitude [igˈzaktitjuud]. Kat'iyet; sıhhat, doğruluk.
exaggerat·e [igˈzadʒəreit]. Mubalağa etm., ifrat etm., izam etmek. **~ed,** müfrit, mubalağalı. **~ion** [–ˈreiʃn], mubalağa, ifrat.
exalt [igˈzoolt]. Yükseltmek; tebcil etm. göklere çıkarmak. **~ation,** yüksel(t)me; coşkunluk, büyük heyecan. **~ed,** yüksek, âli; coşkun.
exam [igˈzam]. (*kis.*) **examination.**
examination [igˈzamiˈneiʃn]. İmtihan; tedkik, muayene; teftiş; istintak. **to sit for an ~,** bir imtihana girmek: **under ~,** tedkik edilmekte; muayene neticesinde; istintak esnasında.
examine [igˈzamin]. Tedkik etm., muayene etm., teftiş etm.; istintak etm.; imtihan etmek. **~r,** mümeyyiz. **~e** [–ii], imtihan edilen kimse.
example [igˈzaampl]. Misal; örnek, nümune; nüsha; ibret. **for ~,** meselâ:

to make an ~ of s.o., başkalarına ibret olsun diye birini cezalandırmak: **a practical ~**, müşahhas bir misal: **to set an ~**, örnek olm.: **without ~**, emsalı görmemiş.
exasperat·e [igˈzaaspəreit]. Öfkeden çıldırtmak, sabrını tüketmek; siddetlendirmek. **~ing**, insan (öfkeden) çıldırtan. **~ion**, şiddetli öfke, hiddetten çıldırma.
excavat·e [ˈekskaveit]. Kazmak, hafriyat yapmak. **~ion**, hafriyat, kazı. **~or**, hafriyatcı; kazma makinesi.
exceed [ikˈsiid]. Aşmak, haddını geçmek; tecavüz etmek. **~ingly**, son derece, ifrat derecede.
excel [ikˈsel]. Üstün olm., yüksek bir dereceye erişmek.
excellen·ce [ˈeksələns]. Mükemmellik; mümtazlık. **~cy, His [Your] ~**, sefir, nazır vs.ye verilen ünvan. **~t**, mükemmel; nefis; çok iyi.
except[1] [igˈsept] *vb.* İstisna etm., haric tutmak. **present company ~ed**, (i) sizden iyi olmasın; (ii) hatırınız kalmasın.
except[2] *prep.* ···den başka, müstesna, haric. **the house is now ready ~ for the furniture**, mobilya haric, ev hazırdır.
exception [ikˈsepʃn]. İstisna. **to take ~ to**, kabul etmemek; ···den gücendirmek: **with the ~ of, ...** müstesna olarak: **without ~**, istisnasız. **~al**, müstesna, istisnaî; fevkalâde; nadir.
excerpt [ˈeksəəpt]. Bir kitab vs.den alınmış parça.
excess [ikˈses]. İfrat; fazla; aşırı hareket. **~es**, taşkınlıklar, mezalim; zevk ve eğlencede ifrat. **~ fare**, (bilet ücretine) mevki farkı vs. için zam: **~ luggage**, nizamî ağırlığı aşan eşya: **~ profits tax**, fazla kazanc vergisi. **~ive**, müfrit; hadden aşırı, ölçüden aşırı: **~ly**, ifrat derecede; ziyadesile.
exchange[1] [iksˈtʃeindʒ] *vb.* Mübadele etm., trampa etm., teati etmek. **to ~ stg. for stg.**, bir şeyi bir şeyle değiştirmek veya trampa etm.: **to ~ greetings**, selâmlaşmak: **to ~ hats**, birbirinin şapkasını almak: **to ~ posts**, becayiş etmek.
exchange[2] *n.* Mübadele, trampa, teati, becayiş; borsa; kambiyo. **bill of ~**, poliçe: **⌜~ is no robbery⌝**, mübadele meşrudur: **foreign ~**, döviz: **in ~ for**, ···e bedel: **to give in part ~**, bir şey satın alırken ücretin bir kısmı yerine bir eşya vermek: **(rate of) ~**, kambiyo rayici: **telephone ~**, telefon santralı. **~able**, mübadele edilebilir.
exchequer [iksˈtʒekə*]. Devlet hazinesi. **the Exchequer**, Maliye Nezareti: **the Chancellor of the ~**, Maliye Nazırı: **~ bill**, hazine bonosu: **my ~ is empty**, kesem boş.
excise[1] [ikˈsaiz] *n.* İspirto, tütün vs. gibi bazı eşya üzerine konan vergi (istihlâk vergisi); bu vergileri toplıyan daire.
excis·e[2] *vb.* Kesip çıkarmak. **~ion** [–siʒn], kesip çıkarma.
excit·able [ikˈsaitəbl]. Çabuk heyecanlanan, çabucak coşan; muvazenesiz. **~ability**, çabuk heyecanlanma. **~ant**, tenbih edici ilac vs. **~ation**, tenbih; heyecanlandırma.
excit·e [ikˈsait]. Heyecanlandırmak; tahrik etm.; uyandırmak; sebeb olmak. **~ed**, heyecanlanmış. **~ing**, heyecanlı. **~ement**, heyecan; coşgunluk.
exclaim [iksˈkleim]. Nida etm.; birdenbire demek. **to ~ at [against]**, ···e karşı protesto etm., aleyhine şiddetli söz söylemek.
exclamat·ion [ˌekskləˈmeiʃn]. Sevinc, hayret veya teessür nidası; nida; âni söz. **mark, note of ~**, nida işareti (!). **~ory**, sevinc, hayret veya teessür ifade eden.
exclud·e [iksˈkluud]. İçeri almamak; istisna etm., haric tutmak; kabul etmemek. **this ~s all possibility of doubt**, bu hiç bir şübhe bırakmıyor. **~ing, ...** haric.
exclus·ion [iksˈkluuʒn]. İçeri almama; kabul etmeme. **to the ~ of**, ···i haric tutarak. **~ive** [–ˈkluusiv], başkalarını dahil etmemek üzere; pek hususî; münhasır; hesaba dahil olmıyan. **~ of, ...** haric: **the Joneses are very ~**, Jones'lar pek kibar geçinirler: **this is a very ~ club**, burası pek kibar, pek seçkin bir klübdür: **'plant' and 'animal' are ~ terms**, nebat ve hayvan tabirlerinin telifi kabil değildir.
excogitate [iksˈkodʒiteit]. Düşünüp taşınarak tertib etmek.
excommunicate [ˌekskəˈmjuunikeit]. Aforoz etmek.
excoriate [iksˈkorieit]. Derisini sıyırmak; şiddetle tenkid ve zemmetmek.
excrement [ˈekskrəmənt]. Necaset, kazurat.
excrescence [iksˈkresns]. Nasır ve siğil gibi şiş; göze batan bir çıkıntı.
excret·a [iksˈkriitə]. Vücudden çıkarılmış maddeler. **~e**, vücudden ayırıp çıkarmak; ifraz etmek. **~ion** [–ˈkriiʃn], defi, ifraz; vücudden defedilmiş madde. **~ory**, defi ve ifraza yarıyan.
excruciating [iksˈkruuʃieitiŋ]. Dayanılmaz derecede eziyet edici; müdhiş.
exculpate [ˈekskʌlpeit]. Mazur göstermek; tebriye etmek.
excursion [iksˈkəəʃn]. Gezinti, tenezzüh; istitrad. **~ists**, başka yerden bir gün için gezintiye gelenler.
excusable [iksˈkjuuzəbl]. Mazur görülebilir.
excuse[1] [iksˈkjuuz] *vb.* Mazur görmek; affetmek; muaf tutmak. **~ me**, affedersiniz: **if you will ~ the expression**, sözüm

meclisten dışarı, haşa huzurdan: **to ~ s.o. from doing stg.**, birini bir şeyden muaf tutmak.

excuse² [iks'kjuus] *n.* Mazeret; vesile, bahane. ⌜**ignorance of the law is no ~**⌝, kanunu bilmemek mazeret değildir: **to make ~s**, mazeret göstermek; özür dilemek.

exeat ['eksiat]. Talebeye verilen izin.

execr·able [iks'ekrəbl]. Menfur, pek çirkin, berbad. **~ate** ['eksikreit], nefret etm., tel'in etmek. **~ation** [–'kreiʃn], lânet; nefret; küfür.

execut·e ['eksikjuut]. İfa etm., icra etm.; yerine getirmek; infaz etm.; idam etmek. **to ~ a deed**, bir senedi imza vs. ile tamamlamak. **~ant**, [ig'zekjutənt], icra edici; (*mus.*) bir parça çalan kimse. **~ion** [ˌeksi'kjuuʃn], ifa, icra, ikmal; ölüm cezasının infazı, idam: **to do great ~**, (toplar vs.) cok zarar vermek. **~ioner**, cellâd.

executive [ig'zekjutiv] *a.* İcra ve tenfizle mükellef; icrai idare eden. *n.* İcra eden idare, faal idare. **~ duties**, (*ask.* vs.) idare vazifeleri: **~ power**, icra kuvveti, amme iktidarı.

execut·or [ig'zekjutə*]. Vasiyeti tenfiz memuru. **~rix**, vasiyeti tenfize memur kadın.

exegesis [ˌeksi'dʒiisis]. Kitabı mukaddes tefsir ve şerhi.

exemplar [ig'zempla*]. Nümune, örnek. **~y** [–'empləri], örnek olarak; mükemmel; ibret verici.

exemplify [ig'zemplifai]. Temsil etm.; . . . örneği olmak.

exempt [ig'zempt]. Muaf tutmak. Muaf; ârî. **~ion** [–ʃn], muafiyet.

exercise¹ ['ekzəsaiz] *n.* Kullanma, istimal; icra; talim, alıştırma; temrin; mekteb vazifesi; beden terbiyesi. **in the ~ of one's duties**, vazife esnasında; vazifesinin ifası sırasında: **mental ~**, zihni işletme: **to take ~**, yürüyüş vs. ile vücudü işletmek. **exercise-book**, mekteb defteri.

exercise² *vb.* Kullanmak; sarfetmek; yapmak; talim etm., talim edilmek; düşündürmek, tasa olmak. **to ~ oneself**, vücudünü işletmek: **to ~ a horse**, bir atı gezdirmek: **to ~ an influence upon**, ···e tesir etm.: **to ~ one's mind**, zihnini işgal etm., tasa olm.; zihnini işletmek.

exert [ig'zəət]. Kullanmak, sarfetmek; göstermek. **to ~ oneself**, cehdetmek, gayret sarfetmek, çabalamak, uğraşmak. **~ion** [ig'zəəʃn], cehid, çabalama, uğraşma; meşakkat; kullanma, sarfetme.

exeunt ['eksiʌnt]. (Tiyatro) sahneden çıkarlar. **~ omnes**, hepsi birden sahneden çıkar.

exhal·e [eks'heil]. Nefesi dışarı vermek; buhur gibi neşretmek. **~ation** [–'leiʃn], tebahhur; nefes gibi çıkan hava veya koku.

exhaust¹ [ig'zoost] *vb.* Tüketmek; sarfedip bitirmek; bitkin bir hale getirmek. **~ing**, pek yorucu, yıpratıcı. **~ion**, bitkinlik, takatsizlik. **~ive**, pek tafsilatlı, etraflı.

exhaust² *n.* Egsoz; boşaltılmış gazler. **exhaust-pipe**, eksoz borusu. **exhaust-stroke**, boşaltma (egzos) hareketi. **exhaust-valve**, çıkma (egzos) supapı.

exhibit [ig'zibit]. Teşhir etm., göstermek; izhar etmek. Teşhir edilen şey; mahkemede delil olarak ibraz edilen şey. **~ion** [ˌeksi'biʃn], sergi, meşher; teşhir etme, gösterme; üniversitede küçük burs: **to make an ~ of oneself**, kendini rezil etm., aleme gülünc olm.: **an ~ of temper**, birdenbire, öfkelenme, hiddetini gösterme. **~or**, [ig'zibitə*], bir sergide eşyası teşhir edilen kimse.

exhilarat·e [ig'zilәreit]. Canlandırmak; keyif ve neş'e vermek; inşirah vermek. **~ing**, canlandırıcı, ferahlatıcı. **~ion** [–'reiʃn], canlanma; ferahlık.

exhort [ig'zoot]. Şiddetle tavsiye ve rica etm., tenbih etmek. **~ation** [–'teiʃn], şiddetli tasviye, tenbih; vaız.

exhum·e [eks'hjuum]. Mezardan çıkarmak; unutulmuş bir şeyi yeniden ortaya çıkarmak, deşmek. **~ation** [–'eiʃn], ölüyü mezardan çıkarma.

exigen·cy [ek'sidʒənsi, 'eksidʒənsi]. Mübremlik; zaruret; âni hareket icabettiren hal. **~t**, mübrem; müşkülpesend.

exigu·ity [eksi'gjuuiti]. Azlık, kıtlık, darlık. **~ous** [eg'zigjuəs], kıt, dar, kifayetsiz.

exile ['eksail]. Nefyetmek; sürgüne göndermek. Sürgün; mülteci.

exist [ig'zist]. Mevcud olm., varolmak, yaşamak. **~ence**, mevcudiyet; hayat; varlık: **to be in ~**, mevcud olm.: **to come into ~**, doğmak, peyda olmak. **~ent**, **~ing**, mevcud; var.

exit ['eksit]. Çıkış, çıkma; çıkılacak yer, mahrec. (Sahne izahatı) sahneden çıkar. **to make one's ~**, sahneden çıkmak.

exodus ['eksədəs]. Beni İsrail'in Mısırdan hicreti; umumî çıkış. **the Book of Exodus**, tevratın ikinci kitabı.

ex(-)officio ['eks o'fiʃio]. Memuriyeti dolayısile; resmen.

exonerate [ig'zonəreit]. Suçsuz çıkarmak; muaf tutmak.

exorbitan·ce [ig'zoobitəns]. Fahişlik, aşırı olma. **~t**, aşırı, fahiş (fiat).

exorci·ze ['eksorsaiz]. Habis ruhları dua ile defetmek. **~sm** [–sizm], habis ruhları dua ile defetme.

exordium [ig'zoodiəm]. Mukaddeme.

exotic [egˈzotik]. Başka iklime aid; ecnebi memleketten gelen.
expand [iksˈpand]. Genişle(t)mek; büyü(t)mek; imbisat et(tir)mek; (kanadları) açmak. **~ing,** genişliyen, gelişen.
expans·e [iksˈpans]. Büyük saha. **~ibility** [–iˈbiliti], imbisat kabiliyeti. **~ible,** imbisat edebilir; genişliyebilir. **~ion** [iksˈpanʃn], imbisat; büyüme; genişleme; çoğalma; yayılma: **triple ~ engine,** üç imbisatlı makine. **~ionist, ~ policy,** genişleme siyaseti. **~ive** [iksˈpansiv], imbisat edici; vasi, geniş; yayvan; çok konuşur; coşkun.
ex-party [ˈeksˈpaati]. Tek taraftan yapılan veya tek tarafın menfaatine olan.
expatiate [eksˈpeiʃieit]. **~ on,** hakkında uzun uzadıya yazmak veya konuşmak.
expatriate [eksˈpatrieit]. Sürgün etmek. **to ~ oneself,** kendi memleketinden hicret etm.; tabiiyet degiştirmek.
expect [iksˈpekt]. Muhtemel kılmak; ummak; ümid etm., beklemek. **as one might ~,** pek tabiî olarak: **I ~ so,** her halde; zannederim: **don't ~ me till you see me,** beni bekleme, gelirsem gelirim: **to ~ s.o. to do stg.,** (i) birinin bir şeyi yapmasını beklemek; (ii) birinden bir şeyi yapmasını taleb etmek.
expectan·cy, -ce [iksˈpektənsi, –əns]. İntizar; ümid. **~t,** muntazır, bekliyen: **~ mother,** gebe kadın.
expectation [ˌekspekˈteiʃn]. Bekleme, ümid etme; intizar. **the ~ of life,** yaşanılacağı ümid edilen müddet: **to come up to ~s,** beklendiği gibi çıkmak: **to fall short of ~s,** beklendiği gibi çıkmamak: **contrary to all ~s,** bütün beklenilenlerin aksine olarak.
expector·ant [iksˈpektərənt]. Balgam söktürücü. **~ate,** tükürmek, balgam çıkarmak. **~ation** [–ˈreiʃn], tükürme; balgam.
expedien·cy, -ce [iksˈpiidjənsi, –əns]. Münasebet, uygunluk, muvafıklık; şahsî menfaat. **~t,** *a.* münasib, muvafık, uygun; *n.* çare, tedbir.
expedite [ˈekspidait]. Tacil etm., kolaylaştırmak.
expedition[1] [ˌekspiˈdiʃn]. Sefer heyeti. **~ary, ~ force,** kuvvei seferiye.
expediti·on.[2] Acele, istical. **~ous** [–ʃəs], aceleci, çabuk.
expel [iksˈpel]. Tardetmek, kovmak; ihrac etm., çıkarmak.
expend [iksˈpend]. Sarfetmek, harcetmek. **~iture** [–itjuə*], masraf; sarfetme; sarfiyat.
expens·e[iksˈpens]. Masraf. **~es,** masraflar, sarfiyat. **at the ~ of,** pahasına: **we had a laugh at his ~,** hepimiz onun bu haline güldük: **to go to great ~,** çok masraf etmek: **to put s.o. to ~,** birini masrafa sokmak: **travelling ~s,** harcırah. **~ive** [iksˈpensiv], pahalı: **to live ~ly,** lüks yaşmak.
experience [iksˈpiəriəns]. Tecrübe; görgü. Tecrübe etm., görmek; görüp geçirmek, katlanmak. **~d,** tecrübeli; görmüş geçirmiş; malûmatlı.
experiment [iksˈperimənt]. Tecrübe; deneme. Tecrübe etm., denmek. **~al** [–ˈmentl], tecrübe mahiyetinde, tecrübî. **~ation** [–ˈteiʃn], tecrübe etme.
expert [ˈekspəət]. Mütehassıs, eksper, ehil, ehlihibre, usta.
expiat·e [ˈekspieit]. Kefaret vermek; cezasını çekmek; telâfi etmek. **~ion** [–ˈeiʃn], kefaret; cezasını çekme. **~ory** [ˈekspiətəri], kefaret olarak, kefarete aid.
expir·e [iksˈpaiə*]. Ölmek; sona ermek; vadesi hulûl etm.; nefes vermek. **~ation** [ˌekspaiəˈreiʃn], sona erme; müddetin hitamı; nefes verme. **~y** [iksˈpaiəri], müddetin hitamı; sona erme; ölme.
explain [iksˈplein]. İzah etm., tavzih etm.; anlatmak; izahat vermek. **to ~ oneself,** (i) meramını anlatmak; (ii) mazeret bulmak, sebeb göstermek: **to ~ away,** tevil etmek.
explana·tion [ˌeksplәˈneiʃn]. İzah; şerh; anlatma, izahat; tevil. **to give an ~ of one's conduct,** hareketini izah etm., hareketi için sebeb göstermek. **~tory** [iksˈplanətəri], izahlı, izahat verici.
expletive [iksˈpliitiv]. Tamamlayıcı söz; manasız söz, küfür.
explicable [iksˈplikəbl, ˈeksplikəbl]. İzah edilebilir.
explicit [iksˈplisit]. Vazıh, açık; kat'î; aşikâr. **~ly,** kat'î surette.
explode [iksˈploud]. Patla(t)mak; infilak et(tir)mek; tekzib etmek. **this theory is now ~d,** bu nazariye tamamen çürümüştür.
exploit[1] [ˈeksploit] *n.* Kahrahmanlık; sersemce iş.
exploit[2] [iksˈploit] *vb.* İşletmek; istismar etm., ···den istifade etmek. **~ation** [–ˈteiʃn], işletme; istismar etme.
explorat·ion [ˌeksplooˈreiʃn]. Keşif ve araştırma; tedkik. **~ory** [–ˈplorətəri], istikşafa aid.
explore [iksˈploo*]. Hakkında tedkik yapmak, araştırmak; ···de tedkik için seyahate çıkmak. **to ~ for,** araştırmak. **~r,** kâşif, memleket keşfeden.
explos·ion [iksˈplouʒn]. İnfilak, patlama. **~ive** [–ˈplousiv], patlayıcı; infilakî madde.
exponent [iksˈpounənt]. Şerh edici, tefsir eden; misal, tip; (mat.) üs.
export [ˈekspoot] *n.* İhrac etme; ihrac edilen mal. *vb.* [eksˈpoot]. İhrac etm.,

ihracat yapmak. **~ation** [–ˈteiʃn], ihrac. **~er,** ihracatçı.

expose [iksˈpouz]. Açıkta bırakmak; duçar etm., maruz bırakmak; teşhir etm., ifşa etm., foyasını meydana çıkarmak; (*fot.*) poz vermek. **to ~ oneself to danger,** kendini tehlikeye maruz bırakmak. **~d,** açıkta kalmış; keşfedilmiş; rüzgâra maruz; (*fot.*) ışığa tutulmuş.

exposit·ion [ˌekspəˈziʃn]. Şerh, izah, tefsir; sergi. **~or** [–ˈpozitə*], şarih, mufessir.

expostulat·e [iksˈpostluleit]. (**with,** ···e) Dostça itiraz etm., tevbih etmek. **~ion** [–ˈleiʃn], dostça itiraz, tenbih, azar.

exposure [iksˈpoʒə*]. Ortaya koyma; teşhir; rezalet; maruz ve duçar etme; açık havada soğuğa maruz kalma; (*fot.*) poz.

expound [iksˈpaund]. Tefsir etm., şerhetmek.

express¹ [iksˈpres] *a.* Mahsus; kat'î; sür'atli. *n.* (**-train**), ekpres. **~ly,** bilhassa: **for this ~ purpose,** bilhassa bu maksad için: **~ rifle,** yüksek hızlı (düz mahrekli) silâh.

express² *vb.* Sıkıp (suyunu) çıkarmak; ifade etm.; göstermek, izhar etmek.

express·ion [iksˈprʃn]. Tabir, söz, ifade; izhar; mana; yüz ifadesi; sıkıp çıkarma. **you could tell by the ~ of his voice,** sesinin tonundan belli idi: **he wore a very serious ~,** yüzünün ifadesi çok ciddî idi: **try to read with more ~,** daha manali okumağa çalış. **~ionless,** hiç bir şey ifade etmiyen. **~ive,** manalı; mana dolu.

expropriate [iksˈprouprieit]. İstimlâk etm.; malından mahrum etmek.

expuls·ion [iksˈpʌlʃn]. Tardetme; defetme; kovma; çıkarma. **~ive** [–siv], defedici.

expunge [iksˈpʌndʒ]. Çizmek, silmek; çıkarmak; tayyetmek.

expurgate [ˈekspəəgeit]. Tenkih etm., tasfiye etm.; bir kitabdan ahlâk, din vs.ye aykırı kısımları tayyetmek.

exquisite [ˈekskwizit]. Enfes, latif; gayet ince ve nazik; keskin ve hassas.

ex-service-man, *pl.* **-men.** Terhis edilmiş asker.

extant [ˈekstant]. Hâla baki ve mevcud.

extempor·aneous [ˌekstempəˈreinjəs]. İrticalî. **~e** [eksˈtempəri], irticalen, irticalen söylenmiş; hazırlıksız. **~ize,** irticalen söylemek; hazırlık yapmaksızın söylemek, yazmak, çalgı çalmak veya bir şeyi yapmak.

extend [iksˈtend]. Uzatmak; uzanmak; temdid etm.; genişle(t)mek; yaymak; sunmak; takdim etm.; erişmek. **to ~ a welcome to,** ···i iyi karşılamak, ···e 'hoş geldiniz!' demek.

extens·ible [iksˈtensibl]. Uzanabilir. **~ion** [iksˈtenʃn] uzatma, uzanma, imtidad, temdid; büyütme, genişletme; zam, ilâve; ek; yayılma, sirayet: **~ ladder,** uzanır merdiven: **university ~,** üniversite derslerinin harice teşmili usulü. **~ive,** vâsi, geniş: **~ agriculture,** geniş arazide az masrafla yapılan ziraat. **~ively,** çok, büyük mikdarda. **~or** [iksˈtensoo*], uzatan adale.

extent [iksˈtent]. Mertebe, derece; mesaha; mikdar. **to a certain** [**to some**] **~,** bir dereceye kadar: **to such an ~ that,** o derecede ki.

extenuat·e [iksˈtenjueit[. Hafifletmek; zayıflatmak. **~ing circumstances,** cezayı hafifletici sebebler. **~ion** [–ˈeiʃn], **to plead in ~ of a crime,** hafifletici sebeb göstermek.

exterior [eksˈtiəriə*]. Dış; dış taraf; haricî; görünüş, zavahir.

exterminate [eksˈtəəmineit]. İmha etm.; kökünü kazımak.

external [eksˈtəənl]. Haricî; dış; zahirî; görünüşe aid. **to judge by ~s,** zavahire göre hükmetmek: **Minister for External Affairs,** Hariciye Nazırı.

extinct [iksˈtiŋkt]. Sönmüş; münkariz; hâlen mevcud olmıyan. **~ion** [–kʃn], inkıraz; söndürme; ifna; itfa.

extinguish [iksˈtiŋgwiʃ]. Söndürmek; itfa etm.; ilga etmek. **~er,** yangın söndürme aleti.

extirpat·e [ˈekstəəpeit]. İmha etmek, kökünü kurutmak. **~ion** [–ˈpeiʃn], sökme, kökünden koparma.

extol [iksˈtoul]. Medhüsena etmek. **to ~ to the skies,** göklere çıkarmak.

extort [iksˈtoot]. Başkasından zor veya tehdid ile almak. **to ~ a promise from s.o.,** birinden bir vaid koparmak. **~ion** [–ˈtooʃn], zor veya tehdid ile alma; gasbetme. **~ionate,** gaddar; fahiş. **~ioner,** zorla alan adam; fahiş fiat istiyen kimse.

extra [ˈekstrə] *a.* Fazla, ziyade; mutaddan ziyade; ekstra; esas masraftan haric; ilâve olarak, munzam. *n.* İlâve, zam; gazetenin fevkalâde tab'ı. **~s,** ilâve masraf: **little ~s,** ufak tefek ilâve masraf vs.

extra- *pref.* Ziyade ...; ···den haric; ···den dışı olan.

extract [ˈekstrakt] *n.* Hulâsa; esans, ruh; iktibas. *vb.* [iksˈtrakt]. Çıkarmak, çekip çıkarmak; sökmek. **~ion** [–ˈtrakʃn], çıkarma, sökme; soy, menşe. **~or,** sökücü âlet; petekten bal çıkarmaga mahsus cihaz.

extradit·e [ˈekstrədait]. Bir mücrimi kendi memleketine iade etmek. **~able** [–ˈdaitəbl], iade edilibilen (mücrim); mücrimin iadesini icabettiren (cürüm). **~ion** [–ˈdiʃn], mücrimi iade etme.

extrajudicial [ˈekstrəˈdjuudiʃəl]. Mahkemeden haric olan; mahkeme dışı.

extramural [ˈekstrəˈmjuurəl]. Sur dışında; üniversiteye mensub olmıyan (ders, muallim vs.).
extraneous [eksˈtreiniəs]. Dışarıdan gelen; ecnebi; sadede aid olmıyan.
extraordinary [iksˈtroodnəri]. Fevkalâde, harikulâde; garib.
extra-special [ˈekstrəˈspeʃl]. Fevkalâde; çok hususî.
extravagan·ce [iksˈtravəgəns]. İsraf, müsriflik; itidalsizlik, ifrat. **~t,** müsrif; çok masraflı; müfrit, itidalsiz. **~za,** fantezi.
extreme [iksˈtriim] *a.* Son derece; çok şiddetli; en uzak; müfrit; azılı; itidalsiz. *n.* En uzak nokta veya had. **~ly,** son derece; pek çok: **an ~ case,** müfrit veya müstesna hal veya misal: **to drive s.o. to ~s,** birini ifrata sevketmek: **to go to ~s,** ifrata varmak: **to go from one ~ to the other,** ifrattan tefrite geçmek: **in the ~,** son derecede: **the ~ penalty,** ölüm cezası.
extremist [iksˈtriimist]. İfratçı; azılı.
extremity [iksˈtremiti]. Uc; nihayet; son derece; son çare; büyük tehlike, ıstırab, yoksulluk. **the extremities (of the body),** eller ve ayaklar: **to be in great ~,** son derece sefalet içinde olmak.
extricate [ˈekstrikeit]. Kurtarmak. **to ~ oneself,** işin içinden çıkmak.
extrinsic [iksˈtrinsik]. Haricden gelen; ârızî; zatî ve aslî olmıyan.
extru·de [iksˈtruud]. Sıkıp çıkarmak. **~sion** [–ˈtruuʒn], sıkıp çıkarma.
exuberan·ce [igˈzjuubərəns]. Coşkunluk, taşkınlık; bolluk. **~t,** coşkun, taşkın; bol.
exude [igˈzjuud]. Sız(dır)mak; terle(t)mek. **he ~s conceit (from every pore),** azametinden yanına varılmıyor.
exult [igˈzʌlt]. **to ~ at [in],** ···den çok sevinmek; iftihar etm., övünmek: **to ~ over s.o.,** mağlub edilen veya felâkete uğrıyan rakib karşısında 'oh olsun' diye sevinmek. **~ant,** mesrur; çok sevinen ve övünen. **~ation** [–teiʃn], büyük sevinc; iftihar; şenlik.
eye[1] [ai] *n.* Göz; iğne deliği; kopça iliği; budak; **(of a spliced rope),** (halat) kasa. **~s front!,** ileri bak!: **~s right!,** sağa bak! **an ~ for an ~,** kısas usulü: **'that 's all my ~ (and Betty Martin)!',** bütün bunlar kuru lâf: **to be all ~s,** dikkat kesilmek, göz kulak olm.: **he has ~s at the back of his head,** onun görmediği yoktur: **to give s.o. a black ~,** gözünü morartmak: **to cast an ~ over,** ···e göz gezdirmek: **to cast down one's ~s,** yere bakmak: **to catch s.o.'s ~,** gözlerini arayarak dikkatini çekmek: **there was not a dry ~ in the room,** odada ağlamıyan yoktu: **to give an ~ to stg.,** bir şeye bakmak (göz kulak olm.): **to have an ~ for stg.,** bir şeyin iyisini seçebilmek hassası: **to have an ~ to,** niyetinde olm.: **just keep an ~ on this child,** bu çocuğa göz kulak oluver: **to keep one's ~s skinned,** gözünü dört açmak: **to make ~s at,** ···e göz etm.: **mind your ~!,** dikkat et!: **in the mind's ~,** hayalinde; gözün önünde gibi: **to do stg. with one's ~s open,** bir şeyi göz göre göre yapmak: **to be in the public ~,** halkın gözünde olm. veya halkın diline düşmek: **to see ~ to ~ with s.o.,** birisile aynı fikirde olm.: **you can see that with half an ~,** bu aşikârdır: **I set ~s on England for the first time,** İngiltere'yi ilk defa gördüm: **I am up to the ~s in work,** işten başımı kaşıyacak vaktim yok: **in the wind's ~,** rüzgâra karşı: **with an ~ to, ...** maksad ile. **eye-bath, eye-cup,** göz için banyo kabı. **eye-bolt,** mapa; gözlü cıvata. **eye-bud,** budak. **eye-opener,** insanın gözünü açan şey; dersi ibret olan şey. **eye-shade,** göz siperi. **eye-strain,** göz yorgunluğu. **eye-wash,** göz ilâcı; göz boyası.
eye[2] *vb.* ··· e göz atmak; bakmak; süzmek.
eyeball [ˈaibool]. Göz küresi.
eyebrow [ˈaibrau]. Kaş. **to knit the ~s,** kaşları çatmak.
eyed [aid]. Gözlü, delikli; göz gibi beneklerle süslenmiş.
eyeglass [ˈaiglaas]. Tek gözlük, monokl. **~es,** kelebek gözlük.
eyehole [ˈaihoul]. Göz yuvası; delik; seyredecek delik.
eyelash [ˈailaʃ]. Kirpik.
eyeless [ˈailis]. Gözsüz; kör.
eyelet [ˈailit]. Küçük delik; kopça iliği; matafyon.
eyelid [ˈailid]. Gözkapağı. **to hang on by the ~s,** pamuk ipliğine bağlı olmak.
eyepiece [ˈaipiis]. Dürbin vs.nin göz camı.
eyeshot [ˈaiʃot]. **within [out of] ~,** gözle görülebilecek [görülemiyecek] mesafede.
eyesight [ˈaisait]. Görme. **to have good ~,** gözleri iyi görmek.
eyesore [ˈaisoo*]. Göze batan şey.
eyewitness [ˈaiwitniz]. Gözü ile gören; şahid.
eyot [ait]. Adacık.
eyrie [ˈeəri]. Kartalın yuvası.

F

f [ef]. F harfi. (*kıs.*) **Fellow.**

fable [ˈfeibl]. Masal; kıssa; efsane. **~d,** esatirî.

fabric [ˈfabrik]. Bina, yapı; kumaş.

fabricat·e [ˈfabrikeit]. Yapmak, imal etm., uydurmak. **~ion** [–ˈkeiʃn], uydurma; yapma; icad.

fabulous [ˈfabjuləs]. Efsanevî, esatirî; şayanı hayret. **at a ~ price,** ateş pahasına: **~ly rich,** Karun kadar zengin.

façade [fəˈsaad]. Bina cebhesi; zavahir.

face[1] [feis] *n.* Yüz, çehre; saat minesi. **in the ~ of all men,** âleme karşı: **in the ~ of danger,** tehlike karşısında: **to fly in the ~ of facts,** hakikate aldırmamak: hakikati inkâra kalkışmak: **to fly in the ~ of Providence,** kadere karşı mücadele etm.: **to keep a straight ~,** gülmemek: **to make a ~,** yüzünü gözünü oynatmak: **on the ~ of it,** görünüşte: **to pull a long ~,** suratını bir karış asmak: **to put a good [bold] ~ on it,** memnun olmadığı veya korktuğu halde memnun veya cesur görünmek: **to save one's ~,** zavahiri kurtarmak için: **to set one's ~ against,** ···e karşı cebhe almak, karşı gelmek. **face-ache,** diş ağrısı. **face-value,** zahirî kıymet.

face[2] *vb.* Karşılamak; yüzüne bakmak; karşı olm.; dayanmak; katlanmak; kaplamak; nâzır olmak. **to be ~d with,** ···le kaplanmak; ... karşı karşıya bulunmak: **~this way!,** bu tarafa dönünüz!: **the house ~s south,** ev cenuba bakar: **I can't ~ another winter here,** bir kış daha burada kalmayı göze alamam: **the difficulties that ~ us,** karşımızdaki güçlükler. **face about,** yüzgeri etmek.

faced [feisd]. Kaplanmış; yüzlü.

facet [ˈfaset]. Faseta.

facetious [feˈsiiʃəs]. Olur olmaz her şey hakkında nükte yapan, alaycı.

facial [ˈfeiʃəl]. Yüze aid; vechî.

facile [ˈfasail]. Kolay; uysal.

facilit·ate [feˈsiliteit]. Kolaylaştırmak. **~y,** kolaylık; istidad: **~ies,** imkân ve vasıtalar.

facing [ˈfeisiŋ] *a.* Nâzır, karşı olan; müteveccih. *n.* Kaplama; dış astarı. **regimental ~s,** askerî üniformaların kol veya yakasında her alayın hususî işareti.

facsimile [fakˈsimili]. Aynı, tıpkısı, tam kopya.

fact [fakt]. Fiil; vak'a; hakikat; keyfiyet. **~ and fiction,** hakikat ve hayal: **the ~ is that,** hakikat şudur ki: **an accomplished ~,** emrivaki, olupbitti: **apart from the ~ that ...,** ···den başka: **in ~,** hakikaten ,hattâ: in point of ~, aslını ararsan: **to look ~s in the face,** hadiseleri olduğu gibi görmek: **to stick to ~s,** vak'aları göz önünde tutmak; hayale kapılmamak: **owing to the ~ that...,** ···den dolayı.

faction [ˈfakʃn]. Nifak; parti içinde ayrılık; ihtilaf çıkaran hizib.

factious [ˈfakʃəs]. Mücadeleci; fitneci; geçimsiz.

factitious [fakˈtiʃəs]. Sun'î; yapma, uydurma.

factor [ˈfaktə*]. Âmil, sebeb; simsar, komisyoncu; çiftlik kâhyası; kasım. **greatest common ~,** kasımı muştereki âzam: **~ of safety,** emniyet emsali.

factory [ˈfaktəri]. İmalâthane, fabrika. **factory-hand,** fabrika amelesi.

factotum [fakˈtoutəm]. Her işi gören adam veya hizmetçi.

factual [ˈfaktjuəl]. Vak'aya aid; hakikî.

faculty [ˈfaklti]. İstidad, kabiliyet, meleke; fakülte.

fad [fad]. Şahsî bir merak veya âdet; gelip geçici ve manasız bir moda. **full of ~s,** bir takım garib adetleri olan, olur olmaz şeylere titizlenen. **~dist** *n*, **~dy** *a.* = **full of ~s.**

fade [feid]. Solmak, rengi atmak; zail olm., yavaş yavaş gözden kaybolmak; rengini soldurmak. **to ~ away,** gözden kaybolmak, eriyip gitmek: **to ~ one scene into another,** filimde bir sahneyi tedricen değiştirmek. **fade-out, fading-out,** (radyo) sesin kaybolması.

faec·al [ˈfiikəl]. Mevaddı gaitaya aid. **~es** [ˈfiisiiz], mevaddı gaita.

fag [fag]. Yormak, yorulmak. Yorucu iş; büyük talebenin ufak tefek işlerini yapan küçük talebe; (*arg.*) sigara. **it's too much ~!,** (*arg.*) işim mi yok?, zahmete değmez: **what a ~!,** bu da bir angarya! **fag-end,** izmarit; artık; son.

faggot [ˈfagət] *n.* İnce odun ve çalı demeti; deste; domuz etinden bir nevi sucuk. *vb.* Demet yapmak.

fail [feil]. Becerememek, muvaffak olmamak; yapmamak; olmamak; ihmal etm.; eksik gelmek, tükenmek; iflâs etm.; bırakmak, yardım etmemek; vücuddan düşmek. **to ~ to do stg.,** bir şeyi yapmamak: **to ~ in one's duty,** vazifesinden kusur etm.: **whatever you do, don't ~ me!,** ne olursa olsun aman beni atlatma!: **his heart ~ed him,** cesaret edemedi: **I ~ to see why, ...** sebebini anlamıyorum: **~ing payment,** tediye edilmediği halde: **without ~,** mutlaka, muhakkak olarak: **words ~ me,** kelime bulamıyorum: **this will do ~ing all else,** başka hiç bir şey bulunmazsa bu olur.

failing [ˈfeiliŋ] *n.* Eksiklik, zâf. *a.* Vücuddan düşen, zayıflıyan; eriyip giden. **~ this,** bu olmadığı halde, bu bulunmadığı halde.

failure [ˈfeiljə*]. Muvaffakiyetsizlik; iflâs; noksan. **~ to do,** yapmakta kusur etme, yapmama: **~ to obey the law may cost you dear,** kanuna itaatsizlik pahalıya malolabilir.

fain [fein]. (Bu vaziyette) memnuniyetle; zarurî olarak. **~(s) I!,** benden paso!

faint¹ [feint] *vb.* Bayılmak. *n.* Baygınlık, bayılma. *a.* Bayılacak. **a dead ~,** ölü gibi baygın olma: **a ~ing fit,** baygınlık.

faint² *a.* Cüzî, hafif, zayıf; soluk; hayal meyal; mübhem, bellibelirsiz. ⌈**~heart never won fair lady**⌉, yüreksiz adam aşkta muvaffak olmaz. **faint-hearted,** yüreksiz.

fair¹ [feə*] *n.* Panayır; sergi.

fair² *a.* İnsaflı, hakkaniyetli, adalete uygun; hilesiz, doğru; (oyunlarda) mızıkcılık etmez; güzel; lepiska saçlı, sarışın; (hava) iyi; fena değil, söyle böyle. ⌈**all 's ~ in love and war**⌉, aşkta ve harbde her şey caizdir: **given a ~ chance,** (adilane) imkân verildiği halde: **there is a ~ chance that we shall win,** kazanmamız oldukça muhtemeldir: **~ copy,** temize çekilmis nüsha: **~ game,** yasak olmıyan av; (*mec.*) meşru hedef: **'by ~ means or foul',** hangi vasıta ile olursa olsun, ne yapıp yapıp: **~ to middling,** söyle böyle: **one's ~ name,** lekesiz ad, nam: **~ play,** dürüst hareket: **to put s.o. off with ~ promises,** birini güzel vaidlerle oyalamak: **set ~,** (hava) devamlı olarak iyi: **the ~ sex,** cinsi latif: **~ and square,** dürüst, insaflı: **to hit stg. ~ and square,** bir şeyin tam ortasına vurmak: **he is in a ~ way to lose his job,** işinden olması kuvvetle muhtemeldir: **a ~ wind,** müsaid rüzgâr: **~ words,** güzel sözler: **he ~ly beamed with delight,** sevincinden adeta agzı kulaklarına vardı. **fair-haired,** sarışın, lepiska saçlı. **fair-minded,** munsif. **fair-sized,** büyükçe. **fair-spoken,** nezaketli; tatlı dilli, yüze gülücü. **fair-weather, a ~ sailor,** yalnız iyi havada denize çıkan gemici: **~ friend,** iyi gün dostu.

fairlead [ˈfeəliid]. (*den.*) Kurtağzı.

fairness [ˈfeənis]. Lepiska saçlılık; insaflılık, adalet. **in all ~,** munsif olmak için, insaf namına.

fairway [ˈfeəwei]. Nehir vs.de gemilerin geçmesine ayrılan yer.

fairy [ˈfeəri]. Peri. **fairy-cycle,** oyuncak bisiklet. **fairy-lamp,** süs kandili veya lambası. **fairy-like,** peri gibi. **fairy-ring,** bazı mantarların çayırlarda teşkil ettikleri koyu yeşil ot halkası ki eskiden perilerin raksettikleri yer sanılırdı. **fairy-tale,** peri masalı; masal.

fairyland [ˈfeəriland]. Periler diyarı.

fait accompli [feit akomplii]. Emrivaki, olupbitti.

faith [feiθ]. İman, itikad; inan; itimad; vefa. **bad ~,** suiniyet; ihanet: **to die in the ~,** imanlı olarak ölmek: **in good ~,** hüsnüniyetle: **to have [put] ~ in,** inanmak, güvenmek, itimad etm.: **to keep ~,** vadinde durmak: **to lose ~ in s.o.,** birisinden sıdkı sıyrılmak. **faith-healing,** telkinle tedavi.

faithful [ˈfeiθfəl]. Vefalı, sadık; mümin. **the ~,** müminler: **to promise ~ly,** katiyetle vadetmek: **yours ~ly,** (iş mektublarının sonunda) hürmetlerimi sunarım.

faithless [ˈfeiθlis]. Vefasız; hain; imansız.

fake [feik]. Yapma şey; kalp, sahte şey; taklid. Tahrif etm.; taklid etmek. **to ~ up,** uydurmak.

fakir [faˈkiə*]. Hindistanda fakir.

falcon [ˈfolkn]. Doğan, şahin. **~er,** şahinci, kuşçu başı. **~ry,** şahin avi, av kuşları terbiyesi.

fall¹ [fool] *n.* Sukut, düşme; inkıraz; alçalma, azalma; çökme; şelâle, çağlıyan; yaprak dökümü, sonbahar; nehir suyunun aktığı yükseklik; yağış: **~ s (of a boat),** palanga çımaları, tirenti. **the Fall,** ilk insanın (Adem'in) günahı: **to have a ~,** düşmek: **to ride for a ~,** atı muhakkak düşecek şekilde sürmek; (*mec.*) başının belâsını aramak: **to try a ~ with s.o.,** birisile güreşmek.

fall² *vb.* **(fell, fallen)** [fel, ˈfoolən]. Düşmek, sukut etm.; dökülmek; çökmek, yığılmak; azalmak, alçalmak; tesadüf etm., vukua gelmek; olmak. **to ~ for,** ···e abayı yakmak, vurulmak; ···den aldanmak: **his eye fell upon me,** gözü bana ilişti: **his face fell,** suratı asıldı: **to ~ into a habit,** bir şeyi adet edinmek: **the subject ~s into three divisions,** bu mevzu üç kısma ayrılır: **night is ~ing,** hava kararıyor: **to ~ into temptation,** iğvaya kapılmak. **fall away,** ayrılıp düşmek; terketmek; zail olm., dininden dönmek; **the ground ~s away to the river,** arazi nehre doğru meylediyor: **the profits fell away to nothing,** kâr gitgide sıfıra düştü. **fall back,** geri çekilmek, ricat etm.; arkaya yıkılmak: **to ~ back upon,** ···e başvurmak. **fall behind,** geride kalmak; gecikmek. **fall down,** yere düşmek; çökmek, yıkılmak. **fall in,** çökmek, yıkılmak; içeri düşmek; (kira mukavelesi vs.) müddeti bitmek; (*ask.*) sıraya girmek; **to ~ in with,** tesadüf etm.; uyuşmak; kabul etmek. **fall off,** ···den düşmek; azalmak; eksilmek; dökülmek; evvelki gibi olmamak; zail olm.; (*den.*) orsadan düşmek. **fall out,** dışarıya düşmek; dökülmek; vukua gelmek; külâhları değiştirmek; (*ask.*) sıradan ayrılmak: **to ~ out with s.o.,** birisile bozuşmak. **fall over,** devrilmek; sırtüstü düşmek; **to ~ over an obstacle,** bir maniaya çarpıp düşmek: **people were ~ing over one another to buy the book,** halk bu kitabı kapışıyordu. **fall through,** geçip düşmek; suya düşmek; vazgeçilmek. **fall to,** başlamak; girişmek; yemeğe saldırmak: **now then, ~ to!,** haydi! işinize!

fallac·ious [feˈleiʃəs]. Aldatıcı; safsatalı, bâtıl. **~y** [ˈfaləsi], mugalata, safsata, kıyası fasid; yanlışlık.

fallen [ˈfoolən]. Düşmüş; dökülmüş; düşük; günahkâr. **the ~,** muharebede ölenler, şehidler.

fallible [ˈfalibl]. Yanılabilir.

fallopian [feˈloupiən]. **~ -tubes,** yumurtayı rahime sevkeden iki mecra.

fallow[1] [ˈfalou]. Nadas; dinlendirilmiş toprak. Nadasa bırakmak; dinlendirmek. **to lie ~,** (toprak) nadas halinde kalmak; (*mec.*) işlenmemiş olmak.

fallow[2]. Devetüyü rengi; **fallow-deer,** alageyik.

false [fols, fools]. Sahte, taklid, yapma, yapmacık, takma; yalan, asılsız, yanlış; hileli, hain, vefasız; falsolu. **~ alarm,** asılsız tehlike işareti; yersiz telaş; **~ imprisonment,** haksız yere hapis: **~ quantity,** kısa heceyi uzun veya uzun heceyi kısa telaffuz etme: **to raise ~ hopes,** beyhude ümid uyandırmak. **~hood** [-hud], yalan.

falsetto [folˈsetou]. (*mus.*) Gayritabii derecede tiz erkek sesi.

falsi·fy [ˈfolsifai]. Tahrif etm., tezvir etm.; yanlış çıkarmak. **~ty,** yanlışlık; yalancılık; hainlik; sahtelik.

falter [ˈfooltə*]. Tereddüd göstermek; sendelemek, bocalamak; dili tutulur gibi söylemek, kekelemek.

fame [feim]. Şöhret, nam. **house of ill ~,** umumhane. **~d,** şöhretli, tanınmış.

familiar [fəˈmiljə*] *a.* Mutad, alışmış, bildik; alışkın; âşina; senli benli, teklifsiz. *n.* **~ (spirit),** bir büyücü emrindeki cin; hiç ayrılmaz arkadaş. **I am not ~ with Turkish,** Türkçe bilmem: **to be too ~,** lâübali olmak. **~ity** [–ˈariti], senli benli olma; teklifsizlik; alışıklık, iyi bilme: **⌜~ breeds contempt⌝,** alışkanlık her şeyin ehemmiyetini düşürür. **~ize** [–ˈmiljəraiz], alıştırmak.

family [ˈfamili]. Aile, çoluk çocuk; soy; cins, fasile, familya. **~ likeness,** bir ailede birbirine benzeme: **~ man,** ev bark sahibi: **it runs in the ~,** bütün aile halki böyledir: **in the ~ way,** gebe.

famine [ˈfamin]. Kıtlık, umumî açlık.

famish [ˈfamiʃ]. Aç kalmak; aç bırakmak. **~ed, ~ing,** çok aç; açlıktan ölen.

famous [ˈfeiməs]. Meşhur. **~ly,** (*kon.*) pek iyi, mükemmel.

fan [fan]. Yelpaze; vantilatör; (*arg.*) meraklı. Yelpazelemek; körüklemek.

fanatic [feˈnatik]. Mutaassıb kimse; kaba sofu. **~al,** mutaassıb, koyu. **~ism** [–sizm], taassub.

fancier [ˈfansiə*]. ... meraklısı. **bird ~,** kuşbaz: **dog ~,** köpek besliyen ve satan adam.

fanciful [ˈfansiful]. Hayal mahsulü, acayib, tuhaf; hava ve hevesine tâbi.

fancy[1] [ˈfansi] *n.* Muhayyile; hayal; kapris, heves, geçici arzu. *a.* Süslü, tuhaf; ziynet nevinden. **I have a ~ that,** bana öyle geliyor ki: **to take a ~ to,** ···den (nedense) hoşlanmak; birini gözü tutmak. **fancy-dress, ~ ball,** kıyafet balosu. **fancy-free,** kimseye gönül vermemiş. **fancy-goods,** fantezi eşya. **fancy-work,** ince el işi.

fancy[2] *vb.* Tahayyül etm., tasavvur etm.; zannetmek; gözüne kestirmek, gözü tutmak, beğenmek, tercih etmek. **~ now!, ~ that!,** çok şey!, acayib!: **to ~ oneself,** kendini beğenmek: **he rather fancies his French,** fransızcasını bir şey zannediyor: **which of these ties do you ~?,** bu kravatlardan hangisini gözün tutuyor?: **that horse is much fancied for the Derby,** bir çokları Derby'de bu atın kazanacağını zannediyor.

fane [fein]. Mabed.

fanfare [ˈfanfeə*]. Merasim borusu; gösterişli hareket, lâf vs.

fang [faŋ]. Sivri uzun diş; diş kökü; prazvana.

fanlight [ˈfanlait]. Kapı üstü penceresi; yelpaze şeklinde pencere.

fantail [ˈfanteil]. Kuyruğu yelpaze şeklinde olan güvercin.

fantasia [fanˈteiziə]. (*mus.*) Fantezi.

fantastic [fanˈtastik]. Hayalî, garib, acayib; akla hayret veren; gülünc.

fantasy [ˈfantəsi]. Muhayyile, hayal, hayalî resim; acayib fikir.

far [faa*]. Uzak; ötedeki; bir hayli. **~ away [off],** uzak, uzakta: **~ and away the best [the cheapest,** *etc.*], fersah fersah daha iyi [ucuz vs.]: **~ and wide,** yurdun [dünyanın] dört köşesinde: **as ~ as,** ···e kadar: **~better [worse],** çok daha iyi [fena]: **~ from it,** bilâkis, ne münasebet!: **he is ~ from well,** hiç iyi değildir: **at the ~ end of the street,** caddenin öbür ucunda: **to go too ~,** fazla ileri gitmek, haddini tecavüz etm.: **~ into the night,** gece geç vakte kadar: **to make one's money go ~,** parasını yetiştirmek: **that is going too ~**, bu kadarı da fazla: **so ~**, şimdiye kadar: **so ~ so good**, şimdiye kadar hoş, âlâ (ya sonra?): **(in) so ~ as I know**, benim bildiğim kadar: **so ~ from ..., ...** şöyle dursun: **the night was ~ spent**, gece ilerlemişti. **far-away, a ~ look**, uzaklara dalmış bakış. **far-between, few and ~**, pek nadir, seyrek, kırk yılda bir. **far-famed**, çok şöhretli, dünyaca tanınmış. **far-fetched**, zoraki, zorlıyarak bulunmuş. **far-flung**, çok uzaklara yayılmış. **far-off**, çok uzak. **far-reaching**, uzaklara erişen, şümullü. **far-seeing**, durendiş, basiretli, uzağı gören. **far-sighted**, durendiş; uzak görüşlü; presbit.

farc·e [faas]. Âmiyane komedi. **~ical** [–ikl], gülünc.

fare[1] [feə*] *n.* Nakliye ücreti; kira arabası müşterisi. **single [return] ~**, yalnız gitme [gidip gelme] ücreti: **~s, please!**, biletler, beyler!

fare[2] *n.* Taam; yiyecek ve içecek.

fare[3] *vb.* Seyahate [sefere] çıkmak; (iş, hal) iyi [fena] olmak. **to ~ forth**, yola çıkmak: **how did you ~?**, nasil oldu?: **how ~s it?**, ne var ne yok?; işler nasıl gidiyor?: **~ thee well!**, elveda!: **it ~d ill with him**, muvaffak olmadı; hali fena idi: **if you do that it will ~ ill with you**, bunu yaparsan, vay haline!

farewell [ˈfeəˈwel]. Allahaısmarladık!; elveda!; veda. **to bid ~ to [to take ~ of]**, ···e veda etmek.

farina [feˈriinə, -rainə]. Un, nişasta. **~ceous** [ˌfariˈneiʃs], unlu, nişastalı.

farm [faam]. Çiftlik. Çiftçilik etmek. **to ~ out**, iltizama vermek. **~er**, çiftçi; çiftlik sahibi veya kiracısı. **~ing**, çiftçilik: **stock ~**, hayvan yetiştirme. **~stead** [–sted], çiftlik ve müştemilatı. **farm-hand**, çiftlik amelesi. **farm-yard**, çiftlik avlusu.

farrago [faˈreigou]. Karmakarışık şey. **a ~ of nonsense**, bir avuc saçma.

farrier [ˈfariə*]. Nalband. **~y**, nalbandlık.

farrow [ˈfarou]. (Domuz) doğurmak. Bir batında doğan domuzlar.

fart [faat]. Osurmak. Osuruk.

farther [ˈfaaðə*]. far'*dan ismi tafdil.* Daha uzak, daha ötede; fazla; *bk.* **further. ~ back**, daha geride: **~ off**, ondan uzak: **~ on**, daha ileride. **~most**, en uzak.

farthest [ˈfaaðist]. En uzak.

farthing [ˈfaaðiŋ]. En küçük ingiliz parası; bir peninin dörtte biri; metelik. **not worth a brass ~**, on para etmez.

fascicle, fascicule [ˈfasikl]. Küçük demet; salkım.

fascinat·e [ˈfasineit]. Teshir etm., büyülemek. **~ing**, teshir edici; sihirli; füsunlu. **~ion** [–ˈneiʃn], cazibe, sihir, füsun.

fascine [faˈsiin]. Çalı demeti.

fashion [ˈfaʃn]. Moda; kılık; tarz; âdet; görenek. Şekil vermek; yapmak. **after a ~**, yarım yamalak; söyle böyle: **in the ~**, modada, rağbette: **out of ~**, modası geçmiş: **to lead the ~**, modaya örnek olm.; **to set the ~**, moda çıkarmak: **a man of ~**, son moda giyinen adam. **fashion-plate**, moda resimleri. **~able** [ˈfaʃənəbl], modaya veya âdete uygun; şık.

fast[1] [faast] *n.* Oruc; perhiz. *vb.* Oruc tutmak. **to break one's ~**, orucunu bozmak: **to be taken ~ing**, açkarnına alınacak.

fast[2] *a.* Sıkı; muhkem; ayrılmaz; sabit; rengi uçmaz. **~ asleep**, derin uykuda: **~ by**, yakında, yanıbaşında: **they are ~ friends**, sıkıfıkı dostturlar: **to make ~**, sıkı bağlamak; gemiyi karaya veya şamandıraya bağlamak: **to play ~ and loose**, söz verip sonra tutmamak; iki yüzlülük yapmak: **~ and loose pulley**, avareli kasnak.

fast[3] *a.* Süratlı, hızlı, çabuk; hafifmeşreb; (saat) ileri. **the ~ set**, sefihler: **as ~ as I mend one shirt he tears another**, ben bir gömleğini tamir eder etmez o başkasını yırtıyor.

fasten [ˈfaasn]. Bağlamak, iliştirmek, iliklemek; sıkıca kapatmak. **to ~ a crime on s.o.**, bir cürmü birine yükletmek: **to ~ down**, mıhlamak, yapıştırmak: **to ~ on to**, ···e takılmak, sarılmak, ilişmek. **~er**, bağ; toka; mandal. **~ing**, bağ, toka; kilid; rabtiye.

fastidious [fasˈtidiəs]. Titiz, kolay beğenmez; müşkülpesend.

fastness [ˈfaastnis]. Sürat; yanaşılmaz yer; kale.

fat [fat] *a.* Şişman, semiz, besili; yağlı. *n.* Yağ. *vb.* Semirtmek. ⌜**the fat is in the fire**⌝, oldu olanlar, işte şimdi kıyamet kopacak: **~ land**, bereketli toprak: ⌜**to live on the ~ of the land**⌝, tam bir refah içinde yaşamak: **a ~ salary**, (*kon.*) dolgun maaş: **'that's a ~ lot of use!'**, (*kon.*) (*istih.*) Maşallah! ne kadar faydalı şey!

fatal [ˈfeitl]. Öldürücü; meş'um; mühlik; mukadder; ölümü intac eden. **a ~ mistake**, vahim bir hata.

fatal·ism [ˈfeitəlizm]. Kaderiye. **~ist**, kaderci. **~istic**, mütevekkil; kadere inanan.

fatality [fəˈtaliti]. Ölümü mucib olan kaza; felâket; öldürücülük; uğursuzluk, şeamet.

fate [feit]. Kader, kısmet, alınyazısı; akibet; ecel. **the Fates**, ecel perileri. **~d**, mukadder; ölüme veya mahva mahkûm. **~ful**, kadere bağlı; kaçınılmaz; mukadderatı tayin eden; can alıcı; mühim.

father [ˈfaaðə*]. Baba; ced; katolik papaz. Baba olm.; evladlığa kabul etmek. **the Holy Father**, Papa: **to ~ a child upon s.o.**, babası budur diye isnad etm.: **to ~ stg. on s.o.**, bir şeyi birine atfetmek, yükletmek: **to talk to s.o. like a ~**, birini azarlamak: **to play the heavy ~**, büyük baba tavrı takınarak çok ciddî nasihat vermek. **~hood**, babalık. **~land**, anavatan. **~less**, yetim. **~ly**, baba gibi; babaca. **father-in-law**, kayınpeder.

fathom [ˈfaðəm]. Kulac (= 1·829 m.). İskandil etm.; içyüzünü anlamak, kavramak. **~less**, dibsiz.

fatigue [fəˈtiig]. Yorgunluk; (*ask.*) angarya. Yormak. **to be on ~**, angaryada çalışmak: **~ party**, angaryacılar.

fatten [ˈfatn]. Semirtmek; şışmanla(t)mak; semizlemek.

fatty [ˈfati]. Yağlı.

fatu·ity [fəˈtjuuiti]. Ahmaklık; abdalca ve yersiz hareket. **~ous** [ˈfatjuəs], akılsız ve beyhude.

faucet [ˈfoosit]. Fıçı musluğu.

faugh [foo] (*ech*). *İğrenme nidası.*

fault [folt]. Kusur, kabahat; eksiklik, noksanlık; hata, taksir; (geol.) fay. **to be at ~**, yanılmak; kabahatli olm.: **to be at ~ for an answer**, cevab verememek: **to find ~ with**, tenkid etm., ···de kusur bulmak: **generous to a ~**, ifrat derecede cömert: **through no ~ of his**, kendi taksiri olmadan. **~iness**, eksiklik, kusurluluk. **~less**, kusursuz, mükemmel. **~y**, kusurlu; eksik, noksan; kabahatli; sakim. **fault-finder**, tenkidci, daima kusur bulan kimse.

faun [foon]. (*mit.*) Boynuzlu ve kuyruklu kır ilâhlarından biri.

fauna [ˈfoona]. Bir mıntakanın hayvanları; fauna.

faux pas [ˈfouˈpaa]. Pot; hata. **to make a ~**, pot kırmak.

favour¹ [ˈfeivə*] *n.* Lûtuf, inayet, taltif, teveccüh, kerem; iltimas, himaye; tarafdarlık; kurdele, rozet. **as a ~**, bir lûtuf olarak: **to ask a ~ of s.o.**, birinden bir ricada bulunmak: **to be in ~ of doing stg.**, bir şeyi yapmağa tarafdar olm.: **to be in ~ with s.o.**, birinin gözünde olm.: **to be out of ~**, gözden düşmek: **by ~ of**, ···in delâletile, lûtfile: **to decide in ~ of**, lehine karar vermek: **to find ~ with s.o.**, **to gain s.o.'s ~**, birinin gözüne girmek: **without fear or ~**, kimseden korkmadan ve kimseye minnet etmeden.

favour² *vb.* Tarafdarı olm.; tercih etm.; hoşgörmek; musaid olm.; kolaylaştırmak; iltimas etm.; taltif etmek. **he ~s his father**, (anasına değil) babasına benziyor.

favourabl·e [ˈfeivərəbl]. Müsaid; uygun, muvafık. **to look upon stg. with a ~ eye, to regard stg. ~ly**, bir şeyi tasvible karşılamak.

favoured [ˈfeivəd]. Tercih edilen. **ill ~**, çirkin: **well ~**, yakışıklı, güzel yüzlü: **the ~ few**, talihli bir avuc adam.

favourite [ˈfeivrit] *a.* En çok beğenilen; müreccah, makbul. *n.* Sevgili; gözde; ikbal. **he is a general ~**, herkes onu sever.

favouritism [ˈfeivəritizm]. Adam kayırma; iltimasçılık.

fawn¹ [foon] *n.* Geyik yavrusu. *a.* Açık kahverengi. *vb.* (Geyik) yavrulamak.

fawn² *vb.* **~ upon**, ···e yaltaklanmak; müdahene etmek. **~ing**, müdaheneci, yaltaklanan.

fay [fei]. Peri.

fealty [ˈfiəlti]. Biat; sadakat.

fear [fiə*]. Korku, endişe. Korkmak; endişe etm.; yılmak. **to ~ for s.o.**, birisi için endişe etm.: **to go [be, stand] in ~ of**, ···den korkmak: **for ~ that**, ···den korkarak, ... korkusu ile: **in mortal ~**, **in ~ of one's life**, ölüm tehlikesile, can havlile: **no ~!**, ne münasebet!, korkma!: **to put the ~ of God into s.o.**, birine haddini bildirmek; dünyanın kaç bucak olduğunu göstermek.

fear·ful [ˈfiəful]. Müdhiş, korkunc; korkak, endişeli; evhamlı. **~less**, pervasız; yılmaz. **~some** [ˈfiəsəm], korkunc.

feasib·le [ˈfiizibl]. Yapabilir, mümkün; makul; (yol) geçilebilir. **~ility**, imkân; yapılma veya geçilme kabiliyeti.

feast [fiist]. Ziyafet; bayram. Ziyafet vermek; ziyafette yiyip içmek. **to ~ on stg.**, bir şeyi büyük zevk ile yemek: ⌜**enough is as good as a ~**⌝, her şeyin fazlası fazla.

feat [fiit]. Hayret verici iş; büyük maharet icab ettiren şey; kahramanlık; menkabe.

feather¹ [ˈfeðə*] *n.* Kuş tüyü; kuşun bütün tüyleri; ok yeleği; çiftlik atlarının ayak dibinde uzun kıllar. ⌜**birds of a ~ flock together**⌝, ⌜tencere yuvarlandı kapağını buldu⌝: **to make the ~s fly**, kıyamet kopmasına [büyük kavgaya] sebeb olm.: **that's a ~ in his cap**, bu onun için övünülecek bir şeydir: **in full ~**, (kuş) tam tüylü: **in full [high] ~**, keyfi yerinde: ⌜**you could have knocked me down with a ~**⌝, hayretten küçük dilimi yuttum: **to show the white ~**, korkaklık etmek. **~y**, kuş tüyü gibi.

feather² *vb.* (Kuş) tüylenmek; (ok) yeleklemek; (kürekçi) pala çevirmek. **to ~ one's nest**, küpünü doldurmak. **~ed**, kuş tüylü.

feature [ˈfiitʃə*] *n.* Yüz uzuvlarından biri; bir şeyin göze çarpan kısmı; hususiyet. *vb.* Tavsif etm., göstermek. **~s**, yüzün hatları, yüz. **~d**, ... yüzlü, ... çehreli.

febrifuge [ˈfiibrifjuudʒ]. Sıtma gideren; hararet kesici (ilâc).

febrile [ˈfiibrail]. Hummalı.

February [ˈfebruəri]. Şubat.
feckless [ˈfeklis]. Âciz beceriksiz ve kayıdsız.
fecund [ˈfiikʌnd]. Velûd; semereli; mümbit. **~ity** [–ˈkunditi], velûdiyet; mahsullü olma.
fed *bk.* **feed.**
federal [ˈfedərəl]. Federal.
federat·e [ˈfedəreit]. Birleştirmek. **~tion** [–ˈreiʃn], birlik; dahilî istiklallerini muhafaza eden devlet vs.den mürekkeb birlik, federasyon.
fee [fii]. Serbest meslek erbabına verilen ücret; ücret; hak; bahşiş; **(doctor's)** vizita. Ücret vermek. **entrance ~,** duhuliye. **fee-simple, property held in ~,** mülk.
feeble [ˈfiibl]. Kuvvetsiz, zayıf, dermansız, halsiz; yavan. **feeble-minded,** ebleh.
feed (fed, fed) [fiid, fed] *vb.* Yemek yemek; otlamak; yemek veya yem vermek; beslemek; (lâzım olan maddeyi) temin etm.; tağdiye etmek. *n.* Yem; taam, gıda; karnını doyurma; (makineye- su, yağ, benzin vs. tedariki) tağdiye; (torna kalemi vs.) ilerleme. **forced ~,** tazyik ile tağdiye: **to be off one's ~,** iştahsız olmak: **to ~ on ...,** ···le beslemek: **to ~ s.o. on,** birini ···le beslemek, birine ... yedirmek: **to ~ out of one's hand,** (hayvan) yemini avucdan almak; (*mec.*) pek uysal olm., birinin avucunun içinde olm.: **to ~ up,** bol gıda ile kuvvetlendirmek, semirtmek: **to be fed up,** bıkmak: **I am fed up with you,** senden illallah! **feed-pump,** tağdiye tulumbası.
feeder [ˈfiidə*]. Besleyici; yiyen; çocuk önlüğü; emzik; sun'î sulama kanalı. **a gross ~,** oburca yiyen.
feeding [ˈfiidiŋ]. Yemek veya yem verme, besleme; tağdiye. **forcible ~,** zorla yedirme. **feeding-bottle,** emzik.
feel[1] [fiil] *n.* Dokunma hissi, lâmise; el yordamı. **rough to the ~,** teması kaba ve pürüzlü.
feel[2] **(felt)** [felt] *vb.* Hissetmek; duymak; el ile dokunmak, ellemek; el yordamiyle bulmak. **to ~ about for [after] stg.,** bir şeyi el yordamiyle aramak: **to ~ cold,** üşümek: **to ~ for s.o.,** birine müteessir olm., acımak: **to ~ hot,** harareti olm., sıcaklık hissetmek: **to ~ like doing stg.,** canı istemek, yanaşmak: **to ~ in one's pockets for stg.,** ceblerini yoklamak, aramak: **I don't ~ quite myself,** kendimi o kadar iyi hissetmiyorum: **I don't ~ up to it,** bunu yapacak halim yok; bunu yapacak iktidarım yok: **to ~ one's way,** yolunu el yordamiyle bulmak; (*mec.*) yavaş yavaş ve ihtiyatla ilerlemek [hareket etm.]: **to ~ well,** keyfi yerinde olm.: **to ~ unwell,** keyifsiz olmak.
feeler [ˈfiilə*]. Böceğin lems âleti, anten. **to throw [put out] a ~,** iskandil etm., yoklamak.
feeling [ˈfiiliŋ]. His, duygu; hassasiyet. **I have a ~ that,** bana öyle geliyor ki: **the general ~ is that,** umumiyetle zannediliyor ki: **to have no ~s,** hissiz olm.; **I have no ~s about it,** bana göre hava hoş: **I speak with ~,** (i) ⌜damdan düşen halden bilir⌝; (ii) kalbden, samimi olarak söylüyorum.
feet *bk.* **foot.**
feign [fein]. Yalandan yapmak; uydurmak. **to ~ sick [illness],** temarüz etm., yalandan hastalanmak: **to ~ ignorance,** bilmemezlikten gelmek. **~ed,** yapmacık, sahte.
feint[1] [feint]. El peşrevi (yapmak); (*ask.*) hile; hileli hareket yapmak.
feint[2] *a.* **~ ruled paper,** hafif çizgili kâğıd.
fel(d)spar [ˈfeldspaa*]. Feldispat.
felicit·ate [fiˈlisiteit]. Tebrik etmek. **~ous,** pek yerinde olan, isabetli, uygun; mes'ud. **~y,** saadet; uygunluk.
feline [ˈfiilain]. Kedi cinsinden; kedi gibi; sinsi; nazik fakat hain.
fell[1] [fel] *bk.* **fall.**
fell[2] *vb.* Yere indirmek; yıkmak, kesip indirmek.
fell[3] *a.* Meş'um; korkunc; merhametsiz.
fell[4] *n.* Kayalık tepe; dağ.
fellaheen [felaˈhiin]. Fellâhlar.
felloe [ˈfelou]. Tekerlek çemberi parçalarından biri; ipsit.
fellow [ˈfelou]. Herif; adam, yoldaş; eş, emsal; aynı dereceden kimse; üniversite hocası; ilim adamlarına bazan verilen unvan; bir ilim cemiyetinin âzası. **a good ~,** iyi adam, hoş adam: **poor ~,** zavallı: **you might let a ~ speak,** bırak da anlatayım. **fellow-being, fellow-creature,** hemcins. **fellow-countryman,** vatandaş, memleketli. **fellow-feeling,** birinin halinden anlama. **fellow-servant,** kapı yoldaşı.
fellowship [ˈfelouʃip]. Arkadaşlık, dostluk; üniversitede hocalık.
felo-de-se [ˈfilouˈdiiˈsii]. İntihar; müntehir.
felon[1] [ˈfelən]. Dolama (çıbanı).
felon.[2] Mücrim, cani; habis; **~ious** [ˈlounjəs], caniyane. **with ~ intent,** cürüm işlemek maksadile. **~y,** cürüm, cinayet.
felt[1] [felt] *bk.* **feel.**
felt[2] *n.* Keçe; kebe. *vb.* Katranlı kumaş ile örtmek. **roofing ~,** katranlı mukavva veya kumaş.
felucca [feˈlʌkə]. Ak denize mahsus bir nevi yelkenli.
female [ˈfiimeil]. Dişi.
femin·ine [ˈfeminin]. Kadına aid; kadın gibi; müennes. **~ism,** feminizm.

femoral [ˈfemərel]. Uyluk kemiğine aid, fahzî.
femur [ˈfiimə*]. Uyluk kemiği, fahız.
fen [fen]. Bataklık mıntaka. **the Fens,** şarkî İngiltere'nin bataklık mıntakası.
fenc·e[1] [fens] *n.* Tarla veya bahçe etrafındaki tahta perde, çit vs.; parmaklık, bölme; hırsız yatağı. *vb.* Etrafını parmaklık vs. ile çevirmek. **to ~ off a field,** bir tarlayı tel vs. ile ayırmak; **to sit on the ~,** suya sabuna dokunmadan tarafsız kalmak. **~ing**[1], çit, tahtaperde.
fenc·e[2] *vb.* Eskrim yapmak. **~ing**[2], eskrim.
fend [fend]. **to ~ for oneself,** kendi yağı ile kavrulmak; başının çaresine bakmak: **to ~ for s.o.,** birinin ihtiyaclarına bakmak: **to ~ off,** defetmek, savmak.
fender [ˈfendə*]. Usturmaca; ocak siperi; (*otom.*) siper.
fennel [ˈfenl]. (*Foeniculum*) Rezene; dereotu.
fenugreek [ˈfenjugriik]. (*Trigonella foenum graecum*) Boyotu.
ferment [ˈfəəment] *n.* Maya; kaynama; büyük heyecan. *vb.* (fəəˈment]. Mayala(n)mak, tahammur et(tir)mek; heyecanlan(dır)mak. **~ation** [–eiʃn], tahammur, mayalanma.
fern [fəən]. Eğreltiotu. **~ery,** egreltiotu yetiştirilen yer.
feroci·ous [fəˈrouʃəs]. Vahşî, yırtıcı, canavarca. **~ty** [–ˈrositi], canavarlık, vahşilik, gaddarlık.
-ferous [–fərəs] *suff.* ... hamil, husule getiren, ihtiva eden; *mes.* **fossiliferous,** müstehaseli; **auriferous,** altın ihtiva eden.
ferrate [ˈfereit]. Asidferik tuzu.
ferret [ˈferit]. Kır sansarı. Kır sansarı ile ada tavşanı avlamak. **to ~ about,** araştırmak, karıştırmak: **to ~ out,** arkasını bırakmıyarak bulup çıkarmak. **~y,** sansar gibi.
ferric [ˈferik]. Terkibinde demir bulunan. **~acid,** hamızı hadid.
ferro-concrete [ˈferouˈkonkriit]. Betonarme. **~cyanide** [–ˈsaiənaid], hadidi kiyanus, ferisiyanür.
ferrous [ˈferəs]. Demir ihtiva eden.
ferruginous [fəˈruudʒinəs]. Demiri veya demir pasını havi; demir pası rengi.
ferrule [ˈferjul]. Baston yüksüğü; âletlerin saplarına geçirilen bilezik.
ferry [ˈferi]. Nehir vs.nin kayık, dombaz vs. ile geçilen yeri; sahiller arasında işliyen kayık, vapur vs.; feribot. **to ~ across,** nehrin bir sahilinden öbür sahiline geçirmek: **aerial ~,** nehrin üzerinde sahilden sahile geçen asma vagon: **chain ~,** zincir ile işliyen **ferry. ferry-boat,** feribot.
fertil·e [ˈfəətail]. Mümbit; velûd; bereketli; verimli; ilkah edilmiş. **~ity** [–ˈtiliti], mümbitlik, velûdluk; kuvvei inbatiye. **~ize** [–laiz], ilkah etm.; mümbitleştirmek; gübrelemek. **~izer,** gübre *bilh.* sun'î gübre.
ferven·cy [ˈfəəvensi]. Hararetlilik; coşkunluk; tehalük. **~t,** hararetli, coşkun, mütehalik.
fervid [ˈfəəvid]. Hararetli, ateşli, hiddetli.
fervour [ˈfəəvə*]. Hararet, büyük gayret, tehalük; coşkunluk.
fescue [ˈfeskju]. Faydalı bir nevi çimen.
festal [ˈfestəl]. Bayram veya yortuya aid; cümbüşlü; şen.
fester [ˈfestə*]. İrinlenmek, tefessüh etmek. **~ing,** cerahatlenen, mütefessih, müteaffin.
festiv·al [ˈfestivl]. Bayram; yortu; eglenceli toplantı. **~e,** neşeli, bayrama aid. **~ity** [–ˈtiviti], bayram, bayram eğlentileri; şenlik, cümbüş.
festoon [fesˈtuun]. Çiçek veya yaprak askısı. Çiçek, yaprak, bayrak vs.yi 'mahya' gibi asarak süslemek.
fetch [fetʃ]. Gidip getirmek; (filan fiatla) satılmak; (*den.*) bir yere vasıl olm.; (*arg.*) alâkalandırmak, cezbetmek. **to ~ and carry,** eşya ile dolaşıp durmak; süflî işler yapmak: **to ~ s.o. a blow,** birine bir tokat aşketmek: **to ~ a sigh,** içini çekmek. **fetch up,** alıp yukarıya getirmek; kusturmak; (*den.*) varmak: **he'll ~ up in prison,** hapsi boylıyacak.
fête [feit]. Bayram, yortu. Ziyafet vs. ile ağırlamak.
fetid [ˈfiitid]. Müteaffin; pis kokulu; ufunetli.
fetish [ˈfiitiʃ]. İbtidai kavimlerin taptıkları şey; put; fetiş; tapınırcasına sevilen veya hürmet edilen şey. **to make a ~ of stg.,** bir şeye yersiz olarak pek fazla değer vermek, putlaştırmak.
fetlock [ˈfetlok]. At topuğu; at topuğunda yetişen uzun kıllar.
fetter [ˈfetə*]. Köstek, ayak zinciri, bukağı. Bukağılamak; zincire vurmak. **to burst [throw off] one's ~s,** köstegi kırmak.
fettle [ˈfetl]. Hal. **in fine ~,** keyfi yerinde; en iyi formunda olan.
feud [fjuud]. Aile veya ferdler arasında düşmanlık veya niza. **blood ~,** kan gütme; **to be at ~ with s.o.,** birbirlerine husumet beslemek.
feudal [ˈfjuudl]. Derebeyliğe aid. **~ism,** derebeylik.
fever [ˈfiivə*]. Humma; sıtma; hararet. **~ish,** hummalı; hummaya tutulmuş; ateşi olan.

few [fjuu]. Az. **a ~**, bir kaç: **a good ~**, **quite a ~**, bir çok: **some ~**, bazıları: **every ~ days**, birkaç günde bir. **~er**, daha az. **~est**, en az. **~ness**, azlık.
fez [fez]. Fes.
fiancé(e) [fiˈonse]. Nişanlı.
fiasco [fiˈaskou]. Fiyasko.
fiat [ˈfaiət]. Emir, irade.
fib [fib]. Ehemmiyetsiz veya iş bitirici bir yalan (söylemek).
fibre [ˈfaibə*]. Lif; mahiyet, seciye.
fibro·id [ˈfaibroid]. Lifden mürekkeb; life benzer; rahmî şiş. **~us**, lifi, lifli.
fibula [ˈfibjulə]. Kaval kemiği; (*esk.*) toka.
fichu [ˈfiiʃuu]. Kadın eşarpı.
fickle [ˈfikl]. Bir dalda durmaz, gelgeç, oynak, vefasız.
fict·ion [ˈfikʃn]. Hayal; hikâye; uydurma şey; masal; roman nevi. **legal ~**, hukukî mevhume. **~itious** [fikˈtiʃəs], hayalî, muhayyel; mevhum; uydurma; aslı olmıyan.
fid [fid]. Ağac veya demir kama, çelik, kaşkaval.
fiddle [ˈfidl]. Keman; (*den.*) masa üzerindeki eşyanın yalpa esnasında düşmesini meneden cihaz. Keman çalmak (*köt.*). **as fit as a ~**, turp gibi (sıhhatte): **to play second ~**, ikinci derecede bir rol oynamak: **to ~ (about) with stg.**, kurcalamak, karıştırmak: **to ~ away one's time**, oyalanarak vaktini israf etm.: **to ~ over a job**, bir iş üzerinde oynamak. **~dedee** [–diˈdii], saçma. **~r**, kemancı (*köt.*); köy kemancısı; bir iş üzerinde oyalanan kimse; bir nevi yengeç. **~sticks!**, saçma! **fiddle-faddle**, *n.* değersiz, şeyler; saçma; *vb.* saçma şeylerle vakit geçirmek. **fiddle-stick**, keman yayı. **fiddle-string**, keman kirişi.
fiddling [ˈfidliŋ]. Saçma şeylerle vakit geçiren; ufak tefek ehemmiyetsiz (iş vs.).
fidelity [fiˈdeliti, fai-]. Vefa, sadakat; doğruluk.
fidget [ˈfidʒit]. Rahat oturmamak, kımıldayıp durma(k); huzursuzlanma(k); bir türlü rahat oturmıyan kimse. **to have the ~s**, çocuk gibi bir türlü rahat durmamak; kaynayıp durmak; kurtlanmak. **~y**, yerinde durmıyan, kımıldayıp duran; kurtlu, huzursuz.
fiduciary [faiˈdjuusəri]. Mütevelli; itimada bağlı; itibara müstenid. **~ money**, kâğıd para.
fie [fai]. Ayıb!, utanmaz mısın!
fief [fiif]. Timar, zeamet.
field [fiild] *n.* Tarla, çayır; saha; harb meydanı; muharebe; (dürbün vs.) rüyet sahası; bir yarışa iştirak eden atlar veya kimseler. *vb.* (Kriket oyununda) vurulan topu kapmak. **beasts of the ~**, tabiat halinde yaşıyan hayvanlar: **⌜a fair ~ and no favour⌝**, müsavi şartlar altında: **to hold the ~**, üstünlüğü muhafaza etm.: **to leave s.o. in possession of the ~**, meydanı birine bırakmak: **to take the ~**, harbe girmek. **field-artillery**, sahra topları. **field-day**, (*ask.*) manevra günü; muvaffakiyetli gün, mühim bir gün. **field-dressing**, (*ask.*) sargı paketi. **field-glass(es)**, çifte dürbün. **field-grey**, Alman askerî uniforması. **field-gun**, sahra topu. **field-hospital**, (*ask.*) seyyar hastahane. **field-marshal**, mareşal, müşür. **field-mouse**, tarla faresi. **field-officer**, orduda binbaşı veya albay rütbesinde olan zabit. **field-piece**, sahra topu. **field-sports**, kır eğlenceleri (avcılık, balıkçılık vs.).
fielder [ˈfiildə*]. Kriket oyununda topu tutmak için bekliyen oyuncu.
fieldfare [ˈfiildfeə*]. (*Turdus pilaris*) Şimal memleketlerine aid bir nevi ardıç kuşu.
fiend [fiind]. Zebani; habis ruh; gaddar ve zalim adam; baş belâsı; bir şeyin müfrit derecede tiryakisi. **the Fiend**, İblis. **~ish**, şeytanî; son derecede zalim ve merhametsiz.
fierce [fiəs]. Vahşi, azgın, hiddetli, şiddetli.
fiery [ˈfaiəri]. Ateşli, alevli; atılgan; azgın.
fife [faif]. Küçük flavta; fifre.
fifteen [fifˈtiin]. On beş. **~th**, on beşinci.
fifth [ˈfifθ]. Beşinci; beşte bir.
fift·ieth [fiftiəθ]. Ellinci; ellide bir. **~y**, elli: **~ - ~**, yarı yarıya; **he is in the fifties**, ellisini geçti.
fig [fig]. İncir; incir ağacı. **green ~s**, taze incir: **not to care a ~, for, ...** vızgelmek: **in full ~**, büyük üniforma ile; giyinmiş kuşanmış.
fight (**fought, fought**) [fait, foot]. Döğüşmek; harbetmek, muharebe etm.; kavga etm.; karşı koymak; savaşmak; ···le uğraşmak; aleyhine dava açmak. Döğüş, kavga; muharebe; mücadele, savaş. **to ~ down**, mücadele ede ede mağlub etm.: **free ~**, kalabalık arasında çıkan kavga; arbede: **to ~ off**, büyük bir gayretle defetmek: **to ~ it out**, sonuna kadar mücadele etm.: **to ~ one's way out**, bir kalabalığın içinden dövüşe dövüşe kurtulmak: **to ~ one's ships**, muharebede gemilerine manevra yaptırmak: **to show ~**, kavga edecek olmak; el kaldırmak: **to ~ shy of**, ictinab etm.; ···den çıkarmak, sakınmak: **stand-up ~**, usulü dairesinde kavga.
fighter [ˈfaitə*]. Muharib; mucadeleci; avcı uçağı.
fighting [ˈfaitiŋ] *a.* Muharib. *n.* Harb, muharebe; döğüş. **the ~ line**, muharebe hattı: **he has a ~ chance of recovery**, (hastalıkla) mücadele edebilirse iyileşir. **fighting-cock**, döğüş horozu; **to live like**

a ~, bol bol yiyip içmek. **fighting-top,** eski harb gemilerinde içinde bir kaç tüfekçi bulunan çanaklık.
figment [ˈfigmənt]. Hayalî şey; uydurma. **a ~ of the imagination,** hayal mahsulü.
figurative [ˈfigjurətiv]. Mecazî.
figure[1] [ˈfigə*] *n.* Şekil, biçim; endam, vücud, boybos; rakam, sayı; fiat; aded, mikdar; şahsiyet. **~s,** hesab; **I am no good at ~s,** hesabım çok fenadır: **~ of eight (knot, bandage,** *etc.*), 8 şeklinde (düğüm, sargı vs.): **a ~ of speech,** mecaz, istiare: **to cut [make] a fine [poor] ~,** parlak [zavallı] bir tesir bırakmak: **what a ~ of fun!,** ne gülünc manzara!: **to go into ~s,** (hesab işine) rakamlara gelmek: **to keep one's ~,** vücudunun biçimini muhafaza etm.: **in round ~s,** yuvarlak hesab: **to work out the ~(s),** hesablamak.
figure[2] *vb.* Hesab etm.; temsil etm., tasvir etm.; tasavvur etmek. **to ~ as,** kendine ... süsünü vermek: **to ~ stg. to oneself,** tasavvur etm.: **to ~ out the expense,** masrafını hesabetmek.
figurehead [ˈfigəhed]. Gemi arslanı. **he's only a ~,** o orada mostralıktır.
filament [ˈfiləmnt]. İnce iplik gibi bir şey; ince tel; hayt.
filbert [ˈfilbəət]. Büyük fındık.
filch [filtʃ]. Aşırmak.
file[1] [fail]. Eğe. Eğelemek. **~ down,** eğeleyip düzeltmek, küçültmek: **~ off [away],** eğeleyip koparmak, gidermek.
file[2]. Sıra, dizi; dosya, klasör; fihrist; sıra ile dizilmiş eski gazeteler; evrak geçirmeğe mahsus sicim veya tel. Dosyaya koymak; tasnif etmek. **in ~,** çift sıra: **in single [Indian] ~,** tek sıra: **rank and ~,** subaylar ve erler: **to ~ a petition,** mahkemeye istida vermek: **to ~ one's petition (in bankruptcy),** iflâs mahkemesine muracaat ederek iflâsını bildirmek.
filial [ˈfiljəl]. Evlâd vazifesine aid; evlâda aid.
filibuster [ˈfilibʌstə*]. Kendi hükûmetinin müsaadesini almaksızın başka bir memlekete karşı harb etmek; (*Amer.*) Mecliste bir lâyihanın kabul edilmesine mani olmak için mütemadiyen söz almak.
filigree [ˈfiligrii]. Telkârı; buna benzer ince iş.
filing [ˈfailiŋ]. **~ cabinet,** klasör.
filings [ˈfailiŋs]. Eğinti.
fill [fil]. Dolmak; doldurmak; doyurmak; (yelken) rüzgârla şişmek. Dolduracak mikdar; doyma. **to ~ the bill,** (tiyatro) en mühim şahsiyet olmak; lazımgeleni yapmak; uygun olmak: **to eat one's ~,** tıkabasa doymak: **to have one's ~ of stg.,** ···e doymak; ···den gına gelmek: **to ~ an order,** bir siparişi yerine getirmek: **to ~ the part [role],** rolunu yapmak: **to ~ requirements,** ihtiyacları karşılamak: **a ~ of tobacco,** bir tutam tütün. **fill in,** (çek, liste, çukur vs.yi) doldurmak; tamamlamak. **fill out,** şiş(ir)mek; büyü(t)mek. **fill up,** doldurmak; tamamlamak; tıkamak; (bir kapıyı) örmek; bir resmî evrakî usulü dairesinde doldurmak.
filler [ˈfillə*]. Doldurucu şey. **fountain-pen ~,** damlalık.
fillet [ˈfilit]. Fileto; dilim; küçük baş sargısı; file; zıh. **to ~ fish,** balığın kılçığını çıkarıp ikiye bölmek.
filling [ˈfiliŋ] *n.* Doldurma; dolma; dolgu. **filling-station,** benzin istasyonu.
fillip [ˈfilip]. Fiske (vurmak). **to give a ~ to,** teşvik veya tahrik etmek.
filly [ˈfili]. Dişi tay.
film [film]. Zar; ince tabaka; pelikül; filim. Zarla kaplamak; filime çekmek. **the ~s,** sinema: **(of the eye) to ~ over,** gözü bulanmak. **~y,** zar ile kaplanmış; bulanık; pek hafif; şeffaf.
filter [ˈfilteə*]. Süzgeç; (*fot.*) ekran. Süzgeçten geçirmek; süzülmek; sızmak. **~able, filter-passing,** süzgeçten geçebilen.
filth [filθ]. Pis ve kirli şey; pislik. **~y,** pis, mülevves; müstehcen; murdar.
filtrate [filˈtreit]. Süzmek. Süzgeçten geçirilmiş mayi.
fin [fin]. Balık kanadı; buna benzer şey.
final [ˈfainl]. Son, sonuncu, nihaî; kat'î. Son imtihan; (musabaka) son yarış; son maç. **~e** [fiˈnaali), final, son: **the grand ~,** tantanalı bitiş. **~ist,** bir musabakada sonuna kadar kalan rakiblerin biri. **~ity** [faiˈnaliti], kat'ilik; son olma; sona ermiş olma; gaiyet. **~ly** [ˈfainəli], nihayet; velhasıl.
financ·e [fiˈnans, ˈfainans]. Maliye; maliyecilik. Parasını temin etm., sermaye tedarik etmek. **~ial** [–ˈnanʃl], malî, maliyeye aid, paraya aid. **~ier** [–nansiə*], maliyesi; sermayedar.
finch [fintʃ]. Saka kuşu, ispinoz gibi kuşlara verilen isim.
find [faind] *n.* Buluş; bulunmuş şey; keşif.
find *vb.* **(found)** [faind, faund]. Bulmak; keşfetmek; rastgelmek; farketmek; addetmek; öğrenmek. **to ~ oneself,** kendi kabiliyetini keşfetmek: **to ~ s.o. in clothes, food,** *etc.*, birine elbise, gıda vs. tedarik etm.: **I couldn't ~ it in my heart to ...,** içim götürmedi; kıyamadım: **it has been found that,** anlaşılmıştır ki; tesbit edilmiştir ki: **he is not to be found,** (aradık) bulmak mümkün değil: **wages £5 all found,** iaşe ve ibate ile beş lira haftalık: **the court**

found the prisoner guilty, mahkeme cürmü sabit gördü: **the judge found for the plaintiff,** hakim davacı lehine karar verdi. **find out,** keşfetmek: **to ~ s.o. out,** birinin ne mal olduğunu anlamak.

finding [ˈfaindiŋ] *n.* Bulma; bulunmuş şey; varılan netice.

fine[1] [fain]. Para cezası. Para cezasına çarpmak.

fine[2]. **in ~,** hulâsa.

fine[3]. İnce, hurda; nazik; hâlis, saf; güzel, âlâ, iyi, mükemmel. **to ~ down [away, off],** incelmek, inceltmek: **to cut [run] it ~,** zaman veya parayı kıtakıt hesablamak: **prices are cut very ~,** fiatlar asgari hadde indirilmiş: **one ~ day,** günün birinde; bir varmış bir yokmuş: **one of these ~ days,** günün birinde (başına bir şey gelir): ⌜**~ feathers make ~ birds**⌝, ⌜süslü elbiseler insanı kibar gösterir⌝ *manasında bir tabir*: **a ~ looking man,** kelle kulak yerinde: **the ~r points of stg.,** ···in incelikleri: **not to put too ~ a point on it,** ince eleyip sık dokumadan. **fine-drawn,** belirsiz (dikiş); pek ince (tel vs.).

fineness [ˈfainnis]. İncelik; saflık; zarafet; güzellik.

finery [ˈfainəri]. Güzel elbise; gösterişli süs.

finesse [fiˈnes]. İncelik; maharet; kurnazlık.

finger [ˈfiŋgə*]. Parmak. Parmak ile dokunmak, ellemek. **first ~,** şehadet parmağı: **second [middle] ~,** ortaparmak: **third ~,** adsız [yüzük] parmağı: **little ~,** serçe parmak: **to burn one's ~s over stg.,** bir şeyden ağzı yanmak: **to have green ~s,** bahçede her şeyi kolayca yetiştirme mahareti olm.: **to have stg. at one's ~ ends,** bir işin girdisini çıktısını bilmek: **to lay one's ~ on the cause,** meselenin esasına parmağını basmak: **I won't let anyone lay a ~ on him,** onun kılına dokundurtmam. **finger-bowl,** sofrada el yıkmağa mahsus tas. **finger-post,** yolun cihetini gösteren işaret. **finger-print,** parmak izi. **finger-stall,** parmak kılıfı.

finical, finicking, finicky [ˈfinikl, –iŋ, –i]. Ehemmiyetsiz şeyler üzerinde gayet titiz olan; ince eleyip sık dokuyan; çok dikkat ve incelik icabettiren (iş).

finis [ˈfainis]. Son, nihayet.

finish [ˈfiniʃ]. Son, nihayet; bitirme; varış; perdah; tesviye. Bit(ir)mek; sona er(dir)mek; hitam bulmak; cilâ vurmak. **he's ~ed,** işi bitti: **to ~ third,** (yarışta) üçüncü gelmek: **we ~ed up all square,** berabere kaldık; ödeşdik: **to ~ off,** tamamen bitirmek; cilâ vurmak: **to ~ off a wounded animal,** yaralı bir hayvanın işini bitirmek: **to ~ in a point,** sivri bir ucla nihayet bulmak: **I've ~ed with him!,** onunla alâkam kalmadı: **wait till I've ~ed with him!,** ben ona dünyanın kaç bucak olduğunu gösteririm. **~ed** [ˈfiniʃd] *a.* tamamlanmış; hazır; mükemmel. **~ing** *a.* bitirici; tamamlayıcı. **~ line,** varış hattı: **~ school,** mektebi bitiren genc kızların muaşeret usulleri, dans vs. öğrendikleri mekteb: **~ touch,** tamamlayıcı ameliye.

finite [ˈfainait]. Sonu var; mahdud.

Fin·land [ˈfinlənd]. Finlandiya. **~lander, ~n, ~nish,** Finlandiyalı.

finned [find]. (Balık) kanadlı.

fiord [ˈfiˈood]. Norveç ve Yeni Zelanda'da dar ve derin körfez; fiyord.

fir [fəə]. (*Abies*) Köknar.

fire[1] [ˈfaiə*] *n.* Ateş; yangın. **to be between two ~s,** her iki taraftan hücuma uğramak; ('İsa'yı darılttın Muhammede de yaranamadın'): ⌜**a burnt child fears the ~**⌝, ⌜sütten ağzı yanan ayranı üfler de içer⌝: **on ~,** tutuşmuş: **to be on ~,** yanmak: **to catch ~,** tutuşmak, ateş almak: **to get on like a house on ~,** (i) sür'atle tarakki etm.; (ii) çok iyi anlaşmak, can ciğer olm.: **to set ~ to stg., to set stg. on ~,** tutuşturmak; ateşlemek: **to be under ~,** düşman ateşine uğramak: **St. Elmo's ~,** fırtınalı havalarda geminin direğinde arasıra görünen elektrik şeraresi: **to go through ~ and water for ...,** ... için her şeyi göze almak; kendini ateşe atmak. **fire-alarm,** yangın işareti. **fire-brigade,** itfaiye. **fire-damp,** kömür madenlerinde husule gelen patlayıcı gaz, grizu. **fire-dog,** ocağın önünde kütükleri yerleştirmek için iki demir çubuktan ibaret destek. **fire-eater,** ateş yiyen hokkabaz; yiğit; kabadayı. **fire-engine,** yangın tulumbası. **fire-escape,** yangın merdiveni. **fire-extinguisher,** yangın söndürme âleti. **fire-fighting,** yangın söndürme (teşkilatı vs.). **fire-float,** itfaiye dubası. **fire-guard** (i) ocak siperi; (ii) yangın bekçisi. **fire-hose,** itfaiye hortumu. **fire-insurance,** yangın sigortası. **fire-irons,** maşa ve küskü gibi ocak âletleri. **fire-lighter,** çıra. **fire-policy,** yangın sigortası. **fire-proof,** ateşe dayanır, yanmaz. **fire-raising,** kundakçılık. **fire-ship,** kundakçı gemi. **fire-station,** itfaiye merkezi. **fire-worship,** ateşe tapma; **~er,** Zerdüşti, ateşe tapan.

fire[2] *vb.* Tutuşturmak, ateşlemek; ateş etm., atmak: (*arg.*) koğmak, kapı dışarı etmek. **to ~ bricks,** tuğla fırınlamak: **to ~ an engine, boiler,** kazanı yakmak: **to ~ a horse,** bir atı dağlamak: **to ~ a mine,** lağım atmak: **to ~ a question at s.o.,** birine birdenbire bir sual sormak.

firearm [ˈfairaam]. Ateşli silâh.
firebox [ˈfaiəboks]. Lokomotifin ocağı.
firebrand [ˈfaiəbrand]. Fesadcı; kundakçı; yanan odun parçası.
firebrick [ˈfaiəbrik]. Ateşe dayanan tuğla.
fireclay [ˈfaiəklei]. Yanmaz tuğla çamuru.
firefly [ˈfaiəflai]. Ateşböceği.
fireman, *pl.* **-men** [ˈfaiəmən]. İtfaiyeci; gemi ateşçisi.
fireplace [ˈfaiəpleis]. Ateşlik.
fireproof [ˈfaiəpruuf]. Yanmaz.
fireside [ˈfaiəsaid]. Ocak başı.
firewood [ˈfaiəwud]. Ateşlik odun; çıra.
fireworks [ˈfaiəwəəks]. Hava fişekleri; (*mec.*) heyecanlı nutuklar vs.
firkin [ˈfəəkin]. Küçük varil.
firm¹ [fəəm] *n.* Firma; ticarethane.
firm² *a.* Muhkem; sabit; sağlam, metin; katı; pek; kat'î, müstakır. ~ **friends,** sıkı dostlar: **to be** ~ **about stg.,** bir şey üzerinde ısrar etm.: **to hold stg.** ~**ly,** bir şeyi sımsıkı tutmak: **to stand** ~, metanet göstermek, dayanmak.
firmament [ˈfəəməmənt]. Sema, feza, gök.
firmness [ˈfəəmnis]. Metanet, sebat; istikrar.
first [fəəst]. Birinci; ilk; baş; evvel; başta; en önce; evvelâ; ilkönce; ilk defa olarak. ~ **of all,** en evvel: **at** ~, önceden, ilkönce: ʳ~ **come** ~ **served**ˀ, sıra ile, ilk gelen sıraya girer: ~ **and foremost,** her şeyden evvel, ilkönce: **from the** ~, başlangıçtan beri: **at** ~ **hand,** doğrudan doğruya: ~ **and last,** bir kere ...; evel emirde: ~ **or last,** er geç: **from** ~ **to last,** başlangıçtan sonuna kadar: **in the** ~ **place,** evvelâ, ilkönce: **I will go there** ~ **thing tomorrow,** yarın ilk iş olarak oraya gideceğim: ~ **things** ~, ehemmi mühimme takdim. **first-aid,** ilk sıhhî imdad. **first-begotten, first-born,** ilk (çocuk); en büyük çocuk. **first-class,** en âlâ, mükemmel; birinci sınıf; birinci mevki. **first-fruits,** ilk mahsul; turfanda; (*mec.*) ilk semeresi. **first-hand,** doğrudan doğruya alınan (haber vs.). **first-rate,** en âlâ; birinci sınıf, mükemmel; en iyi cinsten.
firth [fəəθ]. İskoçya'da:– körfez, halic.
fiscal [ˈfiskl]. Devletin hazinesine aid, devlet gelirine aid.
fish [fiʃ]. Balık; (oyunda) fiş. Balık avlamak. **to** ~ **a river,** bir nehirde balık avlamak: **to** ~ **for trout,** alabalık avlamak: ʳ**all is** ~ **that comes to his net**ˀ, bir çıkarı olan her şey onun makbûlüdür: **to** ~ **for compliments,** kendini medhettirmek için bahane aramak: **to drink like a** ~, çok içki içmek, içkide yüzmek: **to feed the** ~**es,** (i) boğulmak; (ii) deniz tutmak: ʳ**there 's as good** ~ **in the sea as ever came out of it**ˀ, ʳAmasya'nın bardağı biri olmazsa bir daha ˀ: ʳ**neither** ~, **flesh nor fowl** [**good red herring**]ˀ, hiç bir şeye benzemiyor (yaramaz): **I've other** ~ **to fry,** daha mühim işlerim var: **a** ~ **out of water,** karaya vurmuş balık gibi: **he's a queer** ~, o bir âlem: **to** ~ **in troubled waters,** bulanık suda balık avlamak: **to** ~ **up stg.,** bir şeyi suyun dibinden çıkarmak. **fish-ball, fish-cake,** balık köftesi. **fish-bone,** kılçık. **fish-hook,** olta iğnesi. **fish-kettle,** balık tavası. **fish-slice,** balık tevzi bıcağı. **fish-spear,** zıpkın.
fisherman, *pl.* **-men** [ˈfiʃəmən]. Balıkçı.
fishery [ˈfiʃəri]. Balıkçılık; balık tutulan yer.
fishing [ˈfiʃiŋ] *n.* Balıkçılık, balık avı. **fishing-line,** olta ipliği. **fishing-rod,** olta sırığı. **fishing-smack,** küçük balıkçı gemi. **fishing-tackle,** balıkçı takımı.
fishmonger [ˈʃfimʌŋgə*]. Balık satıcısı, balıkçı.
fishpond [ˈfiʃpond]. Balık havuzu.
fishwife [ˈfiʃwaif]. Kadın balık satıcısı.
fishy [ˈfiʃi]. Balık gibi; balık kokulu; şübheli, meşkûk, karışık.
fissi·le [ˈfisail]. İnce tabakalara ayrılabilir. ~**on** [ˈfiʃn], yarma, yarılma; hücrelerin bölünmesi.
fissure [ˈfiʃuə*] *n.* Yarık, çatlak; kırıntı; *vb.* Yar(ıl)mak.
fist [fist]. Yumruk. ~**icuffs** [ˈfistikʌfs], yumruk kavgası.
fistula [ˈfistjulə]. Fistül.
fit¹ [fit] *n.* Sara; hastalık vs. nöbeti. ~ **of anger,** hiddet galeyanı: **fainting** ~, baygınlık: **to fall into a** ~, sarası tutmak: **to be in** ~**s of laughter,** gülmekten katılmak: **he will have a** ~ **when he knows,** bunu duyarsa adama inme iner: **to work by** ~**s and starts,** rastgele çalışmak: **he had a** ~ **of idleness,** tembellik damarı tuttu: **to frighten s.o. into** ~**s,** birinin ödünü koparmak.
fit² *a.* Münasib, uygun, elverişli, lâyık; muktedir; sıhhati iyi; idmanlı. *n.* Elbise vs.nin uyması. **this coat is a good** [**bad**] ~, bu ceket uyuyor [uymuyor]: ~ **to drink** [**eat**], içilir [yenir]: **I feel** ~ **to drop,** ayakta duracak halim yok: **he is not** ~ **for the post,** bu yerin ehli değildir: **he is** ~ **for nothing,** bir işe yaramaz: **he is not** ~ **to be seen,** (i) âlem içine çıkamaz; (ii) çok hastadır, görülemez: **to think** [**see**] ~ **to do stg.,** bir şeyi uygun bulmak: **a tight** ~, pek dar, pek sıkışık.
fit³ *vb.* Uymak; uydurmak; hazırlamak; takmak; donatmak, techiz etm.; (elbise) prova etm.; (elbise) uymak. **to** ~ **s.o. for**

a career, birini bir mesleğe hazırlamak: to ~ together, birbirine geçmek. **fit in,** birbirine geçirmek; uymak: **his plan doesn't ~ in with mine,** onun plânı benimkine uymuyor: **I'll ~ it in somehow (meeting, engagement,** *etc.*), her halde sıkıştırmağa çalışırım. **fit on,** (elbise) prova etm.; (lâstik) takmak. **fit out,** techiz etm., donatmak. **fit up,** kurmak, hazırlamak.

fitful [ˈfitfəl]. İntizamsiz; devamlı olmıyan; nöbetli olarak; kaprisli.

fitness [ˈfitnis]. Uygunluk, yerinde olma; istidad, kabiliyet; sağlık; sıhhati iyi olma.

fitter [ˈfitə*] *n.* Tesviyeci.

fitting[1] [ˈfitiŋ] *a.* Uygun, münasib, lâyık, yakışır.

fitting[2] *n.* Tesviyecilik; elbisenin provası. **~s,** mobilya; tertibat, teferruat.

five [faiv]. Beş. **~r** (*kon.*) beş ingiliz liralık banknot. **~fold,** beş kat, beş misli.

fives [faivz]. Duvarla çevrili bir avluda oynanan bir top oyunu.

fix[1] [fiks] *n.* Güç bir vaziyet; içinden çıkılmaz bir hal.

fix[2] *vb.* Tesbit etm.; dikmek, sokmak, takmak; bağlamak; kurmak; yerleştirmek; kararlaştırmak, tayin etm.; (*fot.*) fiksaj yapmak. **I'll ~ him!,** (i) onun icabına bakarım; (ii) onunla anlaşırım: **to ~ the blame on s.o.,** kabahatin birinde olduğunu isbat etm.: **to ~ s.o. with one's eye,** birine dik dik bakmak. **fix on (upon),** seçmek; kararlaştırmak. **fix up,** kurmak; teşkilatını yapmak; tanzim etm., düzeltmek: **I'll ~ you up,** sizin için icabeden hazırlık vs.yi yaparım.

fixative [ˈfiksətiv]. Tesbit edici (madde veya ilâc).

fixed [fikst]. Sabit; kımıldanmaz; bağlı; muayyen; maktu.

fixing [ˈfiksiŋ]. (*fot.*) Tesbit etme, fiksaj.

fixity [ˈfiksiti]. Sabitlik; mukavemet; değişmezlik.

fixture [ˈfikstʃə*]. Bir binaya bağlı olan teferruat; sabit demirbaş; müştemilât; bir yere bağlı olan kimse veya şey; fikstür. **I seem to be a ~ here,** buraya bağlandım kaldım.

fizz [fiz]. (*ech.*) Gazoz ve şampanya gibi fışıldamak; (*kon.*) şampanya.

fizzle [fiˈzl] (*ech.*). (Yaş barut) fış diye ateş almak. **to ~ out,** boşa çıkmak, suya düşmek.

fizzy [ˈfizi]. Gazoz gibi, gazlı.

flabbergast [ˈflabəgaast]. Şaşırtmak; hayrette bırakmak.

flabby [ˈflabi]. Lâpamsı; gevşek; yumuşak; sarkık; pelte gibi; rehavetli.

flaccid [ˈflaksid]. Gevşek; zayıf; sarkık.

flag[1] [flag]. **sweet ~,** (*Acorus calamus*) Bir nevi dere sazı; **yellow ~,** (*Iris pseudacorus*) sarı süsen.

flag[2] *n.* Yassı kaldırım taşı. *vb.* Bu taşlarla döşemek.

flag[3] *vb.* Pörsümek, erinmek; dermansız kalmak; gevşemek.

flag[4] *n.* Bayrak, sancak, bandıra. *vb* Bayraklarla donatmak. **to keep the ~ flying,** millet, aile vs.nin şerefini muhafaza etm.: **to lower one's ~, to strike one's ~,** teslim için bandıra indirmek: **black ~,** korsan bandırası: **yellow ~,** karantina işareti olan sarı bayrak. **flag-captain,** Amiral gemisinin kumandanı. **flag-day,** rozet dağıtılan gün. **flag-lieutenant,** Amiralın yaveri. **flag-officer,** Amiral rütbesinde olan bahriye zabiti. **flag-wagger** (*kon.*) işaretçi; şoven. **flag-waving,** şovenlik.

flagell·ate [ˈfladʒəleit]. Kamçılamak, kırbaçlamak. **~um** [–ˈdʒeləm], flagellatların kamçısı.

flageolet [fladʒəˈlet]. Çığırtma.

flagitious [fləˈdʒiʃəs]. Menfur, rezil, habis.

flagon [ˈflagən]. Büyük şişe; (*esk.*) kulplu şarab testisi.

flagran·t [ˈfleigrənt]. Göze batan (fenalık, ahlâksızlık vs.); rezalet nevinden; aşikâr ve büyük (günah). **~cy,** kabahatın aşıkârlığı, büyüklüğü, göze batar olması.

flagrante delicto [fleiˈgranti diˈliktou]. Cürmümeşhud; suçüstü.

flagship [ˈflagʃip]. Amiral gemisi.

flagstaff [ˈflagstaaf]. Bayrak direği; gönderi.

flagstone [ˈflagstoun]. Yassı kaldırım taşı.

flail [fleil]. Harman döveni.

flair [fleə*]. **to have a ~ for stg.,** bir şeye hususî bir istidadı olm.; faydalı veya kârlı bir işi keşfetmekte mahareti olmak.

flake [fleik]. Balık pulu gibi ince parça; ince tabaka; kuşbaşı kar. Tabaka tabaka ayrılmak; pul pul olmak.

flaky [ˈfleiki]. İnce tabakadan mürekkeb; safihalı. **~ pastry,** yufkalı hamur işi.

flamboyant [flamˈboiənt]. Çok süslü; parlak renkli; tantanalı.

flame [fleim]. Alev, şule; aşk ateşi. Alevlenmek. **to ~ up,** birdenbire alevlenmek; öfkelenmek: **an old ~ of mine,** benim eski bir göz ağrısı. **flame-thrower,** alev makinesi.

flamingo [fləˈmingou]. Flaman.

flange [flandʒ]. Kalkık kenar, kulak, kabartma, flânş.

flank [flaŋk]. Böğür; yan; ordu cenahı. Yanında olm.; yandan kuşatmak veya tehdid etmek. **to take the enemy in the ~,** düşmanın cenahına hücum etm.: **to turn s.o.'s ~,** yandan hücum etm.; umulmadık bir taraftan hücuma geçerek muhatabını bozmak.

flannel [ˈflanl]. Fanilâ. **to be in ~s,** beyaz fanilâ pantalon ve gömlek giyinmiş olmak. **~ette,** fanilâ taklidi pamuklu kumaş.

flap [flap]. (*ech.*) Kuş kanadının vuruşu; geniş bir şey ile vuruş; sarkık parça; masanın menteşeli kenarı; kapak. (Kuş) kanadlarını çırpmak; hafifçe vurmak; sallanmak; sallamak; şaklamak. (*arg.*) meraklanmak.

flapdoodle [flapˈduudl]. Saçma, lâfügüzaf.

flapper [ˈflapə*]. Sinek öldürmek için yassı bir âlet; ayıbalığı, kaplumbağa vs.nin kolu; (*arg.*) saçını daha yapmıyan genc kız.

flare [fleə*]. Alev aydınlığı, parlama; işaret fişeği; bir şeyin genişliyen veya yayılan kısmı. Alev gibi parlamak. **to ~ up,** birdenbire alevlenmak; barut kesilmek. **flare-up,** ansızın alevlenme; parlayıp sönme; birdenbire hiddetlenme; parlama.

flash[1] [flaʃ] *n.* Anî ışık; şimşek; lem'a; alev. *vb.* Şimşek çakmak; şimşek gibi ışık saçmak; ışıldamak. **a ~ in the pan,** (*mec.*) saman alevi; parlak bir başlangıçtan sonra neticesiz iş: **to ~ past,** şimşek gibi geçmek: **the truth ~ed upon me,** kafamda bir şimşek çaktı, kafama dank dedi. **flash-back,** alevin geri tepmesi. **flash-lamp,** işaret lâmbası; ceb feneri. **flash-light,** işaret feneri; magneziyum ışığı. **flash-point,** iştial noktası.

flash[2] *n.* Püskül, saçak.

flash[3], **-y** *a.* Sahte gösterişli; göz boyayan; alâyişli.

flask [flaask]. Küçük şişe; yassı ceb şişesi; hasırlı şişe.

flat[1] [flat] *n.* Apartıman (dairesi).

flat[2] *a.* Düz, düzlük, müstevi, yassı; yayvan; ufkî; yavan, manasız; vazih, müspet, kat'î; (*mus.*) bemol; (renk) mat; (gazoz, bira) köpüğü dağılmış; *n.* Düz satıh; el ayası, kef; sığlık, bataklık, münhat ova. **he ~ly insulted me,** bana bayağı hakaret etti: **to fall ~ on one's face,** pat diye yüzükoyun düşmek: **(of a joke,** *etc.*) **to fall ~,** (nükte vs.) muvaffak olmamak: **to lie down ~ on the ground,** boylu boyuna yere yatmak: **to go ~ out,** alabildiğine koşmak vs.: **~ race,** maniasız yarış: **a ~ rate of pay,** muayyen bir ücret ödeme: **a ~ refusal,** tam bir red: **that's ~!,** işte o kadar!, vesselâm!: **~ tyre,** sönük lâstik. **flat-fish,** dil balığı vs. gibi yassı balık. **flat-footed,** (*tıb.*) düztaban. **flat-iron,** ütü.

flatness [ˈflatnis]. Düzlük; yassılık.

flatten [ˈflatn]. **to ~ oneself against a wall,** kendini duvara doğru yapıştırmak: **to ~ down** [**out**], yassılatmak; yayvanlaştırmak; ezmek; **(aeroplane) to ~ out,** (uçak) pikeden sonra doğrulmak.

flatter [ˈflatə*]. Fazla övmek; yaltaklanmak; aslından daha güzel göstermek. **to ~ oneself,** övünmek; iftihar etm.; boş ümide düşmek. **~y,** yaltaklanma; müdahene.

flatulen·ce, -cy [ˈflatjuləns]. Midede gaz toplanması, yel; yüksekten atıp tutma, tumturak. **~t,** midede gaz hasıl edici; gaz toplanmasından rahatsız olan, yelli; sözü boş ve tumturaklı.

flaunt [floont]. Gösteriş [şatafat] yapmak; azametle teşhir etm.; (bayrak) azametle dalgalanmak.

flautist [ˈflootist]. Flâvtacı.

flavour [ˈfleivə*]. Çeşni, tad, lezzet. Çeşni vermek. **to ~ of stg.,** ···e çalmak. **~ing,** çeşni verici şey.

flaw[1] [floo]. Noksan, kusur, eksiklik; çatlak, yarık. **~less,** kusursuz.

flaw[2]. Anî ve süreksiz rüzgâr.

flax [flaks]. Keten. **~en,** ketenden yapılmış; lepiska.

flay [flei]. Derisini yüzmek; soymak; siddetle kamçılamak; merhametsizce tenkid etmek.

flea [flii]. Pire. **to send s.o. away with a ~ in his ear,** birini ters bir cevabla koğmak; iyice haşlamak, zılgıt vermek. **flea-bag** (*arg.*) yatak gibi kullanılan torba. **flea-bite,** pire yeniği: **a mere ~,** devede kulak. **flea-bitten,** pire yeniklerile dolu; (at) kır üzerine kahve rengi veya siyah ince benekli.

fleck [flek]. Benek, küçük leke; ışık parçası. Beneklemek.

fled *bk.* **flee.**

fledge·d [fledʒd]. Tüylenmiş. **~ling,** henüz tüylenmemiş yavru kuş; toy kimse.

flee (fled) [flii, fled]. Kaçmak, kaçınmak. (zaman) uçup gitmek.

fleec·e [fliis]. Yapak, yünlü post; koyundan kırpılan yün mikdarı. Kırkmak; soymak, sağmak; tırtıklamak. **~y,** yünlü; **~ clouds,** tırtık tırtık bulutlar.

fleet[1] [fliit] *n.* Donanma, filo.

fleet[2] *a.* Sür'atli, hızlı giden. *vb.* Çabuk gitmek. **~ing,** süreksiz, fani, geçici.

Flemish [ˈflemiʃ]. Flaman.

flesh [fleʃ]. Et; vücud; ten. **one's own ~ and blood,** aynı etten ve kandan olanlar: **it's more than ~ and blood can stand,** buna can dayanmaz: **to make s.o.'s ~ creep,** birinin tüylerini ürpertmek: **the lusts of the ~,** şehvanî arzular: **to put on ~,** semirmek, şişmanlamak: **to lose ~,** zayıflamak: **to go the way of all ~,** ölmek: **~ wound,** kemiğe veya hayatî bir uzva dokunmıyan yara.

flesh-colour, ten rengi: **flesh-eating,** et yiyici. **flesh-pots,** yiyecek bolluğu; lüks hayat: **to ⌜sigh for the ~s of Egypt⌝,** mazideki refah ve bolluğa hasret çekmek. **flesh-tints,** ten rengi.
fleshy [ˈfleʃi]. Etli canlı, şişmanca.
fleur-de-lis [flədiˈlii]. Eski Fransa kıralların arması olan zambak şekli.
flew *bk.* **fly.**
flex [fleks]. Bükmek, eğmek. Bükülebilir lâstikli elektrik teli; kordon teli. **~ible** [ˈfleksibl], bükülebilir, eğilebilir; uysal. **~ibility,** eğilebilme; uysallık. **~ion** [–ʃn], bükme, bükülme; egilmiş yer. **~or** [–ə*], azayı büken adale, kabıza.
flick [flik]. (*ech.*) Fiske; pek hafif vuruş. Fiske vurmak; kamçı vs.yi şaklatmak. **a ~ of the wrist,** sür'atli bir bilek hareketi: **the ~s,** (*arg.*) sinema.
flicker [ˈflikə*]. (Alev, ışık) oynamak, titremek; seğirmek. Titreme; sönüp yanma; seğirme.
flier [ˈflaiə*]. Uçan kimse; pek çabuk giden şey veya kimse.
flight[1] [flait]. Uçma, uçuş; mahrek; mesafe; kuş sürüsü. **a ~ of fancy,** hayal oyunu: **in the first ~,** ön safta: **a ~ of planes,** uçakların grup halinde uçuşu: **a ~ of stairs,** merdiven; iki sahanlık arasındaki merdivenler. **flight-lieutenant,** hava yüzbaşısı.
flight[2]. Kaçış; firar. **to take ~,** uçmak: **to take to ~,** kaçmak: **to put to ~,** hezimete uğratmak: tam bozgun halinde.
flighty [ˈflaiti]. Hafif mizaclı; kaprisli, oynak, havai.
flimsy [ˈflimzi]. İnce, seyrek; sağlam olmıyan, kolayca kırılır veya yırtılır. (*kon.*) ince daktilo kâğıdı.
flinch [flintʃ]. Korkup sakınmak, kaçınmak, ürkmek. **without ~ing,** hiç sakınmadan; göz kırpmadan.
fling (flung) [fliŋ, fluŋ]. Hızlı atmak, fırlatmak; atılmak, seğirtmek. Fırlatma; bir iskoç dansı, hora. **to have one's ~,** genclik çılgınlıkları yapmak, kurdlarını dökmek: **to have a ~ at stg.,** (*kon.*) bir şeyi şöyle bir denemek: **to ~ one's arms about,** kollarını savurmak: **to ~ out,** (at) çifte vurmak: **to ~ out at s.o.,** birine birdenbire küfür etm.: **to ~ open,** şiddetle açmak: **to ~ up a job,** (*kon.*) bir işten birdenbire çıkmak.
flint [flint]. Çakmaktaşı. **with a heart of ~,** katı yürekli: **to skin a ~,** sineğin yağını hesab etmek. **~y,** taş gibi katı, çakmaklı. **flint-glass,** en iyi cins cam. **flint-lock,** filinta.
flip [flip]. Fiske (vurmak).
flippan·t [ˈflipənt]. Hiç bir şeyi ciddiye almıyan; vekarsız; hafif. **~cy,** hafiflik; hürmetsizlik.
flipper [ˈflipə*]. Ayıbalığı, kaplumbağa vs.nin kolu.
flirt [fləət]. İşvebaz, fındıkçı kız; flört. Flört etmek. **~ation** [–ˈteiʃn], flört etme, kur yapma.
flit [flit]. Gölge gibi geçmek; küçük kuş gibi şuraya buraya uçmak; hoplamak; göçmek.
flitch [flitʃ]. Domuz pastırması döşü.
flitter [ˈflitə*]. Hafifçe ve çabuk şuraya buraya uçmak. **~mouse,** yarasa.
float[1] [flout] *n.* Sal; şamandıra; ağ mantarı; olta mantarı; karbüratörün yüzücü cısmı; alçak yük arabası; geminin yan çarkının kanadı; sıva malası. **float-chamber,** sabit seviye kabı. **float-needle,** karbüratörün tapalı çubuğu, şamandıra iğnesi.
float[2] *vb.* Yüzmek; yüzdürmek; batmamak; havada durmak. **to ~ a loan,** bir istikraz çıkarmak: **to ~ a company,** bir şirket kurmak.
floating [ˈfloutiŋ] *a.* Yüzen; yüzücü; sabih; serbest, rabıtasız; mütehavvil. **~ capital,** mütedavil sermaye: **~ debt,** mütehavvil borc: **~ population,** sabit olmıyan nüfus.
flocculent [ˈflokjulənt]. Tiftik tiftik, yün gibi.
flock[1] [flok]. Hayvan sürüsü. **to ~ (together),** koyun sürüsü gibi toplanmak: **to arrive in ~s,** sürüsürü gelmek: **~s and herds,** koyun ve sığır: **a pastor and his ~,** rahib ile cemaatı.
flock[2]. Yün parçası; (şilte ve minderleri doldurmak için kullanılan) yün ve pamuk döküntüsü.
floe [flou]. Bankiz; yüzen büyük buz parçası.
flog [flog]. Kamçılamak. **to ~ a dead horse,** tarihe karışmış bir şeyi canlandırmağa çalışmak. **~ging,** kamçılama, dayak.
flood [flʌd]. Tufan; su taşması, su basması, feyezan, sel; med. Su basmak; sel basmak; taşmak. **to be ~ed with letters,** mektub yağmuruna tutulmak. **flood-gate,** bend kapağı, savak. **flood-light,** projektörle aydınlatma(k), donatma(k). **flood-lit,** projektörlerle aydınlatılmış. **flood-tide,** med. **~ing** *n.* sel basma.
floor [floo*]. Oda zemini; döşeme; kat. Ev zeminini tahta döşemek. **to ~ s.o.,** birine cevab verilemiyecek sual sormak. **to take the ~,** söylemek için ayağa kalkmak; kürsüye çıkmak: **house with two ~s,** iki katlı ev: **to wipe the ~ with s.o.,** (*kon.*) birini tam manası ile mağlûb etmek. **floor-board,** döşeme tahtası. **floor-cloth,** (i) linoleum; (ii) tahta bezi. **floor-polish,**

mobilya cilâsı. **floor-space,** döşeme sahası. **~ing,** döşemelik şey.

flop [flop] (*ech.*) Yere veya suya düşen ağırca bir şeyin sesi; cop. Cop diye yere veya suya düşmek; birdenbire düşmek. **to ~ about,** sudan çıkarılan balık gibi sıçramak: **to go ~,** ansızın düşmek; (*mec.*) suya düşmek. **~py,** (şapka, elbise vs.) sarkık; yumuşak.

flora [floorə]. Bir mıntakada yetişen bütün nebatat.

floral [ˈfloorəl]. Çiçeklere aid.

florescence [flooˈresens]. Çiçek açması.

floret [ˈfloorit]. Küçük çiçek; bir çiçeği teşkil eden küçük çiçeklerden her biri.

florid [ˈflorid]. Fazla süslü; kırmızı yüzlü.

florin [ˈflorin]. İki şilin kıymetinde gümüş para.

florist [ˈflorist]. Çiçekçi.

floss [flos]. Kozanın dış zarfı. **~ silk,** bükülmemiş ipek, filoş.

flotation [flouˈteiʃn]. Yüzdürme: istikrazı çıkarma; hisse senedlerini satarak bir şirket kurma.

flotilla [flouˈtilə]. Küçük filo, filotillâ.

flotsam [ˈflotsəm]. Denizde sahibsiz olarak yüzen eşya. **~ and jetsam,** denizde yüzen ve karaya vuran enkaz.

flounce [flauns]. Kadın elbiselerinde:– volan. **to ~ about,** öfkeli veya sabırsız hareket etmek.

flounder[1] [ˈflaundə*] *n.* (*Pleuronectes flesus*) Dere pisisi (balık).

flounder[2] *vb.* Çamura veya suya bata çıka yürümek; bocalamak.

flour [ˈflauə*]. Un. Üzerine un serpmek. **~y,** unlu. **flour-dredger,** un serpmeğe mahsus delikli kutu. **flour-mill,** değirmen.

flourish[1] [ˈflʌriʃ]. (Kılıc, değnek vs.yi) öteye beriye savurmak. Savurma; gösterişli hareket; parafe. **a ~ of trumpets,** merasim borusu.

flourish[2]. Mamur olm.; gelişmek, ilerlemek; tıkırında gitmek. **~ing** *a.* mamur, müreffeh; iyi, yolunda.

flout [flaut]. İstihfaf ile aldırmamak; tepmek.

flow [flou]. Akmak; cereyan etm.; neş'et etmek. Akış; akıntı, cereyan: med. **to have a ready ~ of language,** çok selis konuşmak; cerbezeli olmak.

flower [ˈflau*]. Çiçek. Çiçeklenmek. **to burst into ~,** birdenbire çiçeklenmek: **the ~ of the army,** ordunun en seçkin kısmı: **in the ~ of one's youth,** gençliğinin en parlak çağında. **~ed,** çiçek resimlerile süslü. **~y,** çiçekli; fazla süslü. **flower-girl,** çiçekçi kadın. **flower-pot,** saksı.

flowing [ˈflouiŋ]. Akan; selis; seyyal; (elbise) gevşek ve sarkık, bol.

flown *bk.* **fly.**

flu [fluu]. (*kıs.*) **influenza.** Grip.

fluctuat·e [ˈflʌktjueit]. Dalga gibi inip kalkmak; kararsız olm., bocalamak; değişmek. **the temperature ~s from day to day,** hararet her gün değişir. **~ion** [–ˈeiʃn], temevvüc; tereddüd; değişme.

flue [fluu]. Duman veya hava borusu; baca deliği; ocağın bacası.

fluen·cy [ˈfluuənsi]. Selâset, belâgat. **~t,** selis, belâgatli: **to talk a language ~ly,** bir lisanı kolay konuşmak.

fluff [flʌf]. Tüy ve hav döküntüsü; yumuşak tüy. **to ~ up its feathers,** (kuş) tüyleri kabartmak. **~y,** yumuşak ve kaba tüylü.

fluid [ˈfluuid]. Mayi; su. Seyyal; akar; şekli kolay değişen. **~ity** [–ˈiditi], mayilik.

fluke[1] [fluuk]. **~ (worm),** Karaciğer sülüğü [kelebeği].

fluke[2]. Balina küyruğunun yassı parçalarından biri; gemi demiri tırnağı; zıpkının çatalı.

fluk·e[3]. Baht işi. Baht işi becermek. **~y,** baht işi elde edilmiş; talihe bağlı.

flummery [ˈflʌmeri]. Süt yumurta ve undan yapılan bir tatlı; tabasbus; boş lâf, palavra.

flummox [ˈflʌməks]. Şaşırtmak, bozmak, afallatmak.

flung *bk.* **fling.**

flunkey [ˈflʌŋki]. (*istihf.*) Uşak, peyk; dalkavuk.

fluorescent [ˌfluuəˈresent]. Flüoresan.

fluoric [fluˈorik]. Flüorinli.

fluor-spar [ˈfluooˈspaa*]. Flüörit, neceftaşı.

flurry [ˈflʌri]. Anî bir bora veya kar; balinaların ölüm mücadelesi; telâş, heyecan. Telâşa düşürmek. **to get flurried,** telâşa düşmek; iki ayağını bir pabuca koymak.

flush[1] [flʌʃ]. Avkuşunu ürkütüp havalandırmak. Bir anda havalanan kuş sürüsü.

flush[2]. Hızlı akıtmak; fışkır(t)mak; (yüz) kızar(t)mak. Sür'atlı su akıntısı; galeyan, teheyyüc. **to ~ out a drain,** *etc.*, geriz vs.yi bol su ile temizlemek: **to be in the full ~ of health,** yanağından kan damlamak: **in the first ~ of victory,** zafer sarhoşluğu ile.

flush[3] *a.* Taşarcasına dolu; ayni seviyede; bir hizada; gömme. **to be ~ of money,** elinde hazır para olm.: **~ with ...,** ···in yüzünden dışarı taşmıyan; bir hizada [seviyede].

flush[4]. (İskambil) filoş.

fluster [ˈflʌstə*]. Telâş, heyecan. Telâşa düşürmek. **to be ~ed, to be all in a ~** çırpınmak, telâş etm., iki ayağı bir pabuçta olmak.

flute[1] [fluut]. Flâvta.
flut·e[2]. Yiv açmak; (çamaşır) fitilli ütülemek. **~ed,** yivli. **~ing,** yiv şeklinde süs.
flutter [ˈflʌtə*]. Çırpınma(k); telâşa düşme(k); teprenmek; şuraya buraya uçmak; telâşa düşürmek; yürek çarpıntısı. **to have a little ~,** az para koyarak kumar veya bahise girmek: **to ~ the dovecotes,** ortalığı telâşa düşürmek.
fluvial [ˈfluuviəl]. Nehre aid.
flux [flʌks]. Akma; vücuddan gayritabiî sızıntı; değişiklik; lehim suyu veya yağı. **to be in a state of ~,** sık sık değişmek.
fly[1] [flai] *n.* Uçuş; kira arabası; çadır perdesi; pantalonun ön yırtmacı. **the flies,** tiyatro sahnesinin üstü. **fly-button,** pantalonun ön düğmesi. **fly-leaf,** bir kitabın başında ve sonundaki boş yaprak. **fly-wheel,** volan. **fly-by-night,** gece hayatı mübtelâsı; borcunu vermeden gece sıvışan.
fly[2] *n.* Sinek; balık tutmak için sun'î sinek. **they died like flies,** yığın yığın öldüler: **there are no flies on him,** çok açıkgözdür: **to rise to the ~,** (balık) sun'î sineğe doğru sıçramak; (insan) kendisini tahrik etmek için mahsus söylenen söze kanarak kızmak. **fly-blow,** sinek tersi. **fly-blown,** sinek tersile lekelenmiş; kurdlanmış, kokmuş. **fly-paper,** sinek kâğıdı.
fly[3] **(flew, flown)** [flai, fluu, floun] *vb.* Uçmak; kaçmak; sür'atle koşmak; uçak ile seyahat etm.; uçarak geçmek; uçurmak. **to ~ to arms,** (bir millet) silâha sarılmak: **to ~ at,** ···e saldırmak: **the bird has flown,** aranılan kimse kayıblara karıştı: **to ~ high,** yüksekte uçmak; gözü yükseklerde olm.: **to let ~ at s.o.,** birine ağzına geleni söylemek; birine ateş etm.; birine bir tokat aşketmek; (at) birine çifte atmak: **to make the money ~,** har vurup harman savurmak: **the door flew open,** kapı şırak diye açıldı: **to ~ to pieces,** parça parça olm.: **to send ~ing,** kaçırtmak: **to send things ~ing,** ortalığı darmadağın etmek. **fly back,** geri uçmak; uçup geri gitmek; mümkün mertebe çabuk avdet etm.; geri fırlamak, geri tepmek. **fly off,** uçup ayrılmak; acele ile gitmek; (düğme vs.) kopmak.
flying [ˈflai·iŋ]. Uçan; uçma; tayyarecilik; tayyareciliğe aid. **~ column,** seyyar kıta: **the ~ of a flag,** bayrak asma [çekme]: **to pay a ~ visit to London,** Londra'ya şöyle bir uğramak: **~ start,** başlama noktasını son hızla geçme: **~ squad,** (polis) yıldırım kıt'ası. **flying-boat,** tekneli deniz uçağı. **flying-buttress,** kemerli payanda. **flying-fish,** tayyare balığı. **flying-height,** uçağın manevra yapmasına elverişli yükseklik. **flying-jib,** kontra flok.

foal [foul]. Tay; sıpa. (Kısrak, eşek) doğurmak. **with ~ at foot,** (kısrak) tayı ile beraber.
foam [foum]. Köpük. Köpürmek.
fob[1] [fob] *n.* Saat cebi.
fob[2] *vb.* **~ off,** aldatmak, hile ile oyalamak: **to ~ stg. off on s.o.,** birine hile ile değersiz bir şey satmak.
focal [ˈfoukl]. Mihraka aid. **~ length,** mihrak mesafesi.
foc's'le [ˈfoksl]. *kıs.* **forecastle.**
focus [ˈfoukəs]. Mihrak. Mihraka getirmek; ayar etm.; temerküz etmek. **in ~,** ayarlı; vazıh: **out of ~,** ayarsız; vuzuhsuz; mübhem: **all eyes were ~ed on ...,** bütün gözler ···e çevrilmişti [dikilmişti]. **~ing,** bir noktaya toplanma; temerküz: **~ cloth,** (*fot.*) siyah örtü: **~ screen,** buzlu cam.
fodder [ˈfodə*]. (Kuru ot ve saman gibi) yem. Yem vermek.
foe, foeman, *pl.* **-men** [fou, ˈfoumən]. Düşman.
foetus [ˈfiitəs]. Cenin.
fog [fog]. Sis; (*fot.*) klişenin ışıktan bozulması. Sis gibi kuşatmak, karartmak; şaşırtmak; (ışık) klişeyi bozmak. **I am in a complete ~,** nerede bulunduğumu bilmiyorum; vaziyeti hiç anlamıyorum. **fog-bound,** sis yüzünden hareket etmiyen; sisle kaplı. **fog-horn,** sis düdüğü. **fog-signal,** sis işareti.
fog(e)y [ˈfougi]. **old ~,** eski kafalı adam.
foggy [ˈfogi]. Sisli. **I haven't the foggiest idea,** hiç haberim yok.
foible [ˈfoibl]. Zayıf taraf, zaaf; birinin boş yere meziyet sandığı taraf.
foil[1] [foil] *n.* Pek ince safiha; foya; ayna sırı; bir şeyi iyice tebarüz ettirmek için kullanılan şey; (*mim.*) kemer oyması.
foil[2] *n.* Talim meçi.
foil[3] *vb.* İşini bozmak, önüne geçmek, istediğini yaptırmamak.
foist [foist]. Kandırıp yutturmak, hile ile sokuşturmak; (bir şeyi birine) yamamak. **to ~ oneself on s.o.,** birine yamanmak.
fold[1] [fould]. Koyun ağılı. Ağıla kapatmak.
fold[2]. Kıvrım, kat, kırma, pli; oyuk, çukur. Katlamak, devşirmek; kuşatmak. **to ~ the arms,** kollarını kavuşturmak.
-fold *suff. Çoğalma ifade eder;* ... katlı, ... misli.
folder [ˈfouldə*]. Dosya zarfı; risale; mücellid istekası.
folding [ˈfouldiŋ] *a.* Katlanabilir, katlanır; kırma. **folding-chair,** açılıp kapanır iskemle. **folding-ladder,** açılıp kapanır merdiven.
foliage [ˈfouljədʒ]. Ağac yaprakları.
foliat·ed [ˈfoulieitid]. Yapraklı; ince safiha halinde yarılmiş. **~ion,** yapraklanma.

folio [ˈfouliou]. Büyük kıtada kitab; bir kere katlanmış kâğıd tabakası; sahife numarası; hesab defterinde karşılıklı zimmet ve matlub sahifeleri.

folk [foulk]. Halk, avam; millet. **country ~,** kırda yaşıyan kimseler, köy ahalisi. **folk-dance,** halk oyunu. **folk-song,** halk türküsü.

folklore [ˈfoukloo*]. Halk bilgisi, folklor.

folli·cle [ˈfolikl]. (*biol.*) Küçük kese; saçların kökleri. **~cular** [–ˈlikjulə*], bu keselere aid.

follow [ˈfolou]. Takib etm., peşinden gitmek veya gelmek. ···den sonra gelmek; halef olm.; neticesi olm., ···den çıkmak; gözden kaybetmemek; tâbi olm., tarafdarı olm.; (söylenilen bir şeyi) anlamak. **as ~s,** aşağıdaki gibi: **to ~ s.o. about,** birinin peşine takılmak: **it ~s that ...,** bundan şu netice çıkar ki ...: **it does not ~ that ...,** bundan ... neticesi çıkarılmaz; bu ... demek değildir: **to ~ the plough,** çiftçi olm.: **to ~ a profession,** bir mesleğe mensub olm.: **to ~ the sea,** gemici olmak. **follow-my-leader,** küçük çocukların oynadığı bir oyun. **follow on,** ara vermeden devam etm.; sonra gelmek. **follow out,** nihayete kadar takib etm.; yerine getirmek. **follow through,** (tenis vs.de) topu vurduktan sonra kol hareketini devam ettirmek. **follow up,** peşini bırakmamak; vazgeçmemek; devam etm.; **to ~ up a clue,** bir ipucunu takib etm.: **to ~ up a victory,** bir zaferi sonuna kadar getirmek.

follower [ˈfolouə*]. Maiyet erkânından biri; peyk; tarafdar, mürid; halef.

following [ˈfolouiŋ] *a.* Müteakıb; aşağıdaki. *n.* Maiyet; tarafdarların mecmuu. **a ~ sea,** kıça doğru gelen dalgalar.

folly [ˈfoli]. Akılsızlık, ahmaklık, budalalık; pahalı fakat faydasız bina veya teşebbüs.

foment [fouˈment]. (Burkulan yer, şiş vs.yi) sıcak su ile ışıtmak; kışkırtmak, körüklemek. **~ation** [–ˈteiʃn], sıcak su veya bez tatbiki.

fond [fond]. Çok seven; şefkatli; gayrımakul derecede seven; saf, safiyane. **~ of,** ... düşkünü, ... canlısı, çok seven: **~ imagination,** hüsnü kuruntu. **~ly,** safiyane, safca.

fondle [ˈfondl]. Okşamak.

font [font]. Vaftiz kurnası. *bk.* **fount.**[2]

food [fuud]. Yiyecek şey, yemek, taam, gıda; yem. **to give ~ for thought,** düşündürmek. **~stuffs,** gıda maddeleri.

fool[1] [fuul]. Ahmak, budala; soytarı, maskara. Maskaralık etm.; kafese koymak, aldatmak. **to ~ about [around],** boş gezmek, avare avare dolaşmak: **to ~ away the time,** vaktini boş geçirmek, israf etm.: **to make a ~ of oneself,** kendini gülünc etmek, maskara olm.: **to make a ~ of s.o.,** birini maskaraya çevirmek: **to play the ~,** maskaralık etm.; ahmaklık yapmak. **~'s cap,** deli külâhı. **fool-proof,** pek kolay, çok basit, pek emin.

fool[2]. Ezilmiş meyva ile sütten yapılan bir tatlı.

foolery [ˈfuuləri]. Ahmaklık; maskaralık.

foolhardy [ˈfuulhaadi]. Delice cesur.

foolish [ˈfuuliʃ]. Akılsız, ahmak, alık. **to feel ~,** kendini gülünc (olmuş) hissetmek: **to look ~,** gülünc görünmek.

foolscap [ˈfuulskap]. Esericedid kâğıdı.

foot[1], *pl.* **feet** [fut, fiit]. Ayak; kaide; dib; kadem, 12 pusluk (= 30·479 sant.); şiirde vezin; piyade askeri. **to be carried off one's feet,** dalga vs. ile sürüklenmek; heyecana kapılmak: **to be carried out feet foremost,** cenazesi çıkmak: **to find one's feet,** muhite alışmak; yardıma muhtac olmadan bir işi başarmak: **to have [get] cold feet,** (*mec.*) korkmak: **~ and horse,** piyade ve süvari askerleri; **20,000 ~,** 20,000 piyade askeri: **to keep one's feet,** düşmemek, kaymamak: **to knock s.o. off his feet,** birini yere sürmek: **to light on one's feet,** ayakları üstüne düşmek: **on ~,** yaya: **to set on ~,** kurmak, başlamak: **to go at a ~'s pace,** yaya sür'atile, pek ağır, gitmek: **to put one's best ~ foremost,** acele etm.; gayret göstermek: **to put one's ~ down,** ayak diremek: **to put one's ~ in it,** pot kırmak, baltayı taşa vurmak: **to set s.o. on his feet,** bir adama muayyen bir para vererek müstakil bir iş kurmasını temin etm.: **it will need a lot of money to set this business on its feet again,** bu işi tekrar yoluna koymak için çok para lâzım: **to sit at s.o.'s feet,** birinin ayak ucuna oturmak; birinin talebesi olmak. **foot-and-mouth disease,** şap hastalığı. **foot-bridge,** yayalara mahsus dar köprü. **foot-fault,** (tenis de) ayak hatası. **foot-guards,** hassa piyadeleri. **foot-hills,** dağ eteği. **foot-passenger,** yaya. **foot-plate,** lokomotifin sahanlığı. **foot-rot,** koyunların ayaklarına ârız olan bir hastalık. **foot-rule,** 12 pusluk ölçü; kadem. **foot-slogger,** (*arg.*) piyade neferi. **foot-warmer,** su ile ısıtılan tandır. **footwork,** oyunlarda ayakları iyi [fena] kullanma.

foot[2] *vb.* **to ~ it,** yaya gitmek: **to ~ the bill,** hesabı ödemek.

football [ˈfutbool]. Futbol. **~er,** futbolcu.

footboard [ˈfutbood]. (Araba, oto.) basamak.

-footed [ˈfutid]. ... ayaklı.

footfall [ˈfutfool]. Ayak sesi.

footgear [ˈfutgiə*]. Ayakkabı.
foothold [ˈfuthould]. Ayak basacak yer. **to get a ~,** ayağile tutunmak, ayak basmak: **to lose one's ~,** tırmanırken ayağı kurtulmak.
footing [ˈfutiŋ]. *bk.* **foothold**; seviye, vaziyet. **on a war ~,** seferî vaziyette.
footl·e [ˈfuutl]. **to ~ about,** (*arg.*) boş gezmek. **~ing,** boş, ehemmiyetsiz; manasız.
footlights [ˈfutlaits]. Tiyatro sahnelerinin önlerindeki bir sıra ışık.
footman, *pl.* **-men** [ˈfutmən]. Perdeci; uşak.
footmark [ˈfutmaak]. Ayak izi.
footnote [ˈfutnout]. Sahife dibindeki not; haşiye.
footpace [ˈfutpeis]. Adî yürüyüş.
footpad [ˈfutpad]. Yol kesen haydud.
footpath [ˈfutpaaθ]. Keçi yolu; patika.
footprint [ˈfutprint]. Ayak izi.
footsore [ˈfutsoo*]. Ayakları pişmiş.
footstep [ˈfutstep]. Ayak sesi; ayak izi; adım. **to follow [walk, tread] in the ~s of,** ···in izinden gitmek.
footstool [ˈfutstuul]. Tabure.
footway [ˈfutwei]. Kaldırım; yayalara mahsus geçid.
footwear [ˈfutweə*]. Ayakkabı.
foozle [ˈfuuzl]. Bazı oyunlarda:– ıska geçmek.
fop [fop]. Kendini beğenmiş akılsız elbise düşkünü; züppe.
for [foo*; fə*]. İçin; zarfında; müddetle; mesafe dahilinde; olarak; ···den; ···den dolayı; ···e; çünkü. **~ all [aught] I care,** bana vız gelir: **~ all that,** söylenen (veya yapılan) her şeye rağmen: **~ all his wealth he is unhappy,** bütün servetine rağmen mes'ud değildir: **he went to America last year and, ~ all I know, he is still there,** geçen sene Amerika'ya gitti ve benim bildiğime göre hâlâ oradadır: **I told him I knew Turkish and, ~ all he knows, I do,** ona türkçe bildiğimi söyledim ve galiba o böyle zannediyor: **to be all ~,** ···e tarafdar olm., ···in lehinde olm.: **~ ever,** ebediyen: **~ the first time,** ilk defa olarak: **in ~,** *bk.* **in**: **he's ~ it,** göreceği var!, vay haline!: **to weep [dance, sing] ~ joy,** sevincten ağlamak [oynamak, şarkı söylemek]: **to leave England ~ France,** İngiltere'den Fransa'ya hareket etm.: **~ life,** ölünceyekadar; kaydı hayat ile: **~ miles and miles,** kilometrolarca: **~ myself, I would rather go tomorrow,** bana gelince yarın gitmeği tercih ederim: **I am doing this ~ myself,** bunu kendim için yapıyorum: **I can do it ~ myself, thank you,** teşekkür ederim, ben kendim yapayım: **oh ~ peace!,** ah! bir sulh olsa!: **~ years and years,** senelerce.
forage [ˈforidʒ]. Hayvanlara ve bilhassa atlara verilen ot, saman vs. Yem aramak veya toplamak; araştırarak elde etmek; çapulculuk etmek. **to ~ for stg.,** bir şeyi bulmak için bir yeri araştırmak. **forage-cap,** yumuşak asker kasketi.
forasmuch [ˈfoorasˈmʌtʃ]. **~ as,** madem ki, ···e binaen.
foray [ˈforei]. Akın (etmek).
forbade *bk.* **forbid.**
forbear[1] [ˈfoobeə*] *n.* Ced, dede, ata.
forbear[2] (**forbore, forborne**) [fəˈbeə*, –ˈboo*, –ˈboon]. Çekinmek, sakınmak, ictinab etm.; sabırlı olmak. **to ~ to say, to ~ from saying,** söylemekten çekinmek, kendini tutmak. **~ance,** sabır, müsamaha; sakınme, çekinme.
forbid (**forbade, forbidden**) [fəˈbid, –ˈbad, –ˈbidn]. Yasak etm., memnu kılmak; menetmek. **God ~!,** Allah göstermesin!, hâşa!; **to ~ s.o. to do stg.,** bir şeyi yapmağı birine yasak etm.: **to ~ s.o. the house,** birini evine sokmamak. **~ding,** netameli; korkunc; ekşi yüzlü.
forbore, forborne *bk.* **forbear.**
force[1] [foos] *n.* Kuvvet, şiddet; zor; enerji; asker veya polis kıtası. **this law is still in ~,** bu kanun hâlâ mer'idir: **this law will come into ~ tomorrow,** bu kanun yarın meriyete giriyor: **the police arrived in ~,** büyük mikdarda polis kuvveti geldi: **to put in ~,** infaz etm.: **there is ~ in what he says,** söylediği boş değil: **~ majeure,** esbabı mücbire. **force-pump,** basma tulumba.
force[2] *vb.* Zorlamak; mecbur etm.; sun'î hararetle (turfanda) yetiştirmek. **I would not have done it, but my hand was ~d,** bunu yapmazdım fakat zora getirdiler: **to ~ the pace,** bir şeyi hızlandırmak: **I tried to ~ a smile,** gülmeğe çalıştım. **force back,** püskürtmek; defetmek; geri itmek.
forced [foosd] *a.* Zoraki, tazyik ile; mecburî.
forceful [ˈfoosfəl]. Girgin, müteşebbis; zor ile yapılan; tesirli.
forcemeat [ˈfoosmiit]. Dolma içi.
forceps [ˈfooseps]. Kerpeten; pens, penset, maşa. **obstetric ~,** lâvta.
forcible [ˈfoosibl]. Cebrî; zorlu; tesirli, kuvvetli.
forcing-house [ˈfoosiŋˈhaus]. Limonluk.
ford [food]. Nehir geçidi. Bir nehirden yaya geçmek. **~able,** yürüyerek geçilebilir.
fore [foo*]. Ön; ön taraf. **at the ~,** pruva direğinde: **to the ~,** ileride mevcud ve hizmete hazır: **to come to the ~,** başa gelmek, ilerlemek, temayüz etmek.
fore- *pref.* Önceden; ön, önde. **fore-and-aft,** baştan kıça kadar: **~-rigged,** sübye armalı.

forearm[1] [ˈfooraam] *n.* Kolun ön kısmı; said.
forearm[2] [foorˈaam] *vb.* Önceden silâhlan(dır)mak. *bk.* **forewarned.**
forebod·e [fooˈboud]. Önceden haber vermek (*um. fena şeyler hakkında*); alâmet olm.; teşeüm etmek. **~ing,** bir felâketin geleceğini önceden hissetme; içine doğma; vehim.
forecast [ˈfookaast] *n.* Olacak bir şeyin keşfi; tahmin. *vb.* [–ˈkaast]; İstikbalde vukubulacak şey ve bilhassa hava hakkında haber vermek. **weather ~,** hava raporu.
forecastle [ˈfoksl] (*um.* **foc's'le** *yazılır*). (Tüccar gemisinde) tayfa kamarası; (*esk.*) ön üst güverte, baş kasara.
foreclos·e [fooˈklouz]. İpotekli bir malı haczetmek. **~ure** [–ˈklouʃuə*], ipotekli bir malı hazcetme.
foredoom [fooˈduum]. Önceden mahkûm etm.; mukadder kılmak. **a plan ~ed to failure,** muvaffak olmamağa mahkûm bir plân.
forefather [ˈfoofaaðə*]. Ced, ata.
forefinger [ˈfoofiŋgə*]. Şehadet parmağı.
forefront [ˈfoofrʌnt]. Ön; ön plân.
foregather [fooˈgaðə*]. Toplanmak.
forego[1] *bk.* **forgo.**
forego[2] [fooˈgou]. Takaddüm etmek. **~ing,** yukarıdaki, yukarıda adı geçen.
foregone [fooˈgon]. **a ~ conclusion,** önceden belli olan netice.
foreground [ˈfoograund]. Ön plân.
forehand [ˈfoohand]. Atın omuzu; (tenis) doğru vuruş.
forehead [ˈforid]. Alın.
foreign [ˈforin]. Ecnebi; yabancı; haricî. **~ trade,** dış ticaret: **Foreign Office,** İngiliz Hariciye Nezareti: **Foreign Secretary,** İngiliz Hariciye Nazırı: **Minister of Foreign Affairs,** Hariciye Vekili. **~er,** ecnebi; yabancı adam.
foreland [ˈfoolənd]. Sahil çıkıntısı, burun.
foreleg [ˈfooleg]. Hayvanın ön ayağı.
forelock [ˈfoolok]. Perçem. '**to take time by the ~**', fırsat kaçırmamak, hemen işe girişmek.
foreman, *pl.* **-men** [ˈfoomən]. Amele başı, kalfa; jüri reisi.
foremast [ˈfoomaast]. Pruva direği.
foremost [ˈfoomoust]. En önde olan. **first and ~,** ilkönce; her şeyden evvel.
forenoon [ˈfoonuun]. Öğleden evvel olan iki üç saat vakit.
forensic [fəˈrensik]. Mahkemeye aid. **~ medicine,** adlî tıb: **~ skill,** avukatlık mahareti.
forerunner [ˈfoorʌnə*]. Haber verici; müjdeci; alâmet, delil.
foresaw *bk.* **foresee.**
foresee (**foresaw, foreseen**) [fooˈsii, –soo, –siin]. Önceden sezmek; geleceğini anlamak; keşfetmek. **~ing,** *a.* basiretli; ilerisini gören, dûrendiş.
foreshadow [fooˈʃadou]. İstikbale aid bir şeye delâlet etm., alâmet olmak.
foreshore [ˈfooʃoo*]. Sahilin med ve cezir işaretleri arasındaki kısmı.
foreshorten [fooˈʃootn]. Manazır (perspektif) kaidelerine nazaran kısaltmak.
foresight [ˈfoosait]. Basiret, dûrendişlik, ihtiyat; (tüfek) arpacık.
forest [ˈforist]. Orman; İskoçya'da geyik avına mahsus saha. **~er,** orman memuru.
forest-guard, orman korucusu.
forestall [fooˈstool]. Bir işte veya bir harekette (başka birisinden) evvel davranmak; önüne geçmek.
forestay [ˈfoostei]. Pruva direğini pruvaya bağlıyan istralya.
forestry [ˈforestri]. Ormancılık.
foretaste [ˈfooteist]. Sonra gelecek bir saadet veya bir felâketin nümunesi.
foretell (**foretold**) [fooˈtel, –tould]. Önceden haber vermek.
forethought [ˈfooθoot]. Basiret, dûrendişlik; ihtiyat.
foretold *bk.* **foretell.**
foretop [ˈfootop]. Pruva çanaklığı.
forever [fəˈrevə*]. Ebedî olarak; daima. **~more,** ebedî olarak.
forewarn [fooˈwoon]. Önceden haber verip ikaz etmek. ⌜**~ed is forearmed**⌝, önceden haberi olan hazır olur.
forewoman, *pl.* **-men** [ˈfoowumən, –wimən]. Kadın amele başı; kadın kalfa.
foreword [ˈfoowəəd]. Önsöz.
forfeit [ˈfoofit]. Hata veya ihmaldan dolayı kaybedilen (şey); hakkın sukutu. Hata veya ihmaldan dolayı bir şeyi veya bir hakkı kaybetmek veya ondan mahrum kalmak. **~ money,** cayma tazminatı. **~ure,** hakkın sukutu.
forfend [fooˈfend]. **God ~!,** Allah göstermesin!
forgave *bk.* **forgive.**
forge[1] [foodʒ]. Demirci ocağı; nalband dükkânı. Demir dövmek, işlemek; uydurmak, taklidini yapmak; kalpazanlık etmek. **~d,** sahte, kalp. **~r,** kalpazan. **~ry,** kalpazanlık; tahrif.
forge[2] *vb.* **to ~ ahead,** (gemi) ağır ağır ileri gitmek; (yarışta) yavaş yavaş önüne geçmek; (işte) gittikçe tarakkı etmek.
forget (**forgot, forgotten**) [fooˈget, –ˈgot, –ˈgotn]. Unutmak; ihmal etmek. **~(about) it!,** onu artık düşünme!: **'and don't you ~ it!'**, bunu unutayım deme!; kulağında olsun!: **never to be forgotten,** unutulmaz.
forget-me-not, (*myosotis*) unutmabeni.

forgetful [foo'getfəl]. Unutkan; ihmalci.
forgivable ['foo'givəble]. Affedilebilir.
forgiv·e (**forgave, forgiven**) [foo'giv, –'geiv, –'givn]. Affetmek; bağışlamak. **~ing,** *a.* müsamahalı; kin beslemez. **~eness,** af, affetme.
forgo (**forwent, forgone**) [foo'gou, –'went, –'gon]. Vazgeçmek, bırakmak; ···den kendini mahrum etmek.
forgot, forgotten *bk.* **forget.**
fork [fook]. Çatal; çatallı bel; yaba; apış; furş. Çatallaşmak; bel ile eşelemek. **to ~ out** [**up**], (*arg.*) uçlanmak. **~ed,** çatallı.
forlorn [foo'loon]. Kimesiz; ıssız, metrûk; ümidsiz. **~ hope,** fedailer; ümidsiz teşebbüs.
form[1] [foom] *n.* Şekil, biçim; endam; tarz; suret; kalıb. usul, erkân, adet; âdabımuaşeret; förmüler; forma; sınıf; peyke; tavşan yatağı; (atlet, yariş atı vs.) form. **as a matter of ~, for ~'s sake,** âdet yerini bulsun diye: **it is bad ~, it is not good ~,** yapılmaz, münasib değil: **to fill up a ~,** bir formüleri doldurmak: **to be in good ~,** tam kıvamında olm.: **in ~** [**out of ~**], (i) formunda [formunda değil]; (ii) derste [ders haricinde]. **form-room,** sınıf, dershane.
form[2] *vb.* Şekil vermek; teşkil etm.; yapmak; terkib etm.; kurmak, ihdas etm.; hâsıl olm., peyda olm.; şekil almak. **to ~ fours,** (*ask.*) dörder olm.: **to ~ a habit,** âdet edinmek: **to ~ part of stg.,** bir şeyin bir kısmını teşkil etmek.
formal ['foomal]. Resmî; teklifli; soğuk tavırlı ve resmî. **~ism,** merasimperestlik. **~ist,** merasimperest. **~ity** [–'maliti], merasim, tekellüf, usul, formalite: **as a mere ~,** âdet yerini bulsun diye.
format ['fooma]. Kitab forması.
formation [foo'meiʃn]. Teşkil, teşekkül; tertib, nizam; kurma, ihdas etme.
former[1] ['foomə*] *n.* Kalıb.
former[2] *a.* Evvelki, sabık, eski. **the ~ ..., the latter ...,** evvelki ..., sonuncu ...; öteki ..., beriki .... **~ly,** eskiden, vaktiyle, eski zamanlarda.
formic ['foomik]. **~ acid,** asid formik.
formication ['foomikeiʃn]. Karıncalanma.
formidable ['foomidəbl]. Yenmesi güç; pek zor; korkulacak; heybetli.
formless ['foomlis]. Biçimsiz, şekilsiz.
formula ['foomjulə]. Formül; reçete; resmî tabir; usul.
formulate ['foomjuleit]. Kat'î ve vazıh bir tarzda ifade etm.; formül haline koymak.
forsake (**forsook, forsaken**) [foo'seik, –'suk, –'seikn]. Terketmek: vazgeçmek; yüzüstü bırakmak.
forsooth [fə'suuθ]. (*istih.*) Hakikaten.
forswear (**forswore, forsworn**) [foo'sweə*, –'swoo*, –'swoon]. Tövbe etmek. **to ~ oneself,** yalan yere yemin etmek.
forsworn [foo'swoon] *a.* Yalan yere yeminli.
fort [foot]. Kale; tabya.
forte[1] ['foote]. (*mus.*) Forte.
forte[2]. Bir kimsenin kuvvetli tarafı.
forth [fooθ]. İleri; dışarı; açığa; sonra. **to go ~,** çıkmak: **and so ~,** vesaire: **back and ~,** (bir) ileri (bir) geri: **from this time ~,** şimdiden sonra.
forthcoming [fooθ'kʌmiŋ]. Gelecek, önümüzdeki; hazır, mevcud. **no help was ~,** yardımdan eser yoktu: **he is not very ~,** o pek kapalı, konuşacağa benzemez.
forthright [fooθ'rait]. Dobra dobra, açıkça; derhal.
forthwith [fooθ'wiθ]. Derhal, hemen.
fortieth ['footieθ]. Kırkıncı; kırkta bir.
fortifiable ['footifaiəbl]. Tahkim edilebilir.
fortification ['footifi'keiʃn]. İstihkâm; tahkim etme; takviye. **~s,** tahkimat.
fortify ['footifai]. Tahkim etm., istihkâmlarla çevirmek; takviye etm., kuvvetlendirmek.
fortitude ['footitjuud]. Şecaat: cesaret; metanet.
fortnight ['footnait]. On beş günlük müddet; iki hafta. **this day ~,** iki hafta sonra bu gün. **~ly,** on beş günde bir olan; on beş günlük.
fortress ['footris]. Müstahkem yer veya şehir.
fortuitous [foo'tjuuitəs]. Tesadüfî, ârızî.
fortunate ['footjuneit]. Bahtiyar, talihli. **~ly,** bereket versin.
fortune ['footʃən]. Baht, talih, kader, kısmet; servet. **it has cost me a ~,** bu bana dünya kadar paraya maloldu: **to come into a ~,** büyük bir servete varis olm.: **by good ~,** bereket versin: **to make a ~,** büyük bir servet toplamak, zengin olm.: **a man of ~,** pek zengin adam: **to marry a ~,** zengin bir kadınla evlenmek: **to tell ~s,** fala bakmak. **fortune-hunter,** evlenmek için zengin arıyan kimse. **fortune-teller,** falcı.
forty ['footi]. Kırk.
forward ['foowəd]. İleri, ileriye doğru; ilerdeki, önde; ileriye giden, müterakki, ilerlemiş; şımarık; haddinden bir az fazla serbest; (futbol) muhacim. **from that day ~,** o günden itibaren: **to look ~ to stg.,** bir şeye önceden sevinmek: **'to be ~ed', 'please ~!',** (mektub zarfında) lûtfen yeni adresine gönderiniz! **~s,** ileriye doğru.
fossil ['fosl]. Müstehase: fosil; müstehase halinde. **an old ~,** eski kafalı ihtiyar, muşmula. **~ize,** müstehase haline koymak; tahaccür ettirmek.

foster[1] [ˈfostə*]. Teşvik etm.; beslemek, gütmek.
foster-[2]. Süt···. **~-mother,** sütnine.
fought *bk.* fight.
foul [faul]. Pis, kirli; kerih, iğrenç; ufunetli; tıkanmış; dolaşık; bozuk (hava). Favul. Kirletmek, kirlenmek; dolaştırmak. **~ anchor,** deniz dibinde bir maniaya takılan gemi demiri: **~ cable,** başka bir tel vs. ile takılmış [karışmış] kablo: **to fall ~ of s.o.,** birisile çatışmak: **to fall ~ of the law,** kanunun pençesine düşmek: **~ play is suspected,** bir suikasddan şübhe ediliyor: **to run ~ of another ship,** başka gemiye çarpmak. **~ness,** pislik; habaset; bozukluk.
found[1] [faund]. Kurmak, tesis etmek.
found[2]. (Demir vs.) dökmek.
found[3] *bk.* **find.**
foundation [faunˈdeiʃn]. Kurma, tesis; müessese; temel, esas; vakıf. **foundation-stone,** temel taşı.
founder[1] [ˈfaundə*] *n.* Kurucu, müessis.
founder[2] *n.* Dökmeci.
founder[3] *vb.* (Gemi) batmak, kaynamak; (at) yıkılmak, batakhğa saplanmak.
founder[4]. (At) tırnak iltihabı. **~ed,** tırnak iltihabından sakatlanmış.
foundling [ˈfaundliŋ]. Sokakta terkedilen kimsesiz çocuk.
foundry [ˈfaundri]. Dökümhane.
fount[1] [faunt]. Pınar; memba, menşe.
fount[2]. Aynı puntoda hurufat takımı.
fountain [ˈfauntin]. Fıskıye; pınar, memba. **fountain-head,** asıl menşe. **fountain-pen,** dolma kalem.
four [foo*]. Dört. **to be on all ~s with ...,** ···ile müsavi olm.; ···le mukayese edilebilmek: **to go [run] on all ~s,** ellerile dizlerinin üstünde yürümek: **to form ~s,** (*ask.*) dörder olm.: **open to the ~ winds,** her yana açık. **four-handed,** dört elli; dört kol (iskambil). **four-in-hand,** dört atlı araba. **four-master,** dört direkli gemi. **four-poster,** dört direkli karyola, perde ile kuşatılmış büyük karyola. **four-seater,** dört kişilik otomobil vs. **four-square,** muhkem, yerinden oynamaz; oturaklı.
fourfold [ˈfoofould]. Dört katlı, dört misli.
fourscore [ˈfooskoo*]. Seksen.
foursome [ˈfoosəm]. İki çift tarafından oynanan 'golf' oyunu.
fourteen [fooˈtiin]. On dört. **~th,** on dördüncü.
fourth [fooθ]. Dördüncü; dörtte bir.
fowl [faul]. Tavuk; kuş. **to keep ~s,** kümes hayvanları beslemek: **wild ~,** avlanacak su kuşları. **fowl-house,** tavuk kulübesi. **fowl-run,** kümes. **~er,** kuş avcısı. **~ing,** kuş avcılığı. **fowling-piece,** (*esk.*) av tüfeği.
fox [foks]. Tilki; kurnaz adam. Kurnazlık etm., aldatmak; kitab sahifelerini lekelemek. **~glove** (*Digitalis*) yüksükotu. **~tail,** tilki kuyrugu; bir nevi çimen. **~y,** tilki gibi; kurnaz; (kâğıd) lekeli; (saç) kızıl. **fox-hound,** tilki avına mahsus bir nevi zağar. **fox-hunting,** tilki avı. **fox-terrier,** bir cins küçük köpek.
foyer [ˈfwaje]. (Tiyatrolarda) medhal, antre.
fraction [ˈfrakʃn]. Küçük parça; kırma, kırılma; kesir. **in the ~ of a second,** bir anda. **~al,** kesirlere aid.
fractious [ˈfrakʃəs]. Ters, huysuz; (at) harın, âsi; dikkafalı.
fracture [ˈfraktʃə*]. Kırma; kırık. Kırmak, kırılmak; çatla(t)mak. **to set a ~,** kırığı (yerine oturtup) sarmak.
fragil·e [ˈfradʒail]. Kolay kırılır; nazik, cılız, çelimsiz, çıtkırıldım; gevrek. **~ity** [–ˈdʒiliti], kolay kırılabilme, gevreklik.
fragment [ˈfragmənt]. Küçük parça, kıta. **~ary** [–ˈmentəri], parçalı, parça halinde; bölük pürçük. **~ation** [–ˈteiʃn], (**shell**) parça tesiri.
fragran·ce [ˈfreigrəns]. Güzel koku. **~t,** güzel kokulu.
frail [freil]. Nahif, çelimsiz; kolay kırılır; günaha kolay girer. **~ty,** çelimsizlik, zaaf; manevî zaaf.
frame[1] [freim] *n.* Çerceve; çatı; yapı; iskelet; kaburga; vücud; süve; gergef; usul, sistem; nebatat camekânı. **~ of mind,** ruhî halet.
frame[2] *vb.* Çerçevelemek; tertib etm., kurmak; taslağını yapmak. **how is the new apprentice framing?,** yeni çırak işe alışıyor mu? **frame-up,** danışıklı döğüş; birini suçlu göstermek için kurulan kumpas.
framework [ˈfreimwəək]. Çatı; gemi yahud bina kafesi; iskelet.
franc [frank]. Frank.
France [fraans]. Fransa.
franchise [ˈfrantʃaiz]. İntihabatta seçim hakkı.
francolin [ˈfrankəlin]. Durac.
francophile [ˈfrankoufil]. Fransız tarafdarı.
frank[1] [frank] *a.* Açık sözlü, samimî. **~ly,** dobra dobra, açıkça: **~ (speaking),** açıkçası, doğrusu. **~ness,** açık sözlülük, samimiyet.
frank[2] *vb.* Mektubun ücretsiz gitmesi için veya ücretinin peşin verilmiş olduğunu göstermek için damga vurmak.
frankincense [ˈfraŋkinsens]. Günlük, buhur.
frantic [ˈfrantik]. Çılgınca heyecanlanmış, mütehevvir; çılgın

frap [frap]. (*den.*) Sıkıca bağlamak.
fratern·al [frəˈtəənl]. Kardeşçe; kardeşler arasındaki. **~ity,** kardeşlik; uhuvvet; dostların cemiyeti. **~ize** [ˈfratənaiz], kardeş gibi görüşmek, dostluk etmek.
fratricid·e [ˈfratrisaid]. Kardeşini öldürme; kardeş kaatili. **~al** [–ˈsaidl], kardeş kaatilliğine aid.
fraud [frood]. Hile, hilekârlık; suiniyet; sahtekâr; müzevir; (*kon.*) katakulli; umulduğu gibi çıkmıyan. **a pious ~,** sahte dindar, mürai.
fraudulen·t [ˈfroodjulənt]. Hileli, düzenbaz. **~ conversion,** ihtilâs. **~ce,** hilekârlık, tezvir.
fraught [froot]. **~ with,** ···le yüklü, dolu. **~ with danger,** pek tehlikeli.
fray[1] [frei] *n.* Arbede, kavga; muharebe, savaş. **eager for the ~,** kavgaya hazır.
fray[2] *vb.* Tarazlan(dır)mak; aşınmak. **~ed nerves,** yıpranmış sinirler.
frazzle [ˈfrazl]. (*kon.*) **to beat to a ~,** birini (bir oyunda) adamakıllı yenmek.
freak [friik]. Acibei hilkat; garibe; kapris; çılgınlık. **~ religion,** Mormonluk vs. gibi garib bir din. **~ish,** acayib, delice, garibe nevinden.
freckle [ˈfrekl]. Çil. Çillendirmek. **~d,** çilli.
free[1] (frii) *vb.* Serbest bırakmak; azad etm.; kurtarmak; tahliye etm.; salıvermek.
free[2] *a.* Serbest; hür; bağlı olmıyan; azade; ücretsiz, meccanî; mecburî olmıyan, ihtiyarî: meşgul olmıyan; serbes ve kolayca akan veya hareket eden. **~ly,** ihtiyarî olarak; bolca; açıkça, serbestçe: **~ from [of],** ···den muaf, ···siz, ···den âri: **~ on board (f.o.b.),** vapurda teslim: **to break ~ from,** kendini ···den kurtarmak: **~ and easy,** teklifsiz, babayani; laübali: **as a ~ gift,** meccanen, hediye olarak: **to have a ~ hand,** istediği gibi harekette serbest olm.: **to give s.o. a ~ hand,** tam serbestlik, salâhiyet vermek: **to be ~ with one's hands,** elile hemen vurmağa mütemayil olm.: **to be ~ of s.o.'s house,** birinin evine serbestçe girip çıkmak: **~ imports,** gümrük resmine tâbi olmıyan idhalât: **~ love,** nikâhsız yaşama: **to make ~ with s.o.,** birisile laübali olm.: **to make ~ with stg.,** (bir şeyi sarfederken) önünü arkasını düşünmemek: **to be ~ with one's money,** eli açık olm.: **~ on rail (f.o.r.),** trende teslim: **to set ~,** serbest bırakmak; azadetmek; salıvermek; kurtarmak: **~ trade,** serbest mübadele: **~ will,** iradei cüz'iye: **to do stg. of one's own ~ will,** bir şeyi kendi iradesile yapmak. **free-born,** hür doğmuş. **free-hand,** serbest el ile çizilen (kroki vs.). **free-handed,** eli açık, cömert. **free-lance,** müstakil gazeteci. **free-thinker,** serbest fikirli. **free-thought,** serbest fikir, hür düşünce. **free-wheel,** bisikletin pedallara tâbi olmıyan serbest tekerleği; serbest tekerlekli; bisiklet üzerinde pedal çevirmeden gitmek.
freeboard [ˈfriibood]. Borda sathı.
freebooter [ˈfriibuutə*]. Korsan.
freedom [ˈfriidəm]. Hürriyet; serbestlik, azadelik; istiklâl; muafiyet; açıklık. **~ of speech,** söz hürriyeti: **~ of a city,** bir şehrin fahrî hemşeriliği.
freehold [ˈfriihould]. Mülk (olan). **~er,** mülk sahibi.
freeman, *pl.* **-men** [ˈfriimən]. Hür adam (köle olmıyan); hemşeri.
freemartin [ˈfriimaatin]. Birisi erkek birisi dişi olan ikiz buzağıların kısır dişisi.
freestone [ˈfriistoun]. Kesme; gre.
freez·e (**froze, frozen**) [friiz, frouz, frouzn]. Donmak; dondurmak. **It is ~ing,** hava pek soğuk; donuyor: **to ~ the blood (in one's veins)** tüylerini ürpertmek, dehşet içinde bırakmak; **to ~ on to stg.,** (*arg.*) bir şeyi kendine mal etm.: **to ~ out,** (*arg.*) istiskal ederek savmak. **~ing,** çok soğuk; donma; don. **freezing-point,** donma noktası. **freezing-mixture,** soğutucu mahlut.
freight [freit]. Navlun; yük, hamule. (Gemiyi) yükletmek; yük için kiralamak. **~age,** navlun; navlun ücreti; hamule. **~er,** şilep. **freight-car,** (*Amer.*) yük vagonu.
French [frentʃ]. Fransız; fransızca. **~ chalk,** terzi sabunu; talk tozu: **to take ~ leave,** izinsiz gitmek, sıvışmak: **~ window,** pencereli kapı, balkon kapısı. **french-polish,** alkol ile cilâ.
Frenchman, *pl.* **-men** [frentʃmən]. Fransız; kızıl ayaklı keklik.
frenz·ied [ˈfrenzid]. Çılgın; pek öfkeli. **~y,** çılgınlık; tehevvür.
frequency [ˈfriikwənsi]. Sık sık olma; tekerrür; frekans.
frequent[1] [ˈfriikwənt] *a.* Mükerrer; sık sık olan. **~ly,** çok defa, ikide bir.
frequent[2] [frəˈkwent] *vb.* (Bir yere) sık sık gitmek; dadanmak; devam etmek. **~ed,** ayaküstü, işlek.
fresco [ˈfreskou]. Renkli duvar resmi; fresk.
fresh [freʃ]. Taze; körpe; taravetli; yaş; yeni, başka; (at) azgın; (su) tatlı; acemi; yeni gelen; biraz küstah. Suyun yükselmesi. **to let some ~ air into a room,** odayı havalandırmak: **to get some ~ air,** bir az hava almak: **a ~ breeze,** serin rüzgâr; tatlı sert rüzgâr: **as ~ as a daisy,** terütaze: **a youngster (just) ~ from school,** çiçeği burnunda bir lise mezunu: **~ butter,** tuzsuz

tereyağı: **in the ~ of the morning,** sabahın serinliğinde. **fresh-coloured,** renkli ve sıhhatli (yüz). **fresh-killed,** yeni kesilmiş.
freshen [ˈfreʃn]. Tazeleştirmek; taravet vermek; canlandırmak; (rüzgâr) sertleşmek.
freshet [ˈfreʃit]. Yağmur seli.
freshman, *pl.* **-men** [ˈfreʃmən]. Üniversitede:- birinci sınıf talebesi.
freshness [ˈfreʃnis]. Tazelik; körpelik; taravet; acemilik; (rüzgâr) sertlik.
freshwater [freʃˈwootə*]. Tatlı suya aid.
fret[1] [fret]. Köşeli yunan nakşı. Bu nakış veya oyma ile süslemek. **fret-saw,** oyma testeresi, kil testere.
fret[2]. Kemirmek; aşındırıp yol açmak; rahatsız etm., içine derd olm.; kendini yemek; küçük dalgalarla akmak. Kendini yeme, endişe, merak. **to ~ and fume,** sabırsızlanıp öfkelenmek. **~ful,** şikâyetçi; ters, huysuz (çocuk).
fretwork [ˈfretwəək]. Kafes gibi oyma.
friable [ˈfraiəbl]. Gevrek; kolayca toz haline getirilebilir.
friar [ˈfraiə*]. Katolik keşişi. **~'s balsam,** aselbend mahlûlü. **~y,** manastır.
fricassee [frikaˈsii]. Salçalı yemek veya yahni (yapmak).
friction [ˈfrikʃn]. Sürtünme; delk; oğma; friksiyon; uyuşmamazlık, atışma.
Friday [ˈfraidi]. Cuma. **Good Friday,** paskalyadan evvelki cuma.
fried *bk.* **fry. ~ eggs,** sahanda yumurta.
friendless [ˈfrendlis]. Ahbabsız; kimsesiz.
friendly [ˈfrendli]. Kanısıcak, sokulgan; munis; dostça; dosta yakışır. **~ society,** yardımlaşma cemiyeti: **~ wind,** müsaid rüzgâr.
friendship [ˈfrendʃip]. Dostluk, ahbablık.
frieze[1] [friiz]. Boydan boya şerid halinde duvar nakışı, friz.
frieze[2]. Bir yüzü havlı olan kaba yün kumaş.
frigate [ˈfrigit]. Firkateyn.
fright [frait]. Âni korku; (*arg.*) gülünc veya çirkin kimse, Düttürü Leylâ; korkuluk. **to be in a ~,** korku içinde olm.: **to give s.o. a ~,** birini birdenbire ürkütmek; birine gözdağı vermek; korkutmak: **to take ~,** ürkmek: **what a ~ she looks in that hat!,** o şapka ile ne gülünc görünüyor!
frighten [ˈfraitn]. Korkutmak; ürkütmek; gözdağı vermek. **to ~ away [off],** korkutup kaçırmak: **to ~ s.o. into doing stg.,** birini korkutup bir şey yaptırmak: **to ~ s.o. out of his wits,** birinin ödünü koparmak. **~ed,** korkmüş, korku içinde: **to be ~ of [at],** ···den korkmak: **to be ~ to death,** korkudan ödü patlamak.
frightful [ˈfraitfəl]. Korkunc; müdhiş, dehşetli. **I'm ~ly sorry,** (*kon.*) aman affedersiniz, çok müteessirim. **~ness,** tedhiş, dehşet.
frigid [ˈfridʒid]. Soğuk, barid. **~ity,** soğukluk.
frigorific [frigəˈrifik]. Soğutucu.
frill [frill]. Kırmalı yakalık; (kuş) tüylü saçak; (*kon.*) faydasız süs; eda.
fringe [frindʒ]. Saçak, sayvan; kenar. Saçak takmak; kenarında bulunmak.
frippery [ˈfriperi]. Âdi ziynet, değersiz süs.
frisk [frisk]. **~ (about),** sıçrayarak oynamak: **to ~ its tail,** (at) kuyruğunu sallamak. **~y,** oynak, oyuncu; şetaretli. **~iness,** oynaklık; şetaret.
fritillary [friˈtiləri]. (*Fritillaria meleagris*) Tuğu şahı. Birçok damalı kelebeklere verilen isim.
fritter[1] [ˈfritə*] *n.* Dilim dilim kızartılmış elma vs.
fritter[2] *vb.* **~ away,** parça parça doğramak; azar azar israf etmek.
frivol [ˈfrivl]. Değersiz şeylerle vakit geçirmek; saçmalamak. **~ous,** hafifmeşreb, vekarsız, havai. **~ity** [–ˈvoliti], havailik, hafifmeşreblik.
frizz, frizzle[1] [friz, ˈfrizl]. Saç kıvırmak. Kıvırcık saç.
frizzle[2]. Kızarken cızırdamak; cızırdatarak kızartmak.
frizzy [ˈfrizi]. Kıvırcık.
fro [frou]. **to and ~,** şuraya buraya; öteye beriye.
frock [frok]. Kadın veya çocuk elbisesi; papaz lâtası; (*esk.*) amele gömleği. **frock-coat,** redingot.
frog[1] [frog]. Kurbağa. **frog-march,** dört kişi bir adamı yüzükoyun taşımak. **frog-spawn,** kurbağa yumurtası.
frog[2]. (At) tırnak içi.
frog[3]. Demiryol makas göbeği.
frog[4]. Toka; çapraz. **~ged,** iliklerle düğmeler arasına yapılan sırmalı ve çapraz şeridlerle süslenmiş.
frolic [ˈfrolik]. Gülüp oynama(k); oynayıp sıçramak. **~some,** oynak, şetaretli.
from [from]. ···den. **~ my father,** babamdan: **~ ignorance,** cehaletten: **~ what I heard,** işittiğime göre: **~ childhood,** çocukluktan beri.
frond [frond]. Eğreltiotu veya hurma ağacı yaprağı.
front[1] [frʌnt] *vb.* Karşısında durmak; teveccüh etm.; (ev vs.nin) önünü kaplamak. **to ~ s.o. with s.o.,** birini başka birisile yüzleştirmek.
front[2] *n.* Ön; cebhe; saha; yüz; yüzsüzlük. *a.* Öndeki; cebheye aid. **~ to ~,** yüz yüze: **in ~,** önde: **in ~ of,** önünde; karşısında: **to put a bold ~ on it,** cesur görünmek;

cesaret taslamak: **to come to the ~,** ön plâna gelmek; öne gelmek: **to have the ~ to do stg.,** bir şey yapmağa cüret etm., küstahlıkta bulunmak: **a house on the ~,** deniz [göl, nehir]e karşı ev: **~ room,** sokak üstündeki oda; evin önündeki oda: **the sea [lake] ~,** deniz [göl] kenarı. **front-door,** sokak kapısı; ön kapı. **front-view,** önden görünüş. **front-line, ~ soldiers [trenches],** cebhe hattı askeri [siperleri].

frontage [ˈfrʌntidʒ]. (Bina vs.) cebhe, yüz.

frontal [ˈfrʌntl]. Alna aid. **~ attack,** cebheden taarruz.

frontier [ˈfrʌntiə*]. Hudud; sınır; serhad. **~sman,** hudud üzerinde yaşıyan kimse.

frontispiece [ˈfrʌntispiis]. Kitabın ilk sahifesine konan resim.

frost [frost]. Ayaz, kırağı, don; (*arg.*) muvaffakiyetsizlik. Kırağı ile kaplamak; ayazlatmak; (saç) ağartmak; şekerle kaplamak; (cam) buzlu yapmak. **white ~,** kırağı: **black ~,** kırağısız şiddetli soğuk: **Jack Frost,** şahıslaştırılan kırağı. **~bite,** bir uzvun donması, ayazlama. **~bitten,** (uzuv) donmuş; ayazlamış. **~y,** ayazlı; kırağılı: **a ~ reception,** soğuk bir kabul. **frost-shoe,** kayar.

froth [froθ]. Köpük; lüzumsuz ve manasız sözler; Köpürmek. **to ~ over,** köpürerek taşmak. **~y,** köpüklü.

froward [ˈfrouwəd]. (*esk.*) Muannid; mütemerrid, serkeş.

frown [fraun]. Kaş çatma(k); surat asma(k). **to ~ upon stg.,** hoş görmemek, takbih etmek. **~ing,** abus, asık suratlı.

frowst [fraust]. Pencereleri kapalı ve sıcak bir odanın havasızlığı. Böyle bir odada oturmak. **~y,** sıcak, havasız ve pis kokulu.

frowzy [frauzi]. Pasaklı, hırpani; küf kokulu.

frozen [ˈfrouzn]. *bk.* **freeze.** *a.* Donmuş. **~ assets,** nakte kolay çevrilemiyen mal.

fructify [ˈfrʌktifai]. Meyva vermek; müsmir etmek.

frugal [ˈfruugl]. Tutumlu, idareli; sade; bol olmıyan. **~ity** [–ˈgaliti], tutum; tokgözlülük; (yemek) sade ve az olma.

fruit [fruut]. Meyva, yemiş; netice, semere; kâr. **the ~s of the earth,** toprağın mahsulleri: **stone ~,** çekirdekli meyvalar. **~erer,** manav, yemişçi. **fruit-cake,** kuru üzüm veya kuşüzümü ile yapılan kek.

fruitful [ˈfruutfəl]. Meyvalı; mahsullü, müsmir; verimli; velûd.

fruition [fruˈiʃn]. Merama nail olmaktan duyulan zevk; nail olma; mazhar olma. **to come to ~,** semere vermek.

fruitless [ˈfruutlis]. Neticesiz; beyhude; akim.

fruity [ˈfruuti]. Meyva lezzetli.

frump [frʌmp]. Kılıksız eski zaman kadını. **~y, ~ish,** fena ve eski moda giyinmiş.

frustrat·e [frʌsˈtreit]. İşini bozmak; engel olm; ibtal etmek. **~ion,** menedilme, ibtal; hüsran.

fry¹ [frai]. Tavada kızartma(k), kavurma(k). Kasablık hayvanın karaciğer, böbrek vs.si.

fry². Yavru balık. **small ~,** ufak tefek hayvanlar; çolukçocuk; ehemmiyetsiz kimseler.

frying-pan [ˈfrai·iŋˈpan]. Tava. ⌜**out of the ~ into the fire**⌝, ⌜yağmurdan kaçarken doluya tutulmak⌝.

fuchsia [ˈfjuuʃə]. Küpeçiçeği.

fuddle [ˈfʌdl]. Zihnini bulandırmak. **~d,** çalırkeyf; sersemlemiş.

fudge¹ [fʌdʒ]. Yarım yamalak yapmak; uydurmak; tahrif etmek. Saçma lâkırdı.

fudge². Şeker süt ve tereyağından yapılmış bir nevi şekerleme.

fuel [fjuəl]. Yakılacak şey; mahrukat; ‖ yakıt; benzin; tahrik edecek şey. Mahrukat almak veya tedarik etmek. **to add ~ to the flames,** yangına körükle gitmek: **liquid ~,** ‖ akar yakıt. **fuel-pump,** benzin pompası; (dizel) püskürme pompası.

fug [fʌg]. Sıcaktan ve havasızlıktan hâsıl olan kasvetli hava.

fugaci·ous [fjuˈgeiʃəs]. Çabuk zeval bulan, geçici, fanî. **~ty** [–ˈgasiti], fanilik, kısa hayatlılık.

fuggy [ˈfʌgi]. Sıcaktan ve havasızlıktan kasvetli olan.

fugitive [ˈfjuudʒitiv]. Kaçak, firari; fanî; mülteci; kaçıcı; süreksiz.

fugue [fjuug]. Bazı melodilerin arasıra tekerrür ettiği beste.

fulcrum [ˈfʌlkrəm]. Manivelâ mesnedi, destek noktası.

fulfil [fulˈfil]. Yerine getirmek, icra etm., ifa etm., tahakkuk etm.; tamamlamak; gidermek. **~ment,** yerine getirme, icra, infaz, ikna.

fuliginous [fjuˈlidʒinəs]. İsli, dumanlı.

full¹ [ful] *vb.* (Kumaş) çırpmak.

full² *a.* Dolu, dolgun; tam; bütün; tok; bol. **~y,** tamamen, tamamiyle, büsbütün, kâmilen. **of ~ age,** yirmi bir yaşına girmiş: **~ brother [sister],** öz kardeş: **~ and bye,** yelkenleri kapatmamak şartile orsaya yakın: **to have one's hands ~,** başında çok iş olm.: **he is very ~ of himself,** hep kendinden bahseder: **I waited two ~ hours [a ~ two hours],** tam iki saat bekledim: **in ~,** tamamen: **name in ~,** (ismin ilk harfleri değil) tam isim: **~ lips,** dolgun dudaklar: **~ many a,** çok, nice: **it's a ~ three miles,** en aşağı üç mil uzaktır: **the**

~ **of the moon,** dolun ay, bedir: **everyone is ~ of the news,** bu havadisten başka bir şeyden bahsetmiyorlar: ~ **session** [**meeting**], umumî ictima: ~ **stop,** nokta: **to come to a** ~**stop,** tamamen durmak: **to the** ~; tamamile: ~ **up,** dop dolu, komple: ~ **well,** epeyi. **full-back,** (futbol) müdafi. **full-blooded,** (i) öz, cins; (ii) dinç, gürbüz; (iii) demevî. **full-blown,** tamamen açılmış (çiçek): **a** ~ **doctor,** tahsilini bitirmiş (tam) doktor. **full-bred,** cins; safkan. **full-dress,** büyük üniforma, resmî elbise: **a** ~ **rehearsal,** baştan başa (tam) prova: **a** ~ **debate,** Parlamentoda fevkalâde müzakere. **full-length** (**portrait**), tam boy. **full-page** (**illustration**), bütün sahifeyi kaplıyan. **full-rigged,** üç direkli kabasorta donanımlı (gemi). **full-sized,** tabiî büyüklükte; tam boy. **full-time, a** ~ **job,** (insanın) bütün vaktini alan iş.

fuller [ˈfulə*]. Kassar, çırpıcı. ~**'s earth,** kil.

fullness [ˈfulnis]. Doluluk, dolgunluk; bolluk. **in the** ~ **of time,** zamanı gelince; gel zaman git zaman.

fully [ˈfuli]. Tamamen; tamamile; büsbütün; kâmilen. **fully-fashioned,** ayağa uyan bir şekilde örülmüş (çorab).

fulminate [ˈfʌlmineit]. Şimşek gibi çakmak; patla(t)mak; (*mec.*) ateş püskürmek. Patlayıcı madde.

fulsome [ˈfulsəm]. Mide bulandıracak kadar, müfrit, aşırı.

fulvous [ˈfʌlvəs]. Kızılımsı sarı, koyu sarı.

fumble [ˈfʌmbl]. Beceriksizce yapmak; bir topu tutmağa çalışırken beceriksizce düşürmek. **to** ~ **for stg.,** el yordamıyla aramak, araştırmak: **to** ~ **for words,** kekelemek, lâkırdısı diline dolaşmak.

fume [fjuum]. Bazı maddelerden çıkan pis kokulu ve muzir duman, gaz, buhar; öfke. Tütsülemek; tütsü ile karartmak; fena gaz veya duman çıkarmak; hiddetlenmek.

fumigate [ˈfjuumigeit]. Tütsülemek; tebhir etm.; gaz ile dezenfekte etmek.

fumitory [ˈfjuumiteri]. (*Fumaria officinalis*) Şahtere.

fun [fʌn]. Eğlence, zevk; şakraklık, neş'e; alay, şaka. **in** ~, **for** ~, şaka olarak: ~ **fair,** bayram yeri: **he is full of** ~, çok neş'eli ve tuhafdır: **it was great** ~, çok eğlenceli oldu: **like** ~ (*arg.*) delicesine: **to make** ~ **of, to poke** ~ **at,** ···ile alay etm.: **it 's poor** ~ **to** ..., tuhaf [eğlenceli] bir şey değil: **to do stg. for the** ~ **of the thing,** bir şeyi zevk [eğlence] için yapmak.

function [ˈfʌŋʃn]. Asıl iş, vazife; maksad; resmî veya hususî merasim; toplantı. İşlemek; iş görmek. ~**al,** vücud azasının vazife ve hareketine aid; iş görür; amelî: ~ **disease,** vücud azasından birinin intizamsızlığı.

functionary [ˈfʌŋʃənəri]. Memur.

fund[1] [fʌnd] *n.* Bir şeye tahsis edilen meblağ; sermaye; stok. ~**s,** para, sermaye; iane, sandık: **the Funds,** devlet eshamı: **to be in** ~**s,** hazır parası olm.: **he has a** ~ **of knowledge on this subject,** bu mevzuda derin malûmatı var: **public** ~**s,** devlet parası: **to start a** ~, iane açmak: **sinking** ~, amortisman, itfa akçası.

fund[2] *vb.* Mütedavil borcları sabit faizli daimî borca tahvil etmek. **we will** ~ **our resources,** paramızı vs. birleştireceğiz.

fundament [ˈfʌndəmənt]. Esas; temel; kıc. ~**al** [–ˈmentl], esasî, aslî; başlıca, bellibaşlı. ~**als,** esaslar, en bellibaşlı noktalar.

funeral [fjuunərəl]. Cenaze alayı; tedfin. **at a** ~ **pace,** ağır ağır yürüyerek: **that 's your** ~**!,** (*kon.*) sen bilirsin, keyfine!, ben karışmam!

funereal [fjuˈneriəl]. Mateme ve cenazeye aid; hazin, kasvetli.

fung·us, *pl.* **-uses, -i** [ˈfʌŋgəs, -gəsəs, -gai]. Mantar. ~ **towns,** mantar gibi peyda olan şehirler. ~**oid,** mantara benzer. ~**ous,** mantara aid; ansızın peyda eden fakat süreksiz.

funicular [fjuuˈnikjulə*]. Kablo ile işliyen (demiryolu).

funk [fʌnk]. (*kon.*) Korku; korkak. ···den korkmak. **to be in a** (**blue**) ~, çok korkmak.

funnel [ˈfʌnl]. Huni; vapur veya lokomotif bacası; huni şeklinde boru.

funn·y [ˈfʌni]. Tuhaf; eğlenceli; komik, güldürücü; gülünc; nükteli, mizahî; garib, acayib. **he 's a** ~ **fellow,** tuhaf [acayib] bir adamdır: **none of your** ~ **tricks!,** dalavere istemem!: **there is something** ~ **about this,** bu iş bir az tuhaf; işin içinde iş var: **I feel rather** ~, (kendimde) bir tuhaflık hissediyorum: ~**ily enough,** işin tuhafı. **funny-bone,** dirsek kemiğinin hassas noktası.

fur [fəə*]. Kürk; hayvan postu; kedi vs.nin tüyü; dil pası. (Dil) paslanmak. **to** ~ **up,** (kazan vs.) kilsî tabaka bağlamak: ~ **and feather,** tavşanlar ve av kuşları: **to make the** ~ **fly,** şiddetli bir kavgaya sebeb olm.; saça saç başa baş kavga etmek. **fur-lined,** içi kürkülü. **fur-trade,** kürkçülük.

furbelow [ˈfəəbilou]. Farbela. ~**s,** kıymetsiz süs, sahte ziynet.

furbish [ˈfəəbiʃ]. ~ (**up**), Silmek; cilâlamak, parlatmak; tazelemek, yeni gibi yapmak.

furcate [fəəˈkeit]. Çatallaşmak.

furious [ˈfjuəriəs]. Kızgın, mütehevvir, gazablı, azgın, kudurmuş. **to be** ~ **with s.o.,** birine fena halde kızmak.

furl [fəəl]. (Yelken vs.yi) sarmak.

furlong [ˈfəəloŋ]. Bir milin sekizde bir (220 yarda = 201 m.).

furlough [ˈfəəlou]. Sıla, izin. **to go on ~,** sılaya gitmek.
furnace [ˈfəənis]. Ocak, fırın; külhan; cehennem gibi yer. **blast ~,** yüksek fırın.
furnish [ˈfəəniʃ]. Tedarik etm., techiz etm.; döşemek; donatmak; vermek. **~ed house,** döşeli ev: **to be let ~ed,** mobilyası ile [döşemesile] kiralık. **~ings,** döşeme, mefruşat, mobilya.
furniture [ˈfəənitʃə*]. Mobilya; (*tic.*) kapı ve pencere takımları; (*esk.*) at koşumu. **furniture-remover,** ev nakleden müteahhid. **furniture-van,** döşeme nakliye kamyonu.
furred [fəəd]. Kürklü; (dil) paslı; (kazan) kilsî tabaka ile kaplı.
furrier [ˈfʌriə*]. Kürkçü. **~y,** kürkçülük.
furrow [ˈfʌrou]. Sapan izi; tekerlek izi; gemi izi; yüz kırışığı. İz açmak; uzunlamasına izler bırakmak; kırıştırmak. **furrow-slice,** sapanın devirdiği toprak.
furry [ˈfʌri]. Kürk kaplı (hayvan); kürk gibi; kaba ve yumuşak tüylü.
further [ˈfəəðə*]. *bk.* **farther**; daha; fazla; ötedeki; daha çok, daha ileri; yeni; dahası var, bundan başka. İlerletmek; kolaylaştırmak. **I did not pursue the matter ~,** bunun üzerinde fazla durmadım: **'awaiting your ~ orders',** (*tic.*) yeni siparişlerinizi bekliyerek: **I'll see you ~ first!,** cehennem ol!; dünyada bunu yapmam!: **until ~ notice,** iş'arı ahire kadar: **without ~ ado,** hemen, tereddüd etmeden; daha fazla merasim yapmadan.
furtherance [ˈfəəðərəns]. Muavenet, ilerletme. **for the ~ of, in ~ of,** ... kolaylaştırmak için, ilerletmek için.
furthest [ˈfəəðist]. *bk.* **farthest.**
furtive [ˈfəətiv]. Sinsi; hırsızlama; kaçamaklı; el altından. **to cast ~ glances at,** göz ucuyla bakmak.
furuncle [fjuurənkl]. Bir nevi çıban.
fury [ˈfjuuri]. Kızgınlık, gazab; hiddet, şiddet; kudurma; tehevvür; azgınlık. **in a ~,** gayet öfkeli: **to work like ~,** domuzuna çalışmak.
furze [fəəz]. Karaçalı.
fuse[1] [fjuuz] *n.* (Mermi, bomba vs.) tapa; (*elek.*) sigorta; fitil. **fuse-box,** sigorta kovanı. **fuse-wire,** sigorta teli.
fuse[2] *vb.* Eritmek; erimek; birleştirmek. **the light has ~d,** elektriğin sigortası yandı.
fusee [fjuˈzii]. Rüzgârlı havada sönmiyen kibrit.
fuselage [ˈfjuuzəlaaʒ]. Uçak çatısı.
fusible [ˈfjuuzəbl]. Erir; eritilebilir.
fusilier [fjuuzəˈliə*]. (*esk.*) Tüfekli piyade; bazı ingiliz alaylarına verilen isim.
fusillade [fjuzəˈleid]. Devamlı silâh ateşi. **a ~ of questions,** sual yağmuru.
fusion [ˈfjuuʒn]. Erime, eritme; birleşme.
fuss [fʌs]. Lüzumsuz gürültü veya faaliyet; sebebsiz telâş. Lüzumsuz yere telaşlanmak; ince eleyip sık dokumak. **to make [kick up] a ~,** mesele çıkarmak: **to make a ~ about stg.,** bir şeyi mesele yapmak: **to make a ~ of s.o.,** birinin üzerine titremek [çok düşmek]; birini lüzumundan fazla ağırlamak. **to ~ about [around],** sağa sola titizlenmek, durmadan mesele çıkarmak: **to ~ over s.o.,** birinin üzerine titremek. **~y,** ince eleyip sık dokunan, titiz; fazla meraklı.
fustian [ˈfʌstiən]. Kaba pamuklu kadife; dimi; tumturak.
fustigate [ˈfʌstigeit]. (*şak.*) Sopa atmak.
fusty [ˈfʌsti]. Küf kokulu; köhne.
futil·e [ˈfjuutail]. Beyhude, abes; vâhi **~ity** [–ˈtiliti], beyhudelik, abes.
future [ˈfjuutʃə*]. İstikbal, gelecek zaman: ati. Müstakbel, gelecek.
futurism [ˈfjuutʃərizm]. San'at, edebiyat, musiki vs.de ananevî usullere aykırı bir yol tutan bir hareket.
futurity [fjuˈtjuuriti]. İstikbal.
fuze *bk.* **fuse.**
fuzz [fʌz]. Hafif kıl veya hav. **~y,** kabarık saçlı, kıvırcık; bulanık; hayal meyal. **fuzzy-wuzzy,** sudanlı kıvırcık saçlı muharib.

G

G [dʒii]. G harfi; (*mus.*) sol notası.
gab [gab]. Palavra; ağız; cerbeze. **to have the gift of the ~,** çenebaz olmak.
gabble [ˈgabl]. (*ech.*) Kaz gibi ses çıkarma(k); çabuk ve anlaşılmıyacak şekilde konuşma(k); lâklâk.
gaberdine [ˌgabəˈdiin]. Cüppe; gabardin.
gable [ˈgeibl]. **~ (-end),** damın müselles şeklinde olan yanı. **~d,** yüzü müselles şeklinde olan.
gaby [ˈgeibi]. Safdil.
gad [gad]. **to ~ about,** eğlence peşinde gezmek.
Gad. By ~! Allah hakkı için!
gadabout [ˈgadəbaut]. Hovarda; avare; serseri.
gad-fly [ˈgadflai]. At veya sığır sineği.
gadget [ˈgadʒit]. Hünerli küçük bir âlet.
Gael [geil]. İskoçyalı Kelt. **~ic,** iskoç dili; (*bazan* İrlanda dili).

gaff [gaf]. Balıkçı kancası; (*den.*) giz. Balığı kanca ile tutmak. **to blow the ~,** (*arg.*) sırrı meydana çıkarmak.
gaffer [ˈgafə*]. İhtiyar köylü, babalık; amele başı.
gag [gag]. Bağırmaktan men için veya ameliyat esnasında ağzı açık bulundurmak için ağıza tıkılan şey; (parlamentoda) müzakereye nihayet verme; tuluat kabilinden söz veya hareket. Ağıza bir şey tıkamak; susturmak.
gage [geidʒ]. Rehin, teminat; (*esk.*) duelloya davet için atılan eldiven vs. Rehin olarak vermek. **to throw down the ~ to s.o.,** birine meydan okumak.
gaggle [ˈgagl]. (*ech.*) Kaz gibi ötmek.
gaiety [ˈgeiəti]. Şenlik, şetaret; neş'e; eğlenti.
gaily *bk.* **gay.**
gain [gein]. Kazanc, kâr; artırma. Kazanmak, elde etm.; kâr etm.; ···e varmak, ···e erişmek. **to ~ ground,** ilerlemek; alıp yürümek: **to ~ on a competitor,** rakibine yaklaşmak veya ondan daha ileri gitmek: **a bad habit ~s on one,** fena bir itiyad gittikçe kökleşir: **to ~ on one's pursuers,** kendisini takib edenlerden uzaklaşmak: **to ~ s.o. over,** birini ikna ederek kazanmak: **I have ~ed five pounds this month,** (i) bu ay beş lira kazandım; (ii) bu ay beş libre (2 kilo) aldım (semirdim): **to ~ strength,** kuvvetlenmek, kuvvet bulmak: **to ~ the upper hand,** üstün gelmek: **this watch ~s ten minutes a day,** bu saat her gün on dakika ileri gider: **to ~ weight,** kilo almak; ehemmiyet kazanmak.
gainful [ˈgeinfl]. Kârlı.
gainings [ˈgeiniŋs]. Kazanclar, kârlar.
gainsay (**gainsaid**) [geinˈsei, –ˈsed]. İnkâr etmek.
gait [geit]. Yürüyüş; gidiş, reftar.
gaiter [ˈgeite*]. Getr; tozluk. **spring ~,** (*otom.*) yay kılıfı.
gala [ˈgaalə]. Büyük şenlik; resmî ziyafet, galâ.
galantine [ˈgalanˈtiin]. Donmuş paça şeklinde pişirilen tavuk veya dana eti.
galaxy [ˈgalaksi]. Kehkeşan; seçkin zevattan mürekkeb toplantı.
gale [geil]. Kuvvetli rüzgâr; fırtınaya yakın rüzgâr.
galeeny [gaˈliini] bk. **guinea-fowl.**
Galen [ˈgeilən]. Meşhur eski yunan hekimi, Calinos.
gall[1] [gool]. Safra; çok acı şey; kin. **pen dipped in ~,** zehirli kalem: **it was ~ and wormwood to him,** bu ona çok acı geldi. **gall-bladder,** safra kesesi. **gall-stone,** safra kesesinde taş.
gall[2]. Ağaclarda böceklerden hasıl olan şiş. **gall-apple, gall-nut,** mazı.
gall[3]. Yağır. Yağır yapmak; sürünerek yara etm.; incitmek, taciz etmek.
gallant [ˈgalənt]. Yiğit, şeci; muhteşem. [gəˈlant] Kadınlara karşı fazla nazik; âşık. **~ry** [ˈgaləntri], yiğitlik, şecaat; kadınlara karşı fazla nezaket gösterme.
galleon [ˈgaljən]. Kalyon.
gallery [ˈgaləri]. Dehliz; üstü kapalı balkon; (tiyatroda) en üst ve ucuz mevki; galeri; paradi; yeraltı yolu. **to play to the ~,** şöhret kazanmak için avama hoş görünmek.
galley [ˈgali]. Kadırga, çektirme; büyük sandal; gemi mutfağı; matbaada dizilen yazıların konmasına mahsus tava. **galley-proof,** tashih provası. **galley-slave,** (*esk.*) kürek mahkûmu.
Gallic [ˈgalik]. Eski Galya'ya aid; fransız. **~ism** [ˈgalisizm], fransızcaya mahsus tabir; fransızcadan aynen tercüme tabir.
gallinaceae [ˈgaliˈnasi·ii]. Tavukgiller.
galling [ˈgooliŋ]. İncitici; güce giden.
gallivant [galiˈvant]. Eğlence peşinde koşmak.
gallon [ˈgalən]. Galon = 4·54 litre.
gallop [ˈgaləp]. Dörtnala koşma(k); pek acele yapmak. **~ing consumption,** çabuk ilerliyen verem. **~er,** atlı yaver.
gallows [ˈgalouz]. Darağacı; idam sehpası. **gallows-bird,** ipten kazıktan kurtulmuş.
galop [ˈgaləp]. Bir nevi dans.
galore [gəˈloo*]. Bol; çok; ibadullah.
galosh [gəˈloʃ]. (*um,*) **~es,** galoş.
galvan·ic [galˈvanik]. Galvanik. **~ize** [ˈgalvənaiz], galvanize etm.; galvanizma yapmak; canlandırmak: **~d iron,** galvanizli demir.
gambit [ˈgambit]. (Satranc oyununda ve *mec.*) daha iyi bir vaziyet kazanmak için kaybedilen el.
gambl·e [ˈgambl]. Kumar; baht işi. Kumar oynamak. **to ~ away stg.,** bir şeyi kumarda kaybetmek. **~er,** kumarbaz: **~ on the Stock Exchange,** acyocu. **~ing,** kumar. **gambling-den,** kumarhane; batakhane.
gamboge [gamˈbuuʒ]. Pek parlak sarı sulu boya, gomagota.
gambol [ˈgambəl]. Zıplama(k), hoplama(k), sıçrama(k).
game[1] [geim]. Oyun; eğlence; hile, dolab; alay, şaka; (*yln. müfred*) av hayvanı, şikâr; av eti. Kumar oynamak. **do you like ~?,** av etini sever misiniz?: **do you like ~s?,** (futbol vs. gibi) oyunları sever misiniz?: **it's all in the ~,** bir işin hem iyi hem fena tarafına razı olmalı, hesabda bu da var: **big ~,** arslan gibi büyük av: **fair ~,** avlanması caiz olan av: **a politiciani s fair ~ for every-**

one, politikacılar herkes için meşru bir hedeftir: **to fly at higher ~**, gözü daha yüksekte olmak: **to have the ~ in one's hands,** vaziyete hâkim olacağından emin olmak: **to have a ~ with s.o.**, birile oyun oynamak; birisine oyun oynamak: **what 's his little ~?**, ne dolab çeviriyor acaba?: **now, none of your little ~s!**, bana oyun oynıyamazsın!: **to beat s.o. at his own ~**, düşmanı kendi oyunile yenmek: **to make ~ of,** alaya almak: **to play the ~**, bir oyunu usule göre oynamak; dürüst hareket etm.: **not to play the ~**, mızıkçılık etm.; pek dürüst hareket etmemek: **to play s.o.'s ~**, birinin ekmeğine yağ sürmek: **a ~s shop,** spor levazımatı mağazası: **to spoil s.o.'s ~**, birinin işini [plânını] bozmak: **two can play at that ~!**, bu oyunu başkaları da bilir!: **the ~ is up!**, hapı yuttuk; yandık! **game-bag,** av çantası. **game-cock,** döğüştürmek için yetiştirilen horoz. **game-licence,** av ruhsatiyesi. **game-preserve,** hususî av korusu.

game² *a.* Gözü pek, cesaretli. **he is ~ for anything,** hiç bir şeyden yüksünmez: **to die ~**, sonuna kadar sebat ve cesaret göstermek. **~ness,** pek gözlülük; sebat.

game³ *a.* Sakat, zedelenmiş. **he has a ~ leg,** bacaklarının biri sakat.

gamekeeper [ˈgeimkiipə*]. Av bekçisi.

gamester [ˈgeimstə*]. Kumarbaz.

gaming [ˈgeimiŋ]. Kumar.

gammon [ˈgamən]. Domuz budu pastırması; saçma. **that's all ~ (and spinach)!**, bu deli saçması.

gamp [gamp]. İhtiyar ve faydasız hastabakıcı veya ebe; battal şemsiye.

gamut [ˈgamət]. En pesten en tize kadar bütün ses perdeleri, gam; tam vüs'at veya imtidad.

gamy [ˈgeimi]. Çeşni vermek için bir az bayatlanmış (av eti).

gander [ˈgandə*]. Erkek kaz. ⌜**what's sauce for the goose is sauce for the ~**⌝, ⌜seninki [onunki] can da benimki can değil mi?⌝ *kabilinden.*

gang¹ [gaŋ]. Avene; güruh; çete; takım, ekip; sürü. beraber işletilen bir takım âletler. **the whole ~**, bütün güruh; ümmet.

gang² *vb.* (İskoç). Gitmek. **gang-board, -plank** (vapurdan yolcu çıkarmak için) iskele.

ganger [ˈgaŋə*]. Amele ekipinin başı, işbaşı.

ganglion [ˈgaŋglijən]. (*tıb.*) Ukde; (*mec.*) kuvvet veya faaliyetin nüvesi.

gangren·e [ˈgaŋgriin]. Yaranın çürümesi, gangren. Gangrenlen(dir)mek. **~ous** [–grənəs], gangrenli.

gangster [ˈgaŋstə*]. Haydud, gangster; Alikıran baş kesen.

gangway [ˈgaŋwei]. Geçid; sıralar arasındaki aralık; (gemide) lumbar ağzı; dehliz; gemiden rıhtıma geçen köprü, asma merdiven. **~!**, destur!

gannet [ˈganit]. (*Sula bassana*) şimalî Atlas Okyanusunda bulunan büyük bir deniz kuşu.

gantry [ˈgantri]. Maçuna veya demiryolu işaretlerini desteklemek için köprü şeklinde bir yapı.

Ganymede [ˈganimiid]. (*mit.*) Jüpiter'in sâkisi; sâki.

gaol [dʒeil]. Hapishane. Hapsetmek. **to break ~**, hapishaneden kaçmak. **gaol-bird,** hapishane kaçkını; sabıkalı. **~er,** zindancı.

gap [gap]. Aralık; fasıla; gedik; açık yer; iki dağ arası; eksiklik. **to fill [stop] a ~**, gedik kapamak; bir eksiği tamamlamak.

gape [geip]. Hayretten ağzı açık kalmak; ağzını açarak alık alık bakmak; esneme(k); ağız gibi açmak. **the ~s,** tavuklarda gırtlak içinde yetişen ufak bir kurddan hasıl olan illet; mütemadi esneme.

gaping [ˈgeipiŋ] *a.* Ağzı açık; dev ağzı gibi açık (uçurum vs.); geniş ve açık (yara).

garage [ˈgaraaʒ]. Garaj. Garaja koymak.

garb [gaab]. Kılık, kıyafet. Giydirmek.

garbage [ˈgaabidʒ]. Hayvanın barsak vs. gibi yenmez kısımlari; süprüntü, pislik, müzahrafat.

garble [ˈgaabl]. Tahrif etmek.

garden [ˈgaadn]. Bahçe; bahçeye mahsus. Bahçevanlık etmek. **common or ~**, alelâde: **kitchen ~**, sebze bahçesi: **winter ~**, kış bahçesi; büyük limonluk. **~er** [ˈgaadnə*], bahçevan. **garden-party,** gardenparti. **garden-stuff,** meyva ve sebzevat.

gargantuan [gaaˈgantjuən]. Dev gibi; koca.

gargle [ˈgaagl]. Gargara(etmek).

gargoyle [ˈgaagoil]. Ekserya insan veya hayvan başına benziyen oluk ağzı.

garish [ˈgeəriʃ]. Çiğ parlak; fazla süslü ve gösterişli.

garland [ˈgaalənd]. (Bazan mükâfat makamına verilen) çiçek veya yapraktan çelenk. Böyle bir çelenk ile süslemek.

garlic [ˈgaalik]. Sarmısak. **a clove of ~**, bir dış sarmısak.

garment [ˈgaamənt]. Elbise parçası.

garner [ˈgaanə*]. Zahire ambarı. Biriktirmek; ambara koymak.

garnet [ˈgaanit]. Lâltaşı.

garnish [ˈgaaniʃ]. Süslemek *ve bilhassa* yemek süslemek.

garniture [ˈgaanitʃə*]. Süş, ziynet.

garret [ˈgarit]. Tavanarası.

garrison ['garisn]. Garnizon. Bir kaleye veya bir şehre asker yerleştirmek. ~ **town,** askerî birliklerin daimî olarak bulunduğu şehir.

garrotte [ga'rot]. Boğarak öldürmek.

garrul·ity [ga'ruuliti]. Gevezelik, çenebazlık. ~**ous** ['garjuləs], geveze.

garter ['gaatə*]. Çorab bağı, dizbağı. **the Garter,** Dizbağı nişanı.

gas [gas]. Gaz; havagazi; (*arg.*) boş lâkırdı; (*Amer. kon.*) otomobilin benzini. Gazlemek. **coal** ~, **lighting** ~, havagazi: **laughing** ~, nitrojenli oksid gazi: **to have** ~, anestezi tatbik olunmak, bayıltılmak: **to step on the** ~, (*Amer.*) otomobili hızlandırmak; gaze basmak. **gas-bag,** gaz zarfı; geveze, tumturaklı konuşan kimse. **gas-burner,** gaz ibiği. **gas-fire,** gaz ocağı. **gas-fitter,** havagazi amelesi, havagazci. **gas-fittings,** havagazi âletleri. **gas-main,** ana gaz borusu. **gas-man,** havagazi memuru. **gas-proof,** gazden masun. **gas-ring,** tek ateşli havagazi ocağı. **gas-works,** gazhane.

gaseous ['geiziəs]. Gaz halinde.

gash [gaʃ]. Uzunca ve derince yara yapmak. Bıçak vs. yarası.

gasify ['gasifai]. Gaz haline koymak.

gasket ['gaskit]. Conta; salmastra.

gasometer [ga'somətə*]. Havagazi deposu, gazometre.

gasp [gaasp]. Hayret veya acıdan nefesini tutma(k); soluksoluğa konuşmak; zorlukla solumak. **to** ~ **for breath,** nefesi kesilmek, nefes nefese olmak: **to give a** ~, korku, hayret vs.den nefesi kesilmek: **to be at one's last** ~, son nefeste olmak, ölüm halinde olm.: **to fight to the last** ~, son nefesine kadar döğüşmek.

gassy ['gasi]. Gazli; gaz gibi.

gast(e)ropod ['gastropod]. Salyangoz gibi ayakları karnında olan hayvan.

gastr·ic ['gastrik]. Mideye aid, midevî. ~ **ulcer,** mide ülseri. ~**itis** [–'traitis], mide iltihabı.

gastrono·me ['gastrənom]. Yemek meraklısı; şikemperver. ~**mic** [–'nomik], şikemperverliğe aid. ~**my,** şikemperverlik; yemek ihtisası.

gate [geit]. Kapalı olmıyan yerler arasında kapı; mânia; giriş; bir maça vs. para ile giren seyirciler; bunlardan alınan para mikdarı. (Mekteb vs.de) bir talebeyi izinsiz bırakmak. **gate-crasher,** (*arg.*) bir maç vs.ye biletsiz veya davetsiz giren kimse. **gate-house,** eski kalelerde veya bahçelerde kapı bekçisinin evi. **gate-keeper,** dış kapı bekçisi. **gate-legged (table),** kanadlı (masa). **gate-money,** maç, at yarışı vs.de alınan duhuliye parasının mecmuu. **gate-post,** bahçe kapısının iki tarafındaki direk.

gateway ['geitwei]. Ev avlusu veya bir meydana giriş yeri; kapı.

gather ['gaðə*]. Toplamak, biriktirmek, devşirmek; toplanmak, birleşmek; artırmak; kavramak, anlamak, sezinmek; hükmetmek; cerahat bağlamak; (alın) buruşturmak; (elbise) pli yapmak. **to** ~ **oneself together (for a spring),** (sıçramak için) gerilmek: **to** ~ **round,** etrafına toplanmak: **to** ~ **speed,** gittikçe hızlanmak: **to** ~ **strength,** (hasta) kuvvetlenmek: **as will be** ~**ed from the enclosed letter,** ilişik mektubdan anlaşılacağı üzere: **a storm is** ~**ing,** bulutlar toplanıyor [fırtına kopacak]: **in the** ~**ing darkness,** gittikçe basan karanlıkta: **to be** ~**ed to one's fathers,** ölmek.

gathered ['gaðəd] *a.* Buruşuk, çatık. **to have a** ~ **finger,** parmağı iltihablanmak.

gathering ['gaðəriŋ]. Toplantı; ictima; toplama; (eteklik vs.) büzme, kırma; iltihab, cerahatli şiş.

gauche [gouʃ]. Savruk, beceriksiz; patavatsız. ~**rie,** patavatsızlık, pot kırma.

gaud·y ['goodi]. Çiğ renkli; zevksizce süslenmiş. ~**iness,** zevksizce bir şekilde süslülük; (renk) çiğlik.

gauge [geiʒ]. Ölçü; miyar; masdar; mikyas; ayar; çap; demiryol rayları arasındaki açıklık; mehengir. Ölçmek; tahmin etmek.

Gaul [gool]. Eski Galya veya Galyalı.

gaunt [goont]. Zayıf ve çökük yanaklı; lâgar; (dağ vs.) yalçın, ıssız, korku veren.

gauntlet ['goontlit]. Zırhlı eldiven; kolçak. **to throw down the** ~, meydan okumak; düelloya davet etm.: **to take up the** ~, meydan okuyanın davetini kabul etm.: **to run the** ~, iki sıra dizilmiş ve değneklerle vuran adamların arasından geçmek; her taraftan gelen hücumlara maruz olmak.

gauz·e [gooz]. Bürümcük, gaz. **wire** ~, eleklik tel örgüsü kumaş. ~**y,** bürümcük gibi.

gave *bk.* **give.**

gavel ['gavl]. Reis veya mezadcı tarafından kullanılan küçük tokmak.

gawk [gook]. Uzun boylu hantal ve beceriksiz kimse. ~**y,** uzun boylu ve hantal.

gay [gei]. Şen, şetaretli; zevk düşkünü; parlak renkli. **a** ~ **dog,** çapkın, hovarda adam: **to lead a** ~ **life,** zevk ve eğlence içinde yaşamak: **to talk gaily about stg.,** bir şeyden dem vurmak; uluorta konuşmak: **a** ~ **woman,** hafifmeşreb kadın.

gaze [geiz]. Gözünü dikerek bakmak; sabit gözlerle bakmak. Devamlı bakış. **to** ~ **at**

[**on, upon**], ···e dikkatle uzun uzun bakmak: **a dreadful sight met his ~**, korkunc bir manzara gözüne ilişti.
gazelle [gəˈzel]. Gazal, ceylan.
gazette [gəˈzet]. Gazete; tâyinleri, terfileri vs. ilân eden resmî gazete. Resmî gazete ile ilân etmek. **~er** [gazəˈtieə*], (*esk.*) gazeteci; coğrafya lûgatı.
gear [giə*]. Şahsî eşya; takım; koşum; levazımat; avadanlık; cihaz, mekanizma; çark tertibatı; (*otom.*) vites; (*den.*) halatlar vs., palanga. Çark dişleri birbirine geçmek. **to ~ up**, vites artırmak: **to ~ down**, vites azaltmak: **in ~**, dişler birbirine geçmiş: **out of ~**, dişler çıkmış: **to throw out of ~**, çark dişlerini birbirinden çıkarmak; bozmak, altüst etm.: **sliding ~** baladör. **gear-box**, vites kutusu. **gear-case**, vites kutusu; karter. **gear-lever**, vites kolu. **gear-wheel**, dişli çark.
-geared [ˈgiəd]. **high-** [**low-**] **~**, döndürücü çark ile dönen çark arasındaki nisbeti şartlara göre büyük [küçük] olan.
gearing [ˈgiəriŋ]. Dişli çark tertibatı.
gee [dʒii]. **~ up!**, deh! **~-~**, (çocuk lisanında) at.
geese. **goose**'*un cemi.*
geisha [ˈgeiʃə]. Japon dansözü.
gelatin·e [dʒelaˈtiin]. Jelâtin. **blasting ~**, dinamit. **~ous** [–ˈlatinəs], jelâtinli, jelâtin gibi.
geld [geld]. İğdiş etmek. **~ing**, iğdiş atı.
gem [dʒem]. Kıymetli taş; mücevher; seçme ve kıymetli şey. **~med**, murassa.
gendarme [ʒonˈdaam]. Jandarma.
gender [ˈdʒendʒ*]. Cins; ismin cinsi.
genealog·y [ˈdʒiiniˈalodʒi]. Neseb, silsile; soy; şecere. **~ist**, şecereci. **~ical** [–lodʒikl], şecereye aid: **~ tree**, şecere.
genera. **genus**'*in cemi.*
general [ˈdʒenərl]. Umumî; hususî olıyan; ekseriyetle olan. General. **in ~**, umumiyetle: **as a ~ thing**, umumî olarak, umumiyetle: **~ officer**, albaydan yukarı rütbede olan zabit: **~ post**, memuriyetler arasında umumî değişiklik: **the ~ reader**, okuyucu kütlesi, halk. **~ly**, ekseriya; umumiyetle; çok zaman.
generalissimo [ˌdʒenərəˈlisimou]. Baş kumandan.
general·ity [ˌdʒenəˈraliti]. Umumilik; ekseriyet; umumî mütalaa. **~ize** [ˈdʒenrəlaiz], umumileştirmek; tamim etmek. **~ization** [–ˈzeiʃn], umumileştirme; tamim.
generalship [ˈdʒenrlʃip]. Generallık; kumanda kabiliyeti.
generat·e [ˈdʒenəreit]. Tevlid etm.; husule getirmek; hasıl etmek. **~ion** [–ˈreiʃn], tenasül; hasıl etme [edilme]; nesil; batın: **the rising ~**, yeni nesil. **~ive** [ˈdʒenərətiv], tenasülî; hasıl edici. **~or** [ˈdʒenəreitə*], müvellid; hasıl edici cihaz; jeneratör.
generic [dʒəˈnerik]. Nev'e aid; umumî.
gener·osity [dʒenəˈrositi]. Cömertlik; alicenablık; bolluk. **~ous** [ˈdʒenrəs], cömert, açık elli; bol; alicenab.
genesis [ˈdʒenisis]. Tevellüd; tekvin; başlangıç. **the Book of Genesis**, Tevrat'ın ilk kitabı.
genial [ˈdʒiinjəl]. Hoş, dostane, sokulgan, güler yüzlü; mülayim; mutedil, müsaid (iklim). **~ity** [–ˈaliti], tatlılık, güler yüzlülük.
genie [ˈdʒini]. Cin.
genital [ˈdʒenitl]. Tenasüle aid. **the ~s, the ~ organs**, tanasül âleti.
genitive [ˈdʒenitiv]. Muzafünileyh.
genius[1], *pl.* **-es** [ˈdʒiinjəs, -iz]. Deha; dâhi; ruh, hususiyet. **to have a ~ for doing stg.**, bir şeyde hususî bir kabiliyet göstermek.
genius[2], *pl.* **genii** [ˈdʒiinjəs, –jai]. Cin, ruh. **s.o.'s evil ~**, birinin habis ruhu.
genocide [ˈdʒenosaid]. Bir milleti öldürme.
gent [dʒent]. **gentleman**'*ın kıs.* (*Yalnız aşağı tabaka tarafından kullanılır ve* kişi, şahıs *manalarına gelir; ticarette* erkek *manasına gelir, mes.* **gents' underclothing**, erkek çamaşırı.)
genteel [dʒenˈtiil]. Kibar tabakaya aid; (*um.istihza ile*) kibar; yüksek tabakayı taklid eden, sahte kibar.
gentian [ˈdʒenʃən]. Centiyana.
gentile [ˈdʒentail]. Yahudi olmıyan.
gentility [dʒenˈtiliti]. (*İhtihza ile*) kibarlık; yüksek tabakayı taklid. **the aristocracy and the ~**, ünvanlı ve ünvansız aristokratlar; aristokratlar ve yüksek tabaka: **shabby ~**, düşkün kibarın hali.
gentle[1] [ˈdʒentl]. Yavaş; nazik; yumuşak; hafif; tatlı. **the ~ art**, olta ile balık avı: **of ~ birth**, kibar, asil: **~ exercise**, hafif idman: **~ reader!**, aziz okuyucu!: **the ~(r) sex**, cinsi lâtif: **gently does it!**, yavaş!, zorlama!
gentle[2]. Sinek kurdu.
gentlefolk(s) [ˈdʒentlfouk(s)]. Kibar sınıfı; kibar terbiyeli kimseler.
gentleman, *pl.* **-men** [ˈdʒentlmən]. Kibar sınıfından kimse; efendiden adam, centilmen; efendi. **~ in waiting**, kıralın hususî hizmetinde bulunan asilzade: **he is not a ~**, o kibar sınıfından değildir: **he's no ~**, o adam değildir: **~'s agreement**, kontratsız anlaşma: **~ at large**, gelirle geçinen kibardan adam. **gentleman-commoner**, Oxford ve Cambridge'de (eskiden) imtiyazlı talebe. **gentleman-farmer**, köyde oturan ve çiftçilik yapan kibar sınıfından adam. **gentleman-rider**, amatör cokey.

gentlemanlike, gentlemanly [ˈdʒentlmənlaik, –li]. Bir centilmene yakışır surette.
gentleness [ˈdʒentlnis]. Yumuşaklık, incelik, naziklik.
gentlewoman, *pl.* **-en** [ˈdʒentlewumən, -wimin]. Kibar sınıfından kadın.
gently [ˈdʒentli] *bk.* **gentle.**
gentry [ˈdʒentri]. Asillerden sonra gelen tabaka, kibar takımı; (*istihza*) halk, adamlar.
genuflexion [dʒenjuˈflekʃn]. Diz çökme.
genuine [ˈdʒenjuin]. Hakikî; sahih, sahici, taklid olmıyan; samimî; su katılmadık.
genus, *pl.* **genera** [ˈdʒenəs, –ərə]. Cins.
geode·sy [dʒiˈodizi]. Arz sathının mesahası ilmi. **~tic** [–ˈdetik], bu ilme aid.
geograph·y [dʒiˈogrəfi]. Coğrafya. **~er,** coğrafyacı. **~ical** [–ˈgrafikl], coğrafyaya aid.
geolog·y [dʒiˈolədʒi]. Jeoloji. **~ical** [–ˈlodʒikl], jeolojiye aid. **~ist** [–ˈolədʒist], jeoloji mütehassısı; jeolog.
geometer [dʒiˈomətə*]. Hendese mütehassısı; bir nevi kelebek ve tırtıllara verilen isim.
geometr·y [dʒiˈometri]. Hendese. **~ic(al)** [–ˈmetrik(l)], hendeseye aid. **~ician** [–ˈtriʃn], hendeseci.
Georgia [ˈdʒoodʒjə]. Gürcistan; Birleşik Amerika'nın Georgia eyaleti. **~n,** Gürcü; gürcüce; I–IV inci George devrine aid.
geranium [dʒəˈreinjəm]. Sardunya, ıtır çiçeği; ibreviye [|| turnagagalılar]dan biri.
gerfalcon [gəəfoolkn]. Akdoğan (?).
germ [dʒəəm]. Tohum, öz; mikrob; esas. **germ-carrier,** mikrob taşıyan. **germ-killer,** mikrob öldürücü ilâc.
german[1] [ˈdʒəəmən]. Ebeveyni aynı olan. **cousin ~,** amca dayı hala veya teyze çocukları.
German[2]. Alman; almanca. **~ic,** Almanya veya eski Cermanya'ya aid: **~y,** Almanya.
germane [dʒəəˈmein]. Aid, müteallık.
germicid·e [ˈdʒeemisaid]. Mikrob öldürücü şey. **~al** [–ˈsaidl], mikrob öldürücü.
germinate [ˈdʒəəmeineit]. Filizlenmek; çimlen(dir)mek; neşvünema bulmak.
gerrymander [ˈdʒerimandə*]. Seçimlerde hile yapmak; bir meseleyi haksız olarak kendi menfaatine idare etmek.
gerund [dʒerənd]. Rabıt sıygası; İngilizce de, 'ing' ile nihayetlenen, fiilden yapılma isim.
gestation [dʒesˈteiʃn]. Gebelik müddeti.
gesticulat·e [dʒesˈtikjuleit]. Söz söylerken çok el hareketleri yapmak. **~ory** [–leitəri], çok el işaretleri yapan.
gesture [ˈdʒestʃə*]. El veya kol işareti; hareket; jest. Maksadını âza hareketlerile ifade etmek.
get (got, got(ten)) [get, got(n)]. Almak, elde etm.; olmak; bulmak; tutmak, yakalamak; vurmak; alıp getirmek; kazanmak; varmak, erişmek; malik olm.; (**get**'*ten sonra bir ismi meful gelirse umumiyetle müteaddi ifade eder, mes.* **to ~ a house built,** bir ev yaptırmak: **to ~ one's hair cut,** saçını kestirmek). **we are not ~ting anywhere, we are ~ting nowhere,** bundan bir netice çıkmaz; yerinde sayıyoruz: **to ~ breakfast,** kahvaltı etmek: **to ~ the breakfast,** kahvaltıyı hazırlamak: **to ~ one's arm broken,** kolu kırılmak: **what's that got to do with it?,** bunun onunla ne münasebeti var?: **~ going!,** haydi!, başla!: **to ~ a tree to grow,** bir ağacı yetiştirmeğe muvaffak olm.: **I have got to go to London,** Londra'ya gitmeliyim: **to become a diplomat you have got to learn French,** diplomat olabilmek için fransızca öğrenmeğe mecbursunuz: **to ~ s.o. home,** birini evine götürmek: **the play didn't really ~ me,** (*kon.*) piyes beni sarmadı: **I don't ~ you [your meaning],** anlamıyorum: **to ~ s.o. into a place,** birini bir yere kayırmak: **where has that book got to?,** o kitab nereye gitti?, ne oldu?: **where did you ~ to know that?,** nasıl oldu da bunu öğrendiniz?: **I got to know him during the war,** kendisini tesadüfen harb esnasında tanıdım: **later I got to know him better,** sonraları onu iyice [daha iyi] tanıdım: **what's got you?,** (*kon.*) sana ne oldu?, ne oluyorsun?. **get about,** dolaşmak; yayılmak; **(invalid) to be able to ~ about again,** (hasta) yataktan kalkıp dolaşabilmek. **get across,** bir taraftan öbür tarafa geç(ir)mek; asmak; (*kon.*) (piyes vs.) muvaffak olmak. **get along,** ilerlemek; geçinmek; **to ~ along with s.o.,** birisile geçinmek: **to ~ along without stg.,** bir şeysiz de olabilmek, bir şeye muhtac olmamak: **~ along with you!,** (i) haydi git!; (ii) amma yaptın ha!. **get at,** ermek; kavramak; yetişmek: **difficult to ~ at,** gitmesi güç: **what are you ~ting at?,** maksadınız nedir?; neyi ima ediyorsunuz?: **if I can ~ at him he'll be sorry,** bir elime geçerse hali yamandır: **to ~ at a witness,** bir şahidi ayartmak veya ona rüşvet vermek: **he's been ~ting at you,** size dil dökmüş; sizi kandırmış. **get away,** kaçıp kurtulmak; ayrılmak, başka yere gitmek; koparmak; kapıp götürmek: **~ away with you!,** haydi canım!: **there's no ~ting away from it,** bundan kurtuluş yok; bunu kabul etmeliyiz: **he'll never ~ away with that,** kimse yutturamaz. **get back,** avdet etm., evine dönmek; geri almak; telâfi etm.; **to ~ one's own back,** (i) malını istirdad etm.; (ii) öcünü almak, acısını çıkarmak: **to ~**

stg. back into its box, bir şeyi tekrar kutusuna koymak. **get by,** geçmek. **get down,** yere inmek; indirmek; aşağıya almak; yazmak; yutmak: (to a dog) **~ down!,** in aşağı!: **to ~ down to one's work, to ~ down to it,** işe iyice girişmek: **to ~ down to facts,** vakıalara gelmek. **get in,** girmek; vasıl olm.; içeri almak; toplamak; sokmak; ekmek: **to ~ in with s.o.,** birinin gözüne girmek: **to ~ in a supply of coal,** *etc.*, kömür vs. alıp depo etm.: **to ~ in the harvest,** mahsulü toplamak: **to ~ in s.o. to see to the gas,** *etc.*, birini çağırıp havagazini vs. göstermek: **to ~ in for a constituency,** mebus seçilmek: **to ~ a blow in,** bir darbe indirmek: **I couldn't ~ a word in,** ağzımı açıp bir kelime söyliyemedim: **to ~ one's hand in,** elini alıştırmak. **get into,** girmek; sokmak; giyinmek: **to ~ into a club,** bir klübe girebilmek: **to ~ into bad habits,** fena itiyadlara alışmak: **to ~ into the way of doing stg.,** bir şeye alışmak, bir şeyi âdet edinmek: **to ~ s.o. into the way of doing stg.,** birini bir şeye alıştırmak: **to ~ into a temper,** hiddetlenmek: **to ~ stg. into one's head,** bir fikir edinmek; hatırlamak, kavramak. **get off,** bir şeyden inmek veya ayrılmak; yola çıkmak; kurtulmak; çıkarmak, soyunmak; kurtarmak, beraat ettirmek: **to ~ off a duty,** bir işten muaf olm., sıyrılmak: **to ~ off a stranded ship,** (i) karaya oturmuş bir gemiden çıkmak; (ii) karaya oturmuş bir gemiyi yüzdürmek: **(girl) to ~ off with a man,** (kız) birisile evlenmeğe muvaffak olm.: **to ~ stg. off one's hands,** bir şeyi başından atmak; bir şeyden kurtulmak: **to ~ one's daughter off one's hands,** kızını evlendirmek. **get on,** binmek; giyinmek; ilerlemek, terakki etm., muvaffak olm., sivrilmek; yaklaşmak; birbirile geçinmek: **how are you ~ting on?,** nasılsınız?; işleriniz [sıhhatiniz] nasıl?: **to ~ on in life,** muvaffak olm.: **to be ~ting on for fifty,** ellisine merdiven dayamak: **it is ~ting on for ten,** saat ona yaklaşıyor: **I can't ~ these shoes on,** bu ayakkabları giyemiyorum (dar geliyor): **~ on with you!,** haydi canım!: **to ~ on with s.o.,** birisile geçinmek; birine ısınmak: **to ~ on without s.o. [stg.],** bir kimsesiz [şeysiz] yapabilmek: **to ~ on with the job, to ~ on with it,** bir işe devam etm.: **how did you ~ on with your exam.?,** imtihanınız nasıl geçti? **get out,** çıkmak; kurtulmak; sızmak; çıkarmak; çözmek, halletmek; kazanmak; sızdırmak; tertib etm.: **~ out!,** defol!: **~ out with you!,** haydi canım!: **to ~ out without loss,** zarar etmeden bir işin içinden çıkmak: **to ~ out of doing stg.,** bir işten sıyrılmak, kurtulmak: **to ~ out of the habit of doing stg.,** bir itiyaddan kurtulmak: **to ~ out of the way of doing stg.,** (iyi)bir alışkanlığı kaybetmek: **~ out of my [the] way!,** yolumdan [önümden] çekil; mâni olma!: **I shall ~ nothing out of it,** bundan benim elime bir şey geçmiyecek: **to ~ out a scheme,** bir plân hazırlamak. **get over,** aşmak, üzerinden geç(ir)mek; atlamak: **I can't ~ over it,** (i) geçemem; (ii) hazmedemiyorum; (iii) hâlâ şaşıyorum: **he can't ~ over his loss,** kayıbını unutamıyor: **I shall be glad when I ~ it over,** bu işi bitirsem de kurtulsam: **to ~ over one's shyness,** sıkılganlıktan kurtulmak. **get round,** gidivermek; dolaşıp geçmek: yayılmak, şayi olm.: **as you ~ round the corner,** köşeyi dönünce: **to ~ round s.o.,** birini dil dökerek kandırmak: **to ~ round a difficulty,** bir müşkülü yolunu bulup halletmek: **to ~ round the law,** hilei şer'iyesini bulmak: **I'll ~ round this evening if I can,** imkân olursa bu akşam giderim. **get through,** geçmek; bitirmek; içinden geçirmek; vasıl olm.; yetişmek: **to ~ through to s.o.,** (telefon) birisile irtibat temin etm.: **to ~ a bill through Parliament,** bir kanunu meclisten geçirmek. **get together,** toplamak; biriktirmek; toplanmak, birleşmek. **get under,** altına girmek; altından geçmek; hakkından gelmek: **to ~ a fire under,** yangın söndürmek. **get up,** kalkmak; ayağa kalkmak; (rüzgâr, deniz vs.) artmak, sertleşmek; yükselmek; yukarısına çıkmak, tırmanmak; ayağa kaldırmak; bindirmek: **to ~ oneself up,** süslenmek: **to ~ oneself up as ...,** kendine ... süsü vermek: **to ~ up a hill,** bir tepeye çıkmak: **to ~ up to mischief,** yaramazlık [şeytanlık] yapmak: **to ~ up a play,** *etc.*, bir piyes vs. tertib etm.: **to ~ up a shirt,** bir gömleği kolalayıp ütülemek: **to ~ up to s.o.,** birine yetişmek: **got up (woman),** fazla makiyajlı (kadın).

gewgaw [ˈgjugoo]. Cicili bicili şey; süslü fakat kıymetsiz şey.

geyser [ˈgeizə*]. Sıcak su fışkırtan pınar; banyo için havagazile işliyen ısıtma cihazı.

ghastly [ˈgaastli]. Korkunc, müdhiş; ölü gibi uçuk benizli. **a ~ light,** soluk ve meş'um aydınlık: **a ~ smile,** zoraki ve ölü gibi sırıtma.

gherkin [ˈgəəkin]. Turşuluk hıyar.

ghost [goust]. Hayalet, tayf, hortlak. **the Holy Ghost,** Ruhülkudüs: **to raise a ~,** ruh çağırmak: **to lay a ~,** bir cin veya ruh koğmak: **to be the mere ~ of one's former self,** iğne ipliğe dönmek; eski halinin gölgesi bile olmamak: **not to have the ~ of a chance,** en küçük bir ümidi olmamak: **to give up the ~,** ruhunu teslim

etm.: **I haven't the ~ of an idea,** zerre kadar haberim yok. **~like,** hayalet gibi. **~ly,** hayalet gibi; ölü gibi; ruhanî.
ghoul [gaul]. Leş yediği sanılan gulyabani; zebani; hortlak, cadı; iğrenc şeyleri seven kimse. **~ish,** hortlak gibi; iğrenc.
giant [ˈdʒaiənt]. Dev; iriyarı. **~ess,** dişi dev; iriyarı kadın.
gibber [ˈdʒibə*]. Maymun gibi manasız sesler çıkarma(k); çabuk ve anlaşılmaz tarzda konuşmak. **a ~ing idiot,** ebleh. **~ish,** abuksabuk sözler.
gibbet [ˈdʒibit]. Darağacı. Asıp öldürmek; gülünc etm., rezil etmek.
gibbon [ˈgibn]. Uzun kollu küçük bir nevi maymun.
gibe [dʒaib]. İstihzalı alay; dokunaklı söz. **to ~ at s.o.,** birini istihzalı sözlerle yaralamak.
giblets [ˈdʒiblitz]. Tavuk vs.nin yüreği, ciğerleri gibi yenir iç kısımları.
gidd·y [ˈgidi]. Başı dönmüş, sersemleşmiş; başdöndürücü; hoppa, terelelli, zevzek. **to play the ~ goat,** maskaralık etmek. **~iness,** başdönmesi; hoppalık, hafifmeşreblik.
gift [gift]. Hediye, armağan; Allah vergisi, hüner. **to have a ~ for languages,** lisana istidadı olm.: **I would not have it at a ~,** bedava verseler almam: ⌜**one should not look a ~ horse in the mouth**⌝, hediye atın dişine bakılmaz. **~ed,** hünerli, istidadlı.
gig [gig]. Tek atlı fayton; kik; balık zıpkını.
gigantic [dʒaiˈgantik]. Devasa, kocaman.
giggle [ˈgigl]. (*ech.*) Kıkır kıkır gülmek; şımarık şımarık gülmek.
gild [gild]. Yaldızlamak; telleyip pullamak. **to ⌜~ the lily⌝,** mükemmel bir şeyi lüzumsuz yere süslemek: **the Gilded Chamber,** Lordlar Kamarası: **~ed youth**; sosyeteye mensub zengin genc.
gill [gil]. Ufak bir mayi ölçüsü.
gillie [ˈgili]. İskoçyada:-av uşağı.
gills [gilz]. Galsame; mantarın altındaki safihalar; sarkık yanak; makine silindirinin kulakları. **to look rosy about the ~,** sıhhatli görünmek: **to look green about the ~,** keyifsiz veya kederli görünmek.
gillyflower [ˈdʒiliflaur]. Karanfil; *bazan* şebboy.
gilt¹ [gilt]. Yaldızlı. Yaldız. **gilt-edged,** kenarı yaldızlı (kitab): **~ securities,** itimada şayan esham veya tahvilat.
gilt². Genc dişi domuz.
gimbals [ˈgimbəls]. Yalpa çemberleri.
gimcrack [ˈdʒimkrak]. Mezad malı; derme çatma; cicibici; değersiz süslü şey.
gimlet [ˈgimlit]. Burgu; matkab. **~-eyed,** keskin gözlü.

gimp [gimp]. Sırmalı şerid, kaytan; tel sarılı olta ipi.
gin¹ [dʒin]. Ardıç suyu, cin. **gin-palace,** pek gösterişli meyhane.
gin². Kapanca; tuzak; çırçır. Pamuğu çırçır ile tohumdan ayırmak.
ginger [dʒindʒə*]. Zencefil; zencefillî; gayret. Kızıl (saç). **to ~ up,** gayret vermek, canlandırmak. **ginger-beer,** zencefil şurubu.
gingerbread [ˈdindʒəbred]. Zencefilli kek veya kurabiye. ⌜**to take the gilt off the ~**⌝, bir şeyin en cazibeli tarafını çıkarmak.
gingerly [ˈdʒindʒəlı]. İhtiyatla; çekinerek. **to tread [walk] ~,** pek dikkatli yürümek; ayağını denk almak.
gingham [ˈgiŋəm]. Çubuklu yahud damalı bir nevi pamuk bezi; (*esk.*) şemsiye.
gipsy [ˈdʒipsi]. Kıptı, çingene.
giraffe [ˈdʒiˈraaf]. Zürafe.
gird¹ [gəəd]. Sarmak, kuşatmak. **to ~ up one's loins,** eteğini beline bağlamak: **to ~ oneself for the fray,** mücadeleye hazırlanmak.
gird². **to ~ at s.o.,** birile istihza etmek.
girder [ˈgəədə*]. Taban; kiriş. **~ bridge,** tabanlık üzerine kurulan köprü.
girdle¹ [ˈgəədl]. Kemer; kuşak. Kuşak bağlamak; kuşatmak.
girdle². Pide sacı. **girdle-cake,** bir nevi sac pidesi.
girl [gəəl]. Kız. **one's best ~ [~ friend],** sevgili. **~hood,** kızlık çağı. **~ish,** genç kız gibi.
girt bk. **gird.**
girth [gəəθ]. Kolan; (ağac veya bel için) muhit ölçüsü.
gist [dʒist]. Meal; meselenin esası; hulâsa.
give¹ [giv] *n.* Esneklik.
give² (**gave, given**) [giv, geiv, givn] *vb.* Vermek, bağışlamak; nasib etm.; açılmak, esnemek; çözülmek; çökmek; eğilmek; (**a laugh, shout,** *etc.*) gülmek, bağırmak vs. **to ~ stg. to s.o.** veya **to ~ s.o. stg.,** birine bir şey vermek: **to ~ it (to) s.o.,** onu birine vermek; (*arg.*) birini haşlamak: **to ~ as good as one gets,** taşı gediğine koymak: **the frost is giving,** don çözülüyor: **I ~ you our host,** (kadeh kaldırırken) ev sahibinin şerefine!: **we must ~ ourselves an hour to get there,** oraya kadar yolu bir saat hesab etmeliyiz: **to ~ one to think,** düşündürmek: **the window ~s upon the road,** pencere sokağa bakıyor: **to ~ way,** kopmak, çökmek; teslim olm.: **to ~ way to,** …e kapılmak; …e teslim olm.; …in fikrini vs. kabul etm.; …e yol vermek: **to ~ s.o. what for** (*arg.*) birine dünyanın kaç bucak olduğunu göstermek. **give-and-take,** karşılıklı fedakârlık; mukabele. **give away,**

bağışlamak; elinden çıkarmak; ifşa etm.; ele vermek: **to ~ away the bride,** hiristiyanlarca nikâh merasiminde kızı resmen kocasına vermek: **to ~ s.o. away,** birini ele vermek: **to ~ oneself away,** foya vermek, foyası meydana çıkmak: **to ~ the show away,** boşboğazlık etm., bir sırrı ifşa etmek. **give back,** geri vermek; iade etmek. **give forth,** çıkarmak; yaymak; hasıl etmek. **give in,** teslim olmak. **give off,** çıkarmak, yaymak, neşretmek. **give out,** işaa etm.; ilân etm., neşretmek; yaymak, dağıtmak; tükenmek, bitmek, kalmamak. **give over,** teslim etm.; havale etm.; vazgeçmek. **give up,** terketmek; teslim etm.; vazgeçmek; bırakmak; vermek; ele vermek. **I ~ it up!,** benden pes, benden paso: **I had given you up,** geleceğinizden umidi kesmiştim: **to ~ oneself up,** teslim olm.; kendini polise teslim etm.: **to ~ oneself up to sport,** *etc.*, kendini spor vs.ye vermek: **to ~ up a game,** bir oyunu bırakmak, artık oynamamak: **to ~ up the game [the struggle],** mücadeleden vs. vazgeçmek: **to ~ up a patient,** bir hastadan ümid kesmek.

given [ˈgivn]. *bk.* **give.** *a.* Muayyen; malûm; mübtelâ, düşkün, mütemayil. **at a ~ time,** muayyen bir zamanda: **in a ~ time,** muayyen bir zaman zarfında: **~ to drink,** içkiye mübtelâ: **I am not ~ that way,** ben böyle bir adam değilim.

gizzard [ˈgizəd]. Kuşların 'katı' veya 'taşlık' denilen midesi.

glabrous [ˈglabrəs]. Tüysüz, dümdüz.

glacial [ˈgleisiəl]. Glâsiyeye aid; buz gibi.

glacier [ˈglasjə*]. Cümudiye; glâsye.

glacis [ˈglasii]. Sahra şivi.

glad [glad]. Memnun. **I am very ~ of it,** ondan pek memnunum: **I shall be only too ~ to help you,** size memnuniyetle yardım ederim: **I should be ~ of some help,** bir az yardım eden olursa memnun olurum.

gladden [ˈgladn]. Sevindirmek; memnun etmek.

glade [gleid]. Ormanda ağacsız yer; alan; orman açıklığı.

gladiator [ˈgladieitə*]. Eski Romada:- insan veya vahşi hayvanlarla döğüşen pehlivan; gladyatör. **~ial** [–ˈtooriəl], bu pehlivanlara aid.

gladiolus [gladiˈouləs]. Kuzgunkılıcı (?).

glamo·ur [ˈglamə*]. Sihir, cazibe; parlaklık; şan. **~rous,** sihirli, cazibeli; parlak.

glance [glaans]. Kısa bakış. Bakıvermek; şöyle bir bakmak; hafifçe vurup sekmek; kaymak. **to ~ at,** ···e bir bakmak: **to ~ aside [off],** (kurşun) sekmek; (kılıc vs.) sıyırmak: **to ~ through [over] a document,** *etc.*, bir yazı vs.ye şöyle bir göz gezdirmek.

gland [gland]. Bez, gudde.

glander·s [ˈglaandəs]. Ruam, sakağı. **~ed,** ruamlı.

glandular [ˈglandjulə*]. Bez şeklinde, guddevî.

glar·e [gleə*]. Kamaştırıcı ışık; devamlı ve dargın bakış. Ters ters bakmak; parıldamak. **in the full ~ of the sun,** güneşin alnında: **in the ~ of publicity,** âlemin gözü önünde. **~ing,** göz kamaştırıcı; göze batar; çiğ renkli; örtülmez, inkâr edilemez.

glass [glaas]. Cam, sırça; bardak, kadeh; dürbün; barometre. **~es,** gözlük; çifte dürbün. **~ eye,** sun'î göz: **cut ~,** billûr, elmastıraş: **frosted [ground] ~,** buzlu cam: **plate ~,** ayna camı: **the ~ is falling,** barometre düşüyor: **to have a ~ too much,** çakırkeyif olm.: **grown under ~,** limonlukta yetiştirilmiş: ⌜**those who live in ~ houses should not throw stones**⌝, sırça evde oturan komşusuna taş atmaz: **to wear ~es,** gözlük kullanmak. **glass-blower,** şişeci. **glass-case,** camekân. **glass-cutter,** camcı kalemi; elmastıraş. **glass-house,** limonluk; ser. **glass-works,** cam fabrikası.

glassful [ˈglaasfəl]. Bardak dolusu.

glassy [ˈglaasi]. Cam gibi; ayna gibi.

glaucoma [ˈglookoumə]. Karasu; glokom.

glaucous [ˈglookəs]. Donuk yeşil veya mavi.

glaze [gleiz]. Sır, perdah. Cam geçirmek; sırlamak; cilâlamak, perdahlamak; (göz) bulanmak. **~d,** camlı; perdahlı; cilâlı; sırlı; bulanık.

glazier [ˈgleiziə*]. Camcı. **~'s diamond,** elmastıraş. **~y,** camcılık.

gleam [gliim]. Muvakkat ve hafif parıltı; şua, lem'a. Parıldamak; ışık vermek. **a ~ of hope,** bir ümid lem'ası.

glean [gliin]. Hasaddan sonra yerde kalan başakları toplamak.

glebe [gliib]. Köylerde mahalle papazlığına mülhak olan arazi; (*şair.*) arazi, toprak.

glee [glii]. Sevinç; bir kaç sesle söylenen şarkı. **~ful,** sevinçli.

glen [glen]. Küçük vâdi.

glengarry [gleŋˈgari]. Kurdelâlı İskoç şapkası.

glib [glib]. (*köt.*) Cerbezeli; dil döken.

glide [glaid]. Kaymak; (kuş) kanadlarını kımıldatmadan uçmak; (uçak) mötörü işletmeden inme(k). **~r,** planör.

glimmer [ˈglimə*]. Donuk ışık (yaymak); görünür görünmez aydınlık. **a ~ of hope,** ümid lem'ası.

glimpse [glimps]. Bir an için görmek; süreksiz bakış. **to catch a ~ of,** bir an için görmek.

glint [glint]. Parlaklık; lem'a; parıltı. Parıldamak.

glissade [gliˈsaad]. Karlı dik bayırda kayma.
glisten [ˈglisn]. Parlamak.
glitter [ˈglitə*]. Parıltı, ışıltı. Parıldamak; kıvılcım saçmak. ⌜**all is not gold that ~s**⌝, her parlıyan altın değildir.
gloaming [ˈgloumiŋ]. Akşamın alaca karanlığı.
gloat [glout]. Şeytanî bir haz göstermek. **to ~ on [over]**, ···i şeytanî bir hazla seyretmek; ...i görünce oh demek.
globe [gloub]. Küre; dünya; mücessem küre; lâmba karpuzu. **globe-trotter,** devriâlem seyyahı; dünyanın her tarafına seyahat eden kimse.
globul·ar [ˈglobjulə*]. Küre şeklinde. **~e,** kürecik; damla.
gloom [gluum]. Karanlık, zulmet; hüzün, yeis. **to cast a ~ over the company,** toplantıya kasvet vermek. **~iness,** karanlık; mahzunluk. **~y,** loş; kapanık; kederli, endişeli; kasvetli; hüzün verici: **to see the ~ side of things,** her şeyi fena tarafından görmek.
glorif·y [ˈgloorifai]. Tebcil etm.; müfrit derecede medhetmek; büyüklük atfetmek. **~ication** [–fiˈkeiʃn], tebcil; mübalâgalı medhetme. **~ied,** tebcil edilmiş; (*kon.*) şişirilmiş, gözde büyütülmüş.
glorious [ˈgloorias]. Şanlı; parlak. **a ~ day,** günlük güneşlik bir gün: **to have a ~ time,** fevkalâde eğlenmek (vakit geçirmek).
glory [ˈgloori]. Şan; şeref; debdebe; parlaklık. **to ~ in,** ···le iftihar etmek: **to cover oneself with ~.** şan kazanmak: **~ be to God!,** hamdolsun, elhamdülillah!: **~ be!,** Allah! Allah!; maşallah!: **to go to ~,** (*kon.*) mahvolmak; harab olm.: **to be in one's ~,** en mükemmel halinde olm.; fevkalâde haz ve memnuniyet içinde olm.; hayranlarile çevrilmiş olmak: **Old Glory,** Birleşik Amerika bayrağı. **glory-hole,** (*arg.*) karmakarışık oda veya dolab vs.
gloss [glos]. Şerh, haşiye; cilâ, perdah. Cilâlamak. **to put a ~ on the truth,** hakikatı örtmek: **to ~ over a fault,** bir kusuru örtmek veya tevil etmek.
glossary [ˈglosəri]. Eski veya nadir sözleri tefsir eden küçük sözlük.
glossy [ˈglosi]. Parlak, perdahlı.
glott·al [ˈglotl]. Mizmarî. **~is,** mizmar.
glove [glʌv]. Eldiven. Eldiven giydirmek. **to fit like a ~,** tıpatıp uymak: **to put on the ~s,** boks etm.: **to throw down the ~,** meydan okumak: **to take up the ~,** mücadeleyi kabul etm.: **to take off the ~s, to handle s.o. with the ~s off,** merhametsizce davranmak.
glow [glou]. Kızıl parıltı; kızıllık; hararet, sıcaklık; yüzü yanma. Parıldamak, parıltı ile yanmak; yüzü yanmak; içine ateş basmak. **in a ~,** vücudü [yüzü] hararetlenmiş, ısındı: **he ~ed with pleasure,** sevincden [zevkten] gözleri parladı: **in the first ~ of enthusiasm,** ilk heyecanın verdiği ateşle: **~ing with health,** yanaklarından kan damlıyarak: **to speak in ~ing terms of ...,** birini göklere çıkarmak; ballandıra ballandıra anlatmak.
glower [ˈglauə*]. Yiyecekmiş gibi bakmak.
gloze [glouz]. **to ~ over stg.,** bir şeyin kusurunu örtmek için hafifçe temas edip geçmek.
glucose [ˈgluukouz]. Meyva şekeri; glikoz.
glue [gluu]. Tutkal; Tutkallamak, yapıştırmak. **~y,** tutkallı, yapışkan.
glum [glʌm]. Somurtkan, asık suratlı; süngüsü düşük.
glume [gluum]. Buğday vs. tanelerinin zarfı; hasale; kavuz.
glut [glʌt]. Fazla bolluk; furya. Ziyadesile doyurmak.
gluten [ˈgluutn]. Glüten.
glutinous [ˈgluutinəs]. Glütenli; lüzucetli, yapışkan.
glutton [ˈglʌtn]. Obur. **he is a ~ for work,** inek gibi çalışıyor. **~ous,** obur gibi, boğazlı. **~y,** oburluk.
glutton *bk.* **wolverine.**
glycerin [ˈgliseriin]. Gliserin.
G.M.T. [ˈdʒii ˈem ˈtii]. **Greenwich Mean Time,** Greenwich saati.
gnarled [naald]. Boğumlu, budaklı, pürüzlü; çarpık çurpuk.
gnash [naʃ]. **to ~ the teeth,** dişlerini gıcırdatmak.
gnat [nat]. Sivrisinek. ⌜**to strain at a ~ and swallow a camel**⌝, küçük bir kabahatı mesele yaptığı halde büyük bir kusura göz yummak.
gnaw [noo]. Kemirmek. **the ~ings of hunger,** açlıktan kıvranma.
gneiss [(g)nais]. Gınays.
gnome [noum]. Bir nevi cüce cin.
gnostic [ˈnostik]. **Gnosticism** denilen tarikate mensub.
go (went, gone) [gou, went, gon]. Gitmek; yürümek; olmak; geçmek. [... **ing** *ile biten fiil şekillerinin başında* 'gidip yapmak' *manasına gelir, mes.*: **to ~ shopping,** alış verişe gitmek: **to ~ hunting,** avlanmağa gitmek.] **who ~es there?,** kimdir o?: **it ~es without saying that ...,** ... bedihidir: **to make things ~,** işleri yürütmek: **now don't ~ thinking that I am your enemy,** benim sana düşman olduğum fikrini aklından çıkar: **I can't make it any better, so let it ~,** bundan iyisini yapamam, olduğu gibi kalsın: **six months gone with child,** altı aylık hamile. **go-ahead,** müteşebbis;

girgin, cerbezeli. **go-as-you-please,** serbest; rastgele; gelişi güzel. **go-between,** mütevassıt, arabulucu. **go-by, to give s.o. the ~,** birine ehemmiyet vermek; birini atlatmak. **go-cart,** bir veya iki çocuk taşımak için el arabası. **go about,** gezmek, dolaşmak; (*den.*) tiramola etm.; dönmek: **to ~ about one's work,** işine gücüne devam etm.: **I'll show you how to ~ about the job,** bu işin nasıl yapılacağını size gösteririm. **go against,** karşı gitmek: **his appearance ~es against him,** zevahiri onun lehinde değildir. **go back,** geri gitmek; dönmek: **to ~ back to the Flood,** kalubelâdan kalmak: **his family ~es back to the Conquest,** ailesi fethe (Norman istilâsına) kadar çıkar: **to ~ back on a promise** [**on one's word**], sözünden dönmek: **to ~ back on a friend,** bir arkadaşına ihanet etmek. **go before,** önünde gitmek; takaddüm etmek, **go behind,** arkada gitmek; içyüzünü aramak. **go by,** geçmek: **don't let this chance ~ by!,** bu fırsatı kaçırma!: **to ~ by the directions,** talimata göre hareket etm.: **to ~ by appearances;** zevahire göre hükmetmek: **that's nothing to ~ by,** buna istinaden bir şey yapılamaz. **go down,** inmek; batmak; zeval bulmak: **the tyre has gone down,** lâstik söndü: **the swelling has gone down,** şiş azaldı: **to ~ down from the University,** üniversiteyi bitirmek; tatil için üniversiteden ayrılmak: **that won't ~ down with me,** ben bunu yutmam; bu bana uymaz: **the speech went down well,** nutuk iyi tesir etti: **he has gone down in the world,** vaktile ne günler görmüştür; çok düştü: **to ~ down to posterity,** ebediyete intikal etmek. **go for,** gidip aramak; hücum etm., saldırmak: **someone ought to ~ for the doctor,** birisi doktor çağırsın. **go forward,** ileri gitmek: (*den.*) geminin ön kısmına gitmek: **what is ~ing forward?,** ne oluyor? **go in,** girmek; eve girmek; (güneş) örtülmek: **to ~ in for stg.,** bir şeye meraklı olm.; bir şeyi âdet edinmek; bir mesleğe girmek: **to ~ in for a car,** bir otomobil alıp kullanmak: **to ~ in for an exam.,** bir imtihana girmek: **to ~ in with s.o. for an undertaking,** birisile beraber bir işe girişmek: **~ in and win!,** haydi bakalım, talihiniz açık olsun! **go into,** girmek; girişmek; tedkik etm.: **to ~ into second gear,** ikinci vitese girmek. **go off** hareket etm., ayrılmak; geçmek; zeval bulmak; fenalaşmak, bozulmak: **everything went off well,** her şey iyi geçti [oldu]: (horse) **to ~ off its feed,** (at) iştahı kapanmak. **go on,** devam etm.; ileri gitmek; vukubulmak; geçmek: **~ on!,** devam et; haydi canım!; ileri git!: **to ~ on with stg.,** bir şeye devam etm.: **to ~ on at s.o.,** birinin başının etini yemek; birini mütemadiyen kabahatli bulmak: **what's ~ing on here?,** burada ne oluyor?: **I have enough to ~ on with,** şimdilik yanımdaki kâfidir: **he is ~ing on for fifty,** ellisine yaklaşıyor: **I don't like the way he is ~ing on,** gidişini beğenmiyorum: **this has been ~ing on for years,** bu senelerce devam edegelmiştir. **go out,** dışarıya gitmek; çıkmak; sokağa çıkmak; sönmek: **he ~es out teaching,** evlerde hususî ders veriyor. **go over,** üzerinden geçmek; aşmak: **to ~ over an account,** hesabın üzerinden geçmek: **to ~ over a house,** bir evi gezmek [iyice dolaşıp görmek]: **to ~ over the ground,** araziyi keşfetmek [keşfe çıkmak]; bir sahada çalışmak: **to ~ over to the enemy,** düşman tarafına geçmek: **to ~ over stg. in one's mind,** bir şeyi tekrar tekrar düşünmek; zihninden geçirmek. **go round,** dolaşmak; dönmek; deveran etm.: **there is not enough to ~ round,** bu herkese yetişmez. **go through,** içinden geçip ötesine çıkmak; işlemek, ötesine geçmek; çekmek, uğramak; okuyup mutalaa veya teftiş etm.: **the bill has gone through,** kanun layihası kabul edildi: **the deal did not ~ through,** pazarlık uymadı: **the book has gone through three editions,** kitab üç defa basıldı: **to ~ through a fortune,** bir serveti yiyip bitirmek: **you don't know what I've gone through!,** başıma geleni sorma!: **to ~ through s.o.'s pockets,** birinin ceblerini aramak: **to ~ through with stg.,** bir şeyi bitirinceye kadar ayrılmamak: **we've got to ~ through with it,** sonuna kadar dayanmalıyız, devam etmeliyiz. **go under,** altından geçmek, batmak; altta kalmak, yenilme; mahvolmak. **go up,** çıkmak; yükselmek; fiatı yükselmek; patlamak: **to ~ up a form,** sınıfını geçmek: **to ~ up to the University,** üniversiteye gitmek: **to ~ up in flames,** tutuşup mahvolmak: **to ~ up to a person,** birine yaklaşmak, sokulmak.

goad [goud]. Üvendire. Üvendire ile dürtüp yürütmek; dürtüp tahrik etmek. **to ~ s.o. on,** dürtmek, teşvik etmek.

goal [goul]. Hedef, gaye; gol, kale. **goal-keeper,** golcu, kaleci.

goat [gout]. Keçi; ahmak. **billy ~,** teke: **nanny ~,** dişi keçi: **to get s.o.'s ~,** (*arg.*) birini sinirlendirmek: **to play the ~,** enayilik etm., budalaca davranmak. **~ee,** çene ucundaki küçük sakal. **~herd,** keçi çobanı. **~skin,** keçi derisi; tulum. **~sucker** (*Caprimulgus*) çobanaldatan.

gobble[1] [ˈgobl]. Çabuk ve şapırdatarak yemek.

gobble². (*ech.*) Hindi gibi ses çıkarmak. **~r,** baba hindi.
goblet [ˈgoblit]. Kadeh.
goblin [ˈgoblin]. Çirkin ve cüce cin.
goby [ˈgoubi]. (*Gobius*) Kömürcin, saz kayabalığı.
G.O.C. [ˈdʒiiˈouˈsii]. **General Officer Commanding,** başkumandan.
God [god]. Allah; Tanrı; **god,** ilâh. **a feast fit for the ~s,** pek mükellef bir ziyafet: **to make a little (tin) ~ of s.o.,** birine, nerede ise, tapmak: **~ forbid!,** haşa!: **~ willing,** Cenabı Hak isterse, inşallah: **thank ~!,** hamdolsun, çok şükür: **would to ~,** Allah vere de: **~'s acre,** mezarlık. **god-fearing,** dindar, dürüst. **god-forsaken,** Allahın belâsı: **a ~ spot,** cehennemin dibi, Allahın belâsi bir yer. **god-speed, to wish s.o. ~,** birini uğurlamak.
god·child. Vaftiz çocuğu. **~dess,** ilâhe. **~father,** vaftiz babası. **~head,** ülûhiyet: **the ~,** Allah. **~less,** imansız. **~like,** ilâhî, ilâh gibi. **~liness,** dindarlık. **~ly,** dindar; sofu. **~mother,** vaftiz annesi. **~parent,** vaftiz annesi veya babası. **~send,** beklenmiyen nimet; Allahın gönderdiği (Hızır gibi yetişen) şey. **~son,** vaftiz oğlu.
godown [ˈgoudaun]. Ambar.
goer [ˈgouə*]. (At hakkında) **good** [**bad**] **~,** iyi [fena] giden.
goggle [ˈgogl]. (Gözler) fırlamak. **~s,** (*arg.*) gözlük. **goggle-eyed,** pırtlak gözlü.
going [ˈgouiŋ]. Gidiş; gitme. Giden, işliyen; faaliyette olan. **forty miles an hour is good ~,** saatte kırk mil sür'at iyi sayılır: **it is rough ~ on that road,** bu yol pek sarsar: **while the ~ is good,** vaziyet müsaid iken. **goings-on,** olup bitenler; gidişat.
goitr·e [ˈgoitə*]. Boğaz uru, cedre. **~ous,** boğaz urlu.
gold [gould]. Altın; altın rengi. **old ~,** donuk altın rengi: **~ shares,** altın madeni hisseleri: **to sell s.o. a ~ brick,** birini dolandırmak. **gold-bearing,** altın madeni ihtiva eden (toprak). **goldbeater's-skin,** altın varakları ayırmağa mahsus kuru kursak. **gold-digger,** altın arayıcı; (*Amer. kon.*) erkeklerden para sızdıran kadın, fındıkçı. **gold-diggings,** sathî altın madeni. **gold-dust,** altın tozu. **gold-field,** altın bulunan mıntaka. **gold-laced,** altın sırmalı. **gold-leaf,** altın varak. **gold-mine,** altın madeni; pek kârlı iş. **gold-plated,** altın kaplamalı. **gold-rimmed,** altın çerçeveli (gözlük). **gold-rush,** altın bulunan mıntakaya üşüşme, altına hücum. **gold-washer,** içindeki altını ayırmak için nehir kumlarını yıkayan.
golden [ˈgouldn]. Altından mamul; altın renkli; en âlâ. **the ~ rule,** (i) en iyi kaide; (ii) 'herkese iyilik et' kaidesi: **the ~ age,** insanların saadet ve sulh içinde yaşadıkları hayalî bir devir; bir memleket vs.nin en parlak devri: **a ~ opportunity,** bulunmaz fırsat: **the ~ Horn,** Halic: **~ wedding,** bir izdivacın ellinci yıldönümü.
goldfinch [ˈgouldfintʃ]. (*Carduelis*) Saka kuşu.
goldfish [ˈgouldfiʃ]. Kırmızı balık.
goldsmith [ˈgouldsmiθ]. Kuyumcu.
golly [ˈgoli]. (*arg.*) Allah! Allah!
golosh [gəˈloʃ]. Galoş.
gondola [ˈgondolə]. Venedik sandalı; gondol.
gone *bk.* **go.**
gong [goŋ]. Haber veya işaret çanı; gong.
goniometer [goniˈomətə*]. Köşeleri ölçmeğe mahsus âlet.
good [gud]. İyi, güzel; faydalı; uslu; mustakim, dinibütün; çok, büyük. İyilik, hayır; faide, menfaat. **~s,** *bk.* **goods. a ~ deal, a ~ many,** bir çok: **~day, ~morning, ~ afternoon, ~ evening, ~ night,** *günün muhtelif zamanlarında kullanılan selâm şekli*: **he's as ~ as dead,** namazı kılındı: **he didn't say it but he as ~ as said it,** demedi amma dedi sayılır: **to be ~ enough to ...,** ... lûtfunda bulunmak: **that's not ~ enough,** bu olmaz, bu uygun değil; bu kadarı da fazla: **to go for ~,** bütün bütün [temelli olarak] gitmek: **for ~ and all,** temelli olarak, bütün bütün: **~ for you!,** aferin!: **fruit is ~ for one,** meyva sıhhîdir, faydalıdır: **~ for nothing,** hiçe yaramaz: **the ticket is ~ for two months,** bu bilet iki ay için muteberdir: **this horse is ~ for another five years,** bu at beş sene daha dayanır: **to give as ~ as one gets,** birinin ağzının payını vermek, altında kalmamak: **to hold ~,** muteber olm.; cari olm.: **your ~ lady,** refikanız *manasına nezaket tabiri*: **it's no ~, don't persist!,** nafile!, israr etme!: **that's very ~ of you,** çok lûtufkârsınız: **~ old James!,** yaşa J.!, aferin J.!: **your ~ selves,** (ticarî muhaberelerde) siz: **it's too ~ to be true,** inanılmıyacak kadar iyi. **good-fellowship,** iyi arkadaşlık; hoş sohbet. **good-for-nothing,** yaramaz; serseri; mendebur. **good-humoured,** güler yüzlü, şen, uysal. **good-looking,** güzel yüzlü, yakışıklı.
good-bye [ˈgudˈbai]. Allaha ısmarladık; hoşça kal! [gudˈbai], Veda. **~ for the present,** şimdilik Allaha ısmarladık: **~ to all that!,** artık bütün bunlara elveda.
goodies [ˈgudiz]. Şekerleme.
goodish [ˈgudiʃ]. İyice. **it's a ~ step from here,** buradan epeyce uzaktır.
goodly [ˈgudli]. Güzel. **a ~ inheritance,** dolgun bir miras.

goodman [ˈgudmən]. (*esk.*) Aile babası; koca; ev sahibi.
goodness [ˈgudnis]. İyilik; cevher, öz. **have the ~ to ...,** lûtfen ...: **~ gracious!, my ~!,** Allah Allah!, aman Yarabbi!: **thank ~,** hamdolsun: **~ knows,** Allah bilir.
goods [gudz]. Eşya, emtia. **~ train,** marşandiz: **to deliver the ~,** (i) eşyayı teslim etm.; (ii) vadini tutmak: **that's the ~!,** maşallah! hele şükür!
goodwife [ˈgudwaif]. (*esk.*) Ev kadını; zevce.
goodwill [gudˈwil]. İyi niyet, hayırhahlık; peştemallık. **to retain s.o.'s ~,** birinin teveccühünü muhafaza etmek.
goody [ˈgudi] Şekerleme; ihtiyar kadın. **goody-goody,** fazla iyi, (*istihza*) melek.
goosander [guuˈsandə*] (*Mergus merganser*) Testere burun.
goose, *pl.* **geese** [guus, giis]. Kaz; budala. ⌜**all his geese are swans**⌝, 'kargaya yavrusu şahin görünür' *kabilinden.* **goose-flesh,** tüyleri ürpermiş veya soğuktan titriyen ınsanın derisi. **goose-grass** *bk.* **cleavers. goose-step**; (*ask.*) kaz adımı.
gooseberry [ˈguzbri]. Bektaşı üzümü. **~ fool,** kaymaklı bektaşı üzümü ezmesi: **to play ~,** iki sevgiliye refakat etmek.
gooseherd [ˈgushəəd]. Kaz çobanı.
Gordian [goodiən]. **to cut the ~ knot,** müşkül bir vaziyetten anî ve kat'î bir çare ile kurtulmak.
gore[1] [goo*]. Pıhtılaşmış kan.
gore[2]. (Boynuzlu hayvan) birini boynuzlarıyle yaralamak, süsmek.
gore[3]. (Elbise vs.ye ilâve edilen) peş.
gorge [goodʒ]. Boğaz, gırtlak; dar geçid; doyuran taam. Tıkabasa doyurmak. **to ~ oneself,** doyuncaya kadar yemek: **my ~ rose,** midem bulandı.
gorgeous [ˈgoodʒəs]. Pek parlak, tantanalı, debdebeli. **we had a ~ time,** (*kon.*) fevkalâde yaşadık [vakit geçirdik].
gorgon [ˈgoogən]. (*mit.*) Görenleri taş haline getiren yılan saçlı üç dişi ifritten biri; çirkin ve korkunc kadın.
gorilla [gəˈrilə]. Goril.
gormandize [ˈgoomәndaiz]. Oburluk yapmak; tıkınmak.
gorse [goos]. (*Ulex*) Karaçalı.
gory [ˈgoori]. Kanlı.
gosh [goʃ]. *Hayret nidası.*
goshawk [ˈgoshook]. (*Accipiter gentilis*) Pek büyük bir nevi doğan, akdoğan (?)
gosling [ˈgozliŋ]. Kaz palazı.
gospel [ˈgospl]. İncil. **to take stg. for ~,** mutlaka doğru olarak kabul etmek.
gossamer [ˈgosəmə*]. Lûabuşşems; ince ve hafif bürümcük; pek hafif və ince şey.
gossip [ˈgosip]. Dedikodu; dedikoducu. Dedikodu yapmak; boşboğazlık etmek. **to have a ~,** yarenlik etmek.
got, gotten *bk.* get.
Gothic [ˈgoθik]. Gotik; got dili.
gouache [guuˈaʃ]. Zamklı sulu boya.
gouge [gaudʒ]. Oluklu marangoz kalemi. Bu âlet ile oymak. **to ~ out s.o.'s eye,** birinin gözünü parmakla çıkarmak.
gourd [guuəd]. Sukabağı; kabak kabuğundan yapılmış su kabı.
gourmand [ˈguəmənd]. Obur kimse; *bazan* = **gourmet.**
gourmet [ˈguəmei]. Boğazına düşkün, yemeğine titiz.
gout [gaut]. Damla illeti, nakris. **~y,** damlalı.
govern [gʌvən]. Hâkim olm.; idare etm., hükûmet sürmek; zabtemek; tanzim etmek. **this verb ~s the dative,** bu fiil mef'ulünileyh alır.
governess [ˈgʌvənis]. Mürebbiye.
government [ˈgʌvənmənt]. Hükûmet; idare (etme); rejim. **to form a ~,** hükûmet teşkil etm., kabine kurmak: **the ~ party,** iktidar partisi: **~ ship,** *etc.*, hükûmete aid [beylik] gemi vs. **~al** [–ˈmentl], hükûmete aid.
governor [ˈgʌvənə*]. Vali; idare heyeti âzası; regülatör. **the ~,** (*kon.*) babam; iş sahibi.; *aşagı tabakadan birinin kibar tabakadan birine hitab şekli,* beyim, paşam *kabilinden.* **governor-general,** umumî vali.
gown [gaun]. Kadın robu; bazı memurlar ve üniversite talebeleri ile profesörlerinin kisvesi. Bu kisveyi giydirmek. **town and ~,** bir şehirdeki halk ile üniversite talebeleri. **~sman, gown** denilen kisveyi giymek hakkı olan kimse.
G.P. [ˈdʒiiˈpii]. **General Practitioner,** ihtisas yapmamış doktor.
grab [grab]. Çabuk bir hareketle kapma(k); ele geçirmek; gaspetme(k); kapış, kapma; kazma makinesinin kıskaçlı kovası. **policy of ~,** gasıb siyaseti. **~ber,** gasbedici; kapışıcı.
grace[1] [greis] *n.* Zarafet, letafet, cazibe, nezaket; inayet: lûtuf, ihsan; mağfiret, rahmet; mühlet; yemekten önce ve sonra şükür duası. **the Graces,** (*mit.*) insanlara ve tabiate güzellik ve letafet veren üç ilâhe: **His Grace, Your ~,** başpiskopos ve düklere verilen lâkab: **Act of Grace,** umumî af kanunu: **as an act of ~,** bir lûtuf olarak: **to be in the good [bad] ~s of,** ···in gözünde olmak [olmamak]: **to do stg. with a good ~,** hoşlanmadığı bir şeyi memnuniyetsizliğini gizliyerek yapmak: **to do stg. with a bad ~,** bir şeyi söylene söylene yapmak: **days of ~,** vadesi gelen senedin tediyesi için verilen üç gün mühlet: **by the ~ of God,** Allahın

inayetile: **he had the ~ to be ashamed,** hiç olmazsa utandı: **it has the saving ~ that...,** kendisini affetiren tarafı ... dir: **to say ~,** yemekten önce ve sonra dua etm.: **in this year of ~,** bu sene.

grace² *vb.* Teşrif etm.; tezyin etmek.

graceful [ˈgreisfəl]. Zarif, lâtif, nazik; nazikâne; endamlı. **~ness,** zarafet, letafet.

graceless [ˈgreislis]. Hayırsız; haylaz.

gracious [ˈgreiʃəs]. Nazik, mültefit, lûtufkâr; (Allah) merhametli, inayetkâr; tenezzül edici. **~ (me)!, good(ness) ~!,** Aman yarabbi!

gradation [grəˈdeiʃn]. Tedricî değişme; derece; tedric.

grade [greid]. Rütbe; mertebe, derece, sınıf; meyil derecesi. Tasnif etm.; derecelere ayırmak; bir yolun meylini tanzim etmek. **to be on the down [up] ~,** iyileşmek [kötüleşmek]: **to ~ up cattle,** *etc.*, inekler vs.dikkatli çiftleştirme ile soyunu ıslâh etmek.

gradient [ˈgreidiənt]. Yolun meyili. **upward ~,** yokuş: **downward ~,** iniş.

gradual [ˈgradjuəl]. Tedricî.

graduate [ˈgradjuit] *n.* Üniversite mezunu. *vb.* [–ueit] üniversiteden mezun olm.; derece derece taksim etm.; tedricî olarak tadil etmek.

graft¹ [graaft]. Ağac aşısı; aşı kalemi. Aşılamak. **skin ~ing,** deri yamama.

graft². Hükûmet veya belediye işlerinde nufuzunu kullanarak suiistimal; rüşvet alıp verme. **~er,** rüşvet veren, memurlara vs. para yediren.

grain¹ [grein]. Arpa vs. tanesi, habbe; hububat; zerre; bir ağırlık ölçüsü = 0·0648 gr.

grain². Ağac veya taş damarı. Ağac damarlarını taklidle boyamak; tanelemek. **it goes against the ~ for me to do it,** bunu istemiyerek [istemiye istemiye] yapıyorum. **~ed,** taneli; damar damar.

gramineae [graˈmini·ii]. Neciliye fasilesi; buğdaygiller.

graminivorous [gramˈnivərəs]. Otla yaşıyan.

grammar [ˈgramə*]. Gramer, sarf; gramer kitabı. **grammar-school,** hususî lise. **~ian** [–ˈmeəriən], gramerci.

grammatical [grəˈmatikl]. Gramer kaidesine göre.

gramophone [ˈgraməfoun]. Gramafon.

grampus [ˈgrampəs]. Bir nevi yunusbalığı. **to blow [puff] like a ~,** burnundan solumak, manda gibi solumak.

granary [ˈgranəri]. Zahire ambarı; zahiresi bol olan ve ihracat yapan memleket.

grand [grand]. Büyük ve muhteşem; saltanatlı; kibar; en mühim, baş; (*kon.*) âlâ, mükemmel; *bazı unvanlara ilâve edilir mes.* **Grand Duke. they are rather ~ people,** pek tantanalı ve azametli kimsedirler: **he 's a ~ fellow,** bulunmaz adamdır: **I am not feeling very ~ today,** bugün bir parça keyifsizim: **the Grand Fleet,** 1914–18 harbindeki İngiliz ana filosu: **~stand,** (yarış ve spor sahalarında vs.) tribün: **~ total,** umumî yekûn. **grand-dad,** büyük baba. **grand-daughter,** kız torun. **grand-nephew [niece],** yeğen oğlu [kızı].

grandam [ˈgrandam]. Büyük anne; ihtiyar kadın.

grandchild, *pl.* **-ren** [ˈgrantʃaild, -tʃildrən]. Torun.

grandee [granˈdii]. İspanyol asîlzadesi; yüksek rütbeli adam.

grandeur [ˈgrandʒə*]. Azamet; heybet, haşmet; saltanat, debdebe.

grandfather [ˈgranfaaðə*]. Büyük baba.

grandiloquen·t [granˈdiləkwənt]. Tumturaklı. **~ce,** tumturak.

grandiose [ˈgrandiouz]. Muazzam; muhteşem, pek gösterişli, şaşaalı.

grandmamma, grandma [ˈgranməmaa, ˈgranma]. Büyük anne, nine.

grandmother [ˈgranmʌðə*]. Büyük valide. **'teach your ~ to suck eggs!',** 'sen giderken ben geliyordum'; babana akıl öğret! **~ly,** fazla ihtimamlı.

grandpa(pa) [ˈgranpa(pa)]. Büyük baba; dede.

grandparent [ˈgranpeərənt]. Dede veya nine.

grandsire [ˈgransaiə*]. Büyük baba.

grandson [ˈgran(d)sʌn]. Erkek torun.

grange [greindʒ]. Köşk ile çiftlik.

granit·e [ˈgranit]. Granit taşı. **~ic** [–ˈnitik]. granit nevinden.

grannie, granny [ˈgrani]. Nine. **~ knot,** fena bağlandığı için çözülmesi zor olan düğüm.

grant [graant]. İhsan etm.; imtiyaz vermek; bağışlamak; kabul etm., teslim etmek. İmtiyaz; tahsisat; ihsan. **~ed that...,** kabul edelim ki ...: **a post in s.o.'s ~,** tayini birinin elinde olan makam: **to receive a state ~,** devletten tahsisat almak: **to take stg. for ~ed,** bir şeyi hakikî gibi [tabiî gibi, olmuş gibi] kabul etm.: **you take too much for ~ed,** her şeyi olmuş bitmiş gibi farzediyorsun.

granular [ˈgranjulə*]. Taneli; pürüzlü; tanecikli.

granulat·e [ˈgranjuleit]. Sathı kabarcıklı olm.; tanelenmek, taneletmek; (yara) kabuk bağlamak üzere iken kabarcık peyda etm.: **~ed sugar,** toz şeker, kristal şeker. **~ion** [–ˈleiʃn], tanelenme, kabarıklanma.

granule [ˈgranjul]. Tanecik.
grape [greip]. Üzüm. **'sour ~s!'**, ⌜kedi uzanamadığı ciğere pis der⌝. **grape-fruit,** pamplmus, grepfrut. **grape-shot,** misket (gülle).
graph [graf]. Grafik.
-graph. Yazılmış, yazan, yazıcı *manalarında kullanılan son ek.*
graphic [ˈgrafik]. Yazı, tersim, hâk vs. sanatlerine aid; grafik ile gösterilen; çizilen; canlı, insanın gözleri önünde canlandıran.
graphite [ˈgrafait]. Grafit.
grapnel [ˈgrapnl]. Sandal veya balonun çengelli demiri.
grapple [ˈgrapl]. Tutmak, yakalamak. **to ~ with s.o.,** birisile göğüs göğüse dövüşmek (*ve mec.*): **to ~ with a difficulty,** bir güçlükle pençeleşmek. **grappling-iron,** bir şeyi tutmak veya kaldırmak için çengelli bir demir; borda kancası.
grasp [graasp]. Kavrama(k); sımsıkı tutma(k); elle kapma(k); tahakküm, pençe. **to ~ at stg.,** bir şeyi kapmağa çalışmak: **to have stg. within one's ~,** bir şey elinin altında olm.: **to escape from s.o.'s ~,** elinden kurtulmak: **beyond one's ~,** erişilemez; kavranılmaz: **to have a good ~ of a subject,** bir mevzua iyice vâkıf olm.: **to ~ the nettle,** müşkül bir vaziyette azim ve cesaretle davranmak. **~ing,** açgözlü.
grass [graas]. Çayır otu, çimen. Çimen ile kaplamak; yere vurmak; (balığı) karaya çıkarmak. **not to let the ~ grow under one's feet,** çok faaliyet göstermek, vakit kaybetmemek: **'keep off the ~!'**, çimene basmayınız!: **to put [turn] a horse out to ~,** atı çayıra çıkarmak. **grass-plot,** ufak çimenlik. **grass-snake,** âdi zararsız yılan. **grass-widow,** kocası bir yere gittiği için yalnız yaşıyan kadın.
grasshopper [ˈgraashopə*]. Âdi ufak çayır çekirgesi.
grassland [ˈgraasland]. Otluk yer; çayır.
grassy [ˈgraasi]. Çimenli.
grate [greit] *n.* Demir parmaklık; önü açık ingiliz ocağı. **~d,** demir parmaklıklı.
grate *vb.* Rendelemek; (diş) gıcırdatmak; gıcırdamak. **to ~ on the ear,** kulakları tırmalamak.
grateful [ˈgreitfəl]. Minnettar; hoş, makbul.
grater [ˈgreitə*]. Rende.
gratif·ication [ˌgratifiˈkeiʃn]. Haz, memnuniyet; bahşiş, mükâfat; tatmin. **~y** [ˈgratifai], memnun etm., haz vermek; gidermek, tatmin etmek.
grating¹ [ˈgreitiŋ]. Parmaklık; boru süzgeçi; gezinti ıskarası.
grating². Gıcırtı. Kulakları tırmalayıcı.
gratis [ˈgreitis]. Bedava; caba.
gratitude [ˈgratitjuud]. Minnettarlık; minnet; şükran.
gratuitous [grəˈtjuuitəs]. Bedava; fahrî, meccani; sebebsiz, muhik olmıyan; uluorta.
gratuity [grəˈtjuuiti]. Bahşiş; vazifesini ikmal eden asker vs.ye verilen para mükâfatı.
gravamen [grəˈveimn]. İthamın en ağır kısmı.
grave¹ [greiv] *a.* Mühim, ağır; ciddî; vakur, ağır başlı; vahim.
grave² *n.* Mezar, kabir. **to have one foot in the ~,** bir ayağı çukurda olm.: **he must have turned in his ~,** (bunu duysa vs.) mezarında rahatsız olur: **beyond the ~,** kabrin ötesi, ahret. **grave-clothes,** kefen. **grave-digger,** mezarcı.
grave³ *vb.* Kazmak, hakketmek. **~n image,** put, sanem.
grave⁴ *vb.* Geminin dibini temizleyip ziftlemek.
gravel [ˈgravl]. Çakıllı kum; kum hastalığı. Çakıllı kum döşemek. **to be ~led,** (*arg.*) apışıp kalmak; cevab verememek. **~ly,** çakıllı. **gravel-path,** çakıllı kum döşeli yol. **gravel-pit,** çakıl ocağı.
graver [ˈgreivə*]. Hakkâk; hakkâk kalemi.
gravestone [ˈgreivstoun]. Mezar taşı.
graveyard [ˈgreivyaad]. Mezarlık.
gravid [ˈgravid]. Gebe.
graving-dock [ˈgreiviŋˈdok]. Kuru havuz.
gravitat·e [ˈgraviteit]. Cazibe kuvvetile düşmek; cezbolunmak. **to ~ towards,** (bir noktaya) meyletmek. **~ion** [–ˈteiʃn], cazibe kuvveti.
gravity [ˈgraviti]. Ağırlık, sıklet; cazibe kuvveti; ciddilik; ağırbaşlılık, vekar; ehemmiyet. **centre of ~,** sıklet merkezi: **specific ~,** izafî sıklet.
gravy [ˈgreivi]. Pişirilirken etten akan yağ ve su; bununla yapılan salça.
gray *bk.* **grey.**
grayling (*Thymallus vulgaris*) Şimal memleketlerinde bulunan bir tatlısu balığı.
graze¹ [greiz]. Otlamak.
graze². Sıyırmak, sıyırarak geçmek. Sıyrık.
grazier [ˈgreiziə*]. Semirtmek için sığır besliyen adam.
greas·e [griis]. Yenmiyecek her türlü yağ; at topukları iltihabı. Yağlamak. **to ~ s.o.'s palm,** birine rüşvet vermek. **~er,** yağlayıcı. **~y,** yağlı; kayıcı. **grease-band,** zararlı haşaratı tutmak için elma ağaclarına sarılan yağlı sargı. **grease-cap, -cup,** gres kutusu. **grease-gun,** gres pompası. **grease-paint,** makiyaj yağı.
great [greit]. Büyük; muazzam; iri; ulu, şöhretli; mühim. **~s,** Oxford'da edebiyat mezunu olmak için son imtihan. **a ~**

many, pek çok: **there are not a ~ many,** çok yok: **a ~ deal,** çok: **he is ~ on dogs,** (*kon.*) köpek meraklısıdır. **~ness,** büyüklük; çokluk; şöhret. **great-coat,** palto. **great-grandchild,** torunun oğlu veya kızı. **great-grandfather,** dedenin babası. **great-great-grandfather,** dedenin dedesi. **great-hearted,** âlicenab.

greave [griiv]. Baldır zırhı.

grebe [griib]. Bir çok dalgıç kuşlarına verilen isim.

Grecian [ˈgriiʃjən]. Eski Yunanistana aid.

Greece [griis]. Yunanistan.

greed [griid]. Oburluk; hırs; açgözlülük; iştah. **~y,** obur; tamahkâr, açgözlü, haris. **~iness,** oburluk; hırs.

Greek [griik]. Yunanlı; rum; rumca; eski yunanca. **the ~ church,** Ortodoks kilisesi: **it 's all ~ to me,** buna hiç aklım ermez; anladımsa arab olayım!

green [griin]. Yeşil; yeşil renk(li); taze; çiğ; ham, acemi, toy. Çimenlik. **he is not as ~ as he looks,** göründüğü kadar toy değil: **to grow ~,** yeşermek: **to go [turn] ~,** sararmak: **to keep s.o.'s memory ~,** hatırasını canlı tutmak: **a ~ old age,** dinc ihtiyarlık: **~ peas,** taze bezelye. **~ness,** yeşillik; toyluk.

greenery [ˈgriinəri]. Yeşillik.

greenfinch [ˈgriin fintʃ]. (*Cloris*) Flurya (?), yeşil ispinoz (?).

greenfly [ˈgriinflai]. Yaprak biti.

greengage [griinˈgeidʒ]. Ufak yeşil ve lezzetli bir nevi erik; bardak eriği (?), aynabakar (?).

greengrocer [ˈgriingrousə*]. Manav.

greenheart [ˈgriinhaat]. Gemi inşaatı ve balık olta sırıkları için kullanılan sert bir cins ağac.

greenhorn [ˈgriinhoon]. Tecrübesiz genc, toy.

greenhouse [ˈgriinhaus]. Limonluk; ser.

greenstuff [ˈgriinstʌf]. Yenir yeşillik.

greensward [ˈgriinswood]. Çimenlik.

Greenwich [ˈgrinitʃ]. **~ Mean Time (G.M.T.),** Greenwich (vasatî) saati.

greet [griit]. Selâmlamak; istikbal etmek. **to ~ the eye [ear],** göze [kulağa] çarpmak: **to ~ a speech with cheers,** bir nutku alkışlarla karşılamak. **~ing,** selâm: **New-Year ~s,** yılbaşı tebrikleri.

gregarious [griˈgeəriəs]. Sürü halinde yaşıyan.

grenade [griˈneid]. El bombası.

grenadier [ˌgrenˈdiə*]. (*esk.*) Humbaracı asker: (*şim.*) **~ Guards** denilen muhafız alayı mensubu.

grenadine [ˈgrenaˈdiin]. Bir nevi ince seyrek ipek kumaşı; nâr şurubu.

grew *bk.* **grow.**

grey [grei]. Kurşunî, gri, külrengi; gümüşü; kır (saçlı). Kırlaşmak. **to turn [go] ~,** kırlaşmak; ···e kır düşmek: **~ matter,** sincabî madde: **grown ~ in the service,** saçları hizmette ağartmış.

greybeard [ˈgreibiəd]. Aksakallı.

greyhound [ˈgreihaund]. Tazı. **ocean ~,** süratli yolcu vapuru.

greylag [ˈgreilag]. **~ goose,** yaban kazı.

grid [grid]. Izgara; tel kalbur; şebeke. **the ~,** millî elektrik şebekesi. **grid-map,** kareli harita.

gridiron [ˈgridaiən]. Izgara.

grief [griif]. Keder, hüzün, gam; esef. **to come to ~,** suya düşmek; belâsını bulmak; kazaya uğramak: **to my great ~ I had no son,** heyhat ki oğlum olmadı.

grievance [ˈgriivəns]. Derd, şikâyeti mucib hal. **to air one's ~s,** derdleşmek, içini dökmek: **pet ~,** derdi günü, (**our pet ~,** derdimiz günümüz).

grieve [griiv]. Kederlenmek; esef etm.; keder vermek, derdlendirmek, taciz etmek. **~d,** kederli: **I am ~ to hear that ...,** ... işitmekle çok müteessirim.

grievous [ˈgriivəs]. Keder verici, elim, acı, feci; ağır, tehlikeli.

griffin [ˈgrifin]. Yarı kartal yarı arslan esatirî bir kuş.

griffon [ˈgrifn]. Kısa ve sert kıllı köpek; bir nevi akbaba.

grill [gril]. Izgara; ızgarada pişmiş et. Izgarada pişirmek. **grill-room,** otel veya lokantada ızgara etlere mahsus oda.

grille [gril]. Parmaklık; kapı, pencere veya gişe parmaklığı.

grim [grim]. Haşin, sert; ekşi yüzlü; netameli, meş'um; tehdidkâr; merhametsiz. **~ humour,** acı [uğursuz] nükte: **to hang on like ~ death,** (bir şeye) mezbuhane sarılmak.

grimace [griˈmeis]. İşmizaz (göstermek); yüzünü ekşitme(k); yüzünü çarpıtma(k).

grimalkin [griˈmalkin]. İhtiyar kedi; acuze.

grime [graim]. Deriye işliyen kir, toz vs. (İs, toz vs.) yüz veya eli kirletmek.

griminess [ˈgraiminis]. Kirlilik vs., *bk.* **grime.**

grimness [ˈgrimnis]. Sertlik vs., *bk.* **grim.**

grimy [ˈgraimi]. Kirli.

grin [grin]. Sırıtmak. Sırıtma. **to ~ and bear it,** güler yüzle tahammül etmek.

grind (ground) [graind, graund]. Öğütmek; toz haline getirmek; ufalamak; ezmek; (dişlerini) gıcırdatmak; döndürmek; sürterek düzeltmek veya parıldamak; gıcırdamak; bilemek.; taşlamak, rodaj yapmak. Gıcırtı; meşakkatli iş. **~er,** öğütme makinesi; taşlama makinesi; bileyici; (*arg.*

azı diş. ~**ing,** gıcırtı; öğütme; ezme; taşlama, rodaj: ~ **machine,** taşlama tezgâhi, rektifiye tezgâhi: ~ **poverty,** ezici sefalet. ~**stone** [ˈgrainstoun], değirmen taşı; bileği taşı (çark): **to keep one's nose to the** ~, durmadan çalışmak.

grip [grip]. Sıkı tutmak; ···e pençe atmak; kapmak; sıkmak; kavramak. Sıkı tutma, sıkma; pençe; kabza; seyahat çantası. **to be at** ~**s** [**come to** ~**s**] **with the enemy,** düşmanla kapışmak: **to get a good** ~ **on** [**of**] **stg.,** bir şeye iyice tutunmak: **to have** [**get**] **a good** ~ **of the situation** [**of a subject**], vaziyeti [bir mevzuu] iyice kavramak: **to lose one's** ~ **on affairs,** işlerin yakasını [ipin ucunu] bırakmak.

grip·e [graip]. Kulunc tutmak; şiddetli karınağrısı vermek; tahriş etm., burmak. **the** ~**s,** kulunc, kolik. ~**ing pains,** şiddetli karınağrısı.

griskin [ˈgriskin]. Domuzun yağsız bel parçası.

grisly [ˈgrizli]. Korkunc, dehşet verici, ürpertici.

grist [grist]. Öğütülecek zahire. **that brings** ~ **to the mill,** kâr kârdır: ⌜**all is** ~ **that comes to his mill**⌝, her şeyden kâr çıkarır.

gristl·e [ˈgrisl]. Kıkırdak. ~**y,** kıkırdaklı.

grit [grit]. İri parçalı kum; kumtaşı; değirmenlik taş; sebat, cesaret. Gıcırdatmak. **to put** ~ **in the bearings,** makine yatağına kum serpmek; (*mec.*) bir şeye el altından zarar vermek. ~**stone,** kumtaşı; gre; kefeki taşı. ~**ty,** içinde kum taşları bulunan; kumlu.

grizzled [ˈgrizld]. Kır düşmüş, kıranta.

grizzly [ˈgrizli]. Kır, kül renginde. **grizzly-bear,** Şimalî Amerikaya mahsus büyük bir cins ayı.

groan [groun]. İnlemek; inilti; sızlanma(k).

groat [grout]. Eskiden dört penilik bir sikke. **not worth a** ~, metelik etmez.

groats [grouts]. Kabuğu çıkarılmış yulaf.

grocer [ˈgrosə*]. Bakkal. ~**y,** bakkal dükkânı. ~**ies,** bakkaliye.

grog [grog]. İspirto ile sudan ibaret içki.

groggy [ˈgrogi]. Sendeliyen, takatsiz. **to feel** ~, halsizlik hissetmek, dizleri kesilmek.

groin [groin]. Kasık; (*mim.*) iki kavisin birbirini katettiği yer.

groom [gruum]. Seyis; = **bridegroom,** güvey. (Atı) timar etmek. **well** ~**ed,** (at) iyi tımar edilmiş; (insan) çeki düzen verilmiş, taranmış.

groomsman [ˈgruumsmən]. Güveyin sağdıcı.

groove [gruuv]. Yiv, oluk, kertik. Yiv açmak. **to get into a** ~, eski âdetlerine bağlı olm., kör değneğini bellemek.

grope [group]. Elleri ile yoklamak, el yordamı ile yolunu bulmak. **to** ~ **for** [**after**] **stg.,** bir şeyi el yordamı ile araştırmak.

grosbeak [ˈgrousbiik]. (*Pinicola*) Flûrcuna benziyen bir kuş.

gross[1] [grous]. On iki düzine; grosa.

gross[2]. Kaba; şişko; kaba ve şişman, hantal; kalın, koyu, kesif; gayri safi; daralı; toptan. ~ **ignorance,** kara cahillik: **a** ~ **mistake,** pek büyük hata: ~ **tonnage,** gayri safi [brüt] tonilâto.

grotesque [grouˈtesk]. Güldürecek biçimde gülünc, garib. Tuhaf ve gülünc insan veya hayvanları gösteren ziynet veya resim.

grotto [ˈgrotou]. Ufak ve güzel mağara; sunî süslü mağaracık.

ground[1] [graund] *bk.* **grind.** Öğütülmüş. ~ **glass,** buzlu cam.

ground[2] *n.* Yer, zemin; toprak; arsa; denizin dibi; meydan, saha; sebeb, asıl, mahal; plân. ~**s,** bir ev veya müessesenin hususî arazisi; esbabı mucibe; telve, tortu. **above** ~, yer yüzünde; hayatta: **to break** ~, toprağı kazmak veya sürmek: **to break new** [**fresh**] ~, çığır açmak: **this report covers a great deal of new** ~, bu rapor bir çok yeni noktalara temas ediyor: **to cut the** ~ **from under s.o.'s feet,** birinin dayandığı noktayı çürütmek; birinin plânlarını bozmak: **down to the** ~, tamamen, her hususta: **to fall to the** ~, yere düşmek; (*mec.*) bâtıl olm., suya düşmek: **to gain** ~, ilerlemek, ehemmiyeti artmak: **to give** [**lose**] ~, gerilemek; tedricen ehemmiyetini kaybetmek: **to give** ~ **for ...,** ···e mahal vermek, imkân veya sebeb vermek: **to go to** ~, (tilki vs.) inine girmek; gizlenip gözden kaybolmak: **on the** ~ **that, ...** ileri sürerek; bahanesile: **on sure** [**firm**] ~, sağlam temele [esasa] dayanarak: **to stand one's** ~, mevkiini muhafaza etmek. **ground-bait,** balık avlanacak yere balıkları çekmek ıçin suya atılan yem. **ground-plan,** ufkî irtisam; temel plânı. **ground-sheet,** yere serilen su geçmez yaygı. **ground-swell,** (deniz) salıntı.

ground[3] *vb.* Karaya otur(t)mak; yere indirmek; tesis etmek. **to** ~ **one's arguments on,** delillerini ···e istinad ettirmek: **to** ~ **a pupil in mathematics,** bir talebeye riyaziye esaslarını öğretmek: ~ **arms!,** tüfeği yere koy!

grounded [ˈgraundid]. (Uçak) hareket edemiyen, meydanda kalmağa mecbur olan. **well** ~ **in Latin,** lâtincenin esaslarını kavramış.

grounding [ˈgraundiŋ]. (Gemi) karaya oturma. **to have a good** ~ **in stg.,** bir şeyin esaslarını iyice bilmek.

groundless [ˈgraundlis]. Asılsız; sebebsiz.
groundsel [ˈgraunsl]. (*Senecio vulgaris*) Kanarya otu.
groundsman, *pl.* **-men** [ˈgraunzmən]. Oyun sahalarına bakan adam.
groundwork [ˈgraundwəək]. Zemin; temel, esas.
group [gruup]. Grup; küçük kalabalık; küme; öbek; manzume. Grup halinde topla(n)mak. **in ~s,** öbek öbek.
grouper [ˈgruupə*]. Cenub denizlerine mahsus büyük bir balık.
grouse[1] [graus]. (*Lagopus scoticus*) Büyük Britanya'ya mahsus bir nevi keklik. **sand ~,** (*Syrrhaptes paradoxus*) bağırtlak.
grouse[2]. (*kon.*) Söylenme(k), homurdanma(k), dırlanma(k).
grout[1] [graut]. Sulu harç; tuğla ve taş aralarını harç ile doldurmak.
grout[2]. (Domuz) eşelemek.
grouts [grauts]. Kahve telvesi.
grove [grouv]. Koru, ormancık. **orange ~,** portakal bahçesi.
grovel [ˈgrovl]. Yerde sürünmek; çamura yuvarlanmak; alçakcasına yalvarmak veya dalkavukluk etmek. **~ling,** alçak dalkavuk nevinden, zelil.
grow [**grew, grown**) [grou, gruu, groun]. Büyümek, boy atmak; yetişmek, bitmek; çoğalmak, artmak; olmak, ···lemek, ···lenmek, ···leşmek; gittikçe ... olm.; yetiştirmek; (sakal) salıvermek. **to ~ into a woman,** kadın olmak: **badly cut nails ~ into the flesh,** fena kesilen tırnaklar etin içine doğru büyür: **this picture ~s (up)on one,** bu resim insanı gittikçe sarıyor: **he will ~ out of it,** büyüdükçe ondan vazgeçer: **to ~ out of one's clothes,** çocuk büyüdükçe elbiseleri dar gelmek: **one ~s to like it,** insan gittikçe ondan hoşlanıyor: **to ~ up,** büyümek.
growing [ˈgrouiŋ] *a.* Büyüyen, yetişen, biten; artan. *n.* Yetişme, bitme; artma; yetiştirme.
growl [graul]. Hırlamak; homurdanmak. Hırıltı, mırıltı. **~er,** (*kon.*) kira arabası.
grown [groun] *bk.* **grow.** *a.* Büyümüş; yetiştirilmiş. **tower ~ over with ivy,** sarmaşık kaplı kule: **well ~,** boyu bosu yerinde; iyi yetiştirilmiş. **grown-up,** büyümüş, büyük, yetişmiş, olgun: **the ~s,** (çocukların aksi olarak) büyükler.
growth [grouθ]. Büyüme, inkişaf; artma; şiş, ur. **a week's ~ of beard,** bir haftalık tıraş.
groyne [groin]. Deniz kenarında kazıklar vs. ile yapılan sed.
grub[1] [grʌb]. Sürfe, kurd, tırtıl; (*arg.*) manca.
grub[2] *vb.* Eşelemek; (*arg.*) çok çalışmak. **to ~ up,** (toprağın yüzünü) hafifçe kazmak; (kökler) sökmek.
grubby [ˈgrʌbi]. Kirli, pis.
grudge[1] [grʌdʒ] *n.* Kin, garaz, hınc. **to bear s.o. a ~,** birine kin beslemek.
grudg·e[2] *vb.* Esirgemek, diriğ etm.; çok görmek; hased etm.; acımamak. **~ing,** gönülsüz; esirgeyici: **he is ~ in his praise,** medhi cömertçe değildir: **~ly,** istemiyerek, kerhen.
gruel [ˈgruəl]. Sulu yulaf lâpası; yavan çorba.
gruelling [ˈgruəliŋ]. Meşakkatli, çok yorucu. Meşakkatli ve takat kesen iş, maç vs.
gruesome [ˈgruusəm]. Ürkütücü, ürpetici.
gruff [grʌf]. Hırçın, sert, gülmez; boğuk sesli.
grumble [ˈgrʌmbl]. Mırıldamak, dırdır etm., şikâyet etm., söylenmek. Şikâyet. **to ~ at,** ···den şikâyet etmek.
grumbling [ˈgrʌmbliŋ]. Dırıltı, mırıltı, şikâyet. Dırdırcı, homurdanarak.
grummet [ˈgrʌmit]. İskarmoz ipi; ipten halka.
grumpy [ˈgrʌmpi]. Somurtkan; dırdırcı; ters.
Grundy [ˈgrʌndi]. **Mrs. ~,** Ahlâk hususunda pek titiz ve müteassıb kimse.
grunt [grʌnt]. Domuz gibi hırıldamak. Hırıltı.
gruyère [ˈgruujeə*]. Gravyer peyniri.
guano [ˈgwaanou]. Kurutulmuş kuş gübresi.
guarantee [garanˈtii]. Kefil, zamân, teminat. Kefalet etm., kefil olm.; temin etm., teyid etmek. **to stand ~ for s.o.,** birine kefil olmak.
guarantor [garanˈtoo*]. Kefil; zâmin.
guard [gaad]. Muhafız; nöbet, nöbetçi; korucu, bekçi: mahafaza, himaye; dikkat, teyakkuz; siper; tetik köprüsü. Korumak, muhafaza etmek. **the Guards,** muhafız alayları: **to ~ against,** önlemek: **to be on ~,** nöbet beklemek: **to be on one's ~,** tetik durmak: **to be caught off one's ~,** gafil avlanmak: **to come off ~,** nöbeti bitmek: **to go on [mount] ~,** nöbete çıkmak: **~ of honour,** ihtiram kıt'ası: **to keep ~,** nöbet beklemek; korumak: **'one of the old ~',** eskilerden (asker, politikacı vs.): **to put s.o. on his ~,** birini ikaz ederek ihtiyatlı olmasını söylemek: **to throw s.o. off his ~,** birini gaflete sevketmek. **guard-house,** askeri karakol; nöbetçi odası. **guard-rail,** korkuluk.
guarded [ˈgaadid] *a.* İhtiyatlı, muhteriz.
guardian [ˈgaadjən]. Vasi; bekçi; muhafız; gardiyan. **~ angel,** meleküssiyane, koruyan melek: **Board of Guardians,** belediye iane heyeti. **~ship,** vesayet.

guardroom [ˈgaadrum]. Askerî karakol; nöbetçi odası.
guardship [ˈgaadʃip]. Karakol gemisi; muhafız gemi.
guardsman, *pl.* **-men** [ˈgaadsmən]. İngiliz Kıralının hassa alaylarından birine mensub asker.
guava [ˈgwaavə]. Amerika'nin sıcak taraflarında yetişen bir nevi meyva.
gudgeon[1] [ˈgʌdʒən]. (*Gobbio fluviatilis*) Dere kayası (?).
gudgeon[2]. Menteşe mili. **gudgeon-pin,** piston mili.
guelder-rose [ˈgeldə*ˈrouz]. Kartopu çiçeği.
guer(r)illa [gəˈrilə]. Çete harbi; çete.
guess [ges]. Tahmin; bilme. Tahmin etm.; bilmek, keşfetmek; zannetmek; kararlamak. **I give you three ~es,** üç defada bilirsen ne iyi: **by ~ (-work),** rastgele, baht işi, tahminî olarak: **to keep s.o. ~ing,** birini şaşırtarak aldatmak: **it 's pure ~-work,** tahminden ibaret: **~ whom I met!,** kime rastgelsem beğenirsiniz!
guest [gest]. Misafir; davetli; pansiyoner. **guest-house,** misafirhane; pansiyon.
guffaw [gʌˈfoo]. Kaba veya gürültülü ve umumiyetle müstehzi kahkaha (salıvermek); kesik kahkaha.
guid·e [gaid]. Rehber, kılavuz; nâzım; delâlet; talimat; örnek. Yol göstermek, rehberlik etm., delâlet etm.; irşad etm.; idare etmek. **~ance,** rehberlik; yol gösterme; delâlet; nasihat. **~ing,** yol gösterici, rehberlik edici.
guild [gild]. Esnaf loncası. **~hall,** lonca salonu: **the Guildhall,** Londra belediye dairesi.
guilder [ˈgildə*]. Eski Felemenk parası.
guile [gail]. Kurnazlık; hilekârlık; hud'a. **~ful,** hilekâr. **~less,** dürüst, hilesiz; saf, safdil.
guillemot [ˈgilimot]. (*Uria*) Şimal denizlerine mahsus bir nevi martı.
guillotine [giləˈtiin]. Giyotin (ile idam etmek).
guilt [gilt]. Suçluluk; mücrimlik. **~y,** suçlu; mücrim: **to find s.o. ~,** birini suçlu olduğunu tesbit etm.: **to plead ~,** suçunu (mahkemede) itiraf etm.: **~ conscience,** suçlu olduğunu bilme: **~ look,** suçlu bakış.
guinea [ˈgini]. Eski İngiliz lirası; (*şim.*) bir lira bir şilin.
guinea-fowl [ˈginifaul]. Beçtavuğu (?).
guinea-pig [ˈginipig]. Hintdomuzu, kobay; ücret olarak bir **guinea** alan şirket müdürü veya papaz vekili.
guise [gaiz]. Kıyafet, kılık; şekil, tavır.
guitar [giˈtaa*]. Kitara.
gulch [gʌltʃ]. Sel çukuru.
gulf [gʌlf]. Körfez; girdab; büyük aralık. **~ Stream,** Atlantikteki sıcak su akıntısı, Golfstrim.
gull [gʌl]. Martı; safderun, aval. Aldatmak, kafese koymak.
gullet [ˈgʌlit]. Boğaz.
gullible [ˈgʌləbl]. Kolayca aldanan, safdil, avanak.
gully [ˈgʌli]. Sel çukuru; dere.
gulp [gʌlp]. Yudum; yutma sesi. Yutma sesi çıkarmak. **to ~ down,** yutmak, tıkıştırmak.
gum[1] [gʌm]. Diş eti.
gum[2]. Zamk; göz çapağı. Zamklamak. **to ~ down,** zamk ile yapıştırmak; **to ~ up,** yapışıp kımıldamamak. **gum-boots,** lâstik çizme. **gum-tree,** zamk ağacı, ökaliptüs: **up a ~,** müşkül bir vaziyette.
gumboil [ˈgʌmboil]. Diş etinde çıban.
gummy [ˈgʌmi]. Zamklı, yapışkan.
gumption [ˈgumʃn]. Akılselim; feraset; idrâk.
gun [gʌn]. Top; tüfek; (*Amer.*) tabanca; av partisi âzası. **to blow great ~s,** fırtına kopmak: **he carries too many ~s for me,** onunla boy ölçüşemem: **to stick to one's ~s,** teslim olmamak; iddiasından vazgeçmemek: **spray ~,** boya vs. püsküren âlet. **gun-carriage,** top kundağı. **gun-running,** silâh kaçakçılığı. **gun-shy,** (köpek) tüfek sesinden korkar.
gunboat [ˈgʌnbout]. Gambot.
guncotton [ˈgʌnkotn]. Pamuk barutu.
gunfire [ˈgʌnfai*]. Top ateşi.
gunman, *pl.* **-men** [ˈgʌnmən]. Silâhlı cani.
gunmetal [ˈgʌnmetl]. Top bronzu; bakır ile kalay veya çinko halitası.
gunner [ˈgʌnə*]. Topçu. **~y,** topçuluk fenni.
gunpowder [ˈgʌnpaudə*]. Barut.
gunroom [ˈgʌnruum]. Harb gemisinde küçük rütbeli zabitlere mahsus yemek ve teneffüs odası; av tüfekleri temizlenen ve saklanan oda.
gunshot [ˈgʌnʃot]. Top veya tüfek atışı. **within** [**out of**] **~,** tüfek menzili içinde [haricinde]: **~ wound,** kurşun veya mermiden hasıl olan yara.
gunsmith [ˈgʌnsmiθ]. Silâhcı; tüfekçi.
gunwhale [ˈgʌnl]. Küpeşte.
gurgle [ˈgəəgl]. (*ech.*) Şişeden dökülen suyun çıkardığı ses; lıklık. Lıkırdamak; fokurdamak.
gurnard [ˈgəənəd]. (*Trigla*) Kırlangıc balığı.
gush [gʌʃ]. Fışkırmak; fazla hassassiyetle konuşma(k). **~ing,** fışkıran: **~ woman,** coşkun, taşkın kadın. **~er,** petrol fışkırtan kuyu.
gusset [ˈgʌsit]. Genişletmek veya takviye etmek için ilâve olunan kısım.

gust [gʌst]. Rüzgâr veya yağmurun anî bir savruntusu; bora. **a ~ of anger,** hiddet dalgası.
gustatory [gʌstətəri]. Tada aid.
gusto [ˈgʌstou]. Zevk, haz; ağıztadı.
gusty [ˈgʌsti]. Boralı; arasıra şiddetle esen.
gut [gʌt]. Barsak; çalgı kirişi; misina; deniz veya nehirde dar geçid. İçini dışına çıkarmak. **~s,** barsaklar; (*kon.*) cesaret, sebat, dayanıklılık. **the fire ~ted the house,** yangın evin içini tamamen tahrib etti.
guttapercha [gʌtəˈpəəkə,-tʃə]. Gütaperka.
gutter [ˈgʌtə*]. Oluk; su yolu. (Yağmur) evlek açmak; (mum) akıp gitmek. **born in the ~,** en aşağı halk tabakasından. **~ing,** bir binanın olukları. **gutter-press,** âdi gazeteler. **gutter-snipe,** küçük külhanbeyi, afacan.
guttural [ˈgʌtərl]. Gırtlaktan çıkarılan ses.
Guy¹ [gai]. Bir erkek ismi. **~ Fawkes,** 5 Kasım 1605'da İngiliz Parlamento binasını barut ile berhava etmeğe teşebbüs eden adam: **~ Fawkes' Day,** 5 Kasım.
guy². 5 kasımda dolaştırılan ve Guy Fawkes'u temsil eden manken; korkuluk gibi; düttürü Leyla. (*Amer. kon.*) adam, herif. Alaya almak, takılmak.
guy³. **~(-rope),** direk, baca: çadır vs. yerini tutmak için halat: vento. Bir iple tesbit etmek.
guzzle [ˈgʌzl]. Tıkınmak, tıkıştırmak. **~r,** obur.
gybe [dʒaib]. (*den.*) Rüzgâr pupadan eserken mayıstra yelkeni birdenbire kavanca etmek.
gymnas·ium [dʒimˈneiziəm]. Jimnastikhane. **~t,** [ˈdʒimnast], jimnastik mütehassısı. **~tics,** jimnastik, idman.
gypsum [ˈdʒipsəm]. Alçı taşı.
gyrat·e [dʒaiˈreit]. Deveran etmek. **~ion** [–ˈreiʃn], deveran, devir. **~ory,** dönücü; deveran eden.
gyro-compass [ˈdʒairou ˈkʌmpəs]. Cayro pusula.
gyroscope [ˈdʒairoskoup]. Jiroskop, cayroskop.
gyve [dʒaiv]. Bağ; köstek.

H

H [eitʃ]. H harfi. **to drop one's h's,** h harfını telaffuz etmemek.
ha [haa]. *Hayret, sevinç, şübhe veya muvafakkiyet ifade eder.* **~, ~,** *gülme sesini taklid eder.*
Habeas Corpus [ˈhabias koopʌs]. **~ ~ Act,** haksız yakalama veya tevkifi meneden meşhur ingiliz kanunu: **writ of ~ ~,** bir memura teblig edilen ve kendisinin yakaladığı kimseyi mahkeyeme getirmek emrini ihtiva eden ihtar müzekkeresi.
haberdasher [ˈhabəˌdaʃə*]. İğne, iplik, kurdelâ gibi ufak tefek satan dükkâncı. **~y** [–daʃəri], bu gibi eşya.
habit [ˈhabit]. İtiyad, âdet; huy; mutad; bünye; kadınlara mahsus binicilik elbisesi; (*esk.*) elbise *hus.* rahib cübbesi. **~ of body,** (*tıb.*) bünye: **contrary to ~,** mutad hilafına; **to get [grow] into the ~ of** ···e alışmak: **to make a ~ of,** âdet edinmek: **out of [from force of] ~,** alışkanlıkla, itiyad sebebile.
habitable [ˈhabitəbl]. Oturulabilir; iskânı kabil.
habitat [ˈhabitat]. Bir hayvan veya nebatın yetiştiği yer.
habitation [habiˈteiʃn]. Mesken, ikametgâh. **fit for ~,** ikamete elverişli.
habitual [həˈbitjuəl]. Mutad; itiyada bağlı; daimî; alışmış; gedikli. **~ drunkard,** ayyaş.
habituate [həˈbitjueit]. Alıştırmak.
habitué [həˈbitjuei]. Gedikli (müşteri vs.).
hachure [ˈhaʃuə*]. (Resimde) tarama. Tarama hatları ile göstermek.
hack¹ [hak]. Kabaca ve intizamsızca kesmek; çentmek, yarmak; birinin incik kemiğine tekme atmak. Madenci kazması; kertik, kaba yara; incik kemiğine tekme. **to ~ one's way through,** yolunu yarıp açmak. **hack-saw,** kollu testere.
hack². (Av için kullanılmıyan) binek atı; kira beygiri; âdi işler gören adam. Kira beygirine binmek; atla gezintiye çıkmak. **literary ~,** gündelik muharrir. **hack-work,** bir gazete vs.deki gündelik alelâde yazı işleri.
hackle [ˈhakl]. Keten tarağı; horozun boynundaki uzun tüyler; (balıkçılık) bu tüylerden yapılan sunî sinek. **with his ~s up,** kavgacı horoz gibi dövüşmeğe hazır.
hackney [ˈhakni]. Kira beygiri veya arabası; âdi binek atı. **~ed,** çok kullanılıp bayağılaşmış; beylik, hâyide.
had *bk.* **have.**
haddock [ˈhadək]. (*Gadus aeglefinus*) Simalî Atlantiğe mahsus bir nevi morina balığı.
Hades [ˈheidiiz]. Cehennem.
hadji [ˈhadʒi]. Hacı.
haema-, -mo [ˈhiimə, –mou]. Kana aid.
haematite [ˈhiimətait]. Bir nevi demir filizi; hematit.

haemorrhage [ˈhemərid3]. Kanama, kan kaybetme; nezfiddem.
haemorrhoids [ˈhemər̩oidz]. Basur.
haft [haaft]. Sap; sap takmak.
hag[1] [hag]. Acuze, cadaloz, cadı. **hag-ridden,** kâbuslu ağırlık basmış; uğursuz bir sabit fikre saplanmış.
hag[2]. Bataklık.
haggard [ˈhagəd]. Istırab, açlık veya acıdan dolayı benzi sararmış, gözleri donmuş ve yanakları çökmüs; ürkek bakışlı.
haggis [ˈhagis]. Yulaf unu ile kaynatılmış koyun etinden ibaret bir İskoç yemeği.
haggle [ˈhagl]. Çekişe çekişe pazarlık etmek.
hagiography [ˌhagiˈogrəfi]. Azizlerin hayatına aid.
Hague [heig]. **The ~,** Lahey.
ha-ha [haahaa]. Bahçe etrafında mani teşkil etmek üzere kazılan hendek.
hail[1] [heil]. Dolu. Dolu yağmak. **hail-stone,** dolu tanesi.
hail[2]. Çağırmak; seslemek; selâm ve alkışlarla karşılamak; (bir gemi geçen bir gemiye) işaret vermek. Çağırma, seslenme. **where does this ship ~ from?,** bu gemi hangi limandan geliyor?: **where do you ~ from?,** siz ne taraftansınız?: **within ~,** seslenebilecek bir mesafede.
hair [heə*]. Saç; kıl; tüy. **against the ~,** tüyün tersine: **to do one's ~,** saç tuvaletini yapmak: **a fine head of ~,** gür ve güzel saç: **keep your ~ on!,** (*arg.*) öfkelenme!, köpürme!: **to lose one's ~,** saçı dökülmek; (*arg.*) öfkelenmek: **to put one's ~ up,** (kız) saçlarını topuz yapmak: **to split ~s,** kılı kırk yarmak: **for one's ~ to stand on end,** tüyleri ürpermek: **to a ~,** tıpkısı tıpkısına: **not to turn a ~,** istifini bozmamak; kılı kıpırdamamak. **hair-curler,** saçı bukleli yapmak için firkete vs. **hair-cut,** saç tıraşı. **hair-raising,** tüyler ürpertici. **hair-restorer,** saç ilâcı. **hair's-breadth, he escaped drowning by a ~,** boğulmasına kıl kaldı: **to be within a ~ of death,** ölmesine kıl kalmak. **hair-shirt,** (riyazet için giyilen) kıl gömlek. **hair-splitting,** kılı kırk yarma. **hair-spring,** pandül (ince helezoni yay). **hair-trigger,** istinadlı tetik.
hairbreadth [ˈheəbredθ] *bk.* **hair's-breadth.** *a.* **to have a ~ escape from death,** ölmesine kıl kalmak.
hairbrush [ˈheəbrʌʃ]. Saç fırçası.
haircloth [ˈheəkloθ]. Kıl kumaş.
hairdress·er [ˈheədresə*]. Berber, kuaför. **~ing,** berberlik.
-haired [heəd] *suff.* ···saçlı; ···tüylü.
hairless [ˈheəlis]. Saçsız; tüysüz; kılsız; dızlak.
hairpin [ˈheəpin]. Firkete. **a ~ bend,** birdenbire tam aksi istikamette kıvrılan yolun dönemeci.
hairy [ˈheəri]. Kıllı; tüylü.
hake [heik]. (*Merluccius vulgaris*) Barlam (?).
halberd [ˈhalbəəd]. Baltalı harbe. **~ier** [–ˈdiə*], harbeci.
halcyon [ˈhalsiən]. (*mit.*) Kış mevsiminin durgun bir devrinde deniz üzerinde yuva yaptığı zannedilen bir kuş. **~ days,** sakin ve mes'ud günler.
hale[1] [heil] *a.* Gürbüz ve dinç (ihtiyar). **to be ~ and hearty,** dinç ve canlı olmak.
hale[2] *vb.* Sürüklemek.
half, *pl.* **halves** [haaf, haavz]. Yarım, nısıf; yarı; büçük; mektebin yarım senelik devre müddeti; (futbol) muavin, haf, devre. **three and a ~,** üç buçuk: **~ as big again,** bir buçuk misli: **he only got ~ as many marks as I did,** o benim aldığım numaraların yarısını aldı: **I was ~ afraid that ...,** ... diye bir az korktum: **to make a good start is ~ the battle,** iyi başlanan iş yarı bitmiş demektir: **a man's better ~,** bir adamın karısı: **to do stg. by halves,** bir işi yarım yamalak yapmak: **too clever by ~,** lüzumundan fazla akıllı: **~ a crown,** iki buçuk şilin: **to cut in ~,** ikiye bölmek: **to go halves,** müsavi olarak paylaşmak: **not ~ bad,** hiç te fena değil: **not ~ !,** (*kon.*) hem de nasıl, pek çok: **not ~ enough,** yarısı bile değil: **he didn't ~ swear,** (*kon.*) öyle bir küfür etti ki: **to lean ~ out of the window,** pencereden yarı beline kadar sarkmak: **return ~,** dönüş bileti. **half-and-half,** (kahve) yarısı süt yarısı kahve; (viski) yarısı viski yarısı soda. **half-back,** muavin, haf. **half-baked,** yarı pişmiş; acemi; aptal; yarım yamalak. **half-bred** *a.* melez. **half-breed** *n.* melez. **half-brother,** üvey kardeş. **half-caste,** melez adam. **half-cock,** alt tetikte. **half-crown** (2/6) iki buçuk şilin kıymetinde gümüş ingiliz parası. **half-fare,** yarım bilet. **half-hearted,** isteksiz, gevşek. **half-hitch,** meze volta. **half-holiday,** yarım azad. **half-hose,** kısa konçlu çorab. **half-hour,** yarım saat: **~ly,** yarım saatte bir. **half-mast,** mezestre (etmek); yarıya indirilmiş (bayrak). **half-measure,** yarım yamalak tedbir. **half-pay,** yarım maaş. **half-price,** yarı fiat; yarım duhuliye. **half-seas-over,** yarı sarhoş, çakırkeyif. **half-shut,** yari açık, aralık. **half-sister,** üvey kız kardeş. **half-term,** mekteb devresinin ortasındaki tatil. **half-time,** (futbol) haftaym: **to work ~,** yarım gün çalışmak. **half-tone,** açıkla koyu arası: **~ block,** kalıbla basılan fotograf. **half-turn,** yarım

devir; (*ask.*) yarım sağ [sol]. **half-way,** yarı yolda: **to meet s.o. ~,** (*mec.*) iddiasından vazgeçerek karşısındaki ile uyuşmak: **to get ~ through a book,** bir kitabı yarılamak: **there 's no ~ house,** ikisi ortası olmaz. **half-witted,** ebleh, safdil, salak. **half-year,** altı aylık müddet: **~ly,** altı ayda bir.

halfpenny [ˈheipeni]. (½*d.*); yarım peni. **~-worth,** yarım penilik.

halibut [ˈhalibət]. (*Hippoglossus vulgaris*) Şimal denizlerine mahsus ve kalkan balığına benziyen büyük bir balık.

halitosis [haliˈtousis]. (*tıb.*) Fena kokulu nefes.

hall [hool]. Büyük salon, hol; büyük sayfiye; üniversitelerde küçük kolej. **servant's ~,** hizmetçilere mahsus yemekhane: **~ porter,** (otel vs.de) kapıcı.

hallelujah [ˌhaliˈluuja]. Sevinç ifade eden İbrani kelimesi; elhamdülillâh.

hallmark [ˈhoolmaak]. Altın ile gümüşten yapılan şeylere basılan resmî ayar damgası. Böyle bir damga basmak. **the ~ of genius,** dehanın alâmeti farikası.

hallo [həˈlou]. Allo!; yahu!, bana bak!

halloo [həˈluu]. Yüksek sesle birini çağırma(k).

hallow [ˈhalou]. Takdis etmek.

hallucination [ˌhaluusiˈneiʃn]. Kuruntu, evham, vehim, birsam.

halo [ˈheilou]. Hâle; aziz resmi başına yapılan nur dairesi. Hâle ile kuşatmak.

halt[1] [hoolt]. Duruş; durak, mola: konak. Duraklamak; durdurmak. **~!,** dur!: **to come to a ~,** birdenbire durmak: **to call a ~,** nihayet vermek, durdurmak.

halt[2]. Topal; aksak. Aksaklık. Topallamak; bocalamak, tereddüd etmek.

halter [ˈhooltə*]. Yular; idam ipi, (*mec.*) asılma. Yular takmak.

halve [haav]. İki müsavi kısma bölmek; müsavi olarak pay etm.; yarıya indirmek.

halves *bk.* **half.**

halyard [ˈhaljəd]. Kandilisa, lisa. **signal ~,** savla.

ham [ham]. Domuzun tuzlanmış ve tütsülenmiş budu; jambon. **the ~s,** kaba etler.

hamadryad [hamaˈdraiad]. (*mit.*) Ağac perisi; pek zehirli bir nevi yılan; bir nevi maymun.

hames [heimz]. Hamudun koşum kayışları bağlanan parçaları.

hamlet [ˈhamlit]. Küçük köy.

hammer [ˈhamə*]. Çekic; tüfek horozu; mezadcı tokmağı. Çekicle vurmak. **to ~ away at stg.,** bir şeye ısrarla çalışmak: **to come under the ~,** mezadda satılmak: **to give s.o. a good ~ing,** birini iyice dövmek; birini bir oyunda kolayca yenmek: **~ and tongs,** var kuvvetle, alabildiğine. **hammer out,** çekic ile yassılaştırmak; (*kon.*) icad etm., uydurmak; çok zahmetle (eser) yazmak.

hammock [ˈhamək]. Hamak. **sailor's ~,** branda.

hamper[1] [ˈhampə*] *n.* Büyük kapaklı sepet.

hamper[2] *vb.* Serbest hareketine mâni olm.; müşkülata uğratmak.

hamstring [ˈhamstriŋ]. Hayvanın ard ayak veteri. Bu veteri kesmek; (*mec.*) baltalamak; mecalsız bırakmak.

hand[1] [hand] *n.* El; saat akrebi; işçi, yardımcı, tayfa; bir işe iştirak; el yazısı; imza; atın boyunu ölçmeğe mahsus dört pus uzunluğunda bir ölçü. **on all ~s,** her taraftan [–ta]: **all ~s on deck!,** (*den.*) herkes güverteye!: **the ship was lost with all ~s,** gemi bütün tayfası ve yolcularile beraber kayboldu: **at ~,** yanında, yakınında, hazırda: **to ask for the ~ of ...,** (bir kıza) talib olmak: **to bear a ~,** yardım etm.: **to bring up an animal by ~,** bir hayvanı kendi elile yetiştirmek: **at first ~,** doğrudan doğruya: **at second ~,** ikinci elden: **to get stg. off one's ~s,** (i) bir şeyi başından atmak; (ii) bir şeyden kurtulmak; bir şeyi tamamlamak: **to give a ~,** yardım etm.: **to go ~ in ~ with,** başa baş [birlikte] gitmek: **to be a good ~ at doing stg.,** bir şeye eli yatmak: **to be in good ~s,** (i) ehlinin elinde olm.; (ii) iyi insanların elinde olm.: **the work is now in ~,** iş derdesttir: **the situation is now in ~,** hükûmet [polis vs.] vaziyete hâkim: **these children need taking in ~,** bu çocukları yola getirmeli: **to lay ~s on ...,** (bir şeyi) bulmak; ···e saldırmak; ···i yakalamak: **living from ~ to mouth,** yevmin cedid rızkın cedid, günü gününe yaşama: **~s off!** dokunma!, el çek!: **on ~,** mevcudda, stokta: **I have a lot of work on ~,** üzerimde bir çok iş var: **on the one ~ ..., and on the other ~ ...,** bir taraftan ..., diğer taraftan ...: **out of ~** *adv.* derhal, hiç beklemeden; *a.* haşarı, ele avuca sığmaz, çığırından çıkmış: **to let stg. get out of ~,** (bir işte) ipin ucunu kaçırmak: **my ~ is out,** (bir iş hakkında) itiyadı kaybetmişim, hamlamışım: **~ over ~** [**fist**], ipe tırmanır gibi el hareketi ile; (*mec.*) muntazam ve sür'atle ilerliyerek: **~ over ~ swimming,** kulaçlama yüzme: **for one's own ~,** kendi çıkarına: **to put one's ~ to stg.,** bir şeyi ele almak; ···i imza etm.: **to throw in one's ~,** benden paso demek; vazgeçmek: **to have time on one's ~s,** bol vakti olm.: **to ~,** el altında; **yours to ~,** (ticaret mektublarında) mektubunuz alınmıştır: **not to do a ~'s turn,** hiç bir iş yapmamak, tembellik etmek. **hand-made,** el işi. **hand-pick,** elle ayırmak; elle seçmek. **hand-rail,** trabzan üstü; korkuluk. **hand-to-hand, ~ fight,** göğüs göğüse muharebe.

hand² *vb.* El ile vermek veya uzatmak; elden tutup götürmek. **hand down**; el ile tutup indirmek; babadan oğula miras bırakmak; nesilden nesle nakletmek. **hand in,** vermek; teslim et.: **to ~ in one's resignation,** istifa etmek. **hand on,** elden ele geçirmek; nesilden nesle nakletmek. **hand out,** el ile dışarıya vermek; dağıtmak. **hand over,** devrü teslim etm.; devretmek; havale etm.; ele vermek. **hand round,** elden ele dolaştırmak.

handbill [ˈhandbil]. El ilânı.

handbook [ˈhandbuk]. Elkitabı; rehber.

handcuff [ˈhandkʌf]. Kelepçe. Kelepçeye vurmak.

handful [ˈhandfəl]. Avuc dolusu; bir avuc; ele avuca sığmaz bir çocuk.

handhold [ˈhandhould]. Tutunacak yer.

handicap [ˈhandikap]. Handikap; bir koşuda rakiblerin şartlarını müsavi kılmak için başlangıç noktasında veya taşınan ağırlıkta yapılan fark; (*mec.*) engel, yük; müvaffakiyeti veya ilerlemeği güçleştiren her şey. Handikap vermek; engel olmak. **he is ~ed by his poverty,** fakirliği onun elini kolunu bağlıyor: **ill health is a ~ to success,** sıhhatin bozukluğu muvaffakiyete büyük bir manidir.

handicraft [ˈhandikraaft]. El hüneri; el sanati. **~sman,** el işçisi.

handiness [ˈhandinis]. Kullanışlılık, elverişlilik; marifet; her türlü el işleri yapabilmek kabiliyeti.

handiwork [ˈhandiwəək]. El işi; eser; marifet. **who's ~ is this?,** bu kimin işi?; bunu kim yaptı?; bu kimin marifeti?

handkerchief [ˈhaŋkətʃif]. Mendil.

handle [ˈhandl]. Sap; kulp; vasıta, vesile. Ellemek, ele almak, dokunmak, kullanmak, işlemek; idare etmek. **to have a ~ to one's name,** asalet unvanına malik olm.: **he is hard to ~,** onu idare etmek güçtür: **to ~ a lot of money,** elinden çok para geçmek: **to ~ a situation,** bir vaziyeti idare etmek. **handle-bar,** gidon.

-handled [ˈhandld]. ···saplı, ···kulplu.

handling [ˈhandliŋ]. Kullanma, idare etme; elleme, dokunma. **rough ~,** fena muamele; hırpalanma.

handmaiden [ˈhanmeidn]. (*esk.*) Kız hizmetçi; cariye.

handshake [ˈhandʃeik]. El sıkma.

handsome [ˈhansəm]. Güzel, yakışıklı; cömert; (*kon.*) büyük. ⌜**~ is as ~ does**⌝, 'dışarısı seni yakar içerisi beni yakar' *kabilinden.*

handspike [ˈhanspaik]. Demir uclu manivela.

handwork ˈhandwəək]. El işi. **~er,** el işçisi.

handwriting [ˈhandraitiŋ]. El yazısı.

handy [ˈhandi]. Eli hünerli; becerikli; kullanışlı, elverişli; faydalı; el altında. **keep that, it will come in ~ some day,** bunu sakla, bir gün işe yarar: **I always keep some iodine ~,** daima bir az tentürdiyod bulundururum. **~man,** el ulağı.

hang¹ [haŋ] *n.* Giyilen veya asılan şeyin duruşu. **I don't care a ~,** bana vızgelir: **to get the ~ of stg.,** yolunu yordamını bulmak; bir şeyin esasını, ruhunu, kavramak.

hang² *vb.* (**hung, hung** *veya* **hanged**) (haŋ; hʌŋ, haŋd). Asmak; asılmak; sarkmak. **... it (all)!,** Allah belâsını versin!: **to ~ a door,** kapı kanadını yerine takmak: **~ the expense!,** masrafa aldırma!; masraf ne olursa olsun: **to ~ fire,** (eski silâhlar) hemen ateş almamak; gecikmek, sürüklenmek: **the streets were hung with flags,** sokaklara bayraklar asılmıştır: **I'll kill him if I ~ for it,** beni asacaklarını bilsem onu gine öldürürüm: **to let things go ~,** işleri ihmal etm. [oluruna bırakmak]: **to ~ one's head,** başını önüne eğmek: **~ed if I know!,** ben ne bileyim?: **to ~ meat,** eti yumuşatmak için bir müddet asmak: **to ~ by a thread** [**hair**], kıl kalmak; çok tehlikede olmak. **hang-dog, to have a ~ look,** süngüsü düşük ve sünepe bir hali olmak. **hang-over,** (hastalık vs.) bakiyesi; (sarhoşluk) mahmurluk. **hang about,** avare dolaşmak; havyar kesmek; bir şeyin etrafında dönüp dolaşmak: **to keep s.o. ~ing about,** birini avare avare bekletmek. **hang back,** geri durmak; tereddüd göstermek, isteksiz olmak. **hang down,** sarkmak, asılmak; sarkıtmak. **hang on,** dayanmak; ···e bağlı olm.: **to ~ on to stg.,** bir şeye asılmak; tutunmak, sıkı tutmak; yapışmak: **to ~ on s.o.'s words,** birini ağzı açık dinlemek. **hang out,** dışarıya asmak, sarkıtmak; sarkmak; (*kon.*) oturmak, ikamet etmek. **hang over,** eğilmek, abanmak, sarkmak; üzerine asılı durmak; havaleli olmak. **hang together,** birbirine uymak; mütesanid olm.; anca beraber kanca beraber olmak. **hang up,** asmak; asıntıya bırakmak; geciktirmek.

hangar [ˈhaŋə*]. Hangar; baraka.

hanger [ˈhaŋə*]. Çengel. **hanger-on,** çanak yalayıcı; tâbi, peyk.

hanging [ˈhaŋiŋ]. Asılı; asma, asılma. **~s,** perde vs. gibi sarkık kumaşlar. **this is a ~ matter,** bu insanı darağacına götürür.

hangman [ˈhaŋman]. Cellâd.
hank [haŋk]. (İpek vs.) çile; kangal; (*den.*) çengel, çember, halka.
hanker [ˈhaŋkə*]. **to ~ after, to have a ~ing for ...**, hasretmek, iştiyak etm., beslemek; (bir şey) gözünde tütmek.
hanky-panky [ˈhaŋkiˈpaŋki]. Dalavere, el altından iş; göz boyası.
hansom [ˈhansəm]. **~ (-cab)**, iki tekerlekli ve arabacısı arkada oturan araba.
hap [hap]. **to ~ on stg.**, tesadüfen bulmak.
ha'penny, *pl.* **ha'pence** [ˈheipeni, –pens]. Yarım peni. **three ~**, bir buçuk peni.
haphazard [hapˈhazəd]. Rastgele, baht işi; gelişi güzel. **at ~** bahtına, rastgele.
hapless [ˈhaplis], Talihsiz, bedbaht.
haply [ˈhapli]. Tesadüfen.
ha'p'orth [ˈheipəθ]. **halfpenny-worth,** yarım penilik. **he hasn't a ~ of sense,** on paralık aklı yoktur.
happen [ˈhapən]. Olmak, vâkı olm., vukuagelmek; olup bitmek; rastgelmek; tesadüfen vukubulmak; başına gelmek. **don't let it ~ again!,** bir daha yapayım deme!: **it so ~ed that ...,** tesadüfen ...: **do you ~ to know?,** acaba biliyor musunuz?: **to ~ upon stg.,** rasgele bulmak: **if anything should ~ to me,** şayed bana bir hal olursa. **~ing,** vak'a: **~s,** olup bitenler.
happiness [ˈhapinis]. Saadet; memnuniyet; bahtiyarlık, talih. **to have the ~ ...,** ... nasibi olmak.
happy [ˈhapi]. Mesud, mesrur; memnun; bahtiyar, talihli; isabetli, pek yerinde. **as ~ as the day is long [as a king, as a sandboy],** son derece mes'ud: **many ~ returns of the day!,** nice seneler!: **of ~ memory,** cennetmekân: **~ thought!,** ne güzel buluş. **happy-go-lucky,** kayıdsız, düşüncesiz; gelişi güzel.
harangue [həˈraŋ]. Palavralı gürültülü ve sıkıcı bir hitabe. Böyle bir hitabede bulunmak.
harass [ˈharəs]. Taciz etm., rahat vermemek; mükerrer hücumlarla yormak; eziyet vermek.
harbinger [ˈhaabindʒə*]. Müjdeci; haberci. Birinin gelmesini önceden haber vermek.
harbour [ˈhaabə*]. Liman; melce. Limanda demirlemek; barındırmak; beslemek. **~age,** melce barınacak yer. **harbour-dues,** liman rüsumu. **harbour-master,** liman reisi.
hard[1] [haad] *n.* Çamurlu bir sahilde cezir zamanları denize erişmek için taştan yapılmış yol.
hard[2] *a.* Katı; sert; pek; çetin; zor, müşkül, güç; ağır; şefkatsız; cimri. Gayretle, şiddetle; güçlükle. **he is always ~ at it,** mütemadiyen çalışıp çabalıyor: **to be ~ at work,** harıl harıl çalışmak: **~ by,** yakında: **~ cash,** peşin para: **to be ~ on one's clothes,** elbisesini hor kullanmak, çabuk eskitmek: **to die ~,** kolay kolay ölmemek: **~ drinker,** çok içen kimse: **~ drinks,** alkollü içkiler: **~ facts,** inkâr edilemez hakikatler, vakıalar: **~ and fast rule,** *etc.*, çok kat'î, katı nizam vs.: **~ and fast aground,** (gemi) tamamen karaya oturmuş: **~ of hearing,** biraz sağır, ağır işitir: **he got two years ~ labour,** iki sene küreğe mahkûm oldu: **~ lines [luck],** aksilik, aksi talih: **to be ~ on s.o.,** birine karşı insafsızlık etm., acımamak: **it is ~ on him,** bu onun talihsizliğidir: **~ to please,** müşkülpesend: **to be ~ put to it,** akla karayı seçmek; başına hal gelmek: **~ swearing,** (i) okkalı küfürler; (ii) yalancı şahidlik: **to have a ~ time of it,** çok sıkıntı çekmek: **to try one's ~est,** elinden geleni yapmak: **~ up,** parasız: **we are ~ up for sugar,** şekerimiz kıt: **~ upon (his heels),** tam peşinden: **~ water,** kireçli su: **it will go ~ with us if ...,** ···se halimiz yamandır: **~ worker,** çok çalışan kimse. **hard-baked,** sertleşinceye kadar pişirilmiş; pişkin. **hard-bitten,** pişkin, çetin. **hard-boiled,** pişkin, eski kurt; **~ egg,** hazırlop yumurta. **hard-earned,** çok çalışarak kazanılmış. **hard-fisted,** cimri. **hard-hearted,** taşyürekli, merhametsiz. **hard-mouthed,** ağzı sert. **hard-set,** donmuş (çimento vs.); katılaşmış; acıkmış. **hard-wearing,** dayanıklı (kumaş, ayakkabı vs.). **hard-won,** güç kazanılmış. **hard-working,** çok çalışkan.
harden [ˈhaadn]. Pekleştirmek; katılaş(tır)mak; sertleş(tir)mek; meşakkate alıştırmak. **to ~ one's heart,** kalbini pekleştirmek: **prices are ~ing,** fiatlar yükseliyor. **~ed,** katılaşmış; meşakkate alışkın: **~ criminal,** kaşarlanmış, sabıkalı.
hardihood, hardiness [ˈhaadihud, –nis]. Cesaret, cüret; yüz, küstahlık; meşakkate dayanma.
hardness [ˈhaadnis]. Katılık, peklik, sertlik; güçlük. **~ of hearing,** ağır işitme: **~ of heart,** taşyüreklilik.
hardship [ˈhaadʃip]. Meşakkat; cefa.
hardware [ˈhaadweə*]. Madenî eşya.
hardwood [ˈhaadwud]. Çam ve köknar gibi kozalaklı agaclardan gayrı bütün diğer ağacların odunu.
hardy [ˈhaadi]. Meşakkate dayanır; cesur; (nebat) soğuğa dayanır . **~ annual,** bir sene yaşıyan ve soğuğa dayanıklı nebat; (*mec.*) her sene ortaya çıkan mevzu vs.
hare [heə*]. Tavşan. (*kon.*) Tavşan gibi koşmak. **run like a ~!,** var kuvvetile koş!: **~ and hounds,** bk. **paperchase**: ⌜**first catch your ~ (and then cook it)**⌝, ⌜ayıyı vurmadan

postunu satma!⌝: ⌜**to run with the ~ and hunt with the hounds**⌝, ⌜tavşana kaç tazıya tut⌝ demek. **hare-brained,** deli, sersem, çılgın: ~ **project,** çılgınca bir tasavvur. **hare-lip,** tavşandudağı.

harebell [ˈheəbel]. (*Campanula rotundifolia*) ufak yabani çançiçeği.

haricot [ˈharikou]. Kuru fasulye. ~ **mutton,** koyun eti yahnisi.

hark [haak]. Dinlemek, kulak vermek. **to ~ back to stg.,** aynı mevzua dönmek.

harlequin [ˈhaaləkwin]. Palyaço; soytarı; iki renkli. **~ade,** [–ˈneid], palyaçoluk, maskaralık.

harlot [ˈhaalət]. Orospu. **~ry,** orospuluk.

harm [haam]. Zarar, hasar, ziyan; fenalık. Zarar vermek; dokunmak; fenalık yapmak. **you will come to ~,** size zarar gelir: **out of ~'s way,** emin bir yerde. **~ful,** zararlı, dokunur, muzır, fena. **~less,** zararsız, dokunmaz.

harmon·y [ˈhaaməni]. Ahenk; ahenk ilmi; armoni; tesanüd, mutabakat. **~ic** [–ˈmonik], ahenge aid: **~s,** esas sese inzımam eden fer'î sesler. **~ious** [–ˈmounjəs], ahenkli. **~ium** [–ˈmounjəm], küçük seyyar org. **~ize** [ˈhaamənaiz], telif etm., uydurmak; ahenge uydurmak; armonize etm., uygun düşmek, birbirine uymak.

harness [ˈhaanis]. Koşum takımı; (*esk.*) zırh. Koşmak; bir nehir vs.yi elektrik istihsali, sulama vs. için kullanmak. **to die in ~,** ölünceye kadar mesleğinde çalışmak: **to get back into ~,** iş başına avdet etmek. **harness-maker,** sarac.

harp [haap]. Harp (çalgı). **to ~ on,** (bir mevzua) mütemadiyen dönmek, (benim oğlum bina okur ...). **~ist,** harpçı.

harpoon [haaˈpuun]. Zıpkın. Zıpkınlamak.

harpsichord [ˈhaapsikood]. Eski usul piyano; çınbalo.

harpy [ˈhaapi]. (*mit.*) Kadın yüzlü, akbaba vücudlü ve tırnaklı bir canavar; tamahkâr ve hasis kimse. **harpy-eagle,** Cenubî Amerika'ya mahsus sorguçlu karakuş.

harridan [ˈharidən]. Cadaloz, acuze.

harrier [ˈhariə*]. Tavşan avında sürü halinde kullanılan köpeklerin biri (tazı değil); bir nevi doğan.

harrow [ˈharou]. (Toprak parçalarını kırmak için) sürgü. Sürgü geçirmek. **to ~ s.o.'s feelings,** birinin yüreğini parçalamak. **~ing,** yürek parçalayıc, müellim.

harry [ˈhari]. Yıkıp yakmak, soymak; eziyet vermek, rahat vermemek.

Harry. Henry' nin *kis.* **Old ~,** Şeytan: **to play Old ~ with ...,** berbad etmek.

harsh [haaʃ]. Haşin, hırçın; sert, merhametsiz; kekre; kulakları tırmalıyan (ses).

hart [haat]. Erkek geyik. **hart's-tongue,** (*Scolopendrium*) geyikdili.

harum-scarum [ˈheərəmˈskeərəm]. Delişmen, zirzop.

harvest [ˈhaavist]. Hasad; ekin biçme(k); mahsul (toplamak); hasad mevsimi. ~ **home,** hasad bayramı. **harvest-bug, -mite,** (*Trombidium*) kadife böceği (?). **~er,** orakçı, ekin biçici; orakçı makinesi; = **harvest-bug.**

has *bk.* **have.**

has-been [ˈhasbiin]. Zamanında değerli olan fakat artık hükmü kalmamış bulunan kimse veya şey.

hash [haʃ]. Doğramak, kıymak; ikinci defa pişirip yahni yapmak. Kıymalı yemek; karışık şey; temcid pilavı. **to make a ~ of stg.,** yüzünü gözünü bulaştırmak: **to settle s.o.'s ~,** icabına bakmak: **to ~ up,** ikinci defa pişirip yahni yapmak.

hashish, hasheesh [haʃiiʃ]. Haşiş, esrar.

hasp [haasp]. Asma kilid köprüsü; toka.

hassock [ˈhasək]. Diz yastığı; sık çimen parçası.

hast [hast]. *2nd pers. sing. pres. ind. of* **have.**

haste [heist]. Acele. Acele etmek. **to do stg. in ~,** bir şeyi acele yapmak; üstünkörü yapmak: **to make ~,** acele etm.; çabuk davranmak: ⌜**more ~ less speed**⌝, ⌜tiz reftar olanın payine dâmen dolaşır⌝.

hasten [ˈheisn]. Acele etm., acele ettirmek; hız vermek; sıkıştırmak. **to ~ to a place,** bir yerde soluğu almak.

hast·y [ˈheisti]. Aceleci, çabuk, tiz; üstünkörü; atılgan, tezcanlı. **~iness,** aceleci olma; tezcanlılık. **hasty-pudding,** undan yapılan bulamac.

hat [hat]. Şapka. **top ~, silk ~,** silindir şapka. **I'll eat my ~ if ...,** ... arab olayım!: **keep it under your ~!,** kimseye söyleme!: **to raise one's ~ to s.o.,** birine şapka çıkarmak: **to take off one's ~ to,** (*kon.*) birinin üstünlüğünü itiraf etmek. **hat-peg,** şapka asacak kanca. **hat-stand,** şapkalık.

hatband [ˈhatband]. Şapka kurdelâsı.

hatch¹ [hatʃ]. (*den.*) Kaporta ağzı; ambar ağzı; dam geçidi; savak. **buttery ~, service ~,** mutfak ile yemek odası arasındaki dönme dolab, servis penceresi: **to close down the ~es,** kaporta ağızlarını kapatmak: **under ~es,** güverte altında.

hatch². Yumurtadan çıkmak; kuluçkaya yatıp civciv çıkarmak. Bir kuluçkalık civcivler. **to ~ a plot,** kumpas kurmak.

hatch³. (Resimde) tarama hatlarile göstermek.

hatchet [ˈhatʃit]. Küçük balta. **to bury the ~,** barışmak, sulh yapmak. **hatchet-faced,** dar ve sivri yüzlü.

hatchment [ˈhatʃmənt]. Mühim bir kimsenin ölümünde evinin önüne takılan arması.
hatchway [ˈhatʃwei]. Kaporta ağzı.
hate [heit]. Nefret; kin. Nefret etm., kin beslemek. **to ~ s.o. like poison,** birini bir kaşık suda boğacak kadar nefret etm.: **I should ~ to be late,** katiyen geç kalmak istemem: **I ~ your going away,** sizin gitmenize çok müteessirim. **~ful,** menfur; nefret edilen.
hath [haθ]. (*esk.*) *3rd pers. sing. pres. of* **have.**
hatless [ˈhatlis]. Şapkasız.
hatred [ˈheitrid]. Nefret; kin.
hatter [ˈhatə*]. Şapkacı.
haught·y [ˈhooti]. Mağrur, kibirli; azamet satan. **~iness,** gurur; kurum.
haul [hool]. Kuvvetle çekmek; sürüklemek; (ağır bir şeyi) taşımak; yedek çekmek. Çekme; balık ağını çekme; bir atışta tutulan balıkların mikdari; (*mec.*) elde edilen şeylerin mikdarı. **to ~ s.o. over the coals,** birini tekdir etm., azarlamak. **haul down,** indirmek; mayna etmek. **haul up,** yukarıya çekmek; hisa etm.; (kayığı denizden) karaya çekmek.
haulage [ˈhoolidʒ]. Nakletme; taşıma; kamyonla eşya nakli; kamyon ücreti. **~ contractor,** kamyonla nakleden müteahhid.
haulier [ˈhooliə*]. Kamyoncu; (madenlerde) maden vagonlarını götüren adam.
haulm [hoolm]. Patates, fasulye, bakla vs.nin kullanılmıyan saplar ve yaprakları.
haunch [hoontʃ]. Kalça, but; sağrı.
haunt [hoont]. Birinin sık sık gittiği yer; uğrak. Sık sık uğramak; dadanmak; (bir yerde) gezinmek; tayf halinde sık görünmek; (fikir) musallat olmak. **~ed,** perili; tekin olmıyan. **~ing,** insanın aklından çıkmıyan.
have[1] **(had)** [hav, had]. Malik olm., sahib olm.; almak; tutmak. *Yardımcı fiil,* (*gramere bk.*); *müteaddi teşkiline yarar, mes.* **to ~ one's boots repaired,** ayakkablarını tamir ettirmek: **to ~ a house built,** bir ev yaptırmak: **I ~ a house,** evim var: **he has a horse,** atı var: **to ~ to do stg.,** bir şeyi yapmağa mecbur olm.: **to be had,** (*arg.*) aldatılmak: **I had him there,** (*kon.*) bu sualine cevab veremedi (bozuldu); onu burada kıstırdım: **let him ~ it!,** (i) ona ver!; (ii) vur!, yapıştır!; (iii) ağzının payını ver!: **he will ~ it that ...,** iddia ediyor ki: **as Plato has it,** Eflâtunun dediği gibi: **rumour has it that,** rivayete göre: **I won't ~ such behaviour,** böyle harekete müsaade edemem: **I won't ~ anything said against him,** onun aleyhinde söz söyletmem: **we had a lot of rain last week,** geçen hafta çok yağmur yağdı: **to ~ tea, dinner,** *etc.*, çay içmek, akşam yemeği yemek vs.: **he had his leg broken,** ayağı kırıldı. **have at,** ···e hücum etmek. **have in, to ~ s.o. in,** birini eve davet etm.: **to ~ the doctor in,** doktor çağırmak. **have on, to ~ stg. on,** (i) bir şey giymek; (ii) bir işi olmak: **to ~ nothing on,** (i) çıplak olm.; (ii) azade olm.: **to ~ s.o. on,** (*arg.*) birini alaya almak; birini aldatmak. **have out, to ~ a tooth out,** dişini çıkartmak: **to ~ a matter out,** bir meseleyi münakaşa ve halletmek. **have up,** (*kon.*) mahkemeye celbetmek; yediği bir şeyi kusarak çıkarmak.
have[2] *n.* (*kon.*) Hile, dolab. **the ~s and the have-nots,** zenginler ve fakirler.
haven [ˈheivn]. Liman; melce, sığınak.
haversack [ˈhavəsak]. Arka çantası.
havoc [ˈhavək]. Büyük zarar; tahribat. **to make ~ of, to work ~, to play ~ with,** çok zarar vermek; berbad etmek.
haw[1] [hoo] *bk.* **hum.**
haw[2]. Akdiken yemişi.
hawfinch [ˈhoofintʃ]. (*Coccothraustes*) Koca baş (kuş).
hawk[1] [hook] *n.* Atmaca, şahin vs. gibi bir çok yırtıcı kuşlara verilen ad. *vb.* Doğan ile avlamak.
hawk[2]. Boğazdan balgam çıkarmağa çalışmak.
hawk[3]. Ayak satıcılığı etmek. **~er,** ayak satıcısı, işportacı.
hawse [hooz]. Geminin talimarı ile bağlandığı demir arasındaki mesafe. **hawse-hole,** loça deliği. **hawse-pipe,** loça kovanı.
hawser [ˈhoozə*]. Palamar, yoma.
hawthorn [ˈhooθoon]. (*Crataegus*) Akdiken, mayısçiçeği.
hay [hei]. Kuru ot. **to make ~,** biçilmiş otu güneşe yayıp kurutmak: **to make ~ of stg.,** karmakarışık etm.: ⌜**to make ~ while the sun shines**⌝, bir işi fırsat varken yapmak. **~box,** yarı pişirilen bir yemeği pişmeğe devam etmesi için kullanılan içi kuru ot dolu bir nevi sandık. **~cock,** tarlada biçilmiş olan küçük ot yığını. **~loft,** ağılın tavanarasındaki otluk. **~maker,** ot biçmek ve kurutmakla meşgul olan işçi. **~making,** ot biçme ve kurutma (mevsimi). **~rick, ~stack,** kuru ot yığını, tınaz. **hay-fork,** iki dişli yaba veya çatal. **hay-harvest,** ot biçme ve kurutma.
hazard [ˈhazəd]. Baht; kaza; tehlike; baht işi. Talihe bırakmak; tehlikeye koymak; riske etmek. **at all ~s,** her şeyi göze alarak; ne yapıp yapıp: **winning ~,** (bilârdo), rakibin bilyesini deliğe koymak: **losing ~,**

kendi bilyesini deliğe koymak. **~ous,** tehlikeli; baht işi.

haze [heiz]. Hafif sis; pus.

hazel [ˈheizl]. Fındık ağacı; fındık kabuğu renginde: **~ eyes,** elâ gözler. **hazel-nut,** fındık.

haz·y [ˈheizi]. Puslu; mübhem; bulanık. **I am a bit ~ about the date,** tarihini pek hatırlamıyorum. **~iness,** pusluluk, sis; mübhemlik.

H.E. [ˈeitʃˈii]. (*kıs.*) (i) **His Excellency,** Hazretleri; (ii) **high explosive,** yüksek infilaklı (madde).

he [hii]. (İsmi geçen erkek adam veya hayvan) o.

he- (*pref.*) Erkek ...; **he-goat,** teke. **he-man,** erkek adam.

head[1] [hed] *n.* Baş, kafa, kelle; tepe; reis; zekâ, akıl; aded, tane; kapı, bab, fasıl, madde; (marul vs.) göbek; (supap) şapka; (futbol) kafa vuruşu. **sixpence a ~** [**per ~**], adam başına altı peni: **taller by a ~,** bir baş boyu daha uzun: **to win by a ~,** bir baş boyu farkla kazanmak: **to win by a short ~,** pek küçük farkla kazanmak: **she is down by the ~,** (gemi) başı suya ziyade batmış: **~ first,** baş aşağı: **a large ~ of game,** büyük mikdarda av hayvanları: **to give a horse his ~,** atın başını serbest bırakmak: **to go to one's ~,** (içki vs.) başına vurmak: **how's her ~?,** (*den.*) *kaptan vs.nin dümenciye rotayı sorması*: **to keep one's ~,** soğukkanlılığını muhafaza etm., kendini kaybetmemek: **to keep one's ~ above water,** su üzerinde durmak, boğulmamak; (*mec.*) borca girmeden geçinmek: **to lay ~s together,** baş başa vermek: **to lose one's ~,** (i) pusulayı şaşırmak; (ii) idam edilmek: **to make ~,** ilerlemek: **to make ~ against stg.,** karşı durmak, mukavemetini kırmak: **he is off his ~,** aklından zoru var: **to stand on one's ~,** baş aşağı durmak: **on your own ~ be it!,** günahı boynuna!: **~ on to the wind,** rüzgâra karşı: **to go over s.o.'s ~,** birini çiğneyip geçmek (*mec.*): **he gives orders over my ~,** bana sormadan emirler veriyor: **to talk over s.o.'s ~,** birine anlayamıyacağı şeylerden bahsetmek: **under separate ~s,** ayrı fasıllarda: **~s or tails?,** yazı mı tuğra mı?: ⌜**~s I win, tails you lose**⌝, ne olursa olsun ben kazanırım: **I cannot make ~ or tail of this,** bundan hiç bir mana çıkaramıyorum: **to take it into one's ~ to ..., ...** aklına esmek: **now matters are coming to a ~,** işte şimdi dananın kuyruğu kopacak; yüzdük yüzdük kuyruğuna geldik: **to bring matters to a ~,** bir işi kat'î bir neticeye bağlamak: ⌜**two ~s are better than one**⌝, ⌜akıl akıldan üstündür⌝. **head-dress, head-gear,** başlık, baş örtüsü. **head-hunter,** insan avcısı **head-lamp, head-light,** projektör, far; lâmba. **head-on,** baş başa (çarpışma vs.). **head-phone,** kulaklık. **head-piece,** miğfer; (kitabda) fasıl veya sahife başına konulan küçük resim; akıl, zekâ. **head-splitting,** kafa şişiren (gürültü); başını çatlatan (ağrı). **head-stall,** at başlığı. **head-wind,** pruva rüzgârı. **head-work,** zihin işi.

head[2] *vb.* Başa geçmek; başta olmak; başa koymak; Başını kesmek veya budamak. **to ~ the ball,** (futbol) kafa vurmak: **the country is ~ing for disaster,** memleket felâkete doğru sürükleniyor: **to ~ the list,** listenin başında gelmek: **to ~ for a place,** bir yer istikametinde gitmek. **head off,** yolunu kesmek; istikametini değiştirmek; savmak.

headache [ˈhedeik]. Başağrısı.

headband [ˈhedband]. Baş sargısı; şiraze.

-headed [ˈhedid] *suff.* ···başlı; ···saçlı.

header [ˈhedə*]. Başaşağı dalış; başı duvarın dışarısında görünen taş veya tuğla. **to take a ~,** suya başaşağı dalmak; başaşağı düşmek.

heading [ˈhediŋ]. Serlevha; başlık; fasıl. **to come under the ~ of ..., ...** faslına girmek.

headland [ˈhedlənd]. Karanın denize çıkıntısı, burun.

headline [ˈhedlain]. Başlık, manşet.

headlong [ˈhedloŋ]. Başaşağı; paldır küldür; apar topar; düşüncesiz, atılgan.

headman [ˈhedmən]. Kabile reisi; köy muhtarı.

headquarters [hedˈkwootəz]. (*kıs.* **H.Q.**) Karagâh; merkez. **General ~** (**G.H.Q.**), umumî karargâh.

headsman [ˈhedzmən]. Cellâd.

headstock [ˈhedstok]. (Torna vs.nin) fener gövdesi: **loose ~,** gezer punta gövdesi.

headstone [ˈhedstoun]. Mezar taşı; temel taşı.

headstrong [ˈhedstroŋ]. Dikkafalı; inadcı ve atılgan.

headway [ˈhedwei]. İlerleme, yürüyüş; hız. **to gather ~,** hız almak; **to make ~,** ilerlemek, terakki etm.; alıp yürümek: **to make no ~,** ilerlememek; yerinde saymak.

heady [ˈhedi]. Düşüncesiz, delişmen; başa vuran.

heal [hiil]. Şifa vermek; iyileş(tir)mek: **~ up,** (yara) kapanmak: **to ~ the breach,** ara bulmak; barıştırmak. **heal-all,** her derde deva.

health [helθ]. Sıhhat, sağlık. **to drink s.o.'s ~,** birinin sıhhatine içmek: **Bill of ~,** pratika, patenta: **Board of ~,** ingiliz Sıhhiye Nezaretinin eski adı. **~ful,** sıhhî; şifa veren. **~y,** sıhhati yerinde;

sağlam; gürbüz; sıhhate yarar: ~ **appetite,** iyi iştah: ~ **criticism,** iyi niyetle yapılan ve faydalı tenkid. **~iness,** sıhhatli olma.

heap [hiip]. Yığın; küme. Yığmak, kümelemek. **a ~ of, ~s of,** bir çok, bir sürü: **to fall in a ~,** düşüp yığılmak: **to be struck all of a ~,** (*arg.*) hayretten küçük dilini yutmak: **to ~ praises on s.o.,** birini sitayişlere bögmak. **~ed,** *a.* ağız ağza dolu: **a ~ spoonful,** tepeleme bir kaşık dolusu.

hear (**heard**) [hiə*, həəd]. İşitmek; duymak; dinlemek; haber almak. **~! ~!,** bravo!, çok doğru!: **he likes to ~ himself talk,** çok konuşmaktan hoşlanıyor: **I have ~d it said, I had ~d tell that ..., ...** söylendiğini işittim: ~ **me out!,** sözümü sonuna kadar dinle!: **to ~ from s.o.,** birinden mektub almak: **to ~ a child his lesson,** çocuğun dersini dinlemek: **he won't ~ of any alterations to his plan,** plânının değiştirilmesini kabul etmiyor: **I won't ~ of it!,** dünyada bunu kabul edemem.

hearer [ˈhirə*]. Dinleyici.

hearing [ˈhiriŋ] *n.* Dinleme; işitme duygusu. **within ~,** işitilecek mesafede: **out of ~,** işitilmiyecek mesafede: **to condemn s.o. without a ~,** birini dinlemeden aleyhinde hüküm vermek: **to be quick of ~,** kulağı keskin olmak: **it was said in my ~,** kulaklarımla duydum.

hearken [ˈhaakn]. Dinlemek; kulak vermek.

hearsay [ˈhiəsei]. Şayia; kulaktan dolma.

heart [haat]. Kalb; gönül; can; yürek; can evi; iç, orta, merkez; merhamet, şefkat; cesaret, gayret; (iskambil) kupa. **after one's own ~,** tam istediği gibi: **at ~,** içinden: **to have s.o.'s welfare at ~,** birinin saadetile candan alâkadar olmak: **~ attack,** kalb krizi: **to have one's ~ in one's boots,** meyüs olmak, fütür getirmek: **from the bottom of my ~,** en candan, kalbinin derinliklerinden: **to break one's ~ over stg.,** bir şeyden dolayı içi içini yemek: **to break one's ~,** (büyük bir keder vs.) mahvetmek, ezip bitirmek: **by ~,** ezberden: **to learn [get] by ~,** ezberlemek: **a change of ~,** hislerin (iyiliğe doğru) değişmesi: **to one's ~'s content,** canının istediği kadar: **~ failure,** kalb sektesi: **not to find it in one's ~, not to have the ~ to,** kıyamamak, içi götürmemek, yüzü olmamak: **in good ~,** keyfi yerinde; iyi halde, mümbit: **to have one's ~ in one's work,** işini sevmek: **in my ~ of ~s,** içimden, kalbimin derinliklerinde: **to lose ~,** ye'se düşmek, fütür getirmek: **to lose one's ~ to,** ···e kalbini kaptırmak: **the ~ of the matter,** meselenin esası: **to have one's ~ in one's mouth,** canı ağzına gelmek: **to put new ~ into s.o.,** birine yeniden cesaret vermek, birini teşvik etm.: **to press [clasp] s.o. to one's ~,** birini bağrına basmak: **his ~ is in the right place,** (her şeye rağmen) iyi niyetlidir: **to set one's ~ on,** ···i aklına koymak: **~ and soul,** can ve gönülden: **to take stg. to ~,** bir şeyi kendine derd etm.: **a sight that goes to the ~,** yürek parçalıyan bir manzara. **heart-ache,** keder; ıstırab. **heart-breaking,** son derece keder verici. **heart-broken,** kederden kolu kanadı kırılmış. **heart-felt,** samimî; içten, candan. **heart-searching,** vicdanı araştıran; vicdanını yoklama. **heart's-ease,** hercai menekşe. **heart-sick,** kederli, fütür getirmiş; bezgin. **heart-strings,** en deruni hissiyat: **to feel a tug at the ~,** kalbinin en hassas teline dokunulmak. **heart-to-heart,** samimî; kalb kalbe. **heart-whole,** (i) kimseye gönül vermemiş; (ii) samimî. **heart-wood,** ağac özü.

heartburn [ˈhaatbəən]. Mide ekşimesi.

-hearted [ˈhaatid]. ···kalbli, ···yürekli, *mes.* **stony-~,** taşyürekli.

hearten [ˈhaatn]. Cesaret vermek; teşvik etmek.

hearth [haaθ]. Ocak; ocağın önü; ocağın başı. **without ~ or home,** od yok ocak yok. **~stone,** ocaktaşı; kil. **hearth-rug,** ocağın önüne serilen kilim.

heartless [ˈhaatlis]. Kalbsiz.

heartrending [ˈhaatrendiŋ]. Yürek parçalayıcı.

hearty [ˈhaati]. Candan, samimî; dinc, sağlam; fazla ne'şeli ve gürültülü. **~ appetite,** iyi iştah: **~ meal,** bol bir yemek.

heat [hiit]. Hararet, sıcaklık; kızgınlık. ~ *veya* **~ up,** Isıtmak; hararetlendirmek; ısınmak. **on ~,** (dişi hayvan) kızgın: **to get in a ~, to become ~ed,** hiddetlenmek, öfkelenmek. **~ed,** ısınmış; hararetli. **~er,** ısıtıcı şey; **electric ~,** elektrik sobası. **heat-stroke,** güneş çarpması. **heat-wave,** sıcak dalgası.

heath [hiiθ]. Fundalık; çorak arazi; funda.

heathen [ˈhiiðn]. Putperest; kâfir. **~ish,** putperestliğe aid, kâfir.

heather [ˈheðə*]. Süpürge otu; funda.

heating [ˈhiitiŋ]. Isıtıcı; ısıtma cihazı. **central ~,** kalorifer.

heave (**heaved** veya **hove**) [hiiv, -d, houv]. (Ağır bir şeyi) atmak veya kaldırmak; deniz gibi kabarıp inmek. Şiddetle atma veya itme veya çekme. **to ~ at [on] a rope,** palamar zorla çekmek: **to ~ away at the capstan,** ırgat çekmek: **to ~ the lead,** iskandil atmak: **to ~ ahead [astern],** (gemi) bir az ileri [geri] gitmek: **to ~ a sigh,** derin derin iç çekmek: **to ~ in sight,** birdenbire görünüvermek: **to ~ to,** (gemi) durmak, durdurmak; orsa alabanda eğlendirmek: ~ **ho!**, yisa!: **to be hove to,** orsa alabanda yatırılmak.

heaven [ˈhevn]. Gök, sema; cennet; Allah. **the ~s,** sema; feza; kubbe: **in ~,** cennette; öbür dünyada: **to go to ~,** cennete gitmek: **good ~s!,** Allah! Allah!; aman yarabbi!: **thank ~!,** bereket versin; çok şükür, elhamdülillah!: **for ~'s sake,** Allah aşkına: **would to ~,** Allah vere; ah keşki: **to move ~ and earth to get stg.,** bir şeyi elde etmek için yapmadık bir şey bırakmamak. **heaven-born,** ilâhî. **heaven-sent,** Allah tarafından gönderilen.

heavenly [ˈhevənli]. Semavî; ilâhî; cennete aid; Allahtan; (*kon.*) pek nefis, pek lâtif. **Our Heavenly Father,** Allah.

heaviness [ˈhevinis]. Ağırlık, sıklet; kasvet; uyuşukluk. **~ of heart,** fütür, keder.

heavy [ˈhevi]. Ağır; sakil; iri yapılı; kalın; kasvetli, sıkıntılı; güç; şiddetli; iyice kabarmamış, hamur (ekmek); cansız, usandırıcı. **~ crop,** zengin mahsul: **a ~ day,** (i) kasvetli bir gün; (ii) çok çalışılan gün: **~ fire,** şiddetli top ateşi: **to have a ~ heart,** kederli olmak: **~ meal,** bol yemek: **to be a ~ sleeper,** uykusu ağır olmak: **a ~ step,** tok ayak sesi: **time hangs ~ on his hands,** yapacak bir şey olmadığı için cansıkıntısı içindedir: **~ weather,** (*den.*); *bk.* **weather**: **~ with young,** gebe. **heavy-eyed,** gözleri (uykusuzluktan) çakmak çakmak. **heavy-handed,** (i) eli işe yatmıyan, beceriksiz; (ii) zalim. **heavy-hearted,** kederli.

Hebr·ew [ˈhiibru]. Yahudi; ibranice. **~aic** [–ˈbrei·ik], ibranî.

hecatomb [ˈhekətuum]. Eski zamanda yüz hayvan kurban etmek âdeti; katliâm.

heckle [ˈhekl]. Birini ve *bilh.* mebus namzedini nutuk söylerken müşkül ve şaşırtıcı suallerle sıkıştırmak.

hectic [ˈhektik]. Pek heyecanlı; telâşlı; veremli gibi kızarmış ve sıtmalı. **~ cough,** veremli gibi öksürme.

hecto- [ˈhektou]. Yüz ....

hector [ˈhektə*]. Kabadayı, mütehakkim adam. Yüksekten atmak; kabadayılık etmek.

he'd [hiid] = **he had; he would.**

hedge [hedʒ]. Çit; mania. Çit çevirmek; iki taraf için bahse girişmek; kaçamaklı davranmak. **~d in [about] with difficulties,** müşkülâtla çevrilmiş. **hedge-priest,** cahil kaba papaz. **hedge-sparrow,** (*Prunella modularis*) ufak bir ötleğen kuşu. **hedge-top,**(uçak) çok alçaktan uçmak.

hedgehog [ˈhedʒhog]. Kirpi.

hedgerow [ˈhedʒrou]. Çit teşkil eden ağaclar ve fidanlar.

hedon·ism [ˈhiidənizm]. Hayatın maksadını zevk telâkki eden felsefe. **~ist,** bu felsefeye aid; safaperest.

heed [hiid]. Aldırmak; kulak vermek; dikkat etmek. Aldırış; ehemmiyet verme; dikkat. **to pay [take] no ~,** aldırmamak; oralı olmamak; dikkat etmemek. **~ful,** dikkatli; ihtiyatlı. **~less,** dikkatsiz; aldırış etmiyen.

hee-haw [ˈhiiˈhoo]. Anırma(k).

heel[1] [hiil]. Topuk; ökçe; bir şeyin ara kısmı. Raksederken yere ökçe ile vurmak; raksetmek; (ayakkabıya) ökçe vurmak. **to be at [on, upon] one's ~s,** tam peşinde olm.: **to bring s.o. to ~,** birini yola getirmek, râmetmek: **to come to ~,** (köpek) yürürken çağırılınca sahibinin peşinden gelmek; (*mec.*) itaat etmek, râmolmak: **to be down [out] at ~s,** ökçeleri ezilmiş veya şapşal olm.; sefalette olm.: **(horse) to fling out its ~s,** (at) çifte vurmak: **to have the ~s of ...,** ···den daha hızlı koşmak: **head over ~s,** tepe taklak: **to kick [cool] one's ~s,** işsiz güçsüz veya sabırsızlanarak beklemek: **to lay [clap] s.o. by the ~s,** birini hapsetmek: **to show a clean pair of ~s,** kaçıp gözden kaybolmak: **to take to one's ~s,** tabanları yağlamak: **to tread upon s.o.'s ~s,** birini yakından takib etmek, peşine düşmek: **to turn on one's ~,** birden bire dönmek: **to be under the ~ of the invader,** müstevlinin çizmesi altında olmak. **heel-and-toe, ~ dance,** topuklar basarak yapılan raks. **heel-tap,** ökçe köselesi; cür'a, kadehin dibindeki son yudum: **no ~s!,** içkiyi son damlasına kadar iç!

heel[2] *vb.* **~ (over),** (gemi vs.) bir yana yatmak; (gemiyi) yana yatırmak.

hefty [ˈhefti]. İri yarı; çam yarması gibi.

hegemony [hiiˈgeməni]. Tahakküm; üstünlük; hegemonya.

Hegira [ˈhedʒra, həˈdʒiəra]. Hicret.

heifer [ˈhefə*]. Doğurmamış genc inek.

heigh [hei]. *Dikkat celbi nidası.* **heigh-ho,** *bıkkınlık veya esef nidası.*

height [hait]. İrtifa, yükseklik; yüksek yer, tepe; evc, zirve; boy; son derece. **he drew himself up to his full ~,** doğruldu: **in the ~ of the battle,** muharebenin en civcivli zamanında: **the ~ of folly,** deliliğin son mertebesi. **~en,** yükseltmek; artırmak.

heinous [ˈheinəs]. İğrenc; şeni, habis; affolunmaz.

heir [eə*]. Vâris, mirasçı. **~ to the throne,** veliahd. **heir-apparent,** mirastan iskat edilemiyen meşru mirasçı. **heir-at-law,** kanunî mirasçı.

heirdom [ˈeədəm]. Vârislik; veliahdlık.

heiress [ˈeəris]. Kadın vâris.

heirloom [ˈeəluum]. Babadan kalma kıymetli bir şey.
held *bk.* **hold.**
helianthus [ˌheliˈanθəs]. Bir nevi küçük ayçiçeği.
helic·al [ˈhelikl]. Helezonî. **~oid,** helezonî şekilli.
helicopter [ˈhelikoptə*]. Helikopter.
heliograph [ˈhiiljograaf]. Helyosta.
heliotrope [ˈheljotroup]. Kâzib vanilya; açık mor.
helix, *pl.* **helices** [ˈhiiliks, ˈheliks; ˈhelisiiz]. Helezon.
hell [hel]. Cehennem. **a ~ upon earth,** Allahın belâsı bir yer: **~ let loose,** cehennemden nümune: **to make the ~ of a noise,** çok gürültü yapmak: **to raise ~,** kıyamet koparmak: **to ride ~ for leather,** (at üzerinde) doludizgin, dörtnala, koşmak: **to work like ~,** domuzuna çalışmak: **what the ~ do you want?,** ne istiyorsun, be adam? **hell-fire,** cehennem azabı. **hell-hound,** zebani.
he'll [hiil] = **he will.**
hellebore [ˈheləboo*]. Çöpleme; marulcuk.
Hellen·e [ˈheliin]. Helen. **~ic** [–ˈliinik], Yunanlılara aid. **~ist,** eski yunanca âlimi.
hellish [ˈheliʃ]. Cehenneme aid; şeytanca, müdhiş.
hello *bk.* **hallo.**
helm [helm]. Dümen yekesi; dümen; (*esk.*) miğfer. **at the ~,** dümende; başta, idare eden: **to answer the ~,** dümeni dinlemek.
helmet [ˈhelmit]. Miğfer; tulga. **sun ~, tropical ~,** kolonyal şapka.
helmsman [ˈhelmsmən]. Dümenci.
helot [ˈhelət]. Esir, köle; eski İspartalı köle. **~ry,** kölelik.
help [help]. Yardım; muavenet, imdad, medar; yardımcı, muavin. Yardım etm., muavenet etm., imdad etm., medar olm.; kolaylaştırmak; sofrada yemek dağıtmak, birine yemek veya şarab vermek. **~!,** can kurtaran yok mu!; yetişin!: **I can't ~ it,** elimde değil: **I can't ~ thinking,** bence muhakkak: **it can't be ~ed, there's no ~ for it,** çare yok, zarurî: **don't be longer than you can't ~,** mümkünse fazla gecikme: **I couldn't ~ laughing,** gülmekten kendimi alamadım: **to cry for ~,** 'imdad' diye bağırmak: **to ~ s.o. down, in, out, up,** birine inerken, girerken vs. yardım etm.: **so ~ me God!,** Allah şahid olsun!, vallahi!: **mother's ~,** çocuğa bakmağa gelen hizmetçi: **past ~,** yapacak bir şey kalmadı; ümid yok: **to ~ s.o. on [off] with a coat,** *etc.*, palto vs. giyerken (çıkarırken) birine yardım etm.: **~ yourself!,** (yemek vs.ye) siz kendiniz buyurun!, istediğinizden istediğiniz kadar alın. **~er,** yardımcı, muavin. **~ful,** kolaylaştırıcı; işe yarar; yardım eden. **~ing,** *n.* bir tabak yemek; porsiyon. **~less,** âciz; kimsesiz; eli ayağı bağlı; eli böğründe; çaresiz. **~mate, ~meet,** yardımcı; ortak; (*um.*) karı veya koca.
helter-skelter [ˈheltə*ˈskeltə*]. Çil yavrusu gibi dağılarak; kaçan kaçana; apar topar.
Helvetia [helˈviiʃə]. İsviçre.
hem¹ [hem]. Dikilmiş kenar; etek. Kenarını kıvırıp dikmek. **hem in,** etrafını almak; kuşatmak. **hem-stitch,** bir mendil vs.nin kenarındaki işleme; bu suretle işlemek.
hem². 'Hım' diye seslenmek; manalı manalı öksürmek.
hemi- [ˈhemi] *pref.* Yarım ...; *mes.* **hemicycle,** yarım daire.
hemispher·e [ˈhemisfiə*]. Yarımküre. **~ical,** yarımküre şeklinde.
hemistich [ˈhemistik]. Yarım mısra.
hemlock [ˈhemlok]. Baldıranotu. **~ spruce,** Kanada çamı.
hemorrhage *etc. bk.* **haemorrhage** *vs.*
hemp [hemp]. Kendir, kenevir; esrar otu, benk. **~en,** kenevirden yapılan. **~seed,** kenevir tohumu.
hen [hen]. Tavuk; dişi kuş. **to set a ~,** bir tavuğu kuluçkaya yatırmak. **hen-coop,** tavuk kafesi. **hen-house,** tavuk kulübesi. **hen-party,** (*kon.*) yalnız kadınlardan mürekkeb toplantı. **hen-pecked,** kılıbık.
henbane [ˈhenbein]. (*Hyoscyamus*) Banotu.
hence [hens]. Buradan; bundan; bu sebebden; binaenaleyh. **ten years ~,** bundan on sene sonra. **~forth** [ˈhensˈfooθ], **~forward** [–ˈfoowəd], bundan sonra; bundan böyle.
henchman, *pl.* **-men** [ˈhentʃmən]. Sadık yardımcı; tarafdar; (*esk.*) uşak, peyk.
henna [ˈhennə]. Kına.
hepatic [heˈpatik]. Karaciğere aid; kebedî. **~a,** şakayiki numanî kebedî.
heptagon [ˈheptagən]. Yedi dılılı ve köşeli müstevi şekil.
her [həə*]. (Dişi hakkında) onu; onun; ona. **she saw ~ son,** oğlunu gördü.
herald [ˈherəld]. (*esk.*) Harb ilânını teblig, hükümdarlara nameleri götürmek vs.yle vazifeli olan ve şahsı masum memur; (*şim.*) hanedan armacılığı ile meşgul olan memur; haberci, müjdeci. İlân etm.; geleceğini haber vermek; müjdelemek. **~ic,** armacılığa aid. **~ry,** armacılık.
herb [həəb]. Ot, nebat, *bilh.* baharat makamında kullanılan otlar ile tıbbî otlara denilir. **~al,** otlara aid; otlardan bahseden kitab.

herbaceous [həəˈbeiʃəs]. Ot cinsinden; sapları katılaşmıyan nebatlara aid.
herbage [ˈhəəbidʒ]. Yeşillik; hayvanların yedikleri her nevi ot.
herbalist [ˈhəəbəlist]. İlâclık satan kimse; kökçü.
herbarium [həəˈbeərjəm]. Kurutulmuş ot koleksiyonu; böyle bir koleksiyonu ihtiva eden oda.
herbivor·a [həəˈbivərə]. Ot yiyen hayvanlar. **~ous,** ot yiyen.
herculean [həəkjuˈliən]. Herkül'e aid; beşerî kuvvetin fevkinde olan.
herd [həəd]. Hayvan sürüsü; güruh; ayaktakımı; sığırtmaç. Sürüye katmak; hayvan sürüsüne bakmak. **to ~ together,** sürü halinde toplanmak: **the common [vulgar] ~,** ayaktakımı; sürü: **the ~ instinct,** sürü hissi. **~sman,** *pl.* **~men,** sığırtmaç.
here [hiə*]. Burada; buraya. **about ~,** bu civarda: **~ and there,** şurada burada; arasıra: **~ and now,** derhal gözümün önünde: **~ there and everywhere** her tarafta: **that 's neither ~ nor there,** bunun mesele ile bir alâkası yok: **~'s your book,** işte kitabınız!: **~!, I want you,** gel!, sana bir şey söyliyeceğim: **~ goes!,** ya Allah! (haydi bakalım!).
hereabout(s) [ˈhiərabaut(s)]. Bu civarda, buralarda.
hereafter [hiərˈaaftə*]. Bundan böyle; istikbalde; bundan sonra; aşağıda. **the ~,** ahret.
hereby [ˈhiəˈbai]. *Bir mukavele vs. başında kullanılan tabir:* **I ~ ...,** ben bu vesika ile ....
heredit·y [həˈrediti]. İrsiyet; irs. **~ament,** miras ile intikal eden mal. **~ary,** miras ile intikal eden; irsî; mevrus.
herein [ˈhiərin]. Bunun içinde. **~after,** aşağıda, âtide.
heresy [ˈherəsi]. Bir akideye muhalif olan mezheb; itizal; yanlış fikir.
heretic [ˈherətik]. İtizalci, mutezil. **~al** [–ˈretikl], itizale aid.
here·tofore [ˈhiətoˈfoo*]. Şimdiye kadar; evvelce. **~upon,** bunun üzerine. **~with,** bununla; ilişik olarak.
heritable [ˈheritəbl]. Miras ile intikal edebilen; irsî; mirasa ehliyeti olan.
heritage [ˈheriteıdʒ]. Miras; tereke.
hermaphrodite [həəˈmafroudait]. Hünsa.
hermetic [həəˈmetik]. Hava geçmez şekilde kapalı.
hermit [ˈhəəmit]. Münzevi, târiki dünya. **~ age,** tariki dünya hücresi, zaviye.
hern·ia [ˈhəənjə]. Fıtık. **~ial,** fıtık illetine aid.
hero [ˈhiərou]. Kahraman.
Herod [ˈherod]. Eski Yahudi kırallarından biri. **to out-Herod ~,** zulümde Firavuna taş çıkartmak *kabilinden.*
heroic(al) [hiəˈrouikl]. Kahramanca. **~s,** mübalâğalı ve tumturaklı sözler; edebiyat: **~ remedy,** pek şiddetli ve müeessir ilâc.
heroin [ˈherouin]. Morfin hülâsası, eroin.
heroine [ˈherouin]. Kadın kahraman.
heroism [ˈherouizm]. Kahramanlık.
heron [ˈherən]. (*Ardea cinerea*) Balıkçıl. **~ry,** balıkçıl kuşlarının toplu yuva yaptıkları yer.
herpes [ˈhəəpiiz]. Cildde kabarcıkların hasıl olduğu bir deri hastalığı; erpes.
herring [ˈheriŋ]. Ringa balığı. **red ~** tütsülenmiş ringa; (*mec.*) sadedden uzaklaştırmak için söylenen söz: **to draw a red ~ across the trail,** böyle bir söz söyliyerek muhavereyi kasden sadedden çevirmek. **herring-bone,** ringa kılçığı gibi: **~ stitch,** bir nevi çapraz dikiş. **herring-pond,** (*şak.*) Atlantiğin şimal kısmı.
hers [həəz]. (Kadın hakkında) onun, onunki. **a friend of ~,** dostlarından biri.
herself [həəˈself]. (Kadın hakkında) kendisi.
he 's [hiiz] = **he is.**
hesitan·cy [ˈhezitənsi]. Tereddüd. **~t,** mütereddid.
hesitat·e [ˈheziteit]. Tereddüd etmek. **~ion** [–ˈteiʃn], tereddüd: **without the slightest ~,** hiç tereddüd etmiyerek.
Hessian [ˈhesjən]. Kaba kendir kumaş. **~ fly,** sürfesi buğdaya zarar veren ufak bir sinek.
heterodox [ˈhetərodoks]. Müeesses dinlere, esaslara veya fikirlere aykırı olan. **~y,** böyle bir aykırılık.
heterogeneous [ˌhetəroˈdʒenjəs]. Gayri mütecanis; birbirine uymıyan; türlü türlü.
hew (hewed, hewn) [hjuu, hjuud, hjuun]. Balta ve emsali ile vurarak kesmek, yontmak, yarmak. **to ~ coal,** kömür kazmak: **to ~ out a career for oneself,** çalışıp çabalıyarak meslek hayatını yapmak: **to ~ out a statue,** bir heykeli kabaca yontmak: **to ~ one's way through,** kılıc vs. ile vurarak kendine yol açmak.
hewer [ˈhjuuə*]. Yontucu; kömür kazıcı. **⌜~s of wood and drawers of water⌝,** ağır ve süflî işler yapanlar.
hewn *bk.* **hew.**
hexagon [ˈheksəgon]. Müseddes; altı dılılı ve altı köşeli şekil. **~al,** müseddes şeklinde.
hexameter [heksˈametə*]. Vezni altı tef'ileden ibaret olan mısra.
heyday [ˈheiˈdei]. ···in en parlak devri; kıvam. **the ~ of life,** hayatın en güzel devri: **the ~ of spring,** ilkbaharın en güzel günleri.

H.H. = His Highness. *bk.* highness.
hi [hai]. *Dikkat celbeden nida*; yahu!; bana bak!
hiatus [haiˈeitəs]. Eksiklik, boşluk, aralık, fasıla; (*gram.*) tenafür.
hibern·al [haiˈbəənl]. Kışa aid. **~ate** [ˈhaibəneit], kış mevsimini uykuda geçirmek.
Hibernian [haiˈbəənjən]. İrlanda'ya aid.
hibiscus [haiˈbiskəs]. Sıcak memleketlerde yetişen bir nevi ebegümeci.
hiccough, hiccup [ˈhikʌp]. Hıçkırık. Hıçkırık tutmak.
hickory [ˈhikəri]. Şimalî Amerika'da yetişen bir nevi ceviz ağacı.
hid *bk.* **hide.**
hidalgo [hiˈdalgou]. İspanyol asilzadesi.
hidden [ˈhidn] *bk.* **hide**; *a.* Saklı, gizli.
hide[1] (**hid, hidden**) [haid, hid, hidn]. Sakla(n)mak; gizle(n)mek; örtbas etm.; sinmek. **to ~ one's head,** utancdan sinmek veya sıvışmak. **hide-and-seek,** saklambaç: **to play ~ with s.o.,** kendini arıyan birinden kasden ictinab etmek.
hide[2]. Deri; post. **hide-bound,** hastalık veya bakımsızlıktan dolayı derisi yapışık ve katı olan (hayvan); dar ve değişmez fikirli. **~ etiquette,** çok sıkı ve değişmez teşrifat ve merasim.
hideous [ˈhidjəs]. Son derece biçimsiz, çirkin, iğrenc.
hiding [ˈhaidiŋ] *n.* Sakla(n)ma; (*kon.*) dayak.
hie [hai]. Gitmek.
hierarch [ˈhaiəraak]. Baş papaz; dinî reis. **~ical** [–ˈraakikl], **hierarchy**'ye aid ve uygun. **~y,** ruhanî, sivil veya askerî memurların derece ve rütbe silsilesi; meratib silsilesi.
hieroglyph [ˈhaiərouglif]. Eski Mısırlıların yazısı; hiyeroglif; okunmaz, anlaşılmaz yazı. **~ical,** hiyeroglife aid. **~ics,** hiyeroglif yazılan.
higgle [ˈhigl]. Sıkı pazarlık etmek.
higgledy-piggledy [ˈhigildiˈpigildi]. Karmakarışık; karman çorman.
high [hai]. Yüksek; yüksekteki; ulu; asil; (et) hafifçe bozulmuş; (*mus.*) tiz; (deniz, rüzgâr) sert. **to go as ~ as £100,** yüz liraya kadar vermek: **~ coloured,** parlak renkli; kırmızı (yanak): **~ day,** bayram: **~ and dry,** (suların çekmesile) tamamen karada: **to leave s.o. ~ and dry,** birini yüzüstü bırakmak: **~ feeding,** bol ve ağır yemek: **from on ~,** yukarıdan; gökten; Allahtan: **with a ~ hand,** keyfî, karakuşî, indî: **to ride the ~ horse,** yukarıdan almak: **~ latitudes,** çok şimalde, kutba yakın olan mıntakalar: **~ lights,** bir resim vs. ışıklı tarafları; en göze çarpan şeyler: **~ life,** yüksek sosyete hayatı: **to hunt ~ and low for stg.,** fellek fellek aramak: **~ and mighty,** (eski unvan) devletli; (*mec.*) mağrur; yukarıdan alan: **~ noon,** tam öğle vakti: **on ~,** gökte: **feelings ran ~,** pek hiddetli ve ateşli münakaşalar oldu: **the ~ seas,** açık denizler: **in ~ spirits,** neş'eli, keyfi yerinde: **~ summer,** tam yaz ortası: **the ~ table,** kolejde profesörlere mahsus sofra: **to have a ~ time,** çok eğlenmek: **it's ~ time we went,** artık gitmek zamanı geldi: **~ water, med:** **~ words,** hiddetli sözler, kavga. **high-born, high-bred,** asil. **high-class,** iyi cinsten; yüksek sınıftan. **high-flown,** tumturaklı, mübalâğalı. **high-flyer,** gözü yüksekte olan. **high-grade,** iyi cinsten. **high-handed,** mütehakkim: karakuşî. **high-minded,** âlicenab; asil ruhlu. **high-pitched,** tiz; dik meyilli. **high-powered,** yüksek kudretli (*otom.*): kuvvetli (dürbün vs.). **high-sounding,** tantanalı, azametli; şatafatlı. **high-spirited,** cesur; atılgan; ateşli.
highbrow [ˈhaibrau]. Fikir ve sanatte ince zevk sahibi; münevver taslağı.
highfalutin(g) [ˈhaifəˈluutiŋ]. Tumturaklı, şatafatlı. Edebiyat.
highland [ˈhailənd]. Dağlık araziye aid. **~s,** dağlık. **the Highlands,** İskoçya'nın şimali. **~er,** dağlı; şimalî İskoçya yerlisi.
highly [ˈhaili]. Yüksek derecede; son derece; pek çok.
highness [ˈhainis]. Yükseklik; irtifa. **His Highness, Your ~,** prenslere verilen unvan; fahametlu.
highway [ˈhaiwei]. Ana yol; şose. **the King's ~,** İngiltere'de: devlet yolu. **~man,** *pl.* **~men,** yolkesici, eşkiya.
hike [ˈhaik]. (*kon.*) Kırda uzun bir yürüyüşe çıkmak; yaya olarak seyahat etmek.
hilari·ous [hiˈleəriəs]. Neş'eli ve gürültücü. **~ty** [–ˈlariti], gürültülü neş'e.
Hilary [ˈhiləri]. **~ term.** İngiltere'de mahkeme ve üniversitelerde ocak ayında başlıyan devre.
hill [hil] Tepe; yokuş; küme. **up ~ and down dale, over ~ and dale,** dere tepe: **~ ~ station,** Hindistanda dağlık mıntakada tatil ve istirahat yeri. **~ock,** tepecik. **~side,** tepe yamacı; bayır. **~top,** tepe üstü. **~y,** inişli yokuşlu; ârızalı.
hilt [hilt]. Kabza. **up to the ~,** tamamen.
him [him]. (Erkek hakkında) onu. **to ~,** ona: **from ~,** ondan: **with ~,** onunla: **it's ~,** odur: **that's ~,** işte odur. **~self,** kendisi.
hind[1] [haind]. Dişi geyik.
hind[2]. Çiftçi yanaşması.
hind[3], **hinder**[1] [haind, ˈhaində*]. Arka. **to get on one's ~ legs,** (*şak.*) ayağa kalkmak.
hinder[2] [ˈhində*]. Engel olm.; mâni olmak.

Hindi [ˈhindii]. Hindce.
hindmost [ˈhaindmoust]. En arkadaki. ⌜**everyone for himself and the devil take the** ~⌝, ⌜sona kalan donakalır⌝.
Hindoo [hinˈduu]. Mecusi Hindli; hindu.
hindrance [ˈhindrəns]. Engel, mânia; mümanaat. **without let or** ~, mâni olmadan.
Hindu [ˈhinˈduu]. Hindu, Hindli; hindce. ~**stan,** Hindistan. ~**stani,** hindce.
hinge [hindʒ]. Menteşe, reze; esas noktası. Rezelemek; menteşe üzerinde dönmek. **to** ~ **on** ..., (*mec.*) ···e bağlı olmak. ~**d,** menteşeli.
hinny [ˈhini]. Babası at olan katır.
hint [hint]. İma; üstü kapalı anlatma; ihsas; (bir şey hakkında) fikir verme. İma etm., ihsas etm.; çıtlatmak. **a broad** ~, açık bir ima: **to give** [**drop**] **a** ~, birine çıtlatıvermek: **to give** ~**s about stg.**, bir şey hakkında birine bir fikir vermek: **not the slightest** ~ **of** ..., ···den en küçük bir iz [emare] bile yok.
hinterland [ˈhintəland]. Sahilin gerisindeki arazi; bir memleketin ücra kısmı.
hip[1] [hip]. Kalça. **to have s.o. on the** ~, birini zayıf bir vaziyette yakalamak: **to smite** ~ **and thigh,** bozguna uğratmak; perişan etmek. **hip-bath,** badya şeklinde banyo. **hip-disease,** tüberkülozden hasıl olan kalça ağrısı. **hip-pocket,** pantalonun arka cebi. **hip-roof,** hem ucları hem yanları meyilli olan çatı.
hip[2]. Gül tohumu; kuşburnu.
hip[3]. İçsıkıntısı; kuruntu. İçini sıkmak.
hip[4]. ~! ~! **hurrah!,** şa! şa! şa!
hippo- [ˈhipou] *pref.* Ata aid.
hippodrome [ˈhipoudroum]. (*esk.*) At meydanı; (*şim.*) at cambazhanesi, sirk.
hippopotamus [ˌhipouˈpotəməs]. Su aygırı; (*kıs.* **hippo.**)
hire [haiə*]. Kira; kira ücreti. Kiralamak; kira ile tutmak; ücretle tutmak. **on** ~; kiralık: **to** ~ **out, to let out on** ~, kiraya vermek. **hire-purchase,** taksitle satın alma.
hireling [ˈhaiəliŋ]. Yalnız para için çalışan; para ile tutulmuş adam.
hirsute [ˈhəəsjuut]. Kıllı, saçlı.
his [hiz]. (Erkek hakkında) onun; onunki.
Hispanic [hisˈpanik]. İspanya'ya aid.
hiss [his]. S harfi gibi ses; istim veya hava kaçıran bir şeyin çıkardığı ses: tıslama. Tıslamak; ıslıkla tezyif etmek.
hist [hist]. Hişt!
histology [hisˈtolədʒi]. Uzvi nesicler ilmi.
historian [hisˈtooriən]. Müverrih; tarihçi.
historic [hisˈtorik]. Tarihî. ~ **present,** mazi sıygası yerinde kullanılan muzari sıygası. ~**al,** tarihe aid, tarihî.
historiographer [ˌhistoriˈogrəfə*]. Vakanüvis.
history [ˈhistəri]. Tarih; tarih kitabı. **that's ancient** ~, (i) o tarihe karıştı; (ii) onu herkes bilir: **the inner** ~ **of stg.**, bir meselenin içyüzü: **s.o.'s past** ~, birinin geçmişi: **a patient's** ~, bir hastanın sıhhî tercümei hali.
histrionic [histriˈonik]. Aktörlüğe aid; tiyatroya aid; aktör gibi (söz ve hareket). ~**s,** tiyatro işleri; aktör gibi konuşma ve hareket etme.
hit [hit]. Vurmak, döğmek, çarpmak; isabet etm.; ararken tesadüfen bulmak. Darbe; vurma, vuruş; isabet; muvafakkiyet. **to** ~ **against stg.**, bir şeye çarpmak: **to have a sly** ~ **at s.o.**, birine taş atmak: **that was a** ~ **at you,** bu taş sana: **to be hard** ~, büyük bir sarsıntıya uğramak; sarsılmak: **to make a** ~ (**of stg,**), muvaffak olm.: **the play was a great** ~, piyes çok muvaffak oldu: ~ **or miss,** baht işi, rastgele. **hit back,** mükabeleten vurmak, karşılığını vermek. **hit off, to** ~ **off a likeness,** bir resmi tıpkı tıpkısına benzetmek: **that** ~**s him off exactly** [**to a T**], tam o!, tıpkı o!: **we don't** ~ **it off,** birbirimize ısınamıyoruz, geçinemiyoruz. **hit on,** tesadüf etm., tesadüfen bulmak: **I've** ~ **upon a good plan,** iyi bir plân aklıma geldi. **hit out,** darbeler savurmak.
hitch [hitʃ]. Anî çekiş; hiç beklenmiyen engel, ârıza; bazı düğümlere verilen isim. Anî bir hareketle çekmek; iliştirmek, takmak. **clove** ~, kazık bağı: **half** ~, mezevolta: **rolling** ~, beden bağı: **timber** ~, voltalı dülger bağı: **there is a** ~ **somewhere,** bir yerde bir ârıza [takıntı] var: **without a** ~, pürüzsüz, ârızasız.
hitch-hike [ˈhitʃˈhaik]. Bir yerden bir yere kısmen yaya ve kısmen de yoldan geçen otomobillere parasız binerek seyahat etmek.
hither [ˈhiðə*]. Buraya, bu tarafa. ~ **and thither,** şuraya buraya. ~**to,** şimdiye kadar.
hive [haiv]. Arıkovanı; arıkovanı gibi kaynaşan yer; bir kovanın arılarının mecmuu. (Arıları) kovana doldurmak.
H.M.S. ([eitʃˈemˈes] = **His Majesty's Ship,** İngiliz donanmasına mensub gemi.
ho [hou]. *Hayret, zafer, istihza ifade eden nida*; *celbetme nidası*; (*den.*) ···e doğru. **westward ho!,** batıya doğru!
hoar [hoo*]. Ağarmış, kır. **hoar-frost,** kırağı.
hoard [ˈhood]. ~ (**up**), Biriktirmek; iddihar etm.; para biriktirmek; istifçilik etmek. Define; iddihar [istif] edilen şey.
hoarding [ˈhoodiŋ] *bk.* **hoard**; tahta perde. **advertisement** ~, afiş tahtası.

hoarse [hoos]. Boğuk, kısık; kısık sesli. **to shout oneself ~,** sesi kısılıncaya kadar bağırmak.
hoar·y [ˈhoori]. Ağarmış; ak saçlı; asırdide. **~iness,** ak saçlılık; pek eski olma.
hoax [houks]. Muziblik; şaka olarak aldatma(k); hile; kafese koymak.
hob [hob]. Ocak başında tencere vs. koymağa mahsus bir nevi ıskara.
hobble [ˈhobl]. Köstek; bukağı; topal yürüyüş. Kösteklemek; topallamak. **to ~ along,** topallıyarak yürümek. **hobble-skirt,** dar etekli etek.
hobbledehoy [ˌhobldiˈhoi]. Gelişme çağında biçimsiz hareketli ve utangaç çocuk.
hobby[1] [ˈhobi]. (i) İş haricinde zevk için meşguliyet; merak; (ii) ~ *veya* **hobby-horse,** değnekten at: **to ride one's ~,** çok sevdiği bir mevzua dönmek.
hobby[2]. (*Falco subbuteo*) Delice doğan.
hobgoblin [hobˈgoblin]. Şakacı muzib peri.
hobnail [ˈhobneil]. Kumbara çivisi, kabara. **~ed,** kabaralı (ayakkabı).
hob-nob [ˈhobˈnob]. **to ~ with s.o.,** birisile senli benli olmak.
hobo [ˈhoubou]. (*Amer.*) Serseri, aylak.
Hobson [ˈhobsən]. **~'s choice,** ya bu ya hiç!; tercih imkânı yok.
hock[1] [hok]. Atın ard dizi.
hock[2]. Beyaz Alman şarabı.
hockey [ˈhoki]. Çomakla oynanan bir top oyunu; hokey.
hocus [ˈhoukəs]. Aldatmak, kafese koymak. İçeceğe ilâc katmak; içeceğe ilâc katarak uyutmak. **hocus-pocus,** hokkabazlık, hile, göz boyası.
hod [hod]. Omuzda taşınan duvarcı teknesi; duvarcı arkalığı.
Hodge [hodʒ]. İngiliz köylüsünün temsili.
hoe [hou]. Çapa. Çapalamak. **a hard row to ~,** uzun ve meşakkatlı iş.
hog [hog]. Domuz; (bazı yerlerde) genc koyun: obur kimse. At yelesini kısa kesmek. **to go the whole ~,** bir işte sonuna kadar gitmek: **~ mane,** dik durmak için kısa kesilmiş at yelesi. **hog's-back,** balık sırtı tepe. **hog-wash,** domuz yemi olarak kullanılan mutfak kırıntısı.
hogshead [ˈhogshed]. Büyük fıçı; 52½ galonluk mayi ölçüsü.
hoist [hoist]. Hisa etm., lisa etm.; yükseltmek, kaldırmak; (bayrak) çekmek. Yukarı kaldırma; yükseltme cihazı; eşya asansörü. **to give s.o. a ~ up,** kalkarken veya ata binerken birine yardım etmek.
hoity-toity [ˈhoitiˈtoiti]. *Öfkelenen veya atıp tutan birine karşi söylenen hayret ve istihfaf nidası.*
hold[1] [hould]. Gemi ambarı.
hold[2] *n.* Tutunacak yer; tutma. **to get ~ of stg.,** bir şeyi ele geçirmek; bir şeyi elde etm.: **I can't get a ~,** tutunamıyorum: **to have a ~ over s.o.,** birine hükmü geçmek; birinin zayıf tarafını elinde tutmak: **to have no ~ over s.o.,** birine hükmü geçmemek; birinin üzerinde nüfuzu olmamak: **to keep ~ of stg.,** bir şeyi salıvermemek: **to lose [let go] one's ~,** (tutunduğu yerden) eli kurtulmak; birinin üzerindeki nüfuzunu kaybetmek.
hold[3] **(held)** [hould, held] *vb.* Tutmak; işgal etm.: telâkki etm., saymak; içine almak, ihtiva etm., istiab etm.; sabit durmak, çözülmemek. **to ~ s.o. to his promise,** birine vadini tutturmak. **hold-all,** bir nevi hurc; öteberi doldurmak için bir nevi bavul. **hold back,** geri tutmak; gizlemek, saklamak, söylememek; alıkoymak, zaptetmek; çekinmek. **hold down,** yerinde tutmak; yerde tutmak; (başını) eğmek; inkiyad altında tutmak. **hold forth,** bir mevzuda yüksekten atmak; kandırmak için teklif etmek veya ileri sürmek. **hold in,** zaptetmek: **to ~ a horse in,** bir atın dizginini kısmak. **hold off,** yaklaştırmamak; defetmek: **if the rain ~s off,** yağmur yağmıyacak olursa. **hold on,** salıvermemek; bırakmamak; devam etm.: **~ on a bit!,** yavaş!, biraz dur! **hold out,** uzatmak; kandırmak için vaid veya teklif ileri sürmek; teslim olmamak; dayanmak. **hold over,** geri bırakmak; tehir etmek. **hold together,** bir arada tutmak; ayrılmamak; dağılmamak; çözülmemek; (anca beraber, kanca beraber) ayrılmamak. **hold up,** yukarı tutmak; kaldırmak; durdurmak; yolunu kesip soymak; ayakta durmak, düşmemek; (iyi hava) devam etm.: **to ~ s.o. up to ridicule,** sözlerile birini gülünc etm.: **to ~ s.o. up as an example,** birini örnek göstermek: **to ~ up one's head again,** başını bir daha doğrultmak: **~ up!,** aman düşme! **hold with, I don't ~ with these new ideas,** bu yeni fikirlerle başım hoş değil.
holder [ˈhouldə*]. Tutan adam; tutacak şey; ... sahibi.
holdfast [ˈhouldfaast]. Tutucu âlet; kenet.
holding [ˈhouldiŋ] *n.* Tutma vs. *bk.* **hold**; arazi parçası. **I have a small ~ in X. Gold-mining Company,** X. altın madeninde bir kaç hissem var.
hole [houl]. Delik; çukur; in; fena vaziyet; nahoş bir yer. Delik açmak. **to be [find oneself] in a ~,** fena vaziyette bulunmak: **to get s.o. out of a ~,** birini fena bir vaziyetten kurtarmak: **in ~s, full of ~s,** delik deşik: **to make a ~ in ...,** ···de bir delik açmak; ···de büyük bir gedik açmak: **to pick ~s,** kusur bulmak: **to search**

every ~ and corner, bütün kıyı bucağı araştırmak.

holiday [ˈholidei]. Tatil günü; azad; bayram; tatil müddeti. **the ~s,** mekteb tatili: **to be on ~, on one's ~s,** izinli olm.; seyahatte olm.: **half ~,** yarım azad. **holiday-maker,** deniz sahillerine ve diğer tenezzüh yerlerine iznini geçirmek için gelen kimse.

holiness [ˈhoulinis]. Kudsiyet; mubareklik; dindarlık. **His Holiness.** *Papaya verilen unvan.*

Holland [ˈholənd]. Holanda, Felemenk; **~(s),** astar ve istor için kullanılan bir nevi bez. **~s,** ardıç suyu, cin. **~er,** Felemenkli.

hollo(a) [ˈholou]. Bağırmak. Bağırış.

hollow [ˈholou]. Kof, içi boş; oyuk, çukur, çukur yer; boş; gayrı samimî. **~ out,** içini oymak: **the ~ of the hand,** avuc içi: **~ excuse,** boş mazeret: **~ sound,** içi boş bir şeyden gelen ses: **to beat s.o. ~,** (*kon.*) birini kolayca yenmek; birine taş çıkarmak.

holly [ˈholi]. (*Ilex aquifolium*) Çobanpüskülü.

hollyhock [ˈholihok]. Gülhatmisi.

holm-oak [ˈhoulmouk]. (*Quercus ilex*) Pırnal.

holocaust [ˈholokoost]. (*esk.*) Tamamen yakılmış kurban; (*şim.*) büyük insan telefatına sebeb olan yangın; katliâm.

holograph [ˈhologrāaf]. Tamamen imza sahibinin eli ile yazılmış (vasiyetname vs.).

holster [ˈholstə*]. Tabanca kılıfı; kuburluk.

holy [ˈhouli]. Mukaddes, kudsî, mubarek; şerif. **the Holy Ghost,** ruhülkudüs: **the Holy Land,** Filistin: **Holy of Holies,** musevi mabedinin en iç kısmı; harim: **~ orders,** papazlık: **to take ~ orders,** papaz olm.: **that child is a ~ terror,** (*kon.*) bu çocuk Allahın belâsıdır.

holystone [ˈholistoun]. Gemi güvertesini taşla temizlemek. Temizlemekte kullanılan bir nevi taş (? Malta taşı).

home [houm]. Aile ocağı; yuva; ev; yurd, vatan; melce; evine, memleketine. **at ~,** evde; kendi memleketinde; misafir kabulüne hazır: **to be at ~,** evde bulunmak; misafirleri kabul etm.: **to be at ~ with [in, on] a subject,** bir mevzuu iyice bilmek: **to feel at ~ with s.o.,** birisile hiç yabancılık hissetmemek: **to make oneself at ~,** misafir gibi [yabancı] durmamak; muhitine alışmak: **to bring stg. ~ to s.o.,** (i) birinin suçlu olduğunu meydana çıkarmak; (ii) bir şeyi birine iyice anlatmak; (bir şey) bir hususta birinin gözünü açmak: **to bring a charge ~ to s.o.,** birinin suçlu olduğunu isbat etm.: **starvation has now been brought ~ [come ~] to us,** açlığın ne olduğunu yakından görüp anladık: **the Home Counties,** Londra'ya bitişik kontluklar: **to drive a point [an argument] ~,** bir şeyi birinin zihnine yerleştirmek [kafasına sokmak]: **the ~ farm,** bir malikânenin hususî çiftliği: **England is the ~ of freedom,** İngiltere hurriyetin yurdudur: **to feel quite at ~,** bir yeri hiç yadırgamamak; kendi muhitinde gibi hissetmek: **it's a ~ from ~,** burası insanın kendi evi sayılır: **to go ~,** (i) eve gitmek; memleketine gitmek; sılaya gitmek; (ii) isabet etm., bamteline dokunmak: **to go to one's last ~,** ölmek: **it is a ~ match today,** bugünkü maç bizim sahamızda oynanıyor: **to take an example nearer ~,** daha yakın bir misal getirmek: **the Home Office,** Dahiliye Nezareti: **the Home Secretary,** Dahiliye Nazırı: **the ~ side,** sahası üzerinde maç yapılan takım: **~ trade,** memleketin iç ticareti: **a ~ truth [thrust],** nazik noktaya dokunan hakikat. **home-bound,** dışarıdan vatana giden. **home-brewed,** evde yapılmış (bira vs.). **home-coming,** sıla; memleketine gelme; memleketine gelmekte olan. **home-grown,** kendi bahçesinde yetiştirilen. **Home-Guard,** yurd mudafaası için askere alınmıyan siviller arasında yapılan askerî teşkilat. **home-made,** yerli mal; evde yapılmış. **home-work,** (mekteb) ev vazifesi.

homeless [ˈhoumlis]. Evsiz; kimsesiz; odsuz ocaksız.

homelike [ˈhoumlaik]. Kendi evini andıran.

homely [ˈhoumli]. Basit, sade; gösterişsiz; (*Amer.*) güzel olmıyan (yüz).

homer[1] [ˈhoumə*]. Posta güvercini.

Homer[2]. Omiros. **'even ~ nods',** herkesin yanıldığı zaman olur. **~ic,** Omiros tarzında.

homesick [ˈhoumsik]. Vatan hasreti çeken. **~ness,** dâüssıla.

homespun [ˈhoumspʌn]. Ev dokuması; basit, sade.

homestead [ˈhoumsted]. Çiftlik ve müştemilâtı.

homeward [ˈhoumwəd]. Vatana doğru veya evine doğru giden. **~s,** evine doğru.

homicid·e [ˈhomisaid]. Adam öldürme, katil; kaatil. **~al,** adam öldürmeğe mütemayil.

homily [ˈhomili]. Vaız; uzandırıcı nasihat. **to read s.o. a ~,** uzunuzadıya nasihat vermek.

homing [ˈhoumiŋ]. **~ pigeon,** posta güvercini.

hominy [ˈhomini]. Kaba öğütülmüş mısır buğday.

homo [ˈhoumou]. (*Lât.*) İnsan.
homo- *pref.* Aynı; müşterek.
homoeopath·y [houmiˈopəθi]. Tedavi bil'ayn. **~ic** [–ˈpaθik], tedavi bil'ayne aid; cüzi.
homogeneous [houmouˈdʒiinjəs]. Mütecanis.
homonym [ˈhomounim]. İmlâları bir olduğu halde muhtelif manalar ifade eden kelimelere denir; adaş; *mes.* yüz (100), yüz (çehre).
hone [houn]. (*Hus.* ustura için) bileği taşı. Bilemek.
honest [ˈonist]. Dürüst; itimada şayan; doğru; samimî. **to make an ~ woman of s.o.,** baştan çıkardığı kadınla evlenmek.
honesty [ˈonisti]. Dürüstlük, doğruluk, samimilik; (*Lunaria biennis*) gözlük otu.
honey [hʌni]. Bal: tatlılık. **my ~,** sevgilim, canım. **~comb,** bal peteği; delik deşik etm: **the army was ~ed with discontent,** ordu hoşnudsuzluk yüzünden için için çürüyordu. **~ed,** ballı; tatlı; yüze gülücü (müraî). **~moon,** balayı. **~suckle,** hanımeli. **honey-dew,** bazı nebatların yapraklarında bulunan tatlı usare; molas ile tatlılaşmış tütün.
honk [hoŋk]. (*ech.*) Yabanî kazın bağırması; (*otom.*) korna sesi. Bu sesi çıkarmak.
honorarium [onəˈreəriəm]. Meslek adamına hizmeti mukabilinde verilen ücret; hakkı huzur.
honorary [ˈonərəri]. Fahrî.
honorific [onəˈrifik]. Hürmet ve tazim ifade eden (tabir vs.).
honour [ˈonə*]. Namus, şeref; tazim; namuskârlık; fazilet; rütbe, paye; (iskambil) en yüksek dört veya beş koz. Hürmet göstermek, şeref vermek; tebcil etmek. **~s (degree),** ihtisas imtihanı: **the Honours List,** (i) Kıralın doğum yıldönümünde ve yılbaşında kıral tarafından tevcih edilen rütbe, nişan vs. listesi; (ii) mekteblerde iftihar kitabı. **I am ~ed,** müşerrefim: **acceptance for ~,** bittavassüt tediye: **I am in ~ bound to do this,** bu işi yapmak benim namus borcumdur: **to ~ a bill,** bir poliçeyi tediye etm.: **to do the ~s (of the house),** ev sahibi vazifesini görmek: **to receive with full ~s,** büyük merasimle kabul etm.: **His Honour, Your Honour,** hâkim vs.lere verilen unvan: **to leave stg. to s.o.'s sense of ~,** bir şeyi birinin sütüne havale etm.: **to put s.o. on his ~,** bir şeyi birinin namusuna havale etm.: **to ~ one's signature,** taahhüdünü tutmak: **to take ~s,** ihtisas imtihanını vermek.
honourable [ˈonərəbl]. Namuslu; müstakim; muhterem. **the Honourable,** *bir Lord'un çocuklarına ve dominyon nazırına verilen unvan*: **the Right Honourable,** *İngiliz kıralının hususî meclis azalarına verilen unvan.*
honoured [ˈonəd] *a.* Şerefli; müşerref.
hood [hud]. Kukulete; omuzluklu başlık; üniversite üniformasında omuzdan sarkan ve rütbeyi gösteren kumaş; (araba, otom. vs.) körük; kaput; atmaca başlığı; (demirci ocağı) davlumbaz. **~ed** kukuleteli.
hoodlum [ˈhudləm]. (*Amer.*) Külhanbeyi.
hoodwink [ˈhudwiŋk]. Aldatmak; kafese koymak; göz boyamak.
hoof (*pl.* **hooves**) [huuf, huuvz]. At sığır vs.nin tırnağı; (*arg.*) tepme. **to ~ it,** (*arg.*) sıvışmak: **to ~ s.o. out,** (*arg.*) birini tepip dışarıya atmak.
hook [huk]. Çengel; kanca; olta iğnesi; kıvrıntı. Kanca ile tutmak; çengele asmak; (balığı) oltaya takmak; (parmağı) bükmek, kıvırmak; (*arg.*) (kız) koca avlamak. **'by ~ or by crook',** her hangi bir şekilde; ne yapıp yapıp: **~ and eye** (eteklik vs.de) çengel: **to do stg. on one's own, ~,** bir işi kendi başına yapmak: **to ~ it,** (*arg.*) sıvışmak. **hook-nose,** gaga burun.
hookah [ˈhuka]. Nargile.
hooked [hukd] *a.* Kanca gibi; kancalı. **~ nose,** gaga burun.
hookworm [ˈhukwəəm]. Kancalı kurd.
hooligan [ˈhuuligən]. Azgın külhanbeyi; Alikıran baş kesen; apaş. **~ism,** (külhanbeylerinin vs.nin yaptığı) azgınlık.
hoop [huup]. Kasnak; fıçı çemberi; oyuncak çemberi; halka; kroke oyununde kemer. Çemberlemek.
hoopoe [ˈhuupuu] Çavuşkuşu; hüthüt.
hoot [huut]. (*ech.*) Baykuş gibi ötmek; yuhalarla karşılamak; (*otom.*) boru çalmak; (gemi) düdük çalmak. Baykuş sesi; yuha; boru veya düdük çalması. **to ~ s.o. down,** birini yuhalarla susturmak.
hooves *bk.* **hoof.**
hop[1] [hop]. Bir ayak üstünde sıçramak, sekmek; seke seke yürümek; sıçramak. Bir ayak üstünde sekme; sıçrama; (*kon.*) pek kısa bir mesafe; (*kon.*) raks. **~, skip and jump,** üç adım atlama: **~ it!,** (*arg.*) çek arabanı!: **to catch s.o. on the ~,** birini zayıf bir vaziyette yakalamak, gafil avlamak: **a flight in three ~s,** üç menzilde yapılan tayyare seferi.
hop[2]. Şerbetçiotu. **hop-kiln,** şerbetçiotunu kurutmağa mahsus ocak. **hop-picker,** şerbetciotunu toplıyan rençper. **hop-pole,** şerbetçiotunun sarıldığı sırık.
hope [houp]. Ümid; umma; emel; ümid bağlanan kimse veya şey. Ümid etm., vukubulmasını arzu etm.; emel beslemek; itimad etmek. **to ~ for,** vukubulmasını

arzu etm.: **to ~ against ~,** olmıyacak bir şeyi ümid etm.: **in the ~ of ...,** ümidile: **past (all) ~,** ümidsiz; ıslah kabul etmez. **hoped-for,** umulan ve istenilen.

hopeful [ˈhoupfəl]. Ümidli; ümid verici. **young ~,** bir ailenin ümid bağladığı genc.

hopeless [ˈhouplis]. Ümidsiz; meyus. **that boy is ~,** o çocuk ıslah kabul etmez.

hopper [ˈhopə*]. Sıçrıyan (böcek vs.); (değirmen vs.) oluğu; çamur ve çöp mavnası.

hopscotch [ˈhopskotʃ]. Seksek oyunu.

horde [hood]. Nizamsız kalabalık; güruh; istilâ eden sürü.

horizon [həˈraizn]. Ufuk. **~tal** [horiˈzontl]. ufkî; ufkî hat, satıh vs.

horn [hoon]. Boynuz; boru, korna, klakson; boynuz şeklinde şey. Boynuz ile vurmak. **to draw in one's ~s,** iddialarını [taleblerini] kısmak; kibri kırılmak: **the ~s of the moon,** hilâlin ucları: **to shed its ~s,** (geyik) boynuz dökmek: **the Golden Horn,** Halic.

hornbeam [ˈhoonbiim]. (*Carpinus*) Gürgen.

hornbill [ˈhoonbil]. Hindistan ve Hind adalarına mahsus iri gagalı bir kuş.

horned [hoond]. Boynuzlu.

hornet [ˈhoonit]. Büyük sarı arı. **to bring a ~'s nest about one's ears, to stir up a ~'s nest,** belâyı satın almak, başına belâ açmak.

hornpipe [ˈhoonpaip]. Gemici dansı.

horny [ˈhooni]. Boynuz gibi katı; nasırlanmış.

horology [hoˈrolədʒi]. Saatçilik; zaman ölçme sanatı.

horoscope [ˈhorəskoup]. Zayice. **to cast one's ~,** zayicesine bakmak.

horrible [ˈhorəbl]. Müdhiş; iğrenc; (*kon.*) berbad.

horrid [ˈhorid (*esk.*)]. Müdhiş, korkunc; iğrenc; (*şim.*) çirkin; pis; nahoş. **don't be so ~ to each other!,** birbirinizin gözünü oymayın!: **you ~ thing!,** seni utanmaz seni!, seni hınzır seni!

horrific [hoˈrifik]. Dehşetli, korkunc.

horrify [ˈhorifai]. Dehşet vermek; ürpertmek; fena bir halde şaşırtmak.

horror [ˈhorə*]. Dehşet; nefret; iğrenme; ürperme; iğrenc veya korkunc bir şey. **to have a ~ of ,**···den iğrenmek, şiddetle nefret etmek. **horror-stricken, ~struck,** dehşete kapılmış, dehşet içinde kalmış.

hors-d'œuvre [ooˈdəəvr]. Çerez.

horse [hoos]. At, beygir; süvari; aygır; atlama sehpası; (*den.*) skotanın üzerinde hareket ettiği çubuk. Birine at tedarik etm.; ata bindirmek. **~ and foot,** süvari ve piyade: ⌜**don't look a gift ~ in the mouth**⌝, bedava atın dişine bakılmaz; hediyede kusur aranmaz: **to mount [ride] the high ~,** yüksekten atmak, caka satmak: ⌜**wild ~s wouldn't drag it from me!**⌝, öldürseler söylemem: ⌜**you can take a ~ to the water but you can't make him drink**⌝, ⌜Nuh der peygamber demez⌝ *kabilinden*: **white ~s,** köpüklü dalgalar. **horse-box,** at nakline mahsus vagon veya kamyon. **horse-cloth,** çul. **horse-coper, -dealer,** at cambazı. **horse-drawn,** atla çekilen (araba vs.). **Horse Guards,** hassa süvari alayı; bu alayın merkezi. **horse-hide,** at derisi. **horse-laugh(ter),** kaba kahkaha. **horse-mackerel,** (*Caranx trachurus*) uskumruya benziyen kaba bir balık; (*yanlış olarak*) palamut. **horse-marines,** (*şak.*) atlı deniz silâhendazları; (*mec.*) sudan çıkmış balık: ⌜**tell it to the ~!**⌝, külâhıma dinlet! **horse-mushroom,** (*Psalliota arvensis*) iri ve kaba fakat yenir bir cins mantar. **horse-play,** eşek şakası; hoyratlık. **horse-pond,** at sulama havuzu. **horse-power,** beygir kuvveti. **horse-radish,** acırga. **horse-show,** at sergisi; atlı musabaka. **horse-tail,** atkuyruğu. **~back** [ˈhoosbak], **on ~,** ata binmiş. **~hair,** at kılı; at kılından yapılmış. **~man,** *pl.* **~men,** atlı, binici: **~ship,** binicilik. **~shoe,** at nalı; at nalı şeklinde. **~whip,** kamçı; kamçılamak. **~woman,** kadın binici.

horsy [ˈhoosi]. Atlara veya at yarışlarına mübtelâ; seyisler ve cokeyler gibi giyinen ve konuşan.

horticultur·e [ˈhootikʌltʃə*]. Bahçıvanlık. **~al** [–ˈkʌltʃərəl], bahçıvanlığa aid, bahçeye aid. **~alist,** bahçıvanlıkla meşgul olan kimse.

hose [houz]. Hortum; eski zaman şalvarı; (*tic.*) çorab. **half-~,** kısa çorab. **hose-pipe,** hortum. **hose-reel,** hortum makarası.

hosier [ˈhouziə*]. Çorabcı. **~y,** çorab ve iç çamaşırı gibi eşya; çorabcılık.

hospice [ˈhospis]. Rahiblerin hacılar ve seyyahları misafir ettikleri yurd; imarethane, darülaceze.

hospitable [hosˈpitəbl]. Misafirperver; mükrim.

hospital [ˈhospitl]. Hastahane. **to walk the ~s,** (tıb talebesi) hastahanelerde çalışmak.

hospitality [ˌhospiˈtaliti]. Misafirperverlik. **to show s.o. ~,** birini evine kabul etm.; ağırlamak, konuklamak.

hospitaller [hosˈpitəˈlə*]. Vaktiyle bazı hayırsever teşkilâta mensub memur; hastahane rahibi.

host¹ [houst]. Misafir kabul eden ev sahibı; ziyafet veren kimse; otelci, hancı; üzerinde parazit yaşıyan hayvan veya nebat. '**to**

reckon without one's ~', ⌜evdeki hesab çarşıya uymaz⌝.

host². Kalabalık; çokluk; ordu. **the Heavenly ~s**, melekler; yıldızlar: **he is a ~ in himself**, bir başına bir sürü adamın göreceği işi yapar; bir çok adama bedeldir: **a (whole) ~ of servants**, bir sürü hizmetçi: **Lord God of Hosts**, (i) meleklerin âmîri olan Allah; (ii) ordulara zafer veren Allah.

host³. Katoliklere göre:- komünyon âyininde takdis edilen ekmek.

hostage [ˈhostidʒ]. Rehîne.

hostel, -ry [ˈhostl(ri)]. (*esk.*) Han; (*şim.*) taleblerin ikametine mahsus ev veya kolej. **youth ~s**, bazı memleketlerde yayan veya bisikletle seyahat eden gencler için tesis edilen yurdlar.

hostess [ˈhoustis]. Misafir kabul eden ev sahibesi.

hostil·e [ˈhostail]. Düşmanca; düşmana aid; hasmane; muhalif; aleyhdar. **~ity** [–ˈtiliti], düşmanlık, husumet, muhalefet. **~ities**, harb hali.

hostler [ˈhostlə*]. Han seyisi.

hot [hot]. Sıcak, hararetli: kızgın; baharlı. **to ~ up**, ısıtmak: **~ air**, (*mec.*) boş lâkırdı, hezeyan: **to get all ~ and bothered**, fazla telaşa düşmek: **burning ~**, yakacak kadar sıcak: **to go ~ and cold all over**, ürpermek: **~ dog**, (*Amer.*) sıcak sucuklu sanduviç: **a ~ favourite**, halkın çok tuttuğu (at vs.): **to give it s.o. ~**, ağzının payını vermek: **news ~ from the press**, gazetelerden dumanı üstünde bir havadis: **to make the place too ~ for s.o.**, birini bulunduğu yerden kaçırmak: **~ and strong**, pek şiddetli bir tarzda: **to be ~ stuff at stg.**, (*kon.*) ···de yaman olm.: **to be ~ on s.o.'s tracks**, takib edilen kimseye çok yaklaşmak: **to be in ~ water**, gözden düşmüş olm.: **to get into ~ water**, başına iş açmak. **hot-blooded**, sıcak kanlı; hiddetli, öfkeli; atılgan. **hot-foot**, çok acele. **hot-pot**, kapalı bir kabda fırında pişirilmiş yahni. **hot-press**, kâğıd veya kumaş ütülemek için sıcak sacdan baskı. **hot-tempered**, çabuk öfkelenen. **hot-water-bottle**, soğuk havada kullanılan topraktan veya lâstikten sıcak su şişesi.

hotbed [ˈhotbed]. Hıyar, kavun vs. yetiştirmeğe mahsus kızışmış gübre kümesi. **a ~ of sedition**, isyan yatağı.

hotchpotch [ˈhotʃpotʃ]. Karışık et yahnisi, türlü; karmakarışıklık.

hotel [houˈtel]. Otel. **hotel-keeper**, otelci.

hothead [ˈhothed]. Mütehevvir kimse; ateşli genc. **~ed**, mütehevvir, fevrî.

hothouse [ˈhothaus]. Limonluk; ser.

hound [haund]. Köpek *bilh.* sürü halinde av için kullanılan köpek; alçak herif. **to ~ s.o. down**, bilâfasıla birini takib ederek koğmak: **to ~ s.o. on**, birini tahrik etm.: **to ride to ~s**, ata binip köpek sürüsile tilki avına iştirak etmek.

hour [ˈauə*]. Saat (60 dakika). **what ~ is it?**, saat kaç?: **~ by ~**, saatten saate, her saat: **after ~s**, iş saatlerinden sonra: **to keep late ~s**, geç yatmak: **office ~s**, çalışma [iş] saatleri: **questions of the ~**, zamanın meseleleri: **in the small ~s (of the morning)**, sabaha karşı gece yarısından sonra: **the ~ has struck (to do stg.)**, zamanı geldi: **to take ~s over stg.**, bir iş üzerinde saatlerce durmak.

hourly [ˈauəli]. Saatte bir olan; her saatte vukua gelen veya yapılan: **~ trains**, her saatte bir tren: **we expect him ~**, neredeyse gelir, onu bir iki saate kadar bekliyoruz: **he lives in ~ fear of death**, her an ölüm korkusu içinde yaşıyor.

house [haus]. Ev, hane, mesken; hanedan, asil aile; ticarî müeessese; tiyatro vs. seyircileri. *vb.* [hauz]. Bir eve koymak; barındırmak; iskân etm.; mahafaza içine koymak; (*den.*) indirmek; mahfuz bir yere koymak. **House of Commons**, Avam kamarası: **country ~**, sayfiye, köşk: **~ full!**, (tiyatro vs.) yer yok!, dolu!: **~ of God**, kilise: **~ and home** ev bark: **~ of ill fame**, umumhane: **to keep ~**, ev idare etm.: **to keep to the ~**, dışarı çıkmamak: **to keep open ~**, evini misafirlere açık tutmak: **House of Lords**, Lordlar kamarası: **to get on like a ~ on fire**, mükemmelen ilerlemek; (birisile) çok iyi geçinmek: **to set up ~**, yuva kurmak: **to set one's ~ in order**, işlerini tanzim etm.: **town ~**, konak. **house-agent**, ev simsarı. **house-flag**, geminin mensub olduğu kumpanya bayrağı. **house-fly**, kara sinek. **house-party**, bir kaç gün için bir şato veya evde toplanan misafirler. **house-physician**, bir hastahanenin daimî doktoru. **house-property**, akarat. **house-surgeon**, bir hastahanenin daimî operatörü. **house-top**, evin dam ve bacaları: **to proclaim from the ~s**, âleme tellâl etmek. **house-warming**, yeni bir eve yerleşmek münasebetiyle verilen ziyafet.

houseboat [ˈhausbout]. Üzerinde ev kurulan duba.

housebreaker [ˈhausbreikə*]. Ev hırsızı.

houseful [ˈhausefəl]. Ev dolusu.

household [ˈhaushould]. Ev halkı. Eve aid; ev idaresine aid. **~ gods**, (*mit.*) evi muhafaza eden ilâhlar; evin en kıymetli ve en sevilen eşyası: **~ troops**, hassa alayı (kıt'aları): **~ word**, harcıâlem kelime. **~er**, ev sahibi; kiracı.

housekeep·er [ˈhauskiipə*]. Evi idare eden

kadın; kâhya kadın. **my wife is a good ~,** refikam iyi bir ev kadınıdır [evi iyi idare eder]. **~ing,** ev idaresi.
houseleek [ˈhausliik]. (*Sempervivum*) Dam koruğu.
housemaid [ˈhausmeid]. Ortalık hizmetçisi. **~'s knee,** dizkapağı iltihabı.
housemaster [ˈhausmaastə*]. Büyük İngiliz yatı mekteblerini teşkil eden evlerden birini idare eden muallim.
housewife[I], *pl.* **-wives** [ˈhauswaif, –waivz]. Ev kadını. **~ry** [–ˈwiferi], ev idaresi.
housewife[2] [ˈhʌzif]. İğne iplik kesesi.
housing [ˈhauziŋ]. Barındırma, iskân etme; mahfaza; at örtüsü, haşa.
hove *bk.* **heave.**
hover[1] [ˈhouvə*]. Civciv sığınağı.
hover[2] [ˈhovə*]. (Kuş) az hareket ederek ve fazla ayrılmıyarak bir yerin üstünde uçmak. **to ~ about a place,** çok ayrılmıyarak bir yerin etrafında dolaşmak: **to ~ between two courses,** iki hareket hattı arasında tereddüd etmek.
how [hau]. Nasıl; ne kadar, ne. **~ is it (that)...?,** nasıl oluyor da...?: **do you know ~ to do it?,** nasıl yapılacağını biliyor musunuz?: **~ do you do?,** (ilk tanışıldığı zaman) memnun oldum, müşerref oldum: **~ long?,** uzunluğu ne kadar?; ne kadar (müddet)?: **~ nice!,** ne güzel: **~ old is he?,** o kaç yaşında?
howbeit [hauˈbiiˈit]. Ne ise; bununla beraber.
however [hauˈevə*]. Maamafih; vakıa; her nekadar; ... ise de. **~ much,** her nekadar.
howitzer [hauˈitsə*]. Havantopu.
howl [haul]. (*ech.*) Uluma(k); bağırma(k); (küçük çocuk) bağırarak ağlamak. **to ~ with laughter,** yüksek sesle kahkaha atmak: **to ~ a speaker down,** bir hatibi yuhalarla susturmak.
howler [ˈhaulə*]. Güldürecek hata; büyük gaf.
howsoever [hausouˈevə*] *bk.* **however.**
hoyden [ˈhoidn]. Gürültücü erkeksi kız.
H.P. = **horsepower,** beygir kuvveti.
H.Q. [ˈeitʃˈkjuu] = **headquarters,** karagâh.
H.R.H. = **His [Her] Royal Highness,** *prensler [prensesler] e verilen unvan*; fehametlu.
hub [hʌb]. Tekerlek göbeği; poyra. **the ~ of the universe,** dünyanın en mühim yeri.
hubbub [ˈhʌbʌb]. (*ech.*) Velvele: gürültü, harrengürre.
hubby [ˈhʌbi]. (*kon.*) Kocacağım.
huckaback [ˈhʌkəbak]. Havluluk bez.
huckleberry [ˈhʌklberi]. Şimalî Amerikada yetişen mayhoş bir yabani meyva.
huckster [ˈhʌkstə*]. Ayak satıcısı; madrabaz. Ufak tefek şeyler satmak; çingene gibi pazarlık etmek.
huddle [ˈhʌdl]. Karışık ve sık bir sürü. Koyun gibi sıkı bir halde toplanmak; yumaklanmak, sürmek; acele ve dikkatsizce giyinmek; bir işi acelece ve üstünkörü yapmak.
hue[1] [hjuu]. Renk.
hue[2]. **~ and cry,** (sokakta birini tutmak için vs.) çığrışma. **to raise a ~ and cry,** hırsız vs.yi bulmak veya tutmak için telaşla çağrışmak.
huff[1] [hʌf]. Dargınlık, küskünlük. Küstürmek. **to be in a ~,** küsmek.
huff[2]. Dama oyununda:–sırasında rakibinin taşını almıyan oyuncunun taşını almak.
huffy [ˈhʌfi]. Küskün, dargın.
hug [hʌg]. Sıkıca kucaklama(k); sıkı sarma(k); sarılmak. **to ~ the shore,** (gemi) sahile sokulmak.
huge [hjuudʒ]. Kocaman, dev gibi, cesim; lenduha.
hugger-mugger [ˈhʌgəmʌgə*]. İntizamsızlık; karmakarışık; intizamsızca.
hulk [hʌlk]. Eski gemi teknesi; gemi iskeleti; iri hantal insan veya şey. **~ing,** büyük ve hantal.
hull [hʌl]. Gemi teknesi; fındık vs.nin dış kabuğu. Dış kabuğunu soymak; gülle ile gemi teknesini delmek. **~ down,** ufukta kaybolan tekne.
hullabaloo [ˌhʌləbəˈluu]. Velvele, şamata.
hullo [hʌlou]. Yahu!; allo!, vay!, maşallah!; merhaba!
hum [hʌm]. (*ech.*) Vınlamak, vızıldamak; uğuldamak; mırıldamak; arı gibi çalışmak. Vızıltı, mırıltı; uğultu. **to ~ and haw,** kemküm etm., hık mık demek: **to make things ~,** harıl harıl çalıştırmak; ortalığı fevkalâde canlandırmak.
human [ˈhjuumən]. İnsanî, beşerî. İnsan, beşer. **~ beings,** insanlar; âdem oğlu: **if it is ~ly possible,** beşerî imkân dahilinde ise: **~ly speaking,** beserî bakımdan.
humane [hjuˈmein]. İnsaniyetli, merhametli, şefkatli. **~ness,** merhamet, rikkat, şefkat.
human·ism [ˈhjuumənizm]. Eski Yunan ve Lâtin dil ve edebiyatlarını canlandırıp tanıtan Rönesans âlimlerinin mesleği; hümanizm. **~ist,** insaniyetçi; hümanist.
humanitarian [hjumaniˈteəriən]. Beşeriyetin fayda ve menfaatini temine çalışan (kimse); insaniyetperver; merhametli, şefkatli.
humanity [hjuˈmaniti]. Beşeriyet, insaniyet; şefkat, merhamet. **the humanities,** edebî ilimler ve *bilh.* Lâtin ve Yunan klâsikleri; insanı tedkik eden ilim şubeleri.

humanize [ˈhjuumənaiz]. İnsanlaştırmak; insaniyete getirmek.
humankind [ˈhjuumənˈkaind]. İnsanlık, beni âdem.
humble [ˈhʌmbl]. Mütevazı, alçakgönüllü. Kibrini kırmak. **of ~ birth,** mütevazı bir aileye mensub: **in my ~ opinion,** fikri acizaneme göre: **to eat ~ pie,** yanıldığını itiraf etm.: **your ~ servant,** 'aciz bendeleri' *manasına mektubların sonuna konan tabir:* **to ~ oneself,** baş eğmek, serfüru etm.; küçülmek.
humbug [ˈhʌmbʌg]. Şarlatanlık; şarlatan; riyakârlık; yüze gülücü; bir nevi naneli şekerleme. **that's all ~!,** bu hep palavradır: **there's no ~ about him,** içi dışı birdir, doğru adamdır.
humdrum [ˈhʌmdrʌm]. Bayağı, yeknesak, cansıkıcı. **a ~ existence,** yeknesak bir hayat.
humerus [ˈhjuumərəs]. Adud, kol kemiği.
humid [ˈhjuumid]. Rutubetli, nemli. **~ity** [–ˈmiditi], rutubet.
humiliat·e [hjuˈmilieit]. Terzil etm.; tezlil etm.; küçültmek, küçük düşürmek; kibrini kırmak. **~ion** [–ˈeiʃn], tezlil, zillet, küçük düşme.
humility [hjuˈmiliti]. Tevazu, alçakgönüllülük.
humming-bird [ˈhʌmiŋbəəd]. Sinek kuşu, kolibri.
hummock [ˈhʌmək]. Tümsek, tepecik.
humorist [ˈhjuumərist]. Mizah muharriri; nükteci adam.
humorous [ˈhjuumərəs]. Nükteli; mizahî; güldürücü.
humour [ˈhjuumə*]. Mizah; huy, mizac; tabiat. Keyfine hizmet etm., idare etm.; nabzına göre şerbet vermek; gönlünü almak. **to be in a good ~,** neş'esi [keyfi] yerinde olm.: **out of ~,** ters, küskün, suratlı; keyfi kaçmış: **lacking in [devoid of] ~,** nükteden anlamaz: **a sense of ~,** mizah hissi; hadiselerin gülecek tarafını görme kabiliyeti.
hump [hʌmp]. Hörgüç; kambur; tümsek. Kambur etmek. **to ~ up one's shoulders,** omuzunu kamburlaştırmak: **to have the ~,** (*arg.*) canı sıkılmak, üzülmek: **that gives me the ~,** (*arg.*) bu canımı sıkıyor. **~back, -ed,** kambur.
humus [ˈhjuuməs]. Türabı nebatî; hümüs.
hunch [hʌntʃ]. Kambur; iri parça, kalın dilim. Kamburlaştırmak. **to be ~ed up,** dertop büzülmek: **to have a ~,** (*Amer.*) içine doğmak. **~back,** kambur.
hundred [ˈhʌndrəd]. Yüz. **in ~s,** yüzlerce: **a ~ per cent.,** yüzde yüz: **a long ~,** yüz yirmi: **to have five ~ a year,** senede beş yüz lira geliri olmak. **~fold,** yüz kat, yüz misli. **~th,** yüzüncü; yüzde bir: **the Old ~,** meşhur bir ilâhi ('**All people that on earth do dwell**', *etc.*). **~weight,** (*İng.*) 112 libre = 50·8 kilo; (*Amer.*) 100 libre = 45·36 kilo.
hung *bk.* **hang.**
Hungar·y [ˈhʌngəri]. Macaristan. **~ian** [–ˈgeəriən], macar; macarca.
hunger [ˈhʌngə*]. Açlık; kıtlık; iştiyak, şiddetli istek. **to ~ for [after],** çok arzu etm., iştiyak beslemek.
hungry [ˈhʌngri]. Aç, acıkmıs; müştak; mahsulsüz, çok gübre istiyen (toprak). **to go ~,** açlık çekmek.
hunk [hʌnk]. İri parça.
hunt [hʌnt]. Avlamak *bilh.* köpek sürüsile avlamak. Av; tilki avına iştirak eden köpekler atlar ve biniciler; tilki avı cemiyeti. **to ~ (about) for stg.,** bir şeyi araştırmak. **hunt-the-slipper.** bir terlik ile oynanan çoçuk oyunu. **hunt down,** yakalayıncaya kadar peşini bırakmamak. **hunt out,** arayıp bularak meydana çıkarmak. **hunt up,** arayıp keşfetmek, meydana çıkarmak.
hunter [ˈhʌntə*]. Avcı; av atı; kapaklı ceb saati. *Mürekkeb kelimelerde* arayıcı *ve* avcı *manalarına gelir.*
hunting [ˈhʌntiŋ]. (*İng.*) Köpek sürüsile avcılık; (*Amer.*) her nevi avcılık. **to go (a-) hunting,** tilki avına gitmek: **to go house ~,** ev aramak. **hunting-box,** av köşkü (tilki avı için). **hunting-ground,** av sahası: **a happy ~ for collectors,** antika meraklıları için müsaid yer.
huntress [ˈhʌntris]. Avcı kadın.
huntsman, *pl.* **-men** [ˈhʌntsmən]. Avcı; av köpekleri sürüsünü idare eden uşak.
hurdle [ˈhəədl]. Örülmüş dallardan yapılan müteharrik çit; mani; mania; yarış maniası. Manialarla kuşatmak; manialı koşu yapmak. **~r,** manialı koşuya giren.
hurdy-gurdy [ˈhəədiˈgəədi]. Lâterna.
hurl [həəl]. Fırlatmak.
hurly-burly [həəliˈbəəli]. Karışıklık; kargaşalık.
hurrah, -ray [huˈraa, -rei]. *Alkış ve sevinc nidası;* yaşa!, yaşasın! Hura!, yaşa! diye bağırmak.
hurricane [ˈhʌrikən]. Şiddetli fırtına, kasırğa. **hurricane-lamp,** rüzgârda sönmeyen fener.
hurried [ˈhʌrid] *a.* Aceleye gelmiş, telaşla yapılmış; aceleci.
hurry [ˈhʌri]. Acele, istical. Acele etm., acele ettirmek; acele göndermek, hareket ettirmek. **~ up!,** çabuk ol!: **to be in a ~,** acelesi olmak.
hurt [ˈhəət]. İncitmek; canını yakmak; acıtmak; rencide etm.; zarar vermek.

Yara; zarar. **to do s.o. a ~,** birine zarar vermek; birine haksızlıkta bulunmak: **to get ~,** yaralanmak, incinmek: **to ~ oneself,** bir yerini acıtmak. **~ful,** zararlı, muzir.
hurtle [ˈhəətl]. Fırlamak; şiddet ve gürültü ile hareket etmek.
husband[1] [ˈhʌsbənd] *n.* Koca, zevc.
husband[2] *vb.* Tasarrufla idare etm., idareli kullanmak; iktisad etmek. **~man,** ciftçi. **~ry,** ciftçilik, ziraat.
hush [hʌʃ]. Sus!; sükût, sükûn. Susmak, sakin olmak; susturmak; teskin etmek. **to ~ up,** örtbas etm., ketmetmek: ⌜**the ~ before the storm**⌝, fırtınayı haber veren durgunluk. **hush-hush,** çok gizli. **hush-money,** birinin ağzını kapatmak için verilen rüşvet, hakkisükût.
husk [hʌsk]. Kabuk; kılıf. Kabuğunu soymak.
husky[1] [ˈhʌski]. (Ses) kısık, boğuk.
husky[2]. Dinc, gürbüz. Eskimo kızak köpeği.
hussar [huˈzaa*]. Hafif suvari askeri.
hussy [ˈhʌzi]. Edebsiz kız; şirret.
hustle [ˈhʌsl]. Acele, itip kakma. İtip kakmak; sıkışmak; acele et(tir)mek. **I won't be ~d,** dara gelemem, sıkboğaz edilmeğe gelemem. **~r,** işini yürüten, işini beceren.
hut [hʌt]. Kulübe; izbe, baraka.
hutch [hʌtʃ]. (Tavşan beslemek için) kafesli sandık.
hutments [ˈhʌtmənts]. Asker barakaları.
hyacinth [ˈhaiəsinθ]. Sümbül.
hyaena [haiˈiinə]. Sırtlan.
hyaline [ˈhaiəliin]. Cam gibi.
hybrid [ˈhaibrid]. Melez. **~ize,** melez olarak yetiştirmek, melezleşmek.
hydra [ˈhaidra]. (*mit.*) Dokuz başlı bir yılan ki her kesilen başının yerinde iki baş çıkardı; bir nevi su kurdu; su yılanı. **hydra-headed,** çok başlı; imhası müşkül olan.
hydrangea [haiˈdreindʒə]. Ortanca.
hydrant [ˈhaidrənt]. Hortum takılan su borusu.
hydrate [ˈhaidreit]. Su ve başka bir cisim ile terkib edilen; hidrat.
hydraulic [haiˈdroolik]. Su kuvveti ile işliyen; idrolik. **~s,** su cereyanından bahseden ilim.
hydro- [ˈhaidrou] *pref.* Suya aid.
hydro. Su ile tedavi müeessesesi; kaplıca.
hydrocarbon [ˈhaidrouˈkaabən]. İdrojen ve karbondan mürekkeb.
hydrocephalous [ˈhaidrouˈsefələs]. Beyni istiskalı.
hydrochloric [ˈhaidrouˈkloorik]. Kloridrik.
hydro-electric [ˈhaidrou eˈlektrik]. Su kuvveti ile istihsal edilen elektrik ....
hydrofluoric [ˈhaidroufluˈorik]. **~acid,** asid flüoridrik.
hydrogen [ˈhaidrədʒin]. İdrojen.
hydrograph·er [haiˈdrogrəfə*]. Deniz haritaları mühendisi. **~y,** idrografi.
hydrolysis [haiˈdrolisis]. İdroliz.
hydrometer [haiˈdromitə*]. İdrometre.
hydropathic [haidrouˈpaθik]. Kaplıca müessesesi; su ile tedaviye aid.
hydrophobia [haidrouˈfobjə]. Kuduz; sudan korkma illeti.
hydroplane [ˈhaidrouplein]. Su sathından kısmen kalkabilen hafif motörbot; denizaltının şakulî hareketini idare eden yassı kanad.
hydrosphere [ˈhaidrousfiə*]. Arzın su ile kaplı kısmı.
hydrotherapy [ˈhaidrouˈθerəpi]. Su ile tedavi.
hyena [haiˈiinə]. Sırtlan.
hygien·e [haiˈdʒiin]. Hıfzıssıhha, sıhhat bilgisi. **~ic,** sıhhî; sıhhate faydali.
hygro- [ˈhaigrou] *pref.* Rütubete aid. **~meter** [haiˈgromitə*], hava rütubetini ölçme âleti.
Hymen [ˈhaimen]. İzdivac ilâhı; gışayı bekaret.
hymenoptera [ˌhaimenˈoptərə]. Arı vs. gibi dört zar kanadlı böcekler.
hymn [him]. İlâhi; millî marş. Temcid etmek. **~al,** ilâhi kitabı.
hyperbola [haiˈpəəbolə]. Kat'ı zaid.
hyperbol·e [ˈhaipəboul], Mübalâğa, izam. **~ic** [–ˈbolik], mübalâğalı.
hypercritical [ˈhaipəˈkritikl]. Müfrit tendkidci; en ufak kusuru bile ayıplayan; ince eleyip sık dokuyan.
hyphen [ˈhaifn]. (İki kelime arasındaki) çizgi. **~ated,** çizgi ile ayrılarak yazılan (kelime).
hypno·sis [hipˈnousis]. Sunî uyutma; tenvim. **~tic** [–ˈnotik], (sunî olarak) uyutucu; münevvim. **~tism** [ˈhipnəˈtizm], sunî uyutma usulü; ipnotizma. **~tist,** ipnotizma mütehassısı. **~tize,** ipnotizma etmek.
hypo [ˈhaipou] = **hyposulphite of soda.**
hypochrondria [ˌhaipouˈkondriə]. Karasevda; merak hastalığı. **~c,** karasevdalı.
hypocri·sy [hiˈpokrisi]. Riyakârlık, mürailik. **~te** [ˈhipəkrit], mürai, riyakâr, ikiyüzlü adam. **~tical** [–ˈkritikl], mürai, ikiyüzlü.
hypodermic [ˌhaipouˈdəəmik]. **~ syringe,** deri altı şırınga (âlet): **~ injection,** deri altı şırınga yapma.
hypogastrium [ˈhaipouˈgastriəm]. Karnın alt tarafı.
hyposulphite [ˌhaipouˈsʌlfait]. **~ of soda,** iposülfit dö sud.

hypotenuse [hai'potinjuus]. Veteri kaime.
hypothe·sis [hai'poθesis]. Faraziye. **~tical** (–'θetikl], farazî, mefruz.
hyssop ['hisəp]. Çördük.
hyster·ia [his'tiəriə]. İsteri; sinir bozukluğu. **~ical** [–'terikl], isterik. **~ics** [–'teriks], sinir buhranı: **to go** [**fall**] **into ~,** sinir buhranına kapılmak.

I

I [ai]. I harfi.
I. Ben.
iambic [ai'ambik]. (◡ – şeklinde vezin. Bu vezinle yazılmış mısra.
ib., ibid. (*kıs.*) (*Lât.*) **ibidem.** Ayni yerde.
ibex ['aibeks]. Bir nevi dağ keçisi.
ibis ['aibis]. Eski Mısırlıların leyleğe benziyen mukaddes bir kuşu.
ice [ais]. Buz; dondurma. Buz ile kaplamak; soğutmak; keyk vs.yi erimiş şeker ile kaplamak. **to break the ~,** resmiyeti kaldırmak, soğuk havayı dağıtmak: **to cut no ~,** sözü geçmemek; hiç tesir etmemek; sökmemek. **ice-axe,** ucu çapalı dağcı değneği. **ice-bag,** (*tıb.*) buz kesesi. **ice-breaker,** buzkıran gemi. **ice-bound,** buz ile kuşatılmış (gemi); buzdan dolayı kapanmış (liman vs.). **ice-cream,** dondurma. **ice-house,** buz mahzeni. **ice-pack,** şimal denizlerinde bulunan buz yığını; su yolunda buz birikintisi.
iceberg ['aisbəəg]. Buz adası; aysberg.
iced [aisd]. Buz ile soğutulmuş; buzlu; şeker ile kaplanmış (keyk vs.).
Iceland ['aislənd]. İzlanda. **~er, ~ic,** İzlandalı.
ichneumon [ik'njuumən]. Firavun faresi; yumurtalarını tırtıllara sokan bir cins sineğe verilen isim.
ichthyo·logy [ˌikθi'olədʒi]. Balıklar bahsi. **~phagous,** balık yiyici: **~saur(us),** yarı balık yarı kertenkele olan ve yalnız müstehase halinde bulunan muazzam bir hayvan.
icicle ['aisikl]. Buz parçası; sarkık uzun buz.
iciness ['aisinis]. Buz gibilik.
icing ['aisiŋ]. Bir keyk vs.nin şeker kaplaması; gemi veya uçağın üzerini kaplıyan buz.
iconoclast [ai'konoklast]. Putkıran; yerleşmiş akide veya itiyadları yıkmak isteyen kimse.
icy ['aisi]. Buzlu; pek soğuk.
idea [ai'diə]. Fikir; tasavvur; niyet, maksad. **the ~!,** amma yaptın ha!: **to get ~s into one's head,** boş hulyalara kapılmak, olmıyacak şeyler beklemek: **he has some ~ of how to row,** bir parçacık kürek çekmesini bilir: **I have an ~ that ...,** bana öyle geliyor ki: **I have no ~,** hiç bilmiyorum, hiç fikrim yok: **I had no ~ that ...,** hiç haberim yoktu: **a man of ~s,** buluş sahibi [yeni fikirler bulan kimse]: **what an ~!,** ne münasebet!, hiç olur mu?
ideal [ai'diəl]. Mefkûre; ideal, || ülkü. **~ism,** mefkûrecilik, idealizm. **~ist,** mefkureci, ideal peşinde olan, idealist. **~ize,** idealleştirmek.
identical [ai'dentikl]. Tamamile aynı; farksız; mutabık.
identi·fy [ai'dentifai]. Hüviyetini tesbit etm.; teşhis etmek. **to ~ oneself with ...,** ...e iştirak etm. ...ile bir olmak. **~fication** [–fi'keiʃn], hüviyet tesbiti: **~ disc,** künye: **~ papers,** hüviyet varakası.
identity [ai'dentiti]. Hüviyet; ayniyet, müşabehet. **~ card,** hüviyet varakası: **mistaken ~,** yanlış hüviyet tesbiti.
ideology [aidi'olədʒi]. Siyasî veya iktisadî bir nazariye etrafındaki fikirler sistemi; nazariyat.
Ides [aidz]. Eski Roma takviminde Mart, Mayıs, Temmuz ve Ekim aylarının 15 inci ve diğer ayların 13 üncü günleri.
idiocy ['idiəsi]. Belâhet; ahmaklık.
idiom ['idjəm]. Şive, lehçe; dil; tabir. **~atic** [–'matik], hususî tabirlere aid; tabirlerle dolu (lisan).
idiosyncrasy [ˌidiə'sinkrəsi]. Bir kimsenin şahsî hususiyet veya mizacı; bir müellifin üslûbundaki hususiyet.
idiot ['idjət]. Anadan doğma ebleh; bön safdil adam. **to play the village ~,** iş görmemek veya aldatmak için abdal ve beceriksiz rolu yapmak. **~ic** [idi'otik], ahmakça, budalaca.
idle ['aidl]. Tembel, haylaz; işsiz; âtıl, muattal; beyhude, boş. Vaktini beyhude geçirmek; iş görmemek; havyar kesmek. **~ capital,** âtıl sermaye: **to run ~,** (makine) boşuna işlemek: **the ~ rich,** işsiz [avare] zenginler: **out of ~ curiosity,** sırf tecessüs sevkile: **~ wheel,** bir dişli çark tertibatının orta çarkı; avare kasnak.
idleness ['aidlnis]. Tembellik, haylazlık; işsizlik; avarelik; beyhudelik.
idler ['aidlə*]. Haylaz, tembel adam; vaktini boş geçiren kimse.
idol ['aidl]. Put; tapılan kimse. **~ater** [ai'dolətə*], putperest. **~atrous,** putperest; puta tapan; perestişkârane. **~atry**

[ai'dolətri], putperestlik; perestiş. **~ize** ['aidəlaiz], putlaştırmak; perestiş etm.; tapmak.

idyll ['idil]. Kır ve çobanlık hayatına aid ve ekseriyetle âşıkane küçük manzume; bunun mevzuuna lâyik olan hadise; idil. **~ic,** bir idilin mevzuu olmağa lâyik olan; sâf, samimî, ve zarif (aşk, manzara, hikâye vs.).

i.e. ['ai'ii]. *kıs. Lât.* **id est,** Yani, demek ki.

if [if]. Eğer; şayed; ···sa, ···se. **ask ~ he is at home,** sor bakalım evde mi: **do you know ~ he is at home?,** onun evde olup olmadığını biliyor musunuz?: **~ I were you,** sizin yerinizde olsam: ⌜**~ ifs and ans were pots and pans**⌝, ⌜olsa ile bulsa ile iş olmaz⌝: **oh ~ he could only come!,** ah!, bir gelebilse!: **go and see him ~ only to please me,** benim hatırım için bile olsa git onu gör: **see ~ you can open this,** şunu açabilir misiniz acaba: **it is only worth £50, ~ that,** ancak elli lira eder, o da şübheli: **I wonder ~ ...,** acaba ....

igloo ['igluu]. Kardan Eskimo kulübesi.

igneous ['igniəs]. Ateşe aid; ateşten hasıl olan.

ignite [ig'nait]. Tutuş(tur)mak; iştial et(tir)mek.

ignition [ig'niʃn]. Tutuşturma; işal; ateşleme; kontak. **~ coil,** işal bobini.

ignoble [ig'noubl]. Deni, alçak; pespaye, rezil.

ignominious [ˌigno'miniəs]. Rezil; hacalet getiren; yüz kızartıcı.

ignominy ['ignəmini]. Rezalet; hacalet.

ignoramus [ˌignə'reiməs]. Kara cahil kimse.

ignoran·ce ['ignərəns]. Cahillik, cehalet; haberi olmamazlık; malûmatsızlık. **~t,** cahil; tahsilsiz; agâh olmıyan; bihaber: **to be ~ of stg.,** bir şeyi bilmemek; bir şeyden haberi olmamak.

ignore [ig'noo*]. Aldırmamak; kulak asmamak; nazarı itibara almamak.

iguana [i'gwaana]. Amerika'ya mahsus büyük kertenkele.

ilex ['aileks]. (*Quercus ilex*) Pırnar.

iliac ['iliak]. Kalçaya aid.

ilk [ilk]. **of that ~,** o adındaki; bu gibiler.

ill [il]. Fenalık; kötülük; zarar; belâ. Hasta; fena, kötü; muzır. **to be ~ with (measles,** *etc.***),** (kızamık vs.) den yatmak: **to fall [be taken] ~,** hastalanmak: **I am buying a car, although I can ~ afford it,** benim pek harcım değil amma bir otomobil alıyorum: **I can ~ afford to offend that man,** o adamı darıltmak pek işime gelmez: **it ~ becomes you,** sana yakışmaz: **~ at ease,** huzursuz, meraklı: **~ fitted,** uymaz, uygun olmıyan: **~ luck,** talihsizlik, bedbahtlık: **~ humour,** huysuzluk: **~ provided,** techizat vs.si noksan: **to take stg. ~ [in ~ part],** bir şeyi fena karşılamak.

ill- *pref.* Fena ...; *ekseriya sadece menfi mana ifade eder, mes.*: **~-deserved,** mustahak olmıyan; **~-pleased,** memnun olmıyan.

ill-advised, tedbirsiz, ihtiyatsız: **you would be ~ to ...,** ... yapmakla ihtiyatsızlık etmiş olursunuz. **ill-assorted,** birbirine uymaz; mutabık olmıyan. **ill-bred,** terbiyesiz; görgüsüz, nobran. **ill-considered,** düşüncesiz, tedbirsiz. **ill-deserved,** mustahak olmıyan. **ill-fame,** fena şöhret: **house of ~,** umumhane. **ill-fated,** talihsiz, bedbaht; uğursuz. **ill-favoured,** çirkin. **ill-feeling,** hoşnudsuzluk; kin: **no ~!,** kimsenin hatırı kalmasın! **ill-founded,** asılsız. **ill-gotten,** gayrı meşru surette kazanılmış: ⌜**~ gains never prosper**⌝, haram mal sahibine hayretmez. **ill-judged,** tedbirsiz; yersiz. **ill-nature,** çirkin tabiatlilik, fena huyluluk: **~d,** huysuz, aksi, sert. **ill-omened,** meşum, uğursuz; netameli. **ill-luck,** aksilik; talihsizlik: **as ~ would have it,** aksi gibi. **ill-pleased,** gayrimemnun, hoşnudsuz. **ill-starred,** bahtı kara. **ill-timed,** vakitsiz; yersiz. münasebetsiz; aksi. **ill-treat, ill-use,** fena muamele etm.; hırpalamak: **~ment,** fena muamele. **ill-usage,** fena muamele; hor kullanma. **ill-will,** adavet; nefsaniyet; kindarlık; garaz; **to bear s.o. ~,** birine garaz beslemek.

illegal [i'liigl]. Kanuna aykırı; gayrımeşru. **~ity** [ili'galiti], kanunsuzluk, gayrımeşruluk.

illegible [i'ledʒibl]. Okunmaz.

illegitim·acy [ˌilə'dʒitəməsi]. Gayrımeşru olma; piçlik. **~ate,** gayrımeşru; meşru olmıyan; piç.

illicit [i'lisit]. Kanuna aykırı; caiz olmıyan.

illimitable [i'limitəbl]. Hudusuz; sonsuz.

illiter·acy [i'litərəsi]. Okumamışlık; ümmilik. **~ate,** okuma yazma bilmiyen; ümmi.

illness ['ilnis]. Hastalık.

illogical [i'lodʒikl]. Mantıksız; mantığa aykırı.

illumin·ant [i'ljuuminənt]. Aydınlatıcı, tenvir edici (şey). **~ate,** aydınlatmak; üzerine ışık saçmak; renkli resimler ve harflerle süslemek.

illumination [iˌljuumi'neiʃn]. Tenvir; aydınlatma; renkli ve yaldızlı harflerle süsleme. **~s,** şehrayin, donanma.

illusion [i'luuʒn]. Aldatıcı görüş; hayal; aldanma. **optical ~,** galatı rûyet, görme hatası. **~ist,** hokkabaz; gözbağıcı.

illusive [i'luusiv]. **illusory** [i'luusəri]. Aldatıcı; batıl.

illustrat·e [ˈiləstreit]. Resim vs. ile süslemek; resim ve misallerle izah etm.; misal getirerek anlatmak. **~ed,** resimli. **~ion** [–ˈstreiʃn], resim; izah; **by way of ~,** (izah için) misal alarak. **~ive** [ˈiləstreitiv], izah verici; misal getirici.
illustrious [iˈlʌstriəs]. Şöhretli; şanlı.
im-, in- *pref.* (i) *Menfilik ifade eder, mes.*: **possible,** mümkün; **impossible,** imkânsız; (ii) *idhal ifade eder, mes.* **immerse,** daldırmak; **ingress,** giriş. *Sadece menfilik ifade eden bu gibi kelimelerinin çoğu lûgate alınmamıştır. Bunların manalarını müsbet şekillerine bakarak çıkarmak kolaydır.*
I'm = **I am.**
image [ˈimidʒ]. Resim, tasvir; şekil, suret; aynı; put. **~ry** [ˈimidʒəri], heykeller; tahayyülât; teşbih ve tasvir.
imagin·e [iˈmadʒin]. Tasavvur etm., tahayyül etm.; hakkında fikir edinmek; sanmak; farzetmek. **~able,** tasavvur edilebilir. **~ary,** hayalî; muhayyel; mevhum, vehmî; tasavvurî. **~ation** [–ˈneiʃn], tefekkür, tasavvur; muhayyele, tehayyül; icad kudreti.
imago [iˈmeigou]. Tamamile inkişaf etmiş böcek (kozasından çıkmış kelebek gibi).
imbecil·e [ˈimbisiil]. Ahmak, budala, ebleh. **~ity** [–ˈsiliti], budalalık, eblehlik.
imbibe [imˈbaib]. Massetmek; içmek; içine çekmek.
imbroglio [imˈbrouljo]. Karışık iş; arabsaçı gibi iş.
imbue [imˈbjuu]. Aşılamak, ilham etm.; zihnini doldurmak; işba etmek. **~d with superstitions,** hurafelerle meşbu.
imitat·e [ˈimiteit]. Taklid etm.; birini örnek tutmak; eserine uymak. **~ion** [–ˈteiʃn], taklid; sahte eser; yapma: **in ~ of ...,** ···in eserine uyarak. **~ive,** taklidî; mukallid: **~ words,** sesi taklid eden kelimeler.
immaculate [iˈmakjulit]. Lekesiz; kusursuz; tertemiz.
immanent [ˈimanent]. Mündemic olan; aslında mevcud olan.
immaterial [ˌiməˈtiəriəl]. Ehemmiyetsiz; maddî olmıyan.
immatur·e [ˌiməˈtjuə*]. Olmamış, kemale ermemiş; ham, toy; pişmemiş. **~ity,** olmamışlık; kemale ermeyiş; hamlık, toyluk.
immeasurable [iˈmeʃərəbl]. Ölçülmez; ölçüsüz; hadsiz.
immediate [iˈmiidjət]. Derhal olan; müstacel, mübrem; akabinde vukubulan; doğrudan doğruya. **in the ~ future,** yakın istikbalde: **my ~ neighbour,** bitişik komşum. **~ly,** derhal: **~ you hear me shout, come to me,** bağırdığımı işitir işitmez bana gel.
immemorial [ˌiməˈmooriəl]. Zamanı bilinmiyecek kadar eski. **from time ~,** çok eskiden; ezeldenberi.
immens·e [iˈmens]. Ucu bucağı olmıyan; hadsiz hesabsız; kocaman: **~ly,** (*kon.*) son derece, pek çok. **~ity,** sonsuz büyüklük; hadsizlik.
immers·e [iˈməəs]. Daldırmak. **to be ~ed in one's work,** işine dalmak. **~ion** [–ˈməəʃn], suya bat(ır)ma; dal(dır)ma.
immigr·ant [ˈimigrənt]. (Bir memlekete gelen) muhacir. **~ate,** bir memlekete göçmek, muhacir olmak. **~ation** [–ˈgreiʃn], bir memlekete muhaceret.
imminen·ce [ˈiminəns]. Zuhur ve vukuu yakın olma. **~t,** vukuu yakın ve muhakkak; eli kulağında.
immobil·e [iˈmoubail]. Hareketsiz; kımıldanmaz; sabit. **~ity** [–ˈbiliti], hareketsizlik. **~ize** [iˈmoubilaiz], kımıldanamaz hale getirmek; durdurmak. **~ization** [–laiˈzeiʃn], durdurma, hareketten alıkoyma.
immoderate [iˈmodərit]. İtidâlsiz; ifrat derecede.
immodest [iˈmodist]. İffetsiz; açık saçık. **~y,** iffetsizlik, açıksaçıklık.
immolate [ˈimoleit]. Kurban etm.; kurban olarak kesmek.
immoral [iˈmorəl]. Ahlâkı bozuk; ahlâksız; ahlâka aykırı. **~ity** [ˈraliti], ahlâksızlık; fisku fücur.
immortal [iˈmootəl]. Ölmez, lâyemut. **the ~s,** mitolojik ilâhlar; pek meşhur şairler; ölmezler. **~ity** [–ˈtaliti], ölmezlik. **~ize** [–ˈmootəlaiz], ölmezleştirmek.
immovable [iˈmuuvəbl]. Kımıldanamaz; değiştirilemez; gayrı menkul.
immun·e [iˈmjuun]. Muaf; masun. **~ity,** muafiyet; masuniyet. **~ize** [ˈimjunaiz], muaf kılmak; muafiyet vermek.
immure [iˈmjuə*]. Hapsetmek; kapatmak.
immutable [iˈmjuutəbl]. Değişmez; lâyetegayyer.
imp [imp]. Küçük şeytan; afacan.
impact [ˈimpakt]. Çarpma; musademe.
impair [imˈpeə*]. Bozmak; zarar vermek; kuvvetten düşürmek.
impale [imˈpeil]. Kazığa vurmak.
impalpable [imˈpalpəbl]. Tutulmıyacak kadar ince; (dokunmada) belirsiz.
impart [imˈpaat]. Vermek; bahşetmek; tebliğ etmek.
impartial [imˈpaaʃl]. Tarafsız; munsıf. **~ity** [–ʃiˈaliti], tarafsızlık.
impassable [imˈpaasəbl]. Geçilmez.
impasse [ˈimpaas]. Çıkmaz; içinden çıkılmaz vaziyet.
impassioned [imˈpaʃənd]. Müteheyyic.

impassive [imˈpasiv]. Teessürsüz; kayıdsız; hissiz; fütursuz.
impatien·ce [imˈpeiʃns]. Sabırsızlık; tahammülsüzlük. **~t,** sabırsız; tahammülsüz; tezcanlı: **~ of control,** hüküm altına girmez.
impeach [imˈpiitʃ]. Hakkında suizan beslemek; şübhelenmek; itham etm.; büyük bir devlet memurunu vazifesindeki kusurdan dolayı yüce divanda itham etmek.
impeccable [imˈpekəbl]. Kusursuz; hatasız.
impecuni·ous [impəˈkjuuniəs]. Parasız, züğürt. **~osity** [–ˈositi], parasızlık, züğürtlük.
imped·e [imˈpiid]. Mâni olm., engel çıkarmak. **~iment** [–ˈpedimənt], mania, engel: **~ of [in the] speech,** pelteklik. **~imenta** [ˈimpediˈmentə], ordu ağırlığı; yolcu eşyası; yürüyüşe mâni olan eşya.
impel [imˈpel]. Sevketmek, sürmek; zorlamak.
impend [imˈpend]. Vukubulmak üzere olm., zuhuru yakın olmak. **~ing,** yakında vukubulacak; yakında memul.
impenetrable [imˈpenitrəbl]. Nüfuz edilemez; girilemez; akıl ermez; sırrına erişilemez; kapalı, kör (cehalet vs.)
impeniten·t [imˈpenitent]. Tövbe etmez; nedametsiz. **~ce,** nedametsizlik.
imperative [imˈperətiv]. Emir sıygası. Zarurî, mecburî; mübrem.
imperceptible [ˌimpəˈseptəbl]. Sezilemez; belli belirsiz; hissedilmez.
imperfect [imˈpəəfikt]. Hikâyei hal. Tamamlanmamış; eksik; kusurlu; mükemmel olmıyan. **~ion** [–ˈfekʃn], eksiklik; kusur.
imperial [imˈpiəriəl]. İmparatora aid; şahane, hümayun. **~ism,** emperyalizm; fütuhatçılık. **~ist,** emperyalist; fütuhatçı.
imperil [imˈperil]. Tehlikeye koymak.
imperious [imˈpiəriəs]. Mütehakkim, amirane; zarurî, mübrem.
imperishable [imˈperiʃəbl]. Zevalsiz; ebedî; bozulmaz, çürümez.
impermeable [imˈpəəmiəbl]. Su geçmez.
impersonal [imˈpəəsənl]. Muayyen bir şahsa aid veya matuf olmıyan. Gayrişahsî (fiil).
impersonate [imˈpəəsəneit]. Bir şahıs rolünü yapmak; rolüne girmek; şahıslandırmak, temsil etm.; kendine ... süsü vermek.
impertinen·ce [imˈpəətinəns]. Haddini bilmezlik; küstahlık; arsızlık: münasebetsizlik. **~t,** haddini bilmez; arsız, küstah; münasebetsiz.
imperturbable [ˌimpəəˈtəəbəbl]. İstifini bozmaz; şaşmaz; soğukkanlı.
impervious [imˈpəəviəs]. Su vs. geçirmez; nüfuz ettirmez; vurdumduymaz.
impetigo [impəˈtaigou]. Empetigo; irinli isilik.
impetu·ous [imˈpetjuəs]. Mütehevvir, şiddetli; coşkun, fevrî. **~osity,** [–ˈositi] coşkunluk, şiddet; tehevvür.
impetus [ˈimpitəs]. Hız; şiddet; sürükleyici kuvvet.
impiety [imˈpaiəti]. Dinsizlik; dine karşı hürmetsizlik.
impinge [imˈpindʒ]. **to ~ on stg.,** ...e çarpmak, çatmak; tecavüz etmek.
impious [ˈimpiəs]. Dinsiz; Allahtan korkmaz; dine karşı hürmetsiz.
impish [ˈimpiʃ]. Küçük şeytan gibi; kurnaz bir afacan gibi.
implacable [imˈplakəbl]. Gazabı ve adaveti teskin edilemez; amansız, yavuz.
implant [imˈplaant]. İçine dikmek, aşılamak; telkin etmek.
implement[1] [ˈimpləmənt] *n.* Âlet; vasıta. **~s,** edevat, takım, avadanlık.
implement[2] [ˈimpliment] *vb.* Tamamlamak; yerine getirmek, ifa etmek.
implicat·e [ˈimplikeit]. Sokmak; idhal etm.; medhaldar etm.: tazammun etmek. **to be ~ed,** medhaldar olm.: **without ~ing anyone,** kimseyi karıştırmadan. **~ion** [–ˈkeiʃn], medhaldar olma; tazammun: **by ~,** zımnen; dolayısile: **the ~ is that ...,** bunun tazammun ettiği mâna şudur ki ....
implicit [imˈplisit]. Kat'î; zımnî. **~ obedience,** itirazsız itaat.
implied [imˈplaid]. Zımnî.
implore [imˈploo*]. Yalvarmak, istirham etmek.
imply [imˈplai]. Delâlet etm.; tazammun etm.; kasdetmek; ima etmek.
impolite [impəˈlait]. Nezaketsiz.
impolitic [imˈpolitik]. Tedbirsiz; uygunsuz; basiretsiz.
imponderable [imˈpondərəbl]. Ölçülemez (şey); hesab edilemiyen (âmil vs.).
import[1] *n.* [ˈimpoot]. İdhal. **~s,** idhalât. *vb.* [imˈpoot], İdhal etmek.
import[2] *n.* [ˈimpoot]. Mâna, meal; ehemmiyet. *vb.* [imˈpoot]. Delâlet etm., mânası olm.; ehemmiyetli olmak.
importance [imˈpootəns]. Ehemmiyet; nüfuz, itibar. **of ~,** mühim.
important [imˈpootənt]. Ehemmiyetli, mühim; nüfuzlu, sözü geçer. **to look ~,** mühim bir adam tavrı takınmak.
importation [impooˈteiʃn]. İdhal etme; idhal edilen şey.
importer [imˈpootə*]. İdhalatçı.
importun·ate [imˈpootjunit]. Israrla taleb eden; taciz edici. **~e,** ısrarla taleb etm.;

sıkıştırmak. ~**ity** [–ˈtjuuniti], ısrar, ibram; tasdi etme.

impose [imˈpouz]. Üzerine koymak, vaz'etmek, yüklemek, tahmil etm.; tarhetmek; zorla yaptırmak, zorlamak. **to ~ (up)on,** aldatmak; hile ile inandırmak: **to ~ oneself (up)on,** takılmak, musallat olmak.

imposing [imˈpouziŋ]. Heybetli, muhteşem; kellifelli.

imposition [ˌimpəˈziʃn]. Yükletme; tarhetme; vazı; vergi; yük; insafsız yük, vergi vs.; tezvir, hile; talebeye ceza olarak verilen vazife, yazı cezası.

impossibility [imˌposəˈbiliti]. İmkânsızlık; olamazlık; imkânsız şey. **this is a physical ~,** bu maddeten imkânsızdır.

impossible [imˈposibl]. İmkânsız; mümkün değil; olamaz; muhal. **an ~ person,** tahammül edilmez kimse: **if, to suppose the ~,** farzı muhal.

impost [ˈimpost]. Vergi; mükellefiyet.

impost·er [imˈpostə*]. Sahtekâr; düzme, yalancı (peygamber, padişah vs.). ~**ure** [–tʃə*], sahtekârlık.

impoten·ce [ˈimpətəns]. Kudretsizlik; iktidarsızlık; âcizlik; cinsî iktidarsızlık. ~**t,** kudretsiz; âciz; (cinsî) iktidarsız: **to render ~,** âciz bırakmak; çanına ot tıkamak.

impound [imˈpaund]. Sahibsiz bir hayvanı ağıla kapatmak; haczetmek, müsadere etm.; (suyu) sed ile kapatmak.

impoverish [imˈpovəriʃ]. Fakirleştirmek; bereketini gidermek.

impracticable [imˈpraktikəbl]. Yapılamaz; icra edilemez; kullanılamaz; idaresi güç.

imprecat·e [ˈimprəkeit]. Lânet etm.; beddua etmek. ~**ion** [–ˈkeiʃn], lânet; beddua; küfür.

impregnable [imˈpregnəbl]. Zaptolunmaz.

impregnate [imˈpregneit]. İşba etm.; doldurmak; aşılamak; ilkah etmek.

impresario [ˌimprəsaario]. Opera vs. kumpanyasının müdürü.

imprescriptable [ˌimprəˈskriptəbl]. Mururu zamana uğramıyan; lagvedilemez.

impress[1] *n.* [ˈimpres]. Damga; nişane. *vb.* [imˈpres]. Basmak; üzerine iz bırakmak; fikrine sokmak; derin tesir bırakmak; dikkatini celbetmek; intiba bırakmak. **I was favourably ~ed by the youth,** genc üzerimde iyi bir tesir bıraktı: **I was not ~ed,** hiç beğenmedim; üzerimde hiç bir tesir bırakmadı.

impress[2] [imˈpres]. Zorla askere almak; el koymak; bir maksad için kullanmak.

impression [imˈpreʃn]. İntiba; eser basma, tabı; tesir; tabedilmiş nüsha; damga, mühür vs. nişanı. **to make a good [bad] ~,** iyi [fena] tesir bırakmak: **I am under the ~ that...,** bana öyle geliyor ki. ~**able,** kolay müteessir olan; hassas. ~**ism,** empresyonizm.

impressive [imˈpresiv]. Tesir edici; unutulmaz.

imprimatur [ˌimpriˈmeitə*]. Bilhassa dinî kitab hakkında: müsaadesi; tasvib, tasdik.

imprint *n.* [ˈimprint]. Marka, damga; bir kitabın tâbi ve nâşirinin ismi ile basılan yer. *vb.* [imˈprint]. Marka, damga vs. basmak; zihnine (fikir vs.) sokmak; (izini) basmak.

imprison [imˈprisn]. Hapsetmek. ~**ment,** hapsetme; hapsedilme: **a month's ~,** bir ay hapis.

improba·ble [imˈprobəbl]. Muhtemel olmıyan; inanılmıyacak şekilde olan. ~**bility** [–ˈbiliti], muhtemel olmayış; inanılmazlık.

impromptu [imˈpromtjuu]. Hazırlıksız; irticalî; tulûat olarak; irticalen, hazırlanmadan; irticalen söylenen şey; tulûat.

improper [imˈpropə*]. Yakışıksız; münasebetsiz; yersiz; açık saçık; doğru olmıyan, yanlış.

impropriety [ˌimprouˈpraiəti]. Yakışıksızlık; uygunsuzluk; adaba mugayir olma; münasebetsizlik; yanlış kullanma.

improve [imˈprouv]. İyileş(tir)mek; ıslah etm.; ıslaha yüz tutmak. **to ~ the occasion, to ~ the shining hour,** ele geçirdiği fırsattan azami istifade etm.: **to ~ (up)on stg.,** ilâve veya değiştirme ile bir şeyi daha iyi hale koymak: **he ~s on acquaintance,** tanıdıkça insan onu o kadar fena bulmuyor: **to ~ on s.o.'s offer,** birinin teklif ettiğinden fazlasını vermek.

improvement [imˈprouvmənt]. İyileş(tir)me; salâh, ıslah; terakki; tekâmül; faydalı ilâve. **to be an ~ on stg.,** bir şeyden [bir şeye nazaren] daha iyi olmak: **open to ~,** ıslaha muhtac, ıslahı kaabil.

improviden·ce [imˈprovidəns]. Basiretsizlik; ihtiyatsızlık; israf. ~**t,** müsrif; (para hakkında) düşüncesiz; basiretsiz.

improvis·e [ˈimprəvaiz]. İrticalen söylemek, tulûat yapmak; hazırlık yapmadan muvakkaten tedarik etm.; iğreti olarak kullanmak; yasak savma kabilinden yapmak. ~**ation** [–ˈzeiʃn], irtical, tulûat; muvakkat tedbir.

impruden·ce [imˈpruudəns]. Düşüncesizlik; ihtiyatsızlık, tedbirsizlik. ~**t,** düşüncesiz, ihtiyatsız, tedbirsiz.

impuden·ce [ˈimpjudəns]. Yüzsüzlük, arsızlık; saygısızlık. ~**t,** arsız, yüzsüz; saygısız.

impudicity [ˌimpjuˈdisiti]. Açıksaçıklık; müstehcen olma; hicabsızlık.

impugn [imˈpjuun]. Hakkında şübhe beyan etm.; kabul etmemek.
impulse [ˈimpʌls]. Sevk, saika; itme; hız; ilca; düşünmeden yapılan anî hareket.
impulsive [imˈpʌlsiv]. Atılgan; ilcaî, fevrî, düşünmeden derhal harekete geçen; coşkun; patavatsız. ~ **force,** itici kuvvet.
impunity [imˈpjuuniti]. Ceza ve mukabeleden muaf olma. **to do stg. with ~,** cezasını çekmeden yapmak.
impur·e [imˈpjuə*]. Pis; iffetsiz; mağşuş, mahlût. **~ity** [–ˈpjuuriti], pislik; iffetsizlik; mahlutluk.
imput·e [imˈpjuut]. İsnad etm., ittiham etm., atfetmek. **~ation,** isnad.
in [in]. …de; içinde; …e; içine. **we are ~ for a storm,** muhakkak fırtına olacak: **we are ~ for trouble,** başımıza iş çıkacak: **now we're ~ for it!,** şimdi hapı yuttuk!: **to write ~ ink,** mürekkeble yazmak: **is the fire still ~?,** ateş hâlâ yanıyor mu? (yoksa söndü mü?): **is the train ~ yet?,** tren geldi mi?: **strawberries are now ~,** çilek çıktı.
in- *bk.* **im-.**
inability [ˈinəbiliti]. İktidarsızlık; kabiliyetsizlik; istidadsızlık.
inaccessible [ˌinakˈsesəbl]. Varılamaz, erişilemez; yanına girilemez; sokulunamaz.
inaccura·cy [inˈakjurəsi]. Ademisıhhat; yanlışlık. **~te,** sahih olmıyan, yanlış.
inaction [inˈakʃn]. Hareketsizlik, faaliyetsizlik; atalet.
inactiv·e [inˈaktiv]. Faaliyet göstermiyen; hareketsiz; âtıl. **~ity** [–ˈtiviti], faaliyetsizlik, hareketsizlik; atalet: **masterly ~,** basiretli hareketsizlik.
inadequa·cy [inˈadikwəsi]. Kifayetsizlik; elverişli olmayış. **~te,** kâfi olmıyan; elverişsiz.
inadmissible [ˌinədˈmisibl]. Kabul edilemez.
inalienable [inˈeiliənəbl]. Terk ettirilemez; sahibinin tasarrufundan çıkamaz; verilmez; satılmaz.
inamorato [ˌinamoˈraatou]. Âşık.
inane [inˈein]. Akılsız; mânasız; boş, beyhude.
inanimate [inˈanimit]. Cansız.
inanition [ˌinaˈniʃn]. Gıdasızlık; boşluk.
inanity [inˈaniti]. Akılsızlık, ahmaklık; beyhudelik.
inapt [inˈapt]. İstidadsız, meharetsiz; münasib olmıyan; yersiz.
inarticulate [ˌinaaˈtikjuleit]. Sözsüz, söz söylemez; gayrı natık; telaffuz edilmiyen; mafsalsız.
inasmuch [inazˈmʌtʃ]. ~ **as,** mademki; ... binaen; …e göre.
inattent·ion [ˌinəˈtenʃn]. Dikkatsizlik. **~ive,** dikkatsiz.
inaudible [inˈoodibl]. İşidilemez.
inaugura·l [inˈoogjurəl]. Küşad [açma] merasime aid. **~te,** küşad merasimini yapmak; başlamak. **~tion** [–ˈreiʃn], küşad merasimi; başlangıç.
inauspicious [ˌinoosˈpiʃəs]. Uğursuz; meşum; aksi.
inborn [ˈinboon]. Fıtrî; meftur; cibillî; doğuştan.
inbred [inˈbred]. Fıtrî; tabiî; cibillî. Aile içinde [içerden] evlenme mahsulü.
incalculable [inˈkalkjuləbl]. Hesab edilemez; hadsiz hesabsız. **his temper is ~,** huyu hiç belli olmaz; dakikası dakikasına uymaz.
incandescen·ce [ˈinkanˈdesəns]. Beyaz hararet; narı beyza. **~t,** beyaz hararette olan: ~ **lamp,** radyom lâmbası.
incantation [ˌinkanˈteiʃn]. Sihirli sözler; büyü, afsun.
incapable [inˈkeipəbl]. İktidarsız, kabiliyetsiz; muktedir olmıyan; değersiz. ~ **of proof,** isbat edilemez: ~ **of appreciating,** takdirden âciz.
incapacitate [inkəˈpasiteit]. İktidardan mahrum etm.; âciz bırakmak. **his injury ~d him from working,** aldığı yara çalışma imkânından mahrum etti.
incapacity [inkəˈpasiti]. İktidarsızlık, kabiliyetsizlik; ehliyetsizlik; değersizlik.
incarcerate [inˈkaasəreit]. Hapsetmek.
incarnadine [inˈkaanədain]. Ten renkli; (*şim.um.*) kan renkli (yapmak).
incarnat·e [inˈkaanit]. Mücessem; beşer şeklinde olan. Tecessüm ettirmek. **a devil ~,** insan şeklinde şeytan; şeytanın ta kendisi. **~ion,** canlı timsal; İsa'nın insan şeklinde tecessümü.
incautious [inˈkooʃəs]. Gafil; düşüncesiz, tedbirsiz; dikkatsiz.
incendiar·ism [inˈsendjərizm]. Kundakçılık. **~y,** kundakçı, yangın çıkarıcı: ~ **bomb,** yangın bombası.
incense[1] [ˈinsens] *n.* Tütsü; buhur; günlük. ~ **boat,** buhurdan.
incense[2] [inˈsens] *vb.* Öfkelendirmek. **~d,** öfkelenmiş.
incentive [inˈsentiv]. Saik; teşvik veya tahrik edici şey.
inception [ınˈsepʃn]. Başlangıç.
incertitude [inˈsəətitjuud]. Kararsızlık, tereddüd; şübheli olma; değişiklik.
incessant [inˈsesənt]. Fasılasız, ardı arası kesilmez; hiç durmaz.
incest [ˈinsest]. Yakın akraba arasında cinsî münasebet. **~uous** [–ˈsestjuəs], bu gibi münasebete aid.
inch [intʃ]. Pus = 25·4 mm.; parmak; zerre. **to die by ~es,** yavaş yavaş ölmek: **to escape by ~es,** pek dar kurtulmak; …e

kıl kalmak: **he knows every ~ of the neighbourhood,** buraları avucunun içi gibi bilir: **to flog s.o. within an ~ of his life,** birinin dayaktan canını çıkarmak: **every ~ a soldier,** iliklerine kadar asker: **a man of your ~es,** siz boyda bir adam: **not to yield an ~,** bir karış gerilememek.

inchoate [ˈinkoeit]. Yeni başlamış, daha gelişmemiş; ibtidaî.

incidence [ˈinsidəns]. Şümul; tesir; isabet; vürud; çarpma; netice. **the ~ of a disease,** bir hastalığa tutulanların mikdarı.

incident [ˈinsidənt]. Hadise; ehemmiyetsiz vak'a. Aid, varid, bağlı; vukuu memul; sakıt. **~al** [–ˈdentl], ârızî; tesadüfî; bağlı, ayrılmaz; ufak tefek masraf. **~ally,** ârızî olarak, tesadüfen; istitraden.

incinerat·e [inˈsinəreit]. Yakıp kül etmek. **~or,** yakma fırını.

incipient [inˈsipiənt]. Henüz başlamakta olan; türemekte olan.

incis·e [inˈsaiz]. Deşmek; oymak, hâkketmek. **~ion** [inˈsiʒn], yarma, deşme; bıçak ile açılmış yer. **~ive** [–ˈsaisiv], keskin; nafiz. **~or,** ön diş.

inclination [ˌinkliˈneiʃn]. Meyil, inhiraf; temayül; istek.

incline *n.* [ˈinklain]. Meyil; mail satıh; yokuş. *vb.* [inˈklain]. Meylet(tir)mek; eğ(il)mek; yat(ır)mak; temayül et(tir)mek; müsaid olm., müstaid olm.; çalmak. **~d,** mütemayil; mail; yatkın; müstaid, müsaid: **to be ~ (to do stg.),** canı istemek; temayül etm.; huyu olm.: **to feel ~ (to do stg.),** canı istemek: **not to feel ~,** canı istememek, yanaşmamak: **he is ~ that way,** onun huyu böyledir: **~ plane,** sathı mail.

inclinometer [ˌinklaiˈnomətə*]. Meyil ölçen alet.

includ·e [inˈkluud]. Şamil olm., dahil etm.; ihtiva etm.; şümulü olmak. **there were ten persons in the house ~ing the servants,** hizmetçilerle beraber evde on kişi vardı: **up to and ~ing Dec. 31st,** 31 aralığa kadar (31 aralık dahil).

inclus·ion [inˈkluuʒn]. Dahil etme; dahil bulunma; şümul. **~ive** [–siv], dahil; şümulü olan: **~ terms,** her şey dahil olarak ücret.

incognito [inˈkognitou]. (*kıs.* **incog.**) Mütenekkiren; takma adla. Takma ad.

income [ˈinkʌm]. Gelir, irad; kazanc; varidat. **private ~,** şahsî gelir.

incom·er [ˈinkʌmə*]. Giren; yeni gelen. **~ing,** giren; girme: **the ~ tenant,** yeni kiracı. **~s,** varidat, kazanc.

incommod·e [inkoˈmoud]. Rahatsız etm.; zahmet vermek; vücudun serbest hareketine mâni olmak. **~ious,** dar, ferah olmıyan; kullanışlı olmıyan; zahmet verici.

incomparable [inˈkompərəbl]. Eşsiz, kıyas kabul etmez.

incompatible [ˌinkəmˈpatəbl]. Telif edilmez; biribirine uymaz; uyuşamaz.

incompeten·t [inˈkompətənt]. Beceriksiz, kabiliyetsiz; salâhiyetsiz. **~ce,** beceriksizlik vs.

inconceivable [ˌinkonˈsiivəbl]. Tasavvur olunamaz; hatıra gelmez; hayret verici.

inconclusive [ˌinkonˈkluusiv]. Neticesiz; ikna etmiyen. **the evidence was ~,** delil kâfi [mukni] değildi.

incongru·ous [inˈkoŋgruəs]. Birbirine uymaz; gayrı mütecanis; mutabık olmıyan; yersiz; ⌜altı kaval üstü şişane⌝. **~ity** [–ˈgruuiti], birbirine uymazlık.

inconsequen·t [inˈkonsikwənt]. Mantıksız; saded harici; mutabık olmıyan; insicamsız. **~ce,** mantıksızlık; birbirini tutmayış.

inconsisten·t [ˌinkənˈsistənt]. Telif edilemez, uymaz, mübayin; kararsız. **~cy,** telif edilemeyiş: uymayış, mübayenet, kararsızlık.

inconsolable [ˌinkonˈsouləbl]. Teselli kabul etmez.

inconspicuous [ˌinkənˈspikjuəs]. Göze çarpmaz; kolayca fark edilmez; ehemmiyetsiz.

incontestable [ˌinkənˈtestəbl]. Su götürmez; itiraz kabul etmez.

incontinen·t [inˈkontinənt]. İmsaksiz; nefsini zaptedemez; iffetsiz. **~ce,** iffetsizlik; idrarını tutamazlık. **~tly,** hemen, derhal.

incontrovertible [ˌinkontroˈvəətəbl]. Muhakkak; inkâr ve cerh edilemez.

inconvenien·t [ˈinkənˈviiniənt]. Zahmet verici; mahzurlu; vakitsiz; münasib olmıyan; rahatsız. **~ce,** zahmet, rahatsızlık; tasdi; mahzur. Zahmet vermek; güçlük vermek.

incorporat·e [inˈkoopəreit]. Birleş(tir)mek; tevhid etm., bir cisim teşkil etm.; şirket teşkil etmek. **~ed,** *a.* birleşik: **~ company,** anonim şirket. **~ion** [–ˈreiʃn], birleş(tir)me; dahil edilme.

incorporeal [ˌinkooˈporiəl]. Cisimsiz; cismanî veya maddî olmıyan.

incorrigible [inˈkoridʒəbl]. Islah kabul etmez.

incorruptible [ˌinkoˈrʌptəbl]. Rüşvet kabul etmez; irtikâb etmez; dürüst; çürümez.

increase *n.* [ˈinkriis]. Artma, arttırma; çoğalma. *vb.* [inˈkriis]. Art(tır)mak; çoğal(t)mak; büyü(t)mek; ziyadeleş(tir)mek. **to be on the ~,** artmakta olmak.

incredible [inˈkredibl]. İnanılmaz; akıl almaz.

incredul·ity [ˌinkrəˈdjuuliti]. İnanmazlık. **~ous** [–ˈkredjuləs], güç inanır; şübhe eder.

increment [ˈinkrimənt]. Artma, artış; zam. unearned ~, şerefiye.
incriminate [inˈkrimineit]. Kabahatli saydırmak; suçlu çıkarmak; suçlu göstermek.
incrustation [ˌinkrʌsˈteiʃn]. Tahaccür; teşekkül eden kabuk veya tabaka; buhar kazanlarında kireç milhinden hasıl olan tortu.
incubat·e [ˈinkjubeit]. (Yumurtaları) kuluçkaya yatırmak; civciv çıkarmak. **~ion** [–ˈbeiʃn], kuluçkaya yatma; kuluçka devresi. **~or,** kuluçka makinesi.
incubus [ˈinkjubəs]. Kâbus; müzic ve sıkıntılı insan; ağır yük.
inculcate [ˈinkʌlkeit). (Bir şeyi) tekrar ede ede birinin kafasına yerleştirmek; aşılamak.
inculpate [ˈinkʌlpeit]. Suçlu göstermek; kabahatli saydırmak.
incumben·cy [ınˈkʌmbənsi]. Bir mevkii ve *bilh.* rahiblik mevkiini işgal etme ve bu vazifenin müddeti. **~t,** *a.* vâcib; …in üzerine düşen: *n.* muayyen bir mevki ve *bilh.* bir mahalle papazlığının mevkiini tutan kimse.
incur [inˈkəə*]. Uğramak, maruz olm.; başına getirmek. **to ~ expense,** masrafa girmek.
incurable [inˈkjuurəbl]. Şifa bulmaz, tedavi edilemez; ıslah kabul etmez.
incurious [inˈkjuuriəs]. Merak etmez; kayıdsız.
incursion [inˈkəəʃn]. Akın, istilâ; ansızın giriş.
indebted [inˈdetid]. Medyun, borclu; minnetdar.
indecen·t [inˈdiisnt]. Açık saçık, hayasız. **~cy,** açıksaçıklık, hayasızlık.
indecipherable [ˌindəˈsaifrəbl]. Okunmaz; halledilmez.
indecis·ion [ˌindəˈsiʒn]. Kararsızlık, tereddüd. **~ive** [–ˈsaisiv], kat'î olmıyan; meşkûk; kararsız.
indeclinable [ˌindəˈklainəbl]. (*gram.*) Tasrif edilmiyen.
indecor·ous [inˈdekərəs]. Muaşeret âdabına aykırı; yakışmaz. **~um** [–ˈkoorəm], yakışmaz hareket; âdaba mugayir hareket.
indeed [inˈdiid]. Hakikaten; çok; **~!,** ya!, öyle mi?; Allah Allah!
indefatigable [ˌindəˈfatigəbl]. Yorulmak bilmez.
indefeasible [ˌindəˈfiizəbl]. Lagvedilemez; izale edilemez.
indefensible [ˌindəˈfensəbl]. Müdafaa edilemez; mazur görülemez.
indefinable [ˌindiˈfainəbl]. Mübhem; tarifi mümkün olmıyan.
indefinite [inˈdefinit]. Muayyen olmıyan; gayrimuayyen; gayrimahdud; belirsiz, mübhem; vuzuhsuz; (*gram.*) **past ~,** gayrimuayyen mazi: **~ article,** gayrimuayyen harfitarif: **~ pronoun,** mübhem zamir. **to postpone ~ly,** müddetsiz olarak tehir etmek.
indelible [inˈdelibl]. Silinmez. **~ pencil,** kopya kalemi.
indelica·cy [inˈdelikəsi]. Nezaketsizlik; kabalık. **~te,** nezaketsiz, kaba; bir az açık.
indemnif·y [inˈdemnifai]. Tazmin etmek. **~ication** [–fiˈkeiʃn], tazmin etme; taviz.
indemnity [inˈdemniti]. Tazmin olarak ödenmiş meblağ; tazminat.
indent[1] [inˈdent]. Diş diş kesmek; kör bir şey ile vurup çukur etmek. Çukur, girinti, çentik; satır başı boşluğu. **~ation,** çukur, çentik.
indent[2]. Levazım vs.den eşya istemek için tezkere; Asker vs.ye lâzım olan bir şeyi resmen istemek. **to ~ on s.o. for stg.,** birisinden bir şeyi resmen istemek.
indenture [inˈdentʃə*]. Resmî sened. Birini ve *bilh.* bir çırağı birinin hizmetine resmi mukavele ile bağlamak. **~s,** hizmet mukavelesi.
independen·ce [ˌindiˈpendəns]. İstiklâl; müstakil mizac; kimseye muhtac olmamak için kâfi gelir. **~t,** müstakil; serazad; kendi başına olan; hür; kimseye muhtac olmıyan; müstağni.
indescribable [ˌindiˈskraibəbl]. Tarifi imkânsız; anlatılmaz.
indestructible [ˌindiˈstrʌktəbl]. Tahribi imkânsız; yıkılmaz.
indeterminate [ˌindiˈtəəminit]. Belli olmıyan; gayrimuayyen.
index, *pl.* **indexes** [ˈindeks, -iz]. Fihrist, cedvel; indeks; şahadet parmağı; ibre müşir, mastara. *pl.* **indices** [ˈindisiiz], rakam, üs. İndeks tertib etmek.
India [ˈindjə]. Hindistan. **~man,** Hindistan ile İngiltere arasında sefer yapan gemi. **~n,** Hindli: **Red ~,** Şimalî Amerika yerlisi, kırmızı derili: **~ ink,** çini mürekkebi.
indiarubber [ˌindjəˈrʌbə*]. Lâstik; gomalâstik.
indicat·e [ˈindikeit]. Göstermek; delâlet etmek. **~ion** [–ˈkeiʃn], alâmet; emare; delâlet. **~ive** [inˈdikətiv], (*gram.*) ihbar tasrifi: **~ of,** …e delâlet eden, gösteren. **~or,** müşir, ibre; tazyik, sürat vs.yi gösteren cihaz.
indices *bk.* **index.**
indict [inˈdait]. İttiham etm.; aleyhine dava açmak; mahkemeye vermek. **~able,** aleyhine dava açılabilir: **~ offence,** cürüm, suç. **~ment,** ittihamname; iddianame; mahkemeye verme.
Indies [ˈindiiz]. **East ~,** Şarkî Hind: **West ~,** Antil denizindeki adalar, Garbî Hind.

indifferen·ce [inˈdifərəns]. Kayıdsızlık, fütursuzluk; istiğna; bigânelik; alelâdelik. **~t,** kayıdsız, fütursüz; müstağni, bigâne; iyi olmıyan; alelâde.

indigen·ce [ˈindidʒəns]. Fakirlik, yoksulluk; fakrühal. **~t,** fakir, yoksul.

indigenous [inˈdidʒənəs]. Yerli; memlekette yetişen.

indigna·nt [inˈdignənt]. Haklı olarak infial duyan; dargın; protesto eden. **~tion** [–ˈneiʃn], haksız muamele hasıl ettiği his; infial.

indignity [inˈdigniti]. Birinin izzetinefisini yaralıyan hareket; hakaret, rezalet.

indigo [ˈindigou]. Çivit. **~ blue,** çivit mavisi, lâciverdi.

indirect [ˌindiˈrekt, –daiˈrekt]. Vasıtalı; bilvasıta yapılan; doğrudan doğruya olmıyan; dolaşık. **~ speech,** (*gram.*) nakledilen söz ('bilmem' dedi, yerine 'bilmediğini söyledi' gibi).

indiscipline [inˈdisiplin]. Zabturabtı olmama; itaatsizlik.

indiscreet [indisˈkriit]. Boşboğaz; patavatsız; ağzında bakla ıslanmaz; düşüncesiz, tedbirsiz.

indiscretion [ˌindisˈkreʃn]. Boşboğazlık; patavatsızlık; münasebetsizlik; düşüncesiz hareket; pot kırma.

indiscriminate [ˌindisˈkriminit]. Fark gözetmeden yapılmış vs.; rasgele; körükörüne.

indispensable [ˌindisˈpensəbl]. Elzem, zarurî; onsuz olmaz.

indispos·e [indisˈpouz]. Soğutmak; istek bırakmamak, arzusunu kırmak; keyifsizlendirmek. **~ed,** keyifsiz; isteksiz. **~ition** [ˌindispəˈziʃn], keyifsizlik; isteksizlik.

indisputable [inˈdispjutəbl]. Su götürmez; muhakkak.

indissoluble [ˌindiˈsoljubl]. Erimez.

indistinct [ˌindisˈtiŋkt]. Kolayca seçilemez, hayal meyal; belli belirsiz.

indite [inˈdait]. (*esk.* veya *şak.*) Kaleme almak; söyleyip yazdırmak.

individual [ˌindiˈvidjuəl]. Ferde mensub, ferdî; hususî; şahsî; tek. Ferd; adam. **~ist,** ferdiyetçi. **~ity** [–ˈaliti], şahsiyet; hususiyet; ferdiyet.

Indo-China [ˈindouˈtʃainə]. Hindiçini.

indolen·ce [ˈindələns]. Tembellik, haylazlık. **~t,** tembel, haylaz, gevşek.

indomitable [inˈdomitəbl]. Yılmaz, yenilmez; boyun eğmez.

indoor [ˈindoo*]. Ev içinde olan yahud yapılan. **~s** [inˈdooz], ev içinde: **~s and out,** ev içinde ve dışarıda: **to go ~s,** eve girmek.

indorse *bk.* **endorse.**

indubitable [inˈdjuubitəbl]. Şübhe edilmez, muhakkak.

induce [inˈdjuus]. Kandırıp bir şeyi yaptırmak; imale etm.; müsebbib olm., sevketmek, teşvik etm.; istintac etm.; (*elek.*) endüksiyon cereyanı hasıl etmek. **nothing will ~ me to do it,** dünyada [başımı kesseler] onu yapmam. **~ment,** saik; teşvik edici şey; birini kandırmak için verilen şey veya yapılan vaid: **to hold out ~s to s.o. to do stg.,** birine bir şeyi yaptırmak için cazib vaidlerde bulunmak.

induct [inˈdʌkt]. Birini memuriyetine resmen oturtmak. **~ion** [–ˈdʌkʃn], resmen oturtma; (*elek.*) endüksiyon; (mantık) kıyas, istikra; (*mek.*) içeri salıverme. **~ive,** endüksiyon yapan; istikraî.

indulge [inˈdʌldʒ]. (Birinin) isteklerine razı olm.; müsamaha etm.; şımartmak; (fikir, ümid vs.ye) kapılmak. **to ~ (oneself) in,** ···e mübtelâ olm.; kapılmak: **to ~ in a cigar,** masrafa bakmayıp bir puro içmek: **to ~ too freely in drink,** içkiye fazla düşkün olmak.

indulgen·ce [inˈdʌldʒəns]. Müsamaha; ibtilâ; nefsini tatmin; katoliklere Papa tarafından verilen hususî müsaade, günahlardan tebriye. **~t,** müsamahakâr; göz yuman; şefkatlı.

industrial [inˈdʌstriəl]. Sanayie aid, sınaî. **the ~ revolution,** 18 ve 19 uncu asırlarda sanayideki bir çok icadların ve sür'atli inkişafın, cemiyetin bünyesinde yaptığı büyük değişiklikler: **~ school,** kimsesiz çocuklara bir san'at öğretmek için mekteb. **~ism,** sanayicilik. **~ist,** sanayici. **~ize,** sınaîleştirmek.

industrious [inˈdʌstriəs]. Çalışkan, hamarat, eteği belinde.

industry [ˈindəstri]. Çalışkanlık, hamaratlık; sanayi.

inebriate [inˈiibrieit]. Sarhoş (etm.); ayyaş.

ineffable [inˈefəbl]. Tarif olunamaz.

ineffaceable [ˌineˈfeisəbl]. Silinmez.

ineffective [ˌiniˈfektiv]. Tesirsiz; neticesiz; nafile; işe gelmez; beceriksiz.

ineffectual [iniˈfektjuəl]. Tesirsiz; zayıf; nafile.

inefficien·t [ˌiniˈfiʃənt]. (İnsan) ehliyetsiz, kabiliyetsiz; kifayetsiz; (makine, tedbir) iyi işlemiyen; tesirsiz. **~cy,** ehliyetsizlik, kifayetsizlik; iyi işlemeyiş, tesirsizlik.

ineluctable [ˌineˈlʌktəbl]. İctinab edilemez, kaçınılamaz.

inept [inˈept]. Yersiz, münasebetsiz; ahmakça. **~itude,** münasebetsizlik, yersizlik; ahmaklık.

inequality [ˌiniiˈkwoliti]. Müsavatsızlık; bir sathın gayrimuntazam olması; pürüzlülük; ittiradsızlık; değişiklik.

inert [inˈəət]. Cansız, hareketsiz; âtıl; kimyevî tesiri haiz olmıyan; tembel,

uyuşuk. ~**ia** [inˈəəʃjə], atalet; bir cismin harekete karşı mukavemeti.
inescapable [ˌinisˈkeipəbl]. İctinab edilemez; sakınılamıyan.
inestimable [inˈestiməbl]. Baha biçilmez; pek kıymetli.
inevitable [inˈevitəbl]. Kaçınılamaz; ictinab edilemez; vukubulması muhakkak, mukadder; zarurî.
inexact [inigˈzakt]. Yanlış; tamamen doğru olmıyan. ~**itude**, yanlışlık; hata; tamamen doğru olmama.
inexhaustible [ˌinigˈzoostəbl]. Bitmez tükenmez.
inexorable [inˈeksərəbl]. Amansız; yaman.
inexpedient [ˌineksˈpiidiənt]. Hale veya vaziyete uymıyan; tedbirsiz; münasib olmıyan.
inexperience [ˌiniksˈpiəriəns]. Tecrübesizlik, acemilik; görgüsüzlük. ~**d**, tecrübesiz, acemi, alışmamış.
inexplicable [inˈeksplikəbl]. İzah edilemez; anlaşılmaz.
inexpressible [ˌiniksˈpresəbl]. Tarif edilemez; sözle söylenmez.
inexpugnable [ˌiniksˈpʌgnəbl]. Zaptolunamaz; yenilmez.
inextricable [inˈekstrikəbl]. İçinden çıkılmaz; halledilemez; girift, çok karışık.
infallib·le [inˈfaləbl]. Hiç yanılmaz; hata etmez; kat'î, muhakkak. **an** ~ **remedy,** birebir ilâc. ~**ility** [–ˈbiliti], yanılmamazlık; aldanmamazlık.
infamous [ˈinfəməs]. Kötülüğü meşhur; tezkiyesi bozuk; menfur, rezil, şeni.
infamy [ˈinfəmi]. Fena şöhret; rezalet, rezillik; şenaat.
infancy [ˈinfənsi]. (5 yaşına kadar) çocukluk; (*huk.*) 21 den aşağı yaş; sağirlik, küçük olma hali; (bir müessese veya teşebbüsün) ilk devresi.
infant [ˈinfənt]. Pek küçük çocuk; bebek; (*huk.*) 21 yaşına girmemiş kimse, küçük, sağir. ~**icide** [–ˈfantisaid], küçük çocuk katilliği veya kaatili. ~**ile** [ˈinfəntail], küçük çocuğa aid; çocukça.
infantry [ˈinfəntri]. Piyade askeri. ~**man,** *pl.* ~**men,** piyade neferi veya zabiti.
infatuat·e [inˈfatjueit]. Aşktan çılgın bir hale getirmek. ~**ion** [–ˈeiʃn], çılgınca âşık olma.
infect [inˈfekt]. Sirayet ettirmek, bulaştırmak; aşılamak, telkin etmek. ~**ion** [–ˈfekʃn], sirayet, bulaşma, intan. ~**ious,** sari, bulaşık.
infer [inˈfəə*]. İstidlâl etm.; zımnen delâlet etm., ima etmek. ~**ence** [ˈinfərəns], istidlâl, istintac; ima: **to draw an** ~, istidlâl etmek. ~**ential** [–ˈrenʃl], istidlâlî.
inferior [inˈfiəriə*]. Madun; aşağıda bulunan; alt; ikinci derecede, âdi. **to be in no way** ~ **to s.o.**, her cihetten biri kadar iyi olmak. ~**ity** [–ˈoriti], madunluk; aşağılık, altta olma; iyi olmama: ~ **complex,** aşağılık duygusu.
infernal [inˈfəənl]. Cehenneme aid; cehennemlik; şeytanca; (*kon.*) Allahın belâsı. ~ **machine,** cehennem makinesi: ~ **noise,** müdhiş gürültü, kıyamet.
inferno [inˈfəənou]. Cehennem.
infertil·e [inˈfəətail]. Gayrı mümbit, mahsulsuz; çorak; kısır. ~ **egg,** civciv çıkarmıyan yumurta. ~**ity** [–ˈtiliti], mahsul vermeme; çoraklık.
infest [inˈfest]. (Muzır bir şey) etrafı sarmak; zarar vermek. **this house is** ~**ed with rats,** bu evi fareler istilâ etmiş.
infidel [ˈinfidl]. Kâfir; imansız.
infidelity [ˌinfiˈdeliti]. Vefasızlık; sadakatsizlik; imansızlık.
infiltrate [ˈinfiltreit]. Sızıp girmek; süz(ül)mek; bir yere gizlice ve tedricen sokulmak.
infinite [ˈinfinit]. Sonsuz; hududsuz; namütenahi; ucsuz bucaksız; ~**ly,** son derecede: **the** ~, feza: **the Infinite,** lâyetenahi Hâlik, Allah: **to take** ~ **pains,** son derece itina etmek.
infinit·esimal [ˌinfiniˈtesiml]. Son derecede küçük; lâyetecezza. ~ **calculus,** nâmütenahi hesab.
infinitive [inˈfinitiv]. Mastar; mastara aid.
infinity [inˈfinity]. Nâmütenahilik; sonsuzluk.
infirm [inˈfəəm]. Malûl; hastalıklı; çelimsiz; kararsız, metanetsiz. ~**ary,** [–əri], Darülâceze; hastane. ~**ity,** malûllük, sakatlık; dermansızlık; illet; kararsızlık; zaaf, kusur.
inflam·e [inˈfleim]. Alevlendirmek; iltihablandırmak. ~**ed,** iltihablı, kan dolmuş; alevlenmiş. ~**mable** [–ˈflaməbl], çabuk ateş alır; tutuşur; hemen parlar. ~**mability,** çabuk tutuşma hassası. ~**mation** [–ˈmeiʃn], iltihab. ~**matory** [–ˈflamatəri], ortalığı tutuşturan, alevlendirici; iltihaba müstaid.
inflat·e [inˈfleit]. Şişirmek; artırmak. **to** ~ **the currency,** enflâsyon yapmak. ~**ed,** şişmiş, şişirilmiş; fahiş (fiat); tumturaklı (uslüb): ~ **with pride,** kibirden kabarmış. ~**ion** [–ˈfleiʃn], şişirme; enflâsyon.
inflect [inˈflekt]. (Sesi) tadil etm.; (*gram.*) tasrif etmek. ~**ion** *bk.* **inflexion.**
inflexib·le [inˈfleksəbl]. Eğilmez; bükülmez; kararından dönmez; yavuz. ~**ility** [–ˈbiliti], eğilmezlik; sertlik; çelik ruh.
inflexion [inˈflekʃn]. Sesin perdesini değiştirme; tasrif; eğilme.
inflict [inˈflikt]. Birinin başına nahoş bir

şey getirmek; ···e uğratmak, duçar etmek. **to ~ a punishment, a fine,** *etc.*, **on s.o.,** birini cezaya vs. çarptırmak: **to ~ pain,** canını acıtmak; ıstırab vermek: **to ~ a wound on s.o.,** birini yaralamak: **to ~ one's company on s.o.,** (istenmediği halde) birini ziyaret ederek veya yanına sokularak rahatsız etmek.

infliction [inˈflikʃn]. (Ceza vs.) verme; ···e duçar etme; eza, cefa.

inflorescence [ˌinfloˈresəns]. Çiçeklenme; sâk üzerinde çiçeklerin umumî vaziyeti.

inflow [ˈinflou]. İçeriye doğru akış; içeriye akan su vs. **~ing,** içeriye akan, giren (su vs.).

influence [ˈinfluəns]. Nüfuz, tesir. Tesir yapmak; nüfuzu altında tutmak. **to have ~,** (i) nüfuzlu olm., sözü geçmek; (ii) arkası olm., iltimaslı olmak: **under the ~ of drink,** sarhoşluk esnasında: **undue ~,** (*huk.*) nüfuzu suiistimal.

influential [influˈenʃl]. Nüfuzlu; tesirli; sözü geçer.

influenza [ˌinfluˈenzə]. Grip; enflüanza.

influx [ˈinflʌks]. Giriş; içeriye akış; üşüşme; akın.

inform [inˈfoom]. Bildirmek; ···e haber vermek, haberdar etmek. **to ~ s.o. on [about] stg.,** birine bir şey hakkında malûmat vermek: **to ~ against s.o.,** aleyhinde şikâyet etm., birini jurnal etmek.

informal [inˈfooml]. Gayrı resmî; teklifsiz. **~ity** [–ˈmaliti], teklifsizlik; merasimsizlik.

informant [inˈfoomənt]. Malûmat veya haber veren kimse.

informat·ion [ˌinfəˈmeiʃn]. Malûmat, haber, istihbarat. **for your ~,** bilgi edinmeniz için. **~ive, ~ory** [–ˈfoomətiv, –təri], malûmat verici.

informed [inˈfoomd] *a.* Haberdar. **well ~,** malûmatlı; olup bitenleri iyi bilen.

informer [inˈfoomə*]. Birini ihbar eden veya şikâyet eden, jurnalci; gammaz, münafık. **common ~,** bir kanunun ihlâl edildiğini resmî makamlara haber veren kimse: **to turn ~,** suç ortaklarını ihbar etmek.

infraction [inˈfrakʃn]. Nakız, ihlâl.

infra dig. [ˈinfrəˈdig]. Vekara uymaz; tenezzül sayılır.

infra-red [ˈinfraˈred]. Kızılötesi.

infrequent [inˈfriikwənt]. Nadir.

infringe [inˈfrindʒ]. İhlâl etm.; bozmak. **to ~ a patent,** ihtira beratının hakkına tecavüz etm.; patentalı bir şeyi taklid etm.: **to ~ upon s.o.'s rights,** birinin haklarına tecavüz etmek. **~ment,** ihlâl: **~ of a patent [copyright],** ihtira beratına [telif hakkına] tecavüz.

infuriate [inˈfjuərieit]. Kudurtmak; çok hiddetlendirmek; çileden çıkarmak. **~d,** kudurmuş, fena hiddetlenmiş.

infuse [inˈfjuuz]. İçine dökmek; telkin etm., aşılamak; haşlamak, demlendirmek. **to ~ courage into s.o.,** birine cesaret telkin etmek.

infus·ible [inˈfjuuzəbl]. Zeveban etmez. **~ion** [–ˈfjuuʒn], haşlama; demlenme; menku; telkin.

infusoria [ˌinfjuˈsooriə]. Nakiiye; || haşlamlılar.

ingenious [inˈdʒiiniəs]. Hünerli, marifetli, sanatli; mucidin hünerini gösteren, icad sahibi.

ingenuity [ˌindʒiˈnjuiti]. Hüner, marifet; icad kabiliyeti.

ingenuous [inˈdʒenjuəs]. Basit, sadedil, masum; samimî, tabiî, hilesiz.

ingle-nook [ˈiŋglnuk]. Ocak başında köşe.

inglorious [inˈglooriəs]. Şerefi ihlâl eden; şansız; utandırıcı.

ingoing [ˈingouiŋ]. İçeriye giren.

ingot [ˈingət]. Külçe.

ingrained [inˈgreind]. Kökleşmiş; ötedenberi yerleşmiş; müzmin; çıkarılmaz.

ingratiat·e [inˈgreiʃieit]. **to ~ oneself with s.o.,** kendini sevdirmek için sokulganlık göstermek; gözüne girmeğe çalışmak. **~ing,** sokulgan.

ingratitude [inˈgratitjuud]. Nankörlük.

ingredient [inˈgriidiənt]. Bir şeyin terkibine giren madde.

ingress [ˈingres]. Giriş.

ingrowing [ˈingrouiŋ]. **~ horn,** başa doğru eğilen ve sonunda ete giren boynuz: **~ nail,** ete batarak yara yapan tırnak.

ingrown [ˈingroun] *bk.* **ingrowing**; fıtrî; kökleşmiş.

inguinal [ˈingwinl]. Kasığa aid.

ingurgitate [inˈgəədʒiteit]. Oburca yiyip içmek, tıkınmak.

inhabit [inˈhabit]. İçinde oturmak; ···de ikamet etmek. **~able,** oturulabilir; iskânı kabil. **~ant,** bir mahallede oturan kimse veya hayvan; sakin: **the ~s of the village,** köy ahalisi. **~ed,** meskûn.

inhal·e [inˈheil]. Nefes çekmek; nefesle yutmak. **~ation** [–həˈleiʃn], nefesi içeri çekme. **~er,** inşak cihazı.

inhere [inˈhiə*]. Tabiî (ve zarurî) olarak mevcud olmak. **~nt,** cibillî, tabiî, fıtrî; ayrılmaz; aslî: **~ defect,** esasta olan kusur.

inherit [inˈherit]. Tevarüs etm., miras olarak almak. **~able,** babadan oğula geçebilir. **~ance,** veraset, miras. **~or,** vâris.

inhibit [inˈhibit]. Yasak etm., menetmek, (hisler vs.) tutmak, mani olmak. **~ion** [–ˈbiʃn], yasak etme, menetme; nehiy. **~ive, ~ory,** yasak edici, menedici.

inhospitable [ˌinhosˈpitəbl, –ˈhos–]. Misafir sevmez; yabancıları iyi karşılamıyan; dağ başı gibi, kuş uçmaz kervan geçmez, barınılmaz.
inhuman [inˈhjuumən]. Gayrı insanî; insanlığa yakışmaz; zalim, gaddar, vahşi. **~e** [inhjuˈmein], zalim, merhametsiz. **~ity** [–ˈmaniti], insaniyetsizlık; zalimlik, gaddarlık.
inhum·e [inˈhjuum]. Defnetmek, gömmek. **~ation,** tedfin.
inimical [inˈimikl]. Düşman; muhalif, aleyhdar; gayrı müsaid.
inimitable [inˈimitəbl]. Taklid edilemez; eşsiz.
iniquit·ous [inˈikwitəs]. Adaletsiz, insafsız; fâsid. **~y,** adaletsizlik; günah; fesad.
initial [iˈniʃl]. İlk; başlangıcta bulunan. Bir kelimenin ilk harfi; bir şahıs adının ilk harfi. Parafe etmek.
initiate [iˈniʃieit]. Başlamak; ···de önayak olm.; mübaşeret etm.; sırlarını ve esaslarını oğreterek bir tarikat veya cemiyete kabul etm.; ilim vs.de ilk adımını attırmak; (birine) bir şeyin esaslarını öğretmek.
initiat·ion [iˈniʃieiʃn]. Başlama, ilk adımını atma; girme; esaslarını veya sırlarını öğrenmeğe başlama. **~ive** [iˈnijətiv], önayak olma; şahsî teşebbüs: **he has no ~,** müteşebbis değildir: **to take the ~,** bir iş için ilk adımı atmak: **to do stg. on one's own ~,** bir şeyi kendi teşebbüsile yapmak. **~or,** önayak olan kimse. **~ory,** başlangıca aid; ilk; bir tarikat veya meslekte ilk adıma aid.
inject [inˈdʒekt]. Zerketmek, enjeksiyon yapmak; şırınga yapmak; içeri sokmak. **~ion** [–ˈdʒekʃn], enjeksiyon; zerk: **to give an ~,** şırınga yapmak: **~-nozzle,** (disel) mazut püskürtme memesi. **~or,** kazana su verme cihazı; püskürtme tulumbası.
injudicious [ˌindjuˈdiʃəs]. Tedbirsiz; makul olmıyan, düşüncesiz.
injunction [inˈdʒʌnkʃn]. Kat'î emir; mahkeme tarafından verilen ihtar. **to give s.o. strict ~s to do stg.,** birine bir şeyi yapmasını kat'i surette ihtar etmek.
injur·e [ˈindʒə*]. Zarar vermek; dokunmak; incitmek; bozmak; zedelemek; sakat etmek. **~ed,** yaralanmış, incinmiş; zarar görmüş; zedelenmiş: **in an ~ tone of voice,** yaralı bir sesle: **the ~ party,** (*huk.*) zarara uğrıyan kimse. **~ious** [–ˈdjuəriəs], zararlı, muzır. **~y** [ˈindʒəri], hasar, zarar; haksızlık; yara: **to do s.o. an ~,** birine haksızlık etm. zarar vermek.
injustice [inˈdʒʌstis]. Adaletsizlik; insafsızlık; haksızlık. **to do s.o. an ~,** (i) birine karşı insafsızlık etm.; (ii) birinin günahına girmek.
ink [iŋk]. Mürekkeb. Mürekkeb sürmek. **~ in [over],** kurşun kalemile yazılmış bir şey üzerinden mürekkeb ile geçmek: **copying ~,** kopya mürekkebi: **printers' ~,** matbaa mürekkebi: **indian ~,** çini mürekkebi. **~y,** mürekkebli; kapkara. **ink-well,** masa vs.ye gömülü hokka.
inkling [ˈiŋkliŋ]. İma; hafif şübhe; mübhem seziş. **to get [have] an ~ of stg.,** bir şeyin kokusunu almak: **I hadn't an ~ of what was to happen,** ne olacağından zerre kadar haberim yoktu.
ink·pot [ˈiŋkˈpot]. Mürekkeb hokkası. **~stand,** yazı takımı.
inlaid [inˈleid]. Üzerine altın, gümüş, sedef vs. kakarak nakışlar yapılmış; kakma, gömme.
inland [ˈinlənd]. Bir memleketin denizden uzak iç kısmı. Dahilî. **~ trade,** memleketin iç ticareti: **Inland Revenue.** Tahsilat İdaresi.
inlay (**inlaid**) [inˈlei, -leid]. Bir maddenin üzerinde açılan yuvalara başka bir madde kakıp oturtmak [gömmek].
inlet [ˈinlet]. Medhal; giriş yolu; körfezcik. **~ valve,** giriş supapı.
inmate [ˈinmeit]. Bir ev veya odada oturan kimse.
inmost [ˈinmoust]. En içerideki; derunî.
inn [in]. Han; küçük otel; meyhane. **~s of Court,** Londra'da avukatlık stajını yapmak hakkını veren cemiyetler ve onlara aid binalar.
innate [iˈneit]. Fıtrî; yaradılıştan.
inner [ˈinə*]. Dahilî; iç; derunî. Hedef merkezinin yanındaki kısım. **to look after the ~ man,** boğazına bakmak, karnını doyurmak. **~most,** en içerindeki.
innings [ˈiniŋz]. Kriket oyununda:–bir tarafın topa vurma nöbeti veya her oyuncunun sırası. **he has had a long ~,** kriket sahasında uzun müddet kaldı; (*mec.*) bir makam vs.de çok uzun müddet kaldı; çok yaşadı: **well, he has had a good ~,** (ölen birisi hakkında) maşallah çok yaşadı: **my ~ now!,** şimdi sıra bende.
innkeeper [ˈinkiipə*]. Hancı, meyhaneci.
innocen·ce [ˈinəsəns]. Masumiyet; saflık. **~t,** masum, kabahatsiz; saf; hilesiz. Masum çocuk; ebleh: **windows ~ of glass,** camsız pencereler: **~ of clothes,** elbiseden âri, cıplak.
innocuous [iˈnokjuəs]. Zararsız; tehlikesiz.
innovat·ion [ˈinəˈveiʃn]. Bid'at; yenilik, yeni usul. **~or** [ˈinəveitə*] yenilik tarafdarı; bid'at ehli.
innuendo [ˌinjuˈendou]. İma; üstü kapalı söz. **to make ~s against s.o.,** birine taş atmak.

innumerable [iˈnjuumərəbl]. Sayısız; pek çok.
inoculat·e [iˈnokjuleit]. Aşı ile bir virüs vermek; aşılamak; telkih etmek. **~ion** [–ˈleiʃn], aşıla(n)ma.
inodorous [inˈoudərəs]. Kokusuz.
inoffensive [ˌinəˈfensiv]. Zararsız; mazlum; kendi halinde.
inoperative [inˈopərətiv]. Tesirsiz; gayrı mer'i.
inopportune [inˈopətjuun]. Sırasız, vakitsiz; münasib ve uygun olmıyan.
inordinate [inˈoodinit]. Hadden fazla; aşırı; ölçüsüz; müfrit.
inorganic [ˌinooˈganik]. Gayriuzvî; camid.
in-patient [ˈinˈpeiʃənt]. Hastahanede kalan hasta.
input [ˈinput]. Bir makineye verilen elektrik kuvveti vs.nin mikdarı; tağdiye. **the output of the transformer is 75 p.c. of the ~,** muhavvilenin verimi tağdiyenin yüzde 75 i kadardır.
inquest [ˈinkwest]. Tahkik, *um.* bir ölümün sebebini araştıran adlî tahkikat.
inquietude [inˈkwaiətjuud]. Endişe, merak.
inquir·e [inˈkwaiə*]. Sual sormak. **to ~ about s.o. [stg.],** birisi [bir şey] hakkında malûmat edinmek: **to ~ after s.o.,** birinin hatırını sormak: **to ~ into stg.,** bir şeyi tedkik etm., tahkik etmek. **~ing,** araştırıcı, soruşturucu; mütecessis.
inquiry [inˈkwaiəri]. Sual; sorgu; tahkikat; soruşturma; tedkik; istifsar. **to make inquiries about s.o.,** birinin hakkında tahkikat yapmak: **to make inquiries after s.o.,** birinin hatırını sormak: **Court of ~,** tahkikat heyeti.
inquisition [ˌinkwiˈziʃn]. Resmî tahkik ve tedkik. **the Inquisition,** enkizisyon mahkemesi.
inquisitive [inˈkwizitiv]. (Yersiz olarak) mütecessis.
inquisitor [inˈkwizitə*]. Enkizisyon memuru. **~ial** [–tooriəl], mütehakkimane bir surette tahkikat yapan; birinin hususî işlerini soruşturucu.
inroad [ˈinroud]. Akın; tecavüz. **to make ~s upon one's capital,** sermayesinde rahneler açmak.
inrush [ˈinrʌʃ]. İçeriye doğru şiddetli akın veya üşüşme; baskın.
insane [inˈsein]. Şuuru muhtel; mecnun; deli.
insanitary [inˈsanitəri]. Sıhhate muzır.
insanity [inˈsaniti]. Akıl hastalığı; cinnet; delilik.
insatiable [inˈseiʃəbl]. Doymak bilmez; açgözlü.
inscribe [inˈskraib]. Yazmak; kaydetmek; kazmak, hâkketmek; (jeometri) bir şekil içine dahilen temas etmek üzere diğer bir şekil çizmek. **~d, ~ stocks,** nama muharrer esham.
inscription [inˈskripʃn]. Kitabe; yazı; kaydetme; tescil etme.
inscrutable [inˈskruutəbl]. Sırrına erişilemez, hikmeti anlaşılamaz.
insect [ˈinsekt]. Böcek, haşere. **~icide** [inˈsektisaid], böcek öldürücü (ilâc). **~ivorous** [–ˈtivərəs], böcek yiyen.
insecur·e [ˌinsiˈkjuə*]. Emin ve muhkem olmıyan; tehlikeye maruz; emniyetsiz. **~ity** [–ˈkjuuriti], emniyetsizlik.
inseminat·e [inˈsemineit]. Tohum ekmek; ilkah etm.; (*mec.*) fikrine sokmak. **artificial ~tion,** sunî ilkah.
insensate [inˈsenseit]. Hissiz; akla mugayir; çılgınca.
insensib·le [inˈsensəbl]. Hissiz; kendini kaybetmiş, baygın; lakayd; hissolunmaz; duymaz; belli belirsiz. **to be knocked ~,** bir darbe ile kendinden geçmek. **~ility** [–ˈbiliti], hissizlik; bayılma.
insensitive [inˈsensitiv]. Hassas olmıyan.
inseparable [inˈsepərəbl]. Ayrılmaz; içtikleri su ayrı gitmez.
insert [inˈsəət]. Dercetmek; sokmak; ilâve etmek. **~ion** [–ˈsəəʃn], derc; dercetme; sokma; ilâve (etme); ara danteli.
inset [ˈinset]. Dercedilen şey; büyük harita veya resmin kenarındaki küçük harita veya resim.
inshore [ˈinʃoo*]. Sahilde; sahile yakın.
inside [ˈinˈsaid]. İç; orta yer; karın; iç tarafındaki; dahilî; ev içindeki; içeride, içeriye; ···in içinde, ···in içine. **~s,** karın ve barsaklar. **the ~ of an affair,** işin içyüzü: **to have ~ information,** bir şeyi yerinden, kaynağından öğrenmek: **~ right,** (futbol) sağiç: **~ left,** soliç: **~ out,** tersyüz, ters: **to turn everything ~ out,** ortalığı altüst etm.: **to know stg. ~ out,** bir şeyin içini dışını bilmek: **to have pains in one's ~,** karnı ağrımak: **~ of a week,** bir haftadan az.
insidious [inˈsidjəs]. Gizli sokulur; sinsi; içinden pazarlıklı; başlangıçta ehemmiyetsiz görünüp hakikatte vahim olan (hastalık).
insight [ˈinsait]. Feraset; nüfuzu nazar; bir şeyin içyüzünü veya bir insanın huyunu çabuk kavramak kabiliyeti.
insignia [inˈsignijə]. Bir makamın veya bir rütbenin resmî alâmetleri.
insignifican·ce [ˌinsigˈnifikəns]. Ehemmiyetsizlik. **~t,** cüzi; dikkate değmez, ehemmiyetsiz; silik.
insincer·e [ˌinsinˈsiə*]. Gayrı samimî; ikiyüzlü; mürai; sahte. **~ity** [–ˈseriti], samimiyetsizlik; sahtelik; riyakârlık.
insinuat·e [inˈsinjueit]. İma etm., işrab

etm.; yavaşça ve kurnazca sokmak. **to ~ oneself,** sokulmak. **~ion** [–ˈeiʃn], ima; kinaye; târiz; üstü kapalı itham.
insipid [inˈsipid]. Yavan; lezzetsiz. **~ity** [–ˈpiditi], yavanlık, lezzetsizlik.
insist [inˈsist]. ~ (**on**) Israr etm.; ayak diremek; ısrarla tasdik etm.; üstüne varmak. **he ~ed on his innocence,** masum olduğunda ısrar etti: **I ~ on obedience,** muhakkak itaat isterim. **~ence,** ısrar; ısrar etme; ayak direme. **~ent,** musir; muannid; müz'ic.
insobriety [ˌinsoˈbraiəti]. Ayyaşlık; itidalsizlik.
insolen·ce [ˈinsəlens]. Küstahlık. **~t,** küstah.
insoluble [inˈsoljubl]. Erimez; halledilemez.
insolven·cy [inˈsolvənsi]. İflâs. **~t,** müflis.
insomnia [inˈsomnjə]. Uykusuzluk.
insomuch [ˈinsouˈmʌtʃ]. ~ **as** [**that**], hattâ; o kadar ki.
inspan [inˈspan]. (Öküz) arabaya koşmak.
inspect [inˈspekt]. Teftiş etm.; muayene etmek. **~ion** [–ˈspekʃn], teftiş, muayene. **~or,** müfettiş; muayene memuru. **~orate** [–ərit], müfettişlik; teftiş heyeti.
inspiration [ˈinspiˈreiʃn]. Telkin; vahiy; ilham; nefes alma.
inspir·e [inˈspaiə*]. İlham etm.; telkin etm.; teşvik etm.; vahyetmek; nefesi içeri çekmek. **to ~ respect,** hürmet telkin etmek. **~ed,** mülhem; ilhamlı; vahiy almış. **an ~ article in a paper,** nüfuzlu bir kimse vs. tarafından gizlice yazılan veya telkin edilen makale. **~ing,** heyecanlandırıcı; teşvik edici; ümid verici.
inspirit [inˈspirit]. Canlandırmak; gayret vermek.
instability [ˌinstəˈbiliti]. Sebatsızlık; istikrarsızlık; devamsızlık.
install [inˈstool]. Yerleştirmek, kurmak; ik'adetmek. **to ~ central heating in a house,** bir evde kalorifer tesisatı yapmak. **~ation,** yerleştirme; kurma; ik'ad; kurulmuş şey, tesisat.
instalment [inˈstoolmənt]. Taksit; kurma. **to buy on the ~ system,** taksitle satın almak.
instance [ˈinstəns]. Misal; defa, kere, sefer; rica, ısrar. Misal olarak iradetmek. **for ~,** meselâ: **in the first ~,** evvel emirde; ilkönce: **at the ~ of,** ···in ısrarile, ···in talebi üzerine: **an isolated ~,** tek [münferid] bir misal: **in many ~s,** çok kere: **in the present ~,** bu defa, bu sefer: **Court of First Instance,** bidayet mahkemesi.
instant [ˈinstənt]. An, lâhza. Mübrem; anî. **come this ~!,** derhal gel!: **I expect ~ obedience,** derhal itaat isterim: **on the ~,** derhal: **the ~ I hear from him I will let you know,** ondan haber alır almaz size bildiririm: **on the 4th ~** (**inst.**), bu ayın dördünde.
instantaneous [ˌinstənˈteinjəs]. Anî; enstantane.
instanter [inˈstantə*]. Derhal.
instead [inˈsted]. Yerde; ~ **of** ..., ···in yerine; bedel olarak. **~ of making a profit we made a loss,** kazanacak yerde kaybettik: **~ of playing, do some work!,** oynayacağına bir az iş gör!: **if you can't go, let him go ~,** sen gidemezsen [senin yerine] o gitsin: **I told him to come to me; ~ he ran away,** bana gelmesini söyledim, halbuki o kaçıp gitti.
instep [ˈinstep]. Ayağın üst kısmı.
instigat·e [ˈinstigeit]. İlka etm., tahrik etm., sevketmek; kışkırtmak. **~ion** [–ˈgeiʃn], sevk, tahrik; kışkırtma. **~or,** kışkırtan adam; elebaşı; önayak.
instil [inˈstil]. Damla damla akıtmak; yavaş yavaş zihnine yerleştirmek.
instinct [ˈinstiŋkt]. Sevkitabiî; insiyak. **~ive** [inˈstiŋktiv], sevkitabiîden doğan, insiyakî.
institute [ˈinstitjuut]. Tesis etm., kurmak; başlamak. Müessese; enstitü.
institution [ˌinstiˈtjuuʃn]. Tesis (etme); müessese; cemiyet; müesses âdet.
instruct [inˈstrʌkt]. Öğretmek; ders vermek; talimat vermek; emretmek, haber vermek. **~ion** [–kʃn], Öğretme, ders; emir: **~s,** talimat; malûmat; emirler; tenbih: **~ book,** rehber: **~ for use,** (ilâc vs.) kullanma şekli. **~ive,** ders verici; öğretici; ibret verici. **~or** (*um.* amelî işler öğreten) muallim: usta.
instrument [ˈinstrumənt]. Âlet; çalgı, saz; (*huk.*) sened, hüccet. **~al** [–ˈmentl], çalgı ile çalınan: **~ in** (**doing stg.**), **~ to** (**a purpose**), yardım eden, vesile olan. **~alist,** çalgıcı. **~ality** [–ˈtaliti], **through the ~ of,** ···in vasıtasile, yardımıyla, delâletile. **~ation** [–ˈteiʃn], bir musiki parçasının âletle çalınacak kısmının tertibi.
insubordinate [ˌinsəˈboodinit]. İtaatsiz; serkeş; asî.
insufferable [inˈsʌfrəbl]. Tahammülfersa; çekilmez.
insufficient [ˌinsəˈfiʃənt]. Kâfi olmıyan, yetişmez; eksik.
insular [ˈinsjulə*]. Adaya aid; adada yaşıyan; fazla mahallî, darfikirli. **~ity** [–ˈlariti] fazla mahallîlik, darfikirlilik.
insulat·e [ˈinsjuleit]. (*elek.*) Tecrid etmek. **~ing,** tecrid edici: **~ tape,** izole band, || yalıtkan şerid. **~ion** [–ˈleiʃn], tecrid (etme): **~or,** mücerrid, izolatör.

insulin [ˈinsjulin]. Ensulin.
insult *vb.* [inˈsʌlt]. Tahkir etm.; şerefine dokunmak. *n.* [ˈinsʌlt]. Hakaret; haysiyet kıracak şey. **to add ~ to injury,** bir fenalığa başka bir fenalığı katmak; özrü kabahatinden büyük olm.; üstüne tüy dikmek. **~ing,** tahkir edici; hakaret nevinden; şeref kırıcı.
insuperable [inˈsjuupˈrəbl]. Aşılmaz; başa çıkılmaz.
insur·e [inˈʃoo*]. Sigorta etm.; *bk.* **ensure.** **~able** [–ˈʃoorəbl], sigorta edilebilir. **~ance** [–ˈʃoorəns], sigorta.
insurgent [inˈsəədʒənt]. Âsi.
insurmountable [ˌinsəəˈmauntəbl]. Başa çıkılamaz; aşılamaz.
insurrection [ˈinsəˈrekʃn]. İsyan, kıyam, ayaklanma.
intact [inˈtakt]. Dokunulmamış; tamam; sağ, hiç zarar görmemiş.
intaglio [inˈtaljou]. Oyma sert taş.
intake [ˈinteik]. İçeriye alınmış şeyin mikdarı; (su vs.nin) içeriye girdiği yer.
intangible [inˈtandʒəbl]. El ile tutulmaz; cisimsiz; maddî olmıyan.
integer [ˈintegə*]. Tam aded.
integral [ˈintegrəl]. Tam, tamam; bütün; yekpare; tamamî; mütemmin. **~ calculus,** tamamî hesab: **to be an ~ part of stg.,** bir şeyin tamamlayıcı cüz'ü olmak.
integrate [ˈintigreit]. Tamamlamak; tek cisim haline koymak.
integrity [inˈtegriti]. Doğruluk, dürüstlük; tamamlık.
intellect [ˈintilekt]. Akıl, beyin; idrak kabiliyeti. **~ual** [–ˈlektjuəl], akla, zekâya mensub; yüksek zekâ sahibi; münevver; entelektüel.
intelligen·ce [inˈtelidʒəns]. Zekâ, akıl, anlayış; istihbarat; haber; **~ officer,** istihbarat subayı. **~t,** zeki, akıllı, fatin. **~tsia** [–ˈdʒentsjə], münevverler.
intelligib·le [inˈtelidʒəbl]. Kolay anlaşılır; vazıh. **~ility** [–ˈbiliti], kolay anlaşılabilir olma; vuzuh.
intempera·nce [inˈtempərəns]. İtidalsizlik; taşkınlık, ifrat; bekrilik; sertlik, şiddet. **~te,** itidalsiz, taşkın; müfrit; çok içer; sert, şiddetli.
intend [inˈtend]. Niyet etm., meram etm., maksadı olm.; kasdetmek. **I ~ed no harm,** hiç bir fenalık kasdetmedim: **was his remark ~ed?,** o sözü kasden mi söyledi?: **that remark was ~ed for you,** o sözü sizi kasdederek söyledi (kızım sana söylüyorum, gelinim sen anla!): **this portrait is ~ed for me,** bu, gûya benim resmim: **this watch was ~ed for you,** bu saat sizin içindi.
intendant [inˈtendənt]. Memur, müfettiş.
intended [inˈtendid] *a.* Kasden yapılmış veya söylenmiş; istenilmiş; tasarlanmış. *n.* (*kon.*) Yavuklu. **my words had the ~ effect,** sözlerim istediğim tesiri yaptı.
intense [inˈtens]. Keskin, şiddetli; pek çok; son derecede olan; derin; gergin; ifrat derecede ciddî (insan). **~ly,** gayet, pek çok; büyük alâka ile.
intensi·fy [inˈtensifai]. Şiddetini arttırmak; kuvvetlendirmek; şiddetlenmek. **~ty,** şiddet; kuvvet. **~ve,** derin; gayretli, şiddetli; kesif, mütekâsif.
intent [inˈtent]. Kasıd, niyet, maksad; meal. Dikkatli; münhasıran bir şeye çevrilmiş. **to all ~s and purposes,** esas itibarile: **to be ~ on stg.,** zihni bir şeyle meşgul olm.: **to be ~ on doing stg.,** bir şeyi yapmağa azmetmek, kasdetmek. **~ness,** fevkalâde (kesif) dikkat.
intention [inˈtenʃn]. Niyet, kasıd, meram. **with the ~ of ···ing,** ... maksadiyle: **I have not the slightest ~ of ···ing [to ...],** ···e hiç niyetim yok: **to do stg. with the best ~s,** bir şeyi hiç bir fena niyetle yapmamak: **to court a woman with honourable ~s,** bir kadına meşru bir maksadla kur yapmak: **to heal by first ~,** bıçak yarası cerahat toplamadan kapanmak. **~al,** kasdî. **~ally,** kasden. **~ed,** ... niyetli, **well-~,** iyi niyetli.
inter [inˈtəə*]. Defnetmek, gömmek.
inter- [ˈintə*] *pref.* Beyn···; ···arası(ında); mütekabilen; *mes.* **inter-University match,** üniversiteler arasındaki maç; **interconnected,** biribirine bağlı.
interact [ˈintərˈakt]. Birbirine müessir olmak.
interallied [ˌintərˈalaid]. Müttefikler arasındaki.
interbreed [ˌintəˈbriid]. Melezleş(tir)mek; tesalüb etmek.
intercal·ary [inˈtəəkələri]. Kebise olarak. **~ate** [–ˈtəəkəleit], kebise olarak zammetmek; araya sokmak.
intercede [ˌintəˈsiid]. **to ~ (with s.o.) for s.o.,** biri için şefaat etm., tavassut etmek.
intercellular [ˌintəˈseljulə*]. Hücreler arasındaki.
intercept [ˌintəˈsept]. Yolunu kesmek; kesmek; tutmak. **~ion** [–ˈsepʃn], kesme; tutulma.
intercess·ion [ˌintəˈseʃn]. Şefaat. **~or,** şefaatçi.
interchange [ˌintəˈtʃeidʒ]. Mübadele (etm.); münavebe (etm); becayiş (etm.) **~able,** mübadelesi mümkün; birbirinin yerine konulabilir.
intercommunication [ˌintəkomjuniˈkeiʃn]. Biribirile haberleşme; biribirile münasebette bulunma.
intercourse [ˈintəkoos]. Muaşeret; münasebet; cinsî münasebet.

interdependent [ˈintədiˈpendənt]. Birbirine bağlı; birbirine muhtac.
interdict *n.* [ˈintədikt]. Yasak emri; memnuiyet; (katoliklerde) dinî âyinlerden men'. *vb.* [–ˈdikt]. Yasak etm.; menetmek.
interest[1] [ˈintrist, ˈintərest] *n.* Alâka; || ilgi; merak; faiz; menfaat. **it is in your ~ to do this,** bunu yapmak sizin menfaatinizedir: **to take an ~ in ...,** ···e alâka göstermek [merak etm.]: **to have an ~ in a business,** bir işe para yatırmış olm.: **to bear ~ at 5%,** 5% faiz getirmek: **questions of public ~,** herkesi alâkadar eden meseleler: **this is not in the public ~,** bu halkın menfaatine değildir: **the shipping ~,** deniz ticareti ile alâkalı olanlar.
interest[2] *vb.* Alâkasını uyandırmak; alâkadar etm.; ··· için ehemmiyetli olm.; sarmak; || ilgilendirmek. **to ~ oneself [be ~ed] in stg.,** bir şeye meraklı olm., bir şeye karşı alâka göstermek. **~ed** *a.* alâkadar, || ilgili: **~ in stg.,** bir şeyin meraklısı: **~ motives,** menfaatperestlik: **he is an ~ party,** o tarafsız değildir [bu işte şahsî menfaatı var].
interesting [ˈintərestiŋ]. Alâka uyandırıcı; meraklı; enteresan; mühim, dikkate değer.
interfere [ˌintəˈfiə*]. Müdahale etm., karışmak. **to ~ with,** ···e karışmak, burnunu sokmak; dokunmak; engel olm.: **this tree ~s with the view,** bu ağac manzaraya mâni oluyor. **~nce** [–əns], müdahale; karışma; men', engel; ziya ve hararet dalgalarının inkisarı; (radyo) parazit.
interim [ˈintərim]. Muvakkat. Aralık vakti; vekil. **ad ~,** muvakkaten; vekâleten: **~ dividend,** ara temettü: **in the ~,** bu aralık, bu esnada.
interior [inˈtiəriə*]. İçerideki, iç; dahilî. İç; memleketin iç tarafı.
interject [ˌintəˈdʒekt]. Biri konuşurken birdenbire (birşeyi) söylemek. **~ion** [–ˈdʒekʃn], (*gram.*) nida.
interlace [ˌintəˈleis]. Birbirine geçirmek; çaprazlamak; ağ haline koymak.
interlard [ˌintəˈlaad]. **to ~ a speech with jokes,** nutka nükte karıştırmak.
interleave [ˌintəˈliiv]. Kitab cildlenirken yaprakları arasına boş kâğıdlar koymak.
interline [ˌintəˈlain]. Satırlar arasına yazmak.
interlock [ˌintəˈlok]. Birbirine bağla(n)mak, kilitle(n)mek.
interlocutor [ˌintəˈlokjutə*]. Muhatab. **~y, ~ judgement,** ara kararı.
interloper [ˈintəloupə*]. Hakkı olmadığı halde bir yere giren veya bir işe müdahale eden kimse.
interlude [ˈintəljuud]. İki hadise arasındaki fasıla; (tiyatro) iki perde arasındaki aralık.
intermarr·y [ˌintəˈmari]. Muhtelif aileler, kabileler, sınıflar veya milletler arasında evlenmek. **~iage,** bu gibi evlenme.
intermediary [ˌintəˈmiidjəri]. Mütevassıt.
intermediate [ˌintəˈmiidjit]. Mütevassıt; iki vak'a arasında geçen (zaman); iki şey veya şahıs arasında bulunan; orta.
interment [inˈtəəmənt]. Gömme; tedfin.
interminable [inˈtəəminəbl]. Cansıkacak kadar uzun.
intermingle [ˌintəˈmiŋgl]. Birbirine karış(tır)mak; mezcetmek; mezcolmak. **to ~ with the crowd,** kalabalığa karışmak.
intermission [ˌintəˈmiʃn]. Fasıla; aralık verme.
intermit [ˌintəˈmit]. Muvakkaten tatil etm., kesilmek. **~tent,** durup yine işliyen; fasılalı: **~ fever,** ısıtma.
intern [intəən]. (Tehlikeli görülen bir kimseyi) muayyen yerde oturtmak; kalebent etm.; enterne etmek.
internal [inˈtəənl]. Dahilî; içe aid; derunî. **internal-combustion engine,** dahilî ihtiraklı makine.
international [ˌintəˈnaʃnl]. Beynelmilel; milletlerarası. Milletlerarası oyuncu.
internecine [ˌintəˈniisain]. Her iki taraf için öldürücü olan (harb.).
internee [ˌintəəˈnii]. Hükümet tarafından bir yere kapatılan [enterne edilen] kimse.
internment [inˈtəənment]. Bir kimseyi kendiliğinden çıkması mümkün olmıyan bir yere kapatma; enterne etme; || gözaltı.
interpellat·e [inˈtəəpəleit]. Millet meclisinde bir vekilden istizah etmek. **~ion,** istizah.
interplay [ˈintəplei]. Karşılıklı tesir.
interpolate [inˈtəəpoleit]. Bir kitab veya sened içine muaddel bir kelime veya cümle dercetmek.
interpos·e [ˌintəˈpouz]. Arasına koymak; araya girmek; müdahale etmek. **~ition** [–pəˈziʃn], arasına koyma; müdahale.
interpret [inˈtəəprit]. Mânasını izah etm.; yormak; tercümanlık etmek. **~ation** [–ˈteiʃn], izah; tercüme; yorma; şerh. **~er** [–təəpritə*], tercüman.
interregnum [ˌintəˈregnəm]. Saltanat fasılası; hükümetsiz bir devre; fasıla; mola.
interrogat·e [inˈterəgeit]. İsticvab etm., sorguya çekmek. **~ion** [–ˈgeiʃn], istifham; sorgu; sual; **note [point, mark] of ~,** istifham işareti. **~ive** [–ˈrogətiv], sorgu ifade eden; istifhamlı. **~ory,** sual edici, soruşturucu.
interrupt [ˌintəˈrʌpt]. Fasılaya uğratmak; kesmek; birinin sözünü kesmek.

~**ion** [–ˈrʌpʃn], kesme, inkıta; sözün kesilmesi: **without** ~, durmadan, fasılasız.
intersect [ˌintəˈsekt]. Tekatu etm.; biri diğerini keserek ikiye bölmek. ~**ion** [–ˈsekʃn], tekatu (yeri); faslı müşterek.
intersperse [ˌintəˈspəəs]. Arasına serpmek; ötesine berisine karıştırmak.
interstice [inˈtəəstis]. Aralık; çatlak; yarık, gedik.
intertwine [ˌintəˈtwain]. Birbirine örmek [geçirmek]; birbirine sarılmak.
interurban [ˌintərˈəəbn]. Şehirler arasındaki.
interval [ˈintəvl]. Ara, fasıla. **at** ~**s**, arasıra, zaman zaman.
interven·e [ˌintəˈviin]. Araya girmek; müdahele etmek. ~**tion** [–ˈvenʃn], araya girme; müdahale; tavassut.
interview [ˈintəvjuu]. Görüşme(k); mülâkat; ···le mülâkat.
interweave [**-wove, -woven**) [ˌintəˈwiiv, -wouv, -wovn]. (Muhtelif iplikleri) birlikte dokumak, birbirine örmek; ör(ül)mek.
intesta·te [inˈtestet]. Vasiyetsiz ölmüş. ~**cy**, vasiyetsizlik.
intestin·e [inˈtestin]. Barsak. Dahilî. ~**al** [–tesˈtainl], barsaklara aid; dahilî.
intimacy [ˈintiməsi]. Sıkı dostluk, içli dışlı olma; mahremlik; cinsî münasebet.
intimate[1] [ˌintimit]. Sıkı fıkı, içli dışlı; kafadar; mahrem.
intimat·e[2] [ˈintimeit] *vb.* Üstü kapalı anlatmak; ima etm.; bildirmek. ~**ion** [–ˈmeiʃn], haber; ima, üstü kapalı anlatma.
intimidat·e [inˈtimideit]. Korkutmak; gözdağı vermek. ~**ion** [–ˈdeiʃn], korkutma; gözdağı.
into [ˈintu]. İçine doğru; ···e, ···in içeriye; [*bir fiil ile birlikte olduğu zaman o fiile bak*]. **to change stg.** ~ **stg.**, bir şeyi bir şeye tahvil etm.: **to grow** ~ **a man,** büyüyüp adam olm.: **to work far** ~ **the night,** gece yarılarına kadar çalışmak: **5** ~ **12 goes 2 and 2 over,** 12de 5 iki defa var, 2 artar.
intolerable [inˈtolərəbl]. Tahammül edilmez; çekilmez.
intoleran·ce [inˈtolərəns]. Müsamahasızlık; taassub. ~**t,** müsamahasız; mütaassıb: **he is** ~ **of this drug,** bu ilâc ona dokunur.
intonation [ˌintouˈneiʃn]. Sesin ahengi; sesin ifadesi.
intone [inˈtoun]. Yeknesak ve cansıkıcı bir tarzda okumak, muttarid bir sesle okumak; tilâvet etmek.
intoxic·ant [inˈtoksikənt]. Sarhoş edici, mestedici. ~**ate,** sarhoş etm.; (sevinç vs.) çılgın bir hale getirmek. ~**ated,** sarhoş. ~**ation** [–ˈkeiʃn], sarhoşluk.
intractable [inˈtraktəbl]. Serkeş; ele avuca sığmaz.
intransigent [inˈtransidʒənt]. Uzlaşmaz; muannid.
intransitive [inˈtraansitiv]. (*gram.*) Lâzım (fiil).
intrepid [inˈtrepid]. Cesur, yılmaz; atılgan; pervasız. ~**ity** [–ˈpiditi], cesaret, yılmazlık, göz pekliği.
intrica·cy [ˈintrikəsi]. Muğlaklık, karışıklık; giriftlik. ~**te** [ˈintrikit], girift; muğlak, karışık.
intrigue [inˈtriig]. Entrika (yapmak); kumpas (kurmak); desise. Tecessüsünü tahrik etmek; şaşırtmak.
intrinsic [inˈtrinsik]. Zatî, aslî, mündemic. ~**ally,** haddi zatında, aslen.
introduce [ˌintrəˈdjuus]. Takdim etm.; sokmak, dercetmek; idhal etm.; ileri sürmek, derpiş etmek.
introduction [ˌintrəˈdʌkʃn]. Mukaddeme; başlangıç; içeri sokma, dercetme; takdim etme, tanıştırma. **letter of** ~, tavsiye mektubu: **to give s.o. an** ~ **to s.o.,** birisi için birine tavsiye (mektubu) vermek: **the** ~ **of the telephone into everyday life,** telefonun günlük hayata girmesi [dahil olması].
introductory [ˈintrəˈdʌktəri]. Mukaddeme kabilinden; takdim edici.
introspec·tion [ˌintrouˈspekʃn]. Kendi ruhunu tedkik etme; mürakebe; teemmül. ~**tive,** kendi içini tedkik eden.
introver·sion [ˌintrouˈvəəʃn]. Kendi içine dönme. ~**t** [ˈintrouvəət], içe dönük, kendi içine dönük.
intrud·e [inˈtruud]. Zorla içeri sokmak; sokulmak, karışmak; (bir yere) münasebetsizce sokulmak. **to** ~ **on,** ···e tecavüz etm.: **I hope I'm not** ~**ing,** inşallah münasebetsiz zamanda gelmedim. ~**er,** hakkı olmadığı bir yere giren kimse; davet edilmediği halde bir meclis vs.ye sokulan biri; sığıntı.
intrus·ion [inˈtruuʒn]. İçeri sok(ul)ma; zorla dühul; tecavüz; münasebetsizce veya haksız olarak girme. ~**ive** [–siv], sokulgan (*köt.*); mütecaviz.
intuit·ion [ˌintjuˈiʃn]. Seziş, içine doğma; hads. ~**ive** [–ˈtjuuitiv], hads yolu ile keşfeden; seziş ile olan.
inundat·e [ˈinʌndeit]. Suya basmak, suya boğmak. ~**ion** [–ˈdeiʃn], su basması, feyezan.
inure [iˈnjuə*]. (Meşakkat vs.ye) alıştırmak; ···e karşı tahammülünü arttırmak; (*huk.*) || yürürlüğe girmek.
invade [inˈveid]. İstilâ etm., tecavüz etmek. ~**r,** müstevli.
invalid[1] [inˈvalid]. Hükümsüz; batıl; keenlemyekün. ~**ity** [–ˈliditi], hükümsüzlük, butlan.
invalid[2] [ˈinvəliid]. Hasta, malûl; illetli;

hastalıklı. **to be ~ed out of the army,** çürüğe çıkarılmak. **~ism,** hastalıklı olma; devamlı sıhhatsizlik.
invalidate [inˈvalədeit]. İbtal etm., çürütmek, butlan kararı vermek.
invaluable [inˈvaljuəbl]. Son derece kıymetli; pek faydalı.
invariable [inˈveəriəbl]. Değişmez; sabit.
invasion [inˈveiʒn]. İstilâ; tecavüz.
invective [inˈvektiv]. Acı söz; sövme, küfür.
inveigh [inˈvei]. **to ~ against ...,** aleyhinde şiddetli söz söylemek, şikâyet etm.; tenkid etmek.
inveigle [inˈveigl]. Hile ile kandırmak; ayartmak. **to ~ s.o. into doing stg.,** birini bir şey yapmağa kandırmak.
invent [inˈvent]. İcadetmek; ihtira etm.; uydurmak. **~ion** [–ˈvenʃn], icad; ihtira; uydurma; uydurma havadis. **~ive,** icad kabiliyeti olan. **~or,** mucid, muhteri.
inventory [ˈinvəntri]. Müfredat defteri. **~** *veya* **to make [take, draw up] an ~,** ...in müfredatını tanzim etmek.
invers·e [inˈvəəs]. Makûs; ters; zıd. **~ ratio,** makûs nisbet. **~ion** [–ˈvəəʃn], makûs yapma, makûs olma.
invert [inˈvəət]. Makûs yapmak; tersine çevirmek. **~ed commas,** tırnak işareti.
invertebrate [inˈvəətibrit]. Fıkrasız; (*mec.*) kararsız, iradesiz.
invest [inˈvest]. Faize para yatırmak; giydirmek, sarmak; kuşatmak, muhasara etm.; birini makamına oturtmak; birine salâhiyet vs. vermek [tevdi etm.].
investigat·e [inˈvestigeit]. Tedkik etm., araştırmak, tahkik etmek. **~ion,** tedkik; tahkikat; teftiş; taharri.
investiture [inˈvestitjuə*]. Memuriyetin resmen tevcihi; Kıral tarafından nişan, rütbe ve unvanların resmen tevcihi merasimi.
investment [inˈvestmənt]. Para yatırma; yatırılan para; kuşatma, muhasara etme. **steel shares are a good ~,** çelik hisse senedleri kârlıdır.
investor [inˈvestə*]. Para yatıran, sermayesini bir teşebbüse vs.ye yatıran.
inveterate [inˈvetərit]. Zamanla yerleşmiş, kökleşmiş; müzmin; azılı.
invidious [inˈvidjəs]. Hatır kırıcı; kıskandırıcı.
invigilate [inˈvidʒileit]. Yazılı imtihanda nezaret etmek.
invigorate [inˈvigəreit]. Kuvvetlendirmek, canlandırmak, dinçleştirmek.
invinci·ble [inˈvinsibl]. Yenilemez, mağlûb edilemez. **~bility** [–ˈbiliti], yenilmezlik.
inviolable [inˈvaiələbl]. Nakzedilemez; dokunulmaz; bozulamaz.
invisi·ble [inˈvizibl]. Gözle görülemez; göze görünmiyen; gayrimeri. **~ ink,** gizli mürekkeb. **~bility,** gözle görülemezlik.
invitation [inviˈteiʃn]. Davet.
invite [inˈvait]. Davet etm., çağırmak. **to ~ trouble,** belâyı satın almak.
inviting [inˈvaitiŋ]. *a.* Cazib, cazibeli; lezzetli; hoş, lâtif.
invocation [ˌinvoˈkeiʃn]. İstiane, istimdad; dua; rica.
invoice [ˈinvois]. Fatura. Fatura çıkarmak. **as per ~,** fatura mucibince.
invoke [inˈvouk]. İstimdad etm.; dua ile yardım rica etm.; yalvarmak; sihir kuvvetile (cin vs.) davet etmek. **to ~ a curse on,** inkisar etmek.
involucre [ˈinvolukə*]. Şibhi varak âzânın mecmuu.
involuntar·y [inˈvoləntəri]. İhtiyarî olmıyan; istemeden. **~ily,** istemiyerek.
involute [ˈinvoljuut]. Tomar gibi; içeriye bükülmüş; münkeşif.
involve [inˈvolv]. Sarmak; ihata etm.; istilzam etm.; karıştırmak; dolaştırmak; mucib olm.; medhaldar etm.; sokmak. **to be ~d,** medhaldar olm.; sürüklenmek; alâkalı olmak: **his honour is ~d,** şerefi mevzuu bahistir. **~d** *a.* girift, çetrefil. muğlak; karışık; borclu; (emlâk) ipotekli.
invulnerable [inˈvʌlnrəbl]. Yaralanmaz; metin, mukavim.
inward [ˈinwəd]. Dahilî; içte, içe doğru. **~ly,** içte; içten. **~ness,** esas, asıl; içyüz. **~s,** içeriye doğru.
iodi·de [ˈaiodaid]. İyodür. **~ne** [ˈaiədiin], iyod; tentürdiyod.
ion [ˈaiən]. İyon. **~ization** [–aiˈzeiʃn], elektrik cereyanile iyonlara ayrılma.
iota [aiˈoutə]. Yota. **not one ~,** zerre kadar.
I.O.U. [ai ouˈyuu]. (*kis.*) **I owe you** (size borcum var). Borc senedi.
ipecacuanha [ˈipikakjuˈana]. Altınkökü.
ipse dixit [ˈipsiˈdiksit]. (*Lât.* = kendi söyledi.) Kestirme ve amirane söz.
ipso facto [ˈipsouˈfaktou]. (*Lât.*) Yalnız bunun için, sırf bu hareketinden dolayı.
irasci·ble [iˈrasibl]. Çabuk öfkelenir; hemen parlar. **~bility,** öfkelilik, hadidmizaclık.
irate [aiˈreit]. Hiddetlenmiş; öfkeli; kızgın.
ire [aiə*]. Öfke, hiddet.
Ireland [ˈaiələnd]. İrlanda.
iridescen·t [ˌiriˈdesənt]. Alaimsema gibi renkler gösteren; sedef gibi. **~ce,** sedef ve aynişşems gibi renkli şualar vermek hassası.
iridium [aiəˈridjəm]. İridiyom.
iris [ˈaiəris]. Susam çiçeği; kuzahiye; (*şair.*) alaimsema, kavsikuzah.

Irish [ˈaiəriʃ]. İrlandalı; irlandaca. **~man,** *pl.* **-men,** İrlandalı.
irk [əək]. Üzmek, sıkıntı vermek; usandırmak. **~some** [ˈəəksəm], usandırıcı, bıktırıcı.
iron [ˈaiən]. Demir; demirden yapılmış; demir kadar katı. Ütü. Ütülemek. **old ~,** hurda demir: **to be in ~s,** (i) zincirli olm.; (ii) (gemi) yelkenleri kapanıp dümen tutmaz olm.: ⌜**to have many ~s in the fire**⌝, ⌜kırk tarakta bezi olmak⌝: ⌜**strike while the ~ is hot!**⌝, demiri tavında iken döğmeli: **to put s.o. in ~s,** birini prangaya vurmak. **iron-bound,** demir çenberli; demirle bağlı. **~ coast,** kayalık, yalçın sahil. **iron-clad,** zırhlı. **iron-foundry,** dökümhane. **iron-grey,** demir kırı. **iron-shod,** demir uclu.
ironic(al) [aiˈronik(l)]. İstihzalı; kaderin bir cilvesi gibi.
ironing [ˈaiəniŋ]. Ütüleme.
iron·master [ˈaiənmaastə*]. Demir imalatçısı [fabrikatörü]. **~monger,** hırdavatçı. **~mongery,** hırdavat; kap kacak.
ironworker [ˈaiənwəəkə*]. Demir fabrika işçisi; demirci.
irony [ˈairəni]. İstihza. **~ of fate,** kaderin cilvesi.
irradiat·e [iˈreidieit]. Üzerine şualar neşretmek; parlatmak; yaymak. **~ion** [–ˈeiʃn], şua neşretme; parlama.
irrational [iˈraʃənl]. Gayrı makul; akla uymaz.
irreclaimable [ˌiriˈkleiməbl]. Islah edilemez; istirdadı imkânsız.
irreconcilable [ˌirekənˈsailəbl]. Telif edilemez; barıştırılamaz.
irrecoverable [ˌiriˈkʌvərəbl]. Geri alınamaz; istirdadı imkânsız; telâfi edilemez.
irredeemable [ˌiriˈdiiməbl]. Islah edilemez. **~ bonds,** itfa edilmiyen senedler.
irredent·ism [ˌiriˈdentizm]. Ahalisi İtalyan olan civar bölge ve şehirleri İtalya'ya ilhak tarafdarı bir siyasî cereyan; başka memleketlerde buna benzer hareket. **~ist,** bu cereyan mensubu.
irreducible [ˌiriˈdjuusəbl]. Azaltılması mümkün olmıyan; (*tıb.*) reddedilemez. **~ fraction,** ihtisar edilemez bir kesir.
irrefutable [iˈrefjutəbl]. Red ve cerhi kabil olmıyan; reddedilemez.
irregular [iˈregjulə*]. Gayrı muntazam; intizamsız; ittiradsız; usûl ve nizama aykırı; arızalı; (*gram.*) gayrı kıyasî, şaz. **~ life,** düzensiz, sefih hayat: **~ troops,** başıbozuk asker. **~ity** [–ˈlariti], intizamsızlık; usule aykırılık; ittiradsızlık; gayrıkıyasîlik.
irrelevan·t [iˈreləvənt]. Yersiz; sadedden haric; münasebeti olmıyan. **~ce, ~cy,** yersiz olma; münasebetsizlik; sadedden haric olma.
irreligious [ˈiriˌlidʒes]. Dindar olmıyan; dine mugayir.
irremediable [ˌiriˈmiidjəbli. Şifa bulmaz; çaresiz; tamiri mümkün olmıyan.
irreparable [iˈrepərəbl]. Tamir kabul etmez; telâfisi mümkün olmıyan.
irrepressible [ˌiriˈpresəbl]. Zabtolunmaz; önüne geçilemez.
irreproachable [ˈiriˈproutʃəbl]. Kusursuz; muaheze edilecek şeyi olmıyan.
irresistible [ˌiriˈzistibl]. Önüne durulmaz; mukavemet edilemez; dayanılmaz.
irresolute [iˈresoljut]. Kararsız; mütereddid.
irrespective [ˌiriˈspektiv]. **~ of ...,** ... sarfınazar, ···e bakmaksızın.
irresponsible [ˌiriˈsponsibl]. Gayrı mes'ul; düşüncesiz; sersem; güvenilemez.
irresponsive [ˌiriˈsponsiv]. Mukabele etmez; müteesir olmıyan.
irretrievable [ˌiriˈtriivəbl]. Telâfi edilemez; bir daha ele geçmez.
irreveren·t [iˈrevərənt]. Dinî şeylere hürmetsiz; hürmet etmez. **~ce,** dinî şeylere hürmetsizlik.
irreversible [ˌiriˈvəəsəbl]. Tersine çevirilemez; feshedilemez.
irrevocable [ˌiriˈvokəbl]. Değiştirilemez; feshedilemez.
irrigat·e [ˈirigeit]. Sulamak; iska etmek. **~ion** [–ˈfeiʃn], sulama, iska.
irrita·ble [ˈiritəbl]. Çabuk kızar, titiz, ters; çabuk tahriş edilir veya iltihablanır. **~bility** [–ˈbiliti], titizlik; öfkelilik; tahriş edilebilme.
irritat·e [ˈiriteit]. Gücendirmek; sinirlendirmek; tahriş etm., kaşındırmak. **~ion,** dargınlık, sinirlilik; taharrüş, kaşıntı.
irruption [iˈrʌpʃn]. İstilâ; içeriye üşüşme.
is [iz]. *3rd pers. sing. pres. ind. of* **be.** Dır, dir vs.
-ish [iʃ]. *Şu manaları ifade eder son ek:* (1) Oldukça; **greenish,** yeşilimsi; **oldish,** yaşlıca. (2) gibi, benzer; **foolish,** deli gibi. (3) Mütemayil; **bookish,** kitabî.
Islam·ic [isˈlamik]. İslâmiyete aid. **~ism** [ˈisləmizm], İslâmiyet.
island [ˈailənd]. Ada; (kalabalık caddelerde) yayalara mahsus adacık. **~er,** adalı.
isle [ail]. **the British Isles,** İngiltere ve İrlanda. **~t,** adacık.
isolate [ˈaisəleit]. Tecrid etm., ayırmak; tefrid etmek. **~d,** mücerred: ücra; münferid; yalnız.
isolation [ˌaisoˈleiʃn]. Tecrid, tecerrüd; infirad; ücralık, yalnızlık. **~ hospital,** tecridhane, tecrid hastahanesi. **~ism,** infiradc k. **~ist,** infiradcı.

isosceles [aiˈsosiliiz]. ~ **triangle,** iki dıl'ı birbirine müsavi olan müselles.

Israel [ˈizreiəl]. Beni İsrail. İsrail devleti. **~ite** [–lait], yahudi.

issue[1] [ˈisjuu] *vb.* Çıkmak, sâdır olm., neş'et etm.; çıkarmak; neşretmek; tedavüle çıkarmak; tevzi etm., vermek. **to ~ passports,** pasaport vermek: **to ~ a warrant of arrest,** bir tevkif müzekkeresi çıkarmak.

issue[2] *n.* Çıkış; çıkarma; akma; sudur; mahrec; encam, netice, son; zürriyet, evlâd; neşretme; nüsha; dağıtma, tevzi; bir defada tedavüle çıkarılan para vs. **~ boots,** beylik ayakkabı: **to bring a matter to an ~,** meseleyi bir neticeye bağlamak: **to die without ~,** bilâ veled vefat etm.: **to evade the ~,** asıl mevzudan kaçmak: **in the ~,** neticede: **to join ~ with s.o. about stg.,** bir meselede birinin fikrini kabul etmiyerek münakaşa etm.: **to obscure the ~,** asıl mevzuu kaybettirmek: **the point at ~,** münakaşa edilen nokta.

isthmus [ˈismʌs]. Berzah.

it [it]. *Cansızlar hakkında kullanılan şahıs zamiri.* O; onu; ona. **~ is raining,** yağmur yağıyor: **~ is getting late,** geç oluyor: **~ seems to me,** bana öyle geliyor ki: **he thinks he's *it*,** küçük dağları ben yarattım diyor: **this book is absolutely *it*,** bu kitab yamandır: **he hasn't got ~ in him to do that,** o bu işin adamı değildir.

ital. (*kıs.*) **italics.**

italic [iˈtalik]. İtalik. **~s,** italik harfler. **~ize** [–lisaiz], italik harflerle tab'etmek.

Italy [ˈitəli]. İtalya.

itch [itʃ]. Kaşınmak, gidişmek. Kaşıntı. **the ~,** uyuz illeti: **to ~ to do stg.,** bir şey yapmak için içi gitmek: **to have an ~ for writing,** yazmağı şiddetle arzu etm.: **he 's ~ing for trouble,** kaşınıyor, başının belâsını arıyor. **~y,** kaşıntılı, uyuz. **~iness,** kaşıntı.

item [ˈaitim]. Kalem; madde; dahi, keza. **~s,** müfredat. **to give the ~s,** madde madde saymak; tafsilat vermek: **~s on the agenda,** ruznamedeki meseleler: **news ~s,** muhtelif haberler: **the last ~ on the programme,** programdaki son numara.

iterate [ˈitəreit]. Tekrarlamak.

itiner·ant [aiˈtinərənt]. Seyyah, gezgin; seyyar. **~ary** [–rəri], bir seyahatte takib edilecek yol.

its [its]. *Gen. of* **it.** Onun.

it 's = **it is; it has.**

itself [itˈself]. Kendi. **by ~,** kendi kendine; **in ~,** haddizatında.

I've = **I have.**

ivied [ˈaivid]. Sarmaşık ile kaplanmış.

ivory [ˈaivəri]. Fildişi; fildişi rengi; fildişinden yapılmış. **black ~,** (*esk.*) zenci köleler. **ivory-black,** fildişi külünden yapılmış siyah boya.

ivy [ˈaivi]. Sarmaşık.

izard [ˈizəd] Pirene dağlarında bulunan bir nevi geyik.

J

J [dʒei]. J harfi.

jab [dʒab]. Sivri bir şeyile dürtme(k); (boks) hafif fakat hızlı bir darbe.

jabber [ˈdʒabə*]. (*ech.*) Maymun gibi çabuk ve anlaşılmıyacak şekilde konuşma(k).

Jack[1] [dʒak]. John'un *kıs.*; (iskambil) bacak. **~ Tar,** bahriyeli nefer (*krs.* Mehmedcik): ⌜**before you could say ~ Robinson**⌝, apansız, kaşla göz arasında: **every man ~,** bilâistisna herkes. **Jack-in-office,** kırtasiyeci ve titiz memur; büyüklük taslıyan memur. **jack-in-the-box,** kapağı açılınca içinden bir yaya bağlı bebek vs. fırlayan kutu. **jack-knife,** büyük sustalı çakı. **jack-plane,** kaba plânya.

jack[2]. Miçiko, kriko, el manivelâsı. **~ up,** kriko ile kaldırmak.

jack[3]. Cıvadra sancağı. **Union Jack,** İngiliz bayrağı: **yellow ~,** karantina flâması. **jack-staff,** cıvadra sancağı gönderi.

jackal [ˈdʒakool]. Çakal; başkasının süfli hizmetlerini gören kimse; bir menfaat ümidile bir büyük adama bağlanan kimse.

jackanapes [ˈdʒakəneips]. Küçük çapkın; şımarık genc.

jackass [ˈdʒakas]. Eşek; ahmak. **laughing ~,** Avustralya'ya mahsus büyük yalı çapkını.

jackboot [dʒakˈbuut]. Çizme.

jackdaw [ˈdʒakdoo]. (*Corvus monedula*) Küçük karga.

jacket [ˈdʒakit]. Caket; dış örtü; zarf; kitab zarfı; kabuk. **potatoes cooked in their ~s,** kabuğu ile pişirilen patates.

Jacob [ˈdʒeikəb]. Yakub. **Jacob's-ladder,** (i) bir nevi çiçek; (ii) ip merdiven.

Jacobean [ˌdʒakoˈbiiən]. İngiliz kıralı birinci James'in devrine aid.

jaconet [ˌdʒakəˈnet]. İnce bir nevi pamuklu kumaş ki umumiyetle su geçmez hale getirilip sargı bezi olarak kullanılır.

jade[1] [dʒeid]. Yeşimtaşı.

jade[2]. Lağar beygir; haspa, oynak kız.

jaded [ˈdʒeidid]. Bitkin, mecalsiz.

jag [dʒag]. Sivri ve pürüzlü çıkıntı. Pürüzlü bir tarzda kesmek veya yırtmak; çentiklemek. **~ged,** sivri ve pürüzlü; çentikli.

jaguar [ˈdʒagjua*]. Cenubî Amerika kaplanı; jagar.

jail [dʒeil]. Hapishane. Hapsetmek.

jalap [ˈdʒalap]. Çalapa.

jam[1] [dʒam]. Reçel.

jam[2]. Sıkışıklık; sıkışık kalabalık, izdiham. Sıkıştırıp basmak; yuvarlanmasına veya yürümesine mani olm.; (radyo) neşriyatı bozmak; (makine vs.) sıkışmak.

Jamaica [dʒəˈmeikə]. Camayika.

jamb [dʒam]. Kapı ve pencere ağzı vs.nin yanı olan taş veya tahta direk; pervaz. **~ stone,** pervaz taşı.

jamboree [dʒamboˈrii]. Eğlenceli toplantı, cümbüş (*um.* izcilerin büyük toplantısı).

jangle [ˈdʒaŋgl]. (*ech.*) Ahenksiz gürültü; dırıltı, nifak. Ahenksiz ses çıkar(t)mak; çatırda(t)mak.

janissary [ˈdʒanisəri]. Yeniçeri.

janitor [ˈdʒanitə*]. Kapıcı.

January [ˈdʒanjuəri]. Ocak ayı.

Jap [dʒap]. Japonyalı. **~an**[1] [dʒəˈpan], Japonya. **~anese** [–əˈniiz], japonyalı; Japonca.

japan[2] [dʒəˈpan]. Pek katı ve parlak bir nevi vernik. Bu vernikle kaplamak. **~ned leather,** rugan.

jape [dʒeip]. Alay (etm.); istihza.

japonica [dʒəˈponikə]. Japon ayvası.

jar[1] [dʒaa*]. Kavanoz; çömlek; küp.

jar[2]. Kulakları tırmalıyan ses, gıcırtı; sarsma, sarsıntı; nifak, geçimsizlik. **~** *veya* **~ on,** kulakları tırmalamak; gıcırdamak; sarsmak; dokunmak, fena tesir etm.; uymamak. **the fall gave him a nasty ~,** düşmesi onu epeyce sarstı: **that 's a bit of a ~!,** (*kon.*) bu pek tepeden inme oldu!

jargon [ˈdʒaagn]. Bozuk şive; anlaşılmaz söz veya lisan; meslekî argo.

jarring [ˈdʒaariŋ]. Ahenksiz; uygunsuz; sarsan, çarpışan.

jasmin(e) [ˈdʒasmin]. Yasemin.

jasper [ˈdʒaaspə*]. Akik nevinden donuk bir taş; dehne.

jaundice [ˈdʒoondis]. Sarılık hastalığı. **~d,** safravî: **to take a ~ view of the world,** dünyayı karanlık görmek.

jaunt [dʒoont]. Kısa gezinti.

jaunty [ˈdʒoonti]. Şen; havaî, gamsız, canlı.

Java [ˈdʒaava]. Cava. **~nese** [–ˈniiz], cavalı.

javelin [ˈdʒavəlin]. Kısa mızrak; harbe.

jaw [dʒoo]. Çene; ağız; (*kon.*) cansıkıcı nasihat, nasihat faslı, tekdir. (*kon.*) Çene çalmak; cansıkıcı nasihat vermek. **hold your ~!,** çeneni tut!, kes sesini!: **to escape from the ~s of death,** ölümün pençesinden kurtulmak. **~ed,** ... çeneli. **jaw-breaker,** telaffuzu pek güç kelime.

jay [dʒei]. (*Garrulus glandarius*) Alakarga, kestane kargası.

jay-walker [ˈdʒeiwookə*]. Sokakta dalgın ve ihtiyatsızca yürüyen kimse.

jazz [dʒaz]. Caz (müziği ile dansetmek).

jealous [ˈdʒeləs]. Kıskanc, hasud. **to be ~ of** [**for**], ···den kıskanmak. **~y,** kıskanclık, hased.

jean [dʒiin]. Bir nevi pamuk bezi.

jeer [dʒiə*]. İstihza, alay; yuha. Yuha çekmek. **to ~ at,** alaya almak; yuhaya tutmak.

Jehovah [dʒiˈhouvə]. Yehova.

jejune [dʒəˈʒuun]. Kıt, gıdasız; yavan, silik.

jelly [ˈdʒeli]. Pelte; murabba; donmuş etsuyu. Pelteleş(tir)mek. **to pound s.o. to a ~,** pestilini çıkarmak. **jelly-fish,** denizanası.

jemmy [ˈdʒemi]. Ev hırsızlarının kullandıkları kısa bir manivelâ.

jennet [ˈdʒenet]. Küçük İspanyol atı.

jenny [ˈdʒeni]. Bazı hayvan ve kuşların dişilerine verilen isim; seyyar maçuna; portatif jeneratör.

jeopard·ize [ˈdʒepədaiz]. Tehlikeye koymak. **~y,** tehlike.

jerboa [dʒəəˈbouə]. Afrika'ya mahsus tarla faresi; yerbu.

jeremiad [ˈdʒerəˈmaiəd]. Yanık şikâyet; hazin figan.

Jericho [ˈdʒerikou]. **go to ~!,** cehenneme git!

jerk[1] [dʒəək]. Anî hareket veya sarsıntı. Birdenbire sarsarak hareket etmek veya durmak veya atmak.

jerk[2]. Sığır etini uzun parçalara doğrayıp güneşte kurutmak.

jerkin [ˈdʒəəkin]. Dar ve kısa ceket (*um.* deriden yapılmış).

jerky [ˈdʒəəki]. İntizamsız ve anî hareketlerle yapılan.

jerry [ˈdʒeri]. (*arg.*) Alman askeri; (*arg.*) lâzımlı. **jerry-builder,** ucuz ve âdi ev yapıcısı. **jerry-built,** ucuzca yapılmış ve âdi (ev), derme çatma.

jersey [ˈdʒəəzi]. Kazak; jerse.

jessamine [ˈdʒesəmin]. Yasemin.

jest [dʒest]. Alay, şaka, lâtife, tuhaflık. Alay etm., şaka etmek. **to say stg. in ~,** bir şeyi şaka olarak söylemek. **~er,** soytarı, maskara.

Jesuit [ˈdʒezjuit]. Cizvit. **~ical** [–ˈitikl], müraî, hilekâr.

Jesus [ˈdʒiizəs]. İsa peygamber.

jet[1] [dʒet]. Kara kehriba. **jet-black** (abanoz gibi) simsiyah.

jet². Fıskıye; (*otom.*) ciglör; (havagazi) (i) alevi, (ii) memesi. Fışkırmak.
jetsam [ˈdʒetsəm]. Gemiyi kurtarmak için denize atılan eşya; deniz enkazı.
jettison [ˈdʒetisən]. Gemiyi kurtarmak için eşya, yük vs.yi denize atma(k).
jetty [ˈdʒeti]. İskele; dalgakıran.
Jew [dʒuu]. Yahudi. **Jew's-harp,** ağız tamburası.
jewel [dʒuəl]. Kıymetlı taş; mücevher. **a ~ of a servant,** bulunmaz bir hizmetçi. **~ed,** mücevherle süslü, mürassa. **~ler,** kuyumcu. **~ry, ~lery,** mücevherat.
Jew·ess [ˈdʒuis]. Yahudi kadın. **~ish** [–iʃ], yahudi, musevi. **~ry,** yahudiler; yahudi âlemi.
jib¹ [dʒib]. (*den.*) Flok. **the cut of his ~,** (bir adamın) görünüşü. **jib-boom,** baston.
jib². (At) ilerlemek istemeyip geri veya yan yan gitmek. **to ~ at doing stg.,** bir şeyi yapmaktan imtina etm., direnmek.
jibe *bk.* **gibe** ve **gybe.**
jiffy [ˈdʒifi]. (*kon.*) An, lâhza.
jig¹ [dʒig]. Pek canlı bir raks ve bu raksa mahsus hava. Raks yapmak. **to ~ up and down,** dans eder gibi sıçramak.
jig². Kalibre.
jigger¹ [ˈdʒigə*]. Bilârdo istekası desteği; bir nevi küçük yelken; palanga.
jigger². İnsanın etinin altına giren bir nevi pire; rişte.
jiggered [ˈdʒigəd]. (*arg.*) **well I'm ~!,** olur şey değil!: **I'm ~ if I'll do it!,** yaparsam Arab olayım!
jigsaw [ˈdʒigsoo]. Makineli oyma testeresı. **~ puzzle,** muhtelif parçalar halinde kesilen bir resmi tekrar birleştirmekten ibaret bir oyun; (*mec.*) içinden çıkılmaz iş vs.
jilt [dʒilt]. Fındıkçı kız, fettan kız. Bir adama evlenme vadedip sözünde durmamak.
jingle [ˈdʒiŋgl]. (*ech.*) Çıngırtı, tıngırtı. Çıngırdamak, tıngırdamak.
jingo [ˈdʒiŋgou]. Şoven. **by ~,** vallahi! **~ism,** şovenlik.
jinks [dʒiŋks]. **high ~,** cümbüş, şetaret.
jinn, jinnee [ˈdʒin(i)]. Cin.
jinricksha [dʒinˈrikʃə]. Uzak Şarkta insan tarafından çekilen araba; puspus.
job¹ [dʒob] *n.* İş, vazife; götürü iş; hizmet; meşguliyet; zor bir iş; iltimaslı muamele. **that 's a bad ~!,** aksilik!: **to make the best of a bad ~,** (i) fena şartlardan azamî istifade temin etm.; (ii) (mihneti kendine zevk etmedir âlemde hüner) *kabilinden*: **to give s.o. up as a bad ~,** bundan hayır gelmez diye bırakmak: **to do work by the ~,** götürü iş yapmak: **to be paid by the ~,** götürü ücret almak: **this is not everybody's ~,** bu iş her babayiğitin kârı değil: **it 's a good ~ that ...,** bereket versin ki: **to make a good ~ of stg.,** bir işi iyi yapmak: **we had a ~ to get there,** oraya gidinceye kadar hal olduk: **he knows his ~,** işini biliyor: **a ~ lot,** ucuz alınan mütenevvi eşya: **to be out of a ~,** açıkta kalmak; işsiz olmak.
job² *vb.* İş görmek; (araba vs.) kiralamak veya kiraya vermek; komisyonculuk veya simsarlık etmek. **~ber,** borsada bir nevi simsar; resmî işlerde suiistimal yapan kimse. **~bery,** resmî ışlerde suiistimal. **~bing,** at ve araba kiraya verme; komisyonculuk, simsarlık; **a ~ workman,** götürü iş yapan işçi.
Job³ [dʒoub]. Eyub; sabrın timsali. **~'s comforter,** insanın yarasına tuz biber eken *kabilinden.*
jockey [ˈdʒoki]. Cokey. Dalavere ile kandırmak; manevra yapmak. **to ~ s.o. into doing stg.,** kurnazlıkla kandırıp birine bir işi yaptırmak: **to ~ boats in a race,** bir kotra yarışın başında kurnazlıkla en iyi yere geçmeğe çalışmak.
jocos·e [dʒoˈkous]. Şakacı, lâtifeci. **~ity** [–ˈositi], şakacılık, soytarılık.
jocular [ˈdʒokjulə*]. Şakacı; güldürücü. **~ity** [–ˈlariti], şakacılık, neş'elilik.
jocund [ˈdʒokʌnd]. Şen, neş'eli; güleryüzlü.
jodhpurs [ˈdʒodpurz]. (Binicilik) dizden topuğa kadar olan kısmı dar külot.
jog [dʒog]. Hafifce dürtme. Hafifce dürtmek veya sarsmak. **to ~ along,** iyi kötü yuvarlanıp gitmek: **to give s.o.'s memory a ~,** birinin bir şeyi hatırlamasına yardım etmek. **jog-trot,** ağır ve rahat lenk gidiş.
joggle [ˈdʒogl]. Hafif sarsma. Hafifce sarsmak veya sallamak.
johnny [ˈdʒoni]. (*arg.*) Adam, herif.
join [dʒoin]. Birleş(tir)mek; kat(ıl)mak; bitiş(tir)mek; ···e iltihak etm.; bir araya gelmek. İki şeyin birleştiği yer. **to ~ battle,** muharebeye başlamak: **to ~ forces [hands] with s.o.,** birisile işbirliği yapmak: **to ~ a club,** bir klübe âza yazılmak: **to ~ one's ship,** (denizci) gemiye dönmek, tayin edildiği gemiye iltihak etm.: **to ~ up,** *va.* birleştirmek; *vn.* askere yazılmak.
joiner [ˈdʒoinə*]. Doğramacı. **~y,** doğrama işi.
joint¹ [dʒoint] *n.* İki şeyin birleştiği yer; ek yeri; mafsal; oynak yeri; boğum; büyük parça et. *vb.* Etin oynak yerlerini ayırmak. **to find a ~ in s.o.'s armour,** birinin zayıf damarını bulmak: **the time is out of ~,** ortalık altüst oldu: **a three-~ fishing rod,** üç parçalı olta sırığı: **his nose was put out of ~,** burnu kırıldı; pabucu dama atıldı.
joint² *a.* Birleşik; müşterek, elbirliğile

yapılan. ~ **heir,** müştereken vâris: **~ly liable [responsible],** müştereken mesul: **~ly and severally liable,** müteselsilen ve münferiden mesul.

jointed [ˈdʒointid]. Mafsallı, boğumlu; oynak yerleri ayrılmış (et.)

jointure [ˈdʒointʃə*]. Evlendikleri zaman kocanın karısına tahsis ettiği para veya mülk; ölünceye kadar bakma akdi.

joist [dʒoist]. Kiriş.

joke [dʒouk]. Şaka; lâtife. Şaka yapmak; şakadan söylemek. **joking apart,** şaka bertaraf: **the ~ of it is that ...,** tuhafı şu ki: **practical ~,** el şakası. **~er,** şakacı; (iskambil) bazı oyunlarda en kıymetli sayılan kâğıd.

jolli·fication [ˌdʒolifiˈkeiʃn]. Cümbüş, eğlenti, âlem. **~ty** [ˈdʒoliti], neş'elilik, cümbüş.

jolly [dʒoli]. Şen, neş'eli; güler yüzlü, sevimli, hoş; güzel; (*kon.*) çok, enikonu; keyif halinde. **I'll take ~ good care not to go there again,** bir daha oraya gidersem bana da adam demesinler: **'I won't do it!' 'You ~ well will!',** 'Ben bunu yapmam.' 'Top gibi yaparsın!' **jolly-boat,** patalya; küçük filika.

jolt [dʒoult]. Sarsıntı. Sarsmak.

Jonah [dʒouna]. Yunus peygamber; uğursuz adam; 'düztaban'.

jonquil [ˈdʒonkwil]. Fulya.

Jordan [ˈdʒoodən]. Erdün nehri. **this side of ~,** bu dünyada.

jorum [ˈdʒoorəm]. Büyük içki kâsesi.

joss-house [ˈdʒoshaus]. Çin mabedi. **joss-stick,** çin mabedlerinde kullanılan ödağacı.

jostle [ˈdʒosl). İtip kakmak; dürtüşlemek; birbirine sürtünmek.

jot [dʒot]. Zerre. **to ~ stg. down,** bir şeyi yazıvermek: **I don't care a ~,** bana vız gelir.

journal[1] [ˈdʒəənl]. Gazete; yevmiye defteri; ruzname. **~ese** [–ˈliiz], (*arg.*) fena gazeteci üslûbü. **~ism** [–lizm], gazetecilik. **~ist,** gazeteci.

journal[2]. Şaftın yataklara oturan kısmı.

journey [ˈdʒəəni]. Seyahat (etm.).

journeyman [ˈdʒəənimən]. (*esk.*) Kalfa; (*şim.*) para ile tutulan [iş gören] adam.

joust [dʒaust]. (*esk.*) At üzerinde mızrak oyunu (oynamak).

Jove [dʒouv]. Jüpiter. **by ~!,** Vallahi.

jovial [ˈdʒouvjəl]. Şen; keyifli; güler yüzlü ve sokulgan. **~ity** [–ˈaliti], guleryüzlülük, sokulganlık; şenlik; cümbüş.

jowl [dʒaul]. Yüzün alt kısmı; çene. **cheek by ~,** haşır neşir.

joy [dʒoi]. Sevinç, haz; neş'e; zevk. **oh, ~!,** aman, ne güzel!: **I wish you ~ (of it),** (i) güle güle!; (ii) (*istihzalı olarak*) Allah versin!; gözüm yok! **~ful** [ˈdʒoifl], sevindirici; müjdeci; memnun edici; sevinçli; neş'eli, memnun. **~less** [–lis], kederli, kasvetli. **~ous** *bk.* **joyful. joy-bells,** zafer: düğün vs. için çalınan çanlar. **joy-ride,** sahibinin müsaadesini almıyarak otomobilinde yapılan gezinti. **joy-stick,** (*arg.*) uçağın idare manivelâsı.

J.P. [ˈdʒeiˈpii] ... **Justice of the Peace,** sulh hâkimi.

jubil·ant [ˈdʒuubilənt]. Büyük neş'e içinde; pek memnun. **~ation** [–ˈleiʃn], pek çok sevinme; bayram etme.

jubilee [ˈdʒuubilii]. Mühim bir vakanın ellinci yıldönümü. **silver ~,** 25 inci yıldönümü: **diamond ~,** 60 ıncı yıldönümü *bilh.* Kıraliçe Victoria'nın cülûsunun 60 ıncı yıldönümü (1897).

Judai·c [ˈdʒuudei·ik]. Yahudilere aid. **~sm,** yahudilik.

Judas [ˈdʒuudas]. Yehuda; hain. **~kiss,** pek haince bir hareket. **Judas-tree,** erguvan.

judge [dʒʌdʒ]. Hâkim; hakem; bir şeyden iyi anlıyan. Mahkemede (bir suçlu) hakkında karar vermek; (bir davayı) dinleyip hüküm vermek; muhakeme etm.; fikirde bulunmak; tahmin etmek. **judging by ...,** ···e bakılırsa; ···e nazaran: **~ of my surprise!,** hayretimi düşün!: **a good ~ of men,** insan sarrafı.

judgement [ˈdʒʌdʒmənt]. Muhakeme kararı; hüküm; muhakeme, feraset; fikir. **the day of ~, the Last ~,** kıyamet günü: **it's a ~ on you,** bu sana Allahın cezasıdır: **to sit in ~ upon s.o.,** birisi hakkında hüküm vermeğe kendinde salâhiyet bulmak.

judicature [ˈdʒuudikətjuə*]. Adliye idaresi; hâkimlik. **the ~** hâkimler.

judicial [dʒuuˈdiʃjəl]. Mahkemeye aid; hâkimliğe aid; kazaî, hükmî; adlî, kanunî; hâkime yakışır, bitaraf. **~ murder,** mahkeme kararile fakat haksız olan idam.

judiciary [dʒuuˈdiʃjəri]. Adliye idaresi; hâkimler.

judicious [dʒuuˈdiʃəs]. Müdebbir; makul.

jug [dʒʌg]. Küçük testi; kulplu su kabı; (*arg.*) kodes; kodese tıkmak. **~ged hare,** şarablı tavşan yahnisi.

juggle [ˈdʒʌgl]. Elindeki top vs. gibi eşyayı havaya atıp tutmak; hokkabazlık yapmak. **to ~ with figures, words,** *etc.*, rakamlar, kelimeler vs. ile oynamak. **~r,** yukarıdaki şekilde hüner gösteren hokkabaz. **~ry,** bu şekilde hokkabazlık.

jugular [ˈdʒʌgjulə*]. Boğaza ve boyuna mensub, vidacî. **~ vein,** veridi vidacî; boyun damarı.

juic·e [dʒuus]. Meyvanın suyu: usare;

(*arg.*) benzin; elektrik cereyanı. ~**y**, sulu; usareli.
jujube [ˈdʒuudʒuub]. Hunnab; jelatinli şekerleme, pastil.
julep [ˈdʒuulep]. Şurub; viski veya konyak, şeker, buz ve naneden mürekkeb bir içki.
July [dʒuˈlai]. Temmuz.
jumble [dʒʌmbl]. Karmakarışık yığın; allakbullak vaziyet. ~ **up**, karmakarışık etmek. **jumble-sale**, bir hayır cemiyeti vs. menfaatine ufak tefek eşya satışı.
jump [dʒʌmp]. Atlama; sıçrayış; irkilme; mania; (fiatlar hakkında) ansızın yükseliş. (Üzerine) atlamak; sıçramak; zıplamak; irkilmek. **to ~ to a conclusion**, acele hüküm vermek: **to ~ down s.o.'s throat**, birini şiddetle terslemek: **the engine ~ed the rails**, lokomotif yoldan çıktı: **to ~ up, to ~ to one's feet**, sıçrayıp ayağa kalkmak: **he would ~ at it**, dünden hazır.
jumper[1] [ˈdʒʌmpə*]. Atlıyan kimse veya at.
jumper[2]. Kaba kumaştan gömlek; örgülü yelek, triko, cerse.
jumpiness [ˈdʒʌmpinis]. Sinirlilik, ürkeklik.
jumping-off. ~ **place**, hava akını vs. için ileri üs.
jumpy [ˈdʒʌmpi]. Sinirli ve ürkek; her sesten korkan.
junction [ˈdʒʌŋkʃn]. Birleşme (yeri); ittisal, iltisak; kavşak.
juncture [ˈdʒʌŋktʃə*]. Birleşme yeri; hal, vaziyet, zaman. **at this ~**, bu (buhranlı) anda; bu safhada.
June [dʒuun]. Haziran.
jungle [ˈdʒʌŋgl]. Cengel.
junior [ˈdʒuunjə*]. Daha genc; en genc; kıdem itibarile madun. **the ~s**, gencler: ~ **counsel**, avukat yardımcısı: **the ~ school**, mektebin ilk kısmı: **he is ten years my ~**, o benden on sene küçüktür: **Thomson ~**, Thomson'un oğlu veya küçük kardeşi.
juniper [ˈdʒuunipə*]. Ardıc.
junk[1] [dʒʌŋk]. Çin yelkenli gemisi; conk.
junk[2]. Eski halat parçaları; pılı pırtı, eski ve değersiz eşya; eskiden gemicilerin yedikleri tuzlu sığır eti.
junket [ˈdʒʌŋkit]. Bir nevi yoğurt; yiyip içme, cümbüş, âlem. Âlem yapmak.
junta [ˈdʒʌnta]. İspanyol idare meclisi; siyasî klik veya hizib.
Jupiter [ˈdʒuupitə*]. Jüpiter; Müşteri seyyaresi.
juridical [dʒuuˈridikl]. Adlî, kanunî; hükmî.
juris·diction [ˌdʒuərisˈdikʃn]. Kaza hakkı; hâkimin kaza hakkı cari olan daire; salâhiyet. ~**prudence** [–ˈpruudəns], hukuk ilmi.
jurist [ˈdʒuurist]. Hukukçu.
juror [ˈdʒuərə*]. Jüri âzası.
jury [ˈdʒuəri]. Jüri heyeti. ~**man**, *pl.* **-men**, jüri âzası. **jury-box**, mahkemede jüri mevkii. **jury-mast**, iğreti direk.
just[1] [dʒʌst] *a.* Âdil; munsif(ane); müstahak; adalete uygun; doğru, haklı; hakkaniyetli. **to sleep the sleep of the ~**, deliksiz bir uyku uyumak.
just[2] *adv.* Hemen; demin; henüz şimdi; tam, tamamen; şöyle bir; daradar. ~ **as you say**, tıpkı dediğiniz gibi: ~ **as he spoke**, konuşur konuşmaz: **I am ~ coming**, hemen şimdi geliyorum: **I did it ~ for a joke**, sadece şaka olsun diye yaptım: **I was ~ going to go out, when ...**, tam sokağa çıkacağım sırada...: **that's ~ it!** (i) iyi dedin ya!; işte mesele burada; (ii) işte tam bu!: ~ **listen!**, bir az dinle!: ~ **listen to him!**, şuna bak, nasıl saçmalıyor!: ~ **a mòment!**, bir dakika!; ~̀ **a moment!**, dur bakalım!: **I saw him ~ now**, onu şimdi [bir az evvel] gördüm: **I can't do it ~ now**, onu hemen şimdi yapamam: **business is bad ~ now**, şu sırada işler kötü: **it is ~ four o'clock**, saat tam dört: ~ **once**, yalnız bir defa; bir defacık: **this book is ~ out**, bu kitab yeni çıktı: ~ **so**, (i) doğru, tamam!; (ii) tam öyle: ~ **then**, tam o anda: ~ **there**, tam orada: ~ **think of it!**, hayret!, inanılmaz şey!: ~ **take a seat, will you!**, şöyle bir az oturur musunuz: **I can't go ~ yet**, şimdilik henüz gidemem: **'Is it raining?' 'Just'.** 'Yağmur yağıyor mu?' 'Serpiştiriyor': **'Was he angry?' 'Wasn't he ~!'**, 'Kızdı mı?' 'Hem de nasıl!': **'Well, I'll do as you say,' 'I should ~ think you will!'**, 'Pek iyi, sizin dediğiniz gibi yaparım.' 'Elbette öyle yapacaksın! (haddin varsa başka türlü yap!): **if I get this job won't I ~ work!**, bu iş olursa öyle bir çalışacağım ki: **'Do you like strawberries?' 'Don't I ~!'** 'Çilek sever misiniz?' 'Hem de nasıl!'
justice [ˈdʒʌstis]. Adalet, insaf, hak; doğruluk; hâkim; sulh hâkimi. ~ **of the Peace**, sulh hâkimi: **the Lord Chief Justice**, İngiltere'de yüksek mahkemenin (**King's Bench**) dairesi reisinin unvanı: **to do ~ to stg.**, bir şeyin hakkını vermek: **in ~ to him**, onun hakkını vermiş olmak için: **to bring to ~**, mahkemeye vermek: **he did not do himself ~**, kendini gösteremedi.
justif·y [ˈdʒʌstifai]. Haklı çıkarmak; mazur göstermek. ~**iable** [–ˈfaiəbl], hak verilebilir; mazur görülebilir; haklı çıkarılabilir. ~**ication** [ˌdʒʌstifiˈkeiʃn], haklı sebeb; mazur gösterme; mazur görülme; haklı çıkarma.

justness [ˈdʒʌstnis]. Haklı olma; doğruluk.
jut [dʒʌt]. ~ **out,** çıkıntı halinde bulunmak.
jute [dʒuut]. Hint kendiri; jüt.
juvenile [ˈdʒuuvənail]. Gencliğe mahsus; çocuklara mahsus; çocuk halinde.
juxtapos·e [dʒʌkstəˈpouz]. Yanyana koymak. ~**ition** [–poˈziʃn], yanyana bulunma.

K

K [kei]. K harfi.
Kaffir [ˈkafə*]. Cenubî Afrikada bir zenci kabilesi. ~**s,** borsada:– altın madeni hisseleri.
kail, kale [keil]. Lâhana cinsinden bir kaç nevi sebzenin ismi.
kaleidoscop·e [kəˈlaidəskoup]. Kaleidoskop. ~**ic** [–ˈskopik], biteviye değişen.
Kalends [ˈkalends]. Eski romalılarda ayın ilk günü. ⌜**on the Greek** ~⌝, ⌜balık kavağa çıkınca⌝.
kangaroo [kaŋgəˈruu]. Kanguru.
kaolin [ˈkaaolinî ˈkei-]. Porselen yapmakta kullanılan beyaz bir kil; kaolen.
kapok [ˈkapok]. Yastık doldurmak için kullanılan bir nevi pamuk.
K.B.E. [ˈkei ˈbii ˈii]. **Knight Commander of the British Empire**; *bk.* **order²**.
K.C. [ˈkeiˈsii]. **King's Counsel**; *bk.* **king.**
K.C.B., K.C.I.E., vs. *bk.* **order²**.
kedge [kedʒ]. ~ **(anchor),** tonoz demiri. (Gemiyi) tonoz demirine bağlı yoma ile çekip yürütmek.
kedgeree [kedʒəˈrii]. Balıklı yumurtalı pilav.
keel [kiil]. Geminin omurgası; (*şair.*) gemi. Karina etmek. **false** ~, kontra omurga: **to be on an even** ~, ufkî olm.: **to** ~ **over,** albura olmak. **keel-blocks,** kuru havuzda geminin omurgasının istinad ettiği kütükler.
keelson [ˈkiilsən]. Geminin iç omurgası.
keen¹ [kiin]. Keskin; sert, şiddetli; hassas; gayretli, hevesli, mütehalik. **to be** ~ **on stg.,** bir şeye hevesli olm.: **I am not very** ~ **on it,** bundan pek hoşlanmam; bunu pek canım istemiyor: **as** ~ **as mustard,** pek gayretli. **keen-set,** iştahlı.
keen². Ağlıyarak matemini tutmak.
keep¹ [kiip] *n.* Bir hisarın iç kalesi.
keep² *n.* Yiyecek; gıda; boğaz. **to work for one's** ~, boğaz tokluğuna çalışmak: **he isn't worth his** ~, yediği ekmeği hak etmiyor.
keep³ *vb.* **(kept)** [kept]. Tutmak; alıkoymak; bırakmamak; saklamak, hıfzetmek; yedirip içirmek, beslemek; idare etm.; riayet etmek. Kendini tutmak; devam etm., yapıp durmak: ~ **(good)** bozulmamak, çürümemek. **you may** ~ **this,** bu sizde kalsın: **(in a shop) do you** ~ **toothbrushes?,** (dükkânda) sizde diş fırçası bulunur mu?: **to** ~ **at it,** çalışmak, gevşememek: **to** ~ **s.o. at it,** bir işi yapması için birinin üstüne düşmek: **to** ~ **at work,** işe devam etm.: **to** ~ **one's bed,** (hastalıktan) yataktan çıkmamak: **to** ~ **s.o. in clothes,** birinin giyimini kuşamını temin etm.: **don't let me** ~ **you!,** sizi alıkoymayayım: **to** ~ **stg. from s.o.,** birisinden bir haber vs.yi gizlemek: **to** ~ **s.o. from doing stg.,** birini bir şey yapmaktan alıkoymak: **how are you** ~**ing?,** nasılsınız?; sıhhatiniz iyi mi?: **to** ~ **to the left,** soldan gitmek: **fish won't** ~ **in summer,** balık yazın çabuk bozulur: **this meat will be all the better for** ~**ing,** bu et bir kaç gün saklanırsa daha iyi olur: **to** ~ **stg. to oneself,** gizleyip kimseye söylememek: **they** ~ **to themselves,** başkalarına sokulmuyorlar: **to** ~ **s.o. to his promise,** birine vadini tutturmak: **to** ~ **one's seat,** yerinden kalkmamak; at üzerinden düşmemek: **to** ~ **s.o. waiting,** birini bekletmek. **keep away,** alargada tutmak; yaklaştırmamak; vermemek; yaklaşmamak. **keep back,** alıkoymak; durdurmak; ihtiyat olarak tutmak; saklamak, ketmetmek; geri kalmak, yaklaşmamak; **you are** ~**ing stg. back!,** dilinin altında bir şey var. **keep down,** bastırmak; aşağıda tutmak; inkıyad ettirmek; yükselmesine mani olm.; aşağıda kalmak, büzülüp saklanmak: **to** ~ **expenses down,** fazla masrafı önlemek: **to** ~ **down weeds,** muzır otların çoğalmasını önlemek. **keep in,** içeride tutmak; salıvermemek; evden çıkmasını menetmek; izinsiz bırakmak; evde kalmak: **to be kept in,** (talebe) izinsiz kalmak: **to** ~ **the fire in,** ocağı söndürmemek: **to** ~ **one's hand in,** alışkanlığını [maharetini] kaybetmemek: **to** ~ **in with s.o.,** birisile iyi münasebetlerini muhafaza etmek. **keep off,** defetmek, yaklaştırmamak; uzak kalmak: **if the rain** ~**s off,** yağmur yağmazsa; ~ **your hands off!,** dokunma! **keep on,** çıkarmamak; düşmesine mani olm.; yerinde durmak; devam etm.: **to** ~ **on at s.o.,** birinin başının etini yemek, üstüne varmak: **don't** ~ **on about it!,** bunu kısa kes!, fazla ısrar etme!: **to** ~ **on doing stg.,** bir şeyi yapıp durmak. **keep out,** içeri bırakmamak; dışında kal-

mak: **to ~ s.o. out of his rights,** birini hakkından mahrum etm.: **to ~ out of a quarrel,** bir kavgaya karışmamak. **keep together,** bir arada tutmak; dağılmasını menetmek; bir arada kalmak; dağılmamak, birleşik kalmak. **keep under,** zaptetmek; inkıyad altına almak; bastırmak: **to ~ a fire under,** bir yangının büyümesini menetmek. **keep up,** düşürmemek; devam etm., vazgeçmemek; revacda tutmak; ibka etm.; idame etm.; muhafaza etm.; geri kalmamak: **he couldn't ~ up with the class,** sınıfta daima geri kalıyordu: **to ~ up one's courage,** cesaretini kaybetmemek: **~ it up!,** dayan!: **to ~ s.o. up at night,** birinin yatmasına mani olm.: **to ~ up with the times,** zamana uymak.

keeper [ˈkiipə*]. Bekçi; muhafız; (müze vs.) reis; av bekçisi. **boarding-house ~,** pansiyon sahibi.

keeping [ˈkiipiŋ]. **to be in s.o.'s ~,** birinin muhafazası altında olm.; himayesinde olm.: **in ~ with ...,** ···e uygun olarak, ···e göre: **out of ~ with ...,** ···e uymaz.

keepsake [ˈkiipseik]. Yadigâr, hatıra.

keg [keg]. Varil.

kelp [kelp]. Varek, ketencik.

kelpie [ˈkelpi]. (İskoçya'da) at şeklinde bir su perisi.

ken [ken]. Tanımak. Birinin bildiği veya gördüğü saha.

kennel [ˈkenl]. Köpek kulübesi. **the ~s,** av köpeklerinin yatırıldığı yer.

kept [kept] *bk.* **keep**; **~ woman,** kapatma.

kerb [kəəb]. Kaldırımın kenar taşı.

kerchief [ˈkəətʃif]. Baş örtüsü; atkı, yemeni.

kernel [ˈkəənel]. Çekirdek içi; tane; öz, esas.

kerosene [ˌkeroˈsiin]. Petrol, gaz.

kestrel [ˈkestrəl]. (*Falco tinnunculus*) Kerkenes.

ketch [ketʃ]. İki direkli arka direği dümen önünde bulunan yelkenli gemi.

ketchup [ˈketʃəp]. Kavanoza kurulmuş mantar veya domates salçası.

kettle [ˈketl]. (Su kaynatmak için) ibrik. **to put the ~ on,** su kaynatmak: ⌜**here's a pretty ~ of fish!**⌝, ⌜ayıkla şimdi pirincin taşını⌝. **~drum,** dümbelek.

key¹ [kii] *n.* Anahtar; tuş; kurma sapı; ses perdesi, ton; (*mek.*) kama. **major ~,** ton majör: **minor ~,** ton minör: **in the ~ of C,** do perdesi: **~ map,** ana harita: **~ industry,** ana sanayi: **~ point,** mühim nokta: **to touch the right ~,** (nutuk vs.) tam yerinde söylemek. **~board,** klâviye. **~hole,** anahtar deliği. **~stone,** kilid taşı; (*mec.*) temel, esas. **key-note,** baş perde, ana nota; esas, mihver. **key-ring,** anahtar halkası. **key-way,** bir şafta kama almak için kesilmiş yiv. **key-word,** bir şifrenin anahtarı.

key² *vb.* Kama ile tutmak; sıkmak; akord etmek. **to be ~ed up,** tam kıvamında olm.; meraklı heyecanda olmak.

K.G. [ˈkei ˈdʒii]. **Knight of the Garter;** *bk.* **order²**.

khaki [ˈkaaki]. Hâki renk(li). **to get into ~,** asker olmak.

Khalif [ˈkeilif]. Halife.

khan¹ [haan]. Han.

Khan². Hân. **~ate,** hânlık.

Khedive [keˈdiiv]. Hidiv.

kibble [ˈkibl]. Kabaca öğütmek.

kibosh [ˈkaiboʃ]. Saçma. **to put the ~ on,** matetmek.

kick [kik]. Tepmek; çifte atmak; seğirdim yapmak. Tepme; çifte; geri tepme, seğirdim; kik. **to ~ the bucket,** (*kon.*) nalları dikmek: **this drink has a ~ in it,** bu içki oldukça kuvvetli: **to get a ~ out of stg.,** bir şeyin zevkini [tadını] çıkarmak: ⌜**to get more ~s than ha'pence**⌝, takdirden çok tenkide uğramak: **to ~ up a fuss, [rumpus],** mesele çıkarmak: **to ~ one's heels,** sabırsızlanarak beklemek: **I felt like ~ing myself,** yaptığıma çok pişman oldum, dizimi dögdüm: **he has no ~ left in him,** bitkin ve mecalsizdir: **to ~ off,** bir futbol maçına başlamak: **don't leave your things ~ing about,** eşyanı ötede beride bırakma!: **to be ~ed out,** kovulmak: **to be ~ed upstairs,** şerrinden kurtulmak istenilen bir politikacı vs. yüksek fakat zararsız bir mevkie tayin edilmek: **free ~,** frikik. **kick-back,** geri tepme, seğirdim. **kick-off,** futbol oyununun başlangıcı.

kickshaw [ˈkikʃoo]. Çerez kabilinden ufak tefek yiyecek; ufak tefek biblo.

kid¹ [kid]. *n.* Oğlak; (*kon.*) çocuk; oğlak derisi. **to handle s.o. with ~ gloves,** birini nezaketle, tatlılıkla idare etm.: **not a job for ~ gloves,** (i) kirli veya zor bir iş; (ii) bu meselede merhametsizce davranmalı.

kid² *vb.* (*kon.*) Muziblik etm., aldatmak; takınmak. **you can't ~ me!,** öyle yağma yok!, bunu yutmam!: **I was only ~ding,** şaka söyledim.

kidnap [ˈkidnap]. Cebren kaçırmak; çocuk çalmak.

kidney [ˈkidni]. Böbrek; huy, mizac, tabiat. **kidney-bean,** börülce.

kill [kil]. Öldürmek, katletmek. Avda:– hayvan öldürme; öldürülmüş hayvan. **to be in at the ~,** bir tilki avında tilkinin ölümünde *veya* bir teşebbüsde muvaffakiyet anında hazır bulunmak: **~ or cure remedy,** şiddetli ve tehlikeli ilaç veya tedbir (*mes.* zarurî fakat tehlikeli ameliyat): **to ~ with kindness,** lüzumundan fazla ihtimamla [fazla üstüne düşerek zarar] vermek. **kill-joy,** oyunbozan; neş'e bozan; abus suratlı. **kill off,** imha etm.; kökünü kazımak.

killer [ˈkilə*]. Kaatil; öldürücü. **humane ~,** mezbahada hayvanları eziyetsizce öldürmeğe mahsus bir nevi tabanca.

killing [ˈkiliŋ] *a.* Öldürücü. **too ~ for words,** (*kon.*) dayanılmaz derecede tuhaf veya gülünç.

kiln [kiln]. Kireç, tuğla vs.yi yakmak veya kurutmak için ocak.

kilogram [ˈkilougram]. Kilo.

kilt [kilt]. İskoçyalılar ile efsonların giydikleri kısa eteklik, fistan.

kin [kin]. Hısım, akraba. **near of ~,** yakın akraba: **next of ~,** en yakın akraba: **to inform the next of ~,** ailesine haber vermek.

kind[1] [kaind] *n.* Cins, nevi, çeşid, türlü; soy; makule; keyfiyet. **payment in ~,** aynen verilen ücret: **to repay s.o. in ~,** aynı ile mukabele etm.; mukabelebilmisilde bulunmak: **these ~ of men,** bu gibiler: **he is the ~ of man who always succeeds,** bu her zaman muvaffak olan adamlardandır: **we had coffee of a ~,** sözüm ona kahve içtik: **in a ~ of way,** bir nevi; şöyle böyle: **nothing of the ~,** hiç böyle bir şey yok; hiç değil!: **something of the ~,** buna benzer bir şey, öyle bir şey: **I ~ of expected it,** bunu âdeta bekliyordum.

kind[2] *a.* Müşfik; hayırhah; iyi kalbli, hoş, sevimli; efendi gibi; dostane; nazik, mültefit. **be so ~ as to ...,** lûtfen ...: **to be ~ to s.o.,** birine iyi muamele etm., nazik davranmak: **it is very ~ of you,** çok naziksiniz; çok teşekkür ederim: **give him my ~ regards,** hürmetlerimi söyle!: **~ly ..., will you ~ly ...,** lûtfen ...: **he didn't take it very ~ly,** pek hoşuna gitmedi; pek iyi karşılamadı: **to take ~ly to ...,** ···e ısınmak; çabuk alışmak. **kind-hearted,** şefkatli, iyi kalbli.

kindergarten [ˈkindəgaatn]. Ana mektebi.

kindle[1] [ˈkindl]. Tutuş(tur)mak; yakmak; alev almak.

kindle[2]. **to be in ~,** (tavşan vs.) gebe olmak.

kindling [ˈkindliŋ]. Ateş yakmak için ufak udun; yonga.

kindly [ˈkaindli] *adv. bk.* **kind.** *a.* İyi kalbli, müşfik; (hava) yumuşak, hoş, lâtif.

kindness [ˈkaindnis]. İyilik, iyi muamele, hayırhahlık; iltifat; lûtuf.

kindred [ˈkindrid]. Akrabalar; akrabalık. Hem cins, hemmeşreb; benzer. **a ~ spirit,** kafaca yakın bir adam.

kine [kain]. (*esk.*) İnekler.

kinetics [kaiˈnetiks]. Mihanik ilminin hareket bahsi.

king [kiŋ]. Kıral; (dama) dama olan taş; (satranc) şah. **the ~ of beasts,** aslan: **the ~ of birds,** kartal: **the ~ of ~s,** Allah. **king-cup,** (*Trollius*) altıntop. **King-of-Arms,** umumiyetle armalarla meşgul muhtelif saray memurlarının unvanı. **king-post,** dam çatısının orta direği.

kingdom [ˈkiŋdəm]. Kıraliyet; devlet. **the United Kingdom,** Büyük Britanya: **the animal ~,** hayvanat âlemi.

kingfisher [ˈkiŋfiʃə*]. (*Alcedo*) Yalı çapkını.

kingly [ˈkiŋli]. Kıral gibi, kırala yakışır; şahane.

kingship [ˈkiŋʃip]. Kırallık.

kink [kiŋk]. Kıvrım; (zihniyet ve düşüncede) gariblik, acayiblik.

kinkajou [ˌkiŋkəˈdʒuu]. Amerika'da bulunan et yiyen ve küçük bir maymuna benzer uzun kuyruklu hayvan.

kins·folk [ˈkinzfouk]. Akrabalar; hısım. **~hip,** hısımlık. **~man,** *pl.* **~men,** akraba.

kiosk [ˈkiosk]. Gazete satılan külübe; bandoya mahsus kameriye.

kipper [ˈkipə*]. Tütsülenmiş ringa balığı. (Balığı) tütsülemek.

kirk [kəək]. (İskoçya'da] kilise.

kiss [kis]. Buse; öpücük. Öpmek; öpüşmek. **to ~ the book,** yemin ederken İncili öpmek: **to ~ the dust,** mağlûb olmak; öldürülmek: **to ~ hands,** (büyük bir memuriyete tayin olunan birisi) kıralın elini öpmek: **to ~ one's hand to s.o.,** öpücük göndermek: **to ~ the rod,** cezaya boyun eğmek.

kit [kit]. Asker eşyası; bir yolcunun beraber getirdiği eşya; pılı pırtı; avadanlık. **to pack up one's ~,** pılıyı pırtıyı toplamak. **kit-bag,** asker hurcu. **kit-cat,** çelik çomak oyunu.

kitchen [ˈkitʃin]. Mutfak. **~er,** mutfak sobası. **~maid,** mutfak hizmetçisi. **kitchen-dresser,** mutfak tabaklığı. **kitchen-garden,** sebze bahçesi. **kitchen-range,** mutfak sobası.

kite [kait]. (*Milvus*) Çaylak; uçurtma.

kith [kiθ]. (*yal.*) **~ and kin,** dost ve akraba; konu komşu.

kitten [ˈkitn]. Kedi yavrusu. **~ish,** oynak; işvebaz.

kittiwake [ˈkitiweik]. (*Rissa tridactyla*) Bir nevi büyük martı.

kittle [ˈkitl]. **~ cattle,** titiz ve müşkülpesend ve idaresi zor kimseler.

kitty[1] [ˈkiti]. Kedi yavrusu.

kitty[2]. Kumarda:– miz olunan paranın yekûnu, kanyot.

kiwi [ˈkiiwii]. Yeni Zelanda'da bulunan kanadsız bir kuş.

kleptomania [ˌkleptoˈmeinjə]. Kleptomani. **~c,** kleptoman.

knack [nak]. Hüner; maharet; işin sırrı. **to have the ~ of doing stg.**, işin sırrını (nasıl yapılacağını) bilmek.

knacker [ˈnakə*]. Sakat veya ölmüş at ve inekler alan ve derisini vs. satan kimse.

knapweed [ˈnapwiid]. (*Centaurea nigra*) Bileşikgillerden mor ve top çiçekli bir nebat.

knav·e [neiv]. Alçak herif, dolandırıcı, düzenbaz; (iskambil) bacak. **~ery,** dolandırıcılık, alçaklık. **~ish,** hilekâr, alçak.

knead [niid]. Yuğurmak; oğmak, masaj yapmak. **kneading-trough,** hamur teknesi.

knee [nii]. Diz; paraçol; dirsek şeklinde bir şey. **to bend [bow] the ~ to,** ···e boyun eğmek: **to bring s.o. to his ~s.** (*mec.*) diz çöktürmek: **to go down on one's ~s to s.o.,** birinin ayaklarına kapanmak: **the future is on the ~s of the gods,** istikbal Allahın elindedir. **knee-breeches,** dizkapaklarının altından bağlanan kısa pantalon: **knee-cap,** diz kapağı. **-kneed,** ... dizli. **knee-deep,** diz boyu derinliğinde olan. **knee-high,** diz boyu. **knee-hole,** yazıhane veya mekteb sırasında diz boşluğu. **knee-joint,** diz mafsalı; marangozluk vs.de iki parçanın diz mafsalı şeklinde bağlandığı yer. **knee-pan,** diz kapağı. **knee-pipe,** dirsek (boru).

kneel [knelt] [niil, nelt]. Diz çökmek; dizüstü oturmak.

knell [nel]. Matem çanı çal(ın)mak veya çalınma. **to sound the ~ of,** ···e elveda demek.

knelt *bk.* **kneel.**

knew *bk.* **know.**

knicker·bockers [ˈnikəˈbokəz]. Dizlere bağlı bol pantalon; şalvar. **~s,** kısa pantalon; kadın donu.

knick-knack [ˈniknak]. Küçük süslü şey; biblo; çerez kabilinden yiyecek.

knife, *pl.* **knives** [naif, naivz]. Bıçak; çakı. Bıçaklamak. **the ~,** neşter, ameliyat: **to have one's ~ into s.o.,** birine kancayı takmak: **war to the ~,** kıyasıya kavga. **knife-board,** bıçak temizlemek için zımparalı tahta. **knife-edge,** bıçak ağzı; pek dar dağ sırtı; terazi kolu, rakkas vs.nin asılı durduğu ince çelik parçası. **knife-grinder,** bıçak bileyici. **knife-rest,** çatal bıçak sehpası.

knight [nait]. (*esk.*) Şövalye; silâhşor; (*şim.*) şövalye rütbesini ve isminin önüne 'Sir' lâkabı koyma hakkını haiz olan kimse; (satranc) fers. Şövalye rütbesi vermek. **~ bachelor,** unvanı kaydi hayat şartile olan ve çocuklarına geçmiyen şövalye: **~ errant,** orta çağda diyar diyar dolaşan şövalye. **~hood,** şövalyelik. **~ly,** şövalyeye yakışır; âlicenab; kahramanca.

knit [nit]. Örmek; triko yapmak; birbirine birleştirmek. **to ~ the eyebrows,** kaşlarını çatmak. Örülmüş; örme; merbut. **loosely ~ frame,** gevşek yapılı (kimse). **~ted,** örülmüş, örme: **~ eyebrows,** çatık kaşlar. **~ting,** örme işi; trikotaj: **~-needle,** örgü şişi.

knob [nob]. Topuz; topak; pürtük; (*arg.*) baş, kelle. **~by,** pürtüklü, topuzlu. **~kerrie, ~stick,** topuzlu sopa.

knock [nok]. Vurma, darbe; kapı çalınması; (makine) kliket. Vurmak; çarpmak; kapıyı çalmak; (makine) kliketleşmek, sağır bir gürültü yapmak. **to ~ s.o. on the head,** birinin başına vurmak, öldürmek: **to ~ one's head against stg.,** başını bir şeye çarpmak. **knock-about,** gürültülü şamatalı (soytarı, numara); kaba işe elverişli (elbise). **knock-down, a ~ blow,** sersemletici vuruş: **~ price,** en aşağı fiat. **knock-kneed,** dizleri bitişik ve baldırları ayrık. **knock-out,** nakavt. **knock about,** hırpalamak, örselemek: **~ about (the world),** feleğin çemberinden geçmek. **knock down,** yere vurmak; yıkmak: **to be ~ed down to s.o.,** (mezadda) birinin üzerinde kalmak. **knock in,** vurup kakmak; vurup kırmak. **knock off,** yerinden fırlatmak; paydos etm.: **to ~ something off the price,** fiatını kırmak. **knock out,** vurup çıkartmak, sokmak; bir yumrukla sersemletmek, nakavt yapmak. **knock over,** devirmek, altüst etmek. **knock up,** vurup yukarıya fırlatmak; (*kon.*) derme çatma yapmak; bitkin bir hale koymak; (tenisde) asıl oyundan evvel elini alıştırmak için bir az oynamak: **he is quite ~ed up,** bitkin bir haldedir: **to ~ up against s.o.,** birine tesadüf etm.: **to ~ up against stg.,** bir şeye çarpmak.

knocker [nokə*]. Kapı tokmağı.

knoll [noul]. Yuvarlak tepe; tümsek.

knot [not]. Düğüm; bağ; boğum, budak; gemi sür'at ölçüsü (1 **knot** = bir saatte bir deniz mili): **(bow) ~,** fiyonga; (ahali, ağac vs.) ufak küme. Düğümlemek; düğüm haline bağlamak; (kaşlarını) çatmak. **~ty,** düğüm düğüm; boğumlu, budaklı: **a ~ point,** muammalı bir nokta; çatallı bir mesele.

knout [naut]. Rusya'da kullanılan bir nevi kamçı, knut.

know[1] [nou] *n.* **to be in the ~,** gizli bir şey hakkında malûmatı olm.; işin içyüzünü bilmek. **know-how,** bir şeyi yapma sırrı.

know[2] **(knew, known)** [nou, njuu, noun] *vb.* Bilmek; tanımak; haberi olm., hakkında malûmatı olm.; ayırd etm.; ···le cinsî münasebette bulunmak. **I don't ~ about that,** (i) bunun hakkında bir şey bilmiyorum; (ii) Vallahi, orasını bilemem: **he**

worked [ran] all he knew, alabildiğine çalıştı [koştu]: I ~ better than that, (i) bu kadarcık şeyi bilirim [akıl ederim]; (ii) ben bundan iyisini bilirim: he ~s better than to do that, artık bu kadarını da bilir!: you ought to ~ better!, bu kadarcık şeyi bilmeliydiniz!: a man is ~n by his friends, insan ahbabından bellidir: don't I ~ it!, bilmez miyim?: to get to ~ s.o., birini zamanla tanımak; tesadüfen tanımak: I would have you ~ that ..., şunu bilmiş ol ki ...: to ~ how, yolunu bilmek; yapmağa muktedir olm.: 'wouldn't you just like to ~!', 'neler neler de maydonozlu köfteler!': to make oneself ~n to s.o., kendini birisine tanıtmak: it has never been ~n to snow here, buralara kar yağdığı hiç görülmemiştir: not if I ~ it!, dünyada yapmam [yaptırmam]!: to ~ of s.o., birini bilmek; birini bilmek fakat şahsan tanımamak: not that I ~ of, benim bildiğime göre değil: to ~ what one is talking about, bahsettiği şeyi iyi bilmek: I ~ not what, bilmem ne: to ~ what's what, (bir işte) pişmiş olm; bir işten anlamak.

knowable [ˈnouəbl]. Tefrik edilebilir; tanınması kolay.

knowing [ˈnouiŋ] *a.* Açıkgöz; şeytan; cin fikirli. a ~ smile, çok bilmiş veya anlayışlı bir tebessüm. ~ly, kasden; bile bile.

knowledge [ˈnolidʒ]. Bilgi; ilim; malûmat; haber; malûm şey; cinsî münasebet. common ~, herkesce malûm şey: to my ~, to the best of my ~, benim bildiğime göre: to my certain ~, iyice biliyorum ki: without my ~, benim haberim olmadan: you have grown out of all ~, tanınmaz şekilde büyümüşsün. ~able, malümâtlı ve akıllı.

known [noun] *bk.* know. *a.* Belli; tanınmış; malûm. ~ as ..., ... olarak tanınmış: this is what is ~ as ..., buna ... denilir: a ~ thief, herkesce malûm bir hırsız: well ~, meşhur; herkesce malûm.

knuckle [ˈnʌkl]. Parmak mafsalı; koyunun but etinin diz tarafı. to ~ down [under], teslim olm.: to rap s.o. over the ~s, parmaklarının üzerine vurmak; (*mec.*) birini hafifçe haşlamak. **knuckle-bone,** aşık kemiği: ~s, aşık oyunu. **knuckle-duster,** demir muşta.

knurl [nəəl]. Pürtük, topuz; tırtıl. Maden üzerine tırtıl kesmek.

kohlrabi [koulˈreibi]. Şalgam gibi köklü lâhana; (?) turp lâhanası.

koodoo [ˈkuuduu]. Cenubî Afrika'ya mahsus beyaz çizgili geyik.

kosher [ˈkoʃə*]. Kaşar; turfa olmıyan.

koumiss [ˈkuumis]. Kımız.

kowtow [ˈkauˈtau]. Çin usulü hürmet (etm.); secde (etm.). to ~ to s.o., (*mec.*) birinin karşısında elpençe divan durmak.

kraal [kraal]. Afrika vahşilerinin köyü.

Kt. = Knight.

kudos [ˈkjuudos]. İtibar, şeref.

kudu *bk.* koodoo.

kukri [ˈkukri]. Gurka'ların kullandığı eğri kama.

kumis *bk.* koumis.

kummel [kiml]. Kiraviye tohumundan yapılan bir likör.

L

L [el]. L harfi.

laager [ˈlaagə*]. Cenubî Afrika'da müdafaa için öküz arabalarile çevrili kamp. Bir 'laager' kurmak.

label [ˈleibl] Yafta; marka. Yafta yapıştırmak, yaftalamak.

labi·al [ˈleibjəl]. Şefevî, dudaklara aid; dudak harfi. ~ate [–jeit], şefeviye: ~s, ballıbabagiller.

laboratory [ləˈborətri, ˈlabərətri]. Laboratuvar.

laborious [ləˈbooriəs]. Yorucu; zahmetli; çalışkan. ~ly, gayret ve sebat ile; zahmetle.

labour¹ [ˈleibə*] *n.* Emek, çalışma; zahmet, meşakkat; iş; işçilik; İngiliz İşçi Partisi; el emeği; doğurma (sancısı). a ~ of love, merak saikasile veya başkasının hatırı için yapılan iş: forced ~, angarya: hard ~, ağır hapis cezası: skilled ~, usta işi. **labour-saving,** işten tasarruf (yolu).

labour² *vb.* Çalışmak; çabalamak; uğraşmak. to ~ a point, bir meselenin üzerinde lüzumundan fazla durmak: to ~ along, güçlükle ilerlemek: to ~ under a burden, bir yük altında ezilmek: to ~ under a delusion, bir hayale kapılmak: to ~ under a sense of wrong, kendini mağdur hissetmek. ~ed, (üslûb) ağır, sun'î; (nefes) zahmetle nefes alma. ~er [ˈleibrə*], rençper, işçi. ~ing, a ~ man, rençper, işçi: the ~ class, işçi sınıfı. ~some, yorucu, zahmetli.

laburnum [ləˈbəənəm]. Sarısalkım.

labyrinth [ˈlabərinθ]. Lâbirent; dolambaçlı yer.

lac¹ [lak]. Lâk.

lac². Yüz bin rubye.

lace [leis]. Dantelâ; (korsenin, ayakkabının) bağı. Bağlarını bağlamak; dövmek; (çay vs.ye) konyak yahud rom katmak. milk ~d with rum, romlu süt.

lacerate [ˈlasəreit]. Yırtmak; tırmalamak; tahriş etmek.
lachrym·al [ˈlakriml]. Göz yaşına aid. **~ose** [–mouz], ağlamış; mahzun.
lack [lak]. Eksiklik, noksan; ihtiyac. Eksik olm.; ~ *veya* ~ **for,** ihtiyacında olm., mahrum olmak. **for ~ of ...,** ···sizlik yüzünden, olmadığı için. **lack-lustre,** fersiz.
lackadaisical [lakəˈdeizikl]. Gevşek ve laubalî: rehavetli ve yapmacıklı.
lackaday [lakaˈdei]. Hayıf!, heyhat!
lackey [ˈlaki]. Uşak; peyk.
lacking [ˈlakiŋ]. Eksik; muhtac. **he is ~ in courage,** kâfı derecede cesur değil.
laconic [ləˈkonik]. İcazlı, veciz; kısa ve kestirme.
lacquer [ˈlakə*]. Lâke; vernik; lâke mobilya. Lâke ile kaplamak.
lacrosse [laˈkros]. Kanada'ya mahsus bir top oyunu.
lact·ation [lakˈteiʃn]. Süt verme; süt vermenin müddeti. **~eal,** süte aid, sütlü; keylûsî: **~eous,** süte benziyen. **~ic** [ˈlaktik], süte aid; lebenî.
lacuna, *pl.* **-nae** [ləˈkjuunə, –nii]. Eksiklik; açıklık.
lacustrine [ləˈkʌstrin], **lakustral** [ləˈkʌstrəl]. Göllere aid; gölde yaşıyan.
lad [lad]. Genc, delikanlı, erkek çocuk. **a regular ~,** neş'eli, çapkın.
ladder [ˈladə*]. El merdiveni. **I've a ~ in my stocking,** çorabım kaçtı: **to be at the top of the ~,** yüksek mevkide bulunmak.
lade [leid]. Yükletmek. **~n,** yüklü.
la-di-da [ˈladiˈda]. Kibarlık satan; çalımlı.
ladified [ˈlaidifaid]. Hanımefendilik taslıyan.
lading [ˈleidiŋ]. Bir geminin yükü. **bill of ~,** konişmento.
ladle [ˈleidl]. Kepçe. **~ (out),** kepçe ile dağıtmak.
lady [ˈleidi]. Hanım; hanımefendi; kibar hanım; **lord** ve **knight**'*ların zevcelerine verilen unvan.* **'Ladies',** hanımlara (mahsus helâ): **Lady Day,** 25 mart: **~ doctor,** kadın doktor: **she looks a ~,** hanımefendiye benziyor: **a ladies' man,** kadınlardan hoşlanan ve onların hoşlandığı erkek: **my ~,** 'Lady' unvanı taşıyana hitab tarzı: **Our Lady,** Meryemana. **~like,** bir hanımefendiye yakışır. **~ship, her ~, your ~,** 'Lady' unvanı taşıyan kadına verilen lâkab. **lady-bird,** hanımböceği. **Lady-chapel,** kilisede Meryemanaya tahsis edilen kısım. **lady-killer,** kadınlar nezdinde muvaffakiyet iddiasında olan.
lag[1] [lag]. Gecikme; sebeble netice arasındaki zaman farkı. **to ~ behind,** geri kalmak.
lag.[2] Gayrinâkil madde ile sarmak.
lag.[3] **an old ~,** (*arg.*) sabikalı.
lager [ˈlaagə*]. Alman birası.
laggard [ˈlagəəd]. Tembel, haylaz; bati, geri kalan.
lagoon [laˈguun]. Deniz veya nehrin istilâsından hasıl olan sığ göl; mercan adaları ortasında bulunan gölcük.
laicize [ˈlei·isaiz]. Lâikleştirmek.
laid *bk.* **lay.**
lain *bk.* **lie.**
lair [ˈleə*]. Vahşi hayvan ini veya yatağı; haydud yatağı.
laird [leəd]. İskoçyada emlâk sahibi.
laity [ˈlei·iti]. Ruhanî sınıfa mensub olmıyanlar.
lake [leik]. Göl. **the Lakes,** şimalî İngilterede göller bölgesi. **lake-dwellings,** göllerin sığ yerlerinde kazıklar üzerinde inşa edilen meskenler.
lakh *bk.* **lac.**
lam [lam]. (*arg.*) **to ~ into s.o.,** dayak atmak, darbe indirmek.
lama [ˈlaama]. Buda rahibi, lâma.
lamb [lam]. Kuzu. Kuzulamak. **~'s lettuce** (*Valerianella olitoria*), bir nevi salatalık. **~s' tails,** fındık çiçekleri.
lame [leim]. Topal; sakat. Topallatmak. **a ~ excuse,** zayıf bir mazeret.
lament [ləˈment]. İnilti; şikâyet; ölüye ağlama(k). İnlemek; şikâyet etmek. **the late ~ed,** merhum. **~able** [ˈlaməntəbl], ağlanacak, acınacak.
lamina, *pl.* **-nae** [ˈlamina, -nii]. Varak; kat. **~te,** varaka haline getirmek; varaklı.
lammergeier [ˈlaməəˈgaiə*]. (*Gypaetus barbatus*) Uşakkapan kuşu.
lamp [lamp]. Lâmba, fener. **safety ~,** madenci feneri: **standard ~,** ayaklı lâmba. **~light,** lâmba ışığı. **~lighter,** sokak lâmbalarını yakan adam. **lamp-black,** lâmba isi. **lamp-glass,** lâmba şişesi. **lamp-post,** fener direği. **lamp-shade,** abajur.
lampoon [lamˈpuun]. Hiciv. Hicvederek tahkir etmek.
lamprey [ˈlampri]. (*Petromyzon*) Bofa balığı.
lance [laans]. Mızrak. Deşmek. **lance-corporal,** er ile onbaşı arası rütbe.
lancer [ˈlaansə*]. Mızraklı süvari.
lancet [ˈlaansit]. Neşter.
land[1] [land] *n.* Kara; toprak; memleket; emlâk; arsa; arazi. **Land's End,** cenubu garbî İngiltere'nin Atlantiğe uzanan burnu: **from Land's End to John o' Groats,** İngiltere'nin bir başından bir başına: **back to the ~,** toprağa (ziraate) dönüş: **by ~,** karadan: **dry ~,** kara (yani deniz değil): **the Holy Land,** Arzı Mukaddes, Filistin:

the ~ of the living, bu dünya: to make [sight] ~, karayı görmek: native ~, anavatan: to see how the ~ lies, vaziyeti anlamak; (*bazan*) ağzını aramak. **land-agency,** emlâk simsarlığı. **land-agent,** çiftlik kâhyası; emlâk tellalı. **land-girl,** ziraatte çalışan kadınlar teşkilatına mensub kadın. **land-mine,** kara maynı. **land-surveyor,** arazi mesahacısı. **land-worker,** ziraat amelesi; rençper.

land² *vb.* Karaya çıkmak [inmek]; karaya çıkarmak [indirmek]; götürmek; sokmak. he always ~s on his feet, daima dört ayak üstüne düşer: I was ~ed with this great big house, bu berhane başıma kaldı: to ~ s.o. one, birine tokat aşketmek: that will ~ you in prison, bu yüzden hapse girersen: to ~ on the sea, (uçak) denize inmek: this will ~ us in trouble, bu bizim başımıza iş açacak.

landed [ˈlandid] *a.* ~ property, arazi, mülk: ~ proprietor arazi sahibi.

landfall [ˈlandfool]. Karanın görünmesi. to make a ~, karayı görmek.

landing [ˈlandiŋ]. *n.* Karaya çıkma veya inme; sahanlık. forced ~, mecburî iniş. **landing-ground,** iniş sahası. **landing-net,** (balık avı için) saplı kepçe ağ. **landing-stage,** iskele, rıhtım.

landlady [ˈlandleidi]. Emlâk sahibesi; ev sahibesi.

landlocked [ˈlandˌlokt]. Hemen her taraftan kara ile kuşatılmış (liman veya körfez).

landlord [ˈlandlood]. Emlâk sahibi; ev sahibi; hancı.

landlubber [ˈlandlʌbə*]. Denizciliğe alışık olmıyan adam.

landmark [ˈlandmaak]. Hudud işareti; alâmet; nirengi noktası; mühim hadise.

landowner [ˈlandounə*]. Arazi sahibi.

landscape [ˈlanskeip]. Manzara; manzara resmi. **landscape-gardener,** bahçe mimarı.

landslide [ˈlanslaid]. Heyelân; çöküntü; arazi kayması; siyasî hezimet.

landslip [ˈlanslip]. Heyelân.

landsman, *pl.* **-men** [ˈlansmən]. Denize alışık olmıyan adam.

landward [ˈlandwəd]. Kara tarafına bakan. **~s,** karaya doğru.

lane [lein]. Dar yol veya sokak; okyanus gemilerinin seyrettikleri muayyen yol; iki sıra halk arasındaki geçid.

language [ˈlaŋgwidʒ]. Lisan, dil; konuşma tarzı. bad ~, küfür.

languid [ˈlaŋgwid]. Gevşek; baygın; cansız; mahmur.

languish [ˈlaŋgwiʃ]. Gevşemek; zayıf düşmek; mecalsiz kalmak; süzülmek, erimek; çürümek. to ~ after [for] stg., bir şeyin arzusile erimek.

languor [ˈlaŋgwə*]. Gevşeklik; baygınlık; fütur; cansızlık; mahmurluk. **~ous,** gevşek, baygın, cansız.

laniferous [laˈnifərəs]. Yünlü; yapaklı.

lank [laŋk]. Uzun ve zayıf; (saç, ot) uzun ve ince ve düz. **~y,** uzun bacaklı ve zayıf.

lantern [ˈlantəən]. Fener; projektör; fener şeklinde tepe penceresi. bull's-eye ~, hırsız feneri: Chinese ~, kâğıd feneri: magic ~, hayalcı feneri: ~ lecture, projeksiyonlu konferans: ~ slide, projeksiyon camı.

lanyard [ˈlanjəd]. Kordon; köstek; top ateşleme ipi; filâdur.

lap¹ [lap] *n.* Diz üstü; bir yarışta bir devir; *meselâ* iki kereste birinin diğerine bindirilen kısmı. it is in the ~ of the gods, Allahın elindedir: the last ~, bir yarışın son devri; (*mec.*) çoğu gitti azı kaldı. **lap-dog,** fino.

lap² *vb.* Yalıyarak içmek; (deniz dalgaları) şıpıldamak. to ~ the course, pisti bir defa dönmek; ~ped in luxury, lükse gark olmuş: to ~ over, üst üste bindirmek: to ~ a rope, bir ipi sicim veya tel ile sarmak: to ~ up [down], şapırtı ile içmek veya yemek; (*mec.*) yutmak, inanmak.

lapel [ˈlapl, ləˈpel]. Yaka devrimi.

lapful [ˈlapful]. Kucak dolusu.

lapidate [ˈlapideit]. Taşlamak.

lapis lazuli [ˈlapisˈlazjulai]. Lâciverd taşı.

lappet [ˈlapit]. (Elbise veya başka şeyin) sarkık parçası.

lapse¹ [laps] *n.* Sehiv; kusur; mürüruzaman. ~ of duty, vazifede kusur: ~ of memory, birdenbire unutma: ~ of the tongue, sürçi lisan: with the ~ of time, zamanla; gel zaman git zaman.

lapse² *vb.* (Zaman) geçmek; zeval bulmak; sapmak; düşmek; kapılmak; hata yapmak; battal olm.; (hak, emlâk vs.) başkasına intikal etmek. to ~ into silence, birdenbire susmak. **~d,** battal; gayrı mer'i.

lapsus [ˈlapsus]. ~ calami [ˈkalamai], sehvi kalem: ~ linguae [ˈliŋgwi], sehvi lisan.

lapwing [ˈlapwiŋ]. (*Vanellus*) Kızkuşu.

larboard [ˈlaabəd]. (*esk.*) İskele (geminin sol tarafı).

larceny [ˈlaasəni]. (*um.*) petty ~, küçük hırsızlık; aşırma.

larch [laatʃ]. (*Larix*) Melez çamı.

lard [laad]. Domuz yağı. Et içine domuz yağından küçük parçalar koymak. to ~ one's writings with quotations, yazılarına iktibaslar serpiştirmek.

larder [ˈlaadə*]. Kiler.

lardy-dardy [ˈlaadiˈdaadi] *bk.* **la-di-da.**

large [laadʒ]. Büyük, iri; geniş. as ~ as life, tabiî büyüklükte; sapa sağlam: at ~, serbest, başı boş; umumiyetle: taking it by

and ~, heyeti mecmuası itibariyle. **~ly,** ekseriyetle; umumiyetle. **~ness,** büyüklük, irilik, genişlik. **large-hearted,** âlicenab, deryadil. **large-minded,** geniş kafalı; anlayışlı; müsamahakâr. **large-sized,** büyük boy (şey).

largesse [laaˈdʒes]. Atiyye; bahşiş.

lariat [ˈlarjət]. Bir atı kazığa bağlamak için kullanılan bir ip; kement.

lark¹ [laak]. (*Alauda*) Tarla kuşu. **to get up with the ~**, şafakla beraber kalkmak.

lark². Şaka; eğlence; tuhaflık. **to ~ about,** çocukça eğlenmek, şaka etm.: **to do stg. for a ~**, bir şeyi sırf şaka için yapmak.

larkspur [ˈlaakspəə*]. (*Delphinium*) Hezaren çiçeği.

larva [ˈlaavə]. Sürfe; tırtıl. **~l,** sürfevî.

laryn·geal [laˈrindʒəl]. Hançereye aid. **~gitis** [–ˈdʒaitis], hançere iltihabı. **~x** [ˈlariŋks], hançere, gırtlak.

lascar [ˈlaska*]. Avrupa gemilerinde çalışan Hindli gemici.

lascivious [ləˈsivjəs]. Şehvete düşkün; şehveti uyandırıcı. **~ness,** şehvanîlik.

lash [laʃ]. Kamçı ucu; kamçı darbesi; (*mec.*) acı hiciv, zem. Kamçılamak, kırbaçlamak; hicivli sözlerle tezyif etmek. **to ~ stg. to ...**, bir şeyi ···e iple bağlamak: **to ~ oneself into a fury,** hiddetten kudurdukça kudurmak: **to ~ its tail,** (kedi vs.) kuyruğunu hiddetle oynatmak: **to ~ out,** (at) çifte atmak. **~ing,** *n.* kırbaçlama; kırbaçlanma; ipin ucuna bağlanan sicim, façuna: **~s of (beer,** *etc.*), (*arg.*) bolluk.

lass [las]. Kız. **~ie,** kızcağız.

lassitude [ˈlasitjuud]. Yorgunluk, kesiklik.

lasso [ˈlaso, ləˈsuu]. Lâso; kement. Lâso ile tutmak.

last¹ [laast] *n.* Kundura kalıbı, lorta. ⌜**shoemaker, stick to your ~!**⌝, ⌜çizmeden yukarı çıkma!⌝

last² *a.* Son, sonuncu; geçen. **at ~**, en sonunda, nihayet: **at long ~**, en sonunda, nihayetünnihaye: **the ~ but one,** sondan ikinci [bir evvelki]: **the Last Day,** kıyamet günü: **we shall never hear the ~ of it,** bundan kurtuluş yok: **we haven't heard the ~ of it,** daha dur bakalım, daha başımıza neler gelecek: **in my ~**, son mektubumda: **'~ but not least',** son fakat mühim: **to look one's ~ on,** son defa görmek, son görüşü olm.: **that was the ~ we saw of him,** gidiş o gidiş: **the ~ thing in hats,** en son moda şapka: **that is the ~ thing to frighten me,** hele bundan hiç korkmam: **this day ~ week,** geçen hafta bugün: **to have the ~ word,** (i) münakaşada altta kalmak istememek; (ii) son söz kendisinde olm.: **the ~ word has been said on that,** ictihad kapısı kapandı.

last³ *vb.* Dayanmak; kalmak; sürmek; devam etmek. **it's too good to ~**, (hava) bu güzel hava böyle devam etmez; (talih) bu böyle sürüp gitmez: **the journey ~ed two months,** seyahat iki ay sürdü: **how long does your leave ~?**, izniniz ne kadardır?: **our food will only ~ a month,** yiyeceğimiz bir ay dayanır: **this overcoat will ~ the winter,** bu palto kışı çıkarır: **this overcoat will ~ me the winter,** bu palto beni yaza çıkarır.

lasting [ˈlaastiŋ] *a.* Dayanıklı; devamlı; sürekli.

lastly [ˈlaastli]. Sonunda; nihayet; hülâsa.

latch [latʃ]. Mandal; ispanyolet; zemberek. Mandallamak; zemberekle kilidlemek. **latch-key,** sokak kapısı için ceb anahtarı.

latchet [ˈlatʃit]. (*esk.*) Ayakkabı bağı.

late [leit]. Geç; gecikmiş; eski, sabık; merhum: **later,** daha geç, daha sonra: **latest,** en geç, en sonra, en son. **at the ~st,** en geç: **to be ~ (for stg.),** (bir şey için) gecikmek: **I was ~ in going to bed,** geç yattım: **it's a bit ~ in the day to change your mind,** fikrinizi değiştirmek için çok geç kaldınız: **early and ~**, sabah akşam, bütün gün: **it is getting ~**, vakit gecikiyor, geç oluyor: **~r information made us change our plans,** daha sonra gelen haberler plânımızı değiştirtti: **~ in life,** ilerlemiş bir yaşta: **~ at night** gece geç vakit; **~ into the night,** gece geç vakitlere kadar: **in the ~ nineties,** bin dokuz yüz senesine doğru: **Mr. Jones ~ of Bristol,** bundan evvel Bristol'da ikamet eden Mr. J.: **in ~ summer,** yazın sonuna doğru: **to arrive too ~**, iş işten geçtikten sonra gelmek; yetişememek: **I was too ~**, çok geciktim (yetişemedim): **before it is too ~**, iş işten geçmeden: **to be [stay] up ~**, geç vakte kadar yatmamak: **of ~ years,** son seneler zarfında.

lateen [laˈtiin]. **~ sail,** lâtin yelkeni.

lately [ˈleitli]. Bu günlerde, geçenlerde; bu yakında. **as ~ as yesterday,** daha dün.

lateness [ˈleitnis]. Geçlik. **the ~ of the season,** (i) mevsimin gecikmesi; (ii) mevsimin sonu.

laten·t [ˈleitnt]. Bilkuvve mevcud; gizli olarak mevcud; meknî. **~cy,** bilkuvve veya gizli olarak mevcud olma.

lateral [ˈlatərəl]. Yandaki; canibî.

lath [laaθ]. Lâta. **lath-and-plaster,** bağdadi.

lathe [leið]. Torna tezgâhı.

lather [ˈlaðə*]. Sabun köpüğü. Sabunlamak; sabun gibi köpürmek; (*arg.*) dayak atmak.

Latin [ˈlatin]. Lâtince. **~ characters,** Lâtin harfleri.

latish [ˈleitiʃ]. Biraz geç.

latitud·e [ˈlatitjuud]. Genişlik; serbestlik. Arz derecesi. **in these ~s,** bu iklimlerde. **~inal** [–ˈtjuudinl], arzî. **~inarian** [–ˈneəriən], geniş mezhebli.
latrine [ləˈtriin]. Apteshane.
latter [ˈlatə*]. Sonraki; son zikredilen. **~ end,** ölüm. **~ly,** geçenlerde. **latter-day,** yeni, son moda.
lattice [ˈlatis]. Kafes. Kafes şeklinde; çaprazvarı. **lattice-window,** küçük ve dörtköşe camlardan mürekkeb pencere. **lattice-work,** kafes işi.
Latvia [ˈlatvja]. Letonya. **~n** Letonyalı; let dili.
laud [lood]. Övmek; medhüsena etmek. **~able,** medhe lâyik, müstahsen; makbul; takdire değer.
laudanum [ˈlodnəm]. Afyonruhu.
laudator [ˈlauˈdeitor]. **~ temporis acti,** maziperest.
laudatory [ˈloodətəri]. Medhedici, sitayişkârane.
laugh[1] [laaf] *n.* Gülme; gülüş; alay. **to have the ~ on one's side,** münakaşayı kendi lehine çevirerek muhatabını bozmak: **to have [get] the ~ of s.o.,** birini bozmak, gülünç düşürmek: **with a ~,** gülerek.
laugh[2] *vb.* Gülmek. **to ~ at s.o.,** birisi ile alay etm.: **to ~ at stg.,** bir şeye gülmek: **there 's nothing to ~ at,** gülecek bir şey yok: **to get (oneself) ~ed at,** kendisine güldürmek: **to ~ down stg.,** gülünç bir hale sokmak: **to ~ stg. off,** şakaya vurmak: **to ~ s.o. out of a thing,** alay ede ede vazgeçirtmek: **to ~ over stg.,** bir şeye gülmek; hatırlıyarak gülmek: **to ~ s.o. to scorn,** birisini alay ederek küçük düşürmek: **I'll make him ~ on the wrong side of his face,** [mouth], ben ona gülmeyi gösteririm.
laughable [ˈlaafəbl]. Gülünç; güldürücü; gülecek.
laughing [ˈlaafiŋ]. Gülen; gülme, kahkaha **~ly,** gülerek. **to burst out ~,** kahkaha atmak: **it's no ~ matter,** gülmeğe mahal yok, mesele ciddidir. **laughing-gas,** nitrojenli oksit gazi. **laughing-stock,** gülünç bir şey veya adam; maskara: **to make a ~ of oneself,** âleme maskara olmak.
laughter [ˈlaaftə*]. Gülme, kahkaha, **to hold the sides [split] with ~,** katılırcasına gülmek: **to roar with ~,** kahkaha koparmak.
launch[1] [loontʃ] *n.* **steam ~,** çatana; **motor ~,** motör.
launch[2] *vb.* Kızaktan suya indirmek; atmak, fırlatmak; yürütmek. **to ~ an offensive [plan],** taarruza [plâna] başlamak: **to ~ forth on an enterprise,** bir teşebbüse girişmek: **to ~ out into expense,** hesabsız masraflara girişmek: **once he is ~ed on this subject ...,** bir kere bu mevzua girişti mi ....
laund·er [ˈloondə*]. Çamaşır yıkamak. **~ress** [–dris], çamasırcı kadın. **~ry,** çamasırhane; çamasır.
lauraceae [looˈrasi·ii]. Gariye fasilesi; defnegiller.
laureate [ˈloorjeit]. Başı defneli. **the Poet ~,** İngilterenin resmî baş şairi; meliküşşuara.
laurel [ˈloorəl]. Taflan ağacı; defne ağacı. **to look to one's ~s,** şöhretini başkasına kaptırmamak: **to reap ~s,** şöhret kazanmak: **to rest on one's ~s,** bir muvaffakiyetle iktifa etmek.
lava [ˈlaava]. Lav.
lavatory [ˈlavətri]. Yıkanma yeri; tuvalet.
lave [leiv]. Yıkamak; uzerine su dökmek.
lavender [ˈlavində*]. Lâvanta otu, karabaş otu. **lavender-water,** lâvanta kolonyası.
lavish [ˈlaviʃ]. Bol bol sarf veya bezleden; müsrif, bol; müsrifane. Sahavetle sarfetmek; bezletmek. **~ness,** sahavet; bolluk.
law [loo]. Kanun; hukuk; adalet; kaide. **to be a ~ unto oneself,** bildiğini okumak: **to be at ~,** dâvalı olm.: **court of ~,** mahkeme: **to give a week's ~,** bir hafta mühlet vermek: **to go to ~,** mahkemeye gitmek: **to go to ~ with s.o.,** birisinin aleyhine dâva açmak: **to have the ~ of s.o.,** birisinden dâvacı olm.: **to keep the ~,** kanuna riayet etm.: **to lay down the ~,** ahkâm kurmak; dediğim dedik demek: **without wishing to lay down the ~,** haddim olmıyarak: **to practise ~, to be in the ~,** hukukçuluk, avukatlık etm.: **to take the ~ into one's own hands,** bizzat ihkakı hak etmek. **law-abiding,** kanuna riayetkâr; namuskâr, dürüst. **law-breaker,** kanun tanımıyan; serkeş. **law-lord,** lordlar kamarasının hukukçu azası. **law-maker,** kanun vâzıı.
lawful [ˈloofl]. Meşru; kanuna uygun; mubah.
lawgiver [ˈloogivə*]. Kanun vâzıı.
lawless [ˈloolis]. Kanun tanımaz; serkeş. **~ness,** nizamsızlık; fitne; kargaşalık.
lawn[1] [loon]. İnce keten bezi; patiska. **~ sleeves,** piskoposlara mahsus patiska yenler; (*mec.*) piskoposluk payesi.
lawn[2]. Çimenlik. **lawn-mower,** çimen kırpma makinesi. **lawn-tennis,** tenis oyunu.
lawsuit [ˈloosjuut]. Dâva.
lawyer [ˈloojə*]. Dâva vekili; avukat.
lax [laks]. Gevşek, ihmalci, rehavetli: **~ in morals,** hafifmeşreb: **~ attendance,** devamsızlık: **~ use of a word,** bir kelimenin yersiz kullanılması.

laxative [ˈlaksətiv]. Liynet verici (ilac), müshil.
lay[1] [lei] *n.* Halk şiiri; nağme; şarkı.
lay[2] *a.* Lâik; ruhanî sınıftan olmıyan.
lay[3] *bk.* **lie.**
lay[4] **(laid)** [lei, leid] *vb.* Koymak; bırakmak; yatırmak; sermek; kurmak. **to ~ about one,** sağa sola vurmak: **to ~ a bet,** bahse girmek: **to ~ the cloth,** sofrayı kurmak: **to ~ a complaint,** şikayette bulunmak: **to ~ a course (naut.),** (*den.*) rota vermek: **to ~ a demand,** talebde bulunmak: **to ~ (dinner) for three,** üç kişilik sofra kurmak: **to ~ eggs,** yumurtlamak: **to ~ the fire,** ocağı hazırlamak: **to ~ a gun,** topu hedefe çevirmek: **to ~ a plan,** bir plân kurmak: **to ~ s.o. to rest,** birini toprağa tevdi etm.: **to ~ a ship alongside,** gemiyi yanaştırmak: **to ~ the table,** sofrayı kurmak: **to ~ that...,** bahse girmek. **lay aside,** bir tarafa koymak. **lay by,** (para vs.) bir kenara koymak. **lay down,** bir yere bırakmak; (halı, demiryolu) döşemek, ferşetmek: **to ~ down one's arms,** teslim olm.: **to ~ down conditions,** şartları tayin etm.: **to ~ down one's hand,** (kâğıd oyununda) elini göstermek: **to ~ down one's life,** hayatını feda etm.: **to ~ down one's office,** memuriyetini terketmek: **to ~ oneself down,** yatmak: **to ~ down a ship,** geminin esas kısmına başlamak: **to ~ down that...,** ... şart koşmak: **to ~ down wine,** şarabı mahzene depo etmek. **lay in,** tedarik etm., iddihar etm.; dayak atmak. **lay off, ~ off workmen,** işçiler muvakkaten yol vermek: **to ~ off a bearing,** harita üzerinde bir noktanın kerterizini çizmek. **lay on,** (boya vs.) sürmek; (vergi) kesmek: **to ~ on electricity, water,** elektrik, su, tesisatını yapmak: **to ~ it on thick (with a trowel),** ballandırdıkça ballandırmak, pohpohlamak: **to ~ on with a will,** kamçı vs. yapıştırmak. **lay out,** dizmek ve yaymak: **to ~ s.o. out,** birisini yere sermek: **to ~ out a camp [garden],** ordugâh [bahçe] plânını çizmek: **to ~ out a corpse,** ölüyü techiz ve tekfin etm.: **to ~ out money,** para harcamak: **to ~ out a road,** bir yolun güzergâhını tesbit etm.: **to ~ oneself out to please,** göze girmeğe çalışmak. **lay up,** iddihar etm., toplamak: **to ~ up a ship, a car,** *etc.*, gemi, otomobil vs. techizatını çıkarıp muvakkaten bir yerde muhafaza etm.: **to be laid up (by illness),** yatak hastası olmak.
lay-day [ˈleiˈdei]. Bir geminin yükletme ve boşaltma müddeti.
layer[1] [ˈleiə*]. Kat, tabaka; daldırma fidan. Kat kat koymak; fidan daldırmak.
layer[2]. **a good [bad] ~,** çok [az] yumurtlayan.
lay-figure [ˈleiˌfigə*]. Manken; kukla.
layman, *pl.* **-men** [ˈleimən]. Lâik, ruhanî sınıftan olmıyan kimse; bir meslek veya ilmin yabancısı.
lay-out [leiˈaut]. Plân; düzen; tertib.
lazaret(to) [lazəˈret(o)]. Tahaffuzhane.
laze [leiz]. Tembelleşmek. **to ~ away one's time, to ~ about,** hiç bir şey yapmıyarak tembelce vakit geçirmek, avarelik etmek.
laziness [ˈleizinis]. Tembellik, haylazlık.
lazy [ˈleizi]. Tembel, haylaz. **lazy-bones,** tembel çocuk.
lea [lii]. Çayır.
leach [liitʃ]. Suda eriyen kısımlarını ayırmak için küller vs, yıkamak. (Toprak) su tesirile madenî tuzlarını kaybetmek.
lead[1] [led]. Kurşun; kurşundan yapılmış; iskandil kurşunu. Kurşun ile kaplamak; bir şeye kurşun takmak. **pig ~,** külçe kurşun: **red ~,** sülyen tozu: **white ~,** üstübeç: **to heave the ~,** iskandil atmak: **to swing the ~,** temaruz etm., kendini yalandan hasta göstermek.
lead[2] [ˈliid] *n.* Önde bulunma; rehberlik; delâlet; köpek kayışı; (*elek.*) tel. **to follow s.o.'s ~,** birini takib etm., birinin eserini takib etm.: **to give the ~,** örnek olm.: **to give s.o. a ~,** yol açmak, yol göstermek: **at the bridge our boat had a ~ of one minute over the rest,** köprüye geldiğimiz zaman bizim kayık diğerlerinin bir dakika önünde idi: **on a lead (dog),** (köpek) kayışlı: **to take the ~,** önayak olm.: **to take the ~ over s.o.,** önüne geçmek.
lead[3] **(led)** [liid, led]. *vb.* (Elinden tutup) alıp getirmek; yedmek; önlerine geçmek; müncer olm.; idare etm.; emrinde olm.; götürmek, çıkmak; çıkarmak. **to ~ (at cards),** açmak: **to ~ a happy [miserable] life,** bahtiyar [sefil] bir hayat sürmek: **to ~ s.o. a miserable life,** birine sefil bir hayat yaşatmak: **to ~ a movement,** bir harekete önayak olm., başına geçmek: **to ~ to nothing,** hiç bir neticeye çıkmamak, beyhude olm.: **to ~ the way,** yol göstermek, rehberlik etm., öne geçmek: **to ~ s.o. wrong,** birini baştan çıkarmak, ayartmak: **easily led,** kolayca başkasına tabi olan: **I am led to the conclusion that ...,** şu neticeye vardım ki .... **lead away,** elinden tutup alıp götürmek; ayartmak: **to be led away,** başkasının tesirine kapılmak. **lead off,** elinden tutup alıp götürmek; başlamak. **lead on,** önüne geçmek; yol göstermek; teşvik etm.: **to ~ s.o. on to say stg.,** birini bir şeyi söylemeğe sevketmek: **that ~s on to what I was going to say,** bu asıl söyliyeceğim şeye götürür. **lead up,** (elinden tutup) yukarı çıkarmak: **to ~ up to a subject,** muhavereyi bir bahse götürmek [çevirmek].

leaden [ˈledn]. Kurşundan yapılmış; kurşunî. **leaden-footed,** ağır yürüyen.
leader [ˈliidə*]. Reis; kumandan; lider; önayak; elebaşı; baş makale. **~ship,** sevkü idare kudreti; reislik; liderlik: **under the ~ of,** ···in emri [idaresi] altında.
leading [ˈliidiŋ] *a.* En mühim, başta gelen, belli başlı, başlıca. **~ article,** baş makale: **~ cases,** emsal teşkil eden dâvalar: **~ part,** baş rol: **~ question,** istenilen cevaba götüren sual, *fakat,* **the ~ question of the day,** günün en mühim meselesi. **leading-rein,** biniciliğe ve at alıştırmağa mahsus yedek dizgin. **leading-strings,** yürümeğe başlıyan çocuğa mahsus askı: **to be in ~,** başkasının vesayet ve idaresinde olmak.
lead-screw [ˈliidskruu]. (Torna) ana mili.
leaf [liif]. Yaprak; varak; lâma; (kapının) kanadı. **~ of a table,** masanın uzatma eki: **in ~,** yeşermiş: **the fall of the ~,** yaprakdökümü, hazan: **to take a ~ out of s.o.'s book,** bir işte başkasına imtisal etm., örnek almak: **to turn a ~ down,** kitabın sahifesini kıvırmak: **to turn over a new ~,** yaşayışını ıslah etmek. **~let,** yaprakcık; risale. **~y,** yapraklı. **leaf-mould,** yaprak gübresi; funda toprağı.
league[1] [liig]. Fersah.
league[2]. Cemiyet; birlik, lig. **to ~ together,** birleşmek, ittifak etm.: **League of Nations,** Milletler Cemiyeti: **to be in ~ with,** ile birlik etm.: **to form a ~ against s.o.,** birinin aleyhine birleşmek.
leak [liik]. Sızıntı; delik; akıntı. Sızmak, akmak; sızdırmak; su etmek. **to ~ out,** dışarı sızmak: **to spring a ~,** (gemi) su edecek kadar yarılmak: **to stop a ~,** su sızılan bir deliği tıkamak. **~age** [-idʒ], sızıntı; su etme; ifşa; süzülme firesi. **~y,** sızar; delik.
leal [liil] *bk.* **loyal.**
lean[1] [liin] *a. & n.* Zayıf; lağar; kıt. Yağsız et. **a ~ diet,** perhiz, bol olmıyan yemek: **~ years,** kıtlık yılları.
lean[2] *vb.* (**leant**) [liin, lent]. Meyletmek; temayül etm.; eğilmek. **~ against,** ···e dayanmak: **~ back,** arkasına dayanmak: **~ forward,** ileriye eğilmek: **~ out,** sarkmak: **~ over,** abanmak, inhiraf etm.: **~ towards,** temayül etm., meyletmek: **~ upon,** ···e dayanmak. **lean-to, ~ shed,** sundurma.
leant *bk.* **lean.**
leap (**-ed** *veya* **leapt**) [liip, -t, lept]. Atlamak; sıçramak. Üzerinden atlamak; (at) kısrağa binip çiftleşmek. **to ~ at an offer,** bir teklifi tehalükle kabul etm.: **to ~ for joy,** sevincinden sıçramak, etekleri zil çalmak. **leap-frog,** birdirbir. **leap-year,** kebise sene.
leapt *bk.* **leap.**
learn (**-ed** *veya* **learnt**) [ləən, -d, -t]. Öğrenmek; haber almak; malûmat edinmek. **to ~ from s.o.,** (i) birisinden haber veya malûmat almak; (ii) birisine imtisal etm.: **to ~ a [one's] lesson,** iyi bir ders almak; Hanyayı Konyayı anlamak: ⌜**it 's never too late to ~**⌝, *veya* ⌜**live and ~**⌝, insan her yaşta öğrenebilir. **~ed** [ˈləənid] *a.* malûmatlı; âlim, bilgili. **~er,** talebe, acemi: **a quick ~,** çabuk öğrenir. **~ing** *n.* öğrenme; ilim, bilgi: **a man of great ~,** pek malûmatlı bir adam, mütebahhir.
lease [liis]. Uzun müddetle kiralama(k). **a ten years' ~,** on sene için kiralama: **to take on a new ~ of life,** yeninden hayata dogmak; yeni bir hayat kazanmak. **~hold,** kira ile tutma; kiralanmış. **~holder,** kiracı; müstecir.
leash [liiʃ]. Köpeklerin boyunlarına takılan ip veya sırım. Bir köpege sırım takmak.
least [liist]. En az; en küçük; asgarî. **at ~,** hiç olmazsa: **ten days at the (very) ~,** en aşağı on gün: **~ of all would I do that,** yapmıyacağım bir şey varsa o da budur: **he deserves it ~ of all,** o buna herkesten daha az layıktır *yahud* müstahaktır: **not in the ~,** hiç bir şekilde; estağfurullah!: **not in the ~ degree, not the ~ bit,** hiç bir şekilde, hiç te: **it doesn't matter in the ~,** hiç ehemmiyeti yok, hiç zarar yok: **that is the ~ of my cares,** bunu hiç düşünmem bile: **not the ~ merit of this book,** bu kitabın en büyük meziyetlerinden biri: **to say the ~ of it,** en hafif tabirile. **~ways,** (*hlk.*) hiç olmazsa; her halde.
leather [ˈleðə*]. Kösele; meşin; deri. Köseleden yapılmış. Kösele ile kaplamak; (*arg.*) dayak atmak. **~ bottle,** tulum: **morocco ~,** sahtiyan: **patent ~,** rugan: **Russia ~,** telâtin: ⌜**nothing like ~**⌝, *kendi istifadesini düşünerek bir tavsiye de bulunan kimse hakkında kullanılır.* **leather-jacket,** tipula kurdu.
leathern [ˈleðəən]. Köseleden yapılmış.
leathery [ˈleðəri]. Kösele gibi; (et) sahtiyan gibi.
leave[1] [liiv] *n.* Müsaade, ruhsat; izin; mezuniyet. **by your ~!,** müsaadenizle!: **on ~,** mezunen, izinli: **shore ~,** karaya çıkma müsaadesi: **to take one's ~,** veda etm.; ayrılmak: **to take French ~,** veda etmeden gitmek, sıvışmak; izinsiz gitmek veya bir iş yapmak. **leave-taking,** veda.
leave[2] *vb.* (**left**) [liiv, left]. Bırakmak, terketmek; bir yerden çıkmak; (emanet vs.) tevdi etm.; [*mechul fiil* **to be left** *ekseriyetle* kalmak *ile tercüme edilebilir.*] Hareket etmek, ayrılmak. **let us ~ it at that,** (bu bahsi) burada bırakalım; burada keselim:

he is still too ill to ~ his bed, henüz yataktan çıkamıyacak derecede hastadır: ~ him to himself!, onu kendi haline bırak!: to ~ hold [go] of stg., salıvermek: four from six ~s two, altıdan dört çıktı iki kaldı: he ~s his office at 5 o'clock, dairesinden saat beşte çıkar: he left school at eighteen, mektebi on sekiz yaşında bitirdi: to ~ the table, sofradan kalkmak: ⌜take it or ~ it!⌝, ⌜ister beğen, ister beğenme!⌝: left to oneself, yalnız kalınca, yalnız başına: he was left £1,000, kendisine bin lira miras kaldı: when the father died they were left very badly off, babaları ölünce darda kaldılar: there is only one bottle left, yalnız bir şişe kaldı: there was nothing left to me but to ~ the country, bana memleketi terketmekten başka yapacak bir şey kalmadı (başka çare yoktu): my secretary drew up the whole report, there was nothing left to me but to sign it, bütün raporu kâtibim yazdı, bana yalnız imza etmek kaldı. **leave about,** ortada bırakmak. **leave alone,** kendi haline bırakmak; rahat bırakmak. **leave behind,** unutmak; bırakmak; geride bırakmak. **leave off,** vazgeçmek; bırakmak. **leave out,** dışarıda bırakmak; etmemek; atlamak. **leave over,** tehir etm.: to be left over, artmak, kalmak.

leaven [ˈlevn]. Maya; hamur. Mayalandırmak; tesir etm., şeklini değiştirmek. **~ed,** mayalı.

leaves [liivz]. leaf'in cemi.

leaving [ˈliiviŋ] *n.* Bırakma; ayrılma; hareket etme. ~ **certificate,** orta tahsil diploması. **~s,** artık.

Lebanon [ˈlebənən]. Lübnan.

lecher·ous [ˈletʃərəs]. Şehvete düşkün, zampara. **~y,** şehvet, zamparalık.

lectern [ˈlektəən]. Rahle.

lecture [ˈlektʃə*]. Umumi ders; konferans. Konferans vermek, ders vermek; va'zetmek, tekdir etmek. **to ~ on a subject,** bir mevzu hakkında konferans vermek: **to give [read] s.o. a ~,** birine va'zetmek; tekdir etmek. **~r,** konferans veren adam; doçent: **~ship,** doçentlik.

led [led] *bk.* lead. *a.* **a ~ horse,** yedek at.

ledge [ledʒ]. Düz çıkıntı; raf; kaya tabakası, resif.

ledger [ˈledʒə*]. Ana defter.

lee [lii]. Rüzgâraltı; himaye. **under the ~ of ...,** ... muhafazalı tarafindan. **leeboard,** (geminin) düşme tahtası.

leech[1] [liitʃ]. Sülük; (*esk.*) hekim.

leech[2]. Yelkenin kıç yakası.

leek [liik]. Pırasa.

leer [liə*]. Şehvetle veya kötü niyetle yan bakmak. Öyle bir bakış.

lees [liiz]. Tortu.

lee·ward [ˈliiwəd, ˈluəd]. Rüzgâraltı tarafına aid. **~way,** geminin rüzgâraltı tarafına düşmesi: **to make up ~,** kaybedilen vakti veya geri kalan işi telâfi etmek.

left[1] *bk.* leave.

left[2]. Sol; soldan; sola doğru. Sol taraf. **the ~,** sol parti. **left-hand,** sol tarafdaki: **~ screw,** sağdan sola dönen vida. **left-handed,** solak; sol elile vurulan veya yapılan: **a ~ compliment,** kompliman yaparken çam devirme: **~ marriage,** küfüv olmıyan izdivac.

leg [leg]. Bacak; ayak; but; konc; bir geminin rota değiştirmeden aldığı yol. **I am on my ~s all day,** bütün gün ayaktayım; bütün gün bana dur otur yok: **to get on one's ~s again,** iyileşmek, yataktan kalkmak: **to give s.o. a ~ up,** birisinin ata binmesine yardım etm.; muzaheret etm.: **to have the ~s of s.o.,** birisinden daha hızlı koşmak: **to keep one's ~s,** ayakta durabilmek: **to be on his [its] last ~s,** ölmek üzere olm.; sönmek üzere olm.; sıfırı tüketmek: **not to leave s.o. a ~ to stand on,** iddialarını birer birer çürüterek diyecek bir şey bırakmamak: **to pull s.o.'s ~,** birile alay etm.: **to run as fast as one's ~s will carry one,** var kuvvetile koşmak: **to get one's sea ~s,** geminin hareketine alışıp ayakta durabilmek: **to set s.o. [stg.] on his [its] ~s again,** tutup kaldırmak; canlandırmak; diriltmek: **to show a ~,** yataktan kalkmak: **to stand on one's own ~s,** kendi yağile kavrulmak.

legacy [ˈlegəsi]. Vasiyet ile birine bırakılan para veya şey. **a ~ of the past,** mazinin mirası; geçmişten kalma; bergüzar.

legal [ˈliigl]. Kanunî, meşru, adlî, hukukî, caiz. **to take ~ advice,** adlî istişarede bulunmak. **~ity** [–ˈgaliti], kanuniyet; caiz olma. **~ize** [ˈliigəlaiz], tecviz etm., kanunileştirmek.

legate [ˈleget]. Elçi; Papa elçisi.

legatee [legəˈtii]. legacy alan kimse.

legation [liˈgeiʃn]. Orta elçilik; sefarethane.

legend [ˈledʒənd]. Menkibe; hikâye; bir sikkenin üzerindeki yazı, kitabe; harita veya resim işaretleinin izahı. **~ary** [–əri], efsanevî.

legerdemain [ˈledʒədəˈmein]. Elçabukluğu.

leggings [ˈlegiŋgz]. Tozluk, getr.

leggy [ˈlegi]. Uzun bacaklı; (nebat) gelişemeden uzayıp giden.

Leghorn [leˈgoon]. Livorno; bir cins tavuk.

legible [ˈledʒibl]. Okunaklı.

legion [ˈliidʒən] (Eski Romada) alay; bazı askerî kıt'alara verilen isim; bir çok. **their name is ~,** sayısızdırlar. **~ary,** lejiyoner.

legislat·e [ˈledʒisleit]. Kanun yapmak. ~**ion** [–ˈleiʃn], kanun yapma; mevzu kanunlar. ~**ive** [–iv], kanun yapan, kanun vazına aid, teşri. ~**or** [–ə*], kanun vâzıı. ~**ure** [–jə*], kanun yapan heyetlerin mecmuu.
legist [ˈliidʒist]. Hukukçu.
legitimacy [liˈdʒitəməsi]. Meşru olma, meşruiyet.
legitimate *a.* [liˈdʒitimət]. Meşru, caiz, helâl, haklı. ~ **pride,** haklı gurur: ~ **child,** helâlzade, meşru çocuk. *vb.* [liˈdʒitiˈmeit]. Gayrimeşru çocuğun nesebini tashih etmek.
leg-of-mutton [ˈlegofˈmʌtn]. Koyun budu şeklinde.
legum·e [leˈgjuum]. Bakla fasilesinden nebat ve tohumu. ~**inous** [–inəs]; bakla fasilesine aid.
leisure [ˈleʒə*]. Boş vakit, meşguliyetsiz vakit; rahat. **to be at** ~, meşguliyeti olmamak, serbest olm.: **to do stg. at one's** ~, bir şeyi rahatça acelesiz ve müsaid bir zamanda yapmak: **people of** ~, meşguliyetsiz ve vakti boş kimseler. ~**d** [ˈleʒəd], vakti bol, hali vakti yerinde. ~**ly,** acelesiz, rahatça: **a** ~ **journey,** geze geze seyahat.
leman [ˈleman]. Metres.
lemming [ˈlemiŋ]. Şimalî Avrupada yaşıyan kır faresine benzer ufak bir hayvan.
lemon [ˈlemən]. Limon; limonlu. ~**ade** [ˌleməˈneid], limonata; gazoz. **lemon-cheese,** yumurta ve şeker ve limon suyu ile yapılan bir tatlı. **lemon-sole** (*Pleuronectes microcephalus*) dilbalığı cinsinden yavan bir balık.
lemur [ˈliimə*]. Maki.
lend [lend]. İare etm.; ödünc vermek; borc vermek. **to** ~ **an ear,** kulak asmak: **to** ~ **itself to ...,** ···e müsaid olm.: **to** ~ **help** [**a hand**] **to ...,** yardım etm.: **to** ~ **out books,** kira ile kitab vermek: ~**ing library,** kira ile kitab veren kütübhane.
length [leŋkθ]. Uzunluk: ~ **of time,** müddet: ~ **of service,** kıdem. **at** ~, (i) en sonunda, nihayet; (ii) uzun uzadıya; (iii) baştan sona kadar: **a dress** ~, bir elbiselik kumaş: **to fall all one's** ~ [**full** ~] **on the ground,** yere boylu boyuna düşmek, serilmek: **to go to the** ~ **of, ...** dereceye kadar varmak: **to go to any** ~(s), her çareye başvurmak, ne yapıp yapıp: ~ **over all** [**overall** ~], tam uzunluk: **over the** ~ **and breadth of the country,** memleketin dört yanında, her köşesinde: **of some** ~, oldukça uzun: **to turn in its own** ~, olduğu yerde dönmek: **to go the whole** ~ **of the street,** sokağın başından sonuna kadar gitmek: **to win by a** ~, (yarışı) bir kayık veya bir at boyu farkla kazanmak.
lengthen [ˈleŋkθn]. Uzatmak; temdid etm., arttırmak. Uzamak. **his face** ~**ed,** surat astı.
lengthiness [ˈleŋkθinis]. Uzunluk; ıtnab.
lengthways, -wise [ˈleŋkθweiz, -waiz]. Uzunluğuna.
lengthy [ˈleŋgθi]. Uzun uzadıya; mufassal.
lenien·ce, -cy [ˈliiniəns(i)]. Mülayemet; müsamaha. ~**t,** mülayim; müsamahakâr.
lens [lenz]. Adese; objektif; pertavsız.
lent[1] [lent] *bk.* **lend.**
lent[2]. Büyük perhiz. ~**en,** büyük perhize aid.
lenti·cular, -form [lenˈtikjulə*, ˈlentifoom]. Adese şeklinde.
lentil [ˈlentl]. Mercimek.
leonine [ˈliijənain]. Aslan gibi.
leopard [ˈlepəd]. Pars. ⌜**can the** ~ **change his spots?**⌝, ⌜kırk yıllık Yani olur mu Kâni?⌝ ~**ess,** dişi pars.
leper [ˈlepə*]. Miskin adam; cüzamlı adam.
lepidoptera [ˌlepiˈdoptəra]. Harşefiyülcenah sınıfı.
leprechaun [ˈleprokoon]. İrlanda halk efsanesinde cüce bir cin.
lepro·sy [ˈleprəsi]. Cüzam; miskinlik. ~**us,** cüzamlı; miskin; abraş.
lesion [ˈliiʒn]. Nesci hücreviye hâsıl olan zarar; tagayyür.
less [les]. Daha az; daha küçük; eksik, noksan. **I was all the** ~ **surprised,** çok daha az şaştım, hiç şaşmadım: **to grow** ~, azalmak: **we have** ~ **and** ~ **to eat every day,** yiyeceğimiz gittikçe azalıyor: **in** ~ **than no time,** bir anda, göz açıp kapayıncaya kadar: **London is no** ~ **expensive than Paris,** Londra pahalılıkta Paris'ten aşağı değildir: **he writes with no** ~ **knowledge than clarity,** malûmatlı olduğu kadar vuzuh ile de yazıyor: **he has no** ~ **than a thousand a year,** senelik geliri tam bin liradir: **he has not** ~ **than a thousand a year,** senede en aşağı bin lira geliri var: **no** ~ **a person than the King himself,** bizzat kıral: **none the** ~, buna rağmen; ne ise: **he resembled nothing** ~ **than a wrestler,** hiç te pehlivana benzemiyordu: **he can't talk his own language, still** ~ **Turkish,** türkçe şöyle dursun kendi lisanını konuşamaz: ⌜**the** ~ **said the better**⌝, nekadar az söylenirse o kadar iyidir.
-less *suff.* ···siz, *mes.* **harmless,** zararsız.
lessee [leˈsii]. Kiracı, müstecir.
lessen [ˈlesn]. Küçültmek, küçülmek; azal(t)mak.
lesser [ˈlesə*]. Daha küçük; daha az. **the** ~ **of two evils,** ehveni şer.
lesson [ˈlesn]. Ders; ibret. **to draw a** ~ **from stg.,** bir şeyden ibret almak: **let that be a** ~ **to you,** bundan ibret al: **to learn one's** ~ (**by bitter experience**), boyunun

ölçüsünü almak; Hanyayı Konyayı öğrenmek.

lessor [ˈlesor]. Kiraya veren.

lest [lest]. Olmasın diye; belki. ~ **we forget,** unutmıyalım diye: **I feared** ~ **he should die,** öleceğinden [ölür diye] korktum.

let[1] [let]. Kiraya vermek. Kiralama, icar. **house to** ~, kiralık ev.

let.[2] Mania.

let[3]. Bırakmak; müsaade vermek. **let** *fiili başka bir fiilin başına geldiği zaman onu müteaddi yapar, mes.* **to fall,** düşmek: **to let fall,** düşürmek: **to know,** bilmek, **to let know,** bildirmek. **to** ~ **alone,** kendi haline bırakmak: **he can't even walk,** ~ **alone run,** koşmak şöyle dursun, yürüyemez bile: **to** ~ **be,** müdahale etmemek, kendi haline bırakmak: ~ **the cost be ever so high,** ne kadar pahalı olursa olsun: **to** ~ **go,** salıvermek: **to** ~ **things go,** işin peşini bırakmak; kapıp koyuvermek: **he** ~ **himself go,** veryansın etti; açtı ağzını yumdu gözünü: ~ **me hear what happened,** olanı biteni anlat. **let down,** indirmek; düşürmek; yarı yolda bırakmak; vadini tutmıyarak birisini inkisara uğratmak: **he** ~ **me down badly,** beni çok fena sukutu hayale uğrattı; atlattı; bu adamda olan ümidim boş çıktı: **to** ~ **s.o. down gently,** birinin kabahatini tatlılıkla yüzüne vurmak; birini hafifçe cezalandırmak: **to** ~ **down a coat,** *etc.*, bir elbiseyi uzatmak: **to** ~ **the fire down,** ateşi kendi kendine sönmeğe bırakmak: **to** ~ **one's hair down,** saçını çözmek: **to** ~ **a tyre down,** lâstiği söndürmek: **the chair** ~ **him down,** iskemle çökerek onu düşürdü. **let-down,** sukutu hayal; atlatma; atlatılma. **let in,** içeri almak; geçme takmak; eklemek; gömmek: **this will** ~ **me in for a lot of work,** bu bir sürü iş demektir: **I've been** ~ **in for a thousand pounds,** bu bana bin liraya maloldu: **I didn't know what I was** ~**ting myself in for,** giriştiğim işin müşkülâtını hesablıyamadım, başıma gelecekleri bilmedim: **to** ~ **s.o. in on a secret,** bir sırrı birine açmak. **let-in,** gömme. **let off,** (silâh, ok) atmak; salıvermek; affetmek: **to** ~ **s.o. off lightly,** hafif bir ceza ile salıvermek: **to be** ~ **off with a fine,** bir para cezasıyle yakayı kurtarmak: **to** ~ **off steam,** istim koyuvermek; içini boşaltmak, içini dökmek. **let-off,** ucuz kurtulma. **let on, to** ~ **on about stg.,** bir şeyi ifşa etmek. **let out,** çıkarmak; salıvermek; birisine kapıyı açmak; boşaltmak; uzatmak, genişletmek: **to** ~ **out at s.o.,** vurmak; çifte atmak: **to** ~ **boats out (on hire),** kayık kiraya vermek: **to** ~ **out (a secret),** (bir sırrı) ifşa etm., ağzından kaçırmak: **to** ~ **a strap out one hole,** kayışı bir delik açmak. **let up,** kalkmağa müsaade etm.; gevşemek.

-let *suff. Küçültme eki, mes.* **streamlet,** küçük çay.

lethal [ˈliiθl]. Öldürücü.

letharg·ic [liˈθaadʒik]. Rehavetli; uyuşuk. ~**y** [ˈleθədʒi], uyuşukluk, rehavet, gevşeklik.

levant[1] [leˈvant] *vb.* Borclarını ödemeden sıvışmak.

Levant[2]. **the** ~, Akdenizin şark sahilindeki memleketler. ~**ine** [levnˈtiin, leˈvantain, ˈlevntain], tatlısu frengi, levantin.

levee[1] [ˈlevi]. Bir hükümdar veya büyük şahıs tarafından yapılan resmi kabul.

levee[2]. Nehir kenarında su taşmasına mani olacak sed.

levee[3]. ~ **en masse,** nefiri âm.

level[1] [ˈlevl] *n.* Seviye; hiza; tesviye âleti, nivo. **to find one's** ~, kendi muhit ve seviyesini bulmak: **on a** ~ **with** ..., ile bir hizada, bir seviyede: **on the** ~, düzlükte; dürüst: **out of** ~, müstevi ve ufkî olmıyan.

level[2] *a.* Düz; müstevi, ufkî. ~ **with,** bir hizada: ~ **crossing,** demiryolu geçid: **a** ~ **race,** müsavi yarış: **to do one's** ~ **best,** elinden geleni yapmak: **to keep a** ~ **head,** soğukkanlılığını muhafaza etm.: **to lay (a place)** ~ **with the ground,** yerle yeksan etmek. **level-headed,** müvazeneli, mazbut; soğukkanlı.

level[3] *vb.* Tesviye etmek. **to** ~ **accusations against s.o.,** birisine karşı ithamlarda bulunmak: **to** ~ **a blow at s.o.,** birisine bir darbe indirmek: **to** ~ **a gun at s.o.,** tüfeği bir kimseye çevirmek: **to** ~ **up,** bir hizaya getirmek.

lever [ˈliivə*]. Manivelâ; (*mec.*) vasıta, âlet. Manivelâ ile kaldırmak. ~**age,** manivelâ kudreti.

leveret [ˈlevrət]. Tavşan yavrusu.

leviable [ˈlevjəbl]. Tarh ve tahsili mümkün.

leviathan [leˈvaiəθən]. Ejderha; pek büyük bir hayvan veya gemi vs.

levity [ˈleviti]. Hiffet; hoppalık.

levy [ˈlevi]. Toplama; vergi; asker toplama. Para veya asker toplamak. **to** ~ **blackmail,** birine şantaj yapmak: **to** ~ **a fine on s.o.,** birisinden para cezası almak: ~ **in mass,** nefiri âm: **to** ~ **a tax,** vergi tarhetmek: **to** ~ **a tribute on** ..., ···den harac almak: **to** ~ **war on s.o.,** birisile harb etmek.

lewd [ljuud]. İffetsiz; fuhşa aid, açık saçık. ~**ness,** açıksaçıklık, fuhuş.

lexicograph·er [ˌleksiˈkogrəfə*]. Lûgatçi. ~**y,** lûgat ilmi, lûgatçilik.

lexicon [ˈleksikən]. Lûgat.

liability [ˈlaiəˈbiliti]. Zimmet; mesuliyet;

mükellefiyet; maruz olma; temayül; (hastalığa) istidad. **assets and liabilities,** aktif ve pasif, matlub ve zimmet.
liable [ˈlaiəbl]. Mesul; mükellef, tâbi; maruz, duçar; müsteid; muhtemel.
liaison [liˈeizon]. İrtibat; vasletme; münasebet. ~ **officer,** irtibat subayı.
liar [ˈlaiə*]. Yalancı.
libation [laiˈbeiʃn]. Eskiden ilâhların şerefine şarabın toprağa dökülmesi, (*şk.*) içki içme.
libel [ˈlaibl]. İftira; zem ve kadih. Aleyhine iftirada bulunmak. **to bring an action for ~ against s.o.,** birisi aleyhine zem ve kadih dâvasi açmak. **~lous,** iftiralı, müfteriyane.
liberal [ˈlibərəl]. Cömert, eliaçık; bol; ahrara aid; hürriyet ve terakki tarafdarı, liberal, serbest fikirli: ~ **education,** ictimaî ilimler tahsili. **~ism,** liberallik; ahrarlık; politikada hürriyetperverlik. **~ity** [ˌlibəˈraliti], cömertlik, eliaçıklık; fikir genişliği.
liberat·e [ˈlibəreit]. Serbest bırakmak; azad etm.; koyuvermek; kurtarmak. **~or,** halâskâr, kurtarıcı.
libertin·e [ˈlibətain, -tin]. Çapkın, hovarda; sefih. **~age** [liˈbəətinidʒ], çapkınlık, hovardalık, sefihlik.
liberty [ˈlibəti]. Hürriyet; serbestlik. **to be at ~ to do stg.,** bir şeyi yapmakta serbest olm.: ~ **boat,** izinli bahriyelileri karaya çıkaran çatana: **to set at ~,** serbest bırakmak: **to take the ~ of (doing stg.),** ictisar etm.: **to take liberties with a person,** başına çıkmak; laübalileşmek.
libidinous [liˈbidinəs]. Şehvani; şehvete düşkün.
librar·y [ˈlaibrəri]. Kütübhane. **~ian** [laiˈbreəriən], kütübhaneci.
librett·o [liˈbretou]. Opera güftesi. **~ist,** libretto muharriri.
lice, *pl. of* **louse.**
licence [ˈlaisns]. Ruhsat; ruhsatiye; izin tezkeresi; ehliyetname; hadden aşırı serbestlik.
license [ˈlaisns]. Ruhsat vermek; izin tezkeresi vermek; salâhiyet vermek.
licensee [laisənˈsii]. Ruhsatlı kimse.
licentious [laiˈsenʃəs]. Çapkın; hafifmeşreb.
lichen [ˈlaikn]. Her cins yosunun umumî ismi; (*hus.*) ciğerotu, liken; dâi şeyb.
lich-gate [ˈlitʃˈgeit]. Üstü damlı mezarlık kapısı.
licit [ˈlisit]. Meşru; mubah.
lick¹ [lik] *n.* Yalama. **at full ~,** (*kon.*) alabildiğine bir süratle.
lick² *vb.* Yalamak; (*arg.*) üstün gelmek; dayak atmak. **to ~ s.o.'s boots,** yaltaklanmak: **he is not fit to ~ that man's boots,** o adamın kestiği tırnak olamaz: **to ~ the dust,** kahrolunmak; öldürülmek: **to ~ one's lips [chops],** yalanmak; ağzının suyu akmak: **this ~s me,** buna aklım ermez, buna akıl erdiremem: **to ~ into shape,** adam etmek: **as hard as he could ~,** alabildiğine koşarak. **~ing,** yalama; (*arg.*) yenilme; dayak. **lick-spittle,** çanak yalayıcı.
lid [lid]. Kapak; gözkapağı. **that puts the ~ on it!,** (*arg.*) bir bu eksikti; şimdi tamam!
lie¹ **(lied, lying)** [lai, laid, lai·iŋ]. Yalan söylemek. Yalan. **to give s.o. the ~ (direct),** tekzip etmek: **a pack of ~s,** yalan dolan: **a white ~,** iş bitiren yalan, düruğu maslahatâmiz.
lie² *n.* Vaziyet, durum. **the ~ of the land,** arazi vaziyeti; (*mec.*) vaziyet, hal, şerait.
lie³ *vb.* **(lay, lain)** [lai, lei, lein]. Yatmak; uzanmak; durmak; bulunmak, olmak, kâin olm.; vâki olm.; düşmek; medfun olmak. **no action would ~ in this case,** bu halde dâva mesmu olamaz: **no appeal ~s against the decision,** bu karar temyiz edilemez: **to ~ at the point of death,** ölmek üzere olm.: **as far as in me ~,** elimden geldiği kadar: **here ~s ...,** ... burada medfundur: **the snow never ~s there,** orasını kar tutmaz: **to ~ under suspicion,** şübhe altında kalmak: **time ~s heavy on my hands,** işsizlikten sıkılıyorum. **lie about,** meydanda kalmak; ötede beride durmak. **lie by,** ilerdeki ihtiyac için bir kenarda durmak. **lie down,** yatmak: **to take stg. lying down,** ses çıkarmadan kabul etm.: **he won't take it lying down,** kolay kolay kabul etmiyecek. **lie in,** loğusa olmak. **lie off,** (gemi) alargada [açıkta] yatmak. **lie over,** tehir edilmek; muallakta kalmak; bir yana yatmak. **lie to,** geminin başını rüzgâra çevirip durmak; orsa alabanda eğlendirmek. **lie up,** yatakta kalmak; yatmak; (gemi) techizat çıkarılıp bir yerde yatmak.
lief [liif]. Memnuniyetle, istiyerek. **I would as ~ die as do this,** bunu yapmaktansa ölmek daha iyi: **I would as ~ not go,** gitmesem daha iyi olur.
liege [liidʒ]. Eski zamanda bir derebeyine tâbi kimse. ~ **lord,** metbu.
lien [ˈliiən]. İhtiyatî haciz.
lieu [ljuu]. **in ~ of,** yerine, bedel olarak.
lieutenan·t [lefˈtenənt]. (Deniz) yüzbaşî; (kara) teğmen, mülâzim; vekil. **~-colonel,** (asker) kaymakam, yarbay: **~-commander,** (deniz) kıdemli yüzbaşı; **~-general,** korgeneral: **~-governor,** bir umumî valiye tâbi vali. **~cy,** (deniz) yüzbaşılık; (kara) teğmenliği.
life, *pl.* **lives** [laif, laivz]. Hayat; ömür, can. Hayat boyunca. **to bring to ~,** diriltmek: **to carry one's ~ in one's hands,** kelleyi koltuğa almak: **the ~ to come,**

ahret: **to come to ~**, canlanmak: **to do stg. for dear ~**, bir şeyi var kuvvetile [canla başla] yapmak: **to draw from ~**, bir modele bakarak resim yapmak: **to escape with one's ~**, postu kurtarmak: **to fly [run] for one's ~**, can korkusile kaçmak: **for ~ [for his (her) ~]**, kaydi hayat şartile: **I can't for the ~ of me understand,** buna hiç aklım ermiyor: **to be a good ~**, (sigorta tabiri) sigortaya pek elverişli olm.: **not on your ~!**, dünyada olmaz!, aslâ!: **run for your lives!**, kaçabilen kaçsın!: **to seek s.o.'s ~**, birinin canına kasdetmek: **he has seen ~**, görmüş geçirmiş, feleğin çemberinden geçmiş: **a ~ sentence,** müebbed hapis veya kürek: **one's station [position] in ~**, insanın cemiyetteki mevkii: **still ~**, natür mort: **the water swarms with ~**, suda bir çok canlı mahluklar kaynaşıyor: **to take s.o.'s ~**, birini öldürmek: **to take one's own ~**, kendini öldürmek: **at my time of ~**, benim yaşımda, bu yaştan sonra: **to the ~**, tıpkı, aynen: **true to ~**, yaşanmış: **without accident to ~ or limb,** (kimsenin) kılına halel gelmeden: **upon my ~**, başım hakkı için; sübhanallah! **life-blood,** kan, can. **Life-guard,** hassa askeri: **the ~s**, İngiliz kıralının süvari muhafızları. **life-insurance,** hayat sigortası. **life-interest,** kaydi hayat şartile intifa hakkı. **life-line,** cankurtaran halatı, dalgıcı deniz üstüne rapteden ip. **life-preserver,** topuzlu baston; lobut. **life-saving,** can kurtaran.

lifebelt [ˈlaifbelt]. Cankurtaran kemeri.

lifeboat [ˈlaifbout]. Tahlisiye gemisi; cankurtaran sandalı.

lifebuoy [ˈlaifboi]. Cankurtaran simidi.

lifeless [ˈlaiflis]. Cansız, ölü; ruhsuz.

lifelike [ˈlaiflaik]. Canlı mahluk gibi; tıpkı.

lifelong [ˈlaifloŋ]. Hayat müddetince. **a ~ friend,** çok eski dost.

lifesize [ˈlaifsaiz]. Tabiî büyüklükte.

lifetime [ˈlaiftaim]. Hayat müddeti. **in his ~**, hayatta iken: **we shan't see it in our ~**, bizim ömürümüzde görmiyeceğiz.

lift¹ [lift] *n.* Asansör; yükseltme; bir şeyin bir hamlede kaldırdığı mesafe; bir şeyin kaldırma kuvveti. **a ~ in the clouds,** bulutların yükselmesi: **to give s.o. a ~**, birisini arabasına almak: **to give s.o. a ~ up,** birisine elini vermek, yardım etm.: **to get a ~ up in the world,** mevkiini yükseltmek.

lift² *vb.* Kaldırmak; yükseltmek; (*arg.*) çalmak. Kalkmak. **to ~ a cup,** (spor) kupa kazanmak: **to ~ something down,** indirmek: **to ~ up one's head,** başını kaldırmak; (*mec.*) herkesin yüzüne bakabilmek: **to ~ a child out of bed,** çocuğu kucaklayıp yataktan çıkarmak: **to ~ potatoes,** patates sökmek, toplamak: **to ~ s.o. up,** birini tutup kaldırmak: **to ~ up one's voice,** sesini yükseltmek: **~ing power [capacity],** kaldırma kudreti. **lift-pump,** kendi yüksekliğine kadar su çeken tulumba.

ligament [ˈligəmənt]. Vücudun mafsallarını bağlıyan sinirlerden biri; ribat.

ligature [ˈligətʃə*]. Bağ; ribat; (*tıb.*) kanı durduran bağ.

light¹ [lait]. *n.* Işık, ziya, aydınlık, nur; gündüz; far, lâmba; tavan veya döşeme üzerindeki ışık penceresi; noktai nazar, bakım. **to act according to one's ~s,** kendi telâkkisine ve kanaatine göre [kendi ölçülerine göre] hareket etm.: **to appear in the ~ of a swindler,** dolandırıcıya benzemek: **to bring to ~**, meydana çıkarmak: **to come to ~**, meydana çıkmak: **the ~ of day,** gündüz; **~ dues,** deniz feneri vergisi: **to get in s.o.'s ~**, birisine karanlık etm.; önüne çıkmak, mani olm.; ayağına dolaşmak: **to give s.o. a ~**, birine ateş (kibrit) vermek: **to place stg. in a good ~**, bir şeyi müsaid bir zaviyeden göstermek: **a leading ~**, mümtaz ve mutena kimse: **to be in one's own ~**, kendi kendisine karanlık etm.: **~s out,** ışıkları söndürme: **to begin to see ~**, anlamak, farkına varmak: **to set ~ to stg.,** tutuşturmak: **~s and shades of expression,** ifade incelikleri: **to stand in s.o.'s ~**, birine karanlık etm.; istiklâline ket vurmak: **to steam without ~s,** (gemi) ışıkları karartılmış olarak ilerlemek.

light² *vb.* (-ed veya lit) [ˈlaitid, lit]. Yakmak; tutuşturmak; aydınlatmak; ışık vermek. Tutuşmak, alev almak; parıldamak. **to ~ a fire,** ateş yakmak: **the match will not ~**, kibrit yanmıyor: **to ~ up,** ışık vermek; aydın olm.: **lit up,** aydınlanmış; (*arg.*) çakır keyf: **his face lit up,** yüzü güldü: **to ~ the way for s.o.,** birine ışık tutmak.

light³ [-ed veya lit). Konmak. **to ~ on one's feet,** ayakları üstüne düşmek: **to ~ upon,** raslamak.

light⁴ *a.* Hafif; açık (renk); **~ hair,** sarı saç. **to do stg. with a ~ heart,** bir şeyi neş'e ile, kaygusuzca yapmak: **to make ~ of,** yabana atmak; bir çırpıda çıkarmak: **to be a ~ sleeper,** uykusu hafif olm.: **to travel ~**, az eşya ile seyahat etmek. **light-fingered,** yankesici *hakkında kullanılır.* **light-handed,** eli hafif; becerikli; eli boş. **light-headed,** sayıklıyan; hoppa. **light-hearted,** gamsız, şen; **in a ~ manner [~ly],** düşüncesiz. **light-minded,** hoppa, hafif mizaclı. **light-o'love,** hafifmeşreb kadın; dildade. **light-weight,** (boks) hafifsıklet; (kumaş) hafif, ince; (*mec.*) ehemmiyetsiz adam.

lighten[1] [ˈlaitn]. Hafifletmek.
lighten[2]. Aydınlatmak, ışıldamak; (bir rengi) daha açık yapmak. Şimşek çakmak; aydınlanmak, açılmak.
lighter[1] [ˈlaitə*] *a.* Daha hafif; daha açık.
lighter[2] *n.* Mavna, salapurya, şat.
lighter[3] *n.* Yakıcı âlet: **petrol ~,** benzinli çakmak.
lighterage [ˈlaitəridg]. Mavna ile boşaltma veya taşıma; bunun ücreti.
lighterman, *pl.* **-men** [ˈlaitəmən]. Mavnacı, salapuryacı.
lighthouse [ˈlaithaus]. Fener kulesi. **~ -keeper,** fenerci.
lighting [ˈlaitiŋ]. Tenvirat; aydınlatma. **lighting-up time,** ışıkları yakma zamanı.
lightly [ˈlaitli]. Hafifçe. ⌜**~ come ~ go**⌝, ⌜haydan gelen huya gider⌝: **to get off ~,** ucuz kurtulmak: **to speak ~ of s.o.,** birisini istihfaf etm.: **to take stg. ~,** hafiften almak, ciddiye almamak.
lightness [ˈlaitnis]. Hafiflik, hiffet.
lightning [ˈlaitniŋ]. Şimşek, yıldırım. Şimşek gibi. **as quick as ~, with ~ speed, like greased ~,** şimşek gibi, şaşırtıcı bir hızla. **lightning-conductor,** siperisaika, paratoner.
lights [laits]. Akciğer.
lightship [ˈlaitʃip]. Fener gemisi.
lightsome [ˈlaitsəm]. Şen; narin.
ligneous [ˈlignjəs]. Haşebî, oduna aid.
lignite [ˈlignait]. Linyit.
lignum vitae [ˈlignəmˈvaitii]. Peygamber ağacı ve tahtası.
like[1] [laik] *a. & prep.* Müşabih, benzer; aynı, eş; gibi. **to be ~,** benzemek: **as ~ as not** [**~ enough**], belki de: **fellows ~ you,** senin gibiler: **he ran ~ anything,** alabildiğine koştu: **he snored ~ anything,** horul horul horluyordu: **women are ~ that,** kadınlar böyledir: **that 's just ~ a woman,** bir kadından bundan başka ne beklersin?: ⌜**~ master ~ man**⌝, efendi nasılsa uşak öyledir: **today is nothing ~ so** [**as**] **hot as yesterday,** bugünkü sıcak dünkü sıcağın yanında hiç bir şey değil: **that 's something ~!,** (*takdirle*) ha şöyle!: **that 's something ~ a ship!,** işte gemi diye buna derler: **it will cost something ~ ten pounds,** aşağı yukarı on liraya malolacak: **what 's he ~?,** nasıl bir adam?
like[2] *n.* Benzeri; es. **to do the ~,** aynını [tıpkısını] yapmak: **I never saw the ~ of it,** böylesini [bunun gibisini] hiç görmedim: **we shall never see his ~ again,** onun gibisini bir daha göremeyiz: **the ~s of you and me,** sizin ve benim gibiler.
like[3] *n.* Çok tercih edilen şey. **~s and dislikes,** (birinin) hoşlandığı ve hoşlanmadığı şeyler.
like[4] *vb.* Hoşlanmak; sevmek, beğenmek; istemek. **I ~ him,** o hoşuma gidiyor: **I ~ that!,** maşallah!; ne âlâ!; yağma yok: **I should ~ to have seen him,** keşki onu görmüş olsaydım; onu görmek isterdim: **I can do as I ~ with him,** o avucumun içindedir, ona ne istersem yaptırırım: **how do you ~ him?,** onu nasıl buluyorsunuz?: **how do you ~ your tea** [**egg**]**?,** çay [yumurta] nız nasıl olsun?: **as much as (ever) you ~,** ne kadar istersiniz: **just as you ~!** siz bilirsiniz!: **I should ~ time to examine this,** bunu tedkik etmek için zamana ihtiyacım var: **you may say what you ~, but I am going there,** siz ne derseniz deyiniz ben oraya gidiyorum: **whether you ~ it or not,** isteseniz de istemeseniz de.
-like *suff.* -varı; benzer; -ca, -ce.
likeable [ˈlaikəbl]. Sevimli, sempatik.
likelihood [ˈlaiklihud]. İhtimal. **in all ~,** pek muhtemeldir ki.
likely [ˈlaikli]. Muhtemel; ···cak gibi; (görünüşe göre) münasib; yakışıklı. **as ~ as not,** muhtemeldir ki, olabilir ki: **not ~!,** ne münasebet!, ne gezer!: **that 's a ~ story!,** olacak sey değil!, külahıma dinlet!
like-minded. Hemfikir; yekdil; kafadar.
liken [ˈlaikn]. Benzetmek.
likeness [ˈlaiknis]. Benzerlik, müşabehet; insan resmi. **it is a good ~,** (resmi) çok benziyor.
likewise [ˈlaikwaiz]. Aynı vechile, kezalik; hem, dahi.
liking [ˈlaikiŋ]. Beğenme; hoşlanma; zevk; meyl, düşkünlük. **to have a ~ for,** ···den hoşlanmak: **I have taken a ~ to him,** ona ısındım, kanım kaynadı: **is this to your ~?,** bu zevkinize göre midir?
lilac [ˈlailak]. Leylâk. Açık mor.
Lilliputian [liliˈpjuuʃn]. Ufacık; minimini; cüce.
lilt [lilt]. Şen bir şarkı, oynak hava; kıvraklık.
lily [ˈlili]. Zambak. **lily-of-the-valley,** inci çiçeği.
limb [lim]. Uzuv; dal. **a ~ of Satan,** şeytanın ard ayağı. **~ed,** ... uzuvlu.
limber[1] [ˈlimbə*]. Top toparlağı. Topu toparlağına takmak.
limber[2]. Çevik.
limbo [ˈlimbou]. Araf, cehennem dibi; gayya kuyusu.
lime[1] [laim]. Ihlamur ağacı.
lime[2]. Misket limonu. **lime-juice,** misket limonunun suyu.
lime[3]. Kireç. (Toprağa) kireç serpmek; (dala) ökse macunu sürmek. **slaked ~,** sönmüş kireç. **lime-burner,** kireç ocakcısı. **lime-kiln,** kireç ocağı.
limelight [ˈlaimlait]. Elektrikten evvel

tiyatro sahnesini tenvir etmek için kullanılan çok parlak bir ışık. **to be in the ~,** göz önünde olm., halkın dilinde dolaşmak.
limerick [ˈlimərik]. Beş mısralık mizahî manzume.
limestone [ˈlaimstoun]. Kireç taşı; tebeşir.
limewater [ˈlaimwootə*]. İlac olarak kullanılan kireçli su.
limit[1] [ˈlimit] *n.* Had, sinir, hudud. **he's the ~,** o artık fazla oluyor: **that's the ~!,** bu kadar olur!, bu kadarı da fazla!: **within a five-mile ~,** beş mil dahilinde: **it is true within ~s,** muayyen bir hadde kadar doğrudur: **without ~,** hadsiz hududsuz. **~less,** hududsuz, sonsuz.
limit[2] *vb.* Tahdid etm.; kısmak. **to ~ oneself to ...,** ···le iktifa etmek. **~ation** [–ˈteiʃn], tahdidat; mühlet; müruruzaman: **he has his ~s,** (onun da) zayıf noktaları var: **Statute of ~s,** müruruzaman kanunu.
limp[1] [limp]. Topallamak, aksamak. Topallama, aksaklık.
limp[2] *a.* Gevşek; yumuşak; rehavetli; pısırık. **to feel as ~ as a wet rag,** suyu çıkmış limon gibi bitkin olmak.
limpet [ˈlimpit]. Kayalara yapışık duran bir deniz böceği; petalidis. **to stick like a ~,** sülük gibi yapışmak.
limpid [ˈlimpid]. Berrak, duru. **~ity** [–ˈpiditi], berraklık, duruluk.
linchpin [ˈlintʃpin]. Dingil çivisi.
linden [ˈlindn]. Ihlamur.
line[1] [lain] *n.* Çizgi; hat; yol, hareket; çubuk; satır; mısra; saf; sülâle; olta. **what is his ~ of business?,** işi nedir?, işi hangi sahadadır?: **to cross the Line,** istiva hattından geçmek: **in direct ~,** babadan oğula: **one must draw the ~ somewhere,** her şeyin bir haddi var: **I draw the ~ at ...,** ···ya kadar gitmem: **to drop s.o. a ~,** birine bir iki satır göndermek: **to fall into ~ with ...,** ···e uymak: **to fall out of ~,** (fikir vs.) ayırmak: (gemi) saftan çıkmak: **to give s.o. a ~ on stg.,** ipucu vermek: **~ of goods,** mal çeşidi: **it's hard ~s on him,** ona çok yazık: **twenty cars in a ~,** yirmi otomobil bir sıra halinde: **the ~s of a ship,** geminin şekli, biçimi: **ship of the ~,** saffıharb gemisi: **shipping ~,** deniz nakliye kumpanyası: **something in that ~,** aşağı yukarı bu neviden: **that is not in my ~,** bu bana göre değil; bu benim işim değil: **railway ~,** demiryolu hattı; şimendifer kumpanyası: **~ of thought,** fikir silsilesi: **the ~ to be taken,** tutulacak yol: **to read between the ~s,** üstü kapalısını kavramak: **he is working on the right ~s,** doğru yol üzerinde çalışıyor. **line-of-battle, ~ ship,** saffıharb gemisi.
line[2] *vb.* Astar koymak; kaplamak.
lineage [ˈlini·idʒ]. Soy; sülâle; nesil.
lineal [ˈliniəl]. Hattî. **~ descendant,** doğrudan doğruya torun.
lineament [ˈliniəmənt]. Yüz hattı. **~s,** çehre.
linear [ˈliniə*]. Hattî; çizgiye mensub. **~ measurement,** uzunluk ölçüsü.
lined [laind]. Çizgili; buruşuk; astarlı. **a well-~ purse,** dolgun kese.
linen [ˈlinən]. Keten bezi; içgömleği ve yatak çarşafı gibi keten bezinden yapılmış eşya; çamaşır. ⌜**to wash one's dirty ~ in public**⌝, (bir cemiyet, aile vs. hakkında) kendi içyüzünü ortaya dökmek. **linen-draper,** bezci.
liner [ˈlainə*]. Büyük yolcu vapuru; silindirin kovanı.
linesman, *pl.* **-men** [ˈlainsmən]. Telgraf, demiryolu vs. hattı amelesi; (futbol ve tenis) hat hâkemi.
ling [liŋ]. (*Calluna*) bir nevi funda. (*Molva*) morina cinsinden bir balık.
linger [ˈliŋgə*]. Bir yerden ayrılmak istemiyerek kalmak, gidişini tehir etm.; hastalığı uzayıp ölmemek. **to ~ on a subject,** bir mevzuu uzatmak. **~ing, a ~ death,** uzun bir can çekişme; **a ~ doubt,** kurtulunmaz bir şübhe: **a ~ look,** gözünü ayırmadan bir bakış.
lingo [ˈliŋgou]. Yabancı dil.
lingua franca [ˈliŋgwəˈfranka]. Muhtelif lisanlar konuşan halk tarafından kullanılan karışık bir dil; müşterek anlaşma vasıtası olan bir lisan. **English is the ~ of commerce,** inglizce ticaret âleminde müşterek bir lisandır.
lingu·al [ˈliŋgwəl]. Dile aid, lisanî. **~ist,** lisan mütehassısı; dilci; çok yabancı dil bilen. **~istic** [–ˈistik], dil bilgisine aid: **~s,** lenguistik, lisaniyat.
liniment [ˈlinimənt]. Vücude sürmek için yağlı bir ilac.
lining [ˈlainiŋ]. Astar; iç kaplaması. ⌜**there's a silver ~ to every cloud**⌝, her şeyde bir hayır vardır.
link [liŋk]. Zincir halkası; bakla; rabıta. Bağlamak, rabtetmek. **to ~ arms,** (bir çok kişi) kol kola girmek: **missing ~,** noksan halka, boşluk; insanla maymun arasındakı mahluk.
links [liŋks]. Golf oyunu sahası.
linnet [ˈlinit]. (*Carduelis cannabina*) Keten kuşu.
lino [ˈlainou] *bk.* **linoleum.**
linoleum [liˈnouljəm]. Linoleum.
linotype [ˈlainoutaip]. Linotip.
linseed [ˈlinsiid]. Keten tohumu. **linseed-cake,** keten tohumu küspesi. **linseed-oil,** bezir yağı.

lint [lint]. Keten tiftiği; tımar tiftiği.
lintel [ˈlintl]. Lento.
lion [ˈlaiən]. Aslan; herkesin merakını uyandıran kimse; görülmeğe değer yer. **to make a ~ of** [**~ize**] **s.o.**, muvafakkiyet göstermiş bir kimseyi toplantılara davet ederek nazarı dikkati ona celbetmek; (bu davetleri sık sık tertib edenlere **lion-hunter** denir): **mountain ~**, Amerika aslanı: **the ~'s mouth**, çok tehlikeli bir yer: **the ~'s share**, aslan payı: **to twist the ~'s tail**, kasden İngilizleri kızdıracak neşriyatta bulunmak. **~ess**, dişi aslan. **~ize** *bk. yukarı*.
lip [lip]. Dudak, ağız; (*arg.*) yüzsüzlük. **to hang on s.o.'s ~s**, birisinin ağzına bakmak: **to keep a stiff upper ~**, kendine hâkim olm., korku veya keder göstermemek: **none of your ~!**, yüzsüzlüğün lüzumu yok! **~ped**, dudaklı: **thin ~**, ince dudaklı. **~salve**, dudak merhemi. **~stick**, dudak boyası. **lip-deep**, sathî, samimî olmıyan. **lip-read**, (sağırlar hakkında) sözü dudak hareketlerinden anlamak. **lip-service**, samimî olmıyan cemile; göze girmek için yapılan boş vaidler.
liquef·y [ˈlikwifai]. Eritmek; su haline getirmek. Su haline gelmek, erimek. **~action** [–ˈfakʃn], erime; mayileşme.
liqueur [liˈkjuə*]. Likör.
liquid [ˈlikwid]. Mayi; seyyal; berrak; nakte kolay çevrilir; elde bulunan (para). Mayi, sulu olan cisim. **~ assets**, nakte kolay çevrilir mal.
liquidat·e [ˈlikwideit]. Tasfiye etmek. **~ion** [–ˈdeiʃn], tasfiye; likidasyon. **~or**, tasfiye memuru; likidatör.
liquor [ˈlikə*]. İçki; mahlul. **to be in ~** [**to be the worse for ~**], çakırkeyf olmak.
liquorice [ˈlikəris]. Meyankökü; meyanbalı.
lisle [lail] **~ thread**, fildekos.
lisp [lisp]. S ve Z harflerini **th** veya **dh** gibi telâffuz etm.; peltek konuşmak. Böyle telâffuz.
lissom [ˈlisəm]. Eğilip bükülür; çevik.
list¹ [list]. Fihrist; defter; cedvel; liste; kadro. Bir defter veya cedvele yazmak. **on the active ~**, faal hizmette: **alphabetical ~**, alfabe sırasile cedvel: **to be on the danger ~**, (hasta hakkında) ölüm tehlikesinde olmak.
list². (Gemi) yan yatmak. Yan yatma.
list³. (*esk.*) Kulak vermek.
list⁴. (*esk.*) İstemek. ⌜**the wind bloweth where it ~eth**⌝, rüzgâr nereden isterse oradan eser.
listen [ˈlisn]. Kulak vermek, dinlemek. **~ to ...**, ···i dinlemek; ···e dikkat etm.; ···in sözünü tutmak: **to ~ in**, kulak misafiri olm.; radyoyu dinlemek. **~er**, dinleyici: **to be a good ~**, başkasının sözlerini dikkatle ve sabırla dinlemek: ⌜**~s never hear good of themselves**⌝, kulak misafiri kendisi hakkında iyi bir şey işitmez.
listless [ˈlistlis]. Kayıdsız; gayretsiz, gevşek; melûl.
lit *bk.* **light.**
litany [ˈlitəni]. Kilisede kısa dualardan mürekkeb âyin.
literacy [ˈlitərəsi]. Okur yazarlık.
literal [ˈlitrəl]. Harfî; lafzî; harfi harfine; mecazî değil; hakikî. **he ~ly has to beg his food**, geçinmek icin tam manasile dileniyor.
litera·ry [ˈlitərəri]. Edebiyata aid, edebî. **~ man**, edib. **~te** [–rit], okur yazar; okumuş. **~ti** [litəˈreitai], üdeba.
literature [ˈlitrətʃə*]. Edebiyat; edebiyat mesleği; edebiyat eserleri; kitabiyat; risale, rehber. **I wish I had some ~**, keşki yanımda okunacak bir şey bulunsaydı.
litharge [liˈθaadʒ]. Mürdesenk.
lithe [laið]. Eğilir bükülür; çevik.
lithium [ˈliθiəm]. Lityom.
litho·graph [ˈliθograf]. Taşbasması resim, litograf. Taşbasması yapmak. **~graphy** [–ˈogrəfi], taşbasması, litografya.
lithotomy [liˈθotomi]. Mesaneden taş çıkarma ameliyatı.
Lithuania [liθjuˈeinjə]. Litvanya. **~n**, litvanyalı, litvanyaca.
litig·ant [ˈlitigənt]. Dâvacı. **~ate**, dâva ikame etm., mahkemeye müracaat etmek. **~ation** [–ˈgeiʃn], dâva etme. **~ious** [liˈtidʒəs], dâva mübtelâsı; münaziünfih.
litmus [ˈlitməs]. **~ paper**, turnsol kâğıdı.
litter¹ [ˈlitə*]. Sedye; teskere.
litter². Ahırlarda kullanılan saman vs.; çörçöp, döküntü; karmakarışıklık. Dağıtmak; eşyayı karmakarışık yığmak.
litter³. Domuz ve köpek vs.nin bir batında doğurduğu yavrular. Bir batında çok yavru doğurmak.
little [ˈlitl]. Küçük, ufak; az. **a ~**, biraz: **~ by ~**, azar azar, tedricen: **every ~ helps**, ne kadar az olursa olsun işe yarar: **for a ~ (while)**, bir müddet, biraz (zaman): **so that's your ~ game!**, demek kurduğun kumpas buydu!: **he ~ knows** [**dreams**] **what fate awaits him**, başına gelecekten haberi yok: **~ or nothing**, hiç denilecek kadar, az buçuk: **the ~ ones**, yavrular: **the ~ people**, periler: **to think ~ of s.o.**, birini küçük görmek, aşağı görmek: **to think ~ of stg.**, bir şeyi değersiz tutmak: **to think ~ of others**, (i) herkesi küçük görmek; (ii) başkalarını düşünmemek: **he thinks ~ of walking 20 miles**, onun için 20 mil işten bile değil: **I know his ~ ways**, ben onun acayibliklerini [şeytanlıklarını] bilirim: **he did what ~ he could**, elinden gelen azıcık

yardımı esirgemedi. **little-Englander,** imparatorluk siyaseti aleyhdarı İngiliz.
littoral [ˈlitorəl]. Sahil.
liturgy [ˈlitəədʒi]. Cemaatle ibadete mahsus dualar.
live¹ (laiv) *a.* Diri, canlı, hayatta. **~ cartridge,** hakikî mermi: **~ coals,** kor halinde kömür: **~ wire,** elektrikli tel; pek faal ve müteşebbis adam. **live-bait,** canlı balık yemi.
live² [liv] *vb.* Yaşamak; geçinmek; ikamet etmek. **to ~ down a scandal, mistake,** *etc.*, bir rezalet, hata vs.yi unutturmak: **one has got to ~,** geçim dünyası bu!: ⌜**~ and learn!**⌝, 'bir yaşıma daha girdim'; yaşıyan görür: ⌜**~ and let ~**⌝, herkesin yaşamağa hakkı var; müsamahalı ol; kendinden pay biç!: **to ~ in (of servant or employee),** (hizmetçi veya işci) çalıştığı yerde yatmak ve yiyip içmek: **long ~!,** yaşasın!: **to ~ on,** yaşamağa devam etm.: **to ~ on very little,** çok az yemek; az para ile geçinmek: **he has very little to ~ on,** geçinecek parası çok az: **to ~ on s.o.,** birisinin parasile geçinmek; birisinin sırtından geçinmek: **to ~ on vegetables,** sebze yiyerek yaşamak: **I can't ~ up to my wife,** karımın gidişine, yaşayışına, uyamıyorum.
livelihood [ˈlaivlihud]. Maişet; rızk; geçinme.
liveliness [ˈlaivlinis]. Şetaret; canlılık; oynaklık.
livelong [ˈlivloŋ, ˈlaiv–]. **the ~ day [night, summer],** uzun, sonsuz, bitmek tükenmek bilmez gün [gece, yaz vs.].
lively [ˈlaivli]. Canlı; şen, neş'eli; civelek, kıvrak, oynak.
liven [ˈlaivn]. **~ up,** canlan(dır)mak.
liver¹ [ˈlivə*]. Karaciğer. **to have a ~,** karaciğeri bozuk olm.; karasevdalı, safralı, titiz ve ters olmak.
liver². (Filan tarzda) yaşıyan. **evil [loose] ~,** sefih, ahlaksız.
liveried [ˈlivərid]. Resmî elbiseli (uşak).
liverish [ˈlivəriʃ]. Karaciğeri bozuk; safralı, titiz, ters.
livery [ˈlivəri]. Büyük konaklarda uşakların giydikleri hususî elbise; livre. **livery-company,** Londra'da büyük esnaf cemiyeti. **livery-stable,** kiraya verilen atların ahırı.
lives *n.* life'*in cemi.*
livestock [ˈlaivstok]. Bir çiftlikteki canlı hayvanlar.
livid [ˈlivid]. Bere renginde olan. **~ with anger [cold],** hiddetten [soğuktan] mosmor.
living¹ [ˈliviŋ] *a.* Diri, hayatta. **a ~ death,** ölümden beter bir hayat: **in the land of the ~,** yaşıyanlar arasında: **no ~ man could do better,** bugün (hayatta bulunanlar arasında) bunu hiç kimse daha iyi yapamaz.
living² *n.* Hayat tarzı; geçinme; yaşama; bir yere papaz tayin etme veya olunma hakkı. **family ~,** bir aileye münhasır olan bu hak: **to earn one's own ~,** eli ekmek tutmak: **to make a ~,** hayatını kazanmak: **a ~ wage,** asgarî geçinme ücreti. **living-room,** oturma odası.
lixiviate [likˈzivieit] *bk.* **leach.**
lizard [ˈlizəd]. Kertenkele.
llama [ˈlaamə]. Lâma.
lo [lou]. (*esk.*) İşte!, bak!
loach [loutʃ]. (*Cobitis*) Küçük bir tatlısu balığı.
load¹ [loud] *n.* Yük, ağırlık; hamule; dolu. **I have a ~ on my mind,** zihnimi meşgul eden bir şey var: **to take a ~ off one's mind,** rahat nefes aldırmak, ferahlatmak: **~s of,** pek çok.
load² *vb.* Yükletmek, tahmil etm.; (silâh) doldurmak. **to ~ favours,** *etc.*, **on s.o.** *veya* **to ~ s.o. with favours,** birine lûtuf vs. yağdırmak, ibzal etmek. **~ed,** yüklü, yüklenmiş; dolu: **~ cane,** ucu kurşunlu değnek: **~ dice,** cıvalı zar.
loadstone [ˈloudstoun]. Tabiî mıknatıs.
loaf¹, *pl.* **loaves** [louf, louvz]. Bir ekmek, somun. **a ~ of sugar,** şeker kellesi: ⌜**half a ~ is better than no bread**⌝, bu hiç yoktan iyidir.
loaf² *vb.* **to ~ about [around],** haylazca vakit geçirmek; sokak arşınlamak. **~er,** vaktini boş geçiren; haylaz herif, kaldırım mühendisi.
loam [loum]. Kum ve balçık ve nebatî topraktan mürekkeb özlü toprak.
loan [loun]. İstikraz; ödünc verme yahud alma; ariyet. Ariyet vermek; ikraz etmek. **to have the ~ of,** ariyeten almak: **to raise a ~,** istikrazda bulunmak.
loath [louθ]. İsteksiz. **to be ~ to do stg.,** bir şeyi yapmağa gönlü olmamak: **I am ~ for you to do this,** bunu yapmanızı istemezdim: **he did it nothing ~,** memnuniyetle, canına minnet, yaptı.
loath·e [louð]. Nefret etm., iğrenmek. **~ing** [louðiŋ], nefret, iğrenme; istikrah. **~some** [ˈlouθsəm], iğrenc; müstekreh.
loaves. loaf'*in cemi.*
lob [lob]. Havaya atmak. Havaya atılmış veya vurulmuş bir top.
lobby [ˈlobi]. Koridor, dehliz. Meclis koridorlarında mebusların reylerini taleb etmek.
lobe [loub]. Bir uzvun yuvarlak ve çıkıntılı kısmı; fus; kulak memesi.
lobster [ˈlobstə*]. İstakoz. **~-pot,** istakoz sepeti.
lob-worm [ˈlobwəəm]. Balık yemi için kullanılan solucan.
local [ˈloukl]. Mahallî; oralı, buralı. **the**

~, (*arg.*) mahalledeki birahane: ~ **government,** mahallî idare. **~e** [loˈkaal], hadise yeri. **~ity** [louˈkaliti], yer; civar; semt: **to have a bump of ~,** kolaylıkla cihet tayin edebilmek, her hangi bir yerde yolunu bulabilmek. **~ize** [ˈloukəlaiz], mevziileştirmek; tahdid etm.; tecrid etmek. **~ly,** kendi mahallinde; civarında.

locat·e [louˈkeit]. Yerini tayin veya keşfetmek. **to be ~ed in a place,** bir yerde yerleştirilmek. **~ion** [louˈkeiʃn], yerini tayin etme veya keşfetme; yerleştirme; mevki.

locative [ˈlokətiv]. Mefulünfih.

loch [loχ]. (İskoçyada) göl. **sea ~,** körfez.

lock¹ [lok] *n.* Lüle; perçem; kâkül.

lock² *n.* Kilid; tüfek çakmağı; müteharrik kapılı nehir ve kanal seddi. **~-gate,** bu seddin kapısı: **~ stock and barrel,** topu birden; ne var ne yok, hepsi: **under ~ and key,** kilid altında; hapiste.

lock³ *vb.* Kilidlemek; kilidlenmek; kenetlenmek; (makine parçaları) iç içe geçmek veya geçirmek. **to ~ s.o. in,** birinin üzerinden kapıyı kilidlemek: **to ~ out,** kapıyı kilidleyip birini dışarıda bırakmak; fabrikayayı kilidleyip işçileri dışarıda bırakmak: **to ~ up,** kilid altında bulundurmak; hapsetmek; (sermayeyi) bloke etmek. **lock-nut,** emniyet somunu. **lock-out,** lokavt. **lock-stitch,** çözülmez dikiş. **lock-up,** mahpuslar nezarethanesi.

locket [ˈlokit]. Madalyon.

lockjaw [ˈlokdʒoo]. Tetanos, küzaz.

locksmith [ˈloksmiθ]. Çilingir.

locomot·ion [ˌloukəˈmouʃn]. Bir yerden kalkıp başka bir yere gitme. **~ive** [ˈloukəmoutiv], hareket ettirici; lokomotif.

locum-tenens [ˈloukəmˈtiinenz]. Muvakkaten başkasının vazifesini üzerine alan kimse; vekil.

locus [ˈloukəs]. Yer. **~ standi,** salâhiyet.

locust [ˈloukʌst]. Şarka mahsus büyük ve tahribkâr çekirge. **locust-bean,** keçiboynuzu, harub. **locust-tree,** harub ağacı.

locution [loˈkjuuʃn]. Tabir; ifade tarzı.

lode [loud]. Maden damarı; cevher kökü.

lodestar [ˈlodestaa*]. Kutub yıldızı, hedef, rehber.

lodestone *bk.* **loadstone.**

lodge¹ [lodʒ] *n.* Kapıcı veya bahçevan evi; farmason locası. **shooting ~,** av köşkü. **lodge-keeper,** (büyük evlerde) bahçe kapıcısı.

lodge² *vb.* Birini muvakkaten bir evde oturtmak. Bir yerde muvakkaten oturmak; yerleşmek. **to ~ a complaint,** bir şikâyette bulunmak: **to ~ with s.o.,** birinin evinde oturmak; birile düşüp kalkmak. **~r,** başkasının evinde bir iki oda kiralıyan kimse, pansiyoner; **to take in ~s,** kendi evinde bir veya bir kaç oda kiraya vermek.

lodging [ˈlodʒiŋ]. Barınacak yer. **~s,** pansiyon. **lodging-house,** pansiyon: **common ~,** (düşkünler için) misafirhane.

loft [loft]. Tavanarası, damaltı; güvercinlik; büyük bir ev veya kilise mahfili.

lofty [ˈlofti]. Yüksek; âlî; ulvî; azametli, kibirli.

log¹ [log]. Kütük; (*den.*) parakete; gemi jurnalı. **patent ~,** uskuru parakete: **to heave [stream] the ~,** parakete atmak: **King Log,** faaliyet göstermiyen fakat zararsız bir hükümdar hakkında kullanılır. **log-book,** gemi jurnalı; rota jurnalı; seyir defteri. **log-cabin,** kütüklerden yapılmış kulübe.

log² *vb.* Gemi jurnalına kaydetmek.

log (*kıs.*) **logarithm.**

loganberry [ˈlougənˌberi]. Böğürtlen ile ağac çileğinin birleşmesinden hasıl olan meyva.

logarithm [ˈlogəriðm]. Logaritme.

loggerheads [ˈlogəhedz]. **at ~,** araları açık.

loggia [ˈlodʒja]. Revak; kemeraltı.

logic [ˈlodʒik]. Mantık ilmi. **~al** [-kl], mantıkî. **~ian** [loˈdʒiʃn], mantıkcı.

logwood [ˈlogwud]. Bakkam.

loin [loin]. Fileto. **~s,** bel altı, sulb: **to gird up one's ~,** etekleri sıvamak: **sprung from the ~ of,** ···in sulbünden gelme. **loin-chop,** pirzola. **loin-cloth,** peştamal.

loiter [ˈloitə*]. Boş gezmek, sürtmek, dolaşmak; gecikmek; sallanmak.

loll [lol]. (**dog**) **to ~ out its tongue,** (köpek) dilini sarkıtmak. (Dil) ağzından sarkmak: **to ~ about, back,** *etc.*, tembelce oturmak, uzanmak, yayılıp oturmak, gevşemek.

lollipop [ˈlolipop]. Şekerleme.

lone [loun]. Tenha; kimsesiz. **to play a ~ hand,** bir işte yalnız başına kalmak. **~ly** [ˈlounli], **~some,** yalnız, kimsesiz; tenha, ıssız.

long¹ [loŋ] *vb.* **to ~ to do stg.,** bir şeyi yapmağı çok arzu etmek: **to ~ for,** ···in hasretini çekmek, ···e can atmak, imrenmek: **he ~s for Istanbul,** İstanbul burnundan tütüyor.

long². (*kıs.*) **longitude.**

long³ *a.* & *n.* Uzun. Uzun müddet. **to be ~ in the arm,** kolları uzun olm.: **the arm of the Law is very ~,** kanunun kuvveti her yere yetişir: **as ~ as I live,** ömrüm oldukça: **it will take as ~ as three years,** üç sene kadar sürer: **you can play there as ~ as you don't go near the river,** nehrin yanına gitmemek şartile orada oynayabilirsiniz: **a week at the ~est,** en fazla bir hafta: **I had only ~**

enough to eat a sandwich, yalnız bir sanduvic yiyecek vakit buldum: how ~ will it take?, ne kadar sürecek?: how ~ have you been here?, buraya geleli ne kadar oldu?: he hasn't ~ to live, fazla yaşayamaz: three ~ miles, üç milden fazla: a ~ price, yüksek bir fiat: a ~ purse, dolu kese: the ~ and the short of it, işin hülâsası: the best by a ~ way, çok büyük bir farkla en iyisi: to go a ~ way, uzak gitmek; büyük bir tesir yapmak, pek faydalı olmak: he will go a ~ way, bu adam çok ilerler: to take the ~est way round, en uzak yoldan gelmek; bir işi lüzumsuz şekilde yapmak: he is a ~ while [time] in coming, çok uzadı, geç kaldı. **long-ago,** eski zaman(a aid). **long-bow,** eski İngiliz kemankeşlerinin kullandığı çok kuvvetli bir yay: to draw the ~, mübalağa etmek. **long-clothes,** kundak. **long-drawn-out,** uzun uzadıya, uzayıp giden. **long-lost,** çoktan kaybolmuş: a ~ friend, çoktandır görülmiyen bir ahbab. **long-sighted,** medidülbasar, presbit; müdebbir; dûrbin, uzağı gören. **long-standing,** müzmin; eski. **long-suffering,** cefakeş, sabırlı, hazımlı; müsamahakâr; sabır, müsamaha. **long-winded,** uzun uzadıya konuşan.

longevity [lonˈdʒeviti]. Uzun ömürlülük.

longhand [ˈloŋhand]. Âdi yazı (*yani istenografya değil*).

longitud·e [ˈlondʒitjuud]. Tûl. **~inal** [–ˈtjuudinl], tûlanî.

longshoreman, *pl.* **-men** [loŋˈʃoomən]. Gemi boşaltıcı, tahliyeci.

longways, -wise [ˈloŋweiz, –waiz]. Uzunluğuna.

loofah [ˈloufa]. Lif.

look¹ [luk] *n.* Bakış; görünüş; manzara. to have a ~ at, gözden geçirmek: to take a good ~ at, iyice bakmak, süzmek: to have [take] a ~ round (the town), (şehri) dolaşmak, gezmek: one could see by his ~ that he was angry, kızdığı yüzünden belli idi: I don't like his ~s, bu adamın yüzünü hiç beğenmiyorum: I don't like the ~ of the thing, bana bu iş şübheli görünüyor: from the ~ of him, görünüşüne nazaran: he has the ~ of his father, o babasını andırıyor: good ~s, güzellik. **look-in,** teklifsiz bir ziyaret: not to have a ~, kazanması hiç muhtemel olmamak. **look-out,** gözetleme (yeri); gözcü; manzara: to keep a ~, dikkat etmek, dikkatli bulunmak: to be on the ~ for, kollamak: it is a poor ~ for him, istikbali karanlık görünüyor: that 's his ~, bu onun bileceği şey.

look² *vb.* Bakmak; görünmek. to ~ like, benzemek: it ~s like raining, yağmur yağacağa benziyor: she ~s her age, yaşını gösteriyor: he ~ed a query at me, yüzüme sorar gibi baktı: you ~ well, iyi [sıhhatli] görünüyorsun: you ~ well in that hat, o şapka size yakışıyor. **look about,** to ~ about one, etrafına bakmak: to ~ about for s.o., gözlerile birisini araştırmak: to ~ about for a job, bir iş aramak. **look after,** bakmak; mukayyed olmak; çekip çevirmek; idare etm.: he is old enough to ~ after himself, artık kendini idare edecek yaştadır. **look at,** bakmak: to ~ at him one would think he was starved, yüzüne [vücudüne] bakan onu açlıktan ölüyor zanneder: what sort of man is he to ~ at?, (şeklen) nasıl bir adam?: he 's not much to ~ at, but ..., görünüşte bir şeye benzemiyor, amma ...: the way of ~ing at things, telâkki, görüş tarzı. **look back,** arkaya [geriye] bakmak: to ~ back upon the past, maziye dönüp bakmak: what a day to ~ back to!, bu günü daima zevkle hatırlayacağız! **look down,** aşağıya bakmak: to ~ down a list, bir listeyi gözden geçirmek: to ~ down upon, hor görmek, tepeden bakmak. **look for,** aramak; beklemek: he is ~ing for trouble, belâsını arıyor. **look forward,** ileri bakmak: I am ~ing forward to seeing him, onu göreceğim zamanı zevkle bekliyorum. **look in,** to ~ in at the window, pencereden içeriye bakmak: to ~ in upon s.o., geçerken birisine uğramak. **look into,** tedkik etm.; göz önünde tutmak; (dosya vs.) karıştırmak. **look on,** bakmak; boş durup seyirci olm.; *bk.* look upon. **look out,** dışarı bakmak; nazır olm.; dikkat etm.; aramak: ~ out (for yourself)!, dikkat et!, kendini sakın!: everyone must ~ out for themselves, herkes başının çaresine bakmalı: to ~ out a train in the time-table, tarifede trene bakmak. **look over,** göz gezdirmek; nazır olm.: to ~ over a house, bir evi gezmek, bir eve bakmak: to ~ s.o. all over, birisini baştan aşağı süzmek. **look round,** etrafına bakmak; dönüp bakmak, gezmek, dolaşmak. **look through,** gözden geçirmek, süzmek: to ~ s.o. through and through, birine içini okur gibi bakmak. **look to,** to ~ to stg., bir şeye bakmak: to ~ to the future, istikbali düşünmek: to ~ to s.o. to do stg., bir iş için birisine güvenmek: I ~ to going to Scotland this autumn, bu sonbahar İskoçya'ya gideceğimi umuyorum: I ~ed to find a beautiful woman but I met an old hag, güzel bir kadın bulacağımı beklerken bir acuze ile karşılaştım. **look up,** yukarıya bakmak; başını kaldırmak: to ~ up to s.o., birine itibar etm.; business is ~ing up, işler canlanıyor: to ~ up a word in the dictionary, bir kelime için lûgate bakmak:

to ~ **s.o. up,** birisini gidip görmek. **look upon,** bakmak, saymak, telâkki etm.: **nice to ~ upon,** güzel.

looker-on [ˈlukərˌon]. Seyirci.

-looking [ˈlukiŋ] *suff.* ... görünüşlü; yüzlü.

looking-glass [ˈlukiŋˌglaas]. Ayna.

loom[1] [luum] *n.* Dokuma tezgâhı.

loom[2] *vb.* Karaltı gibi gözükmek. **to ~ large,** vukuu pek yakın görünmek: **to ~ up,** karanlıktan veya sisten hayal meyal ve olduğundan daha büyük görünmek: **dangers ~ing ahead,** tehdid eden tehlikeler.

loony [ˈluuni]. Meczub, kaçık.

loop [luup] *n.* İlmik; ilik; (nehir, yol)un dirseği; perde bağı. *vb.* İlmiklemek. **to ~ the ~,** (uçak v.s.) takla atmak. **loop-hole,** mazgal; kaçamak. **loop-line,** ana hattan ayrılıp sonra tekrar kavuşan telegraf hattı veya demiryolu.

loose[1] [luus] *a.* Gevşek; ayrı; sallanan, laçka; bağlanmamış, başıboş; boşanmış; sarkık; seyrek; liynetli. **to become [get] ~,** gevşemek; ayrılmak; oynamak, yerinden çıkmak; çözülmek: **to break ~,** boşamak, kurtulmak: **to cast ~,** geminin halatlarını salıvermek: **~ly clad,** bol elbiseli: **~ end of rope,** ipin sarkan ucu: **to be at a ~ end,** işsiz olm., yapacak işi olmamak: **to go on the ~,** hovardalık, çapkınlık etm.: **to let [set] ~,** serbest bırakmak, salıvermek: **~ living,** sefahat: **to carry money ~ in one's pocket,** parayı (çanta icinde değil) cebinde taşımak: **a ~ translation,** serbest tercüme: **word ~ly employed,** tam yerinde kullanılmıyan kelime: **~ly woven,** seyrek dokunmuş. **loose-fitting,** laçka, gevşek; (elbise) bol. **loose-leaf,** yaprakları ayrı ayrı olan (defter).

loose[2] *vb.* Salıvermek; serbest bırakmak; çözmek; (ok) atmak. **to ~ one's hold,** sıkı tutmamak, gevşek bırakmak: **to ~ hold of stg.,** salıvermek.

loosen [ˈluusn]. Gevşetmek; lâçka etm.; çözmek. Gevşemek; çözülmek. **to ~ the bowels,** mülayemet vermek: **to ~ a cough,** öksürüğü söktürmek: **to ~ s.o.'s tongue,** dilini çözmek.

loot [luut]. Yağma, çapul; ganimet, yağma malı. Yağma etm., çapullamak.

lop[1] **(lopped)** [lop, lopt]. **to ~ (off),** budamak; ucunu kesmek. **~** veya **~pings,** kesilmiş agacın orta ve ufak dalları.

lop[2]. **to ~ over,** sarkmak: **to ~ along,** kısa atlayışlarla ilerlemek. **lop-ear,** sarkık kulak; kulakları sarkık bir cins tavşan. **lop-sided,** bir tarafa yatkın, aksak.

lope [loup]. (Kurt vs.) uzun adımlarla yürümek. Bu yürüyüş.

loquac·ious [loˈkweiʃəs]. Geveze, çalçene. **~ity** [–ˈkwasiti], gevezelik.

lord [lood]. Efendi; sahib; lord. **to ~ it over,** tahakküm etmek istemek: **the Lord,** Cenabı Hak: **the Lord's Day,** pazar günü: **good Lord!,** Allah! Allah!; yok canım! **in the year of our Lord,** milâdın ... senesinde: **~s and ladies,** yılan yastığı. **~ling,** genc ve ehemmiyetsiz bir asilzade. **~ly,** lorda lâyık; muhteşem; kibirli, azametli. **~ship,** lordluk; metbuluk: **your [his] ~,** zati asilâneleri.

lore [looə*]. Bilgi, ilim.

lorgnette [loonˈjet]. Saplı gözlük.

lorn [loon]. (*şair.*) Yalnız, kimsesiz.

lorry [ˈlori]. Kamyon; dört tekerlekli çiftlik arabası.

lose (lost) [luuz, lost]. Kaybetmek. **to be lost [~ oneself] in ...,** ···e dalmak: **you have lost the poor fellow his job,** zavallıyı işinden ettin: **the joke was lost on him,** nükteyi [şakayı] anlamadı: **the affair lost nothing in the telling,** bu mesele anlatılırken dallandı budaklandı: **this doctor has lost several patients,** (i) bu doktorun hastalarından bir çoğu öldü; (ii) bu doktor müşterilerinden bir çoğunu kaybetti: **to ~ one's reason,** aklını kaçırmak: **I lost most of what he said,** söylediğinin çoğunu işidemedim: **I have lost sight of him,** (i) onu (kalabalıkta vs.) gözden kaybettim; (ii) onu gördüğüm yok: **to ~ one's strength,** kuvvetten düşmek: **my watch ~s ten minutes a day,** saatim günde on dakika geri kalıyor.

loser [ˈluuzə*]. Mağlub; kaybeden kimse. **I am the ~ by it,** bu işte kaybeden benim: **to be a bad ~,** oyunda kaybedince kendine hâkim olmamak.

losing [ˈluuziŋ] *a.* **a ~ game,** kaybedileceği muhakkak olan oyun: **a ~ concern,** kârlı olmıyan bir iş.

loss [los]. Kayıb; zayi olma; zarar, ziyan, telef: **(by evaporation,** *etc.*) fire. **to be at a ~,** şaşırmak; ne yapacağını bilmemek: **to cut one's ~es,** zarardan kâr etm.: **he [it] is no ~,** bu kayıb sayılmaz.

lost [lost] *bk.* **lose.** *a.* Kaybolmuş. **~ property office,** kayıb eşya için müracaat yeri: **to look [seem] ~,** yadırgıyor gibi görünmek: **to be ~ to all sense of shame,** alnının damarı çatlamak.

lot [lot]. Kur'a; piyango; kısmet, talih, nasib; takım, mikdar, aded; çok; kısım, hisse, pay; müzayedeye çıkarılan malların beheri; arsa, parsel; taife, güruh. **a ~ of [~s of],** bir sürü, çok: **all the ~,** hepsi, sürü sepet: **a bad ~,** sağlam ayakkabı değil: **to cast [draw] ~s,** kur'a çekmek: **it did not fall to my ~,** bana nasib olmadı: **in ~s,** takım halinde: **to make a ~ of s.o.,** birini başına çıkartmak: **to buy in one ~,** hepsini toptan almak: **that's the ~,**

hepsi bu kadar: **to think a ~ of oneself,** kendini bir şey zannetmek: **to throw in one's ~ with ...,** ···le mukadderatını birleştirmek: **what a ~ of people!,** ne kadar kalabalık!: **the whole ~ [all the ~] of you,** hepiniz.

loth *bk.* **loath.**

lotion [ˈlouʃn]. Losyon.

lottery [ˈlotəri]. Piyango; kısmet meselesi.

lotus [ˈloutʌs]. Mısır fulu; efsanevi çiçek, lotüs. **lotus-eater,** efsaneye göre lotüs yiyip tatlı hayallere dalan kimse; zevk ve sefasına düşkün.

loud [laud]. Gürültülü, patırdılı; (ses) yüksek; (renk) çig. **to be ~ in one's praises of,** fazla medhetmek: **out ~,** cehren, yüksek sesle. **~ly,** yüksek sesle, bağırarak: **~ dressed,** gösterişli giyinmiş.

loudspeaker [ˈlaudˈspiikə*]. Hoparlör.

lounge [laundʒ]. Hol; teneffüs salonu. **to ~ (about),** hiç bir şey yapmıyarak tembelce oturmak veya gezmek. **lounge-chair,** şezlong. **lounge-suit,** günlük elbise.

lous·e, *pl.* **lice** [laus, lais]. Bit; kehle. **~y** [ˈlauzi], bitli; alçak, sefil.

lout [laut]. Hantal, kabasaba, ayı gibi bir adam. **~ish,** mankafa; hantal.

louvre, louver [ˈluuvə*]. Yukarıdan ışık alan şivli pencere.

love[1] [lʌv] *vb.* Sevmek; aşık olm.; ···den hoşlanmak. **as you ~ your life,** canının kıymetini biliyorsan: **Lord ~ you!,** ne münasebet!: **'Will you come'? 'I should ~ to',** 'Gelir misiniz?' 'Memnuniyetle'.

love[2] *n.* Aşk; sevgi, muhabbet; sevgili; aşk mabudu; (oyunda) pata .**to be in ~,** âşık olm.: ⌜**~ in a cottage**⌝, ⌜iki gönül bir olunca samanlık seyran olur⌝: **to fall in ~ with s.o.,** birine gönlünü kaptırmak, vurulmak: **first ~,** ilk gözağrısı: **to do stg. for the ~ of it,** bir şeyi merak saikasile veya zevk için yapmak: **it cannot be had for ~ or money,** bu ne para ile ne de hatır için bulunur: **to work (just) for ~,** fisebilillah [pir aşkına] çalışmak: **give him my ~!,** gözlerinden öperim!: **there is no ~ lost between them,** biribirlerinden hoşlanmazlar: **an old ~ of mine,** eski sevgililerimden biri: **he sends you his ~,** size selâm söyledi: **what a ~ of a child,** *etc.*!, ne cici [ne hoş] bir çocuk vs. **love-bird,** ufak bir cins papağan. **love-child,** gayrimeşru çocuk. **love-in-a-mist,** bir nevi çöreotu. **love-match,** aşk izdivacı.

lovelock [ˈlʌvlok]. Zülüf; kâkül; bukle.

lovely [ˈlʌvli]. Gayet güzel, lâtif; hoş.

lover [ˈlʌvə*]. Âşık; sevgili. **a ~ of stg.,** mübtelâ, düşkün. ···**lover,** ... seven, ... meraklısı.

lovesick [ˈlʌvsik]. Sevdazade; mecnun.

loving [ˈlʌviŋ] *a.* Muhabbetli; seven. **loving-cup,** bir ziyafette elden ele gezdirilir kulplu gümüş şarab kupası. **loving-kindness,** şefkat, hayırhahlık.

low[1] [lou] *vb.* Böğürmek.

low[2] *a.* Alçak, yüksek olmıyan; düşük; münhat; deni, kaba; (ses) pes; (fiat) ucuz. **of ~ birth,** aşağı tabakadan: **a ~ bow,** derin reverans: **~ dress,** dekolte elbise: **to bring [lay] s.o. ~,** yere sermek: **to lie ~,** bir köşede durmak, saklanmak: **in ~ spirits,** süngüsü düşük, keyifsiz: **so ~ had he sunk,** bu derekeye sukut etmiş. **low-born,** aşağı tabakadan. **low-bred,** soysuz, kaba. **low-brow,** fikir meselelerine alâkasız. **low-class,** âdi, bayağı; aşağı tabakadan. **low-down,** rezil, alçak: **to give s.o. the ~,** (*arg.*) birine bir mesele hakkında fikir veya malûmat vermek. **low-level,** aşağı hizada olan. **low-necked,** dekolte (elbise). **low-pitched,** (dam) alçak, tatlı meyilli; (ses) pes perdeli; (tavan) basık. **low-spirited,** kederli, süngüsü düşük. **low-water,** *a.* **~ mark,** (deniz) cezrin en aşağı seviyesi.

lower[1] [ˈlouə*] *a. comp. of* **low.** Daha aşağı vs.; madun. **the ~ classes,** aşağı tabaka. *vb.* İndirmek; azaltmak; (ses) yavaşlatmak; (yelken) mayna etmek. **~ing,** alçaltan; takat kesen, zayıflatan. **~most,** en aşağı.

lower[2] [ˈlauə*] *vb.* Surat asmak; (gök) kasvetli olm., kararmak. **~ing,** suratsız; kasvetli; tehdidkâr.

lowland [ˈloulənd]. Münhat (arazi). **the Lowlands,** cenub İskoçya. **~er,** cenub iskoçyalı.

lowl·y [ˈlouli]. Mütevazı. **~iness,** tevazu.

loyal [ˈloiəl]. Sadık, samimî; saltanata sadık. **to drink the ~ toast,** kıralın sıhhatine kadeh kaldırmak. **~ist,** hanedana sadık kimse. **~ty,** sadakat; samimiyet; saltanata sadakat.

lozenge [ˈlozindʒ]. Main; baklava şekli; pastil.

lubber [ˈlʌbə*]. Hantal, kabasaba, beceriksiz adam.

lubric·ant [ˈljuubrikənt]. Yağlıyan. Yağ. **~ate** [–keit], yağlamak: **well ~d,** (*arg.*) kafayı çekmiş.

lubricity [ljuuˈbrisiti]. Şehvete düşkünlük.

lucerne [luuˈsəən]. Kabayonca.

lucid [ˈluusid]. Vazıh, iyi anlaşılır; berrak; parlak. **to have ~ intervals,** (deli veya sayıklıyan hasta) arasıra kendisine gelmek. **~ity** [–ˈsiditi], vuzuh; berraklık.

lucifer [ˈluusifə*]. Sabah yıldızı; şeytan. **as proud as ~,** gayet kibirli. **lucifer-match,** kibrit.

luck [lʌk]. Baht, talih, ikbal, şans. **as ~ would have it,** tesadüfen, talih eseri olarak: **bad ~,** aksilik; talihsizlik: **better ~ next**

time!, inşallah gelecek defa daha iyi olur: **a bit [piece, stroke] of ~**, düşeş: **to be down on one's ~**, talihi ters gitmek; düşkün olm.: **good ~**, talih: **hard ~!**, vah! vah!; yazık!; aksilik!: **yes, worse ~!**, sorma!, maalesef!. **~ily**, bereket versin ki. **~y**, talihli; kısmetli, bahtiyar; uğurlu: **~ dog!**, köftehor!: **~ hit [shot]**, tesadüfen hedefi isabet ettirme: **how ~!**, ne âlâ!: **to make a ~ shot**, (*mec.*) boş atıp dolu tutmak: **thank your ~ stars!**, bir yiyip bin şükret!. **lucky-bag, -dip, -tub**, piyango torbası.

lucrative [ˈljuukrətiv]. Kazanclı, kârlı.

lucre [ˈluukə*]. Paralı kazanc; para. **to do stg. for filthy ~**, bir şeyi sırf para için yapmak.

ludicrous [ˈljuudikrəs]. Gülünc.

luff [lʌf]. Yelkenin rüzgâr yakası. Orsa etm.; yat yarışında rakibinin rüzgâr tarafına gitmek.

lug¹ [lʌg]. Şiddetli çekiş. Sürüklemek.

lug². (Bir şey raptetmek için) kulak.

lug³. Balık yemi için kullanılan ve deniz sahilinde bulunan Kum Kurdu.

luggage [ˈlʌgidʒ]. Yol eşyası, bagaj. **luggage-van**, bagaj vagonu.

lug·ger [ˈlʌgə*]. Dört köşeli yelkenli ufak bir gemi. **~sail** [ˈlʌgˌseil], dört köşeli bir yelken.

lugubrious [luuˈgjuubriəs]. Hazin, acıklı; yanık.

lukewarm [ˈluukwoom]. Ilık; gevşek, gayretsiz. **to be rather ~ about stg.**, bir şeye karşı alâkasız, meraksız olmak.

lull [lʌl]. Muvakkat sükûnet. Uyuşturmak, teskin etmek.

lullaby [ˈlʌləbai]. Ninni.

lumbago [lʌmˈbeigou]. Belağrısı, lombago.

lumbar [ˈlʌmbar]. Arka alt tarafına aid, katani.

lumber [ˈlʌmbə*]. Lüzumsuz eşya; kesilmiş kereste; kabuklu kereste. **to ~ up**, lüzumsuz eşya ile doldurmak; karmakarışık yığmak: **to ~ along**, hantal hantal yürümek. **lumber-yard**, kereste deposu.

lumin·ary [ˈluuminəri] Işık veren bir cisim; büyük âlim. **~ous** [–nəs], ışık saçıcı, aydınlatıcı.

lump¹ [lʌmp] *n*. Büyük parça; topak, şiş, yumru; ahmak. **a big ~ of a boy**, iri yarı bir çocuk: **to have a ~ in the throat**, boğazı düğümlenmek: **in the ~**, toptan, götürü: **~ sugar**, kesme şeker: **a ~ of sugar**, bir şeker tanesi: **~ sum**, toptan, götürü.

lump² *vb*. Yığmak; **to ~ along**, hantal hantal yürümek. ⌜**if you don't like it you may ~ it!**⌝, beğenmezsen beğenme.

lump·ish [ˈlʌmpiʃ]. Hantal; ahmak. **~y**, pıhtılı; topaklı; (deniz) dalgalı.

lunacy [ˈluunəsi]. Cinnet, delilik.

lunar [ˈluunə*]. Aya aid, kamerî.

lunatic [ˈluunətik]. Deli, mecnun. **~ asylum**, tımarhane.

lunch [lʌntʃ]. Öğle yemeği; kuşluk. Öğle yemeğini yemek.

lung [lʌŋ]. Akciğer.

lunge¹ [lʌndʒ]. Uzun bir kayışla at terbiye etmek. **~** *veya* **lunging-rein**, bu kayış.

lunge². Hamle, saldırış; meç veya kılıc ile hamle. **to ~ out at s.o.**, birine yumrukla vurmağa çalışmak: **to ~ forward**, birdenbire kendisini ileri atmak.

lupin [ˈluupin]. Acı bakla.

lurch [ləətʃ]. (Gemi) ânî yalpa; (otomobil) ansızın sıçrama; (sarhoş) sendeleme. Böyle ânî bir hareket yapmak, sendelemek, bocalamak. **to leave s.o. in the ~**, birini yüzüstü bırakmak.

lurcher [ˈləətʃə*]. Tazı melezi.

lure [ljuə*]. Cezbetmek; ayartmak; vaid veya yalan ile cezbetmek. Cazibe; hile; tuzak; salıverilmiş doğanı geri çağırmak için bir yem takılarak havaya atılan kuşa benzer bir şey; oltaya takılan yalancı yem, çapara. **the ~ of the deep**, denizin cazibesi.

lurid [ˈljuərid]. Bir yangından göğe akseden kızıllık gibi; korkunc bir kızıllıkta; bakır renkli; korkunc bir şekilde tasvir eden (üslûb).

lurk [ləək]. Kötü niyetle gizlenmek. **to ~ about [be on the ~]**, gizli gizli dolaşmak. **~ing**, gizlenmiş: **a ~ suspicion**, mübhem bir şübhe.

luscious [ˈlʌʃəs]. Pek tatlı ve usareli (meyva); fazla tatlı (şarab); çok süslü (üslûb); insanın ağzını sulandıran (tasvir).

lush [lʌʃ]. Mebzul; usareli.

lust [lʌst]. Şehvet, şehvanilik; hırs. **~ for [after]**, şiddetle istemek; hırs beslemek. **~ful**, şehvanî.

lustr·e [ˈlʌstə*]. Parlaklık; cilâ, perdah; şaşaa; avize. **to shed ~ on**, ···e şöhret vermek. **~eless**, donuk, fersiz. **~ous** [–strəs], parlak; cilâlı.

lusty [ˈlʌsti]. Gürbüz, dinc, kuvvetli.

lute¹ [ljuut]. Lâvta; ud.

lute². Fizik balçığı. Lökünlemek; hamurlamak.

luxation [lʌkˈseiʃn]. Bir kemiğin yerinden oynaması; çıkık.

luxe [lyks] (*yal.*) **de ~**, lüks.

luxuri·ance [lʌkˈsjuəriəns]. Mebzuliyet, bolluk. **~ant**, mebzul, bol; bereketli; gümrah: **~ate**, (nebat) mebzul olm.; (insan) bolluk ve zevk içinde yaşamak.

luxurious [lʌkˈsjuəriəs]. Tantanalı; pek süslü; zevk ve sefaya dalmış; naz ve

nimet içinde. ~ **apartment,** lüks apartıman: **to live a ~ life,** lüks yaşamak.
luxury [ˈlʌkʃəri]. Lüks; her zaman tadılmıyan zevk. **I gave myself the ~ of a cigar,** fevkalâdeden olarak bir puro alıp içtim.
lych-gate *bk.* lich-gate.
lying[1] [ˈlai·iŋ]. *bk.* **lie**[1]; Yalan söyleme, yalancılık. Yalancı.
lying[2] *bk.* **lie**[3]. Yatan; uzanmış; bulunan; vâki. **lying-in,** loğusalık; ~ **hospital,** doğumevi.
lymph [limf]. Lenf. **~atic** [–ˈfatik], lenfavî; gevşek, pısırık.
lynch [lintʃ]. Linçetmek.
lynx [links]. Vaşak; karakulak. **lynx-eyed,** keskin nazarlı.
lyre [laiə*]. Rebab.
lyric [ˈlirik]. Lirik. **~al,** liriğe aid; heyecanlı.

M

M [em]. M harfi.
M.A. [ˈemˈei]. (*kıs.*) **Master of Arts,** mezuniyet diploması ile Doktora arasında bir derece.
Ma [maa]. (*kıs.*) **Mamma.**
Ma'am [mam]. (*kıs.*) **Madam. School-~,** (*Amer.*) muallime.
macabre [maˈkaabr]. Ürpertici, meş'um.
macadam [maˈkadəm]. Şose. **~ize,** kırılmış taşları döşeyip üstlerinden silindir geçirerek şose yapmak.
macaroni [ˌmakəˈrouni]. Makarna.
macaroon [ˈmakəˈruun]. Bademli kurabiye.
macaw [məˈkoo]. Büyük bir cins papağan.
mace[1] [meis]. Gürz; topuz; topuz şeklinde merasim asâsı.
mace[2]. Küçük hindistancevizinin kabuğu.
macerate [ˈmasəreit]. Suda ıslatıp yumuşatmak.
machete [meˈʃeiti] *bk.* **matchet.**
machiavellian [ˌmakiəˈveliən]. Gayet sinsi ve hilekâr.
machicolation [ˌmatʃikoˈleiʃn]. Eski kalelerin kulelerindeki mazgal.
machination [makiˈneiʃn]. Entrika; kumpas kurma.
machine [məˈʃiin]. Makine; bisiklet. Bir makine ile şekil vermek veya tekâmül ettirmek; makine ile dikmek. **machine-gun,** makinalı tüfek. **machine-made,** fabrika işi. **machine-shop,** atölye. **machine-tool,** makineli âlet, avadanlık tezgâhı.
machinery [məˈʃiinəri]. Makineler, mekanizma; vasıtalar. **the ~ of government,** idare makinesi.
machinist [məˈʃiinist]. Makinist.
mackerel [makrəl]. (*Scomber*) Uskumru. **horse ~,** (*Caranx trachurus*) (?); (*yanlış olarak*) palamud. **mackerel-sky,** kapalı havada görünen top top bulutlar.
mackintosh [ˈmakintoʃ]. Yağmurluk.
macro- [ˈmakrou] *pref.* Uzun ..., büyük ... **~cosm** [–kozm], kâinat.
mad [mad]. Deli, mecnun; kuduz; öfkeli. **as ~ as a hatter** [**as a March hare**], zırdeli: **~ about** [**on**] **football,** *etc.*, futbol vs. delisi: **~ for revenge,** intikama susamış: **to be ~ with s.o.,** birine hiddetinden deli olm.: **to drive s.o. ~,** çıldırtmak: **to go ~,** aklını bozmak, çıldırmak; **socialism gone ~,** müfrit [delice] sosyalizm.
madcap [ˈmadkap]. Delişmen, zıpır.
madden [ˈmadn]. Çıldırtmak.
madding [ˈmadiŋ]. **the ~ crowd,** gürültülü kalabalık, büyük şehrin velvelesi.
made *bk.* **make. made-up,** uydurma; makiyajlı.
Madeira [məˈdiərə]. Mader adası; mader şarabı. **~ cake,** pandispanya.
mad·house [ˈmadhaus]. Tımarhane. **~man,** *pl.* **-men,** deli. **~ness,** delilik.
Madonna [maˈdonə]. Meryemana; Meryemana tasviri. **~ lily,** beyaz zambak.
madrepore [ˈmadrəpoo*]. Bir türlü mercan; onu yapan böcek.
madrigal [ˈmadrigl]. Aşka dair kısa manzume; üç veya daha çok kişi tarafından söylenen çalgısız bir şarkı.
maelstrom [ˈmeilstrom]. Norveç sahilinde bir girdab; her hangi büyük girdab.
magazine [ˌmagəˈziin]. Cebhanelik; fişek hazinesi; mecmua. **powder ~,** barut deposu: **~ rifle,** mükerrer ateşli tüfek.
magdalen [ˈmagdəlin]. Tövbekâr fahişe.
magenta [məˈdʒentə]. Kırmızı ile eflâtun arasında bir renk.
maggot [ˈmagət]. Kurd; sürfe; hulya. **~y,** kurdlu.
Magi [ˈmeidʒai]. İsa yeni doğduğu zaman hediye getiren üç şarklı âlim.
magic [ˈmadʒik]. Sihirli, büyülü. Sihir, büyü, sihirbazlık. **as if by ~,** mucize kabilinden: **black ~,** büyü: **~ lantern,** hayal feneri: **to work like ~,** mucize gibi tesir etmek. **~al,** sihirli, sehhar: **to have a ~ effect,** bir büyü tesiri yapmak. **~ian** [məˈdʒiʃn], sihirbaz, büyücü.
magisterial [madʒisˈtiəriəl]. Mütehakkim, hâkimane; sulh hâkimine aid.

magistra·te [ˈmadʒistrit, –reit]. Sulh hâkimi. **~cy, ~ture,** sulh hâkimliği.
Magna Charta [ˈmagnaˈtʃaata]. İngiltere' de 1215de şahsî ve siyasî hurriyeti temin eden kanun.
magnanim·ity [ˌmagnəˈnimiti]. Âlicenablık. **~ous** [magˈnaniməs], âlicenab; deryadil.
magnate [ˈmagneit]. Eşraf. **industrial ~,** sanayi kodamanlarından.
magnesia¹ [magˈniiʃə], Magnezya: **sulphate of ~,** ingiliz tuzu.
Magnesia². Manisa.
magnesium [magˈniizjəm]. Magnezyom.
magnet [ˈmagnit]. Mıknatis; cazibeli kimse veya şey. **bar ~,** çubuk mıknatis: **horsehoe ~,** at nalı mıknatis. **~ic** [–ˈnetik], mıknatisli; cazibeli. **~ism** [–tizm], mıknatisiyet; manyatizma. **~ize,** mıknatislemek; manyatizma yapmak. **~o** [–ˈniitou], manyeto.
magnific, -al [magˈnifik(l)]. Muazzam; muhteşem, mutantan.
magnification [ˌmagnifiˈkeiʃn]. Büyütme.
magnificen·ce [magˈnifisəns]. İhtişam; azamet; debdede. **~t,** muhteşem, mutantan, debdebeli, azametli; mükemmel.
magnifier [ˈmagnifaiə*]. Pertavsız; mübalağacı.
magnify [ˈmagnifai]. Büyütmek; hakkında mübalağa etm.; izam etmek. **~ing glass,** pertavsız: **~ing power,** büyütme kuvveti.
magniloquent [magˈnilokwənt]. (Üslûb) şatafatlı, tumturaklı.
magnitude [ˈmagnitjuud]. Büyüklük, azamet; ehemmiyet.
magnolia [magˈnouljə]. Manolya.
magnum [ˈmagnəm]. Binlik şişe. **~ opus,** şaheser, en mühim eseri.
magpie [ˈmagpai]. (*Pica*) Saksağan; hedefte dış dairelerden biri.
Magyar [ˈmagjaa*]. Macar.
maharajah [ˌmahaˈraadʒa]. Mihrace.
Mahdi [maadi]. Mehdi.
mahogany [məˈhogəni]. Maun.
Mahomet [meˈhomit]. Muhammed. **~an,** Müslüman.
mahout [məˈhaut]. Fil seyisi.
maid [meid[. Kız; kadın hizmetçi. **~ of honour,** damdönör: **old ~,** evlenmemiş yaşlı kız; (kâğıd oyunu) papaz kaçtı. **maid-of-all-work,** her işe bakan hizmetçi.
maiden [ˈmeidn]. Kız; bakire. Çiftleşmemiş (hayvan); yeni, kullanılmamış; hiç fethedilmemiş (kale); hiç yarış kazanmamı (at). **~ forest,** balta görmemiş orman **~ name,** bir kızın evlenmeden evvelki soyadı: **~ speech,** bir mebusun ilk nutku: **~ voyage,** bir geminin ilk seferi. **~hair, ~ fern,** baldırıkara otu. **~hood,** kızlık, bekâret. **~like, ~ly,** kız gibi, kıza yakışır; afif.
maidservant [ˈmeidsəəvənt]. Kız hizmetçi.
mail¹ [meil]. Zırh elbise. **~ed,** zırhlı: **the ~ fist,** kuvvet ile tehdid.
mail². Posta. Posta ile göndermek. **mail-boat,** posta vapuru. **mail-cart,** posta arabası; çocuk arabası. **mail-order,** posta ile gönderilen sipariş. **mail-packet,** posta vapuru. **mail-van,** posta furgonu.
maim [meim]. Sakatlamak. **~ed,** sakat; malûl; çolak.
main¹ [mein] *n*. Kuvvet; (*esk.*) Okyanus; su ve havagazi ve elektrik ana boru veya kablosu. **with might and ~,** var kuvvetile: **in the ~,** alelekser: **to take one's power from the ~s,** elektriği ana hattan almak.
main² *a*. Ana; baş; başlıca. **all ~ services,** ana hizmetler (su, havagazi, elektrik): **the ~ force (of the army,** *etc.*), ordunun vs.nin ana kuvveti: **by ~ force,** cebren. **~ly,** başlıca.
mainland [ˈmeinlənd]. Ada olmıyan Kara.
mainmast [ˈmeinmast]. Ana direk.
mainsail [ˈmeinsl]. Mayistra yelkeni.
mainspring [ˈmeinspriŋ]. Ana yay; başlıca âmil.
mainstay [meinstei]. Ana istralya; istinad noktası. **he is the ~ of the business,** o işin temelidir.
maintain [mainˈtein]. Tutmak; muhafaza etm., bakmak, idame etm.; müdafaa etm.; beslemek; masrafını görmek; iddia etmek. **~able,** tutulabilir; müdafaası kabil.
maintenance [ˈmeintənəns]. Bakım; nafaka; iaşe, geçindirme; idame. **in ~ of this contention,** bu iddianın isbatı için: **~ order,** nafaka kararı: **~ of one's rights,** hakkının müdafaası.
maize [meiz]. Mısır (buğdayı).
majestic [məˈdʒestik]. Muhteşem, heybetli.
majesty [ˈmadʒisti]. Haşmet; şevket. **His Majesty,** zati şahane; haşmetlû; Kıral Hazretleri: **Your ~,** Haşmetmeab.
majolica [məˈdʒolikə]. İtalya'da yapılan bir cins mineli çini.
major¹ [ˈmeidʒə*] *n*. Binbaşı. **major-general,** tümgeneral.
major² *a*. Daha büyük; pek büyük; reşid. **~ity** [məˈdʒoriti], ekseriyet, çoğunluk; reşid olma; binbaşılık: **to join the great ~,** ölmek.
make¹ [meik] *n*. Cins, çeşid, biçim; marka; imal; yapı; fıtrat. **to be on the ~,** ne yapıp yapıp zengin veya muvaffak olmak için çalışmak
make² *vb*. (**made** [meid]). Yapmak, etmek,

kılmak; yaratmak, imal etm.; husule getirmek; teşkil etm.; kazanmak. **make** *fiili inglizcede müteaddi teşkilinde de kullanılır.* **~ for [towards]**, ···e doğru gitmek, kapağı atmak: **he is not so stupid as you ~ him,** zannettiğiniz kadar abdal değildir: **he is as dishonest [honest] as they ~ them,** son derece namussuz (namuslu) dur: **he made as if [though] to get up,** kalkacak gibi oldu: **this book made him,** onu adam eden bu kitabdır; bu kitab onu adam etti: **what made you do that?,** bunu ne diye yaptın?: **we must ~ it do if we can't get anything better,** daha iyisini bulamazsak bununla idare etmeliyiz: **don't ~ a fool of yourself!,** kendini gülünç etme!: **he was made for this job,** tam bu işin adamı: **he made for the police station,** karakola doğru yürüdü: **idleness does not ~ for wealth,** zenginliğin yolu tembellik değildir: **to ~ good,** muvaffak olm.: **to ~ stg. good,** bir şeyi telâfi etm.: **he will ~ a good doctor [soldier],** iyi bir dotor [asker] olur: **we shan't ~ it,** (tren vs.ye) yetişemiyeceğiz: **we'll ~ the village today,** köyü bügün çıkarırız: **show what you are made of!,** kendini göster!: **I don't know what to ~ of it,** *veya* **I can ~ nothing of it,** buna aklım ermiyor, hiç bir şey anlamıyorum: **will you ~ one of the party?,** siz de bizimle beraber gelir misiniz?: **this book ~s pleasant reading,** bu kitab zevkle okunuyor: **these stones ~ hard walking,** bu taşlar üzerinde zahmetle yürünüyor: **that ~s ten,** bununla on oldu; dalya on: **what do you ~ the time?,** sizin saatinize göre saat kaç? **make away, to ~ away with stg.,** kaldırmak; mahvetmek; aşırmak: **to ~ away with s.o.,** birini öldürmek, yok etm.: **to ~ away with oneself,** intihar etmek. **make off,** kaçmak, sıvışmak: **to ~ off with stg.,** alıp götürmek; bir şeyi yürütmek. **make out,** anlamak, çözmek; sökmek: **to ~ out an account,** fatura yapmak, hesabı yapmak: **to ~ out a list,** liste yapmak: **I can just ~ out stg. in the distance,** uzakta hayal meyal bir şey şeçiyorum: **how do you ~ that out?,** bunu nereden çıkarttınız?; buna nasıl hükmediyorsunuz?: **he made himself out to be a rich man,** kendisinin zengin olduğunu söyledi: **he is not such a villain as people ~ out,** herkesin söylediği kadar fena bir insan değildir. **make over,** havale etm., devretmek: **he made over his farm to his son,** çiftliğini oğlunun üstüne yaptı, *fakat*: **he made over £500 a year,** senede beş yüz liradan fazla kazandı. **make up,** uydurmak, tamamlamak; makiyaj yapmak, yüzünü boyamak; telâfi etm.: **to ~ it up,** barışmak, uzlaşmak: **to ~ up to s.o.,** gönlünü almak; ···e yaranmak; yüzüne gülmek: **we must ~ it up to him,** ona bunu ödemeliyiz, tazmin etmeliyiz, telâfi etmeliyiz: **to ~ up an account [a list],** hesabı [listeyi] yapmak, tamamlamak: **to ~ up the books,** hesabı kapatmak: **to ~ up the fire [stove],** ateşi [sobayı] canlandırmak: **to ~ up material into a dress,** kumaştan elbise yapmak: **to ~ up a lie [story],** yalan [hikâye] uydurmak: **to ~ up lost ground,** geri kalan işi telâfi etm.: **to ~ up for lost time,** kaybedilen vakti telâfi etm.: **to ~ up one's mind,** karar vermek, azmetmek: **to ~ oneself up,** yüzünü boyamak, makiyaj yapmak: **to ~ up a prescription,** bir reçete yapmak. **make-and-break,** cereyanı kesip açan cihaz; tramblör. **make-believe,** yalancıktan. **make-do,** yasak savan; iğreti. **make-up,** düzgün, makiyaj; yaradılış.

maker [ˈmeikə*]. Yapıcı; fabrikatör; Halik. **to go to one's ~,** Allahına kavuşmak.

makeshift [ˈmeikʃift]. Muvakkat tedbir; iğreti; yasak savan.

makeweight [ˈmeikweit]. Vezni tamamlamak için teraziye konan şey.

making [ˈmeikiŋ] *n.* İmal, yapma. **~s,** küçük kazanclar. **this event was the ~ of him,** onu adam eden bu vakadır: **he has the ~s of a poet,** onda şairlik hamuru var: **this quarrel was none [not] of my ~,** bu kavgayı ben çıkarmadım.

mal- *pref.* Fena ....

malachite [ˈmalakait]. Bakır taşı; malakit.

maladjustment [ˌmaləˈdʒʌstmənt]. İntibaksızlık.

maladministration [ˌmaladminisˈtreiʃn]. Fena idare, idaresizlik; vazifeyi suiistimal.

maladroit [ˈmalədroit]. Beceriksiz; münasebetsiz.

malady [ˈmalədi]. Hastalık, illet.

malaise [maˈleiz]. Keyifsizlik, rahatsızlık; sıkıntı; endişe, tasa.

malapert [ˈmaləpəət]. Şımarık; küstah.

malapropism [ˈmaləpropizm]. Bir kelime veya tabirin yanlış yerde ve şekilde kullanılması.

malaria [məˈleəriə]. Sıtma. **~l,** sıtmalı.

Malay [məˈlei]. Malezyalı.

malcontent [ˈmalkəntent]. Gayrimemnun; hükümetten gayrimemnun.

male [meil]. Erkek.

maledict·ion [ˌmaliˈdikʃn]. Lânet, beddua. **~ory,** lânet edici.

malefactor [ˈmalifaktə*]. Cani.

maleficent [maˈlefisənt]. Muzır, zararlı.

malevolen·t [məˈlevələnt]. Kötü niyetli,

kindar, bedhah. ~**ce,** kindarlık, bedhahlık.
malfeasance [malˈfiizəns]. (Memur hakkında) kanuna aykırı hareket; suiistimal.
malic·e [ˈmalis]. Kin, garaz; kötü niyet; hiyanet; habaset. **of** [**with**] ~ **prepense, with** ~ **aforethought,** kasden. ~**ious** [məˈliʃəs], şirret; habis, hain; kindar, garazkâr, kötü niyetli.
malign[1] [məˈlain] *vb.* İftira etm.; günahına girmek. ~**er,** iftiracı.
malign[2] *a.* Menhus; muzır; meş'um.
malignant [məˈlignənt]. Muzib; şerir; habis; vahim (hastalık vs.).
malinger [məˈliŋgə*]. Temaruz etm., yalancıktan hastalanmak.
mallard [ˈmaləd]. (*Anas platyrhyncha*) Yaban ördeği; yeşilbas.
malleable [ˈmaliəbl]. Çekiçle dövülerek kırılmadan biçime konabilir; uysal.
mallet [ˈmalit]. Tokmak, tokaç.
mallow [ˈmalou]. (*Malva*) Ebegümeci.
malnutrition [ˌmalnjuˈtriʃn]. Gıdasızlık; fena tagaddi.
malodorous [məˈloudərəs]. Fena kokulu.
malpractice [malˈpraktis]. Kanun veya ahlâka aykırı hareket; bir hekimin fena tedavisi veya ihmalkârlığı; irtikâb.
malt [molt]. Malt. **malt-house,** malt fabrikası.
Maltese [molˈtiiz]. Maltız; maltız dili.
maltreat [malˈtriit]. Hırpalamak, örselemek; fena muamele etm.; hor kullanmak.
malversation [ˌmalvəəˈseiʃn]. İhtilâs; irtikâb.
Mameluke [ˈmaməluuk]. Memlûk.
mammal [ˈmaml]. Memeli hayvan. ~**ia** [məˈmeiljə], memeli hayvanlar sınıfı.
mammoth [ˈmaməθ]. Mamut. Dev gibi, kocaman.
mammy [ˈmami]. Anneciğim; ihtiyar zenci kadın.
man[1] [man] *vb.* **to** ~ **a fort,** kaleye kuvvet koymak: **to** ~ **a ship,** gemiye tayfa koymak: **fully** ~**ned,** tam kadrolu, adamları tamam.
man[2], *pl.* **men** [man, men]. Adam; insan; erkek; er; kimse; amele, işçi; insanoğlu, ademoğlu, beşer; (dama vs.) taş. **be a** ~**!,** cesur ol!: **(as)** ~ **and boy,** çocukluktan beri: **a** ~**'s** ~, erkek adam: **officers and men,** subaylar ve erler: **the** ~ **in the street,** alelâde kimse, orta adam: **her young** ~, (kız hakkında) erkek arkadaş, dost (yavuklu). **man-at-arms,** (ortaçağda) asker, *bilh.* zırhlı süvari askeri. **man-eater,** adam yiyen kaplan veya köpek balığı; ısıran at. **man-of-war,** harb gemisi.
manacle [ˈmanəkl]. Kelepçe. Kelepçe takmak.
manage [ˈmanidʒ]. İdare etm.; kullanmak; çekip çevirmek; becermek; muvaffak olm.; geçinmek. **we'll** ~ **it somehow,** nasıl olsa içinden çıkarız; elbette bir yolunu buluruz: **how on earth did you** ~ **to break that vase?,** nasıl yaptın da o vazoyu kırdın?: **he tried to mount his horse but couldn't** ~ **it,** ata binmeğe çalıştı, beceremedi: **he can't** ~ **this horse at all,** bu atı hiç zaptedemez: **I** ~**d to escape,** bir kolayını bulup kaçtım: **'what day shall I come?' 'Well, can you** ~ **Saturday?',** 'ne gün geleyim?' 'Cumartesi nasıl? [cumartesi gelebilir misiniz]?' **I can't** ~ **more than £100,** yüz liradan fazla sarfedemem: **I can't** ~ **all that meat,** bu etin hepsini yiyemem: **if we go away for a week, how will we** ~ **about the dog?,** bir hafta için gidersek köpeği ne yaparız?
manageable [ˈmanidʒibl]. İdare edilebilir; kullanışlı.
management [ˈmanidʒmənt]. İdare; müdürlük.
manager [ˈmanidʒə*]. Müdür; idareci. ~**ess,** müdire. ~**ial** [ˌmaniˈdʒiəriəl], idareye aid; müdüre aid.
managing [ˈmanidʒiŋ]. İdareci; becerikli; işgüzar ve mütehakkim.
mandarin[1] [ˈmandərin]. Mandaren; uzun müddet iktidarda kalan eski kafalı politikacı.
mandarin[2]**(e).** Mandalina.
mandate *n.* [ˈmandeit]. Emir; vekillik; manda; vesayet; Papa iradesi; iktidardaki partiyi seçen müntehiblerin verdiği talimat. *vb.* [manˈdeit] manda altına koymak.
mandatory [ˈmandətəri]. Mandaya aid; vekil. ~ **state,** manda sahibi devlet.
mandible [ˈmandibl]. Alt çene; kuş gagalarının parçalarından her biri; böcek ağzının çıkıntılı kısmı.
mandragora [manˈdragorə], **mandrake** [ˈmandreik]. Adamotu; kankurutan.
mandrel, mandril [ˈmandril]. Fener mili; malâfa.
mandrill [ˈmandril]. Bir cins büyük maymun; mandril.
mane [mein]. Yele.
manful [ˈmanful]. Merd, cesur.
manganese [maŋgəˈniiz]. Manganez.
mange [meindʒ]. Uyuz.
mangel-wurzel [ˈmaŋglˈwəəzl]. Hayvan pancarı.
manger [ˈmeindʒə*]. Yemlik. ⌜**a dog in the** ~⌝, kendi kullanmadığı bir şeyden başkasının istifadesini istemiyen kimse.
mangle[1] [ˈmaŋgl]. Çamaşır mengenesi. (Çamaşırı) mengeneden geçirmek.
mangle[2]**.** Parçalamak, yırtmak, delik deşik etmek. **to** ~ **a language,** bir lisanı

ezmek: **to ~ a quotation,** yarım yamalak iktibas etmek.
mango [ˈmaŋgou]. Hind kirazı.
mangrove [ˈmaŋgrouv]. Rizofora.
mangy [ˈmeindʒi]. Uyuz; (*arg.*) pintice.
manhandle [ˈmanˌhandl]. Elle (insan kuvvetile) hareket ettirmek; hırpalamak.
manhole [ˈmanhoul]. (Büyük kazan) tamircinin gireceği delik; yollarda gaz, elektrik vs. tamircisinin çalıştığı çukur.
manhood [ˈmanhud]. Beşeriyet; erkeklik; büluğ; yiğitlik; bir memleketin erkekleri.
mania [ˈmeinjə]. Cinnet; mani.
maniac [ˈmeinjak]. Tehlikeli deli; manyak.
manicure [ˈmanikjuə*]. Manikür (yapmak).
manifest[1] [ˈmanifest]. Zahir, belli, aşikâr. Açıkça göstermek; izhar etmek. **to ~ itself,** tecelli etm.; belli olmak. **~ation** [–ˈteiʃn], tecelli; izhar; tezahürat.
manifest[2]. Manifesto.
manifesto [maniˈfestou]. Beyanname.
manifold [ˈmanifould]. Türlü türlü, katmerli; çok. Müstensihle yapılan yazı; birbirine bitişik borular. Bir yazının müstensihle bir çok suretini çıkarmak.
manikin [ˈmanikin]. Ufacık adam; merdümek; kukla; manken.
manila [məˈnilə]. Manila kendirinden yapılan ip.
manipulate [məˈnipjuleit]. El ile işlemek; idare etm.; suiistimal etmek.
mankind [manˈkaind]. Ademoğlu, insanlık, insanoğlu.
man·ly [ˈmanli]. Merd, merdane, yiğitçe. **~liness,** merdlik, yigitlik, erkeklik.
manna [ˈmana]. Kudret helvası; balsıra.
mannequin [ˈmanikin]. Manken.
manner [ˈmanə*]. Tarz, tavır, usul, yol; âdet. **~s,** terbiye; muaşeret; âdet; **good ~s,** muaşeret adabı; **bad ~s,** görgüsüzlük, terbiyesizlik, muaşeret adabına riyayetsizlik. **all ~ of people [things],** her türlü, her cins, halk [eşya]: **as (if) to the ~ born,** sanki böyle (bu iş için] doğmuş: **to forget one's ~s,** terbiyesini bozmak; kendini unutmak: **in a ~ of speaking,** tabir caizse, söz gelişi: **in like ~,** aynı tarzda: **no ~ of doubt,** hiç şübhe yok: **to teach s.o. ~s,** birine terbiye dersi vermek: **what ~ of man is he?,** nasıl bir adam?. **~ed** [ˈmanəd] sahte, müfrit, tasannulu: **-~,** (filan tarzda) hareket eden: **bad- ~,** terbiyesiz; **well-~,** terbiyeli: **coarse ~,** kaba. **~ism** [ˈmanərizm], tasannu; (bir muharrire aid) hususiyet. **~less,** görgüsüz, terbiyesiz. **~ly,** terbiyeli.
mannish [ˈmaniʃ]. Erkek gibi; erkeksi.
manœuvre [məˈnuuvə*]. Manevra; hile; tertibat. Manevra yapmak; (gemi) kullanmak. **~s,** manevra, askerî tatbikat.
manor [ˈmanə*]. Malikâne; tımar. **lord of the ~,** malikâne sahibi. **manor-house,** malikâne sahibinin köşkü. **~ial** [məˈnooriəl], 'manor'a aid.
manpower [ˈmanpauə*]. El emeği; işçiler; bir memleket askerinin adedi.
manservant [ˈmansəəvənt], *pl.* **menservants** [ˈmensəəvənts]. Uşak.
mansion [ˈmanʃən]. Kâşane, büyük konak. **The Mansion House,** Londra belediye reisinin dairesi.
manslaughter [ˈmanslootə*]. Kasden olmıyarak adam öldürme.
mantelpiece, -shelf [ˈmantlpiis, –ʃelf]. Ocak rafı.
mantilla [manˈtila]. İspanyol kadınlarının kullandığı başörtüsü.
mantis [ˈmantis]. Peygamber devesi.
mantle [ˈmantlə]. Harmani; manto; lâmba gömleği. Harmani ile örtmek; yayılıp renk vermek.
manual[1] [ˈmanjuəl]. El ile yapılan; elişi. **~ labour,** el emeği, el işi.
manual[2]. Risale; dua kitabı; orgun el ile çalınan tuşları.
manufact·ory [ˌmanjuˈfaktəri]. Fabrika. **~ure** [–ˈfaktʃə*], imal; mamul şey; yapmak, imal etm.; uydurmak: **~s,** (sinaî) mamulât. **~urer,** fabrikacı, fabrikatör, imalâtçı.
manumi·ssion [manjuˈmiʃn]. Esaretten azad. **~t,** esaretten azadetmek.
manur·e [məˈnjuə*]. Gübre. Gübrelemek. **~ial,** gübreye aid.
manuscript [ˈmanjuskript]. Yazma; el yazması; müsvedde.
Manx [manks]. **Man** adasına aid. **~ cat,** kuyruksuz kedi.
many [ˈmeni]. Çok, bir çok; o kadar; müteaddid; türlü, muhtelif. **as ~ again, twice as ~,** bir bu kadar daha: **there were as ~ as a hundred people there,** orada yüz kişi kadar vardı: **as ~ as you like,** ne kadar isterseniz: **a good ~,** oldukça, bir çok: **a great ~,** pek çok, bir hayli: **how ~?,** kaç tane?: **~ of us,** çoğumuz, içimizden çoğu: **so ~,** o kadar çok; şu kadar: **I told him in so ~ words,** (açıkça söylemeden) münasib şekilde anlattım; dokundurdum: **three too ~,** üç tane fazla. **many-sided,** çok taraflı.
map [map]. Harita. Haritasını yapmak. **to draw a ~,** harita yapmak.
maple [ˈmeipl]. (*Acer*) Akça ağac; isfendan çınarı.
mar [maa*]. Bozmak; ihlal etmek. **to make or ~,** ya (iyi bir şey) yapmak ya bozmak.

marabou [ˈmarabou]. Garbî Afrika'ya mahsus bir cins leylek.
marabout [ˈmarəbuut]. Murabit.
maraschino [marəˈskiinou]. Ekşi bir kirazdan yapılmış bir likör; marasken.
maraud [məˈrood]. Plâçkaya çıkmak; yağma etmek. **~er,** plâçkacı; yemiş veya mahsul hırsızı.
marbl·e [ˈmaabl]. Mermer; bilye. Mermerden yapılmış. **~d,** mermer döşeli; ebru; hareli. **~ing,** ebru; hare.
March[1] [maatʃ]. Mart.
march[2]. Hudud, serhad. **to ~ with,** ile hemhudud olmak.
march[3]. (Asker hakkında) yürümek. Askerî yürüyüş; marş; terakki, ilerleme. **~ past,** geçid resmi: **quick ~!,** ileri arş!: **to give s.o. ~ing orders,** birine yol vermek.
marchioness [ˈmaaʃənəs]. Markiz.
mare [meə*]. Kısrak. ⌜**the grey ~ is the better horse**⌝, evde hükmeden karısıdır; karısı kendisine üstündür. **mare's-nest,** asılsız bir haber, hulya. **mare's-tail,** (*Hippuris*) zemberekotu; at kuyruğu gibi bulut.
margarine [maadʒəˈriin, ˈmaagəriin]. Margarin.
margin [ˈmaadʒin]. Kenar; zırh; pay; mesafe; ara; tolerans. **to allow s.o. some ~,** bir dereceye kadar hareket serbestisi vermek: **to allow a ~ for mistakes,** hatayı hesaba katmak: **to allow a ~ for safety,** ihtiyat payı bırakmak: **by a narrow ~,** daradar, az bir farkla.
marginal [ˈmaadʒinl]. Sahifenin kenarında bulunan; deniz kıyılarında bulunan. **~ note,** haşiye.
marguerite [maagəˈriit]. Papatya.
Maria [məˈraia]. Kadın ismi. **Black ~,** hapishane arabası.
marigold [ˈmarigould]. Kadife çıçeği (?): **marsh ~,** (*Caltha*) altıntopu.
marine [məˈriin]. Denize aid, bahrî. Deniz silahendazı. **merchant ~,** ticaret filosu: ⌜**tell it to the ~s!**⌝, külahıma dinlet!
mariner [ˈmarinə*]. Gemici. **master ~,** ticaret gemisinde ehliyetnameli kaptan.
marionette [ˌmariəˈnet]. Kukla.
marital [ˈmaritl]. Kocalığa veya evlilik hayatına aid.
maritime [ˈmaritaim]. Denizciliğe aid; denize aid, denize yakın.
marjoram [ˈmaadʒərəm]. (*Origanum vulgare*) Merzengûş.
mark[1] [maak] *n.* Alâmet, işaret; çizgi, çetele; marka, damga; nişan, hedef; bere; numara; mark. **as a ~ of (my) esteem,** takdir nişanesi olarak: **below the ~ [not up to the ~],** (i) keyifsiz; (ii) tam ehil değil; (iii) istenilen kalitede değil, kifayetsiz: **I am not up to the ~,** keyifsizim; bu işin tam ehli değilim: **a man of ~,** ehemmiyetli bir adam: **to make one's ~,** (i) temayüz etm.; (ii) (yazma bilmiyenler hakkında) imza yerine işaret koymak: **to be (a bit) off the ~,** tahminde biraz yanılmak; hedefi tutmamak: **to get off the ~ quickly,** (bir yarışta) derhal hareket etm.; (bir işe) derhal girişmek: **'save the ~'!,** tövbeler olsun!; sözüm ona: **to be wide of the ~,** hedefi tutmamak; yanlış tahmin etmek: **to toe the ~,** hizaya girmek; herkese uymak; usule riayet etm.; yola gelmek.
mark[2] *vb.* Çizmek; işaret koymak; nişan yapmak; berelemek; marka yapmak; dikkat etm.; göstermek; numara vermek. **~ my words!,** sözüme mim koy!; duvara yazıyorum: **to ~ time,** yerinde saymak: **the 19th century was ~ed by great scientific discoveries,** 19uncu asrın hususiyetini büyük ilmi keşifler teşkil eder.
marked [maakd] *a.* Damgalı; işaretli; mimli; göze çarpan. **~ card,** işaretli kâğıd: **a ~ man,** mimli bir adam.
marker [ˈmaakə*]. Hedefi olan isabetleri gösteren şahıs; bilârdoda sayıları işaret eden kimse.
market [ˈmaakit]. Çarsı; pazar; hal. Pazarda satmak. **to be in the ~ for stg.,** bir şeyi satın almak istemek: **to be on the ~ [to come into the ~],** satışa çıkmak: **to go ~ing,** pazara gitmek, alışverişe gitmek: **to find a ready ~,** revac görmek: **the ~ has risen,** fiatlar yükseldi. **~able,** satılabilir. **market-garden,** bostan. **market-house,** hal. **market-price,** satış fiatı, pazar fiatı.
marking [ˈmaakiŋ] *n. um.* **~s,** Benekler, işaretler. **marking-ink,** çamasıra marka koymağa mahsus sabit mürekkeb.
marksman, *pl.* **-men** [ˈmaaksmən]. Nişancı; atıcı.
marl [maal]. Özlü kireçli toprak. Bu toprakla gübrelemek.
marline [ˈmaalin]. İki kollu ince halat; kırçıla. **~spike** [–spaik], (halat kollarını açmak için) çelik, kavilya.
marmalade [ˈmaaməleid]. Portakal reçeli.
marmoset [ˈmaamouzet]. Cenubî Amerikada bulunan ufak bir maymun.
marmot [ˈmaamot]. Dağ sıçanı.
maroon[1] [məˈruun]. Vişne çürüğü rengi.
maroon[2]. Patlayıcı fişek.
maroon[3]. Karaya çıkarıp ıssız bir adada bırakmak. **to be ~ed,** haricle münasebeti kesilmek.
marplot [ˈmaaplot]. Bir tedbir veya teşebbüsü fuzulî bir müdahale ile bozan kimse.
marque [maak]. **letters of ~,** (vaktile) verilen korsanlık fermanı.

marquee [maaˈkii]. Büyük çadır.
marquis, -quess [ˈmaakwis]. Marki.
marriage [ˈmariʒ]. Evlenme, izdivac. **to give s.o. in ~,** kocaya vermek: **to seek s.o. [s.o.'s hand] in ~,** bir kıza talıb olm.: **~ lines,** evlenme kâğıdı: **relative by ~,** sıhrî: **~ settlement,** bir kız evlenirken babası tarafından yatırılan meblağ. **~able,** evlenecek çağda, gelinlik
married [ˈmarid]. Evlenmiş: **~ man,** ev bark sahibi: **a ~ couple,** karıkoca: **to get ~,** evlenmek.
marron glacé [ˈmaronˈglase]. Kestane şekeri.
marrow [ˈmarou]. İlik; öz; sakız kabağı. **spinal ~,** murdar ilik. **~bone,** ilikli kemik. **~fat, ~ pea,** iri taneli bezelya.
marry [ˈmari]. Evlen(dir)mek; nikâhla vermek; kocaya vermek. **to ~ beneath one,** küfüv olmıyanla evlenmek: **to ~ into a family,** evlenme yolu ile bir aileye girmek: **to ~ money,** zengin bir kimse ile evlenmek.
Mars [maaz]. Merih yıldızı; harb ilâhı.
marsh [maaʃ]. Bataklık. **~ gas,** durgun sudan intişar eden karbonlu hidrojen. **~land,** bataklık yer.
marshal[1] [ˈmaaʃəl] *n.* Mareşal, müşir; teşrifat memuru.
marshal[2] *vb.* Dizmek, sıralamak. **to ~ s.o. in [out],** birini merasimle içeri getirmek [dışarı götürmek]: **to ~ facts,** vakaları toplayıp mantıkî bir tertibe koymak. **~ling yard,** trenlerin tasnif ve tertib edildiği istasyon.
marshy [ˈmaaʃi]. Bataklık, sulak.
marsupial [maaˈsjuupiəl]. Keseli (hayvan).
mart [maat]. Çarşı; pazar yeri; ticaret merkezi.
marten [ˈmaatən]. Zerdava.
martial [ˈmaaʃl]. Harbe aid, harbî, cengâver; harbe elverişli. **court ~,** divanı harb, askerî mahkeme: **~ law,** örfî idare.
Martian [ˈmaaʃən]. Merih yıldızına aid.
martin [ˈmaatin]. **house ~,** (*Martula urbica*) pencere kırlangıcı; **sand ~,** (*riparia*) kum kırlangıcı (?).
martinet [maatiˈnet]. Müfrit disiplinci.
martingale [ˈmaatiŋgeil]. Baş vurmasına mani olmak için beygire takılan kayış, kelepser.
martyr [ˈmaatə*]. Şehid; din uğrunda ölen adam; fikir kurbanı; mağdur. Şehid etmek. **a ~ to rheumatism,** romatizma kurbanı: **to make a ~ of oneself,** şöhret kazanmak için fedakârlık eder görünmek. **~dom,** şehidlik; büyük ıstırab.
marvel [ˈmaavəl]. Mucize; acibe. Şaşmak, taaccüb etmek. **it's a ~ to me that ..., ...** beni hayrette bırakıyor: **to work ~s,** mucize gibi tesir etmek. **~lous,** acayib, fevkalâde; şaşılacak.
marzipan [ˌmaatziˈpan]. Badem ezmesi.
mascot [ˈmaskot]. Uğur getiren adam; uğur için taşınan şey; tılısım.
masculine [ˈmaskjulin]. Erkeğe aid, erkeğe benziyen; müzekker.
mash [maʃ]. Ezilmiş ve sulu bir madde; lâpa; ezme. Lâpa haline koymak; ezmek. **bran ~,** kepek lâpası: **~ed potatoes,** patates ezmesi.
masher [ˈmaʃə*]. Kadın avcılığı taslıyan züppe.
mask [maask]. Maske; nikab; alçıdan yüz kalıbı. Maskelemek; örtmek; örtbas etm., gizlemek. **~ed ball,** maskeli balo: **to drop [throw off] the ~,** maskeyi yüzünden indirmek: **under the ~ of, ···** perdesi altında.
mason [ˈmeisn]. Taşcı; duvarcı; farmason. **~ic** [maˈsonik], masonluğa aid. **~ry,** duvarcılık; duvarcı işi; taşcı işi; masonluk.
masque [mask]. Amatörler tarafından verilen temsil; bunun için yazılan piyes.
masquerade [ˌmaskəˈreid]. Maskeli balo; kıyafet tebdili; taslama, gibi görünme. **to ~ as ...,** taslamak, ...gibi görünmek, geçinmek.
mass[1] [mas]. Katolik kilise âyini; bunun için yazılan musiki.
mass[2] *n.* Kütle; hacım; yığın, küme; mecmu: **the ~es,** avam takımı: **a ~ of people,** büyük kalabalık: **people in the ~,** umumiyetle halk: **the great ~ of the people,** halkın ekseriyeti: **~ of manœuvre,** ihtiyatta bırakılan kuvvetler: **~ meeting,** kalabalık miting: **~ production,** seri halinde imal: **~ executions,** toptan idamlar: **~ ~ rising,** bütün memleketin ayaklanması.
mass[3] *vb.* Yığmak; toplamak; cemetmek; bir araya getirmek. Kütle halinde toplanmak.
massacre [ˈmasəkə*]. Katliam. Kılıçtan geçirmek, katliam etmek.
massage [maˈsaaʒ]. Uğma, uğuşturma(k), masaj (yapmak).
masseu·r [maˈsəə*]. Tellak; masajcı. **~se,** kadın masajcı.
massive [ˈmasiv]. Ağır ve kalın; kocaman; som; lenduha; kütlevî.
mast[1] [maast]. Gemi direği. **to sail before the ~,** bir gemide tayfa olarak hizmet etmek. **~ed,** direkli.
mast[2]. Meşe ve kayın ağaclarının palamudu.
master[1] [ˈmaastə*] *n.* Âmir; sahib; reis; efendi; usta, üstad; muallim, hoca; tüccar gemisi kaptanı; üst gelen; *genc asilzadelere verilen lâkab.* **Master of Arts (M.A.),**

ictimaî ilimlerden mezun (İngiliz üniversitelerinde mezuniyet diploması ile Doktora arasında bir derece): ~ **of Ceremonies,** teşrifat memuru: ~ **of the Horse,** Mirahor: ~ **of Hounds (M.F.H.),** bir tilki veya geyik avını idare eden adam: **to be one's own ~,** müstakil olm.: **to be ~ in one's own house,** kendi evinin efendisi olm.: **you are not ~ of yourself,** iradeniz elinizde değil: **the young ~,** küçük bey. **master-at-arms,** harb gemisinde inzibat cavuşu. **master-key,** ana anahtar. **master-stroke,** üstadca bir tedbir.

master[2] *vb.* Zabtetmek; âmirce idare etm.; itaat ettirmek; hâkim olmak. **to ~ a difficulty,** bir güçlüğü yenmek: **to ~ a subject,** bir mevzua hâkim olmak.

master·ful [ˈmaastəful]. Mütehakkim; inadcı; iradesi kuvvetli. **~ly,** üstadca. **~piece,** şaheser. **~ y** hâkimiyet; galebe; üstünlük; üstadlık.

mastic [ˈmastik]. Sakız; mastika.

masticate [ˈmastikeit]. Çiğnemek.

mastiff [ˈmaastif]. Samsun.

mastitis [masˈtaitis]. Meme iltihabı.

mastodon [ˈmastədon]. Mastodont.

mastoid [ˈmastoid]. Meme başı şeklinde: halemî; nütui halemî.

mat[1] [mat]. Hasır; paspas; keçe; nihale; palet; karmakarışık yığın. Hasır döşemek; hasır örmek; saç ve emsalini birbirine yapıştırıp top etmek. **collision ~,** usturmaca.

mat[2] Donuk; mat. Donuk hale koymak.

match[1] [matʃ]. Kibrit. **to strike a ~,** kibrit çakmak.

match[2]. Maç; oyun.

match[3]. Misal, misil, eş. **to be a ~ for,** ···e denk olm., eş olm.: **to make a good ~,** fevkalâde bir eş bulmak: **a good ~ of colours,** birbirini tutan renkler: **to meet one's ~,** dengine raslamak.

match[4] *vb.* Birbirine uymak; mütenasib olmak. Birbirine uydurmak; eşini bulmak. **to ~ s.o. against another,** boy ölçüştürmek: **to be well ~ed,** uyuşmak; birbirinin dengi olmak.

matchboard(ing) [ˈmatʃbood(iŋ)]. Birbirine geçme tahta.

matchet [ˈmatʃit]. Şeker kamışı kesmeğe mahsus geniş yüzlü bıçak.

matchless [ˈmatʃlis]. Misli yok, emsalsiz.

matchlock [ˈmatʃlok]. Çakmaklı tüfek.

matchmaker [ˈmatʃmeikə*]. Cöpçatan.

matchwood [ˈmatʃwud]. **made of ~,** çörden çöpten: **to burn like ~,** çıra gibi yanmak: **smashed to ~,** parça parça edilmiş.

mate[1] [meit] *n.* Eş; arkadaş; iş ortaği; kapı yoldaşı; yamak: tüccar gemilerinde ikinci kaptan.

mate[2] *vb.* Çiftleş(tir)mek; evlen(dir)mek; eş olm.; eşini bulmak.

mate[3]. Satrançta mat (etmek).

matè [ˈmatei]. Paraguay çayı.

mater [ˈmeitə*]. Anne. **Alma Mater** [ˈmaatə*], bir kimsenin okuduğu mekteb veya üniversite. **~familias** [–faˈmilias], çoluk çocuk sahibi kadın.

materia [məˈtiiriə]. **~ medica,** müfredati tıb.

material [məˈtiiriəl]. Madde; kumaş; bir kitab için lâzım gelen malzeme. Maddî; elzem. **~s,** levâzım, malzeme: **raw ~,** ham madde. **~ism,** maddicilik. **~ist,** maddici. **~istic** [–ˈlistik], maddî, maddicilik mesleğine aid. **~ize,** maddileştirmek; gerçekleşmek; tahakkuk etm., müncer olmak.

matern·al [məˈtəənl]. Anaya ve analığa aid. **~ uncle,** dayı. **~ity,** analık: **~ home,** doğumevi.

mathematic·s [ˌmaθəˈmatiks]. Riyaziye. **applied ~,** tatbikî riyaziye: **pure ~,** nazarî riyaziye. **~al,** riyazî. **~ian** [–ˈtiʃn], riyaziyeci.

matins [ˈmatinz]. Anglikan kiliselerinde sabah ibadeti.

matriarch [ˈmeitriaak]. İbtidai bir kabilede hem ana hem hâkime sayılan kimse. **~al** [–ˈaakl], ana hâkimiyetine aid.

matric [məˈtrik]. (*kıs.*) **matriculation.**

matricide [ˈmatrisaid]. Ana kaatilliği; ana kaatili.

matriculat·e [məˈtrikjuleit]. Üniversiteye girmek için lâzım gelen imtihanı vermek. **~ion** [–ˈleiʃn], üniversiteye kaydolunma ve bunun için lazım gelen imtihan.

matrimon·y [ˈmatriməni]. Evlilik, evlenme. **~ial** [–ˈmounjəl], izdivaca aid, evliliğe aid.

matrix [ˈmeitriks]. Dölyatağı; harf kalıbı; kalıb dişi; kıymetli taş parçasını ihtiva eden kaya.

matron [ˈmeitrən]. Yaşlı ve muhterem evli kadın; ana kadın; hatun; bir hastahane gibi müessesenin âmiri olan kadın; bir mektebde çocukların sıhhatine ve üstlerine başlarına bakan kadın. **~ly,** ana kadına yakışan.

matter[1] [ˈmatə*] *n.* Madde; cevher, cisim; mesele, dâva, iş; ehemmiyet; eser mevzuu; cerahat, irin. **that's (quite) another ~,** o başka bir mesele [bahis]: **as a ~ of course,** tabiî olarak; hiç düşünmeden: **[a] ~ of fact,** vakıa, hakikat: **as a ~ of fact,** zaten; doğrusu: **for that ~,** ona gelince: **it is a ~ for rejoicing that ...,** sevinmeye değer bir meseledir ki: **in the ~ of ...,** ···in hususunda: **it makes no ~,** zarar yok; fark yok; ehemmiyeti yok: **no great ~,** bir şey değil: **it will be a ~ of two months,** bu iki aylık bir meseledir: **to settle ~s,** meseleyi hallet-

mek, tesviye etm., kapatmak: **it's a ~ of taste,** bu bir zevk meselesidir: **what's the ~?,** ne var?, ne oldu?: **what's the ~ with you?,** neniz var?, size ne oldu?: **well, what ~!,** ne çıkar?: **is there anything the ~ with you?,** size bir şey mi oldu?. **matter-of-fact,** maddî, hissiz, kuru, pratik.
matter² *vb.* Ehemmiyeti olmak. **it does not ~,** ehemmiyeti yok: **it ~s a good deal to me,** benim için ehemmiyeti var: **it doesn't ~ to me whether he comes or not,** gelse de gelmese de bence müsavi.
matting [ˈmatiŋ]. Hasır örgüsü; keçe. **coco-nut ~,** koko yol keçesi.
mattock [ˈmatək]. Ucları yassı bir nevi kazma.
mattress [ˈmatris]. Minder.
mature [məˈtjuuə*] Olgun; kemale ermiş; yaşını başını almış; geçkin; kıvamında; vadesi gelmiş (bono). Olgunlaşmak; pişmek; kemale ermek; ödenme zamanı gelmek; olgunlaştırmak, pişirmek. **after ~ consideration,** düşünüp taşındıktan sonra.
maturity [məˈtjuuriti]. Olgunluk, kemal; tediye vadesi.
matutinal [ˌmatjuˈtainl]. Sabaha aid; sabahlık; erken.
maudlin [ˈmoodlin]. Sarhoşluktan cıvık ve ağlamalı bir halde olan; cıvık ve ağlamalı bir muhabbet gösteren.
maul¹, mall [mool] *n.* Tokmak.
maul² *vb.* Dövüp berelemek; hırpalamak; örselemek; yaralamak.
maulstick [ˈmoolstik]. Ressam değneği.
maunder [ˈmoondə*]. Mırıldanarak ve insicamsız konuşmak; gayesiz ve dalgın dalgın gezinmek.
Maundy [ˈmoondi]. **~ Thursday,** paskalyadan önceki perşembe günü.
mausoleum [moosouˈliiəm]. Türbe.
mauve [mouv]. Leylâk rengi; leylâkî.
maw [moo]. Karın; kursak; hayvan ağzı.
mawkish [ˈmookiʃ]. Tiksindirici; yavan, tatsız; marazi şekilde hassas, fazla içli.
maxillary [makˈziləri]. Çeneye aid; fekkî.
maxim¹ [ˈmaksim]. Vecize; darbımesel; düstur; şiar.
maxim². Maksim tüfeği.
maximum [ˈmaksiməm]. En yüksek derece, azamî had; gaye; narh. Azamî, en büyük.
May¹ [mei] *n.* Mayıs; (*Crataegus*) mayıs çiçeği, akdiken. **May-Day,** mayısın birinci günü.
may² (**might**) [mei, mait] *vb.* (*Yardımcı fiil. bk. dahi* **might**). *Bu fiil birleştiği fiile ihtimal veya müsaade manalarını ilâve eder.* **~ I come in?,** girebilir miyim?: **~ they be happy!,** mes'ud olsunlar: **be that as it ~,** her ne olursa olsun: **it ~ be that ...,** olabilir ki: **he ~ come tonight,** (i) bu akşam belki gelir; (ii) bu akşam gelebilir; bu akşam gelmesine müsaade var: **it ~ rain,** yağmur yağabilir; yağmur yağması muhtemeldir: **we ~ as well stay where we are,** bulunduğumuz yerde kalsak daha iyi: **work as he ~ he will never pass this exam,** nekadar çalışırsa çalışsın bu imtihanı veremez: **if I ~ say so,** kusura bakmayın amma ...: **I hope we ~ meet again,** ümid ederim ki yine görüşürüz: **tell me when you are coming so that I ~ meet you,** ne zaman geleceğinizi söyleyiniz de sizi karşılayayım: **who ~ you be?,** siz kimsiniz?, siz kim oluyorsunuz?: **you ~ walk ten miles without seeing a soul,** bir tek kimse görmeden on mil yürüyebilirsiniz.
maybe [ˈmeibi]. Belki; ihtimal ki.
mayfly [ˈmeiflai]. Su sineği; frigan.
mayor [meə*]. Belediye reisi. **~al,** belediye reisine aid. **~alty,** belediye reisliği. **~ess,** belediye reisinin karısı; kadın belediye reisi.
maypole [ˈmeipoul]. Mayısın birinde bayram yapmak için dikilen direk.
maze [meiz]. Lâbirent. Şaşmak; sersemletmek. **to be in a ~,** ne yapacağını bilmemek.
M.D. [ˈemˈdii]. **Doctor of Medicine,** doktor, hekim.
Mdlle. (*kis.*) **Mademoiselle.**
me [mii]. Beni; (*kon.*) ben. **to ~,** bana: **from ~,** benden: **ah ~!,** eyvah!: **dear me!,** yok canım!; ne yazık!
mead¹ [miid]. Baldan yapılmış bir likör.
mead² *bk.* **meadow.**
meadow [ˈmedo]. Çayır, otlak. **~ saffron** (*Colchicum*) itboğan. **meadow-sweet,** (*Spiraea ulmaria*) erkeç sakalı.
meagre [ˈmiigə*]. Zayıf; kıt; yavan.
meal¹ [miil]. Yulaf arpa veya mısır unu.
meal². Yemek, taam. **at ~s,** yemeklerde: **to make a ~ of,** yiyip bitirmek, silip süpürmek: yemek yerine yemek.
mealies [ˈmiiliz]. Mısır buğdayı.
mealy [ˈmiili]. Unlu, un gibi. **mealy-mouthed,** yapmacıktan tatlı dilli; yaltak; riyakâr.
mean¹ [miin] *n. & a.* Orta; vasat; vasatî; *pl.* **~s,** *bk.* **means. the golden [happy] ~,** ne ifrat ne tefrit; ikisi ortası.
mean² *a.* Cimri, nekes; alçak, aşağı. **to take a ~ advantage of s.o.,** bir fırsatı âdice kullanarak birisine üstün gelmek: **the ~est Frenchman expects good cooking,** en aşağı bir Fransız bile yemeğin iyi pişirilmesini ister: **he has no ~ opinion of himself,** kendini epeyi beğenmiştir: **he is no ~ scholar,** o mühim bir âlimdir: **to think ~ly of s.o.,** (i) birini pek gözü tutmamak; (ii) küçümsemek.

mean³ (meant) [ment] *vb.* Demek istemek, kasdetmek; manası olm.; muradetmek; kararlaştırmak, tasmim etm.; ifade etmek. **I didn't ~ to be rude,** bu nezaketsizliği kasden yapmadım: **he ~s well,** (…e rağmen) hüsnüniyet sahibidir: **he ~s no harm,** fenalık kasdetmiyor, hüsnüniyetle hareket ediyor: **I ~ to write a book about Turkey,** Türkiye hakkında bir kitab yazmak niyetindeyim: **I ~ what I say,** lâf olsun diye söylemiyorum, bu hususta ciddiyim: **I ~ to be obeyed,** bana itaat edilmesini isterim yoksa …: **that remark was ~t for you,** bu sözü sizi kasdederek söyledim [söyledi vs.]: **I ~t this necklace for you,** bu gerdanlığı size vermeği [sizin için] düşünüyordum: **the name ~s nothing to me,** bu ismi hiç hatırlamıyorum; bu isim bana hiç bir şey ifade etmiyor: **this portrait is ~t to be me,** bu gûya [sözde] benim resmim: **what do you ~ by behaving like that!,** bu hareketinizle ne demek istiyorsunuz?; ne cesaretle böyle hareket ediyorsunuz?

meander [mi'andə*]. Yılankavı olm., sağda solda dolaşmak: **M~,** Menderes ırmağı.

meaning ['miiniŋ] *n.* Mana; meal; kasıd. Manalı. **what's the ~ of this?,** (i) bunun manası nedir? (ii) bu ne demek?, bu ne!, bu nasıl şey!: **well-~,** iyi kalbli; (aslında) iyi niyetli. **~less,** manasız, abes.

meanness ['miinnis]. Cimrilik; aşağılık, çingenelik.

means [miinz]. (*um. müfred olarak kullanılır*); Vasıta; vesile; yol, suret; imkânlar; servet, irad, para. **a ~ to an end,** gaye için vasıta: **by all ~s,** (i) hayhay, elbette; (ii) ne yapıp yapıp: **by all ~s let him learn Turkish,** varsın türkçe öğrensin: **by any ~ you can,** ne yapıp yapıp; her ne suretle olursa olsun: **he is not by any ~ a rich man,** hiç te zengin bir adam değildir: **it is beyond my ~,** benim harcım değil; bu benim için imkânsız: **to live beyond one's ~,** gelirinden fazla sarfetmek; ayağını yorganına göre uzatmamak: **a man of ~,** varlıklı bir adam; hali vakti yerinde bir adam: **by no (manner of) ~,** hiç değil; hiç bir suretle; katiyen; ne gezer: **there is no ~ of doing it,** bunu yapmağa imkân yok: **private ~,** bir şahsın kendi geliri (bir vazifeden aldığı ücret haricinde): **by some ~ or other,** her hangi bir şekilde; ne yapıp yapıp: **by ~ of …,** … vasıtasile: **he has been the ~ of …,** onun vasıtasile …: **without ~,** geliri olmıyan; fakir: **ways and ~,** türlü türlü vasıta *bilh.* malî vasıta: **Committee of Ways and Means,** bütçe encümeni.

meant *bk.* mean.³

meantime [miin'taim], **meanwhile** [–'wail]. Bu arada. **in the ~,** bu müddet zarfında, bir yandan; bununla beraber.

measles ['miizls]. Kızamık. **German ~,** kızamıkçık.

measly ['miizli]. (*arg.*) Değersiz, sefil.

measur·e ['meʃə*]. Ölçü; mikyas; ölçme; had; vezin; nizam; tedbir. Ölçmek; mesaha etm.; tartmak; ölçüsü … kadar olmak. **beyond ~ [out of all ~],** çok fazla, sonsuz: **to ~ one's length (upon the ground),** boylu boyuna yere serilmek: **made to ~,** ısmarlama: **to ~ out,** ölçerek tayin etm., ölçerek dağıtmak: **in some ~,** bir dereceye kadar: **to take ~s,** tedbir almak. **~able,** ölçülebilir; yakın. **~ed,** ölçülü. **~ing, ~ chain,** mesaha zinciri: **~-glass,** dereceli bardak. **~ment,** ölçme, ölçü.

meat [miit]. Et; rızk; lüb; esas. ⌜**as full of ~ as an egg**⌝, özlü, esaslı: **music is ~ and drink to him,** musiki onun için gıda gibidir: **that book is rather strong ~ for the young,** bu kitab çocuklar için çok ağırdır. **~y,** etli; özlü. **meat-safe,** tel dolab.

mechan·ic [me'kanik], **–ician** [–kə'niʃn]. Makineci; makine işçisi; **~s,** mihanik. **~ical,** mihanikî; makineye aid, makine ile işlenen. **~ism** ['mekənizm], makine tertibatı, mekanizma. **~ize** ['mekənaiz], makineleştirmek.

medal ['medl]. Madalya. **~lion** [mə'daljən], madalyon. **~list,** madalya kazanan.

meddle ['medl]. Karışmak; lüzumsuz yere müdahale etmek. **to ~ in,** …e müdahale etm.: …e burnunu sokmak: **to ~ with,** …e karışmak, dokunmak, kâhyalık etmek. **~r,** müdahaleci; her şeye burnunu sokan kimse; işgüzar. **~some** ['medlsəm], her şeye burnunu sokan, müdahaleci.

Medes [miidz]. Medler. ⌜**a law of the ~ and Persians**⌝, asla değişmez âdet veya anane.

mediaeval *bk.* **medieval.**

mediat·e ['miidieit]. Tavassut etm., araya girmek. **~ion** [–'eiʃn], tavassut: **~or,** mütevassıt; arabulan.

medical ['medikl]. Tıbbî; hekimliğe aid. **~ board,** heyeti sıhhiye: **~ man,** doktor: **~ Officer of Health,** sıhhat memuru.

medicament ['medikəment]. İlâc.

medicin·e ['medisn, 'medsin]. İlâc; hekimlik, tıb. **to give s.o. a dose of his own ~,** birine mukabelebilmisil yapmak. **~al** [–'disinl] ilâc gibi kullanılabilir; şifalı.

medieval [medi'iivl]. Orta çağlara aid.

mediocr·e ['miidi'okə*]. Orta, vasat; aşağı; pek parlak değil. **~ity** [–'okriti], orta, vasat olma; alelâde insan.

meditat·e ['mediteit]. Düşünceye dalmak,

murakebeye varmak; düşünmek; zihninde bir şey tertib etm., niyet etm., tefekkür etmek. **~ion** [–ˈteiʃn], düşünme, düşünüp taşınma; dalgınlık; murakebe. **~ive** [ˈmeditətiv], dalgın; düşünceli.

Mediterranean [ˌmeditəˈreinjən]. Akdeniz (–e aid).

medium [ˈmiidjəm]. Orta; mütevassit. Orta, vasat; vasıta, çare, yol; delâlet; medyom. **happy ~,** tam karar, ne ifrat ne tefrit.

medlar [ˈmedlə*]. Muşmula; beşbıyık.

medulla [məˈdʌllə]. İlik.

meed [miid]. Mükâfat. **one's ~ of praise,** müstahak olduğu medih.

meek [miik]. Alçak gönüllü; halim; uysal; mazlum. **~ness,** alçak gönüllülük; meskenet.

meerschaum [ˈmiəʃəm]. Denizköpüğü; lületaşı.

meet[1] [miit] *a.* Münasib; lâyik; yakışır.

meet[2] (met [met]) *vb.* Rasgelmek; yüzyüze gelmek; bir araya gelmek; buluşmak; görüşmek; karşılamak. **to ~ s.o.,** (i) birine rasgelmek, karşılamak; (ii) tavizatta bulunmak, uyuşmağa hazır olm.: **to ~ the case,** vaziyete, hal ve şartlara uymak: **to ~ one's death,** bir kaza ile ölmek: **to make both ends ~,** geçinebilmek, idare etm.: **to ~ one's eyes,** göze ilişmek: **there is more in it than ~s the eye,** pek göründüğü gibi değil: **to ~ with an accident,** *etc.*, kaza vs.ye uğramak: **pleased to ~ you!,** (*Amer.*) müşerref oldum: **to ~ a train,** bir treni karşılamak.

meeting [ˈmiitiŋ] *n.* İctima, toplantı; miting; (nehirler) kavuşma.

mega- *pref.* Büyük ..., ... büyüten.

megalomania [ˌmegəlouˈmeinjə]. Azamet hastalığı; megalomani.

megaphone [ˈmegəfoun]. Megafon.

megrim [ˈmiigrim]. Başağrısı: **the ~s,** can sıkıntısı; atlarda olan nüzul.

melanchol·y [ˈmeləŋkəli]. Malihulya; karasevda; melâl. Gamlı, meraklı; hüzün verici. **~ia** [–ˈkouljə], malihulya. **~ic** [–ˈkolik], karasevdalı, malihulaylı; mahzun.

mêlée [ˈmelei]. Göğüsgöğüse muharebe; kördövüşü, arbede.

mellifluous [məˈlifluəs]. Bal gibi, tatlı.

mellow [ˈmelou]. Olgun; (ses, renk) tatlı; (şarab) yumuşak; (*kon.*) çakırkeyif. **~** *veya* **to grow ~,** olgunlaşmak; yaş ve tecrübe ile müsamahakâr ve temkinli olmak.

melod·y [ˈmelədi]. Ezgi, nağme; melodi. **~ious** [məˈloudjəs], ahenkli.

melon [ˈmelən]. Kavun.

melt [melt]. Erimek; eritmek; yumuşamak. **~ away,** eriyip kaybolmak; **~ down,** parça parça şeyleri eritip birleştirmek: **to ~ into tears,** gözlerinden yaş boşanmak. **melting-pot,** pota: **to be in the ~,** inhilâl etm.; baştan başa değiştirilmek.

member [ˈmembə*]. Uzuv; âza. **~ of Parliament (M.P.),** meb'us, milletvekili. **~ship,** âzalık; âzaların adedi.

membrane [ˈmembrein]. Zar; gışa.

memento [məˈmentou]. Yadigâr; hatıra.

memo [ˈmiimou] *bk.* **memorandum.**

memoir [ˈmemwaa*]. İlmî muhtıra; hatıra. **~s,** hatırat.

memora·ble [ˈmemərəbl]. Hatırlamağa değer; unutulmaz; mühim. **~ndum,** *pl.* **–da** [ˌmeməˈrandəm, –da], muhtıra, müzekkere, nota. **to make a ~ of stg.,** not etm., not almak: **~ of association,** bir şirketin teşekkülünü bildiren ihbarname. **~-book,** muhtıra defteri, karne.

memorial [məˈmooriəl]. Abide; yadigâr; muhtıra, arzuhal. Hatırlatıcı (abide vs.).

memorize [ˈmeməraiz]. Ezberlemek.

memory [ˈmeməri]. Hafıza; hatıra. **to the best of my ~,** hatırladığıma göre: **of blessed ~,** rahmetli: **in ~ of ...,** ···in hatırasına: **within living ~ this town was ploughland,** bu şehrin tarla olduğu zamanı hatırlıyanlar vardır.

mend [mend]. Tamir etm., iyi hale koymak; ıslah etm.; yamamak. İyileşmek. **to ~ one's ways,** halini ıslah etmek: ⌜**least said, soonest ~ed**⌝, ne kadar az söylersen o kadar çabuk unutulur; fazla kurcalama!

mendaci·ous [menˈdeiʃəs]. Yalancı. **~ty** [–ˈdasiti], yalancılık.

mendic·ant [ˈmendəkənt]. Dilenci. **~ity** [–disiti], dilencilik.

menfolk [ˈmenfouk]. Ailenin erkekleri.

menial [ˈmiinjəl]. Süflî; aşağı; (*istihf.*) hizmetçi.

meningitis [ˌmeninˈdʒaitis]. Beyin zarı iltihabı, menenjit.

menstruation [ˌmenstruˈeiʃn]. Hayız, (kadınların) aybaşı.

mensuration [ˌmensjuəˈreiʃn]. Ölçme usulü.

mental [ˈmentl]. Akla aid; zihnî. **~ly afflicted,** şuuru muhtel: **~ hospital [home],** tımarhane: **~ specialist,** akliyeci: **to make a ~ reservation,** içinden pazarlık etmek. **~ity** [mənˈtaliti], zihniyet.

menthol [ˈmenθol]. Mantol.

mention [ˈmenʃn]. Anma; zikir. Anmak; zikretmek; adını anmak; bahsetmek. **don't ~ it!,** estağfurullah!: **we need hardly ~ that ...,** zikre lüzum yoktur ki ...: **~ed in dispatches,** harbde yaptığı hizmete karşılık olarak kumandan raporunda adı zikredilmiş olan: **to receive an honourable**

~, bir müsabaka vs.de derece almayıp sadece zikre lâyık görülmek: **to make ~ of,** zikretmek: **not to ~,** bundan başka, üstelik: **nothing worth ~ing,** zikretmeğe değmez bir şey: **to ~ s.o. in one's will,** vasiyetnamede varisler arasında zikretmek.

mentor [ˈmentoo*]. Müşavir; akıl hocası.

menu [ˈmenjuu]. Yemek listesi.

mephitic [meˈfitik]. Bataklık veya topraktan çıkan zararlı ve pis kokulu (hava), müteaffin.

mercantile [ˈməəkəntail]. Ticarete aid; esnafça. **~ marine,** deniz ticaret filosu.

mercenary [ˈməəsənəri]. Ücretli; para hırsı ile yapılmış; esnaf zihniyetli; menfaatperest. Ücretli asker.

merchandize [ˈməətʃəndaiz]. Ticarî eşya; mal.

merchant [ˈməətʃənt]. Tüccar. **~ prince,** pek mühim ve zengin tüccar: **~ service,** deniz ticareti mesleği: **~ ship,** yük gemisi. **~man,** *pl.* **-men,** yük gemisi.

merci·ful [ˈməəsifl]. Merhametli; **~ly,** merhametli; çok şükür, bereket versin. **~less,** merhametsiz, katı yürekli; amansız.

Mercury [ˈməəkjuri]. Ticaret tanrısı, Mercurius; Utarid seyyaresi.

mercur·y. Cıva. **~ial** [–ˈkjuuriəl], cıvalı, cıva gibi; sebatsız, dakikası dakikasına uymaz.

mercy. Merhamet; acıma; aman; rahmet. **~ (on us)!,** aman!, ya Rabbi!: **to be at the ~ of ...,** mukadderatı ···in elinde olm.: **at the ~ of the waves,** dalgaların keyfine bağlı: **I am at your ~,** boynum kıldan ince: **for ~'s sake!,** Allah rızası için; Allah aşkına: **left to the tender mercies of ...,** ···in eline düşmüş: ⌜**be thankful for small mercies!**⌝, ⌜öp de başına koy!⌝: **to throw oneself on s.o.'s ~,** birinin ocağına düşmek: **sister of ~,** rahibe: **what a ~!,** ne âlâ!, hele şükür!

mere[1] [miə*] *n.* Küçük ve sığ göl.

mere[2] *a.* Saf, sade; sadece, sırf; ···dan başka bir şey değil: **~ly,** mahza, yalnız; âdeta: **he is a ~ boy,** daha çocuktur: **a ~ nobody,** ehemmiyetsiz adam; cim karnında bir nokta: **a ~ nothing,** pek ehemmiyetsiz bir şey, devede kulak: **the ~ sight of him,** onu görmek bile.

meretricious [ˌmerəˈtriʃəs]. Sahte, sun'î, yapma.

merge [məədʒ]. Birleş(tir)mek; dahil olm.; yutulmak, içinde kaybolmak; (renk) çalmak. **~r,** birleşme.

meridian [məˈridjən]. Nısfınnehar dairesi; tul hattı. **~ altitude,** gayeti irtifa.

meringue [məˈraŋ]. Yumurta akından yapılan bir nevi tatlı; bir nevi kremalı pasta.

merino [məˈriinou]. Merinos koyunu veya yünü.

merit [ˈmerit]. Değer, liyakat; meziyet. Müstahak olm., değmek. **to judge stg. on its ~s,** değerine göre hüküm vermek. **~orious** [–ˈtooriəs], değerli; medhe lâyık, meziyet sahibi.

merlin [ˈməəlin]. (*Falco aesalon*) Çakır doğan.

mermaid [ˈməəmeid]. Deniz kızı.

merriment [ˈmerimənt]. Neş'e, şetaret; keyif; cümbüş.

merry [ˈmeri]. Şetaretli; şen, neş'eli; güleryüzlü; çakırkeyif. **to make ~,** cümbüş etm., âlem yapmak: **to make ~ over stg. [s.o.],** bir şeyi [kimseyi] alaya almak; bir şey vesilesile çok eğlenmek. **merry-go-round,** atlıkarınca. **merrymaker,** cümbüş eden, âlem yapan.

merrythought [ˈmeriθoot]. Lâdes kemiği, Nuh teknesi.

meseems [miˈsiimz]. Bana öyle geliyor ki.

mesh [meʃ]. Ağ gözü. (Çark dişleri) birbirine geçmek.

mesmer·ism [ˈmezmərizm]. Manyatizma; ipnotizma. **~ize,** ···e manyatizma yapmak.

Mesopotamia [ˌmesopoˈteimje]. Irak.

mess[1] [mes] *n.* Karışıklık; kirlilik, pislik; askerî sofra; bu sofrada oturanlar. **to get into a ~,** üstünü başını kirletmek; başını belaya sokmak; karmakarışık olm.: **to make a ~ of things,** yüzüne gözüne bulaştırmak; berbad etm.: **to make a ~ of the tablecloth,** masa örtüsünü kirletmek: **here 's a pretty ~!,** ayıkla pirincin taşını!

mess[2] *vb.* Kirletmek; askerî sofrada yemek yemek. **to ~ about [around],** oynayıp durmak, sinek avlamak: **to ~ stg. [s.o.] about,** karıştırmak; dokunmak, oynamak: **to ~ things up,** işleri berbad etm., yüzüne gözüne bulaştırmak. **~mate,** sofra arkadaşı. **mess-tin,** aş kabı. **mess-up,** karışıklık; çorba, arabsaçı.

message [ˈmesidʒ]. Hususî haber. **to leave a ~ for s.o.,** birisi için hususî bir haber bırakmak: **to run ~s,** ufak tefek işlere koşmak.

messenger [ˈmesəndʒə*]. Hususî haber götüren, haberci. **~ boy,** hususî haber vs. götüren çocuk: **King's ~,** kuriye.

Messiah [meˈsaiə]. Mesih.

Messrs. [ˈmesəəs]. Mr.'*in cemi; um. firmalar hakkında kullanılır.*

messy [ˈmesi]. Kirli; karmakarışık.

met *bk.* meet.

metabolism [məˈtabəlizm]. Metabolizma.

metal [ˈmetl]. Maden; madenî. Yolu kırık taşlarla tesviye etmek. **to leave the ~s,** (lokomotif vs.) raydan çıkmak. **~lic,**

[məˈtalik], madenî, madenden yapılmış. **~liferous** [–ˈlifərəs], madenli. **~lurgy** [məˈtaləədʒi], maden ilmi.
metamorphosis [ˌmetəmooˈfousis]. İstihale.
metaphor [ˈmetəfə*]. Mecaz; istiare. **mixed ~,** birbirini tutmıyan mecazlar. **~ical** [–ˈforikl], mecazî; **~ly,** istiare suretile.
metaphysics [ˌmetəˈfiziks]. Metafizik.
mete [miit]. **~ out punishments [rewards],** mücazat [mükâfat] tevzi etmek.
metempsychosis [ˌmetempsiˈkousis]. Tenasüh.
meteor [ˈmiitjo*]. Şahab. **~ic** [miitiˈorik], şimşek gibi parlayıp geçen. **~ite** [ˈmiitiərait], haceri semavî.
meteorology [ˌmiitjəˈroledʒi]. Hava bilgisi; meteoroloji.
meter [ˈmiitə*]. Zaman ve sürat vs. ölçmeğe mahsus muhtelif âletlere verilen isim; saat, kontör.
methinks [məˈθinks]. (*esk.*) Bana öyle geliyor ki.
method [ˈmeθəd]. Usul; kaide; tarz; metot; nizam. ⌜**there 's ~ in his madness**⌝, göründüğü kadar deli değil. **~ical** [məˈθodikl], muntazam, tertipli; usulü dairesinde çalışan.
methylated [ˈmeθileitid]. **~ spirit,** odun alkolü ile karıştırılmış ispirto.
meticulous [məˈtikjuləs]. Titiz; çok dikkatli; dakik.
metre [ˈmiitə*]. Metre; şiirde vezin.
metric [ˈmetrik]. **~ system,** aşarî usul; sistem metrik.
metropol·is [məˈtropəlis]. Devlet merkezi; paytaht; büyük şehir. **~itan** [–ˈpolitn], devlet merkezine aid; başpiskopos, despot.
mettle [ˈmetl]. Ataklık, ateşlilik, cesaret. **to put s.o. on his ~,** göreyim seni diye teşvik etm.: **to show one's ~,** kendini göstermek. **~some,** atılgan, atak, ateşli; sert başlı.
mew [mjuu]. Miyavlamak. **(sea-) ~,** martı.
mews [mjuuz]. Bir şehirde sıra ahırlar. **The Royal ~,** Kıral ahırları.
Mgr. (*kis.*) **Monsignor,** Kardinalın unvanı.
miaow [miiˈjau] (*ech.*) Miyavlamak. Mırnav.
miasma, *pl.* **-ta** [maiˈazma, –ta]. Pis buğu; miyasma.
mica [ˈmaikə]. Mika. **~ceous** [–ˈkeiʃəs]. Mikalı, mika gibi.
mickle [ˈmikl]. ⌜**many a ~ makes a muckle**⌝, (*err.* ⌜**many a little makes a ~**⌝), ⌜damlıya damlıya göl olur⌝.
micro- [ˈmaikrou] *pref.* Küçüklük *ifade eder.*
microb·e [ˈmaikroub]. Mikrob. **~ial** [–ˈkroubjəl], mikroba aid, mikrob nevinden.
microscop·e [ˈmaikroskoup]. Mikroskop. **~ic** [–ˈskopik], mikroskop ile görünür; çok küçük.
micturate [ˈmiktjureit]. İşemek.
mid [mid]. Orta: (*şair.*) arasında. **in ~ air,** havada.
midday [ˈmidˈdei]. Öğle üzeri.
midden [ˈmidn]. Gübrelik; mezbelelik.
middle [ˈmidl]. Orta; bel. Ortadaki. **in the ~ of it all,** tam ortasında: **to be in the ~ of doing stg.,** bir şeyle meşgul olm.: **there is no ~ way,** ikisinin ortası yoktur. **~man,** *pl.* **-men,** kabzımal; komisyoncu. **~most,** en ortadaki. **middle-aged,** orta yaşlı. **middle-class,** orta sınıf; orta sınıfa mensub.
middling [ˈmidliŋ]. İyice; ne iyi ne kötü; orta.
middy [ˈmidi]. (*kis.*) **midshipman.**
midge [midʒ]. Tatarcık.
midget [ˈmidʒit]. Cüce; minimini.
midland [ˈmidlənd]. Bir memleketin iç kısmı. **the Midlands,** Orta İngiltere.
midmost [ˈmidmoust]. En ortadaki.
midnight [ˈmidnait]. Gece yarısı. **to burn the ~ oil,** geç vakitlere kadar çalışmak.
midriff [ˈmidrif]. Hicabı hâcız.
midshipman, *pl.* **-men** [ˈmidʃipmən]. Deniz asteğmeni.
midships [ˈmidʃips]. Geminin ortasında.
midst [midst]. Orta, arada. **in the ~ of all this,** tam bu arada, bu sırada: **in our ~,** içimizde, aramızda: **in the ~ of them,** ortalarında.
midstream [midˈstriim]. Nehrin ortası.
midsummer [ˈmidsʌmə*]. Yaz ortası. **~ Day,** 21 Haziran: **~ madness,** zırdelilik.
midway [ˈmidˈwei]. Yarı yolda. **~ between London and Bristol,** L. ile B. arasında tam yarı yolda.
midwife, *pl.* **-wives** [ˈmidwaif, -waivz]. Ebe. **~ry** [–ˈwifəri], ebelik.
midwinter [ˈmidˈwintə*]. Kış ortası; karakış.
mien [miin]. Eda, surat.
might[1] [mait] *vb. past of* **may. ~ I see him?** acaba kendisini görebilir miyim?: **we ~ as well go a little further,** (oldu olacak) biraz daha uzağa gidebiliriz: **one ~ as well throw money away as give it to him,** buna para vermek parayı sokağa atmak demektir: **it ~ be better to tell him,** kendisine söylemek belki de daha iyidir: **he ~ have been thirty,** otuz yaşında ya var ya yoktu: **he ~ have been a bit more generous,** biraz daha cömert olamaz mıydı: **you ~ shut the door when you come in,** kapıyı kapayamaz mıydın?: **you ~ shut the door, will you?,**

kapıyı kapar mısınız: **strive as they ~ they could not move it,** ne kadar çabaladılarsa da onu kımıldatamadılar.

might² *n.* Kudret; kuvvet. **with all one's ~ [with ~ and main],** var kuvvetile. **~y,** kudretli; vâsi; muazzam; (*arg.*) son derece.

mignonette [ˌminjəˈnet]. Muhabbet çiçeği.

migra·nt [ˈmaigrənt]. Göçücü; göçebe. **~te** [maiˈgreit], göçmek. **~tory** [ˈmaigrətəri], göçücü, göçebe.

Mike [maik]. (*kis.*) **Michael. for the love of ~,** Allah aşkına.

milch-cow [ˈmiltʃˈkau]. Süt ineği, sağmal inek; yağlı kuyruk.

mild [maild]. Mülâyim; halim; mutedil, sert değil; uslu; hafif; tatlı. **draw it ~!,** mübalağa etme!, atma!: **to put it ~ly,** en hafif tabirle.

mildew [ˈmildjuu]. Küf; külleme, mildiyö. Küflenmek.

mile [mail]. Mil. **to be ~s ahead of s.o.,** birini fersah fersah geçmek. **~age** [ˈmailidʒ], mil hesabile mesafe: **car with low ~,** az kullanılmış otomobil. **~stone,** mil gösteren taş: **~s in one's life,** bir insanın hayatındaki mühim vakalar.

milfoil [ˈmilfoil]. (*Achillea millifolium*) Civanperçemi.

militant [ˈmilitənt]. Uğraşan, savaşan, muharib.

militar·ism [ˈmilitərizm]. Harbculuk. **~ist,** harbcu. **~y** [ˈmilitəri], askerî: **the ~,** asker sınıfı; ordu.

militate [ˈmiliteit]. **to ~ against stg.,** bir şeye müsaid olmamak, engel olmak.

militia [məˈliʃə]. Milis; evvelce İngiliz ordusunda bir nevi redif askeri.

milk [milk]. Süt. Sağmak; süt vermek. **new ~,** henüz sağılmış süt: **to come home with the ~,** sabaha karşı eve dönmek: **a ⌜land of ~ and honey⌝,** pek bolluk ve mamur memleket: **⌜it's no use crying over spilt ~⌝,** ⌜oldu olacak kırıldı nacak⌝. **~er,** sağıcı. **~maid,** sağıcı kız. **~man,** *pl.* **-men,** sütçü; inekçi. **~pail,** süt gerdeli. **~sop,** lâpacı. **~y,** sütlü; süt gibi: **the ~ Way,** kehkeşan, saman yolu. **milk-and-water,** yavan, gayretsiz, değersiz. **milk-can,** süt kabı; güğüm.

mill [mil]. Değirmen; kumaş ve iplik fabrikası. Öğütmek; frezelemek; tırtıllamak; dövüşmek: **to ~ around,** (koyun vs.) kaynaşmak: **to go [pass] through the ~,** bir fabrikada en ağır el işlerinde çalışarak tecrübe görüp pişmek; (*mec.*) büyük meşakkatler çekip tecrübelerle hayatta pişmek. **mill-hand,** kumaş veya iplik fabrikası amelesi. **mill-pond,** değirmen havuzu. **mill-race,** değirmen arkı.

millboard [ˈmilbood]. Kalın kitab kabı mukavvası; kartonpat.

milled [mild]. Tırtıllı.

millen·ary [miˈlenəri]. Bininci yıldönümü. **~nium** [–ˈlenjəm], bin yıllık müddet: **the ~,** tam bir sulh ve saadet devri.

millepede [ˈmilipiid]. Kırkayak.

miller [ˈmilə*]. Değirmenci. **miller's thumb,** (*Cottus gobio*) dere iskorpiti.

millet [ˈmilit]. Darı.

milliner [ˈmilinə*]. Kadın şapkacısı; tuhafiyeci; modistra. **~y,** tuhafiyeci eşyası; kadın ve çocuk elbisesi.

milling-machine. Freze makinesi.

million [ˈmiljən]. Milyon. **he is one in a ~,** eşi yoktur. **~aire** [–ˈleə*], milyoner. **~th,** milyonuncu.

millstone [ˈmilstoun]. Değirmentaşı. **⌜to be between the upper and the nether ~⌝,** örs ile çekiç arasında kalmak: **⌜a ~ round one's neck⌝,** insanın hayatta muvaffak olmasına engel olan şey.

milt [milt]. Dalak; balık nefsi.

mimic [ˈmimik]. Mimik; taklid; mukallid; meddah. Taklid etmek. **~ry,** mukallidlik, taklid.

minaret [ˈminəret]. Minare.

minatory [ˈminətəri]. Tehdidkâr.

mince [mins]. Kıyma. Kıymak, doğramak. **he does not ~ his words,** sözünü esirgemez. **~meat,** kıyma; içyağı kuru üzüm şeker vs. ile yapılan bir tatlı: **to make ~ of s.o.,** parça parça etm., pestilini çıkarmak. **mince-pie, mincemeat** ile doldurulmuş börek.

mincing [ˈminsiŋ]. Nazlı, kırıtkan.

mind¹ [maind] *n.* Akıl; beyin; hatıra; fikir; istek, niyet. **to bear in ~,** hatırda tutmak, unutmamak: **to call to ~,** hatırlamak: **to give s.o. a piece of one's ~ [to tell s.o. one's ~],** ağzına geleni söylemek, iyice haşlamak: **I have a good [half a] ~ to,** şeytan diyor di: **he knows his own ~,** o ne yapacağını bilir, azim sahibidir: **to make up one's ~,** karar vermek: **we must make up our ~ to the fact that ...,** ... fikre kendimizi alıştırmalıyız: **to my ~,** fikrimce, bana göre: **that's a weight off my ~,** yüreğime su serpildi; içim ferahladı: **to take s.o.'s ~ off his troubles,** derdlerini unutturmak: **to have stg. on one's ~,** zihnini işgal eden veya insana derd olan bir şeyi olmak: **to be out of one's ~,** aklını kaçırmak: **he puts me in ~ of his father,** babasını andırıyor, hatırlatıyor: **put me in ~ of it tomorrow!,** yarın bana hatırlat!: **to be in one's right ~,** aklı başında olm.: **to set one's ~ on stg.,** bir şeyi aklına koymak: **to take it into one's ~ (to do stg.),** (bir şeyi yapmak) aklına esmek: **time out of ~,**

oldum olasıya; ezelden beri: **to be in two ~s about stg.**, karar verememek, bocalamak.

mind[2] *vb.* Dikkat etm., kulak vermek; bakmak, korumak; aldırış etmek. **~ (yourself)!**, dikkat et!: **~ you don't break it!**, sakın kırma!, aman, kırarsın!: **~ what you are about!**, ne yaptığınıza dikkat edin: **I don't ~ him**, (i) zararsız bir adam; hiç fena adam değildir; (ii) ona hiç aldırmam!: **I don't ~ your going there sometimes**, arasıra oraya gitmenize bir diyeceğim yok: **if you don't ~ my saying so**, sözüme gücenmezseniz: **never ~!**, adam sende!, zarar yok!; hiç aldırma!; **never ~ the expense!**, masrafın ehemmiyeti yok: **never ~ what he says**, söylediğine bakma!, aldırış etme!: **I shouldn't ~ a drink**, susadım, bir şey içsek fena olmaz: **would you ~ shutting the door!**, lûtfen kapıyı kapar mısınız.

minded [ˈmaindid]. Niyetli, istekli. **-~**, ... düşünceli, ... fikirli. **if you are so ~**, eğer böyle istiyorsanuz: **mechanically ~**, makineden anlar, makine vs.ye aklı yatar.

mindful [ˈmaindful]. Düşünerek, hatırlayarak. **~ of one's health**, sıhhatine dikkat eden.

mine[1] [main]. Benim; benimki.

mine[2]. Maden ocağı; lağım; mayn. Maden ocağı kazmak; lağım açmak; mayn koymak. **to ~ for gold**, altın araştırmak. **~r**, madenci.

mineral [ˈminərəl]. Maden. Madenî. **~ogy** [–ˈralədʒi], madenler bilgisi.

minesweeper [ˈmainswiipə*]. Aramatarama gemisi.

mingle [ˈmiŋgl]. Karış(tır)mak; katmak.

miniature [ˈminitʃə*]. Minyatür. Küçücük.

minim [ˈminim]. Damla; (*mus.*) iki dörtlük.

minimize [ˈminimaiz]. Küçümsemek; azaltmak.

minimum [ˈminiməm]. Asgarî; en az, en küçük. En küçük mikdar, minimom. **~ thermometer**, asgarî dereceyi kaydeden termometre.

mining [ˈmainiŋ]. Madencilik; madenciliğe aid.

minion [ˈminjən]. (*istihf.*) Gözde; köle, peyk. **the ~s of the law**, polis, zabıta memurları vs.

minister[1] [ˈministə*] *n.* Vekil, nazır, || bakan; orta elçi; papaz.

minister[2] *vb.* **to ~ to s.o. [s.o.'s needs]**, birinin ihtiyacını temin etmek.

ministerial [ˌminisˈtiəriəl]. Vekil veya nazıra aid; hükümet idaresine aid; iktadarda bulunan partiye aid.

ministration [ˌminisˈtreiʃn]. Hizmet; ihtimam; papaz tarafından cemaatin dinî ihtiyaclarının karşılanması.

ministry [ˈministri]. Vekillik, nezaret, || bakanlık; papazlık. Kabine.

mink [miŋk]. Amerika sansarı, vizon; vizonun kıymetli kürkü.

minnow [ˈminou]. (*Phoxinus*) Pek küçük bir tatlısu balığı.

minor [ˈmainə*]. Daha küçük; küçükçe; ehemmiyetsiz; tâli. Reşid olmamış kimse. **Asia Minor**, Anadolu: **Smith ~**, iki Smith kardeşlerin küçüğü. **~ity** [maiˈnoriti], akalliyet; azlık; sagirlik, küçüklük: **to be in a ~ of one**, fikrinde yalnız kalmak.

minster [ˈminstə*]. Büyük kilise.

minstrel [ˈminstrəl]. Ortaçağda saz şairi; şair. **~sy**, saz şairliği, hanendelik.

mint[1] [mint]. Darbhane. Para basmak. **in ~ condition**, yepyeni: **to have a ~ of money**, para kesmek.

mint[2]. Nane.

minuet [minjuˈet]. Bir cins dans, mönüe.

minus [ˈmainəs]. Eksik; ···siz: çıkartma işareti. **a ~ quantity**, sıfırdan aşağı mikdar: **ten ~ two equals eight**, on nakıs iki müsavi sekiz.

minute[1] [ˈminit]. Dakika; lâhza; muhtıra. **~s (of a meeting)**, mazbata. **I'll come in a ~**, şimdi gelirim: **he may come any ~ (now)**, şimdi neredeyse gelir: **to make [write] a ~**, derkenar yazmak: **to make a ~ of stg.**, not tutmak: **on [to] the ~**, dakikası dakikasına: **wait a ~!**, biraz bekle!

minute[2] [maiˈnjuut]. Ufacık, minimini. **~ly**, inceden inceye.

minutiae [maiˈnjuʃi·ii]. Gavamız; incelikler.

minx [miŋks]. Haspa; kurnaz kız.

mirac·le [ˈmirəkl]. Keramet; mucize; harika. **by a ~**, mucize kabilinden: **~ play**, dinî piyes: **to work ~s**, mucize yapmak, keramet göstermek; mucize gibi tesir etmek. **~ulous** [miˈrakjuləs], mucize kabilinden, harikulâde.

mirage [miˈraaʒ]. Serab.

mire [mai*]. Çamur, bataklık; pislik.

mirror [ˈmirə*]. Ayna. Aksettirmek.

mirth [məəθ]. Neş'e; gülme. **~ful**, şen, eğlenceli, gülüşen.

mis- *pref. Bir kelimeye* fena, zıd, eksik *vs. gibi menfi manalar veren bir ek*; *mes.* **advise**, nasihat vermek; **misadvise**, fena nasihat vermek: **judge**, hüküm vermek; **misjudge**, yanlış hüküm vermek.

misadventure [ˌmisədˈventʃə*]. Kaza; aksi tesadüf.

misalliance [ˌmisəˈlaiəns]. Küfüv olmıyan kimse ile evlenme; münasebetsiz birleşme.

misanthrop·e, -ist [ˈmisanθroup, miˈsanθrəpist]. Merdümgiriz, adamcıl.

misapplication [ˌmisapliˈkeiʃn]. Yanlış tatbik; suiistimal.
misapply [ˌmisəˈplai]. Yerinde kullanmamak; beyhude yere sarfetmek.
misapprehend [ˌmisapriˈhend]. Yanlış anlamak; yanılmak.
misappropriation [ˌmisəˈprouprieiʃn]. Zimmete geçirme.
misbehav·e [ˌmisbiˈheiv]. Edepsizlik etm., yaramazlık etmek. **~iour,** yaramazlık.
misbegotten [misbəˈgotn]. Piç; alçak.
misbelie·f [ˌmisbəˈliif]. Yanlış itikad; imansızlık. **~ver,** imansız; zındık; kâfir.
miscall [misˈkool]. Yanlış isim vermek.
miscarriage [misˈkaridʒ]. Çocuk düşürme; (mektub) yerine varmıyarak kaybolma; (proje) suya düşme. **~ of justice,** adlî hata.
miscarry [misˈkari]. Çocuk düşürmek; boşa çıkmak; suya düşmek; (mektub vs.) yerine varmayıp kaybolmak.
miscegenation [ˌmisidʒəˈneiʃn]. Irkların ve *bilh.* beyazlarla siyahların ihtilatı.
miscellan·eous [ˌmisəˈleinjəs]. Türlü türlü; çesitli, muhtelif. **~y** [miˈseleni], muhtelif mevzulara aid eserlerden mürekkeb mecmua; türlü türlü eşyanın toplanması.
mischance [misˈtʃaans]. Kaza; aksilik; talihsizlik.
mischief [ˈmistʃif]. Yaramazlık, şeytanlık; afacanlık; zarar; fesad; muziblik; hainlik. **to be up to some ~,** yaramazlık, şeytanlık yapmak; kumpas kurmak: **to keep s.o. out of ~,** yaramazlıktan alıkoymak için bir çocuğa iş vermek veya onu oyalamak: **to make ~,** fesad karıştırmak: **to make ~ between people,** aralarını bozmak: **out of pure ~,** sırf şeytanlıktan. **mischief-maker,** fesadcı; münafık; ara bozucu; ortalığı karıştıran.
mischievous [ˈmistʃivəs]. Muzib; yaramaz; zararlı, muzır; garazkâr, hain; ara bozucu.
misconception [ˌmiskənˈsepʃn]. Yanlış anlama, hata.
misconduct *n.* [misˈkondʌkt]. Fena hareket; fena idare. *vb.* [miskənˈdʌkt], fena idare etm.: **to ~ oneself,** fena harekette bulunmak.
misconstru·ction [ˌmiskənˈstrʌkʃn]. Yanlış anlama. **~e** [ˈstruu–], yanlış anlamak; ters mana vermek.
miscount [misˈkaunt]. Yanlış sayılma. Yanlış hesab etm., yanlış saymak.
miscreant [ˈmiskriənt]. Suçlu; habis.
misdeal [misˈdiil]. Kâğıd oyunlarında kâğıdı yanlış dağıtma(k).
isdeed [misˈdiid]. Kabahat; fenalık.
isdemean [misdəˈmiin]. **to ~ oneself,** kötü harekette bulunmak. **~our** [ˈ–miinə*], kabahat, kusur.
misdirect [ˌmisdaiˈrekt]. Yanlış nasihat veya sağlık vermek; (mektubunun) adresini yanlış yazmak; (işi) fena idare etmek.
miser [ˈmaizə*]. Hasis, cimri. **~ly,** hasis, cimri.
miserable [ˈmizrəbl]. Sefil; bedbaht; miskin; mendebur; berbad; feci. **I am feeling pretty ~,** pek fenayım: **a ~ salary,** pek cüzi maaş: **~ weather,** berbad hava.
misery [ˈmisəri]. Sefalet, perişanlık; ıstırab; acı. **to put an animal out of its ~,** bir hayvanı öldürüp eziyetten kurtarmak: **you little ~!,** (*kon.*) seni hınzır yumurcak!
misfire [misˈfaiə]. Ateş almama(k); (nükte) anlaşılmamak; yerinde olmamak.
misfit [misˈfit]. Uymıyan elbise; yanlış vazifede bulunan adam, yerinin adamı olmıyan kimse; cemiyete intibak etmiyen kimse.
misfortune [misˈfootjuun]. Bedbahtlık, talihsizlik; idbar; kaza.
misgiv·e (**-gave**) [misˈgiv, -geiv]. Şübheye düşürmek. **~ing,** şübhe, endişe, korku. **with some ~** [**not without ~s**], biraz tereddüdle, biraz korkarak.
misguided [misˈgaidid]. Dalâlete düşmüş; yanlış yola sapmış.
mishandle [misˈhandl]. Hor kullanmak; fena muamele etm.; örselemek; fena idare etmek.
mishap [misˈhap]. Kaza; aksilik.
misinformed [misinˈfoomd]. Yanlış haber almış.
misjudge [misˈdʒʌdʒ]. Yanlış hüküm vermek; hatalı fikir edinmek.
mislay (**mislaid**) [misˈlei, -leid]. Yanlış veya hatırlanamıyacak bir yere koymak, kaybetmek.
mislead (**misled**) [misˈliid, -led]. Baştan çıkarmak; doğru yoldan saptırmak; yanlış yere götürmek; aldatmak.
mismanage [misˈmanidʒ]. Fena idare etmek.
misogynist [maiˈsoginist]. Kadın düşmanı.
misplace [misˈpleis]. Yanlış yere koymak. **~d,** yerinde değil; yersiz.
misprint [misˈprint]. Tabı hatası.
mispronounce [ˌmisproˈnauns]. Yanlış telâffuz etmek.
misrepresent [ˌmisrepriˈzent]. Tazvir etmek; yanlış tarif etmek.
misrule [misˈruul]. Fena idare (etmek).
miss¹ [mis]. *Evli olmıyan kadın unvanı*; kız; hanım kız.
miss². İsabet etmeme; manke; (atışta) boşa gitme, karavana. İsabet etmemek; yetişememek, kaçırmak; aramak; göre-

ceği gelmek, hasret çekmek; eksik olmak. **to give stg. a ~,** atlamak, geçmek, vazgeçmek: **we shall all ~ him,** onu çok arıyacağız: **he's no great ~,** yokluğunu pek hissetmiyoruz: **it will never be ~ed,** eksikliğini kimse farketmez, kimse yokluğunu hissetmez: **you haven't ~ed much,** mühim bir şey kaçırmış olmadınız: **its's hit or ~,** rasgele; ne olursa olsun diye; baht işi (ne çıkarsa talihine): **to ~ the market,** piyasa fırsatı kaçırmak: **to ~ the point,** bir şeyin esasını anlamamak: **to ~ one's way,** yolu şaşırmak: **who is ~ing?,** kim eksik?: ⌜**a ~ is as good as a mile**⌝, (bazı hallerde) muvaffakiyetsizliğin küçüğü de büyüğü de farksızdır (*mes. bir treni bir dakika veya bir saat farkla kaçırmak ayni şeydir*).

missel- (or **mistle-**) **thrush** [ˈmislθrʌʃ]. (*Turdus viscivorus*) Ökseotu ardıç kuşu (?).

misshapen [misˈʃeipn]. Çelimsiz, biçimsiz.

missile [ˈmisail]. Atılan şey; mermi.

missing [ˈmisiŋ] *a.* Eksik, noksan; namevcud; kaybolmuş; (harbde) kayıb.

mission [ˈmiʃn]. Hususî memuriyet, vazife; elçilik; heyeti mahsusa. **foreign ~s,** dışarıya gönderilen misyoner heyetleri: **his ~ in life,** kendisi için tayin ettiği hayat vazifesi.

missionary [ˈmiʃənəri]. Misyoner, dai.

missis [ˈmisiz]. *Evli kadının unvanı* (*daima* **Mrs.** *yazılır*).

missive [ˈmisiv]. Mektub.

misspent [ˈmisˈspent]. Yanlış yere sarfedilmiş. **a ~ youth,** tembelce veya çapkınca geçirilen genclik.

missus [ˈmisəs]. *Hizmetçi tarafından ev sahibine verilen unvan*; hanımefendi. **the ~** [**my ~**], köroğlu; bizimki.

mist [mist]. Sis. **to ~ over,** buğula(n)mak.

mistake[1] [misˈteik]. Hata; yanlışlık. **by ~,** yanlışlıkla: **make no ~ about it!,** anlamadım deme!, duydum duymadım deme!: **she's a pretty woman and no ~,** o kadın güzel mi güzel.

mistake[2] (**mistook, mistaken**) [misˈtuk, –ˈteikn]. Yanlış anlamak. **to be ~n,** yanılmak: **to ~ s.o. for s.o. else,** birini başkasına benzetmek. **~n** *a.* Yanlış, hatalı.

mister [ˈmistə*]. (*Daima* **Mr.** *yazılır*). *Erkeğin ismi önünde kullanılan unvan.* Bey, Bey efendi. *Bazı memurlara verilen unvan, mes.* **Mr. President,** Reis bey.

mistime [misˈtaim]. Vaktini yanlış hesab etm.; bir şeyi vakitsiz yapmak.

mistletoe [ˈmisltou]. (*Viscum*) Burc, ökseotu.

mistress [ˈmistris]. *Evli kadınlara hitab unvanı* (Mrs.); muallime; hizmetçinin efendisi; sahibe; metres, kapatma.

mistrust [misˈtrʌst]. İtimadsızlık. İtimad etmemek; hakkında şübhe etmek. **~ful,** itimad etmiyen; vesveseli.

misty [ˈmisti]. Sisli; hayal meyal.

misunder·stand (**-stood**) [misʌndəˈstand, -stud]. Yanlış anlamak, suitefehhüm etmek. **~standing,** suitefehhüm, anlaşamamazlık; geçimsizlik. **~stood** *a.*, anlaşılmamış; yanlış anlaşılmış; kıymeti takdir edilmemiş.

misuse *n.* [misˈjuus]. Hor kullanma; suiistimal; yanlış kullanma. *vb.* [–ˈjuuz], hor kullanmak; örselemek; yanlış maksada hasretmek; suiistimal etmek.

mite [mait]. Ufacık şey *bilh.* çocuk; peynir kurdu; uyuz böceği; pek ufak bir sikke. **not a ~ left,** zerresi kalmadı: ⌜**the widow's ~**⌝, ⌜çok veren maldan, az veren candan⌝.

mitigate [ˈmitigeit]. Yumuşatmak, hafifletmek; tadil etm., azaltmak.

mitre [ˈmaitə*]. Piskopos tacı; şev gönye.

mitten [ˈmitn]. Kolçak. Parmaksız eldiven.

mity [ˈmaiti]. Kurdlu (peynir).

Mitylene [ˈmitiˈliini]. Midilli adası.

mix [miks]. Karıştırmak; tahlit etm.; karmak; birleşmek; ihtilat etmek. **~up,** birbirinden ayırd edememek, karıştırmak: **to get ~ed up,** zihni karışmak. **~ed** *a.*, karışık; katışık; mahlut; muhtelit: **~ bathing,** kadın ve erkek bir arada yüzmek; **~ marriage,** muhtelif ırklardan kimselerin evlenmesi: **to get ~,** karışmak. **~er,** karıştırıcı âlet; **a good ~,** sokulgan, fevkalâde iyi geçinen kimse. **mix-up,** kargaşalık; karışıklık; kördövüşü; arabsaçı.

mixture [ˈmikstʃə*]. Karıştırma; karışık şey; halita, mahlut; terkib.

miz(z)en [ˈmizn]. Mizana.

Mme. (*kis.*) **Madame.**

mnemonic [niiˈmonik]. Hatırlayıcı.

moan [moun]. İnilti; figan. İnlemek.

moat [mout]. Kale hendeği ki ekseriya su ile doludur.

mob [mob]. Kalabalık; ayak takımı, güruh. (Bir güruh hakkında) saldırmak; birine üşüşüp hücum etmek. **~ law,** linç kanunu.

mob-cap [ˈmobˈkap]. (*esk.*) Kadınların ev içinde giydikleri çeneden bağlı başlık.

mobil·e [ˈmoubail]. Müteharrik; oynak; değişken; seyyar. **~ity** [–ˈbiliti], müteharriklik; oynaklık: **the ~ of an army,** ordunun hareket kabiliyeti.

mobiliz·e [ˈmoubilaiz]. Seferber etmek (edilmek). **~ation** [–ˈzeiʃn], seferberlik.

mocassin [ˈmokəsin]. Geyik derisinden yapılan çarık.

mock [mok]. **~** *veya* **~ at,** alay etm., maskara etm.; ehemmiyet vermemek; alay

için taklid etmek. Eğlenmek; şaka etmek. Yapma, sahte, taklid. **to make a ~ of s.o.**, birini maskara etmek. **~ery** [ˈmokəri], alay, maskara; gülünc bir şey; oyun: **the trial was a mere ~**, muhakeme komediden ibaretti.
mode [moud]. Tavır, tarz; moda; usul; minval; (*mus.*) makam.
model [ˈmodl]. Model, örnek, nümune; tip; enmuzec. Örnek olan, mükemmel; model olan. Modelini yapmak; modellik etmek.
moderat·e *a.* [ˈmodərit]. Mutedil, makul, orta, alelâde; aşırı derece veya mikdarda olmıyan. *vb.* [–reit], tadil etm., hafifle(t)-mek; azal(t)mak. **~tion**, itidal.
modern [ˈmodəən]. Asrî; yeni; şimdiki zamana aid. **~ languages**, bugün konuşulan lisanlar. **~ism**, yenilik tarafdarlığı; yeni düşünce; yeni kelime. **~ize** [–naiz], asrileştirmek; yenileştirmek.
modest [ˈmodist]. Mütevazı, alçak gönüllü; afif. **~y**, tevazu, alçak gönüllülük; sadelik; iffet, utangaçlık. **with all due ~**, övünmek gibi olmasın amma.
modicum [ˈmodikəm]. Cüzi, bir az.
modif·y [ˈmodifai]. Tadil etm.; tahfif etm., azaltmak; şeklini değiştirmek. **~ication** [–fiˈkeiʃn], tadil; değiştirme.
modish [ˈmoudiʃ] *a.* Son moda.
modulate [ˈmodjuleit]. Sesini tadil etm.; gamını değiştirmek.
mohair [ˈmouheə*]. Tiftik (kumaş).
Mohammedan [mouˈhamidn]. Müslüman.
moiety [ˈmoiəti]. Yarı; hisse.
moist [moist]. Yaş, nemli, rutubetli. **~en** [ˈmoisn], rutubetlendirmek; hafifçe ıslatmak. **~ure** [ˈmoistʃə*], rutubet, nem.
molar [ˈmoula*]. Azı (dişi).
molasses [moˈlasiz]. Melâs.
mole[1] [moul]. Ben.
mole[2]. Köstebek.
mole[3]. Mendirek, dalgakıran.
molecule [ˈmoulikjuul]. Zerre; molekül.
mole·hill [ˈmoulhil]. Köstebek yuvası. ⌜**to make a mountain out of a ~**⌝, ⌜habbeyi kubbe yapmak⌝. **~skin**, köstebek kürkü: **~s**, kaba pamuk kadifeden yapılmış pantalon.
molest [mouˈlest]. Taciz etm., sarkıntılık etm.; dokunmak.
mollify [ˈmolifai]. Teskin etm., yumuşatmak; gönül almak.
mollusc [ˈmolʌsk]. Naime; mollüsk; || yumuşakça.
mollycoddle [ˈmolikodl]. Hanım evladı; lâpacı. Nazlı büyütmek.
molten [ˈmoultən]. Erimiş.
moment [ˈmoumənt]. An, lâhza; ehemmiyet; vezniyet. **to be of ~**, mühim olm.: **not for a ~!**, katiyen, asla!: **one ~ [half a ~]!**, bir dakika!, biraz dur!: **the ~ I saw him**, onu gördüğüm anda: **this ~**, derhal, bir an evvel. **~ary**, âni.
momentous [mouˈmentəs]. Çok ehemmiyetli.
momentum [mouˈmentəm]. Vezniyet; moment; hız.
monarch [ˈmonək]. Hükümdar, kıral. **~ist**, kırallık tarafdarı. **~y**, saltanat, kırallık.
monast·ery [ˈmonəstri]. Manastır. **~ic** [moˈnastik], keşişliğe ve manastır hayatına aid.
Monday [ˈmʌndi]. Pazartesi.
mondial [ˈmondiəl]. Âlemşümul; bütün dünyaya aid.
monetary [ˈmʌnətəri]. Paraya aid, meskûkata aid, nakdî.
money [ˈmʌni]. Para; nakid; servet. **it's a bargain for the ~**, o fiata kelepirdir: **it will bring in big ~**, bu işte çok para var: **to come into ~**, paraya konmak; para sahibi olm.: **not every man's ~**, herkesin işine gelmez: **to throw good ~ after bad**, zararlı bir işe devamda inad etm.: **he's the man for my ~**, benim istediğim [aradığım] adam budur: **you've had your ~'s worth**, masrafını bol bol çıkarttın. **~ed**, zengin, paralı. **~lender**, tefeci. **money-box**, kumbara. **money-changer**, sarraf. **money-grubber**, para düşkünü.
-monger [–mʌŋgə*]. *suff.* ···ci, ... satıcı, ... çıkaran *manasında bir son ek, mes.* **cheesemonger**, peynirci; **warmonger**, harbi körükliyen.
mongoose [ˈmoŋguus]. Hindistanda yaşıyan ve Firavun faresine benziyen ufak bir hayvan.
mongrel [ˈmʌŋgrəl]. Melez; soyu karışık her şey *ve bilh.* köpek.
monition [moˈniʃn]. İkaz.
monitor [ˈmonitə*]. Vâiz; bir mektebde küçük sınıflara nezaret eden yüksek sınıf talebesi; az su çeken zırhlı gemi, monitor. Yabancı telsiz neşriyatını kontrol için takıb etmek.
monk [mʌŋk]. Keşiş; rahib. **~ish**, keşiş gibi.
monkey [ˈmʌŋki]. Maymun, kazık kakma makinesi; beş yüz lira. **to ~ about with stg.**, kurcalamak, karıştırmak, haltetmek. **~ tricks**, acıkgözlük; münasebetsizlik: **to put one's ~ up**, öfkelendirmek: **you young ~!**, seni çapkın seni! **monkey-puzzle**, Şili çamfıstığı.
mono- [ˈmonou]. *pref.* Tek-.
monocle [ˈmonokl]. Tekgözlük.
monogamy [moˈnogəmi]. Tek karılılık.
monogram [ˈmonogram]. Bir şahıs isim-

lerinin ilk harflerinden yapılan tek şekil halinde marka.
monograph [ˈmonougraf]. Yalnız bir şey yahud şahıs hakkında bir eser; monografi.
monologue [ˈmonoulog]. Monolog.
monomania [ˌmonoˈmeinja]. Sabit fikir hastalığı, merak illeti, monomani.
monopol·y [məˈnopəli]. İnhisar; || tekel. **~ist,** inhisarcı. **~ize,** inhisar altına almak.
monosyllable [ˈmonəˈsiləbl]. Tek heceli kelime.
monoton·e [ˈmonətoun]. Yeknesak ahenk. **~ous** [məˈnotənəs], yeknesak; cansıkıcı. **~y** [məˈnotəni], yeknesaklık; yeknesaklıktan doğan can sıkıntısı.
monsoon [monˈsuun]. Hind okyanusunda mevsim rüzgârî; muson.
monster [ˈmonstə*]. Hilkat garibesi; canavar, çok büyük bir şey. Dev gibi, azman.
monstro·us [ˈmonstrəs]. Azman; inanılmaz derecede; müdhiş. **it's perfectly ~,** olur rezalet değil; bu işidilmemiş şey. **~sity** [–ˈstrositi], hilkat garibesi, azman, galatitabiat; pek fena veya çirkin bir şey.
month [mʌnθ]. Ay. **a ~ of Sundays,** kırk yıl; çok uzun müddet: **this day ~,** gelecek ay bugün. **~ly,** ayda bir olan; aylık: **monthlies,** aybaşı (hayız); aylık mecmualar.
monument [ˈmonjument]. Abide; || anıt. **~al** [–ˈmentl], muazzam, heybetli.
moo [muu]. Böğürme(k).
mood¹ [muud]. Fiil sıygası.
mood². Ruh haleti. **he is in one of his bad ~s,** yine aksiliği üzerinde: **in a good ~,** keyfi yerinde, neş'eli: **to be in the ~ to ...,** ...e mütemayil olm., ...i canı istemek: **not to be in the ~ to,** içinden gelmemek: **he is in a generous ~ this morning,** bu sabah cömertliği tuttu: **he is in no laughing ~,** yüzü hiç gülmüyor; şakası yok: **a man of ~s,** günü gününe uymaz. **~y,** huysuz, dargın; küskün; günü gününe uymaz.
moon [muun]. Ay, kamer. **to ~ about,** dalgın dalgın etrafta gezinmek: **full ~,** dolunay, bedir: **new ~,** hilâl: **the changes [phases] of the ~,** ayın safhaları: **to cry for the ~,** olmıyacak şey istemek: **the man in the ~,** aydede; bu dünyadan çok uzak yaşıyan muhayyel bir kimse: **I know no more about it than the man in the ~,** ben nereden bileyim? **~beam,** ayın şuaı. **~light,** mehtab, ay ışığı. **~shine,** mehtab; saçma sapan söz.
moor¹, moorland [muə*, ˈmuələnd]. Yüksek, ağaçsız ve fundalıklı boş arazi.
moor² *vb.* Gemiyi halatla karaya bağlamak; çifte demir ile demirlemek. **~ing,** demir yeri: **to take up her ~s,** (gemi) dubaya bağlanmak; demirlemek: **to cut one's ~s,** acele uzaklaşmak için palamarı kesmek.
Moor³ *n.*, **Moorish** [ˈmuəriʃ] *a.* Mağribî.
moorhen [ˈmuəhen]. (*Gallinula*) Sukuşu.
moose [muus]. Kanada geyiği, Amerika sığını.
moot [muut]. Münakaşalı. Müzakereye koymak; ileri sürmek. **a ~ point,** su götürür bir mesele.
mop [mop]. Saplı tahta bezi; bulaşık yıkamağa mahsus sicim fırça. Islatarak silmek. **to ~ up,** silip süpürmek, temizlemek: **to ~ one's brow,** mendille alnını silmek: **to ~ the floor with,** (*arg.*) haklamak.
mope [moup]. ~ [**to be in the ~s**], süngüsü düşük olmak ve can sıkıntısı içinde bulunmak.
moraine [məˈrein]. Glasiyelerin eteklerinde biriken kaya parçaları; || buzultaş.
moral [ˈmorəl]. Manevî; ahlâkî; iyi ahlâklı, dürüst. Kıssadan hisse. **~s,** ahlâk. **~ courage,** medeni cesaret, celâdet. **~e** [moˈraal], maneviyat. **~ist,** ahlâkcı. **~ity** [məˈraliti], ahlâkîlik, ahlâk; fazilet. **~ize** [ˈmorəlaiz], ahlâka dair mutalaa ve fikir serdetmek; ahlâktan dem vurmak.
morass [məˈras]. Bataklık.
moratorium [ˌmorəˈtooriəm]. Borcların tecili.
morbid [ˈmoobid]. Marazî; iğrenc; nahoş şeylere marazî bir alâka gösteren.
mordant [ˈmoodənt]. Isırıcı; iğneli, canyakıcı, dokunaklı.
more [moo*]. Daha; daha çok; daha ziyade. **~ and ~,** gittikçe: **all the ~,** haydi haydi, evleviyetle: **as many ~ (again),** bu kadar daha: **I'll have as many ~ as you can spare,** bundan fazla ne kadar verebilirseniz alırım: **the ~ the better,** ne kadar çok olursa o kadar iyi: **~ than enough,** yeter de artar: **~ or less,** aşağı yukarı, şöyle böyle: **the ~ you talk the less you think,** ne kadar çok konuşursan o kadar az düşünürsün: **a little ~ and I should have killed him,** biraz daha üstüme varsaydı onu öldürecektim; az kaldı onu öldürüyordum: **never ~!,** (bir daha mı?) Allah göstermesin!: **it is no ~,** artık ortada yok; yerinde yeller esiyor: **he is no ~ Russian than I am,** kim demiş onu rus diye?: **'I can't understand it.' 'No ~ can I.'** 'Ben bunu anlamıyorum.'—'Benden de al, o kadar.': **'He said you couldn't speak Spanish.' 'No ~ I can.'** 'Sizin ispanyolca bilmediğinizi söyledi.'—'Bilmem, ya!': **one**

or ~, bir veya bir kaç: **the ~'s the pity!**, çok daha yazık: **the ~ so as ...**, bilhassa şunun için ki ...: **what ~ could you want!**, bundan iyisi can sağlığı: **what is ~**, dahası var; üstelik.

morel [mo'rel]. Kuzumantarı.

morello [mə'relou]. Vişne.

moreover [moo'ouvə*]. Bundan başka; şu da var ki.

morganatic [moogə'natik]. Bir prensin asîl olmıyan bir kadınla evlenmesine aid.

morgue [moog]. Morg.

moribund ['moribʌnd]. Ölüm halinde; cançekişir; (âdet, fikir vs.) ortadan kalkmak üzere.

morning ['mooniŋ]. Sabah; öğleden evvel. Sabahlık. **the first thing in the ~**, sabahleyin erkenden: **Good ~!**, sabahlarınız hayır olsun; günaydın!: **it is my ~ off**, bugün öğleden evvel izinliyim. **morning-coat**, jaketatay. **morning-room**, küçük salon.

Morocc·o [mə'roko]. Fas. **~an**, faslı: **~ leather**, maroken.

moron ['mooron]. Ebleh, ahmak.

morose [mə'rous]. Abus, huysuz, titiz, haşin, gülmez.

Morpheus ['moofjuus]. Uyku ilâhı, Morfeus.

morphia ['moofiə]. Morfin.

morrow ['morou]. Yarın.

morsel ['moosl]. Lokma; parça; küçük kısım.

mortal ['mootl]. İnsan, beşer. Öldürücü; fani. **~ combat**, ölünceye kadar mücadele: **a ~ enemy**, can düşmanı: **~ fear**, can acısı: **~ sins**, büyük günahlar, günahı kebair. **~ity** [–'taliti], vefiyat, telefat; ölüm nisbeti.

mortar¹ ['mootə*]. Harç. **mortar-board**, harc teknesi; universite talebe ve profesörlerine mahsus şapka.

mortar². Havan; dibek; havantopu.

mortgage ['moogidʒ]. İpotek; rehin. İpotek etmek.

morti·fy ['mootifai]. Nefse eza etm.; riyazet yapmak; tezlil etmek. Gangren olm., çürümek. **~fication** [–fi'keiʃn], riyazet; zillet; kendisini zelil hissetme; hayal sukutu; (*tıb.*) nesiclerin gangren hali.

mortise ['mootis]. Zıvana; (geçme işte) dişi. Zıvana açmak.

mortuary ['mootjuəri]. Morg.

Mosaic [mou'zei·ik]. Musa peygambere aid; **mosaic**, mozaik.

Moslem ['mozlem]. Müslüman.

mosque [mosk]. Cami, mescid.

mosquito [mos'kiitou]. Sivrisinek. **~-net**, cibinlik.

moss [mos]. Yosun. **~y**, yosunlu.

most [moust]. **much** *veya* **many**' *nin tafdili*. En, en ziyade; pek çok; son derecede; ziyadesile; en büyük aded, mikdar, meblağ vs. **at ~**, olsa olsa; en fazla; nihayet: **at the very ~ £100**, topu topu yüz lira: **to make the ~ of oneself**, kendini göstermek: **to make the ~ of one's hair**, saç tuvaletini kendisine en yakışan şekilde yapmak: **to make the ~ of a story**, bir hikâyeyi ballandıra ballandıra anlatmak: **it is a lovely day; let's make the ~ of it**, bugün hava çok güzel, aman ziyan etmiyelim: **we haven't much petrol; we must make the ~ of it**, cok benzinimiz yok fakat olanile idarei maslahat etmemiz lâzım: **he is more enterprising than ~**, pek çoklarından [pek çok kimselerden] daha müteşebbisdir. **-most.** *suff. Bazı kelimelerin sonuna gelerek en çok, en ziyade manasını ifade eder, mes.*, **innermost**, en iç.

mote [mout]. Çöp; zerre. **the ~ in another's eye** (insanın kendi büyük kusurlarına nisbetle) başkasının küçük bir kusuru.

moth [moθ]. Pervane; güve. **moth-eaten**, güve yemiş; köhne; modası geçmiş.

mother [mʌðə*]. Anne, ana, valide. Analık etm.; evlâd gibi beslemek. **~ country**, anavatan: **~'s darling**, hanım evlâdı, mahallebici: **~ earth**, tabiat, toprak: **every ~'s son**, istisnasız her ferd: **~ wit**, feraset, zekâ. **~hood**, analık. **~land**, anavatan. **~ly**, ana ve analığa aid; ana gibi. **mother-of-pearl**, sedef.

motion ['mouʃn]. Hareket; kımıldanma; makine tertibatı, mekanizma; def'i tabiî; teklif, takrir; işaret. **to ~ s.o. to do stg.**, bir işaretle birini bir şeyi yapmağa davet etmek. **to put forward [propose] a ~**, bir teklif vermek [yapmak]: **the ~ was carried**, teklif kabul edildi: **to put [set] in ~**, hareket ettirmek, işletmek.

motive ['moutiv]. Hareket ettirici. Sebeb, âmil, saik.

motley ['motli]. Renk renk; alacabulaca; çeşid çeşid. **a ~ crowd**, her çeşid halktan kalabalık.

motor ['moutə*]. Motör; otomobil. Hareket ettirici; âmil. Otomobil ile gitmek. **~ist**, otomobil kullanan kimse. **~ize**, motör ile techiz etm., motorlaştırmak. **motor-boat**, motör (bot). **motor-bus**, otobüs. **motor-car**, otomobil. **motor-cycle**, motosiklet.

mottled ['motld]. Benekli; ebrulu. alacalı.

motto ['motou]. Şiar; arma rümuzu; parola.

mould¹ [mould]. Toprak *bilh.* bahçe toprağı. **mould-board**, kulak demiri.

mould². Küf. **~y**, küflü; bayat; (*arg.*) yavan, sıkıntılı.

mould³. Kalıb; dökme kalıb; şekil; yaradılış. Kalıba dökmek; biçim vermek; yoğurmak. **~er¹,** dökmeci.
moulder² [ˈmouldə*]. Çürüyüp toz haline gelmek.
moulding [ˈmouldiŋ]. Silme; zıh; pervaz.
moult [moult]. Tüy, saç vs.sini dökme(k).
mound [maund]. Küme; tepecik; tümsek yer; höyük.
mount¹ [maunt] *vb.* Binmek; bindirmek; üzerine çıkmak; mukavva yahud beze yapıştırmak; biri için at tedarik etm.; yukarı çıkmak; yükselmek; artmak. **to ~ guard,** nöbetçi olm.: **to ~ the throne,** cülus etm.: **this ship ~s ten 12-in. guns,** bu geminin on tane 12 pusluk topu var: **to ~ up,** artmak; çok olmak.
mount² *n.* Dağ, tepe; binek.
mountain [ˈmauntin]. Dağ. **~eer** [–ˈniə*], dağlı; dağcı: dağcılık yapmak. **~ous,** dağlık.
mountebank [ˈmauntibaŋk]. Sokak cambazı; sahte doktor; şarlatan.
mounted [ˈmauntid] *a.* Atlı; mukavvaya yapışmiş (foto vs.); **diamond-~,** elmas kaşlı; **silver-~,** gümüş geçirilmiş.
mourn [moon]. Matemini tutmak; ölümüne ağlamak; hasret çekmek. **~er,** matemli; matemci. **~ful** [ˈmoonfl], hüzünlü, kederli; melûl; ağlamış; yanık. **~ing,** matem; matemli.
mouse¹ [maus]. Fındık faresi; küçük fare. Sıçan avlamak. **~trap,** fare kapanı.
mouse² (*den.*) (Bir kancayı) ağız bağı ile bağlamak.
moustache [musˈtaaʃ]. Bıyık.
mouth *n.* [mauθ]. Ağız. *vb.* [mauð], **to ~ one's words,** kelimeleri resmî bir eda ile ve tane tane telâffuz etmek. **to make ~s at s.o.,** alay etmek için terbiyesizce dudak büküp yüzünü buruşturmak: **useless ~,** iş görmeyip yalnız yiyip içen, fuzulî şahıs: **by word of ~,** şifahen. **~ful,** ağız dolusu. **~piece,** ağızlık: **to be the ~ of s.o.,** başkasının namına konuşmak; başkasının sözünü tekrar etmek. **mouth-organ,** ağız mızıkası.
movable [ˈmouvəbl]. Müteharrik; zamanı değişen. **~s,** mobilya; menkul eşya.
move¹ [muuv] *n.* Kımıldanma; hareket (ettirme); taşınma; göç; tedbir, teşebbüs; (satranç vs.) sürme. **to be always on the ~,** bir türlü yerleşememek; daima hareket halinde olmak: **I'm always on the ~,** dur yok otur yok: **to get a ~ on,** (*kon.*) çabuk olm., işe girişmek: **we must make a ~,** artık biz kaçalım, biz gidelim; bir şey yapmalıyız: **he is up to every ~ (in the game),** o ne kurttur; onunla başa çıkılmaz; o kaçın kur'ası.
move² *vb.* Tahrik etm., işletmek; kımıldatmak; yürütmek; yer değiştirmek; nakletmek; kaldırmak; tesir etm., müteessir etm.; teklif etmek. Kımıldamak, yer değiştirmek; hareket etm.; yürümek; taşınmak, göçmek. **to ~ that ...,** ... teklif etm., teklifte bulunmak: **to be ~d (by emotion),** mütehassis olm.: **keep moving!,** durmayınız!: **when the spirit ~s me,** canım istediği zaman; aklıma estiği zaman: **it is time we were moving,** artık biz gidelim: **to ~ in high society,** yüksek sosyeteye devam etmek. **move about,** ötede beride gezmek, dolaşmak; mütemadiyen taşınmak; bir yerden başka yere kaldırmak. **move in,** taşınılan eve girmek. **move off,** hareket etm., gitmek, kımıldamak. **move on,** başka bir yere göçmek; (polis) birinin bir yerde durmasını menetmek, bir kalabalık dağıtmak.
moved [muuvd] *a.* Müteessir.
movement [ˈmuuvmənt]. Hareket, kımıldanış; saatin mekanizması.
movie [ˈmuuvi]. (*arg.*) Sinema filimi. **the ~s,** sinema.
moving [ˈmuuviŋ] *a.* Müteharrik, hareket halinde; müeessir, acıklı.
mow [mou]. Ot biçmek; çimen kırpmak. **to ~ down the enemy,** düşmanı biçmek. **~er,** tırpancı: **motor ~,** motörlü biçme veya kırpma makinesi.
M.P. [ˈemˈpii]. **Member of Parliament,** milletvekili.
Mr. (*kis.*) **Mister.** (*Unvan*) ... efendi.
Mrs. (*kis.*) **Mistress.** (*Unvan*) ... hanımefendi.
MS. *pl.* **MSS.** (*kis.*) **Manuscript,** elyazması.
much [mʌtʃ]. Çok; kadar. **~ of an age [size],** aşağı yukarı aynı yaşta [boyda]: **~ as I should like to, I cannot come,** çok isterdim ama maalesef gelemem: **~ as I like him ...,** kendisini çok severim, ama ...: **~ to my astonishment he did not come,** ne dersiniz (vadettiği halde *veya* beklenildiği halde) gelmedi; **as ~ again,** bu kadar daha, bir misli daha: **I thought as ~,** bunu bekliyordum; korktuğum çıktı: **it's as ~ as saying he is a liar,** bu ona yalancı demeğe gelir: **we are asked to feed the Germans when it is as ~ as we can do to feed ourselves,** bizden Almanları beslememizi istiyorlar, halbuki kendimizi besliyebilirsek ne mutlu!: **he looked at me as ~ as to say ...,** söylemek ister gibi baktı: **ever so ~ richer,** çok daha fazla zengin: **'What will it cost?' 'Ever so ~',** 'Kaça gelecek?' 'Pek pahalıya': **how ~?,** ne kadar?: **~ he knows about it!,** (*istihza ile*) tamam, şimdi bildi!: **to make ~ of s.o.,** (i) birisi için bay-

ram yapmak [ağırlamak]; (ii) başının üstünde gezdirmek: **to make ~ of stg.,** izam etm., büyütmek; mübalağa etm.: **I can't make ~ of it,** ondan pek anlamam: **(pretty) ~ the same,** hemen hemen aynı: **not ~!,** (*arg.*) ne münasebet!, ne gezer!: **not ~ of a doctor,** adamakıllı bir doktor değil: **so ~ the better!,** daha iyi ya!; isabet!: **so ~ so that ...,** o derecede ki ...: **so ~ for your promise!,** nerede kaldı senin vaidin?: **he would not so ~ as answer,** cevab bile vermedi: **so ~ for that question, now for the next,** işte bu mesele böyle, şimdi ötekine geçelim: **this ~ is certain,** şurası muhakkaktır ki: **one can have too ~ of a good thing,** ⌜her şeyin fazlası fazla⌝: **you can't have too ~ of a good thing,** ⌜fazla mal göz çıkarmaz⌝: **that's (a bit) too ~ of a good thing,** bu kadarı da bir az fazla.

muchness [ˈmʌtʃnis]. **it's much of a ~,** ha öyle olmuş ha böyle (ikisi de bir); ha Hoca Ali ha Ali Hoca.

mucilage [ˈmjuusilidʒ]. Zamk; lûab; öz.

muck [mʌk]. Gübre; pislik; çamur. **to ~ about,** (*kon.*) sürtmek: **to ~ out a stable,** bir ahırın gübresini temizlemek: **to ~ up a job,** (*kon.*) bir işi berbad etmek. **~y,** pis; çamurlu.

muc·ous [mjuukəs]. Muhatî; balgamî; sümüğümsü: **~ membrane,** gışai muhatî. **~us,** muhat; balgam; sümük.

mud [mʌd]. Çamur. **~dy,** çamurlu. **~guard,** tekerlek çamurluğu. **mud-bank,** sığlık. **mud-crack,** bıçılgan. **mud-lark,** afacan. **mud-slinging,** biribirine çamur atma (*mec.*).

muddle [ˈmʌdl]. Karışıklık; arabsaçı. Şaşırtmak; karıştırmak. **to be in a ~,** zihni karışmak; işleri karmakarışık olm.: **~d with drink,** başı dumanlı: **to get in a ~,** işleri karışmak; belâya çatmak: **to ~ things up,** karıştırmak: **to ~ through,** yapılan hatalara rağmen işin içinden muvaffakiyetle çıkmak. **muddle-headed,** zihni karışık; sersem; kalın kafalı.

muff¹ [mʌf]. Manşon.

muff². Beceriksizin biri. **to ~ a shot,** ıska geçmek.

muffin [ˈmʌfin]. Kızartılıp tereyağı ile yenilen ince ve sünger gibi pide.

muffle [ˈmʌfl]. Büründürmek; sarıp sarmalamak; (çan vs. sesini boğmak için) sarmak. **to ~ oneself up,** kendini sarıp sarmalamak. **~r,** boyun atkısı.

mufti [ˈmʌfti]. Sivil elbise.

mug¹ [mʌg]. Maşraba; bardak; (*arg.*) çehre.

mug². (*kon.*) Safdil, bön.

mug³. (*arg.*) Çok çalışmak. **to ~ up a subject,** bir imtihan için bir mevzua çok çalışmak.

muggy [ˈmʌgi]. Rutubetli ve ağır (hava).

mulatto [mjuˈlatou]. Beyaz ile zenci melezi.

mulberry [ˈmʌlberi]. Dut (ağacı).

mulch [mʌltʃ]. Nebatların köklerini sıcaktan muhafaza etmek için yere serilen gübre veya kuru ot ve yapraklar. Böyle bir tabaka ile örtmek.

mulct [mʌlkt]. Para cezası almak.

mul·e [mjuul]. Katır; inadcı adam; masura (iplik sarma) makinesi. **~eteer,** katırcı. **~ish,** katır gibi.

mull¹ [mʌl]. İnce müslin; organdi.

mull². Bira yahud şarabı baharat ile kaynatmak.

mullet [ˈmʌlit]. **red ~,** (*Mullus surmuletus*), tekir balığı; (*M. barbatus*), barbunya: **grey ~** (*Mugil*), kefal balığı.

mulligatawny [ˌmʌligəˈtooni]. **curry** ile yapılmış çorba.

mullion [ˈmʌljən]. Pencere bölmesi, kolona.

multi- [ˈmʌlti] *pref.* Çok ..., *mes.* **multiform,** çok şekilli; **multi-engined,** çok makineli.

multifarious [ˌmʌltiˈfeəriəs]. Çeşid çeşid; muhtelif.

multiple [ˈmʌltipl]. Muhtelif. müteaddid, katmerli. (Riyaziye) misil; mazrub. **lowest common ~,** misli müşteriki asgar: **~ store,** bir çok şehirde şubesi olan büyük mağaza.

multipl·ication [ˌmʌltipliˈkeiʃn]. Zarb; çoğalma; ‖ çarpma: **~ table,** kerrat cedveli. **~icity** [–ˈplisiti], çokluk, kesret. **~y,** [ˈmʌltiplai], zarbetmek; çoğaltmak; ‖ çarpmak.

multitude [ˈmʌltitjuud]. Kalabalık; izdiham; çokluk.

mum [mʌm]. Sessiz. **to keep ~,** ses çıkarmamak: **~'s the word!,** sakın bir şey söyleme!, kimse duymasın!

mumble [ˈmʌmbl]. Mırıldanmak; anlaşılmaz tarzda konuşmak.

mummy¹ [ˈmʌmi]. Mumya.

mummy². Anneciğim.

mumps [mʌmps]. Kabakulak.

munch [mʌntʃ]. (*ech.*) Kıtırdatarak yemek; çiğnemek.

mundane [ˈmʌndein]. Dünyevi.

municipal [mjuˈnisipl]. Belediyeye aid. **~ity** [–ˈpaliti], belediye idaresi.

munificent [mjuˈnifisənt]. Cömert, âlicenab.

munitions [mjuˈniʃənz]. Mühimmat; askerî levazım.

mural [ˈmjuurəl]. Duvara aid; duvara asılı.

murder [ˈməədə*]. Taammüden katil. Katletmek, öldürmek. ⌜**~ will out**⌝, hakikat (*veya* kabahat) sonunda meydana çıkar. **~er,** kaatil. **~ous,** katletmeğe niyetli; öldürücü.

murky [ˈməəki]. Kararmış; isli. **a ~ past,** karanlık ve şübheli bir mazi.
murmur [ˈməəmə*]. Mırıltı, çağıltı; ses; (kalb) hıçkırık; homurtu. Mırıldanmak, çağıldamak; homurdanmak. **to ~ at** [**against**] **stg.**, bir şeye karşı homurdanarak söylenmek.
muscatel [mʌskəˈtel]. Misket (üzümü vs.).
musc·le [ˈmʌsl]. Adale; kuvvet. **not to move a ~,** kılını kıpırdatmamak. **~ular** [ˈmʌskjulə*], adalî, adaleli; kuvvetli.
muse[1] [mjuuz] *n.* Esatirde dokuz güzel sanat ilâhesinden her biri; şiir perisi: **to invoke the ~,** ilham davet etmek.
muse[2] *vb.* Düşünceye dalmak.
museum [mjuuˈziəm]. Müze. **a ~ piece,** bir müzede teşhir edilmeğe lâyık; (*istihf.*) müzelik.
mush [mʌʃ]. Pelte; lâpa.
mushroom [ˈmʌʃrum]. Mantar; türedi; birdenbire zuhur eden.
music [ˈmjuuzik]. Musiki; müzik. **to face the ~,** muhalifleri veya tenkidcileri cesaretle karşılamak: **rough ~,** birisinin evinin önünde veya söz söyliyeceği yerde yuha çağırarak hasmane tezahürat yapma: **to set to ~,** bestelemek. **~al** [–kl], müziğe aid, müziği sever; çalgılı; ahenkli: **~ top,** pırlangıç. **~ian** [mjuˈziʃn], musikişinas; çalgıcı. **music-hall,** müzikhol.
musk [mʌsk]. Mis; misk otu.
musket [ˈmʌskit]. Misket tüfeği. **~eer** [–ˈtiə*], tüfekçi; silahşor. **~ry,** küçük silâhlarla ateş.
muslin [ˈmʌzlin]. Müslin; müslinden yapılmış. **book ~,** mermerşahi.
musquash [ˈmʌskwoʃ]. Misk faresi *veya* onun kürkü.
mussel [ˈmʌsl]. Midye.
Mussulman [ˈmʌslmən]. Müslüman.
must[1] [mʌst] *n.* Şira.
must[2] *vb.* [*Tasrifte hiç değişmiyen bir yardımcı fiil; umumiyetle vücubî sıygası ifade eder.*] Mecbur olm., lâzım olm.; icabetmek; her halde ... olmak. **I ~ go,** gitmeliyim, gitmem lâzım: **I ~ not** [**mustn't**] **go,** gitmemem lâzım, gitmem yasaktır; [gitmem lâzım değil, **I need not go**]: **you ~ learn Turkish,** (i) türkçe öğrenmeniz lâzım; (ii) türkçe öğrenseniz iyi olur: **you <u>must</u> learn T.,** muhakkak türkçe öğrenmelisiniz: **you ~ have forgotten me,** beni unutmuşsunuzdur: **you <u>must</u> know him,** onu tanımamanıza imkân yok: **I ~ be going,** artık gitmeliyim: **I am going because I <u>must</u>,** mecbur olduğum için gidiyorum (yoksa kalırdım): **do so if you ~,** icabediyorsa [zarurî ise] yapınız: **England, you ~ know, is not all factories,** şurasını söyleyim ki İngiltere fabrikadan ibaret değil: **it ~ be ten o'clock,** saat, her halde, on vardır: **I ~ have made a mistake,** her halde bir hata yaptım [hata yapmış olmalıyım]: **if you go that way you <u>must</u> meet him,** oradan giderseniz muhakkak ona rastlarsınız: **just as we were starting on our journey he ~ break his leg,** tam seyahate çıkacağımız sırada sen git bacağını kır [aksi gibi bacağı kırıldı].
mustang [ˈmʌstaŋ]. Yabani at.
mustard [ˈmʌstəd]. Hardal.
muster [ˈmʌstə*]. Asker toplama; toplantı; cemetme. Topla(n)mak. **to pass ~,** teftişten geçirilmek; elverişli olm.; kabul edilebilmek.
musty [ˈmʌsti]. Küf kokulu; küflü; köhne.
muta·bility [ˌmjuutəˈbiliti]. Değişebilme; bekasızlık; kararsızlık. **~tion** [–ˈteiʃn], değişme; istihale.
mute [mjuut]. Sessiz; dilsiz. Dilsiz insan; okunmıyan harf; ücretli matemli. Bir çalgı vs.nin sesini kısmak. **deaf ~,** sağır ve dilsiz adam.
mutilate [ˈmjuutileit]. Bir uzvunu kesmek; sakat etm.; bozmak, kırmak.
mutin·eer [ˌmjuutiˈniə*]. Âsi (asker). **~ous** [ˈmjuutənəs], isyan halinde, isyana aid. **~y** [ˈmjuutini], isyan (askerî). İsyan etm.; ayaklanmak.
mutter [ˈmʌtə*]. Mırıldamak; homurdanmak; gizli olarak söylemek. Mırıltı.
mutton [ˈmʌtn]. Koyun eti. **~chop,** koyun pirzolası.
mutual [ˈmjuut·uəl]. Karşılıklı; mütekabil. **a ~ friend,** müşterek dost.
muzzle [ˈmʌzl]. Hayvan burnu; top veya tüfek ağzı; burunsalık. Bir hayvana burunsalık takmak; (*mec.*) ağzına gem vurmak; çanına ot tıkamak. **muzzle-loader,** ağızdan dolma top veya tüfek.
my [mai]. Benim. **~!,** olur şey değil!; aman!
mycology [maiˈkolədʒi]. Nebatatın mantarlar bahsi.
myopia [maiˈoupjə]. Kasrülbasar, miyopi.
myriad [ˈmirjəd]. Çok büyük aded. **~s of,** binlerce.
myrmidon [ˈməəmidən]. Bir zalim vs.nin para ile tutulan hizmetkârı. **the ~s of the law,** *polis ve benzeri devlet memurları hakkında istihfafkâr bir tabir.*
myrrh [məə*]. Mürrisâfi.
myrtle [ˈməətl]. Mersin.
myself [maiˈself]. Ben kendim.
myster·ious [misˈtiəriəs]. Esrarengiz; gizli kapaklı; esrarengiz tavırlı. **~y** [ˈmistəri], esrarlı şey; anlaşılmaz şey; hikmet; muamma.
mystic [ˈmistik]. Tasavvufî; sufî; mistik. **~ism** [ˈmistisizm], tasavvuf, mistisizm.
mystify [ˈmistifai]. Esrarlı bir oyunla

aldatmak; akıl ermez bir şeyle hayrette bırakmak; esrarengiz görünmek; esrarengiz göstermek.

myth [miθ]. Esatir hikâyesi; masal; hurafe; ismi var cismı yok. **~ical,** esatiri. **~ology** [maiθ'ɔlədʒi], esatir; mitoloji.

N

N [en]. N harfı.
nab [nab] (*arg.*) Kapmak; aşırmak; yakalamak.
nabob ['neibob]. Nevvab; çok zengin adam.
nadir ['neidə*]. Semtikadem; en aşağı nokta veya safha.
nag[1] [nag] *n.* Ufak beygir.
nag[2] *vb.* Dırlamak; mütemadiyen kusur bulmak. **to ~ at s.o.,** birinin başının etini yemek.
nail [neil]. Çivi; mıh; tırnak; pençe. Çivilemek; mıhlamak: **~ down,** çivi ile kapatmak: **~ up,** çiviliyerek kapatmak; çiviliyerek asmak. **as hard as ~s,** çok sıhhatli ve dayanıklı: **as right as ~s,** dosdoğru: **to hit the ~ on the head,** tam üzerine basmak: **to ~ a lie to the mast** [**counter**], yalanını meydana koymak; teşhir etm.: **that's another ~ in his coffin,** bu onun sonunu (ölümünü) biraz daha yaklaştırır: **on the ~,** (*arg.*) derhal, peşin para ile: **he stood ~ed to the spot,** donakaldı, mıhlandı: **to ~ s.o. (down) to his promise,** birine vaidini tutturmak.
naïve [na'iiv, neiv]. Saf; sadedil; bön. **~ty** [–iti], sadedillik.
naked ['neiked]. Çıplak. **~ sword,** yalın kılıc: **visible to the ~ eye,** gözle görülebilir (dürbünsüz).
namby-pamby ['nambi'pambi]. Yavan bir güzellikte ve gülünç bir şekilde hassas yapmacıklı (kadın); mahallebici hanım evlâdı ve yapmacıklı (genc); marazî bir şekilde hassas (üslûb vs.).
name[1] [neim] *n.* İsim, ad, nam; şöhret. **to get a bad ~,** adı çıkmak: **by ~,** isminde: **to know by ~,** gıyaben tanımak: **to call (each other) ~s,** birbirine fena sözler söylemek: **'to mention [~] no ~s',** isim tasrih etmek istemiyorum: **I'll do so or my ~ is not ...,** bunu yapmazsam bana da adam demesinler: **to send in one's ~,** (bir ziyaretçi hakkında) ismini içeri haber vermek; bir müsabaka vs.ye ismini yazdırmak: **to put one's ~ down,** ismini yazdırmak: **a king in ~ only,** yalnız adı kıral; sözde kıral: **what in the ~ of goodness [fortune] are you doing?,** ne yapıyorsun Allah aşkına?
name[2] *vb.* İsim koymak; ad takmak; zikretmek; tayin etmek. **to ~ s.o. after** [*Amer.* **for**] **s.o.,** birine birinin ismini vermek.

nameless ['neimlis]. İsimsiz; mechul; ağza alınmaz; anlatılamaz. **a person who shall be ~,** ismini söylemiyeceğim bir zat.
namely ['neimli]. Yani; şöyle ki.
namesake ['neimseik]. Adaş.
nanny ['nani]. Dadı. **nanny-goat,** dişi keçi.
nap[1] [nap]. Şekerleme; hafif uyku. **to take [have] a ~,** hafif uykuya dalmak; kestirmek.
nap[2]. Hav.
nape [neip]. **the ~ of the neck,** ense.
naphtha ['nafθa]. Neft.
napkin ['napkin]. Peşkir; peçete; kundak bezi.
napping ['napiŋ]. **to catch s.o. ~,** birini gafil avlamak.
narcissus [naa'sisəs]. Nerkis.
narcotic [naa'kotik]. Uyutucu; uyuşturucu; narkotik.
narrat·e [nə'reit]. Nakletmek; hikâye etm., anlatmak. **~ive** ['narətiv], nakil; hikâye; ifade; fıkra. Nakil ve rivayete aid. **~or** [–'reitə*], nakleden; hikâyeci.
narrow ['narou]. Dar; mahdud. Daraltmak; darlaşmak. **the ~s,** boğaz, dar liman ağzı. **narrow-gauge, ~ railway,** dar hatlı demiryolu. **narrow-minded,** darkafalı; eski kafalı; muteassıb.
narwhal ['naawal]. Deniz gergedanı.
nasal ['neizl]. Buruna aid; enfî; gunneli. Genizden okunan harf.
nascent ['nasənt]. Doğan; vücude gelen; mütekevvin.
nasturtium [nə'stəəʃəm]. Lâtin çiçeği.
nasty ['naasti]. Hoşa gitmiyen; nahoş; pis; fena kokulu; iğrenc; garazkâr. **a ~ sea,** dalgalı deniz: **to turn ~,** hiddete kapılmak; tehdidkâr olm.: **that's a ~ one!,** (*kon.*) *lâfı ağza kapayan bir cevab hakkında kullanılır; nahoş bir haber alındığı zaman söylenir.*
nation ['neiʃn]. Millet; devlet; memleket. **~al** ['naʃnl], millî; tebaa. **~alist,** milliyetçi; milliyetperver. **~ality** [ˌnaʃə'naliti], milliyet; tabiiyet. **~alize** ['naʃnəlaiz], millileştirmek; devletleştirmek.
native ['neitiv]. Yerli; doğma; memlekete aid; memlekette yetişen. **~ language,** ana dil: **~ land,** anavatan.
nativity [nə'tiviti]. İsa'nın doğumu.
natty ['nati]. Zarif, süslü; eli ince işe yatkın.
natural ['natʃərəl]. Tabiî; tabiate aid;

anadan doğma; cibillî; sun'î değil; halis; normal. Anadan doğma budala. ~ **child,** piç: ~ **father,** piçin babası: ~ **history,** hayvanların ve nebatların meraklılar tarafından tedkiki: **to die a ~ death,** eceliyle ölmek: **it comes ~ to him,** ona çok kolay gelir.

natural·ist [ˈnatʃrelist]. Hayvanları ve nebatları tedkik eden meraklı.

naturalize [ˈnatʃərəlaiz]. Tabiiyete kabul etm.; hayvan ve nebatları yeni iklime alıştırmak: yerleştirmek.

naturally [ˈnatʃərəli]. Tabiî surette, kolayca: ~ **!,** tabiî!, elbette!

nature [ˈneitʃə*]. Tabiat; hilkat; fıtrat; yaradılış; mahiyet; mizac. **by ~,** fıtraten, yaradılış itibarile: **from ~,** canlı bir modelden veya tabiî manzaradan: **something in the ~ of...,** ···in kabilinden. **-~d,...** huylu, ... tabiatli.

naught [noot]. Hiç, sıfır. **to bring to ~,** akamete uğratmak: **to come to ~,** boşa çıkmak, suya düşmek: **to set at ~,** hiçe saymak, yabana atmak.

naught·y [ˈnooti]. Yaramaz, huysuz. **~iness,** yaramazlık.

nause·a [ˈnoosiə]. Bulantı; iğrenme, istikrah. **~ate,** mide bulandırmak; iğrendirmek; bıktırmak: **~ous,** mide bulandırıcı; iğrenc, müstekreh, bıktırıcı.

nautch-girl [ˈnootʃgəəl]. Hind rakkasesi, çengisi.

nautical [ˈnootikl]. Gemiciliğe aid. ~ **almanac,** deniz seferlerine aid malûmatı ihtiva eden yıllık: ~ **mile,** deniz mili.

nautilus [ˈnootiləs]. Güzel kabuklu bir kaç nevi deniz böceklerine verilen ad.

naval [ˈneivl]. Harb gemilerine ve bahriyeye aid. ~ **architecture,** gemi mühendisliği: ~ **battle,** deniz muharebesi.

nave [neiv]. Kiliselerin ortasında bulunan geniş yer.

navel [ˈneivl]. Göbek.

navigable [ˈnavigəbl]. Seyrüsefere müsaid (sular); denize dayanabilir, kullanılabilir (gemi).

navigat·e [ˈnavigeit]. Gemi yolculuğu yapmak; gemi idare etm., kullanmak. **~ion** [–ˈgeiʃn], deniz yolculuğu; denizcilik ilmi. ~ **laws,** denizcilik kanunu: ~ **lights,** milletlerarası usullere göre bir gemide bulunması icabeden ışıklar. **~or,** gemici; gemi veya uçağın rotasından mesul olan zabit.

navvy [ˈnavi]. Toprak tesviyesi ve başka ağır işlerde çalışan amele. **steam ~,** kazma makinesi, ekskavatör.

navy [ˈneivi]. Bir devletin deniz kuvveti, bahriye. **merchant ~,** ticaret filosu: ~ **blue,** lâciverd.

nay [nei] Hayır. **it is important, ~, a matter of life and death,** mühim değil adeta hayat memat meselesidir: **I cannot say him ~,** ona hayır diyemem: **he will not take ~,** menfi cevab kabul etmez.

naze [neiz] Sahil çıkıntısı, burun.

N.B. [ˈenˈbii]. (*Lât.*) **nota bene,** ihtar.

neap [niip]. **~s** [~ **tides**], on beş günde bir kere diğerlerine nisbetle çok az fark eden med ve cezir; meddi cüzî. **to be ~ed,** karaya oturmuş bir gemi az yükselen med sebebile kara üzerinde kalmak.

near [niə*]. Yakın; karib; takribî; civarında; (*kon.*) cimri. Yaklaşmak. **~by,** yanında; civarında: **as ~ as I can remember,** hatırımda kaldığına göre: **is he anywhere ~ as tall as his father?,** boyu hakikaten babasınınki kadar uzun mu? (hiç zannetmem!): **I am nowhere ~ as rich as you are,** ben sizin kadar zengin olmaktan uzağım: **to come [draw] ~,** yaklaşmak: **I came ~ to being drowned,** az kaldı boğuluyordum: **those who are ~ and dear to us,** yakınlarımız: ~ **at hand,** yanında, yakınında: **~ing forty,** kırkına merdiven dayamış: **to go by the ~est road,** kestirme yoldan gitmek: **the ~ side,** sol taraf: **it was a ~ thing,** dar kurtuldum [–du vs.]; bıçak sırtı bir farkla; uc uca, ucu ucuna; ~ **upon a hundred,** yüz ya var ya yok.

nearly [ˈniəli]. Hemen hemen; takriben; yakın. **I ~ fainted,** az kaldı bayılıyordum: **he is not ~ as rich as you,** o sizin kadar zengin olmaktan uzaktır.

near-sighted [ˌniəˈsaitid]. Miyop.

neat [niit]. Muntazam; zarif; üstü başı temiz; basit ve iyi; tertibli; (rakı, viski vs.) susuz.

neat's-foot oil [ˈniitsfutˈoil]. Sığır paçası yağı.

nebul·a, *pl.* **-ae** [ˈnebjulə, –ii]. Küçük yıldızlar kümesi, sehabi muzi. **~ar,** sehabi muziye aid. **~ous,** sisli; mübhem; hayal meyal.

necessary [ˈnesesri]. Lâzım, zarurî; gereken. Lâzım olan şey veya eşya. **the ~,** bir şey için lâzım olan para: **the necessaries of life,** zarurî ihtiyaclar: **to be ~,** lâzım olm., icabetmek: **to do the ~,** icabeden şeyleri yapmak [tedbirleri almak]; **if ~,** icab ederse.

necessi·tate [niˈsesiteit]. İcabetmek; zarurî kılmak. **~tous,** muhtac, fakir, yoksul. **~ty** [niˈsesəti], zaruret, zarurî ihtiyac; lüzum; mecburiyet: **of ~,** zarurî olarak: ⌜**~ knows no law**⌝, muztar kalınca her şey yapılır.

neck [nek]. Boyun; (şişe) boğaz. **a ~ of land,** küçük berzah: **to break the ~ of a task,** bir işin çoğunu yapıp bitirmek: ~

and crop, tamamen; olduğu gibi; palas pandıras: **to fall on s.o.'s ~,** birinin boynuna sarılmak: **to get it in the ~,** (*arg.*) şiddetli bir darbeye uğramak; pek fena alabanda yemek: **~ and ~,** başabaş: ⌜**~ or nothing**⌝, ⌜ya devlet başa ya kuzgun leşe⌝: **to save one's ~,** postu kurtarmak: **to be up to one's ~ in debt,** uçan kuşa borclu olm.; **to be up to one's ~ in work,** işi başından aşmak. **~cloth,** boyunbağı. **~erchief,** boyun atkısı. **~lace** [ˈneklis] gerdanlık. **~let,** boyun kürkü. **neck-band,** elbise yakası. **neck-tie,** boyunbağı.

necromancy [ˈnekromansi]. Ruhları çağırarak tefeül; sihirbazlık.

nectar [ˈnekta*]. Kevser.

nectarine [ˈnektərin]. Tüysüz şeftalı.

née [nei] (Evli bir kadının) kızlık ismi olan.

need¹ [niid] *n.* İhtiyac; lüzum; zaruret. **in ~,** muhtac; fakir: **to have [be in, stand in] ~ of ...,** ···e muhtac olm.: **in case of ~,** icabında: **my ~s are few,** fazlada gözüm yok; ihtiyaclarım mahduddur: **in times of ~,** müşkül zamanda; kıtlık zamanında.

need² *vb.* Muhtac olm.; icabetmek; istemek. **he ~s a lot of asking,** yalvartmadan bir şey yapmaz: **why ~ he have come tonight (of all nights)?,** ne diye tutup da bu akşam geldi?: **you only ~ed to ask,** sormanız kâfi idi: **he ~ not go, ~ he?** onun gitmesi lâzım değil, değil mi?: **you ~ not have done it,** yapmıyabilirdiniz: **you ~n't have been so rude,** (yaptığınız) bu nezaketsizliğe hiç lüzum yoktu.

needful [ˈniidfəl] *bk.* **necessary.**

needle [ˈniidle]. İğne; tığ; örgü şişi; ibre; çuvaldız. ⌜**it's like looking for a ~ in a haystack**⌝, saman yığınında iğne aramak gibi (*yani* bulmak hemen hemen imkânsız): **as sharp as a ~,** şeytan gibi zeki. **~woman,** dikişçi kadın. **~work,** dikişçilik; iğne işi; işleme.

needless [ˈniidlis]. Lüzumsuz; beyhude.

needs [niidz] *adv. Yal.* **must** *ile kullanılır*; **if ~ must,** mutlak lâzımsa; zarurî ise: ⌜**~ must when the devil drives**⌝, mutlak yapmalıyım; kurtuluş yok.

ne'er [neə*]. **Never. ne'er-do-well, -weel,** adam olmaz; serseri.

nefarious [niˈfeəriəs]. Çirkin; şeni.

negat·ion [niˈgeiʃn]. İnkâr; nefi. **the ~ of ...,** ···in zıddı. **~ive** [ˈnegətiv], nefi; nefi edatı; negatif: menfi. Reddetmek.

neglect [niˈglekt]. İhmal etm.; iyi bakmamak; aldırmamak. İhtimamsızlık, bakımsızlık; ihmal. **~ed,** bakımsız; mühmel; metrûk. **~ful,** ihmalci; dikkatsiz; kayıdsız.

neglig·ence [ˈneglidʒəns]. İhmal; gaflet; ihtimamsızlık; itinasızlık; kayıdsızlık. **~ent,** ihmalci, kayıdsız, dikkatsiz. **~ible** [–əbl], ehemmiyetsiz; sayılmaz.

negoti·ate [niˈgouʃieit]. Müzakereye girişmek; havale ve ciro etmek. **~able,** havale ve ciro edilebilir; cirolu. **~ation** [niˌgouʃiˈeiʃn], müzakere; akdetme. **~ator** [niˈgouʃieitə*], müzakereye memur kimse; murahhas.

negr·o [ˈniigrou]. Zenci. **~ess,** zenci kadın. **~oid,** zenciye benzer.

neigh [nei]. Kişneme(k).

neighbour [ˈneibə*]. Komşu. **one's duty towards one's ~,** insanlara karşı vazifelerimiz. **~hood** [–hud], civar; cihet; konukomşu. **~ing,** komşu, yakın, bitişik; civardaki. **~ly,** iyi komşu gibi; dostça.

neither [ˈnaiðə*]. Hiç birisi; ve ne de. **~ ... nor ...,** ne ... ne .... **if you don't go ~ shall I,** siz gitmezseniz ben de gitmem.

nem. con. [ˈnemˈkon]. (*Lât.*) **nemine contradicente.** (Kimse muhalefet etmiyerek), ittifakla.

neo- [ˈniiou] *pref.* Yeni ... **~logism,** yeni kelime; eski kelimelerin yeni manada kullanılması.

nephew [ˈnefju]. Yeğen (erkek).

nephritis [niˈfraitis]. Böbrek iltihabı, nefrit.

ne plus ultra [niiplʌsˈʌtrə] (*Lât.*). Daha ilerisi olmaz; son derecesi.

nepotism [ˈnepətizm]. Akraba kayırma.

Neptune [ˈneptjuun]. Deniz ilâhı; Neptün seyyaresi.

nerve [nəəv]. Sinir, asab; cesaret. Cesaret vermek. **to get on s.o.'s ~s,** birinin sinirine dokunmak: **to have the ~ to,** cüret etm., yüzü tutmak: **to lose one's ~,** cesaretini kaybetmek: **a man of ~,** pek cesaretli; pek soğukkanlı: **you have got a ~!,** ne cesaret!; buna da yüz ister!: **to be in a state of ~s,** sinirli olm.: **to strain every ~,** alabildiğine çabalamak. **nerve-racking,** sinirleri bozan, sinir törpüleyici.

nervous [ˈnəəvəs]. Ürkek; sıkılgan; evhamlı; sinirli; asabî; sinirlere aid. **to be ~ about doing stg.,** bir şeyi yapmaktan çekinmek [korkmak]: **to be ~ about s.o.,** birini merak etm., endişe etmek. **~ness,** ürkeklik, sıkılganlık, çekingenlik.

nervy [ˈnəəvi]. Sinirli, sinirlenmiş; ürkek.

nescience [ˈneʃjəns]. Cahillik; bilmeme.

nest [nest]. Yuva; (haydud) yatağı; melce; küçük içiçe kutular vs. Yuva yapmak. **~ling,** kuş yavrusu. **nest-egg,** fol; ihtiyaten bir tarafa konulan küçük sermaye.

nestle [ˈnesl]. Kendi yuvasını yapmak; sinmek; sığınmak; sokulmak; saklanmak.

net¹ [net]. Ağ şebeke. Ağ ile tutmak veya örtmek; ağ veya ağ şeklinde örmek.

net². Sâfi; darası alınmış. (Bir iş) sâfi kâr

temin etmek. **he ~ted a nice little sum,** bu işte epeyi para vurdu.

nether [ˈneðə*]. Alttaki. **~ garments,** pantalon ve don.

Netherlands [ˈneðələndz]. **The ~,** Holanda, Felemenk.

nett *bk.* **net.**

nett·ed [ˈnetid]. Ağ halinde; ağ gibi. **~ing,** ağ örme; ağ örgüsü.

nettle [ˈnetl]. Isırgan. Canını yakmak (*mec.*), kızdırmak. **nettle-rash,** kurdeşen.

network [ˈnetwəək]. Şebeke.

neur·algia [njuəˈraldʒə]. Nevralji. **~asthenia** [-asˈθiiniə], nevrasteni. **~itis** [-ˈraitis], sinir iltihabı, nevrit. **~ologist** [-ˈrolədʒist], asabiyeci. **~osis** [-ˈrousis], sinir hastalığı, nevroz. **~otic** [-ˈrotik], sinir hastası, asabî.

neuter [ˈnjuutə*]. Cinsiyetsiz; (*gram.*) müzekker veya müennes olmıyan, bitaraf; (*fiil*) lâzım.

neutral [ˈnjuutrəl]. Tarafsız; (renk) kurşunî: (otom.) ölü nokta. **~ity** [-ˈtraliti], tarafsızlık. **~ize** [ˈnjutrəlaiz], tesirsiz bırakmak; akamete uğratma.

never [ˈnevə*]. Hiçbir zaman; aslâ; kat'iyyen. **~ a one,** hiç biri bile değil: **~ again will I go there,** bir daha oraya gitmem: **he ~ came back,** bir daha hiç gelmedi: **be he ~ so angry,** ne kadar kızarsa kızsın: **you surely ~ said that!,** nasıl oldu da bunu söyledin?: **I have ~ yet seen it,** onu daha hiç görmedim: **well I ~!,** Allah! Allah! **never-ending,** bitmez tükenmez; fasılasız. **never-failing,** tükenmez; yanılmaz, birebir.

nevermore [ˈnevəmoo*]. Bir daha hiç.

nevertheless [ˌnevəðəˈles]. Bununla beraber; maamafih; ancak.

new [njuu]. Yeni; taze; acemi. **New Year,** yeni sene, sene başı; **to see the New Year in,** yıl başını kutlamak: **to wish s.o. a Happy New Year,** birinin yeni yılını tebrik etmek. **new-comer,** yeni gelen. **new-fangled,** yeni çıkma. **new-fashioned,** yeni moda. **new-laid, ~ egg,** günlük yumurta.

Newcastle [ˈnjuukaasl]. ⌜**to carry coals to ~**⌝, dereye su taşımak.

Newfoundland [ˌnjuufəndˈland]. Ternöv; [njuuˈfaundlənd], ternöv köpeği.

news [njuuz]. Havadis; haber. **to be in the ~,** herkesin ağzında olm.: **to break the news to s.o., to break the ~ gently,** alıştıra alıştıra söylemek [haber vermek]: **a good [bad] piece of ~,** iyi [fena] haber: **this is ~ to me,** bunu işitmemiştim: **what's the ~?,** ne var ne yok? **~agent,** gazeteci (dükkânı). **~monger,** havadis kumkuması. **~paper,** gazete. **news-agency,** haber alma acentası. **news-print,** gazete kâğıdı.

newt [njuut]. Su kertenkelesi.

next [nekst]. Gelecek; en yakın; ertesi; sonraki; öteki; önümüzdeki; bitişik; yanında; bundan sonra. **to be continued in our ~,** devamı gelecek sayıda: **he lives ~ door to us,** bitişiğimizde oturur: **the thing ~ my heart,** üzerinde titrediğim şey, en çok arzu ettiğim şey: **the ~ largest,** ondan sonra en büyüğü: **~ to nothing,** hemen hemen hiç; yok pahasına: **there was ~ to nobody at the meeting,** toplantıda hemen hemen hiç kimse yoktu: **to wear flannel ~ the skin,** fanilayı tenine giymak: **the ~ time I see him,** bir daha onu gördüğüm zaman: **what ~!,** olur şey değil!; nerede bu bolluk!: **what ~, please?,** (dükkânda) başka ne istiyorsunuz?: **who comes ~?,** sıra kimde?: **the year after ~,** öbür sene. **next-door, ~ neighbour,** bitişik komşu.

nib [nib]. Kalemucu.

nibble [ˈnibl]. Kemirmek; dişlemek; (koyun gibi) otlatmak: çimlenmek. Ufacık lokma. **I never had a ~,** hiç bir balık oltamın yemine dokunmadı bile.

nice [nais]. Hoş, sevimli; lezzetli, tatlı; cazib; nefis; ince; hassas; titiz, müşkülpesend. **a ~ distinction,** ince bir fark: **to be ~ to s.o.,** birine iyi [nazikâne] muamele etm.: **it is ~ of you to ...,** ···mekle nezaket gösterdiniz: **it is ~ and cool,** hava çok tatlı ve serin: **this is a ~ mess,** işler arabsaçına döndü; ayıkla pirincin taşını!: **to be too ~ about stg.,** ince eleyip sık dokumak: **the child is very ~ about his food,** çocuk yemek seçiyor, yemekte nazlanıyor.

nicety [ˈnaisiti]. İnce nokta, incelik. **to a ~,** tam karar; tavında; tamamile: **the niceties of a language,** bir lisanın gavamızı.

niche [nitʃ]. Duvarda hücre.

nick[1] [nik]. Çentmek, kertmek. Çentik, kertik, çetele. **in the ~ of time,** tam zamanında; ancak.

Nick[2]. **Old ~,** Şeytan.

nickle [ˈnikl]. Nikel; beş sentlik Amerikan parası. **nickle-plated,** nikel kaplama.

nickname [ˈnikneim]. Lâkab. Lâkap takmak.

niece [niis]. Yeğen (kız).

niello [niˈelou]. Savat.

niggard [ˈnigəəd]. Cimri adam. **~ly,** cimri, pinti.

nigger [ˈnigə*]. Zenci. **to work like a ~,** domuzuna çalışmak: ⌜**a ~ in the woodpile**⌝, çapanoğlu.

niggling [ˈnigliŋ]. Lüzumsuz teferruatlı; kılı kırk yaran.

nigh [nai]. Yakın; aşağı yukarı.

night [nait]. Gece; karanlık. **at [by] ~,**

geceleyin: **good ~!**, geceniz hayırlı olsun!: **to have a good** [bad] **~ ('s rest)**, iyi [fena] uyumak: **in the ~**, geceleyin: **to make a ~ of it**, geceyi zevk ile geçirmek; sabahlamak: **a ~ out**, zevk ile geçirilen gece; bir hizmetçinin izinli olduğu gece: **first ~**, piyesin ilk temsili. **~dress, ~gown**, gecelik. **~fall**, akşam üzeri; sular karardığı zaman. **~ly**, her gece yapılan *veya* vukubulan. **~mare**, kâbus. **~shirt**, gecelik entarı. **nightcap**, gecelik takke; yatarken içilen alkollü içki. **night-light**, idare lâmbası. **night-shift**, gece nöbeti; gece çalışan ekip. **night-soil**, aptesane çukurlarından çıkarılan pislikler.

nightingale [ˈnaitingeil]. (*Luscinia*) Bülbül.

nightjar [ˈnaitdʒaa*]. (*Caprimulgus europaeus*) Çobanaldatan.

night-shade [ˈnaitʃeid]. **Deadly ~**, (*Atropa belladonna*) Güzelavratotu; **black ~**, (*Solanum nigrum*) itüzümü (?); **~, bittersweet**, (*Solanum dulcimara*) yabani yasemin (?).

nil [nil]. Hiç; sıfır.

nimble [ˈnimbl]. Çevik; tetik; tez.

nimbus [ˈnimbəs]. Yağmur bulutu; hale.

nincompoop [ˈniŋkəmpoup]. Alık, avanak.

nine [nain]. Dokuz. **to have ~ lives (like a cat)**, yedi canlı olm.: **dressed up to the ~s**, iki dirhem bir çekirdek: **a ~ days' wonder**, birdenbire meşhur olup kısa zamanda unutulan şey: **~ times out of ten**, hemen her defa. **~fold**, dokuz kat; dokuz misli. **~pins**, şişe şekilli dikili dokuz tahtayı uzaktan bir tahta topla devirmekten ibaret olan oyun: **to go down like ~**, iskambil gibi devrilmek. **~teen**, on dokuz: **to talk ~ to the dozen**, makine gibi konuşmak. **~ty**, doksan: **the nineties**, 1890 ile 1900 seneleri arasında.

ninny [ˈnini]. Alık.

ninth [nainθ]. Dokuzuncu.

nip[1] [nip]. Çimdik; hafif ısırma. Çimdiklemek; hafifçe ısırmak; (kırağı) haşlamak. (*arg.*) Çabuk gitmek. **there is a ~ in the air**, hava sert: **to ~ in the bud**, bir kötülüğün vs. daha başlangıçta önüne geçmek: **to ~ off**, ucunu dişleyip veya çimdikleyip koparmak.

nip[2]. Bir yudum içki. Azar azar fakat devamlı olarak içki içmek.

nipper [ˈnipə*]. (*arg.*) Çocuk.

nippers [ˈnipəəz]. Ufak kerpeten, kıskac.

nipple [ˈnipl]. Memebaşı.

nippy [ˈnipi]. (*kon.*) Çevik, atik; (hava) keskin. **look ~ about it!**, haydi çabuk ol!

nit [nit]. Bit sirkesi.

nitr·ate [ˈnaitreit]. Azotiyet, nitrat. **~e** [ˈnaitə*], güherçile. **~ic, ~ acid**, asid nitrik, hamızı azot.

nitro-cellulose [ˈnaitrouˈseljulouz]. Nitroselüloz.

nitrogen [ˈnaitrodʒən]. Azot, nitrojen. **~ous** [–ˈtrodʒinəs], azotlu, nitrojenli.

nitwit [ˈnitwit]. Budala.

nixie [ˈniksi]. Su perisi.

no [nou]. Hayır; yok; öyle değil; hiç: menfi cevab. **~es**, bir teklif aleyhine rey verenler. **it is ~ distance**, uzak değil: **friend or ~ (friend) he can't behave like that**, dost olsun, ne olursa olsun, böyle hareket edemez: **he is ~ genius**, elbette dâhi değil: **in less than ~ time**, pek az sonra, hemen, bir anda: **~ man** [one], hiç bir kimse: **make ~ mistake!**, duydum duymadım deme!; şunu bil!: **I made ~ reply**, cevab vermedim: **there is ~ saying what he will do next**, bundan sonra ne yapacağı bilinmez: **~ smoking!**, tütün içilmez: **at ~ time**, hiç bir vakit: **whether he comes or ~**, gelse de gelmese de: **tell me whether you are coming or ~**, gelip gelmiyeceğinizi haber veriniz.

Noah [ˈnouə]. Nuh peygamber. **~'s ark**, Nuh gemisi.

nob [nob]. (*arg.*) Baş, kelle; kibar.

nobility [nouˈbiliti]. Asalet. **the ~**, asılzadeler.

noble [ˈnoubl]. Asîl; ulvi. Asılzade. **~man**, *pl.* **-men**, asılzade.

nobody [ˈnoubodi]. Hiç kimse. Değersiz, ehemmiyetsiz adam; adı sanı yok. **he's a mere ~**, o solda sıfırdır.

noctambulist [nokˈtambjulist]. Uykuda gezen.

nocturnal [nokˈtəənl]. Geceleyin olan; geceye aid; leylî. **~ emission**, ihtilâm.

nocuous [ˈnokjuəs]. Zararlı.

nod [nod]. Baş sallama; başla işaret. Kabûl, tasdik ve selâm vs. ifade etmek için başını sallamak; pineklemek. **to have a ~ding acquaintance with s.o.**, birile pek az tanışmak, sadece selâmlaşmak.

node [noud]. Boğum; ukte.

nodule [ˈnodjuul]. Küçük boğum; şekilsiz yuvarlak bir parça.

nohow [ˈnouhau]. Hiç bir suretle.

noise [noiz]. Gürültü, patırdı; velvele; ses. **to ~ abroad**, (bir haberi) yaymak, tellâllık etm.: **to be a big ~**, borusu ötmek: **to make a ~ in the world**, meşhur olmak.

noisome [ˈnoisəm]. Muzır; mûteaffin; iğrenc.

noisy [ˈnoizi]. Gürültülü, patırdılı.

nolens volens [ˈnoulensˈvoulens]. (*Lât*). İster istemez.

nomad [ˈnomad]. Göçebe; bedevi. **~ic** [noˈmadik], göçebe.

nomenclature [nəˈmeŋklətjuə*]. Bir ilim yahud sanatin ıstılahları; tasnifcilik, ıstılahcılık.

nomin·al [ˈnominl]. İsmi olup cismi olmıyan; itibarî; lâfzî; isim veya isimlere aid. ~ **value,** itibar: **he is the ~ head,** adı reis, ismen reis. **~ate,** nasbetmek; tayin etm.; bir memuriyet için teklif etm.; namzedliğe seçmek. **~ative,** mücerred hali. **~ee** [nomiˈnii], namzed; mansub.
non- [non] *suff. Nefi edatı*; gayri-; ademi-.
nonage [ˈnonidʒ]. Sabavet.
nonagenarian [ˌnounədʒiˈneəriən]. Doksan yaşında olan.
non-aggression [nonəˈgreʃn]. Ademi tecavüz; || saldırmazlık.
nonce [nons]. **for the ~,** bu kere; şimdiki zaman.
nonchalan·t [ˈnonʃələnt]. Kayıdsız; kaygısız. **~ce,** kayıdsızlık.
non-com. *bk.* **non-commissioned.**
non-combatant [nonˈkombətənt]. Gayri muharib; **-s,** orduda silâh taşımıyan memur ve erler.
non-commissioned [nonkəˈmiʃnd]. ~ **officer (N.C.O.),** küçük zabit.
non-committal [nonkəˈmitl]. Suya sabuna dokunmaz; kaçamaklı; mübhem.
nonconformist [nonkənˈfoomist]. Anglikan kilisesinden itizal eden protestan.
nondescript [ˈnondiskript]. Tasnif ve tarif edilemez; tuhaf, garib.
none [nʌn]. Hiç; hiç kimse; hiç bir. ⌜**~ so blind as those who won't see**⌝, en fena kör görmek istemiyendir: **~ but he knows the secret,** bu sırrı ondan başka kimse bilmiyor: **you know, ~ better, how poor I am,** ne kadar fakir olduğumu siz herkesten iyi bilirsiniz: **any food is better than ~ (at all),** her hangi bir yemek hiç yoktan iyidir: **~ of your cheek!,** yüzsüzlüğün lüzumu yok!: **~ of them are coming,** hiç biri gelmiyecek: **~ of this is suitable,** bunun hiç bir tarafı [kısmı] uygun değil: **I was ~ too soon,** tam zamanında yetiştim: **he is ~ too well off,** (malî) vaziyeti pek o kadar iyi değil: **I like him ~ the worse for that,** bundan dolayı onu daha az seviyor değilim: **he is ~ the worse for his illness,** hastalık geçirdiği halde sıhhatine hiç tesir etmedi.
nonentity [nouˈnentiti]. Ehemmiyetsiz, solda sıfır bir adam; mevcud olmıyan şey.
non-essential [noneˈsenʃl]. Ferî; tâli.
non-existent [companegˈzistənt]. Gayri mevcud.
nonplus [ˈnonplʌs]. Şaşırtmak. **to be ~sed,** apışık kalmak.
non-resident [nonˈrezidənt]. İkamet etmiyen. **~ landowner,** kendi emlâkinde oturmıyan mülk sahibi: **~ student,** nehari talebe.
nonsens·e [ˈnonsns]. Saçma; boş sözler; ahmaklık. **~ical** [-ˈsensikl], saçma sapan; abuksabuk.
non-sequitur [nonˈsekwitə*]. (*Lât.*) Mantıksız bir muhakeme veya netice.
non-stop [ˈnonˈstop]. **~ train,** hiç bir yerde durmıyan (doğru giden) tren: **~ flight,** doğrudan doğruya uçuş.
nonsuit [ˈnonsjuut]. Bir dâvada kâfi deliller olmamasile veya dâvacının mahkemeye gelmemesi sebebile men'i muhakeme kararı vermek.
noodle [ˈnuudl]. Alık.
noodles [ˈnuddls]. Erişte.
nook [nuk]. Bucak, köşe; ucra yer.
noon [nuun]. Ögle vakti. **~day, ~tide,** öğle.
noose [nuus]. İlmik, kemend. İlmikle tutmak.
nor [noo*]. Ve ne de. **neither ... ~ ...,** ne ... ve ne de ....
nor'. (*kıs.*) **north.**
norm [noom]. Düstur, nümune; alelâde tip. **~al** [ˈnooml], alelâde; tabiî; normal. **~ality** [-ˈmaliti], alelâdelik, normallik.
Norseman, *pl.* **-men** [ˈnoosmən]. Eski Norveçli.
north [nooθ]. Şimal; (*den.*) yıldız. **the ~ Country,** İngiltere'nin şimali: **the ~ star,** kutub yıldızı. **~erly** [ˈnooðəli], **a ~ wind,** şimalden gelen rüzgâr: **a ~ course,** şimale doğru rota. **~ern** [ˈnooðən], şimale aid: **~ lights,** şimal fecri. **~erner,** şimalli adam. **~ward(s),** şimale dogru. **north-east (NE.),** şimali şarkı; poyraz: **~ by north,** poyraz kerte yıldız. **north-west (NW.),** şimaligarbi, karayel.
Nor·way [ˈnoowei]. Norveç. **~wegian** [nooˈwiidʒiən], norveçli.
nor'wester [nooˈwestə*]. Şiddetli karayel rüzgârı; muşamba şapka.
nose [nouz]. Burun; uc; koku hassası. **~ about,** eşelemek; kolaçan etm.; **(ship) to ~ her way through fog,** *etc.*, (gemi) sis vs.de yolunu arayıp bulmak: **to ~ a thing out,** ısrarla arayarak meydana çıkarmak: **to blow one's ~,** burnunu silmek, sümkürmek: **to count [tell] ~s,** sırf sayıya dayanarak karar vermek: ⌜**to cut off one's ~ to spite one's face**⌝, ⌜gâvura kızıp oruc bozmak⌝: **to follow one's ~,** dosdoğru gitmek; aklı selimini kullanmak: **to hold one's ~,** burnunu tıkamak: **to have a good ~,** (köpek) iyi koku almak: **to lead s.o. by the ~,** birini parmağında çevirmek: **to make a long ~,** nanik yapmak: **to pay through the ~,** ateş pahasına almak: **to put s.o.'s ~ out of joint,** birinin papucunu dama atmak; birinin burnunu kırmak: **to speak through the ~,** genizden konuşmak: **to turn up the ~,** burun kıvırmak. **~bag,** yem torbası.

~gay, çiçek demeti. **nose-dive,** pike. **nose-ring,** burun halkası, hırızma.
-nosed [nouzd] *suff.* ... burunlu.
nosing [ˈnouziŋ]. Bir tiriz, basamak vs.nin çıkıntılı yeri.
nostalg·ia [nosˈtaldʒiə]. Dâüssıla; vatan hasreti. **~ic,** sıla hastası; vatan hasretine aid.
nostril [ˈnostril]. Burun deliği.
nostrum [ˈnostrəm]. Şarlatan ilâcı; kocakarı ilâcı.
nosy [ˈnouzi]. Her şeye burnunu sokan: **~ Parker,** böyle bir adam.
not [not]. *Nefi edatı.* Değil. **I do ~ know [I don't know, I know ~],** bilmiyorum: **~ at all,** hiç, asla; bir şey değil: **~ everybody can do this,** değme adam bunu yapamaz: **~ a few,** az değil: **'Are you going?' 'Not I',** 'Gidecek misin?' 'Ben mi?, ne münasebet!': **~ that [~ but what],** maamafih; o demek değildir ki; ve lâkin: **'Has anyone gone by?' 'Not that I know of',** 'Birisi geçti mi?' 'Benim bildiğime göre kimse geçmedi': **I think ~,** zannetmem.
notab·le [ˈnoutebl]. Tanınmış; şayanı dikkat; muteber; zikre değer. Eşraftan biri. **~ility** [–ˈbiliti], meşhur kimse; ilerigelen. **~ly,** bahusus; epeyce: göze çarpacak derecede.
notary [ˈnoutəri]. Noter.
notation [nouˈteiʃn]. Terkim usulü; sayma.
notch [notʃ]. Çentik, çetele, kertik. Çentmek, kertmek; çetele yapmak.
note¹ [nout] *n.* Not; muhtıra; tezkere; nota; banknot; ehemmiyet. **credit ~,** kredi senedi: **to compare ~s,** karşılıklı fikir ve intibalarını söylemek: **~ of exclamation,** taaccüb işareti: **~ of hand,** borc senedi: **a man of ~,** mühim kimse, meşhur adam: **to take ~,** dikkat etm.: **to take ~s,** not etm.: **there was a ~ of anger in what he said,** sözlerinde hiddet kokusu vardı: **he struck just the right ~,** sözleri çok uygun düştü: **it is worthy of ~ that ...,** dikkate değer ki.
note² *vb.* Dikkat etm.; not etm., kaydetmek. **I'll just ~ that down,** bunu kaydedivereyim.
notebook [ˈnoutbouk]. Muhtıra defteri, not defteri.
noted [ˈnoutid]. Meşhur; maruf; görülmüş.
notepaper [ˈnoutpeipə*]. Mektub kâğıdı.
noteworthy [ˈnoutwəəði]. Dikkate değer; mühim.
nothing [ˈnʌθiŋ]. Hiç; hiç bir şey; sıfır. **~ but the best,** en iyisinden aşağı olmaz: **to come to ~,** suya düşmek: **~ doing!,** yağma yok!: **there's ~ doing there,** orada yapacak bir şey yok; orada iş yok: **that is ~ to do with me,** o bana aid değil; umurumda değil: **to have ~ to do with ...,** ... ile hiç münasebeti olmamak: **I will have ~ to do with him,** onun yüzünü bile görmek istemem: **it is ~ less [else] than cheating,** dolandırıcılıktan başka bir şey değil: **all that goes for ~,** bütün bunlar hiçe sayılıyor: **there is ~ for it but to swim to shore,** sahile yüzmekten başka yapacak bir şey yok: **he is ~ if not generous,** o da cömert değilse kim cömerttir?: **~ like so much,** hiç te o kadar değil: **only a hundred pounds, a mere ~,** ata deveye değil ya yüz liranın içinde: **~ near so pretty as her sister,** hiç te kardeşi kadar güzel değil: **it is not for ~ that ...,** tevekkeli (değil): **he is ~ of a scholar,** hiç âlim değil: **to say ~ of ...,** ... üstelik, ... de caba: **it's ~ to me whether you do it or not,** ister yap ister yapma bana göre hava hoş.
notice [ˈnoutis]. İhbar, ilân; dikkat. Farkında olm.; aldırış etmek. **to avoid ~,** göze çarpmamak için: **it has come to my ~ that,** öğrendiğime göre: **until further ~,** işari ahire kadar: **to give s.o. ~,** önceden haber vermek; (hizmetçiyi) savmak; (hizmetçi veya kiracı) çıkacağını haber vermek: **I gave him a week's ~,** (savmadan) bir hafta önce haber verdim: **I must have ~,** önceden haberim olmalı: **at a moment's ~,** (önce haber vermeden) birdenbire, hemen: **at short ~,** kisa mühletle; vakit bırakmadan: **to take ~ of,** nazarı itibara almak: **to take no ~,** aldırış etmemek.
noticeable [ˈnoutisəbl]. Dikkate değer; göze çarpan; duyulur.
notif·y [ˈnoutifai]. Haberdar etm.; tebliğ etm.; bildirmek. **~iable** [–ˈfaiəbl], haber verilmesi elzem. **~ication** [–fiˈkeiʃn], ihbar; tebliğ.
notion [ˈnouʃn]. Fikir; mefhum; zan. **that's a good ~!,** çok iyi bir fikir!: **you have no ~ how dull it was,** ne kadar sıkıcı olduğunu tasavvur edemezsiniz: **I have a ~ he is going to resign,** istifa edeceğini hissediyorum: **'What's the time?' 'I haven't a ~!',** 'Saat kaç?' 'Hiç bir fikrim yok.'
notori·ety [ˌnoutəˈraiəti]. Şöhret (*um.* fena); dile düşmüşlük. **to seek ~,** göze çarpmak istemek, kendini göstermek (*müstehziyane tabir*). **~ous** [nouˈtooriəs], mahud; adı çıkmış; dile düşmüş: **~ly,** cümleye malum olduğu üzere.
notwithstanding [ˌnotwiθstandiŋ]. Rağmen; buna rağmen; her nekadar; bununla beraber.
nougat [ˈnuugaa]. Kozhelvası; nuga.
nought [noot]. Sıfır; (*başka manalarda um.* **naught,** *yazılır*).
noun [naun]. (*gram.*) İsim.

nourish [ˈnʌriʃ]. Beslemek. **~ing,** besleyici, gıdalı. **~ment,** gıda, yemek.
nous [naus]. Akıl, zekâ.
Nova Scotia [ˈnouvəˈskouʃə]. Yeni İskoçya.
novel[1] [ˈnovl] *n.* Roman. **~ist,** romancı.
novel[2] *a.* Yeni; yeni usul, yeni çıkma; taptaze. **~ty,** yenilik; yeni moda; yeni çıkmış şey.
November [nouˈvembə*]. İkinciteşrin; kasım.
novi·ce [ˈnovis]. Acemi; papaz çömezi. **~tiate** [noˈviʃieit], acemilik devresi; çömezlik; müridlik.
now [nau]. Şimdi; bu anda; işte; bu halde; imdi; henüz; artık. Şimdiki zaman. **~ ... ~ ...,** gâh ... gâh ...: **~, what's the trouble?,** ne var bakalım?: **~ then!,** sakın ha!; haydi!: **the train ought to be here by ~,** tren şimdiye kadar gelmiş olmalıydı: **between ~ and then,** o zamana kadar: **oh come ~!,** haydi canım!; amma yaptın ha!: **he was even ~ on his way,** o anda yola çıkmış bulunuyordu: **(every) ~ and then [again],** arasıra: **~ for it!,** haydi bakalım!; buyurun bakalım!: **from ~ on,** şimdiden sonra; bundan böyle: **just ~,** demin, hemen şimdi; **I can't come just ~,** hemen şimdi gelemem: **they won't be long ~,** nerede ise gelirler (fazla gecikmezler): **~ or never [~ if ever] is the time,** yapacaksan, şimdi yap!; ya şimdi ya hiç!: **until ~ [up to ~],** şimdiye kadar: **well ~!,** Allah! Allah!; yok canım!
nowadays [ˈnauədeiz]. Bu günlerde; şimdiki zamanlarda.
nowhere [ˈnouweə*]. Hiç bir yerde.
nowise [ˈnouwaiz]. Hiç bir surette.
noxious [ˈnokʃes]. Muzır, zararlı; mühlik.
nozzle [ˈnozl]. Ağızlık; emzik; hortumbaşı.
nubile [ˈnjuubail]. Evlenecek çağda; gelinlik.
nucle·ar [ˈnjuukliə*]. Nüveye aid. **~us,** *pl.* **~i** [ˈnjuukliəs, -kliai], nüve; çekirdek.
nude [njuud]. Çıplak. Çıplak insan resmi veya heykeli.
nudge [nʌdʒ]. El ile dürtme(k); hafifçe dürterek ikaz etm.; dürtüşlemek.
nudi·sm [ˈnjuudizm]. Çıplak gezenlerin mesleği. **~ty,** çıplaklık.
nugget [ˈnʌgit]. İşlenmemiş küçük altın külçesi.
nuisance [ˈnjuusəns]. Sıkıntı veren veya taciz eden şey veya hareket; derd; başbelâsı. **a little ~,** (çocuk) başağrısı: **the man's a ~,** bu adam da başbelâsı: **'commit no ~!',** buraya pislik atmayınız; abdest bozmayınız!: **what a ~!,** vah vah!; yazık!; Allah belâsını versin!
null [nʌl]. Hükümsüz, battal. **~ and void,** keenlemyekün. **~ify,** ibtal etm.; keenlemyekün saymak. **~ity,** hükümsüzlük; butlan; hiçlik; nüfuz ve itibarı olmıyan adam.
numb [nʌm]. Uyuşuk. Uyuşturmak.
number[1] [ˈnʌmbə*] *n.* Aded; sayı; rakam; numara; takım; nüsha. **~s,** çok. **a ~ of,** bir kaç: **great ~s of,** bir çok, çok: **a small ~ of,** bir kaç, bir az: **even ~,** cift aded: **odd ~,** tek aded: **whole ~,** tam aded: **among the ~,** aralarında: **any ~ of,** çok mikdarda: **they were ten in ~,** sayıları on kadardı: **to look after ~ one,** kendi çıkarına bakmak: **to be overcome by ~s,** sayı üstünlüğüne yenilmek: **one of their ~,** onlardan biri: **his ~ is up,** (*arg.*) yandı, mahvoldu.
number[2] *vb.* Saymak; hesab etm.; numara koymak; numaralamak. **their army ~s ten thousand,** ordularının yekûnu on bindir: **to ~ off,** (*ask.*) numara saymak: **~ off!,** (emir) sağdan say!
numberless [ˈnʌmbəlis]. Sayısız; hesabsız.
numer·al [ˈnjuumərəl]. Rakam, aded. Adedî. **cardinal ~s,** adî adedler: **ordinal ~s,** sıra adedleri. **~ation,** sayma, hesab etme. **~ical** [–ˈmerikl], sayı ve rakama aid: adedî: **~ superiority,** sayıca üstünlük. **~ous** [ˈnjuumərəs], müteaddid, çok; kalabalık.
numismatist [njuˈmizmətist]. Meskûkat mutehassısı.
numnah [ˈnumnə]. Belleme.
numskull [ˈnʌmskʌl]. Mankafa.
nun [nʌn]. Rahibe, sör. **~'s veiling,** ince şayak. **~nery,** rahibe manastırı.
nuncio [ˈnʌnsjou]. **Papal ~,** Papa elçisi.
nuptial [ˈnʌpʃl]. Düğüne aid; zifafe aid. **~s,** düğün. **~ chamber,** zifaf odası.
nurse [ˈnəəs]. Dadı; hastabakıcı. Emzirmek; hastaya bakmak; dizinde veya kucağında tutmak; idare ile kullanmak. **wet ~,** sütnine: **to ~ a grudge,** *etc.*, kin vs. beslemek, gütmek. **~maid,** dadı kız.
nursery [ˈnəəsəri]. Çocuk odası; fidanlık; balık yetiştirmeğe mahsus havuz. **~ garden,** fidanlık: **~ governess,** küçük çocuklar için mürebbiye. **~man,** *pl.* **-men,** fidanlık bahçevanı.
nurture [ˈnəətjə*]. Besleyiş; büyütme; talim ve terbiye. Beslemek; büyütmek; terbiye etmek.
nut [nʌt]. Fındık; cıvata somunu; (*arg.*) kafa. Fındık toplamak. **hard [tough] ~ to crack,** demir leblebi: **to be dead ~s on stg.,** (*arg.*) bir şeye mübtelâ olm., divanesi olm.: **he can't run [write,** *etc.*] **for ~s,** (*arg.*) ne yapsan koşamaz [yaşamaz vs.]: **off his ~,** (*arg.*) bir tahtası eksik. **~brown,** fındık renginde. **~crackers,** fındık kıracağı. **~hatch,** (*Sitta caesia*) sıvacı kuşu. **~meg,** küçük hindistancevizi.

nutria [ˈnjuutriə]. Cenubî Amerika kunduzu kürkü.
nutri·ment [ˈnjuutrimənt]. Gıda. **~tion** [–ˈtriʃn], beslenme, besleyiş. **~tious** [–ˈtriʃəs], **~tive** [–tiv], besleyici.
nutshell [ˈnʌtʃel]. Fındık kabuğu. **to put the matter in a ~,** kısaca anlatmak.
nux vomica [ˈnʌksˈvomikə]. Kargabüken.
nuzzle [ˈnʌzl]. Koklamak; burunla eşelemek.
nymph [nimf]. Su perisi; orman perisi; kurdla kelebek arasında böcek.
nymphomaniac [ˌnimfouˈmeinjak]. Cinsî münasebete karşı çılgınca arzu duyan kadın.

O

O [ou]. O harfi. *bk.* **oh**; *hitab nidası* (*pek az kullanılır*): **O God!,** ya Allah!
oaf [ouf]. Budala, beceriksiz çocuk; salak adam.
oak [ouk]. (*Quercus*) Meşe. **heart of ~,** aslan yüreklilik: **hearts of ~,** meşe tahtasından yapılmış eski İngiliz harb gemileri. **~en,** meşe odunundan yapılmış.
oakum [ˈoukm]. Üstüpü.
oar [oo*]. Kürek. **to pull a good ~,** iyi kürekçi olm.: **to put in one's ~,** münasebetsizce müdahale etm.: **to rest on one's ~s,** işleri yavaşlatmak, dinlenmek. **-oared,** ... kürekli. **~sman,** kürekçi.
oasis [ouˈeisis]. Vaha.
oast(house) [ˈousthaus]. Serbetçiotunu kurutmağa mahsus ocak.
oat [out]. Yulaf tanesi. **~s,** yulaf. **to sow one's wild ~s,** genclik çılgınlıkları yapmak. **~meal,** yulaf unu.
oath [ouθ]. Yemin; küfür. **to let [rap] out an ~,** küfür savurmak: **to put s.o. on his ~, to administer an ~ to s.o.,** birine yemin ettirmek: **to take the ~,** yemin etmek.
obdura·cy [ˈobdjurəsi]. İnadcılık. **~te,** inadcı; tövbe etmez.
obedien·ce [oˈbiidjəns]. İtaat. **~t,** itaatli; muti; söz anlar: **your ~ servant [yours ~ly],** *madundan mafevke yahud bir ticarethaneden müşterilere yazılan mektubun sonunda kullanılır.*
obeisance [oˈbeiəsəns]. Baş eğme. **to make ~,** baş eğmek; biat etmek.
obelisk [ˈobəlisk]. Sütun; dikili taş; mil.
obese [oˈbiis]. Şişman.
obey [ouˈbei, əˈbei]. İtaat etm.; söz dinlemek; imtisal etmek.
obit [ˈobit]. (*kis. Lât.*) **obitur.** Öldü.
obituary [oˈbitjuəri]. **~ notice,** (gazetede) ölüm ilanı; ölünün tercümeihali: **~ column,** gazetede ölüm ilanlarına mahsus sütun.
object¹ [ˈobdʒikt] *n.* Şey, nesne; murad, hedef, emel, maksad; (*gram.*) mefulünbih. **an ~ of pity [ridicule],** acınacak [gülünecek] şey: **money no ~,** paranın ehemmiyeti yok: **an ~ for study,** tedkik mevzuu: **what is the ~ of all this?,** bütün bundan maksad ne?: **with the ~ of ...,** ... maksadile. **~ive** [–ˈdʒektiv], afakî, objektif; mefule aid; hedef, maksad; dürbünün büyük adesesi; (*fot.*) adese, objektif. **~ivity** [–ˈtiviti], afakilik.
object² [obˈdʒekt] *vb.* İtiraz etm., razı olmamak; mümanaat göstermek. **to ~ to,** münasib görmemek, ···den hoşlanmamak, beğenmemek; reddetmek: **to ~ that ...,** ... diye itiraz etm., protesto etmek. **~ion** [obˈdʒekʃn], itiraz, protesto; mahzur, beis, mâni: **if you have no ~,** mahzur görmezseniz, müsaadenizle: **to make no ~ to,** ···de mahzur görmemek; ···e razı olm.: **to raise an ~,** bir mahzur ileri sürmek; bir itirazda bulunmak: **to take ~ to,** ···e itiraz etmek. **~ionable,** mahzurlu; nahoş; tahammül edilmez. **~or,** itirazcı, protesto eden.
objurgation [ˌobdʒəəˈgeiʃn]. Azarlama, takbih.
oblation [oˈbleiʃn]. Allaha veya mabuda takdim edilen şey.
obligat·ion [obliˈgeiʃn]. Mecburiyet; mükellefiyet; vacibe; taahhüd; minnet. **to meet one's ~s,** taahhüdlerini yerine getirmek; borclarını ödemek: **to put oneself under an ~ to s.o.,** birine karşı minnet altında kalmak: **I am under no ~ to ..., ...** boynumun borcu değildir; mecburiyetinde değilim. **~ory** [oˈbligətəri], mecburî; zarurî.
oblige [oˈblaidʒ]. Mecbur etm.; mükellef etm.; minnet altında bırakmak; lûtuf göstermek. **to be ~d,** mecbur olm.; mükellef olm.; minnettar olmak: **to ~ a friend,** hatır için yardım etm.: **can you ~ me with a light?,** ateşinizi lûtfedermisiniz?: **~ me by shutting the door, I should be much ~d if you would shut the door,** kapıyı kapatmak lûtfunda bulunur musunuz?: **I should be much ~d if you would write to him,** ona lûtfen yazarsanız çok minnetdar olurum: **you will ~ me by not doing this again,** bunu bir daha yapmazsanız çok memnun olurum.
obliging [oˈblaidʒiŋ]. Lûtufkâr; mültefit; yardım etmeğe hazır.
oblique [oˈbliik]. Eğri, mail; savma,

dolambaçlı: ~ **case,** (*gram.*) isimlerin tasrif hali: ~ **oration** [**narrative**], naklî ifade.
obliquity [oˈblikwiti]. Eğrilik; seciyesizlik.
obliterate [oˈblitəreit]. Silmek; aşındırmak; yok etmek.
obliv·ion [oˈblivjən]. Unutma; unutulma. **to pass into** ~, unutulup gitmek; adı batmak. **~ious,** Unutkan; (*bazan, fakat yanlış olarak*) haberdar olmıyarak: ~ **of the fact that ...,** ... kâmilen unutarak.
oblong [ˈobloŋ]. Boyu eninden fazla; mustatil.
obloquy [ˈoblokwi]. Levm; ayıplanma. **to be held up to** ~, alenen tenkid ve takbiha uğramak.
obnoxious [obˈnokʃəs]. Menfur; sevimsiz; nahoş.
oboe [ˈoubou]. Obua.
obscen·e [obˈsiin]. Açık saçık; müstehcen. **~ity,** müstehcenlik.
obscurantist [ˌobskjuˈrantist]. Cehalet tarafdarı; medeniyet aleyhdarı.
obscur·e [obˈskuuə*]. Karartmak; gizlemek; örtmek; örtbas etmek. Karanlık; muğlak, vazıh değil; mechul; mütevazı. ~ **author,** mechul muharrir: ~ **style,** muğlak üslûb. **~ity,** karanlık; vuzuhsuzluk; mechullük.
obsequies [ˈobsekwiz]. Cenaze merasimi.
obsequious [obˈsiikwiəs]. Alçak derecede mütevazı; zelil.
observance [obˈzəəvəns]. Dine yahud kanuna riayet; imtisal. **religious ~s,** dinî ahkâm ve âyinler.
observant [obˈzəəvənt]. Dikkatli; her şeyi düşünen; dine ve kanuna riayetkâr.
observat·ion [ˌobzəəˈveiʃn]. Tarassud; gözetleme; rasad; tedkik; müşahede; mütalâa; ihtar; söz. **to escape** ~, görülmemek (için): **to keep under** ~, göz hapsine almak; tarassud altında bulundurmak. **~ory** [–ˈzəəvətəri], rasadhane.
observe [obˈzəəv]. Riayet göstermek; gözetlemek, tarassud etm.; dikkat et., dikkatle bakmak; mütalâada bulunmak, söylemek; ihtarda bulunmak; farkında olmak. **to** ~ **silence,** ağzını açmamak: **he never ~s anything,** hiç bir şeyin farkına varmaz.
obsess [obˈses]. Zihnine musallat olm.; başka bir şey düşündürmemek. **to be ~ed by an idea,** bir fikir aklından çıkmamak. **~ion** [–ˈseʃn], musallat olan fikir; zihninden çıkmıyan fikir; sabit fikir; daimî endişe; derdi günü.
obsolescent [ˌobsəˈlesənt]. Terkedilmeğe yüz tutmuş olan.
obsolete [ˈobsəliit]. Kullanılmaz olmuş, terkedilmiş; meriyetsiz; modası geçmiş.
obstacle [ˈobstikl]. Engel; mâni; mania.
obstetric [obˈstetrik]. Ebeliğe aid. **~s,** doğurtmak sanati.
obstina·cy [ˈobstinəsi]. İnadcılık; dikkafalılık. **~te** [–nit], inadcı; dikkafalı; (hastalık) tedavisi zor, müzmin.
obstreperous [obˈstrepərəs]. Haşarı, azgın; şamatacı ve serkeş.
obstruct [obˈstrʌkt]. Tıkamak; engel olm., hail olm.; menetmeğe çalışmak. **to** ~ **the traffic,** seyrüseferi müşkülleştirmek; yolu tıkamak: **to** ~ **the view,** manzarayı kapamak. **~ion,** engel, mâni, sed; tıkama; vücudde mecra tıkanması; (Parlamentoda) müzakerelerin ilerlemesine mâni olma. **~ive,** hail.
obtain [obˈtein]. Elde etmek, edinmek, ele geçirmek; istihsal etm. Âdet olm., cari olm.; hüküm sürmek; mazhar olmak. **his ability ~ed him a good post,** kabiliyeti ona iyi bir mevki kazandırdı. **~able,** elde edilebilir; bulunur.
obtru·de [obˈtruud]. İleri sokmak; sokulmak. **to** ~ **oneself upon s.o.,** birine munasebetsizce sokulmak. **~sive** [–ˈtruusiv]. Münasebetsizce sıkıntı veren; yılışık; göze batar.
obtuse [obˈtjuus]. Sivri olmıyan; küt; kalınkafalı. ~ **angle,** münferic zaviye.
obverse [obˈvəəs]. (Para veya madalyonun) yüz tarafı. Yüz tarafına çevrilmiş.
obviate [ˈobvieit]. Önüne geçmek; çaresini bulmak; atlatmak.
obvious [ˈobviəs]. Aşikâr; bedihi; meydanda.
occasion[1] [oˈkeiʒn]. *n.* Fırsat; vesile; hal, vaziyet; vaka; lüzum. **as** ~ **requires,** vaziyete göre; icabında: **should the** ~ **arise,** icabında: **to celebrate the** ~, hadiseyi tesid etmek için: **on** ~, bazan; **on one** ~, bir defa: **to go about one's lawful ~s,** kimseye bir zararı dokunmadan işile gücile meşgul olm.: **on several ~s,** bir çok defa: **on such an** ~, böyle bir halde [vaziyette]: **to rise to the** ~, lâyıkı ile başarmak; uhdesinden gelmek: **on the** ~ **of his marriage,** evlendiği zaman; düğünü münasebetiyle.
occasion[2] *vb.* Sebeb olm., mucib olmak.
occasional [oˈkeiʒənl]. Tek tük; ara sıra olan.
occident [ˈoksidənt]. Garb. **~al** [–ˈdentl], garbî.
occiput [ˈoksipʌt]. Başın arka kısmı.
occult[1] [oˈkʌlt] *a.* Gizli; gaibe aid. **the** ~ [**the** ~ **sciences**], sihirbazlık, gaibden haber verme gibi hafi ilimler.
occult[2] *vb.* Bir yıldız başka yıldızın önüne geçerek onu kapatmak. **~ation** [–ˈteiʃn], böyle bir hadise.
occupant [ˈokjupənt]. İşgal eden; bir evin

sahib veya kiracısı. **the ~s of the car,** otomobildeki kimseler.

occupation [okju'peiʃn]. İşgüç, meşgale; işgal. **to be in ~ of a house,** bir evde oturmak.

occupier ['okjupaiə*] *bk.* **occupant.**

occupy [o'kjupai]. İşgal etm., ···de oturmak; işgal etm.; (bir şehri) zaptetmek; iş vermek. **to be occupied in ...,** ... ile meşgul olm.: **to ~ one's time in doing stg.,** bir şeyi yapmakla vakit geçirmek, vaktini bir şeye hasretmek.

occur [o'kəə*]. Vukubulmak; zuhur etm.; ara sıra meydana çıkmak; bulunmak; hatırına gelmek. **this must not ~ again,** bu bir daha tekerrür etmemeli.

occurrence [o'kʌrəns]. Vak'a; hadise; vukubulma. **everyday ~,** günlük hadise: **to be of frequent ~,** sık sık vuku bulmak.

ocean ['ouʃn]. Okyanus, deniz. **ocean-going (ship),** okyanusta sefer eden (gemi).

ochre ['oukə*]. Toprak boya. **red ~,** aşı boyası.

o'clock [ə'kolk]. **what ~ is it?** saat kaç?: **two ~,** saat iki.

octagon ['oktagən]. Sekizdılılı şekil. **~al** [–'tagənl], müsemmen şeklinde.

octave ['oktiv]. Oktav.

octavo [ok'teivou]. (**8vo** yazılır). Sekizlik kitab.

octo- ['oktou] *pref.* Sekiz ....

October [ok'toubə*]. Birinciteşrin, ekim.

octogenarian [ˌoktoudʒə'neəriən]. Seksen yaşında.

octopus ['oktəpʌs]. Ahtapot.

ocul·ar ['okjulə*]. Göze aid; gözle görülen. **~ist,** göz hekimi, gözcü.

odd [od]. Tek (çift değil); eşsiz; tek tük, seyrek; tuhaf, acayib. **~s** *bk.* **odds. in ~ corners,** kıyıda bucakta, umulmadık yerlerde: **the ~ game,** berabere kalındığı zaman netice almak için oynanan oyun: **employed on ~ jobs,** öteberi işlerde çalışan: **forty ~,** kırk küsür: **to make up the ~ amount [money],** bir meblağın üstünü tamamlamak: **at ~ moments [times],** boş vakitlerde: **to strike one as ~,** garibine gitmek: **well that 's ~!,** tuhaf şey!

oddity ['oditi]. Acayib (adam veya şey); antika (insan).

oddments ['odmənts]. Kırıntı döküntü; ufak tefek şeyler.

odds [odz]. **the ~ are against him,** ihtimaller aleyhinedir: **to fight against great ~,** büyük üstünlüğe [müşküller] karşı çarpışmak: **to be at ~ with s.o.,** araları açık olm.: **the ~ are that,** muhtemeldir ki: **~ and ends,** ufak tefek şeyler; kırıntı döküntü: **~ and ends of tools,** kırık dökük âletler: **to give s.o. ~,** bir oyunda iki rakibden zayıf olana sayı vermek: **it makes no ~,** zarar yok; hepsi bir: **~ on [against] a horse,** (at yarışında) bir atın lehine [aleyhine] olan ihtimaller: **what 's the ~!,** ne zarar var? ne çıkar?

ode [oud]. Bir nevi lirik şiir.

odious ['oudjəs]. Nefret verici, menfur.

odium ['oudjəm]. Nefret; muhitçe sevilmeme. **to bring ~ upon s.o.,** birini muhitinin nefretine uğratmak: **to incur ~,** herkesin nefretine uğramak.

odoriferous [oudə'rifərəs]. Koku neşreden.

odour ['oudə*]. Koku. **to be in good ~,** gözde olmak: **to be in bad ~,** gözden düşmek: **to die in the ~ of sanctity,** çok iyi bir hıristiyan diye nam bırakarak ölmek.

Odyssey ['odisi]. Odise; heyecanlı sergüzeşt; destan.

oedema [ii'diimə]. Deride hasıl olan ağrısız şiş; uzima, ödem.

o'er [oo*]. *bk.* **over.**

oesophagus [ii'sofəgəs]. Yemek borusu; boğaz.

of [ov, əv]. ···in; ···den: **of this,** bunun, bundan. **of itself,** kendi kendine: **a child of five,** beş yaşında bir çocuk: **the city of Paris,** Paris şehri: **a fool of a man,** abdalın biri: **the love of God,** Allahın kullarına olan sevgisi; kulun Allah sevgisi: **a paradise of a place,** cinnet gibi bir yer.

off [oof, of]. Uzakta; uzağa; dışarıya; ···den; ···den uzak; sol taraf; sol tarafdaki. [*Bir fiilin yanında olduğu zaman manası o fiil ile verilmiştir; umumiyetle bir yerden bir yere hareket veya bir hareketin durması manasını ifade eder.*] **be ~!,** çek arabanı!: **to be badly [well] ~,** hali vakti yerinde olmamak [olmak]: **to be badly ~ for sugar [coffee],** şekeri [kahvesi] az kalmak: **how are we ~ for coal?,** kömürmüz ne kadar kaldı?: **to breakfast ~ bread and cheese,** kahvaltıyı peynir ekmekle yapmak: **you are better ~ where you are,** şimdiki vaziyetiniz daha iyi: **come ~ the grass!,** çimenden çık [çekil]: **the concert is ~,** konser verilmiyecek: **the deal is ~,** pazarlık [iş] bozuldu: **~ day,** izinli gün; çalışılmıyan gün; insanın her zamanki gibi muvafakkiyetli olmadığı gün: **~ duty,** vazifesi bitmiş, serbest; vazife haricinde: **to eat ~ silver plate,** gümüş tabaktan yemek: **to be ~ one's food,** canı yemek istememek: **hats ~!,** şapkaları çıkarın!: **I'm ~,** ben gidiyorum: **the meat is a bit ~,** et biraz ağırlaşmış: **~ and on,** ara sıra, kâh kâh: **to allow five per cent. ~ for ready money,** peşin para için yüzde beş tenzilât yapmak: **the house is ~ the main road,** ev caddeden sapa düşer: **in the ~ season hotels are cheaper,** mevsimi olmadığı zaman oteller

daha ucuzdur: **I have very little ~ time,** çok az serbest vaktim var.
offal [ˈofl]. Mutfak ve mezbaha süprüntüsü; cife; pislik. **~s,** kasablık hayvanların baş, işkembe, ciğer vs.gibi kısımları, sakatat.
offence [oˈfens]. Cünha, kabahat; ihlâl; alınma, gücendirme; hücum, taarruz. **to give ~,** hatırını kırmak, gücendirmek: **no ~ meant,** kimsenin hatırı kalmasın: **to take ~,** alınmak, burulmak, hatırı kalmak, küsmek: **weapons of ~,** tecavüzî silâhlar.
offend [oˈfend]. Gücendirmek, hatırını kırmak; kabahat işlemek, kusur etmek. **to be ~ed,** alınmak, küsmek; hatırı kalmak, kırılmak: **to ~ against (the law,** *etc.*), ihlâl etm., ···e riayetsizlik etmek. **~er,** kabahat işliyen: **first ~,** ilk defa olarak suçlu: **old [hardened] ~,** sabıkalı suçlu.
offensive [oˈfensiv]. Taarruza aid, taarruzî; hatır kırıcı; tiksindirici; ileri geri. Taarruz. **to take the ~,** taarruza geçmek.
offer [ˈofə*]. Teklif; sunma, takdim, arz. Takdim etm., teklif etm.; sunmak; arzetmek; göstermek; vermek; ileri sürmek. Zuhur etmek. **to ~ battle,** muharebeye davet etm.: **he ~ed to strike me,** bana vuracak gibi oldu. **~ing,** feda edilen şey; kurban; zekât.
offertory [ˈofəətəri]. Kilisede zekât toplama ve toplanan para.
off-hand [ˈoofhand, ˈofhand]. Hazırlıksız; irticalen, ceffelkalem; hemen, ha deyince; ~ *veya* **~ed** [–ˈhandid], teklifsiz, laübali; nezaketsiz, soğuk tavırla.
office [ˈofis]. Yazıhane; idarehane; nezaret; memuriyet, vazife; âyin. **~s,** ticarî daire; delâlet. **to be in ~,** (parti) iktidarda bulunmak: **Foreign [Home, War] ~,** Hariciye [Dahiliye, Harbiye] nezareti: **to take ~,** (parti) iktidara geçmek; (nazır) makama geçmek: **through the good ~s of,** ···in delâletile, sayesinde. **office-boy,** bir ticarî dairede ayak işlerini · gören çocuk; odacı.
officer [ˈofisə*]. Zabit, ||subay; memur.
official [oˈfiʃəl]. Memur. Resmî. **~dom, ~ism,** bürokrasi, kırtasiyecilik.
officiate [oˈfiʃieit]. Resmî vazife ifa etm.; dini âyin icra etmek. **to ~ as host,** ev sahibi vazifesini görmek.
officious [oˈfiʃəs]. İşgüzar; çalmadan oynar; yılışık.
offing [ˈofiŋ]. **the ~,** karadan uzak fakat görülebilen açık deniz: **in the ~,** açıkta: **a job in the ~,** muhtemel, tasavvurda olan iş veya vazife.
offset [ˈofset]. (*Bazan* **outset** *yerinde kullanılır.*) Filiz, piç dal, daldırma; bedel, karşılık. **to serve as an ~ to stg.,** bir şeyin güzelliğini belirtmek.
offshoot [ˈofʃuut]. Filiz, sürgün; şube; torun.
offshore [ˈofʃoo*]. Karadan gelen; karadan biraz uzakta. **~ wind,** meltem.
offside [oofˈsaid]. Ofsayd.
offspring [ˈofspriŋ]. Zürriyet; çoluk çocuk.
oft, often [oft, ofn]. Çok defa; sık sık; ekseriya. **as ~ as,** her vakit ki: **as ~ as not [more ~ than not],** ekseriya, çok defa: **how ~,** kaç defa: **it cannot be too ~ repeated,** ne kadar tekrar edilse yeridir.
ogle [ˈougl]. Cilveli veya sevdalı bakışlarla süzmek.
ogre [ˈougə*]. İnsan eti yiyen dev; gulyabani; umacı; canavar. **~ss** [ˈougris], ogre'nin dişi.
ohm [oum]. Om.
O.H.M.S. On His Majesty's Service. Devlet hizmetinde (*resmî evrak üzerine yazılır*).
oil [oil]. Yağ; petrol; gaz. Yağlamak. **to burn the midnight ~,** gece yarısına kadar çalışmak, göz nuru dökmek: **to pour ~ on the flames,** körüklemek, yangına körükle gitmek: **to pour ~ on troubled waters,** fırtınayı yatıştırmak: **to paint in ~s,** yağlı boya ile resim yapmak: **to strike ~,** petrol keşfetmek; vurgun vurmak: turnayı gözünden vurmak: **to ~ s.o.'s palm,** rüşvet yedirmek: **to ~ the wheels,** tekerlekleri yağlamak; işi kolaylaştırmak. **~cloth,** Amerikan bezi; muşamba. **~man,** yağ veya yağlı boya satıcısı. **~skin,** ince muşamba; gamsele: **~s,** gamseleden ceket ve pantalon. **~stone,** bileği taşı. **~y,** yağlı; yağlanmış; mütebasbıs. **oil-bearing,** yağ veren (nebat); petrollu. **oil-cake,** küspe, köftün. **oil-can,** yağdanlık. **oil-colour,** yağlı boya resim.
ointment [ˈointmənt]. Melhem. ⌜**a fly in the ~**⌝, iyi bir şeyin mahzurlu tarafı, (⌜sinek küçüktür ama mide bulandırır⌝).
old [ould]. İhtiyar, yaşlı; eski, kadim; külüstür; modası geçmiş. **~ age,** ihtiyarlık: **any ~ thing,** (*kon.*) ne olursa olsun, rasgele: **an ~ friend,** ihtiyar bir dost; eski dost: **from of ~,** eskiden beri: **to grow ~,** yaşlanmak: **an ~ hand,** eski kurt; tecrübeli kimse: **as ~ as the hills,** çok eski; Nuh nebiden kalma: **how ~ are you?,** kaç yaşındasın?: **five years ~,** beş yaşında: **~ maid,** ihtiyar kız: **~ man [chap] !,** ahbab! **the ~ man,** babam; iş sahibi, patron; (gemide) kaptan: **the same ~ thing [story],** ⌜eski hamam eski tas⌝: **that 's an ~ trick,** bu oyunu [hileyi] herkes bilir: **~ woman,** koca karı; (erkek hakkında) lâpacı; korkak; mahallebeci; titiz: **my ~ woman,** bizimki (karım): **the ~ year,** hemen bitmiş veya bitmekte olan yıl. **old-clothes-man,**

eskici. **old-fashioned,** modası geçmiş; terkedilmiş; eski kafalı. **old-world,** eski zamana aid.

olden [ˈouldn]. **in ~ times,** eski zamanlarda.

oleaginous [ouliˈadʒinəs]. Yağlı; yağ veren.

oleander [ouliˈandə*]. Zakkum.

olfactory [olˈfaktəri]. Koku hissine aid, şemmî.

oligarch·y [ˈoligaaki]. Küçük bir zümre veya sınıfın hâkim olduğu idare veya hükümet. **~ical** [–ˈgaakikl], böyle bir hükümete aid.

olive [ˈoliv]. Zeytin; zeytin ağacı; zeytunî. **olive-branch,** barış alâmeti olan zeytin dalı: **to hold out the ~,** barış için ilk teşebbüsü yapmak. **olive-green,** zeytunî renk.

Olympi·an [ouˈlimpjən]. İlâhların mekânı olan Olimpos dağına aid; lâhuti; pek muhteşem ve azametli; fevkelbeşer soğukkanlılık ve istiğna sahibi. **~c, the ~ games,** Olimpiyadlar.

omelet(te) [ˈomlit]. Omlet, kaygana.

omen [ˈoumən]. Fal. **to ~ well [badly],** istikbal için iyi [fena] alâmet olm.: **of good [bad] ~,** uğurlu [uğursuz]: **to regard as a good [bad] ~, to draw a good [bad] ~ from ...,** ···i iyiye [fenaya] yormak.

ominous [ˈominəs]. Meşum, uğursuz; netameli; tehdidkâr.

omission [oˈmiʃn]. Zühul, ihmal; unutulmuş şey; atlanmış kelime; kusur.

omit [ouˈmit, oˈmit]. Yanlışlıkla unutmak; ihmal etm.; atlamak.

omnibus [ˈomnibəs]. Omnibüs.

omnipotent [omˈnipətənt]. İstediğini yapabilir; mutlak bir kudret sahibi. **The ~,** Allah, Kadiri mutlak. **~ce,** tam ve mutlak kudret.

omniscient [omˈniʃənt]. Âlimi kül; her şeyi bilir.

omnivorous [omˈnivərəs]. Her şeyi yiyen. **an ~ reader,** ne bulursa okuyan.

on [on]. Üzerinde; üzerine; üstünde; ···de. Temas halinde olarak; civarında; kuşatarak; cihetinde; ilerisinde. [*Fiil ile olduğu zaman o fiile bak; fiil ile beraber olduğu zaman* ilerleme, devam *veya* bağlantı *mânalarını ifade eder.*] **~ my entering the room,** ben odaya girince: **~ hearing this,** bunu işidince: **~ Tuesday,** salı günü: **~ June 10th,** on Haziranda: **~ with your coat!,** caketini giy!: **~ with the work!,** işe devam et!: **the brakes are ~,** frenlidir: **from that day ~,** o günden beri, o gün bugün: **the examination is now ~,** imtihan başladı veya devam ediyor: **he is just ~ twenty,** yirmi yaşında ya var ya yok: **just ~ a year ago,** takriben bir sene evvel: **later ~,** daha sonra: **the police are ~ to him,** zabıta onun peşindedir: **what 's ~ at the cinema?,** sinemada ne oynuyor?: **what 's ~ today?,** bu gün ne var?: **without anything ~,** çırçıplak: **well ~ in years,** yaşı ilerlemiş.

once [wʌns]. Bir defa; yalnız bir defa; eskiden: **at ~,** hemen, derhal; aynı zamanda: **to do too much at ~,** (i) bir çok şeyi birden yapmak; (ii) bir şeyle fasılasız meşgul olm.: **all at ~,** birdenbire; hepsi birlikte: **~ (and) for all,** ilk ve son defa; (tehdidle) son defa olarak: **for ~,** bir defaya mahsus olarak: **for this ~,** bir defalık: **~ more [again],** bir kere daha, tekrar, yine: **~ upon a time,** vaktile; bir varmış bir yokmuş: **~ a week,** haftada bir defa: **~ in a while [way],** nadiren.

one [wʌn]. Bir; tek; [*Fr. 'on', almanca 'man' gibi fiilerin mechul halini teşkil etmeğe yarar*; insan; *mes.* **when ~ thinks,** düşünüldüğü zaman, insan düşündüğü zaman]: **~ and all,** istisnasız hepsi, herkes: **~ after the other,** arka arkaya: **any ~ of you,** içinizden her hangi biri: **the next but ~,** daha sonraki: **~ by ~,** birer birer: **it makes ~ angry,** bu insanı kızdırır: **~ John Smith,** J.S. isminde biri: **I like good plays, but loathe bad ~s,** iyi piyesleri severim, fenalardan nefret ederim: **a duck and her young ~s,** ördek ve yavruları: **our dear ~s,** sevdiklerimiz: **he 's a knowing ~,** çok bilmişin biridir: **I am not much of a ~ for football,** futbol bana gelmez: **I am not the ~ to ...,** (onu)yapacak adam değilim: **you can have ~ or the other, but not both,** ya birini ya ötekini alabilirsiniz, fakat ikisi birden olmaz: **~'s own house,** insanın kendi evi: **the old ~s,** ihtiyarlar: **~ and sixpence,** bir buçuk şilin: **the advice of ~ so wise is invaluable,** böyle akıllı bir adamın tavsiyesi çok kıymetlidir: **that 's ~ (up) to us,** (*arg.*) bununla biz bir sayı kazandık: **that 's ~ way of doing it,** bu böyle de yapılabilir: **to be at ~ with s.o.,** birisile hemfikir olmak. **one-armed,** tek kollu, çolak. **one-eyed,** tek gözlü. **one-sided,** tek taraflı; insafsız; müsavi değil; bir cihetli. **one-way, ~ street,** nakil vasıtalarının yalnız bir istikametten gittiği sokak.

onerous [ˈonərəs]. Ağır, külfetli.

oneself [wʌnˈself]. Kendisi.

onion [ˈʌnjən]. Soğan.

onlooker [ˈonˌlukə*]. Seyirci: **the ~ sees most of the game,** oyunu en iyi gören seyircidir.

only [ˈounli] *a.* Tek; yegâne. *adv.* Yalnız, sade. *conj.* Fakat. **~ you can do it,** sizden başka bunu kimse yapamaz: **I ~ came here**

today, buraya daha bu gün geldim: **he is ~ rich because he is dishonest,** ancak dürüst olmamak suretile zengin oldu: **if ~ I could see him!,** ah onu bir görebilsem!: **if ~ I could see him, I could persuade him,** onu bir görebilsem ikna ederdim: **my one and ~ hope,** yegâne ümidim: **I would go away tomorrow, ~ that I have nowhere to go to,** yarın çıkıp giderdim amma (ne yapayım ki) gidecek yerim yok: **it is ~ too true,** maalesef hakikat budur: **he'd be ~ too glad [pleased],** o dünden hazır, canına minnet.

onomatopoeic [ˌonoˌmatouˈpii·ik]. Taklidî ahenkle yapılmış (kelime), *mes.* **bow-wow** [köpek]; **bang!** (top sesi).

onrush [ˈonrʌʃ]. Hücum; hamle; saldırış.

onset [ˈonset]. Hücum, saldırış, hamle. **from the ~,** başlangıcından.

onslaught [ˈonsloot]. Hücum, saldırış.

onus [ˈounəs]. Yük; mesuliyet. **the ~ of proof lies on [with] the plaintiff,** isbat dâvacıya düşer.

onward [ˈonwəd]. İlerliyen. **~s,** ileri. **from now ~,** bundan böyle [sonra]: **from tomorrow ~,** yarından itibaren.

onyx [ˈoniks]. Damarlı akik.

oolite [ˈouəlait]. Taneli kireçtaşı.

ooze [uuz]. Balçık; sızıntı. Sızmak; sızdırmak. **my courage is oozing,** cesaretim kesiliyor: **he ~s conceit,** baştan başa kibir; azametinden yanına varılmıyor.

opacity [ouˈpasiti]. Kesafet; donukluk; şeffaf olmama; kalınkafalılık.

opal [ˈoupl]. Aynişşems, opal. **~escent** [–peˈlesənt], opal gibi oynak renkler neşreden.

open[1] [ˈoupn] *a.* Açık; kilidlenmemiş; açılmış; meydanda, aleni; duçar. *n.* Açık (ev haricinde); açık deniz; saha, meydanlık. **~ boat,** güvertesiz gemi: **to keep the bowels ~,** barsakları mülayim tutmak: **to break ~,** kırıp açmak: **~ champion,** umuma açık bir musabakada şampiyon: **to cut ~,** kesip açmak: **~ to doubt,** su götürür: **half ~,** aralık: **to keep ~ house [board],** evinin kapısını açık tutmak (*mec.*): **to keep an ~ mind,** (fikren) tarafsız kalmak: **~ race,** *etc.*, umuma açık yarış vs.: **the ~ sea,** engin, açık deniz: **an ~ secret,** herkese malûm bir sır: **~ shed,** sundurma: **to be ~ to advice,** fikir, tavsiye vs.yi kabule hazır olm.: **it is ~ to you to object,** itiraz etmekte serbestsiniz.

open[2] *vb.* Açmak; başlamak. **to ~ the bowels,** barsakları boşaltmak. **open out,** yaymak; sermek; açılmak: **to ~ out a hole,** bir deliği genişletmek. **open up,** açmak; başlamak; açıp genişletmek.

opening [ˈoupəniŋ]. Açma, açılma; başlangıç; ilk hareket; delik, ağız; açıklık. **a good ~ for a young man,** bir delikanlı için iyi bir imkân (iş vs.): **an ~ for trade,** ticaret için mahrec, pazar.

openly [ˈoupənli]. Açıkca; açıktan açığa; el âleme karşı.

opera [ˈopərə]. Opera. **opera-glass,** opera dürbünü. **~tic** [–ˈratik], operaya aid.

operable [ˈopərəbl]. Ameliyat edilebilir.

operat·e [ˈopəreit]. Ameliyat yapmak; işlemek; tesir etm.; işletmek. **to ~ on s.o. for appendicitis,** birine apandisit ameliyatı yapmak. **~ing-table,** ameliyat masası. **~ing-theatre,** ameliyat odası.

operat·ion [opəˈreiʃn]. Ameliyat; işleme, işletme; tesir; faaliyet; meriyet; (*ask.*) harekât, tatbikat. **to come into ~,** meriyete girmek. **~ive** [ˈopərətiv], ameliyata aid; âmil, müessir; amele, işçi. **~or,** makine işleten adam; (borsada) acyocu; (*pek nadiren*) operatör: **wireless ~,** telsizci.

ophidian [oˈfidiən]. Yılanlara aid; yılan gibi.

ophthalm·ia [ofˈθalmia]. Göz iltihabı, oftalmi. **~ic,** göze aid.

opiate [ˈoupiet]. Uyutucu, narkotik; afyonlu.

opine [oˈpain]. Farzetmek; zannında bulunmak.

opinion [oˈpinjən]. Kanaat; fikir; zan; mutalaa. **in my ~,** bence, kanaatimce: **to have [hold] a high ~ of,** takdir etm.: **to have no [a poor] ~ of,** ···e fazla kıymet vermemek: **to be of the ~ that, ...** kanaatinde bulunmak: **I am entirely of your ~,** fikrinize tamamen iştirak ediyorum: **public ~,** efkâri umumiye: **to take another ~,** (*tıb*) bir başka doktora da sormak.

opinionated [oˈpinjəneitid]. Fikrinden dönmez; inadcı.

opium [ˈoupjəm]. Afyon. **~ den,** afyonkeşler kahvesi. **opium-eater, ~-fiend,** afyon tiryakisi.

opponent [oˈpounənt]. Muhalif; rakib.

opportun·e [ˈoppotjuun]. Müsaid zamanda olan; tam vaktinde gelen; muvafık, uygun. **~ist** [–ˈtjuunist], zamane adamı; fırsat düşkünü.

opportunity [ˌopəˈtjuuniti]. Fırsat; vesile. **to give an ~,** meydan vermek: **to seek an ~,** vesile aramak: **a golden ~,** ele geçmez fırsat, kelepir.

oppose [oˈpouz]. Karşı koymak; muhalefet etm.; önüne geçmek; aleyhinde olmak. **~d,** karşısında; zıd, aksi: **country as ~ to town,** kır, şehrin aksine olarak ....

opposite [ˈopəzit]. Mukabil; karşıkarşıya; karşısında; zıd, aksi; karşı. **the exact ~,** taban tabana zıd, tam tersi: **one's ~**

number, karşı tarafta aynı rütbe veya vazifede olan kimse: **the ~ sex,** öteki cins.
opposition [ˌɔpəˈziʃn]. Muhalefet; mukavemet; itiraz; muhalif parti; zıddiyet; rekabet; istikbali ecram.
oppress [oˈpres]. Zulmetmek, ezmek, tazyik etm., eziyet vermek. **~ion** [oˈpreʃn], zulüm, tazyik, tagallüb; sıkıntı, kasvet. **~ive,** zalim; basıcı, ezici; ağır; can sıkıcı, kasvetli. **~or,** zalim, gaddar.
opprobri·ous [oˈproubriəs]. Hakaret edici; küfürlü. **~um,** hacalet, rezillik.
opt [opt]. Seçmek. **to ~ for,** seçmek, tercih etmek.
optative [opˈteitiv]. Temenni sıygası.
optic [ˈoptik]. Görmeğe aid, basarî. **~ nerve,** göz siniri. **~al,** görmeğe aid: **~ illusion,** mevcud olmıyan şeyi görür gibi olma, görme hatası: **~ instruments,** dürbün, mikroskop gibi aletler. **~ian** [–ˈtiʃn], gözlükçü. **~s,** basariyat ilmi, optik.
optim·ism [ˈoptimizm]. Nikbinlik. **~ist,** nikbin. **~istic** [–ˈmistik], nikbin, nikbince.
option [ˈopʃn]. Hakkı hıyar; intihab; seçme. **to have an ~ on stg.,** bir şey üzerinde tercih hakkı olm.: **imprisonment without the ~ of a fine,** yerine para cezası verilemiyen hapis cezası. **~al,** ihtiyarî.
opulen·t [ˈopjulent]. Zengin; bol. **~ce,** zenginlik; bolluk: **to live in ~,** refah içinde yaşamak.
or [oo*]. Yahud; veya; yoksa. **either ... ~ ...,** ya ... ya ...: **not either ... ~ ...,** ne ... ve ne ...: **shall you go ~ not?,** gidecek misiniz, gitmiyecek misiniz?
oracle [ˈorəkl]. Eski Yunanlılarda vs. sorulan şeylere ilâhların verdikleri cevab; gaibden haber; kehanet. **to consult an ~,** fala bakmak: **to work the ~,** piston işletmek; iltimas temin etmek.
oracular [oˈrakjulə*]. İki manalı; kehanet kabilinden; mütehakkimane.
oral [ˈoorəl]. Şifahî; sözlü; ağza aid.
orange [ˈorəndʒ]. Portakal; portakal rengi. **Seville ~,** turunc.
orang-outang [oˈraŋuˈtaŋ]. Orangutan maymunu.
orat·ion [oˈreiʃn]. Nutuk, hitabe; cansıkıcı nutuk. **~or** [ˈorətə*], hatib. **~orical** [ˌorəˈtorikl], hatibliğe aid; belağate aid. **~ory¹** [ˈorətri], nutukçuluk, hatiblik; belagat.
oratorio [orəˈtooriou]. Mevzuu dinden alınmış bestelenmiş dram, oratoryo.
oratory² [ˈorətəri]. Küçük hususî kilise.
orb [oob]. Küre; göz küresi.
orbit [ˈoobit]. Mahrek; göz çukuru.
orchard [ˈootʃəd]. Yemiş bahçesi.
orchestra [ˈookistrə]. Orkestra; tiyatroda orkestra yeri. **~tion** [–ˈtreiʃn], notaların orkestra âletlerine göre tertibi.
orchid [ˈookid]. Orkide.
orchis [ˈookis]. Salep otu.
ordain [ooˈdein]. İrade etm.; (Allah) takdir etm., mukadder kılmak; ruhanî rütbe tevcih etmek. **to be ~ed,** papazlığa tayin olunmak.
ordeal [ooˈdiil]. Ateşten gömlek; çetin bir tecrübe; mihnet.
order¹ [ˈoodə*] *n.* İntizam, düzen, nizam; tertib; usul, yol; usul ve adab; sıra, saf; mertebe derece; tabaka, sınıf; tarikat; emir, ihtar; sipariş. **~ ! ~ !,** *meclis vs.de bir azayı müzakere usulüne davet için nida*: **in ~ of age [seniority,** *etc.*]. yaş [kıdem vs.] sırasile: **arms at the ~,** tüfekle hazırol vaziyeti: **~ on a bank,** banka havalesi: **~ of battle,** muharebe nizamı: **to call for ~s,** sipariş almak için uğramak: **to call s.o. to ~,** (meclis vs.de) reis birine müzakere usullerini hatırlatmak: **close ~,** (*ask.*) yanaşık nizam: **~ of the day,** günlük emir: **Holy Orders,** papazlık; **to take Holy ~s,** papaz olm.: **all in ~,** her şey yerli yerinde; düzgün; nizama uygun: **in good ~,** düzgün; işliyen; iyi bir halde: **to put in ~,** düzeltmek, intizama koymak; sıraya koymak: **in ~ to do stg.,** bir şey yapmak için: **in ~ that stg. may be done,** bir şey yapabilmesi için: **to keep ~,** intizamı temin etm.; **to keep children in ~,** çocukları uslu tutmak: **~ of knighthood,** şövalyelik rütbesi, *bk.* **order²**: **made to ~,** ısmarlama: **in marching ~,** (*ask.*) yürüyüş techizatile: **the old ~ of things,** eski devir, eski nizam ve usul: **out of ~,** bozuk, işlemez; yersiz, usulsüz: **out of its ~,** sıradan çıkmış.
order² *n.* Nişan. **~ of knighthood,** şövalyelik rütbesi. *Başlıca İngiliz nişanları şunlardır:*—(i) **Order of the Garter (G.)**; (ii) **~ of the Bath (B.)**; (iii) **~ of St. Michael and St. George (M.G.)**; (iv) **~ of the British Empire (B.E.)**; (v) **Royal Victorian Order.** *Garter Nişanının yalnız bir rütbesi vardır*: **Knight of the Garter (K.G.)**: *ötekilerin dört veya beş rütbesi vardır*:—1. **Grand Commander,** *mes.* **Grand Commander of the Bath (G.C.B.)**; 2. **Knight Commander,** *mes.* **Knight Commander of the Bath (K.C.B.)**; 3. **Commander,** *mes.* **Commander of St. Michael and St. George (C.M.G.)**; 4. **Officer,** *mes.* **Officer of the British Empire (O.B.E.)**; 5. **Member,** *mes.* **Member of the Victorian Order (M.V.O.).**
order³ *vb.* Emretmek, emir vermek; tanzim etm., idare etm.; tayin etm.; sipariş etm., ısmarlamak. **~ arms!,** hazırol!: **to ~ an officer to Scotland,** bir subayı İskoçyaya sevketmek [tayin etm.]. **order about,**

(sağa sola) emretmek; emirler vermek. **order off,** ayrılmasını emretmek: **to ~ a player off the field,** (hakem) oyuncuyu sahadan çıkarmak.

ordered [ˈoodəəd] *a.* Muntazam. **well ~,** nizamlı, iyi idare edilen.

orderly [ˈoodəli]. Tertibli, intizamlı; toplu; usullü; uslu; muntazam. Emir eri. **~ officer,** nöbetçi subayı. **~ room,** kışlalarda kalem odası.

ordinal [ˈoodənl]. **~ number,** sıra sayısı.

ordinance [ˈoodənəns]. Talimatname; ihtar; ferman; âyin.

ordinar·y [ˈoodnri]. Alelâde, mutad, her zamanki; tipik; âdi, bayağı. **above the ~,** alelâdenin üstünde: **a very ~ kind of man,** alelâde, kendi halinde bir adam: **out of the ~,** müstesna, mümtaz, fevkalâde: **~ seaman,** (bahriyede) üçüncü sınıf gemici: **~ share,** âdi hisse: **physician-in-~ to the King,** Kıralın hususî doktoru. **~ily,** bermutad, alelâde, umumiyetle.

ordinate [ˈoodəneit]. Tertib hattı.

ordination [ˌoodiˈneiʃn]. Papazlığa kabul edilme.

ordnance [ˈoodnəns]. Top; askerî levazım ve techizat dairesi. **~ Survey,** İngiltere'nin harita dairesi.

ordure [ˈoodjuə*]. Pislik; müzahrefat.

ore [oo*]. Maden filizi.

organ [ˈoogən]. Uzuv; vasıta olan şey veya kimse; cihaz; organ; gazete; org, erganun. **barrel ~,** lâterna: **mouth ~,** ağız mızıkası: **the vocal ~s,** ses cihazı. **organ-grinder,** lâternacı.

organic [ooˈganik]. Uzvî; esasî, ârızi değil.

organist [ˈooganist]. Orgcu.

organiz·e [ˈoogənaiz]. Teşkilatlandırmak; tanzim ve tertib etmek. **~ation** [–ˈzeiʃn], teşkilatlandırma; teşkil; teşekkül; teşkilat; bünye. **~er,** tanzim ve tertib eden; teşkilatçı, idareci.

orgiastic [ˌoodʒiˈastik]. **Orgy**'ye aid.

orgy [ˈoodʒi]. Sefahat âlemi; cümbüş, curcuna; *pl.* **orgies,** eski zamanlarda Bakus adına yapılan gizli ve gayri ahlâkî âyinler.

oriel [ˈooriəl]. **~ window,** Büyük binanın üst katında cumbalı pencere.

orient [ˈoriənt]. Şark; doğu. **~ pearl,** en iyi cinsden inci. **~al** [–ˈentl], şarkî, şarka mahsus. **~alist** [–ˈentəlist], müsteşrik.

orientat·e [ˈoriənteit]. Bir binayı köşeleri şarka müteveccih olarak kurmak; bir şeyin mevkiini tayin etmek. **to ~ oneself,** kendi vaziyetini tayin etmek veya takdir etmek. **~ion** [–ˈteiʃn], cihet tayini.

orifice [ˈorifis]. Delik; ağız.

origin [ˈoridʒin]. Mebde, menşe, menba; asıl, esas; nesil. **~al** [oˈridʒinl], aslî, esasî, asıl; ilk; kopya olmıyan; gelme; ilk defa meydana konmuş, yepyeni; yeni fikirler meydana getirmek iktidarı olan. Bir yazının aslı; aslî nüsha; metin: **~ sin,** Hıristiyanların itikadlarına göre bütün insanların doğuşta mevcud olan günahı. **~ality** [–ˈnaliti], yepyenilik; bambaşka bir tarzda olma; kariha sahibi olma, yeni fikirler meydana getirmek iktidarı, orijinallik; kimseye benzememezlik. **~ate** [oˈridʒineit], ihdas etm., icad etm., ihtira etm.; meydana gelmek; türemek.

oriole [ˈoorioul]. **golden ~,** (*Oriolus*) Sarı asma.

Orion [oˈraiən]. Cebbar burcu.

orison [ˈorizən]. Dua.

ormolu [ˈoomolu]. Yaldız taklidi pirinç.

ornament [ˈoonəmənt]. Süs, ziynet. Süsleme, tezyin etmek. **an ~ of his country,** memleketinin yüzakı. **~al** [–ˈmentl], süslü; güzel; gösterişli.

ornate [ooˈneit]. Pek süslü; fazla süslenmiş; mükellef.

ornithology [ˌoonaiˈθolədʒi]. Kuşlar bahsi.

orphan [ˈoofən]. Öksüz, yetim. **~age** [–idʒ], yetimler yurdu, darüleytam; öksüzlük. **~ed,** yetim kalmış. **~hood,** yetimlik.

orpiment [ˈoopimənt]. Sarı zırnık.

orris-root [ˈorisˈruut]. Susamkökü.

ortho- [ˈooθou]. *pref.* Doğru ....

orthochromatic [ˈooθoukrouˈmatik]. Işık ile gölgeye göre renklerin tam kıymetini veren.

orthodox [ˈooθoudoks]. Akidesi sahih; umumiyetle kabul edilen bir hakikate veya bir fikre uygun; usul ve erkâna uygun, ortodoks; Ortodoks kilisesine mensub. **~y,** akidenin sıhhati; ortodoksluk; bir insanın fikirlerinin örfe uygunluğu.

orthography [ooˈθogrəfi]. İmlâ.

orthopaedy [ˈooθoupiidi]. Vücuddeki biçimsizlikleri düzeltme sanati, ortopedi.

ortolan [ˈootəlan]. (*Emberiza hortulana*)?; eti makbul ufak bir kuş.

oscillat·e [ˈosileit]. Saat rakkası gibi hareket etm., sallanmak; sarsılmak; bocalamak; sarsmak. **~ion** [–ˈleiʃn], salınma.

osculate [ˈoskjuleit]. Öpmek; iktiran suretile temas etmek.

osier [ˈouziə*]. Bodur söğüt.

osmosis [ozˈmousis]. Muhtelif mayiler veya ayrılmış gazler tarafından hulûl, girişme, geçişme.

osprey [ˈospri]. (*Pandion haliaetus*) Balık kartalı (?); sorguç.

osseous [ˈosiəs]. Kemikten ibaret.

ossify [ˈosifai]. Kemikleş(tir)mek.

ostensible [osˈtensibl]. Surî, zahirî.

ostentat·ion [ˌostənˈteiʃn]. Gösteriş, nûmayiş, çalım. **~ious,** nümayişçi, gösterişçi, cakalı.
osteopath [ˈostiopaθ]. Kırıkçı.
ostler [ˈoslə*]. Han seyisi.
ostracize [ˈostrəsaiz]. (*esk.*) Halkın hoşuna gitmiyen adamı sürgüne göndermek; (*şim.*) cemiyet harici ilân etm.; birile her türlü münasebeti kesmek.
ostrich [ˈostridʒ]. Devekuşu.
other [ˈʌðə*]. Başka, diğer; sair; öbür; o bir, öteki. **the ~s,** ötekiler: **every ~,** her ikinci: **the ~ day,** geçen gün, geçenlerde: **some ~ day,** başka bir gün: **some ..., ~s ...,** bazısı ..., bazısı ...: **one or ~ of us,** aramızdan biri: **the ~ world,** öbür dünya: **I could not do ~ than ..., I could do no ~ than ...,** benim için ···den başka yapacak bir şey yoktu: **fancy coming this day of all ~s!,** başka günleri bırakıp sen tut da bu gün gel!
otherwise [ˈʌðəwaiz]. Başka suretle; başka türlü; yoksa; aksi takdirde; ve illâ. **he could not do ~ than ...,** ···den başka bir şey yapamadı: **he is rather mean, ~ he is pleasant,** bir az hasistir, yoksa hoş adamdır.
otherworldly [ˈʌðəwəəldli]. Dünyevî olmıyan; ahret adamı; bu dünyadan değil.
otiose [ˈoutious]. Faydasız, lüzumu yok; fuzuli; haylaz.
otter [ˈotə*]. Su samuru, lutr.
Ottoman[1] [ˈotomən]. Osmanlı.
ottoman[2]. Sedir.
ought[1] [oot]. *Tasrif edilmez yardımcı fiil; umumiyetle vücubî fiil ile tercüme edilir.* Lâzım, elverişli veya uygun olmak. **I ~ to go,** gitmem lâzım; gitmeliyim: **I ~ to have gone,** gitmeliydim: **I ~ to know, but I don't,** bilmem lâzım amma bilmiyorum: **to behave as one ~,** icab ettiği gibi hareket etm.: **you ~ to read this book,** bu kitabı her halde okuyunuz: **she ~ to be married soon,** (i) (yaşı geçiyor) bir an evvel evlenmesi lâzım; (ii) (cazibeli olduğu icin) bu kızın her halde çabuk kısmeti çıkar.
ought[2]. Hiç; sıfır.
ounce[1] [auns]. İngiliz tartı ölcüsü. **avoirdupois ~,** librenin $\frac{1}{16}$ si = 28·35 gram: **troy ~,** librenin $\frac{1}{2}$ = 31·1 gram. **he hasn't an ~ of sense,** on paralık aklı yok.
ounce[2]. Karakulak; kar parsı.
our [auə*]. Bizim, bize aid. **~s,** bizimki. **this house is ~,** bu ev bizimdir: **a friend of ~,** ahbablarımızdan biri. **~self** [auəˈself], *müfred şekli yalnız hükûmdarlar ve gazeteciler tarafından* **we** *yerine kullanılır.* **~selves** [–ˈselvz], **we**'*yi tekid için kullanılır*: **we ~ prefer to live in London,** biz kendimiz Londra'da oturmağı tercih ediyoruz.

oust [aust]. Yerinden çıkarmek; tardetmek; birini yerinden edip kendisi o yeri almak.
out [aut] Dışarı; haricde; ···den; ···den dışarı; evde değil. [*Fiille birlikte* dışarı *veya* tamamlama *manalarını ifade eder, mes.*:– **to run ~,** (i) dışarıya koşmak; (ii) tükenmek: **to think stg. ~,** bir şeyi düşünüp taşınmak.] **~ and ~,** tamamen, son derece: **all ~,** alabildiğine (koşmak, çalışmak vs.): **my wife is ~,** refikam evde değil: **he is ~ and about again,** (bir hasta hakkında) artık kalktı, iyileşti: **the secret is ~,** sır ifşa edildi: **the miners are ~ again,** madenciler yine grev yapıyorlar: **to be ~ in one's calculations,** hesablarında yanılmak: **he is ten pounds ~ in his accounts,** hesabında on liralık hata var: **day ~,** (hizmetçi) izinli gün: **the fire is ~,** ateş sönmüş: **to know the ins and ~s of stg.,** bir şeyin içini dışını bilmek: **to be ~ of it,** (i) bir muhiti yadırgamak; (ii) bir iş vs. ile alâkasını kesmek; (iii) (yarış vs.de) kaybedeceği muhakkak olm.: **to be ~ of sugar,** şekeri kalmamak: **to feel ~ of it,** bir muhitte kendini yabancı hissetmek: **he only listened ~ of politeness,** nezaketen dinledi: **to drink ~ of the bottle,** şişeden içmek: **you will be well ~ of the whole business,** bu işten yakayı sıyırsanız sizin için çok iyi olur: **my patience is ~,** sabrım tükendi: **put him ~!, ~ with him!,** onu dışarı at!: **there is no other way ~,** başka çıkar yol yok: **~ with it!,** (i) ver bakalım!; (ii) ağzından baklayı çıkar! **out-bound,** *bk.* **outward bound. out-of-date,** modası geçmiş. **out-of-door,** *bk.* **outdoor. out-of-place,** yersiz, mevsimsiz. **out-of-the-way,** hücra, sapa; alelâde olmıyan, garib. **out-of-pocket,** cebden. **out-patient,** hastahanede yatmadan tedavi edilen hasta: **~s' department,** hastahanenin dispanseri. **out-relief,** fakir ailelere yapılan para yardımı.
out- *pref. Hemen hemen her fiilin ve bir çok isimlerin başına getirilebilir ve* üstünlük *veya* fazlalık *ifade eder, mes.*:– **to row,** kürek çekmek; **to ~-row s.o.,** başkasından daha iyi kürek çekmek, kürek çekmekte birini yenmek: **size,** boy; **an ~size in shoes,** en büyük boyda ayakkabı. *Bu suretle yeni kelime icadetmek mümkündür, mes.*:—**I am sure we ~-rain you,** bizim memlekette muhakkak sizinkinden daha fazla yağmur yağar.
outbid [autˈbid]. **to ~ s.o. at an auction,** müzayedede birisinden fazla pey sürmek.
outboard [ˈautbood]. Dıştan takma (deniz motörü).
outbreak [ˈautbreik]. Zuhur; çıkış; vuku;

feveran; kıyam. ~ **of temper,** hiddet galeyanı.
outbuilding [ˈautbildiŋ]. Mülhak bina. **~s,** müştemilât.
outburst [ˈautbəəst]. Patlama, infilak; fışkırma; kopma; taşkınlık.
outcast [ˈautkaast]. Döküntü, kimsesiz, düşkün; serseri.
outclass [autˈklaas]. (Başkalarına) pek üstün olmak. **he is quite ~ed,** başkalarına nisbetle çok geri kaldı.
outcome [ˈautkum]. Netice; son; akibet.
outcrop [ˈautkrop]. Arz tabakasının yer yüzüne çıkması.
outcry [ˈautkrai]. Feryad; haykırma; şikâyet ve itiraz sesi; vaveylâ.
outdistance [autˈdistəns]. Daha önce gitmek; birini geçmek.
outdo (-did, -done) [autˈdou, -did, -dʌn]. Fevkinde olm., geçmek; ···den galebe çalmak. **not to be outdone,** altta kalmamak.
outdoor [autˈdoo*]. Ev dışında veya açık havada yaşıyan, bulunan, vukubulan vs. **~s,** ev dışında, açık havada.
outer [ˈautə*] Dış tarafta bulunan; haricî; en uzak. **~most,** en dışta, en uzakta.
outfall [ˈautfool]. Mansab, mahrec; suyun boşaldığı yer.
outfit [ˈautfit]. Techizat; takım, avadanlık; levazimat; sefer levazimatı; elbise. **first-aid ~,** ilk yardım kutusu: **the whole ~,** takım taklavat. **~ter,** hazırcı; erkek elbisesi satıcısı.
outflank [autˈflaŋk]. (*ask.*) Cenah taşmak; iğfal etmek.
outflow [ˈautflou]. Dışarıya akan (su, havagaz vs.) nın mikdarı; mahrec.
outgeneral [autˈdʒenərl]. Düşmandan daha iyi manevra yapmak.
outgoing [ˈautgouiŋ]. Çıkan, kalkan. **~s,** masraf, sarfiyat.
outgrow [autˈgrou]. **to ~ s.o.,** birisinden daha çabuk büyümek: **to ~ clothes,** (büyüdükçe) elbisesi dar gelmek. **~th** [ˈautgrouθ], hayvan veya nebat gövdesinde hasıl olan fazla cisim; netice.
outhouse [ˈauthaus]. Mülhak bina. **~s,** müştemilat.
outing [ˈautiŋ]. Gezinti, tenezzüh.
outlandish [autˈlandiʃ]. Pek garib; yakışıksız; vahşi; yabancı.
outlast [autˈlaast]. (Başkasından) daha çok sürmek, dayanmak; birisinden artakalmak.
outlaw [ˈautloo]. Kanun harici (kimse), kanı helâl. Kanunî haklardan mahrum etm.; yasak etm., feshetmek.
outlay [ˈautlei]. Sarfiyat; bir teşebbüse başlamak için lâzımgelen masraf.
outlet [ˈautlet]. Mahrec; menfez; (*tic.*) ihracat yeri, pazar.
outline [ˈautlain]. ~ *veya* **~s,** dış hatları; şekil; taslak. Taslağını çizmek, krokisini yapmak. **main [general, broad] ~s of a plan,** bir plan vs.nin ana hatları: **in ~,** kabataslak.
outlive [autˈliv]. (Başkaları öldüğü halde) yaşamak, artakalmak.
outlook [ˈautluk]. Manzara; görünüş; ihtimal. **breadth of ~,** genişgörüşlülük: **the ~ is not cheerful,** ilerisi [vaziyet] pek parlak değil.
outlying [ˈautlai·iŋ]. Merkezden haric olan; etrafta olan; uzakça.
outmost [ˈautmoust]. En dıştaki.
outnumber [autˈnʌmbə*]. Sayıca üstün olmak.
outpace [autˈpeis]. ···den daha çabuk gitmek; önüne geçmek.
outpost [ˈautpoust]. İleri karakol.
outpouring [ˈautpooriŋ]. İçini dökme; izhar.
output [ˈautput]. Verim; istihsal; randıman.
outrage [ˈautreidʒ]. Tecavüz, taarruz; zorbalık; suikasd; rezalet. Zorlamak; tecavüz etm.; din, iffet, kanun vs.ye karşı hareket etmek. **~ous** [–ˈreidʒəs], hadden aşırı; son derece mütecaviz; müdhiş; rezilane; gaddar.
outrange [autˈreindʒ]. (Top) ···den daha uzun menzilli olmak.
outrider [ˈautraidə*]. Araba önünde veya yanında atlı uşak.
outrigger [ˈautrigə*]. İskarmozları küpeşteden dışarıda bulunan sandal.
outright [autˈrait] *adv.* Tamamile, büsbütün; açıkça; kat'i bir surette; derhal. *a.* [ˈautrait], Açık; müsbet; dobra dobra; kat'i. **to buy stg. ~,** derhal ve peşin para ile almak: **to kill ~,** hemen [derhal] öldürmek.
outrun [autˈrʌn]. ···den daha çabuk koşmak. **his ambition ~s his ability,** ihtirası kabiliyetinden üstün: **to ~ the constable,** har vurup harman savurarak borclara girmek.
outset [ˈautset]. Başlangıç, ibtida. **at the ~,** ilkönce, ilk ağızda: **from the ~,** başlangıçtanberi.
outshine [autˈʃain]. ···den daha parlak olm., gölgede bırakmak.
outside [autˈsaid]. Dış, haricî; dış taraf, haric; dışarı, haricde, dışında. **at the (very) ~,** olsa olsa: **an ~ chance,** küçük bir ihtimal: **to get an ~ opinion,** dışarıdan birinin fikrini almak: **~ porter,** serbest hamal; istasyon dışarısında ve kendi hesabına çalışan hamal: **~ price,** en yüksek fiat: **~ work,** (i) işçinin fabrikada degil kendi evinde yaptığı iş; (ii) evin dış kısmında

tamirat ve tezyinat; (iii) vazife veya iş saatleri haricinde yapılan iş.

outsider [autˈsaidə*]. Bir meslek, parti, mahfil vs.ye mensub olmıyan kimse; görgüsüz, kibar olmıyan kimse; (at yarışlarında) muteber olmıyan bir at.

outskirts [ˈautskəəts]. Civar, varoş, kenar.

outspoken [autˈspoukn]. Açık, dobra dobra, tok sözlü; kör kadı.

outspread [autˈspred]. **with ~ wings,** kanadları açık.

outstanding [autˈstandiŋ]. Çıkıntılı; göze çarpan; mütebariz; mümtaz; kalbur üstü; muallakta kalan; tedahülde kalan.

outstare [autˈsteə*]. Birine dik dik bakıp utandırmak.

outstay [autˈstei]. ···den fazla kalmak. **to ~ one's leave,** iznini geçirmek: **to ~ one's welcome,** bir evde çok kalarak kendisini istiskal ettirmek.

outstretched [ˈautstretʃd]. Uzanmış, uzatılmış.

outstrip [autˈstrip]. ···den daha ileri gitmek; geçmek.

outward [ˈautwəd]. Dış, zahirî. **the ~ journey,** dışarıya (yabancı memleketlere) sefer: **~-bound ship,** limandan çıkan [çıkmakta olan] gemi. **~s,** dışarıya doğru.

outweigh [autˈwei]. ···den fazla gelmek, daha mühim olmak.

outwit [autˈwit]. ···den daha kurnazca davranmak; kafese koymak. **to ~ the police,** zabıtayı şaşırtmak.

ova [ˈouva]. **ovum**'*un cemi.*

oval [ˈouvl]. Beyzî.

ovary [ˈouvəri]. Yumurtalık, mebiz; tohumluk.

ovation [ouˈveiʃn]. Halkın bir kimseyı çılgınca alkışlaması.

oven [ʌvn]. Fırın.

over [ˈouvə*]. Üstünde, üzerinde; yukarısında; fevkinde; ···den fazla; öbür tarafına (-da); karşı yakasına (-da); bütün sathına; baştan başa; hakkında; nazaran; bitmiş. **~ again,** bir daha: **all ~ again,** yeni baştan: **~ against,** karşısında: **all ~,** her tarafında: **it 's all ~,** bitti: **to be wet all ~,** tepeden tırnağa ıslanmak: **to be all ~ dust,** elbise toz içinde kalmak: **all ~ the place,** baştan başa, her tarafa (dağılmış vs.): **~ and ~,** tekrar tekrar; yuvarlanarak: **men of twenty and ~,** yirmi yaşında ve yirmiden yukarı olanlar: **he is ~ eighty,** sekseni geçkindir: **~ and above this,** üstelik, bundan başka: **that is ~ and done with,** oldu bitti: **5 into 13 goes twice and 3 ~,** 13te 5 iki defa var, 3 kalır: **~ the border,** hududun ötesine: **what 's come ~ you,** sana ne oldu?, sana ne oluyor?: **~ there [yonder],** karşıda, orada: **several times ~,** üstüste bir kaç defa: **~ the last ten years,** son sene zarfında: **~ the way,** karşı tarafta.

over- *pref. Bir fiile ve bazan bir sıfat veya isme eklendiği zaman şu mânaları ihtiva eder:—* (i) lüzumundan fazla; icab ettiğinden fazla; *mes.* **to eat** = yemek, **to overeat** = fazla yemek; **to load** = yükletmek, **to overload** = fazla yükletmek: (ii) en üst; üstünlük; örtme, *mes.* **coat** = caket, **overcoat** = palto; **lord** = âmir, **overlord** = metbu; **come** = gelmek, **overcome** = hakkından gelmek. **Over** *edatı hemen her kelimenin başına konarak yeni bir kelime icad olunabilir.* **Over** *ile başlayıp lûgatte bulunmıyan kelimeleri asıl kelimede arayıp* **over** *ile aldıkları yeni mânayı yukardaki izahattan çıkarmak mümkündür.*

overall [ˈouvərool]. Arkadan ilikli göğüslük. **~s,** çekme, tulum. **over-all length,** tam boy.

overarm [ˈouvəraam]. **to swim ~,** kulaç atarak yüzmek.

overawe [ouvərˈoo]. Korkutup hareket ve muhalefetten menetmek.

overbalance [ouvəˈbaləns]. Daha ağır basmak; müvazenesini bozmak. Müvazenesini kaybetmek, devrilmek.

overbearing [ouvəˈbeəriŋ]. Mütehakkim.

overboard [ˈouvəbood]. Geminin küpeştesi üzerinden denize düşmüş. **man ~!,** denize adam düşmüş!

overcast [ˈouvəkaast]. Karartmak. Bulutlu, sümbülî; endişeli. **face ~ with fear or sorrow,** korku veya kederle kaplı yüz.

overcharge [ouvəˈtʃaadʒ] *vb.* Fahiş fiat istemek. *n.* [ˈouvə–], Fahiş fiat; ilâve, zam.

overcloud [ouvəˈklaud]. Bulutlandırmak. **~ed,** bulutlu, sümbülî.

overcoat [ˈouvəkout]. Palto.

overcome (**-came**) [ouvəˈkʌm, –keim]. Hakkından gelmek, yenmek; zabtetmek. **to be ~ by grief, fear,** *etc.*, keder, korku vs.ye kapılmak.

overcrowd [ouvəˈkraud]. Fazla kalabalık ile doldurmak.

overdo [ouvəˈduu]. İfrata vardırmak; ifrat etm.; çok pişirmek. **to ~ oneself** [it], kendini çok yormak.

overdraft [ˈouvədraaft]. Açık itibar.

overdraw (**-drew, -drawn**) [ovuəˈdroo, –druu, –droon]. Bankadaki mevduatından fazla para çekmek.

overdress [ouvəˈdres]. Haddinden fazla itina ile giyinmek.

overdue [ouvəˈdjuu]. Vadesi geçmiş; gecikmiş.

overflow *vb.* [ouvəˈflou]. Taşmak. *n.* [ˈouvə-], kanal, havuz vs.de fazla suların dökülmesine mahsus oluk. **~ meeting,**

toplantı yerine sığmıyan halka mahsus bir toplantı. **~ing,** taşma; taşkın, bol.
overgrow [ouvəˈgrou]. (Nebat) bir yer, bir duvar vs.yi kaplamak. **~n,** otlarla kaplanmış: **~ child,** yaşından fazla büyümüş çocuk, genc irisi.
overhang *vb.* [ouvəˈhaŋ]. Asılıp sarkmak; üzerine sarkmak; üstünde bulunmak, hâkim olmak. *n.* [ˈouvə-], Asılı parça.
overhaul *vb.* [ouvəˈhool]. Teftiş ve muayene etm., tamir etm.; arkadan yetişmek. *n.* [ˈouvəhool]. Teftiş, dikkatli muayene; tamir.
overhead *adv.* [ouvəˈhed]. Başın üstte, yukarıda; havada. *a.* [ˈouvəhed]. Yukarıda olan. **~ cable,** havaî kablo. **~s,** umumi masraflar.
overhear [ouvəˈhiə*]. (Bir şeye) kulak misafiri olm.; tesadüfen işitmek.
overheat [ouvəˈhiit]. Fazla ısıtmak.
overjoyed [ouvəˈdʒoid]. Ziyadesile memnun; etekleri zil çalıyor.
overland [ˈouvəland]. Karadan.
overlap *vb.* [ouvəˈlap]. Üst üste katlanmak; bindirmek; binmek; tedahül etmek. *n.* [ˈouvə–]. Sarkan kısım.
overlay[1] **(-laid)** [ouvəˈlei]. Kaplamak.
overlay[2], *bk.* **overlie.**
overleaf [ouvəˈliif]. Bir kâğıdın arkasında.
overlie (-lay, -lying) [ouvəˈlai, –ˈlai·iŋ]. Üzerine yatmak; (kadın) uykusunda çocuğu üzerine yatıp boğmak.
overlook [ouvəˈluk]. Yüksekten bakmak; ···e nazır olm.; yandan veya arkadan yaptığı veya yazdığı şeye bakmak; müsamaha göstermek, hoşgörmek, ···e göz yummak; unutmak, ihmal etm.; nezaret etm.; çarpmak, nazarı değmek. **~ it this time!,** bu sefer bağışla, hoşgör!: **~ing the sea,** denize nazır.
overlord [ˈouvəlood]. Metbu; âmir.
overmaster [ouvəˈmaastə*]. Hakkından gelmek, rametmek. **~ing,** mütehakkim; mukavemet edilmez.
overmuch [ˈouvəmʌtʃ]. Çok ziyade, lüzumundan fazla.
overpower [ouvəˈpauə*]. Hakkından gelmek; mağlub etmek. **~ing,** kahhar; tahammül edilmez.
overrate [ouvəˈreit]. Çoğumsamak, fazla kıymet vermek.
overreach [ouvəˈriitʃ]. Hile ile yenmek. (At) yürürken ard ayağının tırnağı ön ayağının ökçesine dokunmak: **to ~ oneself,** iktidarından fazla yapmak; haddini aşırmak.
override (-rode, -ridden) [ouvəˈraid, –roud, –ridn]. Çok binerek yormak; ayak altında ciğnemek; üstün gelmek, daha mühim olmak. Kırılmış bir kemiğin bir ucu diğerinin üzerine binmek. **to ~ one's authority,** salâhiyetini aşmak: **this decision ~s all others,** bu karar ötekileri ibtal eder, hükümsüz bırakır.
overrule [ouvəˈruul]. Cerhetmek; hükümsüz bırakmak.
overrun (-ran) [ouvəˈrʌn, –ran]. Haddini tecavüz etmek; akın veya istila edip yağmalamak; her tarafına yayılmak: (bir makineyi) çok işletmek.
oversea [ˈouvəsii]. Denizaşırı. **~s** [ouvəˈsiiz], denizaşırı memleketlerde, -e, -den.
oversee [ouvəˈsii]. Gözetmek, nezaret etmek. **~r** [ˈouvəsiə*], müfettiş, müdür; nezaretçi; ırgatbaşı.
overset [ouvəˈset], Devirmek.
overshadow [ouvəˈʃadou]. Gölge etm.; gölgede bırakmak; gölgelendirmek.
overshoes [ˈouvəʃuuz]. Fotin üzerine giyilen kundura; galoş.
overshoot (-shot) [ouvəˈʃuut, –ʃot]. (Hedefi) aşırmak. **overshot wheel,** üzerine düşen su ile çevrilen su dolabı.
oversight [ˈouvəsait]. Dikkatsizlik; sehiv; nezaret. **by [through] an ~,** dikkatsizlikle.
oversleep (-slept) [ouvəˈsliip, –slept]. **to ~ oneself,** uyuya kalıp gecikmek.
overspread [ouvəˈspred]. Kaplamak. Yayılmak.
overstate [ouvəˈsteit]. Mübalağa etmek.
overstay [ouvəˈstei] *bk.* **outstay.**
overstep [ouvəˈstep]. Tecavüz etm., haddini aşmak.
overt [ˈouvəət]. Meydanda; açık.
overtake (-took, -taken) [ouvəˈteik, –tuk, –teikn]. Arkadan yetişmek; yetişip geçmek; başına gelmek. **to ~ arrears of work,** geri kalan işi yetiştirmek.
overtax [ouvəˈtaks]. Ağır vergilerle ezmek. **to ~ s.o.'s patience,** birinin sabrını taşırmak: **to ~ one's strength,** kendini yıpratmak.
overthrow *vb.* [-threw, -thrown) [ouvəˈθrou, -θruu, -θroun]. Devirmek; yıkmak; alt etmek; yenmek. *n.* [ˈouvəθrou]. İnhidam, inkiraz; devrilme; devirme.
overtime [ˈouvətaim]. Vazife harici çalışılan zaman.
overtone [ˈouvətoun]. Ahenk sesi.
overtop [ouvəˈtop]. ···den daha yüksek olm.; tepesini aşmak.
overture [ˈouvətjuə*]. Müzakere teklifi; uvertür. **to make ~s to s.o.,** bir iş hakkında ilk teklifi yapmak; bir meseleyi açmak.
overturn [ouvəˈtəən]. Devirmek; altüst etmek. Devrilmek; albura olmak.
overweening [ouvəˈwiiniŋ]. Mutasallif; mağrur; kendini beğenmiş.
overweight [ˈouvəweit]. Nizamî haddi aşan ağırlık.

overwhelm [ouvəˈwelm]. Kahretmek, batırmak; ezmek. **to be ~ed with joy,** sevincinden kendini kaybetmek: **I am ~ed by your generosity,** cömertlikle beni son derece mahcub ediyorsunuz. **~ing,** kahir; ezici.
overwork [ouvəˈwəək]. Fazla çalıştırmak. **~** *veya* **~ oneself,** sıhhatini bozacak derecede çalışmak; tahammülden ziyade çalışmak. Fazla çalışma.
overwrought [ouvəˈroot]. Fazla heyecandan veya fazla çalışmaktan bitkin.
ovi- [ˈouvi] *pref.* Yumurtaya aid.
oviduct [ˈouvidʌkt]. Kuşların yumurta geçidi.
ovine [ˈouvain]. Koyun cinsinden.
oviparous [ouˈvipərəs]. Yavrusunu yumurtadan çıkaran.
ovum, *pl.* **ova** [ˈouvəm, ˈouva]. Yumurta; tohum.
ow·e [ou]. Borcu olm., borclu olmak. **~ing,** borc olarak; bakiye; tediyesi lâzım: **~ to ...,** ... yüzünden, ···den dolayı.
owl [aul]. Baykuş, puhu. **~ish,** baykuş gibi; baykuş bakışlı.
own¹ [oun] *vb.* Tasarruf etm., malik olm., sahib olm.; tanımak, kabul etm., itiraf etmek. **he ~s three houses,** üç evi var: **to ~ up** (to), itiraf etmek.
own² *a. & n.* Kendi, kendinin, kendisinki. **my ~ house,** kendi evim: **the house is my ~,** ev kendime aid: **~ brother,** öz kardeş: **to come into one's ~,** kendi malını elde etm.; lâyik olduğu mevkii almak; kendi sahasına girmek: **I do my ~ cooking,** yemeğimi kendim pişiriyorum: **to get one's ~ back,** kuyruk acısını çıkarmak; öc almak: **to hold one's ~,** mevkiini tutmak; mukavemet etm.: **he has money of his ~,** kendi parası var: **on one's ~,** kendi başına; başlı başına; yalnız başına: **I am all on my ~ today,** bugün kendi kendimeyim: **to love truth for its ~ sake,** hakikati hakikat için sevmek: **my time is my ~,** vaktimi istediğim gibi kullanabilirim.
owner [ˈounə*]. Sahib; mal sahibi; tasarruf eden. **~ship,** sahiblik, tasarruf: **'under new ~',** sahibi değişmiştir.
ox, *pl.* **oxen,** [oks, ˈoksn]. Öküz.
oxalic [okˈsalik]. **~ acid,** hâmızı hummaz.
oxid·e [ˈoksaid]. Humuz, oksid. **~ize** [ˈoksidaiz], tahammuz et(tir)mek; paslanmak: **~d copper,** oksidli bakır.
Oxonian [okˈsouniən]. Oxford üniversitesine mensub.
oxygen [ˈoksidʒen]. Oksijen.
oyster [ˈoistə*]. İstridye. ⌜**as close as an ~**⌝, çenesini bıçak açmıyor. **oyster-catcher,** poyraz kuşu.
oz. (*kıs.*) **ounce(s).**

P

P [pii]. P harfi.
pa [paa]. (*kon.*) Baba.
pabulum [ˈpabjuləm]. Gıda.
pace¹ [peis] *n.* Adım, hatve; yürüyüş, gidiş; sürat, hız. **to go the ~,** çabuk koşmak; sefahat içinde yaşamak: **the ~ is too hot for me,** ben onlarla yarış edemem: **to keep ~ with ...,** ···e adım uydurmak: **to put a horse through its ~s,** bir atı dolaştırıp göstermek: **to put s.o. through his ~s,** birini yoklamak, imtihan etm.: **to quicken one's ~,** adımlarını açmak: **to set [make] the ~,** (yarışta) hızı ayarlamakta örnek olmak.
pace² *vb.* Adımlamak, arşınlamak; bir koşucu, bisikletçi vs ile beraber yarışarak onu idman ettirmek. **to ~ up and down,** bir aşağı bir yukarı gezmek.
pace³ [ˈpeisi]. (*Lât.*) Müsaadesile; hatırı kalmasın.
pachydermatous [ˌpakiˈdəəmətəs]. Kalın derili hayvanlara aid; vurdumduymaz.
pacif·ic [pəˈsifik]. Sulhperver, barışsever; yumuşak başlı. **the Pacific,** Büyük Okyanus. **~ist** [ˈpassifist], sulh tarafdarı. **~y** [ˈpasifai], teskin etm., yatıştırmak; gönül almak.
pack¹ [pak] *vb.* (Eşyayı) bavula koymak; denk etm.; istif etm., paket yapmak, ambalaj yapmak; sıkı tıkmak; kıtık ile tıkamak. Sürü halinde toplanmak; **~ (up),** eşyaşını toplayıp sandıklarına koymak, tası tarağı toplamak; gitmeğe hazırlanmak. **~ up,** (*arg.*) vazgeçmek; kaçmak: **these things ~ easily,** bunlar kolayca paket olur: **to ~ a meeting, a jury,** *etc.*, bir meclis, bir jüri vs.de kendi tarafdarlarının ekseriyetini temin etm.: **the room is ~ed,** oda hıncahınç: **~ed like sardines,** balık istifi: **to send s.o. ~ing,** (*kon.*) birini koğmak: **to ~ together,** sıkı sıkı toplanmak.
pack² *n.* Takım; güruh; sürü; bohça, arkaçantası; semer; (*tıb.*) sargı. **a ~ of cards,** iskambil destesi: **ice ~,** (*tıb.*) buz kesesi; **wet ~,** (*tıb.*) ıslak bez: **~ of hounds,** av köpeği sürüsü: **(ice-)~,** buz birikintisi: **a ~ of lies,** yalan dolan. **pack-animal,** yük hayvanı. **pack-drill,** (*ask.*) tam techizatla yürüyüş cezası. **pack-horse,** yük beygiri. **pack-saddle,** semer.

package [ˈpakidʒ]. Bohça; paket; küçük deste.
packet [ˈpakit]. Paket; deste. **packet-boat,** yolcu ve posta gemisi.
packing [ˈpakiŋ]. Ambalaj; denk bağlama; salmastra, pakin; tıkaç. **packing-needle,** çuvaldız.
pact [pakt]. Misak; mukavele, muahede.
pad[1] [pad] *n.* Küçük yastık; (yara vs.için) pamuk yastık; tıkaç; sumen; zımbalı not defteri; istampa; tabla simidi; palan, belleme; bazı hayvanların yumuşak tabanı; parmağın yumuşak kısmı; tilki ve tavşan pençesi.
pad[2] *vb.* İçini yün, pamuk, kıtık vs. ile doldurmak; fodra etm.; yara veya kırık kemiği muhafaza etmek için ufak yastık koymak; bir yazı veya kitaba fuzuli şeyler veya haşviyat katmak. **to ~ along,** kurt veya tilki gibi sessizce koşmak. **~ding,** fodra; haşviyat.
paddle [ˈpadl]. İskarmozsuz kısa kürek, pala; vapurun yan çark tahtası, padil; su değirmeninin kanadı; su kaplumbağasının ayağı. Kanoyu kısa kürek ile yürütmek; çıplak ayaklarını suya sokup oynamak. **paddle-boat,** yandan çarklı gemi. **paddle-box,** davlumbaz. **paddle-wheel,** yan çarkı.
paddock [ˈpadək]. Ahır civarında küçük çayır.
paddy [ˈpadi]. Çeltik. **~ field,** çeltik tarlası.
padlock [ˈpadlok]. Asma kilid. Asma kilid ile kilidlemek.
padre [ˈpaadrei]. Ordu veya bahriyeye mensub papaz.
paean [ˈpiiən]. Zafer türküsü.
pagan [ˈpeigən]. Putperest; ehli kitab olmıyan; kâfir. **~ism,** putperestlik.
page[1] [peidʒ]. Sahife.
page[2]. İç oğlanı; peyk.
pageant [ˈpeidʒənt]. Debdebeli alay veya nümayiş. **~ry,** tantana, debdebe.
pagoda [pəˈgoudə]. Hindistan ve Çinde mabed kulesi.
paid [peid] *bk.* **pay** *a.* Ödenmiş; tediye edilmiş. **to put ~ to ...,** temizlemek.
pail [peil]. Gerdel; helke.
pain [pein]. Acı, sızı, ağrı; elem. **~s,** zahmet, meşakkat. *vb.* **to ~ [give ~ to],** acıtmak, ağrıtmak, incitmek, canını yakmak; kederlendirmek. **to be in ~,** acı duymak, bir yeri ağrımak: **on ~ of death,** ölüm cezasile: **it ~s me to say this,** bunu söylemek bana elem veriyor: **~s and penalties,** kanunî cezalar: **to put a wounded animal out of its ~,** yaralı bir hayvanı öldürüp eziyetten kurtarmak: **to take ~s [be at great ~s] to do stg.,** bir şeyi yapmak için çok uğraşmak: **to take ~s over stg.,** bir şeye son derece itina etmek. **~ed,** canı sıkılmış, kederlenmiş, kederli. **~ful,** acı veren; ıstırab veren; meşakkatli; cansıkıcı, müteessir edici.
painstaking [ˈpeinsteikiŋ]. İtinalı; hamarat; özene bezene.
paint [peint]. Boya; düzgün, allık vs. Boyamak; boya ile resmetmek; tarif ve tasvir etm.; düzgün vs. sürmek. **to ~ the face,** makiyaj yapmak: **he ~s,** ressamdır: **to ~ the town red,** sokaklarda cümbüş yaparak ortalığı altüst etmek. **~er**[1], nakkaş; boyacı; ressam. **~ing,** boyalı resim; nakkaşlık; ressamlık.
painter[2] [ˈpeintə*]. Kayığın çıması. **to cut the ~,** alâkayi kesmek; müstakil olmak.
pair[1] [peə*] *n.* Çift; iki aded; karı koca; eş. **carriage and ~,** iki atlı araba: **a ~ of scissors,** makas: **a ~ of steps,** üç ayaklı merdiven: **a ~ of trousers,** pantalon.
pair[2] *vb.* Çift çift tertib etm.; eşini bulmak; eş olm.; çifleş(tir)mek. **to ~ off,** ikişer ikişer ayırmak.
pal [pal]. (*kon.*) Arkadaş; kafadar. **to ~ up with,** ...le kafadar olmak.
palace [ˈpaləs]. Saray.
palaeography [ˌpaleiˈogrəfi]. Eski yazıları okuyup anlamak ilmi.
palanquin [ˈpalaŋkwin]. Tahtıravan.
palat·e [ˈpalət]. Damak. **to have a fine ~,** ağzının tadını bilmek: **to have no ~ for ...,** ...e karşı iştahı olmamak. **~able,** lezzetli; hoşa giden. **~al,** damağa aid; damak sessizi.
palatial [pəˈleiʃl]. Saray gibi, muhteşem.
palaver [pəˈleivə*]. *Bilh.* zenci veya vahşi kabilelerde müzakere; palavra; boş lakırdı.
pale[1] [peil] *n.* Kazık; (*esk.*) hudud. **beyond the ~ [outside the ~ of society],** (parya gibi) cemiyete kabul edilemez.
pale[2] *a.* Solgun, soluk; sönük; uçuk; açık (renk). *vb.* **~ [turn ~],** sapsarı kesilmek, sararmak, rengi uçmak. **the horrors of the recent war will ~ before those of the next,** gelecek harbin facialari geçen harbinkini gölgede bırakacak.
palette [ˈpalet]. Palet.
palfrey [ˈpoolfri]. (*esk.*) Binek atı (*bilh.* kadın için).
palimpsest [ˈpalimpsest]. Üzerindeki yazı silinip yeniden başka yazı yazılmış olan papirüs veya parşömen.
paling [ˈpeiliŋ]. Parmaklık; şarampol.
palisade [paliˈseid]. Ağac veya demir kazıklarla yapılmış çit; şarampol.
pall[1] [pool] *n.* Tabut örtüsü; örtü; manto; (*mec.*) örtü, perde.
pall[2] *vb.* Yavanlaşmak; tadını kaybetmek. **it never ~s on one,** insan ona hiç doyamaz.
pallet [ˈpalət]. Ot yatak.

palliat·e [ˈpalieit]. Hafifletmek; muvakkaten dindirmek. **~ive,** hafifletici (şey, ilâc vs.); muvakkat çare.
pall·id [ˈpalid]. Solgun; sönük, dönük. **~or** [ˈpalə*], solgunluk; dönüklük.
palm[1] [paam]. Hurma ağacı. **to carry off** [**bear**] **the ~,** galebe çalmak; mükâfat kazanmak. **Palm Sunday,** İsa'nın Kuduse girişinin hatırası olan Paskalyadan önceki pazar günü.
palm[2]. Avuc, aya; kefene; gemi demirinin çapası. **to ~ stg. off on s.o.,** birine (yapma veya değersiz) bir şeyi yutturmak: **to ~ a card,** kâğıd oyununda elçabukluğu ile bir kâğıd elde etmek veya saklamak: **to grease the ~,** rüşvet vermek. **~ist,** el falcısı. **~istry,** el falı. **palm-oil,** hurma yağı; rüşvet.
palmy [ˈpaami]. **~ days,** (geçmişteki) mesud ve müreffeh günler.
palpable [ˈpalpəbl]. Elle dokunulabilir; meydanda; belli.
palpitat·e [ˈpalpiteit]. Titremek; (yürek) oynamak. **~ion** [–ˈteiʃn], yürek oynaması, çarpıntı; hafakan.
pals·y [ˈpoolzi]. İnme; sallabaşlık; sarsaklık. **~ied,** sarsak; inmeli.
palter [ˈpooltə*]. Hileli hareket etm., savsaklamak; şaka etm., ciddiye almamak. **now, no ~ing!,** leytelealle istemez!
paltry [ˈpooltri]. Miskin, değersiz, bayağı.
pampas [ˈpampəs]. Cenubî Amerikada geniş ağaçsız fakat otlu ovalar, pampa. **~-grass,** bu ovalarda yetişen çok yüksek ot.
pamper [ˈpampə*]. Naz ve nimet içinde büyütmek; şımartmak.
pamphlet [ˈpamflit]. Risale. **~eer** [–ˈtiə*], risale muharriri; hicviyeci.
pan[1] [pan] *n.* Yassı kab; çanak, güveç; leğen; tava; toprakta yassı bir çukur; eski tüfeklerde ağızotu tavası; terazi gözü. **hard ~,** toprak altında sert bir tabaka: ⌜**a flash in the ~**⌝, kısa süren gayret veya teşebbüs; neticesiz bir hamle.
pan[2] *vb.* Altınlı toprak veya çakılı demir tavada yıkayıp altını ayırmak. **to ~ out,** yıkayıştan bir mikdar altın çıkmak; neticelenmek: **it didn't ~ out as we expected,** umduğumuz gibi çıkmadı.
Pan[2]. Eski Yunanlıların kır ilâhi; tabiat. **pan-pipe,** miskal, musikar.
pan- *pref.* Tam ..., hep ....
panacea [panaˈsiiə]. Her derde deva; devayi kül.
pancake [ˈpankeik]. Gözleme; lâlanga. (Uçak) ufkî vaziyette yere şiddetle çarpmak: **as flat as a ~,** yamyassı.
pancreas [ˈpaŋkrias]. Pankreas.
pandemonium [ˈpandiˈmouniəm]. Bütün şeytanların toplandığı yer; velvele, hengâme, harrengürra. **~ broke out,** kıyamet koptu.
pander [ˈpandə*]. Pezevenk, kaltaban. Pezevenklik etmek. **to ~ to s.o.,** birisine yüz vermek: **to ~ to some vice,** bir kötülüğü teşvik etmek veya hoş görmek.
pane [pein]. Pencere camının bir tek parçası.
panegyric [paniˈdʒirik]. Medhiye, menkibe; kaside.
panel [ˈpanəl]. (Kapı) ayna; kaplama tahtası; levha, kitabe; Yağlı boya resim için kullanılan ince tahta; memur vs. listesi. Tahta kaplama ile kaplamak. **~ling,** tahta kaplama.
pang [paŋ]. Âni ve şiddetli sancı; ıstırab. **the ~s of death,** ölüm ihtilâcları: **the ~s of remorse,** vicdan azabı.
panic [ˈpanik]. Ansızın ve yersiz telaş ve korku; dehşet, ürküntü; panik. Ansızın ve çok defa esassız bir telaşa düşmek. **~ky,** kolayca telaşa düşen; telaş verici.
panicle [ˈpanikl]. Yulaf ve darı gibi olan başak.
panjandrum [panˈdʒandrʌm]. *Şatafatlı bir rütbe ve memuriyet ifade eden uydurma bir unvan, bilh.* **the Great ~.**
pannier [ˈpaniə*]. Yük hayvanının her iki tarafında taşınan küfelerin biri; küfe.
pannikin [ˈpanikin]. Tenekeden yapılan ufak bir kab.
panoply [ˈpanopli]. Tam takım zırh ve silâh. **in full ~,** tamamen mücehhez.
panorama [panoˈraamə]. Geniş manzara.
pansy [ˈpanzi]. Hercai menekşe.
pant [pant]. Sık sık nefes almak, solumak; çok arzu etmek. **to ~ for breath,** nefes nefese olm.: **to ~ for** [**after**] **stg.,** şiddetle arzu etmek.
pantechnicon [panˈteknikən]. Ev eşyası taşımağa mahsus büyük araba.
pantheism [ˈpanθi·izm]. Vahdeti vücud felsefesi; panteizm.
panther [ˈpanθə*]. Pars.
pantomime [ˈpantoumaim]. (*esk.*) Pandomima, sessiz tiyatro; (*şim.*) bir peri masalına dayanan piyes.
pantry [ˈpantri]. Sofra takımının muhafaza edildiği ve yıkandığı oda.
pants [pants]. Don; pantalon.
pap [pap]. Meme; sulu gıda; lâpa.
papa [pəˈpaa]. Baba.
papa·cy [ˈpeipəsi]. Papalık; papalık idaresi ve hükümeti. **~l** [ˈpeipl], Papaya aid.
paper [ˈpeipə*]. Kâğıd; gazete; imtihan sualleri; (bir kongre vs. için yazılan) tedkik, etüd. Kâğıddan yapılmış. Kâğıd ile kaplamak. **~s,** evrak; hüviyet cüzdanı; gemi evrakı. **brown ~,** paket kâğıdı: **to**

put to [down on] ~, yazmak: ~ profits, kâğıd üzerine (nazarî) kâr: to read a ~, gazete okumak; konferans vermek: to send in one's ~s, istifa etm.: to set a ~, imtihan sualleri hazırlamak. **paper-chase,** bir atlı yahud koşucunun etrafına kâğıdlar atarak koğalıyacak kimselere iz göstermesi şeklinde bir yarış. **paper-hanger,** duvar kâğıdcısı. **paper-knife,** kâğıd bıçağı. **paper-mill,** kâğıd fabrikası. **paper-weight,** prespapye.

papier mâché [ˈpapjəˈmaʃe]. Kartonpat.

papist [ˈpeipist]. Katolik.

papyrus, *pl.* **-ri** [pəˈpairəs, -rai]. Papirüs.

par [paa*]. Müsavilik; başabaş olma. to be on a ~ with, ···e müsavi olm., aynı şey olm.; ···le aynı seviyede olm.: at ~, başabaş: above ~, başabaştan yukarı: below ~, başabaştan aşağı: to feel below ~, bir az keyifsiz olmak.

par. (*kis.*) paragraph.

parable [ˈparəbl]. Bir hisse çıkarmak veya manevî bir hakikati göstermek için anlatılan hikâye. to speak in ~s, kinayeli konuşmak.

parabola [pəˈrabola]. Kat'ı mükâfi.

parachut·e [ˈparəʃuut]. Paraşüt. **~ist** [–ˈʃuutist], paraşütçü.

parade [pəˈreid]. Nümayiş, gösteriş; merasim; talim; teftiş nizamı; piyasa yeri. Gösteriş yapmak; teşhir etm.; (askeri) ictimaa çağırmak; (asker) ictimaa çıkmak.

paradise [ˈparədais]. Cennet: bird of ~, cennet kuşu: an earthly ~, yeryüzü cenneti: to live in a fool's ~, hakikatten gafil olarak yalancı veya geçici bir saadet içinde yaşamak.

paradox [ˈparədoks]. Görünüşte mantıksız ve mütenakız fakat çok defa hakikate uygun bir söz, paradoks. **~ical** [–ˈdoksikl], paradoks kabilinden.

paraffin [ˈparəfiin]. Gaz, petrol. liquid ~, mayi halinde vazelin: ~ wax, parafin.

paragon [ˈparəgən]. Fazilet veya mükemmellik örneği; kusursuz şey veya şahıs.

paragraph [ˈparəgraaf]. Satırbaşı, paragraf; küçük fıkra. Bir yazıyı paragraflara ayırmak; bir şey veya şahıs hakkında küçük bir fıkrayı yazmak.

parakeet [ˈparəkiit]. Bir nevi küçük papağan.

parallax [ˈparəlaks]. İhtilâfı manzar.

parallel [ˈparəlel]. Muvazi; mütevazi; musalih. Muvazi hat; paralel; haritadaki arz dairelerinden biri; mukayese. Muvazi olm., benzemek; mukayese etmek. to draw a ~ between two things, iki şeyi mukayese etm., aralarında muvazat kurmak: without ~, emsalsiz; hiç görülmemiş. **~ogram** [–ˈleləgram], mütevaziyüladla.

paraly·se [ˈparəlaiz]. Felce uğratmak, kötürüm etmek. to be ~d with fear, korkudan donakalmak. **~sis** [pəˈralisis], inme; felc. **~tic** [–ˈlitik], inmeli, mefluc, kötürüm: to have a ~ stroke, felc gelmek, inme inmek.

paramount [ˈparəmaunt]. Üstün; faik; en mühim.

paramour [ˈparəmuə*]. Gayrı meşru sevgili; metres.

paranoia [parəˈnoijə]. Deliliğe varan megalomani.

parapet [ˈparəpit]. Korkuluk; barbata; istihkâm siperi.

paraphernalia [ˌparəfəˈneiljə]. Her hangi techizat takım; cihaz; öteberi, takım taklavat.

paraphrase [ˈparəfreiz]. Bir yazının manasını, daha açık olarak, başka kelimelerle ifade etme(k).

parasit·e [ˈparəsait]. Başkasının sırtından geçinen, tufeyli; parazit. **~ic** [–ˈsitik], tufeyli halinde olan; başka hayvan veya nebatın üstünde yaşıyan.

parasol [ˈparəsol]. Şemsiye.

paravane [ˈparəvein]. Maynları bir gemi yanlarından savmağa mahsus bir âlet, paravan.

parboil [ˈpaaboil]. Yarı kaynatmak.

parcel [ˈpaasl]. Paket; takım, yığın. Baderna etm.; ~ out, hisse hisse ayırmak; ifraz etmek. part and ~ of, ···le hallihamur olan.

parch [paatʃ]. Kavurup kurutmak. to be ~ed with thirst, susuzluktan yanmak.

parchment [ˈpaatʃmənt]. Tirşe, parşömen.

pardon [ˈpaadn]. Af; suçun bagışlanması. Affetmek; suçunu bagışlamak. ~!, I beg your ~!, affedersiniz!; efendim? ~ me!, affedersiniz!; bakmayın!; ama! ama! **~able,** affedilebilir; mazur görülebilir.

pare [peə*]. Yontmak; kabuğunu soymak; ayıklamak; kenarını kısmak.

parent [ˈpeərənt]. Baba veya anne. Ana; esaslı. **~s,** ebeveyn, ana baba. **~age** [–tidʒ], nesil, soy. **~al** [pəˈrentl], ebeveyne aid. **~hood,** babalık *veya* analık.

parenthe·sis, *pl.* **-ses** [pəˈrenθəsis, –siiz]. Parantez; kere; istitrad. **~tic** [–ˈθetik], istitrad kabilinden. **~tically,** istitraden.

pariah [ˈpeəria]. Parya. **~-dog,** sokak köpeği.

parietal [pəˈraiətl]. Cidarî.

paring [ˈpeəriŋ]. (*um.*) **~s,** Kırpıntı; döküntü.

pari passu [ˈpeəraiˈpassju]. (*Lât.*) Müsavi adımla; aynı zamanda ve aynı sür'atle.

parish [ˈpariʃ]. Bir papazın dinî bölgesi; mahalle. to go on the ~, mahalle tarafından beslenmek: the whole ~, bütün mahalle. ~**ioner** [pəˈriʃənə*], bir papazın dinî bölgesinde oturan kimse.

parity [ˈpeəriti]. Tam müsavilik; başa baş olma; benzerlik.

park [paak]. Etrafı çevreli ağaclık geniş yer, koru, park; mühimmat, top, cebhane arabaları vs.nin toplu bulunduğu yer; topçu karargâhı. Top vs.yi bir yere toplayıp bırakmak. **car** ~, otomobillerin muvakkaten bırakıldığı yer: **public** ~, park: **to** ~ **a car in a street,** otomobili muvakkaten bir sokakta bırakmak: **'no** ~**ing here',** buraya otomobil bırakılmaz.

parlance [ˈpaaləns]. Konuşma tarzı. **in common** ~, konuşma dilinde [dil ile]: **in legal** ~, hukuk lisanında.

parley [ˈpaali]. Müzakere, *bilh.* sulh, teslim veya mütareke hakkında müzakere. Müzakereye girmek.

parliament [ˈpaaləmənt]. Parlamento; millet meclisi. **the Houses of** ~, Londrada parlamento sarayı: **both houses of** ~, ingiliz parlamentosunun Avam ve Lordlar kamaraları. ~**arian,** parlamento âzası. ~**ary,** parlamentoya aid; (söz) terbiyeli.

parlour [ˈpaalə*]. Küçük salon, oturma odası. **bar** ~, bir birahanenin arka odası: ~ **games,** toplantılara mahsus eğlenceli oyunlar: ~ **tricks,** bir toplantıya gelenleri eğlendirici marifetler. ~**maid,** sofra hizmetçisi kadın, sofracı.

parlous [ˈpaaləs]. Tehlikeli; korkutucu, telâş verici.

Parmesan [paaməˈzan]. ~ **cheese,** Parma peyniri.

parochial [pəˈroukjəl]. **Parish** veya mahalleye aid; mahallî; darkafalı, mahdud.

parody [ˈparədi]. Ciddi bir eserin gülünç bir şekilde taklidi. Bu tarzda taklid etm.; birinin üslûbunu taklid etmek. **a mere** ~ **of a poet,** şair bozuntusu.

parole [pəˈroul]. Bir mahbus veya esirin kaçmıyacağı hakkında verdiği söz. **to be on** ~, böyle namus üzerine verilen sözle serbest bırakılmak.

paroxysm [ˈparoksizm]. Âni ve şiddetli nöbet; akse.

parquet [ˈpaakei]. Oda zeminine döşenen ensiz tahta; parke.

parricide [ˈparisaid]. Anasını, babasını veya yakın akrabasını öldürme: ana baba kaatili; vatan haini.

parrot [ˈparət]. Papağan.

parry [ˈpari]. Darbeyi çelme(k), defetme(k), savuşturma(k). **to** ~ **a question,** sıkıcı bir suali baştan savma bir cevab veya mukabil bir sual ile atlatmak.

parse [paaz]. Bir kelime veya bir cümleyi gramer kaidesine göre tahlil etmek.

Parsee [paaˈsii]. Parsî; zerdüştî.

parsimon·y [ˈpaasimoni]. Nekeslik, cimrilik. ~**ious** [–ˈmounjəs], ifrat derecede tutumlu; nekes, cimri.

parsley [ˈpaasli]. Maydonoz.

parsnip [ˈpaasnip]. Yabani havuc. ⌜**fine words butter no** ~**s**⌝, ⌜lâfla peynir gemisi yürümez⌝.

parson [ˈpaasn]. İngiliz papazı. ~**'s nose,** pişmiş tavuğun kıçı. ~**age,** papaz evi.

part[1] [paat] *n.* Kısım; parça; cüzü; fasıl; hisse; rol; taraf, cihet. *adv.* Kısmen. **for my** ~, bence, bana kalırsa: **in** ~, kısmen, bazı cihetle: **in** ~**s,** bazan, bazı yerlerde; kısım kısım: **in these** ~**s,** bu taraflarda, bu memlekette: **he looks the** ~, tam işinin adamı görünüyor. **for the most** ~, ekseriya: **I had no** ~ **in it,** ben dahil değildim; ben işin içinde yoktum: **on the one** ~ ... **and on the other** ~, bir taraftan ..., öbür taraftan da ...: **on the** ~ **of s.o.,** birisinin tarafından: **a man of** ~**s,** meharetli, hünerli, değerli bir adam: **orchestral** ~**s,** bir musiki parçasında muhtelif âletleri çalanlara düşen kısımlar: **to play a** ~, rol oynamak: **to play the** ~ **of,** ... süsü vermek: ~**s of speech,** kelime aksamı: **to take** ~ **in,** ···de iştirak etm.; ···e dahil olm.: **to take the** ~ **of,** (i) ···süsü vermek; (ii) iltizam etm., tarafdarı olm.: **to take stg. in good** [**bad**] ~, bir şeyi iyi [fena] karşılamak, telâkki etmek. **part-owner,** tasarruf ortağı; mal ortağı. **part-song,** en az üç kişi tarafından çalgısız okunan şarkı. **part-time, a** ~ **job,** günün bütün iş saatlerini doldurmıyan vazife.

part[2] *vb.* Ayırmak; tefrik etm.; kırmak. Ayrılmak; kırılmak. **to** ~ **with stg.,** vermek, terketmek, vazgeçmek: **to** ~ **company with s.o.,** birisinden ayrılmak: ⌜**the best of friends must** ~⌝, hiç bir şey ebedî değildir; ayrılık mukadderdır.

partake (**-took, -taken**) [paaˈteik, -tuk, -teikn]. ~ **of** [**in**], İştirak etm., dahil olmak. **to** ~ **of a meal,** yemek yemek.

Parthian [ˈpaaθiən]. **a** ~ **shot** [**shaft**], Eski Partların kaçarken attıkları oklar gibi ayrılırken söylenen dokunaklı söz.

partial [ˈpaaʃl]. Kısmî; umumî; olmıyan; insafsızca tarafgir. **to be** ~ **to stg.,** bir şeye düşkün olm., inhimaki olm.; hoşlanmak. ~**ity** [–ˈaliti], tarafgirlik; beğenme, rağbet.

participa·nt [paaˈtisipənt]. İştirak eden. ~**te, to** ~ **in stg.,** bir şeye dahil olm., iştirak etm., ortak olmak.

participle [ˈpaatisipl]. *Fiilin tasrifiile yapılan sıfat.*

particle [ˈpaatikl]. Küçük parça, cüzü, zerre; (*gram.*) edat, ek.

parti-coloured [ˈpaatiˈkʌləd]. Karışık renkli; alaca.

particular[1] [pəˈtikjulə*] *a.* Mahsus; has; hususî, umumî değil, şahsî; muayyen; tek; pek dikkatli; ince eleyip sık dokunan; titiz, müşkülpesend. **in ~,** bilhassa: **to be ~ about one's food,** yemek seçmek: **to be ~ about one's dress,** giyinmesine çok itina etm., giyim hususunda titiz olm.: **I like his pictures but I don't like this ~ one,** onun resimlerini seviyorum, hoşuma gitmiyen yalnız bu: **I like all his pictures but I am ~ly fond of this one,** bütün resimlerini seviyorum fakat bilhassa bundan hoşlanıyorum.

particular[2] *n.* Tafsilatın biri; nokta; husus. **~s,** tafsilat. **alike in every ~,** her hususta aynı: **in this ~ he is superior to his brother,** bu hususta kardeşine üstündür. **~ity** [–ˈlariti], hususiyet; müşkülpesendlik. **~ize** [paaˈtikjuləraiz], tayin ve tahsis etm.; birer birer veya bilhassa zikretmek.

parting [ˈpaatiŋ] *n.* Ayrılma; veda; saç elifi (ayrımı). *a.* Taksim edici; ayrılırken yapılan. **a ~ kiss,** ayrılık busesi: **a ~ shot,** ayrılırken söylenen dokunaklı söz: **~ tool,** (torna) keski kalem: **to be at the ~ of the ways,** dört yol ağzında olmak.

partisan [paatiˈzan]. Tarafgir; bitaraf olmıyan; partiye mensub. **~ship,** tarafgirlik.

partition [paaˈtiʃn]. Bölme; bölme duvar; taksim etme, bölüştürme. Bölmek; taksim etm.; paylaşmak. **to ~ off,** bölmelere ayırmak.

partly [ˈpaatli]. Kısmen.

partner [ˈpaatnə*]. Ortak, şerik; dans arkadaşı (dam, kavalye). Ortak olm.; ortak olarak vermek. **sleeping ~,** komanditer. **~ship,** ortaklık: **to go [enter] into ~ with s.o.,** birine ortak olm.: **to take s.o. into ~,** birini ortaklığa almak.

partridge [ˈpaatridʒ]. (*Perdix*) Çil: **red-legged ~** (*Alectoris rufa*) keklik.

parturition [paatjuˈriʃn]. Doğurma.

party [ˈpaati]. Fırka, parti, hizib; cemiyet; zümre, grup; takım, ekip; (bir kontrat vs.de) taraf; garden parti vs. gibi toplantı, davet; şahıs, zat. **~ dress,** bir davete gitmek için elbise: **dinner ~,** ziyafet: **evening ~,** suvare: **firing ~,** kurşuna dizen müfreze; bir cenaze vs.de havaya ateş eden müfreze: **rescue ~,** kurtarma ekip: **third ~,** üçüncü şahıs: **to be a ~ to a crime,** bir cinayete iştirak etm.: **I will be no ~ to such a step,** ben böyle bir tesebbüşe iştirak edemem: **to give a ~,** dans, ziyafet vs. için davet etm.: **will you join our ~?,** bizimle beraber gelecek [gelir] misiniz?: **he was one of the ~,** o da grupa dahildi, o da onlardan biri idi: **a ~ of the name of Smith,** S. adında birisi: **a funny old ~,** antika bir ihtiyar: **~ spirit,** fırkacılık zihniyeti. **party-wall,** ara duvarı.

parvenue [ˈpaavənju]. Sonradan görme; zıpçıktı.

paschal [ˈpaskəl]. Paskalyaya aid.

pasha [ˈpaaʃa]. Paşa.

pass[1] [paas] *n.* Geçid; iki dağ arası. **to hold the ~,** en mühim mevkii müdafaa etm.; dayanmak: **to sell the ~,** ihanet etmek.

pass[2] *n.* Paso; yol tezkeresi; hal, vaziyet; imtihanda geçme, geçecek derece; (futbol) pas. **to come to ~,** vukubulmak: **things have come to a pretty ~,** işler şimdi tam benzedi [karıştı]: **things have come to such a ~ that ...,** işler öyle bir vaziyete girdi ki: **conjuror's ~,** hokkabazın bir elçabukluğu: **free ~,** (tren, tiyatro vs. için) paso. **pass-book,** (banka) hesab cüzdanı.

pass[3] *vb.* Geçmek, aşmak; tecavüz etm.; tasdik etm., kabul etm.; geçirmek; addedilmek, sayılmak; rayic olm.; pas vermek. **~ friend (all's well),** (parola soran nöbetçinin cevabı) geç!: **he ~es for a great writer,** büyük bir müharrir sayılır: **to ~ a law,** bir kanunu kabul etm.: **to let s.o. ~,** birini geçirmek, ···e yol vermek: **let me say in ~ing,** istitraden söyleyim ki: **to ~ a motion,** (i) bir teklifi kabul etm.; (ii) defi hacet etm.: **that won't ~!,** bu olmaz [makbul degil]! **pass away,** ölmek; tarihe karışmak. **pass by,** önünden veya yanından geçmek; atlamak. **pass off, the pain has ~ed off,** ağrı geçti: **everything ~ed off without a hitch,** her şey ârızasız geçti: **to ~ oneself off for ...,** taslamak; kendine ... süsü vermek: **to ~ off a false coin on s.o.,** birine sahte para sürmek: **to ~ stg. off as a joke,** bir şeyi şakaya vurmak. **pass on,** geçip gitmek; geçip devam etm.: **read this and ~ it on!,** bunu okuduktan sonra başkalarına veriniz [dolaştırınız]. **pass out,** dışarıya çıkmak; bayılmak; ölmek; dışarıya geçirmek. **pass over,** öbür tarafa geçmek; aşmak; geçirmek; aldırmamak, göz yummak; geçiştirmek: **to ~ over to the enemy,** düşmana iltihak etmek. **pass round,** etrafını dolaşmak; dolaşmak; dolaştırmak.

passable [ˈpaasəbl]. Şöyle böyle, zararsız; oldukça iyi; geçilir.

passage [ˈpasidʒ]. Geçme; geçid; koridor; (bir kitabda) parça. **a ~ of arms,** sert sözler teatisi: **to have a good [bad] ~,** deniz yolculuğu iyi geçmek [geçmemek]: **bird of ~,** göçücü kuş, muhacir kuş: **to work one's ~,** gemide çalışarak yol ücretini ödemek; bir şeyi hak etmek için çalışmak.

passenger [ˈpasindʒə*]. Yolcu.

passer-by, *pl.* **-ers-by** [ˈpaasəˈbai]. Tasadüfen geçen kimse. **the -s-by,** gelip geçenler.
passim [ˈpasim]. Ötesinde berisinde; her yerinde.
passing [ˈpaasiŋ]. Geçen; geçici; fani. Pek çok, son derece. **~ events,** olupbitenler; günün meselesi: **he made a ~ remark,** tesadüfen bir mutalaa ileri sürdü. **passing-bell,** matem çanı.
passion [ˈpaʃn]. İhtiras; aşk; şiddetli istek, ibtilâ; öfke, hiddet. **to be in a ~,** şiddetle öfkelenmek: **a fit of ~,** hiddet galeyanı: **to have a ~ for s.o.,** birine vurgun olm.: **to have a ~ for stg.,** bir şeye son derece düşkün olm.: **ruling ~,** bir kimsenin en büyük merakı: **the Passion,** İsa'nin ıstırabı. **passion-flower,** çarkıfelek. **~ate,** heyecanlı, ateşli, ihtiraslı; çabuk öfkelenen.
passiv·e [ˈpasiv]. Muti; mukavemet etmiyen, itiraz etmiyen; pasif; (kimya) münfail; (*gram.*) meful; mechul fiil. **to take up a ~ attitude,** pasif davranmak. **~ity** [–ˈsiviti], mukavemetsizlik; hareketsizlik; mutavaat.
passover [ˈpaasovə*]. Yahudilerin hamursuz bayramı.
passport [ˈpaaspoot]. Pasaport.
password [ˈpaaswəəd]. Parola.
past [paast]. Geçmiş, sabık, geçmiş zamana aid; öbür tarafa, geçerek; sonra; öbür tarafına. **the ~,** gecmiş, mazi; mazi sıygası: **in the ~,** eskiden; şimdiye kadar: **for some time ~,** bir müddettenberi: **he walked ~ the house,** evinin önünden yürüyerek geçti: **ten minutes ~ two,** ikiyi on geçe: **he is ~ seventy,** yetmişini geçmiştir: **~ all understanding,** insanın aklı almıyan: **~ endurance,** tahammül edilmez: **~ (one's) work,** amelmanda: **to be ~ caring for stg. or s.o.,** (bir dereceden sonra) artık vızgelmek; aldırmamak: **a thing of the ~,** geçmiş zamana aid, tarihe karışmış: **a town with a ~,** tarihî bir şehir: **a woman with a ~,** mazide maceraları olan kadın. **past-master,** maharet sahibi, usta.
paste [peist]. Hamur; macun; çiriş; kıbrıstaşı.
pasteboard [ˈpeistbood]. Mukavva.
pastern [ˈpastəən]. Atın bileği (köstek yeri), bukağılık.
pasteurize [ˈpastəraiz]. Pastörize etm.; mikroblarını gidermek.
pastime [ˈpastaim]. Eğlence, oyun.
pastor [ˈpaastə*]. Papaz; mürşid.
pastoral [ˈpaastərəl]. Çobanlara aid; kırlara ve köylere aid; papazlara *bilh.* piskoposlara aid; otlamağa mahsus. Köylü hayatına dair şiir, çoban şiiri. **~ people [tribe],** hayvancılıkla yaşıyan halk.
pastry [ˈpeistri]. Hamur işi; pasta. **pastry-cook,** pastacı; hamur işi aşçısı.
pastur·age [ˈpaastjuridʒ]. Otlak, mera; otlatma. **~e** [–tʃə*], otlak, çayır. Otla(t)-mak.
pasty[1] [ˈpeisti] *a.* Hamur gibi; yapışkan. **pasty-faced,** uçuk benizli.
pasty[2] [ˈpaasti] *n.* Mantı.
pat[1] [pat]. (*ech.*) El ile çabuk ve hafif vuruş. El ile pek hafifçe vurmak; okşamak. **a ~ on the back,** sırtını okşama: **to ~ s.o. on the back,** teşvik veya tebrik etmek veya cesaret vermek için birinin sırtını okşamak: **to ~ oneself on the back,** kendi yaptığı bir şeyi beğenmek.
pat[2]. Tamamile uygun; tam zamanında; hiç tereddüd etmeden.
patch [patʃ]. Yama; küçük arazi parçası; yara üzerine yapıştırılan veya ağrılı göze örtülen bez parçası. Yamamak. **a ~ of blue sky,** bulutlar arasında bir parça mavi gök: **cabbage [potato] ~,** lahana [patates] tarhı: **not to be a ~ on s.o.,** birinin eline su dökememek: **to strike a bad ~,** talihi muvakkaten ters gitmek. **patch up,** kabaca tamir etmek veya yamamak: **to ~ things up, to ~ up a quarrel,** barışmak: **a patched-up peace,** derme çatma bir sulh.
patchwork [ˈpatʃwəək]. Muhtelif renk ve büyüklükte parçalardan dikilmiş şey. **a ~ of fields,** küçük ve muhtelif manzaralı parçalardan mürekkeb arazi.
patchy [ˈpatʃi]. Muntazam olmıyan. **his work is ~,** yaptığı iş kısmen iyi kısmen fenadır.
pate [peit]. Kelle, kafa.
patent[1] [ˈpeitənt]. İhtira beratı; icad. Beratlı, patentalı; icadkâr, hünerli. Patenta almak. **~ leather,** rugan. **~ee** [–ˈtii], berat sahibi; patenta alan.
patent[2] *a.* Aşikâr, besbelli.
pater [ˈpeitə*]. **the ~,** babam. **~familias** [–fəˈmilias], ev bark sahibi.
patern·al [pəˈtəənl]. Babaya aid; babaca; pederane. **~ity,** babalık: **of doubtful ~,** babası şübheli.
paternoster [ˈpatənostə*]. Hazreti İsa'ya aid lâtince meşhur bir dua: tesbih; kancalı kısa iplerle bağlı ve ucu kurşunlu balık oltası.
path [paaθ]. İnce yol, patika, keçi yolu: (yıldız) mahrek; meslek. **to leave the beaten ~,** herkesin takib ettiği yoldan ayrılmak (ve başka bir çığır açmak): **to cross s.o.'s ~,** birinin önüne çıkmak; birinin arzusuna karşı gelmek. **path-finder,** çığır açan kimse. **~less,** yolsuz, geçilmez.
pathetic [pəˈθetik]. Acıklı, acınacak, dokunaklı.

patholog·ical [ˌpaθəˈlodʒikl]. Hastalığa aid, marazî. **~ist** [–ˈθolədʒist], hastalıklar ilmi mutehassısı. **~y,** hastalıklar ilmi.
pathos [ˈpeiθos]. Dokunaklı ve keder verici hassa.
pathway [ˈpaaθwei]. İnce yol, patika.
patien·ce [ˈpeiʃəns]. Sabır; tahammül; yalnız oynanan iskambil oyunu. **to have ~ with s.o.,** birine karşı sabırlı davranmak: **to possess one's soul in ~,** sabretmek: **to try [tax] s.o.'s ~,** birini sabrını tüketmek. **~t** [ˈpeiʃnt], sabırlı; mütehammil: hasta: **a doctor's ~s,** bir doktorun müşterileri.
patina [ˈpatinə]. Eski bronz eşya üzerinde hasıl olan yeşil pas.
patriarch [ˈpeitriaak]. İbrahim, İshak ve Yakub gibi ilk resüllerin biri; Ortodoks kilisesinin piskoposu, patrik; aile veya kabile reisi; muhterem ihtiyar, pir. **~al** [–ˈaakl], patriklere aid; pederşahi; yaşlı ve muhterem. **~ate,** patriklik. **~y** [ˈpeitriaaki], pederşahilik.
patrician [pəˈtriʃn]. Asilzade; aristokrat.
patrimony [ˈpatriməni]. Baba veya ecdaddan kalma miras; kilise vakfı.
patriot [ˈpatriət]. Vatanperver; yurdsever. **~ic** [–ˈotik], vatanperver(ane). **~ism** [ˈpatriətizm], vatanperverlik; hamiyet.
patrol [pəˈtroul]. Devriye; kol. Devriye gezmek, kola çıkmak; etrafını dolaşmak.
patron [ˈpeitrən]. Velinimet; hâmi, müzahir; gedikli, müşteri. **~ saint,** koruyucu aziz. **~age** [ˈpatrənidʒ], himaye, müzaheret; müşterilik; hâmi sıfatı takınma. **~ize** [ˈpatrənaiz], himaye etm., müzaheret etm.; bir dûkkân veya sinema vs.nin müşteri veya gediklisi olm.; hâmi sıfatı takınmak: **a ~ing air,** yukarıdan alma, himayekâr bir eda.
patronymic [patroˈnimik]. Aile adı, soyadı; lâkab.
patten [ˈpatn]. Nalın.
pattern [ˈpatəən]. Nümune; model, örnek; mostra; döküm kalıbı; şablon; resim; (çifte) hedefi sarma kabiliyeti.
patty [ˈpati]. Bir nevi börek; mantı.
paucity [ˈpoositi]. Azlık, kıtlık.
paunch [poontʃ]. İşkembe, karın; iri göbek.
pauper [ˈpoopə*]. Fakir, yoksul adam. **~ism,** yoksulluk. **~ize,** yoksul düşürmek; rasgele sadaka vererek dilenciliğe teşvik etmek.
pause [pooz]. Müvakkaten durma; duraklama; durak; vakfe, mola, fasıla; (*mus.*) uzatma işareti. Duraklamak; tereddüd etmek. **to make s.o. ~,** birini düşündürmek, tereddüde sevketmek.
pave [peiv]. Kaldırım döşemek. **to ~ the way for s.o.,** birinin işini kolaylaştırmak, yolunu açmak. **~ment,** kaldırım.
pavilion [pəˈviljən]. Büyük sivri çadır; tente; süslü hafif yapı; pavyon.
paving [ˈpeiviŋ]. Taş döşeme. **paving-stone,** kaldırım taşı, parke taşı.
paviour [ˈpeivjə*]. Kaldırımcı.
paw [poo]. Pençe; (*arg.*) el. (At) yeri deşmek; eşelemek; (*arg.*) ellemek.
pawky [ˈpooki]. Nükteye bürünerek iğneli dokunaklı sözler söyliyen.
pawl [pool]. Kastanyola; dişli çark mandalı.
pawn[1] [poon]. (Satrancda) paytak. **to be s.o.'s ~,** birinin aleti olm.: **to be a mere ~ in the game,** bir işte ehemmiyetsiz bir alet olmak.
pawn[2]. Rehin. Rehne koymak. **in ~,** rehin olarak verilmiş: **to put in ~,** rehne koymak: **to take out of ~,** rehinden çıkarmak. **~broker,** rehinci. **~ticket,** rehin makbuzu.
pax [paks]. **~!,** tövbe!
pay[1] [pei] *n.* Maaş; ücret; aylık. **to be in s.o.'s ~,** birisinden ücret almak; birinin hizmetinde olmak. **pay-book,** askerin maaş cüzdanı ki aynı zamanda bir nevi hizmet dosyası vazifesini de görür.
pay[2] *vb.* **(paid** [peid]**).** Ödemek, tediye etm.; borcunu vermek; kârlı olm.; arzetmek, göstermek; etmek. **to ~ attention,** dikkat etm.: **to ~ no attention,** boş vermek, aldırmamak: **it will ~ for itself,** masrafını çıkarır: **the business does not ~,** bu iş kâr getirmez: **to ~ s.o. to do stg.,** birine para ile bir şeyi yaptırmak: **it will ~ you to do this,** bunu yapmakta faydanız var: **to ~ money into a bank,** bankaya para yatırmak: **to ~ respect to s.o.,** birine hürmet göstermek: **to ~ one's respects,** saygılarını sunmak: **to ~ one's way,** normal bir hayat yaşıyacak kadar kazanmak. **pay away,** sarfetmek, harcetmek. **pay back,** geri vermek, ödemek; karşılığını vermek: **to ~ s.o. back,** (i) birinden alınan parayı iade etmek; (ii) birinden acısını çıkarmak. **pay down,** peşin vermek. **pay for,** ... için para vermek: **to ~ for a mistake,** *etc.*, bir hata vs.nin cezasını çekmek: **I'll make you ~ for this,** ben bunun acısını senden çıkarırım. **pay in,** tediye etm., para yatırmak: **to ~ in a cheque,** bankaya çek yatırmak. **pay off,** (borc, hesab) tediye etm., temizlemek, ödemek: **to ~ off a servant,** hizmetçiye ücretini verip yol vermek: **to ~ off a ship [ship's company],** bir sefer sonunda ticaret gemisi tayfalarına ücretlerini verip yol vermek; harb gemisinin tayfasına gelecek sefere kadar izin vermek. **pay out,** harcetmek; **(rope),** halatı kaloma etm.: **I'll ~ you out for that,** ben bunun acısını senden çıkarırım: **I'll ~ him out for that,** onun da

benden alacağı olsun! **pay up,** borcunu ödemek: ~ **up!,** parayı ver bakalım!

payable [ˈpeiəbl]. Ödenmesi lâzım olan. **accounts** ~, pasif borclar: ~ **at sight,** görüldüğünde [**on demand,** ibrazında; **to bearer,** hâmiline; **to order,** emre] ödenecek.

payee [peiˈii]. Alıcı; kendisine para verilen kimse.

paying [ˈpei·iŋ]. Ödeme; tediye. **a** ~ **concern,** kârlı bir iş: ~ **guest,** hususî bir evde pansiyoner.

paymaster [ˈpeimaastə*]. (Ordu) mutemed; (bahriye) levazım memuru. ~ **General,** İngiltere de muhasebe işlerine bakan devlet dairesinin başı.

payment [ˈpeimənt]. Tediye, ödeme; ücret; hizmet mukabili. ~ **in full,** tasfiye.

p.c. per cent., yüzde.

pea [pii]. Bezelye. **sweet** ~, ıtırşahi: **green** ~**s,** taze bezelye: **as like as two** ~**s,** bir elmanın bir yarısı biri, bir yarısı biri: **as simple** [**easy**] **as shelling** ~**s,** çok kolay. **pea-shooter,** kuru bezelye taneleri atan boru (oyuncak). **pea-soup,** kuru bezelye çorbası.

peace [piis]. Sulh; barış; rahat. **to break** [**disturb**] **the** ~, asayişi bozmak: ~ **establishment of the army,** ordunun hazarî kadrosu: **to hold one's** ~, susmak: **justice of the** ~, sulh hakimi: **to keep the** ~, asayişi muhafaza etm.: **to leave s.o. in** ~, birini rahat bırakmak: **to live in** ~, birbirlerile iyi geçinmek, kavgasız yaşamak: **to make one's** ~ **with s.o.,** birisile barışmak: **to have** ~ **of mind,** başı dinç olmak. ~**able,** sulhcu; asayişli; sakin. ~**ful,** rahat, sakin, asûde; sulhperver. ~**maker,** barıştırıcı; ara bulucu. ~**time,** sulh zamanındaki: ~ **establishment,** hazarî kuvvet.

peach[1] [piitʃ]. Şeftali. **what a** ~ **of a child!,** maşallah altıntopu gibi çocuk!

peach[2]. (*arg.*) Gammazlık etmek.

pea·cock [ˈpiikok], ~**fowl** [–faul], Tavus. ~**hen,** dişi tavus.

peak [piik]. Zirve, şahika, doruk; bir şeyin en yüksek noktası; cunda. ~ **hours,** bir demiryolunun veya bir dükkân vs.nin en işlek saatleri: ~ **load,** (bir dinamonun) azamî yükü.

peaky [ˈpiiki]. Zayıf ve solgun (çocuk).

peal [piil]. Kilise kulesinin çan tertibatı; birçok çanların sesi. Çanları çalmak; çanlar çalınıp ses çıkarmak; (gök) gürlemek. ~ **of laughter,** kahkaha.

peanut [ˈpiinʌt]. Yer fıstığı.

pear [peə*]. Armut, armud.

pearl [pəəl]. İnci; küçük puntoda harf. İnci avlamak; (su, ter) inci gibi taneler hasıl etm., incilenmek. ~ **button,** sedef düğme. ~**y,** inci gibi. **pearl-barley,** frenk arpası, arpa şehriyesi. **pearl-diver,** inci avcısı. **pearl-grey,** açık külrengi; gümüşü.

peasant [ˈpesənt]. Köylü. ~**ry,** köylüler, köylü sınıfı.

pease [piiz]. Bezelye. **pease-pudding,** kuru bezelye püresi.

peat [piit]. Çürümüş nebatlardan mürekkeb kesek, yer tezeği, turb. **peat-bog,** yer tezeğinin teşekkül ettiği bataklık. **peat-moss,** peat'i teşkil eden çürümüş yosun; bunun bulunduğu bataklık.

pebble [ˈpebl]. Çakıltaşı, galet; necef. ⌜**not the only** ~ **on the beach**⌝, ⌜gökten zembille inmemiş ya!⌝; ⌜Amasyanın bardağı biri olmazsa biri daha⌝.

peccadillo [pekəˈdilou]. Ehemmiyetsiz kusur, küçük suç.

peccant [ˈpekənt]. Kabahatli.

peccary [ˈpekəri]. Cenubî Amerikada yaşıyan bir cins yabandomuzu.

peck[1] [pek]. Gagalama(k); keskin bir şeyle yarmak. **to** ~ **at,** gaga ile vurmak; dişlerin ucuyla çiğnemek.

peck[2]. Kuru şeyler ölçüşü; kilenin dörtte biri. **a** ~ **of troubles,** bir yığın derd.

pecker [ˈpekə*]. (*arg.*) **to keep up one's** ~, yılmamak, ümitsizliğe kapılmamak.

peckish [ˈpekiʃ]. (*arg.*) **to feel** ~, karnı zil çalmak.

pectoral [ˈpektərəl]. Göğüse aid, sadrî.

peculate [ˈpekjuleit]. İhtilâs etm.; parayı zimmetine geçirmek.

peculiar [piˈkjuuljə*]. Has, hususî, mahsus; ferdî, zatî; acayib, tuhaf, garib. ~**ity** [–liˈariti], hususiyet, hassa; gariblik, tuhaflık.

pecuniary [piˈkjuuniəri]. Paraya aid; paradan ibaret. ~ **embarrassment,** para sıkıntısı.

pedagog·ue [ˈpedəgog]. Pedagog; çocuk terbiye eden kimse (*bugün yalnız alay için kullanılır*). ~**y,** çocuk terbiye usulü, pedagoji.

pedal [ˈpedəl]. (Org veya piyano, bisiklet veya torna) ayak basamağı, pedal. Pedal ile hareket ettirmek.

pedant [ˈpedənt]. Ukalâ; malûmatfürüş; ilim sahasında ince eleyip sık dokuyan kimse. ~**ic** [–ˈdantik], ukalâca. ~**ry** [ˈpedəntri]. ukalâlık, malûmatfürüşluk; ilim sahasında titizlik.

peddl·e [ˈpedl]. Seyyar sokak satıcılığı yapmak; işportacılık yapmak; saçma ile uğraşmak. ~**ing,** işportacılık; ehemmiyetsiz.

pederast [ˈpedərast]. Kulampara.

pedestal [ˈpedistl]. Kaide; heykel ayaklığı. **to put s.o. on a** ~, birini mükemmel addetmek.

pedestrian [pəˈdestriən]. Yaya yürüyen, piyade; (üslûb) yavan, cansız, pespaye.
pedicel, pedicle [ˈpedicil, -ikl]. Sap.
pedigree [ˈpedigrii]. Şecere; nesil, soy. Safkan, cins.
pedlar [ˈpedlə*]. Ayak esnafı, seyyar satıcı, işportacı.
peel [piil]. Yemişin kabuğu. Kabuğunu soymak; sıyırmak. **~ (off),** soyulmak; (deri) pul pul dökülmek. **~ing,** pul pul dökülme, soyulma: **~s,** soyuntu.
peep[1] [piip]. (*ech.*). Civciv gibi ötme(k).
peep[2]. Gizlice bakıverme; azıcık bir bakış. **to ~ at, to take a ~ at,** hırsızlama bakıvermek; bir aralıktan bakmak. **at ~ of day,** şafakta, güneş doğarken. **peep-hole,** gözetleme deliği. **peep-sight,** delikli nişangâh; topun göz nişangâhı.
peer[1] [piə*]. Eş; akrandan biri; İngiltere'de asalet rütbesini haiz olan kimse, lord. **~age,** lordlar sınıfı; lordluk: asilzadelerin salnamesi. **~less,** eşsiz.
peer[2] *vb.* Karanlıkta veya hayalmeyal olan bir şeye dikkatle bakmak. Hayalmeyal görünmek.
peev·ed [piivd]. Küskün. **~ish,** titiz, hırçın, densiz, tedirgin.
peewit [ˈpiiwit]. (*ech.*) (*Vanellus*) Kızkuşu.
peg[1] [peg] *n.* Ağac çivi; küçük kazık; mandal; akort vidası; bir yudum (viski) **a ~ to hang a grievance on,** şikâyet [derd yanma] vesilesi: ⌜**a square ~ in a round hole**⌝, yerinin adamı değil; yanlış vazifede: **to take s.o. down a ~ or two,** birinin kibrini kırmak, burnunu kırmak.
peg[2] *vb.* Ağac çivi ile mıhlamak. **to ~ away at stg.,** bir işte azim ve sebatla çalışmak: **to ~ clothes on the line,** çamasırı ipe mandallamak: **to ~ down,** kazığa bağlamak: **to ~ the exchange,** kambiyoyu tesbit etm.: **to ~ out,** (*arg.*) kuyruğu titretmek, ölmek: **to ~ out a claim,** yeni keşfedilen altın vs.yi ihtiva eden bir arazide muayyen bir parçayı kazıklarla sınırlandırarak üzerinde hak iddia etm. (*mec. de kullanılır*).
Pegasus [ˈpegəsəs]. (*mit.*) Kanadlı at; (burc) Feresi âzam; şairin ilhamı.
pejorative [piˈdʒoritiv]. Bir kelimeye fena bir mana verme; kötüleyici.
pelf [pelf]. İrtikâb ile alınan para; vurgun; yağma.
pelican [ˈpelikən]. Kaşıkcı kuşu.
pellet [ˈpelit]. Her hangi bir şeyden ufak top, yumak; tane; hap; saçma tanesi.
pellicle [ˈpelikl]. Çok ince deri, zar.
pell-mell [ˈpelˈmel]. Karmakarışık bir halde; allak bullak.
pellucid [pəˈljusid]. Berrak, şeffaf.
Peloponnesus [ˈpelopoˈniisəs]. Mora.
pelt[1] [pelt] *n.* Deri; kürklü deri; pösteki.
pelt[2] *vb.* **to ~ s.o. with stones,** *etc.*, birine taş vs. yağdırmak. (Yağmur) bardaktan boşanmak: **~ing rain,** sicim gibi yağmur: **at full ~,** alabildiğine koşarak.
pelvi·c [ˈpelvik]. Havsalî. **~s,** havsalâ (alt karın).
pen[1] [pen]. Ağıl; kümes. Ağıla koymak. **to ~ up,** kapatmak.
pen[2]. Kalem. Kaleme almak, yazmak. **pen-name,** (muharrir) müstear isim, takma ad.
penal [ˈpiinl]. Cezaya aid, cezaî; ceza icab ettiren. **~ code,** ceza kanunu: **~ servitude,** kürek cezası. **~ize,** cezalandırmak, cezaya çarpmak; eziyet etmek. **~ty** [ˈpenəlti], ceza; para cezası; kefaret: (sporda) penaltı: **~ clause,** (bir mukavelede) zamanında teslim edilmiyen sipariş hakkında tazminat hükmü: **under [on] ~ of death,** ölüm cezası ile: **to pay the ~ of a mistake,** *etc.*, bir hata vs.nin cezasını çekmek.
penance [ˈpenəns]. Kefaret.
pence [pens] *bk.* **penny.**
penchant [ˈpɔ̃ˈʃɔ̃, ˈpentʃənt]. İstidad, temayül, ibtilâ.
pencil [ˈpensl]. Kurşun kalem. Kurşun kalem ile yazmak; kurşun kalemle işaret etmek. **~ of light,** şua.
pendant [ˈpendənt] *n.* Askı; pandantif.
pendent [ˈpendənt] *a.* Sarkık; muallak.
pending [ˈpendiŋ]. Muallak; kararlaştırılmamış ... zarfında, sırasında. **~ his arrival,** gelinceye kadar.
pendulous [ˈpendjuləs]. Sarkık; sallanan.
pendulum [ˈpendjuləm]. Rakkas.
penetrat·e [ˈpenitreit]. Delip girmek, nüfuz etm.; sinmek; içine girmek; işlemek; hulûl etmek. **~ion** [–ˈtreiʃn], hulûl; nüfuz etme; sokuluş.
penguin [ˈpengwin]. Penguen.
penholder [ˈpenhouldə*]. Demir kalem sapı.
peninsula [pəˈninsjulə]. Yarımada. **~r,** yarımadaya aid: **the ~ War,** 1808–14 İspanya harbi.
peniten·ce [ˈpenitens]. Pişmanlık, tövbe, nedamet. **~t,** pişman, tövbekâr, nadim. **~tiary** [–ˈtenʃəri], ıslahhane; (*Amer.*) hapishane.
penknife [ˈpennaif]. Çakı.
penmanship [ˈpenmənʃip]. Hattatlık.
pennant [ˈpenənt]. Flâma, flândra.
penniless [ˈpenilis]. Meteliksiz; yoksul.
pennon [ˈpenən]. Flâma, flândra.
penny [ˈpeni]. (*pl.* **pennies** *olursa sikke sayısını ve* **pence** *olursa para mikdarını gösterir*). Peni; bir şilinin $\frac{1}{12}$ kısmı. **he hasn't a ~ (to bless himself with),** meteliksizdir: **~ dreadful,** ucuz ve değersiz cinaî roman: **to earn [turn] an honest ~,**

namusile ufak tefek para kazanmak: ⌜**in for a ~ in for a pound**⌝, ⌜(nasıl olsa) öyle de battık böyle de⌝: **to look twice at every ~,** pek tutumlu olm.: **it will cost a pretty ~,** epeyiceye malolacak: ⌜**a ~ for your thoughts**⌝, ⌜binin yarısı beş yüz (o da sende yok)⌝: ⌜**take care of the pence and the pounds will look after themselves**⌝, küçük masraflara dikkat edersen, büyükleri kendiliğinden gözetilmiş olur: ⌜**~ wise pound foolish**⌝, küçük işlerde hasis büyük işlerde müsrif: **not a ~ the worse,** hiç bir zarar görmeden. **~weight,** bir ölçü *takriben* 1½ *gram*). **~worth,** penilik. **penny-a-liner,** kötü gazeteci. **penny-in-the-slot, ~ machine,** para atınca bilet vs. veren makine, otomatik makine. **penny-piece,** bir penilik para: **I haven't a ~,** meteliğim yok. **penny-whistle,** çıgırtma denilen bir nevi teneke flüt.

pension[1] [ˈpõsjõ]. Pansiyon.

pension[2] [ˈpenʃn]. Tekaüd maaşı. **to ~ (off),** emekliye ayırmak, tekaüd maaşı bağlamak: **to retire on a ~,** tekaüd edilmek. **~er,** mütekaid, emekli.

pensive [ˈpensiv]. Dalgın, düşünceli.

pent [pent]. **~ up** [**in**], kapanmış; hapsedilmiş: zabtedilmiş fakat taşmak üzere olan (his, hiddet vs.).

penta- [ˈpenta]. *pref.* Beş-.

pentagon [ˈpentəgon]. Beş dılılı, muhammes.

pentameter [penˈtamətə*]. Beş heceli mısra.

Pentateuch [ˈpentatjuuk]. Tevratın ilk beş kitabı.

Pentecost [ˈpentəkost]. Yahudilerde:–gülbayramı: Hıristiyanlarda:–hamsin yortusu.

penthouse [ˈpenthaus]. Sundurma.

penultimate [peˈnʌltimit]. Sondan önceki.

penumbra [peˈnʌmbra]. Esas gölge etrafında hasıl olan hafif gölge; yarı gölge.

penur·y [ˈpenjuri]. Yoksulluk; kıtlık. **~ious** [–ˈnjuuriəs], kıt; yoksul; cimri.

peony [ˈpiiəni]. Şakayık.

people [ˈpiipl], (*cemi yok*). Halk, ahali; insan; aile ve akraba. (*pl.* **~s**). Millet. İskân etmek. **~ at large,** umumiyetle herkes: **~ say,** diyorlar: **~ want one day's holiday a week,** insan haftada bir gün tatil istiyor: **the common ~,** halk tabakası: **how are your ~?,** sizinkiler ne halde?: **my ~ came from Ireland,** biz aslen İrlandalıyız: **the King and his ~,** Kıral ve tebaası: **old** [**young**] **~,** ihtiyarlar [gencler]: **what are you ~ going to do?,** sizler ne yapacaksınız?

pep [pep]. (*arg.*) Ataklık, hararet, gayret. **full of ~,** girişken, gayretli.

pepper [ˈpepə*]. Biber. Biber ekmek. **long ~,** darifilfil: **whole ~,** tane biber. **~corn,** biber tanesi. **~mint,** nane; nane ruhu; nane şekeri. **~y,** biberli; tez mizaclı, hemen parlar (adam). **pepper-and-salt,** karyağdılı. **pepper-pot,** biberlik.

per [pəə*]. Vasıtasile, delâletile. **~ cent.,** yüzde: **~ week,** haftada: **~ head,** adam başına: **as ~ invoice** [**sample**], fatura [nümune] ye uygun olarak.

peradventure [pəəradˈventʃə*]. Belki, şayed; kazara. **beyond ~,** şübhesiz.

perambulat·e [pəˈrambjuleit]. Etrafını dolaşmak, gezmek. **~or,** çocuk arabası.

perceive [pəəˈsiiv]. Farketmek, farkına varmak; kavramak.

percentage [pəəˈsentidʒ]. Yüzdelik. **only a small ~ of plague victims recovered,** vebalıların pek azı kurtuldu.

percept·ible [pəəˈseptibl]. Duyulur, hissedilir; farkına varılır. **barely** [**hardly**] **~,** belli belirsiz. **~ion,** his, duyma; idrak; (verginin) tahsili.

perch[1] [pəətʃ]. (*Perca fluviatilis*) Tatlısu levreği.

perch[2]. Tünek; bir ölçü (*takriben 5 metre*); bir nehirde yol göstermek için dikilmiş sırık. Tüneklemek. **to knock s.o. off his ~,** tünekten indirmek, burnunu kırmak.

perchance [pəəˈtʃaans]. Şayed; belki, kazara.

percolate [ˈpəəkəleit]. Süzülmek; süzmek; sızdırmak; filtreden geçirmek.

percussion [pəəˈkʌʃn]. Şiddetle vuruş; çarpma; müsademe. **~ cap,** kapsol: **~ instruments,** vurularak çalınan çalgılar (davul, zil vs.).

perdition [pəəˈdiʃn]. Cehennem azabına uğrama; mahvolma. **to consign to ~,** lânet etmek.

peregrination [ˌperigriˈneiʃn]. Uzun seyahat; dolaşma.

peregrine [ˈperigrin]. (*Falco peregrinus*) Şahin.

peremptory [pəˈremptəri]. Kat'i, müsbet, kestirme; mütehakkimane.

perennial [pəˈrenjəl]. Daimî, sürekli, mütemadi. Bir kaç yıl yaşıyan nebat.

perfect *a.* [ˈpəəfikt]. Mükemmel, kusursuz; tam, bütün; (*gram.*) mazi. *vb.* [–ˈfekt], İkmal etm., mükemmelleştirmek; tamamlamak. **~ion** [pəəˈfekʃn], mükemmellik, ikmal: **to ~,** mükemmelen; tamamen.

perfervid [pəəˈfəəvid]. Son derece hararetli.

perfid·ious [pəəˈfidjəs]. Hain, haince; vefasız. **~y** [ˈpəəfidi], hainlik; vefasızlık.

perforat·e [ˈpəəfəreit]. Delmek; içinden geçmek. **~ion** [–ˈreiʃn], delme; ufak delik: **~ of a stamp,** pulun tırtılı.

perforce [pəəˈfoos]. İster istemez; zorla; mecburen; zoraki.

perform [pəəˈfoom]. İcra etm., yapmak, ifa etm., yerine getirmek. **~ing dogs,** marifet [numara] yapan köpekler: **to ~ on a musical instrument,** bir çalgı çalmak: **to ~ in a play,** bir piyeste bir rol oynamak. **~ance,** icra, ifa, yerine getirme; işleme; eser; temsil, numara: **to put up a good ~,** başarmak, işin içinden iyi bir şekilde çıkmak: **a sorry ~,** fena bir temsil; muvaffakiyetsiz bir iş. **~er,** aktör; icra edici: **a good [poor] ~,** işini iyi [fena] yapan kimse.

perfume *n.* [ˈpəəfjum]. Güzel koku, rayiha; lâvanta, parföm. *vb.* [–ˈfjuum]. Güzel koku yaymak veya sürmek. **~r,** lâvantacı. **~ry** [–ˈfjuuməri], lâvantacılık; ıtriyat.

perfunctory [pəəˈfʌnktəri]. Mühmel; yarım yamalak; baştan savma; iş olsun diye; âdet yerini bulsun diye.

pergola [ˈpəəgolə]. Çardak.

perhaps [pəəˈhaps]. Belki; olabilir ki; şayed.

peril [ˈperil]. Tehlike, muhatara. **touch him at your ~!,** ona dokunursan vay sana!: **you do this at your ~,** bunu yaparsan günahı boynuna! **~ous,** tehlikeli.

perimeter [pəˈrimitə*]. Çevre, muhit.

period [ˈpiəriəd]. Devir; müddet; devre; nöbet; cümle. Muayyen bir devre aid. **the ~,** şimdiki zaman: **monthly ~s,** (kadının) aybaşı. **~ic(al),** muntazam devrelerde yapılan; vakit vakit vukua gelen; (*yal.* **~ical**) mecmua.

peripatetic [ˌperipəˈtetik]. Aristo felsefesine aid; seyyar, gezgin.

peripher·al [pəˈrifərəl]. Dış kenara aid. **~y,** dairenin muhiti.

periphrasis [pəˈrifrəsis]. Dolambaçlı söz.

perish [ˈperiʃ]. Telef olm., mahvolmak; can vermek; harab veya münkariz olm.; çürümek, bozulmak. **I'll do it or ~ in the attempt,** ben bunu ölürüm de yine yaparım: **~ the thought!,** bu düşünce bizden uzak olsun; Allah göstermesin! **~able,** fanî; geçici; bozulabilen; çabucak çürüyen: **~s,** çabuk cürüyen veya bozulan mallar (et, yemiş gibi). **~ing, ~cold,** öldürücü soğuk. **~ed,** çürümüş, bozulmuş: **to be ~ with cold,** soğuktan donmak, çok üşümek.

peritoneum [periˈtounjəm]. Sıfak, karınzarı, periton.

periwig [ˈperiwig]. Peruka.

periwinkle [ˈperiwinkl]. (*Vinca*) Cezayir menekşesi; ufak bir nevi deniz salyangozu.

perjur·e [ˈpəədʒə*]. **to ~ oneself,** yalan yere yemin etm.; yemininden dönmek. **~y,** yalan yere yemin; yemininden dönme; yalancı şahidlik.

perk [pəək]. **to ~ up,** (kuş gibi) çevikçe başını kaldırmak; (kulaklarını) dikmek; canlanmak: **to ~ s.o. up,** birini canlandırmak; süslemek. **~y,** canlı açıkgöz ve biraz yüzsüz.

permanen·ce [ˈpəəmənens]. Daimilik, devam. **~t,** daimî; devamlı; değişmez; asaleten tayin edilmiş: **~ way,** demiryolu döşeli yol.

permeability [ˌpəəmiəˈbiliti]. Su ve gaz geçebilme.

permeate [ˈpəəmieit]. Süzmek; nüfuz etmek.

permiss·ible [pəəˈmisibl]. Caiz; mubah; helâl. **~ion** [–ˈmiʃn], izin, ruhsat, müsaade. **~ive,** izin verici, müsaade eden.

permit *n.* [ˈpəəmit]. Ruhsat, müsaade; ruhsat tezkeresi. *vb.* [–ˈmit]. Müsaade etm., izin ve ruhsat vermek; yol vermek; rıza göstermek; bırakmak; kabul etmek.

permutation [pəəmjuˈteiʃn]. Tebadül.

pernicious [pəəˈniʃəs]. Muzır; menhus; zararlı.

pernickety [pəəˈnikiti]. Titiz, müşkülpesend; (iş) nazik, çok dikkat icabeden.

peroration [pəəroˈreiʃn]. Nutkun hatimesi.

peroxide [pəˈroksaid]. Peroksid.

perpendicular [ˌpəəpenˈdikjulə*]. Amudî, şakulî; kaim; dik. Kaim hat, amud. **out of the ~,** şakulî olmıyan.

perpetrat·e [ˈpəəpitreit]. İrtikab etm., yapmak. **~or,** mücrim, mürtekib.

perpetu·al [pəəˈpetjuəl]. Daimî, fasılasız; mükerrer; mütemadi. **~ate** [–tjueit], devam ettirmek; ibka etm.; ebedileştirmek. **~ity** [–ˈtjuuiti], daimilik: **in [for, to] ~,** ebediyen, müebbeden.

perplex [pəəˈpleks]. Şaşırtmak; zihnini karıştırmak. **~ity,** şaşkınlık; tereddüd, teşevvüş.

perquisite [ˈpəəkwizit]. Aylığa ilâveten alınan para veya ayniyat. **to get ~s,** çimlenmek.

perry [ˈperi]. Armud şarabı.

persecut·e [ˈpəəsikjuut]. Zulmetmek, eziyet etmek, **~ion** [–ˈkjuuʃn], zulüm, eziyet: **~ mania,** herkesin kendi aleyhinde bulunduğu vehminden ibaret bir hastalık.

persever·e [pəəsiˈviə*]. Sebat etm., ikdam göstermek; devam etmek. **~ance,** sebat, azim, ısrar.

Persia [ˈpəəʃə]. İran. **~n** [–ʃn], acem, iranlı; acemce, farisî: **~ cat,** Van kedisi: **~ Gulf,** Basra körfezi.

persimmon [pəəˈsimən]. Amerika hurması; Trabzon hurması.

persist [pəəˈsist]. Israr etm., sebat etm., inad etm.; devam etm., sürmek; üstelemek. **~ence,** ısrar; sebat. **~ent,** musir; inadçı; sürekli, devamlı.

person [ˈpəəsn]. Kişi, kimse; şahis, ferd, zat; vücud; (*gram.*) şahis. **in ~,** bizzat, şahsen: **to have a commanding ~,** vücudu heybetli olm.: **to be no respecter of ~s,**

hem nalına hem mıhına vurmak. **~able,** yakışıklı, endamlı. **~age,** mühim adam, büyük zat; şahıs. **~al,** şahsî, zatî; hususî; ferdî; kendine aid; menkul: **~ column,** (bir gazetede) kücük şahsî ilânlar: **don't let us be ~,** şahsiyata girmiyelim. **~ality,** şahsiyet; varlık, benlik; hal, vaziyet, vekar; mühim zat; *pl.* **~ities,** şahsiyat. **~ally,** şahsen; bizzat; fikrimce: **I don't ~ like beer,** ben kendim bira sevmem. **~alty,** menkul zatî eşya; şahsî servet. **~ate,** bir şahıs rolünü yapmak; (tiyatroda) bir şahsı oynamak. **~ification** [pəəˈsonifiˈkeiʃn], teşahhüs, tecessüm. **~ify** [–ˈsonifai], tecessüm etm., teşahhus ettirmek: **he is virtue ~ified,** mücessem fazilettir. **~nel** [–ˈnel], bir iş veya bir müesseseye mensub memurlar, müstahdemler, personel; geminin tayfası.

perspective [pəəˈspektiv]. Tenazur; perspektiv; manzara. **in ~,** tenazura göre: **to see stg. in its true ~,** bir şeyi olduğu gibi [hakiki çehresile] görmek.

perspicac·ious [pəəspiˈkeiʃəs]. Anlayışlı, ferasetli; sürati intikal sahibi. **~ity** [–ˈkasiti], anlayış, feraset, sürati intikal.

perspicuous [pəəˈspikjuəs]. Vazıh, açık.

perspir·ation [pəəspəˈreiʃn]. Terleme, ter. **to break into ~,** terlemeğe başlamak. **~e** [pəəˈspaiə*], terlemek.

persua·de [pəəˈsweid]. İkna etm.; razı etmek. **to be ~d that ...,** ···e kail olmak. **~sion** [–ˈsweiʒn], ikna; kandırma; inandırma; kanaat; itikad. **~sive** [–ˈsweisiv], ikna edici; inandırıcı, kandırıcı: saik; teşvik eden (hareket, vaiz, mükâfat).

pert [pəət]. Şımarık, şuh; arsız.

pertain [pəəˈtein]. Aid olm.; merbut olm.; raci olmak.

pertinac·ious [pəətiˈneiʃəs]. Musir; inadcı. **~ity** [–ˈnasiti], sebat; ısrar; inad.

pertinent [ˈpəətinənt]. Münasib; uygun; yerinde.

perturb [pəəˈtəəb]. Rahatsız etm.; meraklandırmak, endişeye düşürmek. **~ation** [–beiʃn], heyecan; endişe, merak.

perus·al [pəˈruuzl]. Mutalaa; dikkatle okuma. **~e,** mutalaa etm.; dikkatle okumak.

perva·de [pəəˈveid]. Nüfuz ve istilâ etm.; her tarafa yayılmak. **~ding, ~sive,** nüfuz ve istilâ eden, her tarafa yayılan.

pervers·e [pəəˈvəəs]. Ters, aksi; huysuz, titiz; bozuk. **~ion** [–ˈvəəʃn], tahrif; bozma; baştan çıkarma; bozukluk, dalâlet. **~ity,** terslik, aksilik; titizlik, huysuzluk.

pervert *vb.* [pəəˈvəət]. Tahrif etm.; bozmak, ifsad etm.; baştan çıkarmak; dininden döndürmek. *n.* [ˈpəəvəət], Mürted; cinsî dalâlete düşmüş.

pervious [ˈpəəviəs]. Geçilebilir; nüfuz edilir.

pessimis·m [ˈpesimizm]. Bedbinlik. **~t,** bedbin. **~tic** [–ˈmistik], bedbin, bedbince.

pest [pest]. Veba, taûn; başbelâsı, musibet.

pester [ˈpestə*]. İzac etm., musallat olm.; çullanmak; başının etini yemek; tebelleş olmak.

pesti·ferous [pesˈtifərəs]. Veba neşreden; muzır, iğrenc. **~lence** [ˈpestiləns], sarî ve öldürücü hastalık; veba, taûn. **~lent,** öldürücü, mühlik; müfsid; menfur. **~lential** [–ˈlenʃl], bulaşıcı, sarî; müteaffin; melun ve menfur.

pestle [ˈpestl]. Havaneli.

pestology [pesˈtolədʒi]. Veba vs. gibi bulaşık ve öldürücü hastalıklar ilmi.

pet[1] [pet]. Kedi, köpek gibi evde zevk için beslenen hayvan; cici; herkese tercih edilen. Nazlı büyütmek; sevgi göstermek, okşamak. **my ~!,** cicim!, canım!: **~ aversion,** en çok nefret edilen adam veya şey: **~ grievance,** derdi günü: **~ name,** sevilen bir kimseye takılan ad.

pet[2]. Küskünlük, gücenme. **to be in a ~** küsmek.

petal [ˈpetl]. Tüveyc yaprağı.

petard [pəˈtaad]. Kestane fişeği, petar. **ʳto be hoist with one's own ~ˀ,** kendi kazdığı kuyuya düşmek.

Peter [ˈpiitə*]. Bir erkek ismi. **Blue ~,** hareket flâması: **ʳto rob ~ to pay Paulˀ,** başkasına vermek için birinden gasbetmek; eski borcunu ödemek için yeniden borc almak.

peter out [ˈpiitəˈraut]. Tükenmek; yavaşça yok olm.; suya düşmek; (makine) benzinsizlikten durmak.

petition [pəˈtiʃn]. İstida, || dilekçe. İstida vermek.

petrel [ˈpetrel]. **storm(y) ~,** (*Hydrobates pelagicus*) Bir nevi yelkovan, fırtına kuşu: (*mec.*) gelince ortalığı birbirine karıştıran veya zuhuru karışıklığa alâmet sayılan kimse.

petrif·y [ˈpetrifai]. Taş haline koymak veya gelmek. **to be ~ied,** taş kesilmek.

petrol [ˈpetroul]. Benzin. **~eum** [pəˈtrouljəm], gaz, petrol. **~iferous** [–ˈlifərəs], petrollü (toprak).

petticoat [ˈpetikout]. İç eteklik. **~ government,** evde kadının hakimiyeti.

pettifogg·er [ˈpetifogə*]. Küçük ve aşağılık avukat; safsatacı; mugalatacı: **~ing,** kılı kırk yaran, safsatacı.

pettiness [ˈpetinis]. Ehemmiyetsizlik; dar düşüncelilik; küçüklük; miskinlik.

pettish [ˈpetiʃ]. Hırçın; çabuk küser.

petty [ˈpeti]. Ehemmiyetsiz; küçük; darkafalı; miskin; adî. **~ cash,** müteferrika: **~**

larceny, ufak hırsızlık, aşırma: ~ **officer,** bahriyede küçük zabit.
petulant [ˈpetjulənt]. Tez mizaclı; küseğen; alıngan.
petunia [piˈtjuunjə]. Betunya.
pew [pjuu]. Kilisede ibadet edenlere mahsus arkalıklı peyke; mahfil.
pewit [ˈpiiwit] *bk.* **peewit.**
pewter [ˈpjuutə*]. Kalay ile başka bir maden halitası. ~ **ware,** bu halitadan yapılan kablar.
phalanx [ˈfalanks]. Eski Yunanistanda mızraklı alay, falanj: aynı maksadla birleşmiş insanlardan mürekkeb inzibatlı topluluk.
phall·us [ˈfalʌs]. Erkeğin tenasül aleti. **~ic,** bu alete aid.
phantasm [ˈfantazm]. Hayalet, hulya; tayf; vehim. **~agoric** [–məˈgorik], hayalî görünüşlere aid.
phantom [ˈfantəm]. Hayal, tayf, hayalet; heyulâ; ismi var cismi yok.
Pharaoh [ˈfeərou]. Firavun.
Pharis·ee [ˈfarisii]. Fariz; sahte sofu, riyakâr. **~aical** [fariˈsei·ikl], Farizler gibi; riyakâr, mürai.
pharma·ceutical [ˌfaaməˈkjuutikl]. Eczacılığa aid, ispenciyari. **~copoeia** [–koˈpiiə], ilâclar kitabı, farmakope.
pharmacy [ˈfaaməsi]. Eczacılık; eczahane.
pharyn·geal [faˈrindʒiəl]. Gırtlağa aid. **~gitis** [–ˈdʒaitis], gırtlak iltihabı. **~x,** [ˈfarinks], bel'um, ‖ yutak.
phase [feiz]. Safha.
pheasant [ˈfezənt]. (*Phasianus colchicus*) Sülün.
phenomen·al [fiˈnominl]. Garib, fevlalâde; hayret verici. **~on,** *pl.* **~a,** şuura akseden vaka, hadise; tabiî hadise; cilve, tecelli; fevkalâde hadise, şahıs vs.
phew [fjuu]. *Yorgunluk, tiksinti, hayret vs. nidası.*
phial [ˈfaiəl]. Küçük şişe.
philander [fiˈlandə*]. Flört yapmak.
philanthrop·ic [filanˈθropik]. İnsaniyetperver(ane); hayırsever; hamiyetli; şefkatlı. **~ist** [fiˈlanθrəpist], insansever; hayır sahibi. **~y** [fiˈlanθrəpi], hayırseverlik.
philately [fiˈlatəli]. Posta pulları merakı, pulculuk.
philharmonic [filhaaˈmonik]. ~ **Society,** musiki sevenler cemiyeti.
philippic [fiˈlipik]. Sert ve acı nutuk veya yazı.
Philistine [ˈfilistain]. Eski Filistin kabilesine aid; cahil tahsilsiz ve zevksiz adam.
philology [fiˈlolədʒy]. Filoloji, lisaniyat; dil bilgisi.
philosoph·er [fiˈlosəfə*]. Feylosof; kalender. **the ~'s stone,** haceri felsefî, iksiri âzam. **~ical** [–ˈsofikl], felsefi; kalenderane: **to take things ~ly,** başına geleni sabırla ve kalenderane kabul etmek. **~y** [–ˈlosəfi], felsefe.
philtre [ˈfiltə*]. Aşk iksiri.
phlebitis [fliˈbaitis]. Verid iltihabı, filibit.
phlebotomy [fliˈbotomi]. Kan alma; hacamat.
phlegm [flem]. Balgam; soğukluk, duygusuzluk. **~atic** [flegˈmatic], heyecanlanmaz; duygusuz; lenfavî.
phlox [floks]. Nakıl çiçeği; floksa.
phobia [ˈfoubjə]. Sebebsiz korku; fobi.
-phobia. *suff.* ···den nefret etme.
phoenix [ˈfiiniks]. Yandıktan sonra kendi külünden tekrar vücud bulan efsanevi bir kuş; zümrudüanka.
phone [foun]. (*kıs.*) **telephone.**
phonetic [fouˈnetik]. Sese aid; savtî, fonetik. **~s,** fonetik ilmi.
phosphate [ˈfosfeit]. Fosfat.
phosphor·us [ˈfosfərəs]. Fosfor. **~escence** [ˈresəns], yakamoz, fosforlaşma. **~ic** [–ˈforik], ~ **acid,** hamızı fosfor. **~ous,** fosforlu.
photo [ˈfoutou]. (*kıs.*) **photograph.**
photo- *pref.* Ziyaya aid; foto-.
photograph [ˈfoutograaf]. Fotograf. Resim çekmek, fotografını almak. **~er** [–ˈtogrəfə*], fotografcı. **~y** [–ˈtogrəfi], fotografya.
photogravure [ˌfotograˈvjuə*]. Fotografya hakkâklığı, fotogravür.
phrase [freiz]. İbare; ifade tarzı; cümle; tabir; (*mus.*) bir melodinin bir kısmını teşkil eden kısa bir parça. Bir fikri ifade etmek için kelime ve cümleler seçmek. **as the ~ goes,** meşhur tabir ile. **~ology** [–ziˈolədʒi], ifade tarzı.
phrenology [freˈnolədʒi]. Kafa teşekkülatına bakarak insanın tabiat ve kabiliyetini keşfetme ilmi, frenoloji.
phthisi·s [ˈfθisis]. Verem. **~cal,** vereme aid, veremli.
phut [fʌt]. **to go ~,** (*arg.*) suya düşmek; tamamen bozulmak.
phylactery [fiˈlaktəri]. Yahudilerce kullanılan muska; tılısım.
phylloxera [fiˈloksərə]. Filoksera.
physic [ˈfisik]. İlâc *bilh.* müshil. İlâc vermek, müshil vermek. **~s,** fizik ilmi. **~al** [ˈfizikl], fiziğe aid, fizikî; maddî; bedenî: ~ **training,** beden terbiyesi. **~ian** [fiˈziʃn], hekim, doktor. **~ist** [ˈfizisist], fizik mütehassısı, fizikçi.
physiognomy [fiziˈonəmi]. İnsanın tabiatini simasında okuma ilmi; yüz, çehre.
physiology [fiziˈolədʒi]. Fiziyoloji.
physique [fiˈziik]. Vücudun bünye ve kuvveti. **of poor ~,** cılız, kuvvetsiz.

pian·o [piˈjanou]. Piyano. **grand ~,** kuyruklu piyano: **upright ~,** dik piyano. **~ist** [ˈpiiənist], piyanist.
piastre [piˈaastə*]. Kuruş.
piazza [piˈatsa] (İtalyada) meydan; (Amerikada) ev etrafındaki kapalı taraça.
pibroch [ˈpibroχ]. Gayda ile çalınan marş.
pica [ˈpiikə]. Pika harf.
piccalilli [pikaˈlili]. Türlü turşu.
piccaninny [pikəˈnini]. Zenci çocuk; yavru.
piccolo [ˈpikolou]. Küçük flavta.
pick[1] [pik]. Sivri kazma.
pick[2] *n.* Seçme; güzide şey. **the ~ of the bunch,** en iyisi, en seçmesi.
pick[3] *vb.* Sivri bir aletle delmek, kazmak, açmak; ayıklamak; toplamak, devşirmek; seçmek. **to ~ acquaintance with s.o.,** birisile dostluk tesisine vesile aramak: **to ~ a bone,** kemiğin etini ayıklamak: **to have a bone [crow] to ~ with s.o.,** birisile paylaşılacak kozu olm.: **to ~ s.o.'s brains,** birisinden malûmat koparmak, onun bütün bildiğini öğrenmek: **to ~ and choose,** titizce seçmek: **to ~ holes in stg.,** bir şeyin tenkid edilecek taraflarını bulmak: **to ~ a lock,** kilidi maymuncukla açmak: **to ~ to pieces,** didiklemek; didik didik etm.: **to ~ pockets,** yankesicilik yapmak: **to ~ a quarrel,** kavga etmek için vesile aramak: **to ~ sides,** *bk.* **pick up**: **to ~ one's steps [way],** dikkatle [ihtiyatla] yürümek: **to ~ one's teeth,** dişlerini karıştırmak. **pick at, to ~ at one's food,** isteksiz [iştahsız] yemek. **pick off,** el ile tutup kaldırmak; toplamak; dikkatle nişan alıp vurmak. **pick on (upon), I don't know why he ~ed on me,** bilmem neden buldu buldu da beni buldu. **pick out,** el ile tutup çıkarmak; seçmek: **to ~ out s.o. in a crowd,** kalabalıkta birini seçmek [görmek]. **pick over,** (meyva vs.yi) birer birer muayene edip iyilerini ayırmak. **pick up,** eğilip bir şeyi yerden almak; rastgele bulmak; yolda durup birini otomobil vs.ye almak: (hasta) iyileşmek: **(sides),** bir oyunda (iki kaptan) oyuncularını seçmek: **to ~ up stg. cheap,** ucuz almak, kelepir olarak bulmak: **to ~ up courage,** cesaretini toplamak: **(searchlight) to ~ up a plane,** (bir ışıldak) uçağı yakalamak: **to ~ up a language,** *etc.*, bir lisan vs.yi çabuk öğrenmek [kapmak]: **to ~ up a livelihood,** hayatını oradan buradan kazanmak: **to ~ up speed,** hızını arttırmak: **to ~ up one's strength,** (hasta) kendini toplamak, kuvvet bulmak. **pick-up,** pikap.
pick-a-back [ˈpikəbak]. **to carry s.o. ~,** birini sırtta taşımak.
pickaxe [ˈpikaks]. Kazma.
picket [ˈpikət]. Kazık; ileri karakol; (grev esnasında) çalışmak isteyen işçilere mani olmak için nöbet bekliyen amele. (Atı) kazığa bağlamak. **to ~ a factory,** (grev esnasında) bir fabrikaya 'picket' dikmek. **picket-rope,** atı kazığa bağlamağa mahsus ip.
picking [ˈpikiŋ]. Toplama, devşirme. **~ and stealing,** aşırma: **~s,** ufak tefek kâr: **to get ~s,** çöplenmek, çimlenmek.
pickle [ˈpikl]. Turşu; salamura; maden temizlemek için kullanılan asid; sıkıntılı vaziyet; yaramaz çocuk. Salamuraya yatırmak; turşu kurmak. **to be in a nice [sorry] ~,** müşkül bir vaziyette olm.; üstü başı kirli ve karmakarışık olm.: **you little ~!,** (çocuğa) seni gidi seni! : **to have a rod in ~ for s.o.,** birisi için kızılcık sopası saklamak.
pickpocket [ˈpikpokit]. Yankesici.
picnic [ˈpiknik]. Piknik.
pictorial [pikˈtooriəl]. Resimli.
picture [ˈpiktʃə*]. Resim; tasvir; levha; timsal; pek güzel şey; filim. Tasvir etmek. **the ~s,** sinema. **~ to yourself ...!,** ... tasavvur et!: **he is the ~ of his father,** tıpkı babası: **he is the ~ of health,** aslan gibi sıhhatli: **that child is a perfect ~,** o çocuk bebek gibi güzel: **to come into the ~,** sahaya girmek, mevzuubahis olm.; **to be very much in the ~,** bir meselede çok mühim rolü olm.: **to be out of the ~,** sayılmamak. **picture-gallery,** resim müzesi. **picture-house,** sinema. **picture-rail,** duvara tablo asmak için çıta.
picturesque [ˌpiktʃəˈresk]. Resmi yapılacak kadar güzel, pitoresk.
piddle [ˈpidl]. Çişini etmek.
pidgin [ˈpidʒin]. **~ English,** yarı bozuk ingilizce yarı çince bir lisan, ki, Çinde tüccarlar ile hizmetçiler tarafından kullanılır.
pie[1] [pai]. Saksağan.
pie[2]. Etli veya meyvalı börek. **fruit ~,** torta: **shepherd's ~,** içi kıymalı patates ezmesinden yapılıp fırında pişirilen bir yemek: **to have a finger in the ~,** bir işe karışmak.
piebald [ˈpaiboold]. Alacalı.
piece [piis]. Parça; kısım; tane; sikke, akçe; yama; (satranç, dama) taş; piyes. **to ~ together,** birleştirmek, eklemek, yan yana koymak: **a ~ of advice,** bir tavsiye: **all of a [one] ~,** yekpare; aynı cinsten: **all to [in] ~s,** paramparça, hurdahaş: **a ~ of artillery,** bir top: **by the ~,** tane ile; parça başına: **to fall [go] to ~s,** parça parça olm.; harab olm.; iler tutar tarafı kalmamak: **a ~ of (good) luck,** talih eseri, düşeş: **to take to ~s,** sökmek: **a ~ of water,** bir küçük göl vs.: **this is a ~ of my work,** bu benim işimden bir örnektir. **piece-goods,** mensucat. **piece-work,** işe göre ücret; parça başına ücret.

piecemeal [ˈpiismiil]. Bölük pürçük, parça parça.
pied [paid]. İki renkli; alaca.
pied-a-terre [pieidaateə*]. Baş sokacak yer.
pier [piəə*]. Denize uzanmış iskele; rıhtım; payanda, ayaklık, destek.
pierc·e [piəs]. Delmek; delip geçmek; delip açmak. **~ing,** acı, keskin; iliğe işliyen (soğuk).
pierrot [ˈpiərou]. Palyaço, paskal.
piet·ism [ˈpaiətizm]. Müfrit dindarlık. **~y** [ˈpaiəti], dindarlık: **filial ~,** ana babaya karşı muhabbet ve hürmet.
piffle [ˈpifl]. (*arg.*) Saçma. Saçmalamak.
pig [pig]. Domuz; pis herif; obur; maden külçesi. (Domuz) yavrulamak. **to ~ it,** ahırda gibi yaşamak: **don't be a ~!,** (i) oburluk etme!; (ii) insaf et!; tatsızlık etme! **pig-headed,** dikkafalı, inadcı. **pig-iron,** pik demir. **pig-nut,** abdülleziz.
pigeon [ˈpidʒən]. Güvercin; tahtalı; safdil, aval. **clay ~** (spor) sunî güvercin. **pigeon-breasted, ~chested,** çıkık göğüslü. **pigeon-hole,** yazıhane gözü: (evrakı vs.) gözlere koymak; hasır altı etmek. **pigeon-toed,** ayaklarını içeri basarak yürüyen.
pig·gery [ˈpigəri]. Domuz ahırı; çok pis yer. **~gish,** pis; pisboğaz. **~let,** domuz yavrusu. **~man,** domuz çobanı.
pigment [ˈpigmənt]. Hayvan veya nebat nesiclerine renk veren madde; pigman, boya maddesi. **~ation** [–ˈteiʃn], sabağ teşekkülü, pigmantasiyon.
pigmy [ˈpigmi]. Cüce.
pig·skin [ˈpigskin]. Domuz derisi. **~sticking,** mızrak ile yaban domuzu avcılığı. **~sty,** domuz ahırı; pek pis ev veya oda. **~tail,** uzun ve arkaya sarkık saç örgüsü. **~wash,** domuz yemi; mutfak süprüntüsü.
pike[1] [paik]. (*Esox ferox*) Tatlısu turna balığı.
pike[2]. Kargı; zirve; kuru ot yığını. **~staff,** kargı sapı; ucu sivri demirli baston: ⌜**as plain as a ~**⌝, ⌜kör kör parmağım gözüne⌝.
pilaster [piˈlastə*]. Dört köşeli taş veya tuğla direk.
pilchard [ˈpiltʃəd]. (*Clupea pilchardus*) Ateş balığı.
pile[1] [pail]. Yığın, küme; büyük ve muhteşem bina. **~ (up),** yığmak, küme haline koymak; biriktirmek. Yığılmak, birikmek. **to ~ arms,** tüfek çatmak: **to make one's ~,** küpünü doldurmak, yükünü tutmak: **to ~ it on,** (*kon.*) mübalağa etm.: **to ~ on the agony,** (bir şey hakkında) acı veya korkunc tafsilat vermek.
pile[2]. Büyük kazık. **pile-driver,** şahmerdan.
pile[3]. Hav.
pile[4]. Basur memesi. **~s,** basur.
pilfer [ˈpilfə*]. Aşırmak.
pilgrim [ˈpilgrim]. Hacı; seyyah. **The Pilgrim Fathers,** 'Mayflower' gemisinde Amerikaya muhaceret eden İngilizler. **~age,** hacca gitme; uzun seyahat.
pill [pil]. Hap. **pill-box,** hap kutusu; (*ask.*) beton kule şeklinde makineli tüfek yuvası.
pillage [ˈpilidʒ]. Yağma, çapul. Yağma etm., soymak.
pillar [ˈpilə*]. Direk; sütun; rükün. **to be driven from ~ to post,** mekik dokumak. **pillar-box,** (üstüvane şeklinde) posta kutusu.
pillion [ˈpiljən]. Terki. **to ride ~,** terkiye binmek.
pillory [ˈpiləri]. Teşhir direği; teşhir cezası. (Bir suçluyu ceza olarak) teşhir etmek.
pillow [ˈpilou]. Baş yastığı. **to take counsel of one's ~,** bir şeye hemen karar vermeyip yatmak ve kararı ertesi güne bırakmak. **pillow-case,** yastık yüzü.
pilot [ˈpailət]. Kılavuz; rehber; pilot. Gemiye kılavuzluk etm.; uçak kullanmak; yol göstermek. **~age,** kılavuzluk; kılavuzluk ücreti. **pilot-fish,** (*Naucrates ductor*) Malta palamudu. **pilot-jacket,** gemicilerin kalın şayak ceketi.
pilule [ˈpiljul]. Hapçık.
pimento [piˈmentou]. Yenibahar.
pimp [pimp]. Pezevenk. Pezevenklik etmek.
pimpl·e [ˈpimpl]. Ergenlik; sivilce; ufak bir tepecik. **~y,** ergenlikli, sivilceli.
pin[1] [pin] *n.* Toplu iğne; mil. **~s,** (*arg.*) bacaklar. **I don't care a ~!,** hiç umurumda değil; bana vız gelir: **you could have heard a ~ drop,** sinek uçsa işitilirdi: **~s and needles,** karıncalanma: **to be on ~s and needles,** çok meraklanmak, diken üzerinde durmak: **for two ~s I'd box your ears,** benden tokat yemediğine şükret!: **safety ~,** çengelli iğne: **split ~,** gupilya.
pin[2] *vb.* İğnelemek; iğne ile tutturmak, bağlamak. **to ~ s.o.'s arms to his side,** birinin kollarını arkasından kıskıvrak yakalamak: **to be ~ned against a wall,** duvara sıkıştırılmak: **to be ~ned under a fallen beam,** düşen bir kalasın altında sıkışmak: **to ~ s.o. down to facts,** birini vakiaları kabule veya sırf vakiaları söylemeğe mecbur etm.: **to ~ one's hopes on ...,** ümidini ···e bağlamak.
pinafore [ˈpinəfoo*]. Çocuk önlüğü.
pince-nez [ˈpansnei]. Kelebek gözlüğü.
pincers [ˈpinsəəz]. **(pair of) ~,** kerpeten, kıskaç.
pinch[1] [pintʃ] *n.* Çimdik; tutam; sıkıntı, darlık: **it will do at a ~,** zaruret halinde yasak

savar: **it was a close ~,** bıçak sırtı kadar bir şey kaldı: **to feel the ~,** zaruret içinde kalmak; çok sıkıntı çekmek: **to give s.o. a ~,** birini çimdiklemek: **the ~ of hunger, poverty,** *etc.*, açlık, fakirlik vs.nin ıstırabı.

pinch² *vb.* Çimdiklemek; sıkıştırıp sıkıntı vermek veya acıtmak; (ayakkabı) sıkmak, vurmak; fazla tutumlu olm.; (*arg.*) aşırmak, yakalamak, kıstırmak. **to be ~ed for money,** para sıkıntısı çekmek: **to ~ and scrape,** dişinden tırnağından artırmak: **that 's where the shoe ~es,** işte derd burada: ⌜**everyone knows best where his own shoe ~es**⌝, herkes kendi derdini herkesten iyi bilir.

pinchbeck [ˈpintʃbek]. Altın taklidi; yapma, sahte.

pincushion [ˈpinkuʃn]. İğne yastığı.

pine¹ [pain] *n.* Çam. **Austrian ~,** kara çam: **Scotch ~,** sarı çam: **stone ~,** fıstık çamı. **pine-cone,** çam kozalağı.

pine² *vb.* **to ~ for,** ···in hasretini çekmek: **he ~s for London,** Londra gözünde tütüyor: **to ~ away,** yavaş yavaş kuvvetten düşmek.

pineapple [ˈpainapl]. Ananas.

ping [piŋ]. (*ech.*) Kurşun vızıltısı.

pinion [ˈpinjən]. Kanad tüyü; kanad; çark feneri. Kuş kanadının ucunu kesmek; kollarını bağlamak.

pink¹ [piŋk]. Küçük karanfil. Pembe. **in the ~ of condition,** yanakları kıpkırmızı; mükemmel idmanlı; (meyva vs.) tam olgun, mükemmel: **the ~ of perfection,** mükemmelliğin en yüksek derecesi.

pink². Kumaşın kenarlarını oya ile süslemek. Kılıc ile delmek.

pink³. (*ech.*) (otomobilin makinesi) kliketleşmek.

pinnace [ˈpinəs]. Altı veya sekiz kürekli filika. **steam ~,** çatana.

pinnacle [ˈpinəkl]. Bir bina üzerine yapılan kücük sivri tepeli kule; zirve.

pint [paint]. Bir galon'un sekizde biri (= 0·*586 litre*). **to have a ~,** bir bardak bira çekmek.

pintail [ˈpinteil]. (*Anas acuta*) Bir cins yaban ördeği, kılkuyruk.

pintle [ˈpintl]. Menteşe mili; mil; dümenin iğneciği.

pioneer [paioˈniə*]. Yol açmak için önden giden kimse; önayak olan; (*esk.*) baltacı neferi. **~ work,** bakir, el değmemiş bir mevzu veya iş.

pious [ˈpaiəs]. Dindar, sofu; (*esk.*) ebeveynine karşı hürmetkâr. **~ fraud,** sahte sofu, riyakâr.

pip¹ [pip]. Ufak çekirdek; (iskambil, domino, zar vs. üzerindeki) sayı, benek.

pip². Tavukların dilaltı illeti. **to have [get] the ~,** (*kon.*) sıkılmak, üzülmek; **to give s.o. the ~,** birinin keyfini bozmak.

pip³. [Askerlikte ve telfonda) P harfi. **~ emma** = **p.m.,** öğleden sonra.

pipe [paip]. Pipo; çubuk; künk; kaval, mizmar; 105 galonluk mayi ölçüsü. Çocuk gibi ince bir sesle söylemek: (*den.*) düdük ile kumanda vermek: **to ~ on board,** gemiye çıkan bir kimseyi porsun düdüğü ile selâmlamak. **the ~ s,** gayda: **to smoke the ~ of peace,** sulh yapmak, barışmak: ⌜**put that in your ~ and smoke it!**⌝, bunu unutma!; kulağında küpe olsun!: **to ~ up,** taganniye başlamak. **pipe-clay.** lüleci çamuru; beyaz deri vs. temizlemek için kullanılan bir nevi kil. **pipe-line,** petrol vs.yi uzak mesafelere nakletmek için yere döşenen boru.

piper [ˈpaipə*]. Gaydacı; kavalcı. **to pay the ~,** icabeden masrafı ödemek: ⌜**who pays the ~ calls the tune**⌝, ⌜parayı veren düdügü çalar⌝.

pipette [piˈpet]. Pipet.

pipit [ˈpipit]. (*Anthus*) İncirkuşu.

pipkin [ˈpipkin]. Ufak güveç.

pippin [ˈpipin]. Türlü cins elmalara verilen ad.

piquan·t [ˈpiikənt]. Acı, yakıcı, keskin, tuzlu biberli. **~cy,** (tad hakkında) dokunaklılık, acılık, keskinlik; bir şeyin meraklı tarafı.

pique [piik]. Güceniklik, kırgınlık, küskünlük. Küstürmek, içini yakmak; izzeti nefsine dokunmak. **to ~ oneself on stg.,** bir şeyle öğünmek, iftihar etmek.

pira·cy [ˈpairəsi]. Korsanlık; telif hakkı gasıblığı. **~te** [ˈpaiərət], korsan: telif hakkına tecavüz edip bir kitabı neşretmek. **~tical** [–ˈratikl], korsancasına.

pirouette [piruˈet]. Bir ayak üzerinde tam çark etme(k); bir atın birdenbire dönüşü.

pisc·atorial [ˌpiskəˈtooriəl]. Balıkçılığa aid. **~iculture** [ˈpisikʌltʃə*], balıkyetiştirme sanati.

pish [piʃ]. (*ech.*) *Hosnudsuzluk nidası.*

piss [pis]. Sidik. İşemek.

pistachio [piaˈtaaʃjou]. Şam fıstığı.

pistil [ˈpistil]. Nebatlarda dişilik uzvu.

pistol [ˈpistl]. Tabanca.

piston [ˈpistən]. Piston. **piston-ring,** segman.

pit¹ [pit] *n.* Çukur, oyuk; yerde kazılan tuzak; çopur; tiyatroda parter; maden ocağı. **the bottomless ~,** gayya, cehennem: **the ~ of the stomach,** göğüs çukuru. **pit-head,** maden ocağının ağzı. **pit-prop,** (maden ocağında) direk, destek.

pit² *vb.* (Asid, pas) madeni karıncalandırmak; (çiçek illeti) yüzde çopur bırakmak. **to pit oneself against s.o.,** boy ölçüşmek.

pit-a-pat [ˈpitəˈpat]. (*ech.*) Hafif hafif çarpma; tıkırdama. **(heart) to go ~,** yürek tıp tıp atmak.
pitch[1] [pitʃ]. Zift. Zift ile kaplamak. **pitch-black,** simsiyah. **pitch-dark,** zifiri karanlık.
pitch[2] *n.* Mertebe, derece; yükseklik; meyil; ses perdesi; yalpa; sokak veya pazar satıcısının muayyen yeri; (kriket oyunu) meydan; pervane piçi; (vida) adım, hatve. **full ~,** (top vs.) atılan bir şeyin yere çarpmadan başka bir şeye vurması: **to the highest ~,** son dereceye kadar, son derecede: **to such a ~ that...,** öyle bir mertebede ki....
pitch[3] *vb.* Atmak; yere dikmek; (çadır) kurmak; bir şeyi havaya atıp muayyen bir yere düşürtmek; sesin perdesini ayarlamak. Konmak; yere inmek; (gemi) baş vurmak. **to ~ one's hopes [ambitions] very high,** gözü yükseklerde olmak. **pitch in(to),** yumrukla veya dil ile tecavüzde bulunmak; tehalükle girişmek; bir yere başaşağı düşmek. **pitch on [upon],** ···e konmak; üzerine düşmek; seçmek, karar vermek: **to ~ on one's head,** tepe üstü düşmek.
pitch-and-toss [ˈpitʃəndˈtos]. Yazı mı tura mı oyunu.
pitchblende [ˈpitʃblend]. Radyum'un başlıca membaı olan tabii uranium oksiti.
pitched [pitʃd] *a.* **~ battle,** meydan muharebesi.
pitcher [ˈpitʃə*]. Testi. ⌜**little ~s have long ears**⌝, ⌜çocuktan al haberi⌝.
pitchfork [ˈpitʃfook]. Diğeren. Diğeren ile savurmak; fırlatmak.
piteous [ˈpitiəs]. Acınacak halde.
pitfall [ˈpitfool]. Tuzak olarak kazılan üstü hafifçe örtülmüş çukur; tuzak; gizli tehlike. **there are a lot of ~s in this business,** bu işte ayağını denk almalı.
pith [piθ]. (Nebatta) öz; cevher; kudret; esaslı kısım. **~iness,** vecizlik; kısa ve keskin üslûb. **~y,** özlü; veciz; muhtasar ve müfid; kısa ve keskin (üslûb).
piti·able [ˈpitiəbl]. Acınacak. **~ful,** merhametli; acınacak, acıklı; miskin. **~less,** amansız, merhametsiz.
pitman, *pl.* **-men** [ˈpitmən]. Madenci.
pittance [ˈpitəns]. Pek cüzî ücret. **a mere ~,** kutulâyemut; ölmiyecek kadar kazanc.
pitted [ˈpitid] *a.* Çiçek bozuklu; (maden asit veya pastan) karıncalanmış.
pituitary [piˈtjuətəri]. Balgama aid; nühami.
pity [ˈpiti]. Merhamet; acıma; şefkat, rikkat. **~ [take ~ on],** acımak; merhamet etmek. **for ~'s sake!,** Allah aşkına!: **what a ~!,** yazık!
pivot [ˈpivət]. Mil; mihver. Bir mihver etrafında dönmek. **~al,** mile aid; merkezî; en mühim.
pixy, -ie [ˈpiksi]. Peri, cin.
placard [ˈplakaad]. Yafta. Üzerine yafta yapıştırmak.
placate [pləˈkeit]. Teskin etm., yatıştırmak; hatırını yapmak, gönlünü almak.
place[1] [pleis] *n.* Yer; mevki; mahal; meydan; memuriyet, kapı; konak, ev. **in ~ of,** yerine, bedel olarak: **in the first ~,** ilkönce; evvela, evvelemirde; **it is not my ~ to do it,** bunu yapmak bana düşmez, benim vazifem değil: **to four ~s of decimals,** dördüncü kesre kadar: **to know one's ~,** haddini bilmek: **to lay a ~ (at table),** sofrada bir kişilik yer kurmak: **in the next ~,** sonra; bundan başka: **out of ~,** kendi yerinde olmıyan; yersiz, münasebetsiz: **to feel out of ~,** yadırgamak: **to look out of ~,** yama gibi durmak; münasebet almamak: **in its proper ~,** yerli yerinde: **to put s.o. in his ~,** birine haddini bildirmek: **to take ~,** vukubulmak: **to take a ~,** bir işe girmek; bir ev kiralamak; bir yerde oturmak; bir mevkii zaptetmek.
place[2] *vb.* Koymak; yerleştirmek; vazifeye yerleştirmek; (para) yatırmak. **to be awkwardly ~d,** müşkül bir vaziyette olm.: **to ~ a book with a publisher,** bir kitabı naşire kabul ettirmek: **I can't ~ him,** ismini hatırlıyorum fakat kim olduğunu kestiremiyorum; kim olduğunu tamamen tayin edemiyorum: **to ~ confidence in s.o.,** birine itimad etm.: **to ~ an order,** bir sipariş vermek: **to ~ a matter in s.o.'s hands,** bir işi birinin eline vermek, birine tevdi etm.: **to be well ~d in a class,** sınıfta derecesi iyi olmak.
placenta [pləˈsenta]. Meşime.
placid [ˈplasid]. Sakin; durgun; halim; halim selim.
plagiari·sm [ˈpleidʒiərizm]. İntihal. **~st,** intihalci. **~ze,** intihal etmek.
plagu·e [pleig]. Veba; taun; belâ, musibet. Taciz etm., tazib etm., üzmek; kasıp kavurmak. **a ~ on him!,** kör olasıca!: **to ~ s.o.'s life out,** birinin başının etini yemek. **~y,** baş ağrıtıcı.
plaice [pleis]. (*Pleuronectes platessa*) Bir nevi pisibalığı.
plain[1] [plein] *n.* Ova; sahra.
plain[2] *a.* Vazih, sarih, aşikâr; sade; güzel değil. **(person) to be ~,** (insan) güzel olmamak: **to be ~ with s.o.,** birisine dobra dobra söylemek: **~ dealing,** dürüst hareket: **in ~ clothes,** sivil elbiseli: **in quiet ~ clothes,** sade giyinmiş: **in ~ English,** açıkçası; inglizcesi: **in ~ words,** açıkçası. **plain-song,** bir nevi ilâhi. **plain-spoken,** tok sözlü; dobra dobra söyliyen.

plainness [ˈpleinnis]. Sadelik, basitlik; vuzuh, açıklık; toksözlülük; çirkinlik.
plaint [pleint]. Şikâyet.
plaintiff [ˈpleintif]. Davacı, müddei.
plaintive [ˈpleintiv]. İniltili, ağlamış, sızlamalı.
plait [plat]. Örgü, saç örgüsü. Saç örmek; hasır örmek.
plan [plan]. Tedbir, proje; tasavvur; tasar; niyet; fikir; plân, resim, harita. Tertib etm.; plânını çizmek; tasavvur etm.; niyet etm.; tasarlamak. **everything went according to ~,** her şey plâna uygun olarak cereyan etti: **the best ~ would be to ...,** yapılacak en iyi şey ... dir: **to ~ to do stg.,** bir şeyi yapmağa niyet etmek.
plane[1] [plein]. (*Plantanus*) Çınar.
plane[2]. Rende, pilânya. Rendelemek.
plane[3]. Düz satıh; seviye; uçağın kanadı; (*kıs.*) **aeroplane,** uçak. (Uçak) motörü işletmeden uçmak. **to ~ down,** motörü işletmeden inmek: **(hydroplane) to ~ along the water,** (idroplân) su üzerinde kaymak. **plane-table,** plânçete.
planet [ˈplanit]. Seyyare. **~ary, ~ system,** seyyareler manzumesi.
plank [plaŋk]. Uzun tahta, kalas. Tahta döşemek. **to ~ down money,** parayı nakden ödemek: **to ~ oneself down,** pat diye bir yere oturmak: **to walk the ~,** gemiden denize doğru uzatılmış bir kalas üzerinde gözleri bağlı olarak yürümek ki korsan gemilerinde idam şekli idi.
plano-convex [ˈpleinouˈkonveks]. Bir yüzü düz bir yüzü kabarık.
plant[1] [plaant] *n.* Demirbaş eşya; sanayide kullanılan her türlü aletler, makineler, cihaz vs.
plant[2] *n.* Nebat; ot; fide: (*arg.*) hile, dolandırıcılık.
plant[3] *vb.* (Fidan vs.) dikmek. **to ~ a blow,** bir darbe indirmek: **to ~ a bullet on the target,** kurşunu hedefe yerleştirmek: **to ~ a field with barley,** bir tarlaya arpa ekmek: **to ~ an idea in s.o.'s mind,** birinin aklına bir fikir koymak, telkin etm.: **to ~ oneself in front of s.o.,** birinin karşısında dikilmek: **to ~ out,** (fide) başka yere dikmek veya saksıdan çıkarıp dikmek.
plantain [ˈplaantin]. (*Plantago*) Sinirli yaprak, lisanülhamil: bir nevi muz.
plantation [plaanˈteiʃn]. Fidanlık; şekerkamışı, pamuk, çay vs. ekilen tarla.
planter [ˈplaantə*]. Şekerkamışı, pamuk, kahve vs. tarlalarını idare eden kimse.
plantigrade [ˈplantigreid]. Tabanları üstünde yürüyen (ayı vs. hakkında kullanılır).
plaque [plak]. Maden safhası; plâka; tabelâ.
plash [plaʃ]. (*ech.*) Çağıltı; suya çarpma sesi. Çağıldamak; suda çırpınmak.
plasm(a) [ˈplazm(a)]. Kan ve lenfa suyu, plâzma.
plaster [ˈplaastə*]. Sıva; alçı; yakı. Sıvamak; yakı yapıştırmak. **adhesive ~,** yakı bezi: **court ~,** ingiliz yakısı: **~ of Paris,** alçı: **a ~ saint,** sahte veli; fazla uslu çocuk. **~er,** sıvacı.
plastic [ˈplastik]. Yuğurulabilir; istenilen şekle sokulabilir. Heykeltraşlık vs. **the ~ arts,** heykeltraşlık, çömlekçilik, alçı heykelciliği gibi sanaatler.
plate [pleit]. Tabak; madenî levha, sac; plâk; fotograf camı; altın, gümüş ve gümüş kaplamalı sofra takımı; takma diş dizisi; basma resim. Madenî levha ile kaplamak. **hot-~,** soba vs.nin yemek ısıtmağa mahsus yeri: **number ~,** numara plâkası. **~ful,** tabak dolusu. **plate-armour,** gemi zırhı. **plate-glass,** ayna camı. **plate-mark,** *bk.* **hall-mark. plate-powder,** arina. **plate-rack,** tabaklık, tabak rafı.
platelayer [ˈpleitleə*]. Ray tamircisi veya döşeyicisi.
platen [ˈplatən]. Makine tahtası; matbaa makinesinin kâğıdı harfler üzerine basarak tabı yapan kısmı; yazı makinesinde kâğıd silindiri.
platform [ˈplatfoom]. Düz çatı, tahtaboş; sahanlık; peron; top temeli; platform; siyasî partinin programı. **a good ~ speaker,** iyi bir siyasî hatib.
plating [ˈpleitiŋ]. Kaplama; kaplamacılık; kaplama levhası.
platinum [ˈplatinəm]. Platin.
platitud·e [ˈplatitijuud]. Bayağılık; basmakalıb, beylik. **~inize** [–ˈtjuudinaiz], tatsız tuzsuz konuşmak; basmakalıb şeyler söylemek. **~inous** [–ˈtjuudinəs], basmakalıb ve yavan (söz veya kimse).
Plato [ˈpleitou]. Eflâtun. **~nic** [pləˈtonik], Eflâtun felsefesine aid, platonik; nazariyeden ibaret; zararsız, tesirsiz: **~ love,** ideal, manevi aşk.
platoon [pləˈtoun]. Askerî müfreze, takım.
platter [ˈplatə*]. Ağaçtan yapılmış tabak.
platypus [ˈplatipʌs]. Avustralyada bulunan yumurtlıyan memeli hayvan, ornitorink.
plaudits [ˈploodits]. Alkış.
plausible [ˈploozibl]. Akla yakın, makul; gözbağıcı, yüze gülücü, zahiren makul hakikatte değil.
play[1] [plei] *n.* Oyun; oynama; eğlence; şaka; kumar; hareket, hareket serbestisi; faaliyet; piyes; lâçka. **to call into ~,** meydana çıkarmak; (bir vazife yapmağa) davet etm.: **to come into ~,** ortaya çıkmak, rol oynamak: **in ~,** ciddi olmıyarak, alay

için: **in full ~**, tam faaliyette: **to give full ~ to one's abilities,** *etc.*, birinin istidadının vs. gelişmesine tam imkân vermek: **to make much ~ of stg.**, bir hadise vs.yi mütemadiyen büyüterek [şişirerek] bir maksad için kullanmak: **the ~ runs high,** büyük çapta kumar oynanıyor: **~ on words,** cinas, kelime oyunu.

play² *vb.* Oynamak; eğlenmek; kumar oynamak; (*mus.*) çalmak, çalınmak. **to ~ the fine lady,** kibar hanım rolü oynamak, tavrını takınmak: **to ~ the man,** erkekçe hareket etm.: **to ~ a fish,** oltaya takılan balığı sağa sola oynatarak kuvvetten düşürmek: **I'll ~ you for drinks,** sizinle içkisine oynarım (kaybeden içkileri ısmarlıyacak): **I'll ~ you for five shillings,** sizinle beş şilinine oynarım: **to ~ for one's own hand,** kendine yontmak: **to ~ into the hands of s.o.,** [**to ~ s.o.'s game**], birinin ekmeğine yağ sürmek: **to ~ the game,** oyunu usulüne göre oynayıp yenilmekten korkmamak; namuslu davranmak: **to ~ a part,** rol oynamak: **to ~ for time,** vakit kazanmak için oyalamak. **play at,** (filan oyunu) oynamak: **(children) to ~ at being soldiers,** *etc.*, çocuklar askerlik vs. oynamak: **what are you ~ing at?**, ne kumpas kuruyorsun?: **to ~ s.o. at chess,** birisile satranç oynamak. **play away,** kumarda (servetini vs.) kaybetmek: **we are ~ing away tomorrow,** yarın karşı tarafın sahasında oynuyoruz. **play off, to ~ off a match,** berabere kaldıktan sonra netice almak için tekrar oynamak: **to ~ off s.o. against s.o. else,** kendi menfaati için birini başkasına karşı kullanmak. **play on,** oynamağa devam etm.: **to ~ on [upon] s.o.'s feelings,** birinin merhamet vs. hissinden istifade etm.: **the fire-engine ~ed on the house,** itfaiye hortumları eve tevcih etti. **play out,** oyunu sonuna kadar oynamak: **the organ ~ed the people out,** halk kiliseden çıkıncaya kadar org çaldı: **to be ~ed out,** takati kalmamak; modası geçmiş olm., pabucu dama atılmak. **play up,** gayretle oynamak: **to ~ up to s.o.,** birine yaranmak, dalkavukluk etmek.

play·er [ˈpleiə*]. Oyuncu; aktör. **~fellow,** oyun arkadaşı. **~ful,** şakacı, neşeli, oynak. **~goer,** tiyatro meraklısı. **~ground,** oyun sahası; eglence yeri; saha. **~house,** tiyatro. **~mate,** oyun arkadaşı. **~thing,** oyuncak. **~time,** oyun zamanı; teneffüs vakti. **~wright,** tiyatro müellifi.

plea [plii]. Müdafaaname; bahane; vesile. **~ for mercy,** aman talebi: **on the ~ of ...** ... bahanesile.

plead [pliid]. Dava etm.; bir davayı ileri sürmek yahud bir davaya karşı müdafaada bulunmak; bir mahzuru ileri sürmek; öne sürmek; yalvarmak. **to ~ guilty or not guilty,** suc veya mesuliyeti kabul veya reddetmek: **to ~ illness,** *etc.*, hastalığını vs. ileri sürmek (bahane etm.): **to ~ with s.o.,** birine yalvarmak: **to ~ s.o.'s cause with s.o.,** birisi için başka birine şefaat etmek. **~ing,** yalvarıcı; müdafaa sanati; ithamname ve müdafaaname; yalvarma: **special ~,** mugalata. **~er,** avukat.

pleasant [ˈplezent]. Hoş; şirin, canayakın. **to make oneself ~ to s.o.,** birinin yüzüne gülmek; birinin gözüne girmeğe çalışmak; iltifat etmek. **~ry,** latife; şaka.

pleas·e [pliiz]. Hoşuna gitmek; memnun etm.; göze girmek. **~!** [**if you ~**], lûtfen, rica ederim: **do as you ~!**, istediğinizi yapınız; siz bilirsiniz!: **to do as one ~s,** istediğini yapmak: **hard to ~,** müşkülpesend: **~ God!**, inşallah: **there is no ~ing him,** onu memnun etmek mümkün değil: **~ yourself!**, siz bilirsiniz, nasıl isterseniz. **~ed,** memnun, razı: **to be ~ to do stg.,** bir şeyi memnuniyetle yapmak; (resmî) buyurmak: **he is very well ~ with himself,** kendini beğenmiş; yaptığından memnun.

pleasing [ˈpliziŋ]. Hoş; canayakın; sempatik.

pleasurable [ˈpleʒərəbl]. Memnun edici; hoş.

pleasure [ˈpleʒə*]. Haz, zevk, memnuniyet; eğlence; keyf; tenezzüh. **at ~,** istenildiği kadar veya zaman; keyfemayeşa: **at the ~ of ...,** ···in keyfine göre: **at the King's will and ~,** Kıralın emir ve idaresile: **without consulting my ~,** bana danışmadan, razı olup olmadığımı sormadan: **office held during ~,** birinin arzusuna bağlı vazife: **I have much ~ in informing you that ...,** size bildirmekle memnunum: **~ resort,** eğlence şehri veya yeri: **~ ground,** eğlence meydanı, bayram yeri: **~ trip,** tenezzüh seyahati: **what is your ~?**, emriniz nedir?

pleat [pliit]. Kırma, plise. Kırma veya plise yapmak.

plebeian [pliiˈbiiən] Ayak takımına aid; halk tabakasından.

plebiscite [ˈplebisait]. Plebisit.

plebs [plebs]. **the ~,** Ayak takımı; avam.

plectrum [ˈplektrəm]. Mızrab; tezene.

pledge [pledʒ]. Rehin; vaid, söz; teminat; tövbe; sıhhatine içme. Rehin veya teminat olarak vermek; sıhhatine içmek. **to ~ oneself to ...,** vadetmek, söz vermek; ahdetmek: **~ of good faith,** hüsnüniyet teminatı: **to put stg. in ~,** bir şeyi rehine koymak: **to take [sign] the ~,** içki içmeğe tövbeli olm.: **I am under ~ of secrecy,** bu sırrı söylememeğe söz verdim.

Pleiades [ˈplaiədiiz]. **the ~,** Süreyya, Ülker.
plenary [ˈpliinəri]. Tam; umumî; mutlak. **~ assembly,** umumî heyet ictimaı: **~ powers,** tam salâhiyet.
plenipotentiary [ˈpliinipəˈtenʃəri]. Tam salâhiyetli (elçi vs.).
plentitude [ˈpliinitjuud]. Tamamlık; bolluk.
plent·y [ˈplenti]. Bolluk; çokluk. **~ of,** çok. **~eous, ~iful,** bol, mebzul; bereketli.
pleonasm [ˈpliiənazm]. Bir mefhumu fazla sözlerle ifade, ıtnab.
plethor·a [ˈpleθorə]. Lüzumundan fazla çokluk; fazlalık; (*tıb.*) kan imtilâsı, pletor. **~ic,** kan imtilâsına aid.
pleur·al [ˈpluerəl]. Gışayı cenbe aid, cenbî: **~isy,** zatülcenb, plörezi.
plexus [ˈpleksʌs]. Dafire, pleksüs.
plia·ble [ˈplaiəbl]. Eğilebilir, bükülür; yumuşak, uysal. **~nt,** eğilip bükülür.
pliers [ˈplaiəəz]. Kıskaç, kerpeten; kargaburun.
plight[1] [plait] *n.* Hal, vaziyet. **to be in a sorry ~,** müşkül veya acıklı bir vaziyette olmak.
plight[2] *vb.* **to ~ one's word** [**troth**], söz vermek, *bilh.* evlenmeğe söz vermek.
Plimsoll [ˈplimsol]. **~ line,** gemilerin müsaade olunan yükü aldığı zaman suya batacağı kısmı gösteren hat. **~s,** üstü bez tabanı lâstik ayakkabı.
plinth [plinθ]. Sütun kürsüsü; heykel ayaklığı.
plod [plod]. Ağır ağır veya yorgun gibi yürümek. **to ~ along,** ağır ağır fakat sebatla yürümek veya çalışmak. **~er,** sürekli gayretle çalışan kimse.
plop [plop]. (*ech.*) *Ağır bir şeyin suya düşme sesi*: cumburlop. Lop diye suya düşmek.
plot[1] [plot]. Arsa; tarh; küçük arazi parçası, parsel.
plot[2]. Entrika, dolab; gizli tertib; suikasd; bir piyes veya hikâyenin plânı; grafik. Suikasd tertib etm.; dolab çevirmek, kumpas kurmak; haritasını veya grafiğini çizmek.
plough [plau]. Saban, pulluk. Çift sürmek, toprağı saban ile sürmek. **the ~,** Büyük Ayı: **to ~ s.o. in an exam.,** (*kon.*) birini imtihanda çaktırmak, dökmek: **to follow the ~,** çiftçilik yapmak: **to put one's hand to the ~,** bir işe gayretle girişmek. **plough in,** saban ile gömmek. **plough through,** **to ~ one's way through the mud,** çamurda güçlükle ilerlemek: **(ship) to ~ through the waves,** (gemi) dalgaları yarmak. **plough up,** bir çayırı sabanla sürmek; (mermi, bomba) toprağı kazmak. **plough-boy,** çiftçi yamağı.
plough·land [ˈplauland]. Sabanla sürülmüş arazi. **~share,** sabanın uc demiri.
plover [ˈplʌvə*] (*Vanellus*) Kızkuşu ve ona benzer birkaç kuşa verilen ad.
plow. (*Amer.*) *bk.* **plough.**
pluck[1] [plʌk] *vb.* Yolmak; soymak; koparmak; (*arg.*) imtihandan döndürmek. **to ~ out** [**off**], çekip koparmak: **to give a ~ at stg.,** iki parmağı ile tutup çekmek: **to ~ s.o. by the sleeve,** birini yeninden çimdikler gibi çekmek: **to ~ up courage,** cesaretini toplamak.
pluck[2] *n.* Cesaret, yiğitlik; kabadaylık. **~y,** yiğit, gözü pek.
plug [plʌg]. Tapa; tıkaç; (*elek.*) fiş; (helâda) su haznesi kolu: (*arg.*) yumruk darbesi. Tıkamak; (*arg.*) yumruklamak. **sparking ~,** buji: **wall ~,** priz, erkek fiş: **~ tobacco,** ağız tütünü. **plug away,** sebatla çalışmak. **plug in,** (*elek.*) fişi prize sokmak.
plum [plʌm]. Erik; (*arg.*) en iyisi: **the ~s,** en iyi memuriyetler vs. **French ~s,** erik kurusu. **plum-cake,** kuru üzümlü kek: **plum-duff,** kuru üzümlü puding: **plum-pudding,** *bilh.* Noel'de yenilen kuru üzümlü meşhur İngiliz puding'i.
plumage [ˈpluumidʒ]. Kuşun tüyleri.
plumb [plʌm]. Şakul; iskandil kurşunu; şakulî vaziyet. Amudî, şakulî; (*arg.*) tastamam. İskandil etm.; şakul aleti ile tashih etm.; inceden inceye tedkik etm.; evin su tertibatını kurmak. **~er,** kurşuncu, lehimci. **~ing,** evin boru tertibatı; kurşunculuk.
plumbago [plʌmˈbeigou]. Kurşunkalem madeni, plombajin; bir cins güzel renkli çiçek.
plume [pluum]. Büyük ve gösterişli tüy; sorguç. **to ~ itself,** (kuş) tüylerini düzeltmek: **to ~ oneself on stg.,** bir şeyle övünmek: **borrowed ~s,** karganın tavus tüyleri giymesi gibi sahte unvan vs.
plummet [ˈplʌmit]. Şakul veya iskandil kurşunu.
plump[1] [plʌmp]. Semiz; tombul; etinedolgun.
plump[2]. (*ech.*) *Ağır düşme sesi*; gümbürtü, cumburlop; ansızın. **to ~ for,** …e rey vermek, tercih etmek.
plunder [ˈplʌndə*]. Yağma, çapul. Yağma etm., soymak, çapullamak.
plunge [plʌndʒ]. Daldırmak, batırmak; sokmak, saplamak. Atılmak, dalmak; (gemi) baş vurmak. Suya dalma; saldırış. **to take the ~,** geri dönülmesi imkânsız bir işe girişmek ('ok yaydan çıktı' *kabilinden*).

plunger [ˈplʌndʒə*]. Azgın kumarbaz veya acyocu; tulumba pistonu.
pluperfect [pluuˈpeefikt]. Hikâyei mazi sıygası, *mes.* **he had seen,** görmüştu.
plural [ˈpluərəl]. Cemi. ~ **vote,** birden fazla rey kullanma hakkı. ~**ity** [–ˈraliti], çokluk; ekseriyet; bir adamda birkaç vazifenin birleşmesi.
plus [plʌs]. Zaid işareti (+); ilâvesile; müsbet. ~ **side of an account,** hesabın alacak hanesi. **plus-fours,** golf pantalonu.
plush [plʌʃ]. Pelüş.
Pluto [ˈpluutou]. Mitolojide cehennem hükümdarı.
plutocra·cy [pluˈtokrəsi]. Zenginler hakimiyeti, plutokrasi. ~**t** [ˈpluutəkrat], nüfuzlu zengin; pek zengin adam.
pluvial [ˈpluuvjəl]. Yağmura aid.
ply¹ [plai] *n.* Katmer, kat; plise; ip kolu. **five-~ wood,** beş katlı kontrplak; **three-~ rope,** üç kollu halat. ~**wood,** kontrplak.
ply² *vb.* Kuvvetle işletmek, kullanmak; sıkıştırmak. Muayyen bir şekilde sefer yapmak. **to ~ the oars,** çala kürek kürek çekmek: **to ~ a trade,** bir sanat icra etm.: **to ~ s.o. with drink,** birine mütemadiyen içki vermek: **to ~ s.o. with questions,** birini suallerle sıkıştırmak: **car ~ing for hire,** kira otomobili.
p.m. [ˈpiiˈem]. (*kıs. Lât.*) **post meridiem,** öğleden sonra.
pneumatic [njuˈmatik]. Hava ile işliyen: ~ **tyre,** lâstik.
pneumonia [njuˈmounjə]. Zatürrie, pnömoni.
po [pou]. Lâzımlı.
P.O. (*kıs.*) **Post Office,** Postahane.
poach¹ [poutʃ]. Yumurtayı kabuksuz olarak suda pişirmek.
poach². Toprak yaş iken hayvan tarafından çiğnenip katı ve çukur çukur olmak.
poach³. Ruhsatsiz avlamak; başkasının malını haksız olarak almak. **to ~ on s.o.'s preserves,** başkasının sahasına tecavüz etmek. ~**er,** ruhsatsız avlanan avcı.
pochard [ˈpoutʃəəd]. (*Aythya ferina*) Elmabaş.
pocket [ˈpokit]. Ceb; kese; torba; altın ve sair maden filizini havi olan kuyu; (havacılık) hava boşluğu. Derceb etm.; cebe koymak; (hislerini) zaptetmek; (tahkir vs.yi) hazmetmek. **to be in ~,** (bir işten) kâr etm., kârlı çıkmak: **to be out of ~,** cebden [keseden] eklemek; zararlı çıkmak: **to have s.o. in one's ~,** birini avucunda tutmak: **always to have one's hand in one's ~,** mütemadiyen para vermeğe mecbur olm.: **to line one's ~s,** çulunu tutmak, kesesini doldurmak: ~**s under the eyes,** gözlerin altındaki sarkık etler. **pocket-book,** muhtıra defteri. **pocket-handkerchief,** mendil. **pocket-knife,** çakı. **pocket-money,** ceb harclığı.
pock-mark [ˈpokmaak]. Çiçekbozuğu, çopur. ~**ed,** *a.* çiçekbozuğu.
pod [pod]. (Bakla vs.) kabuk, zar. Kabuğunu soymak. Kabuk bağlamak.
podgy [ˈpodʒi]. Şişko; bodur.
poem [ˈpouim]. Şiir, manzume.
poet [ˈpouit]. Şair. ~**aster,** şair bozuntusu. ~**ess,** kadın şair. ~**ic(al)** [–ˈetikl], şairane; şiire aid. ~**ry** [ˈpouitri], şiir sanaati, nazım.
poignant [ˈpoinənt]. Keskin, yakıcı; dokunaklı, tesirli; ıstırab verici.
point¹ [point] *n.* Nokta; derece; kerte; uc; burun; cihet; mesele; saded; maksad; husus; hususiyet, vasıf; (*elek.*) sorti: (oyun) puvan. **at all ~s,** her cihetle, her bakımdan: **to be on [at] the ~ of doing stg.,** bir şeyi yapmak üzere olm.: **to be to the ~,** (söz) isabetli olm., yerinde olm.: **beside the ~,** sadedden haric; yersiz: **to come to the ~,** sadede gelmek; asıl işe gelmek: **at the ~ of death,** ölmek üzere iken: **to give ~s to ...,** ···e taş çıkarmak: **figures that give ~ to his argument,** iddiasını takviye eden rakamlar: **the ~s of a horse,** *etc.*, at vs.nin bedenî vasıfları: **the case in ~,** bahis mevzuu olan mesele: **in ~ of fact,** hakikatte; aslına bakarsanız: **in ~ of numbers,** sayıca, sayı itibarile: **the ~ of a joke,** bir nüktenin maksadı, inceliği: **to make a ~,** bir noktayı isbat etm.: (av köpeği) ferma etm.: **to make a ~ of ...,** ···e bilhassa dikkati çekmek; ···e ehemmiyet vermek: **I make a ~ of being in bed by eleven,** saat on birde muhakkak yatarım (buna ehemmiyet veririm): **off the ~,** sadedden haric: **rash to the ~ of madness,** çılgınlık derecesinde atılgan: **railway ~s,** demiryolunu makası: **what 's the ~ of doing this?,** bunu yapmakta ne mana var?, bunu ne diye yapıyorsun?: **two ~ five,** iki virgül beş. **point-blank,** ufkî ateş edilmiş: **to fire at s.o. ~,** birine çok yakından ateş etm., silâhı dayayarak ateş etm.: **to ask s.o. ~,** ağzında gevelemeden birdenbire sormak: **to refuse ~,** kat'i olarak reddetmek. **point-duty, policeman on ~,** muayyen bir yerde vazife gören polis; seyrüseferi idare eden polis, işaret memuru. **point-to-point** (race) kırda yapılan manialı at koşusu.
point² *vb.* Sivriltmek; bir noktaya çevirmek, tevcih etm.; göstermek; delâlet etm.; (av köpeği) ferma etmek. **to ~ a moral,** (kıssadan) hisse çıkarmak. **to ~ a wall,** duvar derzetmek. **point at,** parmak ile göstermek: **to ~ one's stick at stg.,** bir şeyi değnekle işaret etmek. **point out,** dikkati

çekmek; ihtar etm.; belirtmek; göstermek: **may I ~ out that ...?**, şu noktayı hatırlatabilir miyim ki?

pointed [ˈpointid]. Sivri uclu; dokunaklı, iğneli, imalı (söz).

pointer [ˈpointə*]. Fermacı av köpeği, puvanter; iğne, dilcik.

pointless [ˈpointlis]. Manasız; faydasız; ipsiz sapsız; beyhude.

pointsman [ˈpointsmən]. Makasçı.

poise [poiz]. Müvazene, temkin; duruş, hal. Müvazenede tutmak. **to be ~d,** asılmak.

poison [ˈpoisən]. Zehir. Zehirlemek. **to take ~,** kendini zehirlemek: **he hates me like ~,** elinden gelse beni bir kaşık suda boğar: ⌈**one man's meat is another man's ~**⌉, birisi için zehir olan şey başkası için iksir olabilir. **~ous,** zehirli; öldürücü; menhus; muzır.

poke¹ [pouk]. ⌈**to buy a pig in a ~**⌉, bir şeyi görmeden satın almak.

poke². Dürtüş; dirsek vurma. Parmak, baston vs. ile dürtmek; dürterek sokmak. **to ~ fun at s.o.,** birisile alay etm.: **to give s.o. a ~ in the ribs,** şaka için birinin kaburgalarını parmak veya dirsekle dürtmek: **to ~ a hole in stg.,** dürterek delik açmak: **to ~ one's nose into ...,** ···e burnunu sokmak. **poke about,** kurcalamak, karıştırmak. **poke out, to ~ s.o.'s eye out,** dürterek birinin gözünü çıkarmak: **to ~ the fire out,** ateşi küskü ile fazla karıştırıp söndürmek: **to ~ one's head out of the window,** başını pencereden uzatmak.

poker¹ [ˈpoukə*]. Küskü; ocak süngüsü. ⌈**as stiff as a ~**⌉, baston yutmuş gibi. **poker-work,** kızgın demir ile tahta üzerine işleme, pirogravür.

poker². Poker. **poker-face,** (poker oyuncusu gibi) hislerini hiç belli etmiyen yüz.

poky [ˈpouki]. (Oda) dar ve âdi; (ev) nohut oda bakla sofa: (iş, memuriyet) ehemmiyetsiz, hakîr.

Poland [ˈpoulənd]. Polonya.

polar [ˈpoulə*]. Kutbî. **~ bear,** beyaz ayı: **~ circle,** kutub medarı. **~ity** [–ˈariti], kutbiyet. **~ization** [–raiˈzeiʃn], kutublaşma.

pole¹ [poul]. Kutub. **~s apart,** aralarında dağ var.

pole². Sırık; direk; uzunluk ölçüsü = 5·03 metre. **under bare ~s,** (gemi) yelkenler inik olarak. **pole-jump,** sırıkla atlama.

Pole³. Polonyalı.

pole-axe [ˈpoulaks]. Mezbahalarda hayvanları öldürmeğe mahsus topuz. Bu aletle öldürmek.

polecat [ˈpoulkat]. Kokarca.

polemic [poˈlemik]. Kalem münakaşası.

police [pəˈliis]. Zabıta, polis. İnzibat altına almak; asayaşi temin etmek. **~man,** pl. **~men** [–mən], polis, zabıta memuru. **~woman,** *pl.* **~en,** kadın polis. **police-court,** sulh mahkemesi. **police-station,** karakol. **police-van,** hapishane arabası.

policy¹ [ˈpolisi]. Siyaset; hareket tarzı; tedbir. **a matter of public ~,** umumun [halkın] manfaatini alâkadar eden şey.

policy². Sigorta mukavelesi; poliçe. **to take out a ~,** (bir şeyi bir yere) sigorta ettirmek.

polish¹ [ˈpoliʃ]. Cilâ, perdah; kundura boyası; parlaklık; nezaket, naziklik, görgü. Parlatmak; cilâlamak, perdahlamak; kundura boyamak; kabalığını veya görgüsüzlüğünü gidermek. **~ed,** cilâlı; parlak: **~ manners,** terbiyeli, ince, nazik hal ve tavır: **~ style,** zarif, traşide üslûb. **polish off,** silip süpürmek; çabuk bitirmek. **polish up,** parlatmak: **to ~ up one's English,** İngilizcesinin pasını silmek: **to ~ up a poem,** bir manzumeyi gözden geçirip süslemek, düzeltmek.

Polish² [ˈpouliʃ]. Polonyalı; leh; lehçe.

polite [pəˈlait]. Nazik, kibar, terbiyeli. **to do the ~,** vazife vs. icabi nezaket göstermek: **~ society,** terbiyeli ve kibar insanların muhiti. **~ness,** nezaket, naziklik, terbiyelilik; iltifat.

politic [ˈpolitik]. İhtiyatlı, müdebbir, akıllı; kurnaz. **the body ~,** devlet, siyasî cemiyet. **~al** [pəˈlitikl], siyasî; politikaya aid. **~s,** politika, siyasiyat: **to go into ~,** siyasî hayata atılmak: **what are your ~?,** siyasî kanaatleriniz nedir?

polity [ˈpoliti]. Hükûmet şekli; idare; devlet.

poll [poul]. Baş, başın tepesi; rey verme; verilen reylerin sayısı. Seçimde rey vermek. Rey almak; öküz vs.nin boynuzlarını kesmek; ağacın tepesini kesmek. Boynuzsuz inek vs. **to declare the ~,** seçimlerin neticesini ilân etm.: **to go to the ~,** seçimde rey vermek: **to head the ~,** seçimde kazanmak. **~ed** [pold], boynuzları kesilmiş (hayvan); tepesi budanmış (ağaç).

pollack [ˈpolak]. (*Gadus pollachius*) Merlanos cinsinden bir balık.

pollard¹ [ˈpoləd]. Tepesi budanmış ağaç; boynuzları kesilmiş hayvan. Tepesini budamak; boynuzlarını kesmek.

pollard². İnce kepekle karışık un.

pollen [ˈpolən]. Talı, gubar, polen.

pollinate [ˈpolineit]. (Çiçek) tenasül tozu yaymak.

pollute [poˈljuut]. Kirletmek, telvis etm.; kudsiyetini ihlâl etmek.

polo [ˈpoulou]. Çevgâna benziyen bir oyun.

polony [poˈlouni]. Bir cins sucuk.

poltergeist [ˈpoltəgaist]. Cin, gürültücü ve fesad çıkaran peri.

poltroon [polˈtruun]. Korkak adam. **~ery,** korkaklık, namerdlik.
poly- [ˈpoli]. *pref.* Çok ....
polyandry [ˈpoliˌandri]. Çok kocalılık.
polyanthus [poliˈanθəs]. Bir nevi büyük ve güzel renkli çuhaçiçeği.
polygamy [poˈligəmi]. Çok karılılık.
polyglot [ˈpoliglot]. Çok dil bilen.
polypod [ˈpolipod]. Çok ayaklı; kırkayak.
polypus [ˈpolipəs]. Ahtapot; polip.
polysyllabic [ˌpolisiˈlabik]. Çok heceli.
polytechnic [poliˈteknik]. Muhtelif ilimlere şamil; sanat mektebi; mühendis mektebi.
polytheism [poliˈθii·izm]. Muşriklik, politeizm.
pomade [poˈmaad]. Merhem.
pomegranate [pomˈgranit]. Nar.
pommel [ˈpʌml]. Kılıç kabzasının ucundaki yuvarlak; eğer kaşı. Yumruklamak.
pomp [pomp]. Debdebe, tantana, alayiş. **with ~ and circumstance,** büyük merasimle; alayi valâ ile.
pompom [ˈpompom]. Püskül, ponpon.
pom-pom. Ufak seri ateşli top.
pompo·us [ˈpompəs]. Mutantan, debdebeli; azametli; sahte vakar; tumturaklı, şatafatlı. **~sity** [–ˈpositi], azametfuruşluk, kendini beğenmişlik, sahte vakarlık; tumturaklı saçma.
pond [pond]. Havuz; gölcük. **~ life,** durgun su içinde yaşıyan mahluklar.
ponder [ˈpondə*]. Düşünceye dalmak; düşünüp taşınmak.
ponder·able [ˈpondərəbl]. Tartılır. **~s,** maddî şeyler. **~ous,** ağır, hantal; havaleli; cansıkıcı.
poniard [ˈponjəd]. Hançer. Hançerlemek.
pontif·f [ˈpontif]. Ruhanî reis. **the sovereign ~,** Papa. **~ical** [–ˈtifikl], Papaya mensub; kurumlu, itiraz kabul etmez. **~icate,** papalık: ruhanî reislik etm.; tumturaklı cafcaflı sözler söylemek.
pontoon [ponˈtuun]. Duba; köprü dubası; tombaz.
pony [ˈpouni]. Küçük at, midilli.
poodle [ˈpuudl]. Kıvırcık tüylü köpek, kaniş.
pooh [puu]. *İstihfaf edatı.* **pooh-pooh,** istihfaf etm., alaya almak; istihfaf ile reddetmek.
pool[1] [puul]. Gölcük; su birikintisi; bir nehrin derin ve sakin kısmı; bahçe havuzu.
pool[2]. Kumar masalarında pay sandığı; pay kumbarası, kanyot; bir nevi bilârdo; trost.
pool[3]. Bir merkezde toplamak, birleştirmek.
poop [puup]. Pupa. (Dalga) geminin kıç tarafından içeriye girmek. **to be ~ed,** geminin kıçı büyük bir dalga altında kalmak.
poor [puə*, poo*]. Fakir, yoksul, muhtac; zavallı; miskin, değersiz; noksan; mümbit olmıyan, kısır; silik; zayıf; bakımsız. **the ~,** fakirler: **the ~ chap,** zavallı; adamcağız: **in my ~ opinion,** benim aciz kanaatime göre: **to have a ~ opinion of s.o.,** birisine pek kıymet vermemek: **a ~ sort of mother,** analar kusuru: **~ you!,** vah zavallı! **poor-law,** fakirlere mahallî idarelerce yardım hakkında kanun. **poor-relief,** fakirlere yardım.
poorhouse [ˈpoohaus]. Darülaceze, düşkünler evi.
poorly [ˈpuəli]. Çok iyi olmıyarak, fena. Keyifsiz, hasta.
poorness [ˈpuənis, poonis]. Fakirlik; mahsûlsüzlük; eksiklik, değersizlik.
pop [pop]. (*ech.*) Pat!, küt!, çat!, güm! Patlama sesi. Hafif sesle patlamak; patlamak: (*arg.*) rehine vermek. **to be in ~,** rehinde olm.: **to go ~,** pat diye patlamak: **to ~ the question,** (*arg.*) evlenme teklifi yapmak. **pop-eyed,** pırtlak gözlü. **pop-gun,** patlangaç, mantar tabancası, oyuncak tüfek. **pop in,** uğrayıvermek, girivermek. **pop off,** (*arg.*) nalları dikmek. **pop over** [**round**], gidivermek. **pop up,** çıkıvermek, sipsivri çıkmak.
pope [poup]. Papa; ortodoks papazı. **~ry,** (*köt.*) Papa tarafdarlığı, katoliklik.
popinjay [ˈpopindʒei]. Züppe.
popish [ˈpoupiʃ]. (*köt.*) Papalığa aid; katolik dinine aid.
poplar [ˈpoplə*]. Kavak. **Lombardy ~,** piramid kavak.
poppet [ˈpopit]. (Torna) gezer punta gövdesi.
popple [ˈpopl]. Dalga çırpıntısı; şapırtı. (Su) şapırdamak.
poppy [ˈpopi]. (*Papaver*) Gelincik; haşhaş.
populace [ˈpopjuləs]. Ayak takımı, avam.
popular [ˈpopjulə*]. Halka aid; halkın hoşuna gider; herkesin anlıyabileceği tarzda; makbul, rağbette. **~ error** [**belief**], umumî hata [kanaat]: **a ~ boy,** herkes tarafından sevilen çocuk: **~ government,** halk hükûmeti. **~ity** [–ˈlariti], umumî muhabbet; herkesce makbul olma; rağbet. **~ize** [–raiz], halka sevdirmek; halkın seviyesine indirmek.
populat·e [ˈpopljuleit]. İskân ettirmek; mamur etmek. **thickly ~ed,** nüfusu kesif. **~ion** [–ˈleiʃn], nüfus; ahali.
populous [ˈpopjuləs]. Nüfusu çok; kalabalık.
porcelain [ˈpooslin]. Porselen.
porch [pootʃ]. Kapı saçaklığı; kapı önünde sundurma; revak.

porcine ['poosain]. Domuza aid, domuz gibi.
porcupine ['pookjupain]. Büyük kirpi.
pore[1] [poo*]. Mesame.
pore[2]. **to ~ over a book,** bir kitaba dalmak: **to ~ over a subject,** bir mevzu üzerinde uzun uzadıya düşünmek.
pork [pook]. Domuz eti. **a hand of ~,** domuz etinin omuz tarafı. **~er,** genc besili domuz. **~y,** domuz eti gibi; semiz. **pork-pie,** domuz etile yapılmış kıymalı börek: **~ hat,** yuvarlak yassı şapka.
pornography [poo'nogrəfi]. Bahname edebiyati, açık saçık yazılar.
poro·sity [poo'rositi]. Mesamelilik, süzgeç gibilik. **~us** ['poorəs], mesameli, süzgeç gibi.
porphyry ['poofəri]. Somaki.
porpoise ['poopəs]. (*Phocaena communis*) Yunusbalığı cinsinden domuzbalığı (?).
porridge ['poridʒ]. Yulaf unundan yapılmış lâpa.
porringer ['porindʒə*]. 'Porridge' kabı; çorba tası.
port[1] [poot]. Liman. **home ~,** menşe limanı: **~ of registry,** geminin kayıdlı olduğu liman: **to put into ~,** limana girmek: ⌜**any ~ in a storm**⌝, başı sıkışan adam ince eleyip sık dokumaz.
port[2]. Geminin iskele tarafı. İskele tarafına aid. (Gemiyi) iskeleye döndürmek. **to go to ~,** iskeleye doğru gitmek.
port[3]. Lûmbar; lûmbuz; istim, gaz vs. yolu. **port-hole,** lûmbuz.
port[4]. Tavır, hal, tabiî vaziyet.
port[5]. **to ~ arms,** tüfeği teftişe hazır tutmak.
port[6]. Porto şarabı.
portable ['pootəbl]. Taşınabilir, portatif.
portage ['pootidʒ]. Taşıma, taşınma; nakliye ücreti; bir sandalı bir nehirden alıp başka bir nehre veya bir sed üzerine taşıma.
portal ['pootl]. Cümle kapısı; medhal.
portcullis [pootkʌlis]. Yukarıdan aşağı kapanan tarak şeklinde kale kapısı.
Porte [poot]. **the Sublime ~,** Babıâli.
portend [poo'tend]. Yakında vukua geleceğine alâmet olm.; delâlet etmek.
portent ['pootənt]. İstikbalı gösteren alâmet; şer alâmeti, fenaya işaret; mucize, harikulade bir şey; manalı alâmet. **~ous** [–'tentəs], uğursuz, meşum, mühib, harikulade; mucize kabilinden.
porter[1] ['pootə*]. Sert İngiliz birası, porter.
porter[2]. Kapıcı; hamal. **~age,** hamaliye.
portfolio [poot'fouliou]. Evrak çantası; portföy; vekillik. **minister without ~,** sandalyesiz nazır.
portico ['pootikou]. Kemeraltı, revak.
portion ['pooʃn]. Hisse, pay; nasib; mikdar, parça; bir tabak yemek, porsiyon. **to ~ out,** paylaştırmak, taksim etmek.
Portland ['pootlənd]. **~ cement,** iyi bir cins çimento: **~ stone,** Malta taşına benzer bir yapı tası.
portly ['pootli]. Şişman, iri yarı; heybetli.
portmanteau [poot'mantou]. Bavul. **~ word,** iki muhtelif kelimeden mürekkeb sunî kelime, *mes.* **slithy** = **lithe** + **slimy.**
portrait ['pootreit]. İnsan resmi, portre, tasvir. **to have one's ~ taken,** fotograf çektirmek: **to sit for one's ~,** resmini yaptırmak. **~ure,** portre ressamlığı.
portray [poo'trei]. Birinin resmini yapmak; tasvir etm., tarif etmek. **~al,** tasvir etme, tarif etme.
Portug·al ['pootjugəl]. Portekiz. **~uese** [–'giiz], Portekizli, portekizce.
pose [pouz]. Tavır, vaziyet, hal; poz; sahte tavır. Muayyen bir vaziyet aldırmak; ileri sürmek, sormak; bir sual ile birini afallatmak. Sahte bir tavır takınmak, poz almak. **to ~ as a doctor,** doktorluk taslamak: **without ~,** samimî, yapmacıksız. **~r,** müşkül bir sual; poz alan: **to give** [**set**] **s.o. a ~,** birine çetin bir sual sormak. **~ur** [pou'zee*], sahte tavırlı.
posh [poʃ]. (*arg.*) Pek şık, gösterişli. **to ~ oneself up,** giyinip kuşanmak.
position [po'ziʃn]. Vaziyet, hal, duruş; mevzi; yer; durum; ictimai seviye; mevki; vazife. Yerini tayin etmek.
positive ['pozitiv]. Müsbet; muayyen, kat'i; aşikâr; hakikî; muhakkak; emin, kani; fazla emin. Pozitif. **~ sign,** zaid, toplama işareti (+): **a ~ miracle,** tam bir mucize.
posse[1] ['posi]. Müfreze, takım.
posse[2]. **in ~,** bilkuvve.
possess [pou'zes]. ···e malik olm., ···in sahibi olm., tasarruf etmek. **all I ~,** varım yoğum: **to be ~ed by fear,** korkuya kapılmak: **to be ~ed with an idea,** (yanlış) bir fikre kapılmak: **to ~ oneself,** kendini tutmak: **to ~ oneself of,** zaptetmek, ele geçirmek: **to ~ one's soul in peace,** başını dinlemek. **~ed,** *a.*, perili; mecnun.
possession [pou'zeʃn]. Tasarruf, temellük; mülk, mal; müstemleke. **~s,** mal, servet; zatî eşya. **to be in ~ of,** ···e malik olm.; **to be in the ~ of s.o.,** (bir şey) birinin elinde olm.: **in full ~ of his faculties,** aklî melekelerine tamamen hâkim; **to get** [**take**] **~ of stg.,** bir şeyi elde etm., zaptetmek, tasarruf etm.: **to remain in ~ of the field,** muharebe meydanına hâkim olm.: **house to be sold with vacant ~,** derhal tahliye edilecek satılık ev.

possessive [pou'zesiv]. Tesahübkâr. **~ case,** muzafıileyh: **~ pronoun,** mülki zamir.
possessor [pou'zesə*]. Mal sahibi; tasarruf eden; zilyed.
possibilit·y [ˌposi'biliti]. İmkân; ihtimal; kabil olma; mümkün şey. **to allow for all ~ies,** her ihtimalı düşünmek: **if by any ~ I do not come,** eğer her hangi bir sebeble gelmiyecek olursam: **I cannot by any ~ be there in time,** vaktinde orada olmama imkân yoktur: **the proposal has ~ies,** teklifin muvaffakiyeti ihtimalı yok değildir.
possible ['posibl]. Mümkün; muhtemel; olur, olabilir; belki. **as far as ~,** mümkün mertebe: **it is just ~ I may not come,** gelmemem de imkânsız değildir: **it is just ~ to live on £200 a year,** senede 200 lira ile kıtakıt yaşamak mümkündür: **what ~ reason have you to refuse this post?,** ne diye bu vazifeyi reddettin, Allah aşkına?: **to score a ~,** (atış musabakasında) tam puvan kazanmak.
possum ['posəm]. (*kis.*) **Opossum. to play ~,** ölmüş gibi yapmak; ... gibi görünmek; tınmamak; yalancıktan hastalanmak.
post[1] [poust] *n.* Kısa direk; kazık; payanda, sütun. **to go to the ~,** yarışa girmek: **to be left at the ~,** (yarışın başında) geride kalmak: **to win on the ~,** yarışın sonunda, [son dakikada, at başı farkla] kazanmak: **winning ~,** (bir yarışta) bitiriş direği.
post[2] *vb.* **~ (up),** direk üzerine veya umumî bir yere dikmek; yapıştırmak; gecikmiş veya kaybolmuş geminin ismini neşretmek; (*bk. dahi* **post**[4]); (bir klüpte) âzalık ücretini ödememiş bir âzanın ismini ilân etm.: '**~ no bills!**', buraya ilan yapıştırılmaz!
post[3]. Posta; postahane. Posta ile göndermek; posta kutusuna atmak; posta arabası ile [menzil ile] seyahat etmek. **general ~,** (i) sabahları yapılan ana tevzi; (ii) köşe kapmacaya benzer bir oyun; **there has been a general ~ among the staff,** memurlar arasında esaslı bir değişiklik oldu: **to open one's ~,** mektublarını okumak: **by return of ~,** gelecek posta ile. **~man,** *pl.* **~men,** postacı, müvezzi. **~mark,** posta damgası. **~master,** posta müdürü: **~ General,** İngiltere Posta ve Telgraf Nazırı. **~mistress,** kadın posta müdürü. **post-boy,** tatar, postiyon. **post-chaise,** tatar arabası. **post-free,** posta ücreti olmıyarak. **post-haste,** alelacele, müstacelen.
post[4] **~ (up),** yevmiye defterindeki hesabları ana deftere geçirmek; tam malûmat vermek. **to ~ oneself up in a matter,** bir mesele hakkında malûmat edinmek: **to keep s.o. ~ed up,** birini vaziyet vs.den daima haberdar etmek.
post[5]. Memuriyet, vazife; (*ask.*) nokta, mevki, karakol. Bir yere koymak, yerleştirmek; tayin etmek. **to die at one's ~,** vazife başında ölmek: **to take up one's ~,** vazifeye başlamak.
post[6]. **Last ~,** yat borusu. **to sound the last post (over the grave),** bir askerin cenazesinde mezar başında merasim icabı 'yat borusu' çalmak.
post- *pref.* Sonraki; ···den sonra gelen.
post·age ['poustidʒ]. Posta ücreti. **postage-stamp,** posta pulu. **~al,** postaya aid. **~card,** kartpostal.
post-date ['poust'deit]. (Çek vs.ye) muahhar tarih atmak.
poster ['poustə*]. Duvar ilâni; yafta.
posterior [pos'tiəriə*]. Sonraki, muahhar; arkadaki, gerideki. Kıç; arka.
posterity [pos'teriti]. Nesil, zürriyet; gelecek nesiller.
postern ['postəən]. Arka veya yan kapı.
posthumous ['postjuməs]. Ölümünden sonra; babasının ölümünden sonra doğmuş; müellifin ölümünden sonra neşredilmiş.
postillion [pos'tiljən]. Postiyon.
postmeridian [ˌpoustmə'ridjən]. Öğleden sonraya aid.
post-mortem [ˌpoust'mootəm]. Fethimeyyit.
post-natal [ˌpoust'neitl]. Doğumundan sonra vukua gelen.
post-nuptial [ˌpoustnʌpʃəl]. Evlendikten sonra vukubulan.
postpone [pous'poun]. Tehir etm., tecil etm.; geciktirmek; başka zamana bırakmak. **~ment,** tehir, tecil, talik.
postprandial [poust'prandjəl]. Yemekten sonraki.
postscript [pouskript]. (*kis.* **P.S.**), Mektub haşiyesi; derkenar.
postulate ['postjuleit]. Mevzu, kaziye, lâzım olan şart. Şart koymak; isbatsız olarak kabul ettirmek; taleb etmek.
posture ['postjuə*]. Vaziyet, tavır, duruş. Vücude vaziyet vermek. **to ~ as ...,** ... takınmak, taslamak.
post-war ['poust'woo*] *a.* Harb sonrası.
posy ['pouzi]. Çiçek demeti, buket.
pot [pot]. Çömlek; kavanoz; kab; saksı; testi; lâzımlık; kanyot; (*arg.*) mükâfat kupası. Kavanoz veya kaba koymak; (*arg.*) tüfek ile vurmak. **a big ~,** (*arg.*) kodaman: **to go to ~,** suya düşmek, iflâs etm.: **to have a ~ [~s] of money,** altın babası olm.: **to keep the ~ boiling,** (i) geçimini kazanmak; (ii) söhbetin soğuyup tavsamasını önlemek: ⌜**the ~ called the kettle black**⌝, ⌜tencere tencereye dibin kara demiş⌝: **~s and pans,** kab kacak. **pot-**

bellied, karnı şişkin. **pot-boiler,** sırf para kazanmak için yazılan yazı. **pot-herbs,** yemeklerde kullanılan nane, maydonoz, kekik gibi otlar. **pot-hole,** sert kayaların ortasında bulunan yuvarlak çukur; yol çukuru. **pot-house,** meyhane. **pot-hunter,** sırf mükâfat kazanmak için müsabakalara giren oyuncu. **pot-luck, come and take ~ with us,** bize yemeğe buyurun, ne çıkarsa bahtınıza. **pot-shot, to take a ~ at stg.,** birdenbire çıkıveren bir av vs.ye rasgele ateş etm.; bir kere talihini denemek.

potable [ˈpoutəbl]. İçilir.

potash [ˈpotaʃ]. Kalye, potas.

potassium [poˈtasiəm]. Potasyom.

potation [poˈteiʃn]. İçme. **~s,** işret âlemi.

potato, *pl.* **-oes** [poˈteitou]. Patates. **~ starch,** patates unu.

poteen, -theen, [pəˈtiin, -ˈθiin]. İrlandada yapılan kaçak viski.

poten·cy [ˈpoutənsi]. Kuvvet, kudret; tesir, dokunaklılık. **~t,** kuvvetli, dokunaklı.

potentate [ˈpoutənteit]. Hükümdar.

potential [pəˈtenʃl]. Bilkuvve mevcud; muhtemel; (*gram.*) iktidarî. **~ it·y** [–ˈaliti], bilkuvve mevcud kuvvet: **situation full of ~ies,** her türlü imkânlara müsaid vaziyet; her şeyin vukuu muhtemel bir vaziyet.

pother [ˈpoθə*]. Karışıklık, curcuna.

potion [ˈpouʃn]. İçilecek ilâc; şerbet.

potsherd [ˈpotʃəəd]. Kırık çömlek parçası.

pottage [ˈpotidʒ]. Koyu çorba.

potter¹ [ˈpotə*]. Çömlekçi. **~y,** çömlekçilik; çömlek fabrikası; çanak çömlek. **the Potteries,** Staffordshire kontluğunun başlıca çömlekçilik ile meşgul mıntakası.

potter² *vb.* **~ (about),** ufak tefek şeylerle uğraşmak; sinek avlamak. **to ~ along,** acele etmeden yürümek.

potty [ˈpoti]. (*arg.*) Değersiz, ehemmiyetsiz; kolay; kaçık.

pouch [pautʃ]. Torba, kese; (gözlerin altında) sarkık et. Derceb etm.; yutmak; (elbise) kabarmak.

poult [poult]. Piliç; palaz.

poulterer [ˈpoultərə*]. Tavuk vs. satıcısı.

poultice [ˈpoultis]. Lâpa, kataplasma. Lâpa koymak.

poultry [ˈpoultri]. Kümes hayvanları. **poultry-yard,** kümes.

pounce [pauns]. **~ on [upon],** üstüne atılmak, saldırmak, çullanmak; pençelemek.

pound¹ [paund]. Lira; ingiliz lirası; libre, funt [= 0·454 gram.].

pound². Başıboş hayvanların yakalanıp kapandıkları ağıl.

pound³ *vb.* Havanda dövmek; ufalamak; mütemadiyen vurmak; yumruklamak; çarpmak. **the boat was ~ing on the rocks,** gemi kayalara çarpıyordu: **to ~ along,** (insan) güm güm basarak yürümek; (gemi) dalgalara çarparak ilerlemek.

poundage [ˈpaundidʒ]. Lira başına komisyon, gümrük resmi vs.; **pound²** daki hayvanları geri almak için verilmesi lâzımgelen ücret.

-pounder [paundə*]. ... librelik.

pour [poo*]. Dökmek; yağdırmak; boşaltmak. Şiddetle yağmur yağmak; sel gibi akmak; üşüşmek. **pour in,** sel gibi içeriye akmak. **pour off,** bir mayii bir kabdan başka bir kaba dökmek. **pour out,** dökmek; boşaltmak; sel gibi akmak: **to ~ out one's heart,** kalbini açmak, içini dökmek.

pouring [ˈpooriŋ] *a.* **~ rain,** sel gibi yağmur: **a ~ wet day,** çok yağmurlu gün.

pout [paut]. Somurtma(k); dudak bükme(k).

poverty [ˈpovəti]. Fakirlik; yoksulluk; kıtlık. **poverty-stricken,** yoksul, sefalet içinde.

powder [ˈpaudə*]. Toz; pudra; barut. Toz haline getirmek; serpmek; pudra sürmek. **to keep one's ~ dry,** her ihtimale karşı hazır bulunmak: **to smell ~ for the first time,** ilk defa muharebeye girmek: **to waste one's ~ and shot,** emeğini israf etmek. **~y,** toz gibi.

power [ˈpauə*]. Kudret; kuvvet; iktidar; devlet; salâhiyet; kabiliyet. **a ~ of,** (*arg.*) çok: **the ~s that be,** âmir vaziyetinde bulunanlar: **it is beyond my ~,** elimde değil; buna muktedir değilim: **his ~s are failing,** (ihtiyarlıktan vs.) melekeleri zayıflıyor: **to exceed one's ~s,** salâhiyetini aşmak: **to come into ~,** (bir parti) iktidara geçmek: **to fall into s.o.'s ~,** birinin eline düşmek: **to give s.o. full ~s.** birine tam salâhiyet vermek: **the Great Powers,** Büyük Devletler: **to have s.o. in one's ~,** birini avucunun içinde [elinde] tutmak: **more ~ to him [to his elbow]!,** Allah gücünü arttırsın! **-~ed,** ... kudretli; ... takatli. **~less,** kuvvetsiz, âciz: **they are ~ in the matter,** bu hususta bir şey yapamazlar. **power-house,** kuvvet merkezi; elektrik santralı.

pow-wow [ˈpauwau]. Şimalî Amerika yerlilerinin toplantısı; (*şak.*) müzakere, toplantı. Müzakere etmek, toplantı yapmak.

pox [poks]. Firengi.

pp. (*kıs.*) **pages,** sahifeler.

p.p. [*kıs. Lat.*] **per pro(curationem),** vekâleten.

practicable [ˈpraktikəbl]. Tatbiki veya icrası mümkün; geçilir; makul.

practical [ˈpraktikl]. Amelî; becerikli;

hesabını kitabını bilir; pratik; kullanışlı; elverişli; kabili tatbik; tatbikî. ~ **joke,** el şakası, azizlik, muziblik: ~ **example,** müşahhas misal. ~**ly,** tatbikat itibarıyle; hemen hemen: ~ **none,** hemen hiç.

practice [ˈpraktis] *n.* Nazariye karşılığı; amel, tatbik, tatbikat; ameliyat, pratik; âdet, usul, türe; tecrübe, meleke, idman, alışma; hareket tarzı; (hekim veya avukatın) müşterilerinin mecmuu ve çalıştığı mıntaka. **in** ~, bilfiil, hakikatte, tatbikatta: **to do stg. for** ~, bir işi alışmak için yapmak: **to make a** ~ **of doing stg.,** bir şeyi âdet edinmek: **to talk a language well needs a lot of** ~, bir lisanı iyi konuşmak çok pratiğe bağlıdır: **out of** ~, idmansız; pratiğini kaybetmiş: ⌜~ **makes perfect**⌝, yapa yapa (boza) öğrenilir: **this doctor** [**lawyer**] **has a large** ~, bu hekimin [avukatın] çok müşterisi var.

practise *vb.* Yapmak, icra etm., tatbik etm.; meşketmek. İdman etmek; doktorluk, avukatlık etmek. **to** ~ **a deceit,** hile yapmak: ⌜~ **what you preach!**⌝, amelin kavline uysun! ~**d** *a.* tecrübeli; meleke edinmiş; mahir.

practitioner [prakˈtiʃənə*]. **medical** ~, doktor: **general** ~, ihtisası olmıyan doktor.

praetorian [priiˈtooriən]. ~ **guard,** eski Roma'da imparatorun muhafız takımı.

pragmat·ic(al) [pragˈmatik(l)]. Kendini beğenmiş ve herkesin işine karışan; hodbin; mütehakkim. ~**ism** [ˈpragmətizm], maddilik; pragmatizm; işgüzarlik; ukalâlık.

prairie [ˈpreəri]. Vâsi düz ve ağaçsız çayırlık.

praise [preiz]. Öğme; medih; sitayiş. Medhetmek; tazim etmek. **beyond all** ~, ne kadar medhetsem azdır: **to sing the** ~**s of,** göklere çıkarmak: **to sing** [**sound**] **one's own** ~**s,** kendini öğmek: **to speak in** ~ **of s.o.,** birinden sitayişle bahsetmek, öğmek. ~**worthy** [–wəəði], takdire değer, medhe lâyik.

pram [pram]. (*kis.*) **perambulator** *q.v.*: küçük bot.

prance [praans]. Hoplamak, sıçramak, oynamak. **to** ~ **about,** şuraya buraya sıçramak.

prank[1] [praŋk] *n.* Yaramazlık, genclik çılgınlığı, şeytanlık. **to play** ~**s on s.o.,** birine azizlik yapmak.

prank[2] *vb.* Süslemek. **to** ~ **oneself up** [**out**], süslenmek.

prate [preit]. Lâfazanlık etm., dem vurmak.

pratique [praˈtiik]. Pratika.

prattle [ˈpratl]. Çoçuk gibi komuşma(k); çene çalma(k).

prawn [proon]. Deniz tekesi, büyük karides.

pray [prei]. Dua etm.; çok rica etm., yalvarmak. **I** ~ **he may soon return,** Cenabı Hakkın izni ile [inşallah] yakında yine döner: ~ **be seated!,** buyurunuz oturunuz!: **he 's past** ~**ing for,** (i) (bir hasta hakkında) artık ümid yok; (ii) ıslâh kabul etmez, yola gelmez: **and what do you want,** ~**?,** siz ne istiyorsunuz, Allah aşkına?

prayer [ˈpreə*]. Dua; yalvarma; istida. ~**s for the dead,** ölüler için okunan dualar: **to say one's** ~, duasını etmek.

pre- [prii] *pref.* Önceden.

preach [priitʃ]. Va'zetmek. **to** ~ **to s.o.,** birine uzun uzadıya nasihat vermek: **to** ~ **at s.o.,** (kilisede kürsüden) ismini söylemeksizin birini kasdederk va'zetmek (kızım sana söylüyorum ...): **to** ~ **the Gospel,** İncili [hıristyanlığı] neşretmek. ~**er,** vaiz. ~**ify** [–ifai], uzun uzadıya ahlâka aid mütalaada bulunmak veya nasihat vermek.

preamble [ˈpriiambl]. Mukaddeme, önsöz.

prebendary [ˈprebendəri]. Bir nevi arpalık sahibi olan papaz.

precarious [priˈkeəriəs]. Güvenilemez; kararsız; tehlikeli. **a** ~ **living,** kararsız ve kifayetsiz kazanc.

precaution [priˈkooʃn]. İhtiyat, ihtiyatlı tedbir. **as a** ~, ne olur ne olmaz, ihtiyaten. ~**ary,** ihtiyatî.

precede [priiˈsiid]. Önünden gitmek, öne geçirmek; takaddüm etm.; takaddüm hakkı olmak. ~**nce** [ˈpresidəns], takaddüm, takaddüm hakkı: **to have** [**take**] ~ **of s.o.,** birinin önüne geçme [takaddüm] hakkına malik olm.: **this matter takes** ~ **of all others,** bu mesele hepsinden daha mühimdir. ~**nt** [ˈpresidənt] *n.* misal, emsal; teamül: **according to** ~, emsali gibi, usule göre: [priiˈsiidənt] *a.* evvelki, mukaddem.

precentor [priˈsentoo*]. Kilisede baş muganni.

precept [ˈpriisept]. Kaide, usul, düstür.

precession [priˈseʃn]. **the** ~ **of the equinoxes,** itidaleyn noktalarının ricat hareketleri.

precinct [ˈpriisiŋkt]. Mukaddes bir yerin çevresi. ~**s,** etraf, daire, çevre.

preciosity [presiˈositi]. Lisan ve sanatte fazla incelik, yapmacık, tasannu.

precious [ˈpreʃəs]. Kıymetli; nadide; yapmacıklı, tasannulu: (*arg.*) çok; canım, iki gözüm. **he took** ~ **good care not to go there again,** bir daha oraya gitmemeğe son derece dikkat etti.

precipice [ˈpresipis]. Uçurum, yar.

precipit·ance, -cy [priˈsipitəns, -si]. Acelecilik; atılma; düşünmeden davranma. ~**ate** *a.* [–tit], acul; atılgan; düşünmeden yapan veya yapılan; **a** ~ **retreat,** paldır küldür ricat. *n.* Tortu; çöküntü; rüsub. *vb.* [–teit], Tacil etm., pek çabuk neticeye vardırmak; çöktürmek, teressüb etmek veya ettirmek. **~ation** [–ˈteiʃn], acele, atılma; tortulanma, teressüb; yağış.

precipitous [priˈsipitəs]. Uçurum gibi; sarp, dik.

precis [ˈpreisii]. Hulâsa; fezleke.

precise [priˈsais]. Kat'i; tam; muayyen; müdekkik, titiz. **at two o'clock ~ly,** tam (elifi elifine) saat ikide: **~ so!,** tamam!

precision [priˈsiʒn]. Kat'iyet; vuzuh, açıklık. **~ instruments,** hassas aletler.

preclude [priˈkluud]. Menetmek, önüne geçmek; meydan vermemek.

precoc·ious [priˈkouʃəs]. Vaktinden evvel yetişmiş; çabuk inkişaf etmiş; büyümüş de küçülmüş. **~ity** [–ˈkositi], vakitsiz olgunluk.

preconceive [priikənˈsiiv]. Önceden ve tedkik etmeden bir fikir edinmek. **~d idea,** peşin hüküm.

preconception [priikənˈsepʃn]. Peşin hüküm.

preconcert [priikənˈsəət]. Önceden müşavere edip karar vermek.

precursor [priiˈkəəsə*]. Öncü; haberci; işaret.

predacious, predatory [priiˈdeiʃəs, ˈpreditəri]. Yırtıcı; yağmacı; tamahkâr.

predecease [ˌpriidiˈsiis]. ···den evvel ölme(k).

predecessor [ˈpriidisesə*]. Selef.

predestin·e [priiˈdestin]. İstikbali kaza ve kader ile tayin etm., takdir etmek. **~ation** [–ˈneiʃn]. kaza ve kader; takdir.

predicament [priˈdikəmənt]. Fena hal; müşkül vaziyet. **to be in an awkward ~,** 'aşağı tükürsem sakalım, yukarı tükürsem bıyığım' vaziyetinde olmak.

predicate [ˈpriidikit] *n.* Müsned; (*gram.*) haber. *vb.* [–keit]. Kaziyede hüküm ve isnad etmek.

predict [priˈdikt]. Önceden haber vermek; kehanette bulunmak. **~ion** [–ˈdikʃn], kehanet, önceden haber verme: **your ~ came true,** dediğiniz [keşfiniz] çıktı. **~or** [–tə*], uçaksavar toplarının ateş edecekleri noktayı tayin eden alet.

predilection [priidiˈlekʃn]. Tercih; meyil. **to have a ~ for stg.,** bir şeyi tercih etm.; bir şeye mütemayil olmak.

predispos·e [ˌpriidisˈpouz]. Müsaid bir hale getirmek. **to be ~ed to do stg.,** önceki bir vaziyeti göze alarak bir şeyi yapmağa mütemayil olmak. **~ition** [–ˈziʃn], istidad, kabiliyet; (bir hastalığa) müstaid olma.

predomin·ant [priiˈdominənt]. Üstün, faik, galib; ekseriyeti olan. **~ate,** üstün olm.; daha çok olm., ekseriyet teşkil etmek.

pre-eminent [priiˈeminənt]. Üstün, faik; mümtaz.

pre-emption [priiˈemʃn]. Başkalarından evvel satın alma hakkı; şüf'a.

preen [priin]. Kuş gibi gagasıyla tüylerini taramak. **to ~ oneself,** kendine çeki düzen vermek.

preface [ˈprefis]. Mukaddeme (yapmak), önsöz (yapmak).

prefatory [ˈprefətəri]. Mukaddeme olarak.

prefect [ˈpriifekt]. Büyük ingiliz mekteblerinde bazı imtiyaz ve salâhiyetler verilen kıdemli çocuk; (Fransa vs.de) vali.

prefer [priˈfəə*]. Tercih etm., hoşlanmak; tayin etm., terfi ettirmek; ileri sürmek. **~ed shares,** imtiyazlı hisseler. **~able** [ˈprefrəbl], tercih edilir, müreccah. **~ence** [ˈprefrəns], tercih; rüchan: **to have a ~ for stg.,** bir şeyi tercih etm.: **I have no ~,** bence hepsi bir: **in ~,** tercihen: **~ share,** imtiyazlı hisse. **~ential** [prefəˈrenʃl], tercih hakkı olan, tercih edilen; imtiyazlı. **~ment** [priˈfəəmənt], terfi; bir memuriyete tayin edilme.

prefix [ˈpriifiks] *n.* Ön ek; bir has isim önüne konan unvan. *vb.* [priˈfiks]. Önüne koymak veya ilâve etmek.

pregnan·t [ˈpregnənt]. Gebe; semereli; yüklü; manidar. **~ with consequences,** neticeler doğuracak olan. **~cy,** gebelik.

prehensile [priˈhensail]. (Maymun kuyrukları gibi) tutma hassası olan.

prehistoric [ˌpriihisˈtorik]. Tarihten önceki.

prejudge [priiˈdʒʌdʒ]. Tedkik etmeden hüküm vermek.

prejudic·e [ˈpredʒudis]. Peşin hüküm; sebebsiz beğenme veya beğenmeme; tarafgirlik; zarar. Zarar vermek, ziyan etmek. **to have a ~ against,** ···e karşı peşin hükmü olm., tarafsız olmamak: **without ~,** bütün hakları mahfuz kalarak, haklarına dokunmaksızın; ihtirazî kayıdla: **without ~ to anyone,** kimseye zarar vermeden. **~ed,** peşin hüküm besliyen, tarafsız olmıyan; zarar görmüş, haleldar. **~ial** [–ˈdiʃl], zararlı, muzır, halel verici.

prelate [ˈprelit]. Büyük rütbeli rahib.

preliminar·y [priˈliminəri]. Mukaddeme olarak; başlangıç kabilinden. Mukaddeme; başlangıçta yapılan şey. **~ies,** mukaddemat [başlangıç].

prelude [ˈpreljud]. Asıl hadiseye başlangıç mahiyetinde olan şey; mukaddeme tarzında olan vaka. Mukaddeme gibi bir şey söylemek veya yapmak.

premature [ˈpremetjuə*, ˌpriiməˈtjuə*] Mevsimsiz; vaktinden evvel; **(child)** vaktinden evvel doğmuş. **to be ~,** vaktini beklemeden yapmak; acele etmek.

premeditate [prii'mediteit]. Önceden kararlaştırmak; önceden kasdetmek, taammüden yapmak. **~d,** kasdî; önceden kararlaştırılmış, taamüden yapılan.
premier ['premjə*]. Kıdemli; baştaki. Başvekil.
premise[1], **-miss** ['premis] *n.* Kaziye mukaddeme. **major ~,** kübra: **minor ~,** suğra.
premise[2] [pri'maiz] *vb.* Mukaddeme gibi irad etmek.
premises[1], **-misses,** *pl. of* **premise.**
premises[2] ['premisiz]. Bir evin yahud dükkânın odaları ve arazisi. **no one allowed on the ~,** buraya girilmez: **to see s.o. off the ~,** birini kapı dışarı etmek.
premium ['priimjəm]. Mükâfat; ikramiye; sigorta ücreti. **to be at a ~,** çok aranılmak, herkes tarafından istenilmek: **to put a ~ on (idleness,** *etc.*), (tembelliği vs.) teşvik etmek.
premonit·ion [ˌpriimo'niʃn]. Önceden hissetme, içine doğma. **~ory** [–'monitəri], ihtar eden, ikaz eden: **~ symptoms,** hastalığı haber veren âraz.
prenatal [prii'neitl]. Doğumdan evvel.
prentice ['prentis] *bk.* **apprentice. ~ hand,** acemi.
preoccup·y [prii'okjupai]. Zihnini işgal etm., başka şey düşündürmemek. **~ation** ['peiʃn], zihin meşguliyeti; dalgınlık: **one's chief ~,** zihni işgal eden şey; en büyük endişe. **~ied,** fikri dağınık, zihni başka bir şeyle meşgul.
prepaid [priipeid]. Peşin olarak ödenmiş; önceden ödenmiş.
prepara·tion [ˌprepə'reiʃn]. Hazırlama; tertib; müstahzar; (mektebde) hususî olarak çalışma. **to make (one's) ~s for stg.,** bir şey için tertibat almak. **~tory** [pri'parətəri], hazırlayıcı, ihzarî: **~ to doing stg.,** başlamadan evvel: **~ school,** 'public school' lere hazırlayan ilk mekteb.
prepare [pri'peə*]. Hazırlamak, tertib etm., yapmak. Hazırlanmak; lâzım gelen tertibatı almak. **to ~ s.o. for a bad piece of news,** birini fena bir habere alıştırmak. **~d,** hazır: **to be ~ to ...,** ... göze almak.
prepense [pri'pens]. **with malice ~,** ankasdin, kasden.
preponder·ant [pri'pondərənt]. Üstün, faik; nafiz. **~ate,** üstün gelmek, daha çok olm., daha nüfuzlu veya mühim olmak.
preposition [prepo'siʃn]. Atıf veya cer edatı.
prepossess [ˌpriipə'zes]. Celbetmek, gönlünü çekmek. **to ~ s.o. with an idea,** birini bir fikirle teshir etm., elde etm.: **I was ~ed by the boy's good manners,** çocuğun terbiyeli tavrı üzerimde çok iyi tesir yaptı. **~ing,** çekici, cazibeli, hoş.

preposterous [pri'postərəs]. Akıl almaz; mantıksız; havsalaya sığmaz.
prepotent [pri'poutənt]. Pek müessir; (*biol.*) hâkim.
prerequisite [pri'rekwizit]. Önceden lâzımgelen (şey).
prerogative [pri'rogətiv]. İmtiyaz; hususî hak.
presage ['presidʒ] *n.* İstikbale aid alâmet; fal; önceden seziş. *vb.* [pri'seidʒ]. Alâmet olm., delâlet etm.; istikbalden haber vermek; içine doğmak.
presbyterian [ˌprezbi'tiəriən]. İskoçya protestan kilisesine aid.
presbytery ['prezbitəri]. Kilise şark kısmı; İskoç rahiblerinin toplantısı; katolik papazının evi.
prescient ['preʃjənt]. İlerisini gören; basiretli.
prescribe [pris'kraib]. Emretmek; tenbih etm.; (*tib.*) tavsiye etm., reçete vermek. **~d, ~ task,** verilen muayyen vazife: **within the ~ time,** tayin edilen müddet zarfında.
prescrip·tion [pri'skripʃn]. Reçete; müruruzamanla kazanılmış hak. **~tive,** örf ve adetle yerleşmiş; müruruzamanla kazanılmış.
presence ['prezens]. Hazır bulunma, huzur; vekar. **in the ~ of,** huzurunda, hazır bulunduğu halde: **to have a good ~,** vakur ve heybetli olm.: **he makes his ~ felt,** varlığını etrafına hissettiriyor: **~ of mind,** soğukkanlılık: **saving your ~,** haşa huzurdan: **your ~ is requested,** hazır bulunmanız rica olunur.
present[1] ['prezənt] *n. & a.* Hazır; mevcud; şimdiki. Şimdiki zaman; halihazır; hal. **at ~,** simdiki halde; bu anda: **at the ~ time,** bu zamanda, halihazırda: **to be ~,** hazır bulunmak: **for the ~,** şimdilik: **up to the ~,** şimidiye kadar: **the ~ writer,** bu satırların muharriri.
present[2] *n.* Hediye, armağan.
present[3] [pri'zent]. Takdim etm., sunmak; hediye etm.; prezante etm.; arzetmek; göstermek; ibraz etmek. **to ~ arms,** (*ask.*) selâm vaziyeti almak: **to ~ oneself,** isbatı vücud etm.: **to ~ a pistol at s.o.'s head,** birinin başına tabanca dayamak: **to ~ a play,** bir piyes temsil etm.: **to ~ stg. to s.o.** [**~ s.o. with stg.**], birine bir şeyi hediye etm. [sunmak].
presentable [pri'zentəbl]. Takdim edilebilir; derli toplu, yakışıklı. **do make yourself ~,** kendine çeki düzen ver; âlem içine çıkacak bir hale gir.
presentation [ˌprezen'teiʃn]. Arzetme; sunma; hediye; ibraz; huzura çıkma; (bir dava vs.yi) anlatış. **~ copy,** hediyelik nüsha.

presentiment [priˈzentimənt]. Önceden hissetme.
preserv·e [priˈzəəv]. Muhafaza etm., korumak; kurtarmak; idame etm.; konservesini yapmak. Konserve, reçel. **game ~,** av hayvanlarını korumak için ayrılan koru vs. **~ation** [ˌprezəˈveiʃn], muhafaza, koruma; **in a good state of ~,** iyi muhafaza edilmiş. **~ed,** muhafaza edilmiş; konserve halinde: **well** [**badly**] **~ building,** iyi bakılmış [bakılmamış] bina: **well ~ (man),** yaşına göre genc.
preside [priˈzaid]. Riyaset etm., başkanlık yapmak. **to ~ at** [**over**] **a meeting,** bir cemiyete riyaset etmek. **~ncy** [ˈprezidənsi], riyaset, başkanlık. **~nt** [ˈprezidənt], reis; başkan. **~ of the Board of Trade,** İngiliz Ticaret Nazırı. **~ntial** [preziˈdenʃl], riyasete [başkanlığa] aid.
press¹ [pres] *n.* Baskı; cendere; mengene; matbaa, ‖ basımevi; matbuat, ‖ basın; izdiham; tehalük. **~ of business,** işin çokluğu, fazla meşguliyet: **to carry a ~ of sail,** bütün yelkenleri açmak: **to have a good ~,** gazetelerde iyi geçmek: **in the ~,** tabedilmekte olan.
press² *vb.* Basmak; bastırmak; sıkıştırmak; sıkmak; tazyik etm.; üzerine düşmek, ısrar etm., üstelemek; (elbise) ütülemek; sıkışmak; zorla askerliğe almak. **to ~ forward** [**on**], tacil et; acele etm.; adımını sıklaştırmak: **time ~es,** vakit dardır: **to be ~ed for time,** vakti dar olm., sıkışmak: **to ~ into service,** askerliğe almak; zorla kullanmak; el koymak. **press-box,** gazeteciler locası. **press-button,** çıtçıt. **press-cutting,** gazete maktuası, gazeteden kesilmiş yazı. **press-gallery,** Parlamentoda matbuat locası. **press-gang,** eskiden donanma için cebren adam toplamağa memur olan kol. **press-stud,** çıtçıt.
pressed [prest]. Sıkışmış; ütülenmiş; daralmış. **to be hard ~,** sıkışık vaziyette olmak.
pressing [ˈpresiŋ]. Mübrem; mustacel; aceleci; mühim; mecburî; sıkıcı; müz'ic.
pressman, *pl.* **-men** [ˈpresmən]. Gazeteci.
pressure [ˈpreʃə*]. Basma; sıkma; baskı; tazyik; cebir. **to bring ~ to bear on s.o.,** birinin üzerinde tazyik icra etm.: **~ of business,** işlerin çokluğu dolayısı ile: **under ~ of necessity,** zaruret sevki ile: **to work at high ~,** hummalı bir şekilde çalışmak. **pressure-cooker,** buhar çıkarmıyan sıkı kapaklı tencere, otoklav. **pressure-gauge,** manometre.
prestige [presˈtiiʒ]. Nüfuz, şan ve şeref, şöhret, ün.
presto [ˈprestou]. **hey ~!,** (hokkabazın nidası) 'oldu da bitti maşallah!'; haydi bakalım.
presumably [priˈzjuuməbli]. İhtimal ki; galiba; her halde.
presum·e [priˈzjuum]. Tahmin etm., ihtimal vermek; addetmek, farzetmek, saymak; haddini tecavüz etm., kalkışmak. **to ~ on s.o.'s kindness,** (yüz bulunca) birinin tepesine [başına] çıkmak: **I hope I am not ~ing on your kindness,** umarım ki iyiliğinizi suiistimal etmiyorum: **Mr. Smith, I ~!,** zannederim [yanılmıyorsam] siz Mr. S. siniz.
presump·tion [priˈzʌmʃn]. Tahmine dayanan hüküm; istidlâl; ihtimal; haddini bilmeyiş, tasallüf. **~tive,** veraset itibariyle tayin edilmiş: **heir ~,** muhtemel varis: **~ evidence,** ahval ve şeraitten çıkarılan delil, karine. **~tuous** [–tjuəs], haddini bilmiyen, mutesallif, fodul.
pretence [priˈtens]. Yalandan yapma; yapmacık; bahane, vesile; iddia. **false ~s,** sahtekârlık, hile: **he makes no ~ to ...,** hiç bir ... iddiası yoktur: **under the ~ of,** bahanesile.
pretend [priˈtend]. Yalandan yapmak; ... gibi yapmak; uydurmak; iddiada bulunmak. **to ~ illness** [**~ to be ill**], yalancıktan hastalanmak: **(children) let 's ~ to be soldiers!,** askerlik oynıyalım: **he does not ~ to be clever,** zekilik iddiasında değildir: **he 's only ~ing,** aslı yok, mahsus öyle yapıyor. **~er,** saltanat müddeisi; bir tahta hak iddia eden.
preten·sion [priˈtenʃn]. İddia; hak davası; ehliyet iddiası; hak. **a man of no ~s,** iddiasız bir adam. **~tious** [–ʃəs], iddialı, gösterişli, azametli; yüksekten atıp tutan.
preterite [ˈpretərit]. Mazi sıygası.
preternatural [ˌpriitəˈnatjurəl]. Gayri tabiî, anormal.
pretext [ˈpriitekst] *n.* Bahane, vesile. **under** [**on**] **the ~ of,** bahanesile. *vb.* [–ˈtekst]. Vesile yapmak, bahane etmek.
pretti·fy [ˈpritifai]. Süsliyerek güzelleştirmek; (*istihf.*) cicili bicili yapmak. **~ness,** güzellik.
pretty [ˈpriti]. Güzel (*kadın veya çocuk; erkek ise istihf.*) hoş, sevimli; oldukça. **here 's a ~ mess** [**pass, state of affairs**]**!,** ayıkla pirincin taşını!, gel de işin içinden çık!: **~ much the same,** hemen hemen eskisi gibi [aynı]. **pretty-pretty,** cicili bicili, gösterişli.
prevail [priˈveil]. Hüküm sürmek; adet olm.: yenmek. **to ~ upon s.o. to do stg.,** birini ikna etm; birinin gönlünü etmek. **~ing,** hüküm süren; galib; cari.
prevalent [ˈprevalənt]. Hüküm süren, cari, umumî.

prevaricate [priˈvarikeit]. Baştan savma cevab vermek; kaçamaklı söz söylemek; yalanla kandırmak.
prevent [priˈvent]. Önlemek, menetmek, mani olm.; meydan vermemek; bırakmamak. ~ **able,** men'i mümkün, önüne geçilir. ~**ion** [–ˈvenʃn], önleme, menetme, mani olma; önünü alacak tedbir. ~**ive,** önleyici, menedici; mania; hastalığı meneden ilâc veya tedbir: ~ **medicine,** hastalıklardan korunma usullerini tedkik eden tababet şubesi: ~ **service,** kaçakçılıkla mücadeleye memur edilen sahil muhafızları ve kolcu gemileri.
previous [ˈpriivjəs]. Önceki, evvelki, mukaddem, sabık. ~ **to** ..., ···den evvel: ~**ly,** evvelce, şimdiye kadar.
prey [prei]. Av, şikâr. **to ~ upon,** avlayıp yemek; soymak. **bird of ~,** yırtıcı kuş: **an easy ~,** dişe gelir: **to be a ~ to** ..., ···e duçar olm., kurban olm.: **to ~ upon one's mind,** zihnini kurcalamak, rahatsız etmek.
price [prais]. Fiat, paha. Fiat koymak; kıymetini tahmin etmek. **at any ~,** ne pahasına olursa olsun: **not at any ~,** dünyada, kati'yen hayır: **you can buy it at a ~,** parayı gözden çıkarırsanız alabilirsiniz: **beyond ~,** paha biçilmez: **cash ~,** peşin fiat: **cost ~,** maliyet fiatı: **to set a ~ on s.o.'s head,** birinin başı için para koymak: (*arg.*) **what ~ my new car?,** yeni otomobilime ne dersin bakalım! ~**d,** fiat konulmuş: **high-** [**low-**] ~, yüksek [alçak] fiatlı. ~**less,** paha biçilmez; bulunmaz; (*arg.*) **he 's a ~ fellow!,** ömürdür.
prick [prik]. (İğne veya diken gibi) batmak, sokmak, delmek; iğnelemek. İğne veya diken batması; hafif yara. **to ~ off names on a list,** bir listedeki isimlere işaret etm.: **to ~ out plants,** fideleri aralıklı dikmek: **to ~ up the ears,** (at, köpek) kulaklarını dikmek; (insan) kulak kabartmak: **to kick against the ~s,** beyhude yere kafa tutarak kendine zarar getirmek. ~**ing, the ~s of conscience,** vicdan azabı.
prick·le [ˈprikl]. Diken, iğnelemek. ~**ly,** dikenli; kirpi gibi; (mesele) çapraşık; (insan) titiz, huysuz: ~ **heat,** sıcak memleketlerde terden hasıl olan ısılık: ~ **pear,** frenk inciri.
pride [praid]. Kibir, gurur, azamet, izzetinefis; iftihar. **to ~ oneself upon stg.,** bir şeyle övünmek, iftihar etm.: ⌜~ **comes before a fall**⌝, kibirin sonu fenadır: **false ~,** yersiz izzetinefis: **the country was in its ~,** kırların en güzel zamanı idi: **he is the ~ of his family,** ailesi onunla iftihar ediyor: **proper ~,** izzetinefis: **to put one's ~ in one's pocket** [**to pocket one's ~, to swallow one's ~**], gururunu yenmek: **to take an empty ~ in doing stg.,** bir şeyden yok yere gurur duymak: **to take ~ in doing stg.,** bir şeyi iyi yapmakla gurur duymak.
priest [priist]. Rahib, papaz. ~**hood,** rahiblik, papazlık: **the ~,** papazlar: **to enter the ~,** papaz olmak. ~**ly,** papazlığa aid; rahib gibi. **priest-ridden,** rahib sınıfının nüfuz ve hakimiyetinin altında olan (millet, memleket).
prig [prig]. Ukalâ, kendini beğenmiş, malûmatfüruş. (*arg.*) Aşırmak. ~**gish,** ukalâca; fazilet taslayan.
prim [prim]. Pek soğuk resmî ve tertibli; sunî şekilde pek muntazam (bahçe). **to ~ up one's mouth,** dudaklarını büzmek: ~ **and proper,** söz ve kıyafet hususunda pek fazla titiz ve musamahasız.
primacy [ˈpraiməsi]. Başpiskoposluk; üstünlük.
prima facie [ˈpraima ˈfeiʃi·ii]. İlk bakışta; ilk intiba üzerine; vehleten. **a ~ case,** ilk delillere göre haklı görünen dava.
primary [ˈpraiməri]. Asıl, ana, aslî, esaslı, başlıca, en mühim. ~ **colours,** ana renkler: ~ **education,** ilk öğretim: ~ **feathers** [**primaries**], kuş kanadının en büyük tüyleri: ~**school,** ilkmekteb.
primate [ˈpraimeit]. Başpiskopos. ~**s,** memeli hayvanların en mütekâmil sınıfı.
prime[1] [praim]. Birinci; baş, başlıca; esaslı; âlâ, en iyi, seçme. En iyisi; kıvam, tav, kemal devresi, olgunluk çağı. **in ~ condition,** mükemmel bir halde, tam kıvamında: **of ~ importance,** en ehemmiyetli: **in the ~ of life** [**in one's ~**], hayatın en olgun [en zinde] devresinde: ~ **necessity,** en zarurî ihtiyac: **Prime Minister,** başbakan: ~ **number,** aslî sayı: **to be past one's ~,** artık genc olmamak; zamanı geçmiş olmak.
prime[2] *vb.* (Tüfek veya topun) ağız otunu koymak; boyanın ilk astarını sürmek; (tulumba veya kazana) su koymak: (insanın) kulağını doldurmak.
primer [ˈpraimə*]. İlk okuma kitabı; muhtasar ilk kitab.
primeval [praiˈmiivl]. En eski, ilk; ibtidaî; dünyanın en eski devirlerine aid.
priming [ˈpraimiŋ]. Ağızotu; (boya) astar.
primitive [ˈprimitiv]. İbtidaî; en eski; pek basit, kaba; eski usul. Rönesanstan önceki devre aid (ressam).
primogeniture [praimoˈdʒenitjuə*]. Ekberiyet. Aynı ana babadan doğan çocuklar arasında en büyüklük.
primordial [praiˈmoodjəl]. En eski; ibtidaî; bidayeten mevcud olan.
primrose [ˈprimrouz]. (*Primula vulgaris*) Yaban çuhaçiçeği. **evening ~,** (*Oenothera biennis*) (?).

prince [prins]. Prens; hükümdar; şehzade. ~ **of the Church,** kardinal: ~ **consort,** kadın hükümdarın kocası olan prens: ~ **of Wales,** ingiliz Veliahdi: **the** ~ **of darkness,** İblis. **~ly,** prense aid, prense lâyık: **a** ~ **gift,** şahane bir hediye. **~ss, prenses.**

principal [ˈprinsipl]. Bellibaşlı; başlıca; en mühim. Baş; müdür; işin sahibi; reis; müekkil; resülmal, sermaye.

principality [ˌprinciˈpaliti]. Prenslik.

principle [ˈprinsipl]. Prensip, usul, kaide; umde. **~s,** erkân; ahlâk kaideleri. **to act up to one's ~s,** prensiplerine sadık kalmak: **first** ~, mebde: **on** ~, prensip itibarile. **~d, high-~,** yüksek prensip sahibi: **low-~,** aşağı prensipli.

prink [priŋk]. Süslemek, düzeltmek. **to** ~ **oneself up** [**out**], giyinip kuşanmak.

print [print]. Damga; matbu şey; basma kumaş; emprime; (*fot.*) klişeden basılmış resim; epröv; nüsha. Tabetmek, basmak: (*fot.*) klişeden kâğıda geçirmek. **blue-~,** mavi teknik resim kopyası, (su banyolu) kopya; proje: **in** ~, matbu, basılmış: **he likes to see himself in** ~, yazısını neşredilmiş görmekten hoşlanıyor: **large** [**small**] ~, büyük [küçük] harfler: **out of** ~, mevcudu kalmamış (kitab): **to rush into** ~, olur olmaz bir şeyi gazetede veya kitab şeklinde neşretmek. **~er,** matbaacı; matbaa işcisi: **~'s ink,** matbaa mürekkebi: **~'s reader,** musahhih. **~ing,** matbaacılık; tabetme; basma. **printing-out-paper** (**P.O.P.**), (*fot.*) kopya kâğıdı. **printing-press,** matbaa makinesi.

prior[1] [ˈpraiə*]. Sabık, evvel; mukaddemki; kıdemli. ~ **to** ..., ···den evvel. **~ity** [praiˈoriti], evvellik; kıdem, tekaddüm, rüchan.

prior[2]. Bir manastırın başkeşişi.

priori [praiˈoorai]. **a** ~, kablî.

prise [praiz] *bk.* **prize**[2].

prism [prizm]. Menşur. **~atic** [–ˈmatik], menşurî; menşur şeklinde.

prison [ˈprisn]. Hapishane. **to send to** ~, hapsetmek. **~er,** mahbus, mevkuf; esir: **to take** ~, esir almak: **~s' base,** esir kapmaca oyunu. **prison-breaker,** hapishane kaçağı.

pristine [ˈpristain]. Evvelki; ilk; eski zamana aid.

prithee [ˈpriðì]. (*esk.*) Lûtfen, rica ederim.

privacy [ˈprivəsi]. Mahremlik; yalnızlık; inziva; halvet. **a desire for** ~, kendi âleminde yaşama arzusu; yabancı nazarlardan uzak kalma arzusu.

private [ˈpraivit]. Hususî; şahsî; zata mahsus; alenî olmıyan; mahrem. Er, nefer. ~ **car,** şahsî otomobil (*bir makama bağlı hususî otomobil* = **personal car**): ~ **and confidential,** hususî ve mahremdir: ~ **education,** hususî tahsil (mektebde olmıyan): ~ **house,** mesken, ikametgâh: ~ **income,** şahsî gelir: ~ **member,** hükûmete dahil olmıyan meb'us: ~ **parts,** edeb yerleri: ~ **person,** memuriyeti ve rütbesi olmıyan kimse; resmî sıfati olmıyan kimse; halktan adam: **to talk to s.o. in** ~, birisile başbaşa konuşmak: ~ **school,** hususî mekteb (*um.* 'public school' lara talebe yetiştiren ilk mekteb).

privateer [ˌpraivəˈtiə*]. Hususî şahıslara aid olup düşman gemilerine hücuma mezun ticaret gemisi; böyle bir geminin kaptan ve tayfası. Böyle bir gemi ile dolaşmak.

privation [praiˈveiʃn]. Mahrumiyet; ihtiyac; yoksulluk.

privet [ˈprivit]. (*Ligustrum*) Kurtbağrı.

privilege [ˈprivilidʒ]. İmtiyaz; rüchan; nasib; şeref. İmtiyaz vermek; muaf tutmak. **breach of** ~, imtiyazını suiistimal: **to be ~d to do stg.,** bir şeyi yapmak imtiyazına malik olmak: **it is my** ~ **to address you here tonight,** bu akşam size hitab etmekle şeref duyuyorum. **~d** *a.*, mümtaz; muaf; müşerref.

privy [ˈprivi]. Apteshane; *pl.* **~ies,** edeb yerleri. **to be** ~ **to stg.,** gizli bir şeyden haberdar olm.: **the Privy Council,** Kıralın hususî meclisi: **the Privy Purse,** hazinei hassa: **Lord Privy Seal,** Kıralın mühürdarı (İngiliz hükümetinde yarı fahrî bir memur).

prize[1] [praiz]. Mükâfat; ikramiye; ganimet; harb ganimeti olarak zabtedilen gemi. Takdir etm., ···e çok itibar etmek. **Prize Court,** deniz musadere mahkemesi: **he 's a** ~ **fool,** (*kon.*) bulunmaz bir ahmaktır: **lawful** ~, meşru ganimet: ~ **ox,** (bir ziraat sergisinde) madalya kazanan sığır. **prize-fighter,** mükâfat için güreşen veya boks eden kimse; pek kuvvetli bir adam. **prize-giving,** mükâfat dağıtma merasimi. **prize-money,** zabtedilen bir geminin değerine göre zabteden gemi tayfasına nakden dağıtılan hisse. **prize-winner,** bir musabaka veya imtihanda birinci gelen.

prize[2]. Manivelâ; manivelâ kuvveti. Bir şeyi manivelâ ile zorlamak, açmak, kaldırmak.

pro[1] [prou]. (*kıs.*) **professional.**

pro[2] (*Lât.*) ~ **forma,** şekle riayeyeten, formalite icabı: ~ **and con,** lehte ve aleyhte: ~ **rata,** mütenasiben: ~ **tempore** (**pro tem.**), muvakkat olarak, iğreti.

pro-*pref.* ... yerinde; ... lehine. **pro-Turkish,** Türk tarafdarı.

probab·le [ˈprobəbl]. Kuvvetle muhtemel. **~ility** [–ˈbiliti], ihtimal, muhtemel olma. **~ly,** ihtimal ki; galiba.

probate [ˈproubeit]. Vasiyetnamenin resmen isbat ve tasdik edilmesi: ~ **duty,** veraset vergisi: **to take out ~ of a will,** bir vasiyetnameyi resmen tasdik ettirmek.
probation [proˈbeiʃn]. Tecrübe devresi; staj; (genc suçluyu) göz hapsine alınmak şartile salıverme: ~ **officer,** böyle genclere nezaret eden memur. **~ary,** ~ **period,** tecrübe devresi; staj müddeti. **~er,** stajyer; 'probation' altındaki çocuk.
probe [proub]. Mil; sonda. Mil ile yoklamak; deşmek; yoklamak.
probity [ˈproubiti]. Dürüstlük, doğruluk; namuskârlık.
problem [ˈproblem]. Mesele, dava. **he 's a ~ to me,** onu hiç anlıyamam. **~atic** [–ˈmatik], şübheli, meşkûk.
proboscis [proˈbosis]. Filin ve bazı böceklerin hortumu.
procedure [proˈsiidjuə*]. Muamele, tarz, usul, kaide; gidiş; muhakeme usulü.
proceed [proˈsiid]. İlerlemek, yürümek; çıkmak, sadır olm.; başlamak; davranmak; devam etm.; dava açmak. **to ~ against s.o.,** biri aleyhine dava açmak: **to ~ to blows,** yumruk yumruğa gelmek: **before we ~ any further,** daha fazla ilerlemeden evvel: **how do we ~ now?,** şimdi [bundan sonra] ne yapacağız [hangi tarafa gidecegiz]?: **to ~ from ...,** ···den ileri gelmek [neş'et etm.]: **the negotiations now ~ing,** devam etmekte olan müzakereler: **to ~ with stg.,** bir şeye devam etmek.
proceeding [proˈsiidiŋ]. Hareket tarzı; muamele; gidiş. **~s,** harekât, muamele, müzakere; merasim; raporlar: **legal ~s,** takibat. **the ~s of a society,** bir cemiyetin müzakere zabıtları: **to take ~s against s.o.,** birine dava açmak.
proceeds [ˈprousiidz]. Hasılat; kazanc.
process [ˈprouses]. Ameliye; muamele; tarz; usul; amel; metod. Muayyen bir muameleye tâbi tutmak. **during the ~ of construction,** inşaatın devamı esnasında: **it is a slow ~,** bu uzun bir iştir, zaman ister. **in ~ of time,** zamanla.
procession [proˈseʃn]. Alay; mevkib; geçid resmi. **to walk in ~,** heyet [alay] halinde geçmek.
procla·im [proˈkleim]. İlân etm., alenen bildirmek. **~mation** [prokləˈmeiʃn], ilân; beyanname.
proclivity [proˈkliviti]. Meyil; temayül; inhimâk.
procrastinat·e [proˈkrastineit]. Tehir etm.; işi geciktirmek; oyalanmak. **~ion** [–ˈneiʃn], tehir; ağır alma.
procreation [proukriˈeiʃn]. Tevlid, tenasül, üreme, üretme.
proctor [ˈproktə*]. Üniversite talebelerinin inzibatından mesul olan kimse. **King's ~,** ingiliz adliyesinde miras ve boşanma davalarına müdahele hakkı olan memur.
procuration [ˌprokjuəˈreiʃn]. Vekâlet; tedarik, istihsal.
procure [proˈkjuə*]. Elde etm., edinmek; elde ettirmek; istihsal etmek. Pezevenklik etmek. **~r,** pezevenk.
prod [prod]. Dürtüş, dürtme. Dürtüşlemek, dürtmek.
prodigal [ˈprodigl]. Müsrif; mirasyedi. **to be ~ of [with],** bol bol vermek; esirgememek, ibzal etm.: ~ **son,** uzun bir sefahat hayatından sonra ailesine dönen genc. **~ity** [–ˈgaliti], müsriflik; bolluk.
prodig·y [ˈprodidʒi]. Harika, mucize; ucube. **~ious** [–ˈdidʒəs], harikülâde; şaşılacak; muazzam.
produce *n.* [ˈprodjuus]. Mahsul, hasılat, istihsalât. *vb.* [prəˈdʒuus]. Hasıl etm., istihsal etm.; meydana getirmek; çıkarmak; ibraz etmek. **to ~ a play,** bir piyesi sahneye koymak. **~r,** müstahsıl; sahneye koyan: ~ **gas,** kömürden maada maddelerden istihsal edilen âdi hava gazi.
product [ˈprodʌkt]. Mahsul, hasılat; muhassala. **~ion** [proˈdʌkʃn], istihsal; imal; mahsul; meydana çıkarma; eser; sahneye koyma; ibraz. **~ive** [proˈdʌktiv], mümbit, bereketli; müsmir; kazanclı. **~ivity** [–ˈtiviti], mahsuldarlık; mümbitlik.
profan·e [proˈfein]. Mukaddes olmıyan; mukaddesata karşı hürmetsiz; dine aid olmıyan. Mukaddesata hürmet etmemek; telvis etmek. **~ity** [–ˈfaniti], mukaddesata karşı hürmetsizlik; küfür, sövme.
profess [proˈfes]. Açıktan açığa itiraf etmek; iddiada bulunmak; bir sanati tatbik ve icra etm.; okutmak, öğretmek. **he ~es to be English,** İngiliz olduğunu iddia ediyor: **I do not ~ to be a scholar,** ben âlim olduğumu iddia etmiyorum. **~ed,** itiraf edilmiş; açıktan açığa (düşman vs.). **~edly,** açıkça, itiraf ettiği gibi; ağzı ile söylediği gibi.
profession [proˈfeʃn]. Meslek; işgüç; beyan, izhar. **by ~,** meslek itibarile. **~al,** meslekten yetişme; meslekî.
professor [proˈfesə*]. Profesör. **~ial** [ˌprofəˈsooriəl], profesörlüğe aid.
proffer [ˈprofə*]. Sunmak, arz ve teklif etmek.
proficient [proˈfiʃənt]. Maharetli; vakif; ehliyetli.
profile [ˈproufiil]. Yandan resim; yandan görünüş; profil. Yandan göstermek; profilini aksettirmek.
profit [ˈprofit]. Kâr, kazanc; istifade; temettü; fayda, menfaat. Kâr getirmek;

fayda vermek. **at a ~,** kârla, kârına: **to ~ by ...,** ···den istifade etm., faydalanmak: **to make a ~ out of stg.,** bir şeyden kâr etm., kazanmak: **to turn stg. to ~,** bir şeyden istifade etm., kâr etmek. **~able,** kârlı, faydalı, kazanclı. **~eer** [–ˈtiə*], muhtekir, vurguncu: ihtikâr yapmak: **war ~,** harb zengini.

profliga·cy [ˈprofligəsi]. Sefahat; çapkınlık, hovardalık. **~te,** sefih, çapkın, hovarda.

prof·ound [prəˈfaund]. Pek derin. **~ly,** son derece; derin derin. **~ secret,** çok gizli sır: **~ scholar,** mütebahhir. **~undity** [–ˈfʌnditi], derinlik.

profus·e [proˈfjuus]. Pek çok, bol; mebzul; müsrif. **to be ~ of** [**in**], esirgememek, bol vermek. **~ion** [–ˈfjuuʒn], bolluk; israf; mebzuliyet.

progenitor [proˈdʒənitə*]. Ced.

progeny [ˈprodʒəni]. Zürriyet, evlâd; nesil; döl.

prognath·ous, -ic [progˈneiθəs, –ik]. Çıkık çeneli (*bilh. zenciler hakkında*).

prognosis [progˈnousis]. Hastalığın muhtemel neticesi hakkında mutalaa.

prognostic [progˈnostik]. İstikbale delâlet eden. Hastalık neticesi hakkında fikir. **~ate,** istikbal hakkında haber vermek; ileride zuhuruna delâlet etmek.

program(me) [ˈprougram]. Program.

progress[1] *n.* [ˈprougres]. Terakki; ilerleme; gidiş, yürüyüş; mühim bir zatın resmî seyahati. **the ~ of events,** hadiselerin cereyanı: **in ~ of time,** zamanla; gel zaman git zaman: **the work now in ~,** şimdi yapılmakta olan iş.

progress[2] *vb.* [proˈgres]. İlerlemek; terakki etmek. **~ion** [–ˈgreʃn], ilerleme; birbirini takib etme. **~ive,** müterakki; adım adım ilerliyen: **in ~ stages,** tecriden, adım adım.

prohibit [proˈhibit]. Yasak etm., mani olmak. **~ion** [–ˈbiʃn], memnuiyet, yasak; (*Amer.*) alkollü içkilerin yasak olması. **~ive** [–ˈhibitiv], yasak edici, menedici. **a ~ price,** yanaşılmaz fiat.

project *n.* [ˈprodʒekt]. Plân, proje; tertib, tasavvur. *vb.* [proˈdʒekt], Niyet etm., tasarlamak; plânını çizmek; fırlatmak, atmak; irtisam ettirmek; fırlamak, çıkıntı teşkil etmek. **~ile** [ˈprodʒektail], mermi; atılan şey. **~ing** [–ˈdʒektiŋ], çıkıntılı, ileri doğru fırlamış. **~ion,** atma, fırlatma; çıkıntı, fırlak yer; çıktığı mesafe; (harita) irtisam. **~or,** projektör.

proletar·ian [ˌproliˈteəriən]. İşçi sınıfından (kimse), proleter. **~iat** [–riat], işçi sınıfı, ayak takımı, proletarya.

prolific [proˈlifik]. Velûd, verimli, mahsullü. **~acy** [–kəsi], velûdluk; bereket, bolluk.

prolix [ˈprouliks]. Sözü uzatan, itnablı; usandırıcı.

prologue [ˈproulog]. Başlangıç, prolog.

prolong [proˈloŋ]. Uzatmak, temdid etmek. **~ation** [–ˈgeiʃn], uzatma, uzanma. **~ed** *a.*, uzatılmış; sürekli.

promenade [proməˈnaad]. Gezinti; mesire; gezinti mahalli; piyasa. Gezinmek.

prominen·ce [ˈprominəns]. Çıkıntı; tebarüz; şöhret; ehemmiyet. **to come into ~,** şöhret kazanmak, mühim olm., sivrilmek. **~t,** çıkıntılı; bellibaşlı; mütebariz; mümtaz; şöhretli.

promiscu·ous [proˈmiskjuəs]. Karışık; müteferrik; hususî bir şahsa, cinse, soya vs.ye bağlı olmıyan; rasgele. **~ity** [–ˈkjuuiti], karmakarışıklık; cinsî meselelerde laübalilik.

promise [ˈpromis]. Vaid; söz. Vadetmek; söz vermek; delâlet etmek. **breach of ~,** evlenme vadini tutmama: **a boy of ~,** kendisinden çok şey ümid olunan çocuk: **to hold out a ~ to s.o.,** birine bir şeyi vadetmek: **Land of ~,** arzi mevud: **he shows great ~,** kendisinden çok şey ümid edilir: **the plan ~s well,** plân çok umidli görünüyor: **you'll be sorry for it, I ~ you!,** pişman olacaksın, emin ol!

promising [ˈpromisiŋ]. Ümid verici.

promissory [proˈmisəri]. **~ note,** emre muharrer sened.

promontory [ˈpromontəri]. (Denizde) dirsek, burun.

promot·e [proˈmout]. Terfi etm.; teşvik etm., ilerletmek; kolaylaştırmak. **to ~ a company,** bir şirket tesis etmek. **~er,** teşvik eden; tesis eden, kurucu: **company ~,** anonim şirketler kurucusu. **~ion,** terfi.

prompt [prom(p)t]. İşini çabuk yapan; tez davranan. Akıl öğretmek; tahrik etm., sevketmek; suflörlük etmek. **~ly,** tezelden, derhal: **for ~ cash,** peşin para ile: **~ delivery,** derhal teslim: **~er,** suflör. **~itude,** çabukluk; çabuk davranma veya kavrama.

promulgate [ˈpromølgeit]. Neşretmek, yaymak; ilân etm., işaa etmek.

prone [proun]. Boyluboyuna uzanmış, yüzükoyun; meyyal, mütemayil.

prong [proŋ]. Yaba, çatal; yaba veya çatal dişi.

pronominal [ˈproˈnominl]. Zamire aid.

pronoun [ˈprounaun]. Zamir. **demonstrative ~,** işaret zamiri: **indefinite ~,** mübhem zamir: **relative ~,** nisbet zamiri.

pronounce [proˈnauns]. Telaffuz etm.; resmî eda ile söylemek. **to ~ for** [**in favour**

of] s.o., birini iltizam etm., tarafını tutmak: **to ~ judgement,** (hâkim) hüküm vermek. **~ment,** beyan, ilân; kararın bildirilmesi.

pronunciation [pro'nʌnsieiʃn]. Telaffuz.

proof[1] *n.* Delil; tecrübe; matbaa pruvası; bir içkinin alkol derecesinin ayarı. **to bring** [**put**] **stg. to the ~,** bir şeyi denemek: **to give** [**show**] **~ of stg.,** bir şeye delâlet etm., bir şeyi isbat etm.: ⌜**the ~ of the pudding is in the eating**⌝, değeri tecrübe ile anlaşılır; 'Haleb oradaysa arşın burada'.

proof[2] *vb.* Mukavim ve bilh. su geçmez hale koymak. *a.* **~ against stg.,** bir şeye dayanıklı. **-proof,** *suff.* ... korkmaz, dayanır, geçmez, tesir etmez, *mes.* **bulletproof,** kurşun işlemez; **waterproof,** su geçmez, gamsele.

prop [prop]. Destek; payanda, dayak; rükün; zahir. Yaslamak. **to ~ up,** desteklemek, askıya almak; zahir olmak.

propagand·a [ˌpropə'ganda]. Propaganda. **~ist,** propagandacı; mürevvic.

propagate ['propəgeit]. Tenasül yolile veya tohum ile çoğaltmak, arttırmak; yaymak, neşretmek.

propel [pro'pel]. İleriye sürmek; sevketmek; fırlatmak. **~lent,** sevkedici veya fırlatıcı madde. **~lor,** pervane, uskur.

propensity [pro'pensiti]. Temayül, meyil, meyelân.

proper ['propə*]. Münasib, uygun, lâyık; muntazam, usule göre: hususî, zatî, has; hakikî; terbiye ve muaşeret hususunda pek fazla titiz ve çabuk utanır; (*arg.*) yakışıklı: **~ly,** lâyıkı ile, münasib bir şekilde; (*kon.*) enikonu, tamamile. **~noun,** has isim: **London ~,** asıl Londra: **to do the ~ thing by s.o.,** birine karşı vicdanen en doğru olan şeyi yapmak: **he very ~ly refused,** reddetti, doğrusu da bu idi.

propert·y ['propəti]. Mal, mülk, emlâk; vasıf, hassa, hususiyet, mahiyet: **~ies,** emlâk; bir tiyatro kumpanyasının elbise, dekor vs.si. **a man of ~,** mal mülk sahibi. irad sahibi: **that 's my ~,** o benimdir: **that secret is public ~,** o sırrı sağır sultan bile duydu.

prophecy ['profisi] *n.* Vahye istinaden kayıbdan haber vermek, kehanet.

prophesy ['profisai] *vb.* Kayıbdan haber vermek; kehanette bulunmak: **to ~ rain,** yağmur yağacağını söylemek.

prophet ['profit]. Peygamber; kâhin; kayıbdan haber veren kimse. **the Prophet,** Muhammed: ⌜**no man is a ~ in his own country**⌝, kimsenin kadri kendi muhitinde bilinmez. **~ic** [–'fetik], peygamberce; kehanet kabilinden.

prophyla·ctic [ˌprofi'laktik]. Hastalıktan koruyan (ilâc, tedbir); koruyucu. **~xis,** (hastalıktan) korunma, profilaksi.

propinquity [pro'pinkwiti]. Yakınlık; civar.

propitiat·e [pro'piʃieit]. Gönül almak; hiddetini teskin edip kendini affettirmek; yatıştırmak. **~ion** [–ieiʃn], yatıştırma, gönül alma; kefaret.

propitious [pro'piʃəs]. Müsaid; uğurlu; meymenetli. **the ~ moment,** eşref saat, en uygun zaman.

proportion [pro'pooʃn]. Tenasüb; nisbet; hisse, paye, mikdar. **~s,** bir cismin genişlik, uzunluk ve derinliği. Münasib hisselere ayırmak; mikdar tayin etmek. **in ~,** nisbetle; mütenasib: **in ~ as ..., ...** nisbeten: **out of ~,** nisbetsiz, mütenasib olmıyan: **sense of ~,** nisbet mefhumu: **well ~ed,** mütenasib, endamlı. **~al,** nisbî, mütenasib: **inversely ~,** makûsen mütenasib. **~ate,** mütenasib, uygun.

propos·al [pro'pouzl]. Teklif; evlenme teklifi. **~e,** teklif etm.; niyet etm.; evlenme teklifi yapmak: **to ~ a candidate,** birinin namzedliğini koymak: **to ~ s.o.'s health,** birinin sıhhatine içmeği teklif etm: ⌜**man ~s, God disposes**⌝, ⌜tedbir bizden takdir Allahtan⌝. **~er,** (**of a bill,** *etc.*), bir kanun vs. teklifi yapan; **~ of a member for a club,** *etc.*, birini bir klüb vs. azalığına teklif eden.

proposition [ˌpropou'ziʃn]. Teklif; mesele, iş, teşebbüs. **a paying ~,** paralı [kârlı] iş: **a tough ~,** halli güç mesele: **he 's a tough ~,** Allahın belâsı adamdır.

propound [pro'paund]. İleri sürmek, serdetmek, irad etm.; mutalaa için arzetmek.

propria ['propria]. **in ~ persona,** (*Lât.*), bizzat, şahsan.

propriet·ary [pro'praiətəri]. Mal sahibliğine aid. **~ medicine,** reçetesi bir şahıs veya bir firmanın malı olan ilâc. **~or** [–'praiətə*], mal veya mülk sahibi.

propriet·y [pro'praiəti]. Uygunluk, münasib olma; yakışık alma. **the ~ies,** muaşeret icabları, terbiye icabları.

propuls·ion [pro'pʌlʃn]. İleriye yürütme, fırlatma; tahrik. **~ive,** fırlatıcı, muharrik.

prorog·ue [pro'roug]. (Bir meclisi) muvakkaten tatil etmek. **~ation** [–'geiʃn], muvakkaten tatil.

prosaic [prou'zei·ik]. Şairane mukabele; yavan, bayağı, alelâde.

proscri·be [prou'skraib]. Medenî haklardan iskat etm.; sürgüne yollamak; kanun harici ilân etm.; yasak etm., lağvetmek. **~ption** [–'skripʃn], nefyetme; yasak etme, fesih, ilga.

prose [prouz]. Nesir.

prosecut·e ['prosikjuut]. Aleyhine dava açmak; takib etm.; bir işte devam etmek.

~**ion** [–ˈkjuuʃn], adlî takibat; iş takibi; sebatla devam etme. ~**or,** müddei, davacı: **Public ~,** müddeiumumi.
proselyte [ˈprosəlait]. Mühtedi, dönme.
prosody [ˈprosədi]. Aruz.
prospect¹ *n.* [ˈprospekt]. Manzara; görünüş; ümid; ihtimal. **his ~s are brilliant,** istikbali parlaktır. ~**ive** [–ˈpektiv], muhtemel, memul; istikbale aid.
prospect² *vb.* [prosˈpekt]. Toprağı ihtiva ettiği madenler bakımından tedkik etmek. ~**or,** maden araştıran kimse.
prospectus [prosˈpektəs]. Tarifname; rehber; prospektüs.
prosper [ˈprospə*]. Muvaffak olm., işi iyi gitmek; refaha ermek; mamur olmak. Kolaylaştırmak; feyz vermek. ~**ity** [–ˈperiti], refah, mamurluk, feyz. ~**ous** [ˈprospeərəs], mamur, refah içinde; kârlı; müsaid.
prostate [ˈprosteit]. Prostat.
prostitute [ˈprostitjuut]. Fahişe. Fuhşa vermek; süfli işte kullanılmak üzere vermek veya satmak.
prostrat·e *a.* [ˈprostreit]. Yüzükoyun uzanmış, yere kapanmış; mecalsiz, takatsiz. *vb.* [prosˈtreit]. Yere atıp yatırmak; bitkin hale koymak, mecalsiz bırakmak. **to ~ oneself,** secdeye varmak, yere kapanmak. ~**ion** [–ˈtreiʃn], bitkinlik, takatsizlik; secdeye varma.
prosy [ˈprouzi]. Yavan, usandırıcı (söz, yazı).
protagonist [prouˈtagənist]. Mübariz; (bir piyes vs.de) kahraman; bir büyük işe önayak olan.
protect [proˈtekt]. Korumak, muhafaza etmek. ~**ion** [–ˈtekʃn], koruma, sıyanet, himaye, muhafaza; siper. ~**ionist,** himaye usulü tarafdarı. ~**ive,** koruyucu. ~**or,** hâmi. ~**orate** [–ˈtektərit], büyük bir devletin himayesi altında bulunan küçük bir devlet, protektora.
protégé [ˈproteʒei]. Mahmi; birisi tarafından korunan veya kayrılan.
pro tem [ˈprouˈtem]. (*kıs. Lât.*) **pro tempore,** muvakkaten.
protest¹ *n.* [ˈproutest]. Protesto; itiraz; protestoname, beyanname. **to do stg. under ~,** bir şeyi istemiyerek [kerhen] yapmak: **to sign under ~,** istemiyerek ve kaydi ihtiyatla imza etmek.
protest² *vb.* [proˈtest]. İtirazda bulunmak; protesto etmek. İddia etm.; beyan ve ifade etm.; teminat vermek.
protestant [ˈprotistənt]. Protestan.
protocol [ˈproutokol]. Zabıtname; protokol.
prototype [ˈproutoutaip]. İlk örnek; en güzel örnek.
protozoa [proutouˈzouə]. Basit hüveynat; protozoer.
protract [prouˈtrakt]. Uzatmak; mikyas ve minkale vasıtasile plân çızmek. ~**ed,** sürüncemeli; uzamış. ~**or,** minkale; bir uzvu uzatıcı sinir.
protrud·e [prouˈtruud]. Dışarı fırlamak. Dışarı çıkmak; pırtlamak. ~**ing,** fırlak, çıkıntılı, pırtlak.
protuberant [prouˈtjuubərənt]. Şişkin; tümsek; yumru.
proud [praud]. Mağrur, kibirli, azametli. **to be ~ of stg.,** ···ile iftihar etm., gurur duymak: **to be ~ to do stg.,** bir şeyi yapmakla şeref duymak: **to do s.o. ~,** (*arg.*) birini fevkalâde ağırlamak: **to do oneself ~,** (*arg.*) kendisi için hiç bir şey esirgememek; boğazına iyi bakmak: **~ flesh,** yara etrafında hasıl olan şiş.
prove [pruuv]. İsbat etm.; delâlet etm.; tahkik etm.; delil olm.; denemek. Bulunmak, çıkmak. **what he said ~d to be correct,** söyledigi doğru çıktı: **it remains to be ~d,** (ne malûm?) isbat edilsin bakalım: **to ~ a will,** bir vasiyetnameyi tasdik ettirmek. ~**n,** (*yal.*) **not ~,** suçu sabit olmamış.
provender [ˈprovendə*]. Hayvanlara verilen ot vs., yem; (*şak.*) yemek.
proverb [ˈprovəəb]. Darbımesel, atalar sözü. ~**ial** [–ˈvəəbjəl], darbımesel olmuş, meşhur.
provide [proˈvaid]. Tedarik etm., vermek, hazırlamak, techiz etm.; şart koymak. **to ~ against stg.,** bir şeye karşı tedbir almak; **to be ~d for,** ihtiyacları temin edilmek: **to ~ s.o. with stg.,** birine bir şeyi tedarik etm., bulmak, hazırlamak.
providen·ce [ˈprovidəns]. Basiret, ihtiyat, takdir; Cenabı Hak. ~**t,** basiretli, idareli, muktesid. ~**tial** [–ˈdenʃl], Allahın hikmet ve takdirine aid; Allahtan (olan, gelen vs.); tam vaktinde yetişen.
provider [proˈvaidə*]. Tedarik eden, hazırlayan kimse. **universal ~,** her çesit eşya satan mağaza veya tüccar.
provinc·e [ˈprovins]. Vilâyet; salâhiyet, saha. **the ~s,** taşra: **that's outside [not within] my ~,** o benim salâhiyetim dahilinde değildir. ~**ial** [–ˈvinʃl], taşraya aid; taşralı; görgüsüz, geri, darkafalı.
provision [proˈviʃn]. Tedarik, tedbir; şart. ~**s,** erzak, levazım. Erzak ve levazım vermek. **~ merchant,** erzak satıcı: **to come within the ~s of the law,** kanunun hükümleri altına girmek: **there is no ~ to the contrary,** aksi hakkında hüküm yoktur: **to make ~ for [against] stg.,** bir şeyi temini için lazımgelen tedbirleri almak: **to make ~ against stg.,** bir şeyin önüne geçmek için tedbir almak: **to make ~ for**

one's family, ailenin ihtiyaclarını temin etm.; kendi ölümünden sonra ailesinin istikbalini teminat altında almak.
provisional [proˈviʃnl]. Muvakkat, geçici; iğreti.
proviso [proˈvaizou]. Şart. **~ry** [–zəri], şarta bağlı; muvakkat.
provocat·ion [ˌprovoˈkeiʃn]. Kışkırtma, tahrik; meydan okuma. **~ive** [–ˈvokətiv], kışkırtıcı, tahrik edici; kızdırıcı.
provok·e [proˈvouk]. Kışkırtmak, kızdırmak; tahrik etmek; meydan okumak; sebeb olm.; davet etmek. **to ~ an incident,** hadise çıkarmak: **to be ~d,** darılmak. **~ing,** cansıkıcı; darıltıcı.
provost [ˈprovəst]. Kolej müdürü; (İskoçya'da) belediye reisi. **provost-marshal** [proˈvou], askerî inzibat âmiri.
prow [prau]. Geminin pruvası.
prowess [ˈpraues]. Yiğitlik, şecaat; muvaffakiyet; maharet.
prowl [praul]. Sinsi sinsi av peşinde dolaşmak. Sinsi sinsi gezinme. **to ~ about** [**be on the ~**], fena bir maksadla etrafta dolaşmak, kolaçan etmek.
prox. (*kıs.*) **proximo.**
proxim·ate [ˈproksimeit]. Karib, en yakın. **~ity** [–ˈsimiti], yakınlık; civar.
proximo [ˈproksimou]. Gelecek ay içinde.
proxy [ˈproksi]. Vekâlet; vekil. **by ~,** istinabe suretile.
prude [pruud]. (Kadın hakkında) iffet hususunda ifrat derecede titiz olan; fazilet taslayıcı.
pruden·ce [ˈpruudəns]. İhtiyat, teemmül; basiret. **~t,** ihtiyatlı, müdebbir.
prud·ery [ˈpruudəri]. İfrat derece utangaçlık; fazilet taslama. **~ish** *bk.* **prude.**
prurien·ce, ~cy [ˈpruəriəns(i)]. Şehvanî fikirlere düşkünlük; marazî tecessüs; gidişme. **~t,** şehvanî fikirli, marazî tecessüs sahibi.
pruri·go, -tis [pruəˈraigo, –raitis]. Kaşıntı hastalığı; gizli sıtma.
prussic [ˈprʌsik]. **~ acid,** asit prusik.
pry[1] [prai]. **to ~ about,** tecessüs etm., kolaçan etmek: **to ~ into s.o.'s affairs,** başkasının işlerine burnunu sokmak.
pry[2] *bk.* **prize**[2].
PS. [ˈpiiˈes]. (*kıs. Lât.*) **post scriptum,** mektub haşiyesi.
psal·m [saam]. Mizmar; zebur. **~mist,** zebur müellifi, Davud Peygamber. **~ter** [ˈsooltə*], zebur; mezamir kitabı.
pseudo- [ˈpsjuudou] *pref.* Sahte; sözde, gûya.
pseudonym [ˈpsjuudounim]. Müstear ad; takma isim.
pshaw [(p)ʃoo]. *Sabırsızlık veya istihfaf nidası.*
psittacosis [ˌpsitaˈkousis]. Papağan humması.
psychiatry [(p)saiˈkaiətri]. Akıl hastalıkları bilgisi.
psychic(al) [ˈ(p)saikik(l)]. Ruha aid; ispritizmeye aid.
psycho-analyst [ˈ(p)saikouˈanalist]. Ruhî hal ve hastalıkları tahlil eden kimse.
psycholog·ical [ˌ(p)saikouˈlodʒikl]. Psikolojiye aid. **the ~ moment,** muayyen hal ve şartlar içinde harekete geçmek için en uygun zaman; eşref saat. **~y** [–ˈkoledʒi], ruhiyat, psikoloji.
pt. (*kıs.*) pint.
ptarmigan [ˈtaamigən]. (*Lagopus mutus*) Soğuk ve dağlık memleketlerde yetişir bir nevi keklik.
pte. (*kıs.*) **private (soldier),** orduda erlerin adlarının önüne konulan unvan.
p.t.o. [ˈpiiˈtiiˈou]. (*kıs.*) **please turn over!,** çeviriniz!
ptomaine [touˈmein]. Çürüyen leşlerde bulunan şibihkalevî zehirli bir madde, ptomain.
pub [pʌb]. (*kıs.*) **public-house,** birahane.
puberty [ˈpjuubəəti]. Bülûğ, ergenlik çağı.
public [ˈpʌblik]. Umumî; herkese aid, hususî olmıyan; alenî, açık. Halk, amme. **in ~,** alenen, el aleme karşı: **to go out in ~,** adam içine çıkmak, ortaya çıkmak: **the general ~** [**the ~ at large**], halkın ekserisi: **~ life,** memuriyet hayatı: **~ money,** milletin parası, miri mal: **~ opinion,** umumî efkâr: **~ school,** (İngiltere'de) kibar tabakaya mahsus ve başlıca Oxford ve Cambridge üniversitelerine veya orduya hazırlayan lise derecesinde mekteb (*ismine rağmen bu mektebler tamamen hususîdir*): **~ service,** amme hizmeti; memurluk; halka hizmet; **the ~ services,** amme hizmetleri: **his life was spent in ~ service,** hayatı halka hizmetle geçti: **his life was spent in the ~ service,** hayatı memurlukta geçti: **~ spirit,** hamiyet: **~ Works,** Nafia. **public-house,** birahane, meyhane.
publican [ˈpʌblikən]. Birahaneci; (İncilde) tahsildar.
publication [ˌpʌbliˈkeiʃn]. Neşretme; neşredilmiş eser, neşriyat.
publicist [ˈpʌblisist]. Muharrir.
publicity [pʌbˈlisiti]. Alenilik; ilâncılık; (*mec.*) tellallık.
publish [ˈpʌbliʃ]. Neşretmek, yaymak; ifşa etmek. **~er,** naşir.
puce [pjuus]. Pire renginde.
pucker [ˈpʌkə*]. Buruşturmak; katlanmak; kıpkırışık olmak. Kırışık, buruşukluk.
puckish [ˈpʌkiʃ]. Şakacı, şeytan.

pudding [ˈpudiŋ]. Puding. **black ~,** domuz eti, kanı ve yulaf unundan yapılan bir yemek: **rice ~,** bir nevi sütlaç. **pudding-face,** ablak surat.
puddle [ˈpʌdl]. Su birikintisi; sıvacı çamuru, kumlu harc. Balçık su ile yuğurmak; kızgın demirleri döğerek birbirine tutturmak. **to ~ about,** su ve çamur karıştırmak; çamura bata çıka yürümek.
pueril·e [ˈpjuərail]. Çocukça; boş, vâhi. **~ity** [–ˈriliti], çocukluk, ahmaklık.
puerperal [pjuˈəəpərəl]. Nifasi.
puff [pʌf]. Nefha, üfleme; püf; püfböreği; kumaş kabarıklığı; mübalağalı ilân; podra pomponu. Üflemek, püflemek; çok medhetmek, mübalağalı şekilde ilân etmek. **to ~ and blow,** nefes nefese olm., solumak: **to ~ oneself up,** kurum satmak: **to ~ out,** şişirmek, kabartmak: **to ~ up,** şişirmek; göklere çıkarmak. **~ed, ~ sleeves,** kabarmış yenler: **~ up,** kurumlu, avurtlu: **~ face,** şişirilmiş yüz. **puff-adder,** zehirli bir cins yılan. **puff-ball,** kurt mantarı. **puff-box,** podra kutusu. **puff-pastry,** yufkalı hamurişi.
puffin [ˈpʌfin]. (*Fratercula arctica*) Şimal denizlerine mahsus bir nevi kuş.
puff·iness [ˈpʌfinis]. Şişkinlik; (*tıb.*) nefha. **~y,** şişkin, kabarık; püfür püfür esen.
pug¹ [pʌg]. Küçük buldog köpeği.
pug². Hayvan ayağı izi.
puggaree [ˈpʌgəri]. Güneşten korunmak için şapka üzerine sarılan uzun müslin şerid.
pugilist [ˈpjuudʒilist]. Boksör.
pugnaci·ous [pʌgˈneiʃəs]. Kavgacı. **~ty** [–ˈnasiti], kavgacılık.
puke [pjuuk]. Kus(tur)mak.
pukka [ˈpʌkə]. Hakikî, halis; devamlı, sağlam.
pull [pul]. Çekmek; cezbetmek; asılmak. Çekiş, çekme; asılış; cezb; bir içim (bira vs.); kürek hamlesi; tutup çekecek şey. **to ~ at stg.,** bir şeyi çekmek, bir şeye asılmak: **to ~ a boat,** kürek çekmek: **to give a ~,** bir hamlede çekmek: **to have a ~,** nüfuz sahibi olm., arkalı olm.; (*arg.*) uzun bir yudum içmek: **to have a ~ over s.o.** [**the ~ of s.o.**], başkasına üstün olan bir tarafı olm.: **to ~ to pieces,** parça parça etm.: **to ~ s.o. to pieces,** birini şiddetle tenkid etm., didik didik etmek. **pull about,** oraya buraya sürüklemek, hırpalamak, örselemek. **pull away,** çekip ayırmak, kopartmak. **pull down,** aşağı çekmek, indirmek; yıkmak; sıhhatini bozmak. **pull in,** içeriye çekmek; (atı) durdurmak. **pull off,** çıkarmak; kaldırmak; (*kon.*) muvaffak olmak. **pull on,** üstüne çekmek. **pull out,** çıkarmak; sökmek; (tren) istasyondan çıkmak: (*otom.*) **to ~ out from behind a vehicle,** bir araba vs.nin önüne geçmek için arkasından çıkıvermek. **pull over,** çekip devirmek: (*otom.*) **to ~ over to one side,** kenara çekmek. **pull-over,** kazak. **pull round,** ayıl(t)mak; (hasta) iyileş(tir)mek. **pull through,** birini fena bir vaziyetten kurtarmak; (hasta) iyileşmek; işin içinden çıkmak. **pull to, to ~ the door to,** kapıyı çekerek kapatmak. **pull together,** elbirliğiyle çalışmak: **to ~ oneself together,** kendini toplamak, toparlanmak. **pull up,** yukarı çekmek, kaldırmak; sökmek; atı veya arabayı durdurmak; (*mec.*) dizginlerini çekmek.
pulled-down (Adam hakkında) çökmüş.
pullet [ˈpulit]. Pilic (dişi).
pulley [ˈpuli]. Makara; palanga. **fast and loose ~,** sabit ve avara kasnak. **pulley-block,** makara, mandoz. **pulley-wheel,** makara dili.
pullulate [ˈpuljuleit]. Çabuk çoğalmak; kum gibi kaynamak.
pulmonary [ˈpʌlmonəri]. Akciğere aid; rievî.
pulp [pʌlp]. Sebzelerle meyvaların eti; kâğıd hamuru; her hangi sulu şekilsiz madde; lâpa; öz. Dövüp lâpa ve hamur gibi yapmak. **crushed to a ~,** ezilmis, pestil gibi olmuş. **~y,** lâpa gibi; yumuşak; pelte gibi.
pulpit [ˈpulpit]. Mimber; kürsü. **the influence of the ~,** kilisenin nüfuzu.
puls·ate [pʌlˈseit]. Nabız gibi atmak, kalb gibi çarpmak. **~e¹,** nabız; nabız atması, çarpıntı. Nabız gibi atmak; ihtizaz etm.: **to feel one's ~,** nabzını yoklamak.
pulse². Bakliyat.
pulverize [ˈpʌlvəraiz]. Toz haline getirmek; ezmek.
puma [ˈpjuuma]. Amerika aslanı.
pumice [ˈpʌmis]. **~-stone,** süngertaşı.
pummel [ˈpʌml]. Yumruklamak.
pump [pʌmp]. Tulumba, pompa. Tulumba ile veya tulumba gibi çekmek. **to ~ s.o.,** (*arg.*) birinden malûmat edinmeğe çalışmak: **to ~ out,** suyunu tulumba ile çekip (kuyu vs.yi) kurutmak: **to ~ up,** tulumba ile (su) çekmek; hava basıp şişirmek.
pumpkin [ˈpʌmkin]. Helvacı kabağı.
pumps [pʌmps]. Rugan iskarpinler.
pumpship [ˈpʌmpʃip]. (*arg.*) İşemek.
pun ([pʌn]. Cinas (yapmak).
punch¹ [pʌntʃ]. Zımba; muşta; (*mek.*) nokta. Zımbalamak; zımba ile delik açmak; yumrukla vurmak; nokta ile işaret etmek.
punch². Punç.
Punch³. Polişinel; şişman ve kambur bir kukla; bir cins ağır at. **Punch-and-**

Judy, ~ show, Karagöz oyununa benziyen bir kukla oyunu.
punctilio [pʌnkˈtiljou]. Merasime düşkünlük. **~us,** merasime düşkün; çöpatlatmaz.
punctual [ˈpʌŋktjuəl]. İşini vaktinde yapan; tam vaktinde; dakikası dakikasına; muntazam; şaşmaz.
punctuat·e [ˈpʌŋktjueit]. Noktalamak; işaretle teyid etm.; ikide bir sözlerini (kahkaha veya bir nida ile) kesmek. **~ion** [–ˈeiʃn], noktalama.
puncture [ˈpʌŋktjuə*]. Sivri bir şeyle yapılan delik; iğne ile delme. Delmek, deşmek. **to have a ~,** (*otom.*) lâstiği delinmek.
pundit [ˈpʌndit]. Hindu dinî âlimi; allâme.
pungent [ˈpʌndʒənt]. Dokunaklı, keskin; tuzlu biberli; müessir.
punish [ˈpʌniʃ]. Cezalandırmak, terbiyesini vermek, tedib etm.; (*arg.*) (et vs.yi) temizlemek, silip süpürmek. **~able,** cezalandırılabilir, cezaya müstahak. **~ment,** ceza, tedib, cezalandırma: **capital ~,** ölüm cezası.
punitive [ˈpjuunitiv]. Cezaya aid; tenkil edici. **a ~ force,** tedib kuvveti.
punkah [ˈpʌŋka]. Tavana asılı büyük bir yelpaze, panka.
punster [ˈpʌnstə*]. Cinasçı.
punt[1] [pʌnt]. Sırık ile yürütülen dibi düz bir cins kayık. Böyle bir kayığı kullanmak.
punt[2]. (Rugby futbol oyununda) top yere düşmeden ayak ile vurmak.
punter [ˈpʌntə*]. Kumarcı; at yarışlarında bahse giren; hava oyuncusu.
puny [ˈpjuuni]. Nahif, cılız, sıska; âciz.
pup [pʌp]. Köpek yavrusu. **to sell s.o. a ~** birini kafese koymak.
pupa, *pl.* **-pae** [ˈpjuupa, –pii]. Dûduhadis, krizalit.
pupil[1] [ˈpjuupl]. Talebe, mektebli: bülûğa ermemiş ve vesayet altında çocuk. **~lage,** vesayet halinde olma.
pupil[2]. Gözbebeği, hadeka.
puppet [ˈpʌpit]. Kukla.
puppy [ˈpʌpi]. Köpek yavrusu; hoppa delikanlı.
purblind [ˈpəəblaind]. Yarı kör; darkafalı.
purchase[1] [ˈpəətʃis]. Satın alma(k); mübayaa; satın alınan şey. **at ten years' ~,** on senelik gelirine bedel: **your life would not have been worth an hour's ~,** bir saatten fazla yaşamazdınız.
purchase[2]. Mihaniki kuvvet; cerrieskal; makara, palanga; istinad noktası. **to get [secure] a ~ on stg.,** bir şeye dayanmak, istinad et(tir)mek.
purdah [ˈpəəda]. (Hindistanda) kadınları erkek gözlerinden saklamak için perde; kaçgöç.
pure [pjuue*]. Sâf; halis; afif; sade; fasih. **~ mathematics,** nazarî riyaziye. **pure-blooded, pure-bred,** sâf kan, cins; su katılmadık. **pure-minded,** temiz düşünceli; afif fikirli.
purgative [ˈpəəgətiv]. Müshil.
purgatory [ˈpəəgətəri]. Âraf; ıstırab yeri.
purge [pəədʒ]. Müshil vermek; tasfiye etm., temizlemek. Müshil; tasfiye etme.
purify [ˈpjuərifai]. Tasfiye etm., temizlemek.
purist [ˈpjuərist]. (Lisan işlerinde) titiz, fasahat meraklısı.
Puritan [ˈpjuəritən]. İngiltere'de 17 inci asırda zuhur eden ve İslamiyette Vehabiler gibi din ve ahlâk hususunda pek mutaassıb olan bir tarikate mensub kimse. **~ical** [–ˈtanikl], din ve ahlâk meselelerinde mutaassıb.
purity [ˈpjuəriti]. Sâflık; temizlik; iffet; (dil) fasahat.
purl[1] [pəəl]. Çağıltı. Çağıldamak.
purl[2]. Örgü örerken ilmeği ters yapma(k).
purlieu [ˈpəəljuu]. Hudud, had. **~s,** civar, etraf.
purloin [ˈpəəloin]. Aşırmak.
purple [ˈpəəpl]. Mor; koyu menekşe rengi. **born in the ~,** yüksek bir aileye *ve bilh.* hükümdar ailesine mensub: **~ in the face,** alı alına moru moruna, pek hiddetlenmiş: **~ passages,** (bir yazıda) parlak sahifeler: **to be raised to the ~,** kardinal tayin olunmak.
purport *n.* [ˈpəəpoot]. Meal; mefhum; mufad. *vb.* [pəəˈpoot]. Manasında olm.; delâlet etmek. **it ~s to be a letter from Hitler,** (mealine bakılırsa) bu mektubun H. tarafından yazıldığı iddia ediliyor.
purpose [ˈpəəpəs]. Maksad, niyet, emel, meram, gaye, kasd. Niyet etm., kasdetmek. **for [with] the ~ of . . ., . . .** niyetiyle, niyetinde: **on ~ [of set ~],** kasden, mahsus, bile bile, teammüden: **to answer the ~,** işine uymak, matluba muvafık olm.: **to answer [serve] several ~s,** muhtelif işlere yaramak: **to come to the ~,** sadede gelmek: **not to the ~,** sadedden haric: **to speak to the ~,** pek yerinde söylemek: **to no ~,** boş yere, nafile: **to work to good [some] ~,** iyi ve verimli olarak çalışmak: **to what ~?,** neye? neye yarar?, ne diye?: **a novel with a ~,** tezli roman: **general ~s lorry,** her işe yarar kamyon.
purposely [ˈpəəpəsli]. Kasden, mahsus, bile bile.
purr [pəə*]. Kedi mırıltısı. Mırıldamak.
purse [pəəs]. Para kesesi. **the public ~,** devlet hazinesi: **according to the length of**

one's ~, servetine [gelirine] göre: **that is beyond my ~**, o benim harcım değil: ⌜**you can't make a silk ~ out of a sow's ear**⌝, ⌜arık etten yağlı tirit olmaz⌝. **purse-proud**, zenginliği ile gururlanan.

purser [ˈpəəsə*]. Gemi kâtibi ve levazım memuru.

pursuan·ce [pəəˈsjuuəns]. İfa, takib, tatbik. **~t**, mutabik, uygun.

pursu·e [pəəˈsjuu]. Takib etm.; kovalamak, peşine düşmek; devam etm.; aramak. **~it**, takib, peşinden gitme, kovalama; meşgale; araştırma: **to set off in ~**, takibe koyulmak.

pursy [ˈpəəsi]. Şişman ve dar nefesli; buruşuk, katlanmış; zengin.

purulent [ˈpjuərjulənt]. Cerahatli, irinli.

purvey [pəəˈvei]. Erzak ve levazım tedarik etmek. **~or**, erzak müteahhidi.

purview [ˈpəəvjuu]. Saha; meal.

pus [pʌs]. Cerahat, irin.

push[1] [puʃ] *n.* İtme; kakma; dürtüş; teşebbüs, girginlik, cerbeze; ilerleme. **at a ~**, icabederse; mübrem vaziyette: **when it comes to the ~**, mesele [vaziyet] ciddileşirse, sıkışınca.

push[2] *vb.* İtmek, dürtmek, kakmak; sürmek; basmak, sokmak. **to ~ one's advantage**, elde edilen bir menfaatı son haddine kadar istismar etm.: **to ~ oneself (forward)**, itip kakarak ilerlemek; girginlik etm.: **he does not know how to ~ himself**, kendini satmasını bilmiyor. **push-bicycle**, bisiklet. **push-button**, elektrik düğmesi. **push-cart**, el arabası. **push in**, itip içeri sokmak; itip içeri girmek. **push off**, kayığı iterek iskeleden uzaklaştırmak: **~ off!**, alarga!; (*arg.*) çek arabanı! **push on**, ileriye sürmek; ilerlemek: **to ~ on with the work**, işe sebatla devam etmek. **push out**, dışarıya itmek; sürmek; çıkmak; çıkarmak. **push to**, itip kapatmak.

pushful [puʃfəl], **-ing** [ˈpuʃiŋ]. Girişken, pişkin, sıkılmaz; becerikli, girgin.

pusillanim·ity [ˌpjuusilaˈnimiti]. Korkaklık, alçaklık. **~ous** [–ˈlanimәs], korkak.

puss [pus]. Kedi, pisi; haspa. **~ ~!**, pisi-pisi! **~sy(-cat)**, kedi. **puss-in-the-corner**, köşe kapmaca oyunu.

pustule [ˈpʌstjuul]. Sivilce.

put [put]. Koymak, vazetmek, yerleştirmek; ifade etm., arzetmek; tahmin etmek. **I ~ his age at 30**, yaşını 30 tahmin ediyorum: **to ~ a horse at [to] a fence**, bir atı atlatmak üzere bir maniaya sürmek: **to ~ (their) heads together**, baş başa vurmak: **to ~ into harbour**, limana girmek: **to ~ into English**, ingilizceye çevirmek: **I ~ it to you that ...**, müsaadenizle arzederim ki ...: **to ~ it mildly**, en hafif tabir ile: **to ~ a question**, sual sormak: **to ~ a resolution**, (bir meclis vs.de) bir teklif vermek: **to ~ to sea**, (gemi) alarga etm.: **to ~ s.o. to do stg.**, birine bir şeyi yaptırmak: **you can do anything if you are ~ to it**, insan mecbur olunca her şeyi yapar. **put about**, (gemiyi) geriye çevirmek; yaymak, işaa etmek. **put across**, öbür tarafa geçirmek: **to ~ a deal across**, bir alışverişi muvaffakiyetle tamamlamak: **you can't ~ that across me**, ben bunu yutmam, ben buna gelemem. **put away**, bir tarafa koymak, saklamak; (para) biriktirmek; (*arg.*) ziftlenmek. **put back**, yerine iade etm.; (saati) geri almak; (gemi) geri dönüp limana avdet etmek. **put by**, (parayı) bir kenara koymak, saklamak; ayırmak. **put down**, aşağı koymak; yere koymak; bırakmak; yazmak, kaydetmek; addetmek, saymak, isnad etm.; bağışlamak: **to ~ down passengers**, yolcuları indirmek: **to ~ down a rebellion**, bir isyanı bastırmak: **~ that down to me**, onu benim hesabıma yaz: **I ~ it down to his youth**, gencliğine verdim [bağışladım]: **I ~ him down as [for] an Englishman**, onu İngiliz sanıyorum. **put forth**, göstermek; sarfetmek; sürmek; ileri sürmek. **put forward**, ileri sürmek, arzetmek; ilerletmek: **to ~ oneself forward**, sokulmak, girginlik etm.: **to ~ one's best foot forward**, adımlarını sıklaştırmak; elinden geleni yapmak. **put in**, içeri sokmak, dercetmek; dikmek; koymak; (*huk.*) ibraz etm.: **to ~ in a claim, an application,** *etc.*, istida vs. resmen vermek: **to ~ in a good day's work**, tam bir günlük işi yapıp bitirmek, başarmak: **to ~ in at a port**, bir limana girmek [uğramak]: **to ~ in for a post**, bir mevkie namzedliğini koymak. **put off**, çıkartmak, kaldırmak; tehir etm., tecil etm.; avutmak, oyalamak, savsaklamak; tiksindirmek; çelmek; şaşırtmak; (gemi) iskeleden ayırılmak, hareket etm.: **to ~ s.o. off doing stg.**, birini bir şey yapmaktan vazgeçirmek, cesaret veya iştah bırakmamak, soğutmak: **to ~ off one's guests**, misafirlere haber göndererek daveti tehir etm.: **to be ~ off stg.**, bir şeyden soğumak, tiksinmek, ürkmek, ağzı yanmak: **don't ~ me off!**, beni şaşırtma! **put on**, üzerine koymak; giymek; katmak, ilâve etm.; takınmak: *a.* yapma, yapmacık. **to ~ the clock on**, saati ileri almak: **to ~ the gramophone on**, gramafon işletmek [çalmak]: **to ~ the light on**, ışığı yakmak: **to ~ on a train**, bir treni servise koymak: **to ~ a play on**, bir piyesi sahneye koymak: **to ~ s.o. on to a job**, birine bir iş vermek: **who ~ you on to it?**, bunu size kim gösterdi [öğretti]?: **~ me on to Oxford 120**, (telefon) Oxford

120'ı veriniz. **put out,** dışarı koymak, atmak; çıkarmak; uzatmak; söndürmek; yanıltmak; darıltmak; bozmak, şaşırtmak: **to ~ one's arm out,** (i) kolunu uzatmak; (ii) kolu çıkmak: **to ~ s.o.'s eyes out,** birinin gözlerine mil çekmek: **he was very ~ out,** fena bozuldu; pek dargındı: **he was not in the least ~ out,** hiç istifini bozmadı: **to ~ oneself out for s.o.,** birisi için zahmet çekmek: **don't let me ~ you out,** aman sizi rahatsız etmiyeyim, size zahmet vermeyim: **to ~ s.o. out in their reckoning,** birinin hesabını bozmak: **to ~ money out to interest,** parayı faize vermek [yatırmak]: **all work is done on the premises, nothing is ~ out,** bütün iş dairede [bina dahilinde] yapılır, dışarı verilmez. **put through,** iyi bir neticeye götürmek [çıkarmak]: **he ~ his foot through the ice,** ayağı buzu deldi: **~ me through to the director,** (telefon) bana müdürü veriniz. **put together,** bitiştirmek, birleştirmek; çatmak; kurmak; birbirine katmak. **put up,** yukarı koymak; yüksekce bir yere yapıştırmak; dikmek, kurmak, inşa etm.; kaldırmak; ileri sürmek, arzetmek; namzedliğini koymak; namzed göstermek; sandık veya bohçaya koymak, istif etm.: **to ~ up at a place,** bir yerde konaklamak: **to ~ s.o. up (for the night),** birini evinde yatırmak: **to ~ up a bird (a hare,** *etc.*), avda bir kuş (tavşan vs.) kaldırmak: **to ~ up a fight,** karşı koymak, çarpışmak: **to ~ up one's hands,** ellerini kaldırmak, teslim olm.: **to ~ up the money for an undertaking,** bir teşebbüs için para komak [yatırmak]: **to ~ s.o. up to a thing,** birini doldurmak, aklına koymak: **to ~ stg. up for sale,** bir şeyi satışa çıkarmak: **to ~ up an umbrella,** şemsiye açmak: **to ~ up with,** katlanmak, tahammül etm.; nazını çekmek. **put-up, a ~ job,** danışıklı dövüş. **put upon,** üstüne koymak: **to be ~ upon,** kendini ezdirmek: **I won't be ~ upon,** kimseyi enseme bindirmem; her zaman okka altına ben gidemem; yağma yok!

putative [ˈpjuutətiv]. Mefruz; meşru farzedilir.

putre·fy [ˈpjuutrifai]. Çürümek; taaffün etm., tefessuh etmek. **~faction** [-ˈfakʃn], çürüme, tefessuh, taaffün.

putrescen·ce [pjuuˈtresəns]. Taaffün. **~t,** çürümeğe başlamış; müteaffin.

putrid [ˈpjuutrid]. Ufunetli, kokmuş, çürük; iğrenç.

puttee [ˈpʌti]. Dolak.

putty [ˈpʌti]. Camcı macunu; lökün.

puzzle [ˈpʌzl]. Muamma; şaşırtmaca; bilmece. Muamma gibi gelmek; düşündürmek. **to ~ stg. out,** düşünüp taşınarak bir şeyin içyüzünü keşfetmek: **to ~ over stg.,** bir şeyin üzerine zihnini yormak.

pygmy [ˈpigmi]. Cüce.

pyjama [paiˈdʒaamə]. Pijama.

pylon [ˈpailon]. Sütun, pilon.

pyorrhea [paioˈriiə]. (Bilhassa diş etinde) irin akması.

pyramid [ˈpirəmid]. Ehram.

pyre [paiə*]. **funeral ~,** ölünün cesedini yakmak için toplanan odun yığını.

pyrethrum [paiˈriiθrəm]. Pire otu. **~ powder,** böcek öldürücü toz.

pyro [ˈpairou]. (*kıs.*) **pyrogallic acid,** pirogalât.

pyrometer [paiˈromitə*]. Ateş ölçüsü, pirometre.

pyrotechnics [ˌpairouˈtekniks]. Hava fişekçiliği.

Pyrrhic [ˈpirik]. **a ~ victory,** (hakikatte bir felâket olan) zahirî muzafferiyet.

python [ˈpaiθon]. Kocaman yılan, boa.

pythoness [ˈpaiθones]. Falcı kadın.

Q

Q [kjuu]. Q harfi.

qua [kwei]. Mahiyetinde.

quack[1] [kwak]. (*ech.*) Ördek sesi, gak gak. Ördek gibi bağırmak.

quack[2]. Mutatabbib, doktor taslağı; şarlatan; sahte. **~ery,** mutatabbiblik; şarlatanlık.

quadr- *pref.* Dört ..., dörtlü.

quadrangle [ˈkwodraŋgl]. Dört dılılı şekil; (*kıs.* **quad**) bir mekteb veya üniversitenin büyük iç avlusu.

quadrant [ˈkwodrənt]. Bir dairenin dörtte biri.

quadratic [kwoˈdratik]. **~ equation,** cebrin ikinci derece muadelesi.

quadrennial [kwoˈdrenjəl]. Dört senede bir vukuagelen; dört sene süren.

quadrilateral [ˌkwodriˈlatərəl]. Dört dılılı (şekil).

quadroon [kwoˈdruun]. Dörtte bir zenci melezi.

quadruped [ˈkwodruped]. Dört ayaklı.

quadruple [kwoˈdruupl]. Dört kat; dört misli. Bir adedin dört misli. Dört misline çıkarmak.

quadruplets [kwoˈdruuplits]. Bir batında doğmuş dört çocuk.

quaff [kwaaf]. Büyük yudumlarla içmek.

quagga [ˈkwaga]. Yaban eşeği.

quagmire [ˈkwagmaiə*]. Bataklık; batak; çamur.
quail[1] [kweil]. (*Coturnix*) Bıldırcın.
quail[2] *vb.* Ürkmek, yılmak.
quaint [kweint]. Tuhaf; antika; eski moda fakat hoş.
quak·e [kweik]. Titremek, deprenmek. **to ~ in one's shoes,** korkudan tiril tiril titremek. **~ing,** titreme; raşe, lerze.
Quaker [kweikə*]. İngiltere'de bir mezheb sâliki.
qualification [ˌkwolifiˈkeiʃn]. Vasıflandırma; vasıf; ehliyet; şart, kayd, ihtiyat; tahdid. **without ~,** kayıdsız şartsız.
qualif·y [ˈkwolifai]. Tavsif etm., vasıflandırmak; tadil etm.; bazı istisna iradıyla tahdid etm.; ehliyet vermek; hafifletmek, azaltmak. Ehliyet kesbetmek. **to ~ as a doctor,** (imtihan verip) doktor olm.: **to ~ s.o. for stg.,** birini bir iş veya vazife için ehliyetli kılmak [lâyık olduğunu göstermek]: **to ~ oneself for a post,** bir iş için lâzım gelen şart ve vasıfları ihraz etmek. **~ied,** ehliyetli, ehliyetname sahibi; salâhiyetli; mahdud, şartlı: **to be ~ to do stg.,** lâzım gelen vasıfları haiz olm.: **~ approval,** şarta bağlı takdir; mahdud takdir.
qualitative [ˈkwolitətiv]. Keyfiyet ve mahiyete aid.
quality [ˈkwoliti]. Keyfiyet; hassa, haslet; sıfat; mahiyet; vasıf. **a person of ~,** kibar bir adam: **a wine of ~,** iyi bir cins şarab.
qualm [kwaam]. Mide bulantısı; vicdan üzüntüsü; kuruntu, endişe. **to have no ~s about doing stg.,** bir şeyi yapmaktan hiç çekinmemek. **~ish,** midesi bulanmış; vicdanen mustarıb.
quandary [ˈkwondəri, kwonˈdeəri]. Müşkül vaziyet; berzah.
quantitative [ˌkwontitətiv]. Kemiyete aid, kemmî.
quantity [ˈkwontiti]. Mikdar; kemiyet; çokluk; aruzî kemiyet; bir hecenin uzunluğu. **a great ~ of ...,** pek çok: **in great ~ies,** çok mikdarda: **~-surveyor,** yapı işlerinde malzeme muhammini.
quantum, *pl.* **-ta** [ˈkwontm, -ta]. Kemiyet; asgari mikdar.
quarantine [ˈkworəntiin]. Karantina. Karantinaya koymak; tecrid etmek.
quarrel [ˈkworəl]. Kavga; bozuşma; ağız kavgası; niza; münazaa. Bozuşmak, kavga etmek. **to ~ with one's bread and butter,** kendi ekmeği ile oynamak: **I have no ~ with his behaviour,** hareketine diyeceğim yok: **to pick a ~ with s.o.,** birisile kavga aramak: **to take up s.o.'s ~,** bir kavgada birinin tarafını tutmak. **~some,** kavgacı, didişken.
quarry[1] [ˈkwori]. Avlanan hayvan, şıkâr, av.
quarry[2]. Taş ocağı. Taş ocağından taş çıkarmak; (*mec.*) araştırmak. **~man,** *pl.* **-men,** taş ocağı amelesi.
quart [kwoot]. Bir istiab hacmı ölçüsü ki gallon'in dörtte biridir = 1·136 litre.
quarter[1] [ˈkwootə*]. Aman; af, merhamet. **to cry [ask for] ~,** aman dilemek: **to give ~,** aman vermek, canını bağışlamak.
quarter[2] *n.* Dörtte biri, rubu; çeyrek; üç aylık devir; kamerin terbii: (*kıs.* **qr.**) 28 libre = 12·7 kilo; bir hububat ölçüsü = 2·9 hektolitre; (*Amer.*) 25 sent; taraf, cihet; mahalle, semt; muhit; bir hayvanın dörtte biri, omuz, but; gemi yanının kıça doğru her iki tarafı: **~s,** ikametgâh, konak, yatacak yer; (*den.*) harb veya talim zamanında tayfaya tahsis olunan yer. *vb.* Dört müsavi kısma taksim etm.: muhtelif evlere asker yerleştirmek. **to be ~ed with [on] s.o.,** (asker) birinin evine yerleştirilmek: **at close ~s,** yakından, yaklaşmış olarak: **from all ~s,** her taraftan: **all hands to ~s!,** (harb gemisinde) herkes yerine!: **to beat [pipe] to ~s,** gemide harb hazırlığı emrini vermek: **to take up one's ~s with ...,** gidip ...in yanına yerleşmek: **we shall get no help from that ~,** o taraftan yardım görmiyecegiz: **a ~'s rent,** üç aylık kira. **quarter-day,** İngiltere'de üç aylık kira veya maaşların tediye edildiği günler, yani 25 mart, 24 haziran, 29 eylûl, 25 aralık. **quarter-deck,** Geminin kıç güvertesi: **the ~,** geminin subayları; deniz subayları.
quarterly [ˈkwootəli]. Üç aylık, her üç ayda bir (neşredilen, tediye edilen).
quartermaster [ˈkwootəmaastə*]. (Gemi) serdümen; (ordu) levazım subayı: **~ sergeant,** levazım subayı emrindeki çavuş: **~ General,** bütün İngiliz ordusunun levazım reisi.
quartern [ˈkwootəən]. **~ loaf,** 4 librelik somun.
quarterstaff [ˈkwootəstaaf]. Eskiden silâh olarak kullanılan kalın sopa.
quartet(te) [kwooˈtet]. Dört kısımlık musiki parçası ve bunu çalan sanatkârlar.
quarto [ˈkwootou]. (**4to** *yazılır*). Kâğıdları dört yaprak teşkil edecek şekilde katlanmış 8 sahifelik kitab forması.
quartz [kwoots]. Kuvars.
quash [kwoʃ]. Nakzetmek, ibtal etmek.
quasi- [ˈkweisi] *pref.* Hemen hemen; yarı.
quassia [ˈkwasiə]. Acıağaç, kavasya.
quaternary [kwoˈtəənəri]. Dörtten ibaret; (jeoloji) son tabakaya aid.
quatrain [kwoˈtrein]. Dört mısralık şiir parçası, dörtlük.
quaver [ˈkweivə*]. Sekizlik nota, kroş; ses titreme, tril. Ses titremek, tril yapmak.
quay [kii]. Rıhtım. **~age,** rıhtım parası.

queasy [ˈkwiizi]. Bulantı getirici; midesi çabuk bulanır; müşkülpesend.
queen [kwiin]. Kıraliçe; muhteşem kadın; (iskambilde) kız; (satrançta) ferz [vezir]. Ferz çıkmak. **~ly,** kıraliçe gibi, kıraliçeye yakışır. **queen-bee,** arı beyi. **queen-mother,** valde kıraliçe.
queer [kwiə*]. Tuhaf, acayib; keyifsiz; ne idüğü belirsiz ve biraz şübheli. Bozmak, altüst etmek. **I'm feeling rather ~,** bir hoşluğum var: **he 's a ~ fish,** o bir âlem: **on the ~,** el altında, şübheli bir şekilde: **to be in ~ street,** parasız kalmak; adı çıkmak: **to ~ s.o.'s pitch,** el altından birinin tertibatını bozmak.
quell [kwel]. Bastırmak; tenkil etm.; teskin etmek.
quench [kwentʃ]. Söndürmek; su ile soğutmak; gidermek; bastırmak.
querulous [ˈkwerjuləs]. Sızlayıcı, iniltili; alil ve ihtiyar kimse gibi mütemadiyen şikâyet eden.
query [kwiəri]. İstifham, sual; istifham işareti. İstifham işareti koymak; sormak; şübhe etmek.
quest [kwest]. Araştırma; taharri.
question [ˈkwestʃən]. Sual, sorgu; mesele, bahis mevzuu; şübhe. Sual sormak; şübhe etmek. **to be ~ed,** sorguya çekilmek: **to call in ~,** ···den şübhe etm., itiraz etm.: **beyond (all) ~, [past ~],** hiç şübhe yok: **in ~,** bahis mevzuu olan: **there is no ~ of his being dismissed,** işinden çıkarılması bahis mevzuu değildir: **out of the ~,** bahis mevzuu olamaz; mümkün değil; ne gezer: **to put a ~,** sual sormak: **to put the ~ (to a meeting,** *etc.*), meseleyi reye koymak: **to raise a ~ about stg.,** bir şey hakkında itirazda bulunmak: **there was some ~ of ...,** ... mübhem bir şekilde bahis mevzuu idi: **without ~,** şübhesiz. **~able,** su götürür, şübheli. **~naire** [–ˈneə*], sualler listesi. **question-mark,** istifham işareti.
queue [kjuu]. Bekliyen halk dizisi, sıra, kuyruk. **to ~ (up),** sıra olmak.
quibble [ˈkwibl]. Mugalâta, safsata; kaçamaklı söz. Safsataya boğmak; baştan savma cevab vermek; kılı kırk yarmak.
quick [kwik]. *a.* Çabuk, seri, tez, süratlı; çevik; kavrayışlı; canlı, diri. *n.* Canlı et. **the ~ and the dead,** canlılar ve ölüler: **to bite one's nails to the ~,** tırnaklarını (etine) kan oturuncaya kadar ısırmak: **to cut to the ~,** içine zehir gibi işlemek: **~ hedge,** *bk.* **quickset.** **~en,** canlandırmak; çabuklaştırmak. **~lime,** sönmemiş kireç. **~ness,** çabukluk, sürat; çeviklik; süratı intikal. **~sand,** deniz kıyılarındaki mütehарrik kumlar. **~set, ~ hedge,** taze dikenli fidanlardan yapılmış çit. **~silver,** civa. **quick-firing,** seri ateşli. **quick-tempered,** çabuk öfkelenen. **quick-witted,** çabuk anlıyan, kavrayışlı.
quid [kwid]. Bir çiğnem ağız tütünü; (*kon.*) İngiliz lirası.
quid pro quo [ˈkwidprouˈkwou]. (*Lât.*) Taviz; bedel; mukabele.
quiescent [kwaiˈesənt]. Sakin; hareketsiz; muvakkaten durgun.
quiet [ˈkwaiət]. Sakin; rahat; durgun; sessiz; hafif (ses); uslu; kendi halinde; sade, gösterişsiz. Rahat, sükûnet. **~** *veya* **quieten,** teskin etm., yatıştırmak; **~ down,** yatışmak, sükûnet bulmak. **be ~!,** sus!, rahat dur!: **to keep ~,** susmak; rahat durmak; uslu oturmak; rahat durdurmak: **to keep stg. ~,** bir şeyi örtbas etmek. **~ness, ~ude** [–nis, –tjuud], sessizlik, sükûnet, rahat.
quietus [kwai·iitəs]. **to give s.o. his ~,** işini bitirmek, öldürmek.
quill [kwil]. Kuş kanadının büyük tüyü; tüy kalem; kirpi dikeni. **quill-driver,** fena yazıcı, karalamacı.
quilt [kwilt]. İçi pamuklu veya yünlü yatak örtüsü; yorgan. Elbise veya yorgan gibi şeylerin içine pamuk veya yün koymak.
quince [kwins]. Ayva.
quinine [kwiˈniin]. Kinin.
quinque- [ˈkwinkwi] *pref.* Beş .... **~nnial,** beş sene süren; beş senede bir vukuagelen.
quinsy [ˈkwinzi]. Hünnak.
quintessence [kwinˈtesens]. Hulâsanın hulâsası; zübde.
quintet [kwinˈtet]. Beş çalgı ile çalınan parça veya bunu çalan sanatkârlar.
quintuple [kwinˈtjuupl]. Beş misli. Beş misline çıkarmak.
quip [kwip]. Dokunaklı cevab; nükteli söz.
quire [kwaiə*]. 24 lik kâğıd destesi.
quirk [kwəək] *bk.* **quip**; kaçamaklı söz; yazıda süs, paraf.
quit [kwit]. Bırakmak, terketmek; vazgeçmek. Kurtulmuş, azade. **to ~ hold of,** salıvermek, bırakmak: **notice to ~,** kiracıya evin tahliyesi için ihbar: **~ you like men!,** (*esk.*) yiğitçe davranınız!
quite [kwait]. Bütün bütün; tamamen; pek çok. **~ right,** pek yerinde; tamam; pek haklı, doğru: **~ so!,** elbette!, şübhesiz!: **I don't ~ know,** pek iyi bilmiyorum.
quits [kwits]. **to be ~,** fit olm.: **I'll be ~ with him,** ben ondan acısını çıkarırım: **to cry ~,** 'artık yetişir', 'başa baş olduk' demek: **double or ~,** ya mars ya fit.
quitter [ˈkwitə*]. (*Amer. arg.*) hain; kaba soğan.
quiver[1] [ˈkwivə*]. Ok kuburu; tirkeş.

~**ful,** kubur dolusu (ok): **a ~ of children,** bir ailenin kalabalık çocukları.
quiver². Titreme; kıpırtı. Kıpırdamak; titremek; pelteleşmek.
quixotic [kwik'zotik]. Don Kişot gibi idealist ve hayalperest.
quiz [kwiz]. Alaya almak, takılmak; alaycı tecessüs ile bakmak; rastgele sualler sorarak bilgisini yoklama(k). Alaycı. ~**zical,** tuhaf; alaycı.
quoit [kwoit]. Kaydırmak. ~**s,** yere çakılı bir kısa kazığa veya bir kovaya demir veya ip halkları atıp geçirmekten ibaret bir oyun.
quondam ['kwondam]. Evvelce mevcud olan.
quorum ['kwoorəm]. Nısab.
quota ['kwoutə]. Hisse, pay.
quot·ation [kwou'teiʃn]. İktibas; nakil, zikir; fiat tayini. ~**e** [kwout], iktibas etm.; zikretmek; tırnak işareti koymak: **to ~ a price,** fiat tayin etmek.
quoth [kwouθ]. (*esk.*) Dedim, dedi vs. **'No', ~ I,** hayır, dedim.
quotient ['kwouʃənt]. (Hesabda) harici kısmet.
q.v. ['kjuu'vii]. (*kıs. Lât.* **quod vide.**) Buna bak!

R

R [aa*]. R harfi. **the three R's; reading, (w)riting, (a)rithmetic,** okuma, yazma, hesab, (ilk tahsilin esasları).
R.A. [aa'rei]. (*kıs.*) (i) **Royal Artillery,** Topçu sınıfı; (ii) **Royal Academy** veya **Academician,** Güzel Sanatler akademisi veya Akademi âzası.
rabbet ['rabet]. Lâmbalı geçme.
rabbi ['rabai]. Haham.
rabbit ['rabit]. Ada tavşanı; korkak; acemi. **welsh ~,** üzerindeki peynirle birlikte kızartılmış ekmek.
rabble ['rabl]. Ayak takımından ibaret olan kalabalık. **the ~,** ayak takımı.
rabid ['rabid]. Kudurmuş; azgın, mutaassıb.
rabies ['reibi·iiz]. Kuduz.
race¹ [reis]. Irk; nesil, soy, cins. **the human ~,** insan cinsi, beni Âdem.
race². Yarış, koşu; hızlı deniz veya med akıntısı. Koşuya girmek, yarış etm.; alabildiğine koşmak, pek hızlı hareket etm.; bir makineyi pek hızlı işletmek. **race-horse,** yarış atı, **race-meeting,** at yarışı toplantısı.
raceme [ra'siim]. Salkım.
rachit·ic [ra'kitik]. Raşitik. ~**is** [ra'kaitis], raşitizm.
racial ['reiʃjəl]. Irka aid, ırkî.
racing ['reisiŋ]. Yarışlar, *bilh.* at yarışları. Pek hızlı koşan veya akan. **racing-stable,** yarış atları müessese.
rack [rak]. Parmaklık raf; saman ve kuru ot konan yemlik; silâhlık; (*mek.*) kremayer; eski bir işkence aleti. Bu alet ile insanın uzuvlarını germek. **to be on the ~,** işkence çekmek: **to ~ one's brains,** zihnini yormak: **to be ~ed with pain,** şiddetli acı duymak: **to go to ~ and ruin,** mahvolmak; iflâs etm.: **luggage ~,** file. **rack-railway,** dişli demiryolu. **rack-rent,** pek yüksek kira.
racket¹ ['rakit]. Raket. ~**s,** duvara atılarak oynanan bir nevi top oyunu.
racket². Şamata, velvele; cümbüş; dolandırıcılık. **to kick up a ~,** gürültü yapmak: **to stand the ~,** acısını çekmek; dayanmak; masrafını karşılamak. ~**eer** [–'tiə*], anaforcu, muhtekir.
raconteur [rakontəə*]. Hikâyeci.
racoon [ra'kuun]. Şimalî Amerikada yaşıyan ufak bir et yiyici hayvan.
racquet *bk.* **racket.¹**
racy ['reisi]. **~ anecdote [style],** canlı ve orijinal hikâye [üslûb]: **~ of the soil,** yerli ve öz [üslûb vs.].
raddle ['radl]. Koyunları markalamakta kullanılan kırmızı aşı boyası. Bu boya ile boyamak. ~**d face,** kabaca makiyajlanmış çehre.
radial ['reidjəl]. Şua gibi; merkezden çıkan; kû'berî.
radian·ce ['reidjəns]. Parlaklık, nur; şaşaa; şua halinde intişar eden şey. ~**t,** parlak, parıldıyan; şualar neşreden; güler yüzlü. Işık veya hararetin çıktığı nokta.
radiat·e *a.* ['reidiet]. Şua halinde; yıldız şeklinde. *vb.* [–'eit]. Şualar neşretmek; merkezî bir noktadan yay(ıl)mak; neşe saçmak. ~**ion** [–'eiʃn], şualar neşretme; şua intişarı; radyasyon; merkezî bir noktadan yayılma. ~**or,** radyatör.
radical ['radikl]. Köke aid; cezrî; radikal; esasî. Radikal partisine mensub; kök, cezir.
radio ['reidiou]. Radyo. ~**gram,** radyo telgraf.
radish ['radiʃ]. Turp.
radium ['reidiəm]. Radyom.
radius, *pl.* **-dii** ['reidiəs, -iai]. Nısıfkutur. **~ of action,** gemi veya uçağın seyir siası: **within a ~ of three miles,** üç mil çevresinde.
R.A.F. ['aa'rei'ef]. **Royal Air Force,** İngiliz Hava Kuvvetleri.

raffia [ˈrafjə]. Bir cins ağaç; bu ağaçın yapraklarından yapılmış bir lif sicim.
raffish [ˈrafiʃ]. Rezil, kabadayı, hovarda.
raffle [ˈrafl]. Eşya piyangosu, tombola. Piyangoya koymak.
raft [raaft] Sal. **~sman,** salcı.
rafter [ˈraaftə*]. Çatı kerestesi.
rag[1] [rag]. Paçavra; değersiz şey. **in ~s and tatters,** lime lime: **to feel like a wet ~,** gevşek ve bitkin bir halde olm.: **meat cooked to a ~,** fazla pişirilerek parça parça olmuş et. **rag-and-bone man,** paçavraçı. **rag-doll,** paçavradan yapılmış kukla. **rag-fair,** bit pazarı. **rag-picker,** paçavracı. **rag-tag, ~ and bobtail,** esafil güruhu.
rag[2]. Kaba şaka, muziplik; gürültü, heyhey. Gürültü ve muziplikle eğlenmek; (askerlikte ve mekteb hayatında) eskiler yenilere muziplik etmek ve alaya almak.
ragamuffin [ˈragəmʌfin]. Baldırı çıplak; külhanbeyi, keloğlan.
rage [reidʒ]. Öfke, hiddet, şiddet; heves, ibtilâ. Köpürmek, kudurmak, tehevvür etm., küplere binmek; (rüzgâr) şiddetle esmek; (veba) salgın halinde hüküm sürmek. **to ~ at [against] stg.,** bir şeye köpürmek: **to be all the ~,** pek rağbette olm., alıp yürümek: **to be in a ~,** çok öfkeli olm.: **to fly [fall] into a ~,** küplere binmek: **to have a ~ for stg.,** bir şeyin delisi olmak.
ragged [ˈragid]. Partal; pejmürde; fersude; yırtık, lime lime; intizamsız.
raging [ˈreidʒiŋ]. Kudurmuş; şiddetli, hiddetli; çılgın.
ragman [ˈragmən]. Paçavracı.
ragout [raˈguu]. Yahni.
ragwort [ˈragwəət]. (*Senecio Jacobea*) Yakubotu (?).
raid [reid]. Akın; çapul; baskın. Akın etm.; baskın yapmak. **~er,** akıncı; düşmanın ticaret gemilerini yakalayan veya tahrib eden harb gemisi.
rail[1] [reil]. Tırabzan üstü; küpeşte, küpeşte üstü; bir çayır veya bahçe etrafına konulan çitin demir veya tahta parçaları; demiryolu veya tramvay rayı; (*kıs.*) **railway,** demiryolu. **to leave the ~s,** raydan çıkmak: **to get off the ~s,** raydan çıkmak; çığrından çıkmak: **live ~,** elektrikli ray: **price on ~,** trene teslim fiatı.
rail[2]. Şikâyet etm.; küfretmek; dil uzatmak.
railing [ˈreiliŋ]. (*um.*) **~s,** parmaklıklı çit; parmaklık.
raillery [ˈreiləri]. Alaya alma; takılma.
railroad [ˈreilroud] (*Amer.*) *bk.* **railway.**
railway [ˈreilwei]. Demiryolu, şimendifer. **~man,** *pl.* **-men,** demiryolu amelesi veya memuru. **railway-cutting,** demiryolunun yarması.
raiment [ˈreimənt]. Elbise.
rain [rein]. Yağmur. Yağmur yağmak. Yağdırmak. **it's ~ing cats and dogs,** bardaktan boşanırcasına yağmur yağıyor: ⌜**it never ~s but it pours**⌝, felâket (*bazan* saadet) yalnız gelmez. **~bow,** alaimisema, eleğimsağma. **~coat,** yağmurluk. **~drop,** yağmur damlası. **~fall,** yağış; bir yerde muayyen bir zamanda yağan yağmur mikdarı. **~proof,** yağmur geçmez. **~y,** yağmurlu: **one must put by for a ~ day,** ⌜ak akçe kara gün içindir⌝.
raise [reiz]. Kaldırmak; yukarı kaldırmak; yükseltmek; dikmek; inşa etm.; yetiştirmek; çıkarmak; ileri sürmek; meydana getirmek; hasıl etm.; ayaklandırmak; (para, vergi) toplamak. **to ~ an army,** bir ordu toplamak: **to ~ a cry,** çığlık koparmak: **to raise s.o. from the dead,** bir ölüyü diriltmek: **to ~ hopes,** ümitlendirmek: **to ~ land,** (*den.*) (gemiden) kara görmek: **to ~ an objection,** itirazda bulunmak: **to ~ a ship,** batmış gemiyi yüzdürmek: **to ~ a smile,** dinliyenlerde tebessüm uyandırmak: **to ~ s.o.'s spirits,** birinin maneviyatını yükseltmek.
raisin [ˈreisn]. Kuru üzüm.
raison d'être [ˈreizonˈdeitr]. (*Fr.*) Hikmeti vücud.
raj [raadʒ]. Hakimiyet, hükümdarlık.
rajah [ˈraadʒa]. Raca.
rake[1] [reik]. Hovarda; sefih adam; zendost.
rake[2]. Geminin baca ve direğinin kıça doğru meyli.
rake[3]. Tırmık; fırın küsküsü; bahçevan tarağı. Tırmıklamak; taramak. **to ~ one's memory,** hafızasını yoklamak: **to ~ a ship,** bir gemiyi baştan başa topa tutmak: **to ~ a trench,** bir siperi yan ateşine almak veya makineli tüfek ile taramak. **rake in,** (gazinoda mizleri) tırmık ile toplamak: **to ~ in money,** çok para kazanmak. **rake off,** bir işte gayri meşru bir tarzda para almak. **rake out, to ~ out the fire,** ateşi söndürmek için kömürlerini çıkarmak. **rake over,** (toprağı) tırmalamak. **rake up,** eşelemek, kurcalamak.
rak·ing [ˈreikiŋ]. Kıça doğru eğilen (direk, baca). **~ish**[1], baca ve direkleri arkaya doğru yatık ve görünüşte süratlı (gemi).
rakish[2] [ˈreikiʃ]. Çapkınca, serbest.
rally[1] [ˈrali]. Yeniden intizama girme(k); kuvvetlenme(k); canlanma(k); sıhhat kazanma(k); yeniden toplama(k); toplamak; tekrar intizama sokmak; yeniden ihya etmek; (tenis ve raket oyunlarında) üstüste bir kaç vuruş.

rally². Takılmak, alaya almak.
ram [ram]. Koç; harb gemisini mahmuzu; şahmerdan; akar su kuvvetiyle işliyen bir nevi tulumba. Vurarak pekiştirmek; zorla tıkıştırmak; sokmak; (gemi) mahmuz veya pruvasile başka gemiye çarpmak.
rambl·e [ˈrambl]. Maksadsız dolaşma(k). avare ve başıboş gezinme(k); ipsiz sapsız konuşmak veya yazmak; sayıklamak. **~er,** başıboş gezen adam; sarmaşık gülü. **~ing,** başıboş gezen; rabıtasız, intizamsız.
ramif·y [ˈramifai]. Dallanıp budaklanmak; şubelere ayrılmak. **~ication** [–fiˈkeiʃn], dallanıp budaklanma; feri; şube.
ramp¹ [ramp]. Hafif meyil.
ramp². Desise, dolab, pek yüksek fiat; anafor.
ramp³. Şahlanmak, kudurmak. **to ~ and rage,** kıyamet koparmak, köpürmak, küplere binmek.
rampage [ramˈpeidʒ]. **~** *veya* **go on the ~,** cinleri tutmak; oraya buraya koşarak çılgınca gürültü yapmak. **~ous,** gürültücü; ele avuca sığmaz.
rampant [ˈrampənt] Şaha kalkmış; müfrit, son derece; taşkın; dizginsiz.
rampart [ˈrampaat]. Toprak tabya; sur; sed; müdafaa vasıtası.
ramrod [ˈramrod]. Harbi.
ramshackle [ˈramʃakl]. Köhne, derme-çatma.
ran *bk.* **run.**
ranch [raantʃ]. Amerikada büyük çapta hayvan yetiştirmeğe mahsus çiftlik. Böyle bir çiftliği idare etm.; asgari derecede ekip biçerek ve hayvanları otlamağa bırakarak çiftçilik yapmak.
rancid [ˈransid]. Ekşimiş, kokmuş.
ranco·ur [ˈraŋkəə*]. Kin, hınc; kuyruk acısı. **~rous,** kinci.
random [ˈrandəm]. Rasgele; gelişi güzel. **to hit out at ~,** hem nalına hem mıhına vurmak.
randy [ˈrandi]. Şamatacı; arsız; şehvetli.
ranee [raanii]. Racanın karısı; hint kıraliçesi.
rang *bk.* **ring.**
range¹ [reindʒ] *n.* Sıra, dizi; dağ silsilesi; saha; el, göz veya sesin gidebileceği yer; mıntaka; mesafe; menzil; atış mesafesi; atış meydanı; genişlik, vüsat; mutfak ocağı. **out of ~,** menzil harici: **within** [in] **~,** menzil dahilinde: **~ of a ship,** bir geminin seyir siası: **~ of speeds** (uçak) asgari ve azami sürat arasındaki fark: **~ of temperature,** hararet farkı: **the whole ~ of politics,** siyasetin sahası: **a wide ~ of patterns,** bir malın çok çesidleri. **range-finder,** mesafe ölçüsü aleti.
range² *vb.* Uzanmak; dolaşmak; gezmek; filan mıntakada bulunmak; menzili ... olm.; sıra ile dizmek; bir cihete çevirmek. **to ~ a gun,** topun menzilini tanzim etm.: **his activities ~ from music to shooting,** faaliyet sahası musikiden avcılığa kadar uzanır: **the temperature ~s from zero to eighty,** hararet sıfırla seksen arasında değişir: **to ~ oneself on s.o.'s side,** birine iltihak etm., tarafdar olm.: **to ~ over the country,** memleketin her tarafına yayılıp dolaşmak.
ranger [ˈreindʒə*]. Devlet orman müfettişi.
rank¹ [raŋk]. Rütbe; mertebe; saf. Saymak, addetmek. **he ~s as England's greatest man,** İngiltere'nin en büyük adamı sayılır: **I don't ~ him very high,** ben onu o kadar mühim bulmuyorum: **~ and fashion,** en kibar sınıf: **~ and file,** efrat, erat; aşağı tabaka: **other ~s,** efrat, erat.
rank² *a.* Mebzul, bol; kaba; galiz; kokmuş, ekşimiş. **~ poison,** safi zehir; **~ treachery,** halis hiyanet. **~ness,** mebzuliyet; galizlik; kabalık; kokmuşluk.
ranker [ˈraŋkə*]. Alaylı zabit.
rankle [ˈraŋkl]. İçine ukde olm.; ···in içinde sızlamak.
ransack [ˈransak]. Karıştırarak aramak; arayarak altüst etm.; çapullamak.
ransom [ˈransəm]. Fidye. Fidye vermek; para vererek esaretten kurtarmak. **to hold s.o. to ~,** bir esir için fidye istemek: ⌜**worth a King's ~**⌝, paha biçilmez.
rant [rant]. Atıp tutmak; yüksekten atmak; yüksek sesle ve aktör gibi jestler yaparak va'zetmek. Farfaralık; atıp tutma.
ranunculus [rəˈnʌnkjuləs]. Bir nevi düğünçiçeği; (?) bahçe şakayığı.
rap¹ [rap]. (*ech.*) Hafif darbe; kapıyı çalma. Hafifçe vurmak; çalmak. **to give s.o. a ~ on the knuckles,** birinin parmaklarına vurmak; birine haddini bildirmek: **to ~ out an oath,** bir küfür savurmak.
rap². Zerre. **not to care a ~,** metelik vermemek: **not worth a ~,** on para etmez.
rapac·ious [rəˈpeiʃəs]. Haris; açgözlü; gasbedici; yırtıcı. **~ity** [–ˈpasiti], harislik, açgözlülük.
rape¹ [reip]. Irzına geçmek; ırza geçme; (*esk.*) kız kaçırma.
rape². Küçük şalgam, kolza.
rapid [ˈrapid]. Süratli, hızlı. **~s,** nehrin ucur gibi akıntılı yei. **~ slope,** dik yokuş. **~ity** [rəˈpiditi], sürat, hız.
rapier [ˈreipiə*]. İnce uzun kılıc.
rapine [ˈrapain]. Yağma, çapulculuk.
rapprochement [raˈproʃmõ]. Barışma.
rapscallion [rapˈskaljən]. Haylaz; külhanbeyi.

rapt [rapt]. Vecde gelmiş; dalgın. ~ **attention,** can kulağı: **to be ~ in,** ···e dalmak.
raptorial [rap'tooriəl]. Yırtıcı.
raptur·e ['raptʃə*]. Vecid; istiğrak; sevinc deliliği. **to be in ~s,** etekleri zil çalmak: **to go into ~s over stg.,** bir şeye delice sevinmek; bir şeye hayran olmak. **~ous,** heyecanlı: ~ **applause,** şiddetli alkış.
rare [reə*]. Nadir; seyrek; nefis; nadide; müstesna; kesif olmıyan: (*kon.*) büyük, fevkalâde.
rarefy ['reərifai]. Kesafetini azaltmak; hafifletmek; seyrekleştirmek.
rarity ['reəriti]. Nadir şey; nadide bir şey; hintkumaşı; nadirlik, seyreklik; kesafet azlığı.
rascal ['raaskl]. Çapkın; yaramaz; müzevir; dolandırıcı. **~ity** [-'kaliti], çapkınlık; habaset. **~ly,** müzevir; habis; kurnaz.
rash¹ [raʃ] *n.* İsilik; deride ufak kızıl lekeler.
rash² *a.* Düşüncesiz; akılsız; aceleci; ihtiyatsız; hesabsız; uluorta. **~ness,** ihtiyatsızlık; düşüncesizlik; atılganlık.
rasher ['raʃə*]. **a ~ of bacon,** domuz pastırması dilimi.
rasp [raasp]. Kaba eğe; törpü; törpü sesi. Törpülemek; eğe gibi ses vermek.
raspberry ['raazbəri]. Ağac çileği; ahududu.
rat (rat). Büyük fare, şıcan; hain, dönek. Fare avlamak; (*arg.*) düşman tarafına kaçmak, ihanet etmek. **~s!,** saçma! **like a drowned ~,** sırsıklam: **to smell a ~,** kuşkulanmak; kokusunu almak.
ratchet ['ratʃit]. Bir çarkın hep bir tarafa dönüp başka tarafa dönmemesini temin eden alet; mandal.
rate¹ [reit] *n.* Bir şeyin başka şeye nisbetle ölçüsü; nisbet; derece, mertebe; gidiş, sürat; faiz mikdarı, fiat; belediye resmi. **at any ~,** her halde, her nasılsa: **at that ~,** o hesab ile; o halde; bu suretle, bu gidişle: **at the ~ of fifty miles an hour (50 m.p.h.),** saatte elli mil süratle: **he was living at the ~ of ten pounds a week,** haftada on lira sarfederek yaşıyordu: **at the ~ of a shilling each,** tanesi bir şilinden: **the Bank Rate,** merkez Bankası (Bank of England) iskonto haddi: **to come upon the ~s,** belediye ianesi ile yaşamağa mecbur olm.: **the death ~ was 10 per mille,** ölüm nisbeti binde ondu: ~ **of discount,** iskonto fiatı: **railway ~s,** demiryolu nakliye ücretleri.
rate² *vb.* Kıymet tahmin etm.; saymak; tasnif etm.; sayılmak, addolunmak. **this house is ~d at £80 per annum (p.a.),** (tahakkuk memurlarınca) bu evin senelik kirası 80 ingiliz lirası tahmin edilmiştir.
rate³. Azarlamak.
rather ['raaðə*]. Bir az, oldukça; tercihen; daha dogrusu; hay hay!, elbette!; ~ **than ...,** ···den ise, ···den ziyade. ~ **a lot,** oldukça, biraz fazla: ~ **fat,** şişmanca: **anything ~ than this,** bu olmasın da ne olursa olsun: **I'd ~ die than do that,** onu yapmaktansa ölürüm: **I'd ~ not,** yapmasam iyi olur; müsaadenizle yapmayayım: **I ~ think we have met before,** evvelce görüştük gibime geliyor.
rati·fy ['ratifai]. Tasdik etmek. **~fication** [-'keiʃn], tasdik.
rating ['reitiŋ]. (Bahriyede) gemicinin rütbe ve sınıfı; belediye resimlerinin tahmini; (bir motor vs.nin) itibarî kuvveti. **the ~ authorities,** belediye resimlerini tahmin eden ve toplıyan idare.
ratio ['reiʃio]. Nisbet.
ration ['raʃn]. Tayın; istihkak. Tayına bağlamak; adam başına mikdar tayin etmek. **emergency [iron] ~,** ihtiyat tayını: ~ **card,** karne, vesika.
rational ['raʃnl]. Akıl sahibi, aklı başında; makul, mantikî, rasyonel; insaflı; elverişli, uygun. **~ism,** akılcı felsefe. **~ize,** akla uydurmak; (bir endüstriyi) rasyonel bir şekilde teşkilatlandırmak.
ratlin(e)s ['ratlinz]. Iskalara.
rattan [ra'tan]. Hezaren.
rat-(tat)-tat ['rat'tat'tat]. (*ech.*) Kapı halkasının çalınma sesi; tak tak.
ratter ['ratə*]. Fare tutan (kedi, köpek).
rattle ['ratl]. Kaynana zırıltısı; zırıltı, takırtı, çıtırtı; çıngıraklı yılanın çıngırağı. Takırda(t)mak, çatırda(t)mak; (*kon.*) şaşırtmak, bozmak. **to ~ along,** (araba vs.) hızlı ve gürültülü gitmek: **to ~ a person,** birinin iki ayağını bir pabuca sokmak: **death ~,** ölüm hırıltısı: **to ~ off,** (bir dua vs.yi) çabukça okumak: **to ~ on,** cırcır ötmek.
rattler. (*Amer.*) **rattlesnake.**
rattlesnake ['ratlsneik]. Çıngıraklı yılan.
rattletrap ['ratltrap]. Köhne (araba); kırık dökük.
rattling ['ratliŋ]. Takırtılı. **at a ~ pace,** dolu dizgin: ~ **good,** (*kon.*) birinci sınıf, fevkalâde iyi.
raucous ['rookəs]. Kısık, boğuk (ses).
ravage ['ravidʒ]. Zarar, viranlık. **~s,** tahribat. Tahrib etm., harab etm.; yağma etmek.
rave¹ [reiv]. Çıldırmak; sayıklamak; sapıtmak; abuk sabuk söylemek. **to ~ about stg.,** bir şeye delicesine hayran olm., bir şeye çıldırmak.
rave². Fazla yük koyabilmek için bir arabanın ön ve arkasına takılan parmaklık.

ravel [ˈravl]. Çöz(ül)mek; iplik iplik ayırmak.

raven¹ [ˈreivn]. (*Corvus corax*) Kuzgun. Kuzgunî.

raven² [ˈravn]. Şikâr peşinde dolaşmak; yağma etm.; oburcasına yemek. **~ous, ~ing,** çok acıkmış; doymak bilmez; haris.

ravine [rəˈviin]. Dar ve derin kayalık çukuru.

ravish [ˈraviʃ]. Kapıp götürmek; ırzına tecavüz etm.; meftun etmek. **~ing,** meftun edici, gönül kapıcı.

raw [roo]. Çiğ, ham; pişmemiş; açık yara gibi pek hassas; soğuk ve rütubetli (hava); acemi, toy. Hassas nokta, yara. **a ~ hand,** acemi işçi; toy bir genc: **~ material,** ham madde: **~ recruit,** acemi asker: **~ spirit,** su katılmamış ispirto: **to touch s.o. on the ~ (spot),** bamteline basmak. **raw-boned,** kemikleri fırlamış, lâgar (at).

ray¹ [rei]. Şua; pertev; parıltı, ısın; katmerli çiçeğin vüreykalarından biri.

ray². (*Raja*) Kedi balığı, çemçe.

rayon [ˈreijon]. Sunî ipek.

raze [reiz]. Temelinden yıkmak. **to ~ to the ground,** yerle yeksan etmek.

razor [ˈreizə*]. Ustura. **to set a ~,** usturayı bilemek. **razor-bill,** (*Alca torda*) penguene benzer bir deniz kuşu. **razor-strop,** berber kayışı.

razzle-dazzle [ˈrazlˈdazl]. **to go on the ~,** çümbüş yapmak.

R.E. [ˈaaˈrii]. (*kıs.*) **Royal Engineers,** istihkâm sınıfı.

re [rii]. **in ~ Jones v. Smith,** Jones'le Smith davası: **~ your letter of May 1st,** 1 mayıs tarihli mektubunuza cevab olarak (mektubunuz münasebetile).

re- *pref.* Geri; tekrar; yeniden; *mes.* **turn** = dönmek, **return** = geri dönmek; **write** = yazmak, **re-write** = yeniden yazmak. *Bu önek hemen her fiilin başına konabileceği için* **re-** *ile başlıyan bütün fiiller lügate alınmamıştır. Bulamadığınız bir kelime için fiile bakınız ve manasını yukarıki izahata göre değiştiriniz.*

reach¹ [riitʃ] *n.* Elin veya bir aletin yetişebileceği mesafe; topun menzili; saha; bir nehrin bükülmiyen düz kısmı. **beyond one's ~,** insanın iktidarı haricinde; yetişemiyeceği yerde: **to have a long ~,** (kol ile) çok ileriye uzanabilmek: **out of ~,** yetişemiyecek yerde: **within ~ of his hand,** elinin yetişebileceği yerde: **within easy ~ of the station,** istasyona yakın: **no help was within ~,** civarda yardım edecek kimse yoktu: **posts within the ~ of all,** herkesin elde edebileceği memuriyetler [vazifeler]: **within the ~ of small purses,** zengin olmıyanların erişebileceği fiatta.

reach² *vb.* Yetişmek, ermek, ulaşmak, varmak, vasıl olm.; uzanmak, uzatmak. **to ~ out,** uzatmak: **to ~ fifty,** ellisine basmak: **as far as the eye could ~,** göz alabildiğine: **it has ~ed my ears that ...,** ... kulağıma çalındı. **reach-me-downs,** hazır elbise.

react [riiˈakt]. Aksülamel yapmak; mukabil tesir yapmak; tesir yapmak. **~ion** [–ˈakʃn], aksülamel, mukabele, reaksiyon; aksi tesir; irtica; || tepki; || yankı. **~ionary,** mürteci. **~or** (*tıb.*), bir aşı vs.ye aksülamel gösteren.

read¹ [riid], *past* **read** [red]. Okumak; mutalaa etm.; istihrac etm.; bakıp anlamak. **I can ~ him like a book,** onun içini dışını bilirim: **to ~ into a sentence stg. that is not there,** bir cümleden ifade etmediği bir mana çıkarmak: **to ~ medicine,** tıb tahsil etm.: **to ~ s.o. to sleep,** birini uyutmak için okumak: **to ~ up a subject,** bir mevzu hakkında okuyup malûmat edinmek: **this play ~s well but I doubt if it would act well,** bu piyesin okuması iyi fakat iyi temsil edileceği şübheli. **read out,** yüksek sesle okumak. **read through,** göz gezdirmek; baştan başa okumak.

read² [red]. **to take the minutes as ~,** bir toplantı zabıtlarını okunmuş sayarak kabul etm.: **well-~,** çok okumuş.

readable [ˈriidəbl]. Okunaklı; okumağa değer.

reading [ˈriidiŋ] *n.* Okuma, mutalaa; kıraat; tahsil; okuyuş; metin. *a.* Okuyan. **the ~ public,** okuyucular (sınıfı). **reading-desk,** rahle.

readjust [ˌriiədʒʌst]. Düzeltmek; tanzim etmek. **to ~ one's ideas,** fikirlerini yeni vaziyete uydurup değiştirmek.

ready [ˈredi]. Hazır, müheyya; kolay, çabuk; meyyal. (*ask.*) Hazırol vaziyeti. **to be ~ to do stg.,** bir şeyi yapmağa hazır olm.; bir şeyi yapmağı göze almak: **to make [get] ~,** hazırla(n)mak: **~ for action,** muharebeye hazır; eteğibelinde: **to come to the ~,** (*ask.*) hazırol vaziyeti almak: **guns at the ~,** ateşe hazır toplar: **~ money,** peşin para; hazır para, akçe: **a ~ pen,** kolay yazar kimse: **these goods command a ~ sale,** bu mallar derhal satılabilir: **a ~ tongue,** kolay konuşur kimse: **rather too ~ to suspect people,** herkesten hemen şübhelenir: **he is very ~ with excuses,** bahane [mazeret] bulmağa hazır: **a ~ wit,** hazırcevab(lık). **ready-cooked,** önceden pişmiş. **ready-made, ~ clothes,** hazır elbise. **ready-reckoner,** hesab cedveli.

reagent [riiˈeidʒənt]. Miyar; reaktif.

real [riəl]. Hakiki, asıl, gerçek; sahici; gayri menkul. **~ist,** realist. **~istic** [–ˈlistik], tabiatı olduğu gibi gösteren; tabiate veya

hakikate uygun; realist, amelî. **~ity** [riˈaliti], hakikat; künh; gerçeklik; hakikî şey; fiilen mevcud şey: **in ~,** hakikaten.
realiz·e [ˈriəlaiz]. Tahakkuk ettirmek; icra etm.; hakikat olarak görmek; kavramak, idrak etm., anlamak; paraya tahvil etmek. **~ation,** kuvveden fiile çıkma; tahakkuk ettirme; idrak.
really [ˈriəli]. Hakikaten; gerçekten; sahiden. **~ ?,** sahi mi? öyle mi?; yaa!: **not ~ ?,** olur mu?: **say what you ~ think,** olduğu gibi düşündüğünüzü söyleyiniz: **you ~ must have a talk with him,** onunla mutlaka görüşmelisiniz.
realm [relm]. Devlet, memleket; kırallık; saha.
realty [ˈriəlti]. Gayri menkul mal.
ream¹ [riim]. 500 tabakalık kâğıd topu. **to write ~s,** sahifeler doldurmak.
ream². Raybalamak; bir hartuç kesesinin kenarını dışarıya çevirmek; kalafat etmek için armoz genişletmek. **~er,** rayba.
reap [riip]. Ekin biçmek; mahsul toplamak; elde etmek. ⌜**to ~ as one sows**⌝, ektiğini biçmek. **~er,** orakçı; orak makinesi: **the Reaper,** Ezrail. **reaping-hook,** orak.
reappear [ˈriiəˈpiə*]. Tekrar görünmek, tekrar ortaya çıkmak.
rear¹ [riə*] *n.* Arka, geri; (*kon.*) helâ. *a.* Arka tarafa veya geriye aid. **to bring up the ~,** en son gelmek. **~guard,** dümdar: **~ action,** ricat muharebesi. **~wards,** arkaya doğru, geriye doğru. **rear-admiral,** tuğ amiral.
rear² *vb.* Dikmek, inşa etm.; yükseltmek; büyütmek, yetiştirmek. Şaha kalkmak.
rearm [riiˈaam]. Tekrar silâhlandırmak; yeni silâhlarla techiz etmek. **~ament,** yeni silâhlarla techiz etme.
reason¹ [ˈriizn] *n.* Sebeb, illet, mucib; akıl, idrak, iz'an; insaf. **by ~ of,** ···den dolayı, sebebiyle: **there is ~ to believe that ...,** ... inanmak yerindedir, ... anlaşılmaktadır: **for some ~ or other,** her nedense: **for no other ~ than that I forgot,** yegâne sebebi unutmuş olmamdır: **he complains with (good) ~ [not without ~],** haklı olarak şikâyet ediyor: **you have ~ to be proud,** iftihar etmekte haklısınız: **to hear [listen to] ~,** söz anlamak, makul olm.: **I cannot in ~ pay more,** bundan fazla para vermem makul değildir: **everything in ~,** makul olmak şartile her şey; her şey itidal dahilinde: **to lose one's ~,** aklını bozmak: **the fact that he is in bad health is all the more ~ for forgiving him,** sıhhatinin bozuk olması onu affetmek için ayrıca bir sebebdir: **it stands to ~ that ...,** ... aşikârdır, ... bedihidir: **the ~ why ...,** ... sebebi.
reason² *vb.* Muhakeme etm.; netice çıkarmak; istidlâl etmek. **to ~ s.o. into [out of] doing stg.,** delilller ileri sürerek birini ikna edip bir şey yaptırmak [yapmaktan vazgeçirmek]: **to ~ with s.o.,** birini delillerle ikna etmeğe çalışmak. **~able,** insaflı, makul, akla yakın; haklı, münasib; kâfi mikdarda. **~ed,** sebebli, bir sebebe dayanan, makul. **~ing,** muhakeme; mantıklı düşünme.
reassure [ˌriiəʃoo*]. Tatmin etm.; temin etmek.
rebate [ˈriibeit]. İskonto; tenzilat; lâmba.
rebel *n.* & *a.* [ˈrebl]. Âsi; isyan eden. *vb.* [riˈbel]. İsyan etm., ayaklanmak. **~lion** [riˈbeljən], isyan. **~lious,** âsi; serkeş, itaatsiz.
rebound¹ [riˈbaund]. Geri sekme(k); aksetmek.
rebound². *pp. of* **rebind.** Yeninden bağlanmış; yeniden cildlenmiş.
rebuff [riˈbʌf]. Red; ters cevab; muvafakkiyetsizlik. Şiddetle reddetmek.
rebuke [riˈbjuuk]. Azar; serzeniş; tevbih. Azarlamak, serzeniş etmek.
rebut [riˈbʌt]. Cerhetmek; tekzib etmek. **~tal,** cerh.
recalcitrant [riˈkalsitrənt]. Mütemerrid; itaatsiz; bir şeye kafa tutan.
recall [riˈkool]. Geri çağırmak; avdetini emretmek; (bir hükmü vs.) feshetmek; hatırlamak, hatıra getirmek. Geri çağırılma.
recant [riˈkant]. Sözünü geri almak; nükûl etm.; mezhebinden dönmek.
recapitulate [ˌriikaˈpitjuleit]. (Bir meselenin bellibaşlı noktalarını) tekrar hulâsa etmek.
recast [riiˈkaast]. Yeni biçime sokmak; şeklini değiştirmek; daha iyi tanzim etmek.
reced·e [riˈsiid]. Geri çekilmek; uzaklaşmak; rucu etmek. **~ing chin,** kaçık çene.
receipt¹ [riˈsiit] *bk.* **recipe.**
receipt². Makbuz; alma; alınma; tesellüm. Ödeme makbuzu vermek. **~s,** irad, varidat. **to acknowledge ~ of stg.,** bir şeyin alındığını haber vermek: **I am in ~ of your letter,** mektubunuzu aldım; **pay on ~,** alındığı zaman tediye etmek.
receiv·e [riˈsiiv]. Almak; kabul etm.; telâkki etm.; hırsıza yataklık etmek. **~ed with thanks,** (makbuz üzerine yazılan cümle) teşekkürle alınmıştır: **she is not ~ing today,** bügün misafir kabul etmiyor. **~er,** alıcı; ahize; hırsız yatağı; jüjkomiser.
receiving-order, bir müflisin mallarını haczettiren karar. **receiving-station,** telsiz alıcı merkezi.
recent [ˈriisənt]. Yakın geçmişe aid; yeni; son zamanda vukuagelen: **~ly,** geçenlerde, son zamanlarda: **as ~ly as yesterday,** daha

dün: **until quite ~ly,** çok yakın zamana kadar.
receptacle [riˈseptikl]. Kab; zarf.
reception [riˈsepʃn]. Kabul; kabul tarzı; alma; alınma; misafir kabulü; kabul resmi; tesellüm. **a cold ~,** istiskal: **to get a warm ~,** (i) hararetle karşılanmak; (ii) geldiğine geleceğine pişman olmak. **~ist,** bir otelde veya bir doktorun evinde misafir veya hastaları kabul etmeğe memur kimse.
receptiv·e [riˈseptiv]. Kavrayıcı; anlayışlı. **~ity** [–ˈtiviti], çabuk kavrayış; (radyo) alma kabiliyeti.
recess [riˈses]. Tatil; hücre, bucak, köşe, girinti. **~ed,** gömme. **~ion,** çekilme, gerileme; girinti.
recidivist [riˈsidivist]. Sabıkalı.
recipe [ˈresipi]. Yemek yapma usulü; reçete; tedbir.
recipient [riˈsipjənt]. Alan kimse. **~ of a letter,** mektub gönderilen.
reciproc·al [riˈsiprəkl]. Karşılıklı; mütekabil; (*gram.*) müşarik. **~ate,** karşılıklı verip almak; karşılık olarak vermek; (makine) mütenasib surette işlemek. **~ity** [ˌresiˈprositi], mütekabiliyet, karşılıklık.
recit·e [riˈsait]. İnşad etm., ezber okumak; birer birer zikretmek. **~al,** nakletme, hikâye etme; ezber okuma; tek bir sanatkârın bir çalgı üzerinde bir musiki parçasını çalması, resital. **~ation** [–ˈteiʃn], ezber okuma.
reckless [ˈreklis]. Uluorta; pervasız; kayıdsız; ihtiyatsız.
reckon [ˈrekən]. Hesab etm., saymak; tahmin etm.; zannetmek; telâkki etmek. **to ~ on,** ···e güvenmek, bel bağlamak: **to ~ in,** hesaba dahil etm.: **to ~ up,** hesab etm., yekûn etm.: **we shall have to ~ with ...,** ... göze almalıyız, hesaba katmalıyız. **~ing,** hesab: **day of ~,** hesab günü, yevmi hesab: **dead ~,** *bk.* **dead**: **to be out in one's ~,** hesabı yanlış çıkmak, hesabda aldanmak.
recla·im [riˈkleim]. Islah etm., yola getirmek; ziraate elverişli bir hale getirmek. **past ~,** ıslah olmaz: **to ~ land from the sea,** denizi doldurmak. **~mation** [ˌrekləˈmeiʃn], yola getirme; ziraate elverişli bir hale getirme.
recline [riˈklain]. Yaslanmak; dayanmak; boylu boyuna uzanmak.
reclus·e [riˈkluus]. Münzevi; târiki dünya. **~ion** [–ˈkluuʒn], inziva.
recoal [riiˈkoul]. (Gemi) yeniden kömür almak.
recognition [ˌrekogˈniʃn]. Tanıma, tanınma; itiraf, teslim; tasdik. **in ~ of his past services,** geçmişteki hizmetlerine mükâfat olarak: **to alter past ~,** tanınmıyacak derecede değiş(tir)mek.
recognizance [riˈkognizəns]. Kefaletname.
recognize [ˈrekəgnaiz]. Tanımak; itiraf etm., teslim etm., kabul ve tasdik etmek. **~d,** tanınmış; mukarrer; usulü dairesinde; muteber; musaddak; beylik.
recoil [riˈkoil]. Geri tepme(k); geri çekilme(k); korkudan veya iğrenerek geri çekilme(k); çekinmek. **his evil deeds will ~ upon his head,** fenalıklarının cezasını çekecek.
recollect [ˌrekəˈlekt]. Hatırlamak. **~ion** [–ˈlekʃn], hatıra, hatırlama: **I have a dim ~ of it,** onu hayal meyal hatırlıyorum: **to the best of my ~,** hatırladığıma göre: **it has never occurred within my ~,** hatırlıyabildiğim müddet zarfında böyle bir şey olmamıştır.
recommend [ˌrekəˈmend]. Tavsiye etm.; tevdi etm., emanet etm.; iltimas etm.; tenbih etm.; sağlık vermek. **~ation** [–ˈdeiʃn], tavsiye; iltimas; tavsiye mektubu; nasihat; sağlık verme.
recommission [ˈriikoˈmiʃn]. (Bir gemiyi) yeniden hizmete koymak: (bir memuru) tekrar hizmete almak.
recompense [ˈrekəmpens]. Mükâfat (vermek); telâfi (etm.); zarar tazmin etm., karşılığını vermek.
reconcil·e [ˈrekənsail]. Barıştırmak; aralarını bulmak; uzlaştırmak; razı etm.; telif etmek. **to be ~ed,** barışmak, uzlaşmak: **to ~ oneself to ...,** ···e alışmak, ısınmak. **~iation** [–siliˈeiʃn], barışma; uzlaşma.
recondite [riˈkondait]. Derin; muğlak; anlaşılmaz.
recondition [ˌriikonˈdiʃn]. Yenilemek; tamir edip yenilemek.
reconnaissance [riˈkonisns]. İstikşaf; keşif.
reconnoitre [ˌrekəˈnoitə*], Keşif yapmak.
reconstitute [riiˈkonstitjuut]. Yeniden teşkil etm.; vakıaları (veya parça parça haberleri) birleştirip bir bütün teşkil etmek.
reconstruct [ˌriikənˈstrʌkt]. Yeniden inşa etm.; yeniden kurmak; bozup yapmak; imar etmek. **to ~ a crime,** bir cinayetin vuku buluş şeklini yeniden kurmak: **~ed lorry,** *etc.*, kamyon vs. bozması.
record¹ *n.* [ˈrekood]. Sicil, kayıd; not; zabıtname, fezleke; plâk; rekor. **~s,** evrak, dosya. **he has a bad ~,** mazideki hal ve hareketi iyi değildir; sicili bozuktur: **to put on ~,** kayda geçirmek, kaydetmek: **it is on ~ that ...,** ···diği vakidir [vaki olmuştur]: **service ~,** sicil.
record² *vb.* [riˈkood]. Kaydetmek; yazmak; plâğa almak. **the ~ing angel,** Kiramen kâtibîn. **~er,** İngilterede bazı şehirlerin sulh hâkimi; kaydeden kimse; eski moda flâvta.

recount[1] *vb.* [riˈkaunt]. Anlatmak; nakletmek. **to ~ one's woes,** derdini dökmek.
re-count[2] [ˈriikaunt]. Tekrar saymak. Seçimlerde verilen reylerin tekrar sayılması.
recoup [riˈkuup]. Tazmin etm.; telâfi etmek. **to ~ oneself,** zararını çıkarmak.
recourse [riˈkoos]. Müracaat. **to have ~ to,** …e başvurmak.
re-cover[1] [ˈriiˈkʌvə*]. Yeniden kaplamak.
recover[2] [riˈkʌvə*]. Geri almak; istirdad etm., tekrar ele geçirmek; elde etm., bulmak; telâfi etmek. İyileşmek, şifa bulmak; açılmak, ayılmak; eski halini bulmak. **to ~ oneself,** kendini toplamak; silkinmek; kendine gelmek: **to ~ one's balance,** düşecek iken kendini tutup düşmemek; muvazenesini bulmak: **to ~ one's breath,** nefes almak: **to ~ consciousness,** ayılmak, kendine gelmek: **to ~ one's expenses,** masrafını çıkarmak: **to ~ lost ground,** kaybedilen nüfuz vs.yi telâfi etmek.
recovery [riˈkʌvəri]. İstirdad; geri alma; elde etme; eski halini bulma; telâfii mafat: iyileşme, sıhhat bulma; kalkınma. **to be past ~,** ümidsiz bir halde olm.: **the patient is making a good ~,** hasta çabuk iyileşiyor.
recreant [ˈrekriənt]. Korkak, namerd; mürted.
re-create [ˌriikriˈeit]. Yeniden yaratmak.
recreat·e [ˈrekrieit]. Dinlendirmek; eğlendirmek. **~ion** [–ˈeiʃn], başını dinlendirme; eğlence; istirahat; teneffüs: **~ ground,** teneffüs yeri, oyun sahası. **~ive,** dinlendirici, eğlendirici; yeni yaratıcı.
recrimination [riˈkrimiˈneiʃn]. Karşılıklı serzeniş veya şikâyet.
recrudescence [ˌriikruˈdesəns]. Nüksetme; tekrar şiddetlenme.
recruit [riˈkruut]. Acemi nefer; yeni âza, yeni işçi. Askere almak, asker toplamak; tarafdar toplamak. **~** *veya* **~ one's health,** sıhhatini iyileştirmek.
rectal [ˈrektəl]. Kalın barsağın son kısmına aid.
rectang·le [ˈrektaŋgl]. Mustatil. **~ular** [–ˈtangjulə*], mustatil; kaim zaviyeli.
rectif·y [ˈrektifai]. Düzeltmek; doğrultmak; tashih etm.; tasfiye ve taktir etm.; mütenavib bir cereyanı devamlı hale koymak. **~ier,** düzeltici; (*elek.*) redresör.
rectilinea·l, -r [ˌrektiˈliniəl, –iə*]. Düz çizgili, hatları müstakim.
rectitude [ˈrektitjuud]. Doğruluk; dürüstlük; istikamet.
rector [ˈrektoo*]. Mahalle papazı; rektör. **~ial** [–ˈtooriəl], rektöre aid. **~y,** mahalle papazının evi.
rectum [ˈrektʌm]. Kalın barsağın son kısmı, rektom.
recumbent [riˈkʌmbənt]. Uzanıp yatan.
recuperate [riˈkjuupəreit]. (Hastalıktan sonra) iyileşmek; sıhhatini, kuvvetini vs. tekrar kazanmak.
recur [riˈkee*]. Tekrar vuku bulmak; tekerrür etm.; tekrar hatıra gelmek; avdet etmek. **~rence** [–ˈkʌrəns], yeniden zuhur etme; tekrar vukua gelme; tekerrür; nüksetme. **~ring** [–ˈkeeriŋ], arada sırada vukua gelen, tekerrür eden: **~ decimal,** devrî kesri aded.
red [red]. Kırmızı, kızıl; al. Kırmızı renk; müfrit solcu. **not to have a ~ cent,** fülûsüahmere muhtac olm.; **~ lead,** sülyen: **to see the ~ light,** tehlikeyi sezmek: **~ meat,** sığır ve koyun eti: **Red Poll,** boynuzsuz ve kızıl renkte bir cins inek: **like a ~ rag to a bull,** kırmızı rengin boğayı kızdırması gibi öfkelendirici şey: **the Red Sea,** Kızıldeniz, Şapdenizi: **to see ~,** gözünü kan bürümek: **~ tape,** kırtasiyecilik: **to turn [go] ~,** kızarmak, kızıllaşmak. **red-blooded,** dinc, kuvvetli; cesur, yiğit. **red-eyed,** ağlamaktan gözleri kızarmış. **red-handed,** suçüstü. **red-hot,** ateşte kıpkırmızı olmuş; kızgın: **~ communist,** azgın komünist. **red-letter, ~ day,** sayılı gün.
redbreast [ˈredbrest] *bk.* **robin.**
redeem [riˈdiim]. Fidye vererek kurtarmak; rehinden çıkarmak; halas etm.; (borcunu) ödemek; (vadini) ifa etm.; telâfi etm.; günahını affettirmek. **~ing feature,** kusurlarını unutturan iyi bir vasıf. **~able,** ödenmesi lâzım (sened, istikraz). **~er, the Redeemer,** Hazreti İsa.
redemption [riˈdemʃn]. Tediye, ödeme; fidyesini verip geri alma; rehinden çıkarma. **the ~ of sins,** (hıristiyanlıkta) insanların günahlarının Hazreti İsa'nın ölümü ile affedildiği itikadı: **past ~,** ıslah edilmez.
redcoat [ˈredkout]. (*esk.*) İngiliz askeri.
red·den [ˈredn]. Kızarmak, kızıllaşmak; kırmızılaştırmak. **~dish,** kırmızımsı.
redolent [ˈredolənt]. Kokulu; kokan.
redouble [riiˈdʌbl]. Bir kat daha artırmak.
redoubt [riˈdaut]. Palanka.
redoubtable [riˈdautəbl]. Mühib; cesur; korkunç.
redound [riˈdaund]. **~ to,** artırmak; medar olm.; iyi tesir etmek. **this ~s to your credit,** bu size çok itibar kazandıracak; bununla iftihar edebilirsiniz.
redress [riˈdres]. Tamir, telâfi, tarziye, tazmin. Düzeltmek; tashih etm.; telâfi etmek.
redskin [ˈredskin]. Kızıl derili; Şimalî Amerika yerlisi.
redstart [ˈredstaat]. (*Phoenicurus*) Kızıl kuyruk.

reduc·e [riˈdjuus]. Küçültmek; kısaltmak; kısmak, azaltmak, alçaltmak; bir hale sokmak; zayıflatmak; fethetmek. **to ~ stg. to ashes,** bir şeyi kül haline sokmak: **to ~ a dislocated** [**broken**] **limb,** çıkık [kırık] bir kemiği yerine koymak: **to ~ to poverty,** sefalete düşürmek: **to ~ to the ranks,** (*ask.*) rütbesini refetmek: **to ~ to silence,** susturmak, ilzam etm.: **to ~ to writing,** yazmak, yazdırmak. **~ed,** azalmış, indirilmiş: **in ~ circumstances,** darlık içinde. **~tion** [–ˈdʌkʃn], azalma, küçültme; indirme; tenzil; ihtisar; fethetme; (*tıb.*) tecbir.

redundant [riˈdʌndənt]. Fazla; ziyade; lüzumsuz; bol.

reduplication [ˌriidjuupliˈkeiʃn]. İki misline çıkarma; artırma.

reed [riid]. Kamış, saz; düdük ve boru dili: **a broken ~,** güvenilmez, ipi ile kuyuya inilmez. **~y,** kamışlık, sazlık; kaval gibi öten.

reef[1] [riif]. Camadan. **~** *veya* **take in a ~,** yelkeni camadana vurmak; (*mec.*) ihtiyatla hareket etm.: **to shake out a ~,** camadanı fora etmek. **reef-knot,** camadan bağı.

reef[2]. Sığ kayalık; resif; maden damarı.

reek [riik]. Fena koku; buğu. Buğusu çıkmak; tütmek; fena koku yaymak. **he ~s of garlic,** sarmısak kokuyor: **the place ~s with drunkenness,** burada sarhoşluktan geçilmiyor.

reel[1] [riil]. Makara; çıkrık; bobin. Makara vs.ye sarmak. **to ~ off,** sayıp dökmek, sıralamak.

reel[2]. Sendelemek; dönmek.

reel[3]. Bir İskoç raksı.

re-entrant [riiˈentrənt]. Girintili köşe veya zaviye.

re-establish [ˌrii·esˈtabliʃ]. Yeniden kurmak; eski haline getirmek.

reeve (**reeved, rove**) [riiv, –d, rouv]. (Halatı) makaraya geçirmek; geçirerek bağlamak; (gemi) sığ yerde veya buzlar arasında dikkatle ilerlemek.

refect·ion [riˈfekʃn]. Hafif yemek; yemek veya içki ile ferahlatma. **~ory,** yemekhane.

refer [riˈfee*]. Havale etm.; arzetmek; göndermek; müracaat etm.; reyine müracaat etm., reyine koymak; aid olm.; ima etm.; dokunmak; zikretmek; isnad etm.; maletmek. **~ to drawer,** (*kıs.* **R.D.**), (banka) karşılığı bulunmıyan çeki sahibine havale ediniz!: **~ring to your letter of the 16th,** 16 tarihli mektubunuza gelince [cevab olarak]: **in his letter he ~s to your book,** mektubunda kitabınızı zikrediyor: **this matter ~s to you,** bu mesele size aiddir: **in saying this, I am not ~ring to anyone present,** bunu söylerken burada bulunan hiç kimseyi kasdetmiyorum: **he ~red to his watch for the exact time,** saatin kaç olduğunu öğrenmek için saatine baktı: **we will not ~ to the matter again,** bir daha bu meseleye temas etmiyecegiz: **never ~ to him in my presence!,** benim yanımda onun ismini ağzına alma!: **some people ~ his success to good luck,** bazıları onun muvaffakiyetini talihe atfediyorlar.

referee [refəˈrii]. Hakem. Hakem olmak.

reference [ˈrefərens]. Müracaat; havale; münasebet; alâka, taallük; salâhiyet; ima, telmih; zikir; hüsnühal kâğıdı, bonservis; referans; (kitablarda) fazla malûmat için hangi membalara müracaat edileceğine aid not. **with ~ to ...,** münasebetiyle, ···e nazaran, ···e dair: **to give s.o. as ~,** birisini referans göstermek: **to have ~ to ...,** aid olm., taallük etm.: **to have good ~s,** bonservisleri olm.: **~ library,** tedkikat için müracaat olunan kütübhane: **to make ~ to,** zikretmek: **~ point,** nirengi noktası: **terms of ~ of a commission,** bir heyetin salâhiyeti: **without ~ to ...,** sarfı nazar ederek; hesaba katmıyarak; danışmaksızın: **work of ~,** müracaat kitabı.

referendum [refəˈrendəm]. Tek bir mesele hakkında halkın reyine müracaat, referendom.

refill *vb.* [riiˈfil]. Yeniden doldurmak. *n.* [ˈriifil], (Elektrik lâmbası için) yedek pil; (dolma kurşun kalem için) yedek kurşun: (dosya defteri için) yedek kâğıd. **~ing station,** benzin alma istasyonu.

refine [riˈfain]. Tasfiye etm., inceltmek; kabalığını gidermek. **~d,** tasfiye edilmiş; ince, zarif; kibar; ince zevk sahibi. **~ment,** tasfiye; zariflik, incelik; kibarlik: **a ~ of cruelty,** akla gelmedik işkence. **~ry,** tasfiyehane.

refit *vb.* [riiˈfit]. Yeniden techiz etmek veya donatmak; tamir etmek veya edilmek. *n.* [ˈriifit], **~ting,** techiz veya tamir edilme.

reflect [riˈflekt]. Aksettirmek. Düşünmek, düşünceye dalmak. **to ~ on** [**about**] **stg.,** hakkında düşünmek: **to ~ on s.o.,** birine kabahat bulmak, namusuna dokunmak, ayıplamak: **to ~ credit on s.o.,** ···e şeref kazandırmak: **to be ~ed,** aksetmek: **this speaker ~ed popular opinion,** bu hatib halkın fikirlerine mâkes oldu. **~ion,** aksetme, inikâs, akis; düşünce, tefekkür: ayıblama, kusur bulma: **to cast ~s on s.o.,** birini ayıblamak, birinin namusuna dokunmak: **on ~,** düşünüp taşındıkça. **~ive,** aksettirici; düşünceli, mütefekkir. **~or,** mâkes; ayna; reflektör.

reflex [ˈriifleks]. İnikâs; münakis hareket, refleks. Münakis. **~ive** [riˈfleksiv], **~ verb,** mutavaat fiili.

refloat [rii'flout]. (Karaya oturmuş gemiyi) yüzdürmek.
reflux ['riiflʌks]. Geriye akma; cezir.
reform [ri'foom]. Islah; tanzim. Islah etm.; düzeltmek, tanzim etm.; yola getirmek; kötü huylarından vazgeçmek; yola gelmek.
re-form [ˌrii'foom]. Yeniden teşkil etm.; yeni hale koymak. (Askerler) dağıldıktan sonra tekrar sıraya girmek.
reform·ation [ˌrefoo'meiʃn]. Islah etme veya olunma. **the R~**, 16 ıncı asırda Protestan kiliselerinin teessüsü ile neticelenen dinî inkilâb, reformasyon. **~atory** [–'foomətəri], ıslah edici; ıslahhane. **~er**, ıslahatçı.
refract [ri'frakt]. Ziyayı inkisar ettirmek. **~ion**, ziya inkisarı. **~ory**, âsi, serkeş; erimez.
refrain[1] [ri'frein] *n.* Nakarat; dil persengi.
refrain[2] *vb.* Kendini tutmak; ictinab etmek. **to be unable to ~ from**, …den kendini alamamak.
refresh [ri'freʃ]. Tazelemek; serinletmek; canlandırmak. **to ~ oneself**, açılmak, ferahlanmak; yorgunluğunu gidermek: **to ~ the inner man**, yiyerek veya içerek canlanmak. **~er, a ~ course**, kısmen unutulan bilgileri tazelemek için kurs. **~ment**, ferahlandırıcı şey; yemek veya içki: **~ room**, istasyon büfesi.
refrigerat·e [ri'fridʒəreit]. Soğutmak; buz içine koymak. **~or**, buz dolabı; soğutma makinesi, frijider.
reft [reft]. Mahrum, âri.
refuel [ˌrii'fjuuəl]. (Gemi veya uçak) kömür, mazot veya benzin almak.
refuge ['refjuudʒ]. Sığınak, melce, barınacak yer. **to take ~**, sığınmak, barınmak; iltica etm.; kapağını atmak. **~e**, mülteci.
refulgent [ri'fʌldʒənt]. Parlak.
refund *n.* ['riifʌnd]. Paranın iade edilmesi; geri verilen para. *vb.* [ri'fʌnd]. (Alınmış parayı) geri vermek; telâfi etmek.
refusal [ri'fjuuzl]. Reddetme, red; kabul etmeme. **to have the ~ of stg.**, kabul edip etmemeğe hakkı olm.: **to have the first ~ of stg.**, bir ev vs.yi satın almağa tâlıb olanlar arasında rüchan hakkına malik olm.: **I will take no ~**, menfi cevab kabul etmem; lamı cimi yok!
refuse[1] [re'fjuuz] *vb.* Kabul etmemek; reddetmek; razı olmamak; imtina etmek. **to ~ s.o. stg.**, birine bir şeyi vermemek.
refuse[2] ['refjuus]. Kırpıntı, süprüntü; döküntü; çöp, pislik. **~ dump [heap]**, mezbele, çöplük.
refut·e [ri'fjuut]. Yalanlamak; cerhetmek. **~ation** [–'teiʃn], yalanlama; cerh.
regain [rii'gein]. Tekrar ele geçirmek. **to ~ consciousness**, ayılmak, kendine gelmek: **to ~ one's house**, evine dönmek.
regal ['riigl]. Kırala aid veya lâyık; şahane. **~ia** [–'geiljə], hükümdarın tac ve sair resmî tezyinatı; farmasonların alâmetleri.
regale [ri'geil]. Yemekle ağırlamak; eğlendirmek.
regard[1] [ri'gaad] *n.* Münasebet; nazar; itibar; hürmet, saygı, muhabbet. **in [with] ~ to**, hakkında, dair; …e gelince, nazaran: **in this ~**, bu hususta, bu münasebetle: **having ~ to**, nazarı dikkate alarak; …e göre: **to have no ~ for**, … umurunda olmamak; hiçe saymak, ehemmiyet vermemek: **out of ~ for s.o.**, birinin hatırı için, birinin yüzü suyu hürmetine: **to pay no ~ to**, aldırmamak, …e hiç dikkat etmemek: **to send s.o. one's kind ~s**, birine selâm göndermek: **with kind ~s from**, … tarafından, selâmlarla.
regard[2] *vb.* Bakmak: nazarı dikkate almak; telâkki etm., saymak; aid olm., dokunmak. **as ~s …**, …e gelince; hususunda, münasebetle. **~ful, ~ of**, …i unutmıyarak, göz önünde tutarak; hatırını sayarak; ihtimam ederek. **~ing**, hakkında, hususunda; aid. **~less, ~ of**, aldırmıyarak, göz önünde tutmıyarak, bakmıyarak, umursamıyarak; (*kon.*) **to talk ~**, hem nalına hem mıhına vurmak: **to spend ~**, har vurup harman savurmak: **he was got up ~**, en pahalı tarzda giyinmiş kuşanmıştı.
regatta [ri'gata]. Kotra yarışı vs. gibi deniz sporları günü.
regen·cy ['riidʒənsi]. Saltanat naibliği. **the Regency**, Wales prensi George'un saltanat naibliği (1810–20). **~t**, saltanat naibi.
regenerate [rii'dʒenəreit]. Yeniden hayat vermek, çanlandırmak; maneviyatını yükseltmek. Islah olunmuş.
regicide ['riidʒisaid]. Hükümdar kaatili veye katli.
régime [rei'ʒiim]. Hükümet şekli; rejim, perhiz.
regiment ['redʒimənt]. (*ask.*) Alay; kalabalık. Sıkı ve yeknesak bir tarzda icbar etmek. **~al** [–'mentl], alaya mensub veya aid: **~s**, üniforma. **~ation**, hükümetin ferdlerin işlerine ve hususî teşebbüslere müfrit şekilde müdahalesi.
region ['riidʒən]. Ülke, mıntaka, havale; nahiye. **the nether ~s**, cehennem. **~al**, muayyen mıntakaya aid; nahiyevî.
register[1] ['redʒistə*] *n.* Sicil, kütük; resmî defter; kayıd; cedvel; liste, fihrist; kayıd aleti; saat, kontör; bir orgun borularını idare eden cihaz; bir fırının hararetini

tanzim eden hava menfezi; ses veya çalgının vüsati; iki sahife satırlarının hiza birliği. **in ~**, tam ayarlı, mutabık; bir hizada: **out of ~**, mutabık değil; bir hizada değil: **parish ~**, bir mahallede doğan ölen ve evlenenlerin defteri: **ship's ~**, geminin tabiiyet vesikası.

register² *vb.* Kaydetmek; kütüğe geçirmek; taahhüdlü olarak göndermek; iyice tatbik etm.: (sinemada keder, sevinç vs.yi) ifade etmek. İntibak etm.; kaydolmak; (otelde) ismini deftere kaydetmek. **~ed,** taahhüdlü; kaydedilmiş; nama muharrer.

registr·ar [redʒisˈtraa*]. Evrak müdürü; sicil memuru; nüfus memuru: **~ general,** nüfus umum müdürü. **~ation,** kaydetme; tescil; kütüğe geçirme. **~y** [ˈredʒistri], sicil dairesi; defterhane: **~ office,** evlenme memurluğu; hizmetçi idarehanesi: **certificate of ~,** geminin bayrak tasdiknamesi: **port of ~,** sicil limanı, geminin yazılı bulunduğu liman.

regnant [ˈregnənt]. Saltanat süren; hükümdar olan.

regression [riiˈgreʃn]. Gerileme; irtica.

regret [riˈgret]. Esef, teessüf; pişmanlık, nedamet. Teessüf etm.; acı(n)mak, pişman olm.; aramak; hayıflanmak. **it is to be ~ed that...,** teessüf olunur ki, yazık ki. **~ful,** nadim, pişman. **~table,** teessüf olunacak; acınacak.

regroup [riiˈgruup]. Tertiblerini değiştirmek; yeni grup teşkil etmek.

regular [ˈregjulə*]. Muntazam; usule uygun; beylik, mutad; müdavim, alışık, gedikli; meslekten; muvazzaf; (*gram.*) kiyasî; (*kon.*) adamakıllı, gerçekten. Nizamiye askeri; mektebli. **it was a ~ battle,** adeta bir muharebe gibi idi: **he's a ~ nuisance,** tam başbelâsıdır. **~ity** [–ˈlariti], intizam; ittirad; devam(lılık); usulü dairesinde olma. **~ize** [ˈregjuləraiz], usulüne uydurmak.

regulat·e [ˈregüjuleit]. Tanzim etm.; ayarlamak. **~ion** [–ˈleiʃn], nizamname; nizam, kaide; ayarlama: **~s,** talimat, talimatname; mevzuat: nizama uygun, beylik. **~or,** regülatör; nazım.

regurgitate [riiˈgəədʒiteit]. Kusmak; (su, gaz) geri fırlamak.

rehabilitate [ˌriihaˈbiliteit]. Namus ve itibarını iade etm.; eski memuriyet veya hukukunu iade etmek.

rehash [riiˈhaʃ]. Eti ikinci defa pişirmek; bir hikâye veya kitabı bir az değiştirip tekrar ortaya koymak. Böyle bir yemek veya eser.

rehear [riiˈhiə*]. (Davayı) yeniden dinlemek.

rehears·e iˈhəəs]. Prova etm.; sayıp dökmek; uzun uzadıya anlatmak. **~al,** prova; sayıp dökme.

reign [rein]. Hüküm sürmek; saltanat sürmek. Saltanat devri; hükümdarlık; devir.

reimburse [rii·imˈbəəs]. Masraf veya zararlarını telâfi etm.; ödemek.

rein [rein]. Dizgin. **to ~ in,** dizgin sıkmak, yavaş gitmek: **to draw ~,** durmak: **to drop the ~s,** dizgin salıvermek; vazgeçmek: **to give a horse the ~,** dizginleri gevşetmek; başı boş salıvermek: **to give ~ to one's imagination,** *etc.*, kendini hayallere kaptırmak: **to keep a tight ~ over,** dizginini kısmak.

reincarnation [ˌrii·inkaaˈneiʃn]. Bir ölünün ruhunun yeni bir vücude girmesi.

reindeer [ˈreindiə*]. Ren geyiği.

reinforce [ˌrii·inˈfoos]. Takviye etm.; kuvvetlendirmek, sağlamlaştırmak. **~d concrete,** betonarme. **~ment,** takviye etme, kuvvetlendirme: **~s,** takviye kıtası.

reinstate [ˌrii·inˈsteit]. Eski haline koymak; memuriyet veya hukukunu iade etmek.

reiterate [riiˈiterate]. Tekrarlamak; tekid etmek.

reject vb. [riˈjekt]. Reddetmek; kabul etmemek; bir tarafa atıvermek; ıskartaya çıkarmak. *n.* [ˈriidzekt]. Bir kusurdan dolayı ıskartaya çıkarılan. **~ion,** red, kabul etmeme.

rejoic·e [riˈdʒois]. Sevinmek; haz duymak, neşelenmek; sevindirmek. **to ~ the heart of,** yüzünü güldürmek, ferahlatmak: **to ~ in stg.,** bir şeyden haz duymak. **~ing,** sevinç, neşe; haz duyucu; neşeli; şenlik yapan: **public ~s,** şenlik, şehrayin.

rejoin [riˈdʒoin]. Tekrar birleştirmek; kavuşmak, yetişmek, iltihak etm.; sert cevab vermek, mukabelede bulunmak. **~der,** yerinde cevab, sert cevab.

rejuvenate [riˈdʒuuvəneit]. Gençleştirmek; tazeleştirmek.

rekindle [ˈriikindl]. Yeniden yakmak; şiddetlendirmek.

relapse [riˈlaps]. Nüks; yeniden dalâlete düşme; hastalığı nüksetmek; yeniden dalâlete düşmek.

relate [riˈleit]. Hikâye etm., anlatmak, nakletmek; bağlamak, raptetmek. **~ to,** aid ve alâkadar olm., ···e raci olmak. **~d, ~d to,** ···e aid, alâkası olan; merbut, bağlı; hısım.

relation [riˈleiʃn]. Münasebet; alâka, || ilgi; hısım, akraba; hikâye etme, nakil, anlatış. **~s,** akraba; münasebat. **to break off ~s, with s.o.,** birinden elini ayağını çekmek; birisile münasebatı kesmek: **in ~ to,** hususunda; nisbetle: **~ by marriage,**

sıhrî akraba: **what ~ is he to you?**, sizin nenizdir? **~ship,** akrabalık, hısımlık.

relativ·e [ˈrelətiv]. Akraba, hısım. Aid; || ilgili; nisbî, izafî: **~ly,** nisbeten, oldukça: **~ to,** ···e dair, münasebetiyle: **~ pronoun,** izafî zamir: **he lives in ~ luxury,** başkalarına nisbetle lüks yaşıyor. **~ity** [–ˈtiviti], izafiyet.

relax [riˈlaks]. Gevşetmek, hafifletmek; dinlendirmek; mülayimleştirmek. Gevşemek; dinlenmek; yorgunluğunu gidermek. **to ~ the bowels,** liynet verdirmek: **~ed throat,** hafif gırtlak iltihabı. **~ation,** gevşetme, dinlenme, istirahat. **~ing,** liynet veren (ilaç); rehavet veren (iklim, hava).

re-lay[1] [riiˈlei]. Yeniden döşemek, sermek, kurmak vs.

relay[2]. Menzil beygiri; nöbet; yedek at; nöbetle çalışan işçiler; telgrafçılıkta uzun mesafelere göndermek için cereyanı takviye eden yardımcı batarya; (menzillerde) hayvan değiştirme(k); (radyoda) bir merkezden alınan sesleri başka merkezlere yayma(k). **~ race,** bayrak koşusu.

release [riˈliis] *n.* Salıverme; kurtuluş, halâs; serbest bırakma; tahliye; gevşetme; tahlis, azad etme; (yeni tip otomobili) pazara çıkarma; (yeni filmi) piyasaya çıkarma; ayırma mekanizması. Serbest bırakmak; tahliye etm.; terhis etm.; ibra etm.; salıvermek, salmak; pazara çıkarmak. **to ~ one's hold,** elindekini bırakmak, salıvermek.

relegate [ˈreligeit]. Madun bir mevkie veya hale düşürmek. **to ~ a matter to s.o.,** bir meseleyi birine havale etmek.

relent [riˈlent]. Yumuşamak; merhamete gelmek; şiddetini kesmek. **~less,** amansız; yumuşamak bilmez; fasılasız.

relevant [ˈreləvənt]. Alâkalı, || ilgili.

reliab·le [riˈlaiəbl]. Güvenilebilir; itimad edilebilir; emniyetli; inanılabilir. **~ility** [–ˈbiliti], itimada şayanlık; güvenilir olma.

reliance [riˈlaiəns]. İtimad; güven. **to place ~ on,** ···e güvenmek, bel bağlamak.

relic [ˈrelik]. Bakiye; yadigâr; mukaddes emanet. **~s of the past,** eski eserler, harabeler; geçmişin bakiyeleri.

relict [ˈrelikt]. **~ of ...,** ···in dulu.

relief[1] [riˈliif]. Yardım, imdad; kurtarma; hafifletme; ferahlık, içi ferahlama; nöbet değiştirme. **to go to the ~ of,** yardımına gitmek: **outdoor ~,** evlere yapılan ictimaî yardım: **~ party,** kurtarma ekipi: **poor ~;** fakirlere yardım (teşkilatı). **relief-valve,** emniyet supapı.

relief[2]. Kabartma.

relieve[1] [riˈliiv]. Hafifletmek; ıstırabını dindirmek; teskin etm.; ferahlatmak; kurtarmak; muhasaradan kurtarmak; serbest bırakmak; nöbetini değiştirmek; yerine nöbete girmek. **to ~ s.o. of stg.,** birinden taşıdığı şeyi almak: **to ~ s.o. of his duties,** birini vazifesinden affetmek; azletmek: **to ~ s.o. of his purse,** birinin kesesini aşırmak: **to ~ the watch,** nöbetçiyi değiştirmek: **to ~ congestion,** (i) seyrüseferi kolaylaştırmak; (ii) iltihabı gidermek: **to ~ one's feelings,** içini boşaltmak, ferahlamak: **to feel ~d,** ferahlamak: **to ~ nature,** defi hacet etmek.

relieve[2]. Kabartma şekline koymak; şeklini veya rengini belli etmek.

relig·ion [riˈlidʒən]. Din, mezheb; iman; dindarlık. **to get ~,** (*kon.*) birdenbire dindar olm.: **to make a ~ of doing stg.,** bir şeyi mukaddes bir vazife bilmek. **~iosity** [–dʒiˈositi], câli veya müfrit dindarlık. **~ious** [–ˈlidʒəs], dindar; sofu; dine aid, dinî.

re-line [ˌriiˈlain]. Astarını değiştirmek; eski bir tablonun bezlerini yenilemek.

relinquish [riˈlinkwiʃ]. Vazgeçmek; terketmek, bırakmak.

reliquary [ˈrelikwəri]. (Hıristiyanlıkta) mukaddes eşyanın mahfazası.

relish [ˈreliʃ]. Tad, lezzet, çeşni; çerez, katık; cazibe; iştah; istek; ağıztadı. Lezzet almak; hoşlanmak; ağıztadıyla yemek (yapmak). **I do not ~ the job,** bu iş hoşuma gitmiyor.

reluctan·ce [riˈlʌktəns]. İsteksizlik; çekingenlik. **with ~,** istemiyerek: **to affect ~,** nazlanmak, (istemem, yan cebime koy). **~t,** istemiyerek; isteksiz; gönülsüz; muhteriz.

rely [riˈlai]. **~ up(on),** ···e güvenmek, emniyet etm., bel bağlamak.

remain [riˈmein]. Kalmak; baki kalmak; durmak; hâlâ mevcud olmak. **the fact ~s that ...,** bununla beraber şu var ki ...: **it ~s to be seen whether ...,** bakalım ... ···cak mı? **~s,** bakiye; izler; harabe: **mortal ~,** cenaze. **~der,** artık; bakiye: **the ~,** ötekiler: **~s,** satılmamış (iade edilen) nüshalar. **~ing,** geri kalan: **the ~,** öteki.

remand [riˈmaand]. Muhakemesini ileriye bırakma(k), talik etme(k). **he was ~ed for a week,** muhakemesi gelecek haftaya bırakıldı.

remark [riˈmaak]. Söz, mülâhaza; ihtar; dikkat. Farketmek, sezmek; dikkat etmek. Söylemek; şifahen veya tahriren bir mutalaa beyan etmek. **worthy of ~,** şayanı dikkat: **to make a ~,** bir ihtarda [mutalaada] bulunmak, söylemek: **it may be ~ed that ...,** şayanı dikkatdir ki; şurasını kaydedelim ki: **to pass ~s upon s.o.,** birinin hakkında bir şeyler söylemek: **may**

I venture to ~ that ..., musaadenizle şu noktaya işaret edebilir miyim ki. **~able,** dikkate değer, şayanı dikkat; göze çarpan; müstesna, acayib.

remedial [riˈmiidjəl]. Şifa verici; ilac gibi; çare nevinden.

remedy [ˈremedi]. Çare; deva, ilac. Tedavi etm., şifa vermek; çaresini bulmak; tamir etmek. **you have no ~ at law,** bu iş için dava açamazsın.

remember [riˈmembə*]. Hatırlamak; unutmamak; hatıra getirmek; anmak. **~ me (kindly) to them,** onlara benden selâm söyle: **to ~ oneself,** kendini toplamak; terbiyesini unutmamak: **it will be ~ed that ...,** hatırlardadir ki: **he ~ed me in his will,** vasiyetnamesinde beni unutmamış.

remembrance [riˈmembrəns]. Hatırlama; hatıra; tezkâr, yadigâr. **~s,** selâmlar. **to the best of my ~,** hatırladığıma göre: **to call to ~, to put in ~,** hatıra getirmek: **to have [bear, keep] in ~,** hatırda tutmak: **I have no ~ of it,** onu hiç hatırlamıyorum: **in ~ of ...,** ···in hatırasına.

remind [riˈmaind]. Hatırlatmak, hatırına getirmek. **that ~s me!,** hah!, iyi ki aklıma geldi!: **he ~s one of his father,** babasını andırıyor. **~er,** hatırlatıcı söz, mektub, işaret vs.: **I'll send him a ~,** unutmasın diye bir daha yazarım.

reminiscen·ce [ˌremiˈnisəns]. Hatırlama; hatırlanan şey. **to write one's ~s,** hatıralarını yazmak. **~t,** hatırlayan: **~ of,** ···i hatırlatan, andıran.

remiss [riˈmis]. İhmalci; taksirli. **it was very ~ of me not to have written,** yazmamakla kabahat ettim.

remission [riˈmiʃn]. Affetme; (günah) çıkarma; hafifle(t)me.

remit [riˈmit]. Affetmek; (günah) çıkarmak; havale etm.; göndermek; bir mahkemeden diğerine nakletmek. **~tance,** gönderme; (posta ile) gönderilen para: **~-man,** müstemlekelerde işsiz güçsüz ve ikide bir ailesinden aldığı para ile geçinen kimse.

remnant [ˈremnənt]. Artık parça, bakiye; kumaş parçası.

remodel [riiˈmodl]. Yeni şekline koymak; tadil etmek.

remonstra·nce [riˈmonstrəns]. Protesto, itiraz; tekdir. **~te, to ~ stg.,** bir şeyi protesto etm., itirazda bulunmak: **to ~ with s.o.,** birini tekdir etmek.

remorse [riˈmoos]. Nedamet; vicdan azabı. **without ~,** vicdansız; amansız. **~ful,** vicdan azabı çeken; nadim. **~less,** amansız, vicdansız.

remote [riˈmout]. Uzak; hücra, dağbaşı olan. **~ ancestors,** eski atalar: **~ control,** (*elek.*) uzaktan idare: **~ prospect,** pek zayıf bir ihtimal: **a ~ resemblance,** cüzi bir benzeyiş.

remount *vb.* [ˌriiˈmaunt]. Tekrar binmek; birine yeni at vermek; tekrar yukarı çıkmak. *n.* [ˈriimaunt]. Yedek binek at, taze at. **~s,** (*ask.*) yedek muharebe atları dairesi.

remov·e [riˈmuuv]. Kaldırmak; yerini değiştirmek; silmek; izale etm.; uzaklaştırmak, defetmek; azletmek; nakletmek. Taşınmak. Yer değiştirme; mertebe, derece. **it is but one ~ from ...,** ···e pek yakındir; ···den hemen farksızdır. **~able,** kaldırılabilir, nakledilebilir; azledilebilir. **~al,** nakil; kaldırma; yer değiştirme; taşınma; ilga; azil. **~ed,** uzak: **first cousins once ~,** kardeş torunları.

remunerat·e [riˈmjuunəreit]. Mükâfatlandırmak; hakkını ödemek; hizmetinin karşılığını vermek. **~ion,** mükâfat; bedel, ücret, hizmet mukabili. **~ive** [–ˈmjunərətiv], kârlı, kazanclı.

renaissance [riˈneisəns]. Rönesans; uyanış.

renal [ˈriinəl]. Böbreklere aid.

renascent [riˈnasənt]. Canlanan; taze hayat bulan.

rend (rent) [rend, rent]. Yırtmak, yarmak; çekip koparmak; paralamak. **to ~ asunder,** yırtıp iki parçaya bölmek: **to ~ the garments (hair),** dövünmek, saçını başını yolmak: **to ~ the heart,** canını yakmak; yüreğini parçalamak: **to turn and ~ s.o.,** birdenbire birine sövüp saymak.

render [ˈrendə*]. Karşılık olarak vermek; vermek; yapmak; ···haline koymak, ···laştırmak; ifa etm.; çevirmek; tercüme etm.; sıvanın birinci katını sıvamak; (iç yağını) eritip tasfiye etmek. **to ~ beautiful,** güzelleştirmek: **to ~ dangerous,** tehlikeli bir hale koymak: **to ~ into Turkish,** türkçeye çevirmek: **to ~ safe,** temin etm.: zararsız hale getirmek: **to ~ up,** teslim etm.: **to account ~ed,** *evvelce gönderilen bir faturadaki müfredatı tekrarlamak için ikinci faturada kullanılan tabir.*

rendering [ˈrendəriŋ]. Tercüme; tefsir; (piyes) temsil; (*mus.*) icra.

rendezvous [ˈrondivuu]. Randevu.

rendition [renˈdiʃn]. Teslim; tercüme, tefsir; (*mus.*) icra.

renegade [ˈrenigeid]. Mürted.

renew [riˈnjuu]. Yenilemek, tecdid etm.; eskisinin yerine yenisini koymak; yeniden başlamak; tekrarlamak; artırmak. **to ~ a bill,** senedin vadesini yenilemek. **~al,** yenilenme; yenileştirme; yeniden yapma; vade tecdidi; artma.

rennet [ˈrenit]. Peynir veya yoğurt mayası.

renounce [riˈnauns]. Vazgeçmek; feragat etm.; el çekmek; reddetmek. **to ~ one's faith,** dininden dönmek: **to ~ a treaty,** bir muahedeyi feshetmek.
renovate [ˈrenəveit]. Yenilemek, yenileştirmek; tamir etmek.
renown [riˈnaun]. Şöhret; nam; şan. **~ed,** meşhur, şöhretli; maruf.
rent[1] [rent]. *pp. of* **rend.** Yırtık; yarık, rahne.
rent[2]. Kira. Kira ile tutmak; kiralamak. **~al,** alınan veya verilen kira. **rent-day,** kira ödeme günü. **rent-free,** kirasız. **rent-roll,** büyük bir malikâneden toplanan kira bedelleri.
renunciation [rinʌnsiˈeiʃn]. Feragat; el çekme; terk; vazgeçme.
reorganiz·e [riiˈoogənaiz]. Tensik etm.; yeniden teşkilatlandırmak.
rep [rep]. İplik veya yünden kalın kumaş; reps.
repaid *bk.* **repay.**
repair [riˈpeə*]. Tamir. Tamir etm.; iyi bir hale koymak. Gitmek; müracaat etmek. **in good ~,** iyi halde: **in bad ~,** fena halde, tamire muhtac: **to ~ one's fortunes,** servetini yeniden kurmak: **past** [**beyond**] **~,** tamir edilmez: **to be under ~,** tamirde olm.: **to ~ a wrong,** bir zarar veya fenalığı telâfi etm., tamir etmek.
reparation [ˌrepəˈreiʃn]. Tamir, tamirat; tazmin, tarziye.
repartee [ˌrepaaˈtii]. Âni cevab; hazırcevablık. **to be quick at ~,** hazırcevab olmak.
repast [riˈpaast]. Yemek, taam.
repatriate [riiˈpatrieit]. (Birini) kendi vatanına geri göndermek.
repay (**repaid**) [riiˈpei, -peid]. Borc ödemek; karşılığını vermek; telâfi etmek. **to ~ an injury,** bir zararın acısını çıkarmak: **to ~ an obligation,** görülen bir iyiliğe mukabele etm.: **a book that ~s reading,** okumak zahmetine değer bir kitab. **~able,** ödenmesi lâzım. **~ment,** tediye, ödeme; karşılık.
repeal [riˈpiil]. Fesih; ilga. Feshetmek; lağvetmek.
repeat [riˈpiit]. Tekrarlamak; tekrar söylemek; boşboğazlık ederek söylemek; ezberden söylemek. Tekrarlama; (*mus.*) nakarat; (*tic.*) **~ order,** aynı şey veya mikdarı yeniden ısmarlama. **~ed,** mükerrer; tekrar tekrar yapılmış veya vuku bulmuş. **~er,** çalar ceb saati; mükerrer ateşli silâh.
repel [riˈpel]. Defetmek; püskürtmek; reddetmek; iğrendirmek. **~ling, ~lent,** dâfi; iğrenç.
repent [riˈpent]. Nedamet etm., pişman olm.; istiğfar etm., tövbe etmek. **~ance,** nedamet, pişmanlık; tövbe. **~ant,** tövbekâr; nadim.
repercussion [ˌriipəəkʌʃn]. İnikâs; serpinti; geri tepme.
repertoire [ˈrepətwaa*]. Bir tiyatro kumpanyasının vs. temsile hazır olduğu eserler, repertuar.
repertory [ˈrepətəri] *bk.* **repertoire.** Mahzen; fihrist; mecmua. **~ company,** temsile hazırlanmış bir kaç eseri olan tiyatro kumpanyası.
repetition [ˈrepitiʃn]. Tekrarlama; tekerrür; ezberden öğrenilecek şey.
repine [riˈpain]. Halinden şikâyet etm.; küsmek; mırıldanmak.
replace [riˈpleis]. Tekrar yerine koymak; başkasının yerine geçmek; yerine başkasını tayin etm., istihlaf etm.; telâfi etmek.
replay *vb.* [riiˈplei]. Berabere biten maçı tekrar oynamak. *n.* [ˈriiplei]. Bu suretle oynanan maç.
replet·e [riˈpliit]. Dopdolu; tıka basa doymuş. **~ion** [–ˈpliiʃn], doyma; dolgunluk.
replica [ˈreplika]. Aynen taklid; kopye, suret.
reply [riˈplai]. Cevab; mukabele. Cevab vermek; mukabele etmek.
report[1] [riˈpoot] *n.* Takrir, rapor, fezleke, izah; tebliğ; şayia; şöhret; patlama sesi; talebenin not karnesi. **by general ~,** umumiyetle mütevatir olarak: **a man of good ~,** iyi şöhret sahibi adam: **to know of stg. by ~ only** [**by mere ~**], bir şeyi kulaktan (duyarak) bilmek: **there is a ~ that...,** ... rivayet ediliyor: **law ~s,** mühim dava dosyalarından mürekkeb mecmua.
report[2] *vb.* Rapor etm.; izahat vermek; haber vermek; anlatmak, nakletmek; birinin aleyhinde beyanatta bulunmak. **to ~ (oneself),** ısbatı vücud etm., hazır bulunmak: **it is ~ed that ...,** ... rivayet ediliyor: **to ~ progress,** bir işin ilerleyişi hakkında malûmat vermek: **to move to ~ progress,** Parlamentoda müzakerenin kifayeti hakkında takrir vermek: **to ~ sick,** kendisinin hastalığını haber vermek: **to ~ s.o. sick,** birinin hastalığını haber vermek: **to ~ up(on) stg.,** bir şey hakkında rapor vermek: **he is well ~ed on,** hakkında söylenenler ve alınan raporlar iyidir.
reporter [riˈpootə*]. Muhbir; gazeteci; zabıt kâtibi.
repose [riˈpouz]. İstirahat (etmek), dinleme(k); sükûnet; uyumak; yaslanmak, dayanmak; dinlendirmek; yatırmak. **to ~ confidence in s.o.,** birine güvenmek.
repository [riˈpositəri]. Depo, mahzen, ambar; kendisine tevdi edilen kimse.

repossess [ˌriipoˈzes]. **to ~ s.o. of stg.,** birine tekrar bir şeyi elde ettirmek: **to ~ oneself of stg.,** bir şeyi tekrar elde etmek.
repoussé [riˈpuusei]. Kakma işi.
reprehen·d [ˌrepriˈhend]. Azarlamak. **~sible,** azara lâyık, ayıblanacak.
represent [ˌrepriˈzent]. Temsil etm.; göstermek; arz ve ibraz etm.; tarif etm.; andırmak; tasvir etm.; ihtar etm.; vekili olm., naib olmak. **he ~s himself as** [**to be**] ..., kendini ... gibi gösteriyor, ... kendini satıyor: **exactly as ~ed,** tarife tamamen uygun. **~ation,** tasvir; temsil; mümessillik; vekâlet; ibraz; nezaketle yapılan ihtar ve serzeniş: **to make false ~s to s.o.,** birine hakikati tahrif ederek söylemek: **the British Government have made ~s to Russia about the matter,** İngiliz hükûmeti bu hususta Rusya'ya protestoda bulunmuştur. **~ative,** mümessil, temsilci, murahhas; vekil; örnek, tip; temsil eden; tipik.
repress [riˈpres]. Bastırmak; tenkil etm.; zaptetmek. **~ion** [–ˈpreʃn], bastırma; tenkil; zaptetme; ihtibas. **~ive,** bastırıcı; zecrî; tenkil edici.
reprieve [riˈpriiv]. Ölüm cezasının affi veya başka cezaya tahvili. Ölüm cezasını affetmek veya tahvil etmek.
reprimand [ˌrepriˈmaand]. Takbih (etmek); azarlama(k); serzeniş; alenen ayıplama(k).
reprint *n.* [ˈriiprint]. Bir kitabın ikinci tab'ı; ayrı basım. *vb.* [riiˈprint]. Yeniden tabetmek.
reprisal [riˈpraizl]. Mukabelebilmisil, karşılık.
reproach [riˈproutʃ]. Serzenis, tekdir; itab; ayıb, utanacak şey. İtab etm., ayıblamak. **beyond ~,** kusursuz, lekesiz: **to ~ oneself,** kendini kabahatlı bulmak; pişman olm.: **to ~ s.o. with stg.,** bir şey hakkında birine serzenişte bulunmak: **a term of ~,** takbih kabilinden söz. **~ful,** sitemli, serzenişli.
reprobate [ˈreprobeit]. Takdir etmemek; takbih ve tamamen reddetmek. Habis, şerir; serseri.
reproduc·e [ˌriiprouˈdjuus]. Aynen taklid ve kopya etm.; tekrar basmak; üretmek. **~tion** [–ˈdʌkʃn], aynen taklid, kopya; yeniden basma; tenasül; üre(t)me.
reproof [riˈpruuf]. Hafifçe tekdir; sitem, serzeniş.
reprove [riˈpruuv]. Hafifçe tekdir etm.; serzeniş etmek.
reptil·e [ˈreptail]. Yılan ve kertenkele gibi zahifelerden hayvan; alçak adam. **~ian** [–ˈtiljən], yılan gibi, zahif.
republic [riˈpʌblik]. Cumhuriyet. **~an,** cumhuriyete aid; cumhuriyetçi.
repudiate [riˈpjuudieit]. Reddetmek; inkâr etm.; tanımamak; benimsememek; boşanmak.
repugnan·ce [riˈpʌgnəns]. Hoşlanmayış; istikrah; kerahat; zıddiyet. **~t,** müstekreh; uygun olmıyan, zıd.
repuls·e [riˈpʌls]. Muvaffakiyetsizlik; red; tard; defolunma. Defetmek; tardetmek; püskürtmek. **~ion** [–ˈpʌlʃn], tiksinme, iğrenme; birbirini uzaklaştırma kuvveti. **~ive,** iğrenç, tiksindirici; soğuk; dâfi.
reput·able [ˈrepjutəbl]. Muteber, namuslu. **~ation** [–ˈteiʃn], şöhret, ad, nam; tezkiye: **to get** [**have**] **the ~ of ...,** adı ···e çıkmak: **with** [**of**] **a bad ~,** tezkiyesi bozuk.
repute [riˈpjuut]. Şöhret, ad, nam. **a doctor of ~,** tanınmış doktor: **to be held in ~,** sayılmak, şöhreti olm.: **of ill ~,** dile düşmüş: **to know s.o. by ~,** birini ismen tanımak: **of no ~,** adı sanı belirsiz olan. **~d,** gûya (filân) olan; farzolunan, mefruz: **to be ~ wealthy,** zengin sanılmak [addolunmak].
request [riˈkwest]. Rica, istirham, taleb, dilek. Rica etm., dilemek taleb etmek. **at the ~ of s.o.,** birinin talebi üzerine: **to be in ~,** aranılmak; revacı olm., rağbet görmek: **bus stop by ~,** ihtiyarî durak: **the public are ~ed to keep off the grass,** çimene basılmaması rica olunur.
requiem [ˈrekwiəm]. Ölünün ruhu icin okunan dua; fatiha; mersiye.
require [riˈkwaiə*]. İstemek; taleb etm.; emretmek; muhtac olm.; icabetmek. **as ~d,** istenildiği gibi: **if ~d,** icabederse: **when ~d,** icabında. **~d,** lâzım; icabeden. **~ment,** lâzım olan şey; ihtiyac; icab; iktiza; şart.
requisite [ˈrekwizit]. Lâzımgelen, icabeden; matlub; zarurî. Lâzımgelen şey; icab. **~s,** muktaziyat, levazımat; takım, alât ve edevat.
requisition [ˌrekwiˈziʃn]. El koymak; müsadere etm.; hizmetini taleb etmek. Resmî taleb; elkoyma. **to be in constant ~,** daima taleb edilmek: **to call into** [**put in**] **~,** müracaat etm.; istihdam etm., kullanmak.
requit·e [riˈkwait]. Mukabele etm., karşılığını vermek; mislini ödemek; mükâfat veya mücazat vermek. **~al,** mükâfat; karşılık, mukabele, mukabelebilmisil.
reredos [ˈriədos]. Kiliselerde süslü mihrab arkalığı.
rescind [riiˈsind]. Feshetmek, ibtal etm.; bozmak.
rescission [riiˈsiʒn]. Fesih, ilga.
rescript [ˈriiskript]. İrade, ferman.
rescue [ˈreskjuu]. Kurtarmak; imdadına yetişmek. Kurtarma; halâs; imdad. **to the ~!,** imdad!; yetişin!: **~ party,** kurtarma ekipi.

research [riˈsəətʃ]. Derin ve dikkatli tedkik; tetebbü; araştırma; taharri.
reseat [ˈriiˈsiit]. Bir sandalye, pantalon vs.nin oturacak yerini yenilemek. **to ~ oneself,** tekrar oturmak: **to ~ a valve,** bir supapın yatağını tesviye etmek.
resembl·e [riˈzembl]. Benzemek; andırmak. **~ance,** benzeyiş; benzerlik.
resent [riˈzent]. (Bir şey)·gücüne gitmek; ···e içerlemek; ···den alınmak. **~ful,** küskün, dargın; kindar. **~ment,** küskünlük; gücenme; kin.
reservation [ˌrezəəˈveiʃn]. İhtiraz kaydi; istisna; tren vs.de tutulmuş yer; yer tutma [ayırtma]. **to make a ~,** ihtirazî kayıd ileri sürmek: **game ~,** içinde yabani hayvanların avlanması yasak olan arazi; **Indian ~,** Amerika'da yerli hindliler için ayrılmış arazi: **mental ~,** içten pazarlık; içinden karar verme.
reserve[1] [riˈzəəv] *n.* İhtiyat; ihtiyat akçesi; ihtiyat kuvveti; ihtiraz kaydı; kayıd, şart; muayyen bir maksad için ayrılmış arazi; ketumiyet, çekingenlik. *a.* Yedek, ihtiyat. **the ~,** silâh altında olmıyan ihtiyatlar: **the ~s,** bir ordunun ihtiyata ayrılmış kuvvetleri: **to accept with ~,** kaydı ihtiyatla telâkki etm.: **to accept without ~,** olduğu gibi kabul etm.: **to break through s.o.'s ~,** birinin çekingenliğini yenmek: **to cast off ~,** açılmak, çekingenliği kalmamak: **in ~,** yedek [ihtiyat] olarak: **~ price,** son fiat: **to be sold without ~,** kayıdsız şartsız satılacak: **without ~,** uluorta; kayıdsız şartsız.
reserve[2] *vb.* İhtiyat olarak saklamak; muhafaza etm.; tahsis etmek. **to ~ a seat for s.o.,** birine bir yer tutmak [ayırtmak].
reserved [riˈzəəvd]. Ketum; muhteriz, çekingen; sokulunamaz; münzevî tabiatli. **~ seat [place],** tren, tiyatro vs.de önceden tutulmuş yer: **all rights ~,** her hakkı mahfuzdur: **~ list,** yedek [ihtiyat] kadro.
reservist [ˈrezəəvist]. (*ask.*) Yedek, ihtiyat.
reservoir [ˈrezəəvwaa*]. Su haznesi, bend; (*mec.*) ihtiyat depo; hazne.
reset [ˈriiˈset]. Yeniden yerine koymak, takmak veya geçirmek; (saati) doğrultmak.
reshuffle [riiˈʃʌfl]. Oyun kâgıdlarını karıştırma(k); (bir dairede) bir kısım memurları değiştirmek.
reside [riˈzaid]. İkamet etm., oturmak. **~nce** [ˈrezidəns], ikametgâh, ev; ikamet etme. **~ncy,** müstemlekelerde umumî valinin resmî konağı. **~nt,** yerli; sakin; (müstemlekelerde) umumî vali. İkamet eden, oturan; yerli: **~ master,** bir mektebde yatıp kalkan muallim; **~ physician,** bir hastahanede yatıp kalkan ve tamamen orada çalışan doktor. **~ntial** [reziˈdenʃl], **~ district,** bir şehirde iş merkezlerinden ayrı ve hususî evlerin bulunduğu kısım.
residu·e [ˈrezidjuu]. Tortu, rüsub; artık, bakiye. **~al** [rəˈzidjuəl], artık veya tortu nevinden; fazla ve baki kalan. **~ary** [–ˈzidjuəri], artık; baki: **~ legatee,** vasiyetnameye göre mirasın taksiminden sonra kalan malı alacak olan vâris.
resign [riˈzain]. İstifa etm.; vazgeçmek; feragat etm.; teslim etmek. **to ~ oneself (to),** tevekkül etm.; kapılmak; kendini bir şeye bırakmak: **to ~ oneself to sleep,** uykuya dalmak. **~ation** [ˌrezigˈneiʃn], istifa; tevekkül. **~ed** [riˈzaind], mütevekkil: **to become ~ to stg.,** istemiyerek razı olm.; mecbur olarak alışmak.
resilient [riˈziliənt]. Geri fırlayan; elâstikî, esneyen; (insan) bir felâketten sonra kendini çabuk toplıyan.
resin [ˈrezin]. Çam sakızı; reçine. **~ous,** sakızlı; reçineli.
resist [riˈzist]. Dayanmak; mukavemet etm.; karşı koymak, muhalefet etmek. **I could not ~ telling him,** ona söylemekten kendimi alamadım: **he could not ~ drink,** ickiye hiç yüzü yoktu. **~ance,** mukavemet; karşı koyma; dayanma; dayanıklılık; muhalefet: **to take the line of least ~,** en kolay yolu tutmak, en kolayına gitmek. **~ant,** dayanıklı; mukavim.
resole [ˈriiˈsoul]. (Ayakkabıya) yeni taban koymak. **~d,** penceli.
resolut·e [ˈrezoljuut]. Azimkâr; metin, sebatlı; cesur. **~ion** [–ˈjuuʃn], azimkârlık, metanet; karar; teklif; inhilâl: **good ~s,** iyi niyetler: **to put a ~ to the meeting,** bir teklifi reye koymak.
resolve [riˈzolv]. Karar, niyet. Karar vermek, niyetinde olm.; tasmim etm.; halletmek; inhilâl et(tir)mek. **I am ~d not to go there again,** bir daha oraya gitmemeğe karar verdim.
resonant [ˈrezənənt]. Tannan; sesi temdid veya takviye hassasını haiz.
resorb [riiˈsoob]. Emmek, massetmek.
resort [riˈzoot]. Merci; baş vurulacak yer; çare; çok gidilen yer. Müracaat etm., başvurmak; kullanmak; gitmek. **in the last ~,** başka çare yoksa; en sonunda: **without ~ to force,** kuvvet kullanmadan; zora başvurmadan: **place of great ~,** çok ziyaret edilen yer: **seaside ~,** deniz kenarında sayfiye yeri; plaj.
resound [riˈzaund]. Tannan olm., tınlamak; her taraftan duyulmak: (ses veya şöhret) yayılmak; aksettirmek. **~ing,** tannan, işitilen; gürliyen: **a ~ success,** dillerde destan olan muvaffakiyet: **a ~ blow,** gürliyen darbe.

resource [riˈsoos]. Çare, başvurulacak şey. **~s,** imkânlar. **his ~s are limited,** imkânları mahduddur. **~ful,** işin içinden çıkar, becerikli, cerbezeli.
respect [riˈspekt]. Saygı, hürmet; riayet; itibar; münasebet, bakım. Hürmet etm., saygı göstermek; hatırını saymak; riayet etmek. **as ~s ...,** itibariyle; ···e gelince: **to have ~ for s.o.,** birinin hatırını saymak, birine hürmet etm.: **in every ~,** tamamen, her hususta: **in many ~s,** bir çok bakımlardan: **in some ~s,** bazı cihetten, bazı hususlarda: **in this ~,** bu bakımından, bu hususta: **out of ~ for,** ···in hatırı için, ···e hürmeten: **to present one's ~s,** saygılarını sunmak, selâm söylemek: **with ~ to,** ···e gelince; hususunda, münasebetiyle: **with all due ~ (to you),** hatırınız kalmasın: **without ~ of persons,** hatır gönül dinlemeden: ⌜hem nalına hem mıhına⌝.
respect·able [riˈspektəbl]. Hatırı şayılır; temiz, namuslu; kılığı kıyafeti düzgün, hali tavrı mazbut; (*kon.*) şöyle böyle, oldukça iyi. **~ed,** hürmet gören, muteber, hatırı sayılır; muhterem. **~er,** hürmet eden: **no ~ of persons,** hatır gönül bilmez. **~ful,** hürmetkâr: **to keep at a ~ distance,** hürmetkârane geri durmak; ihtiyatlı olarak yaklaşmamak: **I remain yours ~ly,** hürmetlerimi sunarım. **~ing,** ···e dair, hususunda. **~ive,** kendi, herkes kendi ...; mahsus; sıraya göre; biri ... öteki: **the brothers are 10 and 12 ~ly,** iki kardeşden biri 12 öteki 10 yaşındadır.
respir·e [riˈspaiə*]. Nefes almak. **~ation** [ˌrespəˈreiʃn], nefes alma, soluma. **~ator,** teneffüs cihazını koruyan maske; gaz maskesi.
respite [ˈrespit, -pait]. Mühlet; muvakkat tehir; dinlenme; nefes alma. Mühlet vermek. **without ~,** fasılasız, dinlenmiyerek: **to give no ~,** nefes aldırmamak.
resplendent [ri-splendənt]. Parlak, şaşaalı, debdebeli.
respond [riˈspond]. Cevab vermek; mukabele etm.; uymak; **(airplane) to ~ to the controls,** (uçak) direksiyona itaat etmek. **~ent,** cevab veren; müddeaaleyh.
respons·e [riˈspons]. Cevab; karşılık; mukabeleli ilâhi. **~ive,** hassas, müteessir olan.
responsib·le [riˈsponsibl]. Mesul; mesuliyetli; ciddî; muktedir; sadık. **~ility** [-ˈbiliti], mesuliyet: **to do stg. on one's own ~,** bir şeyi kendiliğinden (mesuliyeti üzerine alarak) yapmak.
rest¹ [rest] *n.* Dinlenme, istirahat; rahat, huzur; durak; mola, vakfe; melce, istirahat yeri; sehpa, mesned; (bilârdo) ıstaka dayanağı; (*mus.*) es. **to be at ~,** hareketsiz olm.; rahat olm.; ölmüş olm.: **to come to ~,** hareketsizleşmek; nihayet durmak: **to lay to ~,** gömmek, defnetmek: **to set s.o.'s mind at ~,** birini ferahlatmak, huzur vermek, yüreğine su serpmek: **to set a question at ~,** bir meseleyi halletmek, kesip atmak: **to take a [one's] ~,** bir az dinlenmek, istirahat etmek.
rest² *vb.* Dinlen(dir)mek; istirahat et(tir)mek; sakin durmak; yaslanmak; daya(n)mak; istinad ettirmek. **~ assured that ...,** emin olunuz ki: **it ~s with you to ..., ...** sizin elinizdedir, size kalmiştır: **it does not ~ with me to ..., ...** benim elimde değil, bana aid değil: **his glance ~ed upon,** bakışları ···in üzerinde durdu: **the matter cannot ~ here,** mesele burada bırakılamaz. **rest-harrow,** (*Ononis arvensis*) kayişkıran. **rest-house,** misafirhane; menzilhane.
rest³ *n.* Artık şey, bakiye, kalan; ötesi, üst tarafı. **the ~,** diğerleri; öte tarafı: **all the ~,** mütebakisi; sairleri; geri kalanlar: **for the ~,** ötesine gelince.
restart [riiˈstaat]. Yeni başlamak, yeniden hareket et(tir)mek.
restaurant [ˈrestərõ]. Lokanta.
restful [ˈrestfəl]. Huzur verici, rahat verici; dinlendirici; asude.
resting-place [ˈrestiŋ ˈpleis]. İstirahat yeri; mezar.
restitution [ˌrestiˈtjuuʃn]. Geri verme; tazmin.
restive [ˈrestiv]. Yürümek istemiyen; inadcı; aksi.
restless [ˈrestlis]. Rahatsız, huzursuz; rahat durmaz; tezcanlı; uykusuz.
restor·e [riˈstoo*]. Geri vermek, iade etm.: tamir etm., eski haline veya yerine getirmek; yeniden kurmak. **~ation** [-ˈreiʃn], geri verme; yeniden kurma; tamir ederek eski haline koyma: **the ~,** 1660 ta 2 inci Charles'in cülusü ile Stuart hanedanının İngiliz tahtına yeniden geçmesi. **~ative,** bir hastalıktan sonra alınan kuvvet ilâcı.
restrain [riˈstrein]. Alıkoymak; tutmak, menetmek; zabtetmek; frenlemek. **a ~ing influence,** ayak bağı. **~ed,** zabtedilmiş; ölçülü, mutedil.
restraint [riˈstreint]. Zabt; cebir; tazyik; men, engel; inzibat; itidal. **to fling aside all ~,** işi azıtmak; aklına geleni yapmak: **to keep s.o. under ~,** birini hapishane veya tımarhanede tutmak: **lack of ~,** itidalsizlik; çekinmemezlik; inzibatsızlık: **to speak without ~,** hiç çekinmeden [serbestçe] söylemek: **to be under no ~,** istediği gibi harekette serbest olmak.
restrict [riˈstrikt]. Hasretmek; tahdid etm., kısmak. **~ed,** mahdud; münhasır;

mukayyed. **~ion** [–ˈstrikʃn], tahdid, inhisar. **~ive,** tahdid edici.
result [riˈzʌlt]. Netice; son; akibet. Neticelenmek; müncer olm., hasıl olmak. **~ant,** hâsıl olan; muhassala.
resume [riˈzjuum]. Bırakılmış bir işe tekrar başlamak; kesilmiş söze devam etmek. **to ~ one's seat,** tekrar yerine oturmak.
résumé [ˈreizjuumei]. Hulâsa.
resumption [riˈzʌmʃn]. Yeniden başlama.
resurrect [ˌrezəˈrekt]. Diriltmek; mezardan çıkarmak; hortlatmak; yeniden rağbet kazandırmak. **~ion** [–ˈrekʃn], diril(t)me; yeniden doğma; Hazreti İsa'nin mezardan çıkması; kıyamet, bâsıbadelmevt.
resuscitate [riˈsʌsiteit]. Canlandırmak, diriltmek; hortlatmak.
ret [ret]. (Keneviri) suya daldırıp yumuşatmak.
retail [ˈriiteil]. Perakende satış; perakendelik. Perakende sat(ıl)mak; tafsilâtla anlatmak. **~er,** perakendeci: **~ of news,** havadis yayıcı, dedikoducu.
retain [riˈtein]. Alıkoymak; kendi elinde tutmak; elinden kaçırmamak; muhafaza etm.; pey vererek hizmetine almak; hatırında tutmak. **~er,** (i) usak; (ii) hizmetini temin etmek için verilen pey akçesi: **~s,** maiyet efradı. **~ing, ~ wall,** destek olarak duvar, sed: **~ fee** *bk.* **retainer** (ii).
retaliat·e [riˈtalieit]. Mukabelebilmisil etm., karşılık yapmak. **~ion** [–ˈeiʃn], mukabelebilmisil; öc: **in ~,** buna mukabil: **the law of ~,** kısas. **~ory** [–ˈtaliətəri], mukabelebilmisil olarak.
retard [riˈtaad]. Geciktirmek; ağırlaştırmak.
retch [retʃ]. Kusmağa çalışmak; öğürmek.
retent·ion [riˈtenʃn]. Alıkoyma; kendi elinde tutma; muhafaza. **~ive,** bırakmaz, salıvermez: **~ memory,** kuvvetli hafıza: **~ soil,** rutubetini kaybetmiyen toprak.
reticent [ˈretisənt]. Bildiğini söylemez; ketum; muhteriz.
reticulated [riˈtikjuleitid]. Ağ gibi, şebekî.
retina [ˈretina]. Tabakai şebekiye.
retinue [ˈretinjuu]. Maiyet.
retire [riˈtaiə*]. Çekilmek, ricat etm.; hizmetten çekilmek, tekaüd olm., emekliye ayrılmak; yatmağa gitmek. Geri çekmek; tekaüd etmek. **to ~ into oneself,** kabuğuna çekilmek: **to ~ for the night,** yatmağa gitmek. **~d,** mütekaid, emekli. **~ment,** ricat; inziva; tekaüd, emeklilik.
retort¹ [riˈtoot]. Sert cevab; karşılık. Sert cevab vermek; karşılık yapmak.
retort². İmbik şişesi.
retouch [riiˈtʌtʃ]. Rötus (yapmak); bazı yerlerini düzeltmek.
retrace [riiˈtreis]. Kaynağına gitmek; geçmişi yeniden teşkil etmek. **to ~ one's steps,** izini takiben geriye gitmek; geldiği yoldan geri gitmek.
retract [riˈtrakt]. Geriye çekmek; içeriye çekmek; geri almak; sözünü geri almak; sözünden dönmek.
retread [riiˈtred]. (Otomobilin lâstiğinin dış tabakasını) yenilemek. Bu şekilde yenilenen lâstik.
retreat [riˈtriit]. Ricat; inziva yeri; melce. Ricat etmek. Geriye çekmek. **to beat a ~,** ricat etm.; bir şeyden vazgeçmek.
retrench [riˈtrentʃ]. Kısmak; tasarruf etmek.
retribut·ion [ˌretriˈbjuuʃn]. Ceza; mücazat; intikam. **~ive** [–ˈtribjutiv], cezalandırıcı; intikamını alıcı.
retriev·e [riˈtriiv]. İstirdad etm., tekrar elde etm.; telâfi etm.; kurtarmak; (av köpeği) avı getirmek. **~al,** geri alma, tekrar ele geçirme. **~er,** vurulan avı bulup getirmek için terbiye edilmiş köpek.
retro- [ˈriitrou, ret-]. *pref.* Geriye doğru; geçmişe bakan.
retroactive [ˌriitrouˈaktiv]. Makabline şamil.
retrocession [ˌriitrouˈseʃn]. İade; ilk sahibine terketme.
retrograde [ˈretrougreid]. Geriye doğru giden; terakkiye karşı olan, mürteci.
retrogress [riitrouˈgres]. Geriye gitmek; fenalaşmak; zeval bulmak.
retrospect [ˈretrouspekt]. Geriye bakma; geçmiş şeyleri düşünme. **~ive** [–ˈspektiv]. makabline şamil.
return¹ [riˈtəən] *n.* Dönüş, avdet; iade; mukabele, karşılık, bedel; temettü, kazanc; resmî rapor; istatistik; bir mebusun intihab edilmesi. **~s,** kâr, kazanc; irad; raporlar; rapor vs. neticeleri. **in ~,** karşılık olarak, mukabilinde: **in ~ for,** …e mukabil; ... yerine: **~ of income,** gelir beyannamesi: **many happy ~s of the day!,** nice senelere! (*birinin isim gününde söylenir*): **~ match,** intikam [revanş] maçı: **by ~ of post,** (mektubu alır almaz) ilk posta ile: **~ ticket,** gidip gelme bilet.
return² *vb.* İade etm., geri vermek; intihab etm.; karşılık yapmak. Avdet etm., dönmek, geri gelmek veya gitmek. **to be ~ed for (such-and-such a district),** filan yerden mebus çıkmak: **the prisoner was ~ed guilty,** maznunun suçlu olduğuna karar verildi: **to ~ one's income at £1,000,** gelirinin bin lira olduğuna beyan etm.: **to ~ like for like,** mislile mukabele etm.: **~ing officer,** seçim memuru: **to ~ thanks,** (sıhha-

tine içilen kimse) bir nutukla teşekkür etmek.

reunion [riiˈjuunjən]. Kavuşma; birleşme; cemiyet, toplantı; bir memleket veya şehrin başka bir memleketle tekrar birleşmesi.

reunite [ˌriijuuˈnait]. Yeniden birleş(tir)mek, kavuş(tur)mak; barış(tır)mak.

rev [rev]. (*kıs.*) **Revolution,** devir. **to ~ up the engine,** motörü hızlatmak.

reveal [riˈviil]. İfşa etm., meydana çıkarmak; ilham etm., vahyetmek.

reveille [reˈveli]. Kalk borusu.

revel [ˈrevl]. Cümbüş, curcuna, âlem; ahenk. Cümbüş yapmak. **to ~ in stg.,** bir şeye pek düşkün olm.; bir şeyden çok neşe duymak. **~ler,** cümbüş yapan, âlem yapan. **~ry,** cümbüş, eğlenti, içki âlemi.

revelation [revəˈleiʃn]. İfşa, meydana çıkarma; vahiy. **the Book of ~,** İncilin son cüzünün unvanı.

revenge [riˈvendʒ]. İntikam, öc; karşılık. İntikam almak; hıncını çıkarmak. **to ~ oneself [to be ~d] on s.o.,** birisinden intikam almak: **out of ~,** intikam yüzünden, öc almak için. **~ful,** kin tutan, kinci; öc alıcı.

revenue [ˈrevənju]. Gelir, varidat, irad. **the public ~,** devlet varidatı: **~ officer,** rüsumat memuru: **~ cutter,** gümrük muhafız gemisi.

reverberate [riˈvəəbəreit]. Akset(tir)mek; tannan olmak.

revere [riˈviə*]. Hürmet etm.; takdis etmek. **~nce** [ˈrevərəns], tazim, hürmet; takdis; huşu: tazim etm., hürmet etm.: **to hold s.o. in ~,** birine tazim göstermek: **to pay ~ to s.o.,** birine tazim etm.; tevkir etmek: **his ~,** *papaz hakkında kullanılan unvan.* **~nd,** muhterem (*rahibler hakkında hürmet lâkabı*). **~nt,** hürmetkâr, riayetkârane. **~ntial** [–ˈrenʃl], hürmetten gelen, saygı ile karışık.

reverie [ˈrevəri]. Tahayyül: dalgınlık.

reversal [riˈvəəsl]. Taklib; fesih, ibtal.

reverse [riˈvəəs]. Ters; makûs; aksi, zıd. Ters tarafı; zıddı; aksi; muvaffakiyetsizlik, mağlubiyet. Tersine çevirmek; içini dışına çevirmek; geriye çevirmek; ibtal etm., feshetmek; muayyen bir şeyin aksini yapmak. **to ~ arms,** tüfekleri başaşağı etm.: **to ~ a car,** otomobili geri yürütmek: **to go into ~,** (*otom.*) geriye almak: **to be quite the ~ of stg.,** bir şeyin taban tabana zıddı olm.: **to take a position in ~,** bir mevkii arka tarafından zabtetmek: **to suffer a ~,** bir hezimete uğramak; muvaffak olmamak.

revers·ible [riˈvəəsibl]. Devredebilir; tersine çevrilmesi mümkün. **~ing, ~ propeller,** tornistan eden pervane.

reversion [riˈvəəʃən]. Eski haline avdet; ilk sahibine dönme; veraset hakkı. **~ to type,** (*biol*) esas tipe dönüş.

revert [riˈvəət]. Eski haline dönmek; eski sahibinin eline gelmek.

revetment [riˈvetmənt]. İstihkâmların dış kaplaması veya duvarı.

revictual [riiˈvitl]. Yeniden erzak tedarik etm., iaşe etmek.

review [riˈvjuu]. Geçid resmi; muayene; bir daha mutalaa ve tedkik; kitab tenkidi; mecmua. Tekrar gözden geçirmek; teftiş etm.; askerleri veya harb gemilerini teftiş etm.; bir kitabın tenkidini yapmak. **~er,** kitab münekkidi.

revile [riˈvail]. Sövmek; küfretmek; tahkir etmek.

revis·e [riˈvaiz]. Tekrar gözden geçirmek; tashih veya ıslah etm.; münderecatını değiştirmek. **~ion** [–ˈviʒn], yeniden gözden geçirme; tekrar tedkik etme; tashih, ıslah.

reviv·e [riˈvaiv]. Canlan(dır)mak; ihya etm.; ayıl(t)mak; tekrar revac bul(dur)mak; kurcalamak. **~al,** canlan(dır)ma; unutulmuş bir şeyin tekrar revac bulması; ayılma.

revoc·able [riˈvokəbl]. Feshedilebilir; geri alınması mümkün. **~ation** [–ˈkeiʃn], fesih; ilga, geri alınma.

revoke [riˈvouk]. Feshetmek, ibtal etm.; geri almak; (iskambil) oynanması mümkün olan kâğıdı oynamamak; rönons yapmak.

revolt [riˈvoult]. İsyan (etm.), ayaklanma(k); iğrendirmek. **~ing,** iğrenc, menfur.

revolution [ˌrevəˈljuuʃn]. Devir, devrî hareket, deveran; inkilâb, ihtilâl. **~ counter,** devir saati, dönme sayıcı. **~ary,** inkilâblara aid; inkilâbı andırır, tamamen değiştiren: inkilâbcı. **~ize** [–aiz], tamamen değiştirmek, taklib etmek.

revolv·e [riˈvolv]. Dön(dür)mek, devret(tir)mek. **to ~ stg. in one's mind,** bir meseleyi zihninde evirip çevirmek, düşünüp taşınmak. **~er,** altıpatlar, revolver. **~ing,** dönen; devvar: **~ chair,** döner iskemle: **~ light,** yanar söner fener.

revue [riˈvjuu]. Rövü.

revulsion [riˈvʌlʃn]. Âni ve kuvvetli değişiklik; reaksiyon.

reward [riˈwood]. Mükâfat. Mükâfatını vermek.

Rex [reks]. Kıral. **~ v. Jones,** (İngiliz hukukunda) hükümetin vatandaş Jones'a karşı açtığı dava.

Reynard [ˈrenaad]. (Edebiyatta) tilki.

rhapsod·y [ˈrapsədi]. Epik şiirin bir parçası, rapsodi; heyecanlı yazı veya güfte. **~ize, to ~ over stg.,** bir şeyi pek mübalağalı medhetmek; bir şeye pek heyecanlanmak.

rhetoric [ˈretərik]. Belâgat; tesirli veya mübalağalı hatiblik. **~al** [riˈtorikl], belâgate aid; tumturaklı: **a ~ question,** yalnız tesir için ve cevabı beklenmiyen bir sual.

rheumat·ism [ˈruumətizm], **-matics** [–ˈmatiks]. Romatizma. **~ic(al)**, romatizmaya aid, romatizmalı. **~oid** [ˈruumətoid], romatizma gibi.

rheumy [ˈruumi]. **~ eyes,** kızarmış ve sulu gözler.

rhinoceros [raiˈnosərəs]. Gergedan.

rhizome [ˈraizoum]. Sâkı zâhif, sürügen sap.

rhododendron [ˌroudouˈdendrən]. Rododendron.

rhomb, rhombus [ˈrombəs]. Main.

rhubarb [ˈruubaab]. Ravend.

rhyme [raim]. Kafiye; kısa şiir. Kafiyeli olm.; kafiye itibariyle birbirine uymak. **without ~ or reason,** ipsiz sapsız; durup dururken. **nursery ~,** çocuklar için tekerleme. **~ster,** şair taslağı.

rhythm [ˈriðm]. Vezin; ahenk; ittirad; mütenasib hareket. **~ic,** mevzun; ahenkli.

rib [rib]. Kaburga kemiği; yaprak damarı; şemsiye teli; kumaşta çıkıntılı yol. **to poke s.o. in the ~s,** birini şaka ile dürtmek: **to smite s.o. under the fifth ~,** birini kalbinden hançerlemek.

ribald [ˈriboold]. Alay eden; küstah veya soğuk şakacı; açık saçık. **~ry,** soğuk şaka; küstahça alay etme.

ribbed [ˈribd]. Yivli; muntazam girintili çıkıntılı.

ribbon, riband [ˈribən(d)]. Kurdelâ. **blue ~,** dizbağı nişanı; her hangi sahada üstünlük işareti; içki aleyhdarı olan cemiyetin işareti (yeşil ay): **to cut to ~s,** lime lime kesmek.

rice [rais]. Pirinç. **~ pudding,** sütlâç. **rice-field, -swamp,** çeltik.

rich [ritʃ]. Zengin; bereketli, bol; mükellef; (yemek) çok tatlı, yağlı, baharlı vs.; ağır. **he ~ly deserved his fate,** başına geleni tamamen hak etti: **to grow ~,** zengin olm.: **the newly ~,** sonradan görmeler: **that 's ~ !,** ama lâf! **~es,** zenginlik, servet. **~ness,** zenginlik; bolluk; mükelleflik; (yemek) yağlılık, ağırlık; (renk) parlaklık; (ses) gürlük.

rick¹ [rik]. Ot, saman veya ekin yığını; tınaz.

rick² *bk.* **wrick.**

ricket·s [ˈrikits]. Çocukların kemik hastalığı; raşitizm; kırba illeti. **~y,** raşitik, kırbalı; sıska, ineze; sarsak, sallanan, sağlam olmıyan.

rickshaw [ˈrikʃoo]. Uzak Şarkta iki tekerlekli hafif ve bir kişi tarafından çekilen araba; puspus.

ricochet [ˈrikəʃei]. Taş ve kurşun gibi atılan bir şeyin su veya toprağa vurarak sekmesi. Böyle sekmek.

rid [rid]. Kurtarmak. Kurtulmuş. **to ~ the house of rats,** evi farelerden temizlemek: **to get ~ of** [**~ oneself of**], başından atmak [savmak]. **~dance** [–əns], başından atma, kurtulma: **a good ~,** isabet oldu da ondan kurtulduk: **a good ~ of bad rubbish,** Allaha şükür musibetten kurtulduk.

ridden [ˈridn] *bk.* **ride.** ···den mazlum; ···in el altında bulunan. **a priest-~ country,** papaz istilâsına uğramış bir memleket: **a rat-~ house,** fareler bürümüş ev.

riddle¹ [ˈridle]. Muamma; bilmece.

riddle². Kalbur. Kalburdan geçirmek; delik deşik etmek.

ride (rode, ridden) [raid, roud, ˈridn]. ···e binmek. Ata binmek. At, bisiklet vs.; üzerinde gezinti; ormanda binicilik veya avcılık için açılmış yol. **he ~s well,** iyi binicidir: **to ~ at anchor,** (gemi) demirli yatmak: **to ~ an idea, etc., to death,** bir fikir vs.yi ifrata vardırmak: **to ~ down,** atla giderek çiğnemek: **to ~ for a fall,** ihtiyatsızça binmek; körükörüne bir felâkete doğru gitmek: **to ~ one's horse at a fence,** atını bir mânie sürmek: **to go for a ~,** at vs.ye binerek gezinti yapmak: **to ~ hard,** (i) at vs.ile alabildiğine gitmek; (ii) gözü pek binici olm.: **it 's a penny ~ on a bus,** otobüs ile bir penilik mesafedir: **to ~ a race,** at yarışına girmek: **to ~ (out) the storm,** (gemi) fırtınayı selâmetle atlatmak; (*mec.*) dayanıp fena bir vaziyetten kurtulmak: **to take s.o. for a ~,** (*Amer. arg.*) birisini öldürmek maksadile otomobile bindirip götürmek.

rider¹ [ˈraidə*]. Binici; süvarı.

rider². Müzeyyel madde; ilâve.

ridge [ridʒ]. Sırt; dağ silsilesi; dam tepesi; resif. **~ and furrow,** sabanın yaptığı sırt ve oluk.

ridicul·e [ˈridikjuul]. Alay; hiciv; gülünçleştirme. Alay etm.; gülüncleştirmek. **~ous** [–ˈdikjuləs], gülünc: **to make oneself ~,** âleme gülünc olmak.

riding [ˈraidiŋ]. Binicilik; süvarilik. **riding-lights,** demirli geminin bulundurması lâzımgelen fenerleri.

rife [raif]. Çok bulunan; müstevli. **to be ~,** hüküm sürmek; her tarafa yayılmak.

riff-raff [ˈrifraf]. Ayak takımı; aburcubur kimseler.

rifle¹ [ˈraifl]. Ceblerini araştırıp soymak; soyup soğana çevirmek.

rifl·e². Yivli tüfek. Tüfek veya top namlusuna yiv açmak. **the Rifles** [**Rifle Brigade**], bazı İngiliz alaylarına verilen ad. **~ed,** şişaneli, yivli. **~man,** silâhşor; avcı eri. **~ing,** yivli tüfeğin helezonu. **rifle-range,** atış meydanı.

rift [rift]. Yarık; rahne. **a ~ in the clouds,** bulutlar arasında açık bir yer: **'a ~ in the lute',** iki dost arasında ufak bir nifak: **to create a ~ between ...,** aralarını açmak.

rig[1] [rig]. Hileli bir tarzda kurmak. **a ~ged court,** yalancıktan yapılan muhakeme: **to ~ the market,** piyasada fiatları hile ile yükseltmek veya alçaltmak.

rig.[2] Armanın tarz ve üslûbu; (*kon.*) kılık, kıyafet. Donatmak; giydirmek. **~ger,** armador. **~ging,** gemi arması; geminin muhtelif halatları: **running ~,** selviçe: **standing ~,** sabit arma.

right[1] [rait] *a. adv.* Doğru, sahih; haklı, insaflı; elverişli, uygun, münasib; sağ (taraf). Doğru olarak; sağ tarafa; tam, tamamile. **all ~,** pek iyi, hay hay: **he 's all ~,** (i) bir şeyi yok, sıhhatte, iyileşti: (ii) fena adam değildir: **it 's all ~ for you to laugh,** senin için gülmek kolay: **~ angle,** kaim zaviye: **~ away!,** fayrap!; **to do stg. ~ away,** bir şeyi hemen [derhal] yapmak: **to be ~,** haklı olm.: **things will come ~,** sonu iyi olacak: **that was him, ~ enough!,** hiç şübhe yok oydu: **am I ~ for London?,** bu Londra yolu mu (treni vs.mi)?: **he 's not ~ in the head,** aklından zoru var: **~ ho!** hay hay! **~ and left,** sağda solda, her tarafta: **to hit out ~ and left,** hem nalına hem mıhına vurmak: **to be in one's ~ mind,** aklı başında olm.: **to go ~ on,** dosdoğru gitmek: **to put ~,** yoluna koymak, düzeltmek: **serves him ~!,** oh olsun!, müstahaktır!: **~ side up,** doğru (ters değil): **to get on the ~ side of s.o.,** birinin gözüne [damarına] girmek: **he is on the ~ side of fifty,** yaşı elli yoktur: **that 's ~!,** tamam!, ha şöyle!, doğru!: **to do the ~ thing by s.o.,** birine karşı insaflı davranmak: **he always says the ~ thing,** her zaman uygun [isabetli] şey söyler. **right-about,** sağdan geri: **to send to the ~,** defetmek. **right-angled,** kaim zaviyeli. **right-down,** (*kon.*) tam; iyice; sapına kadar. **right-hand,** sağdaki: **s.o.'s ~ man,** birinin sağ eli (yerindeki adam). **right-handed,** sağ elile iş gören; sağ ele uygun. **right-minded, -thinking,** doğru düşünceli; insaflı.

right[2] *n.* Hak; adalet, insaf; hakikat, doğruluk; sıhhat; salâhiyet; sağ el, sağ taraf. **to be in the ~,** haklı olm.: **by ~s,** usûlen, kanunen: **keep to the ~!,** sağdan gidiniz!: **on the ~,** sağ tarafta: **to possess stg. in one's own ~,** re'sen hak sahibi olm.: **to set to ~s,** yoluna koymak; düzeltmek: **~ of way,** mürur hakkı: **to be within one's ~s,** (bir şeyi yapmak) hak ve salâhiyeti dahilinde olm.: **I don't know the ~s and wrongs of it,** kimin haklı olduğunu [doğru olup olmadığını] bilmiyorum.

right[3] *vb.* Düzeltmek; doğrultmak; hakkını ihkak etm.; tashih etmek.

righteous [ˈraitʃəs]. Dürüst, doğru, müstakim; dindar; haklı. **~ indignation,** yerinde [haklı] hiddet (*bazan* müraice bir infial *manasına da gelir*).

rightful [ˈraitfəl]. Haklı; hakikî; meşru: munsifane; hak sahibi; haklı olarak.

rightly [ˈraitli]. Doğru olarak, bihakkın.

rigid [ˈridʒid]. Eğilmez; sert; katı. **~ity** [–diti], eğilmezlik; sertlik, katılık.

rigmarole [ˈrigməroul]. Abuksabuk lâflar; uzun ve karışık hikâye.

rigo·rous [ˈrigərəs]. Sert, mutassıb; şiddetli, haşin. **~ur,** sertlik, şiddet, huşunet.

rile [rail]. Asabileştirmek; sinirine dokunmak.

rill [ril]. Derecik; çırçır.

rim [rim]. Kenar; kasnak; çerçeve; çevre; jant; çıkıntı.

rime[1] [raim] *bk.* **rhyme.**

rime[2]. Kırağı.

rind [raind]. Kabuk; deri.

rinderpest [ˈrindəpest]. Sığır vebası.

ring[1] [riŋ]. Halka; çerçeve; daire; yüzük; (ticarette) şebeke; (boks) ring. Etrafına halka çevirmek; etrafını kuşatmak; boğa veya domuzun burnuna halka takmak. **the ~,** (i) boksörlük; (ii) (at yarışlarına) yarıştan evvel atların dolaştırıldığı yer; bahis defteri tutan adamlar: **to keep** [**hold**] **the ~,** bir mücadelede haricî müdahaleyi önlemek: **to make ~s round s.o.,** birisinden çok daha çabuk koşmak; birine taş çıkartmak: **split ~,** anahtar halkası: **wedding ~,** alyans. **ring-fence,** bir arazinin etrafını çeviren çit vs. **ring-finger,** adsız parmak, yüzük parmağı.

ring[2]. Çan veya çıngırak sesi; çıngırtı, tıngırtı. Çan çalmak; çalınmak; çınla(t)mak; tınlamak. **there 's a ~ at the door,** kapının zili çalınıyor: **there 's a ~ on the telephone,** telefon çalıyor: **give me a ~ when you are back,** döndüğünüz zaman bana telefon ediniz: **to ~ true** [**to have the true ~**], hakikiye benzemek. **ring down, to ~ down the curtain,** tiyatroda perdeyi indirtmek için zil çalmak; bir şeye nihayet vermek. **ring off,** telefonu kapatmak; (bir gemide) makine dairesine verilen 'makinenin işi bitti' işareti vermek. **ring up,** telefon etmek.

ringdove [ˈriŋdʌv]. (*Columba palumbus*) Tahtalı.

ringer [ˈriŋə*]. Kilise çancısı.
ringleader [ˈriŋliidə*]. Elebaşı.
ringlet [ˈriŋlit]. Kâkül; halkacık.
ringworm [ˈriŋwəəm]. Kel hastalığı.
rink [riŋk]. Patinaj yeri.
rinse [rins]. Çalkama(k).
riot [ˈraiət]. Kargaşalık; hengâme; ayaklanma, fesad. Halk sokaklara üşüşüp gürültülü kargaşalık yapmak. **to read the Riot Act,** fesadcılara karşı ateş açmadan evvel ihtarda bulunmak; (*mec.*) şiddetle azarlamak ve ihtarda bulunmak: **to run ~,** başıboş hareket etm.; ele avuca sığmamak. **~ous,** gürültülü; kargaşalık çıkarıcı: **~ living,** hovardalık.
R.I.P. [ˈaaraiˈpii]. (*kıs. Lât.*) **Requiescat in pace,** Allah rahmet etsin!
rip[1] [rip]. Yarık, yırtık. Yarmak, yırtmak; dikişini sökmek. Yarılmak; (*kon.*) **~ (along),** alabildigine koş(tur)mak. **to ~ open,** yırtıp açmak; karnını delmek. **ripsaw,** uzunlamasına kesmeğe mahsus testere.
rip[2]. Uçarı çapkın.
riparian [raiˈpeəriən]. Nehir kenarlarına aid.
ripe [raip]. Kemale ermiş; olgun. **a plan ~ for execution,** tatbika hazır proje. **~n,** olgunlaş(tır)mak; kemale er(dir)mek.
riposte [ˈriipost]. Hemen verilen cevab; karşılık hamle. Nükteli veya sert cevab vermek; mukabele etmek.
ripping [ˈripiŋ]. (*arg.*) Mükemmel; âlâ, nefis.
ripple [ˈripl]. Ufacık dalga; kumda dalgacık gibi iz; çağlama(k); hafifçe dalgalanmak.
rise[1] [raiz] *n.* Yükselme, yükseliş: çıkış, zuhur; yokuş; çıkıntı; artma; doğuş, tulu. **to ask for a ~,** maaşının artmasını istemek: **to be on the ~,** (i) artmakta olm.; (ii) (balık) sinek yutmak için su yüzüne çıkmak: **to have a ~,** (balık avında) oltaya bağlı yapma sinekle balığı kandırıp su yüzüne cıkarmak, *ve bundan* **to get [take] a ~ out of s.o.,** birini hassas bir noktasına basıp tahrik ederek kızdırmak: **to give ~ to,** sebeb olm., tevlid etm.: **to take its ~;** (nehir) membaından çıkmak.
rise[2] **(rose, risen)** [raiz, rouz, ˈrizn] *vb.* Kalkmak; çıkmak; yükselmek; artmak; erişmek, yetişmek; (güneş) doğmak; zuhur etm.; ayaklanmak; (meclis vs.) tatil edilmek; (balık hakkında) sinek veya oltadaki yapma sineği tutmak için su yüzüne çıkmak, *ve bundan* **to ~ to a remark,** mahsus tahrik maksadile söylenen bir söze kapılarak kızmak: **to ~ from the dead.** (ölü) dirilmek: **my hair rose,** saçlarım dimdik oldu: **my whole soul ~s against it,** bütün ruhum buna karşı isyan ediyor.
rising [ˈraiziŋ]. Yükselen; artan; doğan. Kalkış; doğuş; artma; yükseliş; isyan, ayaklanma, kargaşalık. **to be ~ four,** dört yaşına yaklaşmak: **the ~ generation,** yeni nesil: **a ~ man,** istikbali parlak [sivrilecek] adam.
risk [risk]. Tehlike; baht, risk, şans. Tehlikeye atmak; göze almak; riske etmek. **to run a ~,** tehlikeye girmek [sokmak], riske etm.: **to take a ~,** tehlikeyi göze almak: **to ~ one's own skin,** dayak yemeği veya yaralanmağı göze almak. **~y,** tehlikeli; zarar vermesi muhtemel; şanslı: **a ~ story,** açık saçık hikâye.
rissole [ˈriisoul]. Ekmek kırıntısı ile karışık kıyma kızartması.
rite [rait]. Âyin, dinî merasim.
ritual [ˈritjuəl]. Dinî merasim; örf, usul; dinî merasime aid.
rival [ˈraivl]. Rakib. Rekabet etm.; müsavi olmak. **without ~,** emsalsiz: **nobody can ~ him in eloquence,** hitabette kimse ona çıkışamaz. **~ry,** rekabet; gıbta.
river [ˈrivə*]. Nehir; ırmak; çay. **~side,** nehir kenarı; nehir kenarına aid; nehir kenarında bulunan.
rivet [ˈrivit]. Perçin çivisi. Perçinlemek. **to ~ one's attention,** dikkatini bir noktaya çivilemek.
rivulet [ˈrivjulit]. Derecik; çırçır.
R.M. (*kıs.*) **Royal Marines.** Deniz silâhendazları.
R.N. (*kıs.*) **Royal Navy.** Kıralî Bahriye.
R.N.V.R. (*kis.*) **Royal Naval Volunteer Reserve.** Deniz gönüllü yedekleri.
roach [routʃ]. (*Leuciscus rutilus*) Bir tatlısu balığı, (?) çamça balığı.
road [roud]. Yol, şose, cadde. **~s,** gemilerin demir yeri. **a car that holds the ~ well,** yolda sıçramıyan otomobil: **the rule of the ~,** araba vs.nin yolun hangi tarafından gideceğini tayin eden nizam: **to take the ~,** yola çıkmak. **~man,** yol tamircisi. **~side,** yol kenarı; yol kenarında bulunan. **~stead,** gemilerin demir yeri. **~way,** yolun ortası (yaya kaldırımları arası).
roam [roum]. Maksadsız dolaşmak, gezmek, başıboş gezmek. Gezinti.
roan[1] [roun]. Demir kırı (at). **red ~,** kula.
roan[2]. Meşin.
roar [roo*]. Aslan sesi; gürleme. Aslan gibi bağırmak; gürlemek, kükremek; bar bar bağırmak. (at) hırıltılı solumak. **~s of laughter,** gürültülü kahkahalar: **to set the table in a ~,** sofrada herkesi gülmekten katıltmak. **~er,** solugan at. **~ing,** gürleyen; solugan (at); çayır çayır yanan (ateş): **the ~ forties,** 40°–50° şimal arz dairesinde bulunan deniz mıntakası: **in this heat the ice-cream sellers are doing a ~ trade,** bu sıcakta dondurma kapışılıyor.

roast [roust]. Kızartma(k); kavurmak. Kızartmış. **to rule the ~,** sözü geçmek; dediği dedik olmak.

rob [rob]. Çalmak, hırsızlık etm.; soymak. **to ~ s.o. of stg.,** birinin bir şeyini çalmak. **~er,** hırsız; haydud. **~bery,** hırsızlık: **highway ~,** haydudluk.

robe [roub]. Rob; elbise; cübbe, fistan; kaftan. Giydirmek. **~ of honour,** kaftan, hil'at.

robin [ˈrobin]. (*Erithacus rubecula*) Muta. **round ~,** çok imzalı bir istida.

Robin Hood [ˈrobin ˈhud]. Zenginleri soyan fakat fıkaraya yardım eden meşhur bir İngiliz haydudu.

robot [ˈroubot]. Makine adam; robot; otomatik.

robust [rouˈbʌst]. Gürbüz, dinc; kuvvetli. **~ious,** gürültülü; kabadayı.

rock¹ [rok] *vb.* Sallamak, sarsmak; ırgalamak. Sallanmak; sarsılmak. **to ~ to sleep,** beşiği sallayarak uykusunu getirmek.

rock² *n.* Kaya; kayalık; taş. **the Rock,** Cebelüttarık: **to be on the ~s,** kayalıkta oturmak; fena bir vaziyette bulunmak: **to see ~s ahead,** önünde tehlike veya engel görmek: **to run upon the ~s,** (gemi) kayalığa çarpmak. **rock-bottom,** en alçak nokta: **~ price,** en aşağı fiat. **rock-bound,** kayalarla kuşatılmış. **rock-cake,** dışı pürüzlü küçük kek. **rock-garden,** *bk.* **rockery.**

rocker [ˈrokə*]. Beşik ayağı; makinelerde sallama cihazı. **off his ~,** (*arg.*) bir tahtası eksik. **rocker-arm,** külbütör.

rockery [ˈrokəri]. Kayalıklarda yetişen çiçekler için taş ve çakıldan mürekkeb küçük bahçe.

rocket [ˈrokit]. Havaî fişek; roket. Havaî fişek gibi uçmak. **rocket-bomb,** füze bombası.

rocky [ˈroki]. Kayalık, kaya gibi; salıntılı. **the Rocky Mountains** [**Rockies**], Roki dağları.

rod [rod]. Çubuk; değnek, baston; sırık; asâ; bir kaç ince daldan ibaret dayak aleti; bir İngiliz uzunluk ölçüsü (*takriben 5 metre*). **~ and line,** sırıklı balık oltası: **to make a ~ for one's own back,** belâyı başına satın almak: **to have a ~ in pickle for s.o.,** birisi için kızılcık sopası saklamak: **to rule with a ~ of iron,** çok sıkı bir disiplinle idare etm.: ⌜**spare the ~ and spoil the child**⌝, ⌜kızını döğmiyen dizini döğer⌝ *kabilinden.*

rode *bk.* **ride.**

rodent [ˈroudənt]. Kemirici (hayvan).

roe¹ [rou]. **~ (-deer),** Karaca. **~buck,** erkek karaca.

roe². **hard ~,** balık yumurtası: **soft ~,** balık nefsi.

Roger [ˈrodʒə*]. Erkek ismi. **the Jolly Roger,** korsan bayrağı.

rogu·e [roug]. Çapkın; yaramaz; dolandırıcı; serseri. **a ~ elephant,** sürüden ayrılmış ve ekseriya pek tehlikeli olan fil: **~s' gallery,** sabıkalıların resimlerini ihtiva eden ve polisçe maznunların teşhisinde kullanılan albüm. **~ery,** dolandırıcılık; yaramazlık. **~ish,** çapkınca; kurnaz, şeytan.

roisterer [ˈroistərə*]. Gürültücü, şamatacı; âlem yapan kimse.

Roland [ˈroulənd]. Erkek ismi. **to give s.o. a ~ for his Oliver,** taşı gediğine koymak.

role [roul]. Rol.

roll¹ [roul] *n.* Tomar; (kumaş) top; üstüvane; top francala; sicil, defter, liste. **a ~ of butter,** yağ topağı: **to call the ~,** yoklama yapmak: **to strike s.o. off the ~s,** (bir avukatı) barodan çıkarmak. **roll-call,** yoklama.

roll². (Top; trampete vs.) Gürleme(k).

roll³. Yuvarla(n)mak; tomar yapmak; (sigara) sarmak; loğ veya silindirle tesviye etm.; haddeden geçirmek; yalpa vurmak; salınmak. Yuvarlanma; yalpa; dalgalanma. **to ~ into a ball,** top etm.: **to ~ oneself into a ball,** tortop olm.: **to ~ one's eyes,** gözlerini devirmek: **he is ~ing in money** [**wealth**], denizde kum onda para: **to ~ (out) paste,** hamuru oklava ile açmak: **to ~ one's r's,** r harfini keskin telaffüz etm.: **to walk with a ~,** salınarak gezmek. **roll-top, ~ desk,** istorlu yazıhane. **roll by,** yuvarlanarak geçmek; (vakit) geçmek. **roll in,** (araba, otomobil) gürüldiyerek girmek. **roll on,** yuvarlanmağa devam etm.; geçmek. **roll out,** üstüvane ile varak haline getirmek. **roll over,** çevirmek; bir taraftan öbür tarafa yuvarlanmak: **to ~ over and over,** teker meker yuvarlanmak. **roll up,** tomar yapmak, sarmak: **to ~ up one's sleeves,** kollarını sıvamak: **to ~ oneself up in a blanket,** bir yorgana sarılmak: **the guests were beginning to ~ up,** misafirler sökün etmeğe başladı.

rolled [rould]. Tomar halinde. **~ iron,** haddeden geçirilmiş demir: **~ gold,** altın kaplama.

roller [ˈroulə*]. Loğ; silindir; üstüvane; merdane; tekerleme (dalga). **roller-bearing,** merdane şeklinde bilye, makaralı yatak. **roller-blind,** istor. **roller-skate,** tekerlekli ayak kızağı. **roller-towel,** iki ucu tutturulmuş ve bir sopaya geçirilmiş havlu.

rollick [ˈrolik]. Cümbüş yapmak, âlem

yapmak. **a ~ing life,** içkiyle eğlentiyle geçirilen ömür: **a ~ing time,** pek neşeli ve canlı bir âlem.
Roman [ˈroumən]. Romalı. **~ Catholic,** katolik: **~nosed,** koç burunlu: **~ numerals,** Roma rakamları.
romance¹ [rouˈmans]. Lâtinceden çıkan diller.
roman•ce². Masal, hikâye; hayal; dokunaklı ve roman gibi bir sergüzeşt veya aşk macerası. Masal veya mübalâğalı hikâyeler söylemek. **~tic,** roman tarzında; hayalî; masalımsı; şairane; içli.
Romany [ˈroməni]. Kıptı, çingene; çingene lisanı.
Rome [roum]. Roma. ⌜**when in ~ do as the Romans do**⌝, muhite uymak lâzım: ⌜**~ was not built in a day**⌝, büyük işler zaman ister, aceleye gelmez.
Romish [ˈroumiʃ]. Katolik (*köt.*).
romp [romp]. Hoyratça oyun (oynamak), zıplama(k) ve sıçrama(k); hoyrat ve gürültücü çocuk. **to ~ home,** bir yarışı kolayca kazanmak.
rood¹ [ruud]. Haç. **rood-screen,** kilisede cemaat yeriyle koro mahfili arasındaki bölme. **rood-loft,** bu bölme üzerindeki balkon.
rood². İngiliz arsa ölçüsü = 10 ar.
roof [ruuf]. Dam; çatı. Ev üzerine dam koymak. **the ~ of the mouth,** damak eteği: **to have a ~ over one's head,** başını sokacak bir yeri olmak. **~ing,** çatı veya çatı levazımatı. **~less,** damsız; evsiz.
rook¹ [ruk]. (*Corvus frugilevus*) (?) Gök karga; (?) ekin kargası.
rook². Satranç oyununda ruh.
rook³. Hile ile parasını almak; sızdırmak. **to be ~ed,** aldanmak; fahış bir fiatla almak.
rookery [ˈrukəri]. Gök kargaların yuvalarını bir arada yaptıkları yer. **seal ~,** ayı balıklarının toplandıkları yer.
rookie [ˈruki]. (*Amer.*) Acemi asker.
room [rum, ruum]. Oda; yer. **~s,** apartman; pansiyon. (*Amer.*) apartman tutmak. **in s.o.'s ~, in the ~ of s.o.,** birinin yerine: **to be cramped for ~,** yerin darlığından sıkışık olm.: **there is no ~ for doubt,** şübheye mahal yoktur: **there is ~ for improvement,** ıslaha [düzelmeğe] muhtacdır: **to live in ~s,** bir evde oda tutup oturmak: **to make ~ for s.o.,** birine yer vermek [açmak]: **his ~ is preferable to his company,** yokluğu hissedilmez: **to take up a great deal of ~,** çok yer tutmak. ... **-~ed,** ... odalı. **~y,** ferah, geniş; bol. **roommate,** oda arkadaşı.
roost [ruust]. Tünek; tavukların gece vakti tünedikleri yer. Geceleyin tünemek. **at ~,** tünemiş: **to go to ~,** (kuşlar) geceleyin tüneklerine konmak: **evil deeds come home to ~,** insan ettiğini bulur: **to rule the ~,** *bk.* **roast. ~er,** horoz.
root [ruut]. Kök; asıl, menşe; masdar; cezir. Köklemek; eşelemek. **to ~ up, ~ out,** söküp çıkarmak; kökünden koparmak; yok etmek. **~ and branch,** usul ve füru: **to destroy ~ and branch,** kökünü kurutmak: **to be ~ed to the spot,** olduğu yere mıhlanmak: **square** [**cube**] **~,** cezri murabba [mikâb]: **to take ~,** kök bağlamak. **~ed,** köklü; kökleşmis; sabit; esaslı.
rope [roup]. İp; halat. İp ile bağlamak. **~ of pearls,** inci gerdanlık: **to know the ~s,** (bir işin) yolunu yordamını bilmek: **to put s.o. up to the ~s,** birine bir şeyin yolunu göstermek: **give him enough ~ and he'll hang himself,** sen hiç karışma o belâsını bulur. **rope-dancer,** ip cambazı. **rope-ladder,** ip merdiven. **rope's-end,** dayak atmak için kullanılan ip parçası: **to get the ~,** dayak yemek. **rope-walker,** ip cambazı. **rope in,** etrafını iple çevirmek: **to ~ s.o. in,** (*kon.*) birinin yardımını temin etmek. **rope off,** bir yerin bir kısmını iple ayırmak.
ropy [ˈroupi]. Lüzucetli; bozulmuş (bira, şarab).
rorqual [ˈrookwil]. Balinanın bir nevi.
rosary [ˈrouzəri]. Tesbih; gül bahçesi.
rose¹ [rouz]. Gül; gül şeklinde şey; bahçe sulama kovası için süzgeçli ağızlık; pembe renk. Pembe. **life is no bed of ~s,** bu dünya her zaman güllük gülistanlık değildir: ⌜**no ~ without its thorn**⌝, dikensiz gül olmaz: **under the ~,** sır olarak; mahrem surette. **~ate,** gül renkli, pembemsi. **~bud,** gül konçası. **~mary** [–məri], biberiye. **~wood,** pelesenk ve başka güzel kokulu ağaçların odunu. **rose-bed,** gül tarhı. **rose-coloured,** pembe renkli; güllük gülistanlık: **to see things through ~ spectacles,** her şeyi pembe görmek. **rose-diamond,** felemenk taşı. **rose-window,** gül taklidi daire şeklinde pencere.
rose² *bk.* **rise.**
rosette [rouˈzet]. Rozet.
rosin [ˈrozin]. Reçine; kolofan.
roster [ˈrostə*]. Vazife nöbetlerini gösteren cedvel.
rostrum [ˈrostrəm]. Hitabet kürsüsü.
rosy [ˈrouzi]. Gül gibi; pembemsi. **the prospect is not ~,** ilerisi pek parlak görünmiyor.
rot [rot]. Çürü(t)mek. Çürüklük, çürüme; maneviyatını kırma; boş lâkırdı. **to stop the ~,** maneviyatı düzeltmek; yangın saçağı sarmadan bastırmak (*mec.*): **what ~!,** saçma!

rota [ˈroutə] *bk.* **roster.**

rotary [ˈroutəri]. Dönerek işliyen; devver, devrî; rotatif.

rotat·e [rouˈteit]. Bir mihver veya merkez etrafında dön(dür)mek; devret(tir)mek; (ziraatte) ekilen şeyi seneden seneye değiştirmek. **~ion** [–ˈteiʃn], dönme, dönüş; deveran; nöbetleşe yapma: **by** [**in**] **~,** nöbetle; sırayla; nöbetleşe: **~ of crops,** ekin münavebesi: **four-course ~,** dörtlü münavebe. **~ory** [ˈroutətəri], devvar; çark gibi dönen.

rote [rout]. **to say** [**learn**] **stg. by ~,** bir şeyi makine gibi, anlamıyarak, söylemek [ezberlemek]: **to do stg. by ~,** kör değneğini bellemiş gibi yapmak.

rotten [ˈrotn]. Çürük; kokmuş; cılk; sağlam olmıyan; değersiz. **I am feeling ~,** çok fenayım, keyfim bozuk: **~ luck!,** aksilik, talihsizlik.

rottenstone [ˈrotnstoun]. Trablus taşı; arina.

rotter [ˈrotə*]. Soysuz, yaramaz; adam olmaz; kabasoğan.

rotund [rouˈtʌnd]. Toparlak, değirmi; şişman; tumturaklı, tantanalı (nutuk). **~a,** kubbeli değirmi bina.

rouble [ˈruubl]. Ruble.

rouge [ruuʒ]. Allık (sürmek), ruj.

rough¹ [rʌf]. *a. & n.* Pürüzlü; düzgün olmıyan; arızalı; tüylü, kaba dokunmuş; sert, şiddetli; fırtınalı, dalgalı (deniz); fena, rüzgârlı (hava); kaba, hoyrat, kaba saba; tahminî, takribî; taslak, müsvedde. Taslak, tamamlanmamış hal; külhanbeyi, kabadayı, baldırı çıplak. **to cut up ~ about stg.,** (*kon.*) bir şeyi mesele yapmak, bir şeye çok kızmak: **at a ~ guess,** tahminen, aşağı yukarı: **~ house,** gürültülü ve kavgalı kargaşalalık: **~ justice,** resmî makamlara baş vurmadan mahallinde yerine getirilen adalet: **it's ~ (luck) on him!,** ona yazık oldu: **to sleep ~,** yataksız, açıkta veya nerede olursa olsun yatmak: **~ly speaking,** tahminen, aşağı yukarı: **to take the ~ with the smooth,** bir şeyin zevkile beraber sıkıntısına da katlanmak, ⌜her nimetin bir külfeti var⌝ *kabilinden*: **to have a ~ time of it,** çile [eziyet] çekmek: **to give s.o. the ~ side of one's tongue,** birini haşlamak. **rough-and-ready,** işe yarar derecede; emek sarfetmeden hazırlanmış; yasak savar; tahminî. **rough-and-tumble,** itip kakma: **the ~ of life,** hayatın germü serdi. **rough-cast,** kaba sıva(lı); kum ve çakılla karışık kaba bir sıva ile örtmek; taslağını yapmak. **rough-coated,** uzun tüylü, sert tüylü. **rough-hew,** kabaca yontmak; kabasını almak. **rough-rider,** (*bilh.* yabani) at terbiyecisi; başıbozuk süvari. **rough-spoken,** kaba veya sert sözlü.

rough² *vb.* Pürüzlendirmek; cilâsını gidermek. **to ~ it,** (*kon.*) meşakkata katlanmak: **to ~ up the hair,** saçları karmakarışık etm.: **to ~ out,** taslağını yapmak.

roughage [ˈrʌfidʒ]. Ot, saman gibi gıdası az hacmı büyük yem.

roughen [ˈrʌfn]. Pürüzlendirmek; cilâsını gidermek; kabalaşmak; (deniz) dalgalı olmak.

roughness [ˈrʌfnis]. Huşunet; hoyratlık; sertlik; şiddet; kabalık; tüylülük; pürüzlülük; ârızalılık; dalgalanma.

roughshod [ˈrʌfʃod]. Buz çivileri ile nallanmış. **to ride ~ over s.o. or stg.,** birini hiçe sayarak fena muamele etm.; …i ayaklarının altına almak, çiğneyip geçmek.

roulette [ruuˈlet]. Rulet oyunu.

round¹ [raund] *a.* Yuvarlak; değirmi; daire veya küre şeklinde; toparlak; kesirsiz. **a ~ dozen,** en aşağı bir düzine: **eyes ~ with surprise,** faltaşı gibi gözler: **~ number,** kesirsiz aded: **~ oath,** okkalı küfür: **to go at a good ~ pace,** hızlıca gitmek: **with ~ shoulders,** omuzları kamburlaşmış: **~ style,** selis üslûb: **~ table conference,** kimseye kıdem verilmemek için yuvarlak bir masa etrafında toplanan konferans: **~ towel,** tomar üzerine asılı iki ucu birleşmiş havlu: **~ trip,** başladığı yerde biten seyahat. **round-backed, -shouldered,** bir az kamburca. **round-the-world,** devriâlem (seyahati).

round² *n.* Değirmi; yuvarlak şey; daire; ravund; bir aded fişek, atım. **~(s),** kol, devriye. **there was a ~ of applause,** umumî bir alkış koptu: **~ of beef,** sığır budundan kesilen büyük değirmi et parçası: **a continual ~ of gaiety,** birbiri arkasına bitmez tükenmez eğlenceler: **the daily ~,** her günkü iş [vazife]: **to go the ~s,** kol gezmek: **(doctor) to go on** [**make**] **his ~,** (doktor) vizitelerine gitmek: **the story went the ~,** hikâye ağızdan ağza dolaştı: **~ of a ladder,** el merdiveninin basamağı: **out of the ~,** tamamen yuvarlak değil: **to stand a ~ of drinks,** grupta bulunan herkese içki ısmarlamak.

round³ *vb.* Yuvarlak bir hale getirmek; (köşeyi vs.) dönmek. **round off,** tamamlamak, ikmal etm.; düzeltmek. **round on, to ~ on one's heel,** ökçesi üzerinde dönmek: **to ~ on s.o.,** (i) birdenbire birine hücum etm.; (ii) birini koğulamak. **round up,** (hayvanları) toplamak; (haydudları) sararak yakalamak.

round⁴ *adv. & prep.* Etrafında; her tarafında; devren; takriben; (*fiillerle olduğu* *zaman o fiile bakınız*). ~ **about here,** bu civarda: ~ **about thirty,** aşağı yukari otuz: **all the year ~,** bütün sene: **taken all ~,** umumiyet itibarile: **to argue ~ and ~ a subject,** sadede bir türlü girmeyip bir mevzu üzerinde mütemadiyen münakaşa edip durmak: **to ask s.o. ~,** (civarda oturan) kimseyi davet etm.: **summer will soon come ~,** yaz yakında tekrar gelecek: **there is not enough to go ~,** bu hepsine [herkese] yetişmez: **to order the carriage ~,** hizmetçiye arabayı getirtmesini söylemek: **it 's a long way ~,** o yol çok dolaşır (uzaktır).

roundabout¹ [ˈraundəbaut] *n.* Atlıkarınca.

roundabout² *a.* Dolambaçlı; dolaşık (yol).

roundelay [ˈraundilei]. Nakaratlı şarkı; kuşların ötüşmesi.

rounders [ˈraundəəz]. Bir nevi top oyunu.

Roundhead [ˈraundhed]. 17 inci asırda İngiliz dahilî harbi esnasında Parlamento tarafındaki Cromwell tarafdarı.

rounds [raundz]. Kol, devriye. **~man,** devriye: **milk ~,** muntazaman eve uğriyan sütçü.

roup [ruup]. Tavuk difterisi.

rouse [rauz]. Yatağından çıkarmak; uyandırmak; kaldırmak; canlandırmak; tahrik etm., ayaklandırmak; ikaz etm.; öfkelendirmek. **to ~ oneself,** silkinmek; uyuşukluktan çıkmak.

rout¹ [raut]. Hezimet, bozgunluk; gürültülü kalabalık. **to ~ [put to ~],** bozguna uğratmak: **an utter ~,** kahkari bir hezimet.

rout². ~ **about,** ~ **up,** eşelemek; araştırarak karıştırmak: ~ **out,** yatağından çıkarmak; çekildiği veya saklandığı yerden çıkarmak.

route [ruut]. Takib edilecek yol; güzergâh; yol; rota. **en ~ for,**··· e gitmek üzere. **route-march,** (*ask,*) idman yürüyüşü.

routine [ruuˈtiin]. Usul; âdet; bir şeyin usulü dairesi. **the daily ~,** her günkü işin gidişi: ~ **work,** her günkü iş: **to do stg. as a matter of ~,** bir şeyi alışkanlık dolayısile yapmak; her günkü iş diye yapmak.

rove¹ *bk.* **reeve.**

rov·e² [rouv]. ~ **(about),** ötedeberide dolaşmak; serserilik etmek. **his eyes ~d over the pictures,** gözlerini resimler üzerinde gezdirdi: **to ~ the seas,** korsanlık etmek. **~er,** başıboş gezinen; serseri; korsan; kıdemli izci. **~ing,** serserilik; başıboş gezinme, avarelik. Serseri, avare; göçebe.

row¹ [rou] *n.* Sıra, dizi, saf.

row² *vb.* Kürek çekmek; kürekle yürütmek. **to go for a ~,** kürekli kayıkla gezmek.

row³ [rau]. Gürültü, şamata, velvele; kavga. **to get into a ~,** esmayı üstüne şıçratmak; başını belâya sokmak: **to have a ~ with s.o.,** birile atışmak, kavga etm.: **hold your ~!,** sus!, dilini tut!: **to make [kick up] a ~,** çok gürültü yapmak; kıyamet koparmak.

rowan [ˈrouən]. (*Pyrus Aucuparia*) Üvez ağacı.

rowd·y [ˈraudi]. Külhanbeyi; baldırı çıplak; gürültücü. **~iness,** gürültücülük, şamata; yaramazlık.

rowel [ˈrauəl]. Mahmuz fırıldağı.

rower [ˈrouə*]. Kürekçi.

rowlock [ˈrʌlək]. Iskarmoz.

royal [ˈroiəl]. Kıral veya kıraliçeye aid; şahane; mükemmel, en âlâ. **His [Her] Royal Highness,** prenslerle prenseslere verilen unvan, altes: **to have a (right) ~ time,** son derece eğlenmek: **there is no ~ road to success,** muvaffakiyete kolay erişilmez. **~ism,** kıral tarafdarlığı, kıralcılık. **~ist,** kıral tarafdarı. **~ty,** kırallık; hanedandan kimse; satılan nüsha başına müellifin aldığı ücret.

R.S.V.P. (*kıs, Fr.*) **Répondez, s'il vous plaît,** lûtfen cevab veriniz.

Rt. Hon. (*kıs.*) **the Right Honourable,** pek muhterem (*muşaviri haslara verilen unvan*).

rub [rʌb]. Oğma, sürtünme, sürtüşme. Sürtmek; oğmak, oğalamak; oğuşturmak; aşındırmak. Sürüşmek; temas etm.; aşınmak. **to give stg. a ~ up,** bir şeyi parlatmak [cilâlamak]: **there 's the ~!,** asıl müşkülât budur!: **to ~ shoulders with,** ···le haşır neşir olm.: **to ~ s.o. the wrong way (up),** birinin damarına basmak. **rub along, we ~ along somehow [we manage to ~ along],** geçinip gidiyoruz. **rub down,** silmek; hafifçe tımar etm., gebrelemek; oğmak; silip aşındırmak veya düz etmek. **rub in,** (bir ilâc veya melhemi) sürerek yedirmek: **don't ~ it in!,** (*kon.*) haksız olduğumu biliyorum, tekrar edip durma! **rub off,** silmek; silip temizlemek. **rub out,** yazı vs.yi silmek. **rub up,** silerek parlatmak; hafızasını tazelemek: **to ~ up against,** temas ederek aşınmak: **to ~ up against other people,** başka kimselerle temas etmek.

rub-a-dub [ˈrʌbəˈdʌb]. (*ech.*) Çabuk çalınan trampete sesi.

rubber¹ [ˈrʌbə*]. Silgi; tellâk.

rubber². Kauçuk, lâstik; lâstik silgi. Kauçuk veya lâstikten yapılmış. **~s,** galoş. **~ize,** lâstik ile kaplamak veya işba etmek. **~neck** (*Amer. arg.*) etrafında her şeye merakla bakan seyyah, turist. **rubber-stamp,** lâstik damga ile damgalamak; (*mec.*) (bir meseleyi) tedkik etmeden tasdik etmek.

rubber³. (İskambil vs.). Üç oyundan iki veya beşten üç kazanmak.

rubbish [ˈrʌbiʃ]. Süprüntü; çörçöp; hırtıpırtı; değersiz şey; boş lâkırdı, saçma. **~y,** değersiz; mezad malı. **rubbish-bin,** çöp kutusu. **rubbish-cart,** çöp arabası. **rubbish-heap,** çöplük.
rubble [ˈrʌbl]. Moloz.
rubefacient [ˌruubiˈfeiʃənt]. Yakıcı, kızartıcı (ilâc).
Rubicon [ˈruubikon]. **to cross the ~,** (bir işte) katî bir adım atmak, dönülmez bir harekette bulunmak.
rubicund [ˈruubikʌnd]. Kızıl çehreli; yanağından kan damlıyan.
rubric [ˈruubrik]. Eski kitablarda kırmızı renkli serlevha; umumî serlevha; fasıl başı.
ruby [ˈruubi]. Yakut; yakut rengi; yakut renkli.
ruck [rʌk]. Yarışta geri kalan atlar takımı. **the (common) ~,** insanların ekserisi; ayak takımı: **to get out of the ~,** aleládenin üstüne çıkmak.
ruck *bk.* **ruckle.**
ruckle [ˈrʌkl]. Buruşturmak.
rucksack [ˈruksak]. Arka çantası.
ruction [ˈrʌkʃn]. Gürültü, karışıklık. **if you get drunk again, there'll be ~s,** bir daha sarhoş olursan kıyamet kopar.
rudder [ˈrʌdə*]. Dümen.
ruddy [ˈrʌdi]. Kızıl, yanağından kan damlıyan.
rude [ruud]. Edebsiz, nezaketsiz, terbiyesiz, kaba; haşin; ibtidaî, basit; şiddetli, sert. **would it be ~ to ask?,** (müsaadenizle) sorabilir miyim?: **in ~ health,** pür sıhhat, gürbüz, sapsağlam: **a ~ shock,** şiddetli bir darbe, hayal sukutu. **~ness,** terbiyesizlik, nezaketsizlik, kabalık; ibtidailik.
rudiment [ˈruudimənt]. Kemale ermemiş veya eksık kalmış uzuv. **~s,** bir şeyin elifbesi. **~ary** [–ˈmentəri], ibtidaî; kemale ermemiş.
rue[1] [ruu]. (*Ruta graveolens*) Sedef otu.
rue[2]. (Bir şeye) pişman olmak. **you'll ~ the day you ever went there,** ne diye oraya gittim diye döğüneceksin. **~ful,** kederli, mağmum.
ruff[1] [rʌf]. 16 ıncı asırda kullanılan kırmalı yakalık.
ruff[2]. İskambilde koz kırıp almak.
ruffian [ˈrʌfjən]. Külhanbeyi; apaş, zorba. **you little ~!,** seni gidi çapkın seni! **~ly,** habis, zorba; haydud gibi.
ruffle [ˈrʌfl]. Kırmalı yen veya yaka; trampetenin ihtizazlı çalınması; suların üzerindeki kırışıklık. Düzgünlüğünü bozmak; suyun yüzünü azıcık buruşturmak. **to ~ s.o.'s feelings,** birini kırmak, hislerini yaralamak: **nothing ever ~s him,** hiç bir şeyden kılı kıpırdamaz.
rug [rʌg]. Kilim, keçe, küçük halı; yol battaniyesi; atkı.
Rugby [ˈrʌgbi]. Hem el hem ayakla oynanan bir nevi futbol.
rugged [ˈrʌgid]. Yalçın; pürüzlü; arızalı; kayalık; sert, haşin.
ruin [ˈruuin]. Harabe, virane; enkaz; yıkılma, inkiraz; iflâs. Harab etm.; yıkmak; berbad etm., bozmak; iflâs ettirmek; batırmak. **to be ~ed,** mahvolmak, iflâs etm.: **to be [prove] the ~ of s.o.,** birinin mahvına sebeb olmak. **~ation** [–eiʃn], tahrib etme; tamamen bozma; harabiyet veya sukut sebebi: **it will be the ~ of him,** bu onu mahveder, işini bitirir. **~ous** [ˈruuinəs], harab edici, iflâs edici; batırıcı; harabe halinde, yıkılmış.
rule[1] [ruul] *n.* Kaide, usul, âdet, erkân, nizam, kanun, prensip; hükümet, hüküm, hâkimiyet; karar; cedvel. **~s,** talimat, nizamname. **that is against the ~s,** o yasaktır; nizamnameye [usule] mugayirdir: **as a (general) ~,** ekseriyetle, umumiyetle: **to bear ~,** hâkim olm.: ⌜**the exception proves the ~**⌝, istisnalar kaideyi teyid eder: **large families were the ~ in Victorian days,** Victoria zamanında aileler umumiyetle kalabalıktı: **to make it a ~ to,** ···i kaide ittihaz etm.: **~ of three,** üçlü kaidesi.
rule[2] *vb.* Saltanat sürmek, ···e hâkim olm.; idare etm.; zabtetmek; hükmetmek; müstakim hatlar çizmek. Hüküm sürmek. **~d, ~ paper,** çizgili kâğıd. **~r,** hükümdar; mistar; cedvel. **rule out,** bertaraf etm.; çizgi çizerek ibtal etm., hazfetmek.
ruling [ˈruuliŋ]. Hüküm, karar. Hükümran olan, hâkim. **the ~ classes,** devlet idare eden sınıflar: **~ passion,** hâkim ihtiras, başlıca merak.
rum[1] [rʌm]. Rom.
rum[2]. (*arg.*) Tuhaf, acayib. **a ~ customer,** acayib bir adam.
rumble [ˈrʌmbl]. (*ech.*) Gümbürtü, gurultu. Gurlamak, gümbürdemek, gürlemek; guruldamak.
rumen [ˈruumen]. İşkembe.
rumin·ant [ˈruuminənt]. Geviş getiren (hayvan). **~ate,** geviş getirmek; zihninde evirip çevirmek.
rummage [ˈrʌmidʒ]. Altüst ederek aramak, araştırmak; kolaçan etmek. Yoklama, araştırma; pılıpırtı, eski püskü şeyler. **~ sale,** bir hayır müessesesi için muhtelif eski şeylerin satışı.
rumour [ˈruumə*]. Rivayet, şayia, tevatür. **it is ~ed that [~ has it that] ...,** rivayete [dolaşan şayiaya] göre ....
rump [rʌmp]. Sağrı; kıç; bakiye. **rump-steak,** sığırın bud etinden kesilen en iyi

parçası. **rump-fed,** en iyi gıda ile beslenmiş.

rumple [ˈrʌmpl]. Buruşturmak; bozmak.

rumpus [ˈrʌmpəs]. Velvele, patırdı, şamata. **to kick up a ~,** kıyamet koparmak.

run[1] (ran) [rʌn, ran]. Koşmak; seğirtmek; kaçmak; akmak; dönmek; işlemek; baliğ olm.; varmak; (piyes) oynamak; geçmek. İşletmek; çekip çevirmek; (atı) yarışta koşturmak. **a train ~ning at 50 miles an hour,** saatte 50 mil giden tren: **to ~ before the sea,** (gemi) dalgaların önünde gitmek: **to ~ before the wind,** (gemi) pupa yelken gitmek: **trains ~ning between London and Bristol,** Londra ve Bristol arasında işliyen trenler: **apples ~ big this year,** bu sene elmalar umumiyetle çok iridir: **to ~ s.o. as candidate,** birini namzed koymak: **to ~ s.o. close [hard],** birini pek yakından takib etm. (*mec.*): **I can't afford to ~ a car,** otomobil kullanacak kadar param yok: **there is nothing to do but to ~ for it,** kaçmaktan başka çare yok: **to ~ for office,** bir mevki için namzedliğini koymak: **the thought keeps ~ning through my head,** bu düşünce aklımdan çıkmıyor: **to ~ s.o. off his legs,** birini takatsız kalıncaya kadar koşturmak: **the letter ran like this,** mektub şöyle diyordu: **our stores are ~ning low,** istoklarımız azalıyor: **his nose was ~ning [he was ~ning at the nose],** burnu akıyordu: **to ~ on the rocks,** (gemi) kayalığa oturmak: **prices ~ very high,** fiatlar umumiyetle çok yüksektir: **'he who ~s may read',** *kolayca anlaşılır şeyler hakkında söylenir*: **a wall ~s all round the garden,** bir duvar bahçenin etrafını çeviriyor: **a heavy sea was ~ning,** deniz pek dalgalı idi: **to ~ a ship ashore,** bir gemiyi karaya oturtmak: **so the story ~s,** hikâye edildiğine göre: **the talk ran on this subject,** konuşma bu mevzuda devam etti: **the time is ~ning short,** vakit daralıyor: **I can't ~ to more than £100,** yüz liradan fazla veremem: **the money won't ~ to a car,** para otomobil almağa yetişmez. **run about,** öteye beriye koşmak. **run across,** bir taraftan öbür tarafa koşmak; rastgelmek. **run after,** peşinden koşmak. **run against,** çarpmak, çatmak, müsademe etm.; aksine gitmek. **run along,** boyunca gitmek [uzanmak]; **~ along now!,** (bir çocuğa) haydi koş! **run at,** ···e saldırmak. **run away,** kaçmak, firar etm.; (at) gemi azıya almak: **to ~ away with ...,** ···le beraber kaçmak; alıp götürmek: **don't ~ away with the idea that ...,** fikrine kapılma, zahib olma!: **that ~s away with a lot of money,** bu çok paraya patlar. **run down,** aşağıya koşmak; aşağıya akmak; (saat) kurulmadığı için durmak; (akümülatör) boşalmak: (gemi) başka gemi ile müsademe ederek batmak: *a.* kurulmamış (saat); boşalmış (akümülatör); (adam) hastalık veya çok çalışmaktan halsiz, kuvvetsiz, yorgun ve bitkin: **to ~ s.o. down,** (i) (otom. vs.ile) birini çiğnemek; (ii) birini kötülemek [yermek]; (iii) araştırıp keşfetmek, yakalamak. **run in,** içeriye koşmak; (polis) karakola getirmek, mahkemeye vermek: **to be ~ in [get ~ in],** mahkemeye verilmek: **to ~ in an engine,** yeni makineyi sürtünme ile alıştırmak. **run into,** çarpmak, müsademe etm.; yüz yüze gelmek, rastgelmek: **to ~ into debt,** borclanmak: **his income ~s into thousands,** geliri binlerce lirayı bulur. **run off,** sıvışmak, kaçmak: **to ~ off with stg.,** bir şeyi aşırmak: **to ~ off water from a tank,** hir sarnıcı boşaltmak: **to ~ off a letter on the typewriter,** bir mektubu makinede çabucak yazıvermek [çırpıştırmak]. **run on,** yoluna devam etmek: **he ran on and on,** (i) hiç durmıyarak koştu; (ii) uzun uzadıya konuştu: **the ship ran on the rocks,** gemi kayalara oturdu. **run out,** dışarı koşmak; akmak, sızmak; uzanmak; sona ermek; bitmek, tükenmek, suyunu çekmek: dışarıya salıvermek; uzatmak, atmak: **the tide is ~ning out,** (cezir zamanı) denizin suyu çekiliyor: **we ran out of provisions,** erzakımız tükendi: **our lease has ~ ~ out,** kira mukavelemiz bitti. **run over,** koşup karşıya geçmek. Çiğnemek, göz gezdirmek, gözden geçirmek; yoklamak; taşmak: **he has been ~ over,** (otomobil vs.nin) altında kaldı [çiğnendi]. **run through,** koşarak geçmek; göz gezdirmek; **to ~ through a fortune,** bir servetin altından girip üstünden çıkmak, har vurup harman savurmak: **to ~ one's pen through a word,** kalemiyle bir kelimeyi çizmek: **to ~ a sword through s.o. [to ~ s.o. through with a sword],** birine kılıc geçirmek. **run up,** koşarak yukarı çıkmak; koşarak varmak; (fiat) yüksel(t)mek; (sancağı) çekmek: **to ~ up debts,** borclarını çoğaltmak: **to ~ up a house,** bir evi alacele inşa ettirmek: **to ~ up against s.o.,** tesadüfen yüz yüze gelmek, raslamak: **I shouldn't ~ up against him if I were you,** bana kalırsa sen ona zıd gitmesen iyi olur.

run[2] *a. & n.* Kaçak (mal). **~ butter,** eritilmiş tereyağı: **~ honey,** süzme bal: **price per foot ~,** kesilmis kerestenin kadem başına fiatı.

runabout [ˈrʌn abaut]. Hafif otomobil.

runaway [ˈrʌnəwei]. Kaçak (esir, köle vs.); gemi azıya almış (at); (**railway truck**), kurtulmuş vagon: **a ~ match,** kızın âşıkıyle kaçarak evlenmesi: **a ~ victory,** kolayca kazanılmış zafer.

rune [ruun]. En eski cermen ve iskandinav harfleri.
rung¹ [rʌŋ]. El merdiveninin basamağı; iskemlenin ufkî değneği.
rung² *bk.* **ring.**
runic [ˈruunik]. 'Rune' harfleriyle yazılmış.
runnel [ˈrʌnl]. Oluk; ark.
runner [ˈrʌnə*]. Koşucu; ulak; haberci; kızak ayağı; kızak; sabit makara; kök filizi. **runner-bean,** çalı fasulyesi. **runner-up,** bir musabakada kazanana en yakın gelen, ikinci kazanan.
running [ˈrʌniŋ]. Koşan, akan, işliyen; devamlı; müteharrik; cerahatli. Koşuş, koşma; işleme, işleyiş; idare; cerahat akma. **to be in the ~,** kazanması mümkün olm.: **to be out of the ~,** kazanması mümkün olmamak: **~ board,** (araba vs.nin) basamağı: **three days ~,** üç gün üstüste; arka arkaya üç gün: **~ expenses,** umumî masraflar: **~ jump,** koşarak atlama: **to make [take up] the ~,** (yarışta) hızı ayarlamakta örnek olm.; (*mec.*) misal teşkil etm., seviye tayin etm.: **in ~ order,** kullanılmağa elverişli.
runt [rʌnt]. Ufak soysuz hayvan, kavruk adam veya hayvan; bir cins güvercin.
runway [ˈrʌnwei]. Uçak meydanında vs.pist.
rupee [ruuˈpii]. Bir Hind parası, rupya.
rupture [ˈrʌptʃə*]. Kırılma, kopma; münasebetlerin kesilmesi, bozuşma; inkıta; fıtık. Kırmak, koparmak. **to be ~d,** göbeği düşmek, fıtıklı olmak: **to ~ oneself,** kasığı çatlamak, fıtığı olmak. **~d,** fıtıklı.
rural [ˈruurəl]. Kır ve köye aid, rustayi.
ruse¹ [ruuz]. Hile, dolab, desise.
ruse². Hilekâr, kurnaz.
rush¹ [rʌʃ]. Saz, hasırotu. **rush-bottomed, ~ chair,** oturacak yeri saz örgülü iskemle. **~light,** saz mumu.
rush² *n.* Hamle; hücum; üşüşme; saldırış; acele; itip kakma; furya. **the ~ hours,** (demiryol, otobüs vs. hakkında) izdiham zamanları; (dairelerinde) işlerin baştan aşkın olduğu zamanlar: **we had a ~ to get the job done,** işi bitirmek için çok acele etmek lâzım geldi: **there was a ~ to read this paper,** bu gazete kapışa kapışa okunuyordu: **the ~ of modern life,** modern hayatın humması.
rush³ *vb.* Atılmak, saldırmak; fırlamak; hamle yapmak; acele etm.; seğirtmek. Acele yaptırmak, acele koşturmak; iki ayağını bir pabuca sokmak. **to ~ a position,** (*ask.*) ansızın hücum ederek bir mevkii zabtetmek: **to ~ s.o. for stg.,** (*arg.*) birinden bir şey için çok fazla para almak, dolandırmak: **to ~ s.o. (into doing stg.),** birini dara getirmek, sıkboğaz etm.: **I won't be ~ed,** dara gelemem, sıkboğaz edilmeğe gelemem.
rusk [rʌsk]. Gevrek peksimet.
russet [ˈrʌsit]. Kuru yaprak rengi, azıcık kırmızıya çalan kahve renkli; bir nevi elma.
Russia [ˈrʌʃə]. Rusya. **~n,** rusyalı; rusça. **~nize,** ruslaştırmak.
russophil [ˈrʌsoufil]. Rus dostu.
rust [rʌst]. Pas; (ekinlerde) nebat pası, kınacık. Paslan(dır)mak; maharet veya bilgisini kaybetmek. **~less,** passız; paslanmaz; tahammüz etmez. **~y,** paslı; pas renginde; kınacıklı; (domuz eti pastırması) kokmuş.
rustic [ˈrʌstik]. Köye aid; köylü gibi; rustaî. Köylü; çoban; kaba. **~ate,** köy hayatı geçirmek; köyde yaşamak; bir talebeyi muvakkaten üniversiteden tardetmek. **~ity,** rustailık, köylülük.
rustle [ˈrʌsl]. (*ech.*) Hışırtı. Hışırdamak.
rusty [ˈrʌsti]. (At) huylu: **to cut up ~,** (*arg.*) darılmak, küsmek.
rut¹ [rʌt]. Tekerlik izi. **to get [sink, settle] into a ~,** her günkü işin vs. itiyadlarına [rutine] saplanmak: **to get out of the ~,** gündelik itiyadlardan kurtulmak. **~ty,** üzerinde tekerlek izi olan, çukurlu.
rut² Geyiklerin azgınlık devri, kösnüme. Kösnümek.
ruthless [ˈruuθlis]. Merhametsiz; pek sert.
rye [rai]. Çavdar. **rye-grass,** (*Lolium perenne*) kara çayır.
ryot [ˈraiot]. (Hindistanda) köylü.

S

S [es]. S harfi.
sabbat·h [ˈsabəθ]. Yahudilerin cumartesi, Hıristiyanların pazar günü; tatil günü. **to keep the ~,** dinî tatil gününün kaidelerine riayet etm.: **to break the ~,** bu kaidelere riayet etmemek. **~ical** [səˈbatikl], 'sabbath' gününe aid.
sable [ˈseibl]. Samur. Siyah.
sabot [ˈsabou]. Takunya.
sabotage [ˈsabətaaʒ]. Baltalama(k); kundaklama(k).
sabre [ˈseibə*]. Süvari kılıcı. Kılıc ile vurmak. **~ rattling,** harb tehdidleri.
sac [sak]. (*biol.*) Kese.
saccharin [ˈsakərin]. Sakarin. **~e** [–riin], pek şekerli.
sacerdotal [sasəəˈdoutl]. Rahibliğe veya rahiblere aid.
sachet [ˈsaʃei]. Küçük torba, kesecik; lavanta çiçeği kesesi.
sack¹ [sak]. Çuval, torba, harar. **to ~ [give s.o. the ~],** (*kon.*) birini işinden

çıkarmak, koğmak: **to get the ~,** işinden çıkarılmak.
sack². Eski Ispanya veya Kanarya adaları şarabı.
sack³. Yağma. **to ~ [put to the ~],** yağma etm., soyup soğana çevirmek.
sackcloth [ˈsakkloθ]. Çuval bezi; ambalaj bezi; tövbe elbisesi. **in ~ and ashes,** keder ve nedamet içinde, pişman ve tövbekâr.
sacking [ˈsakiŋ]. Çuvallık bez; ambalaj bezi.
sacral [ˈseikral]. Kuyruk sokumu kemiğine aid.
sacrament [ˈsakrəmənt]. Hıristiyanların dinî âyini *bilh.* şarabla ekmek yeme âyini; mukaddes ve mistik şey. **~al** [–ˈmentl], dinî âyine aid.
sacred [ˈseikrid]. Mukaddes; dinî; vâcib. **~ duty,** vecibe: **~ to the memory of,** ···in hatırasına tahsis edilmiş: **nothing was ~ to him,** hiç bir şeye hürmet etmiyordu.
sacrifice [ˈsakrifais]. Kurban; feda, fedakârlık; feragat. Kurban etm.; zebhetmek; feda etmek. **he succeeded at the ~ of his health,** sıhhati bahasına muvaffak oldu: **to sell at a ~,** mecburen ziyanına satmak.
sacrileg·e [ˈsakrilidʒ]. Mukaddes bir binadan çalma; dinî şeylere hürmetsizlik etme. **~ious** [–ˈlidʒəs], dinî şeylere hürmetsizlik edici.
sacrist·an [saˈkristən]. Kilise kayyumu. **~y** [ˈsakristi], Kilisede âyin elbiselerinin ve mukaddes şeylerin saklandığı oda.
sacrosanct [ˈsakrousaŋkt]. Pek mukaddes; taarruzdan masun; harim.
sacrum [ˈseikrʌm]. Kuyruk sokumu kemiği.
sad [sad]. Kederli, mahzun; acıklı; gam verici, acınacak; hüzünlü; koyu, dönük (renk). **~ly,** hüzünlü bir tavırla; (*kon.*) çok, pek, enikonu. **a ~der and a wiser man,** sukutu hayale uğramış ve akıllanmış: **you are ~ly mistaken,** çok yanılıyorsunuz: **I am ~ly in need of a change,** bir tebdili havaya çok ihtiyacım var. **~den,** hüzün vermek, kederlendirmek. **~ness,** mahzunluk, gam, melâl.
saddle [ˈsadl]. Eyer, semer, sele; dağ sırtı; eyer şeklinde her hangi bir şey. Eyerlemek, semer vurmak; üstüne atmak; yüklemek. **to be in the ~,** (*mec.*) dizginler elinde olm.: **to keep the ~,** at üzerinde durabilmek: **to put the ~ on the wrong horse,** bir şeyi yanlış yere birine atfetmek: **I am ~d with too big a house,** başımda çok büyük bir ev var: **~ gall,** yağır (yara). **~back,** balık sırtı; eyere benziyen işaretleri olan bazı hayvan ve kuşlara verilen ad. **~backed,** beli çökük. **~bag,** heybe, hurç. **~r,** sarac. **~ry,** saraclık; eyer ve koşum takımı. **saddle-cloth,** çaprak.
sadism [ˈseidizm]. Cebir ve eziyetle karışık şehvet, sadizm.
safari [saˈfaari]. Afrika'da av için yapılan sefer.
safe¹ [seif] *n.* Demir kasa.
safe² *a.* Sâlim, sağlam; emniyette, selâmette; tehlikesiz; emniyetli, emin, güvenilir; kurtulmuş, selâmete çıkmış. **it 's a ~ bet that ...,** ... elde bir: **it is not ~ to go out alone,** sokağa yalnız çıkmak tehlikelidir: **it is ~ to say that ...,** ... demek yerindedir [haklıdır]: **to be on the ~ side,** ne olur ne olmaz; ihtiyatlı davranmak: **~ and sound,** sağ ve sâlim: **he is ~ to win,** kazanacağı muhakkaktır: **gun at ~,** (tüfek) emniyette. **~guard,** himaye; muhafaza vasıtası; teminat, garanti; ihtiyat: korumak, himaye etm.; temin etmek. **safe-conduct,** mürur tezkeresi. **safe-keeping,** emniyetle koru(n)ma: **it is in ~,** emniyettedir.
safety [ˈseifti]. Emniyet; selâmet; kurtuluş. **~ first,** her şeyin başı ihtiyat, evvelâ emniyet: **~-first policy,** ihtiyat politikası: **to play for ~,** (kumar ve *mec.*) ihtiyatla oynamak. **safety-catch,** emniyet kanadı; susta. **safety-lamp,** madenci lâmbası. **safety-pin,** çengelli iğne. **safety-razor,** jilet. **safety-valve,** emniyet supabı.
saffron [ˈsafrən]. Safran; safran renkli. **meadow ~** (*Colchicum*) itboğan.
sag [sag]. Bel verme(k); çökme(k); sarkma(k); (fiatların) düşüklüğü; bükülmek; inhina etm.; kıymetten düşmek; rüzgâr altına düşmek.
saga [ˈsaaga]. (Ortaçağda) İskandinav hükümdarlarının mensur hamasî destanı.
sagaci·ous [saˈgeiʃəs]. Ferasetli, dirayetli; müdebbir; zeki, anlayışlı. **~ty** [–ˈgasiti], feraset, dirayet, anlayış.
sage¹ [seidʒ]. (*Salvia*) Adaçayı. **~ green,** kimyonî.
sage². Hakîmane; akıllı; ağırbaşlı, vakur. Hakîm.
sago [ˈseigou]. Hind irmiği, sago.
Sahara [saˈhaara]. **the ~,** Büyük Sahra.
sahib [ˈsaahib]. (Hindistanda) Avrupalı; centilmen.
sail [seil]. Yelken; yeldeğirmeninin kanadı; bir aded yelkenli gemi; yelkenli gemide gezinti. Yelkenli ile gitmek; gemi ile gitmek; (gemi) sefere çıkmak; gemi ile sefere çıkmak; gemi gibi ağır ve vakurane ilerlemek. Yelkenle yürütmek; bir yelkenliyi idare etmek. **a fleet of fifty ~,** elli yelkenliden mürekkeb bir filo: **to go for [take] a ~,** yelkenli ile gezintiye çıkmak: **it is a month's ~ from America,** Amerika'dan yelkenli ile bir ayda gidilir: **to ~ before the wind,** pupa yelken gitmek: **to ~ near [close to] the wind,** orsa gitmek; (hikâye) bir az

yakası açık olm.; (hareket) sahtekârlık vs.ye yakın olm.: **to set ~**, sefere çıkmak: **to set the ~s**, (rüzgâra göre) yelkenleri düzeltmek: **to strike ~**, yelkenleri mayna etm.: **to shorten ~**, yelkenleri azaltmak veya camadana vurmak: **vessel under ~**, yelkenle yürüyen gemi. **~cloth**, yelken bezi. **~er, good [bad] ~**, (yelkenli gemi) iyi [fena] giden. **~ing**, yelkenliyi kullanma; geminin yürümesi; geminin limandan hareketi; yelkenli: **port of ~**, geminin çıktığı liman: **it 's all plain [smooth] ~**, bundan ötesi kolaydır. **~or**, gemici; bahriyeli: **he is a good ~**, onu deniz tutmaz: **I am a bad ~**, beni deniz tutar: **~ hat**, kadın kanotiyesi: **~ suit**, (çocuk için) bahriyeli elbisesi.

sainfoin [ˈsanfoin]. (*Onobrychis sativa*) Koringa.

saint [seint]. Aziz, veli, evliya; (*unvan olarak ismin başına gelirse St. yazılır*). **enough to try the patience of a ~**, insanı çileden çıkarır, 'Hazreti Eyyub'un sabrını taşırır' *kabilinden*. **~ly**, evliya gibi.

saith [seθ]. (*esk.*) = **says.**

sake [seik]. *Yal.* **for** *ile kullanılır.* **for the ~of**, hatırı için, ... için: **for my ~**, hatırım için: **for God's ~**, Allah aşkına: **for the ~ of one's country**, vatan uğrunda: **for old time's ~**, mazinin hatırı için: **to talk for the ~ of talking**, konuşma zevki için konuşmak.

sal [sal]. (*Lât.*) Tuz. **~ ammoniac**, nişadır: **~volatile**, karbonat amonyum ruhu.

salaci·ous [saˈleiʃəs]. Şehvanî. **~ty** [–ˈlasiti], şevhet.

salad [ˈsalad]. Salata. **~ days**, genclik ve tecrübesizlik çağı. **salad-dressing**, zeytinyağı, sirke ve hardal ile yapılmış terbiye. **salad-oil**, zeytinyağı.

salamander [ˈsalamandə*]. Semender; salamandra.

salar·y [ˈsaləri]. Aylık, maaş. **~ied**, maaşlı.

sale [seil]. Satış; sürüm; mezad; tenzilâtlı satış. **for ~**, satılık: **on ~**, satılıyor: **the ~s were enormous**, fevkalâde çok satıldı: **~ price**, tenzilâtlı fiat. **~able**, satılır; satışa elverişli. **~sman** *pl.* **~men**, satış memuru; tezgâhtar. **~smanship**, satıcılık, satma sanati.

salient [ˈseiljənt]. Çıkıntılı; cumbalı; haricî; bariz, göze çarpan; belli başlı. Çıkıntı; cumba; haricî zaviye.

salin·e [ˈseilain]. Tuzlu. Müshil. **~ marshes**, sahillerde tuzlu toprak. **~ity** [saˈliniti], tuzluluk.

saliva [saˈlaiva]. Salya. **~ry**, salyaya aid, luabî.

sallow[1] [ˈsalou]. Bodur söğüt.

sallow.[2] (Fitraten) soluk benizli; renksiz.

sally [ˈsali]. Çıkış hareketi; huruc; alaylı ve beklenmedik nükte. **to ~ out [forth]**, çıkış hareketi yapmak; çıkmak. **sally-post**, (istihkâmda) huruc kapısı.

salmi [ˈsalmi]. Şarab ve baharat ile pişirilmiş av kuşu.

salmon [ˈsamən]. (*Salmo salar*) Somon balığı. Pembemsi.

saloon [səˈluun]. Büyük salon; (dans, berber vs.) salonu; gemide birinci sınıf yolculara mahsus salon; (*Amer.*) içki barı. **~ cabin**, birinci sınıf kamara: **~ car**, dört veya altı kişilik kapalı otomobil.

salsify [ˈsalsifi]. (*Tragopogon*) Teke sakalı çiçeği.

salt [solt]. Tuz. Tuzlu. Tuzlamak. **the ~ of the earth**, en mükemmel sınıf; lüb: **to take stg. with a grain of ~**, bir haber vs.yi ihtiyatla karşılamak: **in ~**, tuzlanmış; salamuraya konulmuş: **~s of lemon**, limon tuzu: **to ~ a mine**, değersiz bir madeni satabilmek için müşterileri aldatmak maksadiyle haricden getirilen maden filizlerini maden ocağında yerleştirmek: **an old ~**, ihtiyar gemici: **spirits of ~**, asid kloridrik: **~ water**, tuzlu su, *bilh.* deniz suyu: **to weep [shed] ~ tears**, acı gözyaşları dökmek: **he is not worth his ~**, ekmeğini hak etmiyor. **~cellar**, tuzluk. **~petre**, güherçile. **~y**, tuzlu. **salt-lick**, hayvanların gidip tuz yaladıkları toprak. **salt-pan**, tuzla. **salt-water**, deniz suyuna veya denize aid.

salubrious [səˈljuubriəs]. Sıhhate faydalı; salim.

salutary [ˈsaljutəri]. Sıhhat verici; faydalı; ibret verici.

salut·e [səˈljuut]. Selâmlamak; selâm durmak; tazim göstermek; göze çarpmak. Selâm (verme). **to fire a ~**, topla selâmlamak: **to take the ~**, (bir şahış) geçid resminde askerin selâmını almak. **~ation** [ˌsaljuˈteiʃn], selâmlama, selâm.

salvable [ˈsalvəbl]. Kurtarılabilir (eşya).

salvage [ˈsalvidʒ]. (Batmış bir gemiyi) yüzdürme(k); kazaya uğrıyan gemiyi kurtarma(k); yangından veya kazaya uğramış bir gemiden eşyayı kurtarma(k); tahlis ücreti; kurtarılmış eşya, limbo; (*huk.*) kurtarma ve yardım.

salvation [salˈveiʃn]. Kurtuluş, necat; selâmet;; kurtar(ıl)ma. **Salvation Army**, fakirler arasında çalışmak için askerî tarzda kurulmuş dinî teşkilât; selâmet ordusu: **to work out one's own ~**, kurtuluşunu kendi kendine hazırlamak.

salve[1] [salv]. Merhem. Merhem sürmek, teskin etmek. **to ~ one's conscience**, vicdanını müsterih kılmak.

salve² *vb. bk.* salvage.
salver [ˈsalvə*]. Ekseriya gümüş veya başka madenden yapılmış tepsi.
salvo [ˈsalvou]. Selâm toplarının atılması; alkış tufanı.
Sam [sam]. (*kıs.*) Samuel, erkek ismi. **Uncle ~,** Birleşik Amerika Devletleri: **~ Browne belt,** İngiliz zabitlerinin kılıc kemeri.
Samaritan [saˈmaritən]. **a good ~,** şefkatli ve mürüvvetli adam.
Sambo [ˈsambou]. Zencilere verilen lâkab.
same [seim]. *Hemen daima* the *ile kullanılır.* Aynı, tıpkısı, farksız; bir; mezkûr, o; gene o. **all the ~,** yine de, buna rağmen, olsa bile: **it's all the ~ to me,** bana göre hava hoş: **he said the ~ as you,** sizin söylediğinizin aynını söyledi: **he likes a holiday, the ~ as you,** sen nasıl tatil istersin o da ister: **he left the ~ day he came,** geldiği gün gitti: **~ here!,** (*kon.*) benden de al o kadar!: **he is just the ~ as ever,** tamamen eskisi gibi, hiç değişmemiş: **one and the ~,** tamamen aynı, tıpkı: **at the ~ time,** (i) ayni zamanda; (ii) bununla beraber: **'Happy New Year to you!' 'The ~ to you!',** 'Yeni yılınız kutlu olsun!' 'Sizin de!'. **~ness,** ayniyet, benzerlik; yeknesaklık.
samovar [ˈsamouvaa*]. Semaver.
sample [ˈsaampl]. Mostra; nümune; örnek. Nümune almak; çeşnisine bakmak; denemek. **up to ~,** nümunesine uygun. **~r,** kız çocukların meharet göstermek için işledikleri nakış.
sancti·fy [ˈsaŋktifai]. Takdis etmek. **a custom ~fied by time,** zamanla kudsî bir hale gelmiş âdet. **~monious** [–ˈmounjəs], sahte sofu, veli taslağı. **~ty,** kudsiyet, mukaddeslik, mübareklik.
sanction [ˈsaŋkʃən]. Tasvib, tasdik; müeyyide. Münasib görmek, tasvib etm., mesağ vermek. **~ed by usage,** âdetle caiz sayılan.
sanctuary [ˈsaŋktjuəri]. Bir ibadethanenin en mukaddes yeri; harim; melce; taarruzdan masuniyet temin eden yer. **to take ~,** böyle bir yere iltica etm.; sığınmak: **bird ~,** kuşların korunduğu yer.
sanctum [ˈsaŋktəm]. Mukaddes yer; hususî oda; inziva yeri.
sand [sand]. Kum. Kum serpmek. **to build on ~,** çürük temel üzerine inşa etm., buz üstüne yazmak. **~bag,** kum torbası: kum dolu uzun bir torba ile birinin başına vurmak; bir yeri kum torbalar ile muhafaza etmek. **~paper,** zımpara kâğıdı (ile cilâlamak). **~piper,** (*Actitis hypoleucos*) kum culluğu, kalinis, düdükçin. **~shoe,** lâstik tabanlı bez ayakkabı. **~stone,** kumlu taş, kefeki taşı. **~storm,** kum fırtınası; sam yeli. **~y,** kumlu; kumsal: **~-haired,** sarımtrak kızıl saçlı. **sandbank,** kumsal sığlık; kayır. **sand-boy, as jolly as a ~,** kanarya gibi neş'eli. **sandgrouse,** (*Syrrhaptes paradoxus*) bağırtlak. **sand-martin,** (*Riparia*) (?) kum kırlangıcı.
sandal [ˈsandl]. Çarık; sandal.
sandalwood [ˈsandlwud]. Sandal ağaçı.
sandwich [ˈsan(d)widʒ]. Sandviç. **to ~ stg. between other things,** bir şeyi iki başka şey arasına sıkıştırmak. **sandwich-man,** sırtında ve göğüsünde reklâm yaftaları dolaştıran adam.
sane [sein]. Aklı başında; salim fikirli; insaflı, makul.
sang *bk.* sing.
sanguinary [ˈsaŋgwinəri]. Kanlı; kana susamış; zalim.
sanguine [ˈsaŋgwin]. Ümid besleyici, nikbin; demevî.
sanit·ary [ˈsanitəri]. Sıhhî; hıfzıssıhhaya aid. **~ation** [–ˈteiʃn], hıfzıssıhha: **the ~ of the house is poor,** evin sıhhî tertibatı iyi değildir.
sanity [ˈsaniti]. Akıl sıhhati; akliselim; fikir selâmeti; muhakeme.
sank *bk.* sink.
Santa Claus [ˈsantaˈklooz]. Noel baba.
sap¹ [sap]. Nebat usaresi. **~wood,** ağaçın kabuğu altında dış tabaka, yalancı odun. **~py,** usareli, özlü; yaş odun.
sap². Duvar yıkmak için açılan hendek. Temelinden çürütmek, baltalamak.
sapien·ce [ˈseipiəns]. Akıl, dirayet; ukalâlık. **~t,** dirayetli; ukalâ.
sapling [ˈsapliŋ]. Fidan; delikanlı.
saponaceous [ˌsapouˈneiʃəs]. Sabun gibi, sabunumsu.
sapper [ˈsapə*]. İstihkâm askeri; lağımcı.
sapphire [ˈsafai*]. Gök yakut, safir.
saprophyte [ˈsaproufait]. Saprofit.
Saracen [ˈsarasen]. Haçlı seferleri zamanında Müslümanlara verilen ad.
sarcas·m [ˈsaakazm]. İstihza; dokunaklı alay. **~tic** [saaˈkastik], müstehzi, dokunaklı.
sarcoma [saaˈkouma]. Lâhim, sarkom.
sarcophagus [saaˈkofəgəs]. Lâhid, sanduka.
sardine [saaˈdiin]. **fresh ~,** ateşbalığı: **tinned ~s,** sardalya. **packed like ~s,** balık istifi.
sardonic [saaˈdonik]. Müstehzi, şeytanî, istihfafkâr; acı.
sardonyx [saaˈdoniks]. Kırmızı veya sarı akik.
sarong [ˈsaroŋ]. Malaya ahalisinin kuşandıkları bir nevi peştemal.
sarsaparilla [ˌsaasapaˈrila]. Saparna.

sarsen [ˈsaasən]. İngiltere'nin Wiltshire kontluğunda bulunan büyük yekpare taşlar.
sartorial [saaˈtooriəl]. Terziliğe aid.
sash[1] [saʃ]. Kuşak; hamail.
sash[2]. Pencere kanadı ve çerçevesi. ~ **window,** sürme pencere.
sat *bk.* **sit.**
Satan [ˈseitn]. Şeytan; iblis. **'~ reproving sin',** her kötülükten mesul olduğu halde başkasını ayıblayan. **~ic** [saˈtanik], şeytanî, melûn.
satchel [ˈsatʃl]. Omuza asılan mekteb çantası.
sate [seit]. Doyurmak.
sateen [saˈtiin]. Pamuklu atlas.
satellite [ˈsatəlait]. Peyk.
sati·ate [ˈseiʃieit]. Doyurmak. **~ety** [səˈtaiəti], tokluk, doymuşluk.
satin [ˈsatin]. Saten, atlas. **~y,** saten gibi, perdahlı. **satin-wood,** ipek sarı muhtelif ağaçlardan yapılan ve saten ağaçı adı verilen bir cins tahta.
satir·e [ˈsatai*]. Hiciv, hicviye. **~ic(al)** [saˈtirik(l)], hicivli. **~ist,** hicivci. **~ize** [ˈsatiraiz], hicvetmek.
satisfact·ion [ˌsatisˈfakʃn]. Hoşnudluk, memnuniyet; kanaat; ikna; tarziye; tazmin; borc ödeme. **to give s.o. ~,** (i) birini ikna etm., sevindirmek; (ii) birine tarziye vermek: **to make full ~ to s.o.,** birinin zararını tamamen tazmin ve telâfi etmek. **~ory,** tatminkâr; sadra şifa verir; ikna edici; memnuniyeti mucib.
satisfied [ˈsatisfaid]. Kani; razı, hoşnud; doymuş. **I am ~ that, ...** kanaatindeyim: **self-~,** kendini beğenmiş.
satisfy [ˈsatisfai]. İkna etm.; hoşnud etm.; tazmin etm.; (borcu) ödemek; kâfi gelmek; yerine getirmek. **to ~ a condition,** bir şartı yerine getirmek: **to ~ a longing,** bir hasreti gidermek. **~ing,** ikna edici; tatminkâr; doyuran, gıdalı.
saturate [ˈsatjureit]. İşba etmek.
Saturday [ˈsatədei]. Cumartesi.
Saturn [ˈsatəən]. Zühal seyyaresi. **~alia** [–ˈneiljə], açıksaçık eğlenti ve şenlikler. **~ine** [–ˈnain], gülmez, abus, soğuk.
satyr [ˈsatəə*]. (*mit.*) Kırların yarım tanrısı; satir; şehvete düşkün adam.
sauce [soos]. Salça; lezzet; (*arg.*) yüzsüzlük, şımarıklık. **none of your ~!,** yüzsüzlüğün lüzûmu yok!: **what ~!,** ne yüzsüzlük!, ne pişkinlik! **sauce-boat,** salça kabı.
saucepan [ˈsoospən]. Kulplu tencere. **double ~,** çift tencere, benmari.
saucer [ˈsoosə*]. Fincan tabağı.
saucy [ˈsoosi]. Utanmaz; şımarık; işvebaz, şuh; zarif.
Saul [sool]. **'Is ~ also among the prophets?',** *evvelce şiddetle muhalif olduğu bir fikir vs.ye birdenbire tarafdar olan bir kimse hakkında kullanılır.*
saunter [ˈsoontə*]. Tembel tembel gezinme(k), sallana sallana yürümek.
saurian [ˈsooriən]. Keler sınıfına mensub, *eks. timsah veya nesli kurumuş büyük kelerlere denir.*
sausage [ˈsosidʒ]. Sucuk; sosis. **~ meat,** sucukluk domuz eti: **~ roll,** sucuklu börek.
savage [ˈsavidʒ]. Vahşi; yabani; barbar; yırtıcı; gaddar, merhametsiz. (*Yal.* at hakkında) ısırmak. **~ry,** vahşilik; gaddarlık; barbarlık.
savanna(h) [saˈvana]. Amerika'da ağaçsız büyük ova.
save[1] [seiv] Kurtarmak; tahlis etm.; korumak; önüne geçmek; tasarruf etm., biriktirmek, artırmak. **God ~ the King!,** Allah Kıralı korusun (İngiliz millî marşı): **to ~ time,** vakit kazanmak: **to ~ s.o. the trouble of doing stg.,** birini bir zahmetten kurtarmak: **this has ~d me much work,** bu işimi çok hafifletti: **to ~ carriage fare, he walked,** araba parası yanıma kalsın diye yayan gitti. **save up,** para biriktirmek.
save[2]. Ancak, yalnız; ···den maada, ···den başka. **I am well ~ that I have a cold,** iyiyim, yalnız nezlem var.
saver [ˈseivə*]. Kurtarıcı; hesabî, muktesid; *mürekkeb kelimelerde* 'kurtaran', 'kazandıran' *manalarına gelir.*
savings [ˈseiviŋs] *n.pl.* Biriktirilmiş para.
saviour [ˈseivjə*]. Kurtarıcı; halâskâr, münci. **Our Saviour,** İsa peygamber.
savour [ˈseivə*]. Tad, lezzet; çeşni; (*mec.*) şemme, koku. Tadını alarak yavaş yavaş yemek [içmek]. **to ~ of stg.,** tadı olm.; kokmak: **that ~s of treason,** bu ihaneti andırıyor. **~y,** lezzetli; iştah açıcı. Yemek sonunda yenen çerez kabilinden tuzlu şey: **~ herbs,** kokulu otlar: **~ omelette,** mantar veya kokulu otlarla yapılan omlet.
savoy [saˈvoi]. Kıvırcık lahana.
saw[1] [soo]. Testere, bıçkı. *vb.* **(sawed, sawn)** [sood, soon]. Testere ile kesmek, biçmek; ileri geri hareket etmek. **to ~ a horse's mouth,** atın gemini sert bir şekilde sağa sola çekmek: **to set a ~,** testere dişleri arasındaki zaviyeleri tashih etm.: **to ~ off,** testere ile kesip ayırmak: **to ~ up wood,** odunu testere ile parça parça kesmek. **~bones,** (*şak.*) cerrah. **~dust,** testere ve bıçkı tozu. **~fish,** (*Pristis antiquorum*) testere balığı. **~yer,** bıçkıcı. **saw-bench,** tezgâh üzerine kurulmuş makineli testere. **saw-mill,** kereste fabrikası; bıçkıhane.
saw[2]. Atasözü.
saw[3] *bk.* **see.**
saxifrage [ˈsaksifridʒ]. Taşkıran otu (?).

say (**said**) [sei, sed]. Söylemek; demek. Söz; söz sırası. **I ~ !**, *bir cümle başında dikkati çekmek için kullanılan tabir*: **I cannot ~ when he will come,** (i) ne vakit geleceğini bilmiyorum; (ii) ... söylemeğe mezun değilim: **when all is said and done,** en nihayet, netice itibarile: **you don't ~ so!,** acayib!, amma yaptın ha!: **it goes without ~ing that ...,** ... bedihidir; elbette ...: **give me a few, ~ five,** bir kaç tane, meselâ beş tane, ver: **to have one's ~,** bir meselede söyliyeceğini söylemek: **to have a ~ in a matter,** bir meselede söz sahibi olm.: **there is much to be said for this proposal,** bu teklifin lehinde çok şey söylenebilir: **there is no ~ing what will happen,** ne olacağını kimse bilmez: **to ~ nothing of ...,** ... de (üste) caba: **so to ~,** tabir caizse: **that is to ~,** yani: **'though I ~ it who shouldn't',** bunu söylemek bana düşmez amma ..., (kendini medhederken vs.); **what do you ~ to a drink?,** ne derseniz?, bir az içelim mi?: **well, ~ he does come, what then?,** pekiyi, diyelim geldi, ya sonra?

saying [ˈsei·iŋ] *n.* Söz; atasözü; vecize. **common ~,** meşhur tabir: **as the ~ goes,** meşhur tabirile, dedikleri gibi.

scab [skab]. Yara kabuğu, nedbe; uyuz; (*arg.*) greve iştirak etmiyen veya grevciler yerine çalışan amele. **to ~ over,** (yara) kabuk bağlamak. **~by,** uyuz; (*arg.*) alçak; cimri.

scabbard [ˈskabəəd]. Kın.

scabi·es [ˈskeibi·iiz]. Uyuz. **~ous,** uyuz; (*Scabiosa*) uyuzotu (?).

scabrous [ˈskeibrəs]. Pürüzlü; kepekli; açıkça, yakası açık.

scaffold [ˈskafould]. Yapı iskelesi; darağacı, sehpa. Etrafında yapı iskelesi kurmak. **to go to** [**mount**] **the ~,** darağacına gitmek. **~ing,** yapı iskelesi.

scald [skoold]. Haşlamak; kaynar suda yıkamak; kaynar su ile yakmak, yaralamak. Kaynar su ile haşlanmadan hasıl olan yara.

scale[1] [skeil] *n.* Terazi gözü; mikyas, ölçü; ıskala; **~s** *veya* **pair of ~s,** terazi. **to draw to ~,** ölçüye göre çizmek [büyültmek, küçültmek]: **Fahrenheit ~,** F. derecesi: **on a large ~,** vâsi mikyasta: **~ of prices,** fiat cedveli: **~ of salaries,** barem: **to turn the ~,** ağır basarak vaziyete tesir etmek.

scale[2] *n.* Bağa, balık vs. pulu; harşef; deriden ayrılan pul; diş kiri; buhar kazanlarında kireç milhinden hasıl olan tortu. Pullarını ayıklamak; tortusunu gidermek. **to ~ off,** (deri) pul pul dökülmek.

scale[3] *vb.* Tırmanarak veya el merdivenile kadem kadem çıkmak; terazi ile tartmak; ölçü ile resmetmek. **to ~ wages up** [**down**], bütün ücretleri ayni nisbet dahilinde artırmak [indirmek].

scallop [ˈskalop]. Tarak denilen deniz böceği; kab olarak kullanılan tarak kabuğu; tarak kabuğu şeklinde oya. Tarak kabuğu içinde pişirmek.

scallywag [ˈskaliwag]. Yaramaz, çapkın.

scalp [skalp]. Başın üst kısmı; başın saçlı olan derisi; kırmızı derililerin ve sair vahşilerin öldürdükleri düşmanlarının başlarından kesip zafer alâmeti olarak sakladıkları saçlı deri parçası. Başının derisini yüzmek.

scalpel [ˈskalpl]. Teşrih bıçağı.

scaly [ˈskeili]. Pullu.

scamp[1] [skamp] *n.* Yaramaz (*um. çocuklar hakkında ve kısmen muhabbet ifade eder şekilde kullanılır*).

scamp[2] *vb.* (Bir işi) yarım yamalak yapmak.

scamper [ˈskampə*]. Çocuklar veya hayvan yavruları gibi neşe içinde koşmak.

scan[1] [skan]. Gözle iyice tedkik etm., süzmek; göz gezdirmek.

scan[2]. Şiirin hecelerini saymak, takti etmek. Vezne uygun olmak.

scandal [ˈskandl]. Rezalet; iftira; kovculuk; dedikodu. **~ize,** (uygunsuz bir söz veya hareketle) utandırıp nefret ve infial uyandırmak. **~ous,** rezil, kepaze; iftiralı (söz vs.).

scansion [ˈskanʃən]. Şiir taktii.

scant, scanty [skant(i)]. Kıt, az; kifayetsiz, dar. **~ily clad,** yarı çıplak. **~iness,** kıtlık, kifayetsizlik.

scantling [ˈskantliŋ]. Küçük kereste; gemi inşasında aynı ölçüde olan keresteler.

scapegoat [ˈskeipgout]. Herkesin kabahati kendisine yükletilen adam; başkasının günahı yükletilen kimse.

scapegrace [ˈskeipgreis]. Yaramaz; ele avuca sığmaz çocuk.

scapula [ˈskapjula]. Omuz küreği. **~r,** omuza aid; papaz omuzluğu.

scar[1] [skaa*]. Yara izi. Yara izi bırakmak. **to ~ over,** kabuk bağlamak.

scar[2]. Yalçın kaya.

scarab [ˈskarəb]. Eski Mısırlıların mukaddes böceği; bu böcek şeklinde kıymetli taştan muska.

scarce [skeəs]. Nadir, az bulunur; kıt; kâfi değil. **to make oneself ~,** sıvışmak.

scarcely [ˈskeəsli]. Henüz; ancak; hemen hemen; hemen hiç. **~ any,** yok denecek kadar: **~ ever,** hemen hiç bir zaman: **he can ~ speak,** hemen hiç konuşamaz: **he is ~ ten years old,** on yaşında ya var ya yok: **I ~ know what to say,** ne söyliyeceğimi bilemiyorum (şaşırıp kaldım): **he can ~ have said so,** bunu söylemiş olmasına ihtimal veremem: **I ~ know him,** onu hemen hiç tanımıyorum.

scarcity [ˈskeəsiti]. Nadirlik; kıtlık.

scare [skeə*]. Ansızın korku; esassız korku; endişe. Ürkütmek; korkutmak. **to ~ away,** korkutup kaçırmak: **to be ~d to death [stiff, out of one's wits],** ödü patlamak: **to give s.o. a ~,** birini ansızın ürkütmek: **to raise a ~,** ortalığı telaşa vermek, korku salmak. **~crow,** bostan korkuluğu. **~monger,** telaşçı.

scarf[1] [skaaf]. Boyun atkısı; eşarp; kaşkol; hamail.

scarf[2]. (Marangozluk) göğüslü bindirme, aşoz, palya.

scarify [ˈskarifai]. Deriyi kazımak ve yer yer hafifçe kesmek; hacamat etm.; toprağı sürgü ile eşmek; (*mec.*) canını yakmak.

scarlatina [skaaləˈtiina]. Kızıl hastalığı.

scarlet [ˈskaalit]. Al (renkli). **~ hat,** kardinal şapkası: **~ fever,** kızıl.

scarred [skaad]. Yara izi olan.

scatological [ˌskataˈlodʒikl]. Kazurattan bahseden (mizahî veya edebî yazı).

scathe [skeið]. Zarar; yara. **~less,** sağlam; zarara uğramamış.

scathing [ˈskeiðiŋ]. Pek dokunaklı, iğneli, zehirli (söz veya yazı).

scatter [ˈskatə*]. Saçmak, serpmek, dağıtmak. Dağılmak; yayılmak. **~ed,** seyrek; bir arada olmıyan, aralıklı; dağınık. **scatter-brained,** sersem; alık.

scavenge [ˈskavindʒ]. Süprüntüyü temizlemek [kaldırmak]. **~r,** çöpçü; sokak süpürücü; leş veya süprüntü yiyen hayvan veya kuş.

scenario [siiˈnarriou]. Senaryo.

scene [siin]. Sahne; (perde içinde) meclis; tiyatro sahnesi dekoru; vaka mahalli; manzara; gürültü, rezalet. **behind the ~s,** perde arkasında; işin içyüzü, gizli kapaklı tarafı: **to make a ~,** rezalet çıkarmak. **scene-painter,** sahne dekorları ressamı. **scene-shifter,** tiyatroda dekorları değiştiren adam, makinist.

scenery [ˈsiinəri]. Tabiî şekillerle gösterilen güzel manzara. Sahne dekoru.

scenic [ˈsiinik]. Sahneye veya tiyatroya aid, manzaraya aid; temaşa nevinden.

scent [sent]. Koku; koku hassası; güzel koku, parfüm. Kokusunu almak; koklamak; koku yaymak; koku sermek. **to get [pick up] the ~,** kokuyu almak: **to be on the right ~,** iz [koku] üzerinde olm.: **to throw s.o. off the ~,** izini kaybettirmek. **~ed,** güzel kokulu; koku sürünmüş: **keen-~ dog,** burnu keskin köpek.

sceptic [ˈskeptik]. Reybî, hiç bir şeye inanmaz kimse. **~al,** reybî; mütereddid, şübheli; hic bir şeye inanmaz. **~ism,** reybîlik, hiç bir şeye inanmayış; şübhe.

sceptre [ˈseptə*]. Saltanat asâsı.

schedule [ˈʃedjuul]. Cedvel, liste; program; zeyil. Listesini yapmak; listeye kaydetmek; program yapmak. **according to ~,** programa göre: **six hours behind ~,** miadından altı saat gecikmiş: **the train is ~d to arrive at 10 o'clock,** tarifeye göre tren saat onda gelecektir.

scheme [skiim]. Plân, proje; tedbir, taslak; entrika, desise. Plânını kurmak, projesi olm.; kumpas kurmak. **colour ~,** renklerin tertibi, ahengi. **~r,** plâncı; entrikacı, dolabcı.

schism [ˈsizəm]. İtizal. **~atic** [–ˈmatik], mutezil.

schist [ʃist]. Tabakalara ayrılır kaya, şışt.

scholar [ˈskolə*]. Talebe, mektebli; okumuş; âlim, allâme, edib; burslu talebe. **a fine ~,** çok âlim bir adam: **he is no ~,** tahsili az. **~ly,** âlimane. **~ship,** âlimlik, ilim; ilmî zihniyet ve usul; meccanilik, burs.

scholastic [skoˈlastik]. Mekteb ve üniversitlere aid; skolastik; ukalâca.

school [skuul]. Mekteb; fakülte; balık sürüsü. Talim etm., terbiye etmek. **one of the old ~,** eski zaman adamı: **upper [middle, lower] ~,** bir mektebin büyük [orta, küçük] sınıfları: **what ~ were you at?,** hangi mektebde okudunuz? **~boy,** mektebli (erkek) çocuk. **~fellow,** mekteb arkadaşı. **~girl,** mektebli (kız). **~master,** muallim. **~mistress,** kadın muallim. **~room,** sınıf, dershane. **~treat,** fakir mektebliler için tertib edilen yemekli müsamere veya gezinti.

schooner [ˈskuunə*]. Uskuna.

schottishe [ʃoˈtiiʃ]. Bir İskoç dansı.

sciatic [saiˈatik]. Verekî. **~a,** elemi verekî, siyatik.

scien·ce [ˈsaiəns]. İlim; bilgi; fen. **natural ~,** tabiî ilimler, tabiiye: **to study ~,** müsbet ilimler (fen) tahsil etm.: **~ student,** fen talebesi. **~tific** [saiənˈtifik], ilmî, fennî. **~tist** [ˈsaiəntist], fen adamı.

scimitar [ˈsimitə*]. Eğri kılıc, pala.

scintilla [sinˈtilə]. Kıvılcım; zerre. **~te** [ˈsintileit], parıldamak; kıvılcım saçmak.

scion [ˈsaion]. Ağac piçi; aşılık filiz; evlâd. **the ~ of a noble house,** asil bir ailenin ahfadından.

scission [ˈsiʒn]. Kesme; bir meclis veya fırkadan ayrılma; ihtilâf.

scissors [ˈsisəəz] *n. pl.* **~** *veya* **pair of ~,** makas.

sclerosis [skliəˈrousis]. Nesiclerin katılması, skleroz.

scoff [skof]. Alay etm., eğlenmek. İstihza, alay. **to ~ at s.o.,** birini maskara etm.; birile alay etm.: **to ~ at stg.,** istihfaf etm., dudak bükmek.

scold [skould]. Azarlamak, patlamak, çıkışmak; zırlayıp durmak. Titiz hırçın kadın. **~ing** *n.*, azar, tekdir.
scollop *bk.* **scallop.**
sconce [skons]. Duvar şamdanı.
scone [skon, skoun]. Bir nevi sütlü ekmek.
scoop [skuup]. Kepçe; çamçak; oyuk bir alet; tarak dubası kovası; bir anda boşaltılan mikdar; vurgun; meraklı bir haberin rakib gazeteden evvel neşri. **to ~ out,** bir kepçe vs. ile boşaltmak: **to ~ up,** kürek ile kaldırmak: **to ~ a large profit,** büyük bir kâr vurmak: **at one ~,** bir hamlede.
scoot [skuut]. Acele kaçış. **to ~ off [away], to do a ~,** tabanları yağlamak. **~er,** çocuk için tekerlekli kızak.
scope [skoup]. Saha; fırsat; faaliyet sahası; mevzu. **to give free [full] ~ to one's imagination,** muhayyilesini dolu dizgin koşturmak.
scorbutic [skooˈbjuutik]. İskorpit hastalığına aid.
scorch [skootʃ]. Kavurmak; hafifçe yakmak; dağlamak. Hafifçe yanmak, kavrulmak; pek sıcak olm.; (*arg.*) rüzgâr gibi gitmek, uçmak. **~ing,** yakıcı, kavurucu: kavrulma; (*otom.*) çok hızlı gitme.
score[1] [skoo*] *n.* Sıyrık; kertik, çizgi; çetele; hesab, oyunda kazanılan puvan; bir bestenin notası; cihet, sebeb; yirmi, yirmi tane, yirmi librelik. **a ~ of people,** yirmi kişi: **~s of people,** pek çok kimse: **a cheap ~,** zayıf bir nükte veya cevab: **have no fear on that ~!,** o cihetten korkma!: **on the ~ of ill-health,** sıhhatinin bozukluğu sebebile: **to pay off old ~s,** bir kuyruk acısını çıkarmak, öcünü almak: **what 's the ~?,** (oyunda) kaça kaçsınız?, kim kazanıyor?
score[2] *vb.* Sıyırmak, çizmek, yivlemek; (*mus.*) notaya geçirmek; hesab etm., çetelesini tutmak. Oyunda puvan kazanmak, puvanları yazmak; (muvaffakiyet) kazanmak. **to ~ a goal,** gol yapmak: **that 's where he ~s,** işte üstünlüğü burada: **to ~ off s.o.,** bir münakaşada karşısındakini nükteli bir cevabla susturmak. **~r,** oyunda puvanları kaydeden kimse.
scoriae [ˈskori·ii]. Mucur; cürüf.
scorn [skoon]. Hor görme, istihfaf, istihkar; istiğna. Hor görmek, istihfaf etm.; tepmek; tenezzül etmemek. **to ~ s.o.'s advice,** birinin nasihatini tepmek: **to laugh s.o. to ~,** birile alay ede ede onu gülünç bir hale getirmek. **~ful,** istihfafkâr(ane); müstağni.
scorpion [ˈskoopjən]. Akreb.
Scot [skot] *n.* İskoçyalı. **~ch[1]** [skotʃ] *a.* İskoçyalı: **~ hands,** tereyağ yapmakta kullanılan yassı tahtadan bir alet. **~chman,** pl. **men,** İskoçyali. **~land,** İskoçya: **~ Yard,** Londra Emniyet Müdürlüğü. **~s, ~tish,** iskoçyalı, İskoçya lehçesi.
scotch[2] *vb.* Bir tekerlek vs. önüne takoz koymak.
scotch[3] *vb.* Kertiklemek; hafifçe yaralamak; sakatlamak; baltalamak.
scot-free [ˈskotˈfrii]. Sağ ve salim; masrafsız.
scoundrel [ˈskaundrəl] *n.* Habis, şerir, hain. **~ly** *a.* habis, şerir; hainane.
scour[1] [skau*]. Silerek temizleme(k); sudan aşınma; (nehir veya deniz) aşındırmak; şiddetli amel vermek.
scour[2] Her tarafa hızlı hızlı gezmek; baştan başa dolaşmak; araştırmak, taramak.
scourge [skəədʒ]. Kamçı, kırbaç; afet, musibet. Kamçılamak; gadretmek, zulmetmek; (halka vs.) âfet olmak.
scout[1] [skaut]. Keşfe çıkan asker; gözcü; izci; Oxford universitesinde kolej hademesi. Keşfe çıkmak. **~master,** izci oymak beyi.
scout[2]. İstihfaf ile reddetmek, tepmek.
scow [skau]. Salapurya.
scowl [skaul]. Kaş çatma(k), dargın bakış; surat asmak. **to ~ at s.o.,** birine yan bakmak.
scrabble [ˈskrabl]. Kargacık burgacık yazmak. **to ~ about,** eşeleyip araştırmak.
scrag [skrag]. Sıska adam veya hayvan. (*kon.*) Birinin boynunu koltuk altına alarak sıkmak. **~ end of mutton,** koyun gerdanının zayıf ve kemikli ucu. **~gy,** zayıf, sıska; pürüzlü.
scramble [ˈskrambl]. Manialı bir yerde güçlükle ilerleme; tırmanış; bir şeyi elde etmek için çabalama; kapışma. Tırmanarak veya sürünerek ilerlemek. **to ~ for stg.,** kapışmak: **to ~ eggs,** yumurtayı çalkayarak pişirmek: **a general ~,** itişip kakışma; kapan kapana.
scrap[1] [skrap]. Parça; kırıntı, döküntü; hurda; artık; zerre. (Faydası yok diye) atmak; ıskartaya ayırmak; çürüğe çıkarmak. **a ~ of comfort,** en küçük bir teselli: **to catch ~s of a conversation,** bir konuşmanın bazı parçaları kulağına çalınmak: **~s of news,** kırık dökük haberler. **scrap-book,** gazete maktuaları veya öteden beriden toplanmış resimler yapıştırılan defter. **scrap-heap,** döküntü [enkaz] yığını: **to be thrown on the ~,** ıskartaya çıkarılmak. **scrap-iron,** hurda demir.
scrap[2]. (*kon.*) Kavga, dövüş. Dövüşmek.
scrape[1] [skreip] *n.* Sıyırma, kazıma, kaşıntı; çizgi; gıcırtı; (*arg.*) başını belâya sokma. **a ~ of butter,** ince bir tabaka tereyağı: **to get into a ~,** başını belâya sokmak: **to get out**

of a ~, işin içinden sıyrılmak, yakasını kurtarmak: **we're in a nice ~**, ayıkla şimdi pirincinin taşını!
scrape[2] *vb.* Kazımak, sıyırmak, tırmalamak; raspa etmek. Hafifçe dokunmak; gıcırdamak. **to ~ acquaintance with s.o.**, tanışmak için birine yanaşmak: **to ~ along**, iyi kötü geçinip gitmek: **to bow and ~**, yerlere kadar eğilmek: **to ~ one's plate**, tabağını sıyırmak [temizlemek]: **to ~ through**, yakayı kurtarmak: **to ~ through an examination**, imtihanda güç belâ geçmek: **to ~ together [up] some money**, dişinden tırnağından artırmak.
scraper [ˈskreipə*]. Raspa; sistire; (ev kapılarında) demir çamurluk.
scrappy [ˈskrapi]. Bölük pürçük; yarım yamalak. **a ~ dinner**, artıklardan ibaret yemek.
scratch[1] [skratʃ] *n.* Tırnak diken vs. yarası; çizik; sıyrık; kaşınma sesi; yarışa başlama yeri. **to come up to ~**, bir işte kendini göstermek; beklenildiği gibi çıkmak: **to start from ~**, (i) bir yarışta avantajsız olarak hareket çizgisinden koşuya başlamak; (ii) bir işe avantajsız olarak en başından başlamak: **he came through the war without a ~**, burnu bile kanamadan harbden döndü.
scratch[2] *vb.* Tırmalamak; kaşımak; kurcalamak; çizmek, kazmak; eşelemek; gıcırdamak; yarışa girecek atın ismini listeden çıkarmak; maçtan vazgeçmek. **'~ my back and I'll ~ yours'**, karşılıklı piyaz *veya* birbirini öğmek *manasında kullanılır*: **tomorrow's match has been ~ed**, yarınki maç yapılmıyacak: **to ~ the surface**, üstünü kazımak; satıhda kalmak, içine nüfuz etmemek. **scratch out**, silmek, hazfetmek: **to ~ s.o.'s eyes out**, birinin gözlerini çıkarmak. **scratch up**, **to ~ up a bone**, (köpek vs.) yeri kazıp bir kemik çıkarmak.
scratch[3]. **a ~ meal**, derme çatma yemek: **~ team**, derme çatma takım: **~ player**, birinci sınıf oyuncu.
scratchy [ˈskratʃi]. Gıcırtılı; kaşındıran; yarım yamalak, üstünkörü.
scrawl [skrool]. Kargacık burgacık. Cızıktırmak; çiziştirmek; okunmaz yazı yazmak.
scream [skriim]. (*ech.*) Feryad, çığlık. Acı acı haykırmak; çığlık koparmak; bar bar bağırmak. **to ~ oneself hoarse**, sesi kısılıncaya kadar bağırmak: **~s of laughter**, kahkaha, haykırarak gülüş: (*kon.*) **it was a perfect ~**, aman ne komik şeydi!, hiç bu kadar gülmemiştim! **~ing**, feryad eden, haykıran; (*kon.*) pek komik.
scree [skrii]. Dağ yamacında basınca kayan küçük taşlar.
screech [skriitʃ]. (*ech.*) Keskin feryad, acı haykırış. Keskin feryad koparmak, acı acı haykırmak.
screed [skriid]. Pek uzun ve usandırıcı hitabe veya mektub.
screen [skriin]. Perde; paravana; ekran; kalbur. Gizlemek; siper etm.; korumak; kalburdan geçirmek; (kitab vs.yi) filme almak. **to ~ off**, paravana ile gizlemek.
screw[1] [skruu] *n.* Vida; uskur; (*arg.*) cimri adam; (*arg.*) maaş; (*arg.*) hastalıklı at veya inek. **endless ~**, dişleri bir çarkın dişleriyle temasta bulunan vida: **to have a ~ loose**, (*kon.*) bir tahtası eksik olm.: **there's a ~ loose somewhere**, bir yerde bir bozukluk var: **to put the ~ on**, sıkıştırmak: **to put a ~ on the ball**, hususî bir hareketle topun seyrini değiştirmek: **set ~**, sıkıştırma vidası: **to give another turn to the ~**, bir daha sıkıştırmak. **screw-coupling**, (borular vs.yi başbaşa bağlamağa mahsus) vidalı başlık. **screw-driver**, tornavida. **~ed**, vidalanmış (*arg.*) çakır keyif. **screw-coupling**, (borular vs.yi başbaşa bağlamağa mahsus) vidalı başlık. **screw-driven**, uskurlu. **screw-jack**, vidalı kriko. **screw-wrench**, ingiliz anahtarı.
screw[2] *vb.* Vidalamak. (Vidalı bir şey) dönmek; (*kon.*) dişinden tırnağından artırmak. **screw down**, vidalamak, vida ile sıkmak. **screw out**, **to ~ the truth out of s.o.**, birisinden hakikati güç belâ öğrenmek: **to ~ money out of s.o.**, birisinden domuzdan kıl çeker gibi para koparmak. **screw up**, vidalamak: **to ~ up the eyes**, gözlerini kısmak: **to ~ up one's courage**, cesaretini toplamak: **to ~ up one's face**, yüzünü buruşturmak: **to ~ up one's lips**, dudaklarını bükmek: **to ~ oneself up to do stg.**, kendini zorlamak: **to ~ stg. up in a piece of paper**, bir şeyi kâğıda sarıp bükmek.
scribble [ˈskribl]. Karışık ve okunmaz yazı; acele yazılmış mektub vs. Acele veya dikkatsiz yazmak, çırpıştırmak; çarçabuk kötü bir eser yazmak; cızıktırmak. **~r**, fena yazıcı; karalamacı.
scribe [skraib]. Eski Yahudilerin din ilmi müfessiri; yazıcı. Çizecek ile çizmek. **~r**, çizecek. **scribing-block**, mafsallı mehengir.
scrimmage [ˈskrimidʒ]. Göğüs göğüse kavga; itip kakma.
scrimp [skrimp] *bk.* **skimp.**
scrimshank [ˈskrimʃaŋk]. Yançizmek; vazifesinden kaçmak.
scrip[1] [skrip]. Dilenci torbası.
scrip[2]. Muvakkat sened.
script [skript]. El yazısı, hat; el yazısına benziyen matbaa harfleri; senaryo.

scriptur·e [ˈskriptjuə*]. ~ *veya* ~**s** *veya* **Holy** ~**s,** kitabı mukaddes. ~**al,** kitabı mukaddese aid.
scrivener [ˈskrivənə*]. Yazıcı.
scroful·a [ˈskrofjulə]. Sıraca. ~**ous,** sıracalı.
scroll [skroul]. Tomar; tomar şeklinde ziynet; kıvrım.
scrounge [skraundʒ]. (*ask. arg.*) Aşırmak; otlakçılık etmek. **to** ~ **around,** aşıracak şey var mı diye kolaçan etmek.
scrub [skrʌb]. Çalılık, fundalık; aşınmış fırça; fırça gibi bıyık. Fırçalayarak yıkamak. **scrubbing-brush,** çamaşır veya tahta fırçası.
scrubby [ˈskrʌbi]. Çalılık; cılız, yetişmemiş (ağac); traşı uzamış; miskin.
scruff [skrʌf]. **by the** ~ **of the neck,** ensesinden, ense kökünden.
scrum(mage) [ˈskrʌm(idʒ)] *bk.* **scrimmage.**
scrumptious [ˈskrʌmʃəs]. (*kon.*) Enfes.
scrunch [skrʌntʃ] *bk.* **crunch.**
scruple [ˈskruupl]. 20 buğdaylık bir ağırlık ölçüsü; ufacık parça; kuruntu, vesvese; vicdan üzüntüsü, endişe. **to** ~ [**have** ~**s**], tereddüd etm.; vicdanı üzülmek: **to have no** ~**s** [**make no** ~**s**] **about doing stg.,** vicdanen hiç tereddüd etmemek, hiç çekinmeden yapmak.
scrupulous [ˈskruupjuləs]. İhtimamkâr, dikkatli, titiz; dürüst; vesveseli. **not over-** ~ **in his dealings,** hareketlerinde pek dürüst [vicdanlı] değil.
scrutin·y [ˈskruutini]. Tedkik, dikkatli muayene; reylerin tasnifini tasdik. **to demand a** ~, reylerin yeniden tedkikini taleb etmek. ~**eer** [–ˈniə*], rey tasnif memuru. ~**ize,** tedkik etm.; ince araştırmak; dikkatle muayene etm.; gözden geçirmek; alıcı gözile bakmak.
scud [skʌd]. Hızlı gitme; hızlı uçan alçak bulut. Hızla koşmak veya uçmak. **to** ~ **before the wind,** fırtınalı havada az yelkenle rüzgârın önüne katılıp gitmek.
scuffle [ˈskʌfl]. Ehemmiyetsiz dövüş; itişme. Hafif tertib kavga etm.; itip kakmak; ayaklarını yere sürmek.
scull [skʌl]. Çifte küreklerin biri; boyna. (Nehir) sandalı çifte küreklerle yürütmek; (deniz) sandalı boyna ile yürütmek.
scullery [ˈskʌləri]. Bulaşıkhane. ~**-maid,** bulaşıkçı kız.
scullion [ˈskʌljən]. (*esk.*) Asçı yamağı.
sculpt·or [ˈskʌlptə*]. Heykeltraş. ~**ural,** heykeltraşlığa aid. ~**ure** [–tʃə*], heykeltraşlık. Heykelini yapmak; heykeltraşlık etmek.
scum [skʌm]. Su yüzüne çıkan pislik; köpük; cüruf. Köpüğünü almak. **the** ~ **of the people,** halkin en alçak tabakası, erazil.
scupper [ˈskʌpə*]. Frengi deliği. (*arg.*) Gemiyi delerek batırmak; baskın yaparak öldürmek; baltalamak.
scurf [skəəf]. Baş kepeği, konak. ~**y,** kepekli; tuzlu balgamlı.
scurril·ity [skʌˈriliti]. Kaba küfür; ağız bozukluğu. ~**ous** [ˈskʌriləs], kaba küfürlü; pis iftiralı.
scurry [ˈskʌri]. Acele kaçış; anî ve şiddetli fakat kısa süren kar vs. fırtınası. Acele etm.; küçük hayvanlar gibi koşmak.
scurvy[1] [ˈskəəvi]. İskorpit.
scurvy[2]. Alçak, adî, aşağılık.
scut [skʌt]. Küçük kuyruk.
scutcheon [ˈskʌtʃən] *bk.* **escutcheon.**
scuttle[1] [ˈskʌtl]. Kömür kovası, soba kömürlüğü.
scuttle[2]. Lumbar ağzı veya kapağı; lumbuz. Gemiyi delerek veya gemi altındaki muslukları açarak batırmak.
scuttle[3]. Sıvışma(k); tabanları yağlama(k); korkakça kaçmak; bir vazifeden veya bir güçlükten kaçmak.
Scylla [ˈsila]. **between** ~ **and Charybdis,** iki tehlike arasında kalmak.
scythe [saið]. Tırpan(lamak).
sea [sii]. Deniz. Denize aid. **to be at** ~, (i) deniz üzerinde olm., gemide bulunmak; (ii) şaşırmak: **beam** ~, yandan gelen dalgalar: **by the** ~, deniz kenarında: **following** ~, arkadan gelen dalgalar: **to go by** ~, deniz yolu ile gitmek, gemi ile gitmek: **to go to** ~ [**take to the** ~, **follow the** ~], gemici olm.: **head** ~, önden gelen dalgalar: **the high** ~**s** [**the open** ~], açık deniz: **to get one's** ~ **legs,** geminin hareketine alışıp ayakta durabilmek: **to put to** ~, denize açılmak, alarga etm.: **the seven** ~**s,** bütün denizler: **to ship a (green)** ~, dalga gemiye girmek. **sea-anchor,** sal demir (?). **sea-anemone,** deniz inciri. **sea-boat, a good** ~, (denize elverişli) iyi kayık. **sea-borne,** deniz yolu ile gönderilen. **sea-chest,** gemici sandığı. **sea-cock,** deniz suyu almak için geminin dibindeki musluk. **sea-dog,** eski gemici, deniz kurdu. **sea-front,** bir şehrin denize bakan kısmı. **sea-going,** açık denizlere giden. **sea-green,** açık mavimsi yeşil. **sea-horse,** deniz aygırı; yarı at ve yarı balık olan efsanevi bir hayvan. **sea-lawyer,** safsatacı ve daima kusur bulan gemici. **sea-level,** deniz seviyesi. **sea-lion,** ayı balığının büyük cinsi, otarya. **sea-room,** denizde gemiyi manevra ettirmek için açık saha. **sea-scout,** deniz izcisi. **sea-serpent,** denizciler tarafından okyanusun dibinde yaşadığına inanılan çok büyük ve yılan şeklinde bir canavar. **sea-shell,** deniz kabuğu. **sea-sick,** deniz tutmuş. **sea-urchin,** deniz kestanesi.

seaboard [ˈsiibood]. Denize bitişik arazi, deniz kenarı.
seafar·er [ˈsiifeərə*]. Çok deniz yolculuğu eden. **~ing**, gemicilik; deniz seyahati: gemiciliğe alışık.
seagull [ˈsiigʌl]. Martı.
seakale [ˈsiikeil]. (*Crambe maritima*) Pek lezzetli bir sebze, (?) deniz lahanası.
seal[1] [siil]. Ayı balığı. **~er**, ayı balığı avcısı; ayı balığı avına mahsus gemi. **~ery**, ayı balıklarının toplu yaşadığı yer. **~skin**, ayı balığı kürkü.
seal[2]. Mühür; manalı işaret; gaz veya su sızıntısını men için kullanılan bir vasıta. Mühürlemek; kurşun mühür takmak; tasdik etm., teyid etm.: kapamak, tıkamak. **it is a ~ed book to me**, buna aklım ermez, bunun hakkında tamamen cahilim: **the book bears the ~ of genius**, kitabda dehanın damgası var: **his fate is ~ed**, akibeti taayyün etmistir: **the Great Seal**, hükümetin resmî mühürü: **my lips are ~ed**, bu sırrı kimseye söyleyemem: **to set one's ~**, mühürünü basmak: **to set the ~ on stg.**, bir meseleyi kökünden halletmek: **under the ~ of secrecy**, gizli kalmak şartile.
seam [siim]. Dikiş yeri; maden damarı; armoz; yüz kırışığı; ek yeri. Dikiş veya yara gibi işaret bırakmak. **care had ~ed his face**, üzüntü yüzünü kırışıklarla kaplamıştı.
seaman, *pl.* **-men** [ˈsiimən]. Gemici. **able (-bodied) ~**, bahriye onbaşısı: **a good ~**, iyi (meharetli) bir denizci: **leading ~**, bahriye çavuşu: **merchant ~**, (ticaret gemisinde) gemici: **ordinary ~**, bahriye neferi. **~like**, bir denizciye yakaşır surette. **~ship**, gemi idare etme; denizcilik.
seamew [ˈsiiˈmjuu]. Martı.
seamless [ˈsiimlis]. Dikişsiz, kaynaksız, lehimsiz.
seamstress [ˈsemstris]. Dikişçi kadın.
seamy [ˈsiimi]. **the ~ side of stg.**, bir şeyin fena tarafı.
séance [ˈseions]. Toplantı *bilh.* ispirtizme toplantısı.
seaplane [ˈsiiplein]. Deniz uçağı.
seaport [ˈsiipoot]. Liman.
sear[1] *bk.* sere.
sear[2] [siə*]. Kurutmak; soldurmak; dağlamak; katılaştırmak; nasırlandırmak.
search [səətʃ]. Arama(k), araştırma(k); yoklama(k); tedkik (etm.). **in ~ of ...**, ···i bulmak için, ···i arayarak: **to ~ into stg.**, bir şeyi tedkik etm.: **to ~ for stg.**, bir şeyi araştırmak: **to ~ high and low**, fellek fellek aramak: **right of ~**, (bir evi vs.) arama hakkı. **~ing, a ~ examination**, derin tedkik ve muayene; çok sıkı bir imtihan: **~ of the heart**, vicdanını yoklama: **a ~ regard [look]**, nüfuz eden nazar: **~ questions**, inceden inceye sualler. **~light**, ışıldak, projektör.
seascape [ˈsiiskeip]. Deniz manzarasını gösteren resim.
seaside [ˈsiisaid]. Deniz sahili; yalı. **~ resort**, plaj.
season[1] [ˈsiizn] *n.* Mevsim; vakit. **in due ~**, münasib bir zamanda, sırasına göre: **in and out of ~**, olur olmaz zaman: **the dull [dead, off] ~**, mevsimi olmadığı zaman: **to last for a ~**, bir mevsimlik ömrü olm.: **out of ~**, mevsimsiz, vakitsiz; yersiz: **the London ~**, Londra yüksek ailelerin şehirde kaldığı mevsim, sezon: **~ ticket**, abonman karnesi: **a word in ~**, yerinde bir söz.
season[2] *vb.* Çeşnilendirmek, terbiye etmek. Olgunlaşmak, olgunlaştırmak; kurutmak. **to ~ justice with mercy**, adaleti merhametle telif etmek.
season·able [ˈsiizənəbl]. Mevsime uygun; tam vaktinde olan, muvafık, müsaid. **~al**, muayyen mevsime mahsus.
season·ed [ˈsiizənd]. Olgun; kurutulmuş; çeşnili, terbiyeli. **a ~ soldier**, harb görmüş asker. **~ing**, terbiye, çeşni.
seat [siit]. Oturulacak şey; oturulacak yer; peyke; mevki; konak, makar; **(valve)** yuva; kıç, kaba et; pantalonun kıçı. Oturtmak. **to ask s.o. to be ~ed**, birine 'oturunuz' demek: **a car with four ~s, a car to ~ four**, dört kişilik otomobil: **a good ~ (on a horse)**, (atın üzerinde) iyi oturma: **to keep one's ~** (i) oturduğu yerde durmak; (ii) atın üzerinde durmak; (iii) tekrar mebus intihab edilmek: **to lose one's ~**, (i) attan düşmek; (ii) tekrar intihab edilmemek: **to ~ oneself**, oturmak: **to take a ~**, oturmak: **to take a back ~**, bir kenara çekilmek; ehemmiyetini kaybetmek. **~er, single-~**, bir kişilik (uçak vs.): **two-~**, iki kişilik. **~ing**, oturacak yerler; (makinenin) yatağı: **~ capacity**, oturacak yerlerin mikdarı.
sea·ward [ˈsiiwəəd] *a.* **~s** *adv.* Denize doğru. **~weed** [–wiid], deniz yosunu. **~worthy** [-wəəði], denize çıkmağa elverişli.
secant [ˈsiikənt, ˈse-]. Hattı katı.
secateurs [ˈsekətəəz]. Budama makası.
seccotine [ˌsekəˈtiin]. Bir nevi kuvvetli tutkal.
secede [siˈsiid]. Ayrılmak, çekilmek; itizal etmek.
secession [siˈseʃn]. Ayrılma, iftirak; itizal.
seclu·de [siˈkluud]. İhtilattan menetmek. **to ~ oneself**, ihtilat etmemek; inzivaya çekilmek. **~ded**, münzevi; mahrem, içerlek. **~sion** [–ˈkluʒn], inziva, uzlet.

second[1] [ˈsekənd] *a.* İkinci. **the ~ of January,** iki ocak: **every ~ day,** gün aşırı: **~ childhood,** bunaklık, bunama: **to be ~ to none,** hiç kimseden geri kalmamak; hepsinden iyi olm.: **~ sight,** kayıbdan haber verme. **second-best, it 's a ~,** istediğimiz gibi değil, fakat olur: **to come off ~,** altta kalmak, yenilmek: **my ~ suit,** en iyi elbisemden sonra gelen elbisem. **second-class,** ikinci derecede; ikinci mevki. **second-rate,** ikinci derecede; silik; kötü.
second[2] *n.* Saniye, an, lahza. **I'll come in a ~,** şimdi gelirim: **in a split ~,** bir anda.
second[3] *vb.* Yardım etmek. **to ~ a motion,** bir teklifi desteklemek: [seˈkond] **to ~ an officer [official] for other service,** bir subayı [memuru] başka bir vazife için ayırmak. **~er,** (bir teklif veya bir namzedi) destekliyen.
secondary [ˈsekəndəri]. Fer'î, tâli; ikinci derecede; ehemmiyetsiz. **~ school,** orta mekteb, lise.
second-hand [ˈsekəndˈhand]. Kullanılmış; elden düşme. **~ dealer,** eskici, koltukçu: **to learn [hear] stg. ~,** bir şeyi başkasından öğrenmek [duymak].
secrecy [ˈsiikrisi]. Ketumluk; sır olma; mahrem olma; gizlilik. **under pledge of ~,** mahrem olarak.
secret [ˈsiikrit]. Sır; gizli şey. Gizli; mektum; saklı, hafi. **in ~,** gizli olarak; el altından: **to let s.o. into the ~,** bir sırrı birine söylemek: **an open ~,** herkesin bildiği sır: **the Secret Service,** gizli haberalma teşkilatı: **to tell stg. as a ~,** bir şeyi mahrem olarak söylemek.
secretar·y [ˈsekrətri]. Kâtib. **Secretary of State,** Nazır: **~ bird,** Afrikada yılan yiyen bir cins kuş. **~ial** [–ˈteəriəl], kâtibe veya kâtibliğe aid; yazı işlerine aid. **~iat** [–ˈteəriət], kâtibler heyeti; kalem odası.
secret·e [siˈkriit]. Saklamak, gizlemek; ifraz etmek. **~ion** [–ˈkriiʃn], ifraz etme, ifrazat. **~ive,** ketum; gizli kapaklı; fazla kapalı. **~ory,** ifraz edici.
sect [sekt]. Tarikat; meslek, cemaat. **~arian** [–ˈteəriən], tarikatçı; mutaassıb tarafdar.
section [ˈsekʃn]. Kesme, kesilmiş şey; dilim; makta; parça, kısım; fasıl; bölge; şube; (*ask.*) manga. Kısımlara ayırmak. **all ~s of the population,** halkın bütün sınıfları: **made in ~s,** sökülüp takılır; *bk.* **sectional: microscopic ~,** mikroskopla muayene için kesilen çok ince dilim, safiha. **~al,** makta halinde; muayyen bir kısma veya bölgeye aid; birbirlerine geçen ayrı kısımlardan yapılmış: **~ iron,** profilli demir.
sector [ˈsektə*]. Daire dilimi; kıta, mıntaka; zaviye ölçmeğe mahsus alet.
secular [ˈsekjulə*]. Dünyevî; cismanî; lâik, dinî olmıyan; asırda bir; asırlarca süren. **~ize,** cismanîleştirmek; lâikleştirmek.
secur·e [siˈkjuə*]. Emin; korkusu yok; tehlikede olmıyan; sağlam, metin. Temin etm.; sağlamlamak; sağlamak; sağlam kazığa bağlamak; elde etmek. **~ity,** emniyet; kefalet, rehin, kefil: **securities,** tahvilat, esham: **to lend money on ~,** rehine karşı ödünç para vermek: **to stand ~ for s.o.,** birine kefil olmak.
sedan-chair [siˈdanˈtʃeə*]. Sedye.
sedate [siˈdeit]. Temkinli; sakin; ağırbaşlı.
sedative [ˈsedətiv]. Yatıştırıcı (ilac), müsekkin.
sedentary [ˈsedntəri]. Oturmuş, yerleşmiş; yerinden kımıldamıyan; vaktini hep evde geçiren. **a ~ occupation,** oturduğu yerde yapılan iş.
sedge [sedʒ]. Bataklık yerlerde yetişen otlar; saz.
sediment [ˈsedimənt]. Tortu, rüsub. **~ary** [–ˈmentəri], rüsubî.
sedit·ion [siˈdiʃn]. İsyan, ayaklanma. **~ious** [–ʃəs], âsi; müfsid.
seduc·e [siˈdjuus]. Baştan çıkarmak, iğfal etm., ayartmak. **~tion** [–ˈdʌkʃn], baştan çıkarma, iğfal, ayartma. **~tive,** cazibeli, füsunkâr; şuh.
sedulous [ˈsedjuləs]. Çalışkan; ihtimamlı; devamlı.
see[1] [sii] *n.* Bir piskoposun ruhani dairesi. **the Holy See,** Papalık.
see[2] *vb.* (**saw, seen**) [soo, siin]. Görmek, bakmak; görüşmek; anlamak. **you ~, ...,** *söz arasında kullanılan ve yerine göre* şimdi, efendim, anlatabildim mi? *vs. manalarına gelen bir tabir*: **as far as I can ~,** görebildiğim kadar; bana sorarsanız: **to ~ s.o. to the door,** bir misafiri kapıya kadar teşyi etm.: **to ~ s.o. home,** birine evine kadar refakat etm.: **he can't ~ a joke,** şakadan [nükteden] anlamaz: **let me ~!,** bakayım!; dur bakayım!; (söz arasında) efendime söyleyim: **we ~ a lot of each other,** birbirimizi sık sık görüyoruz: **he will never ~ fifty again,** elliyi çoktan aştı: **nothing could be ~n of him,** hiç görünürlerde yoktu: **one can't ~ to read,** çok karanlık, okunmuyor: **~ing that ...,** ···e göre, ···e bakarsanız. **see after,** *bk.* see to. **see in, just ~ him in, will you?** ,onu içeri alır mısınız? **to ~ in the New Year,** yeni yılı merasimle kutlulamak. **see into,** tedkik etmek. **see off, to ~ s.o. off,** (i) birini teşyi etm.; (ii) birini kapı dışarı etmek. **see out, to ~ s.o. out,** (i) birini teşyi etm.; (ii) birini kapı dışarı etm.: **to ~ stg. out,** bir şeyi sonuna kadar görmek. **see through, to ~ stg. through,**

bir şeyi sonuna kadar götürmek; bir şeyin sonuna kadar dayanmak: **to ~ s.o. through,** birine müşkül bir zamanını atlatıncaya kadar yardım etm.: **to ~ through s.o.,** birinin içini okumak: **to ~ through s.o.'s plan,** birinin dolablarına kanmamak; birinin maksadının arkasındakini sezmek: **a ton of coal will ~ us through the winter,** bir ton kömür kışı çıkarır [bizi yaza çıkarır]. **see to, I will ~ to it,** ben bu işe bakarım; ben bununla meşgul olurum: **this stove must be ~n to,** bu sobaya baktırmak lâzım.

seed [siid]. Tohum. Tohum vermek; tohum ekmek. **to go [run] to ~,** tohuma kaçmak. **seed-bed,** tohum ekmek için hazırlanmış toprak. **seed-cake,** keraviye keki. **seed-corn,** tohumluk buğday, arpa vs. **seed-pearl,** ufak taneli inci.

seed·ling [ˈsiidliŋ]. Fide. **~sman,** *pl.* **-men,** tohumcu.

seedy [ˈsiidi]. Keyifsiz, hastalıklı; köhne, pejmürde. **a ~-looking individual,** pejmürde, kılıksız bir herif.

seeing [ˈsii·iŋ]. Görme, bakma. Gören. **⌜~ is believing⌝,** insan görünce inanır: **~ that ...,** ···e göre, ···e bakarsanız: **within ~ distance,** göz görebildiği kadar.

seek (sought) [siik, soot]. Aramak; dilemek. **to ~ after stg.,** bir şeyin peşinde koşmak: **to ~ for,** aramak: **to ~ out,** arayıp bulmak, yerinden çıkarmak: **the reason is not far to ~,** sebeb meydanda. **~er,** arayan: **a ~ after knowledge,** bilgi arayan: **pleasure ~,** zevkine düşkün.

seem [siim]. Görünmek; ... gibi gelmek. **it ~s as though [if] ...,** ... gibi görünüyor: **I ~ to have heard his name,** ismini duydum gibime geliyor: **it ~s not,** böyle olmadığı anlaşılıyor: **so it ~s,** öyle gibi, öyle görünüyor: **there ~s to be some difficulty,** bu işin içinde bazı güçlükler var gibi görünüyor. **~ing,** görünen; zahir; sureta: **in spite of his ~ indifference,** zahiren lâkayd görünmesine rağmen.

seeml·y [ˈsiimli]. Yakışır; münasib; terbiyeli. **~iness,** edeb ve terbiye icabatı; yakışıklık; münasiblik.

seen *bk.* **see.**

seep [siip]. Sızmak; süzmek. **~age** [–pidʒ], sızıntı.

seer [siə*]. Kâhin.

see-saw [ˈsiisoo]. Tahtarevalli; mütenavib veya nöbetleşe hareket; inip çıkma. Kâh öyle kâh böyle olmak.

seeth·e [siið]. Haşlamak; kaynaşmak. **to be ~ing with anger,** hiddetten köpürmek.

segment [ˈsegmənt]. Daire kıtası; parça. **~ation** [–ˈteiʃn], ayrı parçalara bölünme; bölünerek üreme.

segregate [ˈsegrigeit]. Ayırmak, tecrid etmek. Büyük bir cisimden ayrılmak.

seigneur [ˈseinjəə*]. Derebeyi; büyük rütbeli asilzade. **grand ~** [grõ–], yüksek bir aileden çok kibar tavırlı bir efendi.

Seine [sein]. Seine nehri; (**seine**) bir nevi balık ağı.

seism·ic [ˈsaizmik]. Zelzeleye aid. **~ograph,** yer sarsıntılarını kaydeden alet. **~ology,** zelzele bilgisi.

seize [siiz]. Kapmak; yakalamak; gasbetmek; kabullenmek; kavramak; haczetmek; el koymak; (*den.*) piyan etmek. **~ (up)** (makine) sıkılık, sıcaklık veya yağsızlıktan dolayı yapışmak: **to be ~d with a desire to do stg.,** bir şey yapmak arzusuna kapılmak: **to be ~d with fear,** korkuya kapılmak: **to ~ hold of,** yakalamak, eline geçirmek: **to ~ the opportunity,** fırsatı ganimet bilmek.

seizure [ˈsiiʃə*]. Yakalama; gasbetme; elkoma; inme, felc; (makine) yapışma. **to have a ~,** felce uğramak.

seldom [ˈseldəm]. Nadir olarak. **he ~, if ever, answers a letter,** kırk yılda bir bir mektuba cevab verir.

select [sıˈlekt]. Seçmek. Seçme, güzide, mutena. **~ion,** seçme; tenevvü, çeşid: **natural ~,** ıstıfa: **~s from Shakespeare,** S.den seçme parçalar. **~ive,** seçici. **~ivity,** (radyo) her dalgayı vazıh olarak alma kabiliyeti.

selenium [seˈliinjəm]. Selenyom.

self, *pl.* **selves** [self, selvz]. Kendi; kendi kendine. **all by one's very ~,** tek başına: **all by himself,** (i) yapayalnız; (ii) tek başına: **your own dear ~,** 'sen' *manasına sevgi ifade eden tabir*: **~ is his god,** kendine tapar: **your good selves,** siz (*ticaret mektublarında nezaketen kullanılan tabir*): **he is quite his old ~ again,** tamamen eskisi gibidir; artık iyileşti: **one's second ~,** "içtikleri su ayrı gitmez": **ticket admitting ~ and friend,** kendiniz ve bir arkadaşınız için bilet.

self- *pref.* **Self** *ile yapılan mürekkeb kelimelerde* **self** *kendi kendine manasını tazammum eder. Mürekkeb kelime başka bir manaya geldiği zaman yerinde gösterilmiştir.* **~-acting,** otomatik. **~-apparent,** besbelli. **~-assert·ion,** kendini beğenme; yüzsüzce girişkenlik: **~ive,** yüzsüzce girişken; kendini beğenmiş. **~-centred,** daima kendini düşünen; hodbin. **~-colour(ed),** düz renkli; boyanmamış, tabiî renkte. **~-command,** kendini tutma; nefsine hâkim olma. **~-communion,** kendi kendine düşünme. **~-conscious,** sıkılgan, utangaç. **~-contained,** (i) kendi kendine yetişir; (ii) çekingen, az konuşur: **~ flat,**

mustakil apartman dairesi. **~-control,** kendine hâkim olma; soğukkanlılık: **to lose one's ~,** iradesini kaybetmek. **~-defence,** kendini mudafaa, nefsini koruma: **the noble art of ~,** boks. **~-denial,** nefsinden feragat; riyazet. **~-destruction,** intihar. **~-determination,** bir milletin kendi mukadderatına kendisinin karar vermesi. **~-esteem,** kendini beğenme. **~-government,** muhtariyet. **~-help,** başkasından yardım beklemeden şahsî gayret. **~-important,** kibirli. **~-indulgent,** rahatına ve zevkine düşkün. **~-made,** kendi kendini yetiştirmiş (adam) **~-possessed,** soğukkanlı, temkinli. **~-respect,** izzetinefis; haysiyet: **~ing,** izzetinefis sahibi. **~-restraint,** kendini tutma; itidal. **~-rightous,** mürai. **~-sacrifice,** fedakârlık; feragat. **~-satisfied,** kendini beğenmiş. **~-seeking,** hodbin, menfaatperest. **~-styled,** sözde, kendi verdiği adla. **~-sufficient,** kendini beğenmiş; müstağni; kendi kendini idare eden. **~-sufficing,** kendi kendini idare eden. **~-supporting,** ekmeğini kendi kazanan; (başka yerden yardım görmeden) kendi kendini idare eden. **~-willed,** inadcı.

selfish [ˈselfiʃ]. Hodbin, hodkâm.

selfless [ˈselflis]. Kendini düşünmiyen.

sell (sold) [sel, sould]. Satmak. Satılmak. (*arg.*) Dalavere. **to be sold,** (*arg.*) kafese konmak: **what a ~!,** ne oyun!, ne dalavere!; hay aksi şeytan!: **sold again!,** (i) yine yutturdular!; (ii) yağma yok!, kapan da kaçan mı!: **(house, etc.) 'to ~' ['to be sold'],** satılık (ev vs.): **this book ~s well,** bu kitab iyi satılıyor: **to ~ s.o. for a slave,** birini köle olarak satmak. **sell off, to ~ off one's belongings,** bütün eşyasını satıp savmak. **sell out,** bütün mevcudu (stoku) satmak: **we are sold out of that book,** o kitab tamamen satıldı [bitti]. **sell up,** müflisin malına elkoyup satmak.

seller [ˈsələ*]. Satıcı, bâyi. **this book is a good ~,** bu kitab iyi satılıyor: **best ~,** çok satılan [sürümlü] kitab.

seltzer-water [ˈseltsəˈwootə*]. Köpürücü bir maden suyu.

selvage, selvedge [ˈselvidʒ]. Kumaş kenarı.

selves *bk.* **self.**

semantic [siˈmantik]. Manaya aid. **~s,** kelimelerin mana değiştirmelerini tedkik eden ilim.

semaphore [ˈseməfoo*]. Semafor (la haberleşmek).

semblance [ˈsembləns]. Benzeyiş. **to bear the ~ of,** benzemek: **to put on a ~ of gaiety,** yalancıktan neşeli görünmek.

semen [ˈsiimən]. Tohum, menî, nutfe.

semester [siˈmestə*]. Sömestr.

semi- [ˈsemi] *pref.* Yarı .... **semi-detached, ~ house,** yalnız bir taraftan bitişik müstakil ev. **semi-final,** dömifinal.

semibreve [ˈsemibriiv]. Rond.

semicirc·le [ˈsemisəəkl]. Yarım daire. **~ular** [–ˈsəəkjulə*], yarım daire şeklinde.

semicolon [ˌsemiˈkoulon]. Noktalı virgül (;).

seminal [ˈsiiminl]. Tohuma aid, menevî.

seminary [ˈseminəri]. (*esk.*) Mekteb; *şimdi yalnız katolik mekteblerine denir.*

semiquaver [ˈsemiˈkweivə*]. Onaltılık nota.

Semit·e [ˈsiimait]. Samî; Yahudi. **~ic** [–ˈmitik], samî; yahudi.

semitone [ˈsemitoun]. Yarım ses.

semolina [ˌseməˈliinə]. İrmik.

sempiternal [ˌsempiˈtəənl]. Ebedî, sonsuz.

sempstress [ˈsempstris]. Dikişçi kadın.

senat·e [ˈsenit]. Senato; ayan meclisi; üniversite idare heyeti. **~or,** senato veya ayan meclisinin âzası. **~orial** [–ˈtooriəl], 'senator'a aid.

send (sent) [send, sent]. Göndermek. **to ~ for s.o.,** birini getirtmek, istetmek, çağırmak: **to ~ s.o. for stg.,** birini hir şey için göndermek: **God ~ that ...,** Allah vere de ...: **(God) ~ him victorious,** Allah onu muzaffer eylesin!: **the blow sent him sprawling,** darbeyi yiyince yere yuvarlandı: **it sent a shiver down my spine,** bu bütün vücudümü ürpertti. **send away,** uzaklaştırmak, göndermek: **to ~ away for stg.,** bir şeyi başka yerden göndertmek. **send down,** aşağıya göndermek; üniversiteden tardetmek, . **send forth,** dışarı göndermek; salmak. **send in,** içeriye göndermek; **to ~ in a bill,** fatura [hesab] göndermek: **to ~ in one's name,** ismini içeriye haber vermek: **to ~ in one's resignation,** istifasını vermek. **send off,** yola vurmak; teşyi etm.: **to ~ off a letter,** mektubu postaya vermek. **send on,** gelen bir şeyi başka bir yere göndermek; (bir emri) başkasına tebliğ etmek. **send out,** dışarıya göndermek; atmak; çıkarmak; fışkırtmak; her tarafa göndermek, neşretmek. **send up,** yukarıya göndermek; artırmak; yükseltmek.

sender [ˈsendə*]. Gönderen, mürsil. **'return to sender',** gönderene iade.

senil·e [ˈsiinail]. Bunak; ihtiyarlığa aid; (ihtiyarlıktan) halsiz. **~ity** [–ˈniliti], bunaklık; (ihtiyarlıktan) halsizlik.

senior [ˈsiinjə*]. Daha yaşlı; kıdemlı. **I am three years ~ to you, I am three years your ~,** sizden üç sene büyüğüm: **Smith~,**

S. kardeşlerin en yaşlısı. **John Smith ~,** J. S. baba. **~ity** [ˌsiiniˈorəti], daha yaşlılık; kıdemlilik.
senna [ˈsena]. Sinameki.
sensation [senˈseiʃn]. His, duygu; duyma; ihtisas; heyecan. **the news caused a great ~,** haber büyük bir heyecan uyandırdı. **~al,** heyecan verici. **~alism,** halkı heyecanlandıracak şeylere düşkünlük.
sense[1] [sens] *n.* Beş hissin her biri; his, duygu; akıl, zekâ; mana, meal, delâlet. **the ~ of sight [hearing, etc.],** görme [işitme vs.] hissi: **common ~,** akılselim: **to be in one's ~s,** aklı başında olm.: **to be out of one's ~s,** deli olm., çıldırmak: **to come to one's ~s,** kendine gelmek; aklı başına gelmek: **to talk ~,** (i) söylediğinde mana olm.; (ii) saçmalamamak: **to take the ~ of the meeting,** bir toplanti vs.de halkın fikrini yoklamak: **to take a word in the wrong ~,** kelimeyi yanlış manaya almak.
sense[2] *vb.* Farkında olm., hissetmek.
senseless [ˈsenslis]. Bayılmış, kendinden geçmiş; akılsız, abes. **to fall ~,** kendinden geçerek düşmek: **to knock s.o. ~,** birine vurup bayıltmak.
sensibility [ˌsensiˈbiliti]. Hassaslık, hassasiyet; içlilik.
sensible [ˈsensibl]. Makul; akıllı, dirayetli; akla yakın; duyar, sezer; hissedilebilir, mahsûs. **be ~!,** makul ol!: **~ clothing,** uygun [münasib] elbise: **to be ~ of one's danger,** tehlikeyi sezmek.
sensit·ive [ˈsensitiv]. İçli; alıngan; kıldan nem kapan; hassas. **very ~ to criticism,** tenkide gelmez, tenkidden alınır. **~iveness, ~ivity** [–ˈtivity], hassaslık. **~ize,** sansibilize etmek.
sensory, sensorial [ˈsensori, –ˈsooriəl]. Hislere aid.
sensual [ˈsensjuəl]. Şehvete düşkün, şehvanî. **the ~ pleasures,** nefsani zevkler. **~ist,** şehvet düşkünü, zevkine düşkün. **~ity** [–ˈaliti], şehvet.
sensuous [ˈsensjuəs]. Hislere aid.
sent *bk.* **send.**
sentence [ˈsentəns]. Cümle; mahkeme kararı; ilâm; hüküm. (Cezaya) mahkûm etmek. **to pass ~ on s.o.,** (mahkeme) birini mahkûm etm.: **to undergo one's ~,** mahkûmiyet müddetini (hapiste vs.) geçirmek: **he is under ~ of death,** ölüme mahkûm olmuştur.
sententious [senˈtenʃəs]. Mütehakkimane konuşan yahud nasihat veren; fetva verir gibi söz söyliyen.
sentient [ˈsentiənt]. Hissedebilir.
sentiment [ˈsentimənt]. Fikir, düşünce; his; hassaslık, içlilik. **~al** [–ˈmentl], fazla hassas, içli. **~alist** [–ˈmentəlist], hislerine fazla kapılır, içli. **~ality** [–ˈtaliti], içlilik, fazla hassaslık.
sentinel [ˈsentinl]. Nöbetçi. **to stand ~ (over),** nöbet beklemek; gözetlemek.
sentry [ˈsentri]. Nöbetçi. **to stand ~ [to be on ~ go],** nöbet beklemek: **to relieve a ~,** nöbetçiyi değiştirmek. **sentry-box,** nöbetçi kulübesi.
sepal [ˈsiipl]. Vüreykî keis.
separable [ˈseprəbl]. Ayrılabilir.
separat·e *a.* [ˈseprit]. Ayrı, ayrılmış; müstakil, mücerred; müfrez. *vb.* [ˈsepəreit]. Ayırmak, ayrılmak; ayırd etm., tefrik etmek. **to ~ milk,** sütün kaymağını almak. **~ion** [ˌsepəˈreiʃn], ayırma; ayrılma; ayrılık; hicran: **~ allowance,** asker ailelerine verilen tahsisat: **judicial ~,** mahkeme kararile ayrılık: **~ order,** ayrılık hükmü. **~ist** [ˈseprətist], muhtariyetçi. **~or** [ˈsepəreitə*], sütün kaymağını veya petekten balı almağa mahsus makine; santrifüjör.
sepia [ˈsiipiə]. Sepya, koyu kahverengi.
sepoy [ˈsiipoi]. Eskiden Hindistan ordusunun hindli askeri.
sepsis [ˈsepsis]. Kan zehirlenmesi; septisemi.
September [sepˈtembə*]. Eylûl.
septennial [sepˈteniəl]. Yedi senede bir (olan); yedi sene süren.
septet [sepˈtet]. (*mus.*) Yedi ses yahud yedi çalgı için beste.
septic [ˈseptik]. Çürütücü; müteaffin; mikroblu. **~aemia** [ˌseptiˈsiimjə], septisemi.
septuagenarian [ˌseptjuədʒiˈneəriən]. Yetmişlik şahıs.
Septuagint [ˈseptuadʒint]. Ahdi atikin yunancası.
septum [ˈseptʌm]. Burun direği.
sepulchr·e [ˈsepəlkə*]. Mezar; kabir, türbe. **a whited ~,** müraî; ⌜uzaktan gördüm bir yeşil türbe, içine girdim neuzübillah⌝. **~al** [–ˈpʌlkrəl], mezara aid; mevtaî: **a ~ voice,** mezardan gelir gibi bir ses.
sequel [ˈsiikwəl]. Bir şeyin mabadı, üst tarafı, arkası; akibet, netice.
sequence [ˈsiikwəns]. Tevali; sıra, silsile; kâğıd sırası.
sequest·er [siˈkwestə*]. Haczetmek, el komak. **to ~ oneself,** çekilmek, inzivaya çekilmek. **~ered,** münzevi, hücre; haczedilmiş. **~rate** [ˈsiikwestreit], haczetmek, el komak.
sequin [ˈsiikwin]. Eski Venedik altını; süs için elbiseye takılan madenî pul.
seraglio [siˈraaljou]. Saray; harem.
seraph, pl. **-s, -im** [ˈseraf, –s, –im]. (Hıristiyanlıkta) en yüksek sınıf meleklerden biri. **~ic** [siˈrafik], melek gibi.

Serb, Serbian [səəbˈjən]. Sırp; sırpça. **~ia,** Sırbistan.
sere [siə*]. Kurumuş (yaprak); kavruk; solmuş.
serenade [ˌserəˈneid]. Sevgilinin penceresi altında söylenen şarkı veya çalınan hava. 'Serenade' yapmak.
seren·e [siˈriin]. Sakin, asude; huzur içinde; durgun, açık (hava). **His Serene Highness,** *bazı prenslere verilen unvan*: **all ~!,** (*kon.*) işler tıkırında. **~ity** [–ˈreniti], sukûnet, sekinet, durgunluk; huzur.
serf [səəf]. Derebeylik devrinde demirbaş köle; serf. **~dom,** serflik; kölelik.
serge [səədʒ]. Şayak.
sergeant, serjeant [ˈsaadʒənt]. Çavuş. **police ~,** polis komiseri muavini. **Common Sergeant,** Londra Belediyesinin bir memuru: **-at-arms,** Saray, Parlamento ve Londra memurlarına verilen unvan. **serjeant-at-law,** bir nevi teşrifat memuru. **sergeant-major,** başçavuş.
serial [ˈsiəriəl]. Sıraya dahil; sıra ile devam eden; tefrika halinde. Tefrika. **~ize,** tefrika etmek.
seriatim [seriˈeitim]. Sırasiyle.
seri[ci]culture [ˌseri(si)ˈkʌltʃə*]. İpekböcekçiliği.
series [ˈsiiriiz]. Sıra, silsile, manzume; seri. **in ~,** seri halinde, arka arkaya.
serious [ˈsiəriəs]. Ciddî; vahim; vakur, temkinli. **to take stg. ~ly,** ciddiye almak.
serjeant *bk.* **sergeant.**
sermon [ˈsəəmən]. Vaız. **~ize,** uzun uzadıya nasihat vermek, vaıza başlamak.
serpent [ˈsəəpənt]. Yılan. **~ine** [–tain], yılankavi; hilekâr. Somakiye benziyen bir nevi taş.
serrate, -ted [ˈsereit, siˈreitid]. Testere gibi dişli; girintili çıkıntılı.
serried [ˈserid]. Sıkışık.
serum [ˈsiərəm]. Serom.
servant [ˈsəəvənt]. Hizmetçi, uşak; kul, bende; memur. **general ~,** her işe bakan hizmetçi: **your humble ~,** hakîr kulunuz (*mafevke yazılan bir resmî mektubun sonunda kullanılan tabir*): **your obedient ~,** itaatli bendeniz (*resmî veya ticarî bir mektubun sonunda kullanılan tabir*): **civil ~,** devlet memuru.
serve [səəv]. Hizmet etm., hizmetini görmek; hizmetçilik veya uşaklık etm.; yemeği sofraya koymak; misafire yemek vermek; işe yaramak; (tenis) servis yapmak; (aygır) kısrak ile çiftleşmek. **to ~ one's apprenticeship,** çıraklık etm.: **to ~ in the army [navy],** askerlik hizmetini orduda [bahriyede] yapmak: **asparagus ~d with butter,** üzerine tereyağı gezdirilen kuşkonmaz: **dinner is ~d!,** yemeğe buyurun!: **when occasion ~s,** icabında; fırsat düşünce: **to ~ as a pretext,** bahane yerine geçmek, vesile olm.: **to ~ out,** dağıtmak: **to ~ s.o. out,** birinden öc almak: **nothing will ~ but the best,** en iyisi olmazsa olmaz: **it ~s the purpose,** işe yarar; yasak savar: **the new railway will ~ a large area,** yeni demiryolu büyük bir bölgenin ihtiyacını karşılayacak: **it ~s him right!,** belâsını buldu; oh olsun!; meheldir: **if my memory ~s me right,** hafızam beni aldatmıyorsa: **to ~ a rope,** halatı façuna etm.: **to ~ one's sentence,** mahkûmiyetini geçirmek: **he ~d me shamefully,** bana çok fena muamele etti: **to ~ one's time,** (i) çıraklık etm.; (ii) askerlik hizmetini yapmak; (iii) mahkûmiyetini geçirmek: **to ~ up food,** kotarmak.
service[1] [ˈsəəvis] *n.* Hizmet; hizmetçilik; vazife; yardım; idare; ibadet, âyin; takım; (tenis vs.) servis; (otel vs.) servis. *a.* (Orduya aid) beylik. **active ~,** muharebe hizmeti: **on active ~,** cebhede: **I am at your ~,** emrinize amadeyim: **to be of ~ to s.o.,** birine yardım etm.: **dinner ~,** sofra takımı: **will you do me a ~?,** size bir ricam var?: **the fighting ~s,** kara, deniz, hava kuvvetleri: **to go out to [into] ~,** evlerde hizmetçilik etm.: **On His Majesty's Service (O.H.M.S.)** devlet hizmetinde: **to see ~,** (asker) muharebe görmek: **this hat has seen much ~,** bu şapka çok görmüş geçirmiştir: **the Senior Service,** Bahriye: **to take ~ with s.o.,** birinin evine hizmetçi girmek. **service-hoist,** mutfakta servis asansörü. **service-pipe** (su, gaz vs.), ana borudan kol.
service[2] *vb.* (Otomobil vs.ye) bakmak; tamir etmek.
serviceable [ˈsəəvisəbl]. İşe yarar; faydalı.
service-tree [ˈsəəvisˈtrii]. (*Pyrus torminalis*) Üvez ağacı.
serviette [səəviˈet]. Peçete, peşkir.
servil·e [ˈsəəvail]. Köle gibi; süflî; zelil; körükörüne. **~ity** [–ˈviliti], zillet; aşağılık; hulûskârlık.
serving [ˈsəəviŋ]. Façuna. **~mallet,** façuna maçunası: **a ~ soldier,** hizmette olan asker. **serving-man,** hizmetçi, uşak.
servitude [ˈsəəvitjuud]. Kulluk, kölelik. **penal ~,** kürek cezası.
sesame [ˈsesami]. Sisam. **open ~,** açıl sisam açıl.
sessile [ˈsesail]. (Nebat) sapsız.
session [ˈseʃn]. Celse; ictima; oturuş. **the House is now in ~,** Parlamento ictima halindedir: **petty ~s,** sulh mahkemesi.
set[1] [set] *n.* Takım; kolleksyon, seri; muhit, grup, zümre, klik; vaziyet, tavır; fidan;

kaldırım taşı; (av köpeği) ferma. ~ of apartments, apartman dairesi: ~ of a coat, ceketin sırta oturuşu: ~ of the current, akıntının istikameti: ~ of the head, başın duruşu: to make a ~, (av köpeği) ferma etm.: to make a (dead) ~ at s.o., birine diş geçirmek, kancayı takmak; (kadın) bir erkeği avlamağa çalışmak: we don't move in the same ~, aynı muhite devam etmiyoruz: ~ of the sails, yelkenlerin vaziyeti: ~ of a saw, testerenin sağa ve sola dönük dişleri arasındaki zaviye: wireless ~, radyo (alıcı makine).

set² *a.* Sabit, kımıldamaz; muayyen. to be all ~, başlamağa hazır olm.: ~ fair, (barometro) devamlı açık hava: the fruit is ~, meyvalar tuttu: hard ~, (çimento vs.) donmuş; ~ phrase, klişe: ~ purpose, katî maksad: of ~ purpose, taammüden: a ~ smile, daimî tebessüm: a ~ speech, klişe nutuk: ~ subject [book], imtihan için muayyen mevzu [kitab].

set³ *vb.* (Güneş, ay) batmak; (çimento) donmak, katılaşmak, koyulaşmak, ağdalanmak; meyletmek; (av köpeği) ferma etmek. Koymak, yerleştirmek, dikmek, kurmak; başlatmak; tanzim etm., tayin etm.; vermek; (yazı) dizmek; (kıymetli taş) oturtmak. to ~ a book for an exam., imtihan için bir kitab tesbit etm.: (of a broken leg) to ~, kırık kemik kaynamak: to ~ a broken leg, kırık kemiği yerine koyarak sarmak: to ~ s.o. doing [to do] stg., birine (boş durmamak için) bir iş vermek: to ~ the dog barking, köpeği havlatmak: (of a dress) to ~ well [badly], elbise iyi [fena] oturmak: to ~ a hen, bir tavuğu kuluçkaya yatırmak: to ~ one's hopes [mind, heart] on doing stg., bir şeyi candan istemek: opinion is ~ting that way, umumî efkâr o tarafa meylediyor: to ~ right, düzeltmek; yoluna koymak: to ~ s.o. on his way, birine yol göstermek: to ~ words to music, bir güfteyi bestelemek. **set about,** to ~ about doing stg., bir işe girişmek [başlamak]: I don't know how to ~ about it, bu işe nasıl girişeceğimi bilmiyorum: to ~ a rumour about, bir rivayeti yaymak: to ~ about s.o., (*kon.*) birine hücum etmek. **set against,** …e dayamak: to ~ one person against another, birini başkası aleyhine çevirmek: to ~ one thing against another, bir şeyin değerini başka bir şeyinki ile ölçüye vurmak. **set apart,** tecerrüd etm., ayırmak; bir tarafa koymak; tahsis etm. **set aside,** bir tarafa koymak; atmak; biriktirmek; ibtal etm.; ifraz etm.: to ~ a will aside, bir vasiyetnameyi ibtal etmek. **set back,** to ~ a house back from the road, bir evi yoldan içeri [geri] almak: (horse) to ~ back its ears, (at) kulaklarını yatırmak: to ~ back a clock, saati geri almak. **set-back** *n.*, gerileme, kötüleşme, muvakkat muvaffakiyetsizlik. **set before,** önüne koymak: to ~ Shakespeare before Dante, Shakespeare'i Dante'ye tercih etmek. **set down,** yere koymak; (yolcu vs.yi) çıkarmak; yazmak. **set forth,** yola çıkmak, yola düşmek; ileri sürmek. **set in,** (kış vs.) gelip çatmak; (karanlık) basmak; meydana gelmek, peyda olmak. **set off,** yola çıkmak; boylamak; tebarüz ettirmek; güzelleştirmek; meydana çıkarmak; karşılık olarak koymak; takas yapmak: this answer ~ them off laughing, bu cevab onları güldürdü. **set-off,** karşılık. **set on,** to ~ a dog on to s.o., bir köpeği birine saldırtmak: I was ~ on by a dog, bir köpek bana saldırdı: to be ~ on stg., bir şeyi aklına koymak, canı çok istemek. **set out,** yola çıkmak: izah etm.; şerhetmek; teşhir etm.: to ~ out to …, …e koyulmak: he ~ out to reform the world, dünyayı ıslah etmeğe kalkıştı. **set to,** koyulmak; işe koyulmak. **set-to,** dövüş. **set up,** dikmek, rekzetmek; kurmak; mucib olm.; ileri sürmek: to ~ up house, ev kurmak: to ~ s.o. up in business, birini bir işe yerleştirmek (başlatmak): to ~ up a shout, feryad koparmak, haykırmak: he ~s up to be a poet, şairlik davasına düştü; şairlik taslıyor: to ~ up a manuscript, (matbaa) bir yazıyı dizmek: this medicine ~ me up, bu ilac beni diriltti, kendime getirdi: a well-~-up youth, boylu boslu genc. **set upon,** hücum etm., çullanmak.

seton [ˈsiitn]. (*tıb.*) Fitil.

settee [seˈtii]. Kanape.

setter [ˈsetə*]. Bir nevi av köpeği, setter.

settle [ˈsetl]. Yerleştirmek; iskân etm.; tesbit etm., tayin etm.; kesip atmak, kararlaştırmak; teskin etm.; halletmek; düzeltmek, tanzim etm.; ödemek. Yerleşmek; sabit bir hale gelmek; konmak; bir işe koyulmak; durulmak; dibe çökmek; (bina) bir az yere çökmek. to ~ an account, bir hesabı tediye etm.: to ~ an account with s.o., birile kozunu paylaşmak: to ~ s.o.'s account [to ~ s.o.], birinin icabına bakmak, hesabını görmek: to ~ an annuity on s.o., birine senelik gelir bağlamak: to ~ definitely [once for all], kesip atmak: to ~ s.o.'s doubts, birinin şübhesini gidermek: it 's as good as ~d, oldu bitti sayılır: (of a ship) to ~, yavaş yavaş dibe batmak: the snow is settling, kar tutuyor: that ~s it!, münakaşaya lüzum kalmadı; mesele kendiliğinden halledildi. **settle down,** sükûnet bulmak; durulmak; bir yerde yerleşmek; oturmak; yeni bir muhite alışmak; uslan(dır)mak. **settle upon,** karar vermek; seçmek; (birine) bağlamak; üzerine konmak.

settled [ˈsetld]. Sabit; devamlı; kararlaştırılmış; muayyen; değişmez; meskûn; ödenmiş. **~ in life,** ev bark ve işgüç sahibi; (*kız.*) evlenmiş: **with a ~ job,** devamlı bir iş sahibi.

settlement [ˈsetlmənt]. Yerleştirme, iskân etme; tanzim, tesviye; ödeme; birine bağlanan irad; yeni imar ve iskân olunan yer. **marriage ~,** evlenme mukavelesi ile zevceye bağlanan irad vs.

settler [ˈsetlə*]. Yeni bir memlekette yerleşen adam.

seven [ˈsevn]. Yedi. **~fold,** yedi kat, yedi misli. **~teen,** on yedi. **~th** [–θ], yedinci. **~tieth,** yetmişinci. **~ty,** yetmiş. **seven-league, ~ boots,** (bir masalda) kim giyerse ona her adımda yedi fersah yol aldıran ayakkabı.

sever [ˈsevə*]. Ayırmak; kesmek; yarmak. **~ance,** ayırma; inkıta; kesilme.

several [ˈsevrəl]. Bir çok; bir kaç; müteaddid; muhtelif; ayrı ayrı.

sever·e [siˈviə*]. Şiddetli; vahim; sert. **~ity** [–ˈveriti], şiddet; sertlik; huşunet.

sew [sou]. Dikmek. **~ on,** dikerek takmak: **~ up,** dikip kapatmak.

sewage [ˈsjuuidʒ]. Lâğım pisliği. **sewage-farm,** lâğım pislikleri ile gübreleme tertibatını havi çiftlik.

sewer[1] [ˈsouə*]. Dikişçi.

sewer[2] [ˈsjuuə*]. Ana lâğım; geriz. **~age** [–ridʒ], lâğım tertibatı; lâğım pisliği. **~man,** lâğımcı.

sex [seks]. Cins; cinsiyet. **the fair ~,** cinsi lâtif. **sex-appeal,** cinsî cazibe. **~ed,** cinsiyeti olan: **over-~,** müfrit derecede cinsiyete düşkün. **~less,** cinsiyetsiz.

sexagenarian [ˌseksadʒiˈneəriən]. Altmışlık, altmış yaşında olan.

sexennial [sekˈseniəl]. Altı senede bir olan; altı sene süren.

sextant [ˈsekstənt]. Sekstant.

sextet [seksˈtet]. Altı seslik yahud altı çalgılık hava.

sexton [ˈsekstən]. Kilise kayyumu; zangoç; mezarcı.

sextuple [seksˈtjuupl]. Altı misli.

sexual [ˈseksjuəl]. Cinsî; tenasülî. **~ity** [–ˈaliti], cinsiyet.

shabby [ˈʃabi]. Kılıksız; babayani; pejmürde; külüstür; süflî; alçak, miskin; cimri. **shabby-genteel,** fakirliğine rağmen zevahiri kurtarmağa çalışan düşkün kibar.

shack [ʃak]. Kulübe.

shackle [ˈʃakl]. Ayak zinciri, köstek; asma kilid köprüsü; iki zinciri birleştiren bakla. **~s,** köstek; pranga; mani, engel. Prangaya vurmak; zincirle bağlamak; kolunu ayağını bağlamak, engel olm., menetmek.

shad [ʃad]. Ringa cinsinden bazı balıklara verilen ad.

shaddock [ˈʃadok]. Pamplmuz (*şimdi um.* **grape-fruit** *denir*).

shade [ʃeid]. Gölge; renk derecesi; anat, ince fark; lâmba fanusu. Gölge vermek, gölgelendirmek; muhafaza etm.; örtmek. **~s of meaning,** anat, ince mana farkları: **~s of difference,** incelikler: **green shading into blue,** maviye çalan yeşil: **the ~s of night,** karanlık: **to put s.o. in the ~,** birini gölgede bırakmak.

shadiness [ˈʃeidinis]. Gölgelik; şübheli veya mübhem olma.

shadow [ˈʃadou]. Gölge; saye; hayal; zerre. Gölgelendirmek; mübhem bir şekilde ima etm., tarif etm.; gizlice takib etmek. **to cast a ~,** gölge yapmak; (*mec.*) karartmak, keder vermek: ⌜**coming events cast their ~s before them**⌝, olacak şey kendini belli eder: **there is not the ~ of doubt that ...,** zerre kadar şübhe yok ki: **a ~ of fear crossed his face,** yüzünde bir korku rüzgârı dolaştı: ⌜**may your ~ never grow less!**⌝, (*şak.*) Allah feyzini daim etsin! **he is a mere ~ of his former self,** nerede şimdi o eski hali?: **to quarrel with one's own ~,** beyhude yere üzülmek; kendine zarar vermek: **under the ~ of this disaster,** bu felâket havası içinde: **he is under a ~,** lekeli *veya* şübhelidir: **to wear oneself to a ~,** uğraşa uğraşa hayalifenere dönmek.

shadowy [ˈʃadoui]. Hayal meyal; mübhem.

shady [ˈʃeidi]. Gölgeli; şübheli. **he is a ~ character,** sağlam ayakkabı değil: **to be on the ~ side of fifty,** ellisini aşmış olm.: **the ~ side of politics,** politikanın çirkin tarafı.

shaft [ʃaaft]. Ok mızrak vs.nin sapı; ok; şua; sütun; tüy sapı; şaft; maden kuyusu; hava cereyanı borusu; çifte oku. **~ing,** şaft donanımı.

shag[1] [ʃag]. Tel tel kıyılmış sert tütün.

shag[2]. [*Phalacrocorax aristotelis*] Sorguçlu karabatak.

shaggy [ˈʃagi]. Kaba saçlı; çok kıllı; pürüzlü.

shagreen [ʃaˈgriin]. Sağrı; köpekbalığı derisi; kelerderisi.

shah [ʃaa]. Şah.

shake [shook, shaken) [ʃeik, ʃuk, ʃeikn]. Silkmek, sallamak; sarsmak; çalkamak. Sarsılmak; titremek. Sallanma; sarsıntı; çalkama; titreme. **to ~ all over,** tir tir titremek: **to ~ oneself free from stg.,** silkip kendini kurtarmak: **to ~ s.o.'s hand** [**to ~ s.o. by the hand**], birinin elini sıkmak: **to ~ hands on it,** bir meselede uzlaşıp el sıkışmak: **he shook his head (to say no),** yok manasında başını salladı: **in a ~ [in a brace of ~s],** (*arg.*) hemencecik: **to ~ in one's shoes,** korkudan titremek. **shake down,** sarsa sarsa yere düşürmek; (*kon.*) arkadaşlarına veya muhitine alışmak. **shake off,** silkip atmak: **to ~ off a cold,** bir nezleyi savmak: **to ~ the dust off one's feet,** nefretle uzaklaşmak: **to ~ off a person,** sırnaşık birisinden yakasını kurtamak. **shake out,** silkip tozunu vs. çıkarmak; silkip boşaltmak. **shake up,** çalkalamak; silkmek; (*kon.*) uyandırmak, gayrete getirmek; gözünü açmak: **that 's given him a bit of a ~ up,** bu onun aklını başına getirir, onu bir az silker.

shaky [ˈʃeiki]. Sallanan; sarsılmış; sağlam değil; kuvvetsiz, keyifsiz. **his English is ~,** ingilizcesi zayıfdır.

shale [ʃeil]. Şist. **shale-oil,** şistten hasıl olan neft.

shall [ʃal]. *İstikbal sıygasını yapmak için kullanılan yardımcı fiil; vurgulu olarak telâffuz edilirse vücubî sıygasi manasını ifade eder;* **shall not** *um.* **shan't** [ʃaant] *okunur ve bazan böyle yazılır.* **I ~ go,** gideceğim: **~ we go to the cinema?,** sinemaya gidelim mi?: **~ I tell him?,** bunu ona söyleyim mi?: **you ~ tell me tomorrow,** onu yarın bana söyleyeceksin: **you *shall* tell me,** mutlaka söylemelisiniz.

shallot [ʃaˈlot]. Soğancık.

shallow [ˈʃalou]. Sığ; sathî. Sığlık.

sham [ʃam]. Taklid; düzme; iğreti, yapma. Yalan; gözboyası; sahtekâr. Yalandan yapmak. **to ~ sleep,** uyur gibi yapmak: **he is only ~ming,** aslı yok, mahsus yapıyor: **to ~ death [dead],** ölü gibi yapmak.

shamble [ˈʃambl]. Şapşal yürüyüş; ayak sürtme. Şapşal şapşal ve ayağını sürterek yürümek.

shambles [ˈʃamblz]. Mezbaha. **the place was a ~,** kan gövdeyi götürüyordu.

shame [ʃeim]. Utanc; haya; mahcubiyet; ayıb, rezalet; günah; yazık. Utandırmak, mahcub etmek. **for ~!,** ne ayıb!: **it 's a ~ to laugh at him,** onunla alay etmek doğru değil: **to ~ s.o. into doing stg.,** birini utandırarak bir şeyi yaptırmak: **to put to ~,** utandırmak: **~ upon you!,** ayıb sana!: **what a ~!,** ne yazık!; ne ayıb, olur şey değil!: **without ~,** arsız, hayasız. **~ful,** utandırıcı; utanacak; ayıb, rezil; yüz kızartıcı. **~less,** arsız, hayasız, utanmaz. **~faced,** utanmış; mahcub; süklüm püklum.

shammy (-leather) [ˈʃamiˈleðə*]. Güderi.

shampoo [ˈʃampuu]. Başını sabunlayıp yıkama(k), şampuan yapmak.

shamrock [ˈʃamrok]. İrlanda'nın millî remzi olan bir nevi yonca.

shandygaff [ˈʃandigaf]. Zencefilli gazoz ile karıştırılmış bira.

shanghai [ʃaŋˈhai]. Afyonla sersemletip tayfa olarak gemiye alıp götürmek.

shank [ʃaŋk]. İncik; olta iğnesinin sapı; gemi demiri bedeni; prazvana. **to go on Shanks's mare,** tabanvayla gitmek.

shan't = **shall not.** *bk.* **shall.**

shanty¹ [ˈʃanti]. Kulübe; derme çatma bina.

shanty². Gemici şarkısı; heyamola şarkısı.

shape [ʃeip]. Şekil; biçim. Biçim vermek; şekil vermek; tertib etm.; yontmak; uydurmak. Gelişmek, inkişaf etmek. **to ~ a course,** (gemi) filan cihete yol tutmak: **to ~ well,** ümid verici olmak. **~d,** ... şekilli, biçimli, endamlı. **~less,** biçimsiz; çirkin. **~ly,** endamlı, yakışıklı; güzel biçimli. **~r,** vargel tazgâhı.

shard [ʃaad]. Küçük çömlek parçası.

share¹ [ʃeə*]. Saban demiri.

share². Pay, hisse; sehim, hisse senedi. Paylaşmak; hissesini almak, payını almak; iştirak etmek. **~ and ~ alike,** müsavi hisseler alarak: **you are not doing your ~,** hissene düşeni yapmıyorsun; ötekiler kadar çalışmıyorsunuz: **he came in for his full ~ of misfortune [good fortune],** lâyık olduğu felâkete [saadete] fazlasile uğradı [nail oldu]: **to go ~s,** paylaşmak: **to ~ in [take a ~ in],** ···e iştirak etm.: **to ~ out,** paylaştırmak; taksim etmek. **~holder,** hissedar, aksiyoner. **share-pusher,** değersiz hisse senedleri satan ruhsatsız simsar.

shark [ʃaak]. Köpek balığı; dolandırıcı.

sharp [ʃaap]. Keskin; sivri; had; köşeli, çıkıntılı; açıkgöz, zeki, kurnaz; acı, ekşi, mayhoş; şiddetli, haşin, sert; açık, vazıh, bariz; pek meşru olmıyan, meşkûk; (*mus.*) yarım ton tiz. **at two o'clock ~,** tam saat ikide: **G ~,** sol diyez: **look ~!,** haydi çabuk!: **~ practice,** pek meşru olmıyan iş: **turn ~ left!,** tam sola dön!: **'~'s the word!',** haydi çabuk!: **that was ~ work!,** (i) maşallah ne çabuk bitti!; (ii) (*bazan*) bu iş bir az şübheli. **sharp-edged,** keskin, bilenmiş. **sharp-eyed,** keskin gözlü. **sharp-featured,** yüzünün hatları keskin. **sharp-set,** iyi bilenmiş: **to be ~,** karnı zil çalmak.

sharpen [ˈʃaapn]. Bilemek, sivriltmek; şiddetlen(dir)mek. **to ~ one's wits,** zekâsını parlatmak, gözünü açmak.

sharper [ˈʃaapə*]. Dolandırıcı, hilekâr. Daha keskin vs.

sharpness [ˈʃaapnis]. Keskinlik; açıkgözlülük; şiddet, sertlik; ekşilik.

sharpshooter [ˈʃaapʃuutə*]. Keskin nişancı.

shatter [ˈʃatə*]. Çatırdatarak kırmak;

parça parça etm., hurdehaş etm.; yok etmek. Gürültü ile kırılmak. **~ing,** ezici, yıkıcı; çatırdıyan.

shav·e [ʃeiv]. Tıraş etme *veya* olma; dar kurtuluş. Tıraş etmek *veya* olmak; rendelemek; hafifçe dokunmak, sıyırarak geçmek. **a close ~,** sinek kaydı traş; dar kurtulma: **to have a close [narrow] ~,** dar kurtulmak. **~en,** tıraş olmuş. **~ing,** tiraş olma [etme]; pek ince parça, yonga: **~s,** rende talaşı.

shawl [ʃool]. Şal.

she [ʃii]. O (müennes]. **she-,** ... dişi: **~-bear,** dişi ayı.

sheaf [ʃiif]. Demet.

shear [-ed] (*esk.* **shore**); [-ed] (*veya* **shorn**) [ʃiə*, ʃiəd, foo*, ʃoon]. Kırkma(k); demirci makası ile kesmek; **~s [pair of ~s],** büyük makas, terzi makası. **to be shorn,** kırkılmak, saçı kesilmiş olm.: **to be shorn of,** ···den mahrum olmak. **~s** *veya* **shear-legs,** iki direkten yapılmış maçuna. **shear hulk,** algarina.

shearwater [ˈʃiəwootə*]. (*Puffinus*) Yelkovan (kuş).

sheath [ʃiiθ]. Kın; kılıf; zarf; mahfaza. **~e** [–ð], kınına koymak; kaplamak: **to ~ the sword,** sulh yapmak: **copper ~d,** bakır kaplamalı. **~ing,** kaplama; zırh. **sheath-knife,** kınlı bıçak.

sheave [ʃiiv]. Makara dili.

sheaves [ʃiivz]. **sheaf** *'in cemi.*

she'd [ʃiid] = **she had; she would.**

shed[1] [ʃed] *n.* Baraka; sundurma; kulübe.

shed[2] *vb.* **(shed, shedding).** Dökmek; akıtmak; etrafa yaymak. **to ~ tears,** ağlamak; **to ~ light on a matter,** bir meseleyi aydınlatmak.

sheen [ʃiin]. Parlaklık, parıltı; perdah.

sheep, pl. **sheep** [ʃiip]. Koyun. **the black ~ of the family,** bir ailenin işe yaramaz ve serseri ferdi: **to make [cast] ~'s eyes at s.o.,** birine mahcubane ve hasretle bakmak. **~fold,** koyun ağılı. **~ish,** süklüm püklüm, mahcub. **~shank,** maragarita bağı. **~skin,** koyun pöstekisi, gocuk. **sheep-dip,** koyun parazitlerini öldüren bir ilâc; koyunları bu ilâcla yıkamağa mahsus havuz. **sheep-dog,** çoban köpeği. **sheep-run, -walk,** koyun otlağı.

sheer[1] [ʃiə*] *a.* Halis, saf, hakikî; dimdik, sarp, amudî. **it is ~ robbery,** bu düpedüz soygunculuk: **a ~ waste of time,** bu vakit kaybetmekten başka bir şey değil.

sheer[2] *vb.* Birdenbire yoldan sapmak. **to ~ off,** (*kon.*) savuşmak.

sheer[3] *n.* Borda kavsi.

sheet [ʃiit]. Yatak çarşafı; maden levhası, sac; kâğıd yaprağı; gazete; geniş satıh; ıskota. Çarşaf gibi bir şey ile örtmek. **sheet-anchor,** ocaklık demiri; en çok güvenilen şey yahud kimse. **sheet-bend,** ıskota bağı.

sheikh [ʃeik]. Şeyh.

shekel [ˈʃekel]. Miskal. **the ~s,** para.

sheldrake, sheld-duck [ˈʃeldreik, –dʌk]. (*Tadorna*) Kuşaklı ördek.

shelf [ʃelf]. Raf; kaya tabakası; sığlık. **on the ~,** bir tarafa atılmış; ıskarta edilmiş.

shell [ʃel]. Kabuk; gemi veya bina vs. kafesi, iskeleti; iç tabut; gülle; (*Amer.*) fişek. Kabuğunu kırmak, kabuğundan çıkarmak; bombardıman etmek. **to come out of one's ~,** açılmak, sıkılganlığını bırakmak: **to retire into one's ~,** kapanmak, susmak: **to ~ out,** (*arg.*) hesabı ödemek, paraları sökülmek. **shell-back,** deniz kurdu, tecrübeli denizci. **shell-fire,** top ateşi: **to come under ~,** bombardımana tutulmak. **shell-fish,** kabuklu deniz hayvanları, naime. **shell-hole,** merminin toprakta açtığı çukur. **shell-proof,** top işlemez (sığınak vs.). **shell-shock,** bombardımanın sinirler üzerindeki tesiri.

shelter [ˈʃeltə*]. Sığınak; melce, barınacak yer. Barın(dır)mak, sığınmak; himaye etmek. **under ~,** emniyetli, mahfuz, barınmış: **to take [seek] ~,** sığınmak, barınmak. **~ed,** mahfuz; barınacak: **~ industry,** ecnebi rekabetine karşı himaye edilen sanayi: **a ~ life,** mahfuz ve rahat hayat.

shelve [ʃelv]. Raflar yapmak; rafa koymak; hasıraltı etmek. Şevlenmek.

shelves [ʃelvz]. **shelf** *'in cemi.*

shepherd [ˈʃepəəd]. Çoban, Koyunlara bakmak. **to ~ children across the street,** çocukları koruyarak caddenin karşı tarafına geçirmek: **the Good Shepherd,** Hazreti İsa: **~'s purse,** (*Capsella Bursa-pastoris*) Çoban çantası.

sherbet [ˈʃəəbət]. Şerbet; bir nevi tozdan yapılmış köpürücü bir içki.

sheriff [ˈʃerif]. İngiltere'de: kontluklarda kıralı temsil eden fahrî memur; Amerika'da: bir nevi polis müdürü.

sherry [ˈʃeri]. Beyaz İspanyol şarabı.

she 's [ʃiiz] = **she is; she has.**

shew *bk.* **show.**

shibboleth [ˈʃiboleθ]. Rağbetten düşmüş fikir veya nazariye; bir fırka veya zümrenin şiarı veya parolası.

shield [ʃiild]. Kalkan; müdafi; siper; kılıf. Korumak, siper olmak; himaye etmek. **the other side of the ~,** bir meselenin öbür tarafı, gizli tarafı, madalyonun ters tarafı.

shift [ʃift]. Değiş(tir)me; taşınma; mübadele; işçi takımı, ekip; iş nöbeti; tedbir, çare; hile; kadın iç gömleği. Yerini değiştirmek, taşınmak; (rüzgâr) dönmek, çevrilmek. **~ of the cargo,** gemi ambarındaki yük istifinin bozulması: **to ~ one's ground,** yeni bir bahane ileri sürmek; yeni bir iddiada bulunmak: **an eight-hour ~,** sekiz saatte bir değişen iş nöbeti: **to be at one's last ~,** çaresiz kalmak: **to make a ~,** taşınmak: **to make (a) ~ to do stg.,** bir şeyi yapmanın yolunu bulmak, ne yapıp yapıp yapmak: **to make (a) ~ with what one has,** mevcudla idare etm.: **to ~ for oneself,** kendi başının çaresine bakmak, kendi yağile kavrulmak: **to ~ one's quarters,** taşınmak: **to ~ the responsibility of stg. on to s.o.,** bir şeyin mesuliyetini başkasının üzerine atmak: **to work in ~s,** bir işte sırayla çalışmak.

shiftless [ˈʃiftlis]. Haylaz; çul tutmaz.

shifty [ˈʃifti]. Hilekâr; tilki gibi; alacası içinde. **~ look [eyes],** güvenilmez bakiş.

shilling [ˈʃiliŋ]. Şilin. **to cut s.o. off with a ~,** mirastan mahrum etm.: **to take the King's ~,** eskiden İngiliz ordusuna gönüllü yazılmak.

shilly-shally [ˈʃiliʃali]. Kararsızlık; mızmızlanma; leytelealle. Ne yapacağını bilmemek; tereddüd; etm.; mızmızlanmak.

shimmer [ˈʃimə*]. Parıltı; hafif ışık. Pırıl pırıl olm., balkımak.

shin [ʃin]. İncik. **to ~ up a tree,** (*arg.*) bir ağaca tırmanmak.

shindy [ˈʃindi]. Patırtı, şamata. **to kick up a ~,** (*arg.*) gürültü etm., ortalığı karıştırmak; kıyamet koparmak.

shine (shone) [ʃain, ʃon]. Parla(t)mak; parıldamak; ışıldamak. Parıltı; cilâ. **rain or ~,** hava nasıl olursa olsun.

shingle[1] [ˈʃingl]. Deniz kenarında çakıl.

shingle[2]. Dam kaplamak için padavra, sendere.

shingle[3]. Kadın saçını erkek çocuğunki gibi kesme(k), alâgarson kesmek.

shingles [ˈʃiŋglz]. (*tıb.*) Zünnar, zona.

shingly [ˈʃiŋgli]. Çakıllı.

shining [ˈʃainiŋ]. Parlak.

shiny [ˈʃaini]. Parlak, cilâlı; (elbise) havsız.

ship [ʃip]. Gemi. Gemi ile göndermek; gemiye yüklemek. **~'s boy,** miço: **'when my ~ comes home',** farzı muhal zengin olursam: **~ oars!,** fora kürek!: **to ~ a sea,** geminin içine dalga girmek: **to take ~ for ...,** ···e gitmek üzere gemiye binmek. **ship-breaker,** gemi enkazcısı. **ship-broker,** gemi simsarı. **ship-chandler,** gemi levazımı satan adam. **ship-load,** bir geminin yükliyebildiği eşya, yolcu vs. **ship-mate,** aynı gemide hizmet eden arkadaş.

shipboard [ˈʃipbood]. **on ~,** gemi içinde.

shipbuild·er [ˈʃipbildə*]. Gemi inşaatçısı. **~ing,** gemi inşaatı.

shipmaster [ˈʃipmaastə*]. Ticaret gemisinin kaptanı.

shipment [ˈʃipmənt]. Gemiye yükletme; yüklenen eşya; gemi ile gönderme.

shipowner [ˈʃipounə*]. Gemi sahibi.

shipper [ˈʃipə*]. Eşyayı gemi ile sevkeden tüccar.

shipping [ˈʃipiŋ]. Gemiye yükletme. Gemiler; bir memleketin gemileri, ticaret filosu; tonilâto. Gemilere aid; denizciliğe aid. **~ charges,** navlun, nakliye ücreti: **the harbour was full of ~,** liman gemi ile dolu idi.

shipshape [ˈʃipʃeip]. Muntazam, tertibli.

shipwreck [ˈʃiprek]. Geminin batması veya karaya oturmasi veya kazaya uğraması. Gemiyi batırmak veya karaya oturtmak. **to be ~ed,** kazaya uğramak: **to ~ a plan [undertaking],** bir plânı [teşebbüsü] suya düşürmek.

shipwright [ˈʃiprait]. Gemi inşaatına çalışan marangoz, demirci vs.

shipyard [ˈʃipyaad]. Gemi tezgâhı; tersane.

shire [ʃaiə*]. İngiltere'nin idare taksimatı, kontluk. **shire horse,** bir cins İngiliz kadanası.

shirk [ʃəək]. (···den) yançizmek. **~er,** işten yan çizen; haylaz; vazifesini ihmal eden.

shirt [ʃəət]. Gömlek. **dress [starched,** (*kon.*) **boiled] ~,** kolalı suvare gömleği: **in ~ sleeves,** ceketsiz: **to put one's ~ on a horse,** at yarışlarda varını yoğunu bir at üzerine koyarak bahse girmek. **~ing,** gömleklik. **shirt-blouse,** kısa kollu ve yakalıklı kadın bluzu. **shirt-front,** kolalı gömlek göğüslüğü.

shiver[1] [ˈʃivə*]. Soğuk veya korkudan titreme(k); çok üşümek; (yelken) geminin başının rüzgâra fazla yaklaştırılması neticesinde yelken hafifçe sallanmak. **to send cold ~s down one's back,** tüylerini ürpertmek.

shiver[2]. Ufak parça, kıymık. Parala(n)mak.

shoal[1] [ʃoul]. Sığlık; sığ. Sığlaşmak.

shoal[2]. Balık sürüsü. **~s of,** pek çok.

shock[1] [ʃok]. Demet yığını. Buğday vs. demetlerini yığmak.

shock[2]. Bol ve karışık saç. **shock-headed,** kaba ve karmakarışık saçlı.

shock[3]. Sadme; sarsıntı; çarpışma; şiddetli tesir, manevî darbe; ağır bir yara veya bir ameliyatın vücuddeki tesiri, tromatizm; (*elek.*) şok. Hayret ve nefret uyandırmak, müteessir etm.; sarsmak; çarpıntıya uğratmak. **easily ~ed,** çabuk utanır; her şeyi ayıblar: **I was ~ed to hear of his death,** ölümü haberi beni çok sarstı: **~ troops,** hücum kıtaları. **~er,** (shilling) **~,** (*kon.*)

fevlalâde macera romanı. **~ing,** utandırıcı, nefret verici; müdhiş; berbad. **shock-absorber,** amortisör.

shod *bk.* shoe.

shoddy [ˈʃodi]. Kaba ve âdi kumaş. Âdi, bayağı; mezad malı.

shoe [ʃuu]. Kundura; ayakkabı; at nalı. *vb.* (shod) [ʃod]. Nallamak. **that 's another pair of ~s,** o mesele başka: **to cast a ~,** (at) nalını düşürmek: **waiting for dead men's ~,** mirasına konmak veya yerine geçmek için birinin ölümünü bekleme: **to die in one's ~s,** gayritabiî şekilde ölmek, *bilh.* asılmak: **you are not fit to black his ~s,** sen onun ayağının pabucu olamazsın: **I should not like to be in his ~s,** onun yerinde olmak istemem: ⌜**everyone knows where his own ~ pinches**⌝, herkes kendi derdini kendi bilir: **to put the ~ on the right foot,** kabahat kiminse onu itham etm.: **to step into another's ~s,** birinin yerini almak. **~black,** kundura boyacısı. **~horn,** ayakkabı çekeceği. **~maker,** kunduracı. **shoe-cream,** kundura cilâsı. **shoeing-smith,** nalband. **shoe-lace,** ayakkabı bağı.

shone *bk.* shine.

shoo [ʃuu]. *Koğma nidası.* **to ~ away,** kışt! diye koğmak.

shook *bk.* shake.

shoot[1] [ʃuut] *n.* Sürgün, filiz, fışkın; sathı mail, geçid; av partisi; hususî av yeri; top atma.

shoot[2] *vb.* (shot) [ʃuut, ʃot]. Fışkırmak, filiz sürmek; top veya tüfek atmak; tüfek ile avcılık etm.; atılmak, hızlı hareket etm.; zonklamak; (futbol) şut çekmek. Atmak, fırlatmak; kurşun vs. ile vurmak; akıntılı bir yer veya bir köprüden kayıkla hızlı geçmek. **the car shot past,** otomobil uçar gibi geçti: **I'll be shot if I ...,** ···sem öleyim. **shoot away, to ~ away all one's ammunition,** bütün mühimmatını sarfetmek: **he had one arm shot away,** bir kolunu gülle götürdü. **shoot down,** top veya tüfek ateşile vurup düşürmek. **shoot off,** ok gibi fırlamak; vurup ayırtmak: **to ~ off for a prize,** bir atış müsabakasında finale girmek. **shoot out,** dışarya fırlamak; birdenbire görünmek; (filiz) sürmek: fırlatmak, sürmek. **shoot up,** yukarıya fırlamak; pek çabuk yükselmek; (çocuk) birdenbire boy atmak: ateş altına almak.

shooting [ˈʃuutiŋ]. Atış; avcılık. **~ star** haceri semavî. **shooting-box,** avcılık mevsimi için mahsus bir köşk. **shooting-gallery,** nişan atmağa mahsus kapalı yer. **shooting-stick,** açılır kapanır oturacak yeri olan baston.

shop [ʃop]. Dükkân, mağaza. **~** [**go ~ping**], çarşıya (alışverişe) çıkmak, dükkânları gezmek. **all over the ~,** (*kon.*) karmakarışık; allak bullak: **to talk ~,** işten bahsetmek: **to go through the ~s,** ağır sanayiin bir şubesinde muhtelif atölyelerde çalışarak ihtisas yapmak: **you have come to the wrong ~,** yanlış kapıyı çaldınız. **~keeper,** dükkâncı. **~keeping,** dükkâncılık. **~lifting,** dükkândan asırma. **shop-assistant,** tezgâhtar. **shop-case,** dükkânların cam dolabı. **shop-front,** dükkânın ön camekânı. **shop-girl,** (mağazada) satıcı kız. **shop-soiled,** uzun müddet dükkânda kalarak tazeliğini kaybetmiş. **shop-walker,** büyük mağazalarda müşterilere yol gösteren memur.

shore[1] [ˈʃoo*]. Sahil, deniz kıyısı, kara. **in ~,** karaya yakın: **off ~,** (gemi) açılmış; (rüzgâr) karadan esen: **on ~,** karada: **one's native ~,** vatan.

shore[2]. Destek; payanda. **to ~ up,** desteklemek, dayaklamak.

shore[3], **shorn** *bk.* shear.

short[1] [ʃoot]. Kısa; kısa boylu; az (zaman); eksik, noksan; gevrek. **to cut stg. ~,** kısa kesmek; birdenbire sona erdirmek: **to cut s.o. ~,** birinin sözünü birdenbire kesmek: **a ~ drink,** viski, cin vs. gibi az mikdarda içilen içki: **to fall ~ of,** ···e erişmemek: **to fall ~ of the mark,** istenilen dereceye erişmemek: **to give ~ weight,** eksik tartmak: **to go ~ of stg.,** bir şeyden mahrum kalmak: **in ~,** hulâsa: **the official was £100 ~ in his accounts,** memurun yüz lira açığı çıktı: **to have a ~ memory,** çabuk unutmak; hafızası zayıf olm.: **a ~ ten miles,** pek on mil yok: **we are ~ of sugar,** şekerimiz azaldı: **to be ~ of breath,** nefesi daralmak: **it is nothing** [little] **~ of madness to do this,** bunu yapmak delilikten aşağı değil: **I would do anything ~ of murder to get some money,** para bulmak için her şeyi göze alırım (adam öldürmek müstesna): **time is running ~,** vakit gecikiyor; pek az vakit kaldı: **we are running ~ of coal** [**our coal is running ~**], kömürümüz azalıyor: **to sell ~,** açığa satış yapmak: **~ sight,** miyopluk: **to stop ~,** birdenbire durmak: **he stops ~ of nothing to achieve his ends,** maksadına erişmek isterse hiç bir şey ona mâni olamaz: **to be in ~ supply,** kıtlığına kıran girmek: **to be taken ~,** (abdesti) sıkışmak: **he has a ~ temper,** çabuk parlar, sabırsızdır: **he was very ~ with me,** bana ters muamele etti, çok kısa cevab verdi: **to make ~ work of stg.,** belini bükmek, çabucak bitirmek. **short-circuit,** *n.* kontakt; *vb.* kontakt yapmak; (*mec.*) kestirme yol bulmak. **short-dated,** kısa vadeli. **short-handed,** işçisi veya yardımcısı az. **short-lived,** kısa ömürlü; geçici, çok sürmiyen. **short-sighted,** miyop; basiretsiz, ihtiyatsız. **short-tempered,** çabuk öfkelenir. **short-term,** kısa vadeli. **short-winded,** tıknefes.

short². (*elek.*) Kontakt. Kontakt yapmak.

shortage [ˈʃootidʒ]. Kıtlık; eksiklik. **housing ~,** mesken buhranı.

shortbread [ˈʃootbred]. Kurabiye.

shortcoming [ˈʃootkʌmiŋ]. Kusur; noksan.

shorten [ˈʃootn]. Kısaltmak, kısmak.

shorthand [ˈʃoothand]. Stenografi.

shorthorn [ˈʃoothoon]. İngiltere'ye mahsus kısa boynuzlu bir cins inek.

shortly [ˈʃootli]. Hulâsa; yakında; soğuk bir şekilde, sertçe. **~ afterwards,** biraz sonra.

shortness [[ˈʃootnis]. Kısalık; eksiklik, noksan, kıtlık, darlık; sertlik.

shot¹ *bk.* **shoot.**

shot² [ʃot] *a.* Güvercin gerdanı gibi değişen renkli, yanar döner.

shot³ *n.* Top tüfek vs.nin bir atışı; saçma; iyi [fena] nişancı; tecrübe, hamle; (futbol) şut. **that was a bad ~!,** hiç tutmadı; amma yaptın ha!: **at the first ~,** ilk ağızda; ilk hamlede: **he is a good ~,** iyi avcıdır; iyi atıcıdır: **to have a ~ at stg.,** (*mec.*) bir şeyi bir kere tecrübe etm., talihini denemek: **several ~s were heard,** birkaç silâh sesi işitildi: **he accepted like a ~,** derhal kabul etti: **he would accept like a ~,** o buna dünden hazır: **to make a good ~ at stg.,** başarmak için iyi bir teşebbüs yapmak; boş atıp dolu tutmak: **to be off like a ~,** ok gibi fırlayıp gitmek: **without firing a ~,** kurşun atmadan.

should [ʃud]. *Yardımcı fiildir. Ekseriya ya mânevi bir mecburiyet yahud farazi bir mana ifade eder, mes.* **you ~ go there,** oraya gitseniz iyi olur, gitmelisiniz; **~ you go there,** oraya giderseniz. **as it ~ be,** haklı olarak, lâyikile: **all is as it ~ be,** her şey yolundadır: **he ~ have arrived by this time,** şimdiye kadar gelmeliydi [gelmesi icab ederdi]: **this ~ have been done yesterday,** bu dün yapılmalıydı: **'will he be at the party?' 'I ~ think so',** 'Toplantıya gelecek mi?' 'Zannederim, her halde': **'he is very sorry for what he did.' 'I ~ think so!',** 'Yaptığı şeye çok müteessirdir.' 'Elbette, bir de müteessir olmıyacak mıydı?': **why ~n't she ride a bicycle (if she wants to)?,** niçin bisiklete binmesin?, varsın bisiklete binsin!: **whom ~ I meet but Ahmed?,** kime rastlasam begenirsin?, Ahmede.

shoulder¹ [ˈʃouldə*] *n.* Omuz; dağ kolu. **~ to ~,** omuz omuza; tam işbirliğile: **his ~s are broad,** (*mec.*) o dayanıklıdır, o çok kaldırır: **to cold ~ s.o., to give s.o. the cold ~,** istiskal etm.: **to have a head upon one's ~s,** zeki, akıllı olm.: **an old head on young ~s,** yaşına göre tecrübeli: **to stand head and ~s above the rest,** başkalarına kat kat üstün olmak: **I let him have it straight from the ~,** ona bütün kuvvetimle yumruğu yapıştırdım; (*mec.*) açtım ağzımı yumdum gözümü. **shoulder-belt,** hamail. **shoulder-blade,** kürek kemiği.

shoulder² *vb.* Omuzlamak; sallasırt etm.; omuzla itmek; omuza vurmak; omuzda taşımak. **to ~ arms,** tüfeği omuza almak: **to ~ (a responsibility,** *etc.*), (bir mesuliyeti vs.) üzerine almak.

shout [ʃaut]. Bağırmak. Bağırma, nida, sayha. **~s of applause,** şiddetli alkışlar: **~s of laughter,** gürültülü kahkahalar: **to ~ out stg., ...** diye bağırmak: **to ~ s.o. down,** birini yuhalamak; bağırarak söyletmemek.

shove [ʃʌv]. İtme(k); itip kakma(k); dürtme(k); dürtüş; omuz vurmak. **to ~ stg. into a drawer,** bir şeyi çekmeceye sokmak: **to ~ off,** (*den.*) bir kayığı avara etm.: **to ~ one's way through,** ite kaka kendine yol açmak.

shovel [ˈʃʌvl]. Kürek. Küremek, kürekle atmak. **shovel-hat,** protestan papazları tarafından giyilen şapka. **~ler,** (*Spatula clypeata*) kaşık gaga.

show¹ *vb* **(-ed, shown)** [ʃou, ʃoud, ʃoun]. Göstermek; izhar etm.; ibraz etm.; teşhir etm.; isbat etm.; anlatmak; seyrettirmek; öğretmek; belirtmek. Görülmek, görünmek; belirmek. **to ~ one's cards [hand],** kâğıd oyununda elini göstermek; maksadını belli etm.: **to ~ s.o. the door,** birini kapı dışarı etm.: **to ~ itself,** görünmek. peyda olm.: **to ~ oneself,** kendini göstermek, isbatı vücud etm.: **he has nothing to ~ for all his work,** bütün çalışmasına rağmen ortada bir şey yok: **on your own ~ing,** kendiniz itiraf ettiğiniz gibi: **to ~ s.o. to his room,** birini odasına götürmek: **what can I ~ you, sir?,** (dükkânda), ne istiyorsunuz, efendim? **show in,** (bir misafiri vs.) içeri almak, yol göstermek. **show off,** güzel göstermek; teşhir etm.; gösteriş yapmak; fiyaka satmak, çalım yapmak. **show out,** birini kapıya kadar uğurlamak; birini kapı dışarı etmek. **show through, ...** arkasından [arasından] görünmek; sırıtmak. **show up,** teşhir etm.; foyasını meydana çıkarmak; (renk vs.) belirmek; (imtihanda) kopya vermek; isbatı vücud etmek. **to be ~n up,** foyası meydana çıkmak; teşhir edilmek.

show² *n.* Gösteriş, alâyış; nümayiş; manzara; sergi, teşhir, temaşa; (*kon.*) fırsat, şans; (*kon.*) iş, mesele. **to give s.o. a fair ~,** (*kon.*) birine kendini göstermek için lâyik olduğu fırsatı vermek: **to give the ~ away,** (*kon.*) ağzından baklayı çıkarmak; ihanet ederek ifşa etm.; foyasını meydana çıkarmak: **to make a good ~,** (*kon.*) kendini göstermek; iyi bir tesir bırakmak: **a ~ place,** görmeğe değer muhteşem bir ev vs.: **the ~ pupil of the school,** mektebin örnek [en mümtaz] talebesi: **he claims, with some ~ of reason ...,** oldukça haklı olarak iddia ettiğine göre ...: **to run the ~,** (*kon.*) bir iş idare etm.; bir yerde hakikî patron olmak. **show-case,** dükkân içindeki camekân. **show-ground,** sergi sahası.

shower [ˈʃauə*]. Geçici hafif yağmur. Yağdırmak. **heavy ~,** sağanak. **~y,** ara sıra yağmur yağan. **shower-bath,** duş.

showiness [ˈʃouinis]. Gösteriş, nümayış, debdebe.

showing-off. Çalım, fiyaka; gösteriş.

showman, pl. **-men** [ˈʃoumən]. Sirk vs. müdürü veya memur. **~ship,** teşhir sanatı.

showroom [ˈʃourum]. Eşya teşhir salonu.

showy [ˈʃoui]. Gösterişli; nümayişçi; göz alıcı.

shrank *bk.* **shrink.**

shrapnel [ˈʃrapnl]. Şarapnel.

shred [ʃred]. Dilim dilim kesmek; ditmek; lime lime etmek. Küçük parça, dilim; paçavra. **not a ~ of evidence,** en küçük bir delil yok: **to tear to ~s,** doğramak, parça parça etmek.

shrew [ʃruu]. Kır faresi. (Kadın) cırlak, şirret, titiz. **~ish,** cırlak; hırçın, bağırtkan.

shrewd [ʃruud]. Zeki, cinfikirli; (hüküm vs.) isabetli.

shriek [ʃriik]. (*ech.*) Acı acı bağırma(k), feryad (etm.); yaygara (koparmak); çığlık. **to ~ with laughter,** gülmekten katılmak.

shrift [ʃrift]. **to give s.o. short ~,** derhal cezasını vermek; işini bitirmek.

shrike [ʃraik]. (*Lanius*) Örümcek kuşu.

shrill [ʃril]. Tiz sesli, keskin sesli.

shrimp [ʃrimp]. Karides (avlamak); bodur boylu adam.

shrine [ʃrain]. Mukaddes yer; türbe; mukaddes eşya mahfazası.

shrink (**shrank, shrunk**) . [ʃriŋk, ʃraŋk, ʃrʌŋk]. Çekinmek; büzülmek, ürkmek; sinmek; takallüs etm., kısalmak, çekilmek. Daraltmak, kısaltmak. **~age,** daraltma; takallüs; fire. **~ing,** çekingen, ürkek; büzülür.

shrive (**shrove, shriven**) [ʃraiv, ʃrouv, ʃrivn]. Günahını çıkarmak.

shrivel [ˈʃrivl]. **~ (up),** Pörsü(t)mek; kuru(t)mak; büz(ül)mek. **~ed,** pörsük; kartalmış; kuruyup büzülmüş.

shroud[1] [ʃraud]. Kefen; örtü. Kefenlemek; sarmak; örtmek.

shroud[2]. (*den.*) Çarmık.

shrove [ʃrouv] *bk.* **shrive. ~tide,** apukurya. **Shrove-Tuesday,** Hıristiyanların büyük perhizinin başlangıcı olan salı günü.

shrub [ʃrʌb]. Ekserya bir kaç sapı olan küçük ağac; çalı. **~bery** [ˈʃrʌbəri], küçük ağac ve çalıdan mürekkeb ufak koru.

shrug [ʃrʌg]. Omuzlarını silkme(k).

shrunk *bk.* **shrink. ~en,** çekmiş; daralmış, kısalmış, mütekallis.

shuck [ʃʌk]. Kabuk, kılıf, zarf. Kabuğunu soymak. **~s!,** saçma!

shudder [ˈʃʌdə*]. Ürperme(k), hafifçe titreme(k); raşe.

shuffle [ˈʃʌfl]. Ayak sürüme(k); iskambil kâğıdlarını karma(k); karıştırmak; kemküm etm.; becayiş. **to ~ out of doing stg.,** estek etmek köstek etmek.

shun [ʃʌn]. ···den kaçınmak, sakınmak.

'shun. (**Attention** *'dan kıs.*) **~!,** hazırol!

shunt [ʃʌnt]. Trenin yolunu değiştirme, manevra; (*elek.*) şönt, paralel bağlanmış. Treni yan yola geçirmek veya yolunu değiştirmek, manevra etm.; şönt etmek. **~ing,** trenin manevrası; yan yola geçirme: **~ engine,** manevra lokomotifi.

shut (**shut**) [ʃʌt]. *vb.* Kapatmak; kapanmak; kapamak. *a.* Kapanmış. **to ~ one's eyes,** gözünü yummak: **to ~ one's eyes to stg.,** bir şeye göz yummak: **to ~ one's finger in the door,** parmağını kapıya kıstırmak. **shut down,** kapağını indirip kapatmak; bir fabrikayı kapatmak. **shut in,** içeri kapamak; kuşatmak. **shut off,** kesmek; su, havagazi vs.yi kesmek. **shut out,** içeri bırakmamak: **to ~ out a view,** bir manzarayı kapatmak. **shut to,** (kapıyı vs.) kapatmak. **shut up,** kapamak; hapsetmek; susturmak. Susmak: **he ought to be ~ up,** Toptaşına [Bakırköyüne] göndermeli: **to ~ a house up,** bir evi kapayıp kullanmamak: **to ~ up shop,** dükkânını kapatmak; işten vazgeçmek.

shutter [ˈʃʌtə*]. Kepenk; (*fot.*) kapak, optüratör. **to put up one's ~s.** dükkânı kapatmak; bir teşebbüsten vazgeçmek.

shuttle [ˈʃʌtl]. Mekik. **~service,** gidiş geliş karşılıklı sefer. **~cock,** 'badminton' oyununda kullanılan ucu tüylü mantar bir oyuncak.

shy[1] [ʃai]. Çekingen, muhteriz, sıkılgan; ürkek. (At) birdenbire bir yana atılmak; ürkmek. **to ~ at stg.,** bir şeyden ürküp atlamak: **to fight ~ of stg.,** bir şeyden kuşkulanmak: **to fight ~ of a job,** bir işten çekinmek.

shy[2]. (*arg.*) Taş, top vs. atmak.

Shylock [ˈʃailok]. (*Shakespeare'in Venedik*

Taciri'nindeki bir Yahudi'nin adı.) Hasis; tefeci; amansız alacaklı.
Siamese [ˈsaiəmiiz]. Siyamlı; siyamca.
sibilant [ˈsibilənt]. Safir, ıslıklı (harf).
sibyl [ˈsibil]. Kâhin kadın, falcı kadın.
sic [sik]. Böyle (metinde aynen).
siccative [ˈsikətiv]. Kurutucu, sikatif.
sick [sik]. Hasta; kusacak gibi. **to be ~,** hasta olm.; kusmak: **to be ~ of stg.,** bir şeyden tiksinmek, bıkmak, bezmek: **to be ~ of life,** dünyaya küsmek: **I'm ~ of you!,** senden illâllah!: **to feel ~,** midesi bulanmak, kusacağı gelmek: **~ at heart,** meyus, muztarib. **~en,** hastalanmak: tiksindirmek, bıktırmak; mide bulandırmak: **~ing,** tiksindirici, mide bulandırıcı, iğrendirici. **~ly,** hastalıklı, ineze, cılız; insanın içini bayıltıcı; (ışık, renk) sönük, solmuş; (iklim) sıhhate muzır; (tebessüm) zoraki. **~ness,** hastalık; mide bulantısı, kusma. **sick-allowance,** hastalık tahsisatı. **sick-bay,** bir gemide hastalara mahsus kamara. **sick-bed,** hasta yatağı. **sick-berth** *bk.* **sick-bay. sick-headache,** yarım başağrısı.
sickle [ˈsikl]. Orak.
side [said]. Yan; taraf, cihet; böğür; kenar (*arg.*) kurum, caka. Asıl olmıyan, tâli. **to ~ with,** tarafını tutmak: **he is on our ~,** o bizim tarafdardır [bizdendir]: **the other ~ of the picture,** madalyonum ters tarafı: **you have the law on your ~,** kanun sizin tarafınızdadır: **this country's climate is on the cool ~,** bu memleketin iklimi soğuğa kaçar: **these boots are on the heavy ~,** bu ayakkabılar biraz ağırdır: **to be on the wrong [right] ~ of forty,** kırk yaşından yukarı [aşağı] olm.: **to get on the soft ~ of s.o.,** birini zayıf tarafından yakalamak: **wrong ~ out,** (elbise vs.) ters. **side-car,** motosiklet yan arabası, saydkar. **side-lamps,** otomobilin küçük lâmbaları. **side-line,** (demiryolu) tâli hat; bir fabrika vs. asıl istihsalı haricinde yaptığı şey; tâli iş. **side-saddle,** kadınların ata yan binmesine mahsus eyer. **side-show,** tâli bir mesele. **side-slip,** (bisiklet veya otom.) yan savurma. **side-step,** yan basamak; yana atılan adım; bir yana adım atmak; bir güçlük veya maniden kaçınmak. **side-stroke,** (yüzmede) yandan kulac atmak. **side-track,** demiryolunun yan yolu; bir treni yan yola geçirmek; bir işi bir tarafa koymak, tehir etmek. **side-walk,** kaldırım. **side-whiskers,** favori.
sideboard [ˈsaidbood]. Büfe; musandıra.
-sided [ˈsaidid] *suff.* ... yanlı, ... taraflı.
sidelight [ˈsaidlait]. (*den.*) Borda feneri; yan feneri. **to throw a ~ on a subject,** bir meseleyi yeni bir tarafından aydınlatmak.
sidelong [ˈsaidloŋ]. Yan taraftan; yan.
sidereal [saiˈdiəriəl]. Yıldızlara aid.
sideward [ˈsaiwəəd]. *a.* **~s,** *adv.* Yan; yana doğru.
sideways, -wise [ˈsaidweiz, -waiz]. Yandan. **to walk ~,** yan yan yürümek.
siding [ˈsaidiŋ]. Demiryolunda manevra için kullanılan yan hat.
sidle [ˈsaidl]. **to ~ along,** yan yan gitmek: **to ~ up to s.o.,** birine sokulmak.
siege [siidʒ]. Muhasara. **to lay ~ to,** muhasara etm.: **to raise a ~,** (i) muhasara eden düşmanı çekilmeğe mecbur etm.; (ii) muhasarayı kaldırmak.
sienna [siˈena]. Koyu kahverengi.
siesta [siˈesta]. Öğle uykusu.
sieve [siv]. Kalbur, elek. Elemek, kalburdan geçirmek.
sift [sift]. Kalbur veya elekten geçirmek. **to ~ the evidence,** şehadetin delillerinden hakikisini yalanından ayırmak: **~ed coal,** krible.
sigh [sai]. İç çekme(k), ah etme(k). **to ~ for stg.,** bir şeyin hasretini çekmek, bir şey gözünde tütmek.
sight [sait]. Görme kuvveti; görme; nazar; müşahede; manzara; temaşa; rasad. Görmek; nişangâhını tanzim etmek. **~s,** tüfeğin gezle arpacığı; (şehir vs.nin) görülecek yerleri. **at [on] ~,** görür görmez: **to come into ~,** gözükmek; ortaya çıkıvermek: **his face was a ~!,** yüzünü görmeliydin!: **to find favour in s.o.'s ~,** birinin gözüne girmek: **at first ~,** ilk görüşte: **to get a ~ of,** bir kere görmek: **I hate [can't bear] the ~ of him,** onu görmeğe tahammül edemem: **to have good [bad] ~,** gözleri iyi [fena] olmak: **in ~,** görünürde: **in the ~ of,** gözü önünde, gözünde: **to be in ~ of,** görebilmek: **to keep in ~, not to let out of one's ~,** gözden kaçırmamak: **to know s.o. by ~,** birisile göz aşinalığı olm.: **long ~,** prezbitizm: **to lose one's ~,** kör olm.: **to lose ~ of,** gözden kaybetmek, unutmak; **I've quite lost ~ of him,** ondan hiç haberim yok, onu gözden kaybettim: **out of ~,** görünmez; ⌜**out of ~, out of mind**⌝, gözden uzak olan gönülden de uzak olur: **out of my ~!,** defol!: **to put out of ~,** gizlemek: **short ~,** miyopluk: ⌜**a ~ for sore eyes**⌝, (i) bir içim su; (ii) *uzun zaman görülmiyen bir dosta rastlayınca söylenir*: **to take a ~ at the sun,** güneşi rasad etm.: **what a ~ you are!,** bu ne hal!; bu ne kıyafet! **sight-seeing, to go ~,** seyredecek yerleri görmeğe gitmek. **sight-seer** seyyah, turist.
sighting [ˈsaitiŋ] *n.* **the ~ of this rifle is all wrong,** bu tüfeğin nişangâhı bozuktur. **sighting-shot,** bir atış musabakasında deneme atışı.

-sighted [ˈsaitid]. **far-~**, uzağı gören, prezbit; basiretli: **near [short]-~**, yakını gören, miyop; basiretsiz: **weak-~**, gözü zayıf.
sightless [ˈsaitlis]. Kör.
sightly [ˈsaitli]. Yakışıklı; hoş görünüşlü.
sign[1] [sain] *n.* İşaret; emare; iz, eser; alâmet; levha; delil; belirti. **sign-painter,** tabelâ ressamı. **sign-writer,** tabelâ yazıcısı.
sign[2] *vb.* İmzalamak; işaret etmek. **sign away,** bir mülkü vs. senedle başkasına terketmek. **sign off,** memur vs. işten çıkarken defteri imzalamak; yazılı olduğu bir şeyden vazgeçmek. **sign on,** memur vs. işe başlarken defteri imzalamak; yazılmak.
signal[1] [ˈsignəl] *a.* Göze çarpan, parlak.
signal[2] *n.* İşaret; (*den.*) haber; emir. *vb.* İşaret etm.; (*den.*) işaretle haber veya emir vermek. **~ize,** işaretle bildirmek. **~ler,** (*ask.*) işaretçi. **~man,** *pl.* **-men,** (demiryolu) işaret memuru; (bahriye) işaretçi. **signal-box, signal-cabin,** demiryolu işaret kulesi. **signal-cord,** (trende) imdad işareti. **signal-station,** (gemilerle muhabere için sahillerde kurulan) semafor veya telsiz istasyonu.
signatory [ˈsignətəri]. İmza sahibi; muahid.
signature [ˈsignitjuə*]. İmza.
signet [ˈsignit]. Mühür. **writer to the ~,** [İskoçya'da) avukat. **signet-ring,** mühür yüzüğü.
signif·y [ˈsignifai]. Delâlet etm.; beyan etm.; tebliğ etm.; manası olmak. **it does not ~,** ehemmiyeti yok; zarar yok. **~icance** [–ˈnifikəns], mana; ehemmiyet. **~icant,** manalı, manidar; ehemmiyetli. **~ication** [–ˈkeiʃn], mefhum, mana; ifade, delâlet.
signpost [ˈsainpoust]. (Yol gösteren) işaret direği.
silen·ce [ˈsailəns]. Sükût, sessizlik; susma. Susturmak; ateş kesmeğe mecbur etmek. ⌜**~ gives consent**⌝, sükût ikrardan gelir: **dead ~,** ölüm sükûtu, tam sükût: **to pass stg. over in ~,** bir şeyi sükûtla geçiştirmek. **~cer,** amortisör. **~t,** sessiz; sâkin, sâkit: **to keep ~,** susmak.
silex [ˈsaileks]. Çakmaktaşı.
silhouette [ˌsiluˈet]. Siluet. Siluetini yapmak.
silica [ˈsailika]. Silis.
silk [silk]. İpek: **~ thread,** ibrişim. **to take ~,** avukatların en yüksek rütbesi olan **King's Counsel** tayın olunmak. **silk-hat,** silindir şapka. **~en,** ipekli; ipek gibi. **~worm,** ipek böceği. **~y,** ipek gibi; (ses) yapmacıklı ve fazla tatlı.
sill [sil]. Eşik, denizlik.
silliness [ˈsilinis]. Ahmaklık, abdallık, zevzeklik.
silly [ˈsili]. Ahmak, abdal, budala; zevzek; gülünc; salak; abes, vahi. **to knock someone ~,** sersemletmek: **the ~ season,** gazetelerin, havadissizlikten, saçma sapan neşriyat yaptıkları devir.
silo [ˈsailou]. Silo.
silt [silt]. Suyun bıraktığı kum ve çamur, mil. **to ~ up,** (liman vs.) bir nehir veya denizin bıraktığı kum ve çamur ile dol(dur)mak.
silver [ˈsilvə*]. Gümüş; gümüşten yapılmış eşya veya takım; gümüş para. Gümüşten yapılmış; gümüş gibi. Gümüş kaplamak; gümüş gibi parlamak. **German ~,** çinko bakır ve nikelden yapılan bir halita: **~ plate,** gümüş takımları: **~ sand,** bahçecilikte kullanılan ince beyaz kum. ⌜**to be born with a ~ spoon in one's mouth**⌝, (i) büyük ve zengin bir ailede doğmak; (ii) yıldızı parlak olmak. **silver-gilt,** altın yaldızlı gümüş. **silver-grey,** gümüşî. **silver-haired,** beyaz saçlı. **silver-headed,** beyaz saçlı; gümüş başlı (baston). **silver-paper,** yaldız kâğıdı. **silver-plate,** gümüş kaplamak; gümüş kaplama işi. **silver-side,** sığır budu dış parçası. **silver-tongued,** talâkatlı. **silver-wedding,** evlenmenin 25 inci yıldönümü.
silvering [ˈsilvəriŋ]. Sim; sır.
silversmith [ˈsilvəsmiθ]. Gümüş eşya yapan kuyumcu.
silvery [ˈsilvəri]. Gümüş gibi.
simian [ˈsimjən]. Maymun. Maymuna aid; maymun gibi.
simil·ar [ˈsimilə*]. Misilli; benzer; müşabih. **~arity** [–ˈlariti], benzerlik. **~e** [ˈsimili], teşbih. **~itude** [siˈmilitjuud], benzerlik; teşbih.
simmer [ˈsimə*]. Yavaş yavaş kayna(t)mak; (isyan vs.) patlamak üzere olmak.
Simon [ˈsaimon]. Erkek ismi. **Simple ~,** safdil.
simony [ˈsaimoni]. Mübarek eşya veya dinî memuriyetleri satma.
simoon [siˈmuun]. Sam yeli.
simper [ˈsimpə*]. Nazlı veya yapmacıklı gülümseme(k).
simpl·e[1] [ˈsimpl] *a.* Basit, sade; kolay; kolayca anlaşılır; yalın; saf, sadedil; saf-yürekli; tabiî. **you simply must come,** muhakkak gelmelisiniz: **I was simply delighted,** bilseniz ne kadar memnun oldum: **~ folk,** kendi halinde kimseler: **it's a ~ matter,** işten bile değil: **it 's simply ridiculous,** bu adeta gülünc: **I simply said that ...,** yalnız [sade] ... dedim. **~eton,** bön, safdil adam. **~icity** [–ˈplisiti], basitlik, sadelik; kolaylık; şafatasızlık; safderunluk, bönlük. **~ify** [ˈsimplifai], basitleştirmek, kolaylaştırmak. **simple-minded,** sadedil; safderun.

simple² *n.* Kocakarı ilâcı.
simulacrum [ˌsimjuˈleikrʌm]. Hayal; gölge; hayal meyal benzerlik; sahte gösteriş; taklid.
simulate [ˈsimjuleit]. Yalandan yapmak; taklidini yapmak; ... gibi yapmak; benzemek.
simultaneous [ˌsimʌlˈteinjəs]. Aynı zamanda olan, yapılan, vukubulan. **~ly (with)**, birlikte, aynı zamanda; hep beraber.
sin [sin]. Günah. Günah işlemek. **for my ~s**, hangi günahım içinse: **like ~**, (*arg.*) şiddetle, alabildiğine: **more ~ned against than ~ning**, kabahat yalnız onun değil: **mortal ~**, Allahın affetmiyeceği günah; kebire: **original ~**, (Hıristiyanlarca) insanların yaratılışında olan günah işleme temayülü.
since [sins]. ···den beri; ···den sonra; madem ki; ... için. **ever ~ (then)**, o zamandan beri: **it is three years (ago) ~ I saw him**, onu göreli üç sene oldu, onu üç seneden beri görmedim: **we have been here ~ March**, Marttan beri buradayız: **many years ~ [long ~]**, bundan çok sene evvel: **~ you say so, it must be true**, mademki siz söylüyorsunuz, doğrudur: **a more dangerous, ~ unknown, foe**, bilinmediği için daha tehlikeli bir düşman.
sincer·e [sinˈsiə*]. Samimî; hulûskâr; ruyasız; candan; halis, muhlis. **yours ~ly**, hürmetlerimi [selâmlarımı] sunarım. **~ity** [–ˈseriti], samimiyet; riyasızlık; hulûs: **in all ~**, tam bir hüsnüniyetle, halisane.
sine [sain]. Sinüs.
sine [ˈsini]. (*Lât.*) ···siz. **~ die** [dai·i], gün tayin etmeksizin, müddetsiz (tehir): **~ qua non** [ˈsainiˈkweiˈnon], onsuz olmaz, zarurî şey.
sinecure [ˈsainikjuə*]. Hizmetsiz maaşlı memuriyet; arpalık.
sinew [ˈsinju]. Veter; adale. **the ~s of war**, para. **~y**, adaleli, kuvvetli; (et) sert, sinirli.
sinful [ˈsinfəl]. Günahkâr.
sing (**sang, sung**) [siŋ, saŋ, sʌŋ]. Şarkı söylemek, teganni etm.; ötmek; (kurşun) vızıldamak; (kulak) çınlamak, uğuldamak. **to ~ out**, bağırmak: **to ~ small**, yelkenleri suya indirmek, kuyruğu kısmak. **~er**, muganni, hanende. **sing-song**, muttarid ve cansıkıcı sesle şöylenen veya okunan; hep beraber şarkı şöylemek için yapılan toplantı.
singe [sindʒ]. Azıcık yakmak; alevden geçirmek; saçların ucunu yakma(k). **to ~ one's wings**, maceralı bir işte zarar görmek: **to ~ the King of Spain's beard**, (16 ıncı asırda İngiliz gemicileri hakkında) İspanya sahillerini yağma etmek.
single [ˈsiŋgl]. Tek; yeğane; bekâr. İki kişi arasında oyun. **to ~ out**, seçip bir tanesini almak: **to ~ out s.o.**, bir çok kimse arasından birini seçip ayırmak: **~ bed [bedroom]**, bir kişilik yatak [oda]: **~ combat**, iki adam arasında mücadele: **every ~ day**, tanrının günü: **not a ~ one**, bir tek bile yok; hiç mi hiç: **the ~ state**, bekârlık. **~ness**, bekârlık: **~ of heart**, samimiyet: **~ of purpose**, garazsızlık; teklik; bir tek maksadı [gayesi] olma. **single-handed**, tek başına; yardımcısı olmıyarak. **single-hearted**, samimî, dürüst. **single-minded**, doğru fikirli; garazsız. **single-seater**, tek kişilik (uçak).
singlet [ˈsiŋglit]. İç gömleği, zefir.
singular [ˈsiŋgjulə*]. (*gram.*) Müfred. Müfred, münferid; acayib; hususî; şayanı dikkat. **~ity** [–ˈlariti], garabet; hususiyet; tuhaflık.
Sinhalese [ˈsinhaliiz]. Seylanlı; seylanca.
sinister [ˈsinistə*]. Uğursuz, meş'um; netameli. **bend ~**, bir şahsın kalkanının veya armasının sol tarafında, nesebinin gayrımeşru olduğunu gösteren işaret.
sink¹ [siŋk] *n.* Bulaşık çukuru; pisliğin biriktiği yer.
sink² *vb.* (**sank, sunk**) [siŋk, saŋk, sʌŋk]. Batmak; dalmak; düşmek; alçalmak; çökmek. Batırmak; indirmek. **to ~ by the bow [stern]**, (gemi) baş taraftan [kıçtan] batmak: **the building is ~ing**, bina çöküyor: **they sank their differences**, ihtilâflarını bertaraf ettiler: **that ~ing feeling**, insanın içine çöken o korku, o baygınlık: **with ~ing heart**, gittikçe kasvete dalarak; kalbi burkularak: **to ~ money in an enterprise**, bir işe parasını bağlamak [yatırmak]: **the patient is ~ing**, hasta fenalaşıyor (ölmek üzere): **my spirits sank**, içime kasvet çöktü: ⌜**here goes, ~ or swim!**⌝, haydi bakalım, ya batarız ya çıkarız!; ya herrü ya merrü!: **he was left to ~ or swim**, yüzüstü bırakıldı, kendi mukadderatına terk edildi: **to ~ a well**, kuyu kazmak. **sink in(to)**, işlemek, nüfuz etm.; tesir etm.; göm(ül)mek.
sinker [ˈsiŋkə*]. Olta veya ağ kurşunu. **well-~**, kuyucu.
sinking-fund [ˈsiŋkiŋˌfʌnd]. Amortisman.
sinner [ˈsinə*]. Günahkâr.
sinuous [ˈsinjuəs]. Dolambaçlı; yılankavi.
sinus [ˈsainʌs]. Boşluk; burun arkasındaki boşluklar; fistül.
sip [sip]. Azar azar içmek. Azıcık içme, tadım.
siphon [ˈsaifn]. Sifon; cam tüblü soda şişesi. Sifonla akıtmak.
sippet [ˈsipit]. Kızarmış ekmek parçası.

sir [sǝǝ]. Efendim!; **Baronet** *ve* **Knight** *'ların unvanı ki daima şahıs ismile kullanılır, mes.* **Sir George Smith, Sir Peter Jones:** (**Sir Smith** *veya* **Sir Jones** *denmez*).
sire [saiǝ*]. Baba; erkek hayvan *ve bilh.* aygır. (Hayvan) babası olmak. (*Bir Kırala hitab ederken* **Sire, Sir** *yerinde kullanılır*).
siren [ˈsairǝn]. Cazibeli ve sehhar kadın; fettan; canavar düdüğü.
Sirius [ˈsirjǝs]. Şuarayi yemanî.
sirloin [ˈsǝǝloin]. Sığır filetosu.
sirocco [siˈrokou]. Akdenizin sıcak rüzgârı, siroko.
sisal [ˈsaisl]. **~-grass,** Amerikan sabır ağacı lifi.
sissy [ˈsisi]. (*Amer. arg.*) Hanım evlâdı.
sister [ˈsistǝ*]. Kızkardeş, hemşire; **~ of mercy,** fukara ve hastalara bakan rahibe: **~ ships,** aynı tipte gemiler. **~hood,** kızkardeşlik; sörler birliği. **~ly,** kızkardeş gibi. **sister-in-law,** görümce; baldız; yenge; elti.
sit (sat) [sit, sat]. Oturmak. Oturtmak; **to ~ for a borough,** *etc.*, bir şehir vs.nin mebusu olm.: **to ~ on a committee,** *etc.*, bir komite vs.ye dahil olm.: **to ~ for an examination,** bir imtihana girmek: **to ~ a horse well** [**badly**], ata iyi [fena] binmek: **to ~ oneself down,** oturmak: **to ~ on s.o.,** (*kon.*) birini ezmek; haddini bildirmek: **I won't be sat upon,** kendimi ezdirmem: **to ~ over a book,** bir kitaba kapanmak: **to ~ in Parliament,** Parlamento âzası olm.: **to shoot a pheasant ~ting,** yere konmuş bir sülünü vurmak: **to ~ tight,** yerinden kımıldamamak; dediğinden vs. vazgeçmemek. **sit down,** oturmak: **to ~ down to table,** sofraya oturmak: **not to ~ down under an insult,** bir hakaretin altında kalmamak. **sit-down, a ~ strike,** kolları kavusturma grevi. **sit out,** (bir oyuna) iştirak etmemek: **to ~ out a dance with s.o.,** (bir dansta) birisile dans etmeyip konuşmak: **to ~ a lecture out,** bir dersi, sabrederek, sonuna kadar dinlemek. **sit up,** doğru oturmak: **to ~ up in bed,** yatakta doğrulup oturmak: **to ~ up late,** geç vakte kadar (yatmayıp) oturmak: **to ~ up for s.o.,** birini bekliyerek yatmamak: **to make s.o. ~ up,** (*kon.*) birini şaşırtmak; şiddetle azarlamak: **to ~ up to the table,** iskemlesini masaya yaklaştırmak.
site [sait]. Mevki; (bir şeyin) bulunduğu veya vukubulduğu yer.
sitter [ˈsitǝ*]. Ressam veya fotografçı için poz alan kimse; kuluçka; (avcılıkta) kımıldanmıyan kuş veya hayvan; vurması kolay av. **I missed a ~,** vurması pek kolayken vuramadım.
sitting [ˈsitiŋ]. Celse; ressam için poz alma; kuluçkalık. Oturan; kuluçka yatan; kımıldanmıyan (av). **a ~ shot,** vurması pek kolay bir av. **sitting-box,** folluk. **sitting-room,** oturma odası: **bed ~,** hem yatak hem oturma odası.
situat·e(d) [ˈsitjueit(id)]. Yerleşmiş, kâin. **that is how I am ~,** işte vaziyetim budur: **a pleasantly ~ house,** yeri çok hoş bir ev. **~ion** [–ˈeiʃn], mevki; bulunduğu yer; hal, vaziyet; kapı ,iş.
six [siks]. Altı. **coach and ~,** altı atlı araba: **two and ~,** iki şilin altı pens, iki buçuk şilin (2/6): **everything is at ~es and sevens,** her şey karmakarışık: ⌜**it 's ~ of one and half a dozen of the other**⌝, ha o ha bu; ikisi de aynı şey; al birini vur ötekine. **~fold,** altı katlı, altı misli. **~pence,** altı peni, altı penilik; **~penny,** altı penilik: **~worth,** altı penilik. **~teen,** on altı: **~th,** on altıncı. **~th,** altıncı. **~tieth,** altmışıncı. **~ty,** altmış. **six-footer,** altı kadem boyunda; çok uzun boylu.
sizar [ˈsaizǝ*]. Üniversitede bir nevi burs talebesi.
size[1] [saiz]. Büyüklük; hacım; ölcü; numero; boy; ebad; çap. Büyüklüğüne göre tasnif etmek; **all of a ~,** hepsi aynı büyüklükte: **full ~,** tabiî büyüklük: **to take the ~ of stg.,** bir şeyi ölçmek [ölçüsünü almak]: **to ~ up,** takdir etm., ölçmek: **to ~ s.o. up,** birini tartmak.
size[2]. Çiriş; ahar; tutkal. Çirişlemek; aharlamak.
sizeable [ˈsaizǝbl]. Büyücek; oldukça büyük.
sizzle [ˈsizl]. (*ech.*) Cızırtı. Cızırdamak. **sizzling hot,** gayet sıcak.
skate[1] [skeit]. (*Raja batis*) Çemçe.
skate[2]. Paten (kaymak). **to ~ over thin ice,** pen nazik bir mevzua dokunmak.
skedaddle [skiˈdadl]. Acele kaçış. Tabanı kaldırmak.
skein [skein]. Çile, kangal. **tangled ~,** arabsaçı.
skeleton [ˈskeletǝn]. İskelet; çatı; kuru kemik. **~ crew,** çekirdek tayfa; dar kadrolu tayfa: ⌜**the ~ at the feast**⌝, bir toplantı vs.de neşe kaçıran şey: **family ~** *veya* ⌜**a ~ in the cupboard**⌝, bir ailenin utanılacak veya keder verici sırrı.
skep [skep]. Sepet; samandan yapılmış arı kovanı.
sketch [sketʃ]. Kabataslak resim; kroki; taslak; küçük piyes. Kroki yapmak; taslağını yapmak; muhtasaran tarif etmek. **~y,** taslaklık; baştan savma: **~ knowledge,** derme çatma [üstünkörü] bilgi. **sketch-book,** kroki defteri.
skew [skjuu]. Eğri, eğrilik; çarpık; mail. Çarpıtmak, eğriltmek.

skewbald [ˈskjuuboold]. Beyaz ile başka renkte benekli (at).
skewer [ˈskjuuə*]. Kebab şişi. Şişlemek.
ski [ʃii]. Kayak. Kayak yapmak.
skid [skid]. Takoz; tekerlek çariği; (otom., bisiklet) kızak yapma(k); yana doğru kayma(k), yan savurma.
skiff [skif]. İskif; kik.
skil·ful [ˈskilfəl]. Meharetli, hünerli, becerikli. **~l,** meharet; ustalık; hazakat; hüner; becerik. **~led,** meharetli, hünerli; hazakatlı: **~ artisan** [**workman**], ehliyetli işçi.
skilly [ˈskili]. Sade suya yavan çorba.
skim [skim]. Köpüğünü almak; (sütten) kaymağını almak; sıyırmak. **to ~ along,** kayar gibi ilerlemek: **to ~ the cream off stg.,** (*mec.*) bir şeyin en iyi kısmını almak: **to ~ over** [**through**] **a book,** bir kitaba şöyle bir göz gezdirmek. **~mer,** kevgir, kaymakçı kaşığı.
skimp [skimp]. Hasislik etm., kıt vermek. **to ~ one's work,** işini baştan savma görmek, yarım yamalak yapmak. **~y,** dar, kıt; elverişli olmıyan; üstünkörü.
skin [skin]. Deri; pösteki; kabuk; tulum. Derisini yüzmek; kabuğunu soymak; sıyırmak; soymak. **mere ~ and bone,** bir deri bir kemik: **to keep one's eyes ~ned,** göz kulak olm.: **next to one's ~,** tenine: **to come off with a whole ~, to save one's ~,** sağ kurtulmak, postu kurtarmak: **by the ~ of one's teeth,** dardarına, güçbelâ. **-~ned,** ... derili: **thick-~** vurdumduymaz: **thin-~,** alıngan. **~flint,** cimri. **~ful, to have a ~,** (*arg.*) kafayı iyice çekmek. **~ny,** çok zayıf, çiroz gibi, kuru sıska. **skin-deep,** sathî.
skip [skip]. Zıplama(k); sekme(k); ip atlama(k). **~** *veya* **~ over,** atlamak. **~per**[1], ip atlayan.
skipper[2] [ˈskipə*]. Kaptan, reis.
skirl [skəəl]. Gayda sesi.
skirmish [ˈskəəmiʃ]. Hafif musademe; ehemmiyetsiz kavga. Karakol musademeleri yapmak. **~er,** (*ask.*) avcı.
skirt [skəət]. Etek; (*kon.*) eksik etek. Kenarından geçmek. **~s,** civar, kenar. **~ing,** oda duvarının dip pervazı.
skit [skit]. Mizahî ve hicivli yazı; karikatür.
skittish [ˈskitiʃ]. Oynak; cilveli.
skittles [ˈskitlz] *bk.* **ninepins.** ˹**life is not all beer and ~**˺, hayat eğlenceden ibaret değildir.
skiver [ˈskivə*]. Köseleyi yontmağa mahsus bıçak; köseleden yarılmış ince sahtıyan.
skua [ˈskjuua]. (*Stercorarius*) Yırtıcı martı.
skulk [skʌlk]. Korkudan veya kötü niyetle gizlenmek; hırsızlama dolaşmak; yan çizmek.
skull [skʌl]. Kafatası. **~ and crossbones,** kafatası ve ince kemikler (korsan bayraklarında). **skull-cap,** tepe takkesi.
skunk [skʌŋk]. Şimalî Amerikada bulunan bir nevi kokarca; bunun kürkü; alçak ve pis herif.
sky, *pl.* **skies** [skai, -z]. Gök, sema. (Topu) havaya çelmek; bir resmi sergide üst sıraya asmak. **to laud to the skies,** göklere çıkarmak. **~lark,** (*Alauda arvensis*) Tarla kuşu; (çocuk gibi) gürültü ile oynamak, muziblik etmek. **~light,** tepe penceresi; kapurta; aydınlık. **~ward,** göğe doğru. **sky-blue,** havai mavi.
slab [slab]. Büyük yassı parça; levha; kalın dilim.
slack [slak]. Gevşek; tembel; mıymıntı; durgun. Laçka; (*den.*) kaloma; tozlu kömür. Gevşetmek; tembel olm.; yangelmek. **to have a ~,** mola vermek: **to ~ off,** laçka etm., kaloma etm.: **to take up the ~,** boşunu almak. **~en,** yavaşla(t)mak; gevşe(t)mek; tavsa(t)mak; laçka etmek. **~er,** tembel, haylaz; aylakçı.
slag [slag]. Cüruf; mucur.
slain *bk.* **slay.**
slake [sleik]. **to ~ one's thirst,** susuzluğunu gidermek: **to ~ lime,** kireci söndürmek.
slam[1] [slam]. (*ech.*) Şiddetle ve gürültü ile kapanma(k) veya kapatmak.
slam[2]. (İskambilde) mars, şelem.
slander [ˈslaandə*]. İftira; zem ve kadih. İftira etm.. zemmetmek. **~ous,** iftira nevinden.
slang [slaŋ]. Argo. (*kon.*) Küfretmek; azarlamak. **~y,** argo nevinden.
slant [slaant]. Meyil, inhiraf; eğrilik; müsaid rüzgâr. Meyillenmek; meyilleştirmek, inhiraf etmek. **on the ~,** verevlemesine. **~ing,** eğri, çalık. meyilli, verev: **~ eyes,** çekik göz. **~ways, ~wise,** eğri bir halde, çapraz; verev.
slap [slap]. (*ech.*) Avucla vurma(k). **to ~ s.o. on the back,** şaka için birinin sırtına vurmak: **a ~ in the face,** şamar; şamar gibi ters bir cevab; beklenmedik muvaffakiyetsizlik: **to run ~ into s.o.,** pat diye karşısına çıkmak: **~ on the spot,** şıp diye yapıştırma. **~stick,** şakşak. **slap-bang,** şıp diye, pat diye, hızla; beklenmedik şekilde. **slapdash,** acele ile; düşünmiyerek; ihtiyatsızca.
slash [slaʃ]. Uzun bir yara açmak; rastgele kesmek; kırbaç veya kılıc ile vurmak; şiddetle tenkid etmek. **to ~ about one,** sağa sola etrafa kılıc vs. vurmak. **~ing,** sert ve dokunaklı (tenkid); kamçılayan (yağmur).

slat [slat]. Tiriz; lâta; çıta; pancur tahtası. **~ted,** pancur gibi çıtalı.
slate¹ [sleit]. Arduvaz; kayagantaş; yazı taşı, yazboz tahtası. Arduvaz kaplamak. **to clean the ~,** maziyi unutmak: **to start with a clean ~,** geçmişi unutarak yeni bir hayata başlamak. **slate-coloured,** barudî.
slate². (*kon.*) Azarlamak.
slattern [ˈslatəən]. Hırpani kadın. **~ly,** hırpani, şapşal, besleme kılıklı.
slaty [ˈsleiti]. Arduvaz gibi; barudî.
slaughter [ˈslootə*]. Boğazlama(k); kesme(k); katliam. ⌜**like a sheep to the ~**⌝, kasablık koyun gibi. **~er, ~man,** mezbahacı. **~house,** mezbaha.
slav·e [sleiv]. Esir, kul, köle; cariye. Köle gibi çalışmak; didinmek. **to ~ away at stg.,** bir işe dinlenmeden çalışmak. **~er,** esirci; esir gemisi. **~ery** [ˈsleivəri], esirlik, kulluk, kölelik: **to reduce to ~,** boyunduruk altına almak. **~ish,** köle gibi; aşağılık: **~ imitation,** körü körüne taklid.
slay (**slew, slain**) [slei, sluu, slein]. Öldürmek.
sledge, sled [sled(3)]. Kızak. Kızak ile gitmek. **sledge-hammer,** balyoz: **~ (blow, style,** *etc.*), pek şiddetli (vuruş, uslûb vs.).
sleek [sliik]. (At vs.) tavlı, besili, tüyleri parlak; (saç) düz ve perdahlı; (söz, tavır) yüze gülücü.
sleep (**slept**) [sliip, slept]. Uyku. Uyumak. **to drop off to ~,** içi geçmek: **to go to ~,** uyumak; (ayak vs.) uyuşmak: **to put to ~,** yatırmak; (hayvanı) canını yakmadan öldürmek: **to ~ like a log [top],** ölü gibi uyumak: **to send to ~,** uyutmak: **to talk in one's ~,** sayıklamak: **to walk in one's ~,** uykuda gezmek; **to ~ away the time,** vakti uykuda geçirmek: **to ~ in,** (hizmetçi) evde yatmak: **to ~ off the effects of stg.,** bir şeyi uyuyarak gidermek: **to ~ out,** açıkta yatmak; (hizmetçi) hizmet ettiği evde yatmamak: **to ~ over [upon] stg.,** bir mesele üzerinde bir gece düşünmek. **~er,** uyuyan adam; travers; (*kon.*) yataklı vagon: **a good [bad] ~,** uykusu iyi [fena] kimse. **~ing,** uyuma; uyuyan: ⌜**let ~ dogs lie!**⌝, ⌜uyuyan yılanın kuyruğuna basma!⌝: **~ accommodation,** yatacak yer: **~ partner,** komanditer. **sleeping-bag,** torba şeklinde yatak takımı. **sleeping-car,** yataklı vagon; vagon-li. **sleeping-draught,** uyku ilâcı. **sleeping-sickness,** uyku hastalığı. **~y,** uyukusu gelmiş; uyuşuk; çürümeğe yüz tutmuş (armud).
sleet [sliit]. Sulu sepken (yağmak).
sleeve [sliiv]. Yen; elbise kolu; manşon. **to laugh in one's ~,** bıyık altından gülmek: **to roll up one's ~s,** paçaları sıvamak: **to have stg. up one's ~,** kozunu saklamak: **to wear one's heart on one's ~,** hislerini herkese göstermek. **sleeve-valve,** delikli gömlek (supap).
sleigh [slei]. Kızak. Kızakla gitmek.
sleight [sleit]. **~ of hand,** elçabukluğu.
slender [slendə*]. İnce belli; narin; ufak yapılı, fidan gibi; az, dar. **of ~ intelligence,** aklı kıt: **of ~ means,** dar gelirli.
slept *bk.* **sleep.**
sleuth [sluuθ]. **~ (hound),** gayet keskin koku alan ve takibde kullanılan bir cins köpek; polis hafiyesi.
slew¹ *bk.* **slay.**
slew² [sluu] Sap(tır)mak; dön(dür)mek.
slice [slais]. Dilim; parça, hisse. Dilimlemek; kesip biçme hareketi yapmak.
slick [slik]. (*kon.*) Düz, muntazam; fazla cerbezeli; kurnaz. **be ~ about it!,** elini çabuk tut!: **~ in the eye,** tam gözüne.
slid *bk.* **slide.**
slid·e (**slid**) [slaid, slid]. Kaymak; kızak yapmak; sıyırılmak, sıvışmak; kaydırıvermek; sokuşturmak. Kayma; çocukların kaydıkları buzlu yol; sürme; projeksiyon camı; bir aletin kayan parçası. **to let things ~,** ihmal etm., umursamamak: **to ~ over stg.,** (*mec.*) üstünde durmamak; sükûtla geçiştirmek. **~ing,** kayıcı; sürme: **~ scale,** mütehavvil mikyas. **slide-gauge,** sürmeli kumpas. **slide-rest,** (torna) araba. **slide-rule,** hesab cedveli.
slight¹ [slait] *a.* İnce; ince bel; pek az, cüzi; hafif; ehemmiyetsiz, belirsiz. **there is not the ~est doubt,** zerre kadar şübhe yok.
slight². Hatır kıracak söz veya hareket; tahkir; saygısızlık. Hatırını kıracak harekette bulunmak; …e saygısızlık göstermek, ehemmiyet vermemek. **to put [pass] a ~ on s.o.,** bir söz veya hareketle birinin hatırını kırmak; hor görmek. **~ing,** hatır kırıcı, hor görücü.
slily [ˈslaili]. Kurnazca; el altından.
slim [slim]. İnce bel; fidan gibi; narin; (*arg.*) kurnaz. Kasden kendini zayıflatmak. **~ness,** ince bellilik, narinlik; (*kon.*) kurnazlık, cin fikirlilik.
slim·e [slaim]. Balçık; sulu çamur; sümük. **~iness,** sulu çamur hali; sümüklülük; riyakârlık. **~y,** sümüklü; sulu çamurlu; yaltak ve riyakâr.
sling [sliŋ]. Sapan; askı; kol bağı; bocurgat halatı; izbiro. *vb.* (**slung**) [slʌŋ]. Sapan ile atmak; fırlatmak; asmak; palanga ile kaldırmak için bir şeyi bocugat halatı ile sarmak.
slink (**slunk**) [sliŋk, slʌŋk]. Gizlice ve sinsi sinsi yürümek. **to ~ away [off],** sıvışmak. **~ing,** sinsi; hırsızlama.
slip¹ [slip] *n.* Kayma; ayak kayması;

sürçme; sehiv; ufak hata, yanlışlık; (tekerlek) patinaj; yastık kılıfı; kombinezon; ufak deniz donu; gemi kızağı; daldırmalık çelik; av köpeğini kolay salıvermeğe mahsus bir nevi kayış; fiş; uzun bir parça kâğıd veya tahta. **a ~ of a boy,** fidan gibi çocuk: **to give s.o. the ~,** birinin elinden sıvışarak kurtulmak: ⌜**there 's many a ~ 'twixt the cup and the lip**⌝, ⌜çayı görmeden paçaları sıvama⌝ *kabilinden.*

slip² *vb.* Kaymak; sürçmek; sehvetmek; yanlışlık yapmak; salıvermek; gidivermek, gelivermek; (yavrusunu) vakitsiz düşürmek; (eline vs. bir şeyi) sokuşturmak; sıkıştırmak; kaçırmak. **to ~ the cable [anchor],** (gemi) demiri kaldıramıyıp zincirini salıvererek gitmek: ölmek; **to ~ home a bolt,** sürmeyi sürmelemek: **his name has ~ed my memory,** ismi hatırıma gelmiyor: **to ~ one's moorings,** (gemi) şamandıradan ayrılmak: **to ~ one's notice [attention],** (bir şey) gözünden kaçmak: **to let ~ an opportunity,** fırsat kaçırmak: **I'll just ~ over to my mother's,** anneme şöyle bir uğrayacağım: **he ~ped the papers into his pocket,** kâğıdları cebine koyuverdi; **to let ~ a remark,** ağzından bir söz kaçırmak. **slip-carriage, -coach,** hareket halinde olan bir ekspres treninden bir istasyonda bırakılan vagon. **slip-knot,** ilmek, müteharrik düğüm. **slip-stream,** pervane suyu; pervane hareketinden hasıl olan hava cereyanı. **slip-way,** gemi tezgâhı, kızak. **slip along,** süzülerek geçmek. **slip away,** sıvışmak, gözden kaybolmak; (vakit) çabuk geçmek. **slip by,** çabuk geçmek. **slip down,** kayıp düşmek. **slip off,** sıyrılmak; (elbise) sıyırmak. **slip on,** giyivermek, geçirivermek. **slip out,** dışarı sıvışmak, sıyrılmak; ağzından kaçmak: **the secret ~ped out,** sır meydana çıkıverdi. **slip up,** kayıp düşerek ayakları havaya kalkmak; yanılmak; sürçmek.

slipper [ˈslipə*]. Terlik. **~ed,** terlikli.

slippery [ˈslipəri]. Kaypak, kaygan; nazik tehlikeli (mevzu); kaçamaklı, hilekâr.

slipshod [ˈslipʃod]. Yarım yamalak; dikkatsizce yapılmış.

slit [slit]. Dar kesik; yarık, yırtık; dar aralık. Yarmak; uzunluğuna kesmek; uzunluğuna açılmak, yarılmak.

slither [ˈsliðə*]. Kayarak gitmek; yılan gibi sürünerek ilerlemek.

sliver [ˈslivə*]. Kıymık, uzun ince parça. Uzun ince parçalara yarmak.

slobber [ˈslobə*]. Salya. Salyası akmak. **to ~ over s.o.,** (*mec.*) ağlamalı surette muhabbet göstermek.

sloe [slou]. (*Prunus spinosa*) Bir nevi alıc, (?) algoncar.

slog [slog]. (*arg.*) Şiddetli vuruş. Şiddetle vurmak, çelmek. **to ~ along,** ağır ağır ve sebatla yürümek: **to ~ away at stg.,** bir şeye çok fazla çalışmak.

slogan [ˈslougən]. Düstur; şiar; harb nidası, gülbank.

sloop [sluup]. (*esk.*) Sübye armalı küçük harb gemisi; (*şim.*) ronda flok yelkenli; (bahriye) gambot.

slop [slop]. Döküp saçmak. Taşmak. **to ~ about in the mud,** çamurda yürüyerek ıslanmak: **to ~ over stg.,** (gülünc bir şekilde) çoşmak, taşmak. **~s,** pis su, çirkef; sulu yemek: **to live on ~,** çorba etsuyu vs.gibi sulu yiyeceklerle beslenmek. **slop-pail,** bulaşık suyu vs. kovası.

slop·e [sloup]. Bayır, yokuş, yamac; şev; meyil. Şevlen(dir)mek; meyilli olm., meyil verdirmek. **~ arms!,** tüfek as!: **to ~ about,** (*kon.*) sallana sallana ve işsiz güçsüz gezmek: **to ~ down,** iniş teşkil etm.: **to ~ up,** yokuş teşkil etmek. **~ing,** meyilli; şevli.

sloppy [ˈslopi]. Islak ve kirli su dökülmüş, yaş, çirkefli, çamurlu: (insan) şapşal, perişan; gülünc şekilde hassas; yarım yamalak, dikkatsiz, mübhem.

slot¹ [slot]. Geyik ayağı izi.

slot². Mustatil delik, kertik; yiv. Delik veya yiv açmak.

sloth [slouθ]. Tembellik; Amerikada ağaclarda yaşıyan ve yerde güçlükle yürüyen bir hayvan. **~ful,** tembel.

slouch [slautʃ]. Kamburunu çıkararak yürümek; kendini bırakmak, hımbıl gibi durmak veya hımbıl hımbıl yürümek. **~ing,** hımbıl, sünepe, kamburu çıkmış; saloz. **slouch-hat,** kenarları sarkık yumuşak şapka.

slough¹ [slau]. Bataklık.

slough². Yılan gömleği; böceklerin soyulan derisi; ölmüş nesic, yara kabuğu. (Yılan vs.) deri değiştirmek; ölmüş nesci atmak; (yara) kabuk bağlamak. **to ~ off [away],** düşmek, atılmak; atmak, atıp kurtulmak.

sloven [ˈslʌvn]. Şapşal ve pasaklı kimse. **~ly,** şapşal, hırpani, pasaklı; savsak; (iş) fena yapılmış, yarım yamalak, baştan savma.

slow [slou]. Ağır, bati, yavaş hareket eden; uzun süren; geri kalmış, gecikmiş; güç anlar; cansıkıcı. **to ~ up [down],** ağırlaş(tır)mak; yavaşla(t)mak, hızını almak: **~ to anger,** kolayca hiddetlenmez: **to go ~,** acele etmemek; işi kasden yavaşlatmak: **to go ~ with one's provisions,** erzakını idare ile kullanmak; **he was not ~ to ...,** ···de gecikmedi: **to cook in a ~ oven,** ağır ateşte pişirmek: ⌜**~ but sure**⌝, yavaş fakat

esaslı: ~ **train,** her istayona uğrıyan tren. **~ness,** yavaşlık, ağırlık; kalınkafalılık. **slow-coach,** ağır yürüyen veya çalışan adam; mankafa. **slow-match,** barutlu fitil. **slow-motion,** yavaş çevrilen (filim). **slow-worm,** kör yılan.
sludge [slʌdʒ]. Yapışkan çamur; rüsub; lağım pisliği.
slue *bk.* **slew².**
slug [slʌg]. Kabuksuz sümüklü böcek; tembel ve yavaş yürüyen insan veya at; ufak kurşun parçası. **~gard,** tembel, miskin, uykucu adam. **~gish,** tembel, miskin, uyuşuk, cansız; ağır; iyi işlemiyen (mide, ciğer).
sluice [sluus]. Bend kapağı, savak. Su bendlerine kapak koymak; savağı açıp su akıtmak (akmak); etrafa çok su dökerek temizlemek.
slum [slʌm]. Bir şehrin pis ve fakir mahallesi; teneke mahallesi. **to ~ [to go ~ming],** hayır maksadile fakirleri ziyaret etmek.
slumber [ˈslʌmbə*]. Uyuklamak, pineklemek, uyumak. Uyku, pinekleme.
slump [slʌmp]. (*ech.*) Çamura veya suya düşmek; birdenbire ve şiddetle düşme(k); yığılmak; (fiat vs.) ansızın düşmek.
slung *bk.* **sling.**
slur [sləə*]. Leke, tahkir; heceleri karıştırarak fena telâffuz etme(k); (*mus.*) (⁀) işaretile gösterilen iki nota arasındaki ittisal; iki notayı birleştirmek. **to cast a ~ on s.o.'s reputation,** birinin şerefini lekelemek: **to ~ over a word,** bir kelimenin hecelerini ayırd etmemek: **to ~ over a matter,** *etc.*, bir mesele vs. üzerinden hafifçe geçivermek; gizlemek; müsamaha etmek.
slush [slʌʃ]. Eriyen kar; sulu çamur; sahte teessür, fazla hassasiyet. **~y,** eriyen kar gibi sulu ve çamurlu; yavan ve mubalağalı (his).
slut [slʌt]. Pasaklı kadın. **~tish,** pasaklı, şapşal.
sly [slai]. Sinsi, şeytan, tilki gibi, kurnaz. **on the ~,** el altından: **a ~ dog,** cin gibi herif.
smack¹ [smak]. (*ech.*) Şaplamak, sille atmak. Şamar, sille, şaplak; az çeşni. Şap diye. **a ~ in the eye,** pek ters bir red; umulmıyan bir aksilik: **to ~ the lips,** dudaklarını şapırdatmak: **a ~ing noise,** şapırtı: **to ~ of stg.,** bir şey kokmak; çeşnisi olmak.
smack². **(fishing-)~,** tek direkli balıkçı gemisi.
small [smool]. Küçük, ufak; az; aşağılık. **the ~ of the back,** boş böğür: **~ change,** bozuk para: **to cry [sing] ~,** aşağıdan almak, yelkenleri suya indirmek: **to make s.o. cry ~,** pes dedirtmek, burnunu kırmak: **he is a ~ eater,** boğazlı değildir: **to look [feel] ~,** küçük düşmek: **to make s.o. look ~,** birini küçük düşürmek: **to make oneself ~,** kendini büzerek vücudünü küçültmek; göze görünmemek: **~ talk,** havadan sudan konuşma: **it is ~ wonder that ...,** hiç şaşılacak şey değil, tevekkeli değil. **~holder,** küçük bir çiftlik sahibi. **~holding,** küçük çiftlik. **~ish,** oldukça küçük, küçücük. **small-arms,** hafif silâhlar. **small-minded,** dar, darkafalı, küçük. **small-toothed, ~ comb,** sık dişli tarak.
smallpox [ˈsmoolpoks]. Çiçek hastalığı.
smart¹ [smaat] *a.* Şık, yakışıklı, zarif; açıkgöz, becerikli; kurnaz, cinfikirli; atik, çabuk; çabuk ve iyi yapılmış. **a ~ blow,** sert bir darbe: **a ~ fellow,** yaman adam: **look ~ about it!,** haydi, çabuk ol!: **to make oneself ~,** giyinip kuşanmak: **a ~ reply,** parlak veya yerinde bir cevab: **~ society, the ~ set,** yüksek sosyete: **he thinks it ~ to ...,** ...yi marifet zannediyor.
smart². Acı, sızı. Sızlamak, acımak, yanmak. **you shall ~ for this!,** sen bunun cezasını çekersin: **to ~ under an injustice,** bir haksızlık vs. içinde ukde olmak. **~en, to ~ up,** canlandırmak; üstünü başını düzeltmek: **to ~ oneself up,** süslenmek, şıklaşmak. **~ness,** şıklık; açıkgözlülük, uyanıklık; hazırcevablık.
smash [smaʃ]. (*ech.*) Çatır çatır parçalanma; çarpma, çarpışma, kaza; iflâs. Çatır çatır parçala(n)mak; ezici bir darbe vurmak; tamamiyle bozguna uğratmak; iflâs etmek. **to ~ the door open,** kapıyı zorlayıp kırmak: **to ~ [run ~] into stg.,** bir şeye şiddetle çarpmak: **to ~ up,** parça parça etmek. **~ing,** ezici, yıkıcı. **smash-and-grab, ~raid,** camekânı kırıp (mücevher vs.yi) çalma. **smash-up,** büyük kaza; (otom. vs.) şiddetli çarpışma.
smattering [ˈsmatəriŋ]. Bir parça bilme; az buçuk bilme. **to have a ~ of French,** çatpat fransızca bilmek.
smear [smiə*]. Bulama(k); leke(lemek): hafifçe sürüş; sürmek, sıvamak; bulaştırmak.
smell **(smelt)** [smel, –t]. Koku; koklama hassası; fena koku. Koklamak; kokmak; kokusunu almak. **to ~ out,** (köpek) koklıyarak bulmak; (*mec.*) sır vs. keşfetmek. **smelling-bottle,** amonyak şişesi. **smelling-salts,** uçucu emlah.
smelly [ˈsmeli]. Fena kokulu.
smelt¹ *bk.* **smell.**
smelt². (*Osmerus eperlanus*) Şimalî Avrupaya munhasır küçük ve lezzetli bir balık. **sand ~** (*Atherina*) aterina, gümüşbalığı.
smelt³ *vb.* İzabe etm.; filizi eritip maden çıkarmak. **~ing furnace,** yüksek fırın.

smil·e [smail]. Gülümseme(k) tebessüm (etm.), yüzü gülmek. **he always comes up ~ing,** başına ne gelirse gelsin güler yüzle çıkar: **to keep ~ing,** ye'se kapılmamak.
smirch [smǝǝtʃ]. Leke(lemek).
smirk [smǝǝk]. Kırıtmak, budalaca gülümseme(k).
smite (**smote, smitten**) [smait, smout, smitn]. Vurmak; çarpmak; şiddetli bir darbe indirmek. **to be smitten with the plague,** vebaya tutulmak: **to be smitten with s.o.,** birine abayı yakmak: **his conscience smote him,** vicdan azabı hissetti, pişman oldu.
smith [smiθ]. Demirci, nalband. **~y** –ði], nalband dükkânı.
smithereens [ˈsmiðǝriinz]. **to knock [smash] to ~,** tuzla buz etm., parça parça etmek.
smitten *bk.* **smite.**
smock [smok]. Eskiden köylülerin giydikleri kırmalı gömlek; arkadan ilikli çocuk gögüslüğü. Elbiseyi kırmalı dikmek.
smok·e [smouk]. Duman; pipo veya sigara içme(k); duman salıvermek; tütmek; tütün içmek; tütsülemek; islemek: **~ out,** duman ile öldürmek veya kaçırmak. **to end in ~,** suya düşmek: **like ~,** (*arg.*) bal gibi, alabildiğine: **~er,** tütün içen; (*arg.*) sigara içilen vagon; **he is a great ~,** çok tütün içer. **~ing,** tüten; tütün içme; tütsüleme: **~ hot,** pek sıcak: **'no ~!',** sigara içmek yasaktır! **~y,** dumanlı, duman tüten. **smoke-screen,** sun'î sis. **smoke-stack,** baca. **smoking-carriage,** sigara içilebilen vagon. **smoking-jacket,** (*esk.*) smokin, (*şim.* **dinner-jacket** denir).
smooth [smuuð]. Düz; durgun; pürüzsüz; cilâlı; tüysüz; buruşuksuz; tatlı, halim; muntazam; sarsıntısız. Düzlemek; arızasını gidermek; teskin etm.; tesviye etm.; okşamak. **to ~ away (difficulty, obstacle),** (güçlük, engel) ortadan kaldırmak, düzeltmek: **to ~ over a matter, to ~ things out,** meseleyi tatlıya bağlamak: **we are now in ~ water,** (*mec.*) güçlükleri atlattık. **smooth-bore,** yivsiz (tüfek). **smooth-shaven,** sakalı tıraşlı. **smooth-spoken,** tatlı dilli; mürai.
smote *bk.* **smite.**
smother [ˈsmʌðǝ*]. Boğmak; bastırmak; örtmek.
smoulder [ˈsmouldǝ*]. İçin için yanmak, alevsiz yanmak; gizli olarak mevcud olmak. **a ~ing fire,** küllenmiş ateş.
smudge [smʌdʒ]. Siyah leke; bulaşık veya sıvanmış leke; sivrisinekleri kaçırmak için yakılan ateş. Bulaştırmak, sıvaştırmak.
smug [smʌg]. Kendinden memnun.
smuggle [ˈsmʌgl]. Kaçakçılık yapmak, kaçırmak. **~r,** kaçakçı; kaçakçı gemisi.
smut [smʌt]. Kurum tanesi; (buğday hastalığı) sürme, yanık; müstehcen, açık saçık konuşma. **~ty,** sürmeli (buğday); müstehcen, açık saçık (hikâye vs.).
snack [snak]. Meze, çerez, hafif yemek. **to have a ~,** safra bastırmak: **just a ~,** bir lokma. **snack-bar,** hafif yemek ve meze veren birahane vs.
snaffle [ˈsnafl]. Çok hafif gem. (*arg.*) Kapmak, aşırmak.
snag [snag]. Bir şeyin çıkık pürüzlü ucu (*mes.* kırık dal); kırık diş kökü; bir ucu nehir dibine saplı ağac gövdesi; engel, mahzur. **to strike a ~,** bir engele rastlamak: **there 's a ~ somewhere,** altından çapanoğlu çıkabilir; görünmiyen bir illeti olmalı.
snail [sneil]. Salyangoz. **at a ~'s pace,** kaplumbağa yürüyüşü ile.
snak·e [sneik]. Yılan. **~y,** yılan gibi; yılankavi; çok yılanı olan (yer). **snake-bite,** yılan sokması. **snake-charmer,** yılan oynatıcı, yılancı.
snap [snap]. (*ech.*) Koparma sesi; ısırmak istiyen köpeğin dişlerinin sesi; (çanta vs.) yaylı rabtiyesi; (*kon.*) gayret, enerji. Isırmağa çalışmak; çatırdayıp kır(ıl)mak, birdenbire kopmak. **a cold ~,** kısa süren şiddetli soğuk: **to ~ one's fingers,** parmaklarını şıkırdatmak: **to ~ one's fingers at,** hiçe saymak; bir şey birine vızgelmek: **to ~ s.o.'s head off,** birini şiddetle terslemek: **to ~ at [make a ~ at],** ısırmağa çalışmak: **put some ~ into it!,** haydi bir az gayret!: **to ~ out an order,** keskin ve şiddetli emir vermek: **the box shut with a ~,** kutu şırak diye kapandı: **to take a ~ of,** fotografını çekmek: **to ~ up,** kapışmak. **~dragon,** aslanağzı. **~pish,** ters huylu (köpek); ters, öfkeli. **~py,** (*kon.*) canlı; çevik; yerinde (cevab): **make it ~!,** çabuk ol!, sallanma! **~shot,** enstantane fotograf. **snap-fastener,** çıtçıt; yaylı rabtiye.
snare [sneǝ*]. Tuzak; kapan; dolab, hile. Tuzak ile tutmak. **to be caught in the ~,** tuzağa düşmek.
snarl [snaal]. (*ech.*) Hırlama(k).
snatch [snatʃ]. Kapmak; kavramak. Kapış; kısa müddet; parça. **to make a ~ at stg.,** bir şeyi kapmağa çalışmak: **to ~ a meal,** çabucak iki lokma bir şey yemek: **to get a ~ of sleep,** bir az kestirmek (uyumak): **to work in ~es,** intizamsız çalışmak. **snatch-block,** bastika.
sneak [sniik]. Müzevvir, gammaz; sinsi ve korkak kimse. Gammazlık etm., koğulamak, müzevvirlemek; sinsi sinsi dolaşmak. **to ~ away,** sıvışmak. **~ing,** hırsızlama, sinsi. Koğuculuk: **to have a ~ affection for s.o.,** birine karşı (kusurlarına rağ-

men) gizlice veya itiraf edilmez bir muhabbet beslemek.
sneer [sniə*]. Müstehzi bir tavırla gülme; ihtihza. İstihza veya istihfafla gülmek. **to ~ at,** istihfaf etm.: **to ~ at wealth,** zenginliğe dudak bükmek.
sneeze [sniiz]. Aksırma(k). **an offer not to be ~ed at,** yabana atılmaz bir teklif.
snick [snik]. (*ech.*) Hafifçe kesik, çentik. Hafifçe kesmek, çentmek; (top oyunlarda) topa hafifçe dokunmak.
sniff [snif] (*ech.*) Koklamak için burnuna hava çekmek; burnunu çekmek; kokusunu almak. **to have a ~ at stg.,** bir şeyi koklamak: **not to be ~ed at,** yabana atılmaz, küçümsenemez. **~le** *bk.* **snuffle.**
snip [snip]. (*ech.*) Makasla kesmek; çırpmak. Makasla kesilmiş parça. **it 's a ~!,** (*arg.*) o elde bir! **~pet,** makasla kesilmiş ufak parca.
snipe[1] [snaip]. (*Capella gallinago*) Yelve kuşu; su çulluğu.
snipe[2] *vb.* Gizli bir yerden, pusudan, ateş etmek. **~r,** gizli bir yerden ateş eden nişançı.
snivel [ˈsnivl]. Burnunu çekerek ağlamak; yalancıktan ağlamak. **~ling,** ağlamalı; burnu akarak.
snob [snob]. Asalet ve servete fazla ehemmiyet veren züppe; snob. **~bery,** snobluk. **~bish,** snob gibi.
snook [snuk]. Nanik. **to cock a ~ at s.o.,** birine nanik yapmak.
snooker [ˈsnukə*]. Bir nevi bilârdo oyunu. **to ~ s.o.,** (*arg.*) birini müşkül bir vaziyete sokmak.
snooze [snuuz]. Kestirme(k), gündüz uyuyuverme(k).
snore [snoo*]. (*ech.*) Horlama(k).
snort [snoot]. (*ech.*) Ürkmüş veya öfkeli bir at gibi kuvvetle burnundan nefes çıkarma(k).
snot [snot]. Sümük. **~ty,** sümüklü; (*arg.*) öfkeli. (*arg.*) Bahriye asteğmeni.
snout [snaut]. Hayvan burnu.
snow [snou]. Kar. Kar yağmak. **to be ~ed in [up],** tamamen karla örtülü olmak [kapanmak]; kardan dolayı dışarı çıkamamak: **to be ~ed under with work,** işten baş kaldıramamak. **~ball,** kar topu (atmak). **~drift,** kar yığıntısı. **~drop,** (*Galanthus nivalis*) kardelen (?). **~fall,** kar yağması. **~flake,** kuşbaşı kar. **~man,** kardan adam. **~plough,** kar temizleme makinesi. **~shoes,** karda yürüyebilmek için ayak raketi. **~storm,** kar fırtınası, tipi. **~y,** karlı, kar gibi. **snow-blind,** kar tesiriyle gözleri kamaşmış veya kör olmuş. **snow-bound,** kardan dolayı yola çıkamıyan; kardan kapanmış. **snow-line,** bir dağ vs. üzerindeki daimî karın hududu.
snub[1] [snʌb]. Terslemek; haddini bildirmek. İstihfaflı söz veya hareket.
snub[2] *a.* Kısa ve ucu kalkık (burun).
snuff [snʌf]. Enfiye. *vb. bk.* **sniff.**
snuffle [ˈsnʌfl]. (*ech.*) Burnunu çekmek. **to have the ~s,** nezleden burnu akmak.
snug [snʌg]. Rahat, kuytu ve sıcak; mahfuz; konforlu. **to make all ~,** (*den.*) fırtınaya karşı her şeyi bağlayıp mahfuz kılmak.
snuggle [ˈsnʌgl]. **to ~ up to s.o.,** ısınmak için yanına sokulmak: **to ~ down in bed,** yatakta tortop olm., rahatça yerleşmek.
so [sou]. Öyle; böyle, şöyle; şu kadar. **and ~,** nitekim; keza: **~ far,** şimdiye kadar; o kadar uzak: **~ long!,** (*kon.*) şimdilik Allaha ısmarladık: **he didn't ~ much as ask me to sit down,** bana otur bile demedi: **~ much ~ that ...,** o dereceye kadar ki; hattâ öyle ki: **~ much for that!,** bunun için bu kadar yeter; vesselâm!: **~ much for his French!,** onun fransızcası da işte bu kadar!: **I regard it as ~ much lost time,** ben bunu kaybolmuş vakit sayıyorum: **⌜~ many men, ~ many minds⌝,** ne kadar insan varsa o kadar fikir var: **and ~ on [and ~ forth],** ve daha bilmem ne: **I told you ~!,** ben sana demedim mi?: **you don't say ~!,** yok canım!, Allah! Allah!: **quite ~!,** elbette!, tamam!: **'you told me you knew French.' '~ I do!',** 'Bana fransızca biliyorum demiştiniz.' 'Tabiî biliyorum': **~ help me God!,** (i) (yemin) Allah şahiddir; (ii) Allah muinim olsun!: **I know English and ~ does my brother,** ben ingilizce bilirim kardeşim de bilir: **it ~ happened that ...,** tesadüfen ...; öyle oldu ki ...: **~ that ..., ...** için: **in a week or ~,** bir haftaya kadar filan: **~ ~,** şöyle böyle: **~ to speak [say],** tabir caizse; adeta: **~ you are not going to London?,** demek ki Londra'ya gitmiyorsun? **so-and-so,** filân, filânca. **so-called,** sözde, sözüm ona; adlı.
soak [souk]. Suya batırıp ıslatmak; sırsıklam etm., sırsıklam olm.; çok içmek. **to give stg. a good ~,** bir şeyi suda bırakıp ıslatmak; (bir nebata) çok su vermek: **an old ~,** ayyaş, bekri.
soap [soup]. Sabun. Sabunlamak. **soft ~,** arabsabunu; dalkavukluk. **~wort,** çöven. **~y,** sabunlu; sabun gibi; fazla nazik, gözе girmeğe çalışan (kimse). **soap-box,** sabun sandığı: **~ orator,** sokak hatibi. **soap-bubble,** sabun kabarcığı.
soar [soo*]. Yükseklerde üçmak; kanadlarını açıp kımıldatmadan uçmak; (fiat) çok yükselmek. **~ing ambition,** hududsuz ihtiras.
sob [sob]. Hıçkırık. Hıçkırıkla ağlamak.
sober [ˈsoubə*]. Ayık; çok içmemiş; az

içki kullanan; mutedil; ciddî, makul, vakur; gösterişsiz; (renk) donuk. Ayıltmak; aklını başına getirmek. **in ~ fact,** hakikatte: **in ~ earnest,** pek ciddî olarak: **to ~ down,** ayıl(t)mak; uslan(dır)mak. **~sides,** (*kon.*) pek ciddî, ağırbaşlı kimse.

sobriety [souˈbraiəti]. İmsak; itidal.

soccer [ˈsokə*]. **association football,** futbol.

sociab·le [ˈsouʃəbl]. Cemiyet halinde yaşıyan; munis; sokulgan. **~ility** [–ˈbiliti], ünsiyet; muaşeret kabiliyeti.

social [ˈsouʃl]. İctimaî, sosyal. **~ gathering,** eş dost toplantısı, dernek: **~ intercourse,** muaşeret.

social·ism [ˈsouʃəlizm]. Sosyalizm. **~ist,** sosyalist.

society [souˈsaiəti]. Cemiyet; dernek; ictimaî heyet; şirket; sosyete. **he is fond of ~,** arkadaşlıktan ve sohbetten hoşlanır: **to go into** [**move in**] **~,** kibar âlemine [sosyeteye] girmek.

sociology [ˌsousiˈolədʒi]. İctimaiyat.

sock [sok]. Kısa çorab; (ayakkabının içine konan) taban. (*arg.*) (Darbe) indirmek. **to pull up one's ~s,** (*arg.*) kendini toplayıp çalışmağa başlamak.

socket [ˈsokit]. Sap deliği; içine sokulan oyuk; yuva; (*elek.*) dişi fiş. **eye-~,** göz evi.

sod [sod]. Çim parçası, kesek.

soda [ˈsouda]. Soda. **soda-water,** soda.

sodden [ˈsodn]. Su ile işba edilmiş; sırsıklam. **~ with drink,** ayyaşlıktan abdallaşmış.

sodium [ˈsoudjəm]. Sodyom.

sodomy [ˈsodomi]. Livata.

soever [souˈevə*]. **in any way ~,** nasıl olursa olsun: **how~ great it may be,** ne kadar büyük olursa olsun.

sofa [ˈsoufə]. Kanape; sedir.

soft [soft]. Yumuşak; müşfik; mülâyim; tenperver, çıtkırıldım. **~ drink,** alkolsuz içki: **~ fruits,** kiraz, frenküzümü, çilek, ağaççileği: **~ goods,** mensucat: **~ job,** (*kon.*) kolay ve paralı iş: **to have a ~ place in one's heart for ...,** ...e karşı zâfı olm.: **~ water,** kirecsiz su. **~en,** yumuşa(t)mak: **to have ~ing of the brain,** beyni sulanmak. **soft-boiled,** rafadan (yumurta). **soft-headed,** abdal. **soft-hearted,** merhametli. **soft-spoken,** tatlı dilli; mürai. **soft-witted,** abdal.

soggy [ˈsogi]. Batak gibi; pek sulu (toprak).

soil [soil]. Toprak. Kirletmek; lekelemek. **one's native ~,** vatan: **son of the ~,** köylü, çiftçi: **night-~,** insan gübresi.

sojourn [ˈsudʒən]. Muvakkat ikamet. Muvakkaten ikamet etmek.

solace [ˈsoles]. Teselli (etm.).

solar [ˈsoula*]. Güneşe aid; şemsî.

sold *bk.* **sell.**

solder [ˈsoldə*, ˈsodə*]. Lehim(lemek). **~ing bit** [**iron**], havya.

soldier [ˈsouldʒə*]. Asker. Askerlik etmek. **private ~,** nefer, er: **~ of fortune,** rastgele her hangi bir memleketin hizmetinde askerlik eden kimse: **~'s wind,** müsaid rüzgâr. **~ly,** askerce. **~y,** askerler; asker takımı.

sole[1] [soul]. Ayak tabanı; ayakkabı pençesi. Kunduraya pençe vurmak.

sole[2] *a.* Yegâne, biricik. **~ heir,** umumî mirascı.

sole[3]. (*Solea vulgaris*) Dil balığı.

solecism [ˈsolesizm]. Nahiv veya şive hatası; adabı muaşereti ihlâl.

solemn [ˈsoləm]. Merasimli; muhteşem; vekarlı, temkinli, ciddî. **this is the ~ truth** [**fact**], yemin ederim ki bu böyledir. **~ duty,** mukaddes vazife: **to keep a ~ face,** gülmemek için kendini tutmak. **~ity** [–ˈlemniti], temkin ve azametile icra olunan merasim veya âyin; temkinlilik, vekar, ciddiyet. **~ize,** merasimle kutlulamak.

solicit [soˈlisit]. Rica etm., yalvarmak; (fahişe, dilenci) taciz etmek. **~ation** [ˌsolisiˈteiʃn], ısrarla isteme, yalvarma; (fahişe vs. hakkında) taciz etme.

solicitor [soˈlisitə*]. Mahkeme huzuruna çıkmıyan avukat; müşavir avukat.

solicit·ous [soˈlisitəs]. İhtimamlı; endişeli. **~ about stg.,** bir şey hakkında endişeli: **to be ~ for stg.,** bir şeyi istemek: **to be ~ for s.o.'s comfort,** birinin rahatına ihtimam göstermek. **~ude,** ihtimam; endişe.

solid [ˈsolid]. Sulb; katı, camid, som; metin, sağlam, muhkem, kunt. Sulb cisim; mücessem şekil. **~ tyre,** dolma lâstik: **~ vote,** müttefiken verilen rey: **to sleep for ten ~ hours,** tam on saat uyumak. **~arity** [–ˈdariti], tesanüd. **~ify** [–ˈlidifai], katılaş(tır)mak; tasallüb et(tir)mek. **~ity** [–ˈliditi], sulbiyet, kuntluk, katılık, somluk; metanet, sağlamlık.

solilo·quize [soˈlilokwaiz]. Kendi kendine konuşmak. **~quy,** kendi kendine konuşma; monolog.

solitaire [soliˈteə*]. Yüzükte tek taş; tek başına oynanan bir dama oyunu.

solit·ary [ˈsolitəri]. Tenha, ıssız; yalnız yaşıyan; tek, münferid. **~ude** [–tjuud], tenhalık, ıssızlık; yalnızlık; uzlet, inziva.

solo [ˈsoulou]. Tek bir sanatkârın okuduğu veya çaldığı hava, solo. **~ist,** solo çalan sanatkâr, soloist.

Solomon [ˈsoləmən]. Süleyman peygamber. **~'s seal,** (*Polygonatum*) mührü Süleyman.

solstice [ˈsolstis]. Gündönümü.

solu·ble [ˈsoljubl]. Eriyebilir; inhilâli kabil; çözülebilir. **~tion** [–ˈluuʃn], erime, inhilâl; hal; çare.
solv·e [solv]. Halletmek, çözmek. **~able,** çözülebilir, halledilebilir. **~ency,** ödeyebilme. **~ent,** inhilâl ettiren (mayi), muhallil; borcunu ödeyebilir.
sombre [ˈsombə*]. Karanlık, loş; muzlim, kara; koyu (renk); endişeli.
some [sʌm]. Biraz, bir mikdar, bir kısım; bazı, bazısı; kimi; bir çok, bir kaç. **give me ~ bread,** bana ekmek ver: **~ came, ~ went,** kimi geldi kimi gitti: **in ~ degree** [**to ~ extent**], bir dereceye kadar: **~ sort of ...,** her hangi, şöyle bir: **in ~ way or another,** şu veya bu şekilde, her hangi bir şekilde; nasılsa: **ask ~ clever person!,** Akıllının birine sor!: **'Do you want ~ money?' 'No, I have ~',** 'Para ister misin?' 'Hayır, bende var': **I read it in ~ book or other,** bilmem hangi kitabda okudum: **I have been waiting ~ time,** bir hayli bekledim: **I will go there ~ time,** oraya münasib bir zamanda giderim: **~ sixty years ago,** altmış sene kadar evvel: **he 's ~ doctor!,** (*kon.*) yaman doktor!: **'I hope we shall win.' '~ hope!',** 'inşallah yeneriz.' 'Bekle, yenersiniz! (*istih.*)': **he earns ten pounds a week and then ~,** (*kon.*) haftada su içinde on lira kazanıyor.
somebody [ˈsʌmbodi]. Bir kimse, birisi. **he is (a) ~,** o mühim bir şahsiyettir; **he thinks he 's (a) ~,** kendini bir şey zannediyor.
somehow [ˈsʌmhau]. **~ (or other),** her nasılsa; her nedense.
someone [ˈsʌmwʌn] *bk.* **somebody.**
somersault [ˈsʌməsoolt]. Taklak; perende. **to turn a ~,** taklak atmak.
something [ˈsʌmθiŋ]. Bir şey: **~ (or other),** bilmem ne. **the two ~ train,** ikiyi bilmem kaç geçe treni: **there is ~ in what you say,** söylediğinizde bir hakikat hissesi [doğru bir taraf] var: **he is ~ under fifty,** o elliden bir az aşağıdır: **that 's ~ like a horse!,** işte at diye buna derler.
sometime [ˈsʌmtaim]. Bir zaman. **~ last year,** geçen sene içinde: **~ or other,** ileride bir gün: **~ soon,** yakında: **Mr. A., ~ mayor of B.,** eski B. belediye reisi Mr. A. **~s,** bazan, bazı defa; arasıra.
some·way [ˈsʌmwei], Her halde, ne yapıp yapıp. **~what** [–wot], biraz, bir dereceye kadar. **~where** [–weə*], bir yerde; her hangi bir yerde: **~ about 15 lira,** 15 lira filân: **~ else,** başka bir yerde: **I'll see him ~ first,** (*kon.* bir taleb veya teklife karşı) (i) haddiyse yapsın bakalım!; (ii) avucunu yalasın!; (iii) cehennemin dibine!
somnambulist [somnˈambjulist]. Uykuda gezer.
somnolent [ˈsomnələnt]. Uyku basmış; uyuşuk; uyuklıyan.
son [sʌn]. Oğul.
song [soŋ]. Şarkı, türkü, nağme. **to make a ~ (and dance) about stg.,** fazla ehemmiyet vermek, mesele yapmak: **for a mere ~,** yok pahasına. **~ster,** hanende; ötücü kuş. **song-bird,** ötücü kuş.
sonnet [ˈsonit]. On dört mısralı şiir, sonne.
sonny [ˈsʌni]. (*kon.*) Evlâdım, oğulcuğum.
sonor·ity [soˈnoriti]. Tannanlık. **~ous** [ˈsonərəs], tannan.
soon [suun]. Yakında; neredeyse; biraz sonra. **as ~ as he came,** gelir gelmez: **as ~ as possible,** mümkün olduğu kadar çabuk, bir an evvel: **the ~er the better,** şimdiden tezi yok, ne kadar çabuk olursa o kadar iyi: **~er or later,** eninde sonunda: **he no ~er came than he went,** gelmesi gitmesi ile bir oldu: **no ~er said than done,** demesile yapması bir oldu: **too ~,** pek fazla erken, zamanından evvel: **I would ~er not go,** ben gitmesem daha iyi; gitmemeği tercih ederim: **I would ~er die,** ölürüm de bunu yapmam.
soot [sut]. İs; kurum. **to ~ up,** islenmek. **~y,** isli, kurumlu.
sooth [suuθ]. **in (very) ~,** hakikaten: **~ to say,** doğrusu.
sooth·e [suuð]. Teskin etm., dindirmek. **to ~ s.o.'s feelings,** birinin gönlünü almak. **~ing,** dindirici, teskin edici, hafifletici.
sop [sop]. Tirit; gönül almak için verilen veya yapılan şey. Et suyu vs. içinde yumuşatmak: **to ~ up,** sünger gibi massetmek. ˹**a ~ to Cerberus**˺, def'i belâ kabilinden verilen hediye vs.: **to throw** [**give**] **a ~ to,** önüne bir kemik atmak. **~ping, ~ (wet),** sırsıklam.
sophis·m [ˈsofizm]. Safsata, mugalâta. **~t,** sofist, safsatacı, mugalâtacı. **~try,** mugalâta, safsata.
sophisticated [soˈfistikeitid]. Saflığını ve masumluğunu kaybetmiş; hayata alışmış; pişkin; saffetsiz.
soporific [ˌsoupəˈrifik]. Uyutucu (ilâc).
soppy [ˈsopi]. Islak; yağmurlu.
soprano [souˈpraanou]. Tiz kadın sesi.
sorcer·er [ˈsoosərə*]. Sihirbaz, büyücü. **~y,** sihirbazlık, büyücülük.
sordid [ˈsoodid]. Alçak, sefil; alçakça menfaatperest.
sore [soo*]. Dokunuldukça acıyan, ağrılı; yaralı; hassas; kırgın, küskün; şiddetli, ağır. Yalama, sıyrık, yara. **~ly wounded,** fena surette yaralı: **to be ~ all over,** vücudünün her tarafı ağrımak: **~ at heart,** mahzun, kırgın: **a running ~,** irinli yara, yalama; devamlı ıstırab: **to touch s.o. on**

his ~ spot, birinin bamteline basmak: ~ throat, boğaz ağrısı.
sorghum [ˈsoogʌm]. Süpürge darısı, sorgu.
sorrel[1] [ˈsorəl]. (*Rumex acetosella*) Kuzukulağı.
sorrel[2]. Al donlu (at).
sorrow [ˈsorou]. Keder, gam; ıstırab. Kederlenmek. **I saw to my ~,** teessürle gördüm ki. **~ful,** kederli, mustarib, dağıderun.
sorry [ˈsori]. Pişman; müteessir, müteessif; mahzun; acınacak; miskin. **to be ~,** teessüf etm.; pişman olm.; üzülmek: **to be ~ about stg.,** bir şeye acınmak: **(I'm) ~!,** affedersiniz!: **you'll be ~ for this,** bunun acısını çekeceksin; pişman olacaksın: **a ~ excuse,** saçma mazeret, sudan bahane: **to cut a ~ figure,** rezil olm; yüzüne gözüne bulaştırmak: **he 's very ~ for himself,** halinden şikâyetçi; süngüsü düşük.
sort [soot]. Türlü; nevi, cins, çeşid; makule. **~(out),** tasnif etm.; seçip ayırmak, ayıklamak. **an army of a ~** [**after a ~, of ~s**], sözüm ona [iyi kötü] bir ordu: **he 's a very good ~,** (*kon.*) çok iyi bir adamdır: **it is nothing of the ~,** hiç te öyle değil: **I ~ of expected it,** böyle bir şeyi adeta bekledim (diyebilirim): **out of ~s,** keyifsiz, rahatsız: **these ~ of people,** bu gibi adamlar: **in some ~,** bir bakımdan, bir dereceye kadar: **that 's the ~ of thing I mean,** böyle bir şey kasdediyorum.
sorter [ˈsootə*]. Tasnif edici; ayıklayıcı.
sortie [ˈsooti]. (*ask.*) Çıkış hareketi.
sot [sot]. Ayyaş, bekri. **~tish,** ayyaş; içkiden abdallaşmış.
sotto voce [ˈsotouˈvoutʃei]. Alçak sesle, pesten.
sou [suu]. Beş santimlik fransız parası. **not worth a ~,** metelik etmez: **without a ~,** cebidelik, meteleksiz.
sought [soot] *bk.* **seek. much ~ after,** çok rağbette olan.
soul [soul]. Can, ruh; adam, kişi. **he has a ~ above moneymaking,** para düşünecek adam değildir: **with all my ~,** candan: **the ship was lost with all ~s,** gemi içindekilerle beraber battı: **enough to keep body and ~ together,** bir lokma bir hırka: **I cannot call my ~ my own,** elim kolum bağlı; başımı kaşıyacak vaktim yok; dur yok otur yok: **departed ~s,** ölüler, ölülerin ruhu: **God rest his ~,** nur içinde yatsın: **he 's a good ~,** çok iyi adamdır: **he is the ~ of honour,** o mücessem namustur: **to be the life and ~ of a party,** toplantının ruhu olm.: **a lost ~,** dalâlete düşmüş: **not a ~,** kimsecikler yok: **there was not a ~ to be seen,** in cin yoktu: **poor ~!,** zavallı!, **upon my ~ !,** vallahi, Allah bilir!; olur mu hiç? **~ful,** içli, pek hassas. **~less,** ruhsuz, cansız. **soul-killing,** hayvanlaştırıcı. **soul-stirring,** müheyyic.
sound[1] [saund]. Ses; sada; gürültü. Ses çıkartmak, çalmak; sesi gelmek. **to ~ the alarm,** imdad [tehlike] düdügünü vs. çalmak: **it ~s bad to me,** bu bana fena görünüyor; bunu iyiye yormam: **to ~ the charge,** hücum borusu çalmak: **I don't like the ~ of it,** pek aklım yatmıyor, gözüm tutmuyor: **not a ~ was heard,** ses sada yok: **within ~ of,** sesi işitilecek mesafede. **sound-detector,** uçak vs.yi dinleme aleti.
sound[2] *a.* Sağlam; zinde, sıhhatte; kusursuz; doğru, hakikate müstenid; sadık, güvenilir; **~ly,** adamakıllı; selâmetle; doğruca. **as ~ as a bell,** sapsağlam: **~ly asleep,** mışıl mışıl uyuyan: **~ sleep,** deliksiz uyku: **a ~ thrashing,** temiz bir dayak. **~ness,** sağlamlık; sıhhat; iyi halde olma; metanet; doğruluk.
sound[3] *vb.* İskandil etm.; sonda salmak. **to ~ s.o.,** birinin ağzını aramak. **~ing,** iskandil etme: **to take ~s,** iskandil atmak. **sounding-lead,** iskandil.
sound[4]. Deniz geçidi, boğaz.
soup [suup]. Çorba; etsuyu. **thick ~,** ezme çorbası: **clear ~,** süzme etsuyu. **we're in the ~!,** (*arg.*) hapı yuttuk. **soup-kitchen,** imarethane.
sour [sauə*]. Ekşi; mayhoş; kekre; ekşimiş, bozulmuş: hırçın, titiz, abus, yüzü gülmez. Ekşi(t)mek. ⌜**~ grapes!**⌝, ⌜kedi uzanamadığı ciğere pis der⌝: **poverty has ~ed him,** fakirlik onu ters ve huysuz yaptı, dünyaya küstürdü. **sour-faced,** abus, suratsız. **sour-tempered,** küskün.
source [soos]. Kaynak; pınar; memba, menşe; mehaz; esas.
sous·e [saus]. Salamura. Salamuraya yatırmak; suya daldırmak; sırsıklam etm.; üzerine su atmak. **to get a good ~ing,** sırsıklam olmak.
sous-entendu [ˌsuuzontondü]. Üstü kapalı; tahtında müstetir; zımnen ifade edilen şey.
south [sauθ]. Cenub: (*den.*) kıble. Cenubî. **~erly** [ˈsʌðəli], cenuba doğru, cenubdan: **a ~ course,** cenuba doğru rota: **~ wind,** cenubdan gelen rüzgâr. **~ern** [ˈsʌðən], cenuba aid; cenubda olan: **~er,** cenublu. **~ward** [ˈsauθwəəd], **-s,** cenuba doğru.
south-east, cenubuşark, keşişleme: **~ern,** cenubuşarkî: **~erly,** cenubuşarkî istikametinde. **south-west,** cenubugarbî; lodos: **~ern, ~erly,** cenubugarbîye aid.
sou'wester [sauˈwestə*]. Lodos (rüzgâr); muşamba gemici şapkası.
sovereign [ˈsovrin]. Hükümdar; padişah; ingiliz lirası. Müstakil; metbu; hâkim. **a ~ remedy,** birebir ilâc. **~ty,** hakimiyet, hükümranlık; istiklâl; metbuiyet.

sow[1] [sou] *vb.* Ekmek; (*mec.*) yaymak. ⌜**as you ~, so will you reap**⌝, insan ektiğini biçer. **~er,** ekici. **~ing,** ekim, ekme.
sow[2] [sau] *n.* Dişi domuz. ⌜**to get the wrong ~ by the ear**⌝, bir kimse veya bir şey hakkında yanılmak, hata etmek. **sow-thistle,** (*Sonchus*) yumuşak dikenli ve sütlü bir nevi diken, (?) sütotu.
soya [ˈsoija]. **~ (bean),** Soya fasulyesi.
spa [spaa]. Kaplıca; kaplıca şehri.
spac·e [speis]. Feza; yer; genişlik, saha; meydan; fasıla; müddet; aralık; mesafe. **to ~ out** [**off**], aralıklı dizmek; fasıla vermek: **for a ~,** bir müddet zarafında. **~ious** [ˈspeiʃəs], genis, vâsi; ferah.
spade [speid]. Bahçevan beli; maça. ⌜**to call a ~ a ~**⌝, ⌜kör kadıya körsün demek⌝. **spade-work,** bel işi; çok dikkatli ve zahmetli hazırlık işi.
spaghetti [spaˈgeti]. İnce makarna.
Spain [spein]. İspanya.
spake [speik]. (*esk.*) = **spoke,** *bk.* **speak.**
span[1] [span]. Karış; mesafe; fasıla; bir köprünün boyu. **to ~ a river or valley with a bridge,** bir köprüyü bir nehrin veya bir vadinin bir tarafından öbür tarafına uzatmak. **span-roof,** balık sırtı dam.
span[2]**.** Çift koşulmuş öküz.
span[3] *bk.* **spin.**
spangle [ˈspaŋgl]. Pul (elbise süslemek için). Pullarla süslemek.
Spani·ard [ˈspanjəd]. İspanyol. **~sh,** ispanyol; ispanyolca.
spaniel [ˈspanjəl]. Epanyöl.
spank [spaŋk]. (*ech.*) Kıçına şaplak vurmak. **to ~ along,** (*kon.*) çabuk gitmek.
spanner [ˈspanə*]. Somun anahtarı. **box-~,** kovanlı anahtar.
spar[1] [spaa*]. Seren; direk; direklik ağac.
spar[2]**.** Billur; ispat.
spar[3]**.** Dostane boks maçı. Dostane boks etm.; boks hareketleri yapmak; münakaşa etmek.
spare[1] [speə*] *vb.* Esirgemek; kıyamamak; arttırıp verebilmek. **can you ~ it?,** bunu verebilir misiniz, size lâzım değil mi?: **there 's enough and to ~,** yeter de artar: **to ~ no expense,** masrafı esirgememek, diriğ etmemek: **to ~ s.o.'s feelings,** birini kırmamak, hislerine hürmet etm.: **to ~ the life of,** kıyamamak: **to have nothing to ~,** anca yetecek (parası vs.) olm.: ⌜**~ the rod and spoil the child**⌝, ⌜kızını döğmeyen dizini döger⌝ *kabilinden*: **I cannot ~ the time,** vaktim yok.
spare[2] *a.* İnce yapılı, şişman olmıyan; dar, bol olmıyan; fazla olarak; yedek. Yedek parça. **~ diet,** bol olmıyan yemek: **~ part,** yedek parça: **~ room,** misafir için yatak odası. **spare-rib** [ˈsperib] domuz etinin az etli kaburgası.
sparing [ˈspeəriŋ]. İdareli; az kullanan. **to be ~ with the butter,** yağı idare etm., idareli kullanmak: **he is ~ of praise,** kolay kolay medhetmez.
spark [spaak]. Kıvılcım, şerare; zerre; canlı ve yakışıklı delikanlı. Kıvılcım saçmak. **to advance** [**retard**] **the ~,** alümaj avansını artırmak [azaltmak]: **not a ~ of life remained,** hayattan eser kalmadı. **spark-arrestor,** parafudr. **sparking-plug,** buji.
sparkl·e [ˈspaakl]. Parlamak, parıldamak; (şarab) köpüklenmek. Parlayış, parıltı, revnak. **~ing,** parlayan; parlak; pırıl pırıl: **~ wine,** köpüklü şarab.
sparrow [ˈsparou]. (*Passer domesticus*) serçe. **sparrow-hawk** (*Accipiter nisus*) atmaca.
sparse [spaas]. Kıt; seyrek.
Spartan [ˈspaatn]. Sparta'ya aid; meşakkate dayanıklı; sert ve her türlü lüksten mahrum.
spasm [ˈspazm]. Ispazmoz, teşennüc. **~odic** [–ˈmodik], teşennücî; ıspazmoz nevinden; gayrı muttarid, devamsız, arada sırada.
spat[1] [spat]. Kısa tozluk, yarım getr.
spat[2]**.** İstridye yumurtası.
spat[3] *bk.* **spit.**
spatchcock [ˈspatʃkok]. Derhal kesilip kızartılan tavuk. Tavuğu kesilir kesilmez kızartmak.
spate [speit]. Şiddetli sel, tasma. **the river is in ~,** nehir yükselmiş: **a ~ of words,** ağızkalabalığı: **a ~ of oaths,** ağız dolusu.
spatial [ˈspeiʃl]. Mesafe, sahaya veya fezaya aid.
spatter [ˈspatə*]. Zifos. Birine çamur sıçratmak; zifos atmak. Sıçramak, zifoslamak. **a ~ of rain,** serpinti.
spatula [ˈspatjulə]. Mablak.
spavin [ˈspavin]. Atın ard diz kemiğinin şişmesi.
spawn [spoon]. Balık veya kurbağa yumurtası; (*istihfaf*) zürriyet. (Balık veya kurbağa) yumurtlamak. **mushroom ~,** mantar filizi, emeci.
S.P.C.A. [ˈesˈpiiˈsiiˈei] = **Society for the Prevention of Cruelty to Animals,** hayvanları koruma cemiyeti.
speak (spoke, spoken) [spiik, spouk, spoukn]. Söz söylemek, konuşmak; nutuk vermek. **do you ~ English?,** ingilizce bilir misiniz?: **English spoken,** burada ingilizce bilen var: **I know him to ~ to,** onunla aşinalığım var: **to ~ one's mind,** lâfını sakınmamak: **roughly ~ing,** aşağı yukarı: **so to ~,** tabir caizse, söz temsili. **speak for, to ~ for**

s.o., birinin namına konuşmak; birinin lehinde konuşmak: **~ing for myself,** bana sorarsanız, bence: **the facts ~ for themselves,** vaziyet meydanda, besbellidir: **that ~s well for his perseverance,** bu onun sebatını isbat eder: **that ~s ill for his education,** bu onun tahsilinin ne derece olduğunu gösterir. **speak of, ~ing of ...,** ···e gelince: **we were ~ing of you,** sizden bahsediyorduk: **to ~ well [highly] of s.o.,** birini medhetmek: **he has no money to ~ of,** parası var denmez: **his sunken cheeks spoke of his sufferings,** çökük yanakları çektiklerinin deliliydi. **speak out,** yüksek sesle konuşmak; âleme söylemek. **speak to, I can ~ to his having been there,** kendisinin orada bulunduğuna şahidim. **speak up,** yüksek sesle konuşmak, sesini yükseltmek: **to ~ up for s.o.,** birinin lehinde konuşmak.

speak-easy [ˈspiikˈiizi]. Gizli meyhane.

speaker [ˈspiikə*]. Hatib, sözcü; spiker. **the Speaker,** Avam Kamarasının reisi: **to catch the ~'s eye,** İngiliz Parlamentosunda reisten söz almak.

speaking [ˈspiikiŋ]. Konuşma. Konuşan. **a ~ likeness,** canlı, yaşıyan bir resim: **not to be on ~ terms with ...,** ···le dargın olmak, konuşmamak. **speaking-trumpet,** megafon. **speaking-tube,** mükâleme borusu; kumanda borusu.

spear [spiə*]. Mızrak, Mızrakla vurmak.

spearmint [ˈspiəmint]. Bahçe nanesi.

special [ˈspeʃl]. Mahsus; hususî; has; fevkalâde. Hususî tren; gazetinin hususî nüshası. **~ friend,** en yakın dost, mahrem. **~ist,** mütehassıs. **~ity** [–ˈaliti], hususiyet: **to make a ~ of stg.,** bir şeyi kendine ihtısas yapmak. **~ize,** ihtısas yapmak; tahsis etmek.

specie [ˈspiiʃi·ii]. Madenî para.

species [ˈspiiʃiiz]. Nevi, cins.

specific [speˈsifik]. Has; bir nevi veya cinse aid; izafî; sarih, vazih, kat'î. Bir hastalığa mahsus ilâc.

specif·y [ˈspesifai]. Tasrih etm.; açıkça izah etm.; tavsif ve tayin etmek. **unless otherwise ~ied,** hilâfı bildirilmedikçe. **~ication** [–ˈkeiʃn], tasrih; belirtme; bir madde hakkında tafsilât veren takrir; mukavele şartnamesi.

specimen [ˈspesimin]. Nümune; örnek; mostra. **a queer ~,** (*kon.*) antika, bir âlem.

specious [ˈspiiʃəs]. Zahiren doğru fakat hakikatte yanlış; aldatıcı; makul görünür.

speck [spek]. Nokta; ufacık leke; zerre; ben, benek; azıcık şey. Beneklendirmek; (*kon.*) belli belirsiz yağmur yağmak.

speckle [ˈspekl]. Benek; ufacık nokta. **~d** benekli, çil; abraş; karyağdılı.

spectacle [ˈspektəkl]. Manzara, temaşa. **~s,** gözlük. **~d,** gözlüklü.

spectacular [specˈtakjulə*]. Pek gösterişli; hayret verici; fevkalâde.

spectator [spekˈteitə*]. Seyirci.

spectr·al [ˈspektrəl]. Heyulâ gibi; tayfî. **~e,** [–tə*], heyulâ, hayalet.

spectroscop·e [ˈspektroskoup]. Spektroskop. **~y** [–ˈtroskopi], ziya tahlili bahsi, spektroskopi.

spectrum, *pl.* **-tra** [ˈspektrʌm, –tra]. Tayf.

speculat·e [ˈspekuleit]. Borsada hava oyunları yapmak. **~ on [about],** nazarî olarak düşünmek, nazariye kurmak; mutalaa etm., tahmin etmek. **~ion** [–ˈleiʃn], nazariye, nazariyecilik; tahmin etme; hava oyunu. **~ive,** nazariye şeklinde; kumar nevinden. **~or,** acyocu, (borsada) muameleci.

sped *bk.* speed.

speech [spiitʃ]. Konuşma kabiliyeti, natıka; nutuk; dil, lisan, telâffuz. **direct [indirect] ~,** vasıtasız [vasıtalı] ifade: **figure of ~,** timsal, mecaz: **free ~,** söz hürriyeti; **parts of ~,** kelimenin kısımları: **to be slow of ~,** ağır konuşmak. **~ify,** nutuk paralamak. **~less,** lâl ve ebkem, dili tutulmuş. **speech-day,** mekteblerde mükâfat dağıtma günü.

speed [spiid]. Sürat, hız, çabukluk. *vb.* (sped) [sped]. Çabuk gitmek. Hızlandırmak. **at ~,** hızlı giderek: **at full ~, at the top of one's ~,** alabildiğine koşarak vs.: **to ~ the parting guest,** giden misafiri uğurlamak: **to put on ~,** hızını arttırmak: **to ~ up the work,** işe hız vermek. **~ometer** [–ˈdomitə*], sürat ölçen alet. **~y,** çabuk; tez, seri.

speedwell [ˈspiidwel]. (*Veronica*) Yavşanotu.

spell[1] (spelt) [spel, –t] *vb.* Kelimelerin imlâlarını doğru yazmak. **to ~ out,** hecelemek; **how is it spelt?,** nasıl yazılır?: **this move ~s disaster,** bu hareketin sonu felâkettir. **~ing,** imlâ.

spell[2] *n.* Tılsım; büyü; afsun. **the ~ is broken,** tılsım bozuldu: **to cast a ~ over s.o., to lay s.o. under a ~,** birini büyülemek. **~binder** [ˈspelbaində*], sihirli hatib. **~bound,** sihirlenmiş büyülü.

spell[3] *n.* Nöbet vakti; müddet. **four hours at a ~,** fasılasız dört saat; **to take ~s at a job,** bir işte sıra ile [nöbetleşe] çalışmak; münavebe ile yapmak.

spelt[1] *bk.* **spell**[1].

spelt[2] [spelt]. Bir cins buğday.

spelter [ˈspeltə*]. Tutya, çinko.

spend (spent) [spend, spent]. Sarfetmek; harcamak; hasretmek; (vakit) geçirmek. **to ~ money on s.o.,** birisi için para sarfetmek: to ~ money on stg., bir şeye para sarfetmek: well spent, mahalline masruf: to ~ oneself in a vain endeavour, boş yere kendini yormak: the bullet has spent its force, kurşun hızını kaybetmişti. ~ing, sarfetme: ~ power, satınalma kabiliyeti.

spendthrift [ˈspendθrift]. Mirasyedi; müsrif, çul tutmaz.

spent *bk.* **spend.** Tükenmiş sönmüş. ~ **cartridge,** boş fişek: **the day was far ~,** akşam yaklaşıyordu.

sperm [spəəm]. Meni. **~atic** [–ˈmatik], meniye aid. **~atozoa** [ˌspəəmatəˈzoua], menide bulunan hurdebin hayvanat.

sperm(-whale). Amber balığı, kaşalot. ~ **oil,** ispermeçet yağı. **~aceti,** ispermeçet.

spew [spjuu]. Kus(tur)mak.

sphagnum [ˈsfagnəm]. Bataklarda bulunan bir cins yosun, sfagnum.

spher·e [sfiə*]. Küre; saha. **~ical** [ˈsferikl], kürevi.

sphincter [ˈsfiŋktə*]. Adalei kabıza; sfenkter.

sphinx [sfinks]. Ebülhevl; isfenks; esrarengiz adam.

spice [spais]. Bahar. Bahar katmak; (*mec.*) tuzunu biberini ilâve etmek. **a ~ of irony,** bir istihza kokusu [şemmesi].

spick [spik]. ~ **and span,** taptaze; yepyeni; iki dirhem bir çekirdek.

spicy [ˈspaisi]. Baharlı; çeşnili; nükteli; biraz açık saçık.

spider [ˈspaidə*]. Örümcek. **~y,** örümcek gibi; pek ince ve uzun: ~ **handwriting,** örümcek ayağı gibi, iğri büğrü yazı.

spigot [ˈspigət]. Fıçı tapası; ağac musluk.

spike [spaik]. Sivri uclu demir veya tahta; ekser; başağa benzer çiçek başı. Sivri uclu bir demir veya tahta ile delmek. **to ~ a gun,** topun falya deliğini tıkamak. **~d,** sivri uclu.

spikenard [ˈspaiknaad]. Hind sümbülü.

spiky [ˈspaiki]. Diken diken; sivri uclu.

spill[1] [spil]. (İstemiyerek) dökmek; saç(ıl)mak; dökülmek. **to ~ blood,** kan dökmek: **to have a ~,** düşmek, yuvarlanmak.

spill[2]. Lamba, pipo, soba vs.yi yakmağa mahsus kâğıd veya tahta parçası.

spillikins [ˈspilikinz]. Bir çocuk oyunu için kullanılan ufak ağaç veya kemikten yapılmış değnekler.

spin (span, spun) [spin, span, spʌn]. Eğirmek; bükmek; dön(dür)mek; fırıldatmak, fırıldanmak. Dönme, deveran; kriket vs.de hususî bir hareketle topun seyrini değiştirme. **to ~ for fish,** dönen yem veya zoka ile balık avlamak: **to go for a ~,** bisiklet vs. ile kısa bir gezinti yapmak: **to get into a ~,** (uçak) döne döne inmek: **to send s.o. ~ning,** birini yere yuvarlamak. **spin along,** hızlı gitmek. **spin out,** uzunuzadıya anlatmak: **to ~ out one's money,** parayı yetiştirmek. **spin round,** mihver etrafında dönmek; birdenbire dönmek.

spinach [ˈspinidʒ]. İspanak.

spinal [ˈspainl]. Belkemiğine aid, şevkî: ~ **column,** belkemiği, amudu fıkari: ~ ~ **cord,** nühaişevki, murdar ilik.

spindle [ˈspindl]. İğ; mil; mihver; (torna) fener mili. **spindle-shanks,** leylek bacaklı. **spindle-tree, -wood,** (*Euonymus*) iğ ağaci (?).

spindrift [ˈspindrift]. Dalga serpintisi.

spine [spain]. Belkemigi; şevk; diken, iğne. **~d,** dikenli. **~less,** gevşek, iradesiz, karaktersiz; dikensiz.

spinet [spiˈnet]. Eski usul piyano, çımbalo.

spinnaker [ˈspinəkə*]. Yarış kotralarında pupa yelken gitmek için kullanılan büyük bir yelken.

spinner [ˈspinə*]. Eğirici; fırıldanan balık yemi. **master ~,** iplik fabrikatörü.

spinney [ˈspini]. Koru; çalılık.

spinning [ˈspiniŋ]. Fırıldak gibi dönen. Dönme; iplik imali. **spinning-mill,** iplikhane. **spinning-wheel,** çıkrık. **spinning-top,** topac.

spinster [ˈspinstə*]. Evlenmemiş kadın; ihtiyar kız.

spiny [ˈspaini]. Dikenli.

spiral [ˈspairəl]. Helezon; helis; helezonlu; burmalı.

spire [spaiə*]. Çankulesi tepesi; kule veya minare külâhı.

spirit[1] [ˈspirit] *n.* Ruh, can; maneviyat; şevk, cesaret; melek, peri, cin; ispirto. **~s,** ispirtolu içkiler; ervah, iyi saatte olsunlar. **high ~s,** keyif, sevinc: **to be in high ~s,** keyfi yerinde olm., neşeli olm.: **low ~s,** keder, gam: **to be in low ~s,** süngüsü düşük olm., kederli olm.: **to keep up one's ~s,** cesaretini kaybetmemek; neş'esini kaybetmemek: **to enter into the ~ of stg.,** bir şeyin ruhuna nüfuz etm., ruhunu anlamak: **in a ~ of mischief,** muziblikle: **to take stg. in a wrong ~,** bir şeyi fenaya çekmek.

spirit[2] *vb.* **to ~ s.o. [stg.] away,** kayıblara karıştırmak.

spirit·ed [ˈspiritid]. Canlı, heyecanlı, cesur. **~less,** cansız; korkak; pısırık; donuk.

spiritual [ˈspiritjuəl]. Ruhanî; manevi; dinî. **~ism,** ispirtizme. **~ist,** ispirtizmeci. **~ity** [–ˈaliti], ruhaniyet.

spirituous [ˈspiritjuəs]. İspirtolu, alkollu.

spirt [spəət]. Fışkır(t)ma(k).

spit[1] [spit]. Kebab şişi; şişe saplamak. **a ~ of land,** dil, burun, sığlık.

spit[2] (spat) [spit, spat]. Tükrük, salya.

Tükürmek; (kedi gibi) tıslamak; yağmur çiselemek. **to ~ stg. out,** bir şeyi tükürmek: **he is the very ~ of him,** hık demiş burnundan düşmüş.

spit³. Bir bel boyu derinlik (toprak).

spite [spait]. Kin, garaz; nisbet. **to ~ s.o.,** ona nispet olsun diye bir şeyi yapmak: **in ~ of,** ···e rağmen: **out of ~,** nisbet için, inadına. **~ful,** nisbetçi, garazkâr; nisbet olsun diye.

spitfire [ˈspitfaiə]. (Öfkeli kedi gibi) ateş püsküren.

spittle [ˈspitl]. Salya; tükrük.

spittoon [spiˈtoun]. Tükrük hokkası.

splash [splaʃ]. (*ech.*) Suya çarpma sesi; su veya çamur şıçraması; zifos. Su vs. sıçra(t)mak. **to make a ~,** fiyaka yapmak. **~board,** çamurluk.

splay [splei]. İçeriden dışarıya doğru tedricen genişletmek, şev vermek. **splay-footed,** ayakları dışarıya dönük ve düztaban.

spleen [spliin]. Dalak; kara sevda, melâl. **to vent one's ~ on s.o.,** hıncını birisinden çıkarmak.

splend·id [ˈsplendid]. Debdebeli, parlak; mükemmel, âlâ. **that 's ~!,** ha şöyle!, aşk olsun! **~our** [–də*], parlaklık, debdebe, tantana, ihtişam.

splen·etic [spliiˈnetik]. Huysuz, titiz, öfkeli. **~ic** [ˈspliinik], dalağa aid.

splice [splais]. İki ip ucunu birbirine örerek bağlamak, dikiş yapmak, kol yürütmek; iki tahtayı birbirine eklemek. Dikiş, geçme. **to get ~d,** (*kon.*) evlenmek: **eye ~,** dikişli kasa: **long ~,** matiz: **to ~ the main brace,** (*den.*) bir donanmada bir şeyi tes'id etmek için rom dağıtmak; içki içmek.

splint [splint]. Cebire, kırık tahtası.

splinter [ˈsplintə*]. Kıymık; kırık. Yarıp uzun parçalarını ayırmak; kırılıp uzun sivri parçalara ayrılmak.

split¹ (**split**) [split]. Uzunluğuna yar(ıl)mak; kır(ıl)mak; yırt(ıl)mak; taksim etmek. Yarma, yarılma; çatlak; ayrılma, ihtilâf. **to ~ the atom,** atomu parçalamak: **to ~ hairs,** kılı kırk yarmak: **to ~ on s.o.,** (*kon.*) birini ele vermek, ihbar etm.: **to ~ one's sides with laughter,** katılırcasına gülmek: **to ~ up,** bölünmek; taksim etm. [edilmek].

split² *a.* Yarılmış; yarık, çatlak. **~ personality,** (psikoloji) ikiz şahsiyet: **~ pin,** gupilya, emniyet maşası: **~ ring,** (anahtar vs. için) yarık halka: **~ second,** saniyenin kesri, an.

splotch [splotʃ]. Büyük ve şekilsiz boya lekesi (yapmak).

splutter [ˈsplʌtə*] *bk.* **sputter.**

spoil (**-ed, -t**) [spoil, –d, –t]. Bozmak; bozulmak; ihlâl etm., zarar vermek; şımartmak; yağma etmek. **~** (*um.* **~s**) yağma malı, ganimet. ʳ**to ~ the Egyptians**ˀ, düşmanından mümkün olan her menfaati çıkarmak: **to be ~ing for a fight,** kavgaya susamak. **~t,** bozulmuş; şımarık, nazlı, nazenin. **spoil-sport,** oyun bozan.

spoke¹ *vb. bk.* **speak.**

spoke² [spouk] *n.* Tekerlek parmaklığı. **to put a ~ in s.o.'s wheel,** birinin işine engel olmak.

spoken [ˈspoukn] *bk.* **speak. pleasant ~,** tatlı dilli: **plain-~,** dobra dobra söyliyen: **he is very well ~ of,** onu çok medhediyorlar.

spokeshave [ˈspoukʃeiv]. Kürekçi rendesi.

spokesman [ˈspouksmən]. Başkaları namına söz söyliyen kimse, sözcü.

spoliation [ˈspolieiʃn]. Yağma etme, soyma; gasb.

spondee [ˈspondii]. İki uzun heceli kelime (– –).

spong·e [ˈspʌndʒ]. Sünger; (top için) uskunca. Sünger ile silmek. **to ~ a meal,** anafordan yemek yemek: **to ~ on another,** otlakçılık etm.: **to ~ down,** sünger ile silmek, temizlemek: **to ~ off** [**out**], üzerinden sünger geçirerek silmek: **to throw up the ~,** yenildiğini itiraf etm., işten vazgeçmek. **~er,** otlakçı; dalkavuk. **~ing,** otlakçılık). **~y,** sünger gibi.

sponsor [ˈsponsə*]. Kefil; muzahir; vaftiz babası. Kefil olm.; muzaheret etmek.

spontane·ous [sponˈteinjəs]. Kendiliğinden olan; haricî tesire tâbi olmıyarak vukua gelen; ihtiyarî; içten doğan. **~ity** [–ˈniəti], kendiliğinden yapma, söyleme vs., içinden gelme.

spoof [spuuf]. (*arg.*) Hile, aldanma. Kafese koymak.

spook [spuuk]. Hayal, hortlak, ahubaba.

spool [spuul]. Makara; masura. Makaraya sarmak.

spoon [spuun]. Kaşık; kaşık şeklinde balık yemi, zoka. Kaşıkla almak; (*arg.*) flört yapmak. **~bill,** [*Platalea leucorodia*] spatül kuşu; kaşıkçı balıkçıl. **spoon-fed,** kaşıkla yedirilen (çocuk); devlet tarafından sunî bir şekilde teşvik edilen (sanayi).

spoonerism [ˈspuunərizm]. Bir kelimenin harfleri veya heceleri arasında yanlışlıkla veya şaka için yapılan yer değiştirme (*mes. 'sesini kes' yerinde 'kesini ses' demek*).

spoor [spoo*]. Hayvanın ayak izi. Vahşi hayvan izini takib etmek.

sporadic [spoˈradik]. Münferid; müstevli olmıyan; tek tük; arada sırada vukubulan.

spore [spoo*]. Büzeyr; spor.

sporran [ˈsporən]. İskoçyaların eteklik önüne astığı kürk kaplı torba.

sport [spoot]. Avcılık; spor; eğlence; maskara; **~s** *um.* atletik sporlar (avcılık, balıkçılık vs.ye **field ~s,** denir, ve futbol vs.ye **games** denir). Oynamak; (*istihfaf*) giymek. **in ~,** şaka yollu: **to make ~ of,** maskara etm.: **to be the ~ of fortune,** kaderin cilvesine tâbi olm.: **to have good ~,** (avda) işi iyi gitmek: **to be a ~,** oyun, teşkilât vs.ye başkalarının hatırı için iştirak etmek. **~ing,** avcılığa aid; sportmene yakışacak. **~ive,** oyunbaz, şen, lâtifeci. **~sman,** *pl.* **~men,** avcılığa düşkün; sportmen. **~smanlike,** sportmenliğe yaraşan.

spot [spot] *n.* Benek; nokta; ufacık leke; damla; yer. *vb.* Beneklemek; lekelemek; (*kon.*) farketmek, görmek: çizelemek. **on the ~,** tam yerinde; oracıkta; derhal: **s.o.'s weak ~,** birinin zayıf damarı: **the weak ~ of stg.,** bir işin püf noktası: **to knock ~s off s.o.,** (*arg.*) birini adamakıllı yenmek. **~ted,** benekli, lekeli: **~ dog,** kuru üzümlü bir puding: **~ fever,** lekeli humma. **~less,** lekesiz, tertemiz. **~light,** tiyatro projektörü: **in the ~,** herkesin ağzında, meşhur. **~ting,** hedef tesbiti. **~ty,** benekli, lekeli; ergenlikle kaplı.

spouse [spauz]. Koca *veya* karı.

spout [spaut]. Oluk ağzı; emzik; suyun dışarıya aktığı boru; fışkırma. Fışkır(t)mak; püskürmek; (*arg.*) yüksek sesle aktör gibi söylemek.

sprain [sprein]. Burkulma. Burkmak.

sprang *bk.* **spring.**

sprat [sprat]. (*Clupea sprattus*) Hamsiye benzer ve şimal denizlerine munhasır küçük bir balık. ⌜**to throw a ~ to catch a mackerel**⌝, büyük bir istifade için küçük bir şey vermek (⌜kaz gelen yerden tavuk esirgenmez⌝).

sprawl [sprool]. Yerde uzanıp kollarını ayaklarını yayma(k); yere serpilme(k). **to send s.o. ~ing,** birini yere yuvarlamak: **~ing handwriting,** iri ve biçimsiz yazı.

spray¹ [sprei]. Çiçekli dal. **diamond ~,** elmas dal.

spray². Serpinti; toz halinde serpilen ilâc veya mayi; dalga serpintisi; püskürtme aleti; vaporizatör. Su serpmek; püskürtmek. **to ~ a tree,** ağaca pülverizatörle ilâc püskürtmek. **~er,** püskürtme, pülverizatör, vaporizatör.

spread (spread) [spred]. Yaymak, neşretmek; sermek; sürmek; genişletmek. Yayılmak, serilmek; sirayet etm.; genişlemek. Yayılma, dağılma, intişar; kuş veya uçak kanadlarının açıklık derecesi; (*arg.*) ziyafet. **to ~ out,** germek; teşhir etm.: **to ~ the table,** sofra kurmak. **spread-eagle,** armalardaki gergin kanadlı kartal: kollarını ayaklarını gerip bağlamak.

spree [sprii]. (*kon.*) Cümbüş. **to go on the ~,** âlem yapmak, eğlenmek, felekten bir gün çalmak.

sprig [sprig]. İnce dal; meşhur bir ailenin soyundan kimse.

sprightly [ˈspraitli]. Şetaretli, şen, şakrak, canlı, civelek.

spring¹ [spriŋ]. İlk bahar. **spring-clean,** evde büyük temizlik yapmak. **spring-tide, -time,** ilk bahar mevsimi.

spring². Pınar. **spring-water,** pınar suyu.

spring³ *n.* Şıçrama, fırlama. zemberek; yay; yay kuvveti. **~-,** yaylı. **spring-balance,** yaylı kantar. **spring-board,** şıçrama tahtası; atlama kasa.

spring⁴ *vb.* **(sprang, sprung)** [spriŋ, spraŋ, sprʌŋ]. Yay gibi fırlamak; şıçramak; çıkmak, neşet etm., doğmak; çıkıvermek. (Tuzak) kapatmak; (raket, kürek) çatlatmak; patlatmak. **to ~ at s.o.,** birine saldırmak: **to ~ to one's feet,** yerinden fırlayıp kalkmak: **to ~ a leak,** (gemi) su etmeğe başlamak: **to ~ a surprise on s.o.,** birine bir sürpriz yapmak: **to ~ up,** birdenbire kalkmak; çıkmak, türemek; baş göstermek, başlamak.

springbok [ˈspriŋbok]. Cenubî Afrika ceylanı.

springe [sprindʒ]. İlmikli tuzak.

springlike [ˈspriŋlaik]. İlkbahar gibi.

springy [ˈspriŋi]. Elâstikî, esnek.

sprinkl·e [ˈspriŋkl]. Serpmek. azıcık bir serpinti. **~er,** pülverizatör. **~ing,** azıcık bir serpinti: **a ~ of knowledge,** bir az malûmat, malûmat kırıntısı: **there was a ~ of Englishmen at the meeting,** toplantıda tek tük İngilizler vardı.

sprint [sprint]. Hızlı kısa koşu; sürat koşusu. Tabana kuvvet koşmak.

sprite [sprait]. Peri; şakacı cin.

spritsail [ˈspritseil]. Direk ayağından yelkenin dış kenarı tepesine doğru uzatılan küçük seren ile açılan yelken.

sprocket [ˈsprokit]. Zincir dişlisi.

sprout [spraut]. Filiz sürmek, filizlenmek; tomurcuklanmak. Tomurcuk; filiz. **~s** [**Brussels ~s**], frenk lâhanası.

spruce¹ [spruus]. (*Picea*) Lâdin.

spruce². Şık; kendine çekidüzen vermiş. **to ~ oneself up,** kendine çekidüzen vermek.

sprung *bk.* **spring.**

spry [sprai]. Faal; açıkgöz; çevik; cerbezeli.

spud [spʌd]. Muzır otları sökmeğe mahsus küçük bir bahçe aleti; (*arg.*) patates.

spume [spjuum]. Deniz üzerinde köpük.

spun [spʌn] *bk.* **spin; ~ glass,** cam ipliği:

~ **silk,** ipek döküntüsünden dokunmuş kaba bir nevi ipekli kumaş: ~ **yarn,** eski halat parçalarından yapılmış bir sicim.
spunk [spʌnk]. Cesaret, ataklık. **~y,** (*kon.*) atak, cesur.
spur [spəə*]. Mahmuz; dağ kolu; saika, teşvik. Mahmuzlamak; teşvik etmek. **to ~ s.o. on,** teşvik ve tahrik etm.: **on the ~ of the moment,** boş bulunarak; sümmettedarik: **one can't find it on the ~ of the moment,** ha deyince bulunmaz: **to win one's ~s,** liyakatını isbat etmek.
spurge [spəədʒ]. (*Euphorbia*) Sütleğen.
spurious [ˈspjuriəs]. Kalp, yapma, sahte; mevsuk olmıyan.
spurn [spəən]. Tepmek; istihfaf ile reddetmek.
spurt *bk.* **spirt.** Yarışta âni hamle; yarışta kısa müddet için fevkalâde gayret etmek.
sputter [ˈspʌtə*]. (*ech.*) Tükürür gibi konuşma(k); öfkeli ve rabıtasız tarzda söyleme(k); (kalem) mürekkeb saçmak; (mum) çıtırdayarak yağ saçmak.
sputum [ˈspjuutəm]. Balgam.
spy [spai]. Casus, hafiye. Casusluk etmek. Görmek, farketmek. **to ~ on s.o.,** birini gizlice gözetlemek: **to ~ out the ground,** etrafını iyice keşfetmek. **spy-glass,** eski usul dürbün. **spy-hole,** gözetleme deliği.
squab [skwob]. Güvercin yavrusu; minder.
squabble [ˈskwobl]. Ağız kavgası, dırıltı; hırgür. Ağız kavgasına tutuşmak, atışmak, dalaşmak.
squad [skwod]. Takım, müfreze. **the awkward ~,** acemi takımı: **the Flying ~,** İngiliz polisinin müteharrik kolu: **firing ~,** idam mahkûmunu kurşuna dizen müfreze.
squadron [ˈskwodrən]. Süvari taburu; küçük filo; uçak filosu. **squadron-leader,** hava binbaşı.
squalid [ˈskwolid]. Pis, sefil, miskin.
squall [skwool]. Bora; sağanak; kundaktaki çocuğun yaygarası. Yaygara koparmak. **~ing,** yaygaracı; cırlak. **~y,** boralı.
squalor [ˈskwolə*]. Fakirlikten gelen sefalet ve pislik.
squamous [ˈskweiməs]. Derisi pullu.
squander [ˈskwondə*]. İsraf etm.; heba etm.; çarçur etmek. **~er,** mirasyedi, müsrif.
square[1] [skweə*]. Murabba; kare; meydan; gönye, zivoma; dama tahtasının hanesi. Murabbaî, terbiî; amud; doğru, dürüst. **to be all ~,** ödeşmek, müsavi olm.: **a ~ deal,** dürüst bir muamele: **to beat s.o. fairly and ~ly,** birini adamakıllı ve haklı olarak yenmek: **to get things ~,** işleri yoluna koymak, tanzim etm.: **on the ~,** kaim zaviyeli: **to act on the ~,** dürüst hareket etm.: **out of ~,** kaim zaviyeli olmıyan: ~ **root,** cezir. **square-rigged,** kabasorta donanımlı. **square-shouldered,** geniş omuzlu.
square[2] *vb.* Terbi etm.; dört köşe yapmak; tanzim etm.; (hesabı) ödemek; rüşvet yedirmek; ikna etmek. **to ~ the circle,** imkânsız bir şeyi yapmağa çalışmak: **to ~ up to s.o.,** birine karşı kavga vaziyeti almak: **to ~ up with s.o.,** hesablaşmak.
squash [skwoʃ]. Ezmek; pelte haline getirmek. Pelte haline getirilmiş şey; izdiham, kalabalık; bal kabağı; **~(-rackets),** hususî bir odada oynanan bir nevi top oyunu. **to ~ s.o.,** (*kon.*) birine haddini bildirmek, ezmek. **~y,** yumuşak ve sulu.
squat [skwot]. Yerden yapma, bastıbacak; güdük. Çömelmek; (*arg.*) oturmak. **to ~ upon a piece of land,** bir arsada oturup ona tasarruf iddia etmek. **~ter,** (*Amer.*) boş topraklara yerleşen muhacir; (Avustralyada) devlet otlağını kiralıyan koyun sürüsü sahibi; (*İng.*) haksız olarak bir eve yerleşen veya bir evi yapan kimse.
squaw [skwoo]. Kızılderili kadın.
squawk [skwook]. (*ech.*) Cıyak(lamak).
squeak [skwiik]. (*ech.*) Fare veya yağsız tekerlek gibi ince ses çıkarmak. İnce keskin ve kısa ses, cıkcık. **a narrow ~,** (*kon.*) dar kurtuluş.
squeal [skwiil]. (*ech.*) Yaralanmış veya aç domuz gibi uzun ve ince bir ses ile bağırma(k); (*kon.*) protesto etm., şikâyet etm.; (*arg.*) suç ortaklarını ele vermek.
squeamish [ˈskwiimiʃ]. Hemen midesi bulanır; yufka yürekli; fazla titiz.
squeegee [skwiiˈdʒii]. Islak döşeme tahtası kurutmağa mahsus lâstik süpürge; fotoğrafçılar tarafından kullanılan lâstik silindirli alet.
squeeze [skwiiz]. Sıkmak; sıkıştırmak; sıkarak sokmak; sıkıp suyunu çıkarmak. İte kaka araya sokulmak. Sıkma; izdiham. **to give s.o. a ~,** birini kolları arasında sıkmak: **it was a tight ~,** çok sıkışıktı: **a ~ of lemon,** bir kaç damla limon suyu: **to ~ money out of s.o.,** birisinden para sızdırmak: **to ~ into a small place,** dar bir yere sıkışmak.
squelch [skweltʃ]. (*ech.*) Sulu çamurda yürürken çıkan ses. Böyle bir ses vermek; böyle bir ses ile bir şeyi ezmek; çiğnemek.
squib [skwib]. Kestane fişeği; hiciv. **a damp ~,** muvaffakiyetsiz teşebbüs.
squid [skwid]. Küçük mürekkeb balığı.
squill [skwil]. (*Scilla*) Ada soğanı.
squint [skwint]. Şaşılık. Şaşı olm.; şaşı gibi bakmak. **to have a ~ at stg.,** (*arg.*) bir şeye bakıvermek. **~ing, squint-eyed,** şaşı.
squire [skwaiə*]. Bir köyün bellibaşlı

emlâk sahibi; kadına kavalyelik eden erkek; (*esk.*) şövalyeye refakat eden genc asılzade.
squirm [skwəəm]. Kıvranmak; solucan gibi kıvrılmak; (*kon.*) fena halde bozulmak.
squirrel [ˈskwirəl]. Sincab.
squirt [skwəət]. Çocuk fıskıyesi; şırınga; nane molla. Dar bir delikten fışkır(t)-mak.
s.s. [ˈesˈes] = **steamship,** Vapur.
St. = (i) **street,** cadde; (ii) **Saint,** aziz.
stab [stab]. Hançerlemek, bıçaklamak; bıçak vs. saplamak. Bıçak yarası, sivri bir silâhla vurma. **to ~ at s.o.,** birine bıçak savurmak: **a ~ in the back,** arkadan vurma; kancıkça hücum.
stabil·ity [staˈbiliti]. Muvazene; istikrar; beka; tevazün. **~ize** [ˈsteibilaiz], tesbit etm.; tevzin etm., tevazün ettirmek, denkleştirmek. **~izer,** stabilizatör.
stable[1] [ˈsteibl] *a.* Sabit; yıkılmaz; muhkem; metin.
stable[2]. Ahır; bir ahırdaki atlar. Ahıra koymak. **he has a fine ~,** pek güzel atları vardır: **~ companion,** aynı ahırdan gelen at. **~man,** at uşağı, seyis. **stable-boy,** seyis yamağı.
staccato [stəˈkaatou]. (*mus.*) Kesik kesik.
stack [stak]. Tınaz, dokurcun; yığın, küme; baca. Tınaz haline koymak; yığmak. **to ~ arms,** silâh çatmak.
stadium [ˈsteidjəm]. Spor meydanı, stadyom.
staff [staaf]. Erkânı harbiye; || kurmay; kadro; maiyet; bir evin hizmetçileri; eleman. (Bir daire vs.ye) eleman tedarik etmek. **to be over [under]-~ed,** kadrosu fazla dolu [eksik] olmak.
stag [stag]. Erkek geyik; (borsada) piyasaya yeni çıkan hisse senedleri üzerinde hava oyunculuğu yapan kimse. **~ turkey,** babahindi. **stag-beetle,** (*Lucanus*) makaslı böcek (?).
stage [steidʒ]. Konak, menzil, durak yeri; merhale, radde, derece; devre; iş sahası; sahne, tiyatro; yapı iskelesi; iskele; (mikroskop) tablet. Sahneye koymak; meydana getirmek. **the ~,** tiyatro: **to go on the ~,** aktör olm.: **~ directions,** sahne izahatı: **at this ~ an interruption occurred,** tam o safhada (muhabere vs.) kesildi: **he is still in the schoolboy ~,** o henuz çocukluk çağındadır: **to travel by easy ~s,** sık sık mola vererek seyahat etm.: **~ fever,** aktör olmak arzusile yanma: **~ whisper,** başkaları tarafından işitilen fısıltı. **stage-coach,** menzil arabası. **stage-craft,** sahne tekniği, tiyatro tekniği. **stage-fright,** bir artistin sahneye (ilk defa) çıkarken hissettiği korku ve heyecan. **stage-manager,** rejisör.
stager [ˈsteidʒə*]. **old ~,** eski kurt; kaçın kurası gedikli.
stagger [ˈstagə*]. Sendelemek; sersem olup düşecek gibi olmak. Sersemletmek, afallaştırmak; sersem etm.; zikzakvari koymak; mütenaviben tanzim etmek. **to ~ to one's feet,** sendeleye sendeleye ayağa kalkmak. **~ed,** zikzakvari; münavebeli, sıra ile. **~ing,** sendeliyen; sersemletici, afallaştıran. **~s,** at ve sığırlarda görülen bir beyin hastlığı.
staghound [ˈstaghaund]. Geyik avında kullanılan bir cins zağar.
stagna·nt [ˈstagnənt]. Durgun (su); rakit; âtıl. **~te** [stagˈneit], durgunlaşmak; atalet kesbetmek; rakit hale gelmek.
stagy [ˈsteidʒi]. Tiyatroculuk gibi.
staid [steid]. Ağırbaşlı, vakur, ciddî.
stain [stein]. Leke(lemek); boya(mak). **without a ~ on his character,** alnının akıyle. **~less,** lekesiz, tertemiz; afif: **~ steel,** paslanmaz çelik.
stair [steə*]. Merdiven basamaklarından biri. **~s,** merdiven. **below ~s,** alt katta; hizmetçilerin arasında. **~case,** merdiven.
stake [steik]. Kazık; nebat desteği; dayak; bahsolunan şey veya para, miz. Desteklemek; bahse koymak; rest çekmek. **to ~ out [off],** kazıklar ile taksim etmek veya çerçevelemek: **to ~ one's all,** (bir maksad için) her şeyini tehlikeye koymak: **his life is at ~,** hayatı mevzuu bahistir [tehlikededir]: **to have a ~ in stg.,** bir işte menfaati olm.: **to hold the ~s,** kumarda ortaya konan parayı muhafaza etm.: **to ~ one's hopes on,** ···e ümidini bağlamak: **to lay the ~s,** kumarda para koymak: **to perish at the ~,** diri diri yakılmak. **stake-holder,** bir bahis için ortaya konan parayı muhafaza eden kimse.
stala·ctite [ˈstalaktait]. İstalaktit. **~gmite** [-gmait], istalâgmit.
stale[1] [steil]. Bayat; kurumuş; küflü, ekşimiş; hayide, basmakalıb; (çek) mürürüzaman ile geçmez; (atlet) fazla idmandan yorulmuş. Ekşimek; bayatlamak. **a pleasure that never ~s,** doyulmaz bir zevk.
stale[2]. (At) kaşanmak.
stalemate [steilˈmeit]. Satranç oyununda şahın mat olmadan hareket edemiyeceği ve hareket ettirilecek başka taş ta olmadığı vaziyet; pat; çıkmaz. Pat etmek; (*mec.*) birini eli böğründe bırakmak, çıkmaza sokmak.
stalk[1] [stoolk]. Sap; sâk. **~ed,** saplı.
stalk[2]. Avı gizlice takib etme(k); sinsi sinsi takib etme(k). **to ~ along,** azametli adımlarla yürümek.
stall[1] [stool]. Satış sergisi; ahırın bölmesi; (tiyatroda) koltuk; (kilisede) hususî

koltuk. **newspaper ~,** gazete kulübesi: **thumb- (finger-)~,** parmak kılıfı. **stall-fed,** ahırda besili (sığır).

stall². Otomobilin makinesini istemiyerek durdurmak; uçağın süratini keserek düşecek hale getirmek; (makine) birdenbire durmak; (tayyare) hızı kesilerek düşmek.

stallion [ˈstaljən]. Damızlık; aygır.

stalwart [ˈstoolwəət]. Gürbüz, kuvvetli bünyeli. Cesur ve kuvvetli adam.

stamen [ˈsteimen]. Etamin.

stamina [ˈstaminə]. Dayanıklılık.

stammer [ˈstamə*]. Pepeleme(k), kekeleme(k); rekâket.

stamp [stamp]. Posta pulu; damga; zımba; ıstampa; ayağını yere vurma(k); tepinme(k); damgalamak; pul yapıştırmak; darbetmek, basmak. **to ~ about,** tepinmek: **to ~ on,** çiğnemek: **to ~ stg. on the mind,** bir şeyi dimağına hâkketmek: **that ~s him as a fool,** deli olduğunu bu gösteriyor: **to ~ out,** ayaklarla söndürmek: ezmek; yoketmek; bastırmak: **men of that ~,** bu karakterde [çeşid] adamlar. **stamp-album,** posta pulu albümü. **stamp-collector,** pul koleksiyoncusu. **stamp-duty,** pul vergisi.

stampede [stamˈpiid]. Panik; hezimet; darmadağınık kaçış. Paniğe uğratmak. Karmakarışık bir halde kaçmak; paniğe kapılmak.

stance [staans]. (Bazı oyunlarda) vücudün vaziyeti.

stanch [staantʃ]. Akan kanı durdurmak.

stanchion [ˈstaantʃən]. Puntal; ahırda hayvan bağlanacak direk; destek.

stand¹ [stand] *n.* Duruş, vaziyet; durma; mukavemet; destek, ayak, ayaklık; sehpa; sergi; tribün; şapka vs. askısı. **to come to a ~,** duraklamak: **to make a ~ (against),** (···e karşı) kafa tutmak, mukavemet etm.: **to take a firm ~,** ayakta sımsıkı durmak; kıpırdamamak: **I take my ~ on the principle that ...,** ben şu prensipe dayanırım ...: **to take up one's ~ near the door,** kapının yanına gidip durmak.

stand² *vb.* (stood) [stand, stud]. Ayakta durmak; durmak; bulunmak. Dayamak; koymak; tahammül etm., dayanmak. **to buy stg. as it ~s,** bir şeyi olduğu gibi satın almak: **~ and deliver!,** ya keseni, ya canını!: **to ~ s.o. a drink,** *etc.*, birine içki vs. ikram etm.: **to ~ six feet high,** boyunun uzunluğu altı kadem olm.: **how do we ~ in the matter of horses?,** At vaziyetimiz nasıl?: **to let ~,** bırakmak: **to let the tea ~,** çayı demlenmek için bırakmak: **I ~ to lose £100 in this matter,** bu iş bana yüz liraya patlıyabilir: **he ~s to lose nothing,** bu işte onun kaybedecek bir şeyi yoktur: **as matters ~,** şimdiki halde: **the house ~s in my name,** ev benim üstümedir: **the thermometer stood at 80,** termometro 80 dereceyi gösteriyordu: **to ~ to the south,** (gemi) cenuba teveccüh etm.: **to ~ well with s.o.,** birinin nazarında itibarı olmak. **stand-offish,** (*kon.*) burnundan kıl aldırmaz; mağrur. **stand-pipe,** amudî ve sabit boru. **stand aside,** bir tarafa çekilip durmak: **to ~ aside in favour of s.o.,** birinin lehine çekilmek; başkası lehine bir şeyden feragat etmek. **stand back,** geriye çekilmek: **the house ~s back from the road,** ev içerlektir [yol üzerinde değildir]. **stand by,** hazır olm.; alesta durmak; yanında durmak; bırakmamak, yardım etm.: **to ~ by one's word,** sözünden dönmemek: **I ~ by what I said,** söylediğimden şaşmam. **stand-by,** baş vurulacak şey veya kimse; çare; güvenilir şey veya kimse; yedek. **stand down,** (mahkemede bir şahid) şahadetini bitirip çekilmek: **to ~ down in favour of s.o.,** başkasının lehine namzedliğini geri almak. **stand for,** temsil etm.; demek, manası olm.; bir yere namzed olm; müdafaa etm., tarafını tutmak: **MS. ~s for manuscript,** MS. kısaltması manuscript kelimesini gösterir. **stand in,** içinde durmak; bulunmak; malolmak: **to ~ in with others,** müşterek masrafa iştirak etm.: **to ~ in to land,** (*den.*) gemiyi karaya doğru yürütmek. **stand off,** uzak durmak; (*den.*) açılmak; (bir işçiye) iş olmadığı için yol vermek. **stand out,** çıkıntı teşkil etm., fırlamak; göze çarpmak: tebarüz etm.: **to ~ out to sea,** engine çıkmak: **to ~ out against,** ···e kafa tutmak, karşı durmak; tebarüz etmek. **stand over,** yanında durmak; tehir edilmek, muallakta kalmak: **he does no work unless one ~s over him,** başında durmadıkça iş yapmaz. **stand up,** ayağa kalkmak: **to ~ up for,** iltizam etm., tarafını tutmak, kayırmak: **~ up for your rights!,** hakkını ara [müdafaa et]!: **to ~ up to [against],** ···e kafa tutmak, karşı durmak.

standard [ˈstandəəd]. Bayrak; mikyas, miyar, derece; model, tip; standard, miyar olarak; orta, umumî. **the ~ answer,** basmakalıb [her zamanki] cevab: **~ of living,** hayat seviyesi: **not up to ~,** matluba muvafık olmıyan, istenilen seviyede olmıyan. **~ize,** standardlaştırmak; (sanayide) bütün iş aletlerini bir modele uydurmak.

standing¹ [ˈstandiŋ] *a.* Ayakta; sabit. **~ army,** hazarî ordu: **~ back,** (ev) içerlek: **~ crops,** biçilmemiş mahsul: **~ joke,** beylik şaka, umumî alay mevzuu: **~ rigging,** ana [sabit] donanım: **~ rule,** daimî nizamname, esaslı kaide: **~ water,** durgun su: **to be**

brought up all ~, birdenbire ve tamamen durdurulmak: **to leave s.o.** ~, birini fersah fersah geçmek: **to be left** ~, (yarışta) kala kalmak; (*mec.*) bir işte yaya kalmak: ~ **room only!**, yalnız ayakta duracak yer.
standing² *n.* Kıdem, rütbe; mevki; şöhret. **an officer of six months'** ~, altı ay hizmet görmüş subay: **of long** ~, eski: **men of high** ~, yüksek zevat: **man of no** ~, ehemmiyetsiz bir adam: **a firm of recognized** ~, tanınmış bir firma.
standpoint [ˈstandpoint]. Noktai nazar.
standstill [ˈstanstil]. Tevakkuf, duraklama, sekte. **at a** ~, durgun; işlemez: **to bring to a** ~, durdurmak; sekteye uğratmak: **to come to a** ~, duraklamak, sekteye uğramak.
stank *bk.* **stink.**
stanza [ˈstanzə]. Şiir kıtası.
staple¹ [ˈsteipl]. Kapı sürgüsü köprüsü; iki uclu çivi.
staple². Bir memleketin başlıca mahsulü veya eşyası; ham madde. Başlıca, esaslı.
staple³. (Pamuk ve yün) lif, tel.
star [staa*]. Yıldız; sakar; baht, talih. Yıldızlarla süslemek; yıldız işareti koyarak markalamak; (aktör vs.) birinci rolu oynamak. **his** ~ **is in the ascendant,** yıldızı parlak: **Star of Bethlehem,** (*Ornithogalum umbellatum*) tükürükotu: **to be born under a lucky** ~, talihi yaver olm.: **to see** ~**s,** şeşi beş görmek: gözleri kararmak: **shooting** ~, akan yıldız, şahab: **the Stars and Stripes, the Star-spangled Banner,** Amerika Birleşik Devletlerinin bayrağı: **I thank my** ~**s that ...,** çok şükür ki .... **star-gazing,** müneccimlik; dalgınlık. **star-lit,** yıldızlarla aydınlanmış. **star-shell,** tenvir fişeği.
starboard [ˈstaabəd]. Sancak. **hard a** ~, alabanda sancak: **to** ~ **helm,** dümeni sancağa basmak.
starch [staatʃ]. Nişasta, kola. Kolalamak. ~**ed,** kolalı. ~**y,** nişastalı.
star·e [steə*]. Israrla bakma(k); dik dik bakma(k). **to** ~ **at,** ···e pek dikkatle bakmak, dik dik bakmak: **to** ~ **s.o. out of countenance,** dik dik bakarak birini utandırmak, şaşırtmak: **it's** ~**ing you in the face,** kör kör parmağım gözüne.
staring [ˈsteəriŋ]. Israrla [dik dik] bakan. ~ **coat,** hastalıklı hayvanın pürüzlü derisi: ~ **colour,** çiğ renk: ~ **eyes,** faltaşı gibi gözler; pırtlak gözler.
stark [staak]. Katı; tamam, büsbütün. ~ **(naked)** çırçıplak: ~ **(staring) mad,** zırdeli: ~ **nonsense,** saçma sapan: **the** ~ **truth,** olduğu gibi hakikat.
starlight [ˈstaalait]. Yıldızların ışığı.
starling [ˈstaaliŋ]. (*Sturnus vulgaris*) Sığırcık.
starry [ˈstaari]. Yıldızlarla aydınlanmış; yıldızlı.
start¹ [staat] *n.* Ürkme, irkilme; âni hareket; ürküp sıçrama; hareket etme, seyahate çıkış; başlangıç; (yarış) çıkış, start. **at the** ~, başlangıçta: **false** ~, çıkış hatası: **flying** ~, yarışa çıkış noktasından evvel başlama; **standing** ~, yarışa çıkış noktasından başlama: **from** ~ **to finish,** çıkıştan bitişe kadar: **to get the** ~ **of s.o.,** birinden daha evel başlamak: **to give a** ~, ürküp sıçramak: **to give s.o. a** ~, (i) birdenbire çıkıverip birini ürkütmek: (ii) bir işte veya bir meslekte birini ortaya çıkarmak, ona yardım etm.; (iii) bir yarışta birine avans vermek: **to make a** ~, başlamak.
start² *vb.* Ürkmek, irkilmek; ürküp sıçramak; silkinmek; âni bir hareket yapmak; fırlamak; yola çıkmak; başlamak; kalkmak; (perçin) gevşemek, laçka olm.: (gemi armozları) açılmak. Başlatmak; yürütmek, harekete getirmek. **to** ~ **away,** ~ **off,** ~ **out,** ~ **on one's way,** yola çıkmak, hareket etm.: **his eyes were** ~**ing from his head,** gözleri fırlamıştı: **to** ~ **a fire,** yangın çıkarmak, yangına sebeb olm.: **once you** ~ **him talking he never stops,** bu adamı konuşmağa başlatırsan susmak bilmez: **to** ~ **out to do stg.,** önce ... yapmak niyetile işe başlamak: **tears** ~**ed from his eyes,** gözleri yaşardı: **new factories** ~**ed up everywhere,** her yerde yeni fabrikalar baş gösterdi: ~ **up the engine!,** makineyi harekete geçir!: **to** ~ **with we must find the money,** ilkönce para bulmak lâzımdır: **to** ~ **with we were only six,** başlangıçta yalnız altı kişi idik.
starter [ˈstaatə*]. Yarışta hareket işaretini veren kimse, startör; hareket edici cihaz, demarör; marş motörü. **you are an early** ~, erken çıkıyorsunuz, başlıyorsunuz: **there were only three** ~**s,** yarışa yalnız üç at [kişi] iştirak etmişti.
starting- [ˈstaatiŋ]. ~ **handle,** ilk hareket kolu: ~**line,** çıkış hattı: ~**post,** çıkış direği: ~**price,** (at yarışında) yarış başlamadan evvelki son bahis.
startl·e [ˈstaatl]. Ürkütmek; korkutmak; şaşırtmak. ~**ing,** hayret verici, şaşırtıcı, heyecanlı; ürkütücü.
starvation [staaˈveiʃn]. Şiddetli açlık; ölüm derecesi açlık. ~ **wages,** açlıktan ölecek derecede ücret.
starve [staav]. Açlıktan ölecek hale gelmek; çok acıkmak. Yiyeceksiz bırakmak; mahrum etmek. **to** ~ **to death,** açlıktan öl(dür)mek: **to** ~ **out a town,** bir şehri aç bırakarak zabtemek. ~**ling,** açlıktan perişan olan (çocuk veya hayvan).
state¹ [steit] *n.* Hal, vaziyet, halet; mevki,

mertebe; debdebe, ihtişam, alay, merasim; devlet, hükümet. *a.* Devlete aid, resmî. **affairs of,** devlet işleri: ~ **apartments,** bir saray veya muhteşem bir konakta mükellef daire: ~ **ball,** sarayda verilen balo: ~ **carriage [coach],** büyük merasim arabası: **to dine in ~,** mükellef bir ziyafette bulunmak: **to keep great ~, to live in ~,** ihtişam içinde yaşamak, debdebeli bir hayat sürmek: **to lie in ~,** (büyük bir adamın cenaze merasimde) tabut teşhir edilmek: **to sit in ~,** kurulup oturmak: ~ **of life,** ictimaî mevki: ~ **of mind,** ruh haleti: **to be in a great ~ (of mind),** etekleri tutuşmak: **what a ~ you are in!,** bu halin nedir!: **here 's a pretty ~ (of affairs) !,** gel ayıkla pirincin taşını!: ~ **robes,** merasim elbisesi: **Secretary of State,** (*İng.*) bazı nazırlara verilen unvan; (*Amer.*) Hariciye Nazırı: ~ **service,** devlet hizmeti: **the United States (U.S.A.),** Amerika Birleşik Devletleri. **state-room,** merasim odası; (*den.*) lüks hususî kamara.

state[2] *vb.* Beyan etm., ifade etm., söylemek, bildirmek, ilân etm.; tayin etmek.

statecraft [ˈsteitkraaft]. Siyasî maharet.

stateless [ˈsteitlis]. Memleketi olmıyan, hiç bir devletin tabiiyetinde olmıyan.

stately [ˈsteitli]. Muhteşem, debdebeli, heybetli.

statement [ˈsteitmənt]. İfade, beyan, takrir, şöz; tebliğ; hesab.

statesman, *pl.* **-men** [ˈsteitsmən]. Devlet adamı. **~like,** mahir bir devlet adamına lâyık; tedbirli, dirayetli. **~ship,** siyaset; devlet idaresi sanati; müdebbirlik.

static [ˈstatik]. Değişmiyen; sükûnette; kuvvetlerin müvazenesine aid. **~s,** müvazene bahsi; (radyo) parazit.

station [ˈsteiʃn]. Durak yeri; konak; istasyon; mevki; merkez; karakol. Yeleştirmek; bir yere tayin etmek. ~ **in life,** ictimaî mevki: **to marry below one's ~,** küfvü olmıyanla evlenmek. **station-master,** istasyon müdürü.

stationary [ˈsteiʃənəri]. Hareket etmiyen, yerinde duran, sabit.

stationer [ˈsteiʃənə*]. Kâğıdcı; kırtasiyeci. **~'s Hall,** İngilitere'de bir kitabın telif hakkını temin etmek üzere kaydedilen daire. **~y,** kırtasiye, yazı eşyası; kâğıdcı eşyası: **H. M. Stationery Office,** Devlet Neşriyat Müdürlüğü.

statistic·s [stəˈtistiks]. İstatistik. **~al,** istatistiğe aid. **~ian** [–ˈtiʃn], istatistikçi.

statu·e [ˈstatju]. Heykel. **~ary,** heykeller; heykeltraşlık. **~esque** [–ˈesk], heykel gibi. **~ette,** küçük heykel.

stature [ˈstatjuə*]. Boy; kamet.

status [ˈsteitəs]. Hal, vaziyet; ictimai *veya* hukukî vaziyet; sıfat; salâhiyet. ~ **quo** [kwou], şimdiki vaziyet; istatüko.

statut·e [ˈstatjuut]. Kanun; nizamname. **~ary,** kanunî. **statute-book,** kanunname. **statute-law,** yazılı kanun.

staunch[1] [stoontʃ]. Samimî, sadık, emin; muhkem, su sığmaz.

staunch[2] *bk.* **stanch.**

stave[1] [steiv] *n.* Fıçı tahtası; değnek; şiir kıtası; (*mus.*) nota çizgisi.

stave[2] *vb.* **(stove)** [stouv]. **to ~ in,** üzerine vurarak kırmak, çöktürmek, delmek: **to ~ off,** savmak, defetmek, önüne gelmek; ···den muvakkaten kurtulmak.

stay[1] [stei]. Istralya; destek, payanda. **~s,** korse. Istralya ile takviye etm.; desteklemek. **to be in ~s,** (gemi) orsa alabanda etmekte olm.: **to be slow in ~s,** kolay orsaya gelmez.

stay[2]. Kalmak; oturmak, ikamet etm.; durmak; misafir olm.; dayanmak. Durdurmak. İkamet; bir yerde muvakkaten oturma. **to ~ to dinner,** akşam yemeğine kalmak: **to ~ the night,** gecelemek, yatmak: **to ~ one's hand,** harekete geçmemek, kendini tutmak: **this horse cannot ~ three miles,** bu at üç mil dayanamaz. **stay-at-home,** hep evde oturan, sokağa çıkmaz. **stay away,** gelmemek; başka bir yerde kalmak. **stay in,** evde kalmak, sokağa çıkmamak; izinsiz olmak. **stay on,** bir az daha kalmak. **stay out,** içeri girmemek: **to ~ out all night,** geceleyin kendi evinde bulunmamak. **stay up,** yatmamak: **to ~ up late,** geç vakte kadar yatmamak.

stayer [ˈsteiə*]. **this horse is a good ~,** bu at dayanıklıdır.

staying [ˈstei·iŋ]. ~ **power,** dayanıklılık.

staysail [ˈsteisl]. Velena, flok.

stead [sted]. **in s.o.'s ~,** birinin yerine: **to stand s.o. in good ~,** birine pek faydalı olm., birinin işine yaramak.

steadfast [ˈstedfəst]. Metin, sarsılmaz, sebatkâr.

steadiness [ˈstedinis]. Sebat, metanet, devam.

steading [ˈstediŋ]. Çiftlik.

steady[1] [ˈstedi] *a.* Devamlı; sebatkâr, metin, sallanmaz, sarsılmaz; muntazam; mazbut; ağırbaşlı; durmuş oturmuş. **~!,** yavaş!; kımıldanma!: ~ **on !,** yavaş!: **to keep ~,** (i) kımıldamamak; (ii) *veya* **lead a ~ life,** çapkınlıktan ve hovardalıktan sakınarak namuslu ve muntazam bir tarzda yaşamak: ~ **weather,** kararlı [sabit] hava: **his health gets steadily worse,** sıhhati gittikçe fenalaşıyor.

steady[2] *vb.* Metanet vermek; kımıldamasını menetmek; teskin etm., yatıştırmak. ~ **(down),** sakin olm., yatışmak: **to ~ one-**

self against stg., bir şeye tutunmak veya dayanmak: **marriage will ~ him down,** evlenince yatışır.

steak [steik]. Kalın bir dilim et; biftek.

steal (**stole, stolen**) [stiil, stoul, stouln]. Çalmak, aşırmak; hırsız olmak. Hırsızlama yürümek. **to ~ away,** sıvışmak: **to ~ a glance at s.o.,** göz ucuyla bakmak, gizlice bakmak: **to ~ a march on s.o.,** başkasından evvel davranmak.

stealth [stelθ]. Gizli teşebbüs. **by ~,** usullacık, gizlice; el altından. **~y,** sinsi, gizli; usullacık yapılan; hırsızlama.

steam [stiim]. İstim; buhar; buğu. Buhar salıvermek, dumanlamak; (vapur, tren) gitmek. Buğuda pişirmek; buğulamak. **at full ~,** bütün süratle: **full ~ ahead,** tam süratle ileri: **to get up** [**raise**] **~,** istim getirmek: **head of ~,** istim tazyiki: **~ing hot,** çok sıcak: **to let off** [**blow off**] **~,** (i) kazandan istimi salıvermek; (ii) istim boşaltmak (*mec.*); (iii) ağzını açıp gözünü yumarak hiddetini hafifletmek: **to ~ open an envelope,** zarfın zamkını buğu ile eriterek açmak: **to proceed under its own ~,** (gemi) kendi makinesiyle yürümek. **~boat,** vapur; istimbot. **~er,** vapur; buhar tenceresi. **~ship,** vapur. **~y,** buharlı; buğulu. **steam-engine,** buhar makinesi; lokomotif. **steam-roller,** istim ile işliyen silindir.

steed [stiid]. At.

steel [stiil]. Çelik; çakmak; masad. Çelik gibi yapmak, katılaştırmak. **cold ~,** kesici silâhlar: **to ~ oneself** [**one's heart**], kalbini katılaştırmak. **~y,** çelik kadar katı, sert. **~yard** [ˈstiljəd], kanter.

steep[1] [stiip] *a.* Sarp, dik, yalçın. **a ~ climb,** pek güç bir çıkış [tırmanış]: **~ ~ story,** inanılmaz hikâye: **~ price,** fahiş fiat: **that 's a bit ~!,** (*kon.*) bu kadarı da bir az fazla! **~en,** daha sarp olm., dikleşmek. **~ness,** sarplık, diklik.

steep[2] *vb.* Suya batırıp bırakmak; işba etm.; (çay) demlemek. Suda çok durmak; meşbu olm.; demlenmek.

steeple [ˈstiipl]. Dam üzerinde yüksek yapı; çan kulesi. **~chase,** manialı yarış. **~jack,** kule veya baca tamircisi.

steer[1] [stiə*] *n.* Kasablık öküz.

steer[2] *vb.* Dümenle idare etm., rota vermek; dümen dinlemek. **to ~ clear of,** ictinab etm., ···den sakınmak. **~age,** dümen tesiri; üçüncü mevki güvertesi: **to travel ~,** üçüncü mevkide seyahat etm.: **~-way,** geminin dümen dinlemeğe kâfi hızı. **~ing,** (gemi) dümen tutma; dümen cihazı: **~-column,** direksyon mili: **~-gear,** dümen donanımı; direksyon cihazı: **~-wheel,** dümen dolabı; direksyon çarkı. **~sman,** serdümen.

stell·ar [ˈstela*]. Yıldızlara aid. **~ate,** yıldız şeklinde.

stem[1] [stem]. Sap, sâk; ağac gövdesi; şarab kadehinin sapı; piponun borusu; kelimenin kökü; ailenin silsilesi; (gemi) baş bodoslama; prova. Saplarını koparmak. **from ~ to stern,** (*den.*) baştan kıça kadar. **~med,** saplı.

stem[2] *vb.* Sed çekmek; önlemek. **to ~ the current,** akıntıya karşı ilerlemek.

stench [stenʃ]. Pis koku; taaffün.

stencil [ˈstensl]. Delikli karton yahud madenden resim veya marka kalıb. Delikli kalıb vasıtasile harf, şekil vs. çizmek.

stenograph·er [stəˈnogrəfə*]. İstenograf. **~y,** istenografi.

stentorian [stənˈtooriən]. (İnsan sesi) gök gürültüsü gibi.

step[1] [step] *n.* Adım; kısa mesafe; basamak; ıskaça; kapı eşiği; kademe, derece; ayak sesi; tedbir, teşebbüs, hareket. **~s,** evin taş merdiveni. **~s** [**pair of ~s**], ayaklı merdiven. **~ by ~,** adım adım: **to be in ~** [**keep ~**], adım uydurmak: **to be out of ~,** bozuk adım atmak: **the first ~ will be to ...,** yapılacak ilk şey ...: **flight of ~s,** merdiven: **to follow in s.o.'s ~s,** birinin eserini takib etm., birinin yolundan gitmek: **it 's a good ~ to ...,** ... epeyce uzaktır: **a short ~,** kısa adım; yakın mesafe: **to take ~s to,** ... için tedbir almak, teşebbüse girişmek: **watch your ~!,** ayağını denk al! **~ped,** dereceli.

step[2] *vb.* Adım atmak; yürümek, gitmek. Adımlamak; adımlar ile ölçmek. **to ~ a mast,** geminin direğini ıskaçaya oturtmak. **~ this way!,** bu tarafa gel! **stepping-stone,** atlama taşı; vasıta. **step down,** aşağıya gelmek, inmek: (voltaj vs.) azaltmak. **step in,** içeriye girmek; müdahele etmek. **step off,** (araba vs.)den inmek. **step on,** üzerine adım atmak, ayak bastırmak; çiğnemek: **to ~ on the gas,** (*Amer. arg.*) otomobili hızlandırmak, gaze basmak. **step out,** adımlarını açmak; çıkmak; adımlarla ölçmek. **step over,** üzerinden geçmek: **to ~ over to the opposite house,** karşıki eve geçivermek. **step up,** yukarıya çıkmak: yükseltmek, arttırmak.

step-, Üvey ...: **~brother,** üvey birader: **~father,** üvey baba, vs.vs.

steppe [step]. Bozkır.

stereoscope [ˈstiərioskoup]. Stereoskop.

stereotype [ˈstiəriotaip]. Kalıbla basılmış (eser); stereotipi basmak; tesbit etmek. **~d,** beylik: **~ remark,** basmakalıb.

steril·e [ˈsterail]. Kısır; akim, semeresiz; aseptik. **~ity** [stəˈriliti], kısırlık; akamet. **~ize** [ˈsterilaiz], tâkim etm.; isterilize etm., kısırlaştırmak. **~izer,** isterilizatör; buğuhane.

sterling [ˈstəəliŋ]. İngiliz lirası, isterlin; halis, hakikî; kıymetli; tam ayar.

stern[1] [stəən] *a.* Sert; ciddî; merhametsiz; yavuz. **~ness,** sertlik.

stern[2] *n.* Geminin kıç tarafı, pupa; köpeğin kuyruğu; (*kon.*) kıç. **to anchor by the ~,** kıçtan demirlemek: **~ chase,** arkadan gelen bir gemi tarafından takib: **to be down by the ~,** kıçı iyice suya batmak: **~ painter,** panya: **~ sheets,** sandalyenin içerisinin kıç tarafı: **to sink ~ foremost,** (gemi) kıçtan batmak. **~most,** kıça doğru; kıça en yakın olan. **~way, to have ~,** kıçın kıçın gitmek. **stern-gallery,** kanaryalık. **stern-post,** kıç bodoslaması.

sternum [ˈstəənʌm]. Göğüs tahtası.

sternutation [ˌstəənjuˈteiʃn]. Aksırma.

stertorous [ˈstəətərəs]. Horultulu.

stet [stet]. Kalsın! (*Eski tashihi ibtal etmek için kullanılan tabir.*)

stethoscope [ˈsteθoskoup]. Dinleme aleti; stetoskop.

stevedore [ˈstiivədoo*]. İstifçi, tahliyeci.

stew [stjuu]. Yahni; bastı; (*esk.*) umumhane. Kapanmış bir kab içinde ağır ağır pişirmek, yavaş yavaş kaynatmak; (*arg.*) sıcaklıktan boğulmak. **to be in a ~,** (*arg.*) etekleri tutuşmak: **~ed apples,** *etc.*, elma vs. kompostosu: **~ed tea,** fazla demlenmiş çay: ⌜**let him ~ in his own juice**⌝, bırak, ne hali varsa görsün. **~pan, ~pot,** güveç; tencere.

steward [ˈstjuuəd]. Vekilharc; kâhya; idare memuru; metrdotel; (*den.*) kamarot. **shop ~,** bir fabrikada sendika memuru. **~ess,** kadın kamarot. **~ship,** kâhyalık, vekilharclık: **to give an account of one's ~,** idaresinin hesabını vermek.

stick[1] [stik] *n.* Değnek, çubuk, baston; sırık; dal, sap. *vb.* Hereklemek; sırık ile desteklemek. **the big ~,** kuvvet kullanma, zora muracaat: ⌜**any ~ to beat a dog**⌝, sevmediği bir adamı küçük düşürmek her şeyine kulp takmak caizdir: **to get the ~,** dayak yemek: **to gather ~s,** kuru dal toplamak: **not a ~ was saved,** bir çöp bile kurtulmadı: **walking-~,** baston: ⌜**to have hold of the wrong end of the ~**⌝, bir şeyi ters anlamak, yanlış mana vermek: **without a ~ of furniture,** döşeme namına hiç bir şey yok.

stick[2] *vb.* (**stuck**) [stʌk]. Yapıştırmak; sokmak, saplamak; hançerlemek; koymak; atıvermek; tahammül etmek. Yapışmak, yapışık kalmak; kalmak, gitmemek; vazgeçmemek; saplanmak. **to ~ it,** dayanmak: **I can't ~ him,** ona tahammül edemem: **here I am and here I ~!,** buradayım ve buradan kımıldanmam: **to be stuck,** saplanmak; kımıldanamamak; işin içinden çıkamamak; anlıyamamak: **I lent Ali my dictionary, but he's stuck to it,** Aliye lûgatimi ödünc verdim, üstüne oturdu: **some of the money stuck to his fingers,** paranın bir kısmını ziftlendi [deve yaptı]: **to ~ by [to] a friend,** bir dosta sadık kalmak, yardım etm.: **to ~ to one's guns,** sebat etm., bildiğinden şaşmamak: **the lift has stuck,** asansör sıkışıp kaldı, işlemiyor: **to ~ to one's post,** mevziini terketmemek; vazifesinden ayrılmamak: **it ~s in my throat,** ben bunu hazmedemiyorum: **to ~ together,** (i) birbirinden ayrılmamak; 'anca beraber kanca beraber' olm.: (ii) (iki şeyi) birbirine yapıştırmak: **to ~ to one's word,** sözünden şaşmamak. **stick-in-the-mud,** gayri müteşebbis, eski kafalı; uyuşuk. **stick at, to ~ at a job,** bir işe durmadan devam etm.: **he ~s at nothing,** hiç bir şeyden çekinmez: **I rather ~ at doing that,** doğrusu, bunu yapmağa düşünürüm. **stick down, ~ it down anywhere!,** nereye olursa olsun koyuver!: **to ~ down an envelope,** zarfı yapıştırmak: **to ~ down in a notebook,** not defterine yazıvermek. **stick on,** üzerine yapıştırmak; üzerinde yapışık kalmak: **to ~ it on,** (*arg.*) çok pahalıya satmak; hesaba ilâveler yapmak. **stick out,** çıkıntılı olm.; kaba durmak, kabarmak: dayanmak; kabartmak: **to ~ it out,** dayanmak: **to ~ out one's chest,** gögsünü şişirmek: **to ~ out one's hand before stopping,** (otomobilde) duracağını göstermek için elini uzatmak: **to ~ out for higher wages,** ısrarla fazla ücret istemek. **stick up,** (ilânı vs.) duvara vs.ye yapıştırmak; dikmek; dik durmak: **to ~ up for s.o.,** birini müdafaa etm., tarafını tutmak.

stickiness [ˈstikinis]. Yapışkanlık.

sticking-plaster. İngiliz yakısı.

stickleback [ˈstiklbak]. (*Gasterosteus*) Ufak, dikenli tatlısu balığı.

stickler [ˈstiklə*]. **a ~ for stg.,** (bir hususta) mutaassıb, titiz: **a ~ for discipline,** disiplin meraklısı: **a ~ for ceremony,** merasimperest.

sticky [ˈstiki]. Yapışkan; geçimsiz, aksi. **he will come to a ~ end,** (*arg.*) akibeti fena olacak.

stiff [stif]. Eğilmez, bükülmez; katı, sert; nezaketsiz, resmî; güç, zor: (içki) kuvvetli: (fiat) fahiş; (gemi) rüzgârdan kolayca yana yatmaz. (*arg.*) Cesed. **to be ~ (from sitting still),** her tarafı tutulmak; **(from great exertion)** her tarafı ağrımak: **to have a ~ neck,** boyunu tutulmak: **to offer ~ resistance,** şiddetli mukavemet göstermek: **that's a bit ~!,** (*kon.*) bu kadarı da bir az fazla!

stiffen [ˈstifn]. Katılaş(tır)mak; pekiş(tir)-mek; koyulaş(tır)mak; sertleş(tir)mek; takviye etmek.
stifl·e¹ [ˈstaifl]. Boğmak; nefesini tıkamak; bastırmak. **~ing,** boğucu.
stifle² *n.* Atın arka bacağındaki diz yeri.
stigma¹ [ˈstigma]. (*esk.*) Canilere kızgın demirle vurulan damga; (*şim.*) namus lekesi; rezalet. **~tize,** damgalamak; terzil etm., takbih etm.; fena bir isnadda bulunmak.
stigma² *pl.* **-mata.** Nebatların te'nis uzvunun üst kısmı; istigmat.
stile [stail]. Çitten asmak için basamak. ⌜**to help a lame dog over a ~**⌝, yardıma muhtac olana yardım etmek.
stiletto [stiˈletou]. Sivri kama.
still¹ [stil]. Hareketsiz; rahat, sakin, durgun; sessiz. Sükûnet. Teskin etm.; gidermek. **to stand [lie, keep] ~,** kımıldanmamak: **~ life,** natürmort: **~ wines,** köpüklü olmıyan şarablar: **the ~ small voice,** vicdan: ⌜**~ waters run deep**⌝, (i) ⌜yumuşak huylu atın çiftesi pektir⌝; (ii) ⌜yere bakar yürek yakar⌝. **~ness,** sükûn, sükût, durgunluk. **stillborn,** ölü doğmuş.
still². Hâlâ; bununla beraber; ne de olsa; maamafih; daha; yine.
still³. İmbik. **still-room,** (*esk.*) içki ve konserve kileri.
stilt [stilt]. Yerden yüksekte yürümek için ayaklıkları bulunan uzun koltuk değnekleri. **~ed,** (üslûb) sun'î, tumturaklı.
stimul·ant [ˈstimjulənt]. Münebbih; alkollu içki. **~ate,** tahrik ve teşvik etm., gayrete getirmek, canlandırmak. **~us,** münebbih, müşevvik canlandırıcı şey: **to give a ~ to,** teşvik etm., canlandırmak.
sting (**stung**) [stiŋ, stʌŋ]. (Arı, akreb vs.) iğne; sokma, içi kıvranma, ıstırab. (Arı vs.) sokmak; haşlamak; yakmak; yanmak; acıtmak, ıstırab vermek. **that cane ~s,** o değnek insanın canını yakar: **his conscience stung him,** vicdan azabı duydu: **the remark stung him (to the quick),** bu söz (zehir gibi) içine işledi: **his speech had no ~ in it,** nutku çok cansız [ruhsuz] du. **~ing,** sokucu; yakıcı.
sting·iness [ˈstindʒinis]. Cimrilik, nekeslik. **~y** [–i], cimri, eli sıkı.
stink (**stank** veya **stunk, stunk**) [stiŋk, staŋk, stʌŋk]. Pis kokmak. Pis koku; taaffün. **to ~ out,** fena koku veya duman ile kaçırmak: ⌜**to cry ~ing fish**⌝, kendi malını kötülemek (⌜yoğurtçu yoğurdum karadır⌝ demesi gibi): **it ~s in the nostrils,** koklayanın burnu düşer. **~er,** (*arg.*) alçak, pis herif: **to write s.o. a ~,** birine pek şiddetli bir mektub yazmak: **the chemistry paper was a ~,** kimya sualleri berbaddı.
stint [stint]. Kısmak; esirgemek. **to ~ oneself,** kendini bir şeyden mahrum etm.: **without ~,** bol bol, esirgemiyerek: **to give without ~,** ibzal etmek.
stipend [ˈstaipend]. Maaş (*hus.* papazlarınki). **~iary** [–ˈpendiəri], muayyen maaş alan: **~ magistrate,** Londra ve büyük şehirlerde maaşlı sulh hâkimi.
stipple [ˈstipl]. Ufak noktalarla resim yapmak.
stipulat·e [ˈstipjuleit]. Şart koymak; şartları tayin etmek. **~ion** [–ˈleiʃn], şart.
stir [stəə*]. Kımılda(t)ma; hareket; karıştırma; heyecan, patırdı, telâş. Kımıldatmak; karıştırmak; faaliyete geçirmek; heyecanlandırmak; tahrik etmek. Kımıldanmak. **there is not a ~,** ortalıkta çıt yok: **there is not a breath of air ~ring,** yaprak kımıldamıyor: **to ~ one's blood,** kanını tutuşturmak: **he is not ~ring yet,** hâlâ (leş gibi) yatıyor: **to make [create] a ~,** heyecan uyandırmak: **a place full of ~,** çok canlı bir yer: **to ~ s.o. to pity,** birinin merhametini tahrik etm.: **if you ~, I shoot!,** davranma, yakarım!: **to ~ s.o.'s wrath,** birini gazaba getirmek. **~ring** *a.* heyecanlı, canlandırıcı. **stir up,** karıştırmak; canlandırmak; teşvik etm., kışkırtmak.
stirk [stəək]. Düve; genc öküz.
stirrup [ˈstirəp]. Üzengi.
stitch [stitʃ]. Dikiş (dikmek); örgülerde ilmik; geğrek ağrısı. **to ~ up,** yırtığı dikmek; yarayı dikmek: ⌜**a ~ in time saves nine**⌝, zamanında tamir edilen küçük bir hata büyük fenalıkların onüne geçer: **without a ~ of clothing,** çırıl çıplak: **with every ~ of canvas set,** (*den.*) bütün yelkenleri fora.
stoat [stout]. Kakım.
stock¹ [stok] *n.* Şebboy.
stock² *n,* Mevcud; stok mal; döl, soy; kütük; pafta kolu; kundak; et suyu; büyük boyunbağı; çiftlik hayvanları; devlet eshamı. *a.* Beylik, basmakalıb. **~s,** gemi tezgâhı; esham ve tahvilat; (*esk.*) suçlunun ayaklarının geçirilerek teşhir edildiği tahta kanape. **~breeder,** hayvan yetiştiren kimse. **~broker,** mubayaacı, borsa simsarı. **~holder,** hissedar. **~ist,** eşyanın stokunu tutan adam, stokçu. **stock-book,** eşya defteri; demirbaş cedveli. **stock-in-trade,** mağaza mevcudu; stok; temcid pılavı, klişe.
stock³ *vb.* Bir dükkân, bir çiftlik, bir kiler vs.ye lâzım olan şeyleri veya hayvanları alıp koymak; stok yapmak; sermayesini tedarik etm.; mağazada satılacak şey tutmak; ambara yığmak; tüfeğe kundak takmak.
stockade [stoˈkeid]. Şarampol; kazıklarla yapılmış sed.

stock-dove [ˈstokdʌv]. (*Columba oenas*) Mavi güvercin.
stockinette [ˌstokiˈnet]. İç çamaşırı için kullanılan ince örgülü bir kumaş.
stocking [ˈstokiŋ]. Çorab. **white ~ of a horse,** atın sekisi.
stocky [ˈstoki]. Kısa boylu fakat sağlam yapılı.
stodgy [ˈstodʒi]. Ağır, sıkıcı (kitab vs.); doyurucu (yemek).
stoic [ˈstouik]. Revakî; metin. **~al,** revakilere mensub; metin. **~ism** [ˈstouisizm], revakiye mesleği; metanet.
stoke [ˈstouk]. İstim makinesi ocak veya kalorifer kazanına kömür atmak, karıştırmak vs. **to ~ up,** ocak vs.nin ateşini arttırmak; (*arg.*) karnını doyurmak. **~r,** vapur ateşçisi. **stoke-hold,** vapurun ocak dairesi. **stoke-hole,** ocak dairesi; külhan, külhan kapağı; kalorifer kazanının bulunduğu yer.
stole[1] [stoul] *bk.* **steal.**
stole[2] *n.* Rahiblerin âyinlerde kullandıkları boyun atkısı; (kürk) kadın atkısı.
stolen *bk.* **steal.** Çalınmış: **~ glance,** kaçamak bakış.
stolid [ˈstolid]. Teessürsüz; duygusuz; zahiren abdal. **~ity** [–ˈliditi], duygusuzluk; soğukluk; teessür duymamazlık.
stolon [ˈstoulon]. Yeraltı filizi.
stomach [ˈstʌmək]. Mide, karın. (*Yalnız menfi ve mecazi manada*) hazmetmek; tahammül etmek. **on an empty ~,** açkarnına: **on a full ~,** yemek üstüne: **he has no ~ for adventure,** sergüzeştlere hevesi yok: **it makes my ~ rise,** midemi bulandırıyor: **to turn one's ~,** mide bulandırmak. **~er,** (*esk.*) korsaj. **stomach-ache,** karnağrısı.
stone [stoun]. Taş; kıymetli taş; çekirdek; 14 librelik (*6·35 kil.*) ingiliz ölçüsü; kum hastalığı. Taşlamak. ⌜**a rolling ~ gathers no moss**⌝, yuvarlanan taş yosun tutmaz: **to leave no ~ unturned,** çalmadık kapı bırakmamak, başvurmadığı çare kalmamak: **not to leave a ~ standing,** yerle yeksan etm.: **a ~'s throw,** yirmi otuz adım. **~mason,** taşçı. **~wall,** (kriket oyununda) ihtiyatkârane vurmak; (siyasette) obstrüksyonculuk yapmak. **~ware,** kumlu taştan yapılan saksı vs. **~work,** tasçı işi; duvarcı işi. **stone-cold,** çok soğuk. **stone-dead,** taş gibi ölü. **stone-deaf,** hiç işitmez sağır. **stone-fruit,** çekirdekli meyva.
stonechat [ˈstountʃat]. (*Sazicola torquata*) (?).
stonecrop [ˈstounkrop]. (*Sedum*) Kaya koruğu.
stony [ˈstouni]. Taşlık; taş gibi. **a ~ look,** soğuk bakış: **~ politeness,** buz gibi nezaket. **stony-broke,** (*kon.*) tırıl, dımdızlak. **stony-hearted,** taş yürekli.
stood *bk.* **stand.**
stooge [stuudʒ]. Başkasının aleti olan insan.
stook [stuuk]. Ekin demetleri yığını. Ekin demetlerini muntazaman yığınlara koymak.
stool [stuul]. Arkalıksız küçük iskemle, tabure; büyük abdest. ⌜**to fall between two ~s**⌝, ⌜iki cami arasında beynamaz⌝: **to go to ~,** defi hacet etm.: **~ pigeon,** çığırtkan güvercin; polis hafiyesi; birinin suçortağı.
stoop [stuup]. Öne doğru eğilmek; azıcık kambur olm.; alçalmak, tezellül etm.; (doğan) havadan inip avına vurmak. **I wouldn't ~ to such a thing,** böyle şeye tenezzül etmem. **~ing,** hafifçe kamburlaşmış.
stop[1] [stop]. Durma; durdurma; duraklama; durak; sekte; tutma veya durdurma vasıtası; org düğmesi; flâvta anahtarı, kle; adese perdesi; nokta. **to bring to a ~,** durdurmak; sekteye uğratmak: **to come to a ~,** bir durağa gelmek; durmak; kesilmek; dinmek; sekteye uğramak: **to make a ~,** durmak; mola vermek; bir yerde muvakkaten kalmak: **to put a ~ to,** ···e nihayet vermek.
stop[2] *vb.* Durmak, duraklamak; kesilmek; misafir kalmak. Durdurmak, alıkoymak; kesmek: tıkamak; (diş) doldurmak; tatil etm.; menetmek, yaptırmamak. **~ it!,** artık yeter!: **to ~ at nothing,** hiç bir şeyden çekinmemek; her şeyı göze almak: **he did not ~ at that,** bunun ile iktifa etmedi, bununla kalmadı: **to ~ away,** gelmemek; muvakkaten evden başka bir yerde kalmak: **to ~ (payment of) a cheque,** bir çekin tediyesini durdurmak: **to ~ dead** [**short**], birdenbire durmak: **to ~ down a lens,** adese perdesini küçültmek: **to ~ for s.o.,** birini beklemek; birini almak için araba vs.yi durdurmak: **to ~ a gap,** delik [gedik] tıkamak; bir eksikliği tamamlamak: **he never ~s talking,** o susmak bilmez: **to ~ up,** tıkamak. **~page,** durdurma; tatil; alıkoyma; maaştan kesilen mikdar; tıkanma. **~per,** tapa, tıkaç. **~ping,** (diş) dolgu. **stop-cock,** kapama musluğu; kapama supabı. **stop-gap,** muvakkat çare; iğreti olarak kullanılan şey, yasak savma. **stop-press,** makineye verilirken (havadis). **stop-watch,** zamanı saniyeye kadar ölçen ceb saati.
storage [ˈstooridʒ]. Biriktirme; iddihar; depoya koyma; depo, ambar, ardiye; ardiye ücreti. **cold ~,** buzda veya buzdolabında muhafaza.
store[1] [stoo*] *n.* Depo, ambar, ardiye;

mağaza; (*Amer.*) dükkân; biriktirilmiş şeyler; stok; bolluk. **~s,** kumanya, erzak; levazımat; muhtelif eşya satan büyük mağaza. **this book is a ~ of information,** bu kitab malûmat hazinesidir: **~ cattle,** besili olmıyan sığırlar: **departmental ~s,** her türlü eşya satan büyük magazalar; bonmarşe: **to hold [keep] in ~,** ileride kullanmak için saklamak: **we do not know what the future has in ~ for us,** istikbalın bize ne hazırladığını bilmiyoruz: **I have a great surprise in ~ for you,** size büyük bir sürprizim var: **to lay in a ~ of stg.,** bir şeyi depo edip iddihar etm.: **to set great ~ by stg.,** bir şeye çok ehemmiyet vermek: **to set little ~ by stg.,** bir şeyi hiçe saymak, ona ehemmiyet vermemek: **war ~s,** harb mühimmat ve levazımı. **~house,** antrepo, ardiye: **he is a ~ of information,** havadis [malûmat] kumkumasıdır. **~keeper,** ambar memuru; kumanya memuru; kilerci; (*Amer.*) dükkâncı. **store-room,** kiler.

store² *vb.* Bir şeyi sonradan kullanmak üzere saklamak; depo veya ardiyeye koymak; erzak veya levazım ile doldurmak. **to ~ up,** biriktirip saklamak; istif etm., yığmak.

storied [ˈstoorid]. Tarihî; tarihe veya bir hikâyeye aid resimlerle süslenmiş.

-storied *suff.* ... katlı (ev).

stork [stook]. Leylek.

storm [stoom]. Fırtına, bora; (alkış vs.) tufan; hücum; kıyamet; telâş. Kıyamet koparmak; çok hiddetlenmek. (Bir şehri veya mevkii) hücumla zabtetmek. **to bring a ~ about one's ears,** başına belâ çıkarmak: **~ centre,** kasırga merkezi; kargaşalık nüvesi: **to stir up a ~,** kıyamet kopartmak: **to take by ~,** şiddetle hücum ederek zabtetmek: **to take the audience by ~,** dinleyicileri teshir etm.: ⌜**a ~ in a teacup**⌝, ⌜bir bardak suda fırtına⌝. **~y,** fırtınalı; heyecanlı, gürültülü. **storm-bound,** (gemi) fırtına sebebiyle bir yerde durmuş. **storm-cone,** gemilere haber vermek için karada gösterilen mahrut şeklinde fırtına işareti. **storm-troops,** hücum kıtalari.

story¹ [stoori]. Hikâye, masal; rivayet; martaval. **but that 's another ~,** onu başka bir zaman anlatırım: **that 's quite another ~,** o büsbütün başka; o ayrı bir şey: **it 's quite another ~ now,** ⌜eski çamlar bardak oldu⌝: **to make a long ~ short,** sözü uzatmıyayım: **the same old ~,** ⌜eski hamam eski tas⌝: **to tell stories,** gammazlık etm.: yalan söylemek: **these empty bottles tell their own ~,** (başka söze hacet yok) bu boş şişeler kâfi derecede izah ediyor. **story-teller,** hikâyeci; (*kon.*) martavalcı.

story². Kat (ev).

stout¹ [staut] *a.* Şişman; sağlam, metin; cesur, yiğit. **a ~ fellow,** yaman bir adam.

stout² *n.* Siyah bira.

stove¹ [stouv]. Soba; fırın. Sobada kurutmak.

stove² *bk.* **stave.**

stow [stou]. İstif etm., istiflemek; yerine koymak, düzeltmek; (*den.*) neta etmek. **~ it!,** (*arg.*) sus!; yapma! **~age** [ˈstouidʒ], istif; istif yeri; istif ücreti. **~away,** parasız seyahat için gemide saklanan kimse. **stow away,** bir yerde saklamak; parasız seyahat için bir gemide saklanmak.

strabism [ˈstreibizm]. Şaşılık.

straddle [ˈstradl]. Apışmak. Apıştırmak; apışarak bir şeyin üzerinde oturmak; (topculuk) hedefin bir ilerisine bir gerisine ateş ederek mesafeyi ayarlamak.

straggl·e [ˈstragl]. Sürüden ayrılmak; dağılarak gitmek. **~er,** geri kalan adam veya asker; sürüden ayrılmış hayvan. **~ing,** dağınık; seyrek.

straight [streit]. Doğru; müstakim; dümdüz; dürüst, namuslu; açık. Düz hat şeklinde olan kısım. Açıkça; hemen; sapmadan; tam; doğrudan doğruya. **to act on the ~,** dürüst hareket etm.: **to be ~ with s.o.,** birine hakikati söylemek; birine karşı dürüst hareket etm.: **to drink ~ from the bottle,** bardak kullanmadan şişeden içmek; şişeyi dikmek: **to look s.o. ~ in the face,** birinin gözüne bakmak: **he hit me ~ in the face,** tam yüzüme vurdu: **a ~ fight,** iki kişi arasında kavga; (seçimde) yalnız iki namzed arasında mücadele: **~ off,** tereddüd etmeden; derhal: **~ out,** dobra dobra, açıkça: **out of the ~,** eğri: **to put ~,** yoluna koymak, düzeltmek: **I tell you ~,** size açıkça söyliyorum: **to read a book ~ through,** bir kitabı baştan başa okumak: **this train goes ~ through to London,** bu tren aktarmasız Londraya kadar gider. **straight-edge,** bir kenarı düz olan cedvel. **straight-six, ~-eight,** bir sıra altı [sekiz] silindirli (otomobil).

straighten [ˈstreitn]. Doğrultmak; düzeltmek. Doğrulmak. **to ~ up,** doğrulmak, kalkmak.

straightforward [streitˈfoowəd]. Dürüst, hilesiz; müstakim; açık.

straightness [ˈstreitnis]. Doğruluk; istikamet; dürüstlük.

straightway [ˈstreitwei]. Derhal, hemen; tezelden.

strain¹ [strein] *vb.* Germek; kasmak; zorlıyarak zayıflatmak, zarar vermek; zorlamak; zora getirmek; burkulmak, incitmek; süzmek; elemek. Kendini zorlamak; olanca kuvvetini sarfetmek; sıkınmak. to

~ **at** [**after**] **stg.**, bir şeyi elde etmek için kendini zorlıyarak çabalamak: **to ~ one's back,** belini incitmek [burkutmak]: **to ~ the law,** bir kanunun musaade ettiği hududu zorlamak: **to ~ stg. out of a liquid,** bir mayii süzerek içindeki şeyi elde etm.: **to ~ every nerve,** bütün gayretini sarfetmek: **to ~ oneself,** kendini zora getirmek, kendini fazla yormak; vücüdün bir kısmı burkulmak: **to ~ a point,** bir fikri vs.yi ifrata götürmek [zorlamak]: **to ~ off the vegetables,** zerzevatın suyunu süzmek (kevgirden geçirmek).

strain² *n.* Germe, gerilme; gerginlik; kuvvet, zor, zorluk; tazyik; burkulma; tavır, tarz, meal; nağme. **bending ~,** bükülme dayanıklılığı: **breaking ~,** çekme dayanıklılığı: **the martial ~s of the band,** bandonun askerî havaları: **the ~ of modern life,** modern hayatın sinirleri geren faaliyeti: **mental ~,** zihnî yorgunluk: **the ~ on the rope was tremendous,** ip çok fazla gerilmişti: **the education of my boy is** [**puts**] **a great ~ on my resources,** çocuğumun tahsil masrafı omuzumda ağır bir yüktür: **all his senses were on the ~,** bütün melekeleri gerilmişti: **he said a lot more in the same ~,** bu mealde daha çok söyledi: **to stand the ~,** zora dayanmak: **their friendship stood the ~,** her şeye rağmen dost kaldılar: **parts under ~,** tazyik altında olan kısımlar.

strain³ *n.* Fıtrî veye irsî bir hususiyet; damar. **he has a ~ of German blood,** onda bir az Alman kanı var.

strained [streind]. Gerilmiş; gergin; burkulmuş; kasılmış; zoraki, sunî.

strainer [ˈstreinə*]. Süzgeç; gergi, redisör.

strait [streit]. Boğaz. Sıkı, dar. **~s,** sıkıntı, müzayaka, berzah. **to be in great ~s,** sıkıntı içinde olm., darda kalmak: **~ jacket,** deli gömleği. **~en,** daraltmak, sıkıştırmak: **to be in ~ed circumstances,** darlık içinde olmak. **strait-laced,** ahlâk hususunda pek titiz ve mutaassıb.

stramonium [strəˈmounjəm]. Tatula.

strand¹ [strand]. Sahil. Karaya otur(t)mak. **to be ~ed,** fena vaziyette bulunmak; yüzüstü kalmak; yaya kalmak: **to leave s.o. ~ed,** birini yüzüstü bırakmak.

strand². Halat kolu; ipin elyafından biri. **three-~ed rope,** üç kollu halat.

strange [streindʒ]. Garib, tuhaf, acayib; yabancı, tanınmıyan; yeni. **I am ~ to the work,** bu işe alışık değilim: **to find** [**feel**] **~,** yadırgamak, garibsemek.

stranger [ˈstreindʒə*]. Yabancı; tanınmıyan kimse; eloğlu. Daha garib, acayib vs. **I am a ~ to these parts,** buranın yabancısıyım: **you're quite a ~!,** seni gören hacı olur.

strangle [ˈstraŋgl]. Boğmak, boğazını sıkmak. **~hold, to have a ~ on s.o.,** birini boğazından yakalamak. **~s,** atın boğazında ur hasıl eden sarî bir illet.

strangulat·e [ˈstraŋgjuleit]. Damar, barsak vs.yi sıkıp boğmak: **~ed hernia,** düğümlü fıtık. **~ion** [–ˈleiʃn], boğazın sıkılması, boğulma, ihtinak.

strap [strap]. Kayış; sargı. Kayışla bağlamak. **to give s.o. the ~,** (*kon.*) kayışla dayak atmak. **to ~ up,** kayışla bağlamak; (*tıb.*) (burkulmuş bir uzvu) yapışkan yakı ile sarmak. **~hanger,** otobüste ayakta kalan yolcu.

strapping [ˈstrapiŋ]. İri yarı ve dinc (insan).

strata *bk.* **stratum.**

stratagem [ˈstratədʒem]. Harb hilesi; desise.

strateg·ic(al) [strəˈtiidʒik(l)]. Sevkülceyşe aid, stratejik. **~ist** [ˈstratidʒist], sevkülceyş mütehassısı. **~y** [ˈstratidʒi], sevkülceyş, strateji.

stratif·y [ˈstratifai]. Üstüste tabakalar şeklinde tertip etmek. **~ication** [–fiˈkeiʃn], tabakaların tertibi ve şekli.

stratosphere [ˈstratousfiə*]. Hava tabakasının üstü.

stratum, *pl.* **-ta** [ˈstreitəm, –ta]. Kat; tabaka.

straw [stroo]. Saman, ekin sapı; samandan yapılmış; hasırdan yapılmış. **to ~ down,** (ahir vs.de) saman sermek: ⌜**one can't make bricks without ~**⌝, samansız kerpiç yapılmaz; icab eden malzeme veya vasıta olmadıkça yapılamaz: **I don't care a ~,** bu bana vızgelir: ⌜**the ~ that breaks the camel's back**⌝, bardağı taşıran damla: **to draw ~s,** çöple kura çekmek: ⌜**a drowning man will clutch at a ~**⌝, ⌜denize düşen yılana sarılır⌝ *ve bundan* **to clutch at a ~,** müşkül bir vaziyette her çareye başvurmak: **that 's the last ~!,** bir bu eksikti!; bu hepsine tüy dikti: **a man of ~,** uydurma adam, manken, gösterişli fakat varlıksız adam: **~ mattress,** samanla doldurulmuş minder: ⌜**a ~ shows which way the wind blows**⌝, küçük bir işaret [alâmet] vaziyetin değiştiğini gösterir: **not worth a ~,** metelik etmez. **straw-board,** kaba mukavva. **straw-bottomed,** oturacak yeri hasırlı (iskemle). **straw-hat,** kanotye.

strawberry [ˈstroobri]. Çilek. **~ mark,** yüzdeki kırmızı leke. **strawberry-tree,** kocayemiş ağacı.

stray [strei]. Başıboş; avare; serseri; lâalettayin, rastgele; tek tük. Başıboş gezen hayvan. Yoldan sapmak; başıboş avare gezmek; sürüden ayrılmak. **waifs and ~s,** kimsesiz çocuklar: **to let one's thoughts ~,** dalmak.

streak [striik]. İntizamsız boyalı çizgi; çubuk; şua. Şekilsiz çizgilerle boyamak; pek hızlı gitmek. **the first ~ of dawn,** sabahın ilk ışığı: **like a ~ of lightning,** şimşek gibi: **although he seems so serious there is a ~ of humour in him,** çok ciddî görünmesine rağmen onun mizahtan anlıyan bir tarafı var. **~y,** intizamsız çizgilerle boyanmış; çubuklu; yol yol: **~ bacon,** yağlı ve yağsız karışık domuz pastırması.

stream [striim]. Çay, dere; su; akıntı; sel; akan su gibi hareket. Akmak; tevali etm.; dalgalanmak. Suya atmak. **a ~ of abuse,** küfür yağmuru: **a ~ of cars,** sel halinde otomobiller: **down ~,** akıntı ile: **to ~ forth** [**out**], sel gibi çıkmak: **to ~ the log,** parakete atmak: **up ~,** akıntıya karşı: **with the ~,** akıntı ile. **~er,** filâma, bandırol; kâğıd şeridi. **~ing,** akan; ağlayan: **~ with sweat,** ter içinde.

street [striit]. Sokak, cadde, **you are ~s better than him,** onu fersah fersah geçersiniz: **~ level,** sokak hizası: **the man in the ~,** alelâde insan, halk: **~ musician,** sokak çalgıcısı: **not in the same ~ with ...,** (*kon.*) ···le aynı seviyede değil; ···le yarışa çıkamaz: **to turn s.o. into the ~,** birini sokağa atmak, açıkta bırakmak. **street-arab,** afacan; serseri çocuk.

strength [streŋgθ]. Kuvvet, kudret; güç; mukavemet; kadro, mevcud. **to bring a battalion up to ~,** bir taburun mevcudunu tamamlamak: **on the ~,** kadroda dahil; yoklama defterinde bulunan: **on the ~ of,** ···e binaen, ···e mebni, mucibince, ···e güvenerek: **to strike s.o. off the ~,** birini kadrodan çıkarmak. **~en,** kuvvetlendirmek; sağlamlaştırmak; teyid etm., takviye etmek.

strenuous [ˈstrenjuəs]. Gayretli, faal; şiddetli; güç, çetin, yorucu.

stress [stres]. Bir şeye tatbik olunan kuvvet; tazyik; zor; ıstırab; vurgu, aksan. Tazyik etm.; ehemmiyet vermek; basmak; üzerine aksan koymak. **to ~** [**lay ~ on**] **the importance of a matter,** bir meseleyi tebarüz ettirmek, ona çok ehemmiyet vermek.

stretch¹ [stretʃ] *n.* Germe, gerilme; uzatma; saha; müddet. **at a ~,** fasılasız, ara [mola] vermeden: **at full ~,** tamamen uzanmış bir halde; alabildiğine: **to give a ~,** gerinmek: **to go for a ~,** bacakların uyuşukluğunu gidermek için biraz gezinmek: **by a ~ of the imagination,** muhayyeleyi zorlıyarak: **~ of wing,** açık kanadlar arasındaki mesafe.

stretch² *vb.* Ger(il)mek; uza(t)mak; kasmak; çekmek; büyütmek; sermek; esnemek; yayılmak; gevşemek. **to ~ oneself,** gerinmek: **to ~ one's legs,** uyuşukluğunu gidermek, biraz gezinmek: **to ~ a privilege,** bir imtiyazı biraz suiistimal etm.: **to ~ a point,** bir noktayı zorlamak. **stretch out,** uzatmak; elini uzatmak; yayılmak, serilmek.

stretcher [ˈstretʃə*]. Gergi; teskere, sedye; (kayıkta) yarım oturak. **stretcher-bearer,** teskereci. **stretcher-party,** teskereciler ekipi.

strew [struu]. Serpmek; dağıtmak.

striate(d) [ˈstraieit, -ˈeitid]. Yivli; muhattat.

stricken [ˈstrikn] *bk.* **strike.** *a.* Tutulmuş; felâkete uğramış. **~ in age** [**years**], pek yaşlı.

strict [strikt]. Sert; sıkı; şiddetli; müsamahasız; koyu; tam. **he is a ~ Moslem,** koyu bir müslümandır: **in the ~est sense of the word,** kelimenin tam manasile: **~ly speaking,** doğrusunu söylemek lâzım gelirse: **smoking is ~ly prohibited,** sigara içmek katiyen yasaktır.

stricture [ˈstriktjuə*]. Takbih, tâyib; tenkid: vücudün bir mecrasının daralması, (*um.*) idrar yolunun tıkanması. **to pass ~s on s.o.,** birini zemmetmek, takbih etmek.

stride (**strode**) [straid, stroud]. Uzun adım; bir adımlık mesafe. Uzun adımlarla yürümek. **to get into one's ~,** tam yoluna girmek: **to make great ~s in stg.,** bir şeyde çok ilerlemek: **to take stg. in one's ~,** bir şeyi kolayca yapıvermek: **to ~ over,** bir adımda aşmak; uzun adımlarla geçmek.

strident [ˈstraidənt]. Keskin, tiz, acı (ses).

stridulation [ˌstridjuˈleiʃn]. Ağustosböceğininki gibi ses, çınlama.

strife [straif]. Kavga, nifak, bozuşma.

strike¹ [straik]. Grev (yapmak). **to be on ~,** grev halinde olm.: **to come out on ~,** grev yapmak.

strike² *n.* Maden filizini bulma. **a lucky ~,** turnayı gözünden vurma.

strike³ *vb.* (**struck, struck,** (*esk.*) **stricken**) [straik, strʌk, strikn]. Vurmak; çalmak; çatmak; çarpmak. **to ~ against stg.,** bir şeye çarpmak: **to be struck on s.o.,** (*kon.*) birine abayı yakmak: **it ~s me that...,** bana öyle geliyor ki ...: **how did he ~ you?,** onu nasıl buldun?: **he struck me as (being) rather conceited,** o bana biraz kibirli gibi geldi: **to ~ the eye,** göze çarpmak: **to hoist his flag,** (amiral) forsunu çekmek: **to ~ his flag,** (amiral) forsunu indirmek (kumandasını terk etm.): **to ~ its flag** [**colours**], (gemi) bayrağını indirmek, teslim olm.: **to ~ the hour,** saati çalmak: **it has just struck ten,** saat şimdi onu çaldı: **the hour has struck,** mühim an geldi çattı: **his hour has struck,** sonu yaklaştı; *bazan* hayatının en mühim zamanı geldi: **to ~ a match,** kibrit çakmak: **to ~ oil, gold,** *etc.*, (maden arayıcı) petrol, altın vs.ye rastlamak: **the plant has struck (root),** dikilen nebat tuttu: **the road now ~s north,** yol burada şimale sapiyor: **the thought struck him that ...,** birdenbire aklına geldi ki ...: **I've struck upon an idea,** aklıma bir fikir geldi: **we've struck (upon) just the right man,** tam adamına çattık: **to ~ s.o. with wonder,** birini hayrete düşürmek: **to ~ terror into s.o.,** birinin içine dehşet salmak. **strike down,** vurup yere düşürmek; yere sermek. **strike in,** vurup saplamak: **he struck in with a new proposal,** yeni bir teklifle lâfa karıştı. **strike off,** vurup koparmak: **to ~ a name off a list,** bir ismi listeden çıkarmak; **to ~ off 100 copies,** 100 nüsha basmak. **strike out,** çizmek, hazfetmek: **to ~ out right and left,** sağa sola vurmak: **to ~ out for oneself,** kendi açtığı çığırda ilerlemek: **to ~ out for the shore,** sahile doğru yüzmek. **strike up, to ~ up a tune,** bir makam tutturmak: **the band struck up,** mızıka çalmağa başladı.

striker [ˈstraikə*]. Vurucu; grevci; (saat) tokmak; (tüfek) horoz.

striking [ˈstraikiŋ] *a.* Göze çarpan; göz alıcı; dikkate şayan. **a ~ clock,** çalar saat: **~ly beautiful,** göz alacak derecede güzel: **a ~ likeness,** şaşılacak benzerlik: **within ~ distance,** vuracak mesafede.

string[1] [striŋ] *n.* Sicim, kınnap, ip; kiriş; tel; dizi; sıra. **the ~s,** (*mus.*) telli çalgılar: ⌜**to have two ~s to one's bow**⌝, ümidini yalnız bir yere bağlamamak; başvuracak iki çaresi olm.: **to harp on one ~,** ayni mevzuu diline vird etm.: **Oxford's first ~,** (yarışta) Oxford'un birinci mümessili: **to pull ~s,** iltimas yaptırmak: **he can pull ~s,** dümende dayısı var, arkası var: **to play second ~ to s.o.,** ayni işte birine nazaran ikinci derecede [geride] bırakılmak.

string[2] *vb.* **(strung)** [striŋ, strʌŋ]. Dizmek; kirişlemek; tel takmak; (fasulye) kılçıklarını ayıklamak. **to ~ s.o. up,** (*arg.*) birini asmak: **to be all strung up,** asabileşmek; heyecan içinde olm.: **highly strung,** sinirli, çok hassas. **~ed** *a.* **~ instrument,** telli çalgı.

stringen·cy [ˈstrindʒənsi]. Sertlik; şiddet; (piyasa) kesad. **~t,** sert, siddetli; katî; müşkül;

stringer [ˈstriŋə*]. Çatı kuşağı; tulânî kiriş.

stringy [ˈstriŋi]. Sicim gibi; lifli; sinirli, sert (et).

strip[1] [strip] *n.* Uzun ve dar parça; şerid; dil; lime.

strip[2] *vb.* Soymak; sıyırmak; soyup soğana çevirmek. Soyunmak. **to ~ a cow,** ineği son damlasına kadar sağmak: **to ~ a screw,** vidanın dişlerini sıyırıp kırmak: **to ~ to the skin,** tamamen soyunmak.

stripe [straip]. Kumaş yolu; çubuk; darbe; çavuş ve onbaşının kol işareti. **to lose one's ~s,** çavuş vs. rütbesi elinden alınmak. **~d,** yollu, çubuklu.

stripling [ˈstripliŋ]. Genc, delikanlı.

strive (strove, striven) [straiv, strouv, strivn]. Çabalamak, uğraşmak. **to ~ for [after] stg.,** bir şeyi elde etmeğe çalışmak, bir şeye erişmeğe çabalamak: **to ~ with [against] ...,** ...le uğraşmak, çekişmek.

strode *bk.* **stride.**

stroke[1] [strouk] *n.* Vuruş, vurma, darbe; hareket; çizgi, hat; felc; hamlacı; yüzme tarzı. **a good ~ of business,** kârlı bir iş; 'turnayı gözünden vurdu' *kabilinden*: **finishing ~,** işini bitiren darbe: **a ~ of genius,** dahiyane bir hareket vs.: **he had a ~,** ona inme indi: **to be killed by a ~ of lightning,** yıldırım çarparak ölmek: **on the ~ of nine,** saat tam dokuzda: **piston ~,** pistonun seyrinin uzunluğu: **to row a fast [slow] ~,** hızlı [ağır] kürek darbelerile kürek çekmek: **he has not done a ~ of work,** elini hiç bir işe sürmedi: **two- [four-] ~,** iki [dört] zamanlı (motör).

stroke[2] *vb.* Sıvazlamak; okşamak. **to ~ a boat,** kürek sandalının hamlacısı olm.: **to ~ s.o. the wrong way,** birinin damarına basmak.

stroll [stroul]. Gezinmek; ağır ağır dolaşmak. Gezinti. **to take a ~,** kısa bir mesafe içinde gezmek [dolaşmak].

strong [stroŋ]. Kuvvetli; sağlam; metin; iradeli; dokunaklı, sert. **~ language,** sert sözler; küfürbazlık: **patience is not his ~ point,** hiç sabırlı değildir: **~ room,** kasa veya değerli eşyanın muhafaza edildiği muhkem oda. **~hold,** müstahkem mevki; kale. **strong-box,** kasa. **strong-minded,** azimkâr, iradeli.

strop [strop]. Ustura kayışı; (*den.*) direk sapanı. Usturayı kayışa çekmek.

strophe [ˈstroufi]. Manzume kıtası.

strove *bk.* **strive.**

struck *bk.* **strike.**

structur·e [ˈstrʌktʃə*]. Yapı, bina; bünye; yapılış tarzı. **~al,** bünyevî; yapıya aid.

struggl·e [ˈstrʌgl]. Savaş; çabalama; cidal; mücadele. Çabalamak, uğraşmak; mücadele etm.; çırpınmak, çabalanmak. **to ~ to one's feet,** zahmetle ayağa kalkmak: **we ~d through,** düşe kalka çıktık; uğraşa uğraşa bütün müşkülleri yendik. **~ing,** çırpınan: **a ~ artist,** geçinebilmek için çabalıyan sanatkâr.

strum [strʌm]. Piyano veya telli çalgıyı gelişi güzel veya acemice çalmak.

strung *bk.* string.
strut[1] [strʌt]. Demir veya tahta kuşak; payanda; istinad kemeri; kulak. Desteklemek; kuşaklamak.
strut[2]. Cakalı, kurumlu yürüyüş. Kurum satarak yürümek; babahindi gibi gezmek.
strychnine [ˈstrikniin]. Kargabükenden çıkarılan zehir; istriknin.
stub [stʌb]. Kesilmiş ağacın yerde kalan kütüğü; kütük; küçük kurşun kalem parçası; izmarit. **to ~ up a root,** bir kökü sökmek: **to ~ one's toe against stg.**, ayağı bir şeye çarpmak.
stubbl·e [ˈstʌbl]. Anız; hasaddan sonra yerde kalan saman kökleri; pek kısa kesilmiş saç; uzun tıraş. **~y,** anızlı (tarla); tıraşlı; kıllı; pek kısa kesilmiş (saç).
stubborn [ˈstʌbən]. İnadcı, anud.
stubby [ˈstʌbi]. Küt; bodur; kütük gibi; *bk.* **stubbly.**
stucco [ˈstʌkou]. Kirec, mermer kireci ve alçı ile yapılan ve tezyinat işleri yapmakta kullanılan karışık bir harc. **Stucco** ile sıvamak.
stuck *bk.* **stick.**. **stuck-up,** kibirli; şımarık.
stud[1] [stʌd]. Bir şahsın beslediği atlar. **to be at ~,** (aygır) damazlık olmak. **stud-book,** cins atların şecere defteri. **stud-farm,** hara. **stud-horse,** damızlık.
stud[2]. Yaka düğmesi; büyük başlı çivi; (*mek.*) saplama. İri başlı çivilerle donatmak. **~ded,** iri başlı çivilerle vs. süslenmiş: **the sky was ~ with stars,** gökyüzü yıldızlarla serpili idi.
student [ˈstjuudənt]. Talebe; araştırıcı. **~ship,** talebeye verilen burs.
studied [ˈstʌdid] *bk.* **study.** *a.* Kasdî; pek dikkatli; sahte, zoraki.
studio [ˈstjuudjou]. Atölye, studyo; salon.
studious [ˈstjuudjəs]. Çalışkan; dikkatli; ihtimamlı; istekli; mütehalik. **he ~ly avoided me,** bilhassa [kasden] bana görünmek istemedi.
study [ˈstʌdi]. Mütalaa, okuma, tahsil, tetebbü; ihtimam; çalışma odası; küçük kütübhane; resim taslağı; dalgınlık. Mütalaa etm., tetebbü etm., okumak; tahsil etm.; çalışmak; tedkik etm., dikkatle muayene etm.; ihtimam etmek. **to ~ for the bar,** hukuk tahsil etm.: **brown ~,** dalgınlık: **to finish one's studies,** tahsilini bitirmek: **to ~ one's health,** sıhhatine ihtimam etm.: **to make a ~ of stg.**, bir şeyi bilhassa tedkik etmek.
stuff[1] [stʌf] *n.* Madde; şey; kumaş; yave. **garden ~,** sebze: **there 's good ~ in him,** bu adamda cevher var: **this book is sorry ~,** bu kitab pek yavan, allahlık: **how are we to get the ~ home?,** bu eşyayı eve nasıl taşıyacağız?: **he is the ~ heroes are made of,** bu adam kahramanların yuğrulduğu hamurdan: **~ and nonsense!,** saçma sapan!: **he 's hot ~,** (*arg.*) yamandır: **that 's the ~ to give them!,** (*arg.*) ha şöyle!
stuff[2] *vb.* Doldurmak; tıkamak; istif etm.; çok yedirmek; dolma doldurmak; ölü hayvanın derisini saman ile doldurmak, tahnit etmek. Çok yemek, tıkınmak. **to ~ up,** tıkamak: **my nose is ~ed up,** burnum tıkandı. **~iness,** havasızlık; küf kokma; burnun tıkanıklığı. **~ing,** dolma; yastık vs. içine doldurulan şey: **to knock the ~ out of s.o.,** (i) birine dayak atmak; (ii) birinin burnunu kırmak (*mec.*): **~-box,** salmastra kutusu. **~y,** havasız; küf kokulu; kasvetli; (*kon.*) eski kafalı; (*Amer.*) dargın, küs.
stultify [ˈstʌltifai]. İbtal etm.; tesirini azaltmak; cerhetmek.
stumble [ˈstʌmbl]. Sürçme; sürç. Sürçmek; tökezlemek; yanılmak. **to ~ across [upon],** ···e rastgelmek: **to ~ over stg.**, ayağı bir şeye çarparak sekmek: **to ~ in one's speech,** söz söylerken duralamak; kekelemek. **stumbling-block,** mania, engel; zorluk veya tereddüde sebeb.
stump [stʌmp]. Kesilmiş veya kırılmış şeyin geri kalan kısmı; kütük; koçan; izmarit; gölge kalemi, estop; tahta ayak; kriket oyunda kullanılan kazık. **~s,** (*arg.*) bacaklar. Saşırtmak; cevab veremez bir hale getirmek: **to ~ along [about],** tahta ayaklı gibi gürültü yaparak gezmek: **to ~ up,** (*arg.*) ödemek: **to be on the ~,** seçimlerde nutuk söylemek gezmek: **to draw ~s,** kriket oyununu bitirmek: **~ orator,** sokak hatibi: **to stir one's ~s,** (*arg.*) yürümek, kımıldanmak. **~y,** bodur; küt; güdük.
stun [stʌn]. Sersemletmek; afallatmak. **~ning,** sersemletici; (*arg.*) mükemmel.
stung *bk.* **sting.**
stunt[1] [stʌnt]. Büyümesine, yetişmesine mâni olm.; bodur bırakmak. **~ed,** bodur; kavruk; cılız; büyümemiş.
stunt[2]. (*kon.*) Göze çarpmak veya reklam yapmak için gösterilen marifet veya hüner. (Uçak) havada akrobatik hareketler yapmak. **~ flying,** usta uçuşu, maharetli uçuş.
stupef·y [ˈstjupifai]. Uyuşturmak; şaşkına cevirmek, bunaltmak, sersemletmek. **~action** [–ˈfakʃn], şaşkınlık, sersemlik; uyuşuklu. **~ied,** şaşkın; alık; abdallaşmış; uyuşturulmuş.
stupendous [stjuˈpendəs]. Hayret verici; harikulâde; mucize kabilinden.
stupid [ˈstjupid]. Akılsız, beyinsiz; ahmak; alık. **to drink oneself ~,** abdallaşmağa kadar içmek. **~ity** [–ˈpiditi], akılsızlik, beyinsizlik; hamakat.

stupor [ˈstjuupə*]. Uyuşukluk; sersemlik.
sturd·y[1] [ˈstəədi]. Gürbüz; güçlü kuvvetli; metin. **~iness,** gürbüzlük; metanet; celâdet.
sturdy[2]**.** Koyunlara mahsus sersemlik illeti.
sturgeon [ˈstəədʒən]. (*Acipenser*) Mersin balığı.
stutter [ˈstʌtə*]. (*ech.*) Keke(lemek), pepe(lemek).
sty[1] [stai]. Domuz ahırı; pis yer.
sty[2]**, stye.** Arpacık, itdirseği.
Stygian [ˈstidʒiən]. Cehennemdeki Styx nehrine aid; karanlık, muzlim.
styl·e [stail]. Üslûb; tarz; nevi; zevk, moda; unvan; mil. İsim veya unvan vermek; tarif etmek. **to do stg. in ~,** bir şeyi mükellef bir şekilde yapmak; adamakıllı yapmak: **in fine ~,** adamakıllı veya mükemmel bir şekilde: **in the latest ~,** son modaya göre: **to live in great ~,** saltanatla yaşamak, şatafat yapmak: **she has no ~,** onda bir kibarlık yok. **~ish,** şık, zarif; gösterişli. **~ist,** üslûbcu; iyi üslûb sahibi muharrir.
styptic [ˈstiptik]. Kan durdurucu (ilâc).
suasion [ˈsweiʃn]. İkna; irza; tatlılıkla kandırma.
suav·e [sweiv]. Tatlı, hoş, nazik; (*bazan*) kuşkulandıracak derecede tatlı dilli. **~ity** [ˈswaviti], söz veya davranışta tatlılık; fazla nezaket.
sub- *pref.* Altında; altı; aşağıda; ikinci derecede; tahtel···; *mes.* **acid** = acı, **subacid** = biraz acı; **agent** = acenta, **subagent** = acenta muavini: **marine** = denize aid, **submarine** = denizaltı.
subaltern [ˈsʌbəltəən]. Teğmen. Dun; madun.
subconscious [ˈsʌbˈkonʃəs]. Şuuraltı; gayri meş'ur: **~ly,** gayrışuurî olarak.
subcutaneous [ˈsʌbkjuˈteinjəs]. Deri altında bulunan.
subdivide [ˈsʌbdiˈvaid]. Taksim edilmiş parçaları tekrar taksim etmek.
subdue [sʌbˈdjuu]. Râmetmek; itaat ve inkiyad altına almak: zabtetmek; hafifletmek. **~d,** mağlub; sakin; donuk; uslu: **~ conversation,** pesten konuşma: **he seems rather ~ today,** bugün biraz neş'esiz, biraz keyifsiz.
sub-edit [ˈsʌbˈedit]. (Bir yazıyı) tashih edip, kısaltarak vs. gazeteye münasib bir şekilde koymak. **~or,** yazı işleri müdürü.
sub-human [ˈsʌbˈhjuumən]. Yarı insan; tam beşerî olmıyan.
subjacent [ˈsʌbˈdʒeisənt]. Altta bulunan.
subject[1] [ˈsʌbdʒekt] *n.* Mevzu; bahis mevzuu; (*gram.*) fail; tebaa; sebeb; saded. **to change the ~,** lâkırdıyı değiştirmek: **a gouty ~,** nakrise mübtelâ: **the pupil must pass in five ~s,** talebenin beş dersten muvaffak olması lâzımdır: **the ~ of much ridicule,** bir haylı alay mevzuu.
subject[2] *a.* Tâbi; maruz; arasıra mübtelâ olan; bir şarta bağlı. **~ to correction,** yanlış olabilir.
subject[3] *vb.* [sʌbˈdʒekt]. İnkiyad ettirmek; itaat altına almak; maruz bırakmak; uğratmak; duçar etmek.
subjective [sʌbˈdʒektiv]. Enfüsi. **~ case,** mücerred hali.
subjoin [ˈsʌbˈdʒoin]. Katmak; zeyil olarak yazmak.
subjugate [ˈsʌbdʒugeit]. İnkiyad ettirmek; râmetmek; zabtetmek; boyun eğdirmek.
subjunctive [sʌbˈdʒʌnktiv]. **~ (mood),** iltizamî sıyga.
sublet [ˈsʌbˈlet]. Devren kiraya vermek.
sublimate[1] [ˈsʌblimeit] *vb.* Tas'id etm.; tasfiye etm.; ulvileştirmek.
sublimate[2] [ˈsʌblimet]. **corrosive ~,** aksülümen.
sublim·e [sʌbˈlaim]. Ulvî; âlî; son derece. **the ~,** ulviyet: **~ impudence,** inanılmaz hayasızlık: **the Sublime Porte,** Babıâlî: **~ly unconscious of,** ···den serapa bihaber. **~ity,** ulviyet.
submarine [ˈsʌbməˈriin]. Denizaltı; tahtelbahir.
submerge [sʌbˈməədʒ]. Suya bat(ır)mak: dalmak. **~d,** suya batmış; su altında: **the ~ (tenth),** düşkünler, en fakirler.
submers·ible [sʌbˈməəsibl]. Suya batırılabilir; denizaltı. **~ion** [–ˈməəʃn], suya dalma.
submiss·ion [sʌbˈmiʃn]. Boyun eğme, inkiyad, teslim, mutavaat; tevazu; arz. **my ~ is that ..., ...** arz ediyorum, ileri sürüyorum: **to starve into ~,** aç bırakarak inkiyad altına almak. **~ive,** itaatlı, mutı; münkad.
submit [sʌbˈmit]. Arzetmek. ileri sürmek; teslim etm.; tevdi etmek. Râmolmak, inkiyad etm., boyun eğmek; yola gelmek.
subordinate *a. & n.* [sʌbˈoodinit]. Madun; tâbi; tâli; ehemmiyetsiz. *vb.* [–neit]. Tâbi etm.; daha az ehemmiyetli saymak; tâli bir hale koymak.
suborn [sʌˈboon]. (Birini) rüşvet veya vaidlerle teşvik etm.; ayartmak.
subpoena [sʌbˈpiinə]. (*huk.*) Davetiye. Mahkemeye resmen celbetmek.
subscribe [sʌbˈskraib]. Abone olm.; iane vermek. İmza etmek. **I cannot ~ to that,** bunu kabul edemem. **~r,** abone; imza eden.
subscription [sʌbˈskripʃn]. Abone; iane; imza. **to open a ~ list,** defter açmak: **~ to a loan,** bir istikraza iştirak: **to raise ~s,** iane toplamak.
subsequent [ˈsʌbsikwent]. Muahhar;

müteakıb, sonra gelen. ~**ly**, sonradan, müteakıben: ~ **to**, ···den sonra.
subservien·ce [sʌbˈsəəviəns]. Uşak ruhluluk; yaranma; mizacgirlik. ~ **to fashion,** modaya esir olma. ~**t**, vasıta olarak faydalı; tâli; mizacgir, uşak ruhlu; zelil: **to be** ~, yaranmak.
subside [[sʌbˈsaid]. Teressüb etm.; çökmek, yığılmak; inmek; alçalmak; yatışmak; durmak. ~**nce** [ˈsʌbsidəns], çökme, ağır ağır inme; azalma.
subsidiary [sʌbˈsidjəri]. Tâli; mütemmim; yardımcı. Şube.
subsid·ize [ˈsʌbsidaiz]. ···e tahsisat bağlamak; para ile yardım etm.; iane vermek. ~**y,** bir kimseye veya bir müesseseye tahsis olunan meblağ; iane.
subsist [sʌbˈsist]. Yaşamak; geçinmek; mevcud olm.; devam etmek. ~**ence,** yaşama; geçim; nafaka: **means of** ~, maişet.
subsoil [ˈsʌbsoil]. Arzın toprak tabakası altındaki tabaka. Bu tabakayı karıştırmak.
substance [ˈsʌbstəns]. Madde; cevher; cisim; öz; hülâsa; sulbluk; varlık, servet. **a man of** ~, varlıklı adam.
substantial [sʌbˈstanʃəl]. Cismanî; mevcud; sağlam, metin, sulb; mühim, ciddî, esaslı; varlıklı; gıdalı. ~**ly the same,** esas itibarile aynı.
substantiate [sʌbˈstanʃieit]. Doğruluğunu isbat etm., tasdik etm., tahkik etmek.
substantive [ˈsʌbstantiv]. İsim; mevsuf. ~ **rank,** aslî rütbe.
substitute [ˈsʌbstitjuut]. Vekil, naib; bedel; taviz; ikame madde. Başkasının yerine koymak. **to** ~ **margarine for butter,** tereyağı yerine margarin koymak: **to** ~ **for s.o.,** birinin yerini tutmak.
substratum [sʌbˈstreitəm]. Alt tabaka. **there is a** ~ **of truth in the story,** hikâye tamamen esassız değil.
substructure [ˈsʌbˈstrʌktʃə*]. Temel; yeraltı binası.
subtend [sʌbˈtend]. Veteri olmak.
subterfuge [ˈsʌbtəfjuudʒ]. Kaçamak; hile.
subterranean [ˈsʌbtəˈreinjən]. Yeraltı.
subtle [ˈsʌtl]. İnce; incelmiş; rakik; kolayca farkedilmez; nafiz; ince fikirli; mahir, kurnaz. ~**ty,** incelik; rikkat; ince fikirlilik; kurnazlık.
subtract [sʌbˈtrakt]. Tarhetmek; çıkarmak. ~**ion** [–ˈtrakʃn], tarh; çıkarma.
suburb [ˈsʌbəəb]. Varoş; kenar mahalle. ~**an** [–ˈbəəbən], şehir civarında bulunan; şehir civarına giden (tren); mahalleli.
subvention [sʌbˈvenʃn]. Yardım parası; iane. ~**ed,** para ile yardım edilen.
subversive [sʌbˈvəəsiv]. Müfsid; yıkıcı, altüst eden.
subvert [sʌbvəət]. Altüst etm.; yıkmak; bozmak.
subway [ˈsʌbwei]. Yeraltı geçidi veya yolu; tünel.
succeed [sʌkˈsiid]. İstihlâf etm.; yerine geçmek; halef olm.; takib etm.; varis olmak. Muvaffak olmak. **to** ~ **in,** başarmak: **to** ~ **to the throne,** tahta geçmek: **to** ~ **to an estate,** bir mülke vâris olmak. ~**ing,** takip eden; sonra gelen, müteakib.
success [sʌkˈses]. Muvaffakiyet, başarı; iyi netice. **to make a** ~ **of stg.,** bir işi başarmak; bir işte muvaffak olarak kazanc elde etm.: **to meet with** ~, muvaffak olmak. ~**ful,** muvaffakiyetli; muvaffak olmuş.
succession [sʌkˈseʃn]. Tevali; istihlâf; tevarüs; silsile. **after a** ~ **of defeats,** üstüste mağlubiyetlerden sonra: ~ **duty,** veraset vergisi: **in** ~, biribiri arkasına, mütevaliyen, müteselsilen; sıra ile: **for three years in** ~, üstüste üç sene: **in rapid** ~, süratle birbiri arkasında.
successive [sʌkˈsesiv]. Mütevali; muttarid; birbirini takib eden.
successor [sʌkˈsesə*]. Halef; varis.
succinct [sʌkˈsiŋt]. Veciz, kısa, mücmel, muhtasar.
succour [ˈsʌkə*]. Yardım (etm.); imdad; imdadina yetişmek.
succulent [ˈsʌkjulənt]. Sulu, usareli, lezzetli.
succumb [sʌˈkʌm]. Yenilmek; çökmek; dayanamamak; kapılmak. **to** ~ **to one's injuries,** aldığı yaralardan ölmek.
such [sʌtʃ]. Öyle, böyle, söyle; bu gibi; bunun gibi; o kadar, bu kadar; gibi. ~ **and** ~, filân ve filân: **the food,** ~ **as it is, is abundant,** yiyecek pek iyi değilse de boldur: **Latin, as** ~, **is not very useful, but as one of the sources of English it is important,** Lâtince haddi zatında o kadar faydalı değildir, fakat İngilizcenin esaslarından biri olarak mühimdir: **I am a doctor and, as** ~, **must refuse to do this,** ben doktorum ve bu sıfatla bunu yapamam: **until** ~ **time as** ..., ···ince kadar: **all** ~ **as are of my opinion,** benim fikrimde olanlar: **we know of no** ~, böyle bir şey bilmiyoruz: **there are no** ~ **things as fairies,** peri diye bir şey yoktur: ~ **people** [**people** ~ **as these**], bu gibiler: **in Bristol or some** ~ **place,** Bristol'da veya bunun gibi bir yerde: **those who leave things in trains are unlikely to recover** ~, eşyalarını trenlerde unutanların bunları tekrar elde etmeleri muhtemel değildir.
suchlike [ˈsʌtʃlaik]. Bu gibi, bu misilli.
suck [sʌk]. Emmek, massetmek. Emme; emzirme. **to** ~ **at stg.,** emmek; (pipo vs.) çekmek: **to** ~ **down,** yutmak: **to** ~ **dry,**

emerek suyunu kurutmak; (birini) sızdırmak: **to ~ in,** emmek, yutmak, çekmek: **to ~ up,** massetmek, emmek, çekmek: **to ~ up to s.o.,** (*arg.*) birine çanak yalayıcılık etm.: **what a ~!,** (*arg.*) bozum!; yutturdular! **~er,** emici uzuv; tulumba pistonu; fışkın; (*arg.*) safdil, kolayca aldanır. **sucking-pig,** süt domuzu.

suckl·e [ˈsʌkl]. Emzirmek. **~ing,** memeden kesilmemiş.

suction [ˈsʌkʃn]. Emme; massetme. **to adhere by ~,** emerek (havayı çekerek) yapışmak.

sudd [sʌd]. Beyaz Nil'de seyrüsefere mani olan sabih nebatat, ağac vs. kümesi.

sudden [ˈsʌdn]. Âni; birden; umulmadık. **all of a ~,** ansızın, birdenbire.

sudorific [ˌsjuudəˈrifik]. Terletici (ilâc).

suds [sʌdz]. **(soap-)~,** sabun köpüğü.

sue [sjuu]. Dava etmek. **to ~ s.o. for damages,** birinin aleyhine zarar ve ziyan davası açmak: **to ~ for peace,** sulh taleb etmek.

suède [sweid]. Podösüet.

suet [ˈsjuit]. İç yağı.

suffer [ˈsʌfə*]. Tahammül etm.; katlanmak, çekmek; müsaade etmek. Cefa çekmek; acı duymak; zarar görmek. **the battalion ~ed heavy losses,** tabur ağır zayiat verdi: **to ~ for one's misdeeds,** yaptığı fenalıkların acısını çekmek: **to ~ from a weak heart,** kalbi zayıf olmak. **~ance,** müsamaha, göz yumma: **on ~,** müsamaha yüzünden [dolayısile]. **~er,** acı veya zarar çeken kimse; kazazede.

suffic·e [sʌˈfais]. Kâfi gelmek; elvermek, yetişmek. **~ it to say that ...,** yalnız şu kadarını şöyliyeyim ki. **~iency** [–ˈfiʃiənsi], kifayet; kâfi mikdar; geçinecek kadar gelir. **~ient** [–ˈfiʃənt], kâfi, elverir; kâfi mikdarda: **⌜~ unto the day is the evil thereof⌝,** bugünün derdi yeter (yarın Allah kerim).

suffix [ˈsʌfiks]. Son ek.

suffocat·e [ˈsʌfəkeit]. Boğ(ul)mak; tıka(n)mak. **~ing,** boğucu.

suffragan [ˈsʌfrəgən]. Piskopos muavini.

suffrage [ˈsʌfridʒ]. Rey; seçimde rey verme hakkı. **universal ~,** umumî seçim hakkı.

suffuse [sʌˈfjuuz]. Yayılıp boyamak; üzerinde yayılmak.

sugar [ˈʃugə*]. Şeker. Şekerlemek. **burnt ~,** karamelâ: **brown ~,** ham şeker: **lump ~,** kesme şeker: **castor ~,** toz şeker: **to ~ the pill,** hapı yaldızlamak. **~y,** şekerli; pek tatlı. **sugar-candy,** nöbet şekeri. **sugar-loaf,** kelle şeker. **sugar-plum,** şekerleme, bonbon. **sugar-tongs,** şeker maşası.

suggest [sʌˈdʒest]. Teklif etm.; telkin etm.; ilham etm.; ima etm.; fikir vermek; hatıra getirmek. **I ~ that ...,** (avukat) ... ileri sürüyorum. **~ion** [sʌˈdʒestʃən], teklif; telkin, ilham; ima; fikir: **he speaks with just the ~ of a foreign accent,** pek az hissedilir bir ecnebi şivesile konuşuyor. **~ive,** telkin edici; fikir verici; hatırlatıcı; yakası açık.

suicid·e [ˈsjuuisaid]. İntihar; kendini öldüren kimse. **to commit ~,** intihar etm.: **~ squad,** fedai müfreze. **~al** [–ˈsaidl], intihara aid; intihar sayılacak: **~ tendencies,** intihara temayül: **it would be ~ to, ...** yapmak intihardır.

sui generis [ˈsjuuaiˈdʒeneris]. (*Lât.*) Nevi şahsına münhasır.

suit[1] [sjuut] *n.* (Elbise, yelken vs.) takım, kat; (iskambil) takım; dava; kur; izdivac talebi. **to follow ~,** (iskambil) aynı renkten oynamak; (*mec.*) aynı şeyi yapmak; taklid etm.: **generosity is not his strong ~,** onda pek cömertlik arama.

suit[2] *vb.* Uy(dur)mak; uygun gelmek; işine gelmek; yakışmak; mutabık gelmek; münasib olmak. **it ~s my book to put up with him,** ona tahammül etmek işime geliyor: **that hat does not ~ you,** o şapka size yakışmıyor. **~ability** [–ˈbiliti], uygunluk, yakışık. **~able** [–əbl], uygun; yakışır; münasib; elverişli.

suite [swiit]. Maiyet. **~ of rooms,** daire, apartıman: **~ of furniture,** aynı desende mobilya: **orchestral ~,** orkestra süiti.

suitor [ˈsjuutə*]. Bir kıza talib; davacı.

sulk [sʌlk]. Somurtma(k); küsmek; küskünlük. **to be in the ~s, to have (a fit of) the ~s,** somurtmak. **~y,** somurtkan; asık yüzlü; küskün.

sullen [ˈsʌlən]. Asık suratlı, gülmez; küskün, somurtkan; kapanık. **to do stg. ~ly,** bir şeyi surat asarak ve istemiyerek yapmak.

sully [ˈsʌli]. Lekelemek, kirletmek.

sulph·ur [ˈsʌlfə*]. Kükürt. **roll ~,** çubuk kükürt: **flowers of ~,** kükürt çiçeği. **~ate,** kibritiyet, sulfat; sulfatlanmak. **~ide,** sülfür. **~ite,** sülfit. **~ureous,** kükürtlü, kükürt gibi. **~uretted** [–fjuˈretid], kükürtlenmiş. **~uric** [sʌlˈfjuurik], kükürtlü: **~ acid,** zaçyağı, asit sülfürik.

sultan [ˈsʌltan]. Padişah; sultan. **~a** [–ˈtaana], Padişahın karısı veya kızı; kuru İzmir üzümü.

sultry [ˈsʌltri]. Sıcak ve sıkıntılı.

sum [sʌm]. Yekûn, mecmu; meblağ, akçe; (riyaziyede) mesele, hesab; hulâsa. **to ~ up,** icmal etm.; yekûn yapmak; hulâsa etmek. **a ~ of money,** bir mikdar para: **I can't do this ~,** bu hesabı yapamıyorum: **he is very bad at his ~s,** hesabı çok fenadır:

in ~, hulâsa: to ~ s.o. up, birisi hakkında hüküm vermek, birinin numarasını vermek: to ~ up the situation at a glance, vaziyeti bir bakışla takdir etmek. **summing-up,** (*huk.*) delillerin ikamesinden sonra hâkimin jüri âzalarına yaptığı hulâsa.
sumac [ˈsuumak, ˈʃummak]. Somak.
summar·ize [ˈsʌməraiz]. Hulâsa etmek. **~y,** hulâsa; icmal: kısa, mücmel; kestirme.
summer [ˈsʌmə*]. Yaz. Yazı geçirmek; yazın sığır vs.yi otlatmak. **~ time,** yaz saati. **~time,** yaz mevsimi. **summerhouse,** kameriye, çardak.
summit [ˈsʌmit]. Zirve; şahika; doruk.
summon [ˈsʌmən]. Çağırmak, celbetmek. **to ~ a town to surrender,** bir şehri teslim olmağa davet etm.: **to ~ up one's courage,** cesaretini toplamak. **~s,** celbname; ihzar müzekkeresi; resmî davet: mahkemeye celbetmek: **to take out a ~ against s.o.,** birini mahkemeye vermek: **to serve a ~ on s.o.,** birine celbname tebliğ etm.
sump [sʌmp]. Çirkef çukuru; yağ haznesi.
sumptuary [ˈsʌmtjuəri]. **~ law,** men'i israfat kanunu.
sumptuous [ˈsʌmtjuuəs]. Mükellef, tantanalı, debdebeli.
sun [sʌn]. Güneş. Güneşletmek. **to ~ oneself,** güneşlenmek: **against the ~,** (i) güneş karşısında olarak; (ii) sağdan sola: **with the ~,** (i) güneş arkasında olarak; (ii) soldan sağa: **to demand a place in the ~,** (bir millet) yeryüzünde muhtac olduğu sahayı istemek: **his ~ is set,** yıldızı söndü: **he had a touch of the ~,** onu güneş çarptı. **~bathe,** güneşlenmek. **~beam,** güneş şuaı. **~burn,** güneşten yanma. **~burnt,** güneşten yanmış, esmerleşmiş. **~down,** güneşin batması, gurub. **~flower,** ay çiceği. **~light,** güneş ışığı. **~lit,** güneşle aydınlanmış. **~ny,** güneşli: **the ~ side of the picture,** meselenin hoş tarafı. **~rise,** güneş doğması, gün doğması. **~set,** gurub, güneş batması. **~shade,** yazlık şemsiye. **~shine,** güneş ışığı; neşe. **~stroke,** güneş çarpması. **sun-glasses,** renkli gözlük. **sun-helmet,** koloniyal şapka.
Sunday [ˈsʌndi]. Pazar günü. **a month of ~s,** uzun bir müddet: **one's ~ best,** bayramlık (yabanlık) elbise.
sunder [ˈsʌndə*]. *va.* Ayırmak; yarmak.
sundry [ˈsʌndri]. Öteberi; muhtelif, mütenevvi. **all and ~,** cümle âlem, her kes. *pl.* **sundries,** müteferrika.
sung *bk.* **sing.**
sunk *bk.* **sink.** **~en** [ˈsʌŋkn], batırılmış; su altında; (yer) münhat: **~ cheeks,** çökük yanaklar: **~ eyes,** çukura kaçmış gözler.
sup [sʌp]. Yudum, Yudum yudum veya kaşıkla içmek; akşam yemeği yemek. **to ~ off [on] stg.,** akşam yemek olarak bir şeyi yemek.
super- [ˈsjuupə*] *pref.* Üzerinde, fevkinde; fazla, ziyade.
superabundant [ˈsjuupəraˈbʌndənt]. Pek bol; lüzumundan fazla.
superannuat·e [ˈsjuupərˈanjueit]. Yaşlılık sebebiyle işten çıkarmak; emekliye ayırmak. **~ion** [–anjuˈeiʃn], yaşlılık sebebiyle tekaüd: **~ fund,** tekaüd sandığı.
superb [sjuˈpəəb]. Muhteşem; enfes.
supercargo [ˈsjuupəkaagou]. Geminin yük memuru veya armatör vekili.
supercharger [ˈsjuupəˈtʃaadʒə*]. Kompresör.
supercilious [sjuupəˈsiljəs]. Müstağni, kibirli; tepeden bakan.
superfici·al [ˌsjuupəˈfiʃəl]. Sathî; yarım yamalak; üstünkörü. **~es** [–ˈfisi·iiz], satıh.
superfine [ˈsjuupəfain]. En âlâ.
superflu·ity [ˌsjuupəˈfluuiti]. Lüzumundan fazla mikdar; lüzumsuz şey. **~ous** [–ˈpəəfluəs], lüzumsuz; fazla; fuzulî; nafile.
superhuman [ˌsjuupəˈhjuumən]. Fevkalbeşer; insanın kuvvet ve takati haricinde.
superintend [ˌsjuuprinˈtend]. Murakabe etm., nezaret etm., kontrol etmek. **~ent,** mubassır; müfettiş; kontrol memuru.
superior [sjuˈpiəriə*]. Üstün, faik, daha iyi; müstağni, yukarıdan. Âmir; reis. **~ity** [–ˈoriti], üstünlük, faikiyet.
superlative [sjuˈpəələtiv]. Eşsiz; son derece iyi. Tafdil sıygası.
superman [ˈsjuupəman]. Fevkalbeşer; üstün insan.
supernatural [ˌsjuupəˈnatʃərəl]. Fevkattabia; mucizevî.
supernumerary [ˌsjuupəˈnjuuməreri]. Muayyen adedden fazla olan; (tiyatro) figüran.
superscription [ˌsjuupəˈskripʃn]. Bir şeyin üstündeki yazı; kitabe.
supersede [ˌsjuupəˈsiid]. Azledip yerine başkasını koymak; başkasının yerine geçmek. **this method has now been ~d,** bu usulün yerini şimdi başkası tutmuştur.
supersession [ˌsjuupəˈseʃn]. Yerine başkasını koyma. **the ~ of oil-lamps by electric lighting,** gaz lâmbalarının yerine elektrik kullanılması.
supersonic [ˌsjuupəˈsonik]. Sesten daha süratli.
superstit·ion [ˌsjuupəˈstiʃn]. Batıl itikad; hurafe; hurafelere inanma. **~ious,** [–ˈstiʃəs], batıl itikadlara inanan; hurafatçı; hurafeperest.
superstructure [ˈsjuupəˌstrʌktʃə*]. Bir yapının üst kısmı; gemi teknesinin üzerindeki kısım.

supervene [ˌsjuupəˈviin]. Zuhur edivermek.
supervis·e [ˈsjuupəvaiz]. Nezaret etm., murakabe etm.; bakmak; idare etmek. **~ion** [–ˈviʒn], nezaret, murakabe, teftiş. **~or,** müfettiş; müdür; murakıb; âmir; nezaretçi.
supine [ˈsjuupain]. Sırtüstü yatan; gevşek; rehavetli.
supper [ˈsʌpə*]. Akşam yemeği. **the Last Supper,** Hazreti İsa'nın havarileriyle son yemeği: **the Lord's Supper,** (Hıristiyanlıkta) şarablı ekmek yeme âyini.
supplant [sʌˈplaant]. Bir kimsenin yerini veya işini almak: ayağını kaydırıp yerine geçmek.
supple [ˈsʌpl]. Kolayca eğilir; eğilir bükülür; uysal.
supplement *n.* [ˈsʌplimənt]. Zeyil, ilâve, zam. *vb.* [–ment]. ···e ilâve etm.; zam ederek tamamlamak. **~ary** [–ˈmentəri], zeyil veya ilâve şeklinde; munzam; mütemmim.
suppliant [ˈsʌpliənt]. Yalvaran, istirham eden; niyazkâr.
supplicate [ˈsʌplikeit]. Yalvarmak; niyaz etmek.
suppli·er [sʌˈplaiə*]. Tedarik eden; lâzım olan şeyleri veren kimse. **~es** [–ˈplaiz], levazım, erzak; tahsisat.
suppl·y[1] [sʌˈplai] *n.* Bir maddenin mevcudu; stok; mikdar; levazımı tedarik etme; **~ies,** levazım, erzak; tahsisat. **~ column,** iaşe ağırlığı: **~ and demand,** arz ve taleb: **~ ship,** erzak ve mühimmat gemisi: **England has large ~ies of coal,** İngiltere'nin büyük mikdarda kömürü var: **to be in short ~,** kıt olm.: **to vote ~ies,** (Parlamento) tahsisat kabul etmek.
supply[2] *vb.* Tedarik etm.; temin etm.; arzetmek; lâzım olan şeyleri vermek: bir eksiğini doldurmak. **to ~ s.o. with stg.** [**to ~ stg. to s.o.**], birine bir şeyi tedarik etm., temin etmek.
support[1] [sʌˈpoot] *n.* Destek, payanda; istinad; muzaheret, yardım, arka. **documents in ~ of a claim,** bir iddiayı teyid eden vesikalar: **to speak in ~ of s.o.,** birini desteklemek için nutuk söylemek, birinin lehinde söz söylemek: **the sole ~ of his old age,** ihtiyarlığında yegâne dayandığı kimse.
support[2] *vb.* Desteklemek; istinad etm.; teyid etm.; yardım etm.; arka olm.: beslemek, geçindirmek; kaldırmak; çekmek, tahammül etm.; düşürmemek, batırmamak. **to ~ oneself,** (i) geçinmek; (ii) dayanmak: **to be ~ed by a life-buoy,** batmamak için bir cankurtarana sarılmak. **~er,** tarafdar; arka; yardımcı.
suppos·e [sʌˈpouz]. Farzetmek; zannetmek, inanmak. **creation ~s a creator,** hilkatın varlığı hâlikın varlığını gösterir [farzettirir]: **~ you are right** [**~ing that you are right**], farzedelim ki haklısınız: **I don't ~ he will come,** geleceğini zannetmiyorum: **'Will you go there?' 'I ~ so',** 'Oraya gidecek misin?' 'Her halde [zannederim]': **~ we change the subject,** mevzuu değiştirsek nasıl olur?: **he is ~ed to be very rich,** pek zengin olduğunu söyliyorlar: **I am not ~ed to know,** (i) onu benim bilmemem mefruz [lâzım]; (ii) onu benim bilmediğimi zannediyorlar. **~ed,** mefruz; farazî; zannedilmiş: **~ly,** gûya. **~ing, ~ (that)** ..., ... takdirde; eger .... **~ition** [ˌsʌpouˈsiʃn], farz; zan; faraziye.
suppository [sʌˈpozitəri]. Makad veya mehbile konulan katı ilâc; süpozituar.
suppress [sʌˈpres]. Bastırmak; kaldırmak; lağvetmek; örtbas etm.; tenkil etm.; zabtetmek. **~ion** [–ˈpreʃn], tenkil, bastırma; ilga; örtbas etme.
suppurate [ˈsʌpjureit]. Cerahatlenmek.
supremacy [sjuuˈpreməsi]. Üstünlük, faikiyet; hakimiyet. **~ over,** ···e üstünlük.
supreme [sjuuˈpriim]. En yüksek; en mühim; üstün, faik. **~ happiness,** tam bahtiyarlık: **to hold s.o. in ~ contempt,** birini şiddetle istihfaf etm.: **to reign ~,** mutlak bie şekilde hâkim olmak.
surcharge [ˈsəətʃaadʒ]. Zammedilmiş vergi veya resim; posta pulu üzerine basılmış kıymet. Fazla yükletmek; fazla resim veya vergi tarhetmek; posta pulu üzerine başka kıymet basmak.
surcingle [ˈsəəsingl]. At örtüsünü tutturmağa mahsus kolan.
surd [səəd]. Asam.
sure [ʃooə*]. Emin; şübhesi olmıyan; muhakkak, şübhesiz; müsbet, güvenilir, sağlam; muhkem; (*Amer.*) elbette, hay hay! **~ly,** elbette: **to be ~ of stg.,** bir şeyden emin olm.: **I'm ~ I don't know!,** vallahi bilmem: **be ~ not to forget!,** dikkat et!, unutma!: **well I'm ~!** [**well to be ~!**], Allah! Allah!; çok şey!: **to be ~!,** elbette!, hakkınız var: **she 's not very pretty to be ~, but ...,** güzel olmadığı muhakkak, fakat ...: **he is ~ to come,** muhakkak gelir: **I said it would rain and ~ enough it did,** yağmur yağacak dedim, bak işte yağdı: **he will come ~ enough,** korkma, gelir: **and ~ enough he died next week,** hakikaten de ertesi hafta öldü: **I don't know for ~,** katî olarak bilmiyorum: **to make ~ of,** ···i temin etm., sağlama bağlamak: **to make ~ of a fact,** bir vakayı tahkik etm.: **⌜slow but ~⌝,** ağır fakat esaslı: **a ~ thing,** elde bir: **~ly you don't believe that!,** ama yaptın ha!, buna nasıl inanırsın?

surefooted [ʃoo'futid]. Düşmez; ayağı hiç kaymaz; sürçmez.
surety ['ʃooəti]. Kefil, zamin; şübhesizlik. **to stand** [go] **~ for s.o.,** birine kefalet etmek.
surf [səəf]. Deniz sahilindeki köpüklü dalgalar; çatlaklar. **surf-board,** surf-riding için kullanılan kayak. **surf-riding,** dalgalar üzerinde bir nevi kayakla kaymaktan ibaret deniz sporu.
surface ['səəfis]. Satıh; yüz; bir şeyin üst kısmı; zevahir, görünüş. Üzerine yüz kaplamak; düzletmek. (Denizaltı) deniz altından suyun üstüne çıkmak. **one never gets below the ~ with him,** bu adamın içine nüfuz etmek imkânsızdır.
surfeit ['səəfit]. Yemekte ifrat; tokluk; usanc; fazla bolluk. Fazla ye(dir)mek. **to ~ oneself with stg.,** bir şeyden midesi bulanacak kadar yemek (*ve mec.*).
surge [səədʒ]. Büyük dalga; dalga gibi kabarma(k); dalgalanmak.
surg·eon ['səədʒən]. Cerrah, operatör. **~ery,** cerrahî ilmi, operatörlük; doktor muayenehanesi. **~ical** [-dʒikl], cerrahlığa aid; ameliyata aid.
surly ['səəli]. Abus, hırçın, gülmez, çatıkkaşlı.
surmise [səə'maiz]. Zan, tahmin; şübhe. Tahmin etm., farzetmek; delil olmadığı halde inanmak.
surmount [səə'maunt]. Üstünden gelmek; hakkından gelmek, iktiham etmek.
surname ['səəneim]. Soyadı. Soyadı takmak.
surpass [səə'paas]. Tefevvük etm.; üstün çıkmak; geçmek. **~ing,** eşsiz; faik: **~ly,** son derece, gayet.
surplice ['səəplis]. Papazların kilisede giydikleri beyaz cübbe.
surplus ['səəplʌs]. Artık; fazla; ziyade; arka kalan.
surpris·e [səə'praiz]. Umulmadık şey; sürpriz; hayret, taaccüb. Hayret vermek; şaşırtmak. **to be ~ed at stg.,** bir şeye şaşmak: **to take s.o. by ~,** birini gafil avlamak; birine baskın yapmak. **~ing,** hayret verici, hayreti mucib; acayib.
surrender [sə'rendə*]. Teslim; terk; feragat. Teslim etm., terk etmek. Teslim olmak.
surreptitious [ˌsʌrep'tiʃəs]. El altından; gizli; hırsızlama.
surround [sʌ'raund]. Çerçeve. Kuşatmak, ihata etm., etrafını almak; sarmak. **~ing,** etrafında olan; mücavir; muhit. **~ings,** muhit, etraf; çevre.
surtax ['səətaks]. Artırılmış vergi. Muayyen bir hadden sonra vergiyi artırmak.
surveillance [səə'veijəns]. Gözetme; nezaret, murakabe.
survey *n.* ['səəvei]. Muayene, teftiş; mütalaa; göz gezdirme; mesaha; hulâsa. *vb.* [səə'vei]. (Bir şeyin bütününe) göz gezdirmek; muayene etm.; bakmak; mütalaa etm.; mesaha etm., haritasını çıkarmak. **~ing,** mesaha ilmi. **~or,** mesaha memuru; müfettiş: **~'s rod,** mira.
surviv·al [səə'vaivl]. Beka; artakalma; hayatta kalma. **~e,** artakalmak; başkasından daha çok yaşamak; kalmak; hâlâ yaşamak: **to ~ an accident,** kazadan canını kurtarmak.
suscepti·ble [sʌ'septibl]. Hassas; alıngan; müstaid; çabuk müteessir olan, şıpsevdi. **~ of proof,** isbat edilebilir: **~ to a disease,** bir hastalığa istidadı olan. **~bility** [–'biliti], hassaslık; alıganlık; istidad.
suspect *a.* ['sʌspekt]. Şübheli; maznun; bulaşık. *vb.* [sʌs'pekt]. Şübhelenmek; hakkında şübhe etm.; kuşkulanmak; hakkında suizanda bulunmak. **to ~ s.o. of a crime,** birinin bir cinayeti işlediğinden şübhe etm.: **I ~ed as much,** ben de bundan şübhe ediyordum.
suspend [sʌs'pend]. Asmak; talik etm. tehir etm.; muvakkaten tatil etm. veya kapatmak; muvakkaten işten el çektirmek. **~ed,** muallak; asılı; muvakkaten tatil edilmiş: **~ animation,** (boğulmak tehlikesi geçiren bir adamda olduğu gibi) yaşama cihazlarının muvakkaten durması. **~ers,** çorab veya pantalon askısı.
suspens·e [sʌs'pens]. Muallaklık; merak. **to be in ~,** askıda kalmak; (insan) merakta kalmak: **to keep s.o. in ~,** birini merakta bırakmak: **matters in ~,** muallakta kalan meseleler. **~ion** [–'penʃn], asma; talik; muvakkaten tatil olunma veya kapanma; muvakkaten işten el çektirme. **~ory,** askılık eden.
suspic·ion [sʌs'piʃn]. Suizan; şübhe; kuşkulanma; vesvese. **above ~,** şübhe edilemez. **~ious** [–'piʃəs], vesveseli; suizan sahibi; şübheli; şübhe verici: **to be ~ about,** ···den kuşkulanmak: **it looks to me ~ly like measles,** bence kızamık olması pek muhtemeldir.
sustain [sʌs'tein]. Ağırlığını taşımak, çekmek; kuvvet ve ümid vermek; beslemek; katlanmak; teyid etmek. **to ~ an injury,** yaralanmak, zarar görmek: **to ~ an objection,** (*huk.*) bir itirazı kabul etmek. **~ed,** devamlı.
sustenance ['sʌstənəns]. Gıda; besleme; geçin(dir)me.
sutler ['sʌtlə*]. Eskiden bir ordunun arkasından giderek öteberi satan kimse.
suttee [sʌ'tii]. Dul kadının ölen kocası ile birlikte yakılmasından ibaret Hind adeti.

suture [ˈsuutjuə*]. Yara dikme; derz.
suzerain [ˈsjuuzərən]. Metbu. **~ty,** metbuiyet.
swab [swob]. İp süpürge; bulaşık bezi; palasturpa; (*tıb.*) boğaza ilâc sürmek vs. için kullanılan eczalı pamuk parçası; (*arg.*) yaramaz; alçak herif. **~ down,** ip süpürge ve su ile temizlemek: **to take a ~ of s.o.'s throat,** mikrob bulunup bulunmadığını anlamak için birinin boğazını **swab** ile silmek.
swaddle [ˈswodl]. Kundaklamak; sıkı sarmak. **swaddling-clothes,** kundak.
swag [swag]. (*arg.*) Hırsızlık elde edilen şey; yağma.
swagger [ˈswagə*]. Çalım, kurum, caka. Caka satmak; kabadayılık etmek. (*kon.*) Pek sık; gösterişli. **swagger-stick,** askerlerin vazife haricinde taşıdıkları kısa baston.
swain [swein]. (*şair.*) Çoban; aşık.
swallow¹ [ˈswolou] *n.* (*Hirundo*) Kırlangıç. ⌜**one ~ does not make a summer**⌝, bir çiçekle bahar olmaz. **swallow-tail,** çatal kuyruklu kelebek: **~ coat,** jaketatay.
swallow² *vb.* Yutmak. **to drink stg. at one ~,** (bir içki vs.yi) dikmek: **to ~ an insult,** hakareti sineye çekmek: **to ~ one's pride,** gururu bir tarafa bırakmak: **to ~ one's words,** tükürdüğünü yalamak: **to ~ up,** yutmak; mahvetmek.
swam *bk.* **swim.**
swamp [swomp]. Bataklık. Dalga içine girip batırmak; bir toprağa su bastırmak; garketmek. **~y,** bataklık.
swan [swon]. (*Cygnus*) Kuğu. **the ~ of Avon,** Shakespeare. **~sdown,** kuğunun en ince tüyü; buna benzer bir kumaş. **swan-necked,** kuğu boynu şeklinde. **swan-song,** bir şairin vs. son eseri.
swank [swaŋk]. (*kon.*) Çalım (satmak); gösteriş.
swap [swop]. Trampa (etm.). **to ~ stg. for stg.,** bir şeyi bir şeyle trampa etm.: **to ~ places with s.o.,** birile yer değiştirmek: ⌜**don't ~ horses in midstream**⌝, sıkı bir zamanda idare edenleri değiştirme.
sward [swood]. Çimenli yer.
swarm¹ [swoom]. Arı kümesi; kalabalık. (Ogul arıları) kovandan çıkıp başka bir yere toplanmak; kaynamak; küme teşkil etmek. **~s of,** pek çok: **this place ~s with foreigners,** bu yerde ecnebiler kum gibi kaynıyor.
swarm². **to ~ up a tree,** bir ağaca tırmanmak.
swarthy [ˈswooði]. Koyu esmer, yağız.
swashbuckl·er [ˈʃwoʃbʌklə*]. Kabadayı; palavracı; kahraman taslağı. **~ing,** kabadayılık; farfaralık, palavra.
swastika [ˈswastikə]. Gamalı haç.
swat [swot]. (*kon.*) Vurmak; ezmek.
swath [swooð]. Tırpancının arkasında bırakılan biçilmiş ot; orak makinesi ile bir çırpıda biçilen yer.
swathe [sweið]. Kundaklamak; sarmak.
sway¹ [swei]. Sallanmak, salınmak; yalpalamak. Sallamak; sarsmak.
sway². Hüküm; nüfuz; hakimiyet. Bir tarafa meylettirmek; nüfuzu altında bulundurmak, fikrini çelmek. **to hold ~ over,** …e hâkim olm.: **to bring a people under one's ~,** bir milleti hakimiyeti altına almak.
swear (**swore, sworn**) [sweə*, swoo*, swoon]. Yemin etm.; küfür etmek. **to ~ at s.o.,** birine küfür etm.: **to ~ away s.o.'s life,** yalan yere yemin ederek birinin idamına sebeb olm.: **to ~ by stg.,** bir şey üzerine yemin etm.; (*kon.*) bir şeye çok itimad etm., bir şeyi çok medhetmek: **to ~ stg. on the Bible,** İncil üzerine yemin etm.: **to ~ s.o. in,** bir vazifeye tayin edilen birine yemin ettirmek: **to ~ off stg.,** bir şeye tövbe etm.: **to ~ s.o. to secrecy,** kimseye söylemiyeceğini yemin ettirmek. **~ing,** küfür.
sweat [swet]. Ter; (*arg.*) angarya. Terlemek; (*arg.*) çok çalışmak. Terletmek; az ücret ile çalıştırmak. **to be in a ~,** terlemek; (*arg.*) etekleri tutuşmak; **~ed, ~ labour,** az ücretli iş. **~er,** sveter, kazak.
swede [swiid]. Sarı şalgam.
Swed·e. İsveçlı. **~en,** İsveç. **~ish,** isveçli; isveççe.
sweep¹ [swiip] *n.* Süpürme; baca süpürücü; akış, savruluş; kavis; saha; bir şeyin faaliyet ve tesir sahası; büyük kürek; (*arg.*) pis adam; kirli çocuk. **to make a clean ~ of,** silip süpürmek, temizlemek: **with a wide ~ of the arm,** geniş bir kol hareketi ile.
sweep² (**swept**) [swept] *vb.* Süpürmek; taramak. Hızla ve mağrurane ilerlemek; kavis yaparak dönmek. **to ~ all before one,** devamlı bir şekilde muvaffak olm.: **to ~ away,** silip şüpürmek: **to ~ the board,** (i) kumarda masadaki bütün parayı kazanmak; (ii) mümkün olan her şeyi kazanmak: **pirates swept down on the town,** korsanlar şehre çullandılar: **to ~ the horizon with a telescope,** ufku bir dürbünle bir baştan bir başa tedkik etm.: **to be swept off one's feet,** dalga vs. ile sürüklenmek; (*mec.*) heyecana kapılmak: **the maid swept out the room,** hizmetçı odayı baştan başa süpürdü: **the lady swept out of the room,** hanım vardakosta bir eda ile odadan çıktı: **to ~ the seas of one's enemies,** denizleri düşmandan temizlemek: **the shore ~s to the south in a wide curve,** sahil büyük bit kavisle cenuba doğru kıvrılıyor. **~er,**

sokak süpürücü; süpürücü makine. **~ing** *a.* şümullü, geniş, umumî. **~ings,** süprüntü.
sweepstake [ˈswiipsteik] (*kıs.* **sweep**). Bilhassa at yarışlarina mahsus bir piyango.
sweet [swiit]. Tatlı; şekerli; lezzetli; mis gibi; hoş, lâtif; taze. Şekerleme; tatlı (yemek). **to be ~ on s.o.,** (*arg.*) birine düşkün olm.: **~ oil,** zeytinyağı: **to say ~ nothings to s.o.,** (meselâ iki sevgili gibi) havadan sudan güzel sözler söylemek: **to have a ~ tooth,** tatlı şeylere düşkün olm.: **at one's own ~ will,** keyfine göre. **~bread, (neck)~,** uykuluk; **(stomach) ~,** özden. **~en,** şekerlen(dir)mek; tatlılaş(tır)mak. **~ening,** şekerlendirici şey. **~heart,** sevgili; canan; yavuklu. **~meat,** şekerleme, bonbon. **~ness,** tatlılık; halâvet.
swell (swelled, swollen) [swel, sweld, swouln]. Şiş(ir)mek; kabar(t)mak; art(tır)mak; büyü(t)mek. Kabarma; artma; salıntı, ölü dalga (deniz); org sesini artıp eksilmesi ve bunu idare eden cihaz; (*kon.*) (i) züppe, iki dirhem bir çekirdek; (ii) mühim bir şahıs. Pek şık, gösterişli; parlak. **~ing,** şiş; kabarma.
swelter [ˈsweltə*]. Sıcaktan bayılma(k); çok terleme(k). **~ing heat,** bayıltıcı sıcaklık.
swept *bk.* **sweep. swept-back, ~ wings,** (uçak) geriye dönük kanadlar.
swerve [swəəv]. Sapma(k); doğru yoldan çıkma(k); caymak.
swift¹ [swift]. (*Apus*) Kılıc kırlangıcı (?).
swift². Süratli, hızlı, tez.
swig [swig]. Bir yudumda içmek.
swill [swil]. Bol su ile yıkama(k); çalkalamak; (*arg.*) iştahla içmek. Çalkalama; yıkama; içme; sulu domuz yemi, mutfak döküntüsü.
swim (swam, swum) [swim, swam, swʌm]. Yüzmek. Yüzme; nehirde balığı çok olan yer. **eyes ~ming with tears,** gözünden yaşlar boşanarak: **my head is ~ming,** başım dönüyor. **~mingly,** (*arg.*) gül gibi. **swimming-bath, -pool,** yüzme havuzu.
swindle [ˈswindl]. Dolandırmak; kafese koymak; vurgunculuk etmek. Hile, madrabazlık, dalavere, katakulli. **~r,** dolandırıcı, madrabaz, dalavereci.
swine [swain]. (*cemi yok*) Domuz, domuzlar; hınzır.
swing¹ (swung) [swiŋ, swʌŋ] *vb.* Salla(n)mak; salınmak; asılmak; asmak; bir mihver etrafında hareket etm.; rakkas gibi hareket etmek. **the car swung round,** otomobil tekerlekleri kayıp geri döndü: **the car swung round the corner,** otomobil köşeyi dönüverdi: **the boats were swung out,** denize indirilecek filikalar dışarı uzatıldı: **to ~ oneself into the saddle,** eyerin üzerine sıçramak. **~ing,** sallanan: **to catch s.o. a ~ blow,** (*kon.*) birine şiddetli bir yumruk savurmak.
swing² *n.* Sallanma, sallama; sallantı; salıncak. **the ~ of the pendulum,** rakkasın hareketi; (*mec.*) münavebeye meyletme, bilhassa seçimlerde partilerin münavebe ile seçilmesi temayyülü: **to be in full ~,** tam faaliyette olm.: **everything went with a ~,** her şey tam yolunda gitti: **to walk with a ~,** hızla ve intizamla yürümek.
swinish [ˈswainiʃ]. Hınzırcasına; pek alçak.
swipe [swaip]. Hızlı vuruş. Var kuvvetile vurmak.
swipes [swaips]. (*arg.*) Bira.
swirl [swəəl]. Girdab gibi hareket (etm.); anafor.
swish [swiʃ]. (*ech.*) Hışırtı, fışırtı. Şaklamak; hışırdamak; (*kon.*) huş dalı ile dövmek.
Swiss [swis]. İsviçreli. **Swiss-roll,** içi reçelli dürülmüş pasta.
switch [switʃ]. İnce dal veya değnek; şalter, priz; elektrik düğmesi; demiryolu makası. İnce değnek ile vurmak; (treni) bir yoldan diğerine geçirmek; başka cihete çevirmek. **to ~ the tail,** (hayvan) kuyruğunu savurmak: **to ~ off,** elektriği söndürmek [kapamak]: **to ~ on,** elektriki yakmak [açmak]: **to ~ over,** başka cihete çevirmek. **~back,** inişli yokuşlu (yol). **~board,** (*elek.*) dağıtma tablosu.
Switzerland [ˈswitzəland]. İsviçre.
swivel [ˈswivl]. Fırdöndü; fırdöndülü zincir halkası. Mil veya mihver etrafında dönmek.
swollen [ˈswouln] *bk.* **swell.** Şişmiş, kabarmış. **to suffer from a ~ head,** küçük dağları ben yarattım demek.
swoon [swuun]. Bayılma(k); kendinden geçme(k).
swoop [swuup]. Doğan gibi şikâr vs.nin üzerine saldırma(k); üzerine atılma(k). **to ~ down upon stg.,** bir şeyin üzerine saldırmak; şiddetli hücum etm.: **at one fell ~,** müdhiş anî bir darbe ile.
swop *bk.* **swap.**
sword [sood]. Kılıc. **to cross ~s with s.o.,** düello etm.; kavga etm.; birile boy ölçüşmek: **to draw the ~,** kılıc çekmek; mücadeleye girmek: **to put to the ~,** kılıcdan geçirmek. **~sman,** iyi kılıc kullanan kimse. **sword-play, verbal ~,** söz düellosu.
swore, sworn *bk.* **swear.**
swot [swot]. (*arg.*) Ağır iş; çok çalışan talebe. Durmadan çalışmak.
swum *bk.* **swim.**
swung *bk.* **swing.**
sybarit·e [ˈsibərait]. Tenperver kimse. **~ic** [–ˈritik], tenperver(ane).

sycamore [ˈsikəmoo*]. (*Acer pseudo-platanus*) Bir nevi akçaağac.
syce [sais]. Seyis.
sycophan·cy [ˈsikoufansi]. Dalkavukluk. **~t,** dalkavuk.
syllab·ic [siˈlabik]. Heceye aid; heceli. **~le** [ˈsiləbl], hece.
syllabus [ˈsiləbəs]. Hulâsa; cedvel; liste; müfredat programı.
syllogism [ˈsiloudʒizm]. Mantıkî kıyas.
sylph [silf]. Hava perisi; güzel kız.
sylvan [ˈsilvən]. Ormana aid.
sylviculture [ˈsilviˌkʌltʃə*]. Ormancılık; ağac yetiştiricilik.
symbiosis [ˌsimbaiˈousis]. İki nebatın veya hayvanın birbirinden geçinerek yaşaması; sinbiyoz.
symbol [ˈsimbəl]. Remiz, temsil, alâmet; senbol. **~ic(al)** [–ˈbolik(l)], temsilî, timsal şeklinde; remzî. **~ize** [ˈsimbəlaiz], temsil etm.; remiz teşkil etmek.
symmet·ry [ˈsimitri]. Tenasüb, tenazur. **~rical** [–ˈmetrikl], mütenasib, mütenazır.
sympath·y [ˈsimpəθi]. Başkasının hislerine iştirak etme; müşterek his, alâka veya temayül; şefkat; taziye. **to be in ~ with s.o.'s ideas,** birinin fikirlerine iştirak etm.: **I have no ~ for him,** ona hiç acımam: **popular ~ies are on his side,** umumî efkâr onun lehine mütemayildir. **~etic** [–ˈetik], başkasının hislerine iştirak eden; acıyan; sevimli: **~ nerve,** sempatik sinir **~ ink,** gizli mürekkeb. **~ize** [ˈsimpəθaiz], başkasının hislerine iştirak etm.; başsağlığı dilemek, taziye etmek. **~izer,** başkasının hislerine iştirak eden kimse; tarafdar.
symphony [ˈsimfəni]. Senfoni.
symposium [simˈpoziəm]. Eski Yunanlılarda sohbet maksadile tertib edilen içki âlemi; muhtelif muharrirler tarafından aynı mevzuda yazılmış makalelerden mürekkeb kitab.
symptom [ˈsimptəm]. Hastalık alâmeti, âraz; emare, tezahür. **~atic** [–ˈmatik], emaresi olan; delâlet eden; âraz kabilinden olan.
synagogue [ˈsinəgog]. Havra.
synchro-mesh [ˈsinkroumeʃ]. Senkronize. **~nize** [–naiz], aynı zamana tesadüf et(tir)mek. **~nous** [–nəs], aynı zamana tesadüf eden (hareket).
syncopate [ˈsinkoupeit]. Bir kelimenin ortasından bir harf yahud heceyi hazfetmek; (*mus.*) bir nota veya tona kuvvetsiz tempo ile başlayıp kuvvetli tempo ile devam etmek.
syncope [ˈsinkopi]. Kelime ortasından bir harf veya hecenin hazfi; kalb sektesi.
syndic [ˈsindik]. Bazı meclislerin âzalarına verilen unvan; sendik.
syndicate [ˈsindikit]. Ticarî firmalar birliği.
synod [ˈsinod]. Ruhanî meclis.
synonym [ˈsinənim]. Müteradif. **~ous** [–ˈnomiməs], **~ (with),** (ile) müteradif.
synopsis [siˈnopsis]. Hulâsa.
synovitis [sainouˈvaitis]. Sinovit.
synta·ctical [sinˈtaktikl]. Nahve aid. **~x** [ˈsintaks], nahiv.
synthe·sis [ˈsinθesis]. Terkib; sentez. **~tize,** terkib etmek. **~tic** [–ˈθetik], terkibî; sunî; kimyevî.
Syria [ˈsiriə]. Suriye. **~n,** suriyeli. **~c,** Süryani dili.
syringa [siˈringa]. Leylâk ağacı; (*um. fakat yanlış olarak*) beyaz yasemin (?), ful (?).
syrup [ˈsirəp]. Şurub: **golden ~,** şeker pekmezi. **~y,** şurublu; şurub kıvamından.
system [ˈsistim]. Usul, kaide, sistem; metod; manzume; (jeoloji) devir, devre. **the ~,** vücud, uzviyet: **the Solar ~,** güneş manzumesi: **to lack ~,** sistemsiz olmak. **~atic** [–ˈmatik], sistemli. **~atically,** sistemli bir şekilde, muntazamen. **~atize** [–taiz], sistemleştirmek.

T

T [tii]. T harfi; T şeklinde: **to a T,** tıpkısı; tamamiyle; tıpatıp.
ta [taa]. (*çocuk dilinde*) Teşekkür ederim.
taal [taal]. Cenubî Afrika felemenkçesi.
tab [tab]. Flâpa, uc, dil; (*elek.*) pabuc: **a red ~,** erkânı harb subayı.
tabby [ˈtabi]. **~ (-cat),** siyah çizgili tekir kedi; acuze, cadaloz.
tabernacle [ˈtabənakl]. Eski Yahudilerin seyyar mabedi; kilise; mukaddes ve mubarek bir şeyin muhafaza edildiği yer; indirilen direğin ıskaçası. **Feast of the ~s,** kamış bayramı; gülbayramı.
table [ˈteibl]. Masa; sofra; cedvel, liste. Masaya koymak; listeye geçirmek. **at ~,** sofra başında, yemekte: **to ~ a bill,** bir lâyihayı Parlamentoya takdim etm.; (*Amer.*) bir lâyihayı tehir etm.: **to clear the ~,** sofrayı kaldırmak: **to keep the ~ amused,** sofrada herkesi eğlendirmek: **he keeps a good ~,** sofrası zengindir: **to lay [set] the ~,** sofra kurmak: **to sit down to ~,** sofraya oturmak: **to turn the ~s on s.o.,** vaziyeti tamamen birinin aleyhine çevirmek; birini kazdığı kuyuya düşürmek. **~d'hôte** [taablˈdout], tabldot. **~land,** yayla;

yüksek ova. **table-linen,** sofra örtüsü, peçeteler vs. **table-money,** ziyafet tahsisatı. **table-spoon,** büyük kaşık. **table-talk,** sofra sohbeti. **table-turning,** ispiritizmede masayı oynatma. **table-water,** maden suyu.

tablet [ˈtablit]. Levha; kitabe; yassı hap, komprime; küçük kalıb (sabun).

tabloid [ˈtabloid]. Komprime.

taboo [taˈbuu]. Tabu; menfur; yasak; tekin değil. Tabu yapmak; yasak etm.; kullanılmasını menetmek. **the subject is ~ here,** bu mevzu burada konuşulmaz.

tabul·ar [ˈtabjulə*]. Masa gibi düz; cedvel halinde tertib edilmiş. **~ate** [–eit], cedvele geçirmek; tasnif etmek.

tachometer [taˈkomətə*]. Sürat ölçme aleti.

tacit [ˈtasit]. Sâkit; zımnî; lisanı hal ile ifade olunan.

taciturn [ˈtasitəən]. Az konuşur; sükûtî. **~ity** [–ˈtəniti], az konuşma.

tack[1] [tak]. İri başlı küçük çivi; teyel. Teyellemek. **to ~ down,** bu çivilerle çivilemek: **to get down to brass ~s,** asıl mevzua gelmek: **to ~ oneself on to s.o.,** birine takılmak.

tack[2] *n.* Bir yelkenin alt ve ön köşesi, karola yakası; kontra ıskota; bir yelkenlinin rüzgârın ciheti ve yelkenlerin tertibine göre seyrettiği yol; tiramola etme. *vb.* Tiramola etmek. **to be on the right ~,** doğru yolda olm.: **to try another ~,** başka bir tedbire başvurmak: **to be [sail] on the starboard [port] ~,** kontralar sancaktan [iskeleden] seyretmek.

tack[3]**.** Gıda. **hard ~,** eskiden gemilerde ekmek yerinde kullanılan katı bisküvi; peksimet.

tackle[1] [ˈtakl]. Takım, cihaz; palanga.

tackle[2]**.** (Futbol vs.de) Topu karşısındakinin ayağından alma(k). Uğraşmak; önüne almak; yakalamak; girişmek.

tacky [ˈtaki]. Lüzücetli.

tact [takt]. (Muaşerette) muamele ve usul. **without ~,** patavatsız. **~ful,** muamele bilir: **to handle s.o. ~ly,** birini idare etm.; ʳnabzına göre şerbet vermekˀ.

tactic·al [ˈtaktikl]. Tâbiyeye aid. **~ian** [–ˈtiʃn], tâbiyeci. **~s** [ˈtaktiks], tâbiye; hattı hareket.

tactile [ˈtaktail]. Lemsî.

tactless [ˈtaktlis]. Zarafetsiz, patavatsız.

tadpole [ˈtadpoul]. Ayaksız kurbağa yavrusu, iribaş.

taffeta [ˈtafitə]. Tafta; canfes.

taffrail [ˈtafreil]. Geminin kıç vardavelâsı; kıç küpestenin üstü.

tag [tag]. Küçük etiket; kundura kulağı; şerid vs. ucuna takılan demir; bir şeyin sarkan ucu; meşhur bir mesel veya söz.

tail [teil]. Kuyruk; arka; son. Kuyruğu ile tutmak; (bazı yemişlerin) sapını ayıklamak. **to ~ behind s.o.,** birinin peşinden gitmek: **to ~ off,** gittikçe incelmek veya azalmak: **to turn ~,** gerisin geriye kaçmak: **with his ~ between his legs,** kuyruğunu kısmış (köpek); (insan) süklüm püklüm: ʳ**the sting is in the ~**ˀ, (eşek arısının) iğnesi kuyruğundadır; *bir mektub vs.nin dokunakli kısmı en sonunda olduğu zaman söylenir*: **to wear ~s,** frak giymek. **tail-board,** bir araba arkasındaki sürmeli veya menteşeli kapak. **tail-coat,** frak. **tail-end,** en son kısım: **to come in at the ~,** sonuna doğru gelmek. **tail-lamp,** arka lâmbası. **tail-plane,** uçağın kuyruk sathı. **tail-spin,** kuyruğu daire çizerek başaşağı düşen uçağın hareketi. **tail-stock,** (torna) gezer punta gövdesi.

tailor [ˈteilə*]. Terzi; tayyör. Elbiseyi dikmek.

taint [teint]. Fena koku; leke; kusur; ayıb. Lekelemek; fena koku vermek. **free from ~,** kusursuz; taptaze. **~ed,** kokmuş; lekelenmiş.

take (took, taken) [teik, tuk, teikn]. Almak; kapmak; kabul etm.; zabtetmek; götürmek, tutmak; saymak, telâkki etm.; içine almak, istiane etm.; kazanmak; icab etmek. Tutulan (balık vs.). **you must ~ us as you find us,** bizi olduğumuz gibi kabul etmelisiniz: **it ~s a strong man to do that,** bunu ancak kuvvetli bir adam yapabilir: **to ~ s.o. for another,** birini başka birine benzetmek: **to ~ s.o. for a fool,** birini abdal yerine koymak: **what do you ~ me for?,** beni ne zannettiniz?: **you can ~ it from me,** inan olsun: **to ~ it into one's head to do stg.,** bir şey aklına esmek: **this journey ~s two hours,** bu yol iki saat sürer: **it won't ~ long,** uzun sürmez: **to be ~n ill,** hastalanmak: **~ it or leave it!,** ister beğen ister beğenme!: **to ~ a matter seriously,** bir işi ciddiye almak: **to ~ s.o. over a house,** birine bir evi gezdirmek: **I ~ it that ...,** ... farzediyorum: **the vaccination did not ~,** aşı tutmadı: **what took him there?,** ne diye oraya gitti?: **he does not ~ well (photo),** (*fot.*) onun resmi hiç iyi çıkmaz: **to ~ things as they come,** vaziyeti olduğu gibi kabul etm.; aza çoğa bakmamak: **to be ~n with an idea,** bir fikirden hoşlanmak; bir şey aklına esmek: **I was not ~n with him,** o beni sarmadı. **take about,** gezdirmek. **take after,** benzemek: **he ~s after his father,** babasına çekmiş. **take away,** götürmek; kaldırmak; çıkarmak: **to ~ away a knife from a child,** çocuğun elinden bıçağı almak. **take back,** geri almak; geldiği yere geri götürmek. **take down,**

indirmek; aşağıya götürmek; (makineyi) sökmek: **to ~ down in writing,** yazmak. **take in,** içeriye götürmek; içine almak; kavramak, anlamak; aldatmak; inanmak, yutmak; ihata etm.; dahil etm.; barındırmak; (gazeteye) abone olm.: **to ~ in at a glance,** bir bakışta görüp kavramak: **to ~ in lodgers,** kiracı almak: **to be ~n in,** aldanmak, kapılmak. **take-in,** faka basma. **take off,** kaldırmak; götürmek; taklid etm.; hareket etm.: **to ~ s.o.'s attention off stg.,** birinin dikkatini bir şeyden çelmek: **to ~ off one's clothes,** soyunmak: **to ~ oneself off,** çekilmek, savuşmak: **to ~ so much off the price,** fiattan şu kadar indirmek: **I'll ~ a morning off today,** bugün öğleden evvel çalışmıyacağım: **to ~ s.o. off,** birinin taklidini yaparak alay etmek. **take-off,** ilk sıçrayış; havalanma. **take on,** deruhde etm.; hizmetini almak; (*kon.*) alınmak, müteessir olm.; alıp yürümek: **(train) to ~ on passengers,** (tren) yolcu almak: **to ~ s.o. on at tennis,** *etc.*, bir oyunda birinin meydan okumasını kabul etm.: **don't ~ on so!,** kızma! **take out,** çıkarmak: **to ~ s.o. out to dinner,** birini yemeğe lokantaya götürmek: **to ~ out an insurance policy,** bir şeyi sigorta ettirmek: **this work ~s it out of one,** bu iş pek yorucudur: **I'll ~ it out of him!,** ben ona gösteririm! **take over,** devralmak; tesellüm etm.: **to ~ over the liabilities,** borcları kendi üzerine almak: **to ~ s.o. over a ship, house,** *etc.*, birine bir gemiyi (ev.vs) gezdirmek, göstermek. **take round,** dolaştırmak; gezdirmek. **take to, to ~ to s.o.,** birini gözü tutmak, birine ısınmak: **to ~ to one's bed,** hasta yatmak: **to ~ to drink,** içki ibtilâsına düşmek: **to ~ to writing poetry,** şiir yazmağa başlamak. **take up,** kaldırmak, yerden almak; tevkif etm., posta etm.; başlamak, girişmek; kısaltmak; massetmek: **to ~ up all one's attention,** tamamen meşgul etm.: **to be ~n up with stg.,** bir şeyle bozmak: **if you do that you will be ~n up,** bunu yaparsan tevkif edilirsin: **to ~ up a bill,** bir poliçeyi kabul etm.: **to ~ up one's duties again,** vazifesine tekrar başlamak: **to ~ up an idea,** bir fikri kabul edip tatbik etm.: **to ~ a matter up,** bir işi ele almak: **to ~ up one's pen,** kalemini almak, kaleme sarılmak: **to ~ up a profession,** bir mesleğe intisab etm.: **to ~ up a lot of room,** çok yer kaplamak: **to ~ up shares,** bir şirketin yeni çıkarılan hisse senedlerini satın alma hakkını kullanmak: **to ~ s.o. up shortly,** birini terslemek: **chess ~s up a lot of time,** şatranc çok vakit alır: **to ~ up with s.o.,** birisile düşüp kalkmak. **take upon, to ~ upon oneself,** deruhde etm., üzerine almak.

taken *bk.* take.

taker [ˈteikə*]. Alıcı; bahse girişen kimse; kabul eden kimse.

taking [ˈteikiŋ]. Can alıcı. **~s,** kazanc; alınmış para.

talc [talk]. Talk.

tale [teil]. Masal, hikâye; aded. **to tell ~s (out of school),** koğuculuk etm.: **let me tell my own ~,** bir de ben anlatayım: **that tells its own ~,** bu kâfidir, başka bir şey söylemeğe lüzum yok: **don't tell such ~s to me!,** (i) atma Receb!; (ii) yalan istemem. **~bearer,** gammaz, koğucu.

talent [ˈtalənt]. İstidad; hüner; kabiliyet; dâdihak; eski Yunanistan vs.nin para ve tartısı. **he has a ~ for languages,** lisana kabiliyeti var. **~ed,** hünerli; istidadlı.

talisman [ˈtalizman]. Tılsım.

talk [took]. Konuşmak. Konuşma, sohbet; söz, lâkırdı; dedikodu. **to ~ big,** (yüksekten) atıp tutma; dem vurmak: **to ~ of doing stg.,** bir şey yapacağından bahsetmek: **to get oneself ~ed about,** kendini dile düşürmek: **to ~ oneself hoarse,** sesi kısılıncaya kadar konuşmak [dilinde tüy bitmek]: **to ~ s.o. into doing stg.,** dil dökerek birini kandırmak: **I know what I am ~ing about,** bu iş hakkında bilerek konuşuyorum: **he knows what he is ~ing about,** o bu işin ehlidir: **now you're ~ing!,** (*arg.*), ha şöyle!: **to ~ (severely) to s.o., to give s.o. a good ~ing to,** birini azarlamak: **~ing of that ...,** bu münasebetle ...: **who do you think you are ~ing to?,** karşındakinin kim olduğunu zannediyorsun? **~ative** [ˈtookətiv], geveze; dedikoducu, çeneli, boşboğaz. **~er,** konuşkan: **a great ~,** çenesi düşük, geveze: **a good ~,** hoşsohbet. **talking-to, to give s.o. a good ~,** birini tekdir etm., azarlamak. **talk at,** birine taş atmak (⌜kızım sana söyliyorum gelinim sen anla!⌝). **talk away,** durmadan söylemek: **to ~ away the time,** konuşarak vakit geçirmek. **talk down, to ~ down to one's audience,** dinleyicilerin seviyesine hitab etm.: **to ~ s.o. down,** birini susturuncaya kadar konuşmak. **talk over,** (bir meseleyi) görüşmek; (bir kimseyi) dil dökerek ikna etmek. **talk round,** (bir meselenin) etrafında dönüp dolaşmak, sadede gelmemek; (bir kimseyi) dil dökerek ikna etme.

tall [tool]. Uzun boylu; yüksek. **~ hat,** silindir: **that's a ~ order!,** (*arg.*) artık bu kadarı da fazla!; **that's a ~ story!,** buna kim inanır?

tallow [ˈtalou]. Donyağı. **tallow-chandler,** mumcu.

tally [ˈtali]. Çetele; çetele hesabı; etiket, fiş. Çetele tutmak; birer birer kaydetmek. Mutabık olm., uymak. **these**

accounts do not ~ (with each other), bu hesablar birbirini tutmuyor.
tally-ho [ˈtaliˈhou]. *Avcıların avi görünce bağırdıkları kelime.*
talon [ˈtalən]. Yırtıcı kuş pençesi.
tamarind [ˈtamarind]. Demirhindi.
tamarisk [ˈtamarisk]. Ilgın.
tambour [ˈtambur]. Davul; kasnak.
tambourine [tambˈriin]. Tef.
tame [teim]. Ehlî, munis; uysal; yavan. Ehlileştirmek; uslandırmak. **to ~ down,** uslandırmak, hafifleştirmek; uslu olm.: **to submit ~ly,** mukavemet etmeden boyun eğmek, yola gelmek.
tam-o'shanter [ˈtamiˈʃantə*], **tammy** [ˈtami]. İskoçya beresi.
tamp [tamp]. Barut ve fitil yerleştirilen yerin deliğini katı çamurla tıkamak; bastırıp sıkıştırmak.
tamper [ˈtampə*]. **to ~ with,** (makine vs.yi) kurcalamak, karıştırmak; (defter vs.yi) tahrif etm.; (şahidi) ayartmak, rüşvetle kandırmak.
tan [tan]. Debagatte kullanılan meşe kabuğu; güneş yanığı. Koyu sarı renkli. Tabaklamak; sepilemek; (rüzgâr veya güneş) yakmak; (*arg.*) dayak atmak. **~ned,** güneş veya rüzgârdan yanmış (deri).
tandem [ˈtandəm]. Birbiri ardında koşulmuş iki at; iki kişilik bisiklet.
tang[1] [taŋ]. Prazvana.
tang[2]. Kuvvetli çeşni veya koku.
tang[3]. (*ech.*) Çıngırtı. Çıngırda(t)mak.
tangent [ˈtanʒənt]. Mümas. **to go [fly] off at a ~,** bir fikir silsilesinden birden bire başkasına geçmek.
tangerine [ˌtandʒəˈriin]. Mandalina.
tangible [ˈtandʒibl]. Elle tutulur; dokunulabilir; mevcud; hakikî.
Tangier(s) [tanˈdʒiəz]. Tanca.
tangle [ˈtaŋgl]. Karışıklık; arapsaçı. Teşviş etm., karıştırmak; arapsaçı yapmak.
tank [taŋk]. Sarnıç; su haznesi; benzin deposu; tank. **to blow ~s,** (denizaltı) sarnıçları boşaltmak, çıkış yapmak.
tankard [ˈtaŋkəəd]. Büyük bira bardağı; şop.
tanker [ˈtaŋkə*]. Sarnıç gemisi.
tanner[1] [ˈtanə*]. Debbağ, tabak, sepici. **~y,** tabakhane.
tanner[2]. (*arg.*) Altı peni.
tanni·c [ˈtanik]. Tanenli. **~n,** tanen.
tansy [ˈtanzi]. (*Tanacetum*) Solucan otu (?).
tantalize [ˈtantəlaiz]. İstenilen bir şeyi verir gibi uzatıp geri çekmek suretiyle kızdırmak veya eziyet vermek.
Tantalus [ˈtantalʌs]. Eski Yunan mitilojide Tantal; içindeki içki olan kilidlenmiş şişe.
tantamount [ˈtantəmaunt]. **to be ~ to,** ...e müsavi olm.; sayılmak.
tantrum [ˈtantrəm]. Öfke nöbeti. **to get into a ~,** hiddetten ter ter tepinmek.
tap[1] [tap]. Musluk; fıçı tapası; iyi cinsten içki; vida kılavuzu. Fıçı delip içindekini akıtmak; bir şeyden mayi çıkarmak; vida deliği açmak. **to ~ a new country,** yeni bir memleketi ticarete açmak veya mahsullerini keşfetmek: **to ~ a lung,** akçiğeri delmek: **to ~ a telegraph wire,** telgraf telinden muhabereyi kapmak: **to ~ a tree,** bir ağacdan recine vs.yi çıkarmak: **beer,** *etc.*, **on ~,** (bira vs.) fıçıdan: **to ~ s.o. for a fiver,** (*arg.*) birisinden beş lira sızdırmak. **tap-room,** otel ve handa içki odası. **taproot,** kazık kök. **tap-water,** musluk suyu.
tap[2]. (*ech.*) Pek hafif darbe, hafifçe vurmak. **to ~ at [on] the door,** kapıyı hafifçe çalmak.
tape [teip]. Keten, pamuk vs.den şerid; kurdelâ. Şerid ile bağlamak; mesaha şeridi ile ölçmek. **insulating ~,** tecrid şeridi: **red ~,** kırmızı kurdelâ; kırtasiyecilik.
taper[1] [ˈteipə*]. Mahrutilik. Bir nihayetine doğru incel(t)mak veya sivrileş(tir)mek. **to ~ away,** sivrileşmek. **~ed, ~ing,** gittikçe incelip sivrileşen.
taper[2]. Şamalı fitil.
tapestry [ˈtapestri]. Duvara örtülü kaneviçe ve gergef işi.
tapeworm [ˈteipwəəm]. Şerid (solucan).
tapioca [ˌtapiˈoukə]. Tapyoka.
tapir [ˈteipə*]. Amerikaya mahsus büyük yaban domuzu.
tappet [ˈtapit]. Supap itecek donanımı; dirsek, mil.
tapster [ˈtapstə*]. Meyhanede bira dağıtan adam.
tar [taa*]. Katran; (*kon.*) bahriye neferi. Katranlamak. **wood ~, Stockholm ~,** nebatî katran. ⌜**they are both ~red with the same brush**⌝, ikisinin de kusuru aynı; 'al birini vur ötekini': **to ~ and feather s.o.,** birini, ceza olarak, önce katrana sonra tüye bulamak: ⌜**to spoil the ship for a ha'porth of ~**⌝, az bir masraftan kaçınıp büyük bir zarara girmek. **tar-brush,** katranlama fırçası: **to have a touch of the ~,** damarlarında bir az zenci kanı bulunmak.
tarantula [[təˈrantjula]. Büyük zehirli örümcek.
tarboosh [ˈtaabuuʃ]. Fes.
tard·y [ˈtaadi]. Ağır, yavaş, bati; gecikmiş. **~iness,** bataet; gecikmiş olma.
tare[1] [teə*]. Burcak.
tare[2]. Dara. **to allow for [deduct] ~,** darasını çıkarmak.
target [ˈtaagit]. Hedef; atış nişanı; amac.

tariff [ˈtarif]. Tarife(fiat cedveli).
tarmac [ˈtaamak]. Asfalt (yol); pist. Asfaltlamak.
tarn [taan]. Küçük dağ gölü.
tarnish [ˈtaaniʃ]. Donukluk; leke. Donuklaş(tır)mak; lekele(n)mek; kirletmek.
tarpaulin [taaˈpoolin]. Katranlı muşamba; muşamba tente.
tarragon [ˈtaragən]. Tarhun.
tarry¹ [ˈtaari]. Katranlı.
tarry² [ˈtari]. Geride kalmak; durmak; beklemek.
tarsus [ˈtaasʌs]. Ayaktarağının üst tarafındaki kemik; rüsgulkadem.
tart¹ [taat] *a.* Ekşi, mayhoş; keskin. **~ness,** ekşilik.
tart² *n.* Meyvalı börek; reçelli pasta; turta; (*arg.*) sokak kadını.
tartan [ˈtaatən]. Kareli İskoçya yünlüsü.
tartar¹ [ˈtaataa*]. Kefeki; şarab tortusu.
Tartar². Tatar; şirret. **to catch a ~,** zorlu adama çatmak. **~y,** orta Asya'nın eski ismi.
task [taask]. Götürü iş; vazife. Çalıştırmak; yormak. **to take s.o. to ~ for stg.,** birini bir şeyden dolayı tekdir etmek. **~master,** iş veren kimse: **a hard ~,** çok çalıştıran patron.
tassel [ˈtasl]. Püskül. **~led,** püsküllü.
taste [teist]. Tad; lezzet; çeşni; azıcık parça yemek; zevk; meyil. Tatmak; çeşnisine bakmak. Tadı olmak. **to ~ of stg.,** bir şeye çalmak; tadı bir şeye benzemek: **bad ~,** zevksizlik, midesizlik: **to find stg. to one's ~,** bir şeyi zevkine uygun bulmak, ondan hoşlanmak: **to have a ~ for stg.,** bir şeyden zevk almak: **to have no ~ for music,** *etc.*, musiki vs.den zevk almamak; anlamamak: **⌜everyone to his ~⌝,** herkesin zevkine karışılmaz; bu zevk meselesidir: **I've ~d nothing for two days,** iki günden beri ağzıma bir lokma koymadım: **to take [have] just a ~ of stg.,** bir lokmacık yemek. **~ful,** lezzetli; zarif; zevkli. **~less,** lezzetsiz, tatsız; yavan; zevksiz. **~r,** çeşnici.
tast·y [ˈteisti]. Lezzetli; tatlı. **~iness,** lezzet.
ta-ta [ˈtaˈtaa]. (*çocuk dilinde*) Allaha ısmarladık; 'attâ'.
tatter [ˈtatə*]. Paçavra. **in ~s,** lime lime: **to tear to ~s,** parça parça etmek. **~demalion** [–dəˈmaljʌn], çapaçul; afacan. **~ed,** partal; eski püskü; lime lime.
tattle [ˈtatl]. Dedikodu; gevezelik. Dedikodu yapmak; çene çalmak.
tattoo¹ [taˈtuu]. Askerin koğuş trampetesi; bando ve meşalelerle askerî tezahurat; parmaklarını masanın üzerinde tıkırdatma.
tattoo². Ten üzerine dövme (yapmak).
taught *bk.* teach.
taunt [toont]. Yüzüne vurma; başa kakma; hakaret; istihza. İğnelemek; sataşmak. **to ~ with,** ···i yüzüne vurmak; ···i başına kakmak.
taut [toot]. Gergin, gerili, sıkı. **to pull ~,** kasa etmek. **~en,** germek için çekmek; pekiştirmek; kasmak.
tautology [tooˈtolədʒi]. Aynı şeyi muhtelif kelimelerle tekrarlamak; tekriri merdud.
tavern [ˈtavəən]. Meyhane.
tawdr·y [ˈtoodri]. Bayağı; mezad malı; zevksiz. **~iness,** bayağılık, zevksizlik; zevksiz nümayişçilik.
tawny [ˈtooni]. Sarımtrak kahve renginde.
tax [taks]. Vergi, resim; mahkeme masrafı. Vergi tarhetmek; mahkeme masrafını tayin etmek. **direct ~es,** vasıtasız vergiler: **indirect ~es,** vasıtalı vergiler: **to be a ~ on s.o.,** birine yük olm.: **to ~ the patience [courage] of s.o.,** birinden çok sabır [cesaret] istemek: **to ~ s.o. with doing stg.,** birini bir şeyle ittiham etmek. **~able,** vergiye tâbi tutulabilir; mükellef. **~ation** [takˈseiʃn], vergi tarhı; mahkeme masrafını tayin etme.
taxi(cab) [ˈtaksi(kab)]. Kira otomobili, taksi. Taksi ile gitmek; (*otom.*) makineyi durdurarak ilerlemek; (uçak) yerde yürümek. **taxi-driver,** taksi şoförü.
taxiderm·ist [ˈtaksiˈdəəmist]. Hayvan ve kuşların derisini dolduran kimse. **~y,** bu sanat.
tea [tii]. Çay. **tea-caddy,** çay kutusu. **tea-cake,** bir nevi çörek ki kızartılmış tereyağ sürülmüş olarak yenir. **tea-garden,** (i) çay ciftliği; (ii) çay kahve ve hafif yemekler satılan bahçe. **tea-rose,** çay gibi kokan gül. **tea-service, tea-things,** çay takımı.
teach (taught) [tiitʃ, toot]. Öğretmek; tahsil ettirmek; okutmak. Muallimlik etm., ders vermek. **that will ~ him (a lesson)!,** o ona Hanya'yı Konya'yı gösterir; bu ona ders olur: **to ~ s.o. a thing or two,** birinin gözünü açmak: **I'll ~ you to speak to me like that!,** bana böyle konuşmayı sana gösteririm. **~er,** muallim, hoca. **~ing,** muallimlik; ders verme; öğretme; ders.
teacup [ˈtiikʌp]. Çay fincanı.
teak [tiik]. Hind meşesi, tik ağacı.
teal [tiil]. (*Anas crecca*) Çamurcun.
team [tiim]. Birlikte koşulmuş iki veya daha çok at, öküz vs.; takım; ekip; tim. **to ~ up with s.o.,** birisile birleşmek, beraber çalışmak veya oynamak: **~ games,** futbol gibi takım ile oynanan oyunlar: **the ~ spirit,** müşterek ve ekip halinde çalışma ruhu: **~ work,** takım halinde çalışma.
teapot [ˈtiipot]. Çaydanlık.

tear[1] [tiə*]. Göz yaşı. **to burst into ~s,** gözlerinden yaş boşanmak: **to move s.o. to ~s, to draw ~s from s.o.,** gözünü yaşartmak: **to shed ~s,** gözyaşı dökmek.

tear[2] (**tore, torn**) [teə*, too*, toon]. Yırtmak, yarmak. Yırtılmak, yarılmak; pek hızlı gitmek. Yırtık, yarık, rahne. **to be torn by conflicting emotions,** birbirine zıd hislerle kıvranmak: **the country was torn by faction,** memleket baştan başa tefrika içinde idi: **to ~ one's hair,** saçını başını yolmak: **to ~ stg. open,** bir şeyi yırtıp açmak: **to ~ stg. from s.o.,** birisinden bir şeyi zorla kapmak. **tear away,** koparmak; çabuk ayrılmak: **I could not ~ myself away from this lovely spot,** bu güzel yerden bir türlü ayrılmak istemedim. **tear down,** yırtıp koparmak; (*kon.*) alabildiğine aşağıya doğru koşmak. **tear off,** yırtıp koparmak; koşarak gitmek. **tear out,** yırtıp çıkarmak, koparmak, sökmek, dışarıya fırlamak. **tear up,** parça parça etm.; kökünden koparmak, sökmek; yukarıya fırlamak.

tearful [ˈtiəfl]. Gözleri yaşlı; ağlamalı (ses).

tearing [ˈteəriŋ]. **to be in a ~ hurry,** (telâştan) aceleden etrafını görememek: **~ rage,** kudurmuş bir hiddet: **~ wind,** insanı uçuracak gibi rüzgâr.

tease [tiiz]. Taciz etm., rahat bırakmamak; takılmak; azizlik etm.; ditmek, didiklemek, mıncıklamak. **~r,** taciz eden kimse; (*kon.*) çetin bir sual; zor bir mesele.

teasel, teazel [ˈtiizl]. (*Dipsacus*) Çobantarağı.

teat [tiit]. Meme başı; emcik.

techn·ical [ˈteknikl]. Istılahî, fennî, ilmî, sinaî; teknik; usule göre. **a ~ offence,** (hakikatte mühim değil) yalnız kanun nazarında suç: **~ school,** sanat mektebi: **judgement quashed on a ~ point,** şekle [muameleye] aid bir hata yüzünden nakzedilen karar. **~icality** [–ˈkaliti], teknik teferrüat. **~ician** [–ˈniʃn], teknisyen. **~ique** [–ˈniik], teknik; bir şeyi yapma usulü. **~ology** [–ˈnolədʒi], teknoloji; sanayi bilgisi; fenni ıstılahlar.

tedder [ˈtedə*]. Kesilmiş çayır otlarını evirip çevirerek kurutmağa mahsus makine.

Teddy [ˈtedi]. Edward *'ın kis.* **~ bear,** pelüşten yapılmış oyuncak ayı.

tedi·ous [ˈtiidjəs]. Cansıkıcı; usandırıcı, bıktırıcı. **~um,** [–əm], can sıkıntısı; melâl.

tee [tii]. T harfi; T harfi şeklinde olan şey. (Golf oyunda) ilk topun vurulduğu saha.

teem [ˈtiim]. Kaynamak; bol olmak. **the river is ~ing with fish,** nehirde balık kum gibi kaynıyor.

teens [tiinz]. (*kon.*) On üçten on dokuza kadar yaş. **to be out of one's ~,** yaşı on dokuzdan fazla olmak.

teeny [ˈtiini]. **~ (-weeny),** mini mini.

teeth *bk.* **tooth. ~e** [ˈtiið], (çocuk) diş çıkarmak.

teetotal [tiiˈtoutl]. İçki içmiyen; alkolsuz (içki). **~ism,** alkollu içkilere tövbe etme. **~ler,** alkollu içkilere tövbe eden kimse.

teetotum [tiiˈtoutəm]. Parmaklarla çevirilen topaç.

tele- [ˈteli] *pref.* Uzaktan veya uzağa işliyen.

telegr·am [ˈteligram]. Telgraf (name). **~aph,** telgraf (çelmek); telgrafla bildirmek. **~aphic** [–ˈgrafik], telgrafa aid; telgrafla gönderilen. **~aphist** [–ˈlegrəfist], telgrafçı. **~aphy** [–ˈlegrəfi], telgrafçılık.

telepathy [teˈlepəθi]. Telepati.

telephon·e [ˈteləfoun]. Telefon, telefonla görüşmek veya bildirmek. **telephone-box,** telefon kulübesi. **~ic** [–ˈfonik], telefona aid; telefonla gönderilen. **~y,** [–ˈlefəni], telefonculuk.

teleprinter [ˈteliprintə*]. Telgrafla gönderilen haberi tabeden makine.

telescop·e [ˈteliskoup]. Teleskop; dürbün; teleskop kısımları gibi iç içe geçmek. **~ic** [ˈskopik], teleskopa aid; teleskopla görünen; teleskop gibi iç içe geçen.

televis·ion [ˌteliˈviʒn]. Televizyon. **~e,** televizyonla göstermek.

tell (**told**) [tel, tould]. Anlatmak, nakletmek, söylemek, demek; bildirmek, haber vermek; ifşa etm.; bilmek, farketmek; saymak, hesab etmek. Tesir etmek. **~ me another!,** (*arg.*) külâhıma anlat!: ⌜**blood will ~**⌝, kan (asalet) belli olur: **his modesty ~s in his favour,** tevazuu onun lehinedir: **I have heard ~ that ...,** kulağıma çalındığına göre ...; eski bir masalda anlatıldığı gibi ...: **how do you ~ which button to press?,** hangi düğmeye basılacağını nasıl biliyorsunuz?: **I never can ~ those two apart,** bunların ikisini hiç birbirinden ayırd edemem: **he looks honest but you never can ~,** namuslu görünüyor fakat belli olmaz: **his age is beginning to ~ on him,** yaş onun üzerinde tesirini gösteriyor: **I told you so!,** ben sana demedin mi? **tell-tale,** koğucu, müzevvir: **~ signs,** haber veren işaretler: **a ~ blush,** kabahat vs.ye delâlet eden yüz kızarması: **~ compass,** asma pusula: **~ lamp,** işaret lâmbası. **tell off,** (bir adama) muayyen bir iş vermek; (*kon.*) azarlamak.

teller [ˈtelə*]. Anlatıcı vs.; Avam Kamarasında reyleri saymağa memur dört kişiden biri; banka vs. veznedar.

telling [ˈteliŋ]. Anlatış, nakil; ifşa etme.

Müessir. **there 's no ~ what he will do,** onun ne yapacağı bilinmez.
temerity [tə'meriti]. Cüret; yüzsüzlük. **he had the ~ to say ...,** ···i söylemek küstahlığını gösterdi.
temper[1] ['tempə*]. Huy, tabiat; huysuzluk, öfke. **to be in a ~,** hiddetli olm.: **to be out of ~,** öfkesi üstünde olm.: **to have a bad ~,** huysuz olm.: **to have a good ~,** iyi huylu olm.: **to keep one's ~,** öfkesini tutmak: **to lose one's ~,** hiddetlenmek: **to show ~,** hiddetini belli etm.; hiddet göstermek.
temper[2]. Çeliğe verilen su; kıvam. (Çeliğe) su vermek; tadil etm.; hafifletmek. **(steel) to lose its ~,** (çelik) suyunu kaybetmek: **to draw [let down] the ~ of a tool,** bir aletin suyunu gidermek, yumuşatmak.
tempera ['tempəra]. Sulu veya zamklı boya.
temperament ['temprəmənt]. Mizac; tabiat; hilkat; huy. **of even [equable] ~,** temkinli, kolayca bozulmaz. **~al** [–'mentl], mizaca aid; sebatsız, mütelevvin; çabuk kızan; **~ly,** mizac itibarile.
temperance ['tempərəns]. İtidal; imsak; az içki kullanma. **~ hotel,** içkisiz otel: **~ society,** içki aleyhdarları cemiyeti.
temperate ['tempərit]. Mutedil, mülâyim; mümsik; az içki kullanan.
temperature ['tempritʃə*]. Hararet derecesi; sühunet; ateş; sıtma. **to run a ~,** ateşi olm.: **to take s.o.'s ~,** derecesini almak.
tempest ['tempist]. Şiddetli fırtına; bora. **~uous** [–'pestjuəs], pek fırtınalı; boralı; gürültülü.
Templar ['templa*]. Haçlılardan 'Temple' tarikatine mensub şövalye; şimdi bazı içki aleyhdarı cemiyetlerin âzaları.
template *bk.* **templet.**
temple[1] ['templ]. Mabed; ibadethane; *bilh.* eski Kudüste Yahudilerin baş mabedi, mabedi Süleyman.
temple[2]. Şakak.
templet ['templit]. İnce maden veya tahtadan kalıb; gabari, şablon.
temporal[1] ['temporəl]. Şakağa aid.
temporal[2]. Fani, geçici; dünyevî (ruhanî mukabili). **the ~ power,** cismanî kuvvet.
temporary ['tempərəri]. Muvakkat; geçici; iğreti.
temporize ['tempəraiz]. Vakit kazanmağa çalışmak; savsaklamak; oyalamak.
tempt [tempt]. Baştan çıkarmağa çalışmak; iğva etm.; günaha teşvik etm.; imrendirmek. **I am ~ed to ...,** şeytan diyor ki ...: **I am strongly ~ed to accept,** kabul etmeğe kuvvetle mütemayilim: **to ~ God [Providence],** kudretinin fevkinde bir teşebbüse girişmek: **it is ~ing Providence to go out in that old boat,** o eski kayıkla çıkmak tehlikeye [ölüme] susamaktır.
temptation [tem'teiʃn]. İğva; günaha teşvik veya davet; şeytanın iğvası. **it 's a great ~ to ...,** şeytan diyor ki ...: **to yield to ~,** iğvaya kapılmak.
tempter ['temptə*]. Baştan çıkarıcı; fena yola saptırıcı; şeytan.
ten [ten]. On. **to count in ~s,** onar onar saymak: **~ to one he'll forget,** yüzde yüz unutur.
tenable ['tenəbl]. Tutulabilir; muhafazası mümkün; teyidi mümkün; kabul edilebilir.
tenac·ious [te'neiʃəs]. Bırakmaz; vazgeçmez; inadcı; yapışkan. **~ity** [–'nasiti], azimlilik; inad; yapışkanlık.
tenan·cy ['tenənsi]. Kiracılık; kira müddeti. **to hold a life ~ of a house,** bir eve kaydı hayat şartiyle tasarruf etmek. **~t,** kıracı; müstecir; mutasarrıf: kiracı sıfatiyle tutmak: **life ~,** kaydı hayat şartiyle kiracı: **~ right,** kiracının kanunî hakları: **~ at will,** kiralıyanın keyfine tâbi olan kiracı. **~try,** bir malikânenin bütün ev ve çiftliklerinin kiracıları.
tench ['tentʃ]. (*Tinca*) Tatlısu kaya balığı (?).
tend[1] [tend]. Bakmak; hizmetini görmek; gözetmek.
tend[2]. Meyletmek; yüz tutmak; temayül etm.; kaçmak. **blue ~ing to green,** yeşile çalan mavi.
tendency ['tendənsi]. Meyil, temayül; inhimak; yüz tutma; istidad.
tendentious [ten'denʃəs]. Bir maksada müstenid; tarafsız olmıyan.
tender[1] ['tendə*]. *a.* Nahif, yumuşak; zayıf; hassas; müşfik; taze. **of ~ years,** pek genc: **to touch s.o. on his ~ spot,** yarasına dokunmak, bamteline basmak. **tender-hearted,** müşfik, şefkatli.
tender[2] *n.* Bakıcı; lokomotifin arkasına bağlı su ve kömür vagonu; tender; maiyet gemisi.
tender[3] *vb.* Arzetmek; teklif mektubu vermek; sunmak. Teklif, teklif mektubu. **by ~,** arttırma veya eksiltme usuliyle: **to ~ for stg.,** arttırma veya eksiltmede teklif mektubu vermek: **to put to ~,** münakaşaya koymak: **sealed ~,** kapalı zarf usuliyle eksiltme: **legal ~,** bir alacaklının kabul etmeğe mecbur olduğu memleket parasının nevileri: **to ~ thanks,** teşekkürlerini sunmak.
tenderfoot ['tendəfut]. Acemi.
tenderness ['tendənis]. Şefkat; hassaslık; narinlik.

tendon [ˈtendon]. Veter; sinir.
tendril [ˈtendril]. İnce filiz, bıyık.
tenement [ˈtenəmənt]. Kira evi; bir aile tarafından işgal edilen apartman (*um. sade işçi evlerine denir*); (*huk.*) mülk.
tenet [ˈtenit]. Akide; katî fikir.
tenfold [ˈtenfould]. On kat; on misli.
tennis [ˈtenis]. Tenis. **tennis-court,** tenis sahası. **tennis-elbow,** fazla tenis oynamaktan dirsek sinirlerinin burkulması.
tenon [ˈtenon]. (Doğramacılıkta) geçme erkeği. Geçme işile katmak.
tenor[1] [ˈtenə*]. Meal; mana; temayül.
tenor[2]. Tenor sesi.
tense[1] [tens] *n.* Fiil sıygası.
tense[2] *a.* Gergin, gerili; meraklı, heyecan verici.
tensile [ˈtensail]. Gerilip uzamağa kabiliyetli. ~ **strength,** gerilme kuvveti.
tension [ˈtenʃən]. Gerginlik; tevettür; gerilme veya germe kuvveti.
tent [tent]. Çadır. **tent-peg,** çadır kazığı. **tent-pegging,** at dört naala koşarken süvarisi tarafından mızrakla çadır kazıklarını sökme sporu.
tentacle [ˈtentəkl]. İnce uzun bir uzuv; levahıkı lamise; tentakül.
tentative [ˈtentəˈtiv]. Deneme ve tecrübe nevinden. Deneme; tecrübe.
tenterhook [ˈtentəhuk]. **to be on ~s,** son derece şübhe ve merak içinde olmak.
tenth [tenθ]. Onuncu; onda biri.
tenu·ity [teˈnjuuiti]. İncelik; seyreklik. **~ous** [ˈtenjuəs], ince; seyrek; zayıf, ehemmiyetsiz.
tenure [ˈtenjuə*]. Tasarruf şartı; gedik; memuriyet müddeti.
tepid [ˈtepid]. Ilık; hararetsiz, gayretsiz.
tercentenary [ˈtəəsenˈtiinəri]. Üçyüzüncü yıldönümü.
teredo [təˈriidou]. İskele kurdu, gemi kurdu.
tergiversation [ˌtəəgivəəˈzeiʃn]. (Sözü vs.) dönüp dolaştırma; leytelealle.
term[1] [təəm] *vb.* İsim vermek; demek; tabir etmek.
term[2] *n.* Müddet, vade, devre; trimestr; mahkemelerin ictima devresi; had, hudud, son; tabir, ıstılah, || terim. **~s,** şartlar; münasebetler; meal. **to put [set] a ~ to stg.,** bir şeye had tayin etm., nihayet vermek: **long [short] -~,** uzun [kısa] vadeli: **they are on bad [good] ~s,** araları bozuk [iyi]: **to be on the best of ~s with s.o.,** birisile arası fevkalâde olm.: **not to be on speaking ~s,** araları bozuk olduğu için birbirile konuşmamak: **not on any ~s,** hangi şartla olursa olsun olmaz, hiç bir şekilde: **to come to ~s, to make ~s,** şartlar üzerinde uyuşmak: **make [name] your own ~s,** şartlarınızı kendiniz tayin ediniz: **his ~s are two pounds a lesson,** ders başına iki lira ücret istiyor: **the ~s of his letter,** mektubunun meali, (*bazan*) metni: **by the ~s of the treaty,** muahede mucibince: **one cannot reckon happiness in ~s of worldly success,** saadet maddî muvaffakiyetle ölçülemez.
termagant [ˈtəəməgənt]. Cadoloz, acuze, dirliksiz kadın, şirret.
terminable [ˈtəəminəbl]. Bitirilebilir; muayyen müddeti olan.
terminal [ˈtəəminl]. Ucda bulunan; ucunu teşkil eden; (üniversitedeki iki aylık) devreye aid: son durak, son istasyon; (*elek.*) bağlama vidası; kablo papucu.
terminat·e [ˈtəəmineit]. Son vermek, bitirmek; kat'etmek. Sona ermek, bitmek. **~ion** [–ˈneiʃn], son, bitiş, netice; inkıza; son ek.
terminolog·y [ˌtəəmiˈnolədʒi]. Bir ilmin veya bir sanatin ıstılahları. **~ical** [–ˈlodʒikl], ıstılahlara aid.
terminus [ˈtəəminʌs]. Bir tramvay veya demiryolunun son durak veya istasyon.
termite [ˈtəəmait]. Divik; termit.
tern [təən]. (*Sterna hirundo*) Deniz kırlangıcı.
terrace [ˈteris]. Tabiî veya sunî yüksek düz yer; taraça; tahtaboş; bir sed üzerinde bir sıra evler. Bir tepe veya yokuşta bir sıra sahanlık yapmak.
terra-cotta [ˈteraˈkota]. Pişmiş lüleci çamuru; bunun rengi (koyu turuncu).
terra firma [ˈteraˈfəəma]. Arzın kara kısmı; kara.
terrapin [ˈterapin]. Tatlısu kaplumbağası.
terrestrial [təˈrestriəl]. Yeryüzüne, dünyaya aid; arzî.
terribl·e [ˈteribl]. Müdhiş, korkunc, dehşetli. **~y,** (*kon.*) ziyadesile.
terrier [ˈteriə*]. Bazı ufak av köpeklerine verilen ad.
terrif·ic [təˈrifik]. Korkunc, müdhiş; son derece. ~ **pace,** başdöndürücü sürat. **~y** [ˈterifai], tedhiş etm., çok korkutmak: **to be ~ied,** dehşet duymak.
territor·y [ˈteritori]. Ülke; arazi; mıntaka. **~ial** [–ˈtooriəl], araziye aid; muayyen bir mıntakaya aid; İngiltere'de bir nevi gönüllü askeri teşkilatına mensub kimse: ~ **integrity,** toprak bütünlüğü: ~ **waters,** kara suları.
terror [ˈterə*]. Dehşet; gözyılgınlığı; dehşet verici şey veya kimse. **~ism,** tedhiş siyaseti. **~ist,** tedhişçi, tedhiş tarafdarı.
terse [təəs]. Veciz; keskin ve kısa.
tertiary [ˈtəəʃiəri]. Üçüncü jeolojik devreye aid; üçüncü derecede.

tessellated [ˈtesileited]. Mozaik halinde süslenmiş.
test [test]. Tecrübe, deneme; muayene, prova. Denemek, tecrübe etm., prova etm.; mihenge vurmak; muayeneye tâbi tutmak; tahlil etm.; tasdik etmek. ~ **case,** (i) emsal teşkil eden dava; (ii) tecrübe için yapılan şey: **intelligence** ~, zekâ testi: **driving** ~, şoförlük imtihanı: ~ **run,** (*otom.*) tecrübe için kullanma. **test-bench,** makineleri denemeğe mahsus tezgâh. **test-indicator,** komparatör. **test-paper,** turnsol kâğıdı. **test-tube,** kimyager tübü.
testacean [tesˈteiʃn]. Zırhlı (hayvan); kaplumbağlara aid.
testament [ˈtestəmənt]. Vasiyetname; ahid. **New** ~, ahdicedid: **Old** ~, ahdiatîk. ~**ary** [–ˈmentəri], vasiyete aid.
testat·e [ˈtesteit]. Muteber vasiyetname bırakarak ölen. ~**or** [–ˈteitə*], vasiyet eden erkek. ~**rix,** vasiyet eden kadın.
tester [ˈtestə*]. Muayene memuru; prova eden kimse. **battery** ~, akümülatör kontrol aleti.
testes [ˈtestiiz]. Taşaklar.
testicle [ˈtestikl]. Husye, taşak.
testify [ˈtestifai]. Şahadet etm., şahidi olm.; teyid etm., isbat etm., izhar etmek. **to** ~ **to a fact,** şahadetiyle bir fiili tasdik etm., teyidetmek.
testimonial [testiˈmouniəl]. Bonservis; takdirname; mükâfat olarak veya teşekkür için verilen hediye.
testimony [ˈtestiməni]. Şahadet; delil.
testy [ˈtesti]. Cabuk öfkelenen; haşin, ters, alıngan.
tetanus [ˈtetanʌs]. Tetanos; küzaz.
tetchy [ˈtetʃi] *bk.* **testy.**
tête-à-tête [ˈteitaˈteit]. Başbaşa görüşme; iki kişilik kanape.
tether [ˈteðə*]. Otlatmakta olan hayvanı bağlamak için kullanılan ip veya zincir. (Hayvanı) ip veya zincirle bir kazığa bağlamak. ⌜**to be at the end of one's** ~⌝, sabrı veya tahammülü yahud imkânları tükenmek.
tetra- [ˈtetra] *pref.* Dörtlü, dörtten mürekkeb ....
Teuton, -ic [ˈtjuutən, ˈtjuˈtonik]. Alman.
text [tekst]. Metin; İncilden kısa bir parça; mevzu. **to stick to one's** ~, sadedden ayrılmamak. **text-book,** (i) elkitabı; (ii) bir imtihan için tayin edilen kitab.
textile [ˈtekstail]. Dokuma işi. ~**s,** mensucat.
textual [ˈtekstjuəl]. Metne aid; metinde bulunan.
texture [ˈtekstjuə*] Bir nescin yapısı; örgü.
Thames [temz]. Taymis nehri. ⌜**to set the** ~ **on fire**⌝, mühim bir şey yapmak; meşhur olmak.
than [ðan]. *Mukayese için kullanılan edat.* ···den. **he is stronger** ~ **you,** o sizden daha kuvvetlidir: **more** ~ **once,** bir çok defa: **I would rather go by ship** ~ **fly,** tayyare ile gitmektense vapurla gitmeği tercih ederim: **he is no more an American** ~ **I am,** ne münasebet! o Amerikalı değildir.
thane [θein]. Eski İngiltere'de kendilerine verilen toprak mukabilinde asiller veya kıral için askerî hizmet gören 'bey'.
thank [θaŋk]. Şükretmek; teşekkür etmek. **to** ~ **s.o. for stg.,** birine bir şey için teşekkür etm.: ~ **you!,** teşekkür ederim: ~ **God [heaven, goodness],** çok şükür, elhamdülillah!: **you have your friends to** ~ **for this,** bunu dostlarınıza borclusunuz: **you have only yourself to** ~ **for this,** kabahati başkasında arama, kabahat sende!: **I'll** ~ **you to mind your own business,** siz kendi işinize baksanız daha iyi olur: ~ **your lucky stars!,** talihine şükret! ~**ful,** müteşekkir, minnetdar. ~**less,** nankör (iş vs.). ~**s,** teşekkür, şükür: ~**!,** teşekkür ederim: ~ **to ...,** ···in sayesinde: **that 's all the** ~ **I get!,** işte bana böyle teşekkür ediyorlar!: **to give** ~ **to s.o. for stg.,** birine bir şey için teşekkür etmek. ~**sgiving,** teşekkür; şükran duası: ~ **Day,** (*Amer.*) Kasımın son perşembesinde kutlanan şükran yortusu. **thank-offering,** bir nimete şükretmek için verilen para veya başka bir şey.
that[1] [ðat], *pl.* **those** [ðouz]. O, şu; o şey. ~ **book is mine,** o kitab benimdir: **English soil is more fertile than** ~ **of Germany,** Ingiltere'nin topragı Almanya'nınkinden daha mümbittir.
that[2]. Ki. **he said** ~ ..., dedi ki ...; **he said** ~ **he would come,** geleceğini söyledi: **he was so ill** ~ **he could not speak,** konuşamıyacak kadar hasta idi: **oh** ~ **I could be in England now!,** şimdi İngiltere'de olabilsem!: **if I reprove you it is** ~ **I love you,** seni tevbih ediyorsam bu seni sevdiğimdendir.
that[3] *rel. pron.* **who, when, which** *yerine kullanılır.* **the child** ~ **I saw,** gördüğüm çocuk: **the letter** ~ **I sent you,** size gönderdiğim mektub.
thatch [θatʃ]. Saman veya sazdan dam örtüsü. Dam üzerini saman veya saz ile kaplamak.
thaw [θoo]. Kar ve buzu eritmek; (don) erimek, çözülmek; (insan) açılmak. Buz yahud karın erimesi. **the conversation began to** ~ **a little,** buzlar çözülmeğe başladı.
the [ðii, ðə]. *Muayyen harfi tarif.* **I saw a man,** bir adam gördüm, *fakat* **I saw** ~

man, adamı gördüm: **I went to a house,** bir eve gittim, *fakat* **I went to ~ house,** o eve gittim. *Yalnız bir tane olan şeylerin başına konur, mes.* **the sun,** güneş; **the moon,** ay; **the year 1950,** 1950 senesi.

theatr·e [ˈθiətə*]. Tiyatro; meydan, sahne; ameliyathane. **the ~ of war,** harekât sahası, darülharb. **~ical** [θiˈatrikl], tiyatroya aid; dramatik; gösterişli, nümayişçi. **~icals,** amatörler tarafından oynanan piyesler.

thee [ðii]. *acc. of* thou (*esk.*). Seni.

theft [θeft]. Hırsızlık, çalma. **petty ~,** aşırma.

their [ðeə*]. Onların. **~s,** onlarınki. **this house is ~s,** bu ev onlara aid: **this is a house of ~s,** bu onların evlerinden biridir.

them [ðem]. Onları; **of ~,** onların; **to ~,** onlara: **from ~,** onlardan. **~selves,** kendiler(i).

theme [θiim]. Mevzu; talebe için vazife, temrin; (*mus.*) makam.

then [ðen]. O zaman; ondan sonra; şu halde; hem de. **now and ~,** arasıra, arada sırada, vakit vakit: **~ and there,** hemen, oracıkta: **I haven't the time and ~ it is not my business,** vaktim yok, zaten vazifem de değil: **by ~,** o zaman, o zamana kadar: **now one boy does best, ~ another,** kâh bir çocuk iyi yapar kâh başkası: **the ~ Vali,** o zamanki Vali: **suppose he refuses, what ~?,** ya reddederse ne olacak?: **you knew all the while ~,** demek şimdiye kadar bunu sen hep biliyordun.

thence [ðens]. Oradan; o sebebden dolayı. **~forth, ~forward,** o zamandan beri; ondan sonra.

theocra·cy [θiiˈokrəsi]. Ruhanî idare veya hükümet, teokrasi. **~tic** [–ˈkratik], ruhanî idareye aid.

theodolite [θiiˈodoulait]. Teodolit.

theolog·y [θiiˈolədʒi]. İlâyiyat. **~ian** [–ˈloudʒian], ilâhiyat mütehassısı.

theorem [ˈθiiorem]. Riyaziyede: mesele, dava.

theor·y [ˈθiiəri]. Nazariye. **in ~,** nazariyat itibariyle. **~etical** [–ˈretikl], nazarî. **~ist,** nazariyatçı. **~ize,** nazariye kurmak.

theosophy [θiiˈosofi]. Tasavvufu andıran bir felsefe.

therapeutic [θeraˈpjuutik]. Tedaviye aid. **~s,** tedavi fenni.

there [ðeə*]. Ora, orası; orada; oraya; burada; haydi haydi; işte! **~ is,** var: **~ is not,** yok: **~ was,** vardı: **~ will be,** olacak: **he's all ~,** çok açıkgözdür: **he is not all ~,** bir tahtası eksik: **it is ten miles ~ and back,** oraya gidip gelme on mildir: **hurry up, ~ !,** (*işaret ederek*) haydi bakalım, çabuk olalım!: **'where 's your father?' '~ he is!'** 'Babanız nerede?' '(*göstererek*) İşte şurada!': **~ you have me!** (*arg.*) vallahi bilmem, buna cevab veremem: **~, ~,! never mind!,** (*çocuğa*) haydi haydi, zarar yok, üzülme!: **~ you are!,** (i) ben demedim mi?; (ii) demek geldin ha!; (iii) buyurun! **~abouts** [ˈðeəəˈbauts], oraya yakın; oralarda; raddelerinde: **at two o'clock or ~,** saat iki raddelerinde. **~after** [–ˈaaftə*], ondan sonra. **~at,** o zamanda; orada; ondan dolayı. **~by** [–ˈbai], o münasebetle; o vechile. **~fore** [ˈðeəfoo*], binaenaleyh; bu sebebden; o halde. **~from** [–ˈfrom], oradan. **~in** [–ˈin], onun içinde; orada; bununda: **~ you are mistaken** burada yanılıyorsunuz. **~of** [–ˈof], ondan; onunki. **~on** [–ˈon], bunun üzerine; bunun akabinde. **~to** [–ˈtuu], oraya; buna, ona. **~upon** [ˈðeərəˈpon], onun üzerinde; bunun üzerine. **~with** [–ˈwiθ], onunla; hemen, derhal.

therm [θəəm]. İngiliz hararet vahidi.

therm·al [ˈθəəməl]. Hararete aid. **~ spring,** kaplıca. **~ometer** [–ˈmomitə*], termometre; derece. **~os** [ˈθəəmos], **~(-flask),** termos (şişesi). **~ostat,** harareti kendiliğinden tanzim eden alet; termostat.

thermo- [ˈθəəmou] *pref.* Hararete aid.

thesaurus [θiiˈsoorʌs]. Büyük lûgat; hazine.

these [ðiiz]. this' in cemi. Bu, bunlar.

thesis, *pl.* **-ses** [ˈθiisis, -siiz]. Dava; tez.

thews [θjuuz]. Sinirler.

they [ðei]. Onlar. **~ say that ...,** diyorlar ki ..., denildiğine göre ...: **they'd = they had, they would; they'll = they will; they're = they are.**

thick [θik]. Kalın. kesif; sık; sıkışık; koyu; kalın kafalı; (hava) sisli; (ses) boğuk. **to be very ~ with s.o.,** birisile senli benli olm.: **they are as ~ as thieves,** aralarından su sızmaz: **that 's a bit ~!,** (*arg.*) bu ne pişkinlik, bu kadarı da fazla!: **in the ~ of the fight,** muharebenin en civcivli zamanında: **to stick to s.o. through ~ and thin,** birine hem iyi hem fena günlerinde sadık kalmak. **thick-set,** kısa boylu ve tıknaz; sık dikilmiş (çit).

thicken [ˈθikn]. Kalınlaş(tır)mak; koyulaş(tır)mak; kesif olm. (yapmak); koyultmak. **the plot ~s,** (bir roman vs.de) vakalar karışıyor [çatallaşıyor].

thicket [ˈθikit]. Çalılık; koru; bokluca.

thickness [ˈθiknis]. Kalınlık; kesafet; tabaka, kat.

thief [θiif]. Hırsız. **⌜honour among thieves⌝,** hırsızlar arasında bile bir namus telâkkisi vardır; merdlik merdliktir: **⌜set a ~ to catch a ~⌝,** ⌜çivi çiviyi söker⌝.

thiev·e [θiiv]. Hırsızlık yapmak; çalmak. **~ish, ~ing,** hırsız gibi; hırsızlık yapan. **~ing,** hırsızlık.

thigh [θai]. But; oyluk.
thimble [ˈθimbl]. Yüksük; (*den.*) radansa.
thin [θin]. İnce; seyrek; zayıf, eti yağı az; lâgar; sulu, sade suya. Seyrekleş(tir)mek; inceltmek; zayıfla(t)mak; seyrelmek. **as ~ as a lath,** bir deri bir kemik: **that 's a bit ~,** (mazeret veya delil) ikna etmez: **~ly clad,** ince giyinmiş; fakir kıyafetli: **to have a ~ time of it** (*kon.*), çok eziyet çekmek: **a ~ly veiled threat,** pek kapalı olmıyan tehdid. **thin down,** (tahta vs.) inceltmek; (boya vs.) hafifleştirmek, sulandırmak. **thin out,** seyrekleştirmek; seyrelmek.
thine [ðain]. (*esk.*) Seninki; senin.
thing [θiŋ]. Şey, nesne; mesele; mahluk. **~s,** eşya, pılıpırtı; ahval, ortalık, iş. **~s are looking pretty bad,** ortalık çok fena, ahval kötü: **to be ⌜all ~s to all men⌝,** herkesle iyi geçinmek, herkesin ⌜nabzına göre şerbet vermek⌝; **to talk of one ~ and another,** şundan bundan bahsetmek: **to clear away the ~s,** sofrayı toplamak: **a dear old ~,** sevimli bir ihtiyar kadincağız [adamcağız]: **dumb ~s,** hayvanlar: **I'm not feeling at all the ~,** bir az keyifsizim: **that 's the ~ for me!,** işte tam istediğim!: **how are ~s?,** ne var ne yok?, işler nasıl?: **he knows a ~ or two,** çok bilmiştir, şeytandır: **the latest ~ in hats,** en son şapka modası: **to make a good ~ of [out of] stg.,** bir şeyden kâr çıkarmak: **to make a mess of ~s,** işi berbad etm.: **it 's not the ~ (to do),** bu yapılmaz; bunu yapmak mutad değil: **for one ~ ...,** bir kere ..., evvela ...: **to pack up one's ~s,** pılısını pırtısını toplamak: **she is very ill, poor ~!,** zavallı, çok hastadır: **to take off one's ~s,** şapka ve paltosunu çıkarmak: **to take ~s too seriously,** ḥadiseleri fazla ciddiye almak: **to go the way of all ~s,** her şey gibi sona ermek (*um.* ölmek).
thing-amy, -ummy, -umajig, -mibob [ˈθiŋəmi, ˈθiŋəmədʒig, ˈθiŋmibob]. Şey; hani, ne derler.
think (**thought**) [θiŋk, θoot]. Düşünmek, zannetmek, sanmak; addetmek, saymak; hükmetmek; farzetmek; tasavvur etm.; ummak. **I don't ~!,** (*arg.*) ne münasebet!: **I should hardly ~ so,** pek zannetmem: **let me ~!,** dur bakayım: **I thought as much,** zaten bunu bekliyordum: **I couldn't ~ of it!** dünyada böyle bir şey yapamam!: **I ~ very highly of him,** benim nazarımda onun kıymeti büyüktür: **I would never have thought that of you,** senin böyle bir şey yapacağın hiç aklıma gelmezdi: **to ~ too much of oneself** (i) kendini beğenmek; (ii) hep kendini düşünmek: **he is well thought of,** itibarı yüksektir: **I told him what I thought of him,** açtım ağzımı yumdum gözümü; ona haddini bildirdim: **~ing to please me, he said ...,** gözüme girmek maksadile ... dedi: **to ~ that he was once rich!,** şimdiki halini görüp de onun vaktile zengin olduğuna kim inanır?: **while I ~ of it,** hatıramdayken: **who'd have thought it! well, ~ of that!,** acayib!, kimin aklına gelirdi?: **what am I ~ing about!,** na kafa! **think out,** tasarlamak; düşünüp taşınarak halletmek. **think over,** düşünüp taşınmak.
think·able [ˈθiŋkəbl]. Tasavvur edilebilir; kabul edilebilir. **~er,** mütefekkir; düşünen; filozof. **~ing,** düşünceli; aklı başında; düşünme, fikir: **that 's my way of ~,** ben böyle zannediyorum: **to my way of ~,** bana göre: **to put on one's ~ cap,** düşünüp taşınmak.
third [θəəd]. Üçüncü. Üçte bir; (*mus.*) üç perde aralığı, tiyers. **~ degree,** Amerika'da bir maznunu şiddet kullanarak istintak etme: **~ party,** bir sigorta mukavelesi vs.de taraflardan olmıyan üçüncü şahıs. **third-class,** demiryol, vapur vs.de üçüncü mevki; âdi, bayağı. **third-hand, information at ~,** üçüncü elden [kaynaktan] alınan haber. **third-rate,** âdi, bayağı, değersiz.
thirst [θəəst]. Susama(k); susuzluk. **to ~ for [after],** ···e susamak, teşne olmak. **~y,** susamış; susuz; kurak (toprak); susatıcı.
thirt·een [θəəˈtiin]. On üç: **~th,** on üçüncü; on üçte bir. **~ieth,** otuzuncu; otuzda bir. **~y,** [ˈθəəti], otuz: **~-first,** otuz birinci.
this [ðis], *pl.* **these** [ðiiz], Bu; şu. **~ day fortnight,** iki hafta sonra bu gün: **~ far,** şuraya kadar: **~ high,** şu boyda: **it 's Ahmed ~ and Ahmed that,** Ahmed aşağı Ahmed yukarı: **to put ~ and that together,** vakaları yanyana koymak: **it was like ~,** (i) buna benzerdi; (ii) şöyle oldu ...: **~ is where he lives,** burada oturuyor.
thistle [ˈθisl]. Devedikeni ve buna benzer dikenli otlar. **~down,** şeytan arabası.
thither [ˈðiðə*]. Oraya.
tho' *bk.* **though.**
thor·ax [ˈθooraks]. Göğüs; sadır. **~acic** [θooˈrasik], göğse aid; sadrî.
thorn [θoon]. Diken; dikenli çalı. **to be a ~ in one's side,** başına derd olmak. **~y,** dikenli: **a ~ question,** çatallı bir mesele. **thorn-bush,** karadiken ağacı. **thorn-hedge,** karadiken veya akdikenden yapılmış çit.
thorough [ˈθʌrə]. Tam; mükemmel; bütün bütün; baştan başa; su katılmadık; koyu, yaman; **~ly,** adamakıllı, enikonu, tam. **~bred,** cins; cins at, safkan, halisüddem. **~fare,** umumî geçid, büyük cadde; işlek cadde: **no ~,** çıkmaz sokak. **~going,**

tam, son derece, yaman; müdhiş; vicdanlı, itinalı. **~ness,** tamlık; mükemmellik. **thorough-paced,** yaman, müdhiş.
those [ðouz]. that'*in cemi.* O ···lar; onlar.
thou [ðau]. (*esk. ve şair.*) Sen.
though [ðou]. ···diği halde; her ne kadar; gerçi; öyle de olsa; bununla beraber. **~ I am poor I am honest,** fakır de olsam namusluyum: **he acts as ~ he were mad,** deli imiş gibi hareket ediyor: **you shouldn't walk so far; it isn't as ~ you were a young man,** bu kadar uzağa yürümemeliydin, genc değilsin ki!; **strange ~ it may seem,** garib görünüyor ama; garib görünse bile: **what ~ the way be long,** yol uzun olsa da: **I wish you had told me, ~,** öyle amma keşke bana söyleseydiniz: **'he said you were mad'. 'Did he, ~?',** 'Senin için "delidir" dedi.' 'Bak yediği naneye!'
thought[1] *vb. bk.* **think.**
thought[2] [θoot] *n.* Düşünce; düşünme; tefekkür; fikir. **he is a ~ too self-confident,** kendine bir parçacık fazla güveniyor: **the mere ~ of it infuriates me,** bunun tasavvuru bile beni deli ediyor: **he has no ~ for others,** başkalarını hiç düşünmez: **I had no ~ of offending him,** hiç onu kırmak istemedim: **second ~s are best,** acele etmeden, düşüne taşına verilen kararlar en iyisidir: **on second ~s I decided not to go,** sonradan düşününce gitmemeğe karar verdim. **~ful,** düşünceli; dalgın; nazik, ihtimamlı: **a ~ book,** derin bir kitab; üzerinde çok düşünülmüş bir kitab: **to be ~ of others,** başkalarını düşünmek. **~less,** düşüncesiz; basiretsiz; ihtimamsız.
thousand [ˈθauzənd]. Bin. **~th,** bininci; binde bir.
thral·l [θrool]. Köle. **~dom,** kölelik.
thrash [θraʃ]. Dövmek; şiddetli dayak atmak; mağlub etm.; *bk.* **thresh. to ~ out,** tamik etm.; inceden inceye tedkik etmek. **~ing,** dayak, dövme; mağlubiyet.
thread [θred]. İplik; tel; vida dişi; file. **to ~ a needle,** ipliği iğnenin gözünü geçirmek: **to ~ beads,** *etc.*, boncuk vs.yi ipliğe dizmek: **to ~ one's way,** kalabalık vs. içinden sıyrılarak ilerlemek: **to hang by a ~,** kıl üstünde olm.: **to lose the ~ of one's argument,** fikir silsilesini kaybetmek; ipin ucunu kaçırmak. **~bare,** havı dökülmüş, eskimiş; beylik, basmakalıb. **~worm,** (*Oxyurus*) didanı haytiye, iplik kurdu.
threat [θret]. Tehdid; tehlike. **~en** [ˈθretn], tehdid etm.; ... tehlikesi olm.: **to ~ s.o. with stg.,** birini bir şeyle tehdid etm.: **the sky ~s rain,** gökte yağmur tehlikesi var: **a storm is ~ing,** bir fırtına tehlikesi var. **~ing,** tehdidkâr; ... tehlikesine işaret olan.
three [θrii]. üç. **~fold,** üç katlı; üç misli. **~pence** [ˈθrepəns], üç peni. **~penny** [ˈθrepəni], üç penilik. **~quarter** [ˈθriiˈkwootə*], dörtte üç büyüklükte. **~score** [ˈθriiskoo*], altmış.
thresh [θraʃ]. Harman dövmek; (geminin uskuru) suyu dövmek. **~er,** harmancı; döğen makinesi; (*Alopias vulpes*), bir nevi köpek balığı, (?) sapan. **~ing,** harman etme: **~-floor,** harman yeri: **~-machine,** döğen makinesi.
threshold [ˈθreʃhould]. Eşik; başlangıc.
threw *bk.* **throw.**
thrice [θrais]. Üç defa.
thrift [θrift]. İdare, iktisad, tasarruf, tutum; (*Armeria*) ? **~less,** idaresiz, müsrif, çul tutmaz. **~y,** muktesid, tutumlu, idareli.
thrill [θril]. Teessür veya heyecandan titreme; râşe. Titretici bir tesir yapmak; heyecanlandırmak. Heyecanla titremek; çok heyecanlanmak veya sevinmek. **~er,** (*kon.*) pek heyecanlı roman veya piyes. **~ing,** müheyyic, heyecanlı.
thriv·e (**throve, thriven**) [θraiv, θrouv, θrivn]. (İş) iyi gitmek; (çocuk, hayvan, nebat) iyi gelişmek, uygun şartlar içinde büyümek; muvaffak olmak. **~ing,** müreffeh, mamur; sağlam, kuvvetli; muvaffak.
throat [θrout]. Boğaz; gırtlak. **to clear one's ~,** boğazını temizlemek: **to cut one's (own) ~,** (i) boğazını keserek intihar etm.; (ii) bindiği dalı kesmek: **to cut one another's ~s,** birbirinin iflâsına sebeb olacak derecede rekabete girişmek: **to have a sore ~,** boğaz olmak: **to thrust [ram, cram] stg. down s.o.'s ~,** bir fikir vs.yi ileri sürmekte ısrar etmek. **~y,** gırtlakta hasıl olan (ses).
throb [θrob]. (Kalb) çarpmak; zonklamak; titremek. **~** *veya* **~bing,** çarpıntı, zonklama.
throes [θrouz]. Istırab, ağrı; çocuk doğurma sancısı. **to be in the ~ of death,** can çekişmek.
thrombosis [θromˈbousis]. Kalb ve kan damarlarında kan pıhtılaşması, tromboz.
throne [θroun]. Taht. **to come to the ~,** tahta çıkmak, cülûs etmek.
throng [θroŋ]. Kalabalık. Kalabalık etm., tehacüm etm., üşüşmek. **to be ~ed with ..., ...** dolup dolup taşmak: **to join the ~,** kervana katılmak.
throttle [θrotl]. Boğazını sıkmak; boğmak; istim veya gazi kesmek veya kısmak; Gırtlak; trotil, kısma azaltma cihazı. **to ~ down,** istim veya gazi kısmak: **at full ~,** tam istimle veya tam gazle: **to open the ~,** fazla istim veyz gaz vermek.
through [θruu]. Bir yandan öbür yana; içinden; arasından; ucdan uca; yüzünden, ···den dolayı; delâletiyle. Ucdan uca giden; doğrudan doğruya giden. **all ~ my life,**

hayatım boyunca: **it was all ~ you that we got in such a mess,** başımıza bu işler sizin yüzünüzden geldi: **it was ~ you that I got this post,** bu memuriyeti sizin sayenizde elde ettim: **you are ~,** (telefonda) irtibat tesis edilmiştir: **to be ~,** bitirmek: **to be ~ with stg.,** bir işi bitirmek; bir şeyden vazgeçmek: **to have been ~ stg.,** bir şeyi çekmek, bir şeye katlanmak: **nobody knows what I've been ~,** başımdan neler geçtiğini kimse bilmez; benim başıma gelenler pişmiş tavuğun başına gelmemiştir: **he only did it ~ ignorance,** bunu cahillikten yaptı: **to let s.o. ~,** birini geçirmek, içeri almak: **he looked me ~ and ~,** içimi okur gibi baktı: **to look ~ a telescope,** teleskopla bakmak: **to send stg. ~ the post,** bir şeyi posta ile göndermek: **he put his hand ~ the window,** kazara elile pencereyi kırdı: **I have read the book right ~,** kitabı baştan başa okudum: **I've read it ~ and ~,** başından sonuna kadar okudum: **I'm ~ with you!,** senden illallah; aramızda her şey bitti.

throughout [θruuˈaut]. Baştan başa; her kısmında; tamamiyle. **~ the year,** bütün sene.

throve *bk.* **thrive.**

throw¹ [θrou] *n.* Atma, fırlatma, atış; (güreşte) yere serme. **a stone's ~,** bir taş atımı mesafe, pek yakın.

throw² *vb.* **(threw, thrown)** [θrou, θruu, θroun]. Atmak; fırlatmak; yere atmak. **to be ~n upon one's own resources,** kendi yağı ile kavrulmağa mecbur olm.: **to ~ open the door,** kapıyı birdenbire ardına kadar açmak: **to ~ two rooms into one,** iki odayı birleştirip bir oda yapmak: **to ~ s.o. out of work,** birinin açıkta kalmasına sebeb olm., birini işinden etmek. **throw about,** etrafa saçmak; öteye beriye atmak: **to ~ oneself about,** kendini yerden yere atmak; çırpınmak. **throw away,** istenilmiyen şeyi atmak; ıskarta etm.; israf etm.; heba etm.: **(of a girl) to ~ herself away,** (*kız.*) kendini ziyan etm.: **to ~ away an opportunity,** bir fırsatı elinden kaçırmak. **throw back,** geri atmak; aksettirmek; aksatmak; geciktirmek; ataya çekmek: **to be ~n back upon ...,** ···e baş vurmağa mecbur olmak. **throw-back,** muvafakkiyetsizlik; gerileme; atalardan birine çekme. **throw in,** içeri atmak; caba vermek: **to ~ in a word,** söze karışıp bir şey söylemek. **throw off,** çıkarıp atmak, çıkarmak; üstünden atmak. **throw out,** dışarı atmak; koğmak; neşretmek, yaymak; reddetmek; ıskarta etm.; savurmak; ileri sürmek; ortaya atmak; şaşırtmak; (fidan vs.) sürmek: **to ~ out one's chest,** göğsünü şişirmek: **to ~ out a speaker,** (i) bir hatibi kapı dışarı etm.; (ii) bozmak. **throw-out,** ıskarta edilen şey. **throw over,** öbür tarafa atmak; terketmek. **throw together,** derme çatma kurmak; rastgele birleştirmek. **throw up,** yukarı atmak; kusmak; ···den vazgeçmek; acele kurmak: **to ~ up one's job,** işini bırakmak (istifa etm.).

thrum [θrʌm]. **to ~ on the piano,** piyanoyu acemice çalmak: **to ~ on the window-pane,** cam üzerinde trampete çalmak.

thrush¹ [θrʌʃ]. (*Turdus musicus*) Ardıç kuşu.

thrush². Çocukların ağız hastalığı, kulâ, apt; at tabanı iltihabı.

thrust [θrʌst]. Şiddetle ve ansızın itmek, sürmek, sevketmek, sokmak. Ansızın itiş, sokuş; hamle. **to ~ at s.o.,** süngü, kılıç vs. ile birine hamle etm.: **to ~ oneself upon s.o.,** kendini zorla birine kabul ettirmek; davetsiz misafir olm.: **to ~ one's way through,** ite kaka yol açmak, sokuşmak. **~er,** kendini zorla ileri atan kimse; dişli, girişken. **thrust-block,** tazyik yatağı.

thud [θʌd]. (*ech.*) Mat ses; tok ses. Mat bir sesle düşmek.

thug [θʌg]. Eskiden Hindistanda adam öldüren bir dinî teşkilât âzası; kaatil, amansız haydud.

thumb [θʌm]. Baş parmak. Bir kitabı çok kullanarak parmaklarla kirletmek, aşındırmak; acemice kullanmak. **to bite one's ~s,** hiddetten dudaklarını ısırmak: **his fingers are all ~s,** (el işlerinde) pek beceriksizdir: **under the ~ of,** ···in tahakkümü altında: **rule of ~,** kararlama: **~s up!,** yaşasın! **thumb-index,** harf yerleri oyuk indeks. **thumb-knot,** ilmek. **thumbnail,** baş parmağın tırnağı: **~ sketch,** pek küçük kroki. **thumb-screw,** (i) baş parmakları sıkmağa mahsus eski bir işkence aleti; (ii) kanadlı vida.

thump [θʌmp]. (*ech.*) Yumruk darbesi ve onun sesi. Yumruklamak, muştalamak. **~ing,** (*arg.*) iri: **a ~ lie,** kuyruklu yalan.

thunder [θʌndə*]. Gök gürlemesi; gürleme. Gök gürlemek; gürlemek. **~ of applause,** alkış tufanı: **to steal s.o.'s ~,** başkasından evvel davranarak onun usulünü vs. kullanmak. **~bolt,** yıldırım; ezici ve şaşırtıcı haber. **~ous,** gürliyen. **~struck,** son derece şaşkın; yıldırım çarpmış gibi. **thunder-clap,** göğün bir kere gürlemesi.

Thursday [ˈθəəzdei]. Perşembe.

thus [ðʌs]. Böyle, böylece; şöyle ki, nitekim. **~ far,** buraya kadar.

thuya [ˈθuuja]. Mazı ağacı.

thwack [θwak] *bk.* **whack.**

thwart¹ [θwoot]. Sandalın oturak tahtası; (*esk.*) aykırı, çapraz.

thwart[2] *vb.* İstediğini yaptırmamak; işini bozmak; önüne geçmek.
thy [ðai]. (*esk.*) Senin. **~self,** sen kendin.
thym·e [taim]. Kekik. **~ol,** kekik yağından yapılmış bir desenfektan. **~us, ~ gland,** boyunun altında bulunan bir gudde. timüs.
thyroid [ˈθairoid]. Tiroid.
tiara [taiˈaarə]. Eski İran hükümdarlarının tacı; Papanın tacı; mücevherli ziynet tacı.
tibia [ˈtibia]. İncik kemiği.
tic [tik]. Yüz sinirlerinin kendiliğinden ihtilacı, tik.
tick[1] [tik]. Sakırga, kene; küçük işaret, mim. **he 's a ~!,** mikrob gibidir: **to ~ off,** işaret etm.; mim koymak; (*arg.*) azarlamak.
tick[2]. (*ech.*) Tıkırtı; (*arg.*) an. Tıkırdamak. **half a ~!,** bekle bir az!, yavaş! **in a ~, in two ~s,** kaşla göz arasında; hemen: **on ~,** dakika dakikasına.
tick[3]. (*arg.*) Veresiye, veresi. **to buy on ~,** veresiye almak.
tick[4] *bk.* **ticking.**
ticker [ˈtikə]. Teleemprimör; (*arg.*) ceb saati.
ticket [ˈtikit]. Bilet; yafta, etiket; (*Amer.*) siyasî fırkanın programı. Üzerine yafta koymak. **single ~,** yalnız gitme bilet: **return ~,** gidip gelme bilet: **to let out on ~ of leave,** bir mahbusu bazı şartlarla serbest bırakmak. **ticket-collector,** biletçi. **ticket-holder,** bileti olan kimse; abone.
ticking [ˈtikiŋ]. Minder ve yastık yüzlüğü kalınca bez.
tickl·e [ˈtikl]. Gıdıklama(k); gıdıklanmak. **to be ~ed to death,** (*kon.*) (bir şeyi işitince vs.) son derece hoşlanmak veya eğlenmek: **to ~ one's fancy,** garib bir şekilde hoşuna gitmek, eğlendirmek: **to ~ the palate,** (yeni bir yemek) tecessüsünü tahrik etm.: **to ~ a trout,** alabalığı el ile tutmak. **~er,** karbüratör düğmesi. **~ish,** gıdıklanır; nazik (mesele).
tidal [ˈtaidl]. Med ve cezre aid; (liman vs.) med ve cezre maruz. **~ wave,** med dalgası. Okyanusun ortasında ayın cazibesile hasıl olan büyük dalga ki meddi meydane getirir.
tiddler [ˈtidlə*]. Pek küçük balık.
tiddlywinks [ˈtidliwiŋks]. Ufak fişlerle oynanan oyun.
tide [taid]. Med ve cezir; (*esk.*) zaman; (*mec.*) cereyan. (Gemi) med ve cezir yardımile ilerlemek. **high ~,** med: **low ~,** cezir: **the ~ is coming in,** deniz doluyor: **the ~ is going out,** deniz çekiliyor: **to go against the ~,** akıntıya karşı gitmek: **to ~ over stg.,** bir işin içinden çıkmak: **£100 will ~ us over the winter,** yüz lira bize kışı çıkarır: **the ~ has turned,** akıntı değişti; (*mec.*) talih döndü: ⸢**time and tide wait for no man**⸣, zaman kimseyi beklemez. **~less,** med ve cezre tâbi olmiyan. **tide-gate,** havuz kapısı. **tide-race,** med ve cezirin çok sür'atli olduğu yer. **tide-rip,** med dalgası ile karşılaşan nehir akıntısından hasıl olan su hareketi.
tidiness [ˈtaidinis]. İntizam, temizlik; çekidüzen.
tidings [ˈtaidiŋs]. Haber; havadis. **glad ~,** müjde.
tidy [ˈtaidi]. Muntazam, temiz; üstü başı temiz; toplu; (*arg.*) büyükçe, epeyi. İntizama koymak. **to ~ oneself,** kendine çekidüzen vermek; üstünü başını düzeltmek: **to ~ up,** derlemek toplamak; kalabalığı kaldırmak.
tie[1] [tai] *n.* Bağ, rabıta; düğüm; boyunbağı; mani, engel; ağac veya demir kuşak; berabere kalma, fit olma. **the election ended in a ~,** seçimde iki namzed müsavi rey aldı: **children are a great ~,** çocuklar insanın ayağını bağlar. **tie-beam,** ağac kuşak, kırış. **tie-clip,** buyunbağı rabtiyesi. **tie-pin,** boyunbağı iğnesi. **tie-rod,** çatı kuşağı; bağlama çubuğu.
tie[2] *vb.* **(tying, tied)** [ˈtai·iŋ, taid]. Bağlamak; rabtetmek; birleştirmek; düğümlemek. Berabere kalmak, fit olmak. **to be ~d,** bağlanmak; serbest olmamak: **to ~ with s.o.,** birile berabere kalmak, müsavi gelmek. **tie down,** bir yere bağlamak. **tie on,** sicim ile bir yere bağlamak. **tie up,** sicim ile bağlamak: (yaralı bir uzvu) sarmak; (at vs.yi) bir direğe vs.ye bağlamak: **to ~ up an estate,** bir mülkün satılmasını şartlara bağlamak.
tied [taid]. Bağlı; serbest olmıyan. **~ cottage,** bir çiftlikte çalışan işçiye mahsus ev: **~ (public-)house,** yalnız muayyen bir fabrikanın içkilerini satan birahane.
tier[1] [taiə*]. Bağ; kuşak.
tier[2] [tiə*]. Sıra, kat; dizi; üstüste konmuş dizi. **~ed,** dizili, sıralı.
tiff [tif]. Atışma; güceniklik.
tiffany [ˈtifəni]. Bir nevi ince müslin.
tiffin [ˈtifin]. Hafif öğle yemeği.
tiger [ˈtaigə*]. Kaplan; (*esk.*) resmî elbiseli araba uşağı. **he 's a ~ for work,** müdhiş çalışkandır. **~ish,** vahşi, canavar gibi....
tight [tait]. Sıkı, gergin; dar; sızmaz, su geçirmez; eli sıkı; (*kon.*) sarhoş. **to be in a ~ corner,** müşkül bir vaziyette bulunmak: **to keep a ~ hold [hand] over s.o.,** birini sıkı altında tutmak: **money is ~ just now,** bu günlerde para kıt. **~ness,** gerginlik, sıkılık; su sızdırmayış; darlık; hasislik, **tight-fisted,** eli sıkı. **tight-fitting,** dar, sıkı. **tight-laced,** sıkı bağlanmış; (*mec.*) sofu. **tight-rope, ~ walker,** ip cambazı.

tighten [ˈtaitn]. Pekiş(tir)mek; sıkmak, sıkıştırmak; ger(in)mek; kısmak; kasmak; kasılmak: **to ~ one's belt,** kuşağını sıkmak; yiyeceğinden kısmak: **to ~ up,** sıkıştırmak; kuvvetlendirmek; şiddetlendirmek.
tights [taits]. Cambaz elbisesi.
tigress [ˈtaigris]. Dişi kaplan.
Tigris [ˈtaigris]. Dicle nehri.
tile [tail]. Kiremit; çini. Kiremit veya çinilerle kaplamak; tuğla veya mermer ile döşemek. **to have a ~ loose,** (*kon.*) bir tahtası eksik olmak. **~d,** kiremit veya çini ile kaplanmış; tuğla veya mermer ile döşenmiş (avlu vs.).
till[1] [til] *n.* Para çekmecesi.
till[2] *vb.* Çift sürmek; (toprağı) işlemek.
till[3], ···e kadar. **he will not come ~ eight,** saat sekizden evvel gelmiyecek: **I shan't go ~ I'm invited,** davet edilmedikçe gitmem: **to laugh ~ one cries,** gözlerinden yaş gelinceye kadar gülmek.
tillage [ˈtilidʒ]. Toprağı sürme, belleme vs.
tiller[1] [ˈtilə*] Dümen yekesi. **to put the ~ hard over,** yekeyi sonuna kadar bir tarafa cevirmek.
tiller[2]. Çiftçi.
tiller[3]. Kökten çıkan fışkın; kök filizi. Kökünden filiz sürmek.
tilt[1] [tilt]. Meyil, eğilme. Hafifçe meylet(tir)mek; yatırmak; eğerek boşaltmak. **to be on the ~,** bir az eğri olm: **to ~ over,** eğilmek, devrilmek, devirmek: **to ~ up,** (eğilebilir bir şey) yukarı kalkmak veya kaldırmak.
tilt[2]. At üzerinde mızrak oyunu oynatmak. **to ~ at,** üzerine hamle etm., hücum etm.: **to ~ at windmills,** (Don Kişot gibi) yel degirmenlerine saldırmak: **at full ~,** alabildiğine koşarak vs.: **to run full ~ into s.o.,** rap diye karşısına çarpmak, hızla gelip çarpmak.
tilth [tilθ]. Toprağı sürme, işleme; sürülmüş toprağın vaziyeti.
timber [ˈtimbə*]. Kereste; kerestelik ağac(lar); gemi kaburgası. **standing ~,** daha kesilmemiş kerestelik agaclar. **~ed,** eski usul yarı kereste yarı kârgir (ev): **a well-~estate,** çok agacları olan malikâne. **timber-yard,** kereste mağazası.
time[1] [taim] *vb.* (Yarış) zamanını hesalamak. **well-~d,** tam yerinde, tam zamanında.
time[2] *n.* Vakit, zaman; müddet; mühlet; devre. saat; kere, defa, sefer; tempo, usul. **the ~s,** devir, zaman: **three ~s four is twelve,** üç kere dört on iki: **ten ~s as big as ...,** ···den on defa daha büyük: **'and about ~ too!',** (*kon.*) 'zamanı geldi de geçiyor bile' *kabilinden*: **~ and again, ~ after ~,** tekrar tekrar: **it 's a race against ~,** vakit pek dardır: **to work against ~,** bir iş için çok sıkışmak, vakti dar olm.: **all the ~,** (i) mütemadiyen: (ii) bütün bu zaman zarfında: **any ~ you like,** ne zaman isterseniz: **he may turn up any ~,** (i) şimdi neredeyse gelir; (ii) her hangi bir zamanda gelebilir: **at ~s,** bazan: **three at a ~,** üç tane birden; üçer üçer: **to do two things at a ~,** iki işi birden yapmak: **for weeks at a ~,** üstüste haftalarca: **at no ~,** hiç bir zaman: **at one ~ Governor of Smyrna,** sabık İzmir Valisi: **to beat ~,** tempo tutmak: **to be behind the ~s,** dünyanın [zamanın] farkında olmamak; eski kafalı olm.: **~ bomb,** ayarlı bomba: **it will be dark by the ~ we get there,** biz oraya vardığımız zaman karanlık olacaktır: **to do one's ~,** mahkûmiyetini geçirmek: **Father Time,** *vaktin müşahhas timsali*: **for the ~ being,** şimdilik muvakkaten: **to keep ~,** tempoya uymak: **I've no ~ for him.** (*arg.*) bu adama tahammül edemem: **from ~ to ~,** arada sırada: **give me ~ and I will pay,** bana mühlet ver, tediye edeyim: **to have a good ~ (of it),** eğlenceli vakit geçirmek: **to have a (rough) ~ of it,** eziyet çekmek: **what a ~ I had getting here!,** buraya gelinceye kadar neler çektim!: **I had the ~ of my life,** ömrümde o kadar eğlenmedim: **in good ~,** vaktinde, erken: **all in good ~!,** acele etme, sırası gelecek: **in his own good ~,** ne zaman canı isterse: **you will learn in good ~,** zamanla öğrenirsiniz; sırası gelince öğrenirsiniz: **I hope we shall arrive in ~,** inşallah geç kalmayız: **in no ~,** kısa bir zamanda, çabucak: **this watch keeps good ~,** bu saat doğru gidiyor: **this house will last our ~,** bu ev bizim ömrümüzün sonuna kadar dayanır: **to look at the ~,** saate bakmak: **next ~,** gelecek sefer: **to arrive on [up to] ~,** tam vaktinde gelmek, gecikmemek: **out of ~,** (i) temposu bozuk; (ii) vakitsiz: **my ~ is my own,** serbestim (vaktimi istediğim gibi kullanırım): **to pass the ~ of day,** hoşbeş etm.: **to serve one's ~,** çıraklık etm.; askerlik etm.: **for some ~ past,** epeyi bir zamandan beri: **for some ~ to come,** daha uzun bir müddet: **to take a long ~ over stg.,** bir işi fazla uzatmak: **to take one's ~ over stg.,** bir işi yavaş yavaş ve itina ile yapmak (*bazan istihza ile soylenir*): **to tell the ~,** saatin kaç olduğunu söylemek: **have you the ~ on you?,** saate bakar mısınız?: **this ~ tomorrow,** yarın bu saatte: **~'s up!,** vakit geldi; bitti!: **in a week's ~,** bir hafta sonra: **what ~ is it?,** saat kaç? **~keeper,** (yarış vs.de) kontrol memuru: **my watch is a good ~,** saatim iyi işliyor. **~less,** ebedî, sonsuz. **~ly,** vaktinde, mev-

siminde, yerinde. **~piece,** saat (alet). **time-expired,** askerlik hizmetini bitirmiş. **time-exposure,** (*fot.*) poz. **time-fuse,** saniyeli tapa. **time-honoured,** eski ve muteber. **time-lag,** birbirile alâkalı iki hadise arasındaki müddet. **time-server,** zamane adamı. **time-sheet,** amelenin iş saatinin kaydolunduğu kâğıd. **time-switch,** kontakt saati, minüteri. **time-table,** (tren vs. için) tarife; (mekteb vs.) ders programı. **time-work,** ücreti iş saatine göre verilen iş. **time-worn,** zamanla aşınmış, eskimiş.

timid [ˈtimid]. Çekingen; sıkılgan; ürkek. **~ity** [–ˈmiditi], çekingenlik, ürkeklik.

timing [ˈtaimiŋ]. (*otom.*) Ateşleme zaman ayarı; vakti [zamanı] seçme, vaktini tayin etme.

timorous [ˈtimərəs]. Ürkek.

tin [tin]. Kalay; teneke; teneke kutu; (*arg.*) para. Kalaydan yapılmış, teneke. Kalaylamak; teneke kaplara koymak. **tin-hat,** madenî miğfer. **tin-opener,** konserve anahtarı. **tin-plate,** teneke (sac); kalaylamak. **tin-pot,** teneke kab; (*kon.*) değersiz, mezad malı. **tin-ware,** tenekeli kablar vs. **tin-whistle,** çığırtma.

tincture [ˈtiŋkʃə*]. Tentür; alkollü mahlûl; boya hafif tesir, hafif iz. Hafifçe boyamak; cüzi bir tesir yapmak.

tinder [ˈtində*]. Kav; kuru ve yanıcı şey.

tine [tain]. Yaba, çatal, tırmık vs.nin dişi.

tinfoil [ˈtinfoil]. Kurşun kâğıdı.

ting [tiŋ]. (*ech.*) Çın(lamak). **ting-a-ling,** ufak çıngırak sesi.

tinge [tindʒ]. Hafif renk. Hafifçe boyamak; biraz renk vermek. **admiration ~d with envy,** bir az hased karışık bir hayranlık.

tingle [ˈtiŋgl]. (Tokat vs.den sonra hissedilen şekilde) sızlamak; karıncalanmak; yanmak. **his cheeks ~d with shame,** utancından başından aşağı kaynar sular döküldü.

tinker [ˈtiŋkə*]. Gezici tenekeci; fena ve kaba tamirci. **to ~ with** [at], kaba tamir yapmak; ufak tefek kusurları düzeltmek.

tinkle [ˈtiŋkl]. (*ech.*) Çınlamak.

tinned [tind]. Kalaylı, kalaylanmış; teneke kutuya konmuş (yiyecek), konserve.

tinny [ˈtini]. Teneke gibi ses çıkaran.

tinsel [ˈtinsl]. Kılaptan; lâme; madenî pul; sahte parlaklık, gözboyası. Kılaptan vs. ile süslemek.

tinsmith [ˈtinsmiθ]. Tenekeci.

tint [tint]. Renk çeşidi; hafif renk. Hafif renk vermek.

tintack [ˈtintak]. İri başlı küçük çivi.

tiny [ˈtaini]. Minimini, ufacık.

tip¹ [tip]. Uc; bir şeyin ucuna takılan başlık. Uc geçirmek; ucunu teşkil etmek.

tip². Meyil; hafif itme; (**rubbish-**)**~,** çöp dökülen yer. Eğ(il)mek; meylet(tir)mek; boşaltmak. **tip out,** eğip boşaltmak. **tip over,** devirmek, devrilmek. **tip-up,** (devirerek) boşaltılabilir (araba vs.). **tip-and-run,** bir nevi kriket oyunu. **tip-cart,** eğilerek boşaltılan araba. **tip-cat,** çelik çomak oyunu.

tip³. Bahşiş, kahve parası; yarış atları hakkında malûmat verme; bir hususta faydalı bir tavsiye. Kahve parası vermek, bahşış vermek. **if you take my ~ ...,** beni dinlerseniz .... **~ping,** bahşiş verme usulü.

tippet [ˈtipit]. Omuz kürkü.

tipple [ˈtipl]. İçki. İçkiye düşkün olmak.

tipster [ˈtipstə*]. Yarışlarda hangi atların kazanacağı hakkında tahminlerde bulunarak para kazanan kimse.

tipsy [ˈtipsi]. Çakır keyif; sendeliyerek. **tipsy-cake,** şaraba batırılmış pandespanya.

tiptoe [ˈtiptou]. Ayaklarının ucuna basmak. **on ~,** ayaklarının ucuna basarak: **to be on the ~ of expectation,** büyük bir merakla beklemek, bir şeyi iple çekmek.

tiptop [ˈtiptop]. En yüksek nokta. En âlâ cinsten; son derece iyi.

tirade [taiəˈreid]. Uzun ve şiddetli tenkid; hücum.

tire¹ [ˈtaiə*] *n. bk.* **tyre.**

tir·e² *vb.* Yormak; yorulmak; usan(dır)mak. **to be ~d,** yorulmak; uykusu gelmek: **to be ~d of stg.,** bir şeyden bıkmak, usanmak: **to ~ out,** takatini tüketmek: **to be ~d out,** yorgunluktan bitkin olmak. **~ed,** yorgun. **~eless,** yorulmak bilmez. **~esome,** yorucu; usandırıcı; müzic: **how ~!,** Allah belâsını versin! **~ing,** yorucu.

'tis [tiz] = **it is.**

tissue [ˈtisju]. Nesic; dokuma, mensucat. **a ~ of lies,** yalan dolan: **~ paper,** ipek kâğıdı, ince kâğıd.

tit¹ [tit]. (*Parus*) Baştankara: **long-tailed ~,** (*Aegithalos caudatus*) çulha kuşu.

tit². **~ for tat,** mukabelebilmisil; alışına verişim.

Titan [ˈtaitən]. Dev, titan. **~ic** [taiˈtanik], dev gibi, muazzam.

tit-bit [ˈtitbit]. Küçük ve lezzetli lokma, çerez.

tithe [taið]. Aşar vergisi; ondalık, onda bir.

titillate [ˈtitileit]. Gıdıklamak; hoşa giden şekilde muamele etmek.

titivate [ˈtitiveit]. Süslemek; süsleyip püslemek.

title [ˈtaitl]. Unvan; kitab ismi; sened, hüccet; hak. **persons of ~,** asalet unvanı

sahibleri. **~d,** asalet unvanı olan. **title-deed,** tapu senedi. **title-page,** baş (ön) sahife.
titter [ˈtitə*]. (*ech.*) Kıskıs gülme(k).
tittle [ˈtitl]. Zerre; habbe. **tittle-tattle,** dedikodu; kılükal.
titular [ˈtitjulə*]. Unvan sahibi olan; asîl (memur); itibarî; lâfzî.
to [tuu, tu]. *Fillerin başina gelerek masdar teşkil eden edat, mes.* **to go,** gitmek. ···e; için. **to London,** Londra'ya: **to turn to the right,** sağa dönmek: **give it to him,** bunu ona ver: **three to ten,** (i) saat ona üç var; (ii) onda üç ihtimal; (iii) **three to ten cement,** üç ölçü cimento on ölçü kum vs.: **there is nothing to see,** görecek bir şey yok: **easy to understand,** anlaması kolay.
toad [toud]. Kara kurbağa; iğrenç kimse. **~flax,** (*Linaria*) nevruzotu. **~stool,** zehirli mantar. **~y,** dalkavuk, mütebasbıs: dalkavukluk etmek. **toad-in-the-hole,** hamur içinde pişirilmiş et.
toast [toust]. Kızarmış ekmek; kadeh kaldırma. Kızartmak; sıhhatine veya şerefine içmek. **to give [propose] a ~,** kadeh kaldırmak: **to have s.o. on ~,** (*arg.*) birinin yakası elinde olmak. **~master,** resmî bir ziyafette şerefe kaldırılan kadehleri ilân eden memur. **toasting-fork,** kızartılacak ekmeği tutmağa mahsus uzun çatal. **toast-rack,** kızarmış ekmek kabı. **toast-water,** kızarmış ekmek batırılan su.
tobacco [təˈbakou]. Tütün. **~nist** [–ˈbakənist], tütüncü. **tobacco-pouch,** tütün kesesi.
toboggan [təˈbogən]. Alçak bir nevi kızak, tobagan. Kızak üzerinde kaymak.
tocsin [ˈtoksin]. Tehlike çanı.
today [[təˈdei]. Bugün.
toddle [ˈtodl]. Tıpış tıpış yürümek; sıralamak. **~r,** yürümeğe başlıyan çocuk.
toddy [ˈtodi]. Bazı hurma ağaclarının usaresinden yapılan bir içki; viski veya konyak ile şeker ve sıcak sudan yapılmış içki.
to-do [təˈduu]. Karışıklık, curcuna. **to make a ~,** iş çıkarmak: **to make a ~ about stg.,** bir şeyi mesele yapmak.
toe [tou]. Ayak parmağı; kundura veya çorabın burnu. **to ~ a boot,** ayakkabı pençesinin burnunu yapmak veya tamir etm.: **to ~ the line,** hizaya gelmek; yola gelmek: **to ~ a sock,** çorabın parmak tarafını örmek: **to stand on the tip of one's ~s,** ayaklarının ucuna basıp yükselmek: **to turn up one's ~s,** nalları dikmek.
toff [tof]. (*kon.*) Pek şık adam; (*istihf.*) kibar adam.
toffee [ˈtofi]. Kavrulmuş şeker ile tereyağından yapılmış şekerleme.
toga [ˈtouga]. Eski Romalıların yün harmaniyesi.
together [təˈgeðə*]. Beraber; birlikte. **to come [meet] ~,** bir araya gelmek: **for months ~,** aylarca hep ...: **to stand or fall ~,** 'anca beraber kanca beraber' olm.: **to strike two things ~,** iki şeyi birbirine çatmak.
toggle [ˈtogl]. Halat kasasından geçirilmiş çelik; saat köstegine takılan kısa çubuk.
toil [toil]. Zahmet; pek zor iş; meşakkat; didinme. Çok çalışmak, zahmet çekmek, didinmek. **to ~ up a hill,** ıkına sıkına bir tepeye çıkmak. **toil-worn,** yorgun, bitkin; didinmiş.
toilet [ˈtoilit]. Tuvalet; çekidüzen. **toilet-paper,** taharet kâğıdı.
toils [toilz]. Ağ; tuzak.
toilsome [ˈtoilsəm]. Yorucu; zahmetli.
token [ˈtoukn]. Alâmet, işaret; remiz; yadigâr. **as a ~ of, in ~ of,** işareti veya alâmeti olarak: **book ~,** kitab bonosu: **by the same ~,** bundan başka, buna ilâveten: **~ payment,** bir borcun veya hakkın tanındığına işaret olarak ödenen para. **token-money,** itibarî bir kıymet taşıyan para (*mes. nikel veya kâğıd*).
told *bk.* **tell.**
toler·able [ˈtolərəbl]. Tahammül olunur; dayanılabilir: iyice. **it is tolerably certain that ~,** ~diği aşağı yukarı katîdir. **~ance** [–rəns], müsamaha; mülâyemet; tecviz; (*tıb.*) tahammül; (*mek.*) ihtiyat paye, tolerans. **~ant,** müsamahakâr. **~ate,** müsamaha ve tecviz etm.; tahammül etm.; dayanmak; müsaade etmek. **~ation** [–ˈeiʃn], müsamaha; tahammül etme.
toll[1] [toul] *n.* Mürüriye; (yol, köprü) parası. **the ~ of war,** harbin ceremesi: **the ~ of the roads,** vesaiti nakliye kazaları. **toll-bar, toll-gate,** mürüriyeli geçid yeri. **toll-call,** yakın şehirler arasında telefonla konuşma.
toll[2] *vb.* (Birinin ölümünü veya cenaze alayını haber vermek için) bir çanı ağır ağır ve muntazaman çalmak.
Tom [tom]. Thomas' *in kıs.* **~, Dick, or Harry,** Ali Veli: **~ cat,** erkek kedi.
tomahawk [ˈtomahook]. Kızıl derililerin harb baltası; tomaok.
tomato [touˈmaatou]. Domates.
tomb [tuum]. Mezar, kabir; türbe. **~stone,** mezartaşı.
tomboy [ˈtomboi]. Erkek tabiatli kız.
tome [toum]. Büyük kitab.
tomfool [tomˈfuul]. Ahmak. Abdalca davranmak. maskaralık etmek. **~ery,** maskaralık.
Tommy [ˈtomi]. Thomas'*in kıs.* Bir nefer, ‖ er. **~ Atkins,** *İngiliz askerine verilen isim ki Türkçedeki* 'Mehmedcik' *tabirine*

tekabül eder. **tommy-bar,** külünk; manivelâ gibi kullanılan ufak demir çubuk. **tommy-rot,** (*kon.*) saçma.
tomorrow [təˈmorou]. Yarın; **~'s,** yarınki: **~ week,** gelecek çarşamba vs.
tomtit [tomˈtit]. Baştankara veya mavi baştankara.
tomtom [ˈtomtom]. Darnuka.
ton [tʌn]. Ton. **English [long] ~ =** 1,016 kg.; **American [short] ~ =** 907 kg.; **metric ~ =** 1,000 kg. **there 's ~s of it,** ondan yığınlarla var.
tonal [ˈtounəl]. Tonuna aid. **~ity** [-ˈnaliti], tonunun hususiyeti; tonlar sistemi.
tone¹ [toun] *n.* (*mus.*) Perde; ton; ses ahengi; renklerde açıklık ve koyuluk derecelerinden her biri, nüans; vücudun hali; maneviyat. **to change one's ~,** ağız değiştirmek: **I don't like his ~,** ağzını beğenmiyorum: **~ of voice,** sesin tonu: **the ~ of the school is excellent,** mektebin maneviyatı yüksektir.
tone² *vb.* Bir şeye tarz ve hususiyet vermek; renk vermek; ahenk vermek; (*fot.*) viraj yapmak. **to ~ with,** renk, çeşid vs. cihetiyle uygun düşmek: **to ~ down,** hafifletmek, tadil etm.: **to ~ up,** kuvvetlendirmek, takviye etmek. **~d, low [high] ~,** alçak [yüksek] perdeli: **low-~ picture,** yumuşak renkli tablo: **low-~ conversation,** alçak sesle konuşma. **~less,** donuk; zayıf; renksiz.
tonga [ˈtoŋga]. Hindistanda iki tekerlekli hafif araba.
tongs [toŋz]. Maşa.
tongue [tʌŋg]. Dil; lisan; çıngırak topuzu; ayakkabının dili; kopça veya toka iğnesi; prazvana: geçme tahtalarda yuvalısına giren sivri kenar; demir yol hattının makas yerinde sivri hat. **to find one's ~,** dile gelmek, dillenmek: **to give ~,** (köpek) havlamak, *bilh.* avını görünce veya kokusunu alınca havlamak: **to keep a civil ~ in one's head,** terbiye dairesinde konuşmak: **with one's ~ in one's cheek,** ciddî olmıyarak; yarım ağızla: **the gift of ~s,** lisan öğrenmek kabiliyeti: **furred [dirty] ~,** paslı dil: **to put out the ~,** dilini cıkarmak. **tongue-and-groove, ~ joint,** çıtalı geçme. **tongue-tied,** dili tutuk. **tongue-twister,** şaşırtmaca; yanıltmaç.
tonic [ˈtonik]. Mukavvi; vurgulu; (*mus.*) baş notaya aid. **to act as a ~,** canlandırmak.
tonight [təˈnait]. Bu gece.
toning [ˈtouniŋ]. (*fot.*) Viraj.
tonnage [ˈtʌnidʒ]. Tonilâto; geminin istiab derecesi; bir liman vs.ye giren gemilerin yük mikdarının mecmuu. **gross ~,** gayri sâfi tona (brüt tona): **registered ~,** rüsum tonilâtosu, sâfi tona.
tonsil [ˈtonsil, -sl]. Bademcik. **~itis** [–ˈlaitis], bademcik iltihabı.
tons·orial [tonˈsooriəl]. Berberliğe aid. **~ure** [ˈtonʃuə*], katolik papazlarının tepelerinin tıraş edilmesi veya tıraş edilen yer: başın tepesini tıraş etmek.
too [tuu]. De, dahi; çok fazla, lüzumundan fazla. **will you come ~?,** sen de gelecek misin?: **and very nice ~!,** hem de ne güzel! **it is ~ hot to work,** çalışamıyacak kadar sıcak: **this hat is ~ big for me,** bu şapka bana çok büyük geliyor: **he is just ~ lazy,** tahammül edilemez derecede tembel: **I shall be only ~ glad to help you,** size yardım etmek benim için bir zevktir.
took *bk.* **take.**
tool [tuul]. Alet; (torna) kalem. Meşin *bilh.* kitab cildini süslemek; bir maddeyi aletle işlemek. **to be the (mere) ~ of,** ···in elinde oyuncak olm.: **to down ~s,** (işçi hiddetten vs.) işi bırakmak; grev yapmap: **⌜a bad workman complains of his ~s⌝,** kötü işçi aletlerine kabahat bulur. **tool-post,** kalemlik.
toot [tuut]. (*ech.*) Boru gibi ses (çıkarmak).
tooth, *pl.* **teeth** [tuuθ, tiiθ]. Diş. **armed to the teeth,** tepeden tırnağa kadar silahlı: **to cast stg. in s.o.'s teeth,** bir şeyi birinin yüzüne vurmak: **to cut a ~,** (çocuk) diş çıkarmak: **to escape by the skin of one's teeth,** daradar [zor] kurtulmak: **to fight ~ and nail,** canını dişine takarak mücadele etm.: **in the teeth of ...,** ···e rağmen; ···e mukabil, karşı: **to be long in the ~,** (*şak.*) yaşlı olm.: **to have a ~ out,** bir dişini çektirmek: **to set one's teeth,** dişini sıkmak. **~ache,** dişağrısı. **~brush,** diş fırçası. **~pick,** diş karıştıracağı, kürdan. **~some,** lezzetli. **tooth-paste,** diş macunu. **tooth-powder,** diş tozu.
tootle [ˈtuutl]. (*ech.*) **to ~ on the flute,** flâvtayı hafifçe ve devamlı çalmak.
top¹ [top] *n.* Topaç. **to sleep like a ~,** deliksiz bir uyku uyumak.
top² *vb.* **to ~ a tree,** bir ağacın tepesini kesmek: **to ~ a class,** sınıfta birinci olm.: **to ~ a hill,** tepenin üstüne çıkmak: **to ~ all,** üstelik, en fenası [en iyisi]: **to ~ s.o. by a head,** birinden bir baş boyu daha uzun olm.: **a statue ~s the column,** sütunun üstünde bir heykel var. **top up,** doldurmak: **to ~ up an accumulator,** bir akümülatörde tebahhur eden mayiin yerine taze su koymak.
top³ *n.* Bir şeyin en yüksek yeri; tepe; üst; doruk, zirve; baş. Üst, en yukarı, başta olan. **to be at the ~ of one's form,** (i) sınıfın başında olm.: (ii) (bir oyuncu vs.) tam kıvamında olm.: **at ~ speed,** âzamî süratle, alabildiğine koşarak vs.: **at the ~**

of the tree, mesleğinde en yüksek derecede: **at the ~ of one's voice,** avazı çıktığı kadar: **to come out on ~,** üst gelmek: **from ~ to bottom,** baştan aşağı, tamamen: **from ~ to toe,** tepeden tırnağa kadar; serapâ: **the ~ of the morning to you!,** sabahı şerifler hayırlar olsun: **on ~,** üstte, üstünde: **on ~ of that,** bunun üstüne, üstelik: **one thing happens on ~ of another,** dokuz ayın çarşambası bir araya geldi: **to go to bed on ~ of one's supper,** yemek üstüne yatmak: **to feel on ~ of the world,** kendini çok mes'ud hissetmek: **to go over the ~,** siperden çıkıp hücum etmek. **~knot,** başın tepesine takılan kurdelâ; küçük saç yumağı; sorgüç. **~mast,** gabya çubuğu. **~most,** en yüksek, en üstteki. **-~ped,** üstü ... olan: **cloud-~ mountains,** tepeleri bulutla kaplı dağlar: **ivory-~ stick,** fildişi topuzlu baston. **~per,** (*arg.*) silindir şapka; pek mükemmel şey veya insan. **~ping,** (*arg.*) en âlâ, mükemmel: **topping-lift,** vento. **~sail,** gabya. **~sides,** geminin bordaları, su üstü kısmı. **top-boots,** çizme; üst kısmı başka renkte olan çizme. **top-coat,** palto. **top-dressing,** toprağın sathına serpilen gübre. **top-hamper,** (gemide) yukarı kalabalığı, üst yapı. **top-hat,** silindir şapka. **top-heavy,** alt kısmına nisbeten üst kısmı ağır olan; havaleli. **top-hole,** (*arg.*) en âlâ, mükemmel. **top-slide,** (torna) küçük araba, siper.

topaz [ˈtoupaz]. Sarı yakut.

tope[1] [toup] *n.* (*Galeus vulgaris*) Camgöz balığı.

tope[2] *vb.* Ayyaşlık etmek. **~r,** ayyaş.

topee [ˈtoupi]. Kolonyal şapka.

topic [ˈtopik]. Bahis mevzuu; mevzu; madde; mesele. **~al,** muayyen yere aid; günün meselelerine aid.

topography [[toˈpogrəfi]. Topografya.

topple [ˈtopl]. Düşecek gibi olmak, sendelemek. **to ~ over,** yuvarlanmak; tekerlenmek. Devirmek.

topsy-turvy [ˈtopsiˈtəəvi]. Baş aşağı; altüst; hercümerc. **to turn ~,** altüst etmek.

toque [touk]. Küçük kenarsız kadın şapkası.

tor [too*]. Kayalık tepe.

torch [tootʃ]. Meşale. **electric ~,** ceb feneri. **torch-bearer,** meşale taşıyan. **torch-light,** meşale ışığı: **~ procession,** fener alayı.

tore *bk.* **tear.**

toreador [ˌtoriəˈdoo*]. İspanyada atlı boğa güreşçisi.

torment *n.* [ˈtoomənt]. Azab; eziyet, cefa; baş belâsı. *vb.* [tooˈment]. Cefa etm., eziyet etm.; üzmek; başının etini yemek. **~or,** eziyet ve cefa veren kimse.

torn *bk.* **tear.**

tornado [tooˈneidou]. Kasırga; şiddetli fırtına.

torpedo [tooˈpiidou]. Torpil, torpido. Torpido ile vurmak veya batırmak. **torpedo-boat,** torpidobot, muhrib. **torpedo-net,** şıpka. **torpedo-tube,** torpido kovanı.

torp·id [ˈtoopid]. Uyuşuk; gevşek, tembel. **~idity** [–ˈpiditi], **~or** [ˈtoopə*], uyuşukluk, cansızlık.

torque [took]. Devir hasıl eden kuvvet.

torrefy [ˈtorifai]. Kavurmak; kurutmak.

torrent [ˈtorənt]. Sel; şiddetli akış. **~ial** [təˈrenʃiəl], sel gibi.

torrid [ˈtorid]. Pek sıcak.

torsion [ˈtooʃən]. Bükme, bükülme; burma; büküm. **~al,** büküme aid.

torso [ˈtoosou]. Başsız ve kolsuz beden heykeli; insanın gövdesi.

tort [toot]. (*huk.*) Haksızlık, zarar.

tortoise [ˈtootəs]. Kaplumbağa. **tortoise-shell,** bağa.

tortuous [ˈtootjuəs]. Dolambaçlı; ivicaclı.

torture [ˈtootʃə*]. İşkence; azab, eziyet; işkence cezası. İşkence etmek. **to put s.o. to the ~,** birini söyletmek için işkence etmek.

Tory [ˈtoori]. İngiliz muhafazakâr partisine aid.

tosh [toʃ]. (*arg.*) Saçma.

toss [tos]. Havaya fırlatmak; (boğa vs.) boynuzla adamı havaya atmak; **~ (up),** yazı tura atma(k); havaya atma. **to ~ about,** (gemi) dalgalar üzerinde sallanmak, çalkanmak, yalpalanmak; (insan) yatakta dönüp durmak: **to ~ off,** (bir kadehi) yuvarlamak: **to ~ one's head,** başını arkaya doğru silkmek; **pitch and ~,** *n.* yazı tura oyunu; *vb.* (gemi) hem yalpa etmek hem baş vurmak: **to take a ~,** (at veya bisikletten) düşmek. **toss-up, it's a ~,** baht işidir, belli olmaz.

tot[1] [tot]. Minimini çocuk; bir yudum.

tot[2]. **to ~ up a column of figures,** bir sütundaki rakamları toplamak: (**of expenses**) **to ~ up,** (masraf) artmak, baliğ olmak.

total [ˈtoutl]. Yekûn, mecmuu. Tamam, tam; ... yekûnu. ···e balığ olmak. **~itarian** [ˌtoutaliˈteəriən], tek partili hükümet. **~ity** [–ˈtaliti], yekûn, tamamlık. **~izator,** [-laizeitə*], at yarışında müşterek bahislerin hesabını yapan makine. **~ly,** [ˈtoutəli], tamamen, tamamiyle, büsbütün.

tote [tout] = **totalizator.**

totem [ˈtoutem]. Amerika yerlileri arasında bir klanın remzi olan hayvan, totem.

totter [ˈtotə*]. Sendeleme(k). **~ing** sendeliyen; inhidama mail; sarsılmış. **~y,** sarsak, mecalsız.

toucan [ˈtuukən]. Büyük gagalı bir kuş, tukan.

touch¹ [tutʃ] *n.* Temas; telleme; dokunuş; el yordamı; boya vurma tarzı, tuş; rötuş; iz. **sense of ~,** dokunma hissi: **a ~ of fever,** hafif bir sıtma nöbeti: **a ~ of salt, garlic,** *etc.*, bir parçacık tuz, sarmısak vs.: **a ~ of the sun,** biraz güneş çarpması: **to get into ~ with s.o.,** birisile temasa girmek: **to lose ~ with s.o.,** birinin izini kaybetmek: **it was ~ and go whether he would die of his illness,** hastalıktan ölmesine bıçak sırtı kalmıştı.

touch² *vb.* Dokunmak; ellemek, değmek; ···e el sürmek; temas etm.; müteessir etmek. **to be ~ed,** mütessir olm.; **he seems a little ~ed,** (i) biraz müteessir görünüyor; (ii) biraz oynatmışa benziyor: **he ~ed the bell,** zili hafifçe çaldı: **I can ~ the ceiling,** tavana yetişebilirim: **he ~ed me for a fiver,** (*kon.*) benden beş lira sızdırdı: **no one can ~ him in teaching English,** İngilizce hocalığında hiç kimse ona yaklaşamaz: **(ship) to ~ at a port,** (gemi) bir limana uğramak: **to ~ off a mine,** lağım atmak: **to ~ on a subject,** bir mevzua temas etm.: **I couldn't ~ the algebra paper,** (*kon.*) cebir imtihan suallerinin içinden çıkamadım: **to ~ up a picture,** bir resmi rötuş yapmak: **~ wood!,** nazar değmesin!; şeytan kulağına kurşun! **~ed,** müteessir; (*arg.*) bir tahtası eksik. **~ing,** dokunaklı, müessir, acıklı; bitişik: dair, hakkında. **~iness,** alınganlık; küseğenlik. **~last,** kovalamaca. **~stone,** mihenk(taşı). **~wood,** kav. **~y,** alıngan, küseğen, titiz: **he is rather ~ on that point,** bu mevzua karşı hassastır.

tough [tʌf]. Meşin gibi sağlam ve kırılmaz; kayış gibi sert; metin; dayanıklı; kart; çiğnenmez; güç. Külhanbeyi, apaş, şirret adam. **a ~ customer,** zorlu ve netameli adam; aksi ve inadcı adam: **a ~ proposition,** demir leblebi; güç bir iş. **~en,** meşin gibi sağlam ve kırılmaz bir hale sokmak; dayanıklı bir hale getirmek; kuvvetlendirmek; metanet vermek.

tour [tuə*]. Gezinti, tur; turne; cevelân. Seyahat, tur yapmak. **~ing, ~ car,** seyahat otomobili. **~ist,** turist; gezmek maksadı ile seyahat eden.

tournament [ˈtuənəmənt]. Turnuva; mızrak oyunu; müsabaka.

tourniquet [ˈtuənike]. Damarları sıkıştırmağa mahsus bir cihaz, turnike.

tousle [ˈtauzl]. (Saçları) karmakarışık etmek.

tout [taut]. Çığırtkan; müşteri toplayıcı; yarış taliminde atları gözetleyip kabiliyetlerini bildiren adam. **to ~ for customers,** müşteri aramak.

tow¹ [tou]. Kıtık.

tow². Yedek çekmek; cer etmek. Cer; yedek çekme veya çekilme; yedekte olan gemi. **to take in ~,** yedeğe almak. **~age,** yedek çekme; yedek ücreti.

toward(s) [təˈwood(z)]. Cihetinde; ···e doğru; için. **~ morning,** sabaha karşı.

towel [ˈtauəl]. Havlu; silecek. **~ling,** havluluk bez.

tower [ˈtauə*]. Kule; burc. Yükselmek. **to ~ above stg.,** bir şeyden çok daha yüksek olm.: **a ~ of strength,** güvenilen ve dayanılan kimse. **~ing,** çok yüksek: **~ ambition,** hudusuz ihtiras: **to be in a ~ rage,** son derece öfkelenmek.

town [taun]. Şehir; kasaba. **a man about ~,** sosyete adamı: **country ~,** taşra kasabası: **to live in ~,** Londra'da ikamet etm.: **he is out of ~,** taşraya gitti: **it is the talk of the ~,** bütün şehrin ağzındadır. **~ship,** nahiye. **~sman,** şehirli. **~speople,** şehir ahalisi. **town-clerk,** belediye evrak müdürü. **town-council,** belediye meclisi. **town-crier,** şehir tellalı. **town-hall,** belediye dairesi. **town-house,** konak. **town-planning,** şehircilik.

toxic [ˈtoksik]. Zehirli. **~ology** [–ˈkolədʒi], zehir bahsi.

toxin [ˈtoksin]. Toksin.

toy [toi]. Oyuncak. **to ~ with stg.,** bir şeyle oynamak; gayri ciddî bir tarzda bir şeyle meşgul olm.: **to ~ with one's food,** yemeğini isteksizce yemek: **to ~ with an idea,** zevk aldığı bir fikri zihninde everip çevirmek: **to ~ with s.o.,** birini okşamak: **a ~ army,** küçük ve gülünç bir ordu: **~ dog,** küçücük fino.

trace¹ [treis]. İz; eser, alâmet; şemme. İzini takib etm.; şeklini çizmek; taslağını resmetmek; saman kâğıdıyle kopya etm.; sözle tasvir etmek. **to ~ out a scheme,** bir projeyi tasarlamak: **I cannot ~ any letter of that date,** bu tarihli bir mektub bulamadım: **to ~ stg. back to its source,** bir şeyi menşelerine irca etmek.

trace². Koşum kayışı. **to kick over the ~s,** serkeşlık etmek. **trace-horse,** arka arkaya koşulan atlardan öndeki at; yokuş çıkarken ilâve edilen at.

tracer [ˈtreisə*]. **~ bullet,** *etc.*, (havada duman vs.den) iz bırakan mermi.

tracery [ˈtreisəri]. Bir binanın ağ şeklinde taş süsü; yaprak damarlarının şebekesi.

trache·a [traˈkiia]. Soluk borusu. **~otomy** [–iˈotəmi], soluk borusuna delik açma ameliyatı.

trachoma [tra'kouma]. Trahom.
tracing ['treisiŋ]. Saman kâğıdı ile çıkarılmış ince resim kopyesi. **tracing-paper,** saman kâğıdı.
track [trak]. Gelip geçmekle kendiliğinden hasıl olan yol; iz, eser; demiryol hattı; dümen suyu. İzini takib etmek. **to ~ down,** izini takib ederek keşfetmek: **to be on the ~ of ...,** ···in izi üzerine olm.: **to be off the ~,** iz üzerinde olmamak; yoldan sapmış olm.: **the beaten ~,** herkesin yürüdüğü yol: **to cover up one's ~s,** izini örtmek [gizlemek]: **to keep ~ of,** izini kaybetmemek: **to make ~s,** (*kon.*) sıvışmak: **to throw s.o. off the ~,** birine izini kaybettirmek. **~er,** (avda) izci. **~less,** yolsuz; 'kuş uçmaz kervan geçmez' *kabilinden.*
tract[1] [trakt]. Mıntaka, kıta; saha; mesaha. **the respiratory ~,** teneffüs cihazı.
tract[2]. Risale, *bilh.* dinî risale.
tractable ['traktəbl]. Uslu, muti, mazlum; kolayca işlenir.
traction ['trakʃn]. Çekme, cer. **~ wheels,** (lokomotifin) müteharrik tekerlekleri: **~ engine,** âdi yollarda ağır yükleri çekmeğe mahsus lokomotif.
tractive ['traktiv]. Cer edici.
tractor ['traktə*]. Traktör.
trad·e [treid]. Ticaret; tüccarlık; iş, meslek, zanaat. Alıp satmak; ticaret yapmak; mubadele etm., trampa etmek. **to be in ~,** tüccarlık etm.: **Board of Trade,** İngiliz Ticaret Nezareti: **'everyone to his ~',** herkes kendi işine bakmalı: **to ~ on stg.,** bir şeyi istismar etm.: **~ price,** tüccar arasındaki satış fiatı: **~ union,** işçi sendikası. **~er,** tüccar; ticaret gemisi. **~esman** *pl.* **-men** [**tradespeople**], dükkâncı, esnaf sınıfı. **~ing,** alışveriş; ticarete aid. **trade-mark,** alâmeti farika. **trade-union·ism,** sendikacılık: **~ist,** sendikacı. **trade-wind,** alize.
tradition [trə'diʃn]. Anane; ecdaddan naklolunan rivayet; hadis. **~al** [–'diʃnl], ananevi; menkul.
traduce [trə'djuus]. İftira etmek.
traffic ['trafik]. Alışveris, ticaret, trampa; gidip gelme, seyrüsefer. Alışveriş etm., trampa etmek. **~ indicator,** (*otom.*) işaret kolu: **~ policeman,** işaret memuru: **~ regulations,** seyrüsefer nizamnamesi. **~er,** alışveriş eden kimse (*um. fena manada*).
tragacanth ['tragakanθ]. Geven. **gum ~,** kitre.
trag·edy ['tradʒidi]. Facia; trajedi; haile; feci vaka. **~edian** [–'dʒiidjən], haile muharriri veya aktörü. **~ic(al)** [–dʒikl], facia nevinden, feci, acıklı. **~i-comedy,** gülünc vakalarla karışık facia.
trail [treil]. Hareket eden şey veya kimsenin arkasında çekilen veya bırakılan şey; iz, eser; kuyruk; orman vs.de çiğnenerek açılan yol. Peşinden sürükle(n)mek; izini takib etmek. **to ~ stg. along,** bir şeyi sürüklemek: **to ~ arms,** silahı elde ufkî vaziyette taşımak: **to ~ one's coat,** kavgaya bahane aramak: **to pick up the ~,** izi bulmak: **the car left a ~ of dust behind it,** otomobil arkasında bir toz bulutu bıraktı. **~er,** otomobilin arkasına takılan araba; treyler. **~ing,** sürünen: **~ edge,** (uçak) kanadın arka kenarı.
train[1] [trein] *n.* Tren; katar; kafile; maiyet; yere sürünen uzun etek veya kuyruk. **~ of events,** hadiselerin zinciri: **a ~ of powder,** barut serpintisi: **~ of thought,** tedai, düşünce silsilesi: **war brings famine in its ~,** harb arkasından açlık getirir. **~load,** tren dolusu.
train[2] *vb.* Alıştırmak, yetiştirmek, talim ettirmek, terbiye etm.; idman ettirmek; (topu) dirisa etmek. İdman etm., antrenman yapmak; alışmak, yetişmek. **~ed,** talim edilmiş, terbiye edilmiş. yetiştirilmiş: **~ nurse,** diplomalı hastabakıcı. **~er,** mürebbi; antrenör. **~ing,** talim, terbiye; idman: dirisa: **to be in good ~,** idmanlı olm.: **to go into ~,** idman yapmak: **to be out of ~,** idmansız olmak. **training-ship,** mekteb gemisi.
trait [trei, treit]. Hususiyet.
traitor ['treitə*]. Vatan haini. **to turn ~,** (vatana)ihanet etmek. **~ous,** hain.
trajectory ['tradʒektəri]. Mahrek.
tram [tram]. Tramvay.
trammel ['traml]. Mani, engel; muhtelif şekilde balık ağı. Serbest hareket etmesine mani olmak.
tramp [tramp]. Ağır ayak sesi; yayan yolculuk; serseri. Lök gibi ağır adımlarla yürümek; yayan gitmek. **~ (steamer),** muntazam sefer yapmıyan yük gemisi. **to ~ the country,** kırlarda gezip dolaşmak, sürtmek: **to go for a long ~,** uzun bir yürüyüşe çıkmak.
trample ['trampl]. **to ~ stg. under foot, to ~ on stg.,** bir şeyi ayak altında çiğnemek: **to ~ on s.o.'s feelings,** birinin hislerini çiğnemek.
trance [traans]. Vecid, kendinden geçme; hipnotizma haleti.
tranquil ['trankwil]. Sâkin; âsude. **~lity** [–'kwiliti], âsudelik, sükûn, huzur. **~lize** [–laiz], teskin etm.; tatmin etmek.
trans- [tranz] *pref. Yer veya hal ve şart değişmesini ifade eden ön ek*; öte; mavera. *Mes.* **transatlantic,** Atlantığı aşan gemi; Atlantiğin ötesine aid: **transform,** şeklini değıştirmek.
transact [traans'akt]. **to ~ business with**

s.o., birisile muamele yapmak, iş yapmak. ~**ion** [–ˈakʃn], (işe aid) muamele: **the ~s of a society,** bir cemiyetin zabıtnameleri veya raporları.
transalpine [transˈalpain]. Alp dağlarının ötesinde bulunan.
transatlantic [ˌtraansatˈlantik]. Atlas Okyanusunun ötesinde bulunan. Amerika ile Avrupa arasında işleyen yolcu vapuru.
transcend [tranˈsend]. Hududunu geçmek, aşmak; üstün olmak. ~**ent,** üstün, faik; âlâ; mücerred. ~**ental** [–ˈdentl], ulu; (felsefe) müteal.
transcri·be [traanˈskraib]. Aynını kopye etm., istinsah etmek. ~**pt** [ˈtranskript], bir metni hususî harflerle istinsah; kopya.
transept [ˈtraansept], Bazı kilise binalarının yan kolları.
transfer *n.* [ˈtraansfə*]. Nakil; havale; yer değiştirme; (resim vs.) çıkartma. *vb.* [transˈfəə*]. Nakletmek; başka bir yere geçirmek; devretmek; havale etm.; intikal etmek. ~**able** [ˈfəərəbl], intikal edebilir, devredilebilir: **'not ~',** (bilet vs.) başkasına devredilemez. ~**ence** [ˈtraansfərəns], nakil veya havale etme veya edilme.
transfigure [traansˈfigə*]. Şekil ve suretini değıştirmek.
transfix [traansˈfiks]. Bir yandan bir yana delmek; mıhlamak.
transform [traansˈfoom]. Seklini değiştirmek; tahvil etm., kalbetmek. ~**ation** [–ˈmeiʃn], tahavvül; istihale; kalb. ~**er,** transformatör; muhavvile.
transfus·e [tranzˈfjuuz]. Kabdan kaba nakletmek. ~**ion** [–ˈfjuuʒn], **blood ~,** insandan insana kan nakletme.
transgress [traanzˈgres]. İhlâl etm.; günah işlemek; tecavüz etmek. ~**ion** [–ˈgreʃn], ihlâl; günah; tecavüz.
tranship [traanˈʃip]. Bir gemi vs.den diğerine aktarma etmek. ~**ment,** aktarma.
transient [ˈtraansiənt], Geçici; fâni.
transit [ˈtraansit]. Yerden yere geçme; mürur; transit; bir yıldızın bir mahallin nısfınneharından geçişi; bir yıldızın güneş kursu üzerinden geçişi. **transit-duty,** transit eşya gümrük resmi.
transition [traanˈsiʃn]. İstihale; halden hale geçiş; intikal.
transitive [ˈtraansitiv]. Müteaddi.
transitory [ˈtraansitəri]. Geçici, fâni; süreksiz.
translat·e [traanˈsleit]. Tercüme etm.; başka dile çevirmek; tefsir etm.; (piskoposu) başka bir piskoposluğa nakletmek. **Shakespeare does not ~ well,** Shakespeare 'in eserleri tercümede çok kaybeder. ~**ion** [–ˈleiʃn], tercüme (etme).
translucent [traanzˈljuusənt]. Yalnız ziyayı geçiren; nim şeffaf.
transmigration [ˌtransmaiˈgreiʃn]. Hicret, göç; tenasüh.
transmission [traanzˈmiʃn]. Nakil, irsal; hareket nakili; intikal; ulaştırma; (*otom.*) nakil cihazı, transmisyon.
transmit [traanzˈmit]. Göndermek; nakletmek; irsal etm.; geçirmek; intikal etm.; sirayet ettirmek. ~**ter,** gönderen; nakledici; (radyo) verici cihaz, mürsile.
transmute [traanzˈmjuut]. İstihale ettirmek; şeklini değiştirmek.
transom [ˈtransəm]. Geminin kıç aynalığı; kapı veya pencere üstünde ufkî bend, yağmurluk. **~ stern,** ayna kıçlı.
transparen·t [traansˈpərənt]. Şeffaf; berrak; vazih, aşikâr. ~**cy,** şeffaflık, berraklık; cam gibi şeffaf bir madde üzerinde resim veya fotograf.
transpire [traansˈpaiə*]. Duman halinde salıvermek; ter gibi sız(dır)mak; ifşa edilmek; (*kon.*) vukubulmak.
transplant [traansˈplaant]. Yerinden çıkarıp başka yere dikmek, şaşırtmak.
transport *n.* [ˈtraanspoot]. Nakil; nakliye gemisi; nakliyat; vecid, istiğrak, taşkınlık. *vb.* [–ˈpoot]. Nakletmek: **to be ~ed with joy, to be in ~s of joy,** etekleri zil çalmak. ~**ation** [–ˈteiʃn], nakletme; sürgün, nefi.
transpose [traanzˈpouz]. Yerini değiştirmek; (cebir) işaretini değiştirerek muadelenin bir tarafını diğer tarafına geçirmek; (*mus.*) bir havanın makamını değiştirmek.
trans-ship *bk.* **tranship.**
transverse [transˈvəəs]. Eğri; münharif; müstâraz.
trap [trap]. Tuzak, kapanca; dolab; atlı hafif araba; aptesane sifonu; havada vurmak için kuş veya başka bir şeyi havaya fırlatma tertibatı. Tuzağa düşürmek; tuzak veya kapanca ile tutmak. ~**s,** (*kon.*) pılıpırtı: **~ped by the flames,** alevler tarafından hapsedilmiş: **to set a ~,** tuzak kurmak. **trap-door,** ayak altında veya tavanda kapan gibi kapı.
trapper [ˈtrapə*]. Kürk hayvanları tuzakçısı.
trappings [ˈtrapiŋz]. Süslü koşum takımı; süs, debdede.
Trappist [ˈtrapist]. Çok sıkı bir katolik tarikatı ki esaslarından biri tam sükûttur.
trash [traʃ]. Değersiz şeyler, mezad malı; kötü eser; saçma. ~**y,** değersiz, pek bayağı.
traumatic [trooˈmatik]. Yaraya aid.
travail [ˈtraveil]. Meşakkatli iş; doğum ağrıları. Meşakkat çekmek; doğum ağrılarını çekmek. **woman in ~,** doğurmakta olan kadın.

travel [ˈtravl]. Seyahat etme; yolculuk; makine pistonu vs.nin hareket sahası. Seyahat etm.; hareket etmek. **to ~ in wine [textiles,** *etc.*], bir şarab [mensucat vs.] ticarethanesinin seyyar memuru olmak. **~led, much- [well-] ~,** çok gezmiş, çok seyahat etmiş olan. **~ler,** seyyah, yolcu. **~ling,** seyahat etme, yolculuk; seyahatte olan, seyyar, seyahate aid.

traverse [ˈtravəəs]. Her şeyin çapraz kısmı; istihkâmın ara siperi; makine kısmının yana doğru hareket sahası; geminin volta seyri. Karşıdan karşıya geçmek; yandan yana hareket et(tir)mek; aşmak; (topu)dirisa etm.; (makineli tüfeği) bir yandan bir yana çevirmek; önlemek.

travesty [ˈtravesti]. Gülünc bir taklid; ciddî bir şeyi gülünc yapma. Bir mevzuu kasden veya gayri kasdî olarak gülünc etm.; gülünc bir tarzda taklid etmek.

trawl [trool]. Tarak ağı. Sürütme usulile balık avlamak. **~er,** taraklı ağ çeken balıkçı gemisi.

tray [trei]. Tepsi; (*fot.*) küvet; bir bavulun içindeki portatif kısım; mektub sepeti. **ash ~,** sigara tablası.

treacher·y [ˈtretʃəri]. Hainlik, ihanet. **~ous,** hain; hilekâr; güvenilmez.

treacle [ˈtriikl]. Şeker tortusu; melas.

tread[1] [tred] *n.* Ayak sesi; yürüyüş; merdiven basamağı; merdiven basamakları üzerine konulan lâstik veya maden parçası; otomobil lâstiğinin yere basan kısmı; ayakkabının tabanı.

tread[2] **(trod, trodden)** [tred, trod, trodn]. Ayağını yere basmak; yürümek; ayakla basmak; (erkek kuş) dişisine binmek. **to ~ under foot,** ayak altında çiğnemek: **to ~ water,** ayaklarını vurarak su içinde dik durmak. **tread down,** ayakla ezmek; zulmetmek. **tread on,** üzerine yürümek; ayakla basmak. **tread out,** (şarablık üzüm) çiğnemek; (yanan bir şeyin) üzerine ayakla basıp söndürmek.

treadle [ˈtredl]. Pedal, ayaklık.

treadmill [ˈtredmil]. Eskiden ceza olarak mücrimlere bastırıp işlettirilen ayak değirmeni; (*mec.*) her gün yapılması lâzım olan meşakkatli iş.

treason [ˈtriizən]. İhanet, hainlik. **high ~,** vatana hiyanet. **~able,** vatana hiyanet nevinden.

treasur·e [ˈtreʒə*]. Hazine; define; pek kıymetli şey veya şahıs. Pek kıymetli saymak. **buried ~,** define: **a real ~ of a (servant,** *etc.*), bulunmaz (hizmetçi vs.): **to ~ up,** kıymetli sayarak saklamak: **to ~ up wealth,** para biriktirmek. **~er,** hazinedar; veznedar. **treasure-house,** hazine.

treasury [ˈtreʒəri]. Hazine; devlet hazinesi; maliye dairesi. **the Treasury Bench,** Avam Kamarasında nazırlara mahsus mevki: **~ note,** on şilin veya bir İngiliz liralık kâğıd para: **~ of verse,** seçme şiirler kitabı.

treat[1] [triit] *n.* Her zamankinden fazla bir zevk; çocuklara vs. bilhassa verilen yemek. **it is a ~ to listen to him,** onu dinlemek bir zevkdir: **to give oneself a ~,** her zamankinden farklı bir şey yemek veya başka bir şeyin zevkini sürmek: **to stand ~,** başkalarına verilen içki vs.nin masrafını ödemek.

treat[2] *vb.* Muamele etm.; idare etm.; hakkında davranmak; tedavi etm.; başkasının içki veya yemeğini ödemek. **to ~ s.o. like a child,** birini çocuk gibi idare etm.: **I will ~ you to a drink,** size bir içki ikram edeceğim: **I shall ~ myself to a new hat,** paraya kıyıp kendime bir şapka alacağım: **to ~ stg. as a joke,** bir şeyi şaka saymak: **to ~ a metal with acid,** bir madeni asitle işlemek: **to ~ for peace,** sulh müzakere etm.: **to ~ s.o. for rheumatism,** birinin romatizmasını tedavi etm.: **to ~ of a subject,** bir mevzudan bahsetmek: **to ~ with s.o.,** birisile müzakere etmek.

treatise [ˈtriitiz]. İlmî eser; risale.

treatment [ˈtriitmənt]. Muamele; tedavi; ameliye. **his ~ of the subject is superficial,** mevzuu sathî bir şekilde ele almıştır.

treaty [ˈtriiti]. Muahede; mukavele. **~ port,** bir muahedeye göre dış ticarete açılan liman: **to be in ~ with s.o. for stg.,** bir şey hakkında birile müzakerede bulunmak.

trebl·e[1] [trebl]. Üç kat, üç misli. Üç misli olm.; üç ile zarbetmek. **~y,** üç misli olarak.

treble[2]. Tiz sesli, soprano (*bilh.* erkek çocuğun sesi).

tree [trii]. Ağac; şecere; eyer kaltağı; ayakkabı kalıbı. Bir ağaca sığınmağa mecbur etmek. **to be at the top of the ~,** mesleğinin en yüksek mevkiinde olm.: **up a ~,** müşkül bir vaziyette. **tree-calf,** ağac gibi desenli dama derisi.

trefoil [ˈtriifoil]. Tırfıl; sarı yonca; mimaride yonca şeklinde süs.

trek [trek]. Öküz arabasında seyahat (etm.); (*kon.*) Yol (etm.); göçmek.

trellis [ˈtrelis]. Kafes şeklinde bölme; parmaklık.

trembl·e [ˈtrembl]. Titreme(k). **to be all of a ~,** tir tir titremek. **~er,** (*elek.*) devreyi açıp kapatan ihtizaz cihazı, tramblör. **~ing,** titreme; titrek: **in fear and ~,** korkudan titreyerek.

tremendous [triˈmendəs]. Kocaman; hadsiz hesabsız; korkunc. **~ly** (*kon.*) son derece, pek çok.

tremolo [ˈtremoulou]. (*mus.*) Titreklik.
tremor [ˈtremə*]. Titreme; raşe, lerze. **earth ~,** yer sarsıntısı: **without a ~,** kılı bile kıpırdamadan.
tremulous [ˈtremjuləs]. Titrek, raşeli; hafifçe titriyen.
trench [trentʃ]. Metris; hendek; siper. Kirizma yapmak; siperler ile muhafaza etmek. **to ~ on [upon],** tecavüz etm.: **his speech ~ed closely on treason,** söylediği nutuk ihanete yakındı. **trench-coat,** askerî muşamba.
trencher [ˈtrentʃə*]. Ekmek tahtası. **~man, a good ~,** çok yemek yiyen kimse.
trend [trend]. Yön, cihet; meyil. Yönelmek; teveccüh etmek.
trepan [triˈpan]. Çark gibi cerrah testeresi. Bu testere ile kafa tasının bir parçasını çıkarmak.
trepidation [ˌtrepiˈdeiʃn]. Korku; heyecan, telâş.
trespass [ˈtrespəs]. Kanuna muhalefet; günah; başkasının arazisine haksız yere ayak basma. Haksız yere başkasının hududuna tecavüz etm.; yasak bir yere ayak basmak. **to ~ against the law,** kanunu ihlâl etm.: **to ~ on s.o.'s preserves,** (*mec.*) başkasının faaliyet sahasına tecavüz etm.: **I fear I am ~ing on your time,** korkarım vaktinizi alıyorum. **~er,** müsaade almaksızın başkasının arazisine giren kimse: **'~s will be prosecuted',** 'girenler hakkında kanunî takibat yapılacaktır'; 'girmek yasaktır'.
tress [tres]. Bukle; belik.
trestle [ˈtresl]. Masa vs.nin ayaklığı; sehpa.
trews [truuz]. İskocyalı askerlerin kareli pantalonu.
trial [ˈtraiəl]. Muhakeme, duruşma; deneme, tecrübe, prova; gaile. Tecrübe için yapılan. **~ balance,** zimmet ve matlubun muvakkat mukayesesi: **~ and error,** deneyerek ve yanlış yapa yapa: **we will give it a ~,** onu bir deneyelim: **he is rather a ~ to me,** ona tahammül etmek kolay değildir: **on ~,** tecrübe için, tecrübe edilince; muhakeme edilmekte: **~ order,** tecrübe için sipariş.
triang·le [ˈtraiaŋgl]. Müselles; **the eternal ~,** iki erkekle bir kadın veya aksi. **~ular** [–ˈaŋgjulə*], üç köşeli; müselles şeklinde. **~ulation** [–aŋgjuˈleiʃn], nirengi.
tribal [ˈtraibl]. Bir kabileye aid.
tribe [traib]. Kabile, aşiret; güruh. **~sman,** *pl.* **~men,** bir kabileye mensub kimse.
tribulation [tribjuˈleiʃn]. Keder; meşakkat; idbar.
tribunal [traiˈbjuunl]. Mahkeme; hâkim makamı.
tribune[1] [ˈtribjuun]. Hitabet kürsüsü.
tribune[2]. Eski Romada hak ve menfaatlerini korumak için halk tarafından seçilen büyük memur.
tribut·e [ˈtribjuut]. Harac; hürmet veya takdir nişanesi. **to lay under ~, to levy ~ on,** haraca kesmek: **to pay a ~ to s.o.,** birine karşı hürmet veya takdir nişanesi göstermek. **~ary,** haraca bağlı; tâbi; büyük ırmağa dökülen daha küçük bir nehir.
trice [trais]. **in a ~,** bir çırpıda, şıpınişi: **to ~ up,** yukarıya çekip bağlamak.
trichin·a [ˈtrikina, triˈkaina]. Trişin. **~osis** [ˌtrikiˈnousis], trişinoz.
trick [trik]. Hile, desise. kurnazca bir oyun veya çare; işin sırrı; el çabukluğu; garib, gülünc veya nahoş adet; (iskambil) löve. Aldatmak. kafese koymak. **the whole bag of ~s,** takım taklavat: **that'll do the ~,** (*kon.*) bu işimizi görür: **he knows a ~ or two, he 's up to every ~,** o ne kurnazdır, o ne hinoğlu hindir: **I know a ~ worth two of that,** ben bundan âlâsını bilirim: **he has been up to his old ~s,** yine her zamanki marifetlerini yaptı: **to ~ out,** süslemek, bezemek: **to play a ~ on s.o.,** birine azizlik etm., oyun oynamak. **~ery,** hilekârlık, desise. **~iness,** hilekârlık, kurnazlık. **~ster,** dolandırıcı. **~y,** hilekâr, kurnaz; kullanması veya idaresi nazik ve çok dikkat icabeden.
trickle [ˈtrikl]. Damla damla akma(k); cüzi bir mikdar akmak, girmek; ağır ağır geçmek. **trickle-charger,** bir akümülatörü yavaş yavaş dolduran cihaz.
tricolour [ˈtraikʌlə*]. Üç renkli; [ˈtrikələ*], üç renkli bayrak; fransız bayrağı.
tricycle [ˈtraisikl]. Üç tekerlekli bisiklet.
trident [ˈtraidənt]. Üç çatallı zıpkın; deniz tanrısı Neptün'un asâsı.
tried [traid] *bk.* **try**: tecrübeli; güvenilir: **much ~,** çok zahmet görmüş; **well-~,** denenmiş.
triennial [trai'enjəl]. Üç senede bir olan; üç sene süren.
trier [ˈtraiə*]. **he is a ~,** elinden geleni yapar.
trifl·e[1] [ˈtraifl]. Kıymetsiz ehemmiyetsiz şey; cüzi şey. Gayri ciddî davranmak, oynamak. **to ~ away one's time,** vaktini ehemmiyetsiz şeylerle geçirmek, oyalanmak: **a mere ~,** devede kulak: **to ~ with s.o.,** birini oynatmak. **~er,** işini ciddiye almıyan kimse; havai hoppa adam. **~ing,** cüzi; naçiz; ehemmiyetsiz.
trifle[2]. Pandispanya, şarab ve kaymaktan yapılmış bir tatlı.
trig[1] [trig]. Şık, temiz giyinmiş. **to ~ up [out],** bezenip süslemek, süsleyip püslemek.

trig². Araba tekerleğinin yuvarlanmaması için altına taş vs. koymak.
trigger [ˈtrigə*]. Tetik. **trigger-finger,** sağ elin şahadet parmağı. **trigger-guard,** tetik köprüsü.
trigonometr·y [ˌtrigəˈnomətri]. Müsellesat. **~ical** [–ˈmetrikl], müsellesata aid.
trill [tril]. Ses titremesi; kuş ötmesi. Ses titremek; kuş gibi ötmek; r harfini çatlatmak.
trillion [ˈtriljən]. (*İng.*) 10^{18}; (*Amer.*) 10^{12}.
trilogy [ˈtrilədʒi]. Üç müstakıl parçadan mürekkeb fakat bir bütün teşkil eden piyes veya roman.
trim [trim]. Muntazam; zarif, şık. Nizam; düzen; kayığın muvazenesi. İntizama koymak; düzeltmek; süslemek; kesip düzeltmek. **to ~ a boat,** bir kayığının muvazenesini tanzim etm.: **in fighting ~,** her şey muharebe için hazır: **to be in good ~,** iyi bir halde olm.: **to ~ the sails,** yelkenleri rüzgâra uydurmak. **~mer,** zaman adamı. **~ming, ~ tanks,** (denizaltı) ayar sarnıçları.
Trinity [ˈtriniti]. Üçlü bir. **the (Holy) ~,** teslis, ekanimi selase. **~ House,** Büyük Britanya sularında kılavuzluk, fener kulelerini, şamandıra vs.yi idare eden heyet.
trinket [ˈtriŋkit]. Cicibici; biblo; değersiz şahsî ziynet.
trio [ˈtriiou, ˈtraiou]. Üçlük takım; üç ses veya üç çalgıya mahsus beste.
trip¹ [trip]. Kısa bir gezinti veya seyahat; tek rota. **round ~,** bir yere gidip gelme. **~per,** seyahate veya gezintiye çıkan kimse.
trip². Sürç; sürçme; birinin ayağını çelme; falso. Sürçmek; çelme takmak; yanlışlık etmek. **to ~ (up),** ayağını çelmek; çelme atmak: **to ~ along,** hafifçe yürümek: **to ~ the anchor,** demiri dipten ayırmak: **to catch s.o. ~ping,** birinin hatasını yakalamak. **trip-wire,** birinin geçtiğini haber veren gerilmiş tel.
tripartite [traiˈpaatait]. Üç parti tarafından yapılmış (muahede vs.).
tripe [traip]. İşkembe; (*arg.*) saçma; değersiz yazı.
triple [ˈtripl]. Üç misli; üçlü. Üç misli çıkarmak. **~t,** üçüz; (*mus.*) iki nota müddetinde çalınan üç nota.
triplex [ˈtripleks]. Üç tabakadan mürekkeb.
triplicate [ˈtriplikeit]. Üç kere arttırmak; üç nüsha yapmak. [–kit], üçlü; üç nüshadan biri.
tripod [ˈtraipod]. Sehpa. **~ mast,** üç ayaklı direk.
Tripoli [ˈtripəli]. Trablus.
triptych [ˈtriptik]. Üç parçalı tablo.
trireme [ˈtraiəriim]. Üstüste üç sıra kürekli kadırga.
trisect [traiˈsekt], Üçe bölmek.
trisyllabic [ˌtraisiˈlabik]. Üç heceli.
trite [trait]. Eskimiş, basmakalıb, hayide.
triton [ˈtraiton]. (*mit.*) Başı ve gövdesi insan kuyruk taraf balık gibi eski Yunan deniz ilâhi. ⌜**a ~ among minnows**⌝, ehemmiyetsiz adamlar arasında mühim görünen kimse.
triturate [ˈtritjureit]. Ezip ince toz haline koymak; iyi çiğnemek.
triumph [ˈtraiəmf]. Eski Romada zafer alayı; zafer, parlak muvaffakiyet; zafer şenliği. Muzaffer olm.; galib gelmek. **to ~ over s.o.,** birine galebe çalmak, hakkından gelmek. **~al** [–ˈumfəl], zafere aid: **~ arch,** takı zafer. **~ant** [–ˈumfənt], muzaffer(ane); sevinçli; gururlu.
trivet [ˈtrivit]. Sacayak. **right as a ~,** mükemmel bir halde.
trivial [ˈtrivjəl]. Ehemmiyetsiz; cüzi; abes. **~ity** [–ˈaliti], ehemmiyetsizlik; bayağılık.
tri-weekly [ˈtraiˈwiikli]. Üç haftada bir olan; haftada üç kere olan.
trod *bk.* **tread.**
troglodyte [ˈtroglodait]. Mağarada yaşıyan adam.
Trojan [ˈtroudʒən]. Eski Trova'ya aid; Trovalı. **to work like a ~,** domuz gibi çalışmak.
troll¹ [troul]. İskandinav efsanesinde bir ifrit.
troll². Serbestçe ve neşeli şarkı söylemek; hareket eden bir kayığın peşinde sürüklenen bir olta ile balık avlamak.
trolley [ˈtroli]. El arabası; ağır yük arabası; tramvaylara cereyan veren temas cihazı.
trollius [ˈtroliʌs]. Altıntopu.
trollop [ˈtrolop]. Pasaklı kadın; sürtük.
troop [truup]. Takım; sürü; güruh; süvari bölüğü. **~s,** askerler. **to ~ away [in, out],** sürü halinde gitmek [girmek, çıkmak]: **to ~ together,** bir araya toplamak. **~er,** süvari asker. **~ing, ~ the colours,** geçid resmi yapan bir alayın ortasında sancak taşıma merasimi. **~ship,** askerî nakliye gemisi. **troop-train,** asker nakleden tren.
trophy [ˈtroufi]. Ganimet; zafer hatırası.
tropic [ˈtropik]. Medar. **the ~s,** sıcak memleketler, tropik. **~al,** sıcak memleketlere [tropiğe] aid.
trot¹ [trot]. Tırış (gitmek); (*kon.*) gitmek. **to go at a ~,** link gitmek: **to break into a ~,** link gitmeğe başlamak: **to ~ out,** linkini hızlandırmak. **to ~ out one's knowledge,** (*kon.*) malûmatfüruşluk etm., bilgi satmak: **he ~ted out the usual excuse,** her zamanki bahaneyi ileri sürdü.

trot³. Çaparı.
troth [trouθ]. Sadakat. **to plight one's ~**, sadakatini tasdik etm.; evlenme vadetmek.
trotter [ˈtrotə*]. Link atı. **sheep's [pig's] ~s**, koyun [domuz] paçası.
trouble¹ [ˈtrʌbl] *n.* Zahmet; derd; sıkıntı, eziyet, meşakkat; belâ, gaile; tasa; rahatsızlık; bozukluk. **~s**, kargaşalık, fitne. **to be in ~**, başına iş açılmak, başı belâda olm.: **to bring ~ upon oneself**, başına iş açmak: **engine ~**, makinede bozukluk: **to get oneself into ~**, başını belâya sokmak; esmayı üzerine sıçratmak: **to get s.o. into ~**, birinin başına iş açmak: **to have heart ~**, kalbinden rahatsız olm.: **the ~ is that...**, işin fenası ...: **he is looking for ~**, başının belâsını arıyor: **it's no ~ at all to ...**, ... işten bile değil: **an omelette is no ~ to make**, omlet yapmak zor bir iş değil: **nothing is too much ~ for him**, hiç bir şeyden yüksünmez: **to put s.o. to ~**, birini zahmete sokmak: **to take ~ over stg.**, bir şeyi itina ile yapmak: **what's the ~?**, ne var?, ne oldu?, derdin ne? **trouble-maker**, fitneci, müfsid.
trouble² *vb.* Zahmet vermek; tasdi etm.; rahatsız etm.; eziyet vermek. **to ~ oneself about stg.**, bir işte kendine zahmet vermek; bir şey hakkında merak etm.: **to be ~d with rheumatism**, romatizmaya mübtelâ olm.: **may I ~ you to pass the water?**, suyu zahmet eder misiniz? **~d**, rahatsız, kederli, mustarib; bulanık: ⌜**to fish in ~ waters**⌝, bulanık suda balık avlamak. **~r**, fitneci; rahat bozucu. **~some**, rahatsız edici; belâlı; güç, zahmetli; usandırıcı, yorucu.
troublous [ˈtrʌbləs]. Karışık; fitne ve fesadı çok.
trough [trof]. Tekne; yalak; derin yer. **~ of the sea**, iki dalga arasındaki çukur.
trounce [trauns]. Dövmek. dayak atmak; yenmek; azarlamak.
troupe [truup]. Takım, trup.
trousers [ˈtrauzəəs]. **(pair of) ~**, pantalon. **she wears the ~**, o kadın evde hâkimdir.
trousseau [ˈtruusou]. Çeyiz.
trout [traut]. (*Salmo trutta*) Alabalık.
trow [trou]. (*esk.*) İnanmak, sanmak.
trowel [ˈtrauəl]. Mala; çepin. ⌜**to lay it on with a ~**⌝, ballandıra ballandıra anlatmak veya medhetmek.
troy [troi]. **~ weight**, kuyumculukta kullanılan ağırlık ölçüsü sistemi.
truan·cy [ˈtruuənsi]. Dersi asma. **~t**, vazife veya mektebine mazeretsiz gitmiyen kimse. **to play ~**, dersi asmak.
truce [truus]. Mütareke; vazgeçme; muvakkat kurtuluş.
truck¹ [trʌk]. Trampa, mübadele; ufak tefek, âdi şeyler. Trampa etmek. **the Truck Act**, işçi ücretlerinin ayniyatla ödenmesini meneden kanun: **to have no ~, with s.o.**, birisinden elini ayağını kesmek.
truck². İki tekerlekli el arabası; demiryol yük vagonu; direk şapkası.
truckle [ˈtrʌkl]. **to ~ to s.o.**, birine yaranmak, mümaşat etmek. **truckle-bed**, tekerlekli alçak kerevet.
truculen·ce [ˈtrʌkjuləns]. Kabadaylık; huşunet; serkeşlik. **~t**, kabadayı, farfara, haşin, serkeş.
trudge [trʌdʒ]. Yorgun argın yürüme(k).
true [truu]. Doğru, gerçek, hakikî; sahih; halis; sadık, samimî. Doğrultmak; düzeltmek; tesviye etmek. **to breed ~**, aslına uygun olarak çoğalmak: **to come ~**, doğru çıkmak: **this is also ~ for ...**, bu ... için de variddir: **out of ~**, amudî [ufkî] değil; eğri; merkezine uygunsuz. **true-blue, true-hearted**, sadık, samimî. **true-born, a ~ Turk**, su katılmamış Türk.
truffle [ˈtrʌfl]. Yer mantarı; domalan.
truism [ˈtruuizm]. Malûmu ilâm; mütearife; basmakalıb.
truly [ˈtruuli]. Hakikaten, gerçekten; sadakatle. **I am, yours ~ ...**, (mektubun sonunda) hürmetlerimi sunarım: **yours ~**, (*şak.*) köleniz, bendeniz.
trump¹ [trʌmp]. Boru. **the last ~, the ~ of doom**, İsrafilin sûru.
trump². İskambil kozu; (*arg.*) merd adam, cömerd kimse. Koz oynamak. **he always turns up ~s**, onun horozu bile yumurtlar: **to ~ up a charge**, birini uydurma suçla ittiham etmek. **trumped-up**, düzme, uydurma.
trumpery [ˈtrʌmpəri]. İğreti; değersiz; mezad malı. **a ~ excuse**, sudan bir bahane.
trumpet [ˈtrʌmpit]. Boru; boru şeklinde şey. Boru gibi ses çıkarmak; boru çalarak ilân etmek. **to blow one's own ~**, kendini medhetmek. **~er**, borazan(cı).
truncate [ˈtrʌnkeit]. Ucunu veya tepesini kesmek. **~** veya **~d**, güdük.
truncheon [ˈtrʌntʃən]. Kısa sopa; polis sopası.
trundle [ˈtrʌndl]. Yuvarlamak; (çocuk çemberi gibi) yürütmek.
trunk [trʌŋk]. Gövde, beden; bavul; fil hortumu; ana yol. **~s**, kısa don, kispet. **trunk-call**, muayyen bir bölge haricinine telefon etme. **trunk-hose**, 16 ve 17 inci asırda giyilen kısa ve bol pantalon. **trunk-line**, (demiryol) ana hat; (telefon) uzak yerler arasında telefon.
trunnion [ˈtrʌnjən]. Muylu.
truss [trʌs]. Ot veya saman demeti; çatı veya köprü makası, payanda; kasık bağı. Demet yapmak; bağlamak. **to ~ a fowl,**

bir tavuğu pişirmeden evvel kanadlarını ve ayaklarını şiş veya sicimle bağlamak.

trust [trʌst]. Güven, itimad; emniyet; emanet; tevliyet; tröst; lonca. Güvenmek, itimad etm.; inanmak; emniyet etm.; tevdi etm. ümid etmek. **to ~ s.o. to do stg.,** birinin bir şeyi yapacağına güvenmek: **to ~ s.o. with stg.,** bir şeyi birine tevdi etm.: **to betray one's ~,** birinin itimadını suiistimal etm., birinin itimadını boşa çıkarmak: **I ~ you will soon be better,** inşallah yakında iyileşirsiniz: **~ him!,** (*istihza ile*) hiç korkma, yapar! **~ed,** mutemed, sadık. **~ee** [–ˈtii], mütevelli; emanetçi; mutemed; yediemin. **~ful, ~ing,** emniyet ve itimad eden; çabuk inanır. **~worthy,** güvenilebilir, itimada şayan; sadık; inanılabilir. **~y,** sadık, itimada şayan. **trust-deed,** tevliyet senedi.

truth [ˈtruuθ]. Hakikat, doğruluk, gerçeklik. **in ~, of a ~, ~ to say, ~ to tell,** doğrusu, hakikaten, doğrusunu isterseniz: ⌜**~ will out**⌝, hakikat bir gün meydana çıkar; ⌜yanlış hesab Bağdaddan döner⌝. **~ful,** doğru sözlü, hakikati söyleyen; hakikate uygun.

try[1] [trai] *n.* Deneme; tecrübe; teşebbüs. **to have a ~ at doing stg.,** bir şeyi şöyle bir denemek.

try[2] **(tried)** [trai, –d]. *vb.* Denemek, tecrübe etm., sınamak; muhakeme etm.; acı ve ıstırab vermek. Çalışmak; gayret etmek. **to ~ one's best,** elinden geleni yapmak: **his courage was severely tried,** onun cesareti için bu bir imtihan oldu: **to ~ the door,** kapıyı yoklamak, kurcalamak: **to ~ one's eyes,** gözlerini yormak: **to ~ for stg.,** bir şeyi elde etmeğe çalışmak: **don't ~ my patience too far,** sabrımı tüketme. **try on,** elbiseyi prova etm.: **don't ~ that on with me!,** bu oyunu bana oynıyamazsın. **try-on,** blöf. **try out,** denemek. **try-out,** deneme, prova. **try over,** bir besteyi tecrübe etmek. **try-square,** gönye.

trying [ˈtrai·iŋ]. Çetin, güç; üzücü; zahmetli.

trysail [ˈtraisəl]. Fırtınalı havada mayna veya trinket yerine kullanılan iğreti yelken.

trypanosome [ˈtripaˈnousoum]. Tripanozma.

tryst [trist]. Buluşma vadi; randevu.

tsar [zaa*]. Çar. **~evitch,** çareviç. **~ina,** çariçe.

tsetse [ˈtsetsi]. Afrika'ya mahsus çeçe sineği.

tub [tʌb]. Badya; tekne; banyo; küçük fıçı; çamasır leğeni; biçimsiz gemi. Banyo vermek. **~by,** fıçı gibi; bıdık. **tub-thumper,** (*kon.*) palavracı hatib.

tube [tjuub]. Enbube; tüb; boru; zıvana; yeraltı demiryolu. **inner ~,** otomobil iç lâstiği.

tuber [ˈtjuubə*]. Yumru kök. **~ous,** yumru köklü; yumrulu.

tuberc·le [ˈtjuubəəkl]. Küçük yumru kök; şiş; verem şişi. **~ular** [–ˈbəəkjulə*], veremli; **~ulosis** [–bəəkjuˈlousis], verem. **~ulous,** veremli.

tubular [ˈtjuubjulə*]. Boru şeklinde, borulu; embubî.

tuck [tʌk]. Kırma, pli; (*arg.*) yemek. (Elbise) kasmak; kırma yapmak; sıkıştırmak; sokmak. **to ~ a rug round s.o.,** birini bir battaniyeye sarmak: **to ~ in,** içeri sokmak; (*arg.*) iştahla yemek: **to ~ up one's sleeves,** kolları çemrenmek: **to ~ a child up in bed,** çocuğu yatakta sarıp sarmalamak. **~er,** 17 ve 18 inci asırda kadınların boyun atkısı, eşarp. **tuck-shop,** mektebliler için pastacı dükkânı.

Tuesday [ˈtjuuzdei]. Salı günü.

tufa [ˈtjuufa], **tuff** [tʌf]. Sünger taşı; tüf.

tuft [tʌft]. Perçem; püskül; tutam. **~ed,** püsküllü, sorguçlu. **tuft-hunter,** kibar kimselerin meclisine sokulan kimse; dalkavuk.

tug [tʌg]. Anî ve kuvvetli çekiş; römorkör. Şiddetle çekmek; yedeğe almak. **to ~ at stg.,** tekrar tekrar ve şiddetle çekmek: **to ~ stg. along,** bir şeyi sürüklemek. **tug-boat,** römorkör. **tug-of-war,** halat çekme: mücadele.

tuition [tjuˈiʃn]. Tedris; öğretme. **private ~,** hususî dersler.

tulip [ˈtjuulip]. Lâle.

tulle [tul, tjuul]. Tül.

tumble [ˈtʌmbl]. Düşme; takla; karışıklık. Birdenbire düşmek; yıkılmak; karıştırmak. **to ~ into bed,** (*kon.*) **~ in,** kendini yatağa atıvermek: **to ~ into one's clothes,** acele giyinmek: **to ~ to stg.,** (*kon.*) çakmak, kavramak: **to toss and ~ in bed,** yatakta sağa sola dönmek: **to ~ about,** öteye beriye yuvarlanmak: **to ~ down** [**over**], yere düşmek; yıkılmak; çökmek; düşürmek, yuvarlatmak: **to ~ on** (**to**) **stg.,** bir şeye rastgelmek, tesadüfen bulmak: **to ~ out,** dışarı düşmek; (*kon.*) yataktan kalkmak: **people ~d over each other to buy the papers,** gazeteler kapışıldı. **tumble-down,** yıkık, harab, viran, köhne, kûhi.

tumbler [ˈtʌmblə*]. Bardak; perendebaz; taklakcı güvercin; mandal.

tumbril [ˈtʌmbril]. Müteharrik sandıklı boşaltma arabası; fransız ihtilâlinde mahkûmları idam yerine götüren araba.

tumefaction [ˌtjuumiˈfakʃn]. Şişme; şiş.

tumid [ˈtjuumid]. Şiş kabarık; tumturaklı.

tummy [ˈtʌmi]. (*arg.*) = **stomach,** karın.
tumour [ˈtjuumə*]. Şiş, kabarcık, ur.
tumult [ˈtjuumʌlt]. Gürültülü kargaşalık; patırdı; dağdağa. **~uous** [tjuˈmʌltjuəs], gürültülü; dağdağalı; telaşlı.
tumulus [ˈtjuumjuləs]. Höyük.
tun [tʌn]. 252 galonluk şarab fıçısı.
tundra [ˈtʌndra]. Şimalî Asya'da vâsi ağacsız ova.
tune [tjuun]. Nağme, hava; akord, ahenk. Akord etm.; (makine vs.yi) iyi bir hale getirmek. **in ~,** akordlu; uygun: **out of ~,** akordsuz; uymıyan: **to change one's ~,** nağmeyi değiştirmek; alçaktan almak (*bazan* sertleşmek): **to the ~ of £100,** yüz liraya kadar: **to ~ in to a station,** radyoda bir istasyonu bulmak: **to ~ up,** (*otom.* vs.) ayarlıyarak mükemmel bir hale getirmek; (orkestra) akord etmek. **~ful,** akordlu. **~r,** akordcu.
tungsten [ˈtʌngstən]. Tungsten.
tunic [ˈtjuunik]. Eski zamanda bir nevi kısa entari; kadınların ceketi; asker veya polis ceketi.
tuning [ˈtjuuniŋ]. Akord etme. **tuning-fork,** diyapazon.
tunnel [ˈtʌnl]. Tünel (açmak).
tunny [ˈtʌni]. (*Thynnus*) Orkinos; altıparmak. **pickled ~,** lâkerda.
turban [ˈtəəbən]. Sarık; sarık şeklinde kadın başlığı.
turbid [ˈtəəbid]. Bulanık; çamurlu.
turbine [ˈtəəbain]. Türbin. **turbine-driven,** türbinli.
turbot [ˈtəəbʌt]. (*Rhombus maximus*) Kalkan balığı.
turbulen·ce [ˈtəəbjulens]. Kargaşalık; gürültü. **~t,** şamatacı; müfsid; serkeş; anaforlu (su).
turco- [ˈtəəkou] *pref.* Türk ... **Turcophil,** Türk dostu. **Turcoman,** Türkmen.
tureen [tjuəˈriin]. Çorba kâsesi.
turf [təəf]. Çimen, çimenlik; kesek. Çimen döşemek. **the ~,** at yarışlarına aid her şey: **to ~ s.o. out,** (*arg.*) birini kapı dışarı etm., kovmak.
turgescent [təəˈdʒesənt]. Şişkin; tumturaklı.
turgid [ˈtəədʒid]. Şiş kabarmış; tumturaklı, mübalağalı.
Turk [təək]. Türk. **he's a young ~,** haşarı çocuktur: **~'s head,** Türk cevizi denilen düğüm. **~ey,** Türkiye: **~ red,** parlak kırmızı (kumaş); **~ stone,** bir nevi bileğitaşı. **~ish,** türk; türkçe: **~ delight,** lokum, lâtilokum.
turkey² [ˈtəəki]. Hindi. **~ cock,** babahindi.
turmeric [ˈtəəmərik]. Zerdeçal.
turmoil [ˈtəəmoil]. Hengâme; gürültü; cûşühuruş; hercümerc.

turn¹ [təən] *n.* Nöbet, sıra; dönme, devir; dönemec, köşe; gidiş, hal; biçim; istidad, mahiyet, meyil; kısa bir gezinti; numara. **~ and ~ about,** sıra ile, nöbetleşe: **by ~s,** nöbetle: **done to a ~,** (yemek) tam karar pişmiş: **at every ~,** her anda, her yerde: **the sight gave me quite a ~,** (*kon.*) bu manzara beni adamakıllı sarstı: **to do s.o. a good** [**bad**] **~,** birine iyilik [fenalık] yapmak: ⌜**one good ~ deserves another**⌝, iyiliğin karşılığı iyiliktir: **a car with a good ~ of speed,** çok süratlı bir otomobil: **in ~,** nöbetle, sıra ile: **he is of** [**he has**] **a mechanical ~,** makineye istidadı var: **the boy has a serious ~ of mind,** bu çocuk ciddî hallidir: **the milk is on the ~,** süt bozulmağa başladı: **this will serve my ~,** bu benim işimi görür: **to take ~s at doing stg.,** bir işi sıra ile [nöbetleşe] yapmak: **the matter has taken a political ~,** mesele siyasî bir mahiyet aldı: **the matter has taken a serious ~,** iş sarpa sardı: **things are taking a ~ for the better,** işler düzelmeğe başladı, iyiliğe yüz tuttu: **the ~ of the tide,** (i) medle cezir arasında; (ii) işin dönüm noktası.
turn² *vb.* Dönmek; devretmek; ekşimek, bozulmak; sapmak; müracaat etm.; değişmek; kesilmek, olmak. Çevirmek; döndürmek; ekşitmek, bozmak; (mideyi) bulandırmak; aklı çelmek; torna ile şekil vermek; (elbiseyi) tornistan yapmak. **about ~!,** (*ask.*) geriye dön!: **to ~ a blow,** bir darbeyi savuşturmak: **he can ~ his hand to anything,** eli her işe yatar: **to ~ s.o.'s head,** başını döndürmek, başına vurmak: **he has ~ed fifty,** ellisini aştı: **the leaves are beginning to ~,** yapraklar sararmağa başladı: **it's ~ed six,** saat altıyı geçti: **not to know where to ~,** nereye başvuracağını bilmemek. **turn-table,** lokomotif vs.yi tersine döndürmeğe mahsus döner plâtform. **turn aside,** bir tarafa çevirmek; dön(dür)mek; sapıtmak. **turn away,** başka tarafa dönmek; koğmak, defetmek; bir yana çevirmek. **turn back,** geri dönmek; geri çevirmek; (yakasını) indirmek. **turn down,** indirmek; (lâmbayı) kısmak; reddetmek, kabul etmemek; aşağıya sapmak. **turn-down,** devrik. **turn in,** kıvırmak; (*kon.*)yatmak: **his toes ~ in,** ayakları içeri dönük. **turn into,** *veya* **be ~ed into,** ···e tahavvül etm.; kesilmek: **~ into,** tahvil etm.: **don't ~ the matter into a joke!,** işi alaya dökmeyiniz! **turn off,** sapmak; başka tarafa sapıtmak: (havagazi vs.yi) kesmek; (musluğu) kapamak; (hizmetçi vs.ye) yol vermek. **turn on,** (havagazi vs.yi) açmak; **to ~ on s.o.,** birine saldırmak: **everything ~s on his**

answer, her şey onun cevabına bağlıdır; **to ~ s.o. on to do stg.,** birini bir işe koymak. **turn out,** çıkmak; olmak; neticelenmek; yataktan kalkmak: kapı dışarı etm.; tardetmek, yol vermek, koğmak: (havagazı vs.yi) kesmek; imal etm.; (çekmece vs.yi) boşaltmak, yoklamak; yataktan kaldırmak: **as it ~ed out,** halbuki neticede ...: **it has ~ed out as you said,** dediğin çıktı; **it ~s out that ...,** anlaşıldı ki, meydana çıktı ki ...: **his son ~ed out badly,** oğlu fena çıktı: **the dog ~ed out to be mine,** meğer o köpek benim köpekmiş: **everyone ~ed out to see the King,** herkes çıkıp kıralı görmeğe geldi: **his feet ~ out,** ayakları dışarıya doğru çevrik: **this factory ~s out all sorts of goods,** bu fabrika her türlü şey imal ediyor: **to ~ out the government,** hükümeti düsürmek: **to ~ out the guard,** nöbetçileri çağırmak: **to ~ a horse out (to grass),** atı otlağa çıkarmak. **turn-out,** ictima, toplantı; gösterişli araba ile atları; kılık kıyafet, görünüş. **turn over,** yattığı yerde bir taraftan bir tarafa dönmek; (araba vs.) yana devrilmek; (kayık) albura olm.: devirmek; altüst etm.; çevirmek; havale etm.; evirip çevirmek: **the shop ~s over £500 a week,** bu dükkânda haftada 500 lira döner. **turnover,** bir işte muayyen bir müddette dönen para. **turn round,** dönmek; devretmek; fikrini değiştirmek: tersine çevirmek; döndürmek; çevirmek; devrettirmek. **turn to,** işe girişmek; gayret etm.: **the rain ~ed to snow,** yağmur kara çevrildi. **turn up,** çıkıvermek; gelmek; peyda olm.: yukarı çevirmek; kürek ile (toprağı) çevirmek: **to ~ up a lamp,** lâmbayı açmak: **to ~ up the nose,** burun kıvırmak: **to ~ up the nose at stg.,** bir şeye burun kıvırmak: **to ~ up one's sleeves,** yenlerini kıvırmak: **to ~ up a word in the dictionary,** bir kelimeyi lûgatte aramak: **the stink ~ed me up,** (*kon.*) fena koku beni kuşturdu.

turnbuckle [ˈtəənbʌkl]. Germe somun (liftinuskur).

turncoat [ˈtəənkout]. Parti veya mesleğinden dönen adam.

turned [ˈtəənd]. Tornistan; torna ile işlenmiş.

turner [ˈtəənə*]. Tornacı.

turning [təəniŋ]. Devvar; dönen. Tornacılık; köşe, dirsek, dönemeç. **turning-point,** dönüm noktası.

turnip [ˈtəənip]. Şalgam.

turnkey [ˈtəənkii]. Zındancı.

turnpike [ˈtəənpaik]. Müruriye alınan yol kapısı; müruriye ile geçilen yol.

turnscrew [ˈtəənskruu]. Tornavida.

turnstile [ˈtəənstail]. Turnike.

turpentine [ˈtəəpəntain]. Terementi.

turpitude [ˈtəəpitjuud]. Denaet, alçaklık, habaset.

turquoise [ˈtəəkwaaz]. Firuze.

turret [ˈtʌrit]. Küçük kule; taret. **~ed,** küçük kulelerle süslenmiş (bina).

turtle [ˈtəətl]. Su kaplumbağası. **to turn ~,** (gemi, kayık vs.) kâmilen devrilmek, albura olmak. **turtle-back,** kemerli güverte. **turtle-dove,** (*Turtur*) kumru.

tusk [tʌsk]. Fil ve yaban domuzunun büyük dişlerinden her biri. **~er,** büyük dişleri iyi gelişmiş fil veya yaban domuzu.

tussle [ˈtʌsl]. Güreşme(k), dövüşme(k); uğraşma(k).

tussock [ˈtʌsək]. Topak şeklinde yetişen uzun çimen.

tussore [ˈtʌsoo*]. **~(-silk),** Kaba fakat kuvvetli bir nevi ipek.

tut [tʌt]. (*ech.*) *Sabırsızlık veya serzeniş nidası*; çıkçık.

tutel·age [ˈtjuutəlidʒ]. Vasilik; vesayet altında bulunma. **~ary,** hami, koruyucu; vesayete aid.

tutor [ˈtjuutə*]. Hususî muallim, mürebbi, vasi. **~ial** [–ˈtooriəl], mürebbi veya vasiye aid; hususî ders.

tuxedo [tʌkˈsiidou]. (*Amer.*) Smokin.

twaddle [ˈtwodl]. Lâklâkiyet (söylemek veya yazmak).

twain [twein]. (*şair.*) İki. **to cleave in ~,** (kılıcla) ikiye bölmek.

twang [ˈtwaŋ]. (*ech.*) *Gerilmiş kirişin sesi*; hımhım. (Gerilmiş kiriş) ses vermek; gitara veya banjo çalmak; genizden konuşmak.

'twas [twoz] = **it was.**

tweak [twiik]. Çimdikler gibi tutup çekmek; bükmek.

tweed [twiid]. İskoç kumaşı. **~s,** bu kumaştan yapılan elbise.

'tween [twiin] = **between.**

tweet [twiit]. (*ech.*) Küçük kuşların cıvıltısı. Cıvıldamak.

tweezers [ˈtwiizəəz]. Cımbız.

twelfth [twelfθ]. On ikinci; on ikide bir. **the ~, grouse** avının başlangıcı (12 Ağustos): **~ Night,** noelden sonra on ikinci gece.

twelve [twelv]. On iki. **~month,** bir sene.

twent·y [ˈtwenti]. Yirmi. **~ieth** [–əθ], yirminci; yirmide bir.

twice [twais]. İki kere. **to think ~ before doing stg.,** bir şeyi yapmağa çekinmek: **he did not have to be asked ~,** o bu işe dünden hazırdı.

twiddle [ˈtwidl]. Çevirip oynamak.

twig[1] [twig]. *n.* İnce dal.

twig[2] *vb.* (*arg.*) Kavramak, 'çakmak'.

twilight [ˈtwailait]. Alaca karanlık. **~ sleep,** doğum ağrılarını hafifletmek için

cild altına yapılan enjeksiyonla temin edilen yarı baygınlık.
twill [twil]. Kabartma çubuklu bir kumaş.
'twill = **it will.**
twin [twin]. İkiz; eşit; çift (olan). **twin-engine,** çift motörlü.
twine [twain]. Kınnap, ıspavlı, kalın sicim; büküm, kıvrım. Bük(ül)mek; sar-(ıl)mak. **to ~ itself,** kıvrılmak, çöreklenmek.
twinge [twindʒ]. Süreksiz ince acı; sancı. Sancımak. **a ~ of conscience,** anî vicdan azabı.
twinkl·e [ˈtwinkl]. Parıltı. Yıldız gibi titreye titreye parıldama(k). **in the ~ing of an eye,** kaşla göz arasında.
twirl [twəəl]. Kıvrım; helezonvari kıvrılmış şey; fırıldak gibi dönüş. Fırıldatmak, fırıldanmak. **to ~ one's moustache,** bıyığını burmak.
twist[1] [twist] *n.* Burma, burulma, burulmuş şey; büküm, bükme; yılankavi şekil; (top) *bk.* **spin. a criminal ~,** bir şahısta beklenmedik şekilde cürüm temayülü: **a mental ~,** (zihniyet ve düşünüşte) gariblik, acaiblik: **the road takes a ~,** yol sapıyor, kıvrılıyor: **with a ~ of the wrist,** bileğini hafifçe bükerek.
twist[2] *vb.* Burmak, bükmek, burkmak; kıvırmak; sarmak; ters mana vermek; dolambaçlı olmak. **to '~ s.o. round one's little finger',** birini parmağında oynatmak: **the road ~s and turns,** yol sağa sola kıvrılıyor: **to ~ a rope round a post,** bir ipi bir direğe sarmak. **~ed,** bükülmüş; burkulmuş; burmalı: **to give a ~ meaning to stg.,** bir şeye ters mana vermek. **~er,** cevabı zor bir sual, bilmece; (*arg.*) hilekâr.
twit [twit]. İğnelemek, sataşmak, takılmak. **to ~ s.o. with stg.,** bir şeyi birinin başına kakmak.
twitch[1] [twitʃ]. Ayrıkotu.
twitch[2]. Burunduruk; yavaşa.
twitch[3]. Seğirme; anî ve asabî hareket; tik. Seğirmek; oynatmak.
twitter [ˈtwitə*]. Cıvıltı. Cıvıldamak.
'twixt [twikst] = **betwixt.**
two [tuu]. İki. **~ by ~, in ~s,** ikişer ikişer: **to put ~ and ~ together,** olanı biteni (sözleri) birbirine eklemek. **~fold,** iki katlı. **~pence** [ˈtʌpens], iki peni. **~penny** [ˈtʌpəni], iki penilik: **~-halfpenny,** iki buçuk penilik; değersiz. **two-edged,** iki taraflı (kılıc vs,): **a ~ sword,** acem kılıcı. **two-seater,** iki kişilik (otomobil, uçak). **two-stroke,** iki zamanlı.
tying *bk.* **tie.**
tyke [taik]. Âdi köpek.
tympanist [ˈtimpənist]. Davul, zil vs.yi çalan kimse.
tympanum [ˈtimpənəm]. Kulak zarı; kulak oyuğu.
type [taip]. Örnek, nümune; tip; matbaa harfi. Yazı makinesiyle yazmak. **to set ~,** yazı dizmek: **true to ~,** tipe uygun, aslına çekmiş. **~write,** yazı makinesiyle yazmak. **~writer,** yazı makinesi. **type-script,** makine ile yazılmış yazı. **typesetter,** murettib.
typhoid [ˈtaifoid]. Tifo.
typhoon [taiˈfuun]. Tayfun.
typhus [ˈtaifʌs]. Tifüs.
typical [ˈtipikl]. Tipe uygun, tipik; timsalî. **that is ~ of him,** tam ondan beklenecek bir şey.
typist [ˈtaipist]. Daktilo.
typograph·y [ˈtaiˈpogrəfi]. Matbaacılık, tipografya. **~ical** [–ˈgrafikl], matbaacılığa aid, tipografik: **~ error,** tertib hatası.
tyrann·y [ˈtirəni]. Müstebid idare; gaddarlık, zulüm; şiddetli nüfuz. **~ical** [–ˈranikl], müstebidce; zalimane, gaddarane. **~ize** [ˈtirənaiz], müstebidce davranmak; zulmetmek: **to ~ over,** müstebidce muamele etm., kasıp kavurmak.
tyrant [ˈtairənt]. Müstebid hükümdar; zalim hükümdar; gaddar.
tyre [tai*]. Tekerlek çemberi; otomobil veya bisiklet lâstiği. **pneumatic-~d,** şişirme lâstikli. **rubber-~d,** lâstikli: **solid-~d,** som lâstikli.
tyro [ˈtairou]. Acemi.

U

U [juu]. U harfi. **U-boat,** Alman denizaltısı.
ubiquitous [juuˈbikwitəs]. Her yerde bulunan.
udder [ˈʌdə*]. Hayvan memesi.
ugh [uf]. Öf!
ugl·y [ˈʌgli]. Çirkin; biçimsiz; sakil. **an ~ customer,** zorlu ve tehlikeli adam; netameli kimse: **things are looking ~,** ortalık tehlikeli görünüyor. **~iness,** çirkinlik; biçimsizlik.
uhlan [ˈuulaan]. Alman mızraklı süvari askeri.
U.K. [ˈjuuˈkei] = **United Kingdom,** Büyük Britanya ve Simalî İrlanda.
ukase [juuˈkeis]. Rus çarlarının iradesi; ferman; ukaz; keyfî emir.
ulcer [ˈʌlsə*]. Kendi kendine hasıl olan

cerahatli yara; çıban; karha. **~ate,** cerahatlen(dir)mek; çıban çıkarmak. **~ous,** çıban gibi; cerahatli yara nevinden.
ulster [ˈʌlstə*]. Uzun ve bol kemerli palto.
ult. ~ **ultimo.**
ulterior [ʌlˈtiəriə*]. Ötede olan; daha uzak; sonraki; gizli. ~ **motive,** gizli maksad: **without** ~ **motive,** ivazsız, gizli bir maksadı olmıyarak.
Ultima [ˈʌltima]. ~ **Thule** [ˈtjuulii], Şimalin en son yeri; en son varılacak nokta.
ultim·ate [ˈʌltimit]. Son; en sonraki; nihaî; asıl. **~atum** [–ˈmeitʌm], ültimatom. **~o,** geçen ay.
ultra [ˈʌltra]. Aşırı; son derece; müfrit. ~ **vires** [ˈvairiiz], salâhiyet haricinde.
ultra-, *pref.* öbür tarafta; ifrat derecede, *mes.* **~-microscopic,** mikroskopla görülmiyecek kadar ufak; **~-conservative,** son derecede muhafazakâr.
ultramarine [ˌʌltramaˈriin]. Lâciverd; deniz aşırı.
ultra-violet [ˈʌltraˈvaiəlit]. Ültraviyole; || morötesi.
ululate [ˈjuujuleit]. (*ech.*) Baykuş gibi ötmek.
umbel [ˈʌmbel]. Çiçek şemsiyesi; sayvan. **~liferous** [–ˈlifərəs], maydonoz gibi şemsiyeli.
umber [ˈʌmbə*]. Ombra boyası.
umbilical [ʌmˈbilikl]. Göbeğe aid. ~ **cord,** göbek bağı.
umbra [ˈʌmbra]. Hüsufla küsufta ayın veya arzın gölgesi.
umbrage [ˈʌmbridʒ]. Küskünlük. **to take** ~ **at stg.,** bir şeyden alınmak.
umbrella [ʌmˈbrelə]. Kış şemsiyesi. **umbrella-stand,** şemsiyelik.
umpire [ˈʌmpai*]. Hakem.
umpteen [ʌmpˈtiin]. (*arg.*) Bir çok.
un- [ʌn] *pref. Menfilik ifade eden ön ek; mes.* **true,** hakikî; **untrue,** yalan. *Bu ek hemen her sıfatın başına ilâve edilerek kelimenin aksi manasını ifade ettiğinden lûgatte yalnız çok kullanılan kelimelerle* **un** *ekinin menfiden başka bir mana tazammun ettiği kelimeler alınmıştır.* **Un** *ile başlayıp lûgatte bulunmıyan kelimeler için asıl sıfata bak.*
U.N. [ˈjuuˈen] = **United Nations,** Birleşmiş Milletler.
unabashed [ˈʌnabaʃd]. İstifini bozmadan; fütursuz.
unabated [ˈʌnaˈbeitid]. Azalmamış; hafiflenmemiş.
unable [ˈʌnˈeibl]. Elinden gelmez; gayri muktedir. **to be** ~ **to do,** yapamamak: **we were** ~ **to go,** gidemedik.
unaccompanied [ˈʌnaˈkʌmpənid]. Refakatsiz; yalnız.
unaccountable [ˈʌnaˈkauntəbl]. Anlaşılmaz; garib.
unacquainted [ˈʌnaˈkweintid]. **to be** ~ **with,** bilmemek; tanımamak.
unadorned [ˈʌnaˈdoond]. Süssüz; sade.
unadulterated [ˈʌnaˈdʌltəreitid]. Halis muhlis; su katılmadık, saf. ~ **nonsense,** deli saçması.
unaffected [ˈʌnaˈfektid]. Müteessir olmıyan; dokunulmaz; tabiî, sade, sadık.
unaided [ʌnˈeidid]. Yardımsız; tek başına. **to see with the** ~ **eye,** dürbün veya mikroskop kullanmadan.
unalloyed [ˈʌnaˈloid]. Mağşuş olmıyan, sâfi. ~ **happiness,** tam saadet.
unambitious [ˈʌnamˈbiʃəs]. Müteşebbis olmıyan: mütevazı; ihtirası olmıyan.
unamended [ˈʌnaˈmendid]. Tadil olunmamış; olduğu gibi.
unanim·ity [ˌjuuaˈnimiti]. Reylerin ittifakı; fikir ittifakı. **~ous** [–ˈnaniməs], aynı fikirde, müttefik; muttehid.
unannounced [ˈʌnaˈnaunsd]. Haber vermeden (gelen vs.).
unanswerable [ˈʌnˈaansərəbl]. Cevab verilemez; cerhedilemez.
unarmed [ʌnˈaamd]. Silâhsız.
unasked [ʌnˈaaskd]. İstenmemiş; sorulmamış; davetsiz. **to do stg.** ~, taleb olunmadan, kendiliğinden yapmak.
unassailable [ʌnaˈseiləbl]. Hücum edilemez; itiraz edilemez; münakaşa götürmez.
unassuming [ˈʌnaˈsuumiŋ]. Mütevazı, alçakgönüllü, iddiasız.
unattached [ˈʌnaˈtatʃt]. Bağlı olmıyan; başlı başına; evli olmıyan.
unattainable [ˈʌnaˈteinəbl]. Erişilemez; ele geçirilemez.
unattended [ˈʌnaˈtendid]. Yalnız, refakatsiz; maiyeti olmıyan. **a sport not** ~ **by danger,** tehlikesiz olmıyan bir spor.
unavailing [ˈʌnaˈveiliŋ]. Nafile, faydasız; semeresiz.
unavoidabl·e [ˈʌnaˈvoidəbl]. İctinab edilemez, kaçınılmaz; çaresiz; önüne geçilmez. **~y absent,** elinde olmıyan sebeblerden dolayı hazır bulunmıyan.
unaware [ˈʌnaˈweə*]. Habersiz. **to be** ~ **of stg.,** bir şeyden haberi olmamak: **I am not** ~ **that ...,** ... bilmez değilim. **~s,** bilmiyerek: **to catch** ~, gafil avlamak.
unbalance [ˈʌnˈbaləns]. Muvazenesini bozmak. **~d,** muvazenesiz.
unbearable [ʌnˈbeərəbl]. Tahammül edilmez, çekilmez, dayanılmaz.
unbeaten [ʌnˈbiitn]. Yenilmemiş. ~ **path,** çiğnememiş patika.
unbefriended [ˈʌnbiˈfrendid]. Dostsuz, kimsesiz.
unbeknown [ˈʌnbiˈnoun]. Tanınmıyan;

meçhul. **to do stg. ~ to anyone,** bir şeyi kimsenin haberi olmadan yapmak.

unbelie·f [ˈʌnbeˈliif]. İmansızlık; inanmazlık. **~vable** [–ˈliivəbl], inanılmaz, akla sığmaz. **~ver,** dinsiz, imansız.

unbend [ʌnˈbend]. Doğrultmak; çözmek; gevşetmek. Açılmak; ciddiyetini biraz bırakmak. **~ing,** eğilmez; sabit; sert; ciddî, çok resmî.

unbidden [ʌnˈbidn]. Davetsiz; emir almadan; kendi başına.

unbind [ʌnˈbaind]. Çözmek; salıvermek.

unblushing [ʌnˈblʌʃiŋ]. Yüzsüz, utanmaz, arsız.

unbolt [ˈʌnboult]. Sürgüsünü açmak.

unborn [ʌnˈboon]. Henüz doğmamış. **generations yet ~,** gelecek nesiller.

unbosom [ʌnˈbuzʌm]. **to ~ oneself,** kalbini açmak; derdini dökmek.

unbound [ʌnˈbaund]. Çözülmüş; cildlenmemiş.

unbounded [ʌnˈbaundid]. Hadsiz; ölçüsüz; aşırı.

unbridle [ʌnˈbraidl]. Gemini çıkarmak. **~d,** dizginsiz; azgın; müfrit.

unbroken [ʌnˈbroukn]. Daha kırılmamış; fasılasız; terbiye görmemiş (at); zabtedilmemiş; işlenmemiş (arazi). **an ~ custom,** öteden beri devam eden adet: **his record for 100 metres is still ~,** onun 100 metredeki rekoru henüz kırılmamıştır: **he has an ~ record of service,** o fasılasız hizmet görmüştür.

unbuil·d [ˈʌnbild]. Yıkmak. **~t,** inşa edilmemiş.

unburden [ʌnˈbəədn]. Yükten kurtarmak. **to ~ oneself [one's heart],** derd yanmak, içini dökmek: **to ~ oneself of a secret,** bir sır ifşa ederek ferahlamak.

unbutton [ˈʌnˈbʌtn]. Düğümlerini çözmek.

uncalled [ʌnˈkoold]. **~ capital,** tediyesi henüz taleb edilmemiş sermaye. **~ for,** yersiz, lüzumsuz; haksız.

uncanny [ʌnˈkani]. Esrarengiz; acayib; tekin değil.

uncared-for [ʌnˈkeədfoo*]. Bakımsız.

unceasing [ʌnˈsiisiŋ]. Durmıyan, fasılasız; mütemadi.

unceremonious [ˈʌnseriˈmouniəs]. Teklifsiz; lâübali.

uncertain [ʌnˈsəətən]. Gayri muayyen; katî olmıyan; kararsız; şübheli; belli olmıyan. **to be ~ whether ...,** ... katî olarak bilmemek.

unchain [ʌnˈtʃein]. Zincirini çözmek; salıvermek.

unchallenged [ʌnˈtʃalindʒd]. **his superiority is ~,** üstünlüğü su götürmez, itiraz kabul etmez: **to let s.o. pass ~,** (nöbetçi vs.) hüviyet sormadan geçmesine müsaade etm.; **to let stg. pass ~,** bir şeyi sükûtla karşılamak.

unchang·eable [ˈʌnˈtʃeindʒəbl]. Değişemez. **~ed,** değişmemiş, eskisi gibi. **~ing,** değişmez.

uncharted [ˈʌnˈtʃaatid]. Haritası yapılmamış; haritada gösterilmemiş; mechul.

unchecked [ʌnˈtʃekt]. Durdurulmamış; menedilmemiş; serbest; kontrol edilmemiş.

uncivil [ʌnˈsivil]. Nezaketsiz.

unclaimed [ˈʌnˈkleimd]. Sahibi çıkmamış; taleb edilmemiş (eşya).

uncle [ˈʌnkl]. Amca; dayı; (*arg.*) rehinci.

unclean [ʌnˈkliin]. Pis, murdar, kirli.

uncloak [ʌnˈklouk]. Meydana çıkarmak.

unclothed [ʌnˈklouðd]. Çıplak.

unclouded [ʌnˈklaudid] Bulutsuz; berrak.

uncocked [ˈʌnˈkokd]. Tetiği boş bırakılmış; emniyette (tüfek).

uncoil [ˈʌnˈkoil]. Kangalı açmak.

uncomfortable [ˈʌnˈkʌmfətəbl]. Rahatsız; huzursuz. **to be ~ about stg.,** bir şey hakkında endişe duymak; biraz vicdan azabı duymak.

uncommon [ʌnˈkommən]. Nadir; az bulunan veya kullanılan. **~ly,** fevkalâde: **not ~,** nadiren değil, çok defa.

uncommunicative [ˈʌnkəˈmjuunəkətiv]. Az konuşur; ketum; çekingen.

uncomplaining [ˈʌnkəmˈpleiniŋ]. Şikâyet etmez; sabırlı; mütevekkil.

uncomplimentary [ˈʌnkompliˈmentəri]. Pek takdir edici olmıyan; zemmedici.

uncompromising [ˈʌnˈkomprəmaiziŋ]. Uzlaşmaz; anlaşmıya yanaşmaz; eğilmez; muannid; katî.

unconcern [ˈʌnkonˈsəən]. Fütursuzluk; kayıdsızlık. **~ed,** fütursuz, kayıdsız; vazifesiz; istifini bozmıyan.

unconditional [ˈʌnkonˈdiʃənl]. Bilâkaydüşart; şartsız; mutlak.

unconfirmed [ˈʌnkonfəəmd]. Tasdik edilmemiş; teyid edilmemiş.

unconscionable [ʌnˈkonʃənəbl]. Vicdansız; makul olmıyan; insafsız. **an ~ rogue,** yaman bir madrabaz.

unconscious [ʌnˈkonʃəs]. Kendinden geçmiş; baygın bir halde; bihaber, oralı olmıyan; gayrimeş'ur.

unconsidered [ˈʌnkonˈsidəəd]. Değersiz, ehemmiyetsiz; düşüncesizce söylenmiş veya yapılmış.

unconstrained [ˈʌnkənˈstreind]. Serbest; açık; teklifsiz.

uncontroll·able [ˈʌnkənˈtrouləbl]. Tutulamaz, zabtedilemez; ele avuca sığmaz. **~ed,** baskısız; dizginsiz; murakebesiz.

unconventional [ˈʌnkənˈvenʃənl]. Mûtad hilâfına; kalender; teklifsiz.

unconvinc·ed [ˈʌnkənˈvinst]. Kani olmıyan, şübheli. **~ing,** ikna etmiyen.

uncouple [ˈʌnˈkʌpl]. (Birbirine bağlanmış iki şeyi) çözmek, koyuvermek.
uncouth [ʌnˈkuuθ]. Hoyrat, kaba, dağlı; çirkin; görgüsüz, yol bilmez.
uncover [ʌnˈkʌvə*]. Örtüsünü kaldırmak; meydana çıkarmak; şapka çıkarmak. **~ed,** örtüsüz, açık; sigortasız: **to remain ~,** şapkasını elinde tutmak.
uncrowned [ʌnˈkraund]. Henüz tetvic edilmemiş; kıral olmadığı halde kıral kadar kudretli.
unct·ion [ˈʌnkʃn]. Tedavi veya takdis için yağ sürme. **extreme ~,** Katolik âyinine göre ölmekte olan birisine mukaddes yağ sürmek. **~uous** [ˈʌnktjuəs], nahoş bir şekilde fazla nazik ve samimiyetsiz.
uncurl [ˈʌnˈkəəl]. Kangalını çözmek, açmak.
undeceive [ˈʌndiˈsiiv]. Aldanmış bir kimsenin gözünü açmak. **to ~ oneself,** gafletten uyanmak. **~d,** (i) aldanmamış; (ii) aldanmış olduğunu anlıyan.
undecided [ˈʌndiˈsaidid]. Mütereddid, kararsız; karar verilmemiş, mukarrer olmıyan; askıda olan.
undefin·able [ˈʌndiˈfainəbl]. Tarifi zor; tarif edilemez. **~ed,** gayri muayyen, belli olmıyan; mübhem.
undelivered [ˈʌndiˈlivəəd]. Kurtarılmamış. **~ letter,** teslim edilmemiş mektub.
undemonstrative [ˈʌndiˈmonstrətiv]. Hislerini saklıyan; sakin, temkinli.
undeniable [ˈʌndiˈnaiəbl]. İnkâr olunamaz; su götürmez.
under [ˈʌndə*]. Altında; ···da; aşağı; mucibince. **~ the table,** masanın altında: **to be ~ discussion,** müzakere edilmekte olm.: **~ one's eyes,** gözünün önünde: **~ Queen Elizabeth,** Kıraliçe Elizabeth'in saltanatı zamanında: **~ repair,** tamirde: **to study ~ s.o.,** ···den tahsil etm.: **~ the terms of the treaty,** muahede şartları mucibince.
under- *pref. Bu ek ekseriya bitişik yazılır. Kelime başına gelerek*: altında, daha aşağıda, daha küçük, daha az, lüzumundan daha az *manlarını tazammun eder,* **underground,** yeraltı; **under-nourished,** iyi gıda almıyan; **undersized,** yaşına göre küçük, normaldan küçük.
underbid [ˈʌndəˈbid]. Eksiltmek.
underbred [ˈʌndəˈbred]. Görgüsüz, kaba; terbiyesiz.
undercoat [ˈʌndəˈkout]. Astar boya.
undercharge [ˈʌndəˈtʃaadʒ]. Bir şey için birisinden hakikî değerden az para istemek.
underclothes [ˈʌndəˈklouðz], **underclothing** [–ˈklouðiŋ]. İç çamaşırı.
undercurrent [ˈʌndəˈkʌrənt]. Su sathının altından akan akıntı; zahirde görünmiyen fakat hakikatte mevcud olan his vs.
undercut *n.* [ˈʌndəkʌt]. Sığır filetosu; (boksta) aşağıdan yukarıya vuruş. *vb.* [ˈʌndəˈkʌt]. Alt kısmını kesmek; birisinden daha ucuza satmak.
underdo (**underdid, underdone**) [ˈʌndəˈduu, –ˈdid, –ˈdʌn]. Az pişirmek.
underdog [ˈʌndəˈdog]. Tazyik gören kimse veya millet; mazlum.
underdone [ˈʌndəˈdʌn]. Az pişirilmiş; kanlı (et).
underfeed (**underfed**) [ˈʌndəˈfiid, –ˈfed]. Kâfi yemek vermemek. **~fed,** kâfi gıda almıyan; bakımsız.
underfoot [ˈʌndəˈfut]. Ayak altında.
undergo (**underwent, undergone**) [ˈʌndəˈgou, –ˈwent, –ˈgon]. Çekmek, katlanmak; geçmek; duçar olm.; uğramak. **to ~ an operation,** ameliyat olmak.
undergraduate [ˈʌndəˈgradjuit]. Üniversite talebesi.
underground [ˈʌndəˈgraund]. Yeraltı; gizli. **the ~,** yeraltı demiryolu: **to go ~,** (*mec.*) polisten vs. gizlenmek.
undergrow·n [ˈʌndəˈgroun]. Cılız, sıska; yaşına göre küçük. **~th,** ormanda büyük ağaclar altında yetişen çalılar vs.
underhand [ˈʌndəˈhand]. El altından, gizli; alçak; (oyunlarda) topa aşağıdan vurarak veya topu aşağıdan atarak.
underhung [ˈʌndəˈhʌŋ]. Alt çenesi çıkık.
underlie (**-lying, -lay, -laid**) [ˈʌndəˈlai, –ˈlai·iŋ, –ˈlei, –ˈleid]. Altında bulunmak; temeli olmak.
underline [ˈʌndəˈlain]. Satırın altını çizmek; bir şeyin veya bir kelimenin ehemmiyetini tebarüz ettirmek.
underling [ˈʌndəliŋ]. Madun; ehemmiyetsiz memur veya hizmetçi.
underlying [ˈʌndəˈlai·iŋ]. Alttaki; esaslı, bellibaşlı.
underman [ˈʌndəˈman]. Lâzım olan işçi, memur veya tayfayı vermemek. **~ned,** lâzım olan işçi vs.si eksik.
undermentioned [ˈʌndəˈmenʃənd]. Aşağıda zikredilen.
undermine [ˈʌndəˈmain]. Temelini çürütmek; (su) oymak, çukur açmak; baltalamak; gizli entrikalarla zarar vermek. **to ~ one's health,** sıhhatini tedricen bozmak.
undermost [ˈʌndəˈmoust]. En aşağıdaki.
underneath [ˈʌndəˈniiθ]. Aşağısında; aşağıdaki.
underpa·y (**-paid**) [ˈʌndəˈpei, –peid]. Hak ettiği ücretten daha az para vermek. **~id,** noksan ücret alan.
underpin [ˈʌndəˈpin]. Askıya almak, desteklemek.

underrate [ˈʌndəˈreit]. Kıymetinden az değer vermek; küçümsemek.
undersell (-sold) [ˈʌndəˈsel, –ˈsould]. (Birisinden) daha ucuz satmak.
undershot [ˈʌndəˈʃot]. Altından geçen su ile döndürülen (su değırmeni); *bk.* **underhung.**
undersigned [ˈʌndəˈsaind]. **the ~,** imzası aşağıda yazılı olan.
undersized [ˈʌndəˈsaizd]. Normal hacımdan aşağı; cılız.
underslung [ˈʌndəˈslʌŋ]. Dingil altında asılı (şasi vs.).
understand (-stood) [ˈʌndəˈstand, –ˈstud]. Anlamak, idrâk etm., kavramak; takdir etm.; bilmek. **to give s.o. to ~,** birine münasib bir şekilde anlatmak, ima etm.: **I am given to ~ that ...,** malûmatıma göre ...: **to ~ horses,** attan anlamak: **'yes, so I ~',** evet, ben de böyle işittim: **we ~ that ...,** öğrendiğimize göre .... **~ing,** anlayışlı, zeki, hassas; kavrayış, idrâk, intikal; anlaşma, ittifak; şart: **to come to an ~ with s.o.,** birisile anlaşmak: **on the ~ that ...,** ... şartile. **~able,** anlaşılabilir; tabiî.
understate [ˈʌndəˈsteit]. Tefrit etmek. **you ~ the case,** vaziyetin ehemmiyetini lâyıkı ile göstermiyorsunuz. **~ment,** tefrit; bir şeyi olduğundan az göstermek.
understood [ˈʌndəˈstud] *bk.* **understand.** Anlaşılmış; müsellem; (*gram.*) tahtında müstetir. **it is an ~ thing that ...,** malûm bir şeydir ki; ... âdettir.
understrapper [ˈʌndəˈstrapə*] *bk.* **underling.**
understudy [ˈʌndəˈstʌdi]. İcabında bir aktörün yerine oynamak için rölünü ezberlemek. Yedek aktör.
undertak·e (-took) [ˈʌndəˈteik, –ˈtuk]. Üzerine almak; deruhde etm.; söz vermek, vadetmek; girişmek. **~er,** cenaze müteahhidi. **~ing,** teşebbüs, iş; taahhüd, vaid: **to give an ~,** bir taahhüde girmek, vadetmek.
undertone [ˈʌndəˈtoun]. Pes ses, yavaş ses; talî renk. **there is an ~ of bitterness in all he writes,** bütün yazılarında bir acılık şemmesi var.
undertook *bk.* **undertake.**
undertow [ˈʌndəˈtou]. Bir nehir veya deniz sathının altında akıntı; sahile çarpan dalgaların geri gitmesi.
undervalue [ˈʌndəˈvalju]. Kıymetinden az değer vermek; hakikî kıymetini takdir etmemek; küçümsemek.
underwent *bk.* **undergo.**
underwood [ˈʌndəwud] *bk.* **undergrowth.**
underworld [ˈʌndəˈwəəld]. Eski mitolojinin ahreti; ruhlar diyarı; cehennem. Cemiyetin en aşağı tabakası; caniler âlemi.
underwrite [ˈʌndəˈrait]. Gemiyi sigorta etmek. **to ~ shares,** yeni kurulan bir şirketin satılmıyan senedlerini iskonto ile alacağını tekeffül etmek.
undesirable [ˈʌndiˈzairəbl]. İstenmiyen; hoşa gitmiyen. Bir memleket veya şehre girmesi istenilmiyen kimse.
undeterred [ˈʌndiˈtəəd]. Fütursuz; azminden dönmiyen. **~ by his failure he tried again,** muvaffak olmadığı için yılmadı ve tekrar tecrübe etti.
undeveloped [ˈʌndiˈveləpt]. Gelişmemiş; işlenmemiş; kemale ermemiş; henüz mamur bir hale gelmemiş; (*fot.*) daha develope edilmemiş.
undeviating [ʌnˈdiivieitiŋ]. Hiç şaşmıyan; doğru gider.
undid *bk.* **undo.**
undiluted [ˈʌndaiˈljuutid]. Su katılmadık; saf, sade.
undischarged [ˈʌndisˈtʃaadʒd]. Dolu (top, tüfek); ödenmemiş. **~ bankrupt,** iflâsı kaldırılmamış olan kimse.
undisguised [ˈʌndisˈgaizd]. Kılığını değiştirmemiş; açık, vazıh.
undismayed [ˈʌndisˈmeid]. Müşkülat veya tehlikeden yılmıyan.
undisputed [ˈʌndisˈpjuutid]. Hakkında münazaa edilmez; sarih; müsellem.
undistinguished [ˈʌndisˈtiŋgwiʃt]. Mümtaz olmıyan; alelâde; orta.
undisturbed [ˈʌndisˈtəəbd]. Karıştırılmamış; rahat, sakin; istifi bozulmamış.
undivided [ˈʌndiˈvaidid]. Taksim edilmemiş; tam, bütün; ayrılmamış.
undo (undid, undone) [ʌnˈdou, ʌnˈdid, ʌnˈdʌn]. Çözmek; bozmak; ihlâl etmek. **to ~ the harm that has been done,** yapılan zararı telâfi etm.: bir şeyi keenlemyekün saymak: **what 's done can't be undone,** olan oldu; ok yaydan çıktı. **~ing,** inkıraz veya yıkım sebebi: **drink was his ~,** içki onu mahvetti. **~ne,** yapılmamış; çözülmüş: **to be ~,** çözülmek; yanmak (zarara uğramak): **we are ~,** hapı yuttuk, yandık: **to leave nothing ~,** etmediğini bırakmamak.
undoubted [ʌnˈdautid]. Şübheli olmıyan; muhakkak; şübhesiz.
undreamt [ʌnˈdremt]. **~ of,** hıç düşünülmemiş; tasavvur edilemez; akla hayale gelmez.
undress [ˈʌnˈdres]. Elbisesini çıkarmak; soyunmak. Ev kılığı, gündelik elbise. **~ uniform,** gündelik uniforma. **~ed,** elbisesini çıkarmiş: **to get ~,** soyunmak: **~ leather,** terbiye edilmemiş deri.
undue [ˈʌnˈdjuu]. Fazla; lüzumundan fazla; yersiz; ifrat derecede; usule, âdete, akla muvafık olmıyan.

undulate [ˈʌndjuleit]. Dalgalanmak; inip çıkmak.
unduly [ʌnˈdjuuli]. Lâyık olmıyan bir tarzda; lüzumundan fazla.
undying [ʌnˈdai·iŋ]. Lâyemut, ölmez; zeval bulmaz.
unearned [ˈʌnˈeend]. Çalışarak kazanılmamış; müstahak olunmamış. ~ **income,** çalışılmadan kazanılan irad.
unearth [ˈʌnˈəəθ]. Toprağı kazarak keşfetmek; bulup meydana çıkarmak. **~ly,** dünyaya aid olmıyan; fevkettabia; meş'um; müdhiş.
uneasy [ˈʌnˈiizi]. Rahatsız, müvesvis, huzursuz; kurdlu. **to feel ~,** endişe etm., huzursuzluk duymak; pirelenmek: **to make s.o. ~,** birinin huzurunu kaçırmak.
unemploy·ed [ˈʌnemˈploid]. İşsiz, boş, açıkta. **the ~,** işsizler. **~ment,** işsizlik.
unending [ˈʌnˈendiŋ]. Sonsuz; bitmez tükenmez.
unenviable [ˈʌnˈenviəbl]. Gıbta edilmiyecek; nahos; üzüntülü.
unequal [ˈʌnˈiikwəl]. Müsavi olmıyan. **to be ~ to the task,** işe gücü yetmemek: **I feel ~ to going there today,** bugün oraya gidecek halim yok. **~led,** eşsiz, misli yok.
unequivocal [ˈʌneˈkwivəkl]. Manası sarih; iltibassız.
unerring [ˈʌnˈəəriŋ]. Hedefi şaşmıyan; şaşmaz, yanılmaz.
unessential [ˈʌneˈsenʃl]. Tâli; esaslı [zarurî] olmıyan; ehemmiyetsiz.
uneven [ˈʌnˈiivn]. Ârızalı; muntazam olmıyan; düz olmıyan; ittiradsız; tek (aded). ~ **temper,** mizacı belli olmaz.
unexampled [ˈʌnegˈzaampld]. Emsalsiz.
unexcelled [ˈʌnekˈseld]. Emsalsiz; kimse tarafından geçilmemiş.
unexceptionable [ˈʌnekˈsepʃənəbl]. Bir diyecek yok; mahzursuz; tamamen uygun.
unexpected [ˈʌnekˈspectid]. Umulmadık; beklenilmiyen.
unexplored [ˈʌnekˈsplood]. Henüz keşfedilmemiş; ayak basılmamış; tedkik edilmemiş.
unfading [ˈʌnˈfeidiŋ]. Solmaz; zevalsiz; ebedî.
unfailing [ˈʌnˈfeiliŋ]. Şaşmaz; bitmez tükenmez; hiç eksik olmaz.
unfair [ˈʌnˈfeə*]. İnsafsız, haksız; tarafsız olmıyan; hileli. ~ **play,** mızıkcılık.
unfaltering [ˈʌnˈfoltəriŋ]. Şaşmaz; metin; tereddüdsüz.
unfamiliar [ˈʌnfəˈmiljə*]. Garib; tanınmıyan, yabancı; alışılmamış; alışkın olmıyan.
unfashionable [ˈʌnˈfaʃənəbl]. Modası geçmiş; modaya uygun olmıyan.
unfasten [ˈʌnˈfaasn]. Çözmek: açmak; koyuvermek.
unfathom·able [ˈʌnˈfaðəməbl]. Dibi bulunmaz; sırrına erişilemez. **~ed,** iskandil edilmemiş; henüz keşfedilmemiş.
unfed [ˈʌnˈfed]. Gıda almamış, aç.
unfeeling [ˈʌnˈfiiliŋ]. Hissiz; merhametsiz; soğuk.
unfeigned [ˈʌnˈfeind]. Samimî; yapma olmıyan.
unfilial [ˈʌnˈfiljəl]. Oğula yakışmaz; evlâd vazifesine mugayir.
unfit [ˈʌnˈfit]. Uymaz, münasib olmıyan; ehliyetsiz, kifayetsiz, işe yaramaz, elverişsiz; çürük, sıhhati bozuk. Elverişsiz hale koymak. **to be discharged as ~,** çürüğe çıkmak. **~ted, ~ for [to do] stg.,** bir şeye yaramıyan, istidadı olmıyan, kifayetsiz: ~ **with,** ···le techiz olunmamış. **~ting,** yakışmaz; uygun olmıyan.
unfix [ˈʌnfiks]. Sökmek, çözmek, ayırmak. ~ **bayonets!,** süngü çıkar!
unflagging [ˈʌnˈflagiŋ]. Yorulmak bilmez; durmaz, devamlı.
unflattering [ˈʌnˈflatəriŋ]. Zemmedici; takbih edici; pek takdirkâr olmıyan.
unfledged [ˈʌnˈfledʒd]. Henüz tüylenmemiş; dünyayı bilmiyen.
unflinching [ˈʌnˈflintʃiŋ]. Sakınmaz, çekinmez; ürkmez; yılmaz.
unfold [ˈʌnfould]. Katlanmış birşeyi açmak; yaymak; inkişaf ettirmek; meydana koymak; anlatmak. Açılmak; yayılmak.
unforeseen [ˈʌnfooˈsiin]. Gayri melhuz; önceden düşünülmiyen.
unforgettable [ˈʌnfəˈgetəbl]. Unutulmaz.
unforgiv·able [ˈʌnfəˈgivəbl]. Affedilmez. **~ing,** affetmez, kindar.
unformed [ˈʌnˈfoomd]. Çelimsiz, şekilsiz; henüz teşkil olunmamış.
unfortunate [ˈʌnˈfootjunit]. Talihsiz, bedbaht; aksi. **~ly,** ne yazık ki; aksi gibi; maalesef.
unfounded [ˈʌnˈfaundid]. Esassız; gayri mevsuk; sebebsiz; uluorta.
unfrequented [ˈʌnfriˈkwentid]. Issız; işlek olmıyan; tenha; münzevi.
unfriendly [ˈʌnˈfrendli]. Dostane olmıyan; soğuk; hasmane. **to meet with an ~ reception,** istiskale uğramak; soğuk karşılanmak.
unfrock [ˈʌnˈfrok]. Papazlıktan çıkarmak.
unfulfilled [ˈʌnfuˈfild]. İcra edilmemiş, yerine getirilmemiş; tatmin edilmemiş (arzu).
unfurl [ˈʌnˈfəəl]. (Bayrağı) açmak; (yelkeni) fora etmek.
ungainly [ˈʌnˈgeinli]. Hantal, çolpa, biçimsiz.

ungallant [ˈʌnˈgalənt]. Kadına karşı nezaketsiz.
un-get-at-able [ˈʌngetˈatəbl]. Erişilemez; varılamaz.
ungodly [ˈʌnˈgodli]. Dinsiz; fâsik; (*kon.*) Allahın belâsı.
ungovernable [ˈʌnˈgʌvənəbl]. Zabtolunmaz; taşkın.
ungracious [ˈʌnˈgreiʃəs]. Nezaketsiz; ince olmıyan; ters.
ungrateful [ˈʌnˈgreitfəl]. Nankör.
ungratified [ˈʌnˈgratifaid]. Tatmin edilmemiş; is'af edilmemiş.
ungrounded [ˈʌnˈgraundid]. Esassız.
ungrudging [ˈʌnˈgrʌdʒiŋ]. Esirgemiyen; gönülden; memnuniyetle verilen; cömerd.
unguarded [ˈʌnˈgaadid]. Muhafaza edilmemiş; dikkatsiz, gafil(ane); dikkatsizce yapılmış veya söylenmiş.
unguent [ˈʌŋgwənt]. Merhem.
unhallowed [ˈʌnˈhaloud]. Takdis edilmemiş; dinsiz. **~ joy,** şeytanî neşe.
unhampered [ˈʌnˈhampəəd]. Serbest; engelsiz; menedilmemiş.
unhandy [ˈʌnˈhandi]. Beceriksiz, çolpa; kullanışsız.
unhanged [ˈʌnˈhaŋd]. İpten kazıktan kurtulmuş.
unhapp·y [ˈʌnˈhapi] Mahzun, kederli; bedbaht; mesud olmıyan. **an ~ expression,** *etc.*, uygun olmıyan [yersiz] bir tabir vs.: **in an ~ moment,** uğursuz bir dakikada: **to make onself ~ about stg.,** bir şeyi tasa etmek. **~ily,** mesud olmıyarak; ne yazık ki, maalesef; aksi gibi: **that was rather ~ put,** ifade şekli uygun düşmedi.
unharmed [ˈʌnˈhaamd]. Sağ ve salim; zarara uğramamış.
unhealthy [ˈʌnˈhelθi]. Hastalıklı, alil; sıhhate muzır. **an ~ curiosity,** marazî bir tecessüs.
unheard [ˈʌnˈhəəd]. **to condemn s.o. ~,** birini dinlemeden mahkûm etm.: **~ of,** hiç işidilmemiş, hiç görülmemiş; şöhretsiz, tanınmamış.
unheeded [ˈʌnˈhiidid]. Kimse vazife etmiyerek; aldırış edilmiyen; ihmal olunmuş.
unhinge [ˈʌnˈhindʒ]. Menteşelerinden çıkarmak; aklını oynatmak.
unholy [ˈʌnˈhouli]. Dine mugayir; habis. **an ~ muddle** [**mess**], (*kon.*) müdhiş karışıklık.
unhook [ˈʌnˈhuk]. Çengelden çıkarmak; kopçalarını çözmek.
unhoped [ˈʌnˈhoupt]. **~ for,** umulduğundan iyi; hiç beklenmiyen (iyilik).
unhorse [ˈʌnˈhoos]. Attan düşürmek.
unhurt [ˈʌnˈhəət]. Zarar görmemiş; sağlam; incinmemiş.
uni- [ˈjuuni] *pref.* Bir olan; bir ···den yapılmış: tek ....
unicorn [ˈjuunikoon]. Tek boynuzlu at cinsinden efsanevi bir hayvan.
unidentified [ˈʌnaiˈdentifaid]. Hüviyeti tesbit edilmemiş.
unification [ˌjuunifiˈkeiʃn]. Birleştirme; bir yapma.
uniform [ˈjuunifoom]. Üniforma; resmi elbise. Yeknesak; birbirlerine benzer; mütecanis; değişmiyen, muttarid; dümdüz. **full ~,** büyük üniforma. **~ity** [–ˈfoomiti], yeknesaklık, birbirine benzerlik, tecanüs, ittirad.
unify [ˈjuunifai]. Bir yapmak; birleştirmek.
unilateral [ˌjuuniˈlatərəl]. Tek taraflı.
unimagin·able [ˈʌniˈmadʒinəbl]. Tasavvur edilemez; akla sığmaz. **~ative,** muhayyilesi dar.
unimpeachable [ˈʌnimˈpiitʃəbl]. Şübhe edilemez; cerhedilemez.
uninformed [ˈʌninˈfoomd]. Bihaber; malûmatsız; cahil.
uninspired [ˈʌninˈspaiəd]. İlhamsız; yavan.
uninterest·ed [ˈʌnˈintristid]. Alâkasız; kayıdsız; bigâne. **~ing,** enteresan olmıyan; yavan.
uninterrupted [ˈʌnintˈrʌptid]. Fasılasız: **~ly,** ara vermeden; bir teviye.
uninviting [ˈʌninˈvaitiŋ]. Cazibesiz; iştiha celbetmiyen.
union [ˈjuunjən]. Birlik, birleşme; cemiyet; sendika; ittihad; darülaceze; iltisak borusu; iki şeyin birleştiği yer. **the Union Jack,** İngiliz bayrağı. **~ist,** ittihadcı; eski İngiliz muhafazakâr partisi; sendikacı.
unique [juuˈniik]. Yegâne, biricik; eşsiz.
unison [ˈjuunizn]. Bir kaç sesin aynı notayı söylemesi. **all in ~,** hepsi aynı zamanda; hep beraber.
unit [ˈjuunit]. Vahdet; vahidi kıyasî; birlik; blok; bir bütün teşkil eden şey. **power ~ of a car,** bir otomobilin makinesi.
Unitarian [ˌjuuniˈteəriən]. Tevhid tarafdarı olan hıristiyan mezhebine mensub.
unite [juuˈnait]. Birleş(tir)mek. **~d,** birleşik, birleşmiş; müttehid, müttefik. **the United Kingdom,** Büyük Britanya: **the United States (U.S.A.),** Amerika Birleşik Devletleri.
unity [ˈjuuniti]. Vahdet; teklik; ittihad; birlik; imtizac; tesanüd.
universal [juuniˈvəəsl]. Küllî; âlemşümul; umumî. Külliyet. **~ coupling** [**joint**], kolları her istikamete tahrik ettirebilen bir makine mafsalı; kardan.
universe [ˈjuunivəəs]. Kâinat; mevcud olan şeyler; âlem; dünya.
university [juuniˈvəəsiti]. Üniversite.
unjust [ˈʌnˈdʒʌst]. Haksız, insafsız; adaletsiz; hakkaniyetsiz; adalete mugayir.

unkempt [ˈʌnˈkempt]. Taranmamış; düzeltilmemiş; hırpani.
unkind(ly) [ˈʌnˈkaind(li)]. Dostane olmıyan; sert; hatır kıran; insafsız. **an ~ fate,** zalim bir talih: **don't take it ~ly,** hatırınız kırılmasın!
unknown [ˈʌnˈnoun]. Mechul; tanınmıyan; malûm olmıyan. **he did it ~ to me,** benim haberim olmadan yaptı.
unlace [ˈʌnˈleis]. Korse veya kundura bağlarını çözmek.
unladylike [ˈʌnˈleidilaik]. Bir hanıma yakışmaz.
unlatch [ˈʌnˈlatʃ]. Mandalını açmak.
unlawful [ˈʌnˈloofəl]. Gayrikanuni; kanuna aykırı; gayrimeşru; haram.
unlearn [ˈʌnˈləən]. Öğrendiğini mahsus unutmak; alıştığından vazgeçmek. **~ed,** [–ləənd], öğrenilmemiş (ders); [–ləənid], malûmatlı olmıyan, cahil.
unleash [ˈʌnˈliiʃ]. (Bağlamış köpeği) çözmek; salıvermek.
unless [ʌnˈles]. …mezse; …medikçe. **I shan't go ~ I hear from you,** sizden haber almazsam gitmeyeceğım: **I won't go with anyone ~ it be you,** sızden maada kimse ile gitmem.
unlettered [ˈʌnˈletəəd]. Okumamış; ümmî.
unlicensed [ˈʌnˈlaisənst]. Vesikasız; ehliyetnamesiz; izin tezkeresi olmıyan; ruhsatsız.
unlicked [ˈʌnˈlikt]. Yontulmamış; hamhalat. **an ~ cub,** yontulmamış delikanlı.
unlike [ˈʌnˈlaik]. Benzemez; … gibi olmıyan. **that was most ~ you!,** bunu size hiç yakıştıramadım: **~ his father he dislikes music,** babasının aksine musikiyi sevmez.
unlike·ly [ˈʌnˈlaikli]. Muhtemel değil; umulmaz. **in the ~ event of …,** farzı muhal. **~lihood,** muhtemel olmayış.
unlimber [ˈʌnˈlimbə*]. Topun toparlağını çıkarmak.
unlimited [ˈʌnˈlimitid]. Hadsiz hesabsız; tahdid edilmemiş; pek çok.
unload [ˈʌnˈloud]. Yükünü boşaltmak, tahliye etm.; yükünü indirmek; yıkmak; (top, tüfek vs.yi) boşaltmak. **to ~ one's mind of a secret,** bir sırrı ifşa edip ferahlamak. **~ed,** boş, boşaltmış; tahliye edilmiş.
unlock [ˈʌnˈlok]. Kilidini açmak. **~ed,** kilidlenmemiş.
unlooked [ˈʌnˈlukt]. **~ for,** umulmadık; beklenmedik.
unloose [ˈʌnˈluus]. Çözmek; serbest bırakmak; salıvermek. **to ~ s.o.'s tongue,** birini söyletmek.
unlovely [ˈʌnˈlʌvli]. Cazibesiz, nahoş; çirkin.
unluck·y [ˈʌnˈlʌki]. Bedbaht; talihsiz; uğursuz, meymenetsiz. **it's ~ that he saw you,** seni görmesi aksilik oldu. **~ily,** maalesef.
unmake [ˈʌnˈmeik]. Yaptığını bozmak.
unman [ˈʌnˈman]. Cesaretini kırmak; yumuşatmak, gevşetmek; erkeği kadın gibi ağlatmak. **~ly,** erkeğe yakışmaz; korkak.
unmanageable [ˈʌnˈmanidʒəbl]. Ele avuca sığmaz (çocuk); idare edilemez; zabtolunamaz.
unmannerly [ˈʌnˈmanəəli]. Terbiyesiz, nezaketsiz; kaba.
unmask [ˈʌnˈmaask]. Maskesini açmak; meydana çıkarmak; foyasını meydana çıkarmak. **to ~ a battery,** toplarına ateş ettirerek bataryasının mevkiini ifşa etmek.
unmatched [ˈʌnˈmatʃt]. Eşsiz, emsalsiz.
unmeaning [ˈʌnˈmiiniŋ]. Manasız.
unmeant [ˈʌnˈment]. Kasdedilmemiş.
unmeasured [ˈʌnˈmeʒəəd]. Ölçülmemiş; ölçüsüz; hadsiz.
unmentionable [ˈʌnˈmenʃənəbl]. Ağza alınmaz; iğrenc.
unmerciful [ˈʌnˈməəsifəl]. Amansız; gaddar.
unmindful [ˈʌnˈmaindfəl]. **~ of one's duty,** vazifesini unutarak.
unmistakable [ˈʌnmisˈteikəbl]. Hakkında yanılmaz; aşikâr.
unmitigated [ˈʌnˈmitigeitid]. Hafiflememiş: azalmamış: son derece, tam manasile.
unmixed [ˈʌnˈmikst]. Mahlût olmiyan; tam, halis. **it is not an ~ blessing,** mahzuru yok değil.
unmoor [ˈʌnˈmoo*]. Geminin palamarlarını çözmek.
unmounted [ˈʌnˈmauntid]. Atlı olmıyan; yaya; yüzük vs.ye takılmamış (mücevher); kartonsuz (fotograf).
unmoved [ˈʌnˈmuuvd]. Kımıldanmamış; müteessir olmamış; niyetinden dönmemiş; istifini bozmıyan; bigâne.
unnecessary [ˈʌnˈnesəsəri]. Lüzumsuz; fuzuli.
unnerve [ˈʌnˈnəəv]. Cesaretini kırmak.
unnoticed [ˈʌnˈnoutist]. Göze görünmeden; gözden kaçmış. **to leave ~,** (i) bir şeye göz yummak, aldırmamak; (ii) göze çarpmadan gitmek.
unnumbered [ˈʌnˈnʌmbəəd]. Sayısız; numarası konmamış.
unobjectionable [ˈʌnobˈdʒekʃənəbl]. Mahzursuz; aleyhine diyecek bir şey yok.
unobserved [ˈʌnobˈzəəvd]. Görülmemiş, farkedilmemiş.
unobtrusive [ˈʌnobˈtruusiv]. Göze çarpmaz; mütevazı, kendi halinde.
unopposed [ˈʌnoˈpouzd]. Muhalefetsiz; muhalefet görmiyen.

unpack [ˈʌnˈpak]. Eşyasını bavulundan çıkarmak; sandık veya bohça açmak.
unpaid [ˈʌnˈpeid]. Ücret veya maaşını almamış; ödenmemiş; maaşsız çalışan.
unpalatable [ˈʌnˈpalətəbl]. Tatsız; hoşa gitmez; nahoş.
unparalleled [ˈʌnˈparəleld] Emsalsiz, eşsiz; naziri yok.
unparliamentary [ˈʌnpaaləˈmentəri]. Parlamento usullerine mugayir: ~ **language,** kaba, terbiyesiz sözler.
unperceived [ˈʌnpəəˈsiivd]. Farkına varılmamış; görülmemiş olarak.
unperturbed [ˈʌnpəəˈtəəbd]. Fütursuz, istifini bozmadan.
unpin [ˈʌnˈpin]. Toplu iğnelerini çıkararak çözmek.
unplaced [ˈʌnˈpleist]. Yarışta yer kazanmıyan; imtihanda derece almıyan.
unplayable [ˈʌnˈpleiəbl]. (*mus.*) Çalınması mümkün olmıyan (parça); (oyunda) vurulması mümkün olmıyan (top).
unpolished [ˈʌnˈpoliʃt]. Cilâsız; (elmas vs.) ham; kaba, zarafetsiz.
unpopular [ˈʌnˈpopjulə*]. Halkın hoşuna gitmiyen; sevilmemiş.
unpopulated [ˈʌnˈpopjuleitid]. İskân edilmemiş.
unpractical [ˈʌnˈpraktikl]. Kullanışlı olmıyan; amelî olmıyan; iş adamı değil.
unprecedented [ˈʌnˈpriisidentid]. Emsali görülmemiş.
unpredictable [ˈʌnpriiˈdiktəbl]. Önceden bilinmez; ne yapacağı vs. belli olmaz.
unprejudiced [ˈʌnˈpredʒudist]. Garazsız; munsif; bitaraf.
unprepared [ˈʌnpriˈpeərd]. Hazırlanmamış; pişirilmemiş; irticalen söylenmiş. **to be caught ~,** gafil avlanmak.
unprepossessing [ˈʌnˈpriipozesiŋ]. Alımsız; çirkin; kuşkulandırıcı.
unpresuming [ˈʌnpriˈzjuumiŋ]. Mütevazı; alçak gönüllü.
unpretentious [ˈʌnpriˈtenʃəs]. İddiasız; kendi halinde, mütevazı.
unprincipled [ˈʌnˈprinsipld]. Ahlâksız, seciyesiz. **an ~ scoundrel,** anasının ipliğini pazara çıkarmış.
unprintable [ˈʌnˈprintəbl]. Tabedilemiyecek kadar (kaba, fena tabir vs.).
unprofessional [ˈʌnprouˈfeʃənl]. Meslek veya sanat usullerine aykırı.
unprompted [ˈʌnˈpromptid]. Kendiliğinden; taleb edilmeden.
unpronounceable [ˈʌnproˈnaunsibl]. Telâffuz edilmez.
unprotected [ˈʌnprouˈtektid]. Mahfuz olmıyan; muhafazasız, açık. ~ **industry,** himaye edilmiyen sanayi.
unprovided [ˈʌnprouˈvaidid]. ~ **with stg.,** bir şeyden mahrum: **his family was left ~ for,** ailesini geçindirercek bir şey bırakmadı.
unprovoked [ˈʌnprouˈvoukt]. Sebebsiz; tahrik edilmemiş.
unpunctual [ˈʌnˈpʌnktjuəl]. Tayin olunan vakitte gelmiyen; geç kalan.
unqualified [ˈʌnˈkwolifaid]. İhtisassız; ehliyetsiz; diplomasız; tam, katî, şartsız.
unquenchable [ˈʌnˈkwentʃəbl]. Sönmez; kanmaz.
unquestion·able [ˈʌnˈkwestʃənəbl]. Su götürmez; şübhesiz; muhakkak. **~ing,** ~ **obedience,** tam itaat.
unquiet [ˈʌnˈkwaiət]. Rahatsız, huzursuz, mustarib; meraklı.
unquote [ˈʌnˈkwout]. *Aynen nakleden bir sözün bittiğini ifade eder.* **~d,** ~ **securities,** Borsa cedvelinde fiatları verilmemiş esham.
unravel [ˈʌnˈravl]. İpliklerini sökmek; dolaşığını açmak; halletmek, çözmek.
unread [ˈʌnˈred]. Okunmamış (kitab vs.); tahsil görmemiş, okumamış (kimse).
unreal [ˈʌnˈriəl]. Hakikî olmıyan; hayalî.
unreason·able [ˈʌnˈriiznəbl]. İnsafsız; makul olmıyan; müfrit, aşırı. **~ing,** akılsız; mantıksız; asılsız.
unrecogniz·able [ˈʌnˈrekognaizəbl]. Tanınmaz. **~ed,** tanınmamış; kabul olunmamış; kadri bilinmiyen.
unredeemed [ˈʌnriˈdiimd]. Rehinden çıkarılmamış; tutulmamış (vaid). **his vices were ~ by any virtue,** kusurlarını telâfi edecek hiç bir meziyeti yoktu.
unregenerate [ˈʌnriˈdʒenərit]. Islah olunmamış; tövbekâr olmamış; ıslah kabul etmez.
unrelated [ˈʌnriˈleitid]. Başka şey(ler)le alâkası veya münasebeti olmıyan; akraba olmıyan.
unrelenting [ˈʌnriˈlentiŋ]. Katı yürekli, amansız; gevşemiyen.
unrelieved [ˈʌnriˈliivd]. Derdi hafiflememiş; eksilmemiş; yeknesak.
unremitting [ˈʌnriˈmitiŋ]. Hiç durmıyan; fasılasız.
unrequited [ˈʌnriˈkwaitid]. Mükâfatı verilmemiş. ~ **love,** mukabele görmiyen aşk.
unreservedly [ˈʌnriˈzəəvidli]. Kayıdsız şartsız; istinasız; büsbütün, tamamen; açıkça.
unrest [ˈʌnˈrest]. Huzursuzluk, rahatsızlık; kargaşalık.
unrestrained [ˈʌnriˈstreind]. Zabtolunmamış; itidalsiz; müfrit; pervasız.
unrestricted [ˈʌnriˈstriktid]. Tahdid olunmamış; serbest; mutlak.
unrivalled [ˈʌnˈraivld]. Rakibsiz; eşsiz.
unroll [ˈʌnˈroul]. Dürülmüş bir şeyi açmak; açılmak; gözlerinin önüne ser(il)mek.

unromantic [ˈʌnrouˈmantik]. Romantik olmıyan; bayağı, âdi.
unruffled [ˈʌnˈrʌfld]. İstifini bozmıyan; sarsılmaz; (deniz) limanlık.
unruly [ˈʌnˈruuli]. Ele avuca sığmaz; azılı.
unsaddle [ˈʌnˈsadl]. Eyerini çıkarmak; attan düşürmek.
unsafe [ˈʌnˈseif]. Emin olmıyan; sağlam olmıyan; tehlikeli; güvenilmez; tehlikeye maruz.
unsaid [ˈʌnˈsed] *bk.* **unsay. to leave ~,** meskût geçmek.
unsatis·factory [ˈʌnsatisˈfaktəri]. Tatmin etmiyen; uygun olmıyan; kusurlu; memnun etmiyen. **~fied** [–ˈsatisfaid], doymamış; tatmin edilmemiş; gayrimemnun; ikna edilmemiş.
unsavoury [ˈʌnˈseivəri]. Fena kokulu; tadı fena; menfur, rezil.
unsay (unsaid) [ˈʌnˈsei, –ˈsed]. Söylediğini geri almak; *bk.* **unsaid.**
unscrew [ˈʌnˈskruu]. Vidasını açmak; vidalarını sökmek.
unscrupulous [ˈʌnˈskruupjuləs]. Vicdansız; hiç bir şeyden çekinmiyen.
unseal [ˈʌnˈsiil]. Mühürünü kırmak; açmak.
unseasonable [ˈʌnˈsiizənəbl]. Mevsimsiz; yersiz.
unseat [ˈʌnˈsiit]. Attan düşürmek; mebusluktan çıkarmak.
unsecured [ˈʌnsiˈkjuəd]. İyi bağlamamış; temin edilmemiş; kefaleti olmıyan.
unseemly [ˈʌnˈsiimli]. Yakışmaz; yakışıksız. **~ words,** ileri geri sözler.
unseen [ˈʌnˈsiin]. Görülmemiş; göze görünmiyen; gizli. **the ~,** öbür dünya; gaib; iyi saatte olsunlar: **~ translation,** hazırlamadan yapılan tercüme.
unselfish [ˈʌnˈselfiʃ]. Hodbin olmıyan; kendi menfaatini gütmiyen; feragat sahibi; hasbî.
unsettle [ˈʌnˈsetle]. Bulandırmak; sarsmak; karıştırmak; heyecanlandırmak. **~d,** kararlaştırılmamış, tesbit edilmemiş; (hava) değişik; (yer, memleket) gayri meskûn; karışıklık içinde; (insan) mütereddid; huzursuz; (hesab) ödenmemiş: **~ estate,** kime intikal edeceği vasiyetle tesbit edilmemiş servet.
unshake·able [ˈʌnˈʃeikəbl]. Sarsılmaz; metin. **~n,** sarsılmamış, metin.
unshaven [ˈʌnˈʃeivn]. Tıraşı uzamış.
unsheathe [ˈʌnˈʃiið]. Kınından çıkarmak.
unship [ˈʌnˈʃip]. Gemiden kaldırmak; yerinden çıkarmak; sökmek.
unshod [ˈʌnˈʃod]. Nalsız; ayakkabısız, yalın ayak.
unshrinkable [ˈʌnˈʃrinkəbl]. Çekmez, büzülmez.
unsightly [ˈʌnˈsaitli]. Göze batan; çirkin; yakışıksız.
unsinkable [ˈʌnˈsiŋkəbl]. (Suya) batmaz.
unskil·ful [ˈʌnˈskilfl]. Maharetsiz, beceriksiz, hünersiz. **~led,** eli yatmamış; teçrübesiz; melekesiz: **~ labour,** kaba iş; ihtısassız işçiler.
unsling (unslung) [ˈʌnˈsliŋ, –slʌŋ]. Askıdan indirmek.
unsolicited [ˈʌnsouˈlisitid]. İstenilmemiş; taleb edilmeden.
unsophisticated [ˈʌnsouˈfistikeitid]. Tabiî, saf, sadedil.
unsound [ˈʌnˈsaund]. Sağlam olmıyan; hastalıklı; çürük; bozuk; kusurlu; sakim. **of ~ mind,** şuuru muhtel.
unsparing [ˈʌnˈspeəriŋ]. Esirgemiyen; bol. **~ of others,** başkalarına karşı insafsız; başkalarına kıyar.
unspeakable [ˈʌnˈspiikəbl]. Ağza alınmaz; iğrenc; tarif edilemez.
unsplinterable [ˈʌnˈsplintərəbl]. Parçalanmadan kırılan (cam).
unspoil·ed, -t [ˈʌnˈspoild, –t]. Bozulmamış; şımarmamış.
unspoken [ˈʌnˈspoukn]. Söylenmemiş; zımnî.
unsteady [ˈʌnˈstedi]. Kararsız; sağlam olmıyan; sendeliyen; hoppa.
unstinted [ˈʌnˈstintid]. Bol; istenildiği kadar; esirgenmemiş.
unstitch [ˈʌnˈstitʃ]. Dikişini sökmek. **to come ~ed,** dikişi sökülmek.
unstop [ˈʌnˈstop]. Tıpasını çıkarmak. **~ped,** durdurulmamış; tıpası veya tıkacı çıkmış: **(tooth) to come ~,** (dişin) dolgusu çıkmak.
unstuck [ˈʌnˈstʌk]. **to come ~,** (yapışık bir şey) ayrılmak, çözülmek.
unstudied [ˈʌnˈstʌdid]. Tabiî, sunî değil; önceden hazırlanmamış.
unsuited [ˈʌnˈsjuutid]. **~ to [for],** ···e uymaz, yakışmaz, münasib olmıyan.
unsurpassed [ˈʌnsəəˈpaast]. Emsalsiz.
unsuspect·ed [ˈʌnsʌsˈpektid]. Umulmadık; hakkında şübhe olmıyan. **~ing,** şübhe etmiyen, gafil.
unswerving [ˈʌnˈswəəviŋ]. Sapmaz; yolundan şaşmaz; metin, devamlı.
unsympathetic [ˈʌnsimpaˈθetik]. Başkasının hislerine iştirak etmiyen; soğuk; sevimli olmıyan; tasvib etmez.
untameable [ˈʌnˈteiməbl]. Ehlileştirilemiyen; zabtolunmaz.
untapped [ˈʌnˈtapt]. Tıpası çıkarılmamış; delinmemiş (fıçı). **~ resources,** henüz kullanılmamış [gelişmemiş], kaynaklar vs.
untaught [ˈʌnˈtoot]. Öğretilmemiş; cahil.
unthink·able [ˈʌnˈθinkəbl]. Düşünülmez, tasavvur edilmez, akla gelmez. **~ing,**

düşüncesiz; dalgın; düşünmeden veya dikkatsizce yapılmış.
untilled [ˈʌnˈtild]. İşlenmemiş (toprak), sürülmemiş, ekilmemiş.
untimely [ˈʌnˈtaimli]. Vakitsiz; mevsimsiz; yersiz. **to come to an ~ end,** vaktinden evvel ölmek; muvaffak olmadan çabucak sona ermek.
untiring [ˈʌnˈtaiəriŋ]. Yorulmak bilmez.
unto [ˈʌntou]. **to'** *in eski şekli.*
untold [ˈʌnˈtould]. Nakledilmemiş; hesabsız, sayılmaz; sonsuz. **worth ~ gold,** dünya kadar altın değerinde.
untouch·able [ˈʌnˈtʌtʃəbl]. El sürülemez; (Hindistanda) kastsız, en aşağı sınıfa mensub. **~ed,** dokunulmamış; zarar görmemiş, sağ; el değmemiş, tamam; müteessir olmıyan: **he left his food ~,** yemeğine el sürmedi.
untoward [[ˈʌnˈtouəəd]. Talihsiz, uğursuz; aksi, ters; yersiz.
untrammelled [ˈʌnˈtraməld]. Serbest; engelsiz. **~ by convention,** her türlü tekellüften âri.
untried [ˈʌnˈtraid]. Tecrübe edilmemiş; denenmemiş; muhakeme olunmamış.
untrodden [ˈʌnˈtrodn]. Ayak basılmamış; bakir (orman); kuş uçmaz kervan geçmez. **~ path [road],** (*mec.*) yeni bir çığır.
untroubled [ˈʌnˈtrʌbld]. Rahat, ıstırabsız; sakin; kaygısız.
untru·e [ˈʌnˈtruu]. Yalan, doğru olmıyan; gayri sadık, vefasız. **~th,** yalan.
untutored [ˈʌnˈtjuutəəd]. Öğretilmemiş; cahil; fıtrî.
untwist [ˈʌnˈtwist]. Bükümünü açmak; çöz(ül)mek.
unusable [ˈʌnˈjuuzəbl]. Kullanılmaz; faydasız.
unused [ˈʌnˈjuuzd]. Kullanılmamış; yeni; kullanılmıyan. [ˈʌnˈjuust], alışmamış.
unusual [ˈʌnˈjuuʒuəl]. Mûtad hilâfına; nadir; adete [usule] mugayir; müstesna, fevkalâde.
unutterable [ˈʌnˈʌtrəbl]. Ağza alınmaz; tarif edilmez.
unvaried [ˈʌnˈveərid]. Değişmez; yeknesak; hep bir.
unvarnished [ˈʌnˈvaaniʃt]. Verniklenmemiş; sade, saf; süssüz. **a plain ~ tale,** süssüz ilâvesiz hikâye.
unvarying [ˈʌnˈveəri·iŋ]. Değişmez; daima ayni olan.
unveil [ˈʌnˈveil]. Peçesini kaldırmak, örtüsünü açmak. **to ~ a statue,** *etc.*, bir heykel vs.yi merasimle açmak.
unversed [ˈʌnˈvəəst]. **~ in,** ···in cahili; ···i bilmez; ···da acemi.
unvoiced [ˈʌnˈvoist]. Sözle söylenmemiş; ifade edilmemiş.
unwarrant·able [ˈʌnˈworəntəbl]. Haklı telâkki edilemez; mazur görülmez; caiz olmıyan. **~ed,** mazur görülmez; haksız; yersiz; yakışmaz.
unwary [ˈʌnˈweəri]. Gafil; ihtiyatsız.
unwashed [ˈʌnˈwoʃt]. Yıkanmamış. **the Great Unwashed,** ayak takımı.
unwavering [ˈʌnˈweivəriŋ]. Sabit, devamlı; tereddüd etmiyen; sarsılmaz.
unwear·ied [ˈʌnˈwiərid]. Yorulmamış, yorulmaz. **~ying,** yorulmak bilmez.
unwelcome [ˈʌnˈwelkəm]. Nahoş; istenilmiyen.
unwell [ˈʌnˈwel]. Hafifçe hasta, keyifsiz, halsiz.
unwept [ˈʌnˈwept]. Ağlanmamış.
unwholesome [ˈʌnˈhoulsəm]. Sıhhate muzır; ağır (yemek); muzır, kötü; ahlâk bozucu.
unwieldy [ˈʌnˈwiildi]. Havaleli; kullanıssız; hantal.
unwilling [ˈʌnˈwiliŋ]. İsteksiz, istemiyerek.
unwind (**unwound**) [ˈʌnˈwaind], –ˈwaund]. Dolanmış veya dürülmüş şeyi açmak; çöz(ül)mek.
unwise [ˈʌnˈwaiz]. Akıllı olmıyan, makul olmıyan; akıllı iş değil.
unwittingly [ˈʌnˈwitiŋli]. Kasden olmamış; bilmiyerek.
unwonted [ˈʌnˈwountid]. Alışılmamış, mûtad olmıyan.
unworkable [ˈʌnˈwəəkəbl]. İşlenmez; yapılamaz; tatbik edilemez.
unworldly [ˈʌnˈwəəldli]. Dünyevî olmıyan; maddî olmıyan; uhrevî; fevkalbeşer.
unworthy [ˈʌnˈwəəði]. Lâyık olmıyan; yakışmaz; müstahak olmıyan.
unwound *bk.* **unwind.**
unwrap [ˈʌnˈrap]. Açmak, çözmek; zarfı, sargı veya ambalajını çıkarmak.
unwritten [ˈʌnˈritn]. Yazılmamış; şifahî. **the ~ law,** teamüle müstenid kanun.
unyielding [ˈʌnˈyiildiŋ]. Boyun eğmez; teslim olmıyan; muannid, sert.
up [ʌp]. Yukarı, yukarıda, yukarıya; (fiat) yükselmiş. [*Fiille birlikte*: (i) *yukarıya doğru hareket ifade eder, mes.* **to go up,** yukarı çıkmak, yükselmek; **to raise up,** yükseltmek; (ii) *sonuna kadar götürülen bir hareket ifade eder, mes.* **to use up,** kullanıp bitirmek; **to nail up,** bir şeyi çivileyerek kapatmak.] **to be ~ and about,** (hasta) iyileşip gezip yürümek: **we're ~ against it!,** işte şimdi çattık!; işler sarpa sardı: **it's all ~ with us,** hapı yuttuk; yandık, mahvolduk: **his blood was ~,** coştu, öfkelendi: **we must be ~ and doing,** haydi iş başına: **~s and downs,** değişiklik; iniş yokuş; kâh düşme kâh kalkma: **the ~s**

and downs of life, feleğin germü serdi: **to curse ş.o. ~ and down,** birini tepeden tırnağa donatmak: **to walk ~ and down,** bir aşağı bir yukarı gezmek: **is he ~ (yet)?,** kalktı mı?: **it 's not ~ to much,** pek bir şeye benzemiyor: **after his illness he is not ~ to much,** hastalığından beri pek işe yaramıyor: **Parliament is ~,** Parlamento kapalı: **there's something ~,** bir şey var, bir şeyler oluyor: **~ to ...,** ···e kadar: **what are you ~ to?,** ne halt ediyorsunuz?: **he 's ~ to something or other,** her halde bir dolab çeviriyor: **the next step is ~ to you, it is ~ to you to take the next step,** bundan sonraki teşebbüsü yapmak size aiddir: **what 's ~?,** ne var?, ne oluyor?: **what 's ~ with you?,** ne oluyorsunuz? **up-and down, ~ motion,** yukarı aşağı hareket. **up-end,** dikine oturtmak; dikmek, kaldırmak. **up-grade,** yokuş: **to be on the ~,** ilerlemekte olm.; iyileşmekte olmak. **up-hill,** yukarıya doğru giden; güç, çetin. **up-river,** nehrin yukarı tarafında [tarafına]. **up-stream,** akıntıya karşı; nehrin yukarı tarafına. **up-to-date,** asrî, son moda, modern.

upas [ˈjuupas]. **~ tree,** Cava'da yetişir bir ağac ki dallarının altına girmek uğursuz sayılır ve süte benzer usaresi ok zehiri olarak kullanılır.

upbraid [ʌpˈbreid]. Azarlamak.

upbringing [ˈʌpˈbriŋiŋ]. Çocuk terbiyesi. **what was his ~?,** nerede yetişmiş?

upheaval [ʌpˈhiivil]. Arzın kabuğunun kabarması; âni ve büyük değişiklik; kıyamet; kargaşalık.

uphold (**upheld**) [ʌpˈhould, -held]. Tutmak; düşmesini önlemek; idame etm.; muhafaza etm.; iltizam etm.; tasdik etmek.

upholster [ʌpˈhoulstə*]. Perde, halı ve mefruşat ile döşemek; tefriş etm.; koltuk vs.yi doldurup kumaşla kaplamak. **~er,** döşemeci. **~y,** döşeme, döşemecilik.

upkeep [ˈʌpkiip]. İdame; bakım; idame masrafı.

upland [ˈʌplənd]. Yaylada bulunan. **the ~s,** yayla; yüksek mıntaka.

uplift *n.* [ˈʌplift]. Yükseltme; kalkınma. *vb.* [ʌpˈlift]. Yükseltmek; kalkındırmak.

upon [ʌˈpon]. Üzerine, üzerinde; *bk.* **on. winter is ~ us,** kış gelip çattı; kış neredeyse başlar.

upper [ˈʌpə*]. Üst; üstteki; yukarıdaki. **~s,** kunduranın yüzü. **to be (down) on one's ~s,** zaruret içinde olm.: **the ~ classes, the ~ ten (thousand),** kibar tabaka, havas: **to get the ~ hand,** üst olm., üstün gelmek: **the ~ House,** Lordlar Kamarası. **~most,** en üsttedeki; en yukarıdaki; birinci; ilk gelen.

uppish [ˈʌpiʃ]. (*kon.*) Şımarık, yüzsüz, arsız.

upright [ˈʌprait]. Dik; amudî; müstakim, namuslu. Amudî kısım, direk. **bolt ~,** dimdik: **out of the ~,** amudî olmıyan: **~ ~ piano,** kuyruksuz piyano. **~ness,** istikamet, doğruluk.

uprising [ʌpˈraiziŋ]. Ayaklanma, isyan; kıyam; kalkış: güneşın doğması.

uproar [ˈʌproo*]. Velvele, şamata; hengâme, kargaşalık. **~ious** [–ˈrooriəs], şamatalı; curcunalı: **to laugh ~ly,** kahkahalarla gülmek.

uproot [ʌpˈruut]. Kökünden söküp çıkarmak; kökünden koparmak.

upset (**upset**) [ʌpˈset]. Devirmek, altüst etm.; bozmak; üzmek, canını sıkmak; musallat olm.; dokunmak; tedirgin etmek. Devrilmek; alabura olmak. Devrilmiş; altüst; bozulmuş; müteessir; mustarib; keyfi kaçmış. Devrilme; karışıklık. **beer ~s me,** bira bana dokunur: **he is easily ~,** en kücük şeye üzülür: **~ price,** satış veya mezadda kabul edilecek en aşağı fiat: **don't ~ yourself!,** üzülme!

upshot [ˈʌpʃot]. Netice, akibet; hulâsa.

upside-down [ˈʌpsaidˈdaun]. Altüst; ters. **to hold stg. ~,** bir şey baş aşağı tutmak: **to turn ~,** altüst etmek.

upstair [ˈʌpˈsteə*]. Üstkata aid. **~s,** üst katta, üst kata.

upstanding [ʌpˈstandiŋ]. Boyu bosu yerinde; dik.

upstart [ˈʌpstaat]. Türedi; zıpçıktı.

uptake [ˈʌpteik]. Kavrayış, intikal; yukarıya çekme. **quick in the ~,** çabuk kavrar: **slow in the ~,** kalınkafalı.

upturn [ʌpˈtəən]. (Toprağı) saban ile çevirmek. Yükselme: **prices are on the ~,** fiatlar yükseliyor. **~ed,** yukarıya çevrilmiş; yukarıya bakan; kalkık (burun).

upward [ˈʌpwəəd]. Yukarıya doğru giden. **~s,** yukarıya doğru; ziyade. **five pounds and ~,** beş liradan itibaren: **~ of 100 planes,** yüzden fazla uçak; **from ten years of age ~,** on yaşından itibaren.

urban [ˈəəbən]. Şehre mensub veya aid. **~ization** [–aiˈzeiʃn], şehrileştirme.

urban·e [əərˈbein]. Nazik, mültefit, çelebi. **~ity** [–ˈbaniti], nezaket, çelebilik.

urchin [ˈəətʃin]. Küçük erkek çocuk, afacan.

Urdu [ˈuuəduu]. Orduca.

urea [juəˈriia]. Bevil cevheri; üre.

ureter [juuəˈriitə*]. Hâlib.

urethra [juuəˈriiθra]. İdrar yolu; ihlil.

urge [əədʒ]. Sevk, saik. Sevketmek, tahrik etm.; sürmek; ısrar etm.; sıkıştırmak;

istical etmek. **to feel an ~ to do stg.**, içinden dürtüyorlar gibi bir şeyi yapmak istemek.
urgen·t [ˈəədʒənt]. Mübrem, âcil, müstacel; mühim. **~cy,** mübremiyet, ehemmiyet.
uric [ˈjuərik]. İdrara aid, bevlî; ürik.
urinal [ˈjuarinl]. (Küçük abdest için) helâ; ördek; oturak.
urine [ˈjuərin]. İdrar.
urn [əən]. Eskiden ölünün küllerinin saklandığı kab; ayaklı kab; semaver.
ursine [ˈəərsain]. Ayı gibi.
urtica·ceae [ˌəətiˈkasi·ii]. Isırganlar. **~ria** [–ˈkeəria], kurdeşen.
us [ʌs]. Bizi. **to ~,** bize: **from ~,** bizden.
U.S. = **United States. U.S.A.** = **United States of America,** Amerika Birleşik Devletleri.
usable [ˈjuuzəbl]. Kullanılabilir.
usage [ˈjuuzidʒ]. Kullanış; muamele; teamül, âdet.
use[1] *n.* [juus]. Fayda; kullan(ıl)ma; istimal; kullanış; âdet. **to come into ~,** kullanılmağa başlamak: **a word in everyday ~,** her gün kullanılan bir kelime: **for the ~ of,** ···in için, ···in istimaline mahsus olarak: **we will find a ~ for it,** belki bir gün bir şey için kullanırız: **to have the ~ of,** kullanabilmek; kullanmağa hakkı ve salâhiyeti olm.: **he has lost the ~ of his right hand,** sağ elini kullanamıyor: **to make ~ of stg.,** bir şeyden istifade etm., bir şeyi kullanmak: **to make good ~ of stg., to put stg. to good ~,** bir şeyden istifade etm., çok kullanmak: **to make a good** [**bad**] **~ of stg.,** bir şeyi iyi [fena] bir maksad için kullanmak: **it's no ~,** faydası yok; beyhude, nafile: **of no ~,** faydasız: **of ~,** faydalı: **to be of ~ for stg.,** bir şeye yaramak: **can I be of any ~ to you?,** size yardım edebilir miyim?: **out of ~,** kullanılmıyor; şimdi kullanılmaz: **to go** [**fall**] **out of ~,** artık kullanılmamak: **what's the ~?,** ne fayda?, bundan ne çıkar?
use[2] *vb.* [juuz]. Kullanmak, istimal etm.; istifade etm.; işletmek; muamele etmek. **to ~ up,** kullanıp bitirmek; tüketmek; istihlâk etm.: **to be ~d up,** tükenmek; suyunu çekmek.
use[3] *vb. Yalnız mazi sıygasında* (**used** [juust]) *kullanılır.* Adeti olm., adet edinmek. **to be ~d to,** ···e alışık olmak. **I ~d to go there every day,** ben oraya her gün giderdim: **I am not ~d to such treatment,** böyle muamele edilmeğe alışık değilim: **I ~d not to like whisky,** eskiden viskiden hoşlanmazdım: **things aren't what they ~d to be,** dünya eskisi gibi değil; ⌜eski çamlar bardak oldu⌝.
used[1] [juuzd] *bk.* **use**[2]. Kullanılmış; yeni değil.
used[2] [juust] *bk.* **use**[3].
useful [ˈjuusfəl]. Faydalı; işe yarar. **to make oneself ~,** faydalı bir iş görmek; yardım etmek. **~ness,** faydalı olma; kullanışlılık.
useless [ˈjuuslis]. Faydasız; bir işe yaramaz; boş, beyhude.
user [ˈjuuzə*]. Kullanan.
usher [ˈʌʃə*]. Mubassır; mubaşir; teşrifatçı; (tiyatro vs.de) yer gösteren memur. **to ~ in,** salon vs.ye almak, yol göstermek: **to ~ in a new epoch,** yeni bir devir açmak.
U.S.S.R. [ˈjuuˈesˈesˈaa]. **Union of Soviet Socialist Republics,** Sovyet Rusya.
usual [ˈjuuʒuəl, –ʒul, –ʒəl]. Mûtad; alelâde; olağan; adet hükmünde; her zamanki. **as ~,** her zamanki gibi.
usufruct [ˈjuuzjufrʌkt]. İntifa hakkı.
usur·er [ˈjuuzjuərə*]. Mürabahacı; tefeci; faizci. **~ious** [juuˈzjuuriəs], mürabahalı; fahiş faiz alan.
usurp [juuˈzəəp]. Gasbetmek; kabullenmek; tecavüz etmek. **~ation** [–peiʃn], gasbetme. **~er,** gasbedici; gayrimeşru vasıtalarla saltanatı elde eden kimse.
usury [ˈjuuʒuri]. Mürabahacılık; fahiş faiz.
utensil [juuˈtensl]. Kab; mutfak takımı; alet.
utilitarian [ˌjuutiliˈteəriən]. Faydacı. **~ism,** faydacılık.
utilit·y [juuˈtiliti]. Faydalı olma; yarama. **~ clothes, boots,** *etc.*, harb zamanında ham malzemeden tasarruf için hükûmetçe tesbit edilen kalite ve fiatta elbise vs.: **general ~ wagon,** her işe yarıyan araba: **public ~ies,** âmme müesseseleri.
utilize [ˈjuutilaiz]. Kullanmak; istifade etm.; fayda temin etmek.
utmost [ˈʌtmoust]. Son derece; en uzak; en ziyade. **to do one's ~,** elinden gelen her şeyi yapmak: **to the ~,** alabildiğine.
Utopia [juˈtoupiə]. Muhayyel yeryüzü cenneti; hayali ham. **~n,** hayalî; çok istenen fakat yapılamıyan.
utter[1] [ˈʌtə*] *a.* Bütün bütün; tam; sapına kadar. **~ ass,** şeddeli eşek: **~ rot,** deli saçması. **~most** *bk.* **utmost.**
utter[2] *vb.* Ağza almak; seslenmek; ses çıkarmak; (kalp para vs.yi) sürmek. **~ance,** ifade; ses çıkarma; söz: **to give ~ to one's feelings,** hislerini sözle ifade etmek.
uvula [ˈjuuvjula]. Küçük dil. **~r,** küçük dile aid.
uxorious [ʌkˈsooriəs]. Karısına son derece düşkün olan.

V

V [vii]. V harfi. (i) = *vide*, buna bak; (ii) = **·versus**, karşı. **V-shaped,** V şeklinde.
vacan·t [ˈveikənt]. Boş; açık, münhal; bön. **house to be sold with ~ possession,** derhal taşınılabilen satılık ev. **~cy,** boşluk; münhal yer; bön bön bakma.
vacate [vəˈkeit]. Terketmek; boş bırakmak. **to ~ office,** istifa etmek.
vacation [vəˈkeiʃn]. Tatil; tatil vakti. **the long ~,** üniversitenin uzun yaz tatili.
vaccin·ate [ˈvaksiˈneit]. Aşılamak. **~ation** [–neiʃn], aşılama (*um. yalnız çiçek aşısı için kullanılır*). **~e** [ˈvaksiin], aşı (madde).
vacillate [ˈvasileit]. Sallanmak; iki şık arasında tereddüd etm.; bocalamak.
vacu·ity [vaˈkjuuiti]. Boşluk; bön bön bakma. **~ous** [ˈvakjuəs], manasız, bön.
vacuum [ˈvakjuəm]. Boşluk; halâ; vakum. **vacuum-cleaner,** elektrik şüpürgesi. **vacuum-flask,** termos.
vade mecum [ˈveidiˈmiikəm]. Her zaman üstte taşınılan faydalı bir şey ve bilhassa küçük rehber.
vae victis [ˈviiˈviktis]. Veyl mağluba!; altta kalanın canı çıksın.
vagabond [ˈvagabond]. Serseri; derbeder, avare; külhanbeyi. **~age,** derbederlik.
vagary [vəˈgeəri]. Kapris; akla esen şey.
vagina [vaˈgaina]. Mehbil.
vagran·t [ˈveigrənt]. Serseri; dilenci; avare, derbeder. **~cy,** serserilik, dilencilik.
vague [veig]. Mübhem; gayri muayyen; hayal meyal. **I haven't the ~st idea,** zerre kadar malûmatım yok. **~ness,** mübhemlik.
vain [vein]. Beyhude, boş, nafile; semeresiz; fodul, kendini beğenmiş. **in ~,** beyhude yere, nafile: **to take God's name in ~,** Allahın ismini hürmetsizce kullanmak.
vainglor·ious [veinˈglooriəs]. Mağrur; övüngen; kendini beğenen, fodul. **~y,** övünme, gurur.
valance [ˈvalans]. Kısa perde; sayvan; karyola eteği.
vale[1] [veil]. Dere. **this ~ of tears,** bu mihnet diyarı (bu dünya).
vale[2] [ˈvali]. Elveda. **~diction,** veda. **~dictory** [–ˈdiktəri], veda nevinden.
Valentine [ˈvaləntain]. **St. Valentine's Day** = 14 şubatta bir kimsenin sevgilisine gönderdiği resimli kart.
valerian [vaˈliəriən]. Kediotu.
valet [ˈvalit, ˈvalei]. Erkek oda hizmetçisi, şahsî uşak. Birine oda hizmetçisi olmak.
valetudinarian [ˈvaliˌtjuudiˈneəriən]. Hastalıklı; kendi sıhhatine fazla düşkün.
valiant [ˈvaljənt]. Cesur; yiğit.
valid [ˈvalid]. Mer'i; muteber; sayılır; hükmü cari olan. **~ity** [–ˈliditi], mer'iyet; muteber olma.
valise [vaˈliiz]. Bavul; yol çantası; valiz.
valley [ˈvali]. Vâdi; tepeler arasındaki münhat yer.
valo·rous [ˈvalərəs]. Yiğit, cesur, kahraman. **~ur** [ˈvalə*], cesaret, şecaat.
valuable [ˈvaljuəbl]. Kıymetli (şey). **~s,** küçük fakat kıymetli şeyler.
valuation [ˌvaljuˈeiʃn]. Kıymet takdiri; tahmin, keşif. **to make a ~ of the goods,** eşyayı ehlihibreye keşfettirmek: **to take s.o. at his own ~,** birisi hakkında kendi anlattıklarına göre hüküm vermek, *krş.* ⌜şeyhin kerameti kendinden menkul.⌝
value [ˈvalju]. Kıymet, değer; ehemmiyet. Kıymetini takdir etm., keşfetmek; kıymet biçmek; takdir etm.; muteber saymak. **to be of ~,** kıymetli olm.; değerli olm.: **to be of no ~,** değersiz olm.: **don't do that if you ~ your life,** canının kıymetini biliyorsan bunu yapma: **to get good ~ for one's money,** sarfettiği paranın tam mukabilini almak: **these things are very good ~,** bu eşya fiatına göre ucuz sayılır: **to set a high ~ on stg.,** bir şeyi pek fazla takdir etmek. **~less,** değersiz. **~r,** muhammin.
valv·e [valv]. Supap, valf, ventil; (radyo) lâmba; dessame. **~ular,** dessameli, dessameye aid.
vamoose [vaˈmuus]. (*Amer. arg.*) Sıvışmak.
vamp[1] [vamp]. Kundura yüzü. Yeni yüz geçirmek; yenileştirmek, yamamak.
vamp[2]. Piyanoda tulûat yapmak.
vamp[3]. (*arg.*) Fındıkçı kadın.
vampire [ˈvampai*]. Geceleri mezarından çıkıp yaşıyanların kanını emdiğine inanılan hortlak; insan ve hayvan kanı emen büyük bir yarasa; başkalarının sırtından geçinen kimse.
van[1] [van]. *bk.* **vanguard.**
van[2]. Üstü kapalı yük arabası; furgon.
vandal [ˈvandl]. (Sanat ve) ilim eserlerini tahrib eden kimse. **~ism,** güzel şeyleri yıkıp bozma meyli.
vane [vein]. Fırdöndü, yelkovan; yeldeğirmeni, iskuru vs.nin kanadı; tüyün yumuşak kısmı; pusula vs.nin hedef aynası.
vanguard [ˈvangaad]. Pişdar; muharebede ordunun ön safı. **to be in the van(guard) of progress,** terakkiye önayak olmak.

vanilla [vəˈnila]. Vanilya.
vanish [ˈvaniʃ]. Gözden kaybolmak; sırrolmak; kırklara karışmak; yok olmak. **~ing-point,** intiha noktası.
vanit·y [ˈvaniti]. Benlik davası; geçicilik; hiçlik, beyhudelik. **~ies,** mâsiva. **~ bag [case],** kadınların pudra kutusu, ayna vs.leri bulunan küçük el çantası.
vanquish [ˈvankwiʃ]. Yenmek, mağlub etmek.
vantage [ˈvaantidʒ]. Daha iyi vaziyet. **point of ~,** düşman üstüne faikiyet temin eden veya bir şeyi seyretmek için müsaid olan bir yer.
vapid [ˈvapid]. Yavan, tatsız. **~ity** [–ˈpiditi], yavanlık.
vapo·ur [ˈveipə*]. Buğu, buhar; ruh; kuruntu, herze. Buhar çıkarmak; gevezelik etmek, **~ings,** boş lâf, gevezelik. **~rize,** tebhir, tebahhur etm,; buhar haline gelmek, getirmek. **~rizer,** tebhir makinesi; püskürgeç, vaporizatör. **~rous,** buharlı, buğulu.
variable [ˈveəriəbl]. Mütehavvil; değişir; kararsız.
variance [ˈveəriəns]. İhtilâf; uyuşmazlık. **to be at ~ with s.o.,** birisile uyuşamamak: **to set two people at ~,** iki kişinin arasını bozmak: **this theory is at ~ with the facts,** bu nazariye vakiaya uymaz.
variation [veəriˈeiʃn]. Değişme; tenevvü; tahavvül; fark; (*mus.*) makanın başka tarzda tekerrürü.
vari-coloured [ˈveəriˈkʌləəd]. Rengârenk.
varicose [ˈvarikouz]. **~ veins,** damar şişmesi, varis; ordubozan.
varied [ˈveərid]. Çeşitli; türlü türlü, mütenevvi.
variegate [ˈveəriəgeit]. Renk renk etm.; türlü türlü şekil vermek. **~d,** rengârenk; alacalı.
variety [vəˈraiəti]. Çeşitlilik, tenevvü, tehalüf, başka başka olma; nevi, cins. **~ entertainment,** varyete.
various [ˈveəriəs]. Muhtelif, çeşitli; mütenevvi; türlü türlü; bir kaç, bir çok. **for ~ reasons,** bir çok sebeblerden dolayı: **at ~ times,** muhtelif zamanlarda.
varlet [ˈvaalit]. (*esk.*) Uşak; çapkın; herif.
varnish [ˈvaaniʃ]. Vernik (lemek). **~ed,** vernikli.
varsity [ˈvaasiti]. (*kon.*) Üniversite.
vary [ˈveəri]. Değiş(tir)mek; tenevvü et(tir)mek; başkalaş(tır)mak; çeşitle(n)mek.
vasculum [ˈvaskjuləm]. Nebatat mütehassısının koleksiyon kutusu.
vase [vaaz]. Saksı; vazo.
vaseline [ˈvasəliin, ˈvaziliin]. Vazelin (sürmek).
vassal [ˈvasl]. (Metbua nisbetle) tâbi; kül. **~age** [ˈvasəlidʒ], tâbilik, ubudiyet.
vast [vaast]. Vâsi; çok büyük; hadsiz hesabsız.
vat [vat]. Büyük fıçı; tekne; sarnıç. Böyle kablara koymak.
Vatican [ˈvatikən]. Papalık makamı; Papalık idaresi.
vaticinate [vaˈtisineit]. Kehanette bulunmak.
vaudeville [ˈvoudəvil]. Vodvil.
vault[1] [volt, voolt]. Sıçrama; atlayış. Atlamak; atlatmak. **to ~ over a gate,** bir elle tutarak bir tahtaperdeden atlamak.
vault[2]. Kubbe; tonoz; lâhid. **the ~ of heaven,** gök kubbe.
vaunt [voont]. Övünme(k); övmek. **~ing,** övüngen.
V.C. [viiˈsii] = **Victoria Cross.**
V.D. [ˈviiˈdii] = **venereal disease,** zührevi hastalık.
veal [viil]. Dana eti.
vee [vii]. V şeklinde olan. **vee-block,** V yatağı.
veer [ˈviə*]. Dönmek; çevrilmek; ciheti değişmek; (rüzgâr) garbden şimale ve şarka dönmek. Cihetini değiştirmek. **to ~ away [out],** halat vs.yi salıvermek, dışarı vermek.
veget·able [ˈvedʒitəbl]. Sebze; nebat. Nebatî, nebatlara aid. **~s,** zerzevat. **~ garden,** sebze bahçesi, bostan: **~ marrow,** kabak. **~arian** [–ˈteəriən], etyemez. **~ate** [ˈvedʒiteit], tenebbüt etm.; ot gibi yaşamak. **~ation** [–ˈteiʃn], tenebbüt; bitme; otlar, çiçekler, ağaclar. **~ative** [ˈvedʒitətiv], nebatlar gibi, nebatî.
vehemen·ce [ˈviiəməns]. Hiddet, şiddet, sertlik. **~t,** hiddetli, sert, ateşli, şiddetli.
vehic·le [ˈviiəkl]. Nakil vasıtası; vasıta; araba **~ular** [viˈhikjulə*], nakil vasıtalarına aid.
veil [veil]. Peçe; yüz örtüsü; bahane. Peçe ile örtmek; saklamak, gizlemek. **beyond the ~,** öbür dünyada: **to draw [throw] a ~ over,** bir şeyi örtmek, örtbas etm.; ötesini saklamak: **to take the ~,** rahibe olmak. **~ed,** peçeli; üstü örtülü. **~ing,** peçeler, peçelik.
vein [vein]. Damar; kara kan damarı; verid; hususî hal veya mizac. Renkli çizgilerle boyamak; ebrulamak. **to be in the ~ for doing stg.,** bir şey yapmağı canı istemek: **there is a ~ of humour in all he says,** her sözünde bir mizah kokusu var. **~ed,** damarlı; ebrulu.
veldt [velt]. Cenub Afrikasında bozkır.
vellum [ˈveləm]. Tirşe; tirşeden yapılmış.
velocity [vəˈlositi]. Hız; sürat.
velour(s) [vəˈluə*]. Yünlü kadife.
velvet [ˈvelvit]. Kadife; kadifeden yapılmış; kadife gibi; pek yumuşak. **to be on ~,**

iyi bir vaziyette olm.: ⌜**an iron hand in a ~ glove**⌝, ⌜aba altında değnek⌝ *kabilinden.* **~een** [–ˈtiin], pamuk kadife. **~y,** kadife gibi, yumuşak.
venal [ˈviinl]. Para için her şey yapan; mürteşi. **~ity** [–ˈnaliti], irtişa.
vend [vend]. Satmak. **~or,** satıcı.
vendetta [venˈdeta]. Kan davası.
veneer [vəˈniə*]. İnce ve iyi cins tahta ile kaplamak. Kaplamalık tahta; gösteriş; cilâ.
venera·ble [ˈvenrəbl]. İhtiyar ve muhterem; mübarek. **~te,** hürmet etm.; tazim göstermek; takdis etmek. **~tion** [–ˈreiʃn], ihtiram; derin hürmet.
venereal [vəˈneriəl]. **~ diseases,** zührevi hastalıklar.
Venetian [vəˈniiʃən]. Venedikli. **~ blind,** jaluzi.
venge·ance [ˈvendʒəns]. İntikam, öc. **with a ~,** şiddetli bir halde; alabildiğine. **~ful,** öc alıcı; hınçli, kinci.
veni·al [ˈviinjəl]. Affedilebilir. **~ offence,** küçük günah. **~ality** [–ˈaliti], (bir suç) affedilebilme.
Venice [ˈvenis]. Venedik.
venison [ˈvenzən]. Geyik ve karaca eti.
venom [ˈvenəm]. Yılan vs.nin zehiri; zehirli kin. **~ous,** zehirli; zehir saçan.
venous [ˈviinəs]. Veride aid, veridî.
vent [vent]. Delik; menfez; hava borusu; kuş, balık vs.nin kıçı. İzhar etm.; çıkarmak, göstermek. **to ~ one's anger on s.o.,** hiddetini birisinden çıkarmak: **to give ~ to one's feelings,** ağzını açıp gözünü yummak; boşanmak. **vent-hole,** menfez; nefeslik; hava deliği; fıçının tapa deliği; yanardağın ağzı.
ventil·ate [ˈventileit]. Taze hava vermek; havalandırmak; serbestçe ifade etmek. **~ation** [–ˈleiʃn], taze hava verme, havalandırma. **~ator,** nefeslik; hava değiştirme cihazı; vantilatör.
ventricle [ˈventrikl]. Buteyn.
ventriloquis·m [vənˈtrilokwizm]. Karnından konuşma; vantrilokluk. **~t,** vantrilok.
venture [ˈventʃə*]. Baht işi; tehlikeli iş. Baht işine atılmak; kalkışmak; cüret etmek. **at a ~,** rastgele: ⌜**to draw a bow at a ~**⌝, ⌜boş atıp dolu tutmağa⌝ çalışmak: (**'How much will it cost?'**) **'At a ~, £100,'**, vallahi bilmem, belki yüz lira: ⌜**nothing ~ nothing win [have]**⌝, Hiç bir riske girmezsen hiç bir şey kazanamazsın. **~some,** gözü pek; cesur; maceraperest; tehlikeli, baht işi olan.
venue [ˈvenju]. Randevu; (*huk.*) mahkeme yeri.
Venus [ˈviinʌs]. Aşk ilâhesi; Zühre.
veraci·ous [vəˈreiʃəs]. Doğru sözlü; hakikate uygun. **~ty** [–ˈrasiti], doğru sözlülük; doğruluk.
veranda [vəˈranda]. Bir evin önünde üstü örtülü taraça.
verb [vəəb]. Fiil. **~al,** şifahî, kavlî, lâfzî; fiile aid: **~ translation,** harfi harfine tercüme.
verbatim [vəəˈbeitim]. Harf beharf; aynen; lâfzî.
verbena [vəəˈbiina]. Mine çiçeği. **lemon ~,** melisa ağacı.
verb·iage [ˈvəəbiədʒ]. Haşviyat; yave. **~ose** [vəəˈbous], çok sözlü, uzun, ıtnablı. **~osity** [–ˈbositi], ıtnab; sözçokluğu.
verdant [ˈvəədənt]. Yeşil; toy.
verderer [ˈvəədərə*]. Eski orman memuru.
verdict [ˈvəədikt]. Jüri heyeti hükmü; hüküm; ilâm; karar. **open ~,** bir cürmün irtikâb edildiğini fakat mücrimin mechul bulunduğunu ifade eden hüküm.
verdigris [ˈvəədigriis]. Bakır pası.
verdure [ˈvəədjuə*]. Yeşillik; yeşil renklilik.
verg·e [vəədʒ]. Kenar; hudud. Meyletmek, yaklaşmak. **blue ~ing on green,** yeşile çalan mavi: **to be on the ~ of fifty,** ellisine yaklaşmak: **to be on the ~ of war,** harbe girmeğe ramak kalmak.
verger [ˈvəədʒə*]. Kayyum; zangoç.
verif·y [ˈverifai]. Tahkik etm.; tasdik etmek. **~ication** [–fiˈkeiʃn], tahkik.
verily [ˈverili]. Filhakika.
verjuice [ˈvəədʒuus]. Koruk suyu; ekşilik.
vermicelli [ˌvəəmiˈseli]. Tel şehriye.
vermi·cular [vəəˈmikjulə*], **~form** [ˈvəəmifoom]. Solucan şeklinde olan: **~ appendix,** kör barsak. **~fuge** [ˈvəəmifjuudʒ], solucan ilâcı.
vermilion [vəəˈmiljən]. Zincifre boyası; al.
vermin [ˈvəəmin]. Bit ve pire gibi pis haşarat; sıçan, tilki, güvercin gibi zararlı hayvan ve kuşlar; alçak ve muzır kimseler. **~ous,** bitli, pireli; muzır hayvanlarla dolu; pis, alçak.
vermouth [ˈvəəmuut]. Vermut.
vernacular [vəəˈnakjulə*]. Yerli (dil veya şive). **the ~,** yerli dil; halk dili; bir mesleğe mahsus tabirler.
vernal [ˈvəənəl]. İlkbahara aid.
vernier [ˈvəənjə*]. Verniye.
veronica [vəˈronika]. Yavşanotu.
versatil·e [ˈvəəsətail]. Hezarfen, her şeye eli yatar; bir dalda durmaz. **~ity** [–ˈtiliti], hezarfenlik, her şeye eli yatmağa kabiliyet.
verse [vəəs]. Nazım; şiir; ayet, mısra. **in ~,** manzum.
versed [vəəst]. **~ in ...,** ···i iyi bilen, ···de üstad olan.

versif·y [ˈvəəsifai]. Nazım yapmak; nazıma koymak. **~ication** [–fiˈkeiʃn], nazım yapma, nazım sanati.

version [ˈvəəʃn]. Tercüme; muhtelif tercümelerin her biri; muhtelif rivayetlerin veya ifadelerin her biri. **according to his ~**, onun ifadesine [anlattığına] göre.

verso [ˈvəəsou]. Bir kitabın sol sahifesi; bir sikkenin tersi.

versus [ˈvəəsəs]. …karşı.

vertebra, *pl.* **-ae** [ˈvəətibra, -rii]. Omurganın her faslı. **~l,** fıkarî: **~ column,** omurga, amudu fıkarî. **~te,** [–bret], fıkralı (hayvan), omurgalı.

vertex, *pl.* **-tices** [ˈvəəteks, –tisiiz]. Zirve; tepe; semtürreis; bir zaviyenin ucu; başın tepesi.

vertical [ˈvəətikl]. Şakulî, amudî; en tepede bulunan; semtürreiste bulunan.

vertig·inous [vəəˈtidʒinəs]. Baş döndürücü. **~o** [ˈvəətigou], baş dönmesi.

verve [vəəv]. Gayret, şevk.

very¹ [ˈveri] *a.* Hakikî; tam. **this ~ day,** bugünkü gün: **to the ~ day,** günü gününe: **you're the ~ man I was looking for,** tam aradığım adamsın: **the ~ beggars despise it,** onu dilenciler bile hakîr görür: **the ~ idea!,** daha neler!: **she wept for ~ joy,** sadece sevincinden ağladı: **soldiering is the ~ thing for you,** askerlik senin için biçilmiş kaftandır: **this is the ~ thing for a headache,** bu baş ağrısı için birebirdir: **the veriest fool knows that,** bunu bilmiyecek abdal yoktur.

very² *adv.* Pek, çok. ziyadesile. **the ~ best,** en iyisi [mükemmeli]: **the ~ first,** tam ilki, en baştaki: **at the ~ most,** en fazla; olsa olsa: **at the ~ latest,** en geç: **not so ~ small,** pek de o kadar küçük değil: **my ~ own,** kendi öz malım.

Very³. **~ light,** işaret fişeği.

vesicle [ˈvesikl]. Kabarcık; huveysal.

vesper [ˈvespə*]. Akşam; akşama aid; akşam yıldızı. **~s,** akşam duası.

vessel [ˈvesl]. Gemi, sefine; tekne, kab; damar, viâ.

vest¹ [vest] *n.* İç gömleği; (terzi tabiri) yelek.

vest² *vb.* (Salâhiyet, hak vs.yi) vermek; temlik etmek. **Parliament is ~ed with the power to declare war,** harb ilân etmek salâhiyeti Parlamentoya verilmiştir: **~ed interests,** mükteseb haklar.

vesta [ˈvestə]. Şamalı kibrit.

vestal [ˈvestəl]. **~ virgin,** Ateş ve ocak ilâhesi Vesta'nın hizmetine mahsus bakire.

vestibule [ˈvestibjuul]. Dehliz, hol; (*Amer.*) trende yolcu vagonunun kapalı medhali.

vestig·e [ˈvestidʒ]. İz, eser; zerre. **~ial** [–ˈtidʒiəl], kaybolan bir uzuv vs.nin artakalan izi olan; bakiye olan.

vestment [ˈvestmənt]. Elbise *bilh.* papaz elbisesi.

vestry [ˈvestri]. Kiliselerde papaz ve mugannilerin giyinme odası; kilise işlerini müzakereye memur cemaat vekilleri.

vet [vet]. (*kon.*) = **Veterinary surgeon,** baytar. (Baytar) bir hayvanı muayene etm.; (doktor) birini muayene etm.; her hangi bir şeyi muayene ve teftiş etmek.

vetch [vetʃ]. Burçak, karaburçak, küşne.

veteran [ˈvetərən]. Eski asker; bir meslek veya sanatte ihtiyarlamış adam. Emekdar; kıdemli ve tecrübeli.

veterinary [ˈvetərinəri]. Baytarlığa aid. **~ surgeon,** veteriner.

veto [ˈviitou]. Reddetmek hakkı, veto. Reddetmek; yasak etmek.

vex [veks]. İncitmek, canını sıkmak, gücendirmek; taciz etm.; küstürmek. **to be ~ed at stg.,** bir şeye küsmek: **to be ~ed with s.o.,** birine gücenmek. **~ed,** gücenmiş; küskün: **a ~ question,** münakaşalı bir mesele. **~ation** [vekˈseiʃn], küskünlük; iğbirar; aksilik. **~atious,** gücendirici, cansıkıcı; aksi.

via [ˈvaiə]. Yolu ile; tarikiyle.

viab·le [ˈvaiəbl]. Yaşıyabilecek halde doğmuş (çocuk). **~ility** [–ˈbiliti], yaşamak kabiliyeti.

viaduct [ˈvaiədʌkt]. Bir yolu veya demiryolunu bir dere veya münhat yer üzerinden aşırmak üzere inşa edilen bir sıra kemer.

vial [ˈvaiəl]. Küçük şişe. **to pour out the ~s of one's wrath,** öfkesini meydana vurmak.

viands [ˈvaiəndz]. Yiyecekler.

viaticum [vaiˈatikʌm]. (*esk.*) Yol harclığı veya kumanyası; (*şim.*) ölen katoliklere verilen son şarablı ekmek.

vibra·te [vaiˈbreit]. İhtizaz etm., titremek; sallanmak; ihtizaz ettirmek; (rakkas) sallanmasıyla (saniyeleri) ölçmek; (ihtizaz eden şey) ses vermek. **~nt** [ˈvaibrənt], ihtizaz eden; tannan. **~tion** [–ˈbreiʃn], ihtizaz, titreme. **~tor,** ihtizaz edici; telegrafta ihtizazları nakleden cihaz, vibratör. **~tory,** ihtizaz eden [edici, ettirici].

viburnum [vaiˈbəənʌm]. Kartopu ve bu cinsden çiçekler.

vicar [ˈvikə*]. İngiltere'de bir mahalle veya bir köye kaydi hayatla tayin edilen papaz. **~ of Bray,** menfaat yüzünden sık sık mezheb değiştiren yarı tarihî bir rahib; zamane adamı: **the ~ of Christ,** Papa. **~age** [ˈvikəridʒ], bir **vicar**'ın resmî evi.

vicarious [vaiˈkeəriəs]. Başkası yerine, başkası için yapılan.

vice¹ [vais]. Kusur; günah; kötü adet; çapkınlık.

vice². Mengene.

vice³ [ˈvaisi]. Yerinde. **vice-** [vais] *pref.*

ikinci ..., ... muavini. **~-admiral,** tümamiral. **~-chancellor,** üniversite rektörü. **~-consul,** konsolos muavini. **~-marshal, Air ~,** hava tümgeneral. **~-president,** ikinci reis; reis muavini.
viceregal [vaisˈriigl]. Kıral naibine aid; umumî valiliğe aid.
viceroy [ˈvaisroi]. Kıralın naibi; umumî vali.
vice versa [ˈvaisiˈvəəsa]. Karşılıklı olarak; ve aksi.
vicinity [ˈvaiˈsiniti]. Civar yerler; yakınlık; etraf. **in the ~ of,** civarında.
vicious [ˈviʃəs]. Fasid; kötü; kusurlu; hırçın. **~ circle,** fasid daire.
vicissitude [vaiˈsisitjuud]. Değişiklik; inkilâb; germü serd. **the ~s of life,** hayatın germü serdi.
victim [ˈviktim]. Kurban; mağdur. **the ~ of an accident,** bir kazaya uğrayan: **to make a ~ of oneself,** mağdur taslamak. **~ization** [–maiˈzeiʃn], mağduriyet; iğfal; zulüm; bir grevin sonunda elebaşıları koğma veya cezalandırma. **~ize,** iğfal etm.; aldatmak; gadretmek; bir grev vs. nin sonunda elebaşıları cezalandırmak.
victor [ˈviktə*]. Galib; fatih. **~ious** [–ˈtooriəs], galib, muzaffer. **~y** [ˈviktəri], zafer, galebe.
Victoria [vikˈtooria]. Kadın ismi *ve bilh.* meşhur İngiliz Kraliçesinin ismi. **~ Cross,** İngiltere'nin en yüksek şecaat nişanı. **~n,** Kraliçe Victoria devrine aid.
victual [ˈvitəl]. Erzak vermek; erzak temin etmek. **~ler,** erzak müteahhidi: **licensed ~,** ruhsatlı içki satıcısı, meyhaneci. **~s,** erzak; kumanya; yemek.
vicuna [viˈkuunja]. Peru lâması; bunun yününden yapılmış kumaş.
vide [ˈvaidi]. (*Lât.*) Bak.
videlicet [viˈdiiliset]. (*Um. kısası* **viz** *yazılır ve söylenir*). Yani; demek ki.
vie [vai]. Rekabet etmek.
view [vjuu]. Manzara; görünme, görünüş; nazar; görüş tarzı, telâkki, fikir, rey, noktai nazar; niyet, maksad. Bakmak, görmek; muayene etm.; telâkki etm., addetmek. **front ~ of the house,** evin önden görünüşü: **~ from the front of the house,** evin önündeki manzara: **to hold extreme ~s,** fikirleri aşırı olm.: **in ~,** görünürde: **in ~ of ...,** ···den dolayı, yüzünden: **in ~ of everyone,** ele güne karşı: **we were in ~ of land,** kara görünüyordu: **to have stg. in ~,** bir şey hakkında bir plânı [niyeti] olm.: **the town came into ~,** şehir göründü: **to keep stg. in ~,** bir şeyi gözden kaybetmemek: **on ~,** teşhir edilen: **out of ~,** görünmiyen: **point of ~,** noktai nazar, bakım: **with a ~ to,** ... maksadiyle, zımnında, ... niyetinde. **view-finder,** (*fot.*) vizör. **view-halloo,** avcının tilki görünce bağırışı.
vigil [ˈvidʒil]. Uyanık durma; gece ibadeti; bir yortunun arifesi. **to keep ~ over s.o.,** gece uyumayıp birine bakmak. **~ance,** uyanıklık, teyakkuz; gözaçıklığı; dikkat, ihtiyat. **~ant,** uyanık; açıkgöz; ihtiyatlı.
vignette [ˈviˈnjet]. Bir kitabın boş sahifesine veya fasıl başına vs. süs için konulan resim veya nakış; (*fot.*) etrafı silinerek yalnız ortası bırakılmış resim.
vigo·ur [ˈvigə*]. Kuvvet, şiddet; dinclik; gayret, faaliyet. **~rous,** dinc, kuvvetli; şiddetli; faal, gayretli.
Viking [ˈvaikiŋ]. 8–10 uncu asırlarda Norveçten çıkan korsan.
vile [vail]. Kötü, deni, iğrenç; şeni, menfur; pis, süfli.
vilif·y [ˈvilifai]. Zemmetmek; kötülemek. **~ication** [–ˈkeiʃn], zem, iftira, hakaret.
villa [ˈvila]. Köşk, villâ, sayfiye; varoş köşkü.
village [ˈvilidʒ]. Köy. **~r,** köylü.
villain [ˈvilən]. Cani, şerir, habis; külhanbeyi. **the ~ (of the piece),** (piyeste) fena adam: **you little ~!,** seni gidi!. **~ous,** habis, deni, rezil; pek fena. **~y,** habislik, denilik, rezalet; cürüm.
villein [ˈvilən]. Ortaçağda yarı hür yarı köle olan köylü.
vim [vim]. (*kon.*) Kuvvet, faaliyet.
vindicat·e [ˈvindikeit]. Hakkını ihkak etm.; doğruluğunu isbat etm.; müdafaa etm., korumak. **~ion** [–ˈkeiʃn], hakkını ihkak etme; müdafaa; haklı çıkartma: **in ~ of his conduct,** hareketini mazur göstermek üzere.
vindictive [vinˈdiktiv]. Öc alıcı; kinli.
vine [vain]. Asma; üzüm kütüğü. **~ry,** asmalara mahsus limonluk. **~yard** [ˈvinjəd], üzüm bağı.
vinegar [ˈvinigə*]. Sirke. **~ish** [–gəriʃ], sirkeli, ekşi; hırçın.
vingt-et-un [ˈvanteiˈʌn]. İskambilde yirmi bir oyunu.
vinous [ˈvainəs]. Şarab tadında, kokusunda yahud renginde olan; şarabî; çok ispirtolu; şarabdan hasıl olan.
vint·age [ˈvintidʒ]. Bağbozumu; bağ mahsulü; filân bağ veya filân senenin şarab mahsulü. **~ wine,** iyi cins şarab: **a ~ year,** şarab mahsulü mükemmel bir sene. **~ner,** şarabcı.
viol [ˈvaiol]. Eski usul keman. **~a** [viˈoula], keman ile viyonsel arasında orta bir keman; alto.
viola² [ˈvaiola]. Tek renkli bir hercai menekşe.
violat·e [ˈvaiəleit]. İhlâl etm.; nakzetmek; bozmak; tecavüz etm.; ırzına geçmek. **~ion** [–ˈleiʃn], ihlâl, bozma; ırza tecavüz.

violen·ce [vaiələns]. Zor, cebir, şiddet; zorbalık. **to do ~ to,** zorlamak: **to resort to ~,** cebre müracaat etmek. **~t,** şiddetli, hiddetli; şedid; azılı; zorlu: **to become ~,** hiddete kapılmak; cebir kullanmak: **a ~ death,** cebirle ölüm; kaza ile ölüm.
violet [ˈvaiəlit]. Menekşe. Mor.
violin [ˌvaiəˈlin]. Keman. **~ist,** kemancı.
violoncello [ˌvaiəlinˈtʃelou]. Viyonsel.
viper [ˈvaipə*]. Engerek; yılan. **to ⌜nourish a ~ in one's bosom⌝,** ⌜besle kargayı oysun gözünü⌝. **~ish,** yılan gibi; zehirli.
virago [viˈraagou, -eig-]. Şirret kadın; cadaloz.
virgin [ˈvəədʒin]. Kız, bakire. Kız, bakir, el sürülmemiş. **~ forest,** balta girmemiş orman: **the Virgin Mary,** Meryemana: **the Virgin Queen,** 16 ıncı asırdaki meşhur İngiliz kraliçesi Elizabeth. **~al,** bakireye aid, bakir: 16 ıncı asırda ibtidai bir piyano. **~ity** [-ˈdʒiniti], bakirelik, iffet.
Virginia [vəəˈdʒinja]. Virjini. **~creeper,** frenk sarmaşığı.
viridescent [ˌviriˈdesənt]. Yeşilimtrak.
viril·e [ˈvirail]. Erkeğe aid; kuvvetli; yiğit. **~ity** [viˈriliti], erkeklik; kuvvet.
virtu [ˈvəətu]. **articles [objects of] ~,** nadir eski veya güzel süs eşyası.
virtual [ˈvəətjuəl]. Bilkuvve mevcud olan; hakikatte olan, hakikî; zımnî.
virtue [ˈvəətjuu]. Meziyet; fazilet; doğruluk; hassa; iffet. **in [by] ~ of,** ···e binaen, ···den dolayı: **to make a ~ of necessity,** mecburî bir vaziyetten fazilet hissesi çıkarmak.
virtuos·o [vəətju'ousou]. Üstad; antika ve garaib meraklısı. **~ity,** [-ˈositi], ustalık, musiki vs.de büyük hüner sahibi olma.
virtuous [ˈvəətjuəs]. Faziletli; müstekim; afif.
virulenc·e [ˈvirjuləns]. Şiddet; zehirlilik; keskinlik, sertlik. **~t,** şiddetli, keskin, sert; zehirli.
virus [ˈvairʌs]. Virüs; hastalıktan ileri gelen zehir; bazı hastalıkların sebebi olan bakteri veya zehir; manevî zehir.
visa [ˈviiza]. Vize.
visage [ˈvizidʒ]. Çehre, yüz.
vis-à-vis [ˈviizaˈvii]. Yüz yüze; karşı karşıya; karşısında. **my ~,** karşımdaki kimse.
viscera [ˈvisəra]. Barsaklar, ahşa. **~l,** barsaklara aid.
viscid [ˈvisid]. Lüzucetli; cıvık; yapışkan. **~ity** [-ˈsiditi], lüzucet.
viscount [ˈvaikaunt]. Vikont. **~cy,** vikontluk. **~ess,** vikontes.
visco·us [ˈviskʌs]. Lüzucetli. **~sity** [-ˈkositi], lüzucet.
vise [vais]. Mengene.
visib·le [ˈvizibl]. Gözle görülür; görünebilir; mer'î. **~ility** [-ˈbiliti], rüyet imkânı; görünürlük.
vision [ˈviʃn]. Görme hissi; görüş; rüyet; rüya, hayal; muhayyile kuvveti, basiret. **beyond our ~,** rüyet dairemizin dışında: **field of ~,** rüyet sahası: **a man of ~,** ileriyi gören adam. **~ary,** hayalperest; hayalî.
visit [ˈvizit]. Ziyaret; (doktor) vizita. Ziyaret etm.; görmeğe gitmek; yoklamak; uğramak; musallat etmek. **to ⌜~ the sins of the fathers upon the children⌝,** babaların günahını çocuklara çektirmek. **~ation** [-ˈteiʃn], resmî teftiş ve muayene; hastayı yoklama; Allahtan gelen ceza veya mükâfat; afet, felâket. **~or,** ziyaretçi, misafir; müfettiş.
visor [ˈvaizə*]. Tulga siperliği; kasket siperliği.
vista [ˈvistə]. Açık saha; manzara.
visual [ˈviʃjuəl]. Görmeğe aid; basarî, nazarî. **the ~ nerve,** göz siniri: **~ signalling,** işaretle haberleşme.
visualize [ˈviʒjuəlaiz]. Gözünün önüne getirmek; tasavvur etmek.
vital [ˈvaitl]. Hayatî; hayata lâzım; esaslı, zarurî, elzem, can alıcı. **~s,** vücudün kalb, akciğer vs. gibi hayat için en lâzım uzuvları, can evi. **a ~ blow,** öldürücü bir darbe: **~ point,** can alıcı yer, can alacak nokta: **~ statistics,** doğum, ölüm vs.ye aid istatistik. **~ity** [-ˈtaliti], dirilik; hayatiyet; zindelik; can, canlılık. **~ize** [ˈvaitəlaiz], can vermek; diriltmek.
vitiate [ˈviʃieit]. Bozmak; ifsad etmek.
viticulure [ˈvitikʌltʃə*]. Bağcılık.
vitreous [ˈvitriəs]. Cam gibi; camdan yapılmış. **~ body [humour],** hıltı zücaci.
vitrify [ˈvitrifai]. Cam haline koymak.
vitriol [ˈvitriol]. Kibritiyet tuzu; zaç. **blue ~,** göztaşı. **~ic** [vitriˈolik], zaçyağlı; gayet acı, zehirli (söz vs.).
vituperat·e [vaiˈtjuupəreit]. Hakaret etm.; küfretmek. **~ive,** tahkir edici; küfürbaz.
vitus [ˈvaitʌs]. **St. ~' dance,** daürrakıs, kore.
viva [ˈvaivə]. **~ (voce)** [ˈvousi], ağızdan, şifahi; şifahi imtihan.
vivaci·ous [vaiˈveiʃəs]. Canlı, şetaretli, şuh, şakrak. **~ty** [-ˈvasiti], canlılık, şetaret, neşelilik.
vivid [ˈvivid]. Canlı; keskin; parlak.
vivify [ˈvivifai]. Canlandırmak.
viviparous [vaiˈvipərəs]. Yavrularını canlı (yani yumurta halinde değil) doğuran (hayvan).
vivisect [ˈvivisekt]. Canlı mahluk üzerine teşrih yapmak.
vixen [ˈviksən]. Dişi tilki; şirret kadın. **~ish,** şirret; cırlak.

viz. [viz]. Yani, demek ki.
vizier [viˈziə*]. Vezir. **Grand ~,** sadrazam.
vocabulary [voˈkabjuləri]. Küçük lûgat kitabı, kısa sözlük; bir dilde bulunan kelimeler; bir kimsenin kullandığı kelimeler.
vocal [ˈvoukl]. Sese aid; sesli; şifahi; ses ile ifade olunan; his ve fikirlerini ifadeye hazır. **~ cords,** ses telleri: **~ music,** hanendelik: **he becomes very ~ on this subject,** bu mevzu açılınca bülbül kesilir. **~ist,** hanende. **~ize,** ses ile ifade etm.; sessiz harfi sesli yapmak; harekelemek.
vocation [vouˈkeiʃn]. Meslek; istidad; takdiri ilâhî.
vocative [ˈvokətiv]. **~ (case),** bir ismin hitab hali.
vocifer·ate [vouˈsifəreit]. Bar bar bağırmak. **~ous,** bağırıp çağıran; şamatalı.
vogue [voug]. Moda; rağbet. **to become the ~,** alıp yürümek; rağbet kazanmak.
voice [vois]. Ses; sada; söz; sıyga. İfade etm., söylemek. **active** [**passive**] **~,** malûm [mechul] sıyga: **he has no ~ in the matter,** bu meselede fikrini söylemeğe hakkı yok: **with one ~,** hep bir ağızdan. **~d,** sesli.
void [void]. Boş, hali; açık; batıl, gayri mer'i; beyhude. Boşluk; boş yer. Boşaltmak; çıkarmak. **~ of,** ···den âri, mahrum: **the death of his wife left an aching ~ in his heart,** karısının ölümü kalbinde sızlayan bir boşluk bıraktı. **~able,** ibtali mümkün.
vol. **volume**'*in kıs.*
volatil·e [ˈvolətail]. Kolayca tebahhur eden; uçar, tayyar; hafifmeşreb, gelgeç. **~ize** [–ˈlatilaiz], tebahhur et(tir)mek; uç(ur)mak.
volcan·o [volˈkeinou]. Yanardağ, volkan. **~ic** [–ˈkanik], yanardağa aid, volkanik.
vole [voul]. Tarla faresi. **water ~,** su sıçanı.
volition [voˈliʃn]. İrade; ihtiyar.
volley [ˈvoli]. Yaylım ateş; (taş vs.) yağmuru; tenis vs. gibi oyunlarda top yere değmeden vurma. Yaylım ateş etm.; bir topa daha yere değmeden vurmak.
volplane [ˈvolplein]. (Uçak) motörü keserek dalma.
volt [voult]. Volt. **~age,** voltaj. **~meter,** voltmetre.
volte-face [ˈvoltˈfaas]. Yüzgeri; façа.
volub·le [ˈvoljuubl]. Çabuk ve çok konuşan; çenebaz; cerbezeli. **~ility** [–ˈbiliti], çabuk ve kolayca konuşma; cerbeze.
volume [ˈvoljuum]. Cild; hacim; bir yerden akan suyun mikdarı; (*mus.*) seslerin kuvveti. **~s of smoke,** yığın yığın çıkan duman: **it speaks ~s for him,** (*kon.*) bu onun çok lehine kaydedilecek bir şeydir.
voluminous [voˈljuuminəs]. Bir çok cildlerden mürekkeb; büyük hacimli; bol.
volunt·ary [ˈvoləntəri]. İstiyerek; gönül rızasiyle yapılan, ihtiyarî; iradî; gönüllü. Âyinden evvel veya sonra çalınan org solosu. **~eer** [volənˈtiə*], gönüllü asker; bir işe kendi isteği ile giren kimse. Gönüllü asker olm.; her hangi bir hizmete kendi şahsını teklif etm.: **to ~ information,** kendiliğinden malûmat vermek: **to ~ one's services,** hizmetini arzetmek.
voluptu·ary [voˈlʌptuəri]. Zevkine meclûb; şehvete düşkün; tenperver. **~ous,** zevka, hazza, şehvete düşkün; şehvetli.
volute [voˈljuut]. Helezonvari kıvrılmış (süs); kıvrım. **~d,** helezonî, kıvrım.
vomit [ˈvomit]. Kusmak. Kusmuk, kusuntu. **~ory,** kusturucu.
voodoo [ˈvuuduu]. Amerikalı zencilerin büyüsü. **~ doctor,** zenci büyücü.
voraci·ous [vooˈreiʃəs]. Doymak bilmez; oburcasına yiyen. **~ty** [–ˈrasiti], doymamazlık; oburluk.
vortex, *pl.* **-ices** [ˈvooteks, –tisiiz]. Girdab; kasırga.
votary [ˈvoutəri]. Perestişkâr; âbid. **a ~ of the chase,** avcılık düşkünü.
vote [vout]. Rey; ‖ oy; rey vermek hakkı. Rey vermek. Lehine rey vermek; reyle kabul etmek. **I ~ we go back,** (*kon.*) geri gitmemizi teklif ediyorum. **~r,** rey veren; müntehib.
votive [ˈvoutiv]. Nezir veya adak olarak verilmiş.
vouch [vautʃ]. **to ~ for,** tasdik etm., teyid etm.; tekeffül etm.; temin etmek. **~er,** müsbit varaka; fiş.
vouchsafe [vautʃˈseif]. İhsan etm.; lûtfen tenezzul etm.; nasib etmek. **to be ~d,** nasib olmak.
vow [vau]. Adak, nezir; ahid; tövbe; yemin. Adamak, nezretmek; ahdetmek; yemin etmek. **to ~ not to,** tövbe etm.; **to take ~s,** rahib veya rahibe olmak.
vowel [ˈvauəl]. Sesli harf.
voyage [ˈvoidʒ]. Deniz seyahati; sefer. Denizde seyahat etmek. **on the ~ home,** memlekete dönerken: **on the ~ out,** harice sefer esnasında.
vs. = **versus,** karşı.
Vulcan [ˈvʌlkan]. Ateş ve madencilik ilâhı.
vulcan·ite [ˈvʌlkənait]. Sert (siyah) kauçuk; ebonit. **~ize,** kauçuğu kibrit ve hararet ile terbiye ederek daha elâstiki ve dayanıklı yapmak; vulkanize etm.; bir lâstiği vulkanize ederek tamir etmek.
vulgar [ˈvʌlgə*]. Pespaye; kaba, âdi, bayağı; galiz; zevksiz; amiyane. **~ frac-**

tion, âdi kesir: **the ~ herd,** ayak takımı: **the ~ tongue,** halk dili. **~ian** [–ˈgeəriən], avam sınıftan kimse; görgüsüz ve zevksiz kimse. **~ism,** halka mahsus söz veya tabir; kaba söz; kabalık. **~ity** [–ˈgariti], âdilik, bayağılık; gilzet; kabalık. **~ize** [ˈvʌlgəraiz], adileştirmek; ibtizale düşürmek.

Vulgate [ˈvʌlgeit]. İncilin Lâtince tercümesi.

vulnerable [ˈvʌlnərəbl]. Kolayca yaralanır; hücuma maruz; müdafaası zor.

vulpine [ˈvʌlpain]. Tilki gibi.

vulture [ˈvʌltʃə*]. Akbaba; haris, açgözlü kimse.

vying *bk.* **vie.**

W

W [ˈdʌbljuu]. W harfi.

W.A.A.F. [waf] = **Women's Air Auxiliary Force,** kadınlardan mürekkeb hava ordusu yardımcı kuvveti.

wad [wod]. Tıkaç; tapa; sıkı; kâğıd para destesi. (Yorgan vs.yi) pamuklamak. **~ded,** içi pamuklu. **~ding,** yorgan vs. doldurmağa mahsus yün, pamuk gibi yumuşak şey.

waddle [ˈwodl]. Badi badi yürümek (yürüyüş).

wade [weid]. Su içinde veya kar, çamur vs. gibi yarı sulu şey içinde yürümek. **to ~ through a book,** bir kitabı güç belâ sonuna kadar okumak. **~r,** bir kaç uzun bacaklı bataklık kuşunun ismi.

wadi [ˈwodi]. Arabistan ve Şimalî Afrikada yağmursuz mevsimlerde kuruyan dere.

wafer [ˈweifə*]. Pek ince bir bisküi; kâğıd helvası; katoliklerin komünyon âyininde kullanılan ince hamursuz ekmek; eskiden zarf kapatmak için kullanılan pul.

waffle [ˈwofl]. İzgara pidesi. **~-iron** pide izgarası.

waft [waaft]. Havada veya suda ağır ağır taşımak veya götürmek. Hafif esinti; kuş kanadının hareketi.

wag[1] [wag]. Nükteci; şakacı.

wag[2]. Salla(n)mak. Sallanma. **to ~ one's finger at s.o.,** parmağını sallayarak tehdid etm.; ⌜**the tail ~s the dog**⌝, kuyruk köpeği sallıyor, *yani* ekseriyetin değil ekalliyetin sözü geçiyor: **to set people's tongues ~ging,** dillere destan olm.: **how ~s the world?,** ne var ne yok: **so ~s the world,** işte dünya böyledir.

wage[1] [weidʒ] *n.* (*um.* ~s). Ücret (*haftalık ücrete* **wages** *denir, aylık ve senelik ücrete* **salary** *denir*); mükâfat. ⌜**the ~s of sin is death**⌝, günahın kefareti ölümdür. **wage-earner,** haftalık ücretli kimse; bir aileyi geçindiren kimse.

wage[2] *vb.* **to ~ war (on s.o.),** (birine karşı) harb etmek.

wager [ˈweidʒə*]. Bahis; bahse konulan şey. Bahis tutuşmak, bahse girmek.

waggish [ˈwagiʃ]. Nükteli, lâtifeci.

waggle [ˈwagl] *bk.* **wag.**

wag(g)on [ˈwagən]. Dört tekerlekli yük arabası; demiryolunda eşya vagonu, furgon. **to be on the water ~,** (*Amer.*) alkollü içkiler içmemek. **~er,** yük arabacısı. **~ette,** altı veya sekiz kişilik hafif tenezzüh arabası.

wagtail [ˈwagteil]. (*Motacilla*) Kuyruksallıyan, peygamber kuşu.

waif [weif]. Kimsesiz çocuk veya hayvan; sahibi malûm olmıyan bulunmuş şey. **~s and strays,** kimsesiz başıboş gezen çocuklar.

wail [ˈweil]. Ağlayış, figan. Figan etm.; yüksek sesle ağlamak. **to ~ over stg.,** bir şeye hayıflanmak.

wain [wein]. (*esk.*) Büyük yük arabası. **Charles's ~,** Büyük Ayı.

wainscot [ˈweinskot]. Oda duvarlarını tahta ile kaplamak. Tahta kaplaması. **~ing,** kaplamalık tahta.

waist [weist]. İnsanın beli; bir şeyin orta ve dar kısmı. **~coat** [ˈweistkout, ˈwestkət], yelek. **~line,** bel kısmı. **waist-band,** bel kuşağı, kemer. **waist-cloth,** peştemal. **waist-deep, waist-high,** bele kadar derinlikte veya bele kadar varan.

wait[1] [weit] (*um.* ~s). Noel yortusunda geceleri sokakta ilâhi okuyanlar.

wait[2]. Bekleme(k); **~ for,** ···i beklemek. ⌜**everything comes to him who ~s**⌝, ⌜bekliyen derviş muradına ermiş⌝: **to keep s.o. ~ing,** birini bekletmek: **to lie in ~,** pusuya yatmak: **to ~ a meal for s.o.,** birini beklemek için yemeği geciktirmek: **~ and see!,** beklersen görürsün: **to ~ at table,** sofrada hizmet etm.: **he did not ~ to be told twice,** iki defa söyletmedi: **to wait on ...,** ···e hizmet etm.; maiyetinde bulunmak, peşinden gelmek: **to ~ on s.o. hand and foot,** birine canla başla hizmet etm.; birinin etrafında dört dönmek: **to ~ up for s.o.,** yatmayıp birini beklemek. **~er,** garson. **~ress,** kadın garson. **waiting-room,** bekleme salonu.

waive [weiv]. ···den vazgeçmek; feragat etm.; ısrar etmemek. **~r,** (*huk.*) feragat.

wake[1] [weik] *n.* Dümensuyu. **in the ~ of,** peşinde; izini takib ederek.
wake[2] *n.* İrlanda'da ölünün gömülmezden evvel dostları veya akrabası tarafından bütün gece beklenmesi; bu merasim münasebetile verilen ziyafet.
wake[3] *vb.* **(woke, woken)** [weik, wouk, woukn]. **~ (up),** uyan(dır)mak; canlan(dır)mak. **he badly wants waking up,** onu kendine getirmek lâzım: **he woke to find himself famous,** bir günde meşhur oldu: **to ~ up to what is happening [to the truth],** ayağı suya ermek. **~ful,** uyanık; uykusuz; müteyakkız. **~n** *bk.* **wake.**
wale [weil] *bk.* **weal**[1].
Wales [weilz]. Gal memleketi. **the Prince of ~,** Gal Prensi (İngiliz veliahdinin unvanı).
walk [wook]. Yürüme, yürüyüş; gezinti, gezinme; gezinti yeri; bahçede yol; dar ağaclı yol; kaldırım. Yürümek, yayan gitmek. Yürütmek, gezdirmek; üzerinden gezmek. **to fall into a ~,** (koşan at) yürümeğe başlamak: **to go for a ~,** gezmek, gezinmek: **he ~ed me off my legs,** benim dayanamıyacağım kadar yürüdü: **~ in life,** meslek; ictimai seviye: **to ~ in one's sleep,** uykuda gezmek. **walk away,** uzaklaşmak, ayrılmak: **to ~ away from a competitor,** bir rakibden fersah fersah üstün olmak. **walk in,** girmek. **walk into,** ···e girmek; çatmak; burun buruna gelmek; (*kon.*) saldırmak: **to ~ into one's food,** yemeğini iştahla yemek. **walk off,** gitmek, ayrılmak: **to ~ off a big meal or too much drink,** fazla yemek veya içkinin tesirini gidermek için dolaşmak: **to ~ off with,** aşırmak, alıp götürmek. **walk out,** çıkıp gitmek: **to ~ out of,** ···den çıkmak, ···i terketmek: **to ~ out with a young man,** (kız) bir gencle dolaşmak. **walk over,** (bir yeri) yaya olarak dolaşmak; (bir müsabakada) (i) rakib bulunmadığı için kazanmak; (ii) kolayca kazanmak.
walking [ˈwookiŋ]. Yayan, yürüyen. Yayan gitme; yürüyüş, yürüme. **a ~ library,** ayaklı kütübhane. **walking-stick,** baston.
wall [wool]. Duvar; sur; cidar. **to ~ in,** duvar ile kuşatmak: **to ~ up a door, a window,** *etc.*, kapı, pencere vs.yi örerek kapatmak. ⌜**~s have ears**⌝, yerin kulağı var: **with one's back to the ~,** mezbuhane: **to go to the ~,** ezilmek, altta kalmak: **to run one's head against a brick ~,** olmıyacak şeyi zorlamak. **~ed,** duvarla çevrilmiş. **~flower,** sarı şebboy. **~paper,** duvar kâğıdı. **wall-eyed,** gözlerinden biri ötekinden açık renkli olan.
wallaby [ˈwoləbi]. Küçük bir cins kanguru.
wallah [ˈwola]. (Hindli) memur, küçük uşak; ···ci....
wallet [ˈwolit]. Cüzdan, portföy; dağarcık.
wallop [ˈwolop]. Şiddetli dayak atmak, pataklamak. Şiddetli vuruş. **~ing,** şiddetli dayak atma: iri yarı, hantal: **a ~ lie,** kuyruklu yalan.
wallow [ˈwolou]. Çamura vs.ye yatıp yuvarlanmak; yüzmek. Çamurda yuvarlanma; hayvanların yuvarlandığı çamurlu çukur. **to ~ in blood,** kan içinde yüzmek.
walnut [ˈwolnʌt]. Ceviz; ceviz tahtası; ceviz tahtasından yapılmış.
walrus [ˈwolrʌs]. Deniz ayısı; mors.
waltz [wols]. Vals; vals oynamak.
wan [won]. Solgun; uçuk benizli; soluk, donuk.
wand [wond]. İnce asâ, sihirbaz değneği.
wander [ˈwondə*]. Başıboş gezme(k); maksadsız şurada burada gezinme(k); yoldan sapmak; sayıklamak. **to let one's thoughts ~,** hayalata dalmak: **my thoughts were ~ing,** dalgındım: **to ~ in one's mind,** sayıklamak; sapıtmak. **~ing,** başıboş gezinti; lâalettayin seyahat etme; dalgınlık, sayıklama: başıboş; seyyar; göçebe; dalgın; (hasta) sayıklayan, hezeyan içinde.
wane [wein]. (Ay) küçülmek; azalmak, zeval bulmak. **on the ~,** küçülmekte olan, zevale yüz tutan: **his star is on the ~,** yıldızı sönüyor.
wangle [ˈwaŋgl]. (*arg.*) Hile ile veya dil dökerek elde etmek. **to ~ leave,** izin koparmak.
want[1] [wont] *n.* Yokluk; noksan, eksiklik; yoksulluk, sefalet, zaruret; hacet, ihtiyac; istek. **~ of ...,** ···sizlik: **to be in ~ of stg.,** bie şeye muhtac olm.: **~ of courage,** cesaretsizlik: **for ~ of, ...** olmadığı, bulunmadığı için; ···sizlikten dolayı: **for ~ of stg. better,** daha iyisi olmadığı için.
want[2] *vb.* İstemek; muhtac olm.; ···den mahrum olm.; icabetmek. Eksik olm., noksan olm.; zaruret içinde olmak. **to be ~ed,** aranmak, istenilmek; ···e ihtiyac olm.: **you are ~ed,** sizi istiyorlar: **he is a little ~ing,** biraz kaçık: **I don't ~ it known,** onun bilenmesini istemiyorum: **to ~ for nothing,** hiç bir eksiği olmamak; dört başı mamur olm.: **he ~s patience,** bir kusuru varsa o da pek sabırsızdır: **it ~s a lot of patience,** çok sabır icabeder: **it ~ed but a few days to Christmas,** Noele ancak bir kaç gün kalmıştı: **what does he ~ with me?** beni ne diye istiyor?: **you ~ to see a doctor at once,** hemen bir doktora gitmelisiniz: **you don't ~ to go there,** oraya gitmek istemiyorsunuz, *fakat bazan,* oraya gitmenize lüzum yok. **~ed,** lâzım; mat-

lub; polis tarafından aranan (mücrim). **~ing,** eksik; bir tahtası eksik.

wanton [ˈwontən]. Sebebsiz, maksadsız; düşüncesiz; oyunbaz, havai; iffetsiz. Aşifte.

wapiti [ˈwopiti]. Şimalî Amerikaya mahsus pek büyük bir geyik.

war [woo*]. Harb; muharebe. **to ~ against ...,** ···e karşı muharebe etm., savaşmak: **to be at ~,** harb halinde olm.: **to go to ~,** harbe girişmek; harb ilân etm.: **you look as though you had been in the ~s,** muhare-beden mi çıktın?: **on a ~ footing,** seferî vaziyette: **War Office,** Harbiye Nezareti. **war-cry,** harb narası, gülbank. **war-dance,** vahşiler tarafından harbe hazırlık olarak veya zafer için yapılan dans. **war-fever,** harb humması. **war-head,** torpitonun cebhaneli harb başlığı. **war-horse,** muharebe atı: **an old ~,** tecrübeli asker. **war-lord,** bilhassa Çin dahili harbindeki kumandanlar gibi mahallî diktatör. **war-monger,** harbe kışkırtan. **war-path, to be on the ~,** kana susamış bir halde olm.: kavgaya hazır olmak. **war-whoop,** vahşilerin harb narası. **war-worn,** harbde yıpranmış.

warble[1] [ˈwoobl]. Ötmek; şakımak; çağıldamak. **~r,** küçük öten kuş.

warble[2]. Semer sürtmesinden hasıl olan sert yumru; sığır sineği sürfesinden hasıl olan kabarcık. **warble-fly,** sığır sineği.

ward [wood]. Gözetme; muhafaza; vesayet altında olan çocuk; şehrin adası; (hastahane vs.de) koğuş. Korumak. **~s of a lock,** kilidin dilleri. **to ~ off,** defetmek, savuşturmak; önüne geçmek. **~ in chancery,** mahkeme vesayetinde olan çocuk.

warden [ˈwoodn]. Muhafız; (bazı müessеselerde) müdür, reis.

ward·er [ˈwoodə*]. Zindancı; muhafız, nöbetçi. **~ress,** kadın zindancı.

wardrobe [ˈwoodroub]. Portmanto; elbise dolabı.

wardroom [ˈwoodruum]. Harb gemisinde subaylar salonu.

ware[1] [weə*]. Mamul eşya; matah, mal; toprak işi; çini. **~s,** satılık eşya.

'ware[2]. **Beware** *'in kıs.* Dikkat!; sokulma!

warehouse [ˈweəhaus]. Ambar, antrepo. Ambara koymak. **bonded ~,** gümrük antreposu. **~man,** antrepocu; ambar bekçisi.

warfare [ˈwoofeə*]. Harb hali veya icrası.

wariness [ˈweərinis]. İhtiyat, açıkgözlülük.

warlike [ˈwoolaik]. Cengâver; harbcû; harbe mahsus; harb olacak gibi.

warm[1] [woom] *a.* Bir az sıcak (*mes. su için 38–44 sant.*); (insan ve hava hakkında) rahat derecede sıcak; hararetli (münakaşa vs.); (renkler hakkında) kırmızı veya sarıya çalan. **you are getting ~,** *bazı çocuk oyunlarında aranılan şeye veya sorulan bir sualin doğru cevabına yaklaşıldığı zaman söylenir:* **he has a ~ heart,** iyi kalblidir: **to make it ~ for s.o.,** anasından emdiğini burnundan getirmek: **a ~ scent,** civardan henüz geçen avın taze kokusu: **it's ~ work!,** bu terletici iştir! **warm-blooded,** sıcak kanlı (hayvanlar). **warm-hearted,** iyi kalbli; kanı sıcak.

warm[2] *vb.* Isıtmak; ısınmak, hararetlenmek. **to ~ s.o.'s jacket** (*arg.*) birini ıslatmak (dayak atmak): **to ~ up,** yeniden ısıtmak; hararetlenmek, coşmak. **warming-pan,** yatak tandırı.

warmth [woomθ]. Hararet.

warn [woon]. Tenbih etm.; ihtar etm., ikaz etm.; önceden haber vermek; ibret olmak. **to ~ s.o. off the course,** birini at yarışlarına iştirak etmekten menetmek. **~ing,** tenbih, ihtar, ikaz, ihbar; ibret; ihtar edici, tenbih edici: **as a ~ to others,** ibret için, ibreten lissairin: **to take ~,** ibret almak.

warp[1] [woop]. Arış; palamar. Palamar vasıtasile gemiyi yürütmek.

warp[2]. Biçimini değiştirmek, eğriltmek. Eğrilmek; çarpılmak, çalışmak. Çarpıklık, çalışma, eğrilik. **~ed,** çarpık; avruk.

warp[3]. Araziyi su altında bırakıp kalan mil tabakası ile mümbit bir hale getirmek.

warpaint [ˈwoopeint]. Vahşilerin harbe girerken yüz ve vücudlerine sürdükleri boya. **in full ~,** iki dirhem bir çekirdek, giyinmiş kuşanmış.

warrant [ˈworənt]. Ruhsat veya salâhiyet veya hak veren hal veya sened; tevkif müzekkeresi; berat; gedik; kefalet; haklı sebeb. Tekeffül etm.; ruhsat vermek; salâhiyet vermek; hak vermek; mazur görmek. **it won't happen again, I'll ~ you!,** bu bir daha tekerrür etmiyecek, emin olunuz!: **he had no ~ for his hopes,** ümidini destekleyecek hiç bir sebeb yoktu: **nothing can ~ such rudeness,** hiç bir şey bu kabalığı mazur gösteremez. **~y,** kefalet, kefaletname; salâhiyet, hak. **warrant-officer,** cavuşla zabit arası bir rütbe; gedikli.

warren [ˈworən]. Aynı yerde bulunan bir çok ada tavşanı yuvaları.

warrior [ˈworiə*]. Cengâver; muharib.

Warsaw [ˈwoosoo]. Varşova.

warship [ˈwooʃip]. Harb gemisi.

wart [woot]. Siğil. **~ disease of potatoes,** patates kanseri. **~y,** siğilli. **wart-hog,** Afrikaya mahsus yaban domuzu.

wary [ˈweəri]. Açıkgöz; uyanık; ihtiyatlı. **to be ~ of,** ···den sakınmak, kuşkulanmak.

was [woz] *bk.* **be.** İdi; oldu.

wash[1] [woʃ] *n.* Yıka(n)ma; çamaşır; losyon; geminin hareketinden hasıl olan dalgalar; yalama; badana; lâpa; çırpıntı. **to give stg. a ~,** bir şeyi yıkamak: **pig ~,** domuza yedirilen sulu yem: **the ~ of the waves,** dalgaların çağılışı. **wash-drawing,** yalama resim.

wash² *vb.* Yıka(n)mak; su ile silmek; hafif boya ile kaplamak; badana etmek; losyon ile sürmek; dalga gibi çarpmak. **to ~ stg. ashore,** (deniz) bir şeyi sahile atmak: **to ~ one's hands of,** ···le bütün alâkasını kesmek: **a sailor was ~ed overboard,** bir gemiciyi dalga alıp götürdü: **that story won't ~,** (*arg.*) bu masalı kimse yutmaz. **wash-basin,** leğen; lavabo. **wash-tub,** çamaşırlık. **wash away,** (leke vs.yi) su ile temizlemek; (dalga, su vs.) alıp götürmek, kaldırmak; aşındırmak. **wash down,** çok su ile temizlemek; su bir şeyi alıp aşağıya götürmek: **to ~ down one's dinner with a glass of beer,** yemeğin sonunda bir bardak bira içmek. **wash off,** yıkayarak çıkarmak. **wash out,** (leke vs.yi) su ile kaldırmak; çalkalamak; (*kon.*) silmek, saymamak: **you can ~ that out,** bunu sil, bunu sayma. **~ed out,** soluk; halsiz, bitkin. **wash-out,** fiyasko; selin yaptığı tahribat. **wash up,** bulaşık yıkamak; (deniz) sahile atmak.

washable [ˈwoʃəbl]. Yıkanabilir.

washer¹ [ˈwoʃə*]. Yıkayan kimse. **washer-up,** bulaşıkçı.

washer². Rondelâ, pul.

washerwoman, *pl.* **-men** [ˈwoʃəwumən, -wimin]. Çamaşırcı kadın.

washing [ˈwoʃiŋ]. Yıka(n)ma. **the ~,** çamaşır.

washy [ˈwoʃi]. Sulu; yavan.

wasp [wosp]. Eşek arısı. **~ish,** eşek arısı gibi; kinci, çabuk kızan, huysuz. **wasp-waisted,** incecik belli.

wastage [ˈweistidʒ[. Heder; israf; heder edilmiş mikdar; fire.

waste¹ [weist] *n.* İsraf; heder, heba ediş; lüzumsuz ziyan; döküntü, kırpıntı; çöl, ıssız yer, beyaban. Metrûk, viran; kullanılmış; ıskartaya çıkarılmış. **~ steam,** çürük buhar: **to go to ~,** heder olm.; zayi olm.: **to lay ~,** yıkıp yakmak, tahrib etmek. **waste-paper, ~ basket,** kâğıd sepeti. **waste-pipe,** fazla su borusu.

waste² *vb.* Heder etm., heba etm.; telef etm.; israf etm.; faydasız ve nafile yere harcamak; (vücudü) harab etmek. **to ~ away,** zayıflıya zayıflıya eriyip gitmek: **don't ~ your breath!,** beyhude çeneni yorma!: **to ~ one's time,** vakti böşuna geçirmek; abesle uğraşmak. **~d,** harab, yıkıp yanmış; zayıflamış; heder edilmiş; beyhude yere sarfedilmiş. **~ful,** müsrif; israflı; idareli olmıyan.

waster [ˈweistə*], **wastrel** [ˈweistrəl]. Değersiz, haylaz kimse; adam olmaz.

watch¹ [ˈwotʃ] *n.* Ceb saati; nöbet, nöbetçilik; vardıya; gözetleme; tarassud; nöbetçi, bekçi. **to keep ~,** gözetlemek: **in the ~es of the night,** (*şair*) geceleyin: **officer of the ~,** vardıya zabiti: **to be on the ~,** gözetlemek; göz kulak olm.: **to be on the ~ for s.o.,** birinin yolunu beklemek. **watch-case,** saat kapaklığı. **watch-chain,** saat kösteği. **watch-dog,** bekçi köpeği; çomar; bostan köpeğı. **watch-keeper,** (gemide) nöbetçi, vardıyacı.

watch² *vb.* Seyretmek, bakmak; gözlemek; dikkat etm.; göz hapsine almak, göz önünde tutmak, gözetlemek; tarassud etmek. **to ~ a case in s.o.'s interest,** bir dava görülürken üçüncü bir şahsın menfaatini gözetmek: **to ~ for s.o.,** birini beklemek; birinin yolunu beklemek: **to ~ one's opportunity** [**time**], fırsat gözlemek: **to ~ out,** göz kulak olm.: **~ out!,** dikkat!: ⌜**a ~ed pot never boils**⌝, hiç bir şeyin üzerinde düşmemeli: **to ~ by a sick person,** bir hastanın yanında beklemek: **to ~ over a flock,** bir sürüye bakmak.

watcher [ˈwotʃə*]. Bekçi; bakıcı. **bird ~,** kuşları tedkike meraklı kimse.

watchful [ˈwotʃfəl]. Müteyakkız; uyanık; müdebbir.

watchmaker [ˈwotʃmeikə*]. Saatçi.

watchman, pl. **-men** [ˈwotʃmən]. Bekçi.

watchword [ˈwotʃwəəd]. Parola; şiar.

water [ˈwootə*]. Su. Su vermek, sulamak, sulandırmak. (Ağzı) sulanmak; (göz) yaşarmak. **~ on the brain,** istiskaı re's, idrosefali: **by ~,** deniz yoluyle: **to throw cold ~ on a scheme,** bir plânı istihfaf etm., ···e itiraz etm.: **a diamond of the first ~,** en iyi cinsten elmas: **to ~ down,** ···e su katmak; hafifletmek: **head of ~,** suyun enerji istihsal kuvveti: **not to hold ~,** sızmak, su almak; su götürmek: **~ on the knee,** diz mafsalı boşluğunda su dolması: **on land and ~,** hem karada hem denizde: **to be in low ~,** kederli, neşesiz olm.; parasızlıktan sıkıntıda olm.: **to make ~,** (insan) işemek; (gemi) su almak: **to take the ~,** (yüzücü) suya girmek; (gemi) suya indirilmek: **to take** [**drink**] **the ~s,** içmelere gitmek: **to be under ~,** su altında olm.; (araziyi) su basmış olmak. **water-bailiff,** balık avı bekçisi. **water-borne,** gemide taşınan (eşya); sudan geçen (hastalık). **water-buffalo,** manda. **water-butt,** yağmur suyunu toplamağa mahsus fıçı. **water-can,** ibrik, güğüm; bahçe kovası. **water-carriage,** deniz veya nehir yolu ile taşıma. **water-cart,** sokak sulamağa mahsuz tekerlekli su hazinesi; arozöz; çiftlik hayvanlarına su getirmeğe mahsus araba. **water-closet,** apteshane. **water-diviner** *bk.* **diviner. water-ice,** süt yerine su ile yapılan dondurma. **water-jacket,** su mahfazası; su gömleği. **water-jump,** at yarışlarında su ile dolu manialı hendek. **water-lily,** nilüfer. **water-main,** ana su borusu. **water-meadow,** sulanbilir çayır. **water-melon,** karpuz. **water-polo,** suda oynanan top oyunu. **water-power,** su kuvveti. **water-rate,** su tedariki için belediye tarafından tarhedilen vergi. **water-softener,** suyun kirecini gideren ilâc vs. **water-tower,** kule üzerinde su hazinesi. **water-wheel,** su dolabı; su değirmeninin çarkı. **water-wings,** yüzme öğrenenin batmaması için iki koltuğuna takılan küçük balonlar. **water-worn,** su kuvvetiyle aşınmış.

waterbottle [ˈwootəbotl]. Su sürahisi; matara.

watercolour [ˈwootəkʌlə*]. Sulu boya; sulu boya resim, akuarel.

watercourse [ˈwootəkoos]. Su kanalı; dere; mecra.

watercress [ˈwootəkres]. Su teresi.

watered [ˈwootəəd]. Su katılmış; sulanmış; menevişli, hareli.

waterfall [ˈwootəfool]. Şelâle; çağlıyan.

waterfowl [ˈwootəfaul]. Su kuşlarının umumî adı.

waterglass [ˈwootəglaas]. Yumurta konserve etmekte kullanılan potasyum veya sodyum silikatı.

waterhole [ˈwootəhoul]. Su birikintisi, *bilh.* Afrikada yabani hayvanların su içmeğe geldikleri su çukuru.

watering [ˈwootəriŋ]. Sulama; (ipek vs.) dalga, hare.

waterless [ˈwooteəlis]. Susuz; çorak.

waterline [ˈwootəlain]. Geminin su kesimi.

waterlogged [ˈwootəlogd]. (Gemi) içinde su dolmuş; taşma veya fazla yağmurdan dolayı su ile meşbu (arazi).

Waterloo [ˌwootəˈluu]. Waterloo muharebesi; Londra'nın ana istasyonlarından biri. **to meet one's ~,** nihaî hezimete uğramak.

waterman, *pl.* **-men** [ˈwootəmən]. Nehir sandalcısı; iyi kürekçi. **~ship,** gayri müsaid ahvalde kayığı iyi idare etmek mehareti.

watermark [ˈwootəmaak]. Sudan hasıl olan nişan; filigran, suyolu.

waterproof [ˈwootəpruuf]. Yağmurluk, muşamba. Su geçmez, empermeabl. Su geçmez hale getirmek.

watershed [ˈwootəʃed]. İki nehir havzasının arasındaki hat; havza.

waterside [ˈwootəsaid]. Deniz veya nehir kenarı; su kenarında bulunan.

waterskin [ˈwootəskin]. Tulum.

waterspout [ˈwootəspaut]. Hortum (kasırga); oluk ağzı.

watertight [ˈwootətait]. Su sızmaz; su götürmez.

waterway [ˈwootəwei]. Seyre elverişli kanal, nehir vs.

waterworks [ˈwootəwəəks]. Bir şehrin su tesisatı. **to turn on the ~,** (*kon.*) ağlamak.

watery [ˈwootəri]. Sulu; yağmurlu; (renk) soluk.

watt [wot]. Vat. **~age,** vatlık. **~meter,** vat ölçüsü.

wattle[1] [ˈwotl]. Hindi vs.nin çenesi altında sarkık et.

wattle[2]. İnce çubuklardan sepet örgüsü; Avustralya'da biten bir nevi akasya. Sepet gibi örmek. **~ and daub,** sepet örgüsü ve çamur sıvalı duvar yapma usulü.

wave [weiv]. Dalga; el vs. sallama. Dalgalan(dır)mak, temevvüc etm.; el, mendil vs.yi sallıyarak işaret etmek. **to ~ s.o. aside,** birine el ile 'istemez' işareti yapmak: **to ~ aside an objection,** bir itirazı kabul etmemek: **the enemy attacked in ~s,** düşman dalgalar halinde hücum ediyordu: **to ~ the hair,** saçlara ondülâsyon yapmak. **~d,** ondüle; dalgalı. **wave-length,** dalga uzunluğu. **wave-meter,** elektrik dalgayı ölçen alet.

waver [ˈweivə*]. Tereddüd etm.; kararsızlık göstermek; gevşemek; çırpınmak; (ışık) titremek. **~ing,** mütereddid, kararsız; titriyen (alev). Tereddüd.

wavy [ˈweivi]. Dalgalı; ondüleli; menevişli.

wax[1] [waks]. Balmumu; kulak kiri. Mumlu, mumdan yapılmış. Balmumu sürmek; mumlamak. **sealing-~,** mühür mumu. **~en,** balmumundan yapılmış; balmumu gibi. **~work,** balmumundan şekil: **~s,** balmumu şekiller sergisi. **~y,** balmumu gibi.

wax[2] *vb.* (Ay) hacmı büyümek; artmak; olmak, kesilmek.

way [wei]. Yol, tarik; cihet, taraf; usul, tarz; adet; çare, vasıta; mesafe; **the ~s,** gemi kızağı. **in a bad ~,** fena suretle; fena halde, hali harab: **by the ~,** yolda, giderken; hatırımda iken; istitraden söyleyim ki: **all this is by the ~,** bütün bunlar teferrüat (şimdi esas meseleye gelelim): **he nodded his head by ~ of confirmation,** tasdik makamına başını salladı: **to give ~ to ...,** ···e kapılmak; ···e yol vermek; ···e teslim olm.; ···in fikrini vs. kabul etm.: **get out of the ~!,** önümden çekil!: **to get out of the ~ of doing stg.,** bir itiyadı kaybetmek; hamlamak: **to get into the ~ of**

doing stg., bir şeye eli yatmak; itiyadını kazanmak; alışmak: **to get in s.o.'s ~,** mani olm., önüne geçmek: **to get [have] one's ~,** istediğini yap(tır)mak: **to go the ~ of all things,** eskiyip ortadan kalkmak; ölmek: **to have ~ on,** (gemi) hareket halinde olm.: **to have no ~ on,** hareket etmemek, durmuş halinde olm.: **~ in,** giriş: **to be in the ~,** mani olm.: **he has nothing in the ~ of relations,** akraba namına kimsesi yok: **to know one's ~ about a place,** bir yerin girdisini çıktısını bilmek: **a long ~,** uzak, uzun mesafe: **he is a long ~ the best,** bu çok büyük bir farkla en iyisidir: **to make a penny go a long ~,** parasını iyi kullanmak, idareli olm.: **to make ~,** ilerlemek; yol vermek: **there is no ~ out,** çıkar yol yok: **in the ordinary~,** alelâde, umumiyetle: **on the ~,** yolda; giderken: **he is on the ~ to ruin,** mahve gidiyor: **~ out,** çıkış: **the village is rather out of the ~,** köy biraz hücradır; **to go out of one's ~ to do stg.,** bir şeyi yapmak için bilhassa zahmete girmek: **he is nothing out of the ~,** hiç bir fevkalâdeliği yok: **to go one's own ~,** bildiğinden şaşmamak; bildiğini okumak: **all right, have it your own ~!,** siz bilirsiniz!; (fikrinize iştirak etmiyorum fakat) haydi, sizin dediğiniz olsun!: **he lives in a small ~,** mütevazı bir şekilde yaşıyor: **in some ~,** bazı cihetlerden: **come this ~!,** buradan!, bu taraftan!: **to be under ~,** (gemi) hareket halinde olm.: **to get under ~,** (gemi) hareket etm.; (*mec.*) işe başlamak. **way-bill,** yolcu veya eşya listesi. **way-leave,** bir kumpanya tarafından kiralanan yol veya geçid hakkı.

'way = **away. ~ back in 1900,** ta 1900 de.

wayfar·er [ˈweifeərə*]. Yolcu. **~ing,** yolculuk, seyahat: seyyah, yolcu.

waylay (-laid) [weiˈlei, -ˈleid]. Yolunu kesmek; pusuya yatıp beklemek.

wayside [ˈweiˈsaid]. Yol kenarı. Yol kenarında bulunan.

wayward [ˈweiwəəd]. Nazlı, şımarık; ters; keyfine tâbi.

w.c. [ˌdʌbljuuˈsii] = **water-closet,** aptesane.

weak [wiik]. Kuvvetsiz, zayıf, mecalsiz, halsiz; iradesiz; âciz; metanetsiz; hafif (çay vs.). **~ spot,** püf noktası. **~en,** kuvvetten ve takatten düş(ür)mek, zayıfla(t)mak; gevşe(t)mek. **~ling,** cılız kuvvetsiz kimse; iradesiz karaktersiz kimse. **~ly,** hastalıklı, cılız. **~ness,** kuvvetsizlik; halsizlik; zaaf: **to have a ~ for ...,** ...e inhimak etm., ...e karşı zâfı olmak. **weak-kneed, weak-minded,** iradesiz, kararsız.

weal[1] [wiil]. Et üzerinde halat veya kırbaçla yapılan bere veya iz.

weal[2]. Hayır, saadet. **the public ~,** umumî menfaat: **~ and woe,** iyi ve kötü zamanlar.

wealth [welθ]. Zenginlik, servet; bolluk. **~y,** zengin.

wean [wiin]. Sütten kesmek; vazgeçirmek.

weapon [ˈwepən]. Silâh.

wear[1] [weə*] *n.* Giyme, elbise; eskime, eskitme, kullanma; yıpranma, aşınma; dayanma. **children's ~,** çocuk elbiseleri: **stuff that will stand hard ~,** dayanıklı kumaş: **these shoes have still a lot of ~ in them,** bu ayakkabılar daha çok giyilir: **~ and tear,** kullanılmakla tabiî olan eskime, yıpranma: **the worse for ~,** eskimiş, yıpranmış.

wear[2] (wore, worn) [weə*, woo*, woon]. Giymek; giyip kullanmak; taşımak; takmak; eskitmek, aşındırmak. Eskimek, yıpranmak. aşınmak; dayanmak. **to ~ oneself to death,** kendini fazla yormak: **to ~ the hair long,** saçlarını (kesmiyip) uzun bırakmak: **the day was ~ing to its close,** günün sonu yaklaşıyordu: **to ~ stg. into holes,** bir şeyi çabuk eskitmek; delik deşik oluncaya kadar giymek: **to be worn to a shadow (with care),** üzüntüden iğne ipliğe dönmek: **to ~ well,** (eşya) iyi dayanmak: **to ~ (one's years) well,** (ihtiyar) dinc kalmak: **a well-worn joke,** bayat nükte. **wear away,** aşın(dır)mak; yıpratmak. **wear down,** aşındırmak, yıpratmak; yormak. **wear off,** vakit geçtikçe zail olm.; yavaş yavaş azalmak. **wear on, as the evening wore on,** gece ilerledikçe. **wear out,** bütün bütün eskitmek; eskitip bitirmek; yıpratmak; takatini tüketmek: **to ~ oneself out,** bitkin bir hale gelmek, didinmek.

wear[3] (wore, wore) [weə*, woo*]. Gemi(yi) rüzgârı arkaya alacak şekilde çevir(il)mek, boca alabanda tiramola etmek.

wearable [ˈwərəbl]. Giyinebilir.

wearer [ˈweərə*]. Giyen; takan.

wear·y [ˈwiəri]. Yorgun; halsiz; bıkkın, bezgin; usandırıcı. Yor(ul)mak; bez(dir)mek; usan(dir)mak. **to ~ of s.o.,** birisinden bıkmak. **~iness,** yorgunluk; bıkkınlık; melâl; halsizlik. **~isome,** usandırıcı, bıktırıcı; yorucu.

weasel [ˈwiizl]. Gelincik (*hayvan*). **~-faced,** sansar yüzlü.

weather[1] [ˈweðə*] *n.* Hava. *a.* Rüzgâra duçar olan (taraf, cihet). **to make heavy ~,** (gemi) fırtınada çalkalanmak: **to make heavy ~ of stg.,** bir şeyi lüzumundan fazla güç bulmak: **to keep one's ~ eye open,** muhtemel tehlike veya güçlüklere göz kulak olm.: **(wind and) ~ permitting,** hava müsaid olduğu takdirde: **to be under the ~,**

keyifsiz olmak. **~boarding,** bindirme kaplama. **~bound,** fena hava sebebiyle limandan çıkarmıyan veya gecikmiş. **weather-beaten,** rüzgar yağmur vs.den hırpalanmış; yanık (çehre). **weather-chart,** meteorolojik harita. **weather-cock,** fırıldak. **weather-wise,** havadan anlar.

weather² *vb.* (Rüzgâr, güneş, yağmur) aşındırmak, rengini değiştirmek, çatlatmak; (fırtına veya fena havaya karşı) mukavemet göstermek: rüzgâr ters iken gemi bir burun vs.den geçmek. Rüzgar vs.den aşınmak, solmak. **~ed,** rüzgâr, don vs.den aşınmış, solmuş vs. **~ing,** yağmur, don, güneş vs.den aşınma.

weav·e (wove, woven) [wiiv, wouv, wouvn]. Dokumak; (*mec.*) terkib etmek. Dokuma tarzı. **~er,** dokumacı, çulha. **~ing,** dokumacılık; dokuma.

web [web]. Nesic; ağ; yüzücü kuşların parmakları arasında perde; bir kuş tüyünün yumuşak parçası; bazı aletlerin kalın yerleri arasında bulunan ince perde gibi yeri. **a ~ of lies,** yalan dolan. **~bed,** perdeli, zarlı (kuş ayağı). **~bing,** kuvvetli dokunmuş şerid veya kumaş; yüzücü kuşların parmakları arasındaki perde. **web-footed,** perdeayaklı.

wed [wed]. Nikâhla almak; ··· evlenmek; evlendirmek; birleştirmek. **to be ~ded to an opinion,** *etc.*, bir fikir vs.ye iyice bağlanmak. **~ded,** evlenmiş; evli: **his ~ wife,** nikâhlı karısı: **~ life,** evlilik hayatı.

wedding [ˈwediŋ]. Evlenme merasimi; düğüm. **silver ~,** bir evlenmenin 25 inci yıldönümü: **golden ~,** 50 inci yıldönümü: **diamond ~,** 60 ıncı yıldönümü. **wedding-day,** evlenme günü veya yıldönümü. **wedding-present,** düğün hediyesi. **wedding-ring,** nikâh yüzüğü, alyans.

wedge [wedʒ]. Oduncu kaması; takoz; kama şeklinde bir şey. Kama ile tesbit etmek veya sıkmak; araya sokmak veya sıkıştırmak. **the thin end of the ~,** gittikçe büyük olan bir hareketin ilk adımı.

wedlock [ˈwedlok]. Evlenme; evlilik. **child born in [out of] ~,** meşru [gayri meşru] çocuk.

Wednesday [ˈwenzdi]. Çarşamba. **Ash ~,** büyük perhizin ilk günü.

wee [wii]. Minimini, ufacık.

weed [wiid]. Yaramaz ot; lağar at; yaprak cıgara. Bahçedeki yaramaz otları ayıklamak. **the ~,** tütün: **to ~ out,** faydasız kimseleri veya şeyleri söküp atmak. **~y,** yaramaz otlu; lağar (at); sırık gibi, çelimsiz (insan).

weeds [wiidz]. **widow's ~,** dul kadınların matem elbisesi.

week [wiik]. Hafta; yedi gün. **this day ~, a ~ today, a ~ from now,** gelecek hafta bugün: **what day of the ~ is it?,** bugün ne? **twice a ~,** haftada iki kere: **~ in ~ out,** mütemadiyen, fasılasız: **to knock s.o. into the middle of next ~,** (*kon.*) birine dehşetli bir yumruk indirmek: **to be paid by the ~,** haftalık almak: **a ~ of Sundays,** çok uzun zaman: **tomorrow ~,** gelecek hafta yarınki gün; **it will be a ~ tomorrow that he died,** yarın öleli bir hafta olacak: **yesterday ~,** geçen hafta dünkü gün. **~day,** hafta günü (yani pazar günü değil). **~ly,** haftalık; haftada bir olan: **twice ~,** haftada iki kere. **week-end,** hafta sonu (cumartesi — pazartesi).

ween [wiin]. (*esk. ve şair.*) Zannetmek.

weep [wiip]. Ağlamak; (duvar) buğulanma neticesinde sızmak; (yaradan) su sızmak. **to have a good [hearty] ~,** iyice ağlayıp içini boşaltmak: **that's nothing to ~ about [over],** ağlanacak bir şey değil, (*bazan*) daha iyi ya! **~ing,** ağlayış; ağlayan: **~ willow,** salkım söğüt.

weever [ˈwiivə*]. (*Trachinus*) Barsam.

weevil [ˈwiivl]. Buğday genesi gibi zararlı hortumlu böceklerin umumî ismi.

weft [weft]. Atkı, argac.

weigh¹ [wei]. **under ~,** *yanlış olarak* **under way** *yerine kullanılır, buna bak.*

weigh². Tartmak; düşünüp taşınmak; hesab etmek. Ağır gelmek; sıkleti olmak. **to ~ anchor,** demir almak: **to ~ down,** ···den daha ağır gelmek; (keder veya endişe) bastırmak, ezmek: **branch ~ed down with fruit,** meyvalarla yüklenmiş dal: **to ~ in,** (cokey) yarıştan evvel tartılmak: **~ out,** (şeker vs.yi) lâzımgelen mikdarda tartmak. **~bridge,** araba, vagon vs. tartmağa mahsus bir nevi baskül. **weighing-machine,** kantar, baskül, terazi.

weight [weit]. Ağırlık; siklet; tartı; kantar veya terazi taşı; saat topu; ağır yük, ağır şey; ehemmiyet, tesir, nüfuz. ···e ağır bir şey takmak. **his word carries ~,** sözünün tesiri var: **worth its ~ in gold,** ağırlığınca altın eder: **to lose ~,** zayıflamak: **that's a ~ off my mind,** bunun üzerine ferahladım: **of no ~,** ehemmiyetsiz; nüfuzu az: **people of ~,** sözleri geçer, nüfuzlu insanlar: **to pull one's ~,** hissesine düşen işi yapmak: **to put the ~,** gülle atmak: **to sell by ~,** tartı ile satmak: **to throw one's ~ about,** (*kon.*) yüksekten atmak; azamet satmak.

weighty [ˈweiti]. Ağır; mühim, ciddî; nüfuzlu.

weir [wiə*]. Nehrin suyunu kesen sed; su bendi; havuz oluğu.

weird [wiəəd]. Esrarengiz; tekin olmıyan; garib ve biraz korkutucu; acayib, tuhaf.
welcome [ˈwelkəm]. Hoş geldin!, safa geldiniz! Makbul; memnuniyetle kabul edilen; hoş. Karşılama; 'hoş geldin' deme; iyi kabul. Misafire 'hoş geldin' demek; iyi karşılamak; memnuniyetle kabul etmek. **you're ~!**, bir şey değil: **you are ~ to it,** (i) buyurun, alın; (ii) gözüm yok, senin olsun, ziyade olsun: **you are ~ to try,** (*bazan istihzalı*) tecrübe edebilirsiniz; tecrübesi parasız: **to give s.o. a cold ~,** birini istiskal etm., soğuk karşılamak: **to give s.o. a warm ~,** (i) birini hararetle karşılamak; (ii) birini geldiğine pişman etm.: **to overstay one's ~,** iyi karşılanan bir yerde fazla kalmak, tadını kaçırmak.
weld [weld]. Kaynak. Kaynak yapmak; sıkı birleştirmek.
welfare [ˈwelfeə*]. Saadet; refah; rahat; sıhhat. **child ~,** çocuk bakımı ve terbiyesi: **the public ~,** âmme menfaati: **~ worker,** hayır işlerile uğraşan kimse.
welkin [ˈwelkin]. (*şair.*) Gök kubbe. **to make the ~ ring,** kubbeleri çınlatmak.
well[1] [wel]. Kuyu; (ufak gemide) kaporta ağzı; (büyük gemide) sintine; (evde) merdiven veya asansör yeri; menba, pınar. **to ~ up [out, forth],** fışkırmak.
well[2]. İşte; imdi; şu halde. **~!,** *hayret ifade eder*: **~ ~!, ~ I never!, ~ really!,** Allah Allah!; fesübhanallah!: **~ then,** şu halde.
well[3]. İyi, alâ; tamamiyle; isabetli; münasib. İyilik, iyi hal. **as ~,** dahi, ... de: **as ~ as,** kadar, kadar iyi: **he is learned as ~ as rich,** hem malûmatlı hem de zengindir: **one might as ~ say ...,** (*mantıksız bir şeye cevab olarak*) aynı şekilde ... denebilir de: **you may (just) as ~ go,** gitseniz de olur; ne olur gidin!: **~ done,** iyi pişmiş: **~ done!,** aferin!, aşk olsun!: **~ and good,** ne alâ: **it serves him jolly ~ right!,** oh olsun!: **to let ~ alone,** işi tadına bırakmak; fazla kurcalamamak: **~ off,** hali vakti yerinde: **you don't know when you are ~ off,** elindeki nimetin farkında değilsin: **we are very ~ off for potatoes this year,** bu sene patatesimiz bol: **~ on in years,** yaşı ilerlemiş: **it is ~ on midnight,** gece yarısı yaklaşıyor: **you are ~ out of it,** bundan kurtulduğuna şükret: **pretty ~ all,** hemen hemen hepsi: **to be ~ up in a subject,** bir mevzu iyi bilmek: **that's all very ~ (and good) but ...,** hepsi iyi hoş, amma ...: **to wish s.o. ~,** birinin iyiliğini istemek. **well-behaved,** terbiyeli, edebli. **well-being,** saadet, refah, rahat. **well-bred,** görgülü; terbiyeli; efendiden. **well-built,** (insan) boyu bosu yerinde; (ev) sağlam, kunt. **well-chosen,** iyi seçilmiş; münasib, pek yerinde olan. **well-conducted,** terbiyeli, uslu; iyi idare edilen. **well-connected,** iyi aileden. **well-doing,** hayırseverlik, hayırhahlık. **well-earned,** müstahak; haklı olarak elde edilmiş. **well-grown,** boyu bosu yerinde; yaşına göre büyük. **well-informed,** malûmatlı; olup bitenlerden haberi olan; salâhiyetli. **well-knit,** sıkı yapılı. **well-known,** tanınmış, meşhur, namlı. **well-made,** boyu bosu yerinde; iyi yapılmış. **well-marked,** göze çarpan; aşikâr; belli; açık. **well-meaning,** iyi kalbli; (aslında) iyi niyetli; (yanlış bir hareket yapsa bile) niyeti iyi. **well-meant,** iyi niyetle yapılmış. **well-nigh,** hemen hemen. **well-off,** hali vakti yerinde olan. **well-to-do,** hali vakti yerinde; refah içinde yaşıyan. **well-worn,** eskimiş; çok kullanılmış; aşınmış; hayide.
Wellingtonia [ˌweliŋˈtouniə]. Kalifornya çamı.
Wellingtons [ˈweliŋtəns]. Çizme; lâstik çizme.
Welsh[1] [welʃ]. Gal'li; gal dili. **~ rabbit,** kızarmış ekmek üzerinde kızartılan peynir. **~man,** *pl.* **-men,** Gal'li.
welsh[2] *vb.* (At yarışlarinda bahis tutan adam) kaybettiği parayı ödemeden sıvışmak.
welt[1] [welt] *bk.* **weal**[1]. Dövmek.
welt[2]. Zıh, kundura vardolosu, kösele şeridi. Zıh vs.yi takmak.
welter [ˈweltə*]. Çamur, kan vs. içinde yatıp yuvarlamak. Karmakarışık. **in a ~ of blood,** kan revan içinde.
welterweight [ˈweltəweit]. (Boks) yarı orta sıklet (61–67). Ağır binici; ağır biniciyi taşıyabilen at; at yarışlarında bazan konulan fazla ağırlık.
wen [wen]. Devamlı fakat zararsız ur.
wench [wentʃ]. Kız veya genc kadın; haspa. Zamparalık etmek.
wend [wend]. **to ~ one's way,** yürümek, gitmek.
went *bk.* **go.**
wept *bk.* **weep.**
were *bk.* **be**
we're [wiə*] = **we are.**
werewolf [ˈweəwulf]. Kurt şeklinde dolaştığına inanılan insan.
wert [wəət]. (*esk.*) *2nd pers. sing. past of* **be,** oldun, idin.
Wesleyan [wesˈliiən]. John Wesley tarafından kurulan tarikata mensub.
west [west]. Garb, batı. **the West,** birleşik Amerika'nın garb devletleri: **the West End,** Londra'nın kibar mahallelerinin ve büyük mağaza ve tiyatrolarının bulunduğu kısım: **to go ~,** ölmek; mahvolmak. **~ing,** (gemi hakkında) garba doğru iler-

leme. ~**erly,** garba doğru; (rüzgâr) garbdan esen. ~**ern,** garba aid, garbda. ~**erner,** garblı. ~**ward,** garb cihetine giden: ~**s,** garba doğru.
wet [wet]. Islak, rutubetli; yağmurlu; (*Amer.*) içki yasak olmıyan. Islaklık; yağmur. Islatmak. ~ **blanket,** oyun bozan: neşe bozan şey: ~ **dream,** ihtilâm: ~ **nurse,** süt nine: ~ **to the skin,** ~ **through, soaking** ~, sırsıklam: **to** ~ **one's whistle,** içki içmek. ~**ting, to get a** ~, yağmurdan veya suya düşerek ıslanmak.
wether [ˈweðə*]. Enenmiş koç.
whack [wak]. (*ech.*) Dayak atmak, dövmek. Kamış vs. şaklama. **to have a** ~ **at stg.,** (*arg.*) bir şeyi şöyle bir denemek. ~**ing,** dayak, kötek; (*arg.*) kocaman; **a** ~ **lie,** kuyruklu yalan.
whale [weil]. Balina; (*arg.*) dev gibi; pek kuvvetli (oyuncu vs.). Balina avlamak. ~**back,** balina sırtı gibi; bunun gibi ön güvertesi olan ticaret gemisi. ~**bone,** korse balinası. ~**r,** balina gemisi; kik. **whaleboat,** iki ucu sivri uzun bir nevi kayık.
wharf [woof]. Rıhtım, iskele. Rıhtıma yanaşmak. Rıhtım üzerine yığmak. ~**age,** rıhtım ücreti. ~**inger,** rıhtım sahibi.
what [wot]. Ne; ne?; hangi. **tell me** ~ **you saw,** gördüğünüzü söyleyiniz: ~ **about a game of tennis?,** tenis oynıyalım mı?, ne derseniz?: ~ **about the others?,** ya ötekiler?: **there wasn't a day but** ~ **it rained,** yağmur yağmadık gün olmadı: ~ **for?,** ne için, niçin?: ~ **did he do that for?,** ne diye bunu yaptı?: ~ **if he does not come?,** gelmezse ne olacak? ~ **if it *is* true?,** doğru olsa bile ne çıkar?: **I know** ~**!, I'll tell you** ~**!,** buldum! (aklıma bir fikir geldi): **and** ~**'s more ...,** hem de; üstelik: ~ **next?,** bundan sonra ne var?: ~ **next!,** daha neler!: ... **and** ~ **not,** ... ve saire: **well,** ~ **of it?,** olsun, ne çıkar?: **I'll show you** ~**'s** ~**!,** ben sana dünyanın kaç bucak olduğunu gösteririm: ~ **though we are poor,** fakirsek ne çıkar? **what-d'ye-call-'em, -him, -her, -it,** *adı hatıra gelmiyen bir şeyi yahud bir kimseyi anlatmakta kullanılır;* **I saw Mr.** ~**-him,** Şeyi gördüm. **what-ho!,** yahu!, hey!, bana bak! **what-not,** etajer.
whatever [wotˈevə*], **whatsoever** [wotsouˈevə*]. Herhangi; her ne. **do** ~ **you like,** ne istersen yap: **I cannot see anyone** ~, (i) kim olursa olsun hiç kimseyi göremem; (ii) görünürde in cin yok: ~ **I have is yours,** nem varsa senindir: ~ **happens I will remain your friend,** ne olursa olsun size dost kalacağım: **he has no luck** ~, hiç mi hiç talihi yoktur.
wheat [wiit]. Buğday. ~**en,** buğdaydan yapılmış.
wheatear [ˈwiitiə*]. (*Oenanthe*) Kuyrukkakan (?).
wheedle [ˈwiidl]. Dil dökerek kandırmak. **to** ~ **stg. out of s.o.,** tatlı sözle birisinden bir şey sızdırmak.
wheel [wiil]. Çark; tekerlek; otomobilin direksyon volanı; (gemi) dümen dolabı. (*ask.*) Çark etmek. Tekerlekli bir şeyi el ile yürütmek; birini veya bir şeyi el arabasile götürmek. **left** [**right**] ~**!,** (*ask.*) sola [sağa] çark!: **the** ~**s of government,** idare makinesi: **he** ~**ed round,** birdenbire olduğu yerde geri döndü: **to run on** ~**s,** tekerlekle hareket etm.: **to take the** ~, otomobili idare etm.; geminin dümenini kullanmak: ⌜**there are** ~**s within** ~**s**⌝, ⌜işin içinde iş var.⌝. ~**barrow,** tek tekerlekli el arabası. ~**ed,** tekerlekli. ~**wright,** araba yapan ve tamir eden usta. **wheel-chair,** tekerlekli hasta sedyesi.
wheez·e [wiiz]. (*ech.*) Hışıltı; (*arg.*) şaka, Hışıldamak, hırıltılı ses çıkarmak. ~**y,** hışıltılı; soluğan.
whelk [welk]. Şeytan minaresi.
whelp [welp]. Enik; edebsiz çocuk veya delikanlı. Eniklemek.
when [wen]. Ne vakit? ne zaman?; ne zaman ki ..., ···diği zaman; iken. ~ **will you come?,** ne vakit geleceksiniz?: ~ **you come,** geldiğiniz zaman: ~ **a child I used to be afraid of the dark,** çocukken karanlıktan korkardım: ~ **ever** [~ **on earth**] **will he come?,** ne halt etmeğe bu kadar gecikti; bu da ne zaman gelecek canım?: **why walk** ~ **you can ride?,** atla gitmek mümkün iken niçin yürüyeceksiniz?: **tell me the** ~ **and the how of it,** bunun ne zaman ve nasıl olduğunu söyle.
whence [wens]. Nereden?; nasıl?; geldiği yerden. **let him return to the land** ~ **he came,** geldiği yere gitsin: ~ **we can understand that ...,** işte bundan anlıyoruz ki ...: **we know neither our** ~ **nor our whither,** nereden geldiğimiz ve nereye gideceğimizi bilmiyoruz.
whenever [wenˈevə*]. Her ne zaman. **I go** ~ **I can,** imkân olduğu zaman giderim: **you can come** ~ **you wish,** ne zaman isterseniz gelebilirsiniz.
where [weə*]. Nerede?; nereye?; ···diği yerde. ~ **from?,** nereden?: ~ **do you come from?,** nereden geliyorsunuz?: **I shall stay** ~ **I am,** bulunduğum yerde kalacağım: **I don't know** ~ **I am,** nerede bulunduğumu bilmiyorum; vaziyeti (ne yapacağımı) bilmiyorum: ~ **was I?,** nerede kalmıştım?: **that is** ~ **you are mistaken,** işte burada yanılıyorsunuz: **the when and the** ~ **of his birth are unknown,** doğduğu yer ve zaman belli değil.

whereabouts [weərəˈbauts]. Nerelerde?; takriben nerede? [ˈweərəbauts]. Bir kimse veya bir şeyin tahmînî olarak bulunduğu yer; neresi. **nobody knows his ~,** nerede bulunduğunu kimse bilmiyor.
whereas [weərˈaz]. Halbuki; mademki.
whereat [weərˈat]. Ki ondan sonra, ondan dolayı. **I laughed; ~ he became very angry,** ben gülünce kızdı.
whereby [weəˈbai]. Ki ondan; onun ile. **is there no way ~ we can learn the truth?,** hakikati öğrenmenin bir yolu yok mu?: **he blushed, ~ I knew he was ashamed,** kızarması üzerine utandığını anladım.
wherefore [ˈweəfoo*]. Niçin; onun için, bu sebebden.
wherein [weərˈin]. Ne hususta?; ki içinde.
whereof [weərˈof]. Neden?; ki ondan.
whereon [weərˈon]. Ki üzerinde. **the stone ~ he sat,** üzerinde oturduğu taş.
wheresoever [weəsouˈevə*]. Nerede olursa.
whereupon [weərʌˈpon]. Bunun üzerine, bundan sonra.
wherever [weərˈevə*]. Her nerede, nerede olursa. Nerede?
wherewith [weəˈwiθ]. Ki bunun ile. **~al,** icab eden şey; vasıta; para.
wherry [ˈweri]. Hafif kürekli sandal.
whet [wet]. İştah açan şey. Bilemek; keskinleştirmek; (iştahını) açmak.
whether [ˈweðə*]. ... mi?; hangisi. **~... or ...,** ... mi, ... mi. **I don't know ~ we shall find him at home,** onu evde bulup bulamıyacagımızı bilmiyorum: **we will go ~ it rains or not,** yağmur yağsa da yağmasa da gideceğiz: **I wonder ~ he will come,** acaba gelir mı?: **you will have to do this ~ you like it or not,** isteseniz de istemeseniz de bunu yapmağa mecbursunuz: **~ or no,** her halde; ne olursa olsun: **he asked me ~ I liked his book,** kitabını sevip sevmediğimi sordu.
whetstone [ˈwetstoun]. Bileği taşı.
whew [ˈhwu, hiu]. (*ech.*) *Yorgunluk veya hayret nidasi.*
whey [wei]. Kesilmiş sütün suyu.
which [witʃ]. Hangi?, hangisi: ... ki. **the book ~ is on the table,** masanın üstündeki kitab: **the house in ~ we live,** (içinde) oturduğumuz ev: **this is the house of ~ I was speaking,** kendisinden bahsettiğim ev budur: **~ way?,** ne tarafa?, hangi yoldan?; nasıl? **~ever** [–ˈevə*], her hangisi: **take ~ you like best,** hangisinden en çok hoşlanırsanız onu alınız: **~ way he looked he saw nothing but smoke,** hangi tarafa baktı ise dumandan başka bir şey görmedi.
whiff[1] [wif]. Futa.
whiff[2]. Püf; hava, duman vs. dalgası; hafif koku. Hafifçe püflemek. **I must get a ~ of fresh air,** bir parçacık hava almalıyım: **there wasn't a ~ of wind,** hiç rüzgâr yoktu, yaprak kımıldamıyordu.
Whig [wig]. İngiliz liberal partisine aid.
while[1] [wail]. İken; esnasında. **~ I live,** ömrüm oldukça: **~ admitting the thing is difficult, it is not impossible,** gerçi bunun güç olduğunu kabul ederim, imkânsız değildir.
while[2] *n.* Müddet. **the ~,** bu esnada: **between ~s,** arada sırada: **after a ~,** bir az sonra: **once in a ~,** kırk yılda bir: **worth ~,** değer: **worth one's ~,** zahmete değer: **I'll make it worth your ~,** sizi memnun ederim (mükâfatını veririm).
while[3] *vb.* **to ~ away the time,** vakti hoş geçirmek: vakit geçirmek için.
whilom [ˈwailəm]. Vaktile, evvelce olan.
whilst [wailst]. İken.
whim [wim]. Geçici arzu, istek, heves; birinin aklına esen şey, kapris.
whimbrel [ˈwimbrəl]. (*Numenius phaeopus*) Yağmur [yarım] kervan çulluğu.
whimper [ˈwimpə*]. Ağlıyacak gibi ses çıkarma; sızlanma, inilti. Ağlayıp sızlamak, inlemek.
whimsical [ˈwimzikl]. Gelgeç, maymun iştahlı, kaprisli; tuhaf, acayib.
whin [win]. (*Ulex*) Karaçalı.
whine [wain]. (*ech.*) Sızlanma(k), inlemek; vınlama(k).
whinny [ˈwini]. Kişneme(k).
whip[1] [wip] *n.* Kamçı, kırbaç; arabacı; av köpeklerini idare eden atlı uşak; (parlamento) parti disiplinini koruyan âza, değnekçi; mühim ve acele bir mesele hakkında parti âzasına dağıtılan kısa tamim. **to be a good [bad] ~,** iyi [fena] araba kullanmak: **four-line ~,** altı dört kere çizilmiş tamim ('whip'): **to have the ~ hand of s.o.,** birine karşı üstün bir vaziyette olmak.
whip[2] *vb.* Kamçılamak, kırbaçla dövmek; dayak atmak; yumurta, krem vs.yi çalkayıp köpürtmek; yenmek; façuna etm., iple bağlamak; kenarını kıvırıp dikmek; ansızın bir hareket ile çıkarmak. Çabuk bir hareket yapmak; seğirtmek. **to ~ round the corner,** köşeyi hızla dönmek: **to ~ a revolver out of one's pocket,** cebinden bir tabancayı şüratle çekmek. **whip back,** (fazla gerilen ip vs.) kopup geri sıçramak. **whip in,** (av köpeklerini) kamçı ile toplamak. **whip off,** ansızın kaldırmak, çıkarmak. **whip round,** birdenbire dönmek: **to ~ round** *veya* **to have a ~ round for subscriptions,** bir çok kimseye müracaat edip iane toplamak. **whip up,** (*mec.*) kamçılamak: tahrik etmek.

whipcord [ˈwipkood]. Kamçı için kullanılan pek sıkı ve kuvvetli bir nevi sicim; sık dokunmuş ingiliz kumaşı.
whipper-in [ˈwipərˈin]. Av köpeklerini idare eden atlı uşak.
whipper-snapper [ˈwipə*ˈsnapə*]. Afacan; kendini beğenmiş genc.
whippet [ˈwipit]. Bir nevi ufak tazı. **~ tank,** ufak fakat pek süratli bir tank.
whipping [ˈwipiŋ]. Kamçılama, dayak; façuna. **whipping-boy,** başkasının yaptığı kabahatin cezasını çeken kimse.
whipple-tree [ˈwiplˌtrii]. Araba falakası.
whippy [ˈwipi]. Kolay bükülür, esnek.
whirl [wəəl]. Fırıldanma; hızla deveran. Fırıldanmak, fırıldatmak; savrulmak; kasırga gibi dönmek; pek hızlı hareket et(tir)mek. **my head is in a ~,** başım dönüyor: **a ~ of pleasures,** zevk ve eğlence fırtınası [kasırgası]. **~igig,** fırıldak; atlıkarınca; fırıldak gibi dönen bir su böceği. **~pool,** girdab. **~wind,** kasırga: **to sow the wind and reap the ~,** rüzgâr ekip fırtına biçmek.
whirr [wəə*, hwəə*]. (*ech.*) Kanad sesi; uğultu. Uğuldamak.
whisk [wisk]. (*ech.*) Hafif ve hızlı hareket; tüy süpürge; sineklik; yumurta çalkama aleti. Hızla ve az fırla(t)mak; (at, inek vs.) kuyruğunu sallamak; yumurta çalkamak.
whisker(s) [ˈwiskə*,–əəz]. Favori; hayvan bıyığı. **~ed,** yan sakallı; (kedi vs.) bıyıklı.
whisky [ˈwiski]. Viski.
whisper [ˈwispə*]. (*ech.*) Fısıltı. Fısıldamak. **it is ~ed that ...,** kulaktan kulağa fısıldandığına göre. **~ing,** fısıltı: **~ gallery,** muayyen yerdeki fısıltının uzak mesafeden duyulduğu tünel, mağara vs.; çok dedikodu yapılan yer.
whist [wist]. Vist oyunu.
whistle [ˈwisl]. Islık; düdük, çığırtma. Islık çalmak; düdük çalmak; ıslıkla hava çalmak. **to ~ for s.o.,** ıslık çalarak çağırmak: ⌜**he can ~ for his money**⌝, ⌜o paranın üstüne bir bardak su içsin⌝.
whit [wit]. Zerre. **not a ~,** katiyyen, hiç: **every ~ as good as ...,** tamamen aynı derecede iyi.
white [wait]. Beyaz, ak, ağarmış. Beyaz kısmı; beyaz renk, ak; beyaz adam. **to go [turn] ~,** (benzi) sararmak: **~ heat,** narı beyza: **the White House,** Amerika Cumhurreisinin resmî dairesi: **a ~ man,** beyaz adam; sadık, temiz yürekli adam: **~ metal,** gümüş taklidi maden; makine yatakları için kullanılan maden halitası: **in a ~ rage,** hiddetten kudurmuş bir halde: **~ sale,** çamaşır satışı. **white-caps,** köpüklü dalgalar. **white-headed,** beyaz saçlı: **the ~ boy,** (*kon.*) baş tacı olan çocuk; şımartılmış çocuk. **white-heart, ~ cherry,** pek makbul bir nevi beyaz kiraz. **white-lipped,** korkudan dudakları beyazlaşmış. **white-livered,** korkak.
whitebait [ˈwaitbeit]. Kızartılmış küçük balıklar.
Whitehall [ˈwaithool]. Londra'da hükûmet dairelerinin bulunduğu mahalle; (*mec.*) hükûmet.
whiten [ˈwaitn]. Ağartmak; beyazlatmak. Agarmak; beyazlanmak; saramak. **~ing,** *bk.* whiting².
whiteness [ˈwaitnis]. Beyazlık, aklık.
whitethorn [ˈwaitθoon]. Akdiken.
whitethroat [ˈwaitθrout]. (*Sylvia*) Diken çalı bülbülü (?); boz ötleğen (?).
whitewash [ˈwaitwoʃ]. Badana; kireçsuyu; çarpı. Badanalamak; (birini) temize çıkarmak; itibarını yeniden kazandırmak.
whither [ˈwiðə*]. Nereye. **~soever,** her hangi bir yere.
whiting¹ [ˈwaitiŋ]. (*Gadus merlangus*) Mezitbalığı; merlanos.
whiting². İspanya beyazı; tebeşir tozu.
whitish [ˈwaitiʃ]. Beyazımsı.
whitlow [ˈwitlou]. Kurağan; dolama.
Whit Monday [ˈwitˈmʌndi]. **Whit Sunday** 'den sonra gelen pazartesi (İngiltere'de umumî tatil günlerinden biri). **~sun (tide),** Paskalyadan yedi hafta sonra olan yortu.
whittle [ˈwitl]. **to ~ down [away],** bıçakla yontup ufaltmak; kese kese mikdarını azaltmak.
whizz [wiz]. (*ech.*) Vızıltı. Vızıldamak; vızıldayarak fırlamak.
who [huu]. Kim; o ki; onlar ki. **the man ~ came,** gelen adam: **~ goes there?,** kimdir o?: **no matter ~,** kim olursa olsun: **Who 's ~,** meşhur adamların tercümei hal kitabı.
whoa [wou]. Çüş!; dur!
whoever [huuˈevə*]. Her kim; kim olursa olsun.
whole [houl]. Bütün, tam, tamam; kusursuz; sağlam. Kül; tam şey; yekûn. **~ brother,** ana baba bir kardeş: **on the ~,** umumiyetle: **he swallowed it ~,** (i) çiğnemeden yuttu; (ii) hepsini yuttu (inandı): **taken as a ~,** bir bütün olarak: **the ~ world** *veya* **the ~ of the world,** tam dünya; herkes. **~meal,** elenmemiş undan yapılmış. **~sale,** toptan; küme halinde; büyük mikyasta: **~r,** toptancı. **whole-bound,** bütün meşin cildli. **whole-coloured,** tek renkli. **whole-hearted,** candan; samimî. **whole-length, ~ portrait,** tam boy resim. **whole-time, ~ job [work],** insanın bütün vaktini alan iş.
wholesome [ˈhoulsəm]. Sıhhate nafi; sağlam; kolayca hazmedilir. **not a ~ book for**

the young, çocuklar için uygun olmıyan kitab.
wholly [ˈhouli, houl·li]. Tamamiyle, büsbütün.
whom [huum]. who'*nun mefulünbihi.* Kimi, ki onu. **of ~,** kimden, ki ondan. **the man ~ we met,** rastladığımız adam: **the person to ~ you sent the letter is dead,** kendisine mektub gönderdiğiniz şahıs ölmüştür. **~(so)ever** [–(sou)ˈ-evə*], kim olursa olsun; her kim ise.
whoop [huup, hwuup]. (*ech.*) Nida; bağırma; haykırma. Bağırmak; boğmaca öksürüğüne tutulmuş gibi öksürmek. **he ~ed with joy,** sevincinden bağırdı.
whop [wop, hwop]. (*ech.*) Darbe, dayak atmak. **~ping,** dayak; pek büyük: **a ~ lie, a whopper,** kuyruklu yalan.
whore [hoo*]. Orospu. Zamparalık etmek.
whorl [wəəl]. Bir nebat sapının etrafında halka şeklinde yapraklar veya çiçeklerin heyeti mecmuası; bir helezonun bir devrimi.
whortleberry [ˈwəətlˌberi]. (*Vaccinium Myrtillus*) Bir nevi mayhoş yaban meyvası; dağ mersini (?).
whose [ˈhuuz]. who'*nun muzafünileyh hali.* Kimin; ki onun. **the man ~ house you saw,** evini gördüğünüz adam.
whosoever [huusouˈevə*]. Her kim olursa olsun.
why [wai, hwai]. Niçin?, neden?, ne diye?; tuhaf şey! **that is the reason ~ ...,** işte bundan dolayıdır ki ....
wick [wik]. Fitil.
wicked [ˈwikid]. Habis, şerir, pek kötü, hain.
wicker [ˈwikə*]. Sepet işi; hasır. **wicker-work,** sepet işi.
wicket [ˈwikit]. Bahçe vs.nin küçük kapısı; büyük kapının içinde veya yanında ufak kapı. Kriket oyununda kullanılan ve kaleyi teşkil eden üç kazık; kalelerin arasındaki yer.
wide [waid]. Geniş; vâsi; enli; açık; bol. **~ awake,** tamamen uyanmış: **~ of the mark,** hedeften uzak; çok yanlış: **~ open,** ardına kadar açık: **~ly read,** çok okunan; çok okumuş, malûmatlı: **the ~ world,** şu koca dünya. **~awake,** açıkgöz, uyanık; tetik: **~ hat,** geniş kenarlı fötr şapka. **~n,** genişle(t)mek; büyü(t)mek. bollaştırmak. **wide-spread,** yayılmış; umumî.
widgeon [ˈwidʒən]. (*Anas penelope*) Bir cins yaban ördeği, fiyu.
widow [ˈwidou]. Dul kadın. Dul bırakmak. **grass ~,** kocası muvakkaten başka yerde bulunan kadın: ⌜**the ~'s mite**⌝, ⌜çok veren maldan az veren candan⌝ *kabilinden* bir fakir tarafından verilen küçük iane. **~ed,** dul. **~er,** dul erkek. **~hood,** dulluk.
width [widθ]. En; genişlik; vüsat.
wield [wiild]. Elle tutup kullanmak; savurmak; palaçalmak. **to ~ power,** tahakküm etm.: **to ~ the sceptre,** saltanat etmek.
wife, *pl.* **wives** [waif, waivz]. Karı, zevce, refika. **the ~,** refikam: **to take a ~,** evlenmek: **to take s.o. to ~,** birisile evlenmek: **an old wives' tale,** tandırname. **~ly,** zevceliğe yakışır.
wig [wig]. Takma saç; peruka. **~ged,** perukalı. **~ging,** (*arg.*) azarlama.
wight [wait]. (*esk.*) İnsan; herif.
wigwam [ˈwigwam]. Şimalî Amerika kızılların külübesi.
wild [waild]. Vahşi; yabani; delişmen, zırzop; fırtınalı; haşarı, avare, havalanan; hedeften uzak. **the ~s,** beyaban; çöl. **to be ~ to do stg.,** bir şeyi yapmak için yanıp tutuşmak: **to be ~ with joy,** sevincinden çıldırmak: **~ exaggeration,** pek fazla mübalâğa: **to lead a ~ life,** hovardalık etm.: **to make s.o. ~,** birini çıldırtmak: **to run ~,** (nebat) azmak; (çocuk) başıböş dolaşmak: **~ talk,** palavra; dem vurma. **wild-boar,** yaban domuzu. **wild-cat,** yaban kedisi: **~ scheme,** (ticaret) olmıyacak tasavvur, çılgınca bir plân. **wild-goose,** yabani kaz: **~ chase,** ahmakça ve sonsuz bir teşebbüs.
wildebeest [vildəˈbeist, ˈwildəbiist]. Cenubi Afrika'ya mahsus bir nevi antilop; gnu.
wilderness [ˈwildənis]. Beyaban; çöl; bir bahçenin bakımsız kısmı. **a voice in the ~,** çölde bir vaız; beyhude tüketilen nefes.
wildfire [ˈwaildfaiə*]. **to spread like ~,** etrafı alev gibi sarmak.
wildfowl [ˈwaildfaul]. Yabani kuşlar *bilh.* av kuşları.
wildness [ˈwaildnis]. Vahşilik, yabanilik; şiddet; fırtınalılık; haşarılık, avarelik; delilik.
wile [wail] (*um.* ~s). Hileler, desiseler; kurnazlık. Hile ile cezbetmek; ayartmak.
wilful [ˈwilfəl]. Söz anlamaz; hodgâm; inadcı; kasdî.
wiliness [ˈwailinis]. Kurnazlık. şeytanlık.
will[1] [wil] *n.* İrade; meram, istek, arzu; keyif; vasiyet, vasiyetname. **at ~,** istediği zaman; keyfine göre; keyfemayeşa: **with the best ~ in the world I can't do it,** bütün arzuma rağmen yapamam: **free ~,** iradei cüz'iye: **to do stg. of one's own free ~,** bir şeyi kendi isteğile yapmak: **good ~,** hüsnüniyet: **ill ~,** suiniyet: **the last ~ and testament of ~,** ···in son vasiyetnamesi *ki vasiyetnameye başlarken kullanılan mûtad cümledir*: **to make one's ~,** vasiyetnamesini yazmak: **to have a ~ of one's own,** inadcı olmak; aklına geleni yapmak iste-

mek: to take the ~ for the deed, bir iyilik yapma arzusunu iyilik saymak: ⌜where there's a ~ there's a way⌝, meramın elinden bir şey kurtulmaz: to work one's ~ upon s.o., bir adama istediğini yapmak.

will² *vb.* İstemek, arzu etm.; razı olm.; azmetmek; ipnotize etm.; vasiyetname ile bırakmak. *Yardımcı fiil olarak istikbal sıygasının teşkiline yarar, mes.*: **I ~ write,** yazacağım; *fakat bazan sadece bir rica ifade eder, mes.*: **~ you close the window!,** pencereyi kapatır mısınız?: **'~ you be there?' 'I ~',** 'Siz orada bulunacak mısınız?' 'Bulunacağım': **as you ~!,** siz bilirsiniz!: **accidents *will* happen,** kazanın önüne geçilmez: **this car ~ do 40 miles to the gallon,** bu otomobil bir galon benzinle 40 mil gider: **this car ~ take five people easily,** bu otomobil ferah ferah beş kişi alır: **he *will* have it that ...,** ... diye inad ediyor: **he ~ have none of it,** (i) onun hissesine bundan hiç bir şey düşmiyecek; (ii) bunu hiç kabul etmiyor: **to ~ s.o. into doing stg.,** birine bir şeyi irade kuvvetile yaptırtmak; ipnotizma ile yaptırmak: **say what you ~, no one ~ believe you,** ne istersen söyle, kimse sana inanmaz: **~ you sit down, won't you sit down?,** oturmaz mısınız?: ***will* you sit down!** (*hiddetle*) oturacak mısın?

will-o'-the-wisp [ˌwiloðiˈwisp]. Boş gaye; zümrüdüanka.

-willed [wild]. ... iradeli.

willing [ˈwiliŋ]. Razı; istekli; candan. **~ helpers,** candan yardım edenler. **~ly,** istiyerek; memnuniyetle. **~ness,** isteklilik: **with the utmost ~,** canü gönülden.

willow [ˈwilou]. Söğüd; (*arg.*) kriket çomağı. **~herb,** (*Epilobium*) yakıotu. **~y,** fidan gibi; eğilir bükülür. **willow-pattern,** meşhur Çin porselenlerinde bulunan söğüd resmi.

willy-nilly [ˈwiliˈnili]. Çarnaçar, ister istemez.

wilt¹ [wilt]. (*esk.*) *2nd pers. sing. pres. of* **will.**

wilt². Tazeliğini kaybet(tir)mek; kuru(t)-mak; solmak.

wily [ˈwaili]. Cin fikirli; kurnaz.

win [win]. Kazanmak; kesbetmek; galebe çalmak, yenmek. Galebe, zafer. **to ~ over [round],** gönül avlamak; kendi tarafına celbetmek: **to ~ through,** muvaffak olm.; müşkülatın hakkından gelmek: **to ~ the shore, the summit,** *etc.*, sahil, zirve vs.ye varmak, ermek.

winc·e [wins]. Acıdan birdenbire ürkmek ve sakınmak. Ürkme; işmizaz. **without ~ing, without a ~,** göz kırpmadan.

winch [wintʃ]. Vinç; bocurgat.

wind¹ [wind] *n.* Rüzgâr, yel; hava; nefes; osuruk; hayvanların bulundukları yerde bıraktıkları koku. **the ~,** (*mus.*) bir orkestranın nefes çalgıları: **the wood ~,** flâvta cinsinden nefes çalgıları: **to sail [run] before the ~,** pupa yelken gitmek: **between ~ and water,** su kesiminde: **to break ~,** yellenmek, osurmak: **to cast [fling] prudence,** *etc.*, **to the ~s,** ihtiyat vs.ye hiç aldırmamak: **to get ~ of,** koklamak, kokusunu almak: **there's something in the ~,** ortada [havada] bir şeyler var: **to lose one's ~,** nefesi kesilmek: **to recover one's ~,** nefes almak için dinlemek: **to get one's second ~,** bir koşu vs.de bir kere nefesi kesildikten sonra tekrar nefes almak: **to raise the ~,** ne yapıp yapıp para elde etm.: **sound in ~ and limb,** (at) nefesi ve bacakları sağlam, sapasağlam: **to have [get] the ~ ~ up,** (*arg.*) korkuya [telaşa] düşmek: **to put the ~ up s.o.,** birini korkutmak, telaşa düşürmek: **to see which way the ~ blows,** havayı koklamak. **wind-bound,** muhalif rüzgârla seyri menedilen (gemi). **wind-sail,** bez manika. **wind-sleeve,** uçak meydanında rüzgârın cihetini göstermeğe mahsus bez manika. **wind-tunnel,** aerodinamik tünel.

wind² [wind] *vb.* Kokusunu almak, koklamak; soluğunu kesmek; (*bazan at hakkında*) nefes aldırmak. **to ~** [waind] **the horn,** av borusunu çalmak.

wind³ (wound) [waind, waund] *vb.* Dolaşmak, dolaşık gitmek. Dolaştırmak; çevirmek; sarmak; (saat vs.) kurmak. **to ~ about,** dolaşmak; yılankavi olm.: **to ~ wool into a ball,** ipliği yumak yapmak: **the plant ~s round the pole,** nebat sırığa sarılıyor. **wind up,** çark ile kaldırmak; kangal etm; kurmak; bitirmek, kapatmak. Sona ermek: **to ~ up a company,** bir şirketi tasfiye etm.: **how does the play ~ up?,** piyes nasıl bitiyor? (sonunda ne oluyor?).

windbag [ˈwindbag]. Lâkırdı kumkuması; farfara.

winded [ˈwindid]. Soluğu kesilmiş.

windfall [ˈwindfool]. Rüzgârın düşürdüğü şey, *bilh.* elma: yağlı lokma; umulmadık miras.

windhover [ˈwindhovə*]. Kerkenes.

windiness [ˈwindinis]. Rüzgârlı olma.

winding [ˈwaindiŋ]. Dolambaçlı; yılankavi. Dönemeç, dönüm; dolambaç; sarma. **winding-gear, -plant,** maden ocağında asansör işleten makine. **winding-shaft,** maden ocağında asansör kuyusu. **winding-sheet,** kefen.

windjammer [ˈwind'dʒamə*]. Geçen asırda büyük yelkenli ticaret gemisi.

windlass [ˈwindləs]. Irgat; çıkrık.

windmill [ˈwindmil]. Yel değirmeni.
window [ˈwindou]. Pencere; camekân; gişe. **window-box,** pencere önünde çiçek kutusu. **window-dressing,** satılacak eşyanın açılıp serilmesi; (*mec.*) gösteriş; gözboyası. **window-frame,** pencere çerçevesi. **window-pane,** pencere camı.
windpipe [ˈwindpaip]. Nefes borusu; gırtlak.
windrow [ˈwindrou]. Orakçının bir çekmede kestiği ot sırası.
windscreen [ˈwindskriin]. Rüzgâr siperi; otomobilin ön camı. **~-wiper,** cam silicisi.
windswept [ˈwindswept]. Rüzgâra maruz, rüzgârlı.
windward [ˈwindwəəd]. Rüzgâr üstü. **to work [ply] to ~,** (gemi) rüzgâra karşı gitmek.
windy [ˈwindi]. Rüzgârlı, rüzgâra düçar; şişkin, uzatıcı (nutuk vs.); rihî; (*arg.*) endişeli, korkan.
wine [wain]. Şarab. **wine-bibber,** şarab ayyaşı. **wine-bin,** şarab şişeleri mahfazası. **wine-coloured,** şarabî renk. **wine-cooler,** şarabı buzda soğutmağa mahsus kab. **wine-glass,** şarab kadehi. **wine-grower,** şarab üzümü yetiştiren bağcı. **wine-press,** şıra teknesi; şarab baskısı. **wine-vault,** yeraltı veya mağarada şarab deposu; yeraltı meyhanesi.
wing [wiŋ]. Kanad; cenah; kol; kulis; (*otom.*) çamurluk. Uç(ur)mak; kanad takmak; (*av*) bir kuşu kanadından yaralamak. **to be on the ~,** uçmakta olm.: **to take ~,** uçmak, kanadlamak: **to take s.o. under one's ~,** birini himaye altına almak. **~ed,** kanadlı; kanadından yaralı.
wink [wiŋk]. Göz kırpma; gözle işmar. Göz kırpmak; gözle işaret etm.: (ışık) yanıp sönmek. **to ~ at stg.,** bir şeye göz yummak: **forty ~s,** şekerleme, kısa uyku: **I did not sleep a ~,** kirpiğimi kırpmadım.
winkle [ˈwiŋkl]. Yenir bir kabuklu deniz böceği.
winner [ˈwinə*]. Kazanan kimse veya at; isabetli veya muvaffakiyetli bir iş veya hareket.
winnow [ˈwinou]. Hububat savurmak. **to ~ out,** savurarak ayıklamak; (*mec.*) fenadan iyiyi, yanlıştan doğruyu, ayırmak.
winsome [ˈwinsəm]. Alımlı, cazibeli, sevimli.
wint·er [ˈwintə*]. Kış. Kışlık. Kışla(t)mak. **in ~,** kışın: **the depth of ~,** kara kış: **~ quarters,** kişlak. **~ry,** kış gibi; pek soğuk veya fırtınalı. **winter-cherry,** güveyfeneri.
wipe [waip]. Silmek; bez veya sünger ile temizlemek. Silme. **to ~ away [off],** silip çıkartmak: **to ~ s.o.'s eye,** (*kon.*) başkasından evvel davranmak, sırasını almak: **to ~ out,** silip temizlemek; silip süpürmek: **to ~ out an insult,** bir hakareti temizlemek.
wire [waiə]. Tel; telgrafname. Tel takmak; tel ile bağlamak; (ev vs.de) elektrik tesisatı kurmak; telgraf çekmek. **~ edge,** kılağı: **~ entanglement,** tel mania: **to ~ in,** tel veya tel örgüsile çevrelemek. **~d,** telli; tel ile çevrilmiş; elektrik telleri konmuş. **~less,** telsiz: radyo: radyo ile telgraf çekmek: **~ set,** radyo: **~ receiver,** âhize. **~worm,** toprak altında yaşıyan ve nebatların köklerini yiyen muzır bir nevi kurt. **wire-haired, ~ terrier,** dik kıllı fino.
wiring [ˈwairiŋ]. Tel takma; elektrik donanımı.
wiry [ˈwairi]. Tel gibi; ince fakat adaleli, sırım gibi.
wisdom [ˈwizdəm]. İrfan; akıl; hikmet. **~ tooth,** akıl dişi.
wise[1] [waiz] *n.* Tarz, suret. **in no ~,** hiç bir surette: **in some ~,** bir surette, bir dereceye kadar. **-wise,** *suff.* ···vari, ... gibi.
wise[2] *a.* Ârif; tecrübeli ve akıllı; hakîm, ferasetli. **to be ~ after the event,** iş işten geçtikten sonra akıllanmak: **to look ~,** işten anlar gibi bakmak: **I am none the ~r,** daha iyi öğrenmiş değilim: **no one will be any the ~r,** ⌜kim kime dum duma⌝: **put me ~ about it,** (*Amer.*) bana bu işi anlat. **~acre,** ukalâ dümbeleği. **wise-crack,** nükte; (*bazan*) ukalâlık.
wish [wiʃ]. İstemek, arzu etm.; temenni etmek. Arzu, istek; temenni. **I ~ I were there,** keşki orada olsam: **don't you ~ you may get it!,** avucunu yala!: **what more can you ~?,** daha ne istersen?: **one would ~ that ...,** gönül ister ki.
wishbone [ˈwiʃboun]. Lâdes kemiği.
wishful [ˈwiʃfəl]. İstekli; hasretli. **~ thinking,** hüsnükuruntu.
wishing-well [ˈwiʃiŋwel]. Dilek kuyusu.
wishy-washy [ˈwiʃiwoʃi]. Yavan, renksiz, değersiz.
wisp [wisp]. Demetçik; ince saç lülesi; serpinti.
wistaria [wisˈteəriə]. Mor salkım.
wistful [ˈwistfəl]. Hasretli; arzulu; müştak.
wit[1] [wit] *vb.* (*esk. yal.* **I wot, thou wottest, he wot** *şekillerinde kullanılır*). **to ~,** yani, demek ki: **God wot,** Allah bilir, hakikaten.
wit[2] *n.* Akıl, intikal; nüktecilik; nükteci, nekre. **to be at one's ~'s end,** artık hiç bir çare bulamamak, ne yapacağını bilmemek: **to collect one's ~s,** aklını başına toplamak: **to have [keep] one's ~s about one,** uyanık olmak: **to be out of one's ~s,** aklını oynatmak: **one who lives by his ~s,** kaparozcu.
witch [witʃ]. Büyücü kadın, cadı. Teshir etmek. **~craft,** büyücülük. **~ery,** büyü-

cülük; sihir. **witch-doctor,** vahşi kabilelerde büyücü hekim. **witch-hazel,** (*Hamamelis*) güvercin otu (?).
with [wið]. İle; ···le; ···ce; ···den; yanında, beraber, birlikte; arasında, nezdinde. **~ all his wealth he is not happy,** bütün servetine rağmen mesud değildir: **the difficulty ~ him is that he is pig-headed,** bu adamın müşkül tarafı dikkafalı olmasıdır: **~ that he left the room,** bunun üzerine odadan çıktı.
withal [wiðˈool]. Dahi; bununla beraber.
withdraw (-drew, -drawn) [wiðˈdroo, -druu, -droon]. Geri çekmek, geri almak; feragat etm.; (bankadan para) çekmek. Rücu etm.; çekilmek; uzaklaşmak. **~al,** geri çek(il)me; rücu; geri alma; geri çağır(ıl)ma: **~ of an order,** bir emri geri alma: **~ of a coin from circulation,** bir parayı tedavülden kaldırma.
withe *bk.* **withy.**
wither [ˈwiðə*]. Kuru(t)mak; taravetini kaybet(tir)mek; solmak. **to ~ s.o. with a look,** birini bir bakışla yerin dibine geçirmek.
withers [ˈwiðəəz]. Atın omuz başı, yağır.
withhold (-held) [wiðˈhould, -held]. Vermemek; esirgemek; tutmak; alıkomak. **to ~ the truth from s.o.,** birinden hakikati gizlemek.
within [wiðˈin]. İçinde, içerisinde, içeride; dairesinde. **to live ~ one's income,** geliri ile mütenasib yaşamak: **they are ~ a few months of the same age,** bir kaç ay farkla aynı yaştadırlar: **~ reason,** makulât dairesinde: **well ~ the truth,** en aşağı tabirle.
without [wiðˈaut]. ···siz; ···sizin; bilâ···; ... haricinde. Dışında. **~ walls,** duvarsız: **~ the walls,** surların dışında: **to go ~ stg.,** kendini bir şeyden mahrum etm.; bir şeysiz olm.: **a child can't do ~ games,** çocuk oynamadan edemez: **that goes ~ saying,** bu bedihidir: **not ~ difficulty,** oldukça müşkülâtla: **he passed ~ seeing us,** bizi görmeden geçti.
withstand (-stood) [wiðˈstand, -stud]. Karşı koymak; dayanmak; mukavemet etmek.
withy [ˈwiði]. Bodur şöğüd; hasır işi için kullanılan ince söğüd dalı.
witless [ˈwitlis]. Budala; akılsız.
witness [ˈwitnis]. Şahid; delil. Müşahede etm., görmek; şehadet etm. **to ~ a signature,** kendi imzasile başka bir imzayı tasdik etmek. **witness-box,** mahkemelerde şahid yeri.
-witted [ˈwitid] *suff.* ···kafalı, *mes.* **slow-~,** kalın kafalı.
witticism [ˈwitisizm]. Nükteli söz.
wittingly [ˈwitiŋli]. Kasden; bile bile.
witty [ˈwiti]. Nükteli, nekre.
wives *bk.* **wife.**
wizard [ˈwizəəd]. Sihirbaz; büyücü. **~ry,** sihirbazlık.
wizened [ˈwizənd]. Kart, kurumuş, buruşmuş, kartaloz.
wo [wou]. Dur!; yetişir!
woad [woud]. (*Isatis tinctoria*) Kâzib çivitotu.
wobbl·e [ˈwobl]. Sallanma(k); dingildemek, sendeleme(k); zikzak yapma(k); bocalamak: (ses) titreme(k). **~y,** sallanan, sendeliyen; titrek.
woe [wou]. Keder, hayıf, elem; derd. Vay!, hayıf! **~ is me!,** vay bana!: **~ be to ...,** (*lanet*) ···in Allah belâsını versin!: **~ to the vanquished!,** altta kalanın canı çıksın!, veyl mağluba. **~begone,** hazin, kederli, magmum. **~ful,** hazin, kederli; elim, hüzün verici: **he is ~ly weak in French,** fransızcası fecidir.
woke *bk.* **wake.**
wold [would]. Yüksek ârizalı çıplak kır. **the Wolds,** Yorkshire kontluğunda çıplak ve yalçın tepeler.
wolf, *pl.* **wolves** [wulf, –vz]. Kurd. Yemeği aç kurd gibi yutmak. **to cry ~,** yalan yere tehlike ilân etm.: **to have the ~ by the ears,** kurdu kulaklarından yakalamak (tehlikeli bir vaziyet, hem tutması tehlikeli hem salıvermesi): **to keep the ~ from the door,** (ailesini vs.) açlıktan korumak: ⌜**a ~ in sheep's clothing**⌝, koyun postuna girmiş kurd. **~ish,** kurd gibi; vahşi, yırtıcı; açgözlü.
wolfram [ˈwulfrəm]. Tungstenli cevher, volfram.
wolverine [ˈwulvəˈriin]. Şimalî Amerikaya mahsus yırtıcı bir hayvan; kutub porsuğu (?).
wolves *bk.* **wolf.**
woman, *pl.* **-men** [ˈwumən, ˈwimin]. Kadın. **~hood,** kadınlık. **~ish,** kadın gibi. **~ize,** zamparalık etmek. **~kind.** kadın kısmı. **~ly,** kadına yakışır, iyi kadın gibi.
womb [wuum]. Rahim, döl yatağı.
wombat [ˈwombat]. Avustralyaya mahsus ve küçük bir ayıya benzeyen keseli bir hayvan.
women *bk.* **woman. ~folk,** kadınlar; kadın kısmı.
won *bk.* **win.**
wonder [ˈwʌndə*] Hayran olm.; şübhe veya meraka düşmek. Hayret; taaccüb; acibe. **I ~ whether ...,** acaba ...: **no ~ ...,** hayret edilmez; pek tabiî: **I ~ he was there,** orada olmasına şaştım: **I ~ if he was there,** acaba orada mıydı: **a nine days' ~,** kısa bir zaman için herkese hayret veren bir şey: **it's a ~ he wasn't killed,** ölmemiş

olması mucizedir: **I don't ~ you are annoyed,** ben de olsam kızarım: **I shouldn't ~ if he doesn't come,** gelmezse şaşmam: **'she'll soon find a husband.' 'I ~!',** 'Yakında bir koca bulur.' 'Pek zannetmem': **one of the Seven Wonders of the world,** acaibi seb'ai âlemden biri: **a ~ of delicate workmanship,** ince işçilik harikası: **he wasn't late today, for a ~,** bugün mucize kabilinden vaktinde geldi; **a little praise works ~s,** azıcık öğme mucize gibi tesir ediyor. **wonder-worker,** mucize yapan kimse.

wonderful [ˈwʌndəfəl]. Şayanı hayret; şaşılacak; fevkalâde. **~ to relate,** şaşılacak şey şudur ki.

wonderland [ˈwʌndəland]. Harikalar diyarı; son derece mahsullü memleket.

wonderstruck [ˈwʌndəstrʌk]. Şaşmiş, hayrete düşmüş.

wondrous [ˈwʌndrəs]. Hayret verici; acib, fevkalâde.

won't = will not.

wont [wount]. Alışmış, âdet edinmiş. Âdet, itiyad; mûtad. **according to his ~,** mûtadına göre: **to be ~ to do stg.,** bir şeyi yapmak âdetinde olmak. **~ed,** mûtad.

woo [wuu]. Kur yapmak; korta etm.; celbetmeğe çalışmak; elde etmeğe çalışmak.

wood [wud]. Odun, tahta, ağac, ahşab; küçük orman. **beer drawn from the ~,** fıçıdan çekilmiş bira: **wine in the ~,** fıçı şarabı: **touch ~!,** nazar değmesin; şeytan kulağına kurşun!: **to be unable to see the ~ for the trees,** esas mesele teferrüat içinde boğulmak: **we are not out of the ~ yet,** daha işin içinden çıkmadık. **wood-block,** kalıbla basma resim; kaldırım tahtası. **wood-carving,** tahta oyması; tahta oymacılık. **wood-pigeon,** tahtalı. **wood-pulp,** tahta hamuru. **wood-shed,** odunluk. **wood-wind,** tahtalı nefes çalgıları.

woodbine [ˈwudbain]. Yabani hanımeli; ucuz bir sigara.

woodchuck [ˈwudtʃʌk]. Amerikaya mahsus dağ faresi.

woodcock [ˈwudcok]. (*Scolopax rusticola*) Çulluk.

woodcraft [ˈwudkraaft]. Orman hayatı *ve bilhassa* avcılık bilgisi. **~sman,** şimalî Amerikada tuzak avcısı.

woodcut [ˈwudkʌt]. Tahta kalıbdan basılmış resim. **~ter,** tahta kalıbla resim basan; oduncu.

wooded [ˈwudid]. Ağaclı; ormanlık.

wooden [wudn]. Tahtadan yapılmış; ahşab; alık (yüz); kazık gibi (yürüyüş ve duruş); resmî: **the ~ spoon,** bir yarışta en son geleni verilen tahta kaşık.

woodland [ˈwudlənd]. Ağaclık; ormanlık.

woodlouse, *pl.* **-lice** [ˈwudlaus, -lais]. Tesbihböceği.

woodman, *pl.* **-men** [ˈwudmən]. Oduncu, ormancı.

woodpecker [ˈwudpekə*]. (*Picus, Dryobates*) Ağackakan.

woodwork [ˈwudwəək]. Bir binanın ahşab kısmı; marangozluk; dülgerlik. **~er,** marangoz, dülger.

woody [ˈwudi]. Haşebî; odun gibi; ormanlık.

wooer [ˈwuuə*]. Âşık; tâlib.

woof [wuuf]. Atkı, argac.

wool [wul]. Yün. **dyed in the ~,** dokunmadan evvel boyanmış; **dyed-in-the-~ communist,** koyu bir komünist: **steel ~,** çelik talaşı. **~len,** yünden yapılmış; yünlü: **~s,** yünlü elbiseler. **~liness,** yünlülük; kıvırcıklık; vuzuhsuzluk, mübhemlik. **~ly,** yünlü; kıvırcık, arabsaçı gibi; vuzuhsuz, mübhem; keskin olmıyan. **~pack,** yün balyası; büyük beyaz bulut. **~sack,** yün çuvalı: **the Woolsack,** Lordlar Kamarasında Lord Chancellor'un oturduğu yer: **to be raised to the ~,** Lord Chancellor olmak. **~work,** yün ile gergef işi. **wool-bearing,** yün hasıl eden (hayvan); yapağı olan. **wool-gathering,** dalgın(lık): **to go [be] ~,** dalıp gitmek; tonel geçmek.

word [wəəd]. Kelime, söz. Kelime ile ifade etmek. **~s** (*mus.*) güfte. **to bring ~,** haber vermek: **you give [say] the ~,** siz emredin!, siz söyleyin!: **the Word of God,** kitabı mukaddes: **to be as good as one's ~,** dediğini yapmak, sözünü tutmak: **~ for ~,** kelimesi kelimesine: **he never has a good ~ for anyone,** herkesi kötüler: **to have a ~ with s.o.,** (i) birisile görüşmek; (ii) birine bir çift söz söylemek: **to have ~s with s.o.,** birisile atışmak, münazaa etm.: **high ~s,** hiddetli sözler: **in a ~,** hulâsa, sözün kısası: **to have the last ~,** (i) bir münakaşada son sözü söylemek istemek; (ii) son söz birinin olm.: **a man of his ~,** sözünün eri: **I am a man of my ~,** söz bir, Allah bir: **you have taken the ~s out of my mouth,** ben de tam bunu söyliyecektim: **my ~!,** maşallah!, aman, ya rabbi!: **bad is not the ~ for it!,** bunu fena demek azdır: **in other ~s,** diğer tabirle: **~s have passed between them,** atıştılar: **to put in a good ~ for s.o.,** birinin lehinde bir şey söylemek: **may I put a ~ in?,** ben de bir şey söyliyebilir miyim?: **to send ~,** haber yollamak: **he told me in so many ~s, to go to Hell,** bana aynen 'cehennem ol!' dedi: **he did not say it in so many ~s,** aynen böyle demedi (fakat böyle demeğe getirdi): **take my ~ for it!,** sözüme inan: **I took you at your ~,** ben sizin sözünüze inandım [güvendim] de: **he is too stupid for ~s,** tarif edilmez derecede abdal: **upon my ~!,** vallahi!: ⌜**a ~ to the wise (is sufficient)**⌝, ⌜anlayana sivrisinek saz ...⌝; ârife tarif ne hacet. **word-book,** sözlük. **word-perfect,** rolünü tamamen ezberlemiş.

wording [ˈwəədiŋ]. Bir mektub veya bir nizamname vs.de kullanılan sözler. **we must be very careful about the ~ of the agreement,** anlaşmanın yazılış şekline çok dikkat etmeliyiz.

wordy [ˈwəədi]. Itnablı; çok uzun (söz veya yazı). **~ warfare,** söz kavgası.

wore *bk.* **wear.**

work[1] [wəək] *n.* İş; vazife; iş güç; çalısma; el işi; eser, kitab; istihkâm; **~s,** atölye, fabrika; (saat vs.nin) makinesi. **to be at ~,** iş başında olm.; çalışmakta olm.: **to have one's ~ cut out for one,** başında çok güç bir iş olmak: **it's all in the day's ~,** ne yapalım?, iş böyledir: **the poison had done its ~,** zehir tesir etti: **to go the right way to ~,** bir işe uygun usulle girişmek: **the ~s of God,** kâinat, tabiat: **to make ~ (unnecessarily),** (hiç yoktan) iş çıkarmak: **Public Works,** nafia işleri: **to set [get] to ~,** işe girişmek: **to set s.o. to ~,** birini bir işe oturtmak.

work[2] *vb.* (**worked** [wəəkt], *bazı tabirlerde* **wrought** [root]). Çalışmak; iş görmek; işlemek; tesir yapmak; yavaşça hareket etm., oynamak. Çalıştırmak; işletmek; meydana getirmek; şekil vermek. **to ~ at history,** tarihe çalışmak: **to ~ a district,** (bir şirket memuru vs.) bir bölgeden mesul olm.: **he ~ed himself into a rage,** üzerinde dura dura [kura kura] gittikçe hiddetlendi: **to ~ loose,** laçka olm., yerinden çıkmak: **we must have some more facts to ~ on,** üzerinde işlemek için daha fazla vakialara ihtiyacımız var: **to ~ one's passage,** yol ücretini gemide çalişarak ödemek: **my plan did not ~,** plânım muvaffak olmadı. **work in,** içine işlemek, nüfuz etmek. **work off,** gidermek; (somun vs.) oynıyarak yerinden çıkmak: **to ~ off one's anger on s.o.,** öfkesini birinden almak: **to ~ off one's fat,** çalışıp veya idman edip zayıflamak. **work on,** tesir etmek. **work out,** yapıp bitirmek; halletmek; işliye işliye çıkarmak; hesab etm.: tedricen çıkmak, yerinden oynamak: **(apprentice) to ~ out his time,** (çırak) muayyen müddeti doldurmak: **it ~ed out very well for me,** sonunda benim menfaatime uygun geldi: **how much does it ~ out at?,** kaça çıkar? **work up,** hazırlamak; kullanıp bir şeye yaratmak: **what are you ~ing up to?,** sözü nereye getirmek istiyorsun?: **to get ~ed up,** heyecanlanmak: **he ~ed himself up into a temper,** konuştukça vs. hiddetlendi: **the symphony ~s up to a magnificent finale,** senfoni tedricen muhteşem bir finaleye doğru inkişaf ediyor.

workable [ˈwəəkəbl]. İşlenebilir; kullanılabilir; tatbik edilebilir.

workaday [ˈwəəkədei]. Âdi günlerde kullanılan; bayağı. **~ clothes,** gündelik elbise: **this ~ world,** bu yeknesak cansıkıcı dünya.

worker [ˈwəəkə*]. İşçi, amele. **he is a hard ~,** çok çalışkandır: **a ~ of miracles,** mucize yapan kimse. **worker-bee,** işçi arı.

workhouse [ˈwəəkhaus]. Darülâceze; düşkünler evi. **to bring s.o. to the ~,** birini yoksul etm., dilenciye çevirmek.

working [ˈwəəkiŋ]. İş gören; işe aid; işliyen. İşleme. **~ agreement,** işbirliği anlaşması; muvakkat anlaşma şekli: **~ capital,** mütedavil sermaye: **the ~ classes,** işçi sınıfı: **~ clothes,** iş elbisesi: **~ day,** iş günü: **~ expenses,** umumî masraflar: **~ majority,** kâfi ekseriyet: **a ~ man,** işçi sınıfına mensub adam: **~ party,** ekip: **not ~,** çalışmayan; işlemiyen, bozuk.

workman, *pl.* **-men** [ˈwəəkmən]. İşçi, amele. **~like,** iyi yapılmış, başarılı; üstad elinden çıkmış. **~ship,** sanatkârlık, işçilik.

workpeople [ˈwəəkpiipl]. İşçiler.

workshop [ˈwəəkʃop]. Atölye.

world [wəəld]. Dünya; cihan; âlem; herkes. **a ~ of ...,** pek çok: **a ~ of money,** dünya kadar para: **all the ~,** herkes: **all the ~ and his wife were there,** bütün sosyete [belli başlı] herkes orada idi: **for all the ~ like ...,** tıpkı ... gibi: **I would not do it for all the ~,** dünyayı verseler yapmam: **you have the ~ before you,** önünde koca bir hayat var: **to go to a better ~,** bu dünyaya gözünü yummak: **all the difference in the ~,** dağlar kadar fark: **to come down in the ~,** ictimaî mevkice vs. düşmek: **~ without end,** ebediyen: **this ~'s goods,** dünyalık: **he is not long for this ~,** çok yaşamaz: **a man of the ~,** görmüş geçirmiş adam: **the next [other] ~, the ~ to come,** ahret: **one who has seen the ~,** dünya görmüş adam; feleğin cemberinden geçmiş: **to think the ~ of s.o.,** birini son derece sevmek veya fevalâde takdir etm.: **what in the ~ are you doing?,** ne yapıyorsun, yahu? **~liness,** dünyaperestlik. **~ling,** dünyaperest.' **~ly,** dünyevi; dünyaperest; maddî. **world-wide,** âlemşumul.

worm[1] [wəəm] *n.* Solucan; kurd; helezon. **to have ~s,** karnında şerid [kurd] bulunmak: ⌜**even a ~ will turn**⌝, en pısırık adam bile ancak bir hadde kadar sabreder: **he 's rather a ~,** miskinin [pısırığın] biridir.

worm-cast, solucan gübresi yığını. **worm-gear,** bir helezonu işleten dişli çarklı cihaz, sonsuz vida dişlisi. **worm-powder,** solucan ilâcı.

worm² *vb.* **to ~ (oneself, one's way) through undergrowth,** *etc.*, çalılar vs. arasından kaymak: **to ~ oneself into s.o.'s favour,** hile veya dalkavukluk ile birine sokulmak: **to ~ a secret out of s.o.,** hile ile sırrını ağzından kapmak.

wormeaten [ˈwəəmiitn]. Kurd yenikli.

wormwood [ˈwəəmwud]. Pelin otu; acı veya nahoş bir şey.

worn [woon] *bk.* **wear.** Yıpranmış, aşınmış. **~ out,** bitkin, pek yorgun; eskimiş, kurada.

worried [ˈwʌrid] *bk.* **worry.** Tasalı; efkârlı; kaygılı.

worry [ˈwʌri]. Tasa, kaygı, üzüntü, sıkıntı. Musallat olm.; üzmek, tasa etmek. Üzülmek; efkârlı olm., endişeli olm.; tasa çekmek; (köpek koyunları) hırpalamak; (köpek sıçanı) ışırıp sarsmak. **to ~ along (somehow),** yuvarlanıp gitmek (*mec.*): **please don't ~!,** zahmet etmeyin!: **to ~ the life out of s.o.,** birinin başının etini yemek: **to ~ oneself,** üzülmek; beyhude yere üzüntüye girmek: **don't ~ yourself!,** kalbini bozma!: ***he*** **has nothing to ~ about,** onun tuzu kuru.

worse [wəəs]. Daha fena. **to go from bad to ~,** gittikçe fenalaşmak: **it is getting ~ and ~,** gittikçe fenalaşıyor: **to make matters ~..., and what's ~...,** üstelik, bu da yetmezmiş gibi ...: **he was none the ~ for his long journey,** memûl hilâfına bu uzun yolculuk ona hiç tesir etmedi: **I think none the ~ of you for refusing,** bunu kabul etmediniz diye size karşı hislerim değişmedi (*bazan bu cümle takdir makamına kullanılır*): **he got off with nothing ~ than a wetting,** bir ıslanmakla kurtuldu: **he is ~ off now than he was ten years ago,** on sene evveline nisbetle maddî vaziyeti daha fenadır: **so much the ~ for him!,** yazıklar olsun ona!: **he is in a ~ way than you,** sizden daha fena bir vaziyettedir.

worsen [ˈwəəsən]. Daha fena hale koymak. Fenalaşmak.

worship [ˈwəəʃip]. Tapmak; perestiş olmak. Tapınmak; ibadet etmek. İbadet; tapınma. **His Worship,** *belediye reislerine verilen ünvan.* **~ful,** pek muhterem (*um. müstehzi*); tapıcı. **~per,** tapan; tapınan; ibadet eden.

worst¹ [wəəst]. En fena. En fena şey, hal vs. **the ~ of the winter is over,** kışın en şiddetli kısmı geçti: **if the ~ comes to the ~,** pek sıkışırsan; pek sıkıya gelirse: **to get the ~ of it,** altta kalmak, alt olm.: **do your ~!,** elinden geleni arkana koyma!

worst² *vb.* Yenmek, mağlub etmek. **to be ~ed,** altta kalmak.

worsted *a.* [ˈwustid]. Yün iplik; yün iplikten örülmüş.

worth [wəəθ]. Kıymet; değer; kadir. Değer, eder. **to be ~ ..., ...** değmek: **he is ~ £10,000,** on bin liralık adamdır: **to die ~ a million,** bir milyon bırakarak ölmek: **to do stg. for all one is ~,** bir şeyi bütün kuvvetile yapmak: **it would be as much as my life is ~ to do this,** bunu ancak hayatım pahasına yapabilirim; **it is ~ the money,** bu fiata değer: **to get one's money's ~,** sarfettiği paranın değerini çıkarmak: **give me a shilling's ~ of cheese,** bana bir şilinlik peynir veriniz: **I tell you this for what it is ~,** pek mühim değil (*bazan,* doğru olup olmadığını bilmiyorum) fakat size söyliyeyim: **~ while,** değer, dişe dokunur: **it isn't ~ while,** değmez. **~less,** değersiz; beş para etmez.

worth·y [ˈwəəði]. Müstahak; yakışır; şayan; lâyik; değerli. **to be ~ of stg.,** bir şeye müstahak [lâyik] olm.: **a ~ man,** değerli bir adam; kendi halinde bir adam: **that is not ~ of you,** o sana yakışmaz; bunu sana hiç yakıştırmam: **~ of respect,** şayanı hürmet: **a ~ successor,** hayrühalef: **the village worthies,** köyün ileri gelenleri, kodamanları. **~iness,** liyakat; değer.

wot *bk.* **wit.**

would [wud]. **will** *fiilin mazi siygası. Mazi istikbal ifade etmek için* **will** *yerine kullanılır, mes.* **they said they ~ do it at once,** derhal yapacaklarını söylediler. *Şart cümlelerinde de kullanılır, mes.* **if you ate this you ~ die,** bunu yerseniz ölürsünüz: **if you had invited me I ~ have come,** beni davet etseydiniz gelirdim. *Bazan itiyad ifade eder, mes.* **he ~ come and see me every week,** her hafta beni görmeğe gelirdi: **~ you kindly shut the door?,** lûtfen kapıyı kapar mısınız?: **~ (to heaven) it were not true,** keşki doğru olmasaydı: **it *would* rain today!,** aksi gibi bugün yağmur yağıyor: **the wound ~ not heal,** yara bir türlü iyi olmuyordu: **I ~ I were rich,** keşki zengin olsam. **would-be,** ... taslağı; sözüm ona.

wound¹ [wuund]. Yara; ceriha; acı. Yaralamak. **to ~ s.o.'s feelings,** birinin kalbini [hatırını] kırmak.

wound² *bk.* **wind³.**

wove *bk.* **weave.** **~n** *bk.* **weave.** Dokuma.

wrack [rak]. (i) = **rack,** harabiyet; (ii) dalga tarafından sahile atılan şeyler; deniz yosunu, varek, ketencik.

wraith [reiθ]. Birisinin ölmünden evvel veya biraz sonra görülen hayali; hayalet.

wrangle [ˈraŋgl]. Münazaa, kavga; ağız dalaşı. Münazaa etmek. **~r,** nizacı;

Cambridge üniversitesinde riyaziye imtihanında birinci derece kazananlardan biri.

wrap [rap]. Şal, atkı vs. gibi örtü. Sarmak; örtmek; ambalaj yapmak. **to ~ stg. up in paper,** bir şeyi kâğıda sarmak: **to ~ oneself up,** sarınmak; (soğuk havada) iyi giyinmek. **~ped, affair ~ in mystery,** esrara bürünmüş şey: **~ in meditation,** tefekküre dalmış: **~ up,** kâğıd, bez vs.de sarılmış; şal, manto vs. ile örtülmüş. **~per,** saran şey; yeni bir kitabın dış kabı. **~ping,** sargı, ambalaj. **~t** *bk.* **wrapped.**

wrath [rooθ]. Öfke, hiddet. **the Day of Wrath,** kıyamet günü. **~ful,** öfkeli, gazablı.

wreak [riik]. **to ~ one's wrath on s.o.,** hiddetini birisinden çıkarmak: **to ~ vengeance on s.o.,** birisinden öc almak.

wreath [riiθ] *n.* Çelenk. **~e** [riið] *v.* Çelenklerle bezemek; sarıp örtmek. (Duman vs.) çelenk şeklinde olarak savrulmak. **his face was ~d in smiles,** yüzü tebessümlerle kaplı idi.

wreck[1] [rek] *vb.* (Gemiyi) karaya oturtup kazaya uğratmak; (plân, proje, iş vs.yi) bozmak, baltalamak, suya düşürmek. **to be ~ed,** kazazede olm.; karaya oturup tahrib olunmak; muvaffakiyetsizliğe uğramak.

wreck[2] *n.* Geminin kazası; kazazede gemi; gemi leşi; enkaz; harab olmuş kimse. **he is a perfect ~,** sıhhati mahvolmuştur: **to be a nervous ~,** sinirleri harab olmak. **~age,** denizin sahile attığı enkaz; enkaz. **~er,** soygunculuk için gemileri kazaya uğratan kimse; bir treni raydan çıkaran kimse; bir teşebbüsü baltalayan kimse.

wren[1] [ren]. (*Troglodytes*) Çalı [çit] kuşu.

wren[2]. = **Womens' Royal Naval Service,** İngiliz bahriyesinde hizmet gören kadın.

wrench [rentʃ]. Burkulma; vida anahtarı, ingiliz anahtarı; (*mec.*) acıklı bir ayrılma. Burkmak; zorla yerinden koparmak.

wrest [rest]. Bükmek, zorlamak; zorla çevirip sökmek; zabtetmek. **to ~ from its meaning,** ···e ters mana vermek.

wrestl·e [ˈresl]. Güreşmek; uğraşmak. **to ~ with,** (bir müşkülü vs.) yenmeğe çalışmak. **~er,** güreşçi, pehlivan. **~ing,** güreş, pehlivanlık.

wretch [retʃ]. Biçare adam; habis herif, 'aynasız'. **~ed** [ˈretʃid], biçare, bedbaht; sefil; miskin; alçak; acınacak: **I'm feeling pretty ~,** hiç keyfim yok: **I can't find the ~ thing,** bu Allahın belâsını bulamıyorum: **~ weather,** berbad hava.

wrick [rik]. Burkulma, bükülme. Burkmak.

wriggle [ˈrigl]. Solucan gibi kıvrılma(k); kıvrıla kıvrıla yürüme(k). **to ~ into s.o.'s favour,** ustalıkla birinin gözüne girmek: **to ~ one's way out [through, into],** kıvrıla kıvrıla çıkmak [geçmek, sokulmak]: **to ~ out of a difficulty,** bir müşkülden meharetle sıyrılıp çıkmak: **to try to ~ out of it,** bir kaçamak yolu bulmak.

wring (**wrung**) [riŋ, rʌŋ]. Bükerek sıkma(k); bükerek kırma(k); sıkmak. **to ~ a bird's neck,** bir kuşun boynunu büküp öldürmek: **to ~ one's hands,** heyecanla ellerini sıkmak, oğuşturmak: **to ~ stg. out of s.o.,** tazyik veya hile ile bir sır vs.yi söyletmek. **~ing, ~wet,** sırsıklam: **~ machine** veya **~er,** çamaşır mengenesi.

wrinkle [ˈriŋkl]. Buruşuk, kırışık. Buruşturmak, kırıştırmak; pörsütmek. **to give s.o. a ~,** (bir iş hakkında) birine faydalı bir tavsiye vermek. **~d,** buruşuk; pörsük.

wrist [rist]. Bilek. **~band,** elbisenin bilek kısmı, yen. **~let,** bilezik; bilek sargısı: **~ watch,** kol saati. **wrist-watch,** kol saati.

writ [rit]. Yazı; ferman, buyruldu; hukukî emir. Yazılmış. **Holy Writ,** kitabı mukaddes: **~ large,** büyük harflerle yazılmış; hakkında yanılınmaz: **his ~ does not run here,** onun emirleri burada geçmez: **to serve a ~ on s.o.,** birine bir mahkeme emrini tebliğ etmek.

write (**wrote, written**) [rait, rout, ritn]. Yazmak; muharrirlik etmek. **to ~ for stg.,** bir şeyi mektubla ısmarlamak veya gönderilmesini istemek: **guilt is written all over him,** suçluluk üstünden akıyor: **it's nothing to ~ home about,** (*kon.*) hiç bir fevkalâdeliği yok. **write back,** mektubla cevab vermek. **write down,** yazmak, kaydetmek, not etm.; yazı ile itibarden düşürmek; bir şirketin itibarî sermayesini azaltmak; **I wrote him down as a fool,** onun numarasını verdim, abdallığını anladım. **write in,** (bir yazıya bir kelimeyi) dercetmek. **write off,** yazıvermek, çızıktırmak; çizmek; ibtal etm.: **to ~ off a bad debt,** bir alacak hesabını silmek: **to ~ off capital,** defterde gösterilen sermayeyi indirmek: **to ~ off so much for wear and tear,** aşınma için şu kadar tenzil etm.: **you can ~ that off!,** bunun üstüne soğuk su iç!, bunu unut! **write out,** suretini yazmak: **to ~ stg. out in full,** kısaltmasını yazmıyarak tamamını yazmak: **to ~ out a prescription, a cheque,** reçete, çek yazmak: **to ~ oneself out,** yazma kudretini tüketmek. **write up,** (bir mevzuu) kaleme almak; yazı ile medhetmek; (bir defter vs.yi) ikmal etmek.

writer [ˈraitə*]. Muharrir; müellif. **to be a good ~,** iyi bir muharrir olm.; iyi hattat olmak.

writhe [raið]. Ağrıdan kıvranmak, debelenmek.

writing [ˈraitiŋ]. El yazısı; yazma; eser. **to answer in ~,** yazı ile cevab vermek. **writing-pad,** sumen; bloknot.

written [ˈritn] *bk.* **write.**

wrong [roŋ]. Yanlış, hatalı, doğru olmıyan; ters; yanılmış; haksız, kötü; insafsız. Haksızlık; gadir; günah. Günahına girmek; hakkını yemek; ···e haksız muamele etmek. **to be ~,** yanılmak, hata etm.; haksız olm.: **to be in the ~,** haksız tarafta olm.; kabahatli olm.: **to do s.o. a ~, to do a ~ to s.o.,** birine bir haksızlık yapmak; birinin günahına girmek: **to go ~.** (insan) yanılmak; baştan çıkmak; (şey) bozulmak; berbad olm., işlememek: **I hope there's nothing ~,** hayrola!; inşallah fena bir havadis yok!: **to be in the ~ place,** yanlış yerde olm.; yerinin adamı olmamak: **to put s.o. in the ~,** (i) birini haksız çıkarmak; (ii) haksız bir mevkie koymak: **to be on the ~ side of forty,** kırkını aşmış olm.: **the ~ side of a material,** bir kumaşın ters yüzü: **to be ~ side up,** ters çevrilmek: **to say the ~ thing,** pot kırmak: **to take a ~ turning,** yanlış yola sapmak: ⌜**two ~s don't make a right**⌝, haksızlığa haksızlıkla mukabele etme: **the ~ way round,** ters: **(food) to go down the ~ way,** (yemek) genzine kaçmak: **what's ~ with you?,** size ne oldu?; neniz var?: **what's ~ with the bicycle?,** (i) bu bisikletin neresi bozuk?; (ii) bu bisikletin suyu mu çıktı?: **what's ~ with this place?,** bu yerin ne kusur var?; bu yerin suyu mu çıktı?: **there's something ~ with him,** ona bir hal oldu; bu adamın şübheli bir tarafı var. **wrong-headed,** yanlış fikirli; inadcı, ters.

wrongdo·er [roŋˈduuə*]. Günahkâr; mücrim; kabahat yapan kimse, kanunu ihlâl eden kimse. **~ing,** haksızlık; kabahat, günah; kanunu ihlâl etme.

wrongful [ˈroŋfəl]. Haksız, insafsız, kötü; hatalı.

wrote *bk.* **write.**

wroth [rouθ]. Öfkeli.

wrought [root] *bk.* **work.** İşlenmiş. **to be ~ up,** heyecanlanmış olm.: **~ iron,** dövme demir.

wrung *bk.* **wring.**

wry [rai]. Çarpık, iğri. **to make a ~ face,** yüzünü ekşitmek; dudak bükmek.

wryneck [ˈrainek]. (*Jynx torquilla*) Boyunburan (?).

wyandotte [ˈwaiəndot]. Bir cins kümes tavuğu.

wych-elm [ˈwitʃelm]. Bir nevi karaağac.

X

X [eks]. X harfi. **X-rays,** Röntgen şuaı.

xenon [ˈzenon]. Ksenon.

xenophob·e [ˈzenəfoub]. Ecnebi düşmanı. **~ia** [–ˈfoubliə], ecnebi düşmanlığı.

Xmas = **Christmas,** noel.

X-ray [eksˈrei]. Röntgen şuaına aid. Röntgenini almak.

xylonite [ˈzailənait]. Sellüloit.

xylophone [ˈzailoufoun]. Tahta çubuklardan tertib olunan bir çalgı; ksilofon.

Y

Y [wai]. Y harfi.

yacht [jot]. Yat, tenezzüh gemisi. Yat ile seyahat yapmak. **~ing,** kotracılık. **~sman,** *pl.* **-men,** yat sahibi; yelkenli kayıkla spor yapan kimse.

yah [jaa]. *İstihza nidası.*

yahoo [jaaˈhou]. İnsan şeklinde hayvan; hantal, kaba kimse.

yak [jak]. Yak denilen hayvan.

yam [jam]. Hind patatesi (?), ignam.

yamen [ˈjamen]. Büyük Çin memurunun resmî dairesi.

yank [jaŋk]. Hızlı çekmek.

Yank = **Yankee.**

Yankee [ˈjaŋki]. Amerikalı.

yap [jap]. (*ech.*) Küçük bir köpek gibi havlama(k).

yard¹ [jaad]. Yarda; 3 kadem, 36 pusluk bir İngiliz ölçüsü (0·914 metre); (*den.*) seren. **to man the ~s,** selâmlık veya geçid resmi için tayfayı serenlerde durdurmak. **yard-arm,** seren ucu. **yard-stick,** 1 yarda uzunluğunda ölçü; (*mec.*) ayar, miyar.

yard². Avlu; tersane; saha; açık havadaki depo. **coal ~,** kömür deposu: **goods ~,** demiryolu eşya deposu: **repair ~,** (*den.*) tamir tezgâhı, tersane.

yarn¹ [jaan]. Dokuma iplik; kınnap. **spun ~,** ısparçına.

yarn². Hikâye; maval. Masal söylemek. **to have a ~** ,hoşbeş etm.; yârenlık etm.: **to spin a ~,** hikâye söylemek; maval okumak: **it's no good spinning those ~s to me!,** o numaralar bize geçmez; bana maval okuma!

yarrow [ˈjarou]. (*Achillea millifolium*) Civan perçemi.
yaw [joo]. (Gemi) sağa sola sapma(k).
yawl [jool]. İki direkli arka direği dümenin arkasında olan yelkenli.
yawn [joon]. Esneme(k). **to ~ one's head off,** çenesi düşecekmiş gibi esnemek: **a precipice ~ed at his feet,** önünde bir uçurum açıldı. **~ing,** ağzı açık ve geniş: esneyiş.
yclept [iˈklept]. (*esk. veya şak.*) Adlı, ... isminde.
ye [jii]. (*esk.*) Siz.
yea [jei]. Evet; hem de.
year [jiə*]. Sene, yıl; yaş. **~ after ~,** her sene üstüste: **to be getting on (in ~s),** yaşlanmak: **~ in ~ out,** bütün sene zarfında: **he was in my ~,** (üniversite vs.ye) aynı sene girdik: **to be 20 ~s old,** yirmi yaşında olm.: **he is old for his ~s,** (i) yaşlı gösteriyor; (ii) (çocuk) yaşına göre büyük. **~ling,** bir yaşında (hayvan). **~ly,** senede bir kere veya her sene vukubulan. **year-book,** salname, yıllık. **year-long,** bir sene süren.
yearn [jəən]. **to ~ for [after],** hasret çekmek, özlemek, çok arzu etmek.
yeast [jiist]. Bira mayası; ekmek mayası. **~y,** köpüklü, maya gibi; maya gibi işliyen, heyecanlı; köpüklü, boş (söz vs.).
yell [jel]. Avazı çıktığı kadar bağırmak; yırtınmak. Feryad, bağırma, çığlık.
yellow [ˈjelou]. Sarı (renk); (*Amer. arg.*) korkak. **to turn [go] ~,** sararmak: **~ fever,** sarı humma: **~ jack,** (i) sarı humma; (ii) karantina flâması. **~ish,** sarımsı.
yellowhammer [ˈjelouhamə*]. (*Emberiza citrinella*) Floryaya benzer sarımsı bir kuş.
yelp [jelp]. Vurulmuş köpeğin kısa ve keskin bağırması. Böyle bağırmak.
yeoman [ˈjoumən]. Küçük mülk sahibi yahud çiftçi; bahriyede levazıma bakan veya işaretleri idare eden küçük zabit; **yeomanry**'ye mensub asker. **~ service,** dürüst ve gayretli hizmet: **Yeoman of the Guard,** *bk.* **beefeater.** **~ry,** çiftçi sınıfı; İngiliz ordusunda gönülü süvari alayı.
yes [jes]. Evet. **yes-man,** evetefendimci.
yesterday [ˈjestədei]. Dün. **the day before ~,** evvelki gün.
yet [jet]. Daha; henüz; hâlâ; ancak; lâkin. **as ~,** şimdiye kadar: **it is strange ~ true,** garibdir fakat doğrudur.
yew [juu]. (*Taxus*) Porsuk ağacı.
Yiddish [ˈjidiʃ]. İbranice ile karışık bir alman lehçesi.
yield[1] [jiild]. Mahsul; mahsulün mikdarı; hasılat; irad; kazanc. Hasıl etm.; mahsulü olm.; vermek.
yield[2]. Teslim olm.; ramolmak; gevşemek, esnemek; kapılmak. Teslim etm.; terketmek. **to ~ to temptation,** iğvaya kapılmak: **to ~ up the ghost,** ölmek: **I ~ to none in admiration of his work,** onun eserini takdirde kimseden geri kalmam. **~ing,** yumuşak; gevşek; uysal.
yodel [ˈjoudl]. Tirol usulünce boğazdan çıkarılan seri seslerle taganni etmek.
yoke [jouk]. Boyunduruk; sakaların omuz sırığı; bir gömlek veya korsajın üst tarafına eklenen parçası; bir kayığın ip ile kullanılan dümen yekesi; iki kısım eklenen parça. Boyunduruğa koşmak. **to cast [throw] off the ~,** boyunduruktan kurtulmak: **a ~ of oxen,** bir çift öküz.
yokel [ˈjoukl]. Köylü; hödük.
yolk [jouk]. Yumurta sarısı.
yon(der) [jon(də*)]. Şurada(ki); ötede(ki); orada(ki).
yore [joo*]. Eski zaman. **of ~,** eskiden, eski zamanda.
Yorkshire [ˈjookʃə*]. En büyük İngiliz kontluğun ismi. **~ pudding,** kızarmış sığır eti ile yenilen bir nevi hamur işi.
you [juu]. Sen, siz; seni, sizi; sana, size. **~ (there)!,** hey!, bana bak!: **if I were ~,** sizin yerinizde olsam.
young [jʌŋ]. Genc. Yavru. **with ~,** gebe: **Young England,** bugünkü İngiliz gencleri: **~ Mr. Jones,** (i) genc Mr. J.; (ii) Mr. Jones 'in oğlu; J. kardeşlerden küçüğü: **~ man,** delikanlı: **my ~ man [woman],** sevgilim: **the day [night, year] is ~ yet,** daha günün vs. başındayız: **I am not as ~ as I was,** eskisi gibi genc değilim. **~er,** daha genc: **~ son,** küçük oğul: **you are looking years ~,** maşallah çok gencleşmişsiniz!: **when I was forty years ~,** kırk sene evvel (gencliğimde). **~ster** [ˈjʌŋstə*], çocuk; delikanlı.
your [joo*]. Senin; sizin. **you cannot alter ~ age,** kimse yaşını değiştiremez: **~ true patriot will die for his country,** hakikî vatanperver vatanın uğrunda canını verir; (*bu gibi cümlelerde* **you** '*umumiyetle*' *manasına gelir*). **~s,** seninkı, sizinki: **is he a friend of ~?,** o sizin dostlarınızdan mı?: **that is a bad habit of ~,** bu sizin fena bir âdetiniz. **~self** [jooˈself], kendin, kendiniz (*bir kimse hakkında*): **~selves,** kendiniz (*iki veya fazla kimse hakkında*).
youth [juuθ]. Genclik; genc bir adam, delikanlı; gencler. **~ful,** genc; genc gibi.
yowl [jaul]. (*ech.*) Miyavlamak; ürümek.
yucca [ˈjʌka]. Yukka.
Yule [juul]. Noel. **yule-log,** Noel yortusunda yakılan kütük. **yule-tide,** Noel yortusu.

Z

Z [zed]. Z harfi.
zany [ˈzeini]. Soytarı; budala.
Zarathustra [ˌzaraˈθuustra]. Zerdüşt.
zeal [ziil]. Gayret, gayretkeşlik, himmet, tehalük, hamiyet. ~**ot** [ˈzelot], mutaassıb; fazla derecede gayretkeş. ~**ous** [ˈzeləs], gayretkeş, hamiyetli.
zebra [ˈziibra]. Afrikaya mahsus derisi yollu yaban eşeği.
zebu [ˈziibuu]. Hörgüclü Hind öküzü.
zenana [zeˈnaana]. Hindistanda harem dairesi.
zenith [ˈzeniθ]. Semtürres; evc. **at the ~ of his career,** meslek hayatının zirvesinde.
zephyr [ˈzefə*]. Sabah rüzgârı, saba, pek hafif rüzgâr: pek ince spor gömleği; pek hafif kumaş.
zero [ˈziərou]. Sıfır. ~ **hour,** (*ask.*) bir taarruz vs.nin başlayacağı saat.
zest [zest]. Tad, lezzet; hoşnudluk; tehalük, şevk.
zigzag [ˈzigzag]. Zikzak. Zikzak yapmak.
zinc [ziŋk]. Çinko, tutya. Çinko ile kaplamak.
Zion [ˈzaiən]. Eski Kudüste mukaddes bir tepe; Kudüs; cennet. ~**ist,** Siyonist.
zip [zip]. (*ech.*) Havada giden bir kurşunun sesi ve ona benzer ses. **zip-fastener,** 'zipli' kapak vs.
zither [ˈziθə*]. 30–40 teli olan ve mızrabla çalınan çalgı.
zodiac [ˈzoudiak]. Burclar mıntakası.
zonal [ˈzounəl]. Bir mıntakaya aid; mıntakalara taksim edilen.
zone [zoun]. Mıntaka.
zoo [zuu] = **zoological garden,** vahşi hayvanlar bahçesi.
zoolog·y [zuuˈolədʒi]. Hayvanat ilmi, zooloji. ~**ical** [–ˈlodʒikl], hayvanat ilmine aid. ~**ist** [–ˈolədʒist], hayvanat âlimi, zoolog.
zoom [zuum]. (*ech.*) (Uçak) birdenbire ve pek hızlı yukarıya çıkmak; bu hareketin gümbürtüsü.
zoophyte [ˈzuuofait], Nebatî hayvan (deniz gülü gibi).
Zouave [ˈzuuaav]. Zuhaf askeri.
zymotic [zaiˈmotik]. Sâri (hastalıklar).

PRINTED IN
GREAT BRITAIN
AT THE
UNIVERSITY PRESS
OXFORD
BY
CHARLES BATEY
PRINTER
TO THE
UNIVERSITY